# Thaïlande

China Williams

Mark Beales, Tim Bewer, Catherine Bodry,

Austin Bush, Brandon Presser

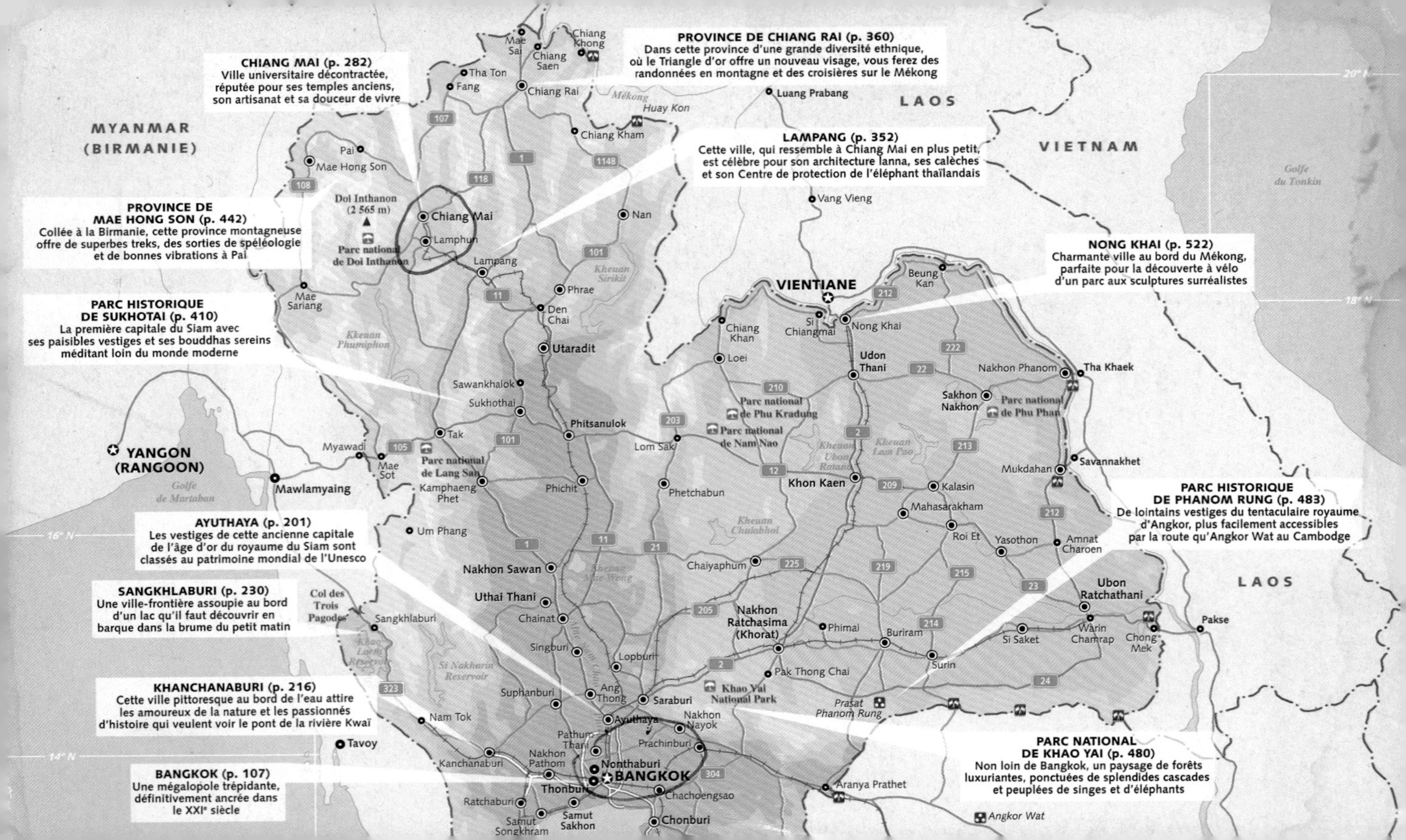

CHIANG MAI (p. 282)
Ville universitaire décontractée, réputée pour ses temples anciens, son artisanat et sa douceur de vivre
PROVINCE DE CHIANG RAI (p. 360)
Dans cette province d'une grande diversité ethnique, où le Triangle d'or offre un nouveau visage, vous ferez des randonnées en montagne et des croisières sur le Mékong
LAMPANG (p. 352)
Cette ville, qui ressemble à Chiang Mai en plus petit, est célèbre pour son architecture lanna, ses calèches et son Centre de protection de l'éléphant thaïlandais
PROVINCE DE MAE HONG SON (p. 442)
Collée à la Birmanie, cette province montagneuse offre de superbes treks, des sorties de spéléologie et de bonnes vibrations à Pai
NONG KHAI (p. 522)
Charmante ville au bord du Mékong, parfaite pour la découverte à vélo d'un parc aux sculptures surréalistes
PARC HISTORIQUE DE SUKHOTAI (p. 410)
La première capitale du Siam avec ses paisibles vestiges et ses bouddhas sereins méditant loin du monde moderne
PARC HISTORIQUE DE PHANOM RUNG (p. 483)
De lointains vestiges du tentaculaire royaume d'Angkor, plus facilement accessibles par la route qu'Angkor Wat au Cambodge
AYUTHAYA (p. 201)
Les vestiges de cette ancienne capitale de l'âge d'or du royaume du Siam sont classés au patrimoine mondial de l'Unesco
SANGKHLABURI (p. 230)
Une ville-frontière assoupie au bord d'un lac qu'il faut découvrir en barque dans la brume du petit matin
KHANCHANABURI (p. 216)
Cette ville pittoresque au bord de l'eau attire les amoureux de la nature et les passionnés d'histoire qui veulent voir le pont de la rivière Kwaï
PARC NATIONAL DE KHAO YAI (p. 480)
Non loin de Bangkok, un paysage de forêts luxuriantes, ponctuées de splendides cascades et peuplées de singes et d'éléphants
BANGKOK (p. 107)
Une mégalopole trépidante, définitivement ancrée dans le XXIe siècle
MYANMAR (BIRMANIE)
LAOS
VIETNAM
Golfe du Tonkin
Golfe de Martaban
YANGON (RANGOON)
VIENTIANE
BANGKOK
Mae Sai
Chiang Saen
Chiang Khong
Tha Ton
Fang
Chiang Rai
Mékong
Huay Kon
Luang Prabang
Chiang Kham
Pai
Mae Hong Son
Doi Inthanon (2 565 m)
Parc national de Doi Inthanon
Chiang Mai
Lamphun
Lampang
Nan
Vang Vieng
Phrae
Den Chai
Mae Sariang
Kheuan Phumiphon
Kheuan Sirikit
Utaradit
Sawankhalok
Sukhothai
Tak
Phitsanulok
Myawadi
Mae Sot
Parc national de Lang Sang
Kamphaeng Phet
Mawlamyaing
Phichit
Um Phang
Nakhon Sawan
Uthai Thani
Chainat
Col des Trois Pagodes
Sangkhlaburi
Si Nakharin Reservoir
Singburi
Lopburi
Suphanburi
Ang Thong
Saraburi
Ayuthaya
Nam Tok
Tavoy
Kanchanaburi
Nakhon Pathom
Pathum Thani
Nonthaburi
Thonburi
Ratchaburi
Samut Songkhram
Samut Sakhon
Chachoengsao
Chonburi
Prachinburi
Nakhon Nayok
Lom Sak
Phetchabun
Kheuan Chulabhorn
Chaiyaphum
Nakhon Ratchasima (Khorat)
Pak Thong Chai
Khao Yai National Park
Phimai
Buriram
Prasat Phanom Rung
Aranya Prathet
Angkor Wat
Chiang Khan
Loei
Si Chiangmai
Nong Khai
Beung Kan
Udon Thani
Parc national de Phu Kradung
Parc national de Nam Nao
Khon Kaen
Kheuan Lam Pao
Nakhon Phanom
Tha Khaek
Sakhon Nakhon
Parc national de Phu Phan
Savannakhet
Mukdahan
Kalasin
Mahasarakham
Roi Et
Yasothon
Amnat Charoen
Ubon Ratchathani
Warin Chamrap
Si Saket
Surin
Chong Mek
Pakse
20° N
18° N
16° N
14° N

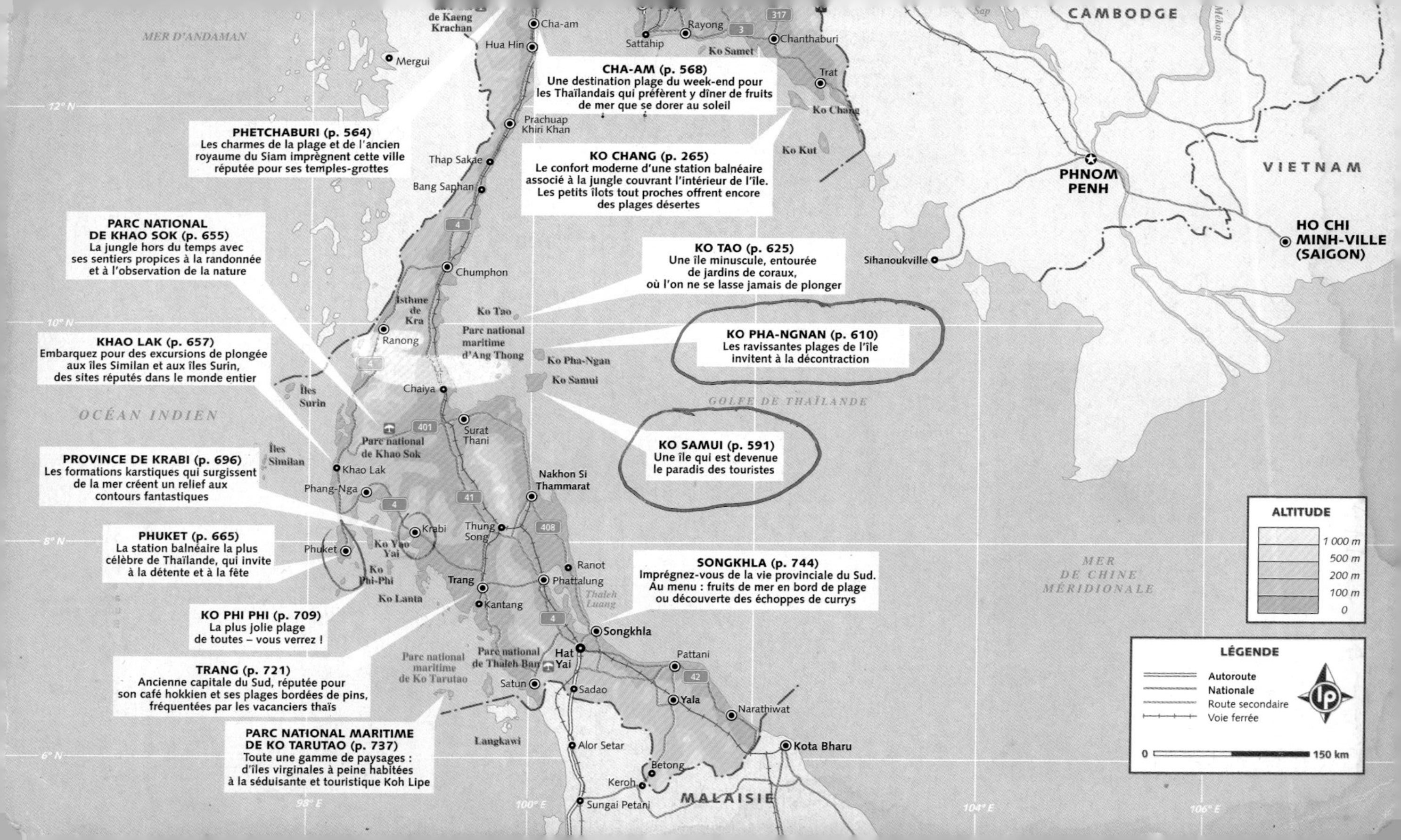

CHA-AM (p. 568)
Une destination plage du week-end pour les Thaïlandais qui préfèrent y dîner de fruits de mer que se dorer au soleil
PHETCHABURI (p. 564)
Les charmes de la plage et de l'ancien royaume du Siam imprègnent cette ville réputée pour ses temples-grottes
KO CHANG (p. 265)
Le confort moderne d'une station balnéaire associé à la jungle couvrant l'intérieur de l'île. Les petits îlots tout proches offrent encore des plages désertes
PARC NATIONAL DE KHAO SOK (p. 655)
La jungle hors du temps avec ses sentiers propices à la randonnée et à l'observation de la nature
KO TAO (p. 625)
Une île minuscule, entourée de jardins de coraux, où l'on ne se lasse jamais de plonger
KHAO LAK (p. 657)
Embarquez pour des excursions de plongée aux îles Similan et aux îles Surin, des sites réputés dans le monde entier
KO PHA-NGNAN (p. 610)
Les ravissantes plages de l'île invitent à la décontraction
KO SAMUI (p. 591)
Une île qui est devenue le paradis des touristes
PROVINCE DE KRABI (p. 696)
Les formations karstiques qui surgissent de la mer créent un relief aux contours fantastiques
PHUKET (p. 665)
La station balnéaire la plus célèbre de Thaïlande, qui invite à la détente et à la fête
SONGKHLA (p. 744)
Imprégnez-vous de la vie provinciale du Sud. Au menu : fruits de mer en bord de plage ou découverte des échoppes de currys
KO PHI PHI (p. 709)
La plus jolie plage de toutes – vous verrez !
TRANG (p. 721)
Ancienne capitale du Sud, réputée pour son café hokkien et ses plages bordées de pins, fréquentées par les vacanciers thaïs
PARC NATIONAL MARITIME DE KO TARUTAO (p. 737)
Toute une gamme de paysages : d'îles virginales à peine habitées à la séduisante et touristique Koh Lipe
MER D'ANDAMAN
OCÉAN INDIEN
GOLFE DE THAÏLANDE
MER DE CHINE MÉRIDIONALE
CAMBODGE
VIETNAM
MALAISIE
PHNOM PENH
HO CHI MINH-VILLE (SAIGON)
Sihanoukville
Mékong
de Kaeng Krachan
Cha-am
Hua Hin
Sattahip
Rayong
Ko Samet
Chanthaburi
Trat
Ko Chang
Ko Kut
Mergui
Prachuap Khiri Khan
Thap Sakae
Bang Saphan
Chumphon
Isthme de Kra
Ranong
Ko Tao
Parc national maritime d'Ang Thong
Ko Pha-Ngan
Ko Samui
Chaiya
Surat Thani
Parc national de Khao Sok
Îles Surin
Îles Similan
Khao Lak
Phang-Nga
Krabi
Ko Yao Yai
Phuket
Ko Phi-Phi
Ko Lanta
Nakhon Si Thammarat
Thung Song
Trang
Kantang
Ranot
Phattalung
Thaleh Luang
Songkhla
Hat Yai
Parc national de Thaleh Ban
Parc national maritime de Ko Tarutao
Satun
Sadao
Pattani
Yala
Narathiwat
Langkawi
Alor Setar
Betong
Keroh
Sungai Petani
Kota Bharu
12° N
10° N
8° N
6° N
98° E
100° E
104° E
106° E
ALTITUDE
1 000 m
500 m
200 m
100 m
0
LÉGENDE
Autoroute
Nationale
Route secondaire
Voie ferrée
0
150 km

# Sur la route

**CHINA WILLIAMS**
**Auteur-coordinateur**
Le soir, après avoir terminé ma tournée d'inspection des hôtels et de recensement des curiosités, je prenais mon fils sur mon dos et nous arpentions ainsi les rues tels un cornac et son éléphant, en allant là où mes pas nous guidaient. Ici, nous attendons un *sŏrng·tăa·ou* à Chiang Mai (p. 335).

**BRANDON PRESSER** Marche à pied, bus, taxi et *long-tail boat* : arriver jusqu'aux îles de Trang (p. 726) n'aura pas été de tout repos. Une fois sur place, je mourais d'envie d'aller dormir. Mais à la vue de cette mer limpide et de ce ciel d'un bleu inconcevable, j'ai sauté dans mon maillot de bain, attrapé mon masque et mon tuba et je me suis jeté à l'eau. J'avais enfin trouvé la plage parfaite.

**AUSTIN BUSH** Cette image a été prise au sommet du Wat Phra That Doi Kong Mu (p. 443), un temple perché sur un sommet de ma province préférée, Mae Hong Son. J'ai d'ailleurs tellement adoré cet endroit que je m'y suis installé temporairement pour rédiger la majeure partie de ce guide !

**MARK BEALES** Pour découvrir les plages isolées du sud de Ko Samet (p. 252), rien ne vaut le quad, un moyen de transport pratique (et amusant). La saison des pluies ayant transformé les pistes en bourbier, longer le littoral m'a fait penser à une course d'obstacles, mais j'ai été récompensé par la beauté époustouflante des paysages.

**CATHERINE BODRY** Cette photo a été prise au marché du samedi de Dan Singkhon (p. 583). Après avoir entendu parler de ce marché matinal où des Birmans viennent depuis l'autre côté de la frontière pour vendre leurs orchidées, j'ai voulu le voir de mes yeux. J'ai donc loué une voiture et convaincu un nouvel ami thaïlandais de m'y conduire un samedi de bon matin.

**TIM BEWER** Non, ce n'est pas le Rainforest Cafe, mais le Wat Pho Ban Nontan (p. 510), à Khon Kaen, ma ville d'adoption. La TAT n'en fait aucune publicité et certains de mes amis thaïlandais n'en avaient tout simplement jamais entendu parler, mais ce temple que j'ai découvert un jour au hasard d'une promenade est l'un des plus magnifique et excentriques de tout le pays. C'est une des petites surprises qui viennent régulièrement rappeler que la Thaïlande compte encore bien des trésors à découvrir.

*Voir p. 814 la biographie complète des auteurs.*

# À ne pas manquer

Sur ces quelques pages, des voyageurs, l'équipe de Lonely Planet et les auteurs dévoilent leurs plus beaux moments en Thaïlande. Vous aussi, partagez vos coups de cœur sur la destination avec la communauté des voyageurs qui alimente le forum sur www.lonelyplanet.fr.

MICHAEL COYNE

## 1 CHIANG MAI

En tant que motocycliste débutant, louer un scooter pour gravir la montagne dominant Chiang Mai jusqu'au temple bouddhique Wat Phra That Doi Suthep (p. 304) n'était probablement pas la meilleure idée. Mais circuler dans le chaos des *túk-túk*, des scooters et des voitures sur la grande route des douves s'est révélé exaltant, et découvrir l'ancien temple avec ses vues sur la ville extrêmement gratifiant.

**Robyn Loughnane, Australie**

VIVIANE PO

## 2 PARC NATUREL DES ÉLÉPHANTS, CHIANG MAI

Venez nourrir, laver et suivre les éléphants dans cette réserve (p. 307) proche de Chiang Mai. Outre ces moments incomparables et d'excellentes photos, vous pourrez participer, en tant que visiteur ou bénévole, à la survie des pachydermes surexploités ou mis à la retraite par les industries du bois et du tourisme. C'est une expérience que, tout comme les éléphants, vous n'oublierez pas.

**Debra Herrmann, Australie**

AUSTIN B

## 3 PARC MARITIME NATIONAL D'ANG THONG

En tant que voyageuse australienne à l'étranger, j'ai été souvent déçue par ces plages dont on parle tant. Mais le parc maritime national d'Ang Thong (p. 639) est le plus beau paradis tropical que j'aie jamais vu : un sable blanc et doux, une eau bleu turquoise, des palmiers verdoyants et un cadre entièrement préservé. Même le mal de mer et le fait d'avoir été très malade ne m'ont pas empêchée de profiter de la plage immaculée.

**Emma Chapple, Australie**

## MAE HONG SON

La plupart des visiteurs retournent vers le Sud après leur séjour à Chiang Mai ou à Chiang Rai, mais, si vous êtes sur place entre novembre et janvier, le Mae Hong Son (p. 442) est incontournable. Perchée sur les collines au nord de Chiang Mai, cette province perdue dans les nuages est une destination de rêve.

**oranutt (pseudo)**

4

JOE CUMMINGS

ANDREW LUBRAN

## ĐÔM YAM

Ma quête personnelle consistait à dénicher le meilleur *đôm yam* (p. 89) de Bangkok. Ma détermination m'a conduite parfois à savourer cette délicieuse préparation 3 fois par jour ! Et qui est l'heureux gagnant ? Une échoppe familiale recommandée par un conducteur de *túk-túk*, face à la gare de Hualamphong : citron kaffir, citronnelle, tamarin, champignons, ciboule, galanga, gingembre et *bok choy*... un régal !

**Martine Power, Australie**

5

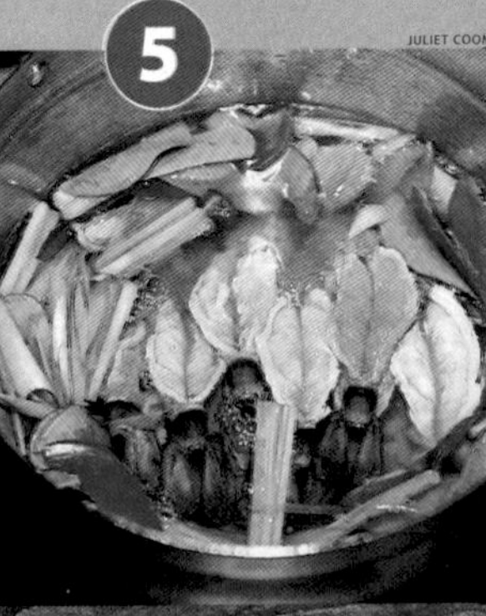

JULIET COOM

6

## L'AUTRE FACE DE LA (PLEINE) LUNE

Si Ko Tao peut être considéré comme le joyau des îles thaïlandaises (surtout pour les plongeurs), le côté paisible de Ko Pha-Ngan (p. 610) mérite vraiment d'être découvert. Si vous avez oublié vos bâtons lumineux et préférez les champignons en omelette, trouvez-vous un hamac donnant sur la mer sur la côte est de l'île, plus tranquille. Parfois, la pleine lune est plus belle sur une plage déserte.

**Chris Girdler, Australie**

CHRIS MEL

7

## CHIANG RAI

Cela ne fait aucun doute, louer un vélo à Chiang Rai (p. 360) pour longer le Mékong et traverser les petits villages, les champs verdoyants et les collines ponctuées de temples abandonnés fut l'un des meilleurs moments de mon voyage en Thaïlande.

**Christina Tunnah, États-Unis**

DALLAS

## 8 KO PHI PHI

Ko Phi Phi (p. 709) est exactement ce paradis thaïlandais dont tout le monde rêve. Un bonheur pour les photographes, avec ses couchers de soleil et ses bateaux de pêche qui croisent devant Phi Phi Leh (où a été tourné *La Plage*). Vous trouverez de nombreuses distractions et des gens accueillants dans ses ruelles pleines de restaurants et de boutiques, sans oublier quelques bars.

**Karen Burrows, Nouvelle-Zélande**

GREG ELM

## 9 BANGKOK

Il y a les marchés, et puis il y a le marché du week-end de Chatuchak (p. 185), celui auquel on compare tous les marchés du monde. Vous trouverez ici tout ce dont vous ne pensiez pas vouloir ou ne pas avoir besoin, sous toutes les formes et dans toutes les couleurs.

**Mark Broadhead, Australie**

CRAIG PERSHOU

## 10 KO LANTA

Beaucoup vont à Ko Lanta pour plonger autour des célèbres pinacles de Hin Daeng et de Hin Muang (p. 717), réputés pour leur vie marine d'une richesse exceptionnelle. Si jamais vous vous lassez du spectacle, enfourchez une moto et remontez toute la côte de l'île, en vous arrêtant pour saluer les nomades de la mer. Passez la soirée à Saladan autour d'un poisson grillé épicé, avant une nuit de sommeil bien méritée.

**Kristian Daely, Australie**

## PLAGE DE RAILAY

Railay (p. 704), à mi-chemin de Krabi et d'Ao Nang, est un éden pour les varappeurs. En fait, je ne pratique pas l'escalade, mais les falaises de calcaire, la jungle dense et les belles plages m'ont conquise. J'ai aimé m'allonger sur d'énormes coussins, déguster des poissons épicés et siroter une bière en regardant ces grimpeurs monter à l'assaut des hauteurs vertigineuses. Sans regret !

**Jessica Racklyeft, Australie**

11

ANDREW BAIN

NOBORU KOMINE

## 12 SUKHOTHAI

Il s'agit des vestiges d'une ancienne cité prospère, conquise par l'épaisse jungle du Sud-Est asiatique, redécouverte à l'époque moderne, puis transformée en parc historique. Vous pensez à Angkor ? C'est presque ça, mais pas tout à fait. On est en Thaïlande, à Sukhothai (p. 409), l'ancienne capitale fortifiée du royaume du même nom. Bien qu'elle ne soit pas aussi grandiose qu'Angkor, Sukhothai offre près de 200 vestiges remplis d'art religieux, de sculptures et de gravures répartis sur plus de 70 km$^2$ de jungle. Mais le statut de perdant n'est pas forcément une mauvaise chose. Alors qu'Angkor est pris d'assaut par les touristes presque 365 jours par an, Sukhothai reste un simple point sur la carte touristique de l'Asie du Sud-Est ; certains jours, on n'y croise personne d'autre que des fantômes d'antan.

**Joshua Samuel Brown, États-Unis**

ANTONY GIBLIN

## 13 LA CASCADE AUX SEPT REBONDS

Pour voir la cascade aux sept niveaux, dans le parc national d'Erawan (p. 225), près de Kanchanaburi, nous avons grimpé pendant 1 heure le long d'une succession de beaux bassins de calcaire et de chutes d'eau, en regardant les singes plonger du haut des arbres et bondir hors de l'eau pour attraper nos cacahuètes, puis se faire mordiller par la grosse carpe qui vit dans le bassin d'un bleu laiteux au pied de la cascade.

**Bruce Evans, Australie**

# Sommaire

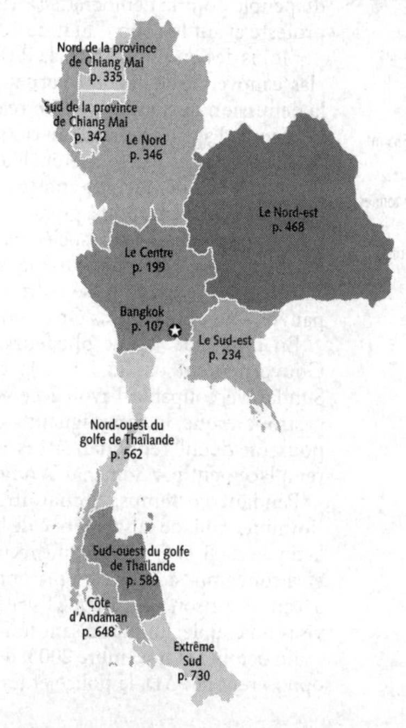
Nord de la province de Chiang Mai p. 335
Sud de la province de Chiang Mai p. 342
Le Nord p. 346
Le Nord-est p. 468
Le Centre p. 199
Bangkok p. 107
Le Sud-est p. 234
Nord-ouest du golfe de Thaïlande p. 562
Sud-ouest du golfe de Thaïlande p. 589
Côte d'Andaman p. 648
Extrême Sud p. 730

# Destination Thaïlande

**QUELQUES CHIFFRES**

Superficie : 514 000 km²

Pays frontaliers : Cambodge, Laos, Malaisie, Myanmar (Birmanie)

Population : 65 493 296 habitants

Inflation : 2,2%

PNB par habitant : 8 000 $US

Religion : 95% de bouddhistes

Taux d'alphabétisation : 92,6%

Ancien nom : Siam

Nombre de coups d'État depuis 1932 : 18

Nombre de magasins 7-Eleven : 3 912

Point culminant : Doi Inthanon (2 565 m)

Exportations de riz : 10,02 millions de tonnes en 2008 (premier exportateur mondial)

En théorie, les éléphants ne sont pas autorisés à parcourir les rues de Bangkok, mais, une fois le riz récolté, on les voit emboîter le pas à leur propriétaire dans les *soi* encombrés sans que personne ne s'en étonne, à l'exception des touristes étrangers. La plupart des visiteurs trouvent inconcevable que l'on puisse ignorer ces créatures gigantesques. Mais, en Thaïlande, les habitants sont passés maîtres dans l'art de ne pas voir les "éléphants" de leur pays.

Depuis l'abolition de la monarchie absolue en 1932, l'instabilité politique est quasi devenue la norme dans le royaume. La dernière période de troubles a commencé en 2006 avec le coup d'État – le 18ᵉ en 70 ans – qui a provoqué la destitution et l'exil du Premier ministre de l'époque, Thaksin Shinawatra, au profit d'un régime militaire. Alors que, dans n'importe quel autre pays, de tels événements auraient conduit la population à protester dans les rues, c'est à peine si ce renversement "doux comme la soie" a perturbé la circulation dans la capitale, tandis que les Thaïlandais acceptaient les changements avec une joie contenue ou une résignation silencieuse (selon leur obédience politique).

Les 15 mois de gouvernement intérimaire ont été inefficaces et marqués par une série de reculs, des restrictions de la liberté de la presse à un important ralentissement économique. Les manifestations publiques de mécontentement ont pourtant été rares. Les élections tant attendues de la fin de 2007 ont permis au Parti du pouvoir du peuple (PPP) de Samak Sundaravej, considéré comme un émissaire de Thaksin, d'obtenir la majorité au Parlement. Une série de manifestations a alors été organisée par l'Alliance du peuple pour la démocratie (PAD), le groupe anti-Thaksin qui avait déjà protesté avant le coup d'État de 2006.

Moins de 6 mois plus tard, la PAD, implantée pour l'essentiel au sein de la classe moyenne de Bangkok, occupait le palais du Gouvernement et exigeait la démission de Sundaravej. En réaction, les partisans de Shinawatra, dont beaucoup d'agriculteurs, d'ouvriers et de chauffeurs de taxi assez pauvres du Nord et du Nord-Est, formèrent leur propre alliance progouvernementale, le Front uni de la démocratie contre la dictature (UDD). Même les Thaïlandais modérés commencèrent à prendre position, les partisans de la PAD revêtant du jaune (une couleur associée à la monarchie) et ceux du gouvernement du rouge. Pour la première fois dans l'histoire récente du pays, au moins un "éléphant" – le grand fossé entre l'élite urbaine éduquée et la classe rurale pauvre – ne pouvait plus être ignoré.

En juin 2008, après plusieurs semaines d'occupation du palais du Gouvernement par la PAD, la Cour constitutionnelle déclara Samak Sundaravej coupable d'avoir accepté de l'argent pour animer un programme gastronomique, le contraignant à démissionner. Même si cette destitution pour un détail répondait à ses attentes, la PAD n'apprécia guère son remplacement par Somchai Wongsawat, le beau-frère de Shinawatra.

Pendant ce temps, Shinawatra et son épouse, Potjaman, exilés au Royaume-Uni, ne faisaient que de brèves visites en Thaïlande. Cependant, à la fin de 2008, la Cour suprême reconnut Shinawatra coupable de corruption et le condamna à 2 ans d'emprisonnement. Son épouse fut aussi condamnée à 3 ans de prison pour fraude fiscale. Le Royaume-Uni annula par la suite les visas du couple, lui interdisant tout retour en Angleterre ou en Thaïlande.

En octobre et novembre 2008, des affrontements de plus en plus violents opposèrent la PAD, la police et les partisans du gouvernement, entraînant la mort de deux membres de la PAD. Des rumeurs de coup d'État faisaient craindre de nouveaux heurts sanglants. Les événements atteignirent un point culminant à la fin de novembre, lorsque plusieurs milliers de manifestants de la PAD prirent possession des deux aéroports de Bangkok, paralysant l'ensemble du secteur touristique pendant plus d'une semaine. Il fallut attendre que la Cour constitutionnelle prononce la dissolution du parti au pouvoir pour qu'ils acceptent de quitter les aéroports.

Après force tractations politiques, une nouvelle coalition fragile vit le jour en décembre sous la direction d'Abhisit Vejjajiva, le leader du Parti démocrate, formé à Oxford, et cinquième Premier ministre thaïlandais en 2008. Si sa nomination a apporté une brève période de relative stabilité, les manifestations violentes menées début 2009 à Bangkok et à Pattaya par les "chemises rouges" pro-Thaksin ont montré que, même en exil, l'ancien Premier ministre reste le personnage le plus influent de la scène politique thaïlandaise et son principal facteur de division.

Mais le plus gros des "éléphants" est probablement la réalité imminente (mais inexprimée) d'une Thaïlande privée de son monarque actuel. Le roi Bhumibol Adulyadej est le plus ancien monarque en exercice dans le monde et un personnage adulé par la grande majorité des Thaïlandais depuis plus de 60 ans. Il est aujourd'hui octogénaire et sa santé faiblit. On ne sait pas comment les Thaïlandais s'adapteront à leur nouvelle vie, alors que la plupart d'entre eux n'ont pas connu d'autre règne. Selon certains spécialistes, la population pourrait être très affectée, tandis que la disparition de l'influence stabilisante du roi sur la politique intérieure et la question contentieuse de la succession au trône pourraient avoir de graves conséquences sur le proche avenir du pays.

Néanmoins, malgré l'enchaînement apparemment ininterrompu des crises, la Thaïlande poursuit son évolution vers une société moderne et prospère. La capitale continue d'améliorer son infrastructure, avec d'ambitieux projets de développement du Metro et du Skytrain, et le lancement des travaux du nouvel aéroport tant attendu en 2009. En province, les villages dévastés se sont remis du tsunami du 26 décembre 2004, le réseau routier vers les régions reculées se développe et l'abondance des vols intérieurs bon marché facilite plus que jamais le voyage hors des sentiers battus.

Les crises politiques n'ont d'ailleurs guère altéré les charmes d'une des destinations touristiques les plus attrayantes d'Asie du Sud-Est. L'accueil et la tolérance de sa population, combinés à une infrastructure fiable, font en effet de la Thaïlande un pays accessible aux voyageurs novices, tandis que la diversité des sites et des activités séduit les touristes les plus blasés.

En dépit d'une progression lente et souvent chaotique vers la démocratie, la population thaïlandaise s'est toujours montrée prompte à ignorer ses "éléphants". Mais tant que des problèmes comme la division sociale, l'influence politique excessive de Thaksin Shinawatra et la succession au trône ne seront pas reconnus et résolus, l'instabilité politique continuera de définir l'avenir du pays, au même titre que son passé.

# Mise en route

La Thaïlande est une destination relativement accessible et bon marché, où votre séjour sera d'autant plus plaisant que vous l'aurez un peu préparé.

## QUAND PARTIR

Voir *Climat* (p. 762) pour plus de renseignements.

La meilleure période pour visiter la majeure partie de la Thaïlande se situe entre novembre et février. C'est alors qu'il pleut le moins et qu'il ne fait pas encore trop chaud. C'est aussi à cette saison que se déroulent les principaux festivals, tels ceux de Loi Krathong et de Songkran.

Si vous envisagez un séjour dans les montagnes du Nord, choisissez de préférence la saison chaude (de mars à mai) ou le début de la saison des pluies (juin-juillet), les températures étant plus clémentes en altitude. Mieux vaut, en revanche, éviter le Nord-Est et le Centre de mars à mai : les températures peuvent alors dépasser 40°C. Lorsque le reste du pays est écrasé sous la chaleur, des températures plus constantes rendent le séjour agréable sur les îles et les plages du Sud (proches de l'équateur).

La haute saison touristique dure de novembre à fin mars, avec un nouvel afflux de visiteurs en juillet et en août. Si vous voulez voyager pendant les mois creux et profiter des réductions offertes dans les hôtels, choisissez plutôt avril, mai, juin, septembre ou octobre.

Malgré sa mauvaise réputation, la saison des pluies (juillet à octobre approximativement) a aussi ses avantages : des températures plus fraîches, moins de touristes et des paysages verts et luxuriants. Suivant la région et le mois de l'année, des pluies torrentielles peuvent s'abattre l'après-midi durant des heures. Le mois d'octobre a tendance à être le plus humide.

**QUELQUES PRIX**

Train de nuit Bangkok-Surat Thani, 2e classe, air conditionné : 758-848 B

Bungalow à Ko Pha-Ngan : 350-500 B

Cours de cuisine thaïe à Chiang Mai (1 journée) : 900 B

Droit d'entrée dans un parc national : 200 B

Dîner 2 pers dans un restaurant de catégorie moyenne : 300-500 B

Voir aussi l'*indice Lonely Planet* au verso de la couverture

## COÛT DE LA VIE

La Thaïlande est une destination peu onéreuse car les taux de change y sont avantageux pour les étrangers et le coût de la vie est relativement bas. Ailleurs qu'à Bangkok et sur les îles, les voyageurs habitués à se serrer la ceinture devraient s'en sortir avec quelque 600 à 700 B par jour. Ce budget peut couvrir l'hébergement en pension, une nourriture simple, les boissons non alcoolisées et les transports locaux, mais exclut les pellicules photo, les souvenirs, les visites, les déplacements longue distance ou la location d'un véhicule. Si vous disposez de 1 500 B par jour ou plus, votre vie deviendra alors tout à fait confortable.

**N'OUBLIEZ PAS**

Emportez des vêtements légers faciles à laver, ainsi qu'un pull ou une veste légère pour les trajets en bus (climatisés) et les montagnes du Nord. Des claquettes ou des sandales sont pratiques. Les laveries ne sont pas chères en Thaïlande, vous n'avez donc pas besoin de prévoir plus d'une semaine de vêtements.

On trouve du dentifrice, du savon et la plupart des articles de toilette presque partout. Les chaînes internationales de magasins comme *Boots* vendent en général des tampons et des déodorants suffisamment forts, adaptés au climat tropical. Voir p. 794 pour la trousse médicale de voyage.

Autres articles utiles : une petite lampe, un sarong (qui sèche plus vite qu'une serviette), une pochette étanche pour votre passeport, des bouchons d'oreille et un écran solaire (les crèmes à indice de haute protection étant introuvables ailleurs que dans les grandes villes).

Avant votre départ, pensez à vérifier les recommandations de votre pays concernant les voyages en Thaïlande. Voir p. 763 pour connaître les consignes générales en matière de sécurité.

# COUPS DE CŒUR

Pour se préparer au voyage et rêver à cette terre lointaine, voici quelques suggestions :

## SPOTS ÉCOTOURISTIQUES

- Chiang Rai – haut-lieu des randonnées "équitables" à la rencontre des peuples des montagnes ; certaines agences emploient des guides membres de ces ethnies ou encouragent des programmes de soutien aux communautés (p. 360)
- Nord-Est de la Thaïlande – les gîtes ruraux s'y développent à toute allure et vous offrent l'opportunité de côtoyer les habitants et d'admirer les rizières (p. 468)
- Chiang Mai – une jolie ville du nord en passe de devenir la capitale du cyclotourisme (p. 325)

## ITINÉRAIRES

- Le ferry de nuit Chumphon-Ko Tao – un simple bateau de pêche avec des matelas sur le pont et le ciel étoilé au-dessus de vos têtes (p. 638)
- Le train Mahachai Shortline – une journée hors de Bangkok à bord d'un train qui chemine bruyamment à travers forêts, marécages et marchés (p. 196)
- Le circuit en boucle Mae Sa–Samoeng – l'équivalent des montagnes russes en situation réelle : un itinéraire qui grimpe, plonge et serpente le long des sommets dominant Chiang Mai (p. 336)
- Le bus Kanchanaburi-Sangkhlaburi – un bus typique qui slalome dans des montagnes verdoyantes et escarpées (p. 233)

## SOUVENIRS

- Odeurs et sons – le riz qui cuit le matin, les parfums d'encens, les klaxons des autocars, le son sourd des gongs, les sonneries à l'entrée des *7-Eleven*, le cri des *jîng-jòk* (lézards des maisons)
- Ornements religieux – les guirlandes de jasmin, les amulettes suspendues aux rétroviseurs, et les vêtements rituels attachés aux arbres sacrés
- Fumées et fumets – les bus crachant des émanations de diesel, l'odeur de chili s'échappant du wok d'un étal, les *gài yâhng* (poulets grillés) en train de brûler
- L'eau, omniprésente – les bassins à poissons et les jardins aquatiques au bord des routes, devant les magasins et les habitations, les *klorng* (canaux) aux eaux troubles, la peau qui ruisselle de sueur, les bouteilles d'eau en plastique à 5 B, la mer couleur émeraude

Bangkok est l'endroit idéal pour s'offrir une nuit d'hôtel et récupérer après un long vol ou pour fêter le retour à la "civilisation". Dans les provinces, les pensions présentent le meilleur rapport qualité/prix même lorsque vous disposez d'un budget confortable. Vous vous régalerez avec les repas vendus sur les marchés, moins chers que dans les pensions, mais il vous faudra quelques connaissances de la langue du pays et un estomac solide.

Les distributeurs automatiques de billets (DAB), très répandus en Thaïlande, sont le moyen le plus facile d'obtenir des baths. Mieux vaut prévoir une réserve de dollars américains si vous passez de l'autre côté de la frontière (les billets de banque bien neufs sont les plus appréciés). Les cartes de crédit sont acceptées dans les grandes villes et les *resorts* ce qui n'est pas le cas dans les pensions familiales ou les restaurants.

## LIVRES À EMPORTER

Les inconditionnels de romans d'aventures se jetteront sur *Le Pont de la rivière Kwaï* de Pierre Boulle (1952).

Parmi les ouvrages plus récents, citons *Paradis blues* de John Saul (Rivage Poche, 2001) et *Les Oiseaux de Bangkok* de Vasquez Montalban (Points, 2009), deux thrillers bien menés.

*Le Bouddha derrière la palissade* de Cees Nooteboom (Actes Sud, 1989) est le récit intimiste d'un voyage à Bangkok. Autre récit de voyage, *Le Voyage du comte de Forbin à Siam,* de Claude Forbin (Zulma), tirée des mémoires du comte de Forbin, parues en 1730, vous plongera dans la lointaine Thaïlande de 1685 ; *Pour la plus grande gloire de Dieu,* de Morgan Sportès (Point, 2007), relate quant à lui de manière truculente la tentative de Louis XIV de conquérir le Siam, en 1687.

*La Plage* (LGF, 1999) d'Alex Garland (1998), l'histoire d'un routard qui trouve une île mythique retirée du monde au large de Ko Samui, est le livre à emporter sous les cocotiers.

Citons également l'incontournable *Plateforme,* de Michel Houellebecq (J'ai Lu, 2002), exploration politiquement incorrecte du tourisme sexuel international, et notamment thaïlandais.

*Café Lovely* (Points, 2009) est un recueil de nouvelles de Rattawut Lapcharoensap. Ses histoires ont pour cadre une Thaïlande méconnue des touristes, celle des inégalités sociales et économiques. Une plongée authentique dans la vie des Thaïlandais.

*Bangkok 8* (Pocket, 2009), de John Burdett, semble n'être qu'un roman policier, mais son héros principal, un inspecteur thaïlandais formé à la pensée occidentale, s'avère un excellent guide pour comprendre le bouddhisme thaïlandais. Dans *Bangkok Tattoo* (Pocket, 2009), du même auteur, Al-Qaida et les musulmans du sud du pays semblent impliqués dans l'assassinat d'un agent de la CIA. *Bangkok Psycho* (Presses de la cité, 2009), 3e volet des aventures de l'inspecteur Jitpleecheep, vous plongera dans les bas-fonds de la capitale thaïlandaise.

## SITES INTERNET

**Ambassade de France en Thaïlande** (www.ambafrance-th.org). Le site de l'ambassade de France propose quantité d'informations administratives et culturelles, ainsi qu'une veille sur la situation sanitaire et politique en vigueur dans les différentes parties du pays.

**Franco-Thaï** (www.franco-thai.com). Une présentation générale et illustrée de la Thaïlande, agrémentée de fichiers mp3, de vidéos, d'un forum et d'un chat.

**Lonely Planet** (www.lonelyplanet.fr). Informations générales sur la Thaïlande et forum pour poser toutes vos questions sur le pays.

**Office national du tourisme en Thaïlande** (Tourism Authority of Thailand ; www.tourismethaifr.com). Profil touristique des provinces, offres de voyage promotionnelles et informations sur les festivals.

**Thailand Daily** (www.thailanddaily.com ; en anglais). Un résumé exhaustif des nouvelles relatives à la Thaïlande éditées par les journaux de langue anglaise ; le site fait partie du *World News Network*.

**Thaïlande-guide** (www.thailande-guide.com). Un millier de photos en haute définition pour mieux préparer son voyage, ainsi qu'un dictionnaire franco-thaï de 3 000 mots.

**Thai Students Online** (www.thaistudents.com ; en anglais). Conçu par les étudiants de la Sriwittayapaknam de Samut Prakan, c'est le portail Internet le plus fourni et le plus instructif sur la culture et la société thaïlandaises.

# Fêtes et festivals

Si les fêtes religieuses constituent la majeure partie des jours fériés en Thaïlande, les réjouissances ne se limitent pas aux prières et à l'encens. Beaucoup de ces fêtes suivant le calendrier lunaire, leur date exacte varie d'une année sur l'autre : pour les connaître, consultez le site Internet de la Tourism Authority of Thailand (TAT) : www.tourismthailand.org.

De nombreuses autres célébrations locales vous permettront de découvrir la culture régionale ; reportez-vous aux chapitres correspondants pour de plus amples détails.

## JANVIER-FÉVRIER

**NOUVEL AN CHINOIS** Jan-fév

Lors de la fête de *đrùt jin,* les Thaïlandais d'origine chinoise célèbrent le Nouvel An du calendrier lunaire par une semaine de grand ménage et de feux d'artifice. Célébré en grande pompe à Phuket (p. 665), Bangkok (p. 107) et Nakhon Sawan, le Nouvel An chinois est plutôt une fête familiale ailleurs dans le pays.

**MAKHA BUCHA** Fév-mars

À la pleine lune du 3e mois lunaire, cette fête est l'un des trois jours fériés rappelant des moments clés de la vie du Bouddha. Elle commémore le prêche du Bouddha devant 1 250 moines illuminés, venus l'écouter "sans invitation préalable". Cette fête nationale est l'occasion de se rendre au temple. Les associations ou les écoles organisent souvent des cérémonies au temple local.

## AVRIL

**SONGKRAN** 12-14 avr

Le Nouvel An thaïlandais (du 12 au 14 avril, les dates varient) est marqué par des batailles d'eau mémorables. Les rites religieux sont observés dans la matinée : les personnes âgées et les représentations sacrées du temple sont aspergées en signe de respect. Après cela, tout le monde charge son pistolet à eau et descend dans la rue pour s'arroser ; Chiang Mai (p. 311) et Bangkok (p. 154) se transforment en véritables champs de bataille d'eau, où commandos spéciaux et camionnettes équipées pour l'occasion n'épargnent personne !

## MAI-JUIN

**CÉRÉMONIE DES LABOURS ROYAUX** Mai

Astrologie et anciens rites brahmaniques se mêlent dans cette cérémonie royale qui marque l'ouverture officielle de la saison de plantation du riz. Un bœuf sacré est attelé à une charrue de bois pour labourer les terres du Sanam Luang (p. 134), à Bangkok. Ce rituel restauré dans les années 1960 par le roi est accompli par le prince héritier Maha Vajiralongkorn.

**FÊTE DES FUSÉES** Mai-juin

Dans tout le Nord-est, où la pluie tombe rarement, les villageois confectionnent de grandes fusées de bambou (*bâng fai*) qu'ils lancent vers le ciel pour provoquer des pluies abondantes sur les rizières lors de la saison de plantation à venir. Cette fête est particulièrement importante à Yasothon (p. 557), Ubon Ratchathani (p. 494) et Nong Khai (p. 522).

**VISAKHA BUCHA** Mai-juin

La fête de Visakha Bucha (*Wí·săh·kà Bou·chah*) tombe le 15e jour de la lune montante du 6e mois lunaire. Elle commémore la naissance du Bouddha, son illumination et son *parinibbana* (sa mort). Les festivités sont concentrées autour des temples.

**BUN PHRA WET** Juin

Cette fête bouddhique est une sorte de carnaval célébré lors du Phi Ta Khon (p. 539) du village de Dan Sai. Vêtus de costumes d'"esprits" saisissants, les participants brandissent dans les rues des phallus de bois sculpté et s'imbibent d'alcool de riz. Cette fête commémore une légende bouddhique selon laquelle une nuée d'esprits (*pěe,* également écrit *phi*) serait apparue pour saluer le futur Bouddha (le prince Vessantara ou Phra Wet), lors de son avant-dernière renaissance.

## JUILLET

**ASALHA BUCHA** Juil

Le jour de la pleine lune du 8e mois lunaire, le premier sermon du Bouddha est commémoré par la fête d'Asalha Bucha (*Ah·săhn·hà Bou·chah*). Au cours de la fête de Khao Phansaa, les fidèles font des offrandes de cierges et autres fournitures aux temples, et assistent aux ordinations.

### KHAO PHANSAA Juil

Le jour suivant Asalha Bucha, la fête nationale de Khao Phansaa marque le début du carême bouddhique (1er jour de la lune décroissante du 8e mois lunaire). C'est traditionnellement ce moment que les hommes choisissent pour entrer dans les ordres. C'est également le début de la saison des pluies, pendant laquelle les moines se retirent dans les monastères pour se consacrer à l'étude et à la méditation. À Ubon Ratchathani, les chandelles données en offrandes ont progressivement été remplacées par de véritables sculptures de cire, présentées lors de la retraite aux flambeaux (p. 498).

## AOÛT

### ANNIVERSAIRE DE LA REINE 12 août

L'anniversaire de la reine (12 août) est un jour férié, lors duquel on célèbre la fête des mères dans tout le pays. À Bangkok, des expositions culturelles sont organisées au Sanam Luang (p. 134), tandis que l'avenue royale de Th Ratchadamnoen Klang est ornée de lampions colorés.

## SEPTEMBRE–OCTOBRE

### FÊTE VÉGÉTARIENNE Sept-oct

Durant les 9 jours que dure cette fête (pendant le 9e mois lunaire), la viande est bannie de l'alimentation, conformément aux croyances bouddhiques chinoises concernant la purification de l'esprit et du corps. Dans les villes où vit une forte communauté sino-thaïlandaise, comme Bangkok (p. 154), Trang (p. 721) et Krabi (p. 696), les banderoles jaunes des vendeurs de plats végétariens prolifèrent, tandis que les personnes méritantes, habillées en blanc, se retirent pour méditer. À Phuket, les manifestations prennent une tournure extrême (et parfois terrifiante), lorsque certains participants en transe se transforment en brochettes vivantes (p. 680) en se transperçant la peau.

### ORK PHANSAA Oct-nov

La fin du carême bouddhique (trois mois lunaires après Khao Phansaa) est marquée par la cérémonie de *gà·tĭn*, au cours de laquelle les personnes méritantes offrent de nouvelles robes aux moines. Cette fête coïncide avec la période à laquelle se produit le phénomène naturel étonnant connu sous le nom des "boules de feu de *naga*" (p. 528).

## NOVEMBRE

### RASSEMBLEMENT D'ÉLÉPHANTS DE SURIN Nov

Le 3e week-end de novembre, le plus grand rassemblement d'éléphants du pays rend hommage aux habitants les plus célèbres de cette province. À Surin (p. 487), les festivités commencent par un défilé coloré d'éléphants dont le point d'orgue est un banquet de fruits pour les pachydermes. Des cornacs en costume militaire royal et leurs éléphants rejouent les grandes batailles de l'histoire thaïlandaise.

### LOI KRATHONG Nov-déc

Comptant parmi les fêtes les plus populaires de Thaïlande, Loi Krathong se déroule lors de la 1re pleine lune du 12e mois lunaire. Le but de cette célébration est de remercier la divinité des rivières qui donne la vie aux champs et aux forêts, et de lui demander pardon pour la pollution causée par les hommes. On fabrique à l'aide de feuilles de bananier de petites embarcations (appelées *kràthong* ou *grà·tong*) que l'on décore de fleurs et que l'on charge d'encens et de pièces de monnaie. Puis ces bateaux sont lâchés à la dérive sur les cours d'eau du pays. Loi Krathong est une fête typiquement thaïlandaise probablement originaire de Sukhothai (p. 412). À Chiang Mai, cette fête est également appelée Yi Peng (p. 312).

## DÉCEMBRE

### ANNIVERSAIRE DU ROI 5 déc

Date anniversaire du roi, le 5 décembre est un jour férié célébré par des défilés et différents hommages. C'est également la fête des pères dans tout le pays. À Bangkok, Th Ratchadamnoen Klang est illuminée et décorée, et chacun s'habille en jaune, couleur traditionnellement associée à l'anniversaire du roi. Au cours de la première semaine du mois, la ville de Phuket accueille également la Kings Cup Regatta (p. 649), en l'honneur du monarque.

# Itinéraires

## LES GRANDS CLASSIQUES

### UNE VUE D'ENSEMBLE

**Deux semaines/de Bangkok à Bangkok**

Même pour un court séjour, la Thaïlande offre un choix de sites fort varié, grâce à des vols intérieurs très accessibles. Commencez par **Bangkok** (p. 107), puis envolez-vous vers les célèbres îles de **Ko Samui** (p. 591) ou **Phuket** (p. 665). Bien que toutes deux soient internationalement connues, les coins isolés ne manquent pas, et les amateurs de sable seront récompensés par des plages de caractère. Si les précipitations sont vraiment fortes, faites le tour des boutiques de l'île avant de poursuivre votre chemin.

Une fois rassasié de soleil et de sable, prenez l'avion jusqu'à **Chiang Mai** (p. 283), pour y suivre un cours de cuisine thaïlandaise ou découvrir les temples. Sillonnez ensuite les routes d'altitude des environs ou randonnez jusque chez les ethnies montagnardes. Gravissez le plus haut sommet de Thaïlande au **parc national de Doi Inthanon** (p. 344).

De retour à Bangkok, bronzé et muni d'un livre de cuisine thaïlandaise, vous aurez d'incroyables souvenirs de voyage à raconter.

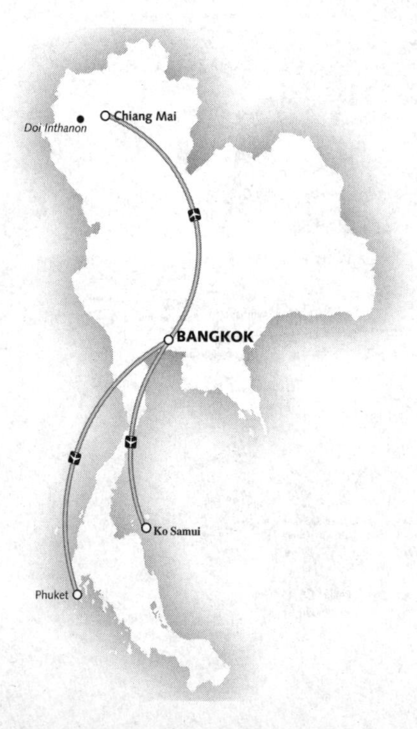


**Prenez un vol de Bangkok à Ko Samui ou Phuket. Revenez à Bangkok, puis repartez en avion, train ou bus vers Chiang Mai. Louez une voiture pour circuler aux alentours de Chiang Mai.**

## UN PEU DE TOUT

**Un mois/de Bangkok à Nakhon Ratchasima**

Après quelques jours à **Bangkok** (p. 107), montez lentement vers le Nord en faisant étape dans les anciennes capitales royales d'**Ayuthaya** (p. 201) et de **Lopburi** (p. 211), la "cité des singes". D'autres temples en ruine vous attendent à **Sukhothai** (p. 409), avant de rallier **Chiang Mai** (p. 283), capitale culturelle du Nord. Rendez-vous à **Pai** (p. 451) pour jouer les hippies en altitude, puis joignez-vous à une randonnée à **Chiang Rai** (p. 360). Pour découvrir cette région du Nord plus en profondeur, suivez le parcours *En altitude* (p. 26).

Arrivé à ce point, la plage vous appelle. Revenez à Bangkok et poursuivez vers des îles incontournables : **Ko Samui** (p. 591) pour la fête, **Ko Pha-Ngan** (p. 610) pour l'ambiance et les plages, et **Ko Tao** (p. 625) pour la plongée.

Faites un saut jusqu'à la côte d'Andaman et admirez les célèbres monts calcaires qui semblent jaillir de l'eau. **Phuket** (p. 665) est un bon point d'attache pour visiter les environs. **Ko Phi Phi** (p. 709) est une île ravissante, bien que très visitée (prévoyez un budget important pour une chambre avec vue sur l'océan). Les randonneurs et les varappeurs préféreront **Krabi** (p. 696). De retour vers le nord, faites un crochet par les forêts tropicales humides du **parc national de Khao Sok** (p. 655).

Passez à nouveau par Bangkok avant de vous enfoncer dans la région rurale du Nord. Frayez-vous un chemin dans la jungle du **parc national de Khao Yai** (p. 480), avant de poursuivre vers **Nakhon Ratchasima** (Khorat ; p. 472), où vous prendrez une correspondance pour le site d'Angkor, à **Phimai** (p. 478), et le village de potiers de **Dan Kwian** (p. 476).

**De Bangkok, ralliez Ayuthaya, Lopburi et Phitsanulok en train. Prenez le bus pour Sukhothai, puis Chiang Mai. De là, empruntez à nouveau le bus pour Pai ou Chiang Rai. Revenez à Bangkok en avion, en train ou en bus, puis ralliez Surat Thani en train ou en bus d'où vous embarquerez sur un ferry pour l'archipel de Ko Samui. Sinon, allez directement à Ko Samui ou à Phuket en avion de Bangkok. Prenez le bus pour Krabi et le ferry pour Ko Phi Phi. Revenez à Bangkok en bus ou en avion (de Phuket). Rendez-vous à Nakhon Ratchasima, Phimai et Dan Kwian en bus.**

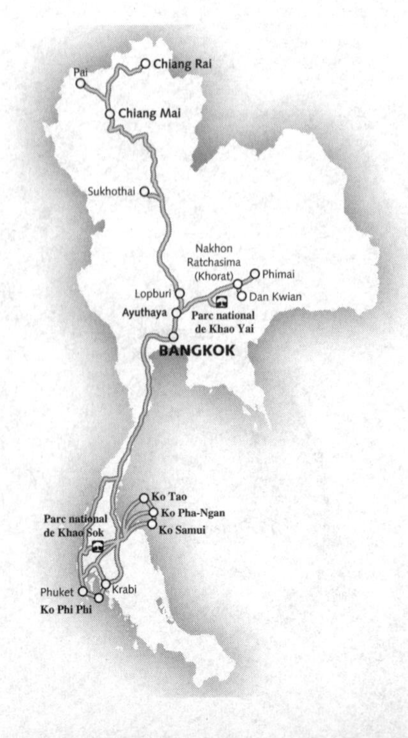

## PLAGES, PLONGÉE ET FARNIENTE

**Trois semaines/ de Surat Thani à Khao Lak**

Si, avant votre départ, des amis enthousiastes vous ont dressé la liste des plages incontournables de Thaïlande, emportez des bagages légers et préparez-vous à un marathon qui vous emmènera d'île en île et de crique en crique dans la péninsule malaise. Visitez l'archipel des îles du golfe, au large de **Surat Thani** (p. 640), et faites votre choix entre **Ko Samui** (p. 591) et **Ko Pha-Ngan** (p. 610), les festives, et **Ko Tao** (p. 625), la sportive.

Traversez ensuite la péninsule pour découvrir les stars de la côte d'Andaman : **Phuket** (p. 610), **Krabi** (p. 696) et **Ko Phi Phi** (p. 709). Sans oublier la favorite des voyageurs à petit budget, **Ko Lanta** (p. 7).

Lors de votre visite au **parc national Khao de Lak/Lamru** (p. 657), très endommagé par le tsunami de 2004, vous constaterez qu'il a repris des couleurs et offre un immense alignement de dunes face à la baie turquoise. De Khao Lak, sur la côte d'Andaman, il n'y a qu'un pas vers le site de plongée mondialement connu du **parc national maritime des îles Similan** (p. 431).

**De Surat Thani, naviguez vers les îles du golfe. Prenez le bus à Surat Thani pour Phuket. À Phuket, traversez en bateau jusqu'à Ko Phi Phi ou prenez le bus pour Krabi. De Krabi, un bateau vous emmènera à Ko Phi Phi ou à Ko Lanta. Prenez le bus à Krabi pour Khao Lak. Rejoignez les îles Similan en bateau.**

# HORS DES SENTIERS BATTUS

## EN ALTITUDE

**Trois semaines/de Mae Sot à Chiang Rai**

Grimpez au cœur des luxuriantes montagnes où vivent des minorités ethniques, à la lisière de la Thaïlande, du Myanmar et du Laos.

**Mae Sot** (p. 424) est un melting-pot de Thaïlandais et de populations déplacées de Karen et de Birmans. Cette ville-frontière présente peu d'intérêt, mais elle est surtout fréquentée pour les renouvellements de visas et compte une forte concentration de travailleurs humanitaires. Assez peu touristique, Mae Sot propose néanmoins des circuits nature pour les mordus de faune et de flore.

Suivez les petites routes jusqu'aux bourgades de **Mae Sariang** (p. 464) et de **Mae Hong Son** (p. 442), importants centres de trekking, où vous apprendrez à connaître les minorités ethniques, plus proches du Myanmar que de la Thaïlande, qui peuplent ces montagnes boisées. Faites ensuite halte à **Soppong** (p. 460) et ses sculptures rupestres souterraines. Une ambiance détendue vous attend à **Pai** (p. 451), retraite montagnarde où vous randonnerez le jour et festoierez la nuit. De là, redescendez par une route en lacets à travers les montagnes jusqu'à la très urbaine **Chiang Mai** (p. 283), pour vous adonner à la méditation et aux cours de massage.

Poursuivez au nord vers les montagnes de **Chiang Dao** (p. 336), ville plus sage que Pai, puis mettez le cap sur Chiang Rai en prenant le bus pour **Fang** (p. 340) et en serpentant à flanc de montagne jusqu'à **Mae Salong** (p. 369), une plantation de thé du Yunnan. Visitez ensuite **Chiang Rai** (p. 360), qui a développé une activité de randonnée responsable, gérée par des coopératives des ethnies montagnardes et offrant des séjours chez l'habitant.

**Prenez le bus de Mae Sot à Mae Sariang, Mae Hong Son, Soppong et Pai jusqu'au nœud de transport de Chiang Mai. Prenez ensuite une correspondance pour Chiang Dao, Fang et Mae Salong, puis un autre bus pour Chiang Rai.**

# VOYAGES THÉMATIQUES

## CULTURE ET FARNIENTE DANS LE SUD

Si vous venez en Thaïlande pour profiter du soleil et de ses plages de sable fin, prenez tout de même le temps de savourer la culture colorée du Sud, aux influences chinoise, indienne, malaise et indonésienne. En partant de Bangkok, faites une halte à **Phetchaburi** (p. 564) sur le long trajet vers le sud, dont vous découvrirez les sanctuaires souterrains, les palais perchés et la gastronomie. Faites des sauts de puce vers les îles du golfe évoquées dans le circuit *Plage, plongée et farniente* (p. 25), et poursuivez l'aventure en mettant le cap vers **Nakhon Si Thammarat** (p. 644), centre de la tradition méridionale des ombres chinoises. Laissez-vous envahir par la majesté des paysages vierges du littoral à **Ao Khanom** (p. 643), une baie pratiquement déserte, aussi belle que celle de Samui, mais peu fréquentée. Longez ensuite la côte balayée par les vents jusqu'à **Songkhla** (p. 748), où vous vous régalerez de fruits de mer. Une fois à **Satun** (p. 734), ville musulmane au charme discret, poussez jusqu'au port, non loin de là, d'où partent des bateaux pour le **parc national maritime de Ko Tarutao** (p. 737), qui abrite une myriade de plages célèbres, comme Ko Lipe, (p. 740) ou totalement inconnues, comme Ko Adang (p. 743).

À **Trang** (p. 721), sirotez un café dans l'un des cafés hokkien historiques, avant de repartir pour Ko Muk (p. 726) et son inoubliable lac souterrain. Papillonnez d'île en île le long de la côte d'Andaman, décrite dans le circuit *Plages, plongée et farniente* (p. 25).

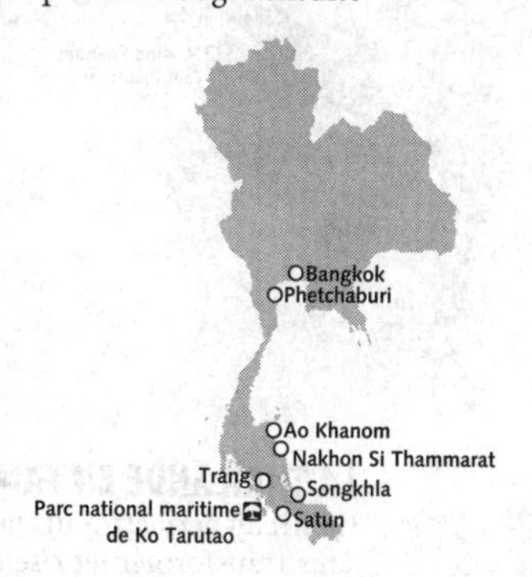


## PLONGEON DANS L'HISTOIRE

Amateurs de vieilles pierres, vous serez comblés par les innombrables forteresses, temples et bouddhas que recèle la Thaïlande. Ce circuit vous mène vers plusieurs anciennes capitales royales et avant-postes déchus de l'empire d'Angkor, qui s'étendait jadis de la Thaïlande jusqu'à l'ouest du Cambodge.

Commencez votre périple par **Ayuthaya** (p. 201), ancienne capitale qui se visite en une journée depuis Bangkok, puis poursuivez vers **Lopburi** (p. 211), l'une des villes les plus anciennes de Thaïlande, qui fut un centre d'Angkor. Vers le nord, vous arrivez à **Sukhothai** (p. 409), considéré comme le premier royaume thaï, qui abrite les vestiges les mieux préservés du pays. Non loin, le **parc historique de Si Satchanalai-Chaliang** (p. 416) protège des ruines perdues dans la nature.

Un bus de nuit vous conduira à **Nakhon Ratchasima** (Khorat ; p. 472), point de départ pour explorer les ruines de l'époque d'Angkor à **Phimai** (p. 478). Découvrez ensuite, dans l'est de la province de Buriram, un volcan éteint surmonté de l'impressionnant temple angkorien de **Phanom Rung** (p. 483). Vous êtes à deux pas du **Prasat Meuang Tam** (p. 225), connu pour son isolement et les reflets de ses étangs aux nénuphars.

## AU FIL DU MÉKONG

La région rurale du nord-est de la Thaïlande (Isan) n'offre guère de curiosités spectaculaires, mais si la culture vous intéresse, vous y découvrirez un mode de vie traditionnel, des gens sympathiques et d'intéressants séjours chez l'habitant en bord de rizière. La route qui longe le Mékong est la plus belle de la région, et sépare la Thaïlande du Laos. Les villes frontalières, souvent à cheval sur les deux pays, ont fréquemment plus de points communs avec leurs voisins qu'avec la Thaïlande.

Commencez par la charmante cité fluviale de **Nong Khai** (p. 522), à un saut de rocher du Laos, et un point de passage pratique vers ce pays. Pour un rythme plus paisible, longez le fleuve vers l'est jusqu'à **Beung Kan** (p. 531), ville minuscule proche d'un temple se dressant au sommet d'un piton rocheux. Dans les environs, plusieurs pensions proposent des incursions dans le territoire des éléphants sauvages. À **Nakhon Phanom** (p. 542), remontez la magnifique promenade au bord du fleuve, mais logez plutôt à **That Phanom** (p. 546). Dotée d'un célèbre temple de style lao, la ville accueille un festival animé 10 jours durant en janvier/février.

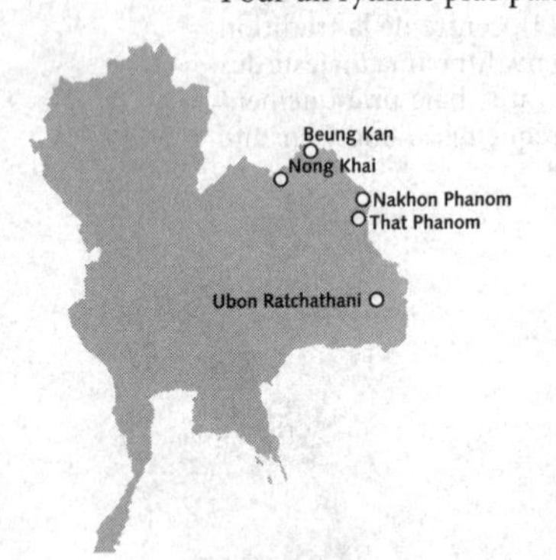


Si la ville vous manque, rendez-vous à **Ubon Ratchathani** (p. 494), entourée du parc national de Pha Taem, de rapides sur le fleuve et de village d'artisans. Suivez ensuite le circuit *Plongeon dans l'histoire* (p. 27) en sens inverse.

## LA THAÏLANDE EN FAMILLE

Ce circuit permettra aux familles de découvrir un large éventail de curiosités sans transformer leur séjour en marathon. **Bangkok** (p. 107) la trépidante abrite assez d'attractions pour occuper toute la famille (surtout s'il y a une piscine dans votre hôtel). Pour l'histoire et la culture, rendez-vous non loin de là dans le petit État de **Muang Boran** (p. 136).

Sur la ligne de train depuis Bangkok (une attraction en soi pour le passionné des chemins de fer de la famille), **Lopburi** (p. 211) est le lieu de résidence d'une meute de singes à qui un banquet est offert lors de la fête annuelle de la ville. Également accessible en train, **Surin** (p. 487) accueille un rassemblement annuel d'éléphants où les pachydermes sont conviés à un banquet et où se déroulent des reconstitutions de batailles.

Si votre séjour ne coïncide pas avec ces fêtes, rendez-vous à **Kanchanaburi** (p. 216), d'où vous partirez en promenade dans la jungle à dos d'éléphant ou sur une embarcation de bambou. Ou encore visitez le **parc national de Khao Yai** (p. 480), proche de Bangkok, où se pressent autant de singes que de visiteurs.

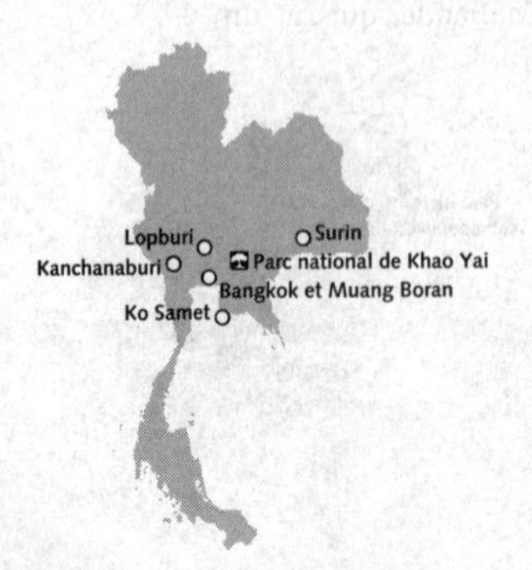


Terminez votre séjour en vous prélassant sur la plage, en prenant bien soin d'éviter les plages connues telles que Hua Hin et certaines parties de Phuket et de Samui, où les touristes européens majoritairement âgés, voient d'un mauvais œil les jeux bruyants des enfants. Préférez **Ko Samet** (p. 252), une île à demi déserte, facilement accessible de Bangkok.

# Histoire

## COMMUNAUTÉS PRÉHISTORIQUES

L'une des principales interrogations de l'histoire thaïlandaise porte sur l'origine des premiers Thaïlandais et leur évolution jusqu'à aujourd'hui. Selon les premières études, leurs ancêtres auraient quitté le sud de la Chine au XIIIe siècle pour le fertile Sud-Est asiatique. D'autres spécialistes voudraient inclure dans l'histoire du pays la vie et l'héritage des peuples qui ont précédé ces "nouveaux" arrivants. Les fossiles d'*Homo erectus* récemment découverts dans la province de Lampang, dans le nord du pays, datent d'au moins 500 000 ans. Le plus important site préhistorique thaïlandais, situé à Ban Chiang, dans la province d'Udon Thani (Nord-Est), atteste que la poterie, les outils en bronze et la culture du riz existaient déjà entre 4000 et 2500 ans av. J.-C.

## L'ARRIVÉE DES THAÏS

Les populations qui ont jeté les fondements de l'identité thaïlandaise arrivèrent dans les régions de l'actuelle Thaïlande il y a environ un millénaire.

L'homme de Lampang fournit la première preuve de l'existence de l'*Homo erectus* en Asie en dehors de l'Indonésie et de la Chine.

Durant le premier millénaire, ces immigrants venus de Chine méridionale, appelés "Thaïs", s'installèrent par vagues successives au cœur du Sud-Est asiatique. Ils parlaient des langues monosyllabiques et tonales de la famille linguistique thaï-kadai, considérée comme le groupe ethnolinguistique le plus important d'Asie du Sud-Est. Ils établirent des villages d'agriculteurs, de chasseurs et de commerçants à petite échelle. Leurs réseaux communautaires étaient fondés sur le schéma traditionnel du *meu·ang* regroupant plusieurs villages interdépendants sous la direction d'un seigneur. Ces *meu·ang* furent les structures fondatrices de l'État thaï.

À la fin du premier millénaire, de nombreux Thaïs vivaient déjà sur le territoire de la Thaïlande. Ils avaient rencontré, chassé ou assimilé les populations môn-khmères, ou coexistaient avec elles. D'autres groupes de Thaï-Kadai se scindèrent et se dispersèrent à travers le Sud-Est asiatique : au Laos (les Lao) et au Myanmar (les Chan) notamment. Aux IXe et Xe siècles, les empires du sud de la Chine (Nanzhao), du Vietnam (Champa) et du Cambodge (Angkor) prospéraient, tandis que les Thaïs étaient encore dénués d'une administration centralisée.

## L'EXPANSION DES ROYAUMES THAÏS

### Dvaravati, Angkor et Srivijaya

Avant l'arrivée des Thaïs, la plaine centrale de Thaïlande était briguée par les Môn et les Khmers, le Nord-Est par les Khmers et le Sud par les Malais.

## CHRONOLOGIE

**4000-2500 av. J.-C.**

Dans le nord-est de la Thaïlande, les communautés préhistoriques développent la poterie, la riziculture et le travail du bronze.

**VI[e]-XI[e] siècle**

Le centre du pays abrite de riches cités-États Dvaravati, une civilisation fondée sur la culture môn et le bouddhisme theravada.

**VIII[e]-XIII[e] siècle**

La Thaïlande du Sud est gouvernée par l'empire maritime de Srivijaya.

Du VI^e au IX^e siècle, le centre et le nord-est du pays virent apparaître une culture bouddhique particulière associée aux Môn et au nom de Dvaravati. Les pièces de monnaie portant l'inscription "seigneur de Dvaravati" découvertes à Nakhon Pathom laissent penser que c'est là que se trouvait le centre du royaume. Il s'agissait probablement d'un regroupement libre de cités-États partageant la même culture môn et bouddhique, comme Ku Bua (Ratburi), Srimahosot (Prachinburi), Nakhon Ratchasima et U Thong, et rayonnant depuis Nakhon Pathom. Les objets découverts sur les sites Dvaravati et leur cartographie révèlent l'existence de plusieurs routes marchandes terrestres : vers le Myanmar à l'ouest, le Cambodge à l'est, Chiang Mai et le Laos au nord, ainsi que vers le nord-est et le plateau de Khorat.

*Histoire de la Thaïlande* (Que sais-je ? n°1095, PUF), de Xavier Galland, est un ouvrage synthétique et complet. Aujourd'hui épuisé, il est néanmoins consultable en bibliothèque.

La civilisation urbaine de Dvaravati légua à la Thaïlande son art et son architecture, ainsi que des inscriptions gravées en langue môn. Les influences indiennes se reconnaissent dans plusieurs aspects (noms de ville, croyances religieuses et culture matérielle). L'émergence de l'État et des civilisations dans l'ancien Sud-Est asiatique, jadis qualifiée d'"indianisation", est aujourd'hui présentée comme une "localisation" au lieu d'une absorption pure et simple de la culture indienne.

Au XI^e siècle, l'influence de ces cités-États déclina rapidement du fait de l'expansion de l'Empire khmer vers l'ouest, le centre et le nord-est du pays. Lavo (Lopburi), Sukhothai et Phimai (Nakhon Ratchasima) étaient alors des centres administratifs régionaux khmers. Entre ces villes et la capitale, Angkor, des routes et des temples khmers facilitaient les déplacements et symbolisaient le pouvoir impérial. Les éléments khmers – le brahmanisme, le bouddhisme theravada et mahayana – caractérisent les productions culturelles de cette période de l'histoire thaïlandaise. À Angkor Wat, des bas-reliefs du début du XII^e siècle représentent des mercenaires thaïs au sein des armées khmères. Les Khmers les appelaient "Syam", un terme à l'origine du nom de Sayam ou Siam qui désignera le royaume thaï.

L'historien français Georges Cœdès suggéra que l'"indianisation" fut une expérience commune pour les premiers États d'Asie du Sud-Est.

Entre le VIII^e et le XIII^e siècle, la Thaïlande du Sud fut gouvernée par l'empire maritime de Srivijaya, qui contrôlait le commerce entre la mer de Chine méridionale et l'océan Indien. Chaiya (près de Surat Thani) en était le centre régional. Une différenciation culturelle décisive eut lieu sous l'empire de Srivijaya : la cité-État de Tambralinga (Nakhon Si Thammarat) adopta le bouddhisme, tandis que ses homologues malaises, au sud, se convertirent à l'islam. Au XV^e siècle, une frontière religieuse définitive partageait déjà la péninsule entre le continent bouddhiste et la Malaisie occidentale musulmane.

Srivijaya fut le plus important empire commerçant de l'Antiquité du Sud-Est asiatique. Il aurait eu pour centre Palembang, à Sumatra.

Pendant que ces vastes empires déclinaient progressivement du XII^e au XVI^e siècle, les populations thaïes de l'intérieur créaient de nouveaux États. Les régimes bouddhistes de Lanna et de Sukhothai devinrent le centre du monde thaï, rapidement rejoint par Ayuthaya.

**X^e siècle**

Arrivée des peuples "Thaïs" dans ce qu'on appellera la Thaïlande.

**1238**

Union de plusieurs communautés thaïes pour former Sukhothai, le premier royaume thaï, et résister ainsi au pouvoir khmer.

**1283**

Le roi Ramkhamhaeng de Sukhothai invente la première écriture thaïe.

## Le royaume de Lanna

Le royaume de Lanna fut fondé par le roi Mangrai qui fit de Chiang Mai (qui signifie "ville nouvelle") sa capitale en 1292. Le souverain s'imposa grâce à la formation d'une identité thaïe commune et aux relations établies avec les grands dirigeants thaïs voisins, notamment le roi Ngam Muang de Phayao et le roi Ramkhamhaeng de Sukhothai. Il promulgua un texte juridique humain et modéré intitulé *Les Jugements du roi Mangrai*.

Dans la seconde moitié du XIVe siècle, le roi érudit Kü Na favorisa le bouddhisme theravada d'origine cingalaise. Le Lanna devint le centre culturel des Thaïs du Nord (Tai Yuan) et le long règne du roi Tilok, au XVe siècle, renforça encore son hégémonie. Dans les années 1520, l'important patronage royal du bouddhisme produisit une célèbre chronique en pali, le *Jinakalamali*, sur la vie du Bouddha et la diffusion du bouddhisme. Le Lanna fut néanmoins la proie d'intrigues dynastiques et de nombreuses guerres, notamment contre les royaumes de Sukhothai et d'Ayuthaya. Au milieu du XVIe siècle, le royaume était devenu la victime des luttes de pouvoir entre le Laos et Ayuthaya.

Certains spécialistes estiment que l'inscription de Ramkhamhaeng est un faux réalisé au XIXe siècle pour soutenir la thèse selon laquelle la région de Sukhothai faisait historiquement partie du Siam.

## Le royaume de Sukhothai

Au milieu du XIIIe siècle, les seigneurs thaïs Pha Muang et Bang Klang Hao unirent leurs forces pour éliminer le principal bastion khmer dans la région de Sukhothai. Avec le consentement de Pha Muang, Bang Klang Hao fut couronné roi sous le nom de Sri Indraditya. Sous la direction de son fils Ramkhamhaeng, le royaume de Sukhothai devint une puissance régionale dotée de territoires dépendants à l'est (Phitsanulok et Vientiane), au sud (Nakhon Sawan, Chainat, Suphanburi, Ratburi, Phetburi et Nakhon Si Thammarat), à l'ouest (Pegu et Martaban) et au nord (Phrae, Nan et Luang Prabang). Ces territoires ne furent pas tous conquis par la force. Les régions annexées au sud furent le résultat de mariages ou de liens de parenté entre Ramkhamhaeng et les familles des rois locaux. Le thaï siamois

*Traiphum Phra Ruang* (Les Trois Mondes du roi Ruang) dépeint la cosmologie bouddhique et conforte l'idée d'une hiérarchie sociale fondée sur le mérite religieux, ce qui a permis de justifier la monarchie de Sukhothai.

### L'INSCRIPTION GRAVÉE DE RAMKAMHAENG

Sur une pierre gravée datée de 1292, le roi Ramkhamhaeng dépeint son royaume comme un lieu idyllique et libre de contraintes, et se présente sous les traits d'un patriarche bienveillant :

> "À l'époque du roi Ramkhamhaeng, cette terre de Sukhothai est prospère. L'eau regorge de poissons et les champs sont remplis de riz [...] ; quiconque veut faire le commerce des éléphants est libre de le faire ; quiconque veut vendre des chevaux est libre de le faire ; [...] et si un roturier de cette terre a un grief [...], c'est très simple : il va frapper la cloche que le roi a suspendue là-bas ; le roi Ramkhamhaeng [...] entend son appel ; il vient et interroge l'homme, examine son cas et le règle avec justice."

*Traduit en anglais par AB Griswold et Prasert Na Nagara,* Journal of the Siam Society *(juillet 1971)*

**1292**
Chiang Mai devient la capitale du Lanna.

**1351**
Fondation légendaire du royaume d'Ayuthaya.

**1518**
Ayuthaya conclut son premier traité avec une nation occidentale, un accord de commerce amical avec le Portugal.

devint progressivement la langue de l'élite. Le roi aurait inventé, en 1283, une variante d'écriture et une version ancienne de la langue thaïe moderne. Le Sukhothai fut un centre important du bouddhisme theravada en Asie du Sud-Est, comme le révèlent les œuvres d'art et un texte bouddhique déterminant, le *Traiphum Phra Ruang*, rédigé par le roi Li Thai en 1339. Après sa mort, toutefois, l'empire de Ramkhamhaeng se désintégra.

## La longue période d'Ayuthaya

Au milieu du XIVe siècle, une nouvelle puissance, le royaume d'Ayuthaya, s'imposa dans le bassin du Chao Phraya. Ses voisins de l'époque l'appelaient souvent Siam. Son fondateur légendaire, le roi U Thong, était d'origine obscure. S'il était probablement originaire de Phetchaburi ou d'une lignée chinoise, les sources indiquent qu'il était allié par mariage avec les puissantes maisons de Suphanburi et de Lopburi.

Les armes à feu furent probablement introduites en Asie du Sud-Est entre le XIIIe et le XVe siècle, par les Chinois et les Arabes, puis par les Portugais.

L'essor d'Ayuthaya s'établit sur la capacité de son monarque à recruter une main-d'œuvre indispensable et à tirer profit des échanges internationaux. Sa richesse et ses liens commerciaux permirent au royaume d'accéder à l'armement et aux mercenaires portugais. Sa capitale fortifiée se trouvait sur une petite île bordée de rivières.

Avec ses 36 rois et ses 5 dynasties qui se sont succédé sur 416 ans, la politique intérieure du royaume fut marquée par la violence. Plus le pouvoir du roi sur ses sujets, ses terres et ses ressources était absolu, plus la situation au sommet de l'État était explosive. L'ironie voulait que les victimes royales des manigances à la cour fussent enveloppées dans un drap et frappées à mort avec une massue en bois de santal (un bois rare et luxueux), afin d'empêcher leur sang sacré d'imprégner la terre.

Les meilleurs récits européens sur le royaume d'Ayuthaya, au XVIIe siècle, sont ceux de Jeremias van Vliet, Simon de la Loubère, Nicolas Gervaise et Engelbert Kaempfer.

Pour renforcer notablement le système administratif du royaume, le roi Trailok (qui règne de 1448 à 1488) promulgua les lois sur la hiérarchie civile d'une part et sur les hiérarchies militaire et provinciale d'autre part. Les 2 textes clarifièrent la structure administrative avec de longues listes de postes officiels associés à des titres et à des rangs spécifiques. Ils définirent également la place et la position des individus dans la société d'Ayuthaya. Le statut social de chaque habitant était mesuré en unités numériques appelées *sàk·di·nah* – correspondant à la surface de terre (virtuellement) en sa possession. Les amendes et les châtiments étaient proportionnels au *sàk·dì·nah* de chacun. La société distinguait principalement la royauté, la noblesse et les roturiers. Ces derniers étaient des *prai* (hommes libres) ou des *tâht* (esclaves). Les hommes libres étaient affectés à un contremaître royal ou noble. Chaque année, durant 6 mois, ils devaient travailler pour l'élite dirigeante, que ce soit à leur service personnel, dans les travaux publics ou dans l'armée. En dépit d'une hiérarchie clairement définie, il existait une certaine mobilité sociale en fonction des capacités personnelles, des relations (notamment le mariage) et de la faveur royale.

**1569**

Ayuthaya est vaincu par la Birmanie.

**1688**

La mort du roi Naraï provoque la "Révolution du palais", la chute fatale du Grec Constantin Phaulkon et l'expulsion des Français.

**1767**

Reddition désastreuse d'Ayuthaya face aux Birmans.

La sphère d'influence d'Ayuthaya fut renforcée par le biais des villes frontalières de Khorat à l'est, Kanchanaburi à l'ouest, Phitsanulok au nord et Nakhon Si Thammarat au sud. Après avoir vaincu Angkor en 1431-1432, l'élite d'Ayuthaya adopta les coutumes de la cour khmère, sa langue honorifique et ses conceptions de la royauté. Bien que le souverain ait pris le titre de *devaraja* (roi divin) khmer au lieu du *dhammaraja* (roi vertueux) en usage au Sukhothai, le royaume demeurait tributaire de l'empire de Chine, qui lui accordait en échange de sa soumission rituelle de généreux cadeaux et des privilèges commerciaux enviables. Le royaume siamois avait lui aussi ses États vassaux, qu'il obligeait, par la menace, à fournir soldats et tributs. C'était le cas des royaumes de Songkhla, du Cambodge et de Pattani. Leur soumission était symboliquement exprimée par des arbres d'or et d'argent d'une remarquable finesse.

Le premier *Traité sur les guerres victorieuses* du Siam fut écrit pour guider les armées du roi Ramathibodi II en 1498. En 2008, on découvrit à Phetchabun la version authentique d'un traité du début de la période de Bangkok.

Cette période fut une "ère commerçante" pour l'Asie du Sud-Est. Centre économique et politique de la région, Ayuthaya tirait ses richesses du commerce maritime. Elle était à la fois la capitale royale et le port principal. Le système fluvial desservait également l'intérieur des terres et, qu'il empruntât la voie terrestre ou maritime, le commerce avec l'étranger était d'un grand intérêt pour le royaume. En dehors du riz, les principales exportations d'Ayuthaya provenaient des forêts. L'administration créa le ministère Phra Khlang pour gérer les affaires et le commerce avec l'étranger. Le ministère détenait le monopole sur une sélection de biens exportés et importés, pour lesquels il fixait les taxes et les prix. À partir du XVII^e^ siècle, l'économie commerciale d'Ayuthaya se développa.

Au XVII^e^ siècle, les peaux animales étaient massivement exportées vers le Japon, au rythme d'environ 100 000 pièces par an.

La présence historique de nombreux étrangers à Ayuthaya est toujours perceptible dans les vestiges des anciennes communautés étrangères (japonaise, hollandaise et française), sur les rives qui entourent l'île, et visible sur les vieilles cartes (chinoises, maures et anglaises). Les visiteurs étrangers mentionnèrent dans leurs rapports les marchés et la cour cosmopolites d'Ayuthaya. Les résidents étrangers avaient leur propre administration, mais leurs dirigeants étaient absorbés par la bureaucratie siamoise, ce qui les rendait toujours plus dépendants des faveurs royales. Les Occidentaux étaient alors terrifiés par la loi siamoise et ses terribles châtiments corporels. En 1664, les Hollandais furent les premiers à demander et à obtenir des droits d'extraterritorialité qui leur permirent de se soustraire à la juridiction siamoise.

En Europe, la littérature de voyage contemporaine a largement évoqué l'incroyable prospérité commerciale du royaume. Cet étalage de richesse faisait partie de la propagande royale, visible aujourd'hui encore sur les sites historiques d'Ayuthaya.

Les visées expansionnistes des Birmans mirent à mal la splendeur d'Ayuthaya. En 1569, la ville était tombée aux mains du grand roi birman Bayinnaung, avant de reprendre son indépendance sous le règne de Naresuan.

Le roi Naresuan est un véritable héros national et un personnage culte, notamment pour l'armée thaïlandaise. Sa légende a inspiré au réalisateur Chatrichalerm Yukol l'imposante trilogie *King Naresuan*.

**1768-1782**

Le roi Taksin règne depuis sa nouvelle capitale à Thonburi.

**1782**

Mort du roi Taksin et fondation de la dynastie des Chakri, avec Bangkok comme capitale.

**1805**

Codification de la loi des Trois Sceaux.

**LE MONDE DU ROI NARAÏ**

La curiosité du roi Narai pour le monde international s'exprima, dans les années 1680, par l'échange d'ambassades avec les grands dirigeants de Perse, de France, du Portugal et du Vatican. Les ambassades siamoises soulevèrent un vif intérêt en France. Le roi se montrait très désireux d'acquérir et d'employer les biens, la culture et les idées de l'étranger. Sa cour commanda une grande diversité de produits : longues-vues, sabliers, papier, noyers, fromage, vins et fontaines en marbre. Avant de rejoindre les jésuites français pour observer l'éclipse depuis son palais de Lopburi, le monarque siamois avait reçu de nombreux cadeaux, dont un globe offert par Louis XIV.

Dans les années 1680, Naraï recourut aux services de l'aventurier grec Constantin Phaulkon. Alors qu'il servait le roi comme intermédiaire entre les Siamois et les Occidentaux, Phaulkon abusa de son pouvoir de ministre haut placé et de favori de la cour.

À la mort du roi Naraï, qui n'avait pas d'héritier, Phaulkon se retrouva du côté des perdants. Il fut victime des intrigues de la cour siamoise lors de la "révolution du palais de 1688", dans laquelle il joua un rôle important. Plusieurs écrivains contemporains se sont inspirés de l'ascension et de la chute de l'aventurier.

Dans les années 1760, la jeune et ambitieuse dynastie birmane de Kongbaung poussa à nouveau vers l'est pour écraser son rival politique et commercial. Les troupes birmanes assiégèrent Ayuthaya pendant un an, avant de la détruire en 1767. La capitale fut ravagée, ses bâtiments détruits et ses habitants massacrés. La région alentour fut désertée et resta inhabitée. La violence de cet événement historique fut si terrifiante que de nombreux Thaïlandais considèrent aujourd'hui encore les Birmans comme des agresseurs et des ennemis impitoyables.

## L'ÈRE DE BANGKOK

### Le renouveau

Les lois des Trois Sceaux promulguées sous le premier règne de l'ère de Bangkok étaient en partie fondées sur les textes juridiques ayant subsisté depuis Ayuthaya. Elles établirent le modèle juridique du début de la période de Bangkok.

La lignée des rois fut ainsi interrompue. Un ancien général, Taksin, s'empara du pouvoir. Après avoir vaincu les autres candidats au trône, dont un frère du dernier roi d'Ayuthaya, le nouveau monarque installa sa capitale à Thonburi, une ville située en aval et dotée d'un fort construit par les Français, plus facile à défendre et plus accessible au commerce. Alors qu'il consolidait son pouvoir, le roi Taksin, fils d'un immigrant chinois et d'une Thaïlandaise, encouragea fortement les échanges avec la Chine. Vers la fin de sa quinzième année sur le trône, le roi montra des signes de faiblesse mentale et s'attaqua aux moines bouddhistes. En 1782, deux de ses généraux en chef fomentèrent un coup d'État et le firent exécuter. L'un d'eux, Chao Phraya Chakri, fut couronné sous le nom de Yot Fa (Rama Ier) et fonda la dynastie des Chakri. Le nouveau monarque déplaça la capitale de l'autre côté du Chao Phraya, à Bangkok. Ce nouveau lieu fut appelé "Rattanakosin" (bijou d'Indra) ou plus souvent "Krungthep" (cité des Anges).

**1851-1868**

Règne du roi Mongkut (Rama IV), déclin de l'influence chinoise et montée de l'influence occidentale.

**1855**

Le traité de Bowring, conclu entre le Siam et l'Angleterre, stimule l'économie de marché siamoise et accorde des droits d'extraterritorialité aux sujets britanniques.

**1868-1910**

Règne du roi Chulalongkorn (Rama V) : modernisation et impérialisme européen.

Durant les 70 ans qui séparèrent les règnes des rois Taksin et Nangklao (Rama III), les monarques se concentrèrent sur la restauration de l'unité siamoise et la renaissance des modèles d'Ayuthaya. Les connaissances et les pratiques qui avaient survécu furent maintenues ou incorporées dans de nouvelles lois, des manuels de pratique gouvernementale, des textes religieux et historiques, et dans la littérature. Parallèlement, ces monarques quittèrent leurs positions défensives pour agrandir leur territoire par la guerre, étendant leur influence dans toutes les directions. Ayant détruit les capitales du Laos et du Cambodge, le Siam contint l'agression birmane et asservit Chiang Mai, qui avait également subi les attaques birmanes. Les populations vaincues furent déplacées et jouèrent un rôle important dans l'accroissement de la production rizicole au Siam, dont l'essentiel était exporté vers la Chine. Le roi Nangklao était très désireux de commercer avec les Chinois et s'intéressait à leur culture. Au contraire des rois d'Ayuthaya qui vénéraient le dieu hindou Vishnu, les monarques Chakri se firent les défenseurs du bouddhisme. Ils compilèrent et traduisirent en thaï les grands textes bouddhiques et construisirent de nombreux temples royaux. Pendant ce temps apparurent un ordre social nouveau et une économie de marché.

Le sucre fut la principale denrée exportée par le Siam jusque dans les années 1870 ; il fut alors remplacé par le riz.

## Modernisation et occidentalisation

L'élite siamoise admirait la Chine, mais cette fascination s'évanouit dans les années 1850 lorsque le Siam s'ouvrit à l'Occident. Elle adopta alors certains aspects de la modernisation occidentale, dont les connaissances scientifiques, les systèmes bureaucratique, militaire et juridique, l'éducation et les transports.

Le *Bangkok Recorder* traitait des actualités locales et étrangères, ainsi que de divers sujets tels que la science, la politique et la religion.

Avant de monter sur le trône, le roi Mongkut (Rama IV) fut moine pendant 27 ans. Il fonda l'ordre monastique Thammayut selon les règles strictes auxquelles il s'était soumis lorsqu'il suivait des moines môn. Pendant sa longue vie monastique, il eut le temps d'apprendre le pali, le sanskrit, le latin et l'anglais. Il étudia également les sciences occidentales. Sous le règne de Rama III, un missionnaire américain, James Low, introduisit la première presse au Siam. L'impression de documents en langue thaïe progressa encore

### LES FEMMES THAÏLANDAISES DANS L'HISTOIRE

Les étrangers qui visitèrent le Siam pendant la période d'Ayuthaya remarquèrent que les femmes assumaient l'essentiel des activités, y compris le commerce. Mais ce n'est qu'en 1868 que le roi Mongkut (Rama IV) abolit le droit des maris de vendre leur épouse ou ses enfants sans sa permission. L'ancienne disposition, disait-on, traitait les femmes comme "un simple buffle d'eau". Un document du milieu du XIXe siècle, intitulé *Suphasit Son Ying* ("Dictons pour les femmes"), reconnaissait que les femmes de la classe aisée voulaient avoir une influence sur le choix d'un mari et contribuaient aux affaires familiales. Les "Dictons" donnaient des conseils aux femmes sur ces deux points.

**1874**

Un édit abolit l'esclavage.

**1890**

La première voie ferrée du Siam relie Bangkok à Nakhon Ratchasima.

**1892**

Nouvelle administration avec un gouvernement doté de 12 ministères, dont certains deviendront les ministères de la Défense, de l'Intérieur, de la Justice et de l'Éducation.

quand son compatriote Dan Bradley publia le premier journal thaïlandais, le *Bangkok Recorder*, dans les années 1840 à 1860. Le roi Mongkut et plusieurs membres de l'élite y étaient abonnés.

Un débat durable hérité du règne de Rama III portait sur l'économie, l'ordre social et la gestion de l'influence occidentale. Les réformateurs estimaient qu'un commerce plus important avec l'Occident, une main-d'œuvre plus libre et un meilleur accès aux nouvelles technologies entraîneraient une croissance économique. Alors qu'il méprisait le christianisme, le roi Mongkut était réellement fasciné par le progrès matériel occidental. L'un de ses conseillers, Chaophraya Thiphakorawong, écrivit une collection d'essais intitulée *Sadaeng Kitjanukit,* dans lesquels il encourageait les enfants à apprendre les sciences de l'Occident tout en rejetant le christianisme.

Sous son règne, le Siam conclut des traités avec les puissances occidentales. En 1855, le traité de Bowring contraignit le royaume à entrer dans le système de marché mondial. La cour siamoise dut abandonner ses monopoles royaux et accorder des droits extraterritoriaux aux sujets britanniques, puis aux autres puissances occidentales.

*Klai Ban*, du roi Chulalongkorn, fut traduit en français, en anglais et en allemand.

Le fils de Mongkut, le roi Chulalongkorn (Rama V), poursuivit son œuvre de réforme en abolissant l'ancien ordre politique et en adoptant le modèle de l'État-nation. Il abolit l'esclavage et les corvées, qui persistaient vainement depuis la période d'Ayuthaya. Le contrôle de la main-d'œuvre devint subitement difficile avec l'afflux d'immigrants chinois et de paysans frontaliers, et compte tenu de l'extraterritorialité accordée aux citoyens occidentaux. Chulalongkorn supervisa la création d'une bureaucratie salariée, d'une force de police et d'une armée active. Ses réformes permirent d'uniformiser le code juridique, les tribunaux et les services fiscaux. Avec le renforcement de la colonisation paysanne aux frontières, l'agriculture des principales régions du Siam profita de nouvelles techniques d'irrigation. Des écoles furent créées sur le modèle européen, tandis que le service militaire universel et l'impôt firent de tous des sujets du roi.

### CHULALONGKORN, LE ROI VOYAGEUR

Alors qu'il était encore enfant, le roi Chulalongkorn voyagea pour observer les colonies de Singapour, de Java, de Malaisie occidentale, de Birmanie et d'Inde afin de choisir "quels pourraient être les modèles sûrs pour la prospérité future du Siam". En 1897, 4 ans après l'"incident de Paknam" avec les Français, il se rendit en Europe afin de montrer que le Siam était un pays civilisé qui méritait d'être traité comme une puissance. Sa seconde visite, en 1907, est relatée dans *Klai Ban* ("Loin de chez soi"), une compilation de lettres qu'il a écrites pendant son voyage à sa sœur restée au Siam. Cette correspondance offre une présentation perspicace de l'Europe du début du XX^e siècle.

**1893**

Le blocus français du Chao Phraya ("incident de Paknam") accentue la menace colonialiste.

**1909**

Un traité anglo-siamois délimite les frontières du Siam.

**1913**

Le gouvernement du roi Vajiravudh promulgue les lois sur la nationalité et le nom de famille.

Pour "civiliser" son pays, Chulalongkorn s'appuya beaucoup sur des conseillers étrangers, en majorité britanniques. À la cour, l'essentiel du protocole en vigueur depuis des siècles fut abandonné et remplacé par des pratiques occidentales. L'architecture et la décoration des espaces officiels, comme les nouvelles salles du trône, furent confiées à des artistes italiens. Défiant les anciennes traditions, le roi se montra en public, se laissa photographié, représenté par les peintres et les sculpteurs, et permit que son portrait figurât sur les pièces de monnaie, les timbres et les cartes postales (le roi Mongkut fut le premier monarque siamois à apparaître devant les photographes et la population).

Le roi Chulalongkorn annexa le Lanna, Khorat et Phuket. En 1893, il créa un ministère de l'Intérieur pour superviser les provinces et fit construire des liaisons ferrées vers les villes éloignées. Le Siam fut néanmoins contraint de céder des territoires à l'Indochine française (le Laos en 1893 et le Cambodge en 1907) et à la Malaisie britannique (3 États malais en 1909). Le Siam devint un pays aux contours géographiques définis dans un sens moderne. En 1902, il se dénommait non plus Siam mais Prathet Thai (le pays des Thaïs) ou Ratcha-anachak Thai (le royaume des Thaïs). En 1913, tous ceux qui vivaient à l'intérieur de ses frontières furent appelés "Thaïlandais".

Lors de l'"incident de Paknam", en 1893, le Siam engagea une action militaire contre les Français après que ceux-ci eurent annexé son territoire sur la rive orientale du Mékong. La France envoya deux canonnières sur le Chao Phraya afin d'en obtenir la concession. L'incident aboutit à un traité franco-siamois qui délimita précisément la frontière entre le Siam et l'Indochine française, le long du Mékong.

Face aux menaces impérialistes et à la confusion interne, la modernisation occidentale sembla être la réponse logique aux yeux de l'élite siamoise. La création d'un Parlement représentait pourtant une avancée trop importante pour le roi Chulalongkorn et son successeur immédiat.

Le roi Vajiravudh (Rama VI), éduqué en Angleterre, poursuivit les réformes et rendit notamment l'école obligatoire. Il aligna le calendrier thaïlandais sur le modèle occidental et promut un nationalisme teinté de royalisme. En 1917, le nouveau drapeau tricolore (rouge, blanc et bleu pour la nation, la religion et le roi) fut dessiné pour le contingent thaïlandais envoyé combattre en Europe aux côtés des Alliés. Les Thaïlandais durent adopter des noms de famille. Craignant que les Chinois du Siam ne participent à la vie politique chinoise et inquiété par la diffusion des idées républicaines et révolutionnaires, le gouvernement thaïlandais adopta en 1913 la loi sur la nationalité qui autorisait les descendants des immigrants chinois à devenir des citoyens thaïlandais.

## LA THAÏLANDE DÉMOCRATIQUE

### La révolution de 1932

En 1932, un groupe de jeunes officiers et de bureaucrates, qui se faisait appeler Khana Ratsadon (Parti du peuple), organisa un coup d'État victorieux. Cette révolution sans effusion de sang instaura une monarchie constitutionnelle et fit du Siam un État démocratique doté d'un Parlement. Les leaders du mouvement étaient inspirés par les idéaux démocratiques découverts pendant leurs études en Europe. Après l'abdication et l'exil volontaire du roi Prajathipok (Rama VII) au Royaume-Uni, en 1935, le

Le Parti du peuple fut fondé par un groupe d'étudiants (dont Phibul et Pridi) réunis à Paris dans les années 1920 et partageant la même vision d'une Thaïlande démocratique s'inspirant des modèles occidentaux.

**1916**

Création de la première université thaïlandaise, l'université Chulalongkorn.

**1917**

Le Siam envoie des troupes aux côtés des Alliés pendant la Première Guerre mondiale.

**1932**

Une révolution menée sans effusion de sang par de jeunes militaires et fonctionnaires met fin à la monarchie absolue.

nouveau gouvernement démocratique appela sur le trône son neveu alors âgé de 10 ans, Ananda Mahidol, sous le titre de Rama VIII. Étant parvenu à évincer les réactionnaires royalistes, le Parti du peuple fut après le coup d'État la proie de luttes internes. La faction militaire était dirigée par le général Phibul Songkhram, les civils par Pridi Phanomyong.

L'un des dirigeants civils de la révolution de 1932 fut donc Pridi Phanomyong (1900-1983), un avocat formé en France, également chef de file du Seri Thai et Premier ministre de Thaïlande. Sa participation aux réformes démocratiques en Thaïlande s'appuyait sur des mesures constitutionnelles et des tentatives de restrictions légales de l'intervention militaire dans la politique thaïlandaise. Il soutenait la nationalisation des terres et du travail, l'industrialisation par l'État et la protection de la main-d'œuvre. En 1934, il créa l'université Thammasat. Il fut attaqué pour ses idées "communistes" ; son intervention directe dans la politique thaïlandaise prit fin au milieu des années 1950. En 2000, il fut désigné comme l'une des grandes personnalités du XXe siècle par l'Unesco.

En 1950, la Thaïlande fut le premier pays asiatique à fournir des troupes d'appui aux États-Unis pendant la guerre de Corée. En 1954, elle entra dans l'Organisation du traité de l'Asie du Sud-Est (OTASE), une organisation internationale de défense commune dirigée par les États-Unis.

Phibul sortit vainqueur de l'affrontement par la force. Son régime, qui coïncida avec la Seconde Guerre mondiale, était caractérisé par de forts penchants nationalistes focalisés sur la "nation" et le "caractère thaï". En 1939, il changea le nom du pays en Thaïlande, la terre des Thaïs, le "peuple libre".

Lors de l'invasion japonaise en Asie du Sud-Est, pendant la Seconde Guerre mondiale, le gouvernement Phibul se rangea du côté des Japonais dans l'espoir d'accroître son pouvoir de négociation en politique internationale et de récupérer les territoires aux mains des Français. La Thaïlande comptait déclarer la guerre aux États-Unis et au Royaume-Uni, mais le mouvement de libération antijaponais, le Seri Thai, mené par Pridi, contraignit Phibul à démissionner. Seni Pramoj, ambassadeur de Thaïlande à Washington et membre du Seri Thai, refusa de remettre la déclaration de guerre officielle, épargnant à la Thaïlande les graves conséquences de la défaite.

Les gouvernements démocratiques d'après guerre furent de courte durée. Le gouvernement de Pridi vota la Constitution de 1946, qui instaura une législature entièrement élue. Cette même année, le jeune roi Ananda Mahidol fut assassiné dans des circonstances qui restent indéterminées. Son frère cadet fut nommé roi, sous le nom de Bhumibol (Rama IX). En 1947, une partie de l'armée qui se sentait menacée par l'approche libérale et socialiste du régime le renversa et envoya Pridi en exil. Phibul devint le chef d'un nouveau gouvernement plus radical et anticommuniste.

## Le régime militaire et la guerre froide

En 1957, le général Sarit Thanarat s'empara du pouvoir et instaura une véritable dictature militaire : il abolit la Constitution, le Parlement fut dissous et tous les partis politiques interdits. Dans les années 1950, le gouvernement, cherchant à contenir la progression du communisme en Asie du Sud-Est, américain apporta son soutien économique et militaire au régime de Sarit.

**1934**

La polygamie, importante tradition thaïe, est interdite.

**1939**

Le nom du pays, Siam, est officiellement remplacé par celui de Thaïlande.

**1941**

Les forces japonaises entrent en Thaïlande.

Sarit favorisa l'élargissement du rôle royal, considérant le roi comme une "autorité unificatrice" de la nation. Le roi Bhumibol et la reine Sirikit firent des visites officielles à l'étranger, véhiculant l'image d'un pays à la fois traditionnel et modernisé. En Thaïlande, ils travaillèrent au développement rural. Créée en 1969, la Royal Project Foundation devait permettre d'éradiquer la culture de l'opium par les ethnies montagnardes du Nord et d'encourager un développement durable par l'utilisation rationnelle des terres et des forêts.

En 1988, la Royal Project Foundation reçut le prestigieux prix Ramon Magsaysay pour le développement.

De 1963 à 1973, le régime militaire fut perpétué par les généraux Thanom Kittikachorn et Praphat Charusathien, qui accueillirent les troupes américaines sur le sol thaïlandais pendant la guerre du Vietnam. Un mélange explosif de capitalisme, d'impérialisme américain, de dictature militaire et d'idéologie marxiste souleva l'opposition des intellectuels, des étudiants, des paysans et des ouvriers. En 1973, plus d'un demi-million de personnes manifestèrent à Bangkok et dans les chefs-lieux de province pour exiger l'adoption d'une constitution. La dispersion sanglante des manifestants à Bangkok, le 14 octobre, conduisit à l'effondrement du régime militaire.

Au cours des années suivantes, la société thaïlandaise vit s'aggraver la polarisation entre la droite et la gauche, représentée par les militaires et l'extrême droite d'un côté et le mouvement des étudiants de gauche de l'autre. Les forces anticommunistes se déchaînèrent le 6 octobre 1976, conduisant au massacre des étudiants de l'université Thammasat. De nombreux étudiants et intellectuels rejoignirent alors les insurgés communistes armés dans la jungle.

## Le développement économique et ses conséquences

Durant le dernier quart du XXe siècle, l'essor économique fulgurant déboucha sur une transformation sociale de la Thaïlande. Les indicateurs du développement comme l'accroissement du consumérisme et de l'individualisme s'accompagnèrent de nouveaux problèmes : l'effondrement des communautés rurales, l'exploitation des ouvriers et l'augmentation de la prostitution. Cette croissance économique eut également des conséquences sur la politique thaïlandaise.

Dans les années 1980, le gouvernement du "soldat politique", le général Prem Tinsulanonda, assura une période de stabilité politique et économique. Tinsulanonda parvint à démanteler l'insurrection communiste par une action militaire et des amnisties. Désireuse de privilégier la croissance économique, la nouvelle génération d'hommes d'affaires et de politiciens commença à critiquer les militaires, leurs budgets et leur intervention en politique. En 1988, Chatichai Choonhavan succéda à Tinsulanonda. Son parti, le Chat Thai, avait tissé des liens étroits avec les nouveaux hommes d'affaires de province capables de manipuler l'électorat local. Sous Chatichai, les ministères de la Défense, de l'Intérieur et des Finances furent confiés à des dirigeants politiques élus, au lieu des technocrates et généraux habituels. Le gouvernement tenta de transférer le pouvoir, jusqu'alors détenu par les bureaucrates et les militaires,

Prem Tinsulanonda est toujours le président du Conseil privé du roi Bhumibol.

**1942**

Le Parti communiste thaïlandais (CPT) est rétabli.

**1945**

Fin de la Seconde Guerre mondiale ; la Thaïlande est obligée de rendre les territoires pris au Laos, au Cambodge et à la Malaisie occidentale.

**1946**

Accession au trône du roi Bhumibol Adulyadej (Rama IX) ; la Thaïlande entre à l'ONU.

vers le Conseil des ministres et le monde des affaires. Abandonnant l'esprit de la guerre froide, la politique régionale de la Thaïlande aspira à transformer les "champs de bataille en places de marché", afin de mettre un terme aux hostilités dans l'Indochine communiste et de profiter de la libéralisation économique.

Chamlong Srimuang est un fervent bouddhiste affilié à l'ordre antimatérialiste et anticonsumériste Santi Asoke.

Le renforcement de la "politique de l'argent" durant les années 1980 provoqua un certain mécontentement, notamment au sein de la classe moyenne urbaine. En 1985, Chamlong Srimuang, un ancien soldat, fut élu maire de Bangkok et promit de mettre fin à la corruption. Son parti, le Phalang Tham (Pouvoir moral), se présenta également aux élections nationales.

En février 1991, un coup d'État renversa le gouvernement de Chatichai, déconsidéré par ses excès et notamment par son célèbre "conseil-buffet", qui organisait une rotation lucrative des meilleurs postes ministériels.

Alors que les militaires tentaient de protéger leur position privilégiée dans l'État, le coup de force reçut l'assentiment de la communauté d'affaires de Bangkok et des Thaïlandais instruits, révoltés par la politique de l'argent des hommes d'affaires et politiciens de province. Anand Panyarachun, un ancien diplomate passé dans les affaires, fut nommé Premier ministre et lança des réformes économiques libérales. La corruption des généraux ne tarda pas à soulever les critiques. Lors des élections de mars 1992, le parti promilitaire, qui incluait d'anciens membres du Chat Thai, obtint la majorité des sièges et prépara la formation d'un gouvernement, jusqu'à ce que leur candidat au poste de Premier ministre soit accusé de trafic de stupéfiants. Le général Suchinda Kraprayoon, meneur du coup d'État, prit alors la tête du gouvernement, une situation tout à fait inacceptable pour la classe moyenne de Bangkok. Le 17 mai 1992, environ 200 000 manifestants défilèrent dans la capitale derrière Chamlong Srimuang. Ces membres de la nouvelle classe urbaine instruite, reconnaissables à leur téléphone portable, furent surnommés la "foule aux mobiles". Pendant trois nuits de violence, des soldats armés de la faction militaire s'attaquèrent aux manifestants, alors que la presse thaïlandaise et internationale couvrait les événements. Dans la nuit du 20 mai, le roi Bhumibol convoqua Chamlong et Suchinda et leur ordonna d'arrêter les violences. Anand Panyarachun reprit la tête d'un gouvernement intérimaire.

Le Parti démocrate (Phak Prachathipat), créé en 1946, est le plus ancien parti politique de Thaïlande.

Après les événements du "Mai noir", les activistes démocrates exigèrent une réforme constitutionnelle, un équilibre du pouvoir entre l'État et la société civile, la fin du contrôle militaire sur les médias électroniques et une décentralisation démocratique.

Pendant l'essentiel des années 1990, le Parti démocrate fut majoritaire au Parlement et incarna les espoirs des milieux d'affaires et de la classe moyenne des villes de voir la Thaïlande s'adapter à la mondialisation de l'économie. Son principal soutien lui vint de la population urbaine du sud du pays, celle des vieux ports et d'une économie orientée vers le tourisme et les exportations (caoutchouc, étain et pêche). À l'autre bout du spectre politique, les anciens

**1957**

Le coup d'État de Sarit Thanarat inaugure une longue période de régime militaire qui durera jusqu'en 1973.

**1959**

Création de la première institution touristique.

**1965**

Le Thaïlande accueille des bases militaires américaines pendant la guerre du Vietnam.

promilitaires disposaient de bases dans la plaine centrale et dans les nouvelles villes du Nord-Est agricole désireuses de s'attribuer une part du budget national destiné aux provinces.

Le gouvernement démocrate de Chuan Leekpai revint vers le système traditionnel de compromis entre bureaucrates et politiciens. L'application des réformes devint difficile et la population locale protesta contre la diminution des ressources naturelles, aggravée par l'exploitation des terres par les agences étatiques à des fins bureaucratiques et privées. Les démocrates perdirent leur popularité, tandis que les deux gouvernements suivants, dirigés par le Chat Thai et le Parti des aspirations nouvelles, ne purent protéger la Thaïlande des effets dévastateurs de la crise économique qui balaya l'Asie en 1997.

De 1985 à 1996, la croissance économique du pays avait connu une moyenne annuelle supérieure à 9%. Mais, en 1997, l'économie thaïlandaise, déjà ralentie par le poids de la dette extérieure, subit en plus les conséquences du surinvestissement dans l'immobilier. Le gouvernement ne parvint pas à défendre le baht contre la spéculation internationale et le laissa flotter. La chute du baht entraîna une dévaluation du marché boursier et une baisse des prix des autres actifs. À la hausse fulgurante de la dette du secteur privé s'ajoutèrent les vagues de licenciements et les tragédies personnelles. La crise se répandit immédiatement dans toute l'Asie. Le Fonds monétaire international (FMI) lança un programme d'aide de plus de 17 milliards de dollars pour stabiliser la devise thaïlandaise, sous conditions de réformes financières et juridiques et de libéralisation économique.

La crise et ses conséquences ramenèrent les démocrates au pouvoir, mais ils perdirent rapidement le soutien de leur base, car la situation économique continua de s'aggraver au cours des 3 années suivantes. Les milieux d'affaires et la classe moyenne urbaine exprimèrent avec virulence leur ressentiment envers ces hommes politiques incompétents, la mauvaise gestion du gouvernement et les mesures du FMI qu'ils perçurent comme injustes (notamment la libéralisation imposée et l'ouverture forcée des entreprises thaïlandaises au capital étranger). De nouvelles perspectives s'annoncèrent avec la promesse d'une Constitution qui créerait un meilleur système politique. Cette "Constitution du peuple", adoptée le 27 septembre 1997, garantit les droits de l'homme et la liberté d'expression, et accorda plus de pouvoir à la société civile pour lutter contre la corruption.

Déçus par les effets de la mondialisation, les porte-parole des circonscriptions régionales et les habitants des campagnes commencèrent à dominer le débat sur le modèle de développement du pays, comme les mesures qui permettraient à la société rurale de réintégrer les nombreux chômeurs revenant dans leur région d'origine. En décembre 1997, dans son discours d'anniversaire, le roi Bhumibol insista sur l'autosuffisance : "L'important est d'avoir assez pour manger et vivre, et d'avoir une économie qui fournisse de quoi manger et vivre [...]. Il nous faut faire un pas en arrière pour pouvoir aller de l'avant."

Pendant la crise de 1997, la devise thaïlandaise dégringola en quelques mois, passant de 25 B à 56 B pour 1 $US.

Le Charoen Pokphand (CP) Group, fondé dans les années 1920 par la famille Chearavanont, est le plus gros conglomérat et la plus importante société multinationale de Thaïlande, avec des intérêts dans l'agro-industrie, le commerce de détail, les franchises 7-Eleven et les télécommunications.

**1967**

La Thaïlande fonde l'Association des nations du Sud-Est asiatique (ASEAN).

**1973**

Étudiants, ouvriers et agriculteurs s'unissent pour renverser la dictature militaire ; mise en place d'un gouvernement démocratique.

**1976**

Répression violente du mouvement étudiant par l'armée et la droite.

## Thaksinocratie

Thaksin fut le premier chef du gouvernement de l'histoire thaïlandaise à achever un mandat de 4 ans.

En 2002, Thaksin Shinawatra affirma : "Il n'y a pas de séparatisme, pas de terroristes idéologiques, juste des bandits ordinaires."

En 2000, la crise économique commença à s'atténuer et la Thaïlande se trouva confrontée au besoin d'adopter rapidement une nouvelle approche en matière de développement. Les hommes d'affaires constituaient depuis quelque temps déjà la force politique dominante. En 1998, Thaksin Shinawatra, milliardaire des télécommunications et ancien officier de police, profita de la montée du nationalisme suscité par la crise économique asiatique pour fonder le parti du Thai Rak Thai (TRT ou "les Thaïlandais aiment les Thaïlandais"). Il entreprit de s'occuper de deux grands secteurs de la société profondément touchés par la crise : le milieu des affaires et la campagne. Sur ces promesses, le TRT obtint le soutien du monde des affaires, notamment du CP Group et de la Bangkok Bank. Le programme du parti comprenait le renforcement des pouvoirs des communautés et le développement de sa base rurale (par l'allégement des dettes agricoles, des fonds d'investissement dans les villages et des soins de santé abordables). Cela valut à Thaksin une réputation de populiste.

Après avoir obtenu une majorité quasi absolue lors des élections nationales de 2001, Thaksin devint Premier ministre. La majorité décisive, ainsi que des dispositions constitutionnelles visant à renforcer les pouvoirs du chef du gouvernement permirent de stabiliser son administration. Bien plus que ses prédécesseurs, le nouveau Premier ministre s'appuya sur les télécommunications pour communiquer avec son électorat et s'assura le contrôle des informations écrites et télévisées. Il réalisa rapidement les promesses de sa campagne sur les pouvoirs communautaires et le développement rural. En 2005, Thaksin, qui jouissait d'une immense popularité auprès du peuple, obtint une majorité incontestée aux élections nationales.

À partir de 2003, Thaksin fut critiqué, en Thaïlande comme à l'étranger, pour sa "guerre contre la drogue". Ses mesures furent considérées comme un moyen de bousculer les groupes influents, suspectés de liens avec le trafic de drogue, qui dominaient la politique et les élections au niveau local. Cette "guerre" fit plus de 2 700 morts, dont beaucoup furent, selon les groupes de défense des droits de l'homme comme Amnesty International, les victimes d'exécutions extrajudiciaires perpétrées par la police thaïlandaise.

## Les troubles dans le Sud

En 2001, les séparatistes musulmans commencèrent à s'attaquer aux bâtiments et aux fonctionnaires de l'État dans les provinces méridionales de Pattani, de Narathiwat et de Yala. Jusqu'à leur conquête par les rois de la dynastie Chakri, ces 3 provinces faisaient partie du royaume historique de Pattani. Avec les réformes administratives du roi Chulalongkorn, elles passèrent plus directement sous le contrôle de l'administration centralisée, qui remplaça l'élite dirigeante locale par des gouverneurs et des bureaucrates de Bangkok. Pendant la Seconde Guerre mondiale, le régime ultranationaliste de Phibul

| 1979 | 1980-1988 | 1988 |
|---|---|---|
| Après 3 ans de régime militaire, des élections ont lieu et le Parlement est restauré. | Le gouvernement de Prem Tinsulanonda lutte contre le mouvement d'insurrection communiste et y met fin par la voie politique. | Chatichai Choonhavan devient le premier chef du gouvernement élu depuis 1976 ; ouverture des échanges avec l'Indochine. |

entreprit d'imposer une politique nationaliste par le haut impliquant la transformation d'une société multiethnique en une nation bouddhiste unifiée et homogène. Dans les années 1940, cette politique enflamma la résistance dans ces provinces du Sud et donna naissance à un mouvement séparatiste puissant qui défendait l'indépendance du Pattani. Dans les années 1980 et 1990, l'administration Prem abolit cette politique d'assimilation forcée. Prem promit de défendre les droits culturels et les libertés religieuses des musulmans, offrit aux insurgés une amnistie générale et instaura un plan de développement économique. Ces 3 provinces demeurent néanmoins parmi les moins développées (sur les plans économique et éducatif) du pays. Dans les années 1990, le gouvernement Chuan s'engagea à adopter, de 1999 à 2003, une politique "de développement pour la sécurité".

Le régime de Thaksin décida en revanche de renforcer le contrôle central sur les provinces méridionales. Ce changement de politique était une tentative voilée de briser la domination traditionnelle du Parti démocrate dans le Sud. Ses mesures parvinrent effectivement à affaiblir les relations entre l'élite locale, les électeurs du Sud et les démocrates qui les avaient représentés au Parlement. Mais elles n'avaient pas pris en considération la culture musulmane, susceptible et tenace, des provinces méridionales. En 2002, l'Administration des provinces de la frontière sud, un bureau mixte, civil et militaire, existant de longue date, fut dissoute. Les autorités remirent alors la sécurité de la région entre les mains de la police. L'ancienne plate-forme de dialogue entre le gouvernement et les musulmans du Sud fut ainsi remplacée par une structure policière provinciale plus puissante, exécrée par les communautés locales. En 2004, niant la volonté séparatiste des rebelles, Thaksin décrivit l'insurrection comme une tentative insidieuse de sape de l'industrie touristique. Le régime réagit durement et refusa de reconnaître sa responsabilité dans deux incidents intervenus cette année. Lors du premier incident, une force gouvernementale lança une attaque meurtrière sur des insurgés réfugiés dans l'ancienne mosquée de Krue Se, très révérée par les musulmans de la région. Plus tard, à Tak Bai, des centaines d'habitants furent arrêtés au cours d'une manifestation pour la libération de séparatistes présumés et 78 d'entre eux moururent étouffés dans des camions bondés alors qu'ils étaient transportés vers un camp de l'armée pour être interrogés. Les responsables des deux incidents, qui coûtèrent la vie à plus d'une centaine de musulmans, ne reçurent que des peines légères. En 2005, l'État instaura la loi martiale dans la région.

Human Rights Watch et divers groupes de défense des droits de l'homme enregistrèrent des exactions des deux côtés. Les insurgés se sont attaqués aux soldats, aux policiers et aux bases militaires et policières, mais également aux instituteurs, aux élèves et aux écoles publiques. Jusqu'à ce jour, le conflit a fait plus de 3 000 morts, pour la plupart des villageois, bouddhistes et musulmans. L'identité des séparatistes demeure inconnue et ils n'ont formulé aucune demande concrète.

Le site officiel de la famille royale se trouve à l'adresse http://kanchanapisek.or.th

**1991-1992**

Le général Suchinda tente de s'emparer du pouvoir ; le roi Bhumibol intervient pour mettre fin à l'agitation civile après les manifestations du "Mai noir".

**1995**

Des entreprises d'État offrent au public thaïlandais le premier service Internet.

**1997**

La Thaïlande subit les conséquences de la crise économique asiatique ; adoption de la "Constitution du peuple".

## La crise politique de 2006-2008

En 2006, le Premier ministre Thaksin Shinawatra fut accusé de conflit d'intérêts. L'exemple le plus flagrant était la vente, par la famille Shinawatra, des actions de Shin Corporation au gouvernement singapourien pour un bénéfice de 73 milliards de bahts (1,88 milliard de dollars), non taxés en vertu d'une nouvelle loi sur les télécommunications exemptant les individus de l'impôt sur les plus-values. Ces montages, combinés à une série de procès intentés contre les opposants du Premier ministre, suscitèrent une vaste campagne anti-Thaksin. Son appel aux urnes pour s'assurer le soutien de l'électorat fut accueilli par un boycott des démocrates et aboutit à l'annulation du scrutin.

En juin, les Thaïlandais suspendirent brièvement leurs querelles politiques pour célébrer la 60e année de règne – le jubilé d'or – de leur cher souverain, le roi Bhumibol, le plus ancien monarque en exercice dans le monde.

Le 19 septembre 2006, les militaires menés par le général Sonthi Boonyaratglin renversèrent le gouvernement dans le calme et contraignirent Thaksin à l'exil. Le général à la retraite Surayud Chulanont fut alors nommé Premier ministre intérimaire. L'année suivante, la Cour constitutionnelle décida de dissoudre le TRT pour fraude électorale, interdisant à 111 cadres du parti toute activité politique pendant 5 ans. Une nouvelle Constitution fut approuvée de justesse par référendum. En décembre, comme promis, le gouvernement provisoire organisa des élections générales qui ramenèrent le pays vers un régime civil. En janvier 2008, le Parti du pouvoir du peuple (PPP), influencé par Thaksin, obtint la majorité et forma un gouvernement sous la houlette de Samak Sundaravej.

> Une carte française de 1907 plaçait le temple de Phra Wihan (sans la région qui l'entoure) au Cambodge. En 2008, ce dernier a voulu intégrer la zone contestée autour du temple dans le futur site du patrimoine mondial.

Cette même année, la Thaïlande subissait des pressions de toutes parts : l'insurrection dans le Sud, un conflit territorial avec le Cambodge voisin, la crise économique mondiale, la hausse des prix du pétrole et une polarisation politique intérieure.

Après le classement du temple khmer de Phra Wihan (Preah Vihear en cambodgien) au rang de site du patrimoine mondial par l'Unesco, les velléités nationalistes s'enflammèrent des deux côtés de la frontière. Le Cambodge et la Thaïlande envoyèrent des troupes dans la zone contestée, avant de revenir au dialogue.

L'ancien Premier ministre Thaksin revint brièvement en Thaïlande, avant de repartir en exil (au Royaume-Uni à l'époque, mais il ne cesse depuis de déménager) pour échapper au procès, puis au verdict de la justice thaïlandaise. Son épouse est elle aussi mise en examen.

Les actions extra-parlementaires de l'opposition, l'Alliance du peuple pour la démocratie (PAD), mirent en difficulté le gouvernement dirigé par le PPP de Samak. L'ancien gouverneur de Bangkok, Chamlong Srimuang, et le directeur d'un journal, Sondhi Limthongkul, organisèrent des manifestations. Le mouvement présentait un mélange de sentiments anti-Thaksin, anti-PPP (considéré comme pro-Thaksin) et royalistes. Les manifestants, vêtus de jaune

**2001**

Le magnat des télécommunications, Thaksin Shinawatra, devient Premier ministre.

**2003**

De faux articles de presse affirmant qu'une actrice thaïlandaise a accusé le Cambodge d'avoir volé Angkor Wat à la Thaïlande provoquent la colère des habitants de Phnom Penh ; l'ambassade thaïlandaise est incendiée.

**2004**

La violence séparatiste s'accroît dans le Sud. Un terrible tsunami dévaste la côte d'Andaman, tuant 5 000 personnes et paralysant les industries du tourisme et de la pêche.

(couleur de l'anniversaire du roi) et munis de claquoirs en forme de main, ont été surnommés les "chemises jaunes". Ils rassemblaient un large éventail de groupes de la classe moyenne et quelques éléments de la classe aisée. La PAD se montra bien organisée et développa des stratégies quotidiennes pour saper le travail du gouvernement et du Conseil des ministres. Elle investit les espaces publics et les bâtiments officiels, occupant pendant plusieurs mois certains lieux comme le palais du Gouvernement. Ce rassemblement quasi permanent, ravitaillé en vivres et distrait avec de la musique et des discours, s'ajouta aux difficultés habituelles de circulation dans la capitale ; il devint même une sorte d'attraction touristique.

Les partisans de Thaksin et du gouvernement du PPP lancèrent eux aussi leur mouvement, symbolisé par des chemises rouges et des castagnettes en forme de pied (puis en forme de cœur). Les manifestants vêtus de chemises rouges, qui représentaient les partisans du TRT et du PPP, venaient principalement du Nord et du Nord-Est et comptaient dans leurs rangs des activistes opposés au coup d'État. Les deux mouvements obtinrent le soutien des hommes politiques et des universitaires de différents camps. Les quelques accrochages à Bangkok et dans d'autres provinces firent une douzaine de morts. Ces événements ont parfois été considérés comme la résurgence d'une polarisation ancienne entre les différentes classes et entre les mondes rural et urbain de la Thaïlande.

Le 7 octobre 2008, les manifestants de la PAD encerclèrent le Parlement pendant une séance pour exiger la démission du Premier ministre Somchai, considéré comme un candidat de Thaksin. L'affrontement avec la police fit quelques morts dans le camp de la PAD et de nombreux blessés de chaque côté.

En septembre 2008, la Cour constitutionnelle destitua Samak Sundaravej de son poste de Premier ministre, car il avait violé une loi sur les conflits d'intérêts en animant une émission de télévision culinaire pendant son mandat. L'occupation des principaux aéroports du pays, Suvarnabhumi et Don Muang, par la PAD en novembre 2008 fut le geste le plus audacieux et le plus risqué entrepris pour contraindre le remplaçant de Samak, Somchai Wongsawat – le beau-frère de Thaksin –, à démissionner. L'occupation provoqua la fermeture des deux grands aéroports pendant une semaine, avec de graves conséquences sur l'économie thaïlandaise, en particulier sur le tourisme et les exportations. Pendant toute la crise, les militaires revendiquèrent leur "neutralité", mais lorsque le commandant en chef des armées, le général Anuphong Phaochinda, appela publiquement à la tenue de nouvelles élections et à un retrait de la PAD, de nombreux membres du gouvernement qualifièrent le procédé de coup d'État silencieux.

En plein cœur de la crise, le Premier ministre Somchai dut quitter son poste à la suite de la décision de la Cour constitutionnelle de dissoudre le PPP pour fraude électorale et d'éloigner ses leaders de la politique pour 5 ans. Après plusieurs semaines de manœuvres du Parti démocrate visant à convaincre plusieurs petits partis de changer de camp, le démocrate Abhisit Vejjajiva fut élu par le Parlement et devint le 27e Premier ministre du pays. Alors même que le camp pro-Thaksin reste hostile et actif, Abhisit a hérité d'une lourde tâche, consistant à rétablir l' "harmonie nationale" et à restaurer la confiance dans l'économie thaïlandaise en pleine récession mondiale.

**2006**

Le pays célèbre la 60e année de règne du roi Bhumibol. Les manifestations contre Thaksin Shinawatra sont suivies du coup d'État de septembre, qui renverse son gouvernement.

**2007**

Les élections démocratiques organisées en décembre réinstaurent un régime civil dans le pays ; Samak est nommé Premier ministre en janvier 2008.

**2008**

Le pays est en crise : manifestations antigouvernementales, conflit avec le Cambodge, fermeture des deux principaux aéroports de Bangkok et récession économique mondiale.

# La Thaïlande et vous

**Tirez le meilleur de votre séjour**

## TOURISME RESPONSABLE

La Thaïlande est un pays facile à vivre : la vie s'y écoule à un rythme paisible, les gens sont généralement aimables et les sources de stress peu nombreuses pour le visiteur. Ici, la courtoisie règne en maître, on prend le temps de papoter, et échanger des compliments constitue un sport national.

Pour autant, tout le monde ne vous accueillera pas avec un sourire béat. Tant d'étrangers visitent le pays sans la moindre considération pour la culture et les coutumes que nombre de Thaïlandais, surtout dans le secteur touristique, ressentent aujourd'hui une certaine lassitude à l'égard des touristes. Pour compliquer encore un peu les choses, le tourisme est une industrie très lucrative qui attire autant les entrepreneurs solides que les opérateurs légers ou les spécialistes de l'escroquerie. Handicapés par leur méconnaissance de la langue et de la culture, de nombreux visiteurs ont du mal à distinguer le bon grain de l'ivraie.

www.responsible-travel.org prodigue des conseils de bon sens sur le tourisme responsable.

Connaître un peu mieux le pays fera de vous un voyageur plus avisé. Montrez-vous gai et chaleureux, et les Thaïlandais vous rendront instinctivement la pareille. Comportez-vous correctement en public, et vous verrez un sourire apparaître sur le plus fermé des visages. Apprenez quelques mots de thaï, et vous vous ferez un ami du vendeur de nouilles ou du chauffeur de taxi.

## LA CULTURE

Les Thaïlandais sont généralement très tolérants et tiennent pour acquis que la majorité des étrangers ne savent rien de leur pays. En respectant un tant soit peu les conventions sociales, vous vous attirerez toute leur gratitude. Pour plus d'informations sur la culture thaïlandaise en général, reportez-vous p. 55.

### Respect de la monarchie

La plus grande déférence s'impose à l'égard de la monarchie et de la religion (qui entretiennent des liens étroits). Les Thaïlandais nourrissent une considération quasi religieuse pour le roi et la famille royale. Les billets sont ornés de l'image du roi : ne marchez pas dessus si vous en faites tomber un par terre, et ne les mettez pas dans vos chaussures.

Évitez de critiquer ou de dénigrer la famille royale. Les Thaïlandais se gardent d'évoquer les aspects négatifs de la monarchie de peur d'offenser quelqu'un ou, pire encore, d'être accusés de crime de lèse-majesté, délit passible d'emprisonnement.

On considère comme une insulte grave à la nation et à la monarchie de ne pas se lever lorsqu'on joue les hymnes national ou royal. La radio et la télévision diffusent l'hymne national tous les jours à 8h et 18h. Dans les villes et les villages, il peut être retransmis par des haut-parleurs dans la rue, ainsi que dans les gares routières et ferroviaires. À Bangkok, on l'entend également dans le Skytrain et les stations de métro. Les Thaïlandais interrompent alors leurs occupations, quelles qu'elles soient, et restent debout pendant l'hymne (vous n'êtes toutefois pas obligé de vous lever si vous êtes à la maison ou au travail). L'hymne royal est joué juste avant les films au cinéma. Là encore, les spectateurs se lèvent.

### Comportement dans les temples

Lorsque vous visitez un temple, veillez à porter une tenue correcte (les bras couverts jusqu'aux coudes, et les jambes jusqu'aux chevilles), et retirez vos chaussures avant d'entrer dans un bâtiment abritant une représentation du Bouddha. Les bouddhas sont des objets sacrés ; ne vous faites pas prendre en photo devant et ne montez pas dessus. Quand vous vous asseyez dans un édifice religieux, vos pieds ne doivent pas être pointés vers le bouddha : repliez les jambes sur le côté, les pieds pointant vers l'arrière.

Le code vestimentaire dans les temples liés à la royauté est très strict ; les touristes en short peuvent y louer des pantalons ou de longs sarongs.

Les moines ne doivent pas toucher les femmes, ni être touchés par elles. Si une femme veut donner quelque chose à un moine, elle doit placer l'objet à sa portée ou sur son "tissu d'offrandes", et non le lui tendre directement.

La plupart des temples vivent grâce aux dons qu'ils reçoivent ; aussi, pensez à laisser une contribution lorsque vous visitez les lieux.

## Conventions sociales et gestuelles

Traditionnellement, les Thaïlandais se saluent en réunissant les paumes dans un geste de prière, dit *wâi*. Si quelqu'un vous adresse un tel salut, vous devez le lui rendre, sauf s'il s'agit d'un enfant ou d'une personne qui vous sert. N'utilisez le *wâi* qu'à bon escient et ne placez pas vos mains trop bas par rapport à votre visage, sous peine de galvauder une coutume complexe.

Pour vous montrer très poli, inclinez légèrement la tête en passant entre deux personnes en train de se parler ou en passant près d'un moine.

Un sourire et un *sàwàt-dii khráp* si vous êtes un homme ou un *sàwàt-dii khâ* si vous êtes une femme (la forme de salutation la plus courante) parviennent généralement à calmer l'appréhension que les Thaïlandais peuvent ressentir à la vue d'un étranger.

Dans les régions les plus traditionnelles du pays, il est mal vu pour des personnes de sexe opposé de se toucher, qu'il s'agisse d'amis ou d'amoureux. On ne se tient pas la main non plus, sauf dans les grandes villes comme Bangkok. Cependant, il est courant de voir des personnes d'un même sexe se toucher – un signe d'amitié et non d'attirance sexuelle. Les hommes âgés peuvent ainsi agripper la cuisse d'un homme plus jeune, un peu comme deux amis se donneraient des tapes dans le dos. Les femmes sont particulièrement affectueuses entre elles : elles s'asseyent souvent très près les unes des autres ou se tiennent bras dessus, bras dessous.

Apportez un cadeau si vous êtes invité dans une famille thaïlandaise : un présent simple comme des fruits ou une boisson (de la bière, du vin ou du Fanta, selon le niveau économique) que vous trouverez facilement au marché.

Pour arrêter un bus ou un taxi, les Thaïlandais tendent légèrement les bras, les mains au-dessous de la taille, et font un signe vers le bas. En Occident, pour faire venir quelqu'un nous agitons la main, paume vers l'intérieur. En Thaïlande, ce geste n'est utilisé que pour appeler les animaux : pour appeler quelqu'un, veillez à diriger la paume vers l'extérieur.

Pour donner un objet à quelqu'un ou en recevoir un, la politesse exige de tendre la main droite en tenant son coude droit de la main gauche.

## Tenue vestimentaire et hygiène

Les Thaïlandais sont très attachés à la pudeur vestimentaire. Les shorts découvrant le genou, les chemises sans manches et les débardeurs ne se portent qu'à la plage, lors de manifestations sportives et à Bangkok. Si vous tenez absolument à vous promener court vêtu, ne le faites qu'à Bangkok, où cela sera plus facilement accepté. Et ne croyez pas que l'humidité du climat justifie une tenue légère. Porter des vêtements couvrants et amples offre une bonne protection contre le soleil, tandis que des douches fréquentes constituent une climatisation naturelle bien plus efficace qu'un dos-nu.

La pudeur est également de mise à la plage. À l'exception des habitants de Bangkok, la plupart des Thaïlandais se baignent tout habillés. Le naturisme et le monokini sont très mal perçus, voire interdits par la loi.

En outre, les Thaïlandais sont souvent très soignés de leur personne, même par temps très chaud, tandis que les touristes sont constamment en nage.

### EN VISITE DANS LES VILLAGES DES ETHNIES MONTAGNARDES

Les ethnies minoritaires de Thaïlande vivant dans les montagnes du Nord ont réussi à préserver leur identité culturelle malgré l'augmentation des interactions avec la culture majoritaire au cours des 30 dernières années. Malgré l'influence extérieure, comme celle du christianisme ou du bouddhisme, ou les vêtements occidentaux qu'on leur donne, de nombreux villages des ethnies montagnardes poursuivent leurs traditions animistes, qui définissent leurs tabous et leurs conventions sociales. Si vous envisagez de visiter ces villages dans le cadre d'une randonnée organisée, renseignez-vous auprès de votre guide pour savoir comment vous comporter. Voici quelques indications générales pour commencer.

- Demandez toujours la permission avant de prendre en photo les membres de ces groupes, surtout lors de moments privés dans leurs habitations. Beaucoup de systèmes traditionnels se méfient de la photographie.
- Montrez du respect envers les rites et les symboles religieux. Ne touchez pas les totems à l'entrée des villages ni les objets sacrés accrochés aux arbres. Ne participez pas aux cérémonies si vous n'y êtes pas invité.
- N'encouragez pas la mendicité, particulièrement chez les enfants. Ne distribuez pas de bonbons si vous ne pouvez pas donner d'équipement d'hygiène dentaire. Demandez plutôt à votre guide comment faire une donation à une école locale.
- Évitez la nudité en public et ne vous déshabillez pas près d'une fenêtre ouverte où des enfants du village sont susceptibles de vous voir.
- Ne faites pas la cour à un membre du sexe opposé si vous n'avez pas l'intention de l'épouser. Ne buvez pas d'alcool et ne consommez pas de drogue avec les villageois ; un état second peut provoquer des chocs de culture.
- Souriez aux villageois même s'ils vous dévisagent. Et demandez à votre guide comment dire "bonjour" dans la langue locale.
- Évitez les démonstrations publiques d'affection qui, dans certaines cultures traditionnelles, sont considérées comme offensantes pour le monde des esprits.
- Ne jouez pas avec les animaux, pas même avec les cochons en liberté ; ce sont des possessions de valeur. Évitez aussi toute interaction avec les animaux de la jungle, considérés par certains comme des esprits en visite.
- Ne jetez rien par terre.
- Appliquez les mêmes tabous que pour la culture thaïlandaise en ce qui concerne les pieds (voir ci-dessous). Ne marchez pas sur le seuil d'une maison, ne présentez pas vos pieds au feu et déchaussez-vous à l'intérieur.

Vous pouvez éviter ce problème en vous douchant souvent. Autre barrière contre l'humidité et les mauvaises odeurs : le talc, qui sert également à se protéger de la fièvre miliaire.

Les sandales et les mocassins sont parfaitement acceptables dans toutes les occasions, sauf les plus formelles.

Maîtrisez l'étiquette thaïlandaise comme un diplomate avec ce guide pratique en ligne (www.ediplomat.com).

## Tête et pieds

Physiquement et spirituellement, les Thaïlandais considèrent la tête comme la partie la plus haute et la plus sacrée du corps, et les pieds, comme la plus basse et la plus sale. Nombre des tabous associés aux pieds ont une origine pratique. Autrefois, les Thaïlandais mangeaient, dormaient et recevaient leurs invités directement par terre, dans des pièces à l'ameublement très dépouillé. Dans un souci de propreté, les pieds (et les chaussures) ont donc été assortis de toutes sortes de règles. Les tabous liés aux pieds et à la tête s'accompagnent de certaines nuances et exceptions que vous appréhenderez plus facilement à mesure que vous vous familiariserez avec la culture. En attendant, mieux vaut pécher par excès de prudence en suivant les conseils suivants.

La politesse exige qu'on se déchausse à l'intérieur d'une maison, ainsi que dans certains magasins et pensions : si vous apercevez un tas de chaussures à l'entrée, pensez à respecter la coutume. (Pour pénétrer dans un temple, cette règle est obligatoire.) Aux yeux des Thaïlandais, rester chaussé à l'intérieur est une habitude sale. Évitez aussi de marcher sur le seuil, car c'est là que réside l'esprit de la maison.

Ne posez pas les pieds sur une chaise ou une table lorsque vous êtes assis, surtout dans les restaurants et les pensions. Vous ne le feriez sûrement pas chez vous, abstenez-vous donc de le faire ici. Dans certains bus et trains de 3e classe, vous verrez parfois les passagers poser leurs pieds sur la banquette : si la chose n'est pas de très bon goût, vous remarquerez cependant qu'ils prennent toujours soin d'enlever leurs chaussures. Les Thaïlandais se déchaussent également lorsqu'ils ont besoin de monter sur une chaise ou un fauteuil.

N'enjambez jamais quelqu'un ou ses bagages, même dans un wagon bondé. Essayez de contourner la personne ou demandez-lui de se déplacer. N'enjambez pas non plus les repas servis sur une natte ou par terre, comme c'est souvent le cas dans les campagnes ou lors des fêtes organisées dans les temples. Lorsque vous vous asseyez avec un groupe de Thaïlandais, n'oubliez pas de plier les jambes sur le côté, afin que le dessous de vos pieds ne soit pas pointé vers des images sacrées ou des personnes d'un rang social élevé.

Par ailleurs, évitez de suspendre vos chaussures à l'extérieur de votre sac à dos, car elles risqueraient d'effleurer quelqu'un ou, pire encore, de toucher sa tête.

Les Occidentaux se servent souvent de leurs pieds pour fermer la porte du réfrigérateur, rattraper un objet ou montrer quelque chose. Pour les Thaïlandais, de tels gestes sont extrêmement choquants. Si vous avez besoin de déplacer ou de toucher quelque chose, utilisez vos mains. Faites l'effort de respecter les principes énoncés ci-dessus et ils deviendront rapidement une seconde nature, au point que vous vous sentirez gêné quand vous verrez quelqu'un les enfreindre.

La tête fait également l'objet de certains interdits. Il ne faut jamais toucher la tête d'un Thaïlandais ni lui caresser les cheveux, car cela serait perçu comme une insulte et non un signe d'affection. Autre variante du même tabou : ne vous asseyez pas sur les oreillers réservés au coucher. Vous verrez parfois des jeunes se toucher la tête ; il s'agit d'une petite taquinerie entre amis.

## COMMUNAUTÉS LOCALES

Aventures palpitantes et photos sublimes constituent de formidables souvenirs de vacances, mais les expériences qui marquent le plus restent ces instants privilégiés où l'on cesse d'être un simple touriste pour nouer des liens avec des gens qui n'ont pas forcément la même langue ni la même culture. Une conversation à un arrêt de bus ou une invitation à participer à un pique-nique sont autant d'occasions d'établir une relation temporaire avec des inconnus, d'apprendre à s'apprécier ou de partager un moment de convivialité. Ces rencontres improvisées sont impossibles au milieu d'un ghetto touristique. Il faut se trouver au sein d'une communauté locale, où les gens ont le temps et l'envie de se lier d'amitié avec un étranger.

Chiang Mai (p. 283) est la "salle de classe" de la Thaïlande, où l'on peut étudier la langue, la culture et la cuisine.

Un séjour en solo dans une ville ou un quartier à l'écart des circuits touristiques permet ce genre d'immersion totale. Mieux encore, vous pouvez vous installer temporairement dans le pays et faire profiter les habitants de vos compétences dans le cadre d'un programme de bénévolat.

## Bénévolat

À l'étranger, il est toujours plus simple de voir l'écart entre les riches et les pauvres et de ressentir de la compassion pour ceux qui sont coincés en bas de l'échelle. Il existe en Thaïlande une myriade d'organisations qui font le lien entre les besoins des habitants et le désir d'aider des visiteurs.

L'éducation est la principale source de bénévolat. En Thaïlande, les écoles publiques offrent une éducation gratuite pendant 12 ans à quiconque vit légalement dans le pays. La définition d'un habitant légal exclut cependant certains villageois des montagnes du Nord et les réfugiés ou immigrants birmans sans papiers, principalement concentrés dans le Nord ou dans des centres urbains comme Bangkok. Toutefois, pour les membres de ces groupes qui disposent de papiers, les frais accompagnant la scolarisation (uniformes, fournitures, livres, etc.) sont souvent trop élevés pour les familles. Le même problème exclut aussi les citoyens reconnus mais pauvres vivant dans le Nord-Est. On estime qu'environ 1,3 million d'enfants ne fréquentent pas l'école pour des raisons géographiques, économiques ou de citoyenneté.

Vous pouvez favoriser l'emploi des villageois en achetant du café, des textiles et de l'artisanat produits localement.

Enseigner en Thaïlande élève votre statut de touriste quelconque à celui d'hôte honorable, et vous octroie une place de choix dans la communauté. Les professeurs en Thaïlande suscitent le respect et un étranger qui parle thaï est souvent considéré d'office de la sorte, ce qui encourage les Thaïlandais à lui manifester une grande déférence.

Il est assez simple de trouver un poste d'enseignant en anglais, et les anglophones de langue maternelle sont très demandés. En revanche, trouver un poste qui convienne à vos goûts peut s'avérer plus long. Si c'est plus une expérience culturelle qu'un vrai travail à l'étranger que vous cherchez, regardez les programmes des zones rurales où l'on parle peu anglais et où les visiteurs sont rares. Vous apprendrez le thaï plus vite et découvrirez un style de vie davantage enraciné dans le passé.

Nous divisons les organisations de bénévolat par régions. Contactez-les directement pour les détails et les frais de missions.

### NORD-EST DE LA THAÏLANDE

La plupart des programmes de bénévolat dans le Nord-Est travaillent dans les écoles rurales du cœur agricole du pays.

**LemonGrass Volunteering** (☎ 08 1977 5300 ; www.lemongrass-volunteering.com) est une organisation gérée par des Thaïlandais qui fait le lien entre les bénévoles enseignant l'anglais et les camps d'étudiants dans les environs de Surin.

**Open Mind Projects** (☎ 0 4241 3578 ; www.openmindprojects.org ; 856/9 Mu 15, Th Prachak, Nong Khai) propose une longue liste de postes bénévoles, notamment dans le domaine de l'informatique, des projets d'écotourisme communautaires et des postes d'enseignement de l'anglais dans des écoles, des temples et des orphelinats. Tous les bénévoles bénéficient d'une ambitieuse formation de 3 jours avant de commencer.

**Travel to Teach** (☎ 08 4246 0351 ; www.travel-to-teach.org ; 1161/2 Soi Chitta Panya, Th Nong Khai-Phon Phisai, Nong Khai) propose des postes bénévoles flexibles, de 2 semaines à 6 mois dans des écoles, des camps d'anglais ou dans des temples pour enseigner aux moines. Les bénévoles sont formés, peuvent loger chez l'habitant et être placés à Nong Khai, Mae Hong Son et Chiang Mai.

**Volunthai** (www.volunthai.com ; 86/124 Soi Kanprapa, Bang Sue, Bangkok) est une organisation accueillante qui place des bénévoles à des postes d'enseignant dans des écoles rurales avec logement chez l'habitant. Il n'est pas nécessaire d'avoir de l'expérience, et le programme convient particulièrement aux caméléons culturels qui veulent expérimenter un style de vie radicalement différent.

### NORD DE LA THAÏLANDE

Le nord de la Thaïlande, surtout Chiang Mai et Chiang Rai, compte plusieurs associations de bénévoles travaillant avec des groupes ethniques marginalisés.

## L'EXPLOITATION SEXUELLE DES ENFANTS

Les familles pauvres ou divisées dépendent du travail de tous leurs membres ; cette situation a souvent pour conséquence l'exploitation sexuelle des enfants. Théoriquement illégale, la prostitution en Thaïlande est un phénomène culturel bien établi qui fait intervenir de nombreux adultes consentants. Cependant, les maisons de passe et les bars à karaoké qui emploient des enfants, ainsi que la prostitution enfantine dans les rues en sont une dérive choquante.

Les centres d'emploi urbains comme Bangkok et Chiang Mai, et les villes frontalières comme Mae Sai et Mae Sot comptent d'importantes populations de personnes déplacées et marginalisées (immigrants birmans, membres des ethnies montagnardes, Thaïlandais ruraux pauvres) qui s'accompagnent de leur lot de prostitution de mineurs (moins de 18 ans) destinée à une clientèle nationale et internationale. Enfin, la Thaïlande est un lieu de transit et une destination pour le trafic d'êtres humains et notamment d'enfants en provenance de pays plus pauvres comme le Myanmar (Birmanie) et le Cambodge.

Les autorités thaïlandaises se sont engagées à réduire la prostitution enfantine, qui attire une certaine catégorie, malvenue, de touristes étrangers. De nombreux pays possèdent une législation extraterritoriale qui permet de poursuivre leurs habitants dans leur propre pays pour ce genre de délit. Les voyageurs responsables peuvent contribuer à mettre un terme au tourisme pédophile en signalant les comportements douteux au **numéro spécial** (☎ 1300) ou en signalant l'individu directement à l'ambassade de son pays.

Parmi les organisations internationales travaillant pour enrayer la prostitution enfantine figurent **ECPAT** (End Child Prostitution & Trafficking ; www.ecpat.net) et sa filiale australienne **Child Wise** (www.childwise.net), qui apprennent aux acteurs du secteur touristique thaïlandais à combattre le tourisme pédophile.

À Chiang Mai et à Mae Sot, des communautés en détresse de réfugiés birmans et de migrants ont besoin d'éducation et de soins de santé.

**Akha Association for Education and Culture in Thailand** (Afect ; ☎ 0 5371 4250, 08 1952 2179 ; www.akhaasia.multiply.com ; 468 Th Rimkok, Chiang Rai) gère un programme Life Stay permettant aux bénévoles de vivre et de travailler dans un village akha avec une famille locale. Selon la saison, le travail peut être assez physique : travaux des champs, aide à la construction de maisons ou recherche de nourriture dans la forêt. Le séjour dure au minimum 7 jours, et les places sont limitées : mieux vaut s'organiser avant de partir. Les recettes de Life Stay sont réinvesties dans la communauté pour soutenir des programmes de santé et d'éducation.

**Cultural Canvas Thailand** (☎ 08 6920 2451 ; www.culturalcanvas.com ; Chiang Mai) propose aux bénévoles des postes dans plusieurs organisations basées à Chiang Mai œuvrant pour la justice sociale, comme des centres d'apprentissage pour migrants et des écoles destinées aux ethnies montagnardes. L'engagement en durée varie d'un jour dans des ateliers d'art à des postes d'enseignement de l'anglais d'un mois.

**Hill Area and Community Development Foundation** (☎ 0 5371 5696 ; www.hadf.or.th ; 129/1 Mu 4, Th Pa-Ngiw, Soi 4, Rop Wiang, Chiang Rai) aide les ethnies montagnardes à harmoniser leur développement ou à entretenir et à protéger leur environnement. Il est actuellement possible d'enseigner l'anglais dans la région de Mae Chan/Mae Salong pendant 6 mois, ou moins longtemps.

**Mae Tao Clinic** (Dr Cynthia's Clinic ; ☎ 0 5556 3644 ; www.maetaoclinic.org, Mae Sot) a été créée en 1989 par le Dr Cynthia Maung, réfugiée karen. La clinique propose des traitements médicaux gratuits à environ 80 000 migrants birmans chaque année. Elle contribue aussi à financer les traitements qu'elle ne peut assurer dans l'un des hôpitaux de Mae Sot. Si vous avez une formation médicale, elle propose des postes bénévoles pour 6 mois au minimum. Travail administratif ou enseignement de l'anglais y sont également proposés, 3 mois au minimum.

**Mirror Art Group** (☎ 0 5373 7412-3 ; www.mirrorartgroup.org ; 106 Moo 1, Ban Huay Khom, Tambon Mae Yao, Chiang Rai) est une ONG travaillant avec les ethnies montagnardes dans la région de Mae Yao, à 15 km à l'ouest de Chiang Rai. Son programme d'enseignement bénévole se concentre sur l'acquisition de l'anglais et des connaissances informatiques. Cinq jours au minimum. Donations de livres, jouets et vêtements appréciées.

Vous trouverez un merveilleux outil en ligne pour en apprendre davantage sur la Thaïlande par le biais de sa langue sur www.thai-language.com.

Ban Thai Guest House (p. 427) à Mae Sot peut aider les visiteurs à trouver des programmes de bénévolat dans les écoles, garderies ou centre VIH. En général, la durée minimale d'engagement est d'un mois.

#### THAÏLANDE DU CENTRE ET DU SUD

Le Hilltribe Learning Center est installé sur un flanc de colline isolé, à 10 km au sud de Sangkhlaburi. C'est là que la nonne bouddhiste Pimjai Maneerat a construit son école destinée à accueillir des minorités ethniques. Elle avait l'habitude de méditer à cet endroit, et avait été abordée par des villageois désireux d'apprendre. Cette école rudimentaire compte déjà 70 élèves, principalement des Karen, qui apprennent le thaï et des connaissances de base. Mae Chee Pimjai gère quasi l'école toute seule, et accueille avec joie les bénévoles capables d'enseigner, surtout l'anglais, ou pour l'aider dans ses tâches quotidiennes. Quiconque veut y séjourner quelques jours trouvera un hébergement rudimentaire (contactez P Guest House, p. 232).

Baan Unrak (p. 232), à Sangkhlaburi, et l'orphelinat de Pattaya (p. 246), dans la ville touristique de Pattaya, sont des orphelinats proposant des postes bénévoles à long terme.

### Chez l'habitant

Vous pouvez voyager de façon indépendante sans vous isoler de la culture locale en logeant chez l'habitant. Surtout pratiqué par les touristes locaux, ce mode d'hébergement permet de séjourner chez une famille, généralement dans un petit village hors des sentiers battus. Les conditions de confort sont rudimentaires : en général, un tapis ou un matelas pliant sur le sol, même si certaines familles proposent une chambre privée. Les tarifs comprennent l'hébergement, les repas avec la famille et les activités culturelles typiques du style de vie de la région, de la culture du riz au tissage de la soie. Les hôtes parlent plus ou moins bien anglais, ce qui fait de cette option un excellent moyen de pratiquer le thaï.

Tous les bureaux régionaux de la Tourist Authority of Thailand (TAT) possèdent une liste des adresses agréées. Sachez cependant que l'appellation "*homestay*" désigne parfois de banales pensions et non des séjours en immersion totale.

La majorité des séjours chez l'habitant se concentrent dans le Nord-Est ; citons notamment le programme Ban Prasat (p. 476), récompensé par un prix. Autre possibilité bien organisée, Ban Kham Pia (p. 532) est accessible à pied depuis une réserve naturelle d'éléphants. Le village autour des ruines angkoriennes de Prasat Meuang Tam (p. 485) propose aussi de loger chez l'habitant. Le village d'élevage d'éléphants de Ban Tha Klang (p. 489) réserve un lit et quelques pachydermes à ses visiteurs. Dan Sai (p. 539), célèbre pour son festival animé, possède un programme de logement chez l'habitant anglophone qui fait l'objet de rares louanges.

Le programme d'hébergement chez l'habitant de Ko Yao Noi (voir p. 695), une île de pêcheurs musulmane, est une excellente alternative au tourisme balnéaire. Non loin de Chiang Mai, Ban Mae Kampong (p. 343) est un village de haute altitude (sans moustiques) offrant des possibilités d'hébergement chez l'habitant et la découverte d'une communauté qui tire sa subsistance de la forêt.

Le roi sponsorise des projets agricoles dans le nord de la Thaïlande depuis 1969, pour enrayer les pratiques de culture sur brûlis et éradiquer la production d'opium. Environ 274 villages, appartenant à 6 provinces, cultivent de nombreux produits bio dans le cadre du projet royal.

## ENVIRONNEMENT

La plupart des touristes ont conscience de l'impact de l'habitat humain sur des environnements naturels fragiles. Si l'atmosphère léthargique des plages thaïlandaises provoque chez vous une sorte d'amnésie écologique, allez vous promener très tôt sur la plage avant que les marchands ne la débarrassent des déchets déposés par la marée, cela a de quoi vous réveiller.

**POUR AIDER LA PLANÈTE**

- Utilisez les transports publics pour réduire votre consommation d'essence ou louez un vélo.
- Formez des groupes avec d'autres voyageurs pour partager vos moyens de transport.
- Réduisez un peu la climatisation.
- Optez pour des douches froides.
- Utilisez un savon biodégradable pour réduire la pollution de l'eau.
- Laissez les emballages plastique dans votre pays pour réduire vos déchets.
- Réutilisez les sacs en plastique, ou prenez un sac en tissu en allant au marché.
- Jetez vos mégots à la poubelle, pas sur la plage, dans la rue ni dans l'océan.
- Ne faites pas de Jet-Ski et n'utilisez pas de véhicule à moteur dans la jungle, c'est bruyant et cela déstabilise les habitats naturels.
- Repartez avec tous vos déchets après une expédition dans la nature.
- Ne nourrissez pas les animaux sauvages ou marins.
- Ne ramassez pas ou n'achetez pas de coraux ni de coquillages.

**POUR UNE PLONGÉE VERTE**

La popularité de la plongée en Thaïlande met son écosystème corallien à rude épreuve. Pour aider à le préserver, suivez ces règles simples.

- Évitez de toucher des organismes marins vivants, de vous tenir debout sur du corail ou de traîner votre équipement (vos palmes par exemple) dans les récifs. Les polypes des coraux peuvent pâtir même du plus doux des contacts.
- En marchant dans l'eau peu profonde, évitez de soulever des nuages de sable, susceptibles d'étouffer les fragiles organismes des coraux.
- Dans les grottes sous-marines, faites en sorte que vos bulles d'air ne se coincent pas sous le plafond et n'assèchent des organismes submergés.
- Participez à une campagne de nettoyage des coraux sponsorisée par des boutiques de plongée à Ko Tao et à Ko Samui.

La Thaïlande a fait de grands progrès pour protéger son patrimoine naturel en interdisant le dynamitage des coraux et en créant des parcs naturels, mais elle n'est pas encore parvenue à enrayer les effets négatifs du développement commercial et à se doter de l'infrastructure nécessaire pour traiter les déchets produits par une population croissante, notamment dans les sites touristiques où le nombre de visiteurs dépasse souvent celui des habitants.

On ne peut qu'inciter le visiteur à faire plus d'efforts pour réduire son empreinte écologique, mais cela ne suffit généralement pas à compenser l'absence de politique environnementale. Une option assez radicale consiste à éviter de visiter les sites qui n'ont pas mis en place de système sanitaire pour les touristes. Dans le cas des îles, des sites très touristiques comme Phuket et, dans une moindre mesure, Ko Phi Phi, Samui et Samet sont mieux équipés pour gérer le tourisme que les îles plus petites et moins fréquentées.

Les avions, les trains et les voitures produisent du $CO_2$ qui contribue au réchauffement climatique. Pour déterminer l'"empreinte carbone" de votre trajet en avion jusqu'à la Thaïlande, connectez-vous sur : www.co2solidaire.org

Pratiquez vos activités aussi près que possible de votre hôtel ou de votre pension. Les boutiques de plongée de Ko Samui emmènent les plongeurs au large des côtes de Ko Pha-Ngan et de Ko Tao, à 2 heures de là. Les visiteurs qui s'installent à Ko Tao n'ont besoin que de 30 min de trajet au maximum pour atteindre ces sites. Même chose à Chiang Mai, où les opérateurs emmènent les randonneurs dans des expéditions de marche et

**DANS LES RUES DE BANGKOK**

Inutile de forcer sur la boisson pour voir des éléphants, un clignotant accroché à la queue, dans les rues de Bangkok. Leurs maigres mahouts vous donnent quelques bananes pour les nourrir, en échange d'une poignée de bahts. Surréaliste. Mais, surtout, attristant.

La Thaïlande est aujourd'hui confrontée à une véritable crise. Les pachydermes y ont toujours été vénérés pour leur force, leur endurance et leur intelligence, et ont travaillé aux côtés de leurs mahouts pour récolter du teck ou transporter des charges sur des terrains montagneux. Puis le monde moderne s'est imposé et les a mis au chômage.

En 1989, l'exploitation du bois a été interdite en Thaïlande, entraînant une baisse de la demande en éléphants dressés. Ceux-ci travaillent environ 50 ans et sont dressés dès le plus jeune âge par deux mahouts, en général un père et son fils, qui peuvent suivre l'animal sur toute une vie. La loi impose que les éléphants soient mis à la retraite et relâchés dans la nature à 61 ans. Ils vivent souvent plus de 80 ans.

Frappés par le chômage, les éléphants et leurs mahouts émigrent en ville, à l'instar des autres réfugiés économiques du pays, pour chercher du travail. Et que peut faire un éléphant à l'âge des avions, des trains et des voitures ? Mendier dans les rues.

Une alternative plus heureuse est proposée par les organismes de protection des éléphants, financés grâce au tourisme. Le Thai Elephant Conservation Center de Lampang (p. 359), l'Elephant Nature Park de Chiang Mai (p. 307) et l'Elephant Farm de Patara (p. 307) ne sont que quelques-unes des solutions inventives visant à assurer la dignité et la qualité de vie de ces animaux.

de spéléo dans la province éloignée de Mae Hong Son. Épargnez-vous tous ces trajets : ne dépassez pas 1 heure de route entre votre lieu de résidence et le lieu de vos activités.

## Bénévolat

Nombre d'organisations populaires en Thaïlande ont besoin de bénévoles pour participer au sauvetage des animaux et protéger l'environnement.

**Elephant Nature Park** (☎ 0 5320 8246 ; www.elephantnaturepark.org ; Mae Taeng). Réserve récompensée de Sangduen Chailert. Le parc accepte les bénévoles pour prendre soin des éléphants. Vétérinaires bienvenus mais, à défaut d'un diplôme, de bons muscles sont appréciés. Postes de 1, 2 et 4 semaines. Pour plus de renseignements, lisez p. 307.

**Highland Farm Gibbon Sanctuary** (☎ 0 9958 0821 ; www.highland-farm.org ; Mae Sot). Recueille les gibbons orphelins, maltraités, abandonnés. Ces singes sont chassés depuis longtemps en Thaïlande. Engagement d'un mois. Participation aux corvées de la ferme.

**Starfish Ventures** (☎ 44 800 1974817 ; www.starfishvolunteers.com). Propose aux bénévoles d'aider au Centre de protection des tortues (p. 251), programme thaïlandais d'aide aux tortues de mer sur une île protégée au large de Rayong. Il est aussi possible de travailler dans un centre de réhabilitation des gibbons à Phuket, d'aider à bâtir et à réparer des écoles rurales pauvres et d'enseigner.

**Wild Animal Rescue Foundation** (WAR ; www.warthai.org). ONG thaïlandaise qui gère le centre de réhabilitation de gibbons de Phuket (p. 674), ainsi qu'un projet de protection des tortues de mer et un centre pédagogique de protection dans la province de Ranong sur la côte d'Andaman. La fondation ne fonctionne que grâce au bénévolat et aux donations. On peut participer aux soins prodigués aux gibbons avant qu'ils ne soient réintroduits dans la nature, ou compter et surveiller les nids de tortues de mer.

**Wildlife Friends of Thailand Rescue Centre** (p. 573). Les bénévoles apportent des soins aux ours malais, aux macaques et aux gibbons sauvés de spectacles ou de propriétaires violents.

Sur les îles touristiques de Ko Chang et de Ko Samui, des amis des animaux gèrent des centres de sauvetage de chiens (voir p. 270 pour Ko Chang et p. 596 pour Ko Samui).

# Culture et société

## LA SOCIÉTÉ THAÏLANDAISE

L'équilibre de la société thaïlandaise repose en grande partie sur un système de valeurs mettant en avant le respect de la famille, de la religion et de la monarchie. À l'intérieur de ce système, chacun sait quelle place il occupe et les enfants apprennent à se conformer aux attitudes de leur groupe, à respecter les anciens et à ne pas afficher d'opinions conflictuelles. Les Thaïlandais sont également célèbres pour l'indifférence dont ils font parfois preuve, surtout dans des situations publiques où l'on pourrait éviter le chaos simplement grâce à une file d'attente et à un soupçon de chevalerie. Mais vous constaterez vite que la plupart des Thaïlandais sont très aimables et qu'ils savent apprécier la vie.

*Bonjour en thaï*, de Jean-Pierre Predagne (1987, éditions Marcus), tente le difficile pari de décrire la personnalité thaïe.

### Sà·nùk

Le mot thaï *sà·nùk* signifie "divertissant" et est souvent considéré comme nécessaire dans l'accomplissement de toute chose. Même le travail et l'étude doivent comporter un élément *sà·nùk*, faute de se transformer en corvée. Cela ne signifie pas que les Thaïlandais rechignent à travailler, mais ils préfèrent le faire en groupe, pour éviter la solitude et s'assurer un peu de plaisir. Rien ne condamne plus sûrement une activité que le qualificatif de *mâi sà·nùk* (pas amusant). L'éreintante culture du riz, la conduite d'un bus sur de longues distances, les dangereux chantiers de construction : les Thaïlandais mélangent souvent leur travail et une saine dose de socialisation. Regardez-les travailler et vous les verrez flirter, échanger des insultes ou plaisanter. Le célèbre sourire thaïlandais provient en grande partie de leur volonté de s'amuser.

### Sauver la face

Les Thaïlandais croient fermement en l'importance de sauver la face, c'est-à-dire qu'ils évitent la confrontation et s'efforcent de ne pas provoquer de situations embarrassantes, tant pour eux que pour les autres (sauf si c'est *sà·nùk*). Ainsi, il convient de ne pas évoquer de sujets négatifs dans la conversation, de ne pas exprimer de convictions ou d'opinions tranchées et de ne pas prétendre savoir mieux que les autres. L'accord et l'harmonie sont considérés comme les qualités sociales parmi les plus importantes.

Si les Occidentaux apprécient une discussion à bâtons rompus, les Thaïlandais évitent ce genre de confrontations et considèrent qu'élever la voix est impoli et futile. Perdre son sang-froid revient à perdre la face et à faire perdre la face à tous ceux qui sont présents, et les Thaïlandais offensés réagissent souvent de façon extrême.

Les incidents mineurs, comme trébucher ou tomber, peuvent susciter des rires. Les Thaïlandais ne se réjouissent pas de votre infortune mais vous aident à sauver la face en en riant.

*La Thaïlande et ses populations*, de Michel Hoang (1981 ; Éditions Complexe), consultable en bibliothèque, est un ouvrage clair et bien documenté.

### Statut et obligation

Dans la société thaïlandaise, traditionnelle ou moderne, toutes les relations sont gouvernées par le rang social défini par l'âge, le statut et la personnalité ou le pouvoir politique. La position la plus importante est appelée *pôo yài* (littéralement, la "grande personne") et qualifie les parents, les patrons, les chefs de village, les hauts fonctionnaires, etc. La position inférieure est appelée *pôo nóy* ("petite personne") et décrit quiconque est soumis au *pôo yài*. Si le respect d'une hiérarchie sociale est partagé par de nombreuses sociétés dans le monde, la particularité thaïlandaise réside dans l'existence d'obligations mutuelles liant les supérieurs aux inférieurs.

**LES JOURS DE THAI TÊE·O**

Quand arrivent les *wan yùt* (jours fériés), les Thaïlandais ne restent pas à la maison. Ils retrouvent leurs amis et partent en *têe·o* (expédition). Les étudiants, emportant leurs guitares et une bouteille de whisky, partent camper dans le parc national le plus proche. Les femmes de la classe moyenne mettent leurs plus jolies robes de soie pour se rendre au temple. Les villageois montent dans des pick-up et partent au marché d'occasion frontalier. Quelle que soit la destination, toutes les *têe·o* ont des points communs. Une longue route chaoteuse (si vous êtes invité à une *têe·o*, ne vous asseyez pas devant) et plus de temps passé à manger qu'à découvrir la destination. Naturellement, tout trajet implique une pause déjeuner et des haltes pour goûter les spécialités. Avant de partir, il faut faire maints détours pour rassembler tous les participants et faire en quatrième vitesse des emplettes sans aucun rapport avec l'expédition. Mais l'attente et les préparatifs font partie de l'excursion et, entre amis, le temps passe vite.

Les *pôo nóy* doivent montrer obéissance et respect (ces deux concepts sont couverts par le terme thaï unique de *greng jai*) envers les *pôo yài*. Les inférieurs ne sont pas supposés mettre en doute ou critiquer les supérieurs, que ce soit au bureau, à la maison ou au gouvernement. Sur les lieux de travail, cela signifie que les membres du personnel les plus jeunes ne sont pas incités à parler pendant les réunions et qu'on attend d'eux qu'ils fassent ce que leur commandent leurs patrons.

En retour, les *pôo yài* doivent aider ou "parrainer" les *pôo nóy* avec lesquels ils ont de fréquents contacts. Il s'agit d'une relation de type paternaliste, dans le cadre de laquelle les *pôo nóy* peuvent demander aux *pôo yài* certaines faveurs, sous forme d'argent ou de travail. Pour leur part, les *pôo yài* réaffirment leur rang en accédant à ces demandes. Un refus risquerait de leur faire perdre la face et leur statut. À un repas, un spectacle ou pendant un voyage, c'est toujours le *pôo yài* qui paie la note. Dans un groupe, c'est la personne au rang social le plus élevé qui règle l'addition pour les autres, même si cela doit vider son portefeuille. Pour un *pôo nóy*, chercher à payer "dégraderait notre culture", comme un ami thaïlandais me l'a un jour expliqué. Cela signifie que, quelle que soit votre fortune, vous devez la partager – du moins partiellement – avec les moins riches que vous. Cela ne s'applique pas aux étrangers, mais aux parents et aux amis.

*Lettres de Thaïlande* (1969), de Botan, en 2 volumes (Esprit ouvert, 2001 et 2002), relate l'histoire d'un immigrant chinois venu en Thaïlande après la Seconde Guerre mondiale. Le héros écrit à sa mère pour lui raconter le succès qu'il rencontre dans ses affaires et son mariage. L'ouvrage donne de nombreuses informations sur la vie des Thaïlandais.

La plupart des visiteurs étrangers appliquent une version simplifiée de cette relation sous la forme de *pêe* (vieux frère) et *nórng* (jeune frère). Tous les Thaïs font référence les uns aux autres en utilisant des noms familiaux. Même des personnes sans lien de parenté établissent très vite qui sont les *pêe* et les *nórng*. C'est pourquoi l'une des premières questions posées par un Thaïlandais porte généralement sur l'âge.

## US ET COUTUMES

Le mode de vie des Thaïlandais varie beaucoup selon le milieu social et les revenus de la famille, ainsi que d'une région à l'autre. Par de nombreux aspects, Bangkok est un cas unique où les Thaïlandais de la classe moyenne accèdent à tous les avantages de la modernité : SMS, messagerie instantanée, fast-foods, pop music et mode. Les revenus des habitants de Bangkok sont nettement supérieurs à ceux du reste du pays. Les classes moyennes de la capitale sont généralement constituées de migrants économiques des provinces du Nord-Est ou, de plus en plus, du Myanmar. Abandonnant les rizières à la jachère, les fermiers d'Isan se font chauffeurs de taxi à Bangkok ou rejoignent un chantier de construction. Chaque midi, ils déjeunent des spécialités du nord du pays cuisinées par une ménagère d'Isan installée à Bangkok, où ces mets étaient encore inconnus il y a 20 ans. Les jeunes de provinces comme

Roi Et et Si Saket qui n'ont pas la possibilité de faire des études se destinent à des métiers de service, notamment dans les pensions, et se regroupent pour former de véritables tribus urbaines. Les îles touristiques du Sud sont soumises aux mêmes schémas migratoires : les Thaïlandais d'Isan travaillent dans le nettoyage et le bâtiment, les habitants de la région comme agents de sécurité et les habitants de Bangkok les plus formés occupent les postes de direction. Quel que soit leur emploi, la majorité des Thaïlandais envoient une partie de leur salaire à leurs parents en difficulté ou à leurs enfants.

On trouve des familles et des professions plus traditionnelles dans les capitales provinciales du pays. Les fonctionnaires – professeurs et employés du gouvernement qui forment la colonne vertébrale de la classe moyenne thaïlandaise – vivent principalement dans des familles nucléaires, dans des lotissements mitoyens à l'écart du centre-ville. Certains habitent des quartiers plus anciens dont les jardins sont plantés de papayers, manguiers et autres arbres fruitiers. Les hommes d'affaires résident dans le centre-ville, en général dans des appartements au-dessus de boutiques, ce qui facilite leur mobilité. Lors des heures les plus fraîches de la journée, les travailleurs et les étudiants se rendent au parc le plus proche pour courir, jouer au badminton ou participer aux cours d'aérobic municipaux.

Les Thaïlandais ont un langage spécial pour parler aux membres de la monarchie. Les écoliers étudient le *râht·chá·sàp* (la langue royale), mais la princesse Srindhorn a détourné cette convention en parlant anglais.

Si les travailleurs sont moins nombreux qu'autrefois dans les rizières, les villages survivent encore aux lisières des villes. Ici, la vie passe au rythme des saisons, la mode est dictée par le marché local et le commérage va bon train… Dans les zones rurales, les femmes héritent le plus souvent de la terre et, dans tout le pays, ce sont généralement elles qui gèrent le budget familial.

Les motos sont emblématiques de la vie thaïlandaise moderne, et il n'est pas rare de poser un bébé en équilibre sur le guidon avec les courses. Des étudiants en short sillonnent les petites rues. Un proverbe thaïlandais dit que si vous êtes assez âgé pour rire, vous l'êtes assez pour conduire, phénomène que le gouvernement tente de contrer à grands renforts de campagnes de sensibilisation. Les voitures sont encore un signe de prospérité, et les taxes avantageuses font que les pick-up constituent la majorité des ventes d'automobiles. Les téléphones portables appartiennent à la vie quotidienne de tous, même des humbles villageois et des vendeurs de marché.

Le niveau de vie moyen des Thaïlandais a progressé ces dernières années. Les bus à ventilateur longue distance, qui s'arrêtaient autrefois à chaque arbre pour ramasser de nouveaux voyageurs, ont disparu. Aujourd'hui, les gens possèdent leur propre moyen de transport ou peuvent s'offrir le bus climatisé. La Thaïlande connaît actuellement une transition démographique. L'espérance de vie s'est élevée à 70 ans pour les hommes et 75 ans pour les femmes ; le taux de fécondité reste stable à 1,82 enfant par femme. L'âge moyen des habitants est de 33 ans, ce qui signifie que le pays dispose d'une main-d'œuvre compensant à la fois le déclin du taux de natalité et le vieillissement de la population.

Les relations sociales entre les sexes évoluent elles aussi. Il y a encore 10 ans, il était honteux pour une femme de fumer ou de boire, et dans une fête respectable de la classe moyenne, hommes et femmes étaient séparés. Aujourd'hui, la plupart de ces tabous ont disparu. La popularité du mot d'argot *gík*, qui signifie à l'origine "amant occasionnel" – utilisé plus largement pour désigner un(e) petit(e) ami(e) –, est un signe des temps. Il s'applique à quelqu'un avec qui l'on a des rapports sexuels sans s'engager affectivement ou financièrement, un concept relativement nouveau, excluant les partenaires sexuels traditionnels : la maîtresse, la petite amie ou une prostituée. *Gík* s'applique aux deux sexes et devient une source croissante de frustration pour des couples mariés qui, dans les générations précédentes, cherchaient à cacher de trop nombreuses visites à la maison de passe ou l'existence d'une maîtresse. Cette révolution sexuelle se fait aux dépens de la prostitution.

**STATISTIQUES DÉMOGRAPHIQUES**

- Âge moyen du mariage pour un homme/une femme : 27/24 ans
- Salaire journalier minimum à Bangkok : 203 B
- Salaire journalier minimum à Nakhon Ratchasima : 170 B
- Salaire mensuel de base d'un fonctionnaire : environ 9 000 B
- Les employés dans les services gagnent entre 4 500 et 6 500 B mensuels
- Les enseignants avec 20 ans d'expérience gagnent 24 000 B mensuels

Malgré l'évolution des mœurs, la religion joue encore un rôle actif dans la société moderne et les Thaïlandais n'ont pas adopté la vision laïque du monde propre aux pays occidentaux. Voir p. 66 pour en savoir plus.

## ÉCONOMIE

Deuxième en Asie du Sud-Est (après l'Indonésie), la Thaïlande est une économie en développement, qui repose largement sur le commerce extérieur : les exportations constituent environ 70% du PIB. Les exportations de produits manufacturés, notamment électroniques et automobiles, commencent à éclipser les produits agricoles traditionnels, comme le riz et le caoutchouc. Ses plus grands partenaires commerciaux sont les États-Unis, le Japon et la Chine.

Le pays est souvent surnommé le "panier à riz du monde", bien que le Vietnam et la Thaïlande rivalisent pour la première place. L'agriculture réalise 11% du PIB et emploie environ 37% de la main-d'œuvre. Outre le riz, le pays exporte notamment des crevettes d'élevage et du manioc. L'industrie de transformation des aliments se développe.

De nombreux Thaïlandais consultent un moine ou un voyant pour déterminer la date favorable à un mariage ou à l'ouverture d'un nouveau commerce.

Plus récemment, la Thaïlande a été qualifiée de "Détroit de l'Asie". L'industrie automobile représente, en effet, 15% du PIB et la Thaïlande est le plus grand marché et le principal constructeur automobile des pays de l'ASEAN. Le pays s'est notamment spécialisé dans la production et la vente, sur le marché national, de pick-up de 1 tonne. Toyota et Isuzu, principaux fabricants du pays, ont installé leurs usines dans les banlieues industrielles de Bangkok. Environ la moitié des 1,2 million de véhicules produits en 2006 ont été exportés. Cependant, la crise économique a entraîné une baisse de la production et des ventes de voitures en Thaïlande.

Malgré une économie assez robuste, l'impasse politique que traverse la Thaïlande depuis le coup d'État militaire de 2006 a compromis les prédictions de croissance économique. On espérait que le taux de croissance atteindrait 4 à 5% en 2008, mais ce chiffre est tombé à 2% à la suite notamment du blocage des deux aéroports de Bangkok par des manifestants antigouvernementaux pendant une semaine, fin 2008.

Le tourisme est le secteur le plus affecté par les crises politique et économique. Il représente 6% de l'économie et a attiré 14 millions de personnes en 2007. Début 2008, les objectifs gouvernementaux étaient d'atteindre 15 millions, mais les statistiques rendues publiques début 2009 se sont révélées plus réalistes : 10 millions de personnes seulement avaient visité la Thaïlande en 2008. On estime que la fermeture des aéroports de Bangkok a privé le pays de 3,8 milliards de dollars US de revenus, affectant le transport de marchandises, le commerce extérieur, les services aux passagers et le tourisme. Le secteur touristique s'attend à un déclin plus sévère et plus durable que celui qui a suivi le tsunami dans l'océan Indien en 2004.

Les économistes prévoient une période difficile, un taux de chômage à 2% de la population active (soit 1 million de personnes) en 2009, ce qui reste bien inférieur au record de 4,4% lors de la crise financière asiatique de 1997.

## POPULATION

Avec 63 millions d'habitants, la Thaïlande est le pays le plus peuplé du Sud-Est asiatique continental. Environ un tiers vit dans des zones urbaines, principalement à Bangkok (6,3 millions d'habitants), sa capitale, et dans ses banlieues industrielles de Samut Prakan (379 000 habitants) et de Nonthaburi (292 000 habitants). Bien qu'il soit célèbre pour sa ruralité, le Nord-Est compte 2 des plus grandes villes du pays : Udon Thani (222 000 habitants) et Nakhon Ratchasima (205 000 habitants). La ville-carrefour du Sud de Hat Yai (188 000 habitants) et la ville littorale de Chonburi (183 000 habitants) sont aussi des centres très peuplés. Chiang Mai en revanche (174 000 habitants), souvent considérée comme la capitale culturelle, figure tout juste parmi les 10 premiers.

La Thaïlande est le 2e plus grand marché de pick-up après les États-Unis.

La Thaïlande est considérée comme un pays à la population homogène, mais la réalité est plus complexe, notamment dans les provinces frontalières ou dans les régions qui entretiennent un lien historique avec d'autres pays. Les immigrés de Thaïlande sont principalement des Chinois et, depuis peu, des réfugiés du Myanmar.

### La majorité thaïe

Environ 75% des sujets du royaume appartiennent à l'ethnie thaïe, au sein de laquelle on distingue 4 groupes : les Thaïs du Centre (Siamois) du delta du Chao Phraya ; les Thaï Lao du Nord-Est ; les Thaï Pak Tai du Sud ; et les Thaïs du Nord. Chaque groupe possède son propre dialecte et, dans une certaine mesure, suit des coutumes propres à sa région. Du point de vue politique et économique, les Thaïs du Centre constituent le groupe dominant.

Parmi les petits groupes minoritaires parlant leurs propres dialectes thaïs figurent les Lao Song (Phetchaburi et Ratchaburi), les Phuan (Chaiyaphum, Phetchaburi, Prachinburi), les Phu Thaïs (Sakon Nakhon, Nakhon Phanom, Mukdahan), les Chan (Mae Hong Son), les Thaï Khorat ou Suhaïl (Khorat), les Thaïs Lü (Nan, Chiang Rai), les Thaï malais (Satun, Trang, Krabi) et les Yaw (Nakhon Phanom, Sakon Nakhon).

La Thaïlande est bien représentée dans le Guiness des records, notamment avec la plus longue chaîne de préservatifs, le plus grand nombre de couples mariés sous l'eau et le plus grand nombre de Mini Coopers en un seul convoi (444 voitures formant les mots "longue vie au roi").

### Les Chinois

Les Thaïlandais d'ascendance chinoise – pour la plupart des Hakka, des Chao Zhou, des Hainanai ou des Cantonais de la 2e ou 3e génération – représentent 14% de la population. Bangkok et les régions littorales proches comptent une importante minorité chinoise, attirée par une certaine prospérité économique au cours de la première moitié du XXe siècle. Le Nord abrite une forte communauté hui (Chinois musulmans), arrivée du Yunnan à la fin du XIXe siècle pour échapper aux persécutions ethniques et religieuses perpétrées sous la dynastie Qing.

Les Chinois entretiennent probablement de meilleures relations avec l'ensemble de la population thaïlandaise qu'avec les habitants des autres pays du Sud-Est asiatique. De nombreux immigrés ont épousé des Thaïlandais et ont forgé une culture métissée. Dans le passé, des Chinois fortunés parvinrent d'ailleurs à marier leurs filles aux membres de la famille royale, créant avec la monarchie thaïlandaise des liens de sang qui se sont perpétués jusqu'au roi actuel.

### Les autres minorités

Essentiellement regroupés dans les provinces de l'extrême Sud, les Malais forment la seconde minorité ethnique du pays (4,6%). Les autres populations comptent de petits groupes ne parlant pas le thaï : Vietnamiens, Khmers, Môn, Semang (Sakai), Moken (*chow lair* ; peuples de la mer, ou "nomades de la mer"), Htin, Mabri, Khamu et diverses ethnies montagnardes.

Une modeste communauté d'Européens et d'autres non Asiatiques vit à Bangkok et dans les provinces.

*Queen of Langkasuka* (2008), de Nonzee Nimibutr, est un film haut en couleur, évoquant le royaume malais de Pattani, civilisation peu connue, excepté des Malais de Thaïlande.

## Les ethnies montagnardes

Les minorités ethniques qui occupent les régions montagneuses du Nord sont souvent appelées "ethnies montagnardes" (ou *chow kŏw*). Chaque ethnie possède sa propre langue, ses coutumes, son style vestimentaire et ses croyances.

Ce sont en majorité des peuples d'origine semi-nomade venus du Tibet, du Myanmar, de Chine et du Laos au cours des deux derniers siècles. Populations du "quart-monde", elles n'appartiennent ni aux puissances alignées ni aux pays en développement, mais continuent de traverser les frontières, fuyant souvent l'oppression des autres cultures sans égard pour la notion de nation.

La langue et la culture constituent les frontières de leur monde. Certains groupes vivent dans un temps indifférencié entre le VIe et le XXIe siècle, tandis que d'autres assimilent lentement la vie moderne. Beaucoup d'ethnies se réfugient aujourd'hui dans les plaines, les terres montagneuses étant déboisées.

### REGARD ACTUEL SUR LES ETHNIES MONTAGNARDES

Les ethnies montagnardes ont le niveau de vie le plus bas de Thaïlande. Bien qu'il soit tentant d'en attribuer la cause à leurs modes de vie traditionnels, leur situation est d'autant plus complexe qu'elles n'ont pas, pour beaucoup, la nationalité thaïlandaise. Elles n'ont donc pas le droit de posséder la terre, d'envoyer leurs enfants à l'école, d'accéder au salaire minimal ni aux soins de santé. Ces 20 dernières années, certains membres de ces ethnies se sont vus accorder des cartes d'identité thaïlandaises, qui leur permettent de bénéficier des programmes nationaux (en théorie, bien que des "frais supplémentaires" interdisent à certaines familles les écoles publiques et les établissements de santé). D'autres familles appartenant à ces ethnies ont reçu des certificats de résidence qui restreignent leurs déplacements en dehors d'une certaine zone, ce qui limite les opportunités d'emploi.

En outre, le gouvernement thaïlandais poursuit depuis 30 ans une politique de relocalisation des ethnies montagnardes, déplaçant des villages de terres agricoles fertiles pour les installer sur des terres stériles. Il les prive ainsi d'un système de subsistance viable et les oblige à s'insérer dans un système de marché, dans lequel elles ne peuvent rivaliser et qui met à mal leurs traditions.

Certains proposent qu'une partie des revenus générés par les agences de trekking soit utilisée pour aider les ethnies montagnardes à préserver leurs traditions. Une petite partie des bénéfices de cette activité profite bien aux familles dans les villages tribaux, ce qui leur garantit une source de revenus très modeste, leur évitant toutefois la migration urbaine. Un guide nous a confié avec optimisme que 50% du budget de l'excursion était dépensé en nourriture, logement et matériel achetés auprès des marchands des ethnies montagnardes des villages d'accueil.

Le secteur du trekking a connu une certaine prise de conscience. La plupart des agences ont tendance à limiter le nombre de visites dans chaque village, pour éviter que la vie quotidienne des habitants ne soit trop perturbée. Mais cette industrie a encore du chemin à parcourir. Sachez que les agences de trekking sont thaïlandaises et n'emploient que des Thaïlandais, autre inconvénient pour les minorités ethniques. Sans carte d'identité, les guides des ethnies montagnardes ne peuvent obtenir de licence de la Tourist Authority of Thailand (TAT).

Depuis une dizaine d'années, le développement du tourisme dans les régions de montagne fragilise l'autonomie des villages des ethnies montagnardes. Les spéculateurs des villes achètent des terres aux agriculteurs pour un prix dérisoire et les revendent, en général à des complexes touristiques. L'agriculteur et sa famille qui s'installent en ville délaissent peu à peu leur mode de vie traditionnel, tout en disposant de peu de ressources pour survivre dans ce nouvel environnement.

Du point de vue linguistique, les ethnies les plus connues se divisent en trois grands groupes : tibéto-birman (Lisu, Lahu, Akha), karénique (Karen, Kayah) et austro-thaï (Hmong, Mien). Chaque groupe peut lui-même compter plusieurs sous-groupes – Hmong bleus ou Hmong blancs par exemple –, dont les noms se réfèrent généralement aux caractéristiques de leurs vêtements, variables d'une ethnie à l'autre.

L'Institut de recherches tribales de Chiang Mai reconnaît 10 ethnies montagnardes différentes, mais il pourrait y en avoir le double. Les chiffres sont tirés des estimations les plus récentes. Les remarques suivantes sur les costumes se réfèrent principalement aux femmes, car les hommes ont plutôt tendance à s'habiller comme les Thaïlandais ruraux, portant des vêtements qui leur ont été donnés plutôt que des parures traditionnelles. Les méthodes ancestrales de construction des maisons cèdent parfois la place à des matériaux modernes, comme la tôle ondulée.

Hilltribe.org (www.hilltribe.org, en anglais et en thaï) propose des informations sur la culture et l'histoire des ethnies montagnardes.

### AKHA (I-KAW)

**Population :** 68 600 membres
**Origine :** Tibet
**Peuplement actuel :** Thaïlande, Laos, Myanmar, Yunnan
**Économie :** riz, maïs, haricots, poivre
**Religion :** animisme et culte des ancêtres marqué ; quelques chrétiens
**Caractéristiques culturelles :** les Akha figurent parmi les minorités ethniques les plus pauvres de Thaïlande. Ils habitent principalement dans les provinces de Chiang Mai et de Chiang Rai, dans les montagnes ou à flanc de colline de 1 000 à 1 400 m d'altitude. Ils sont considérés par la plupart des Thaïlandais comme des fermiers spécialisés mais sont souvent chassés des terres arables par le gouvernement. Leurs vêtements traditionnels se composent de coiffes ornées de perles, de plumes et de pendentifs en argent. La célèbre cérémonie de la Balançoire a lieu entre mi-août et mi-septembre, entre le repiquage et la moisson. Les maisons, en bois et en bambou, reposent habituellement sur des pilotis et leur toit est couvert d'un épais tapis d'herbes. Un porche en bois sommaire, deux montants surmontés d'un linteau, s'élève à l'entrée de chaque village traditionnel. Les chamans y fixent divers fétiches en bambou afin d'éloigner les esprits malveillants. À côté du porche, des statues en bois grossières représentant un homme et une femme aux organes génitaux démesuré, rappellent la croyance akha selon laquelle le monde des esprits exècre la sexualité humaine.

### LAHU (MUSOE)

**Population :** 102 876 membres
**Origine :** Tibet
**Peuplement actuel :** Chine du Sud, Thaïlande, Myanmar
**Économie :** riz, maïs
**Religions :** animisme théiste (la divinité suprême est Geusha), avec quelques groupes chrétiens
**Particularités culturelles :** réputés pour leur adresse à la chasse, les Lahu sont désignés en thaï par le terme *mou seu*, dérivé d'un mot birman signifiant "chasseur". Les Lahu vivent vers 1 000 m d'altitude, dans des zones isolées des provinces de Chiang Mai, de Chiang Rai et de Tak. Ils se divisent en 5 groupes principaux : Lahu rouges, Lahu noirs, Lahu blancs, Lahu jaunes et Lahu Sheleh. Traditionnellement, les femmes sont vêtues de vestes noir et rouge et de jupes étroites, les hommes de pantalons flottants verts ou turquoise. Leurs habitations, constituées de bois, de bambou et d'herbes, sont édifiées sur de courts poteaux en bois. La cuisine lahu est probablement la plus épicée de Thaïlande.

### LISU (LISAW)

**Population :** 55 000 membres
**Origine :** Tibet
**Peuplement actuel :** Thaïlande, Yunnan
**Économie :** riz, maïs, bétail
**Religions :** animisme, avec culte des ancêtres et croyance en la possession par les esprits
**Caractéristiques culturelles :** les villages des Lisu s'étendent généralement dans les montagnes à 1 000 m d'altitude dans 8 provinces : Chiang Mai, Chiang Rai, Mae Hong Son, Phayao, Tak, Kamphaeng Phet, Sukhothai et Lampang. Les femmes portent de longues tuniques multicolores sur des pantalons et parfois des turbans noirs ornés de pompons. Les hommes portent des pantalons larges, verts ou bleus, resserrés aux chevilles. Ces clans patrilinéaires se distinguent des autres ethnies (dans lesquelles les décisions reviennent au chaman ou au chef de village) par une autorité collective à l'échelle du clan. Les maisons reposent sur le sol et sont principalement construites à partir de bambou et d'herbe. Les plus anciennes, assez rares aujourd'hui, sont en brique de terre ou en chaume de bambou et de boue.

### MIEN (YAO)

**Population :** 45 500 membres
**Origine :** centre de la Chine
**Peuplement actuel :** Thaïlande, Chine du Sud, Laos, Myanmar, Vietnam
**Économie :** riz, maïs
**Religions :** animisme, culte des ancêtres et taoïsme
**Particularités culturelles :** les Mien sont d'habiles artisans, réputés pour leurs broderies et pièces d'orfèvrerie. Ils s'installent près de sources de montagne entre 1 000 et 1 200 m d'altitude, surtout dans les provinces de Nan, Phayao et Chiang Rai et un peu moins densément à Chiang Mai, Lampang et Sukhothai. Leur migration vers la Thaïlande a augmenté à l'époque de la guerre avec l'Amérique, lorsque les Mien ont collaboré avec la CIA contre les forces de Pathet Lao ; 50 000 réfugiés mien se sont ensuite installés aux États-Unis. Les femmes portent des pantalons et des vestes noires aux broderies compliquées et des cols rouges ressemblant à de la fourrure, ainsi que de grands turbans bleu foncé ou noirs. Les Mien sont très influencés par les traditions chinoises ; ils écrivent en utilisant les caractères chinois. Les Mien ont une parenté patrilinéaire et pratiquent la polygamie. Les maisons sont construites à même le sol, en bois ou en chaume de bambou.

### HMONG (MONG OU MAEW)

**Population :** 151 000 membres
**Origine :** Chine du Sud
**Peuplement actuel :** Chine du Sud, Thaïlande, Laos, Vietnam
**Économie :** riz, maïs, choux, fraises
**Religion :** animisme
**Particularités culturelles :** les Hmong, deuxième ethnie du pays par la population, sont particulièrement nombreux dans la province de Chiang Mai ; on trouve également quelques petites communautés dans les autres provinces du nord de la Thaïlande. Les Hmong occupent généralement les sommets ou les plateaux au-dessus de 1 000 m. Les Hmong portent une simple veste noire sur un pantalon flottant noir ou indigo avec des liserés à rayures (Hmong blancs) ou sur une jupe indigo (Hmong bleus), et des bijoux d'argent. Une large ceinture est parfois nouée autour de la taille, ainsi qu'un tablier brodé. La plupart des femmes nouent leur chevelure en chignon. Leurs maisons sont érigées à même le sol. La parenté est patrilinéaire et la polygamie tolérée.

**KAREN (YANG OR KARIANG)**
**Population :** 428 000 membres
**Origine :** Myanmar
**Peuplement actuel :** Thaïlande, Myanmar
**Économie :** riz, légumes, bétail
**Religions :** animisme, bouddhisme, christianisme selon les groupes
**Caractéristiques culturelles :** les Karen constituent le principal groupe des ethnies montagnardes de Thaïlande, formant environ 47% de cette population. Les Karen vivent plutôt dans les vallées et pratiquent la rotation des cultures. Ce groupe monogame à la parenté matrilinéaire se distingue par d'épaisses tuniques à col en V de couleurs variées (blanches pour les femmes célibataires). Leurs maisons sont bâties sur des pilotis ou poteaux peu élevés et le toit descend assez bas. Il existe 4 groupes de Karen – les Skaw Karen (blancs), Pwo Karen, Pa-O Karen (noirs) et les Kayah Karen (rouges).

## SYSTÈME ÉDUCATIF

L'enseignement public est gratuit et obligatoire durant 9 ans. Avant la création d'un ministère de l'Éducation à la fin du XIXe siècle, les temples bouddhiques assuraient l'éducation des garçons qui intégraient les monastères. Si l'enseignement est tenu en grande estime, les écoles publiques thaïlandaises sont souvent critiquées pour encourager l'apprentissage par cœur au détriment de la réflexion. Au début des années 2000, plusieurs tentatives de réforme du système ont introduit des méthodes d'apprentissage centrées sur l'enfant, mais ces initiatives ne semblent pas avoir donné de résultats tangibles. Les écoles publiques thaïlandaises réussissent à forger une identité nationale siamoise (ou du centre de la Thaïlande), ce qui ne manque pas d'irriter certaines minorités comme les musulmans malais des provinces du Sud. La salle de classe est l'un des premiers microcosmes de la hiérarchie sociale : les enseignants occupent la position honorée d'"ancien," ce qui appelle respect et obéissance. Cette particularité culturelle constitue un atout dans la perspective de l'intégration des écoliers au sein de la société thaïlandaise, mais elle peut également apparaître comme un handicap lors de rivalités académiques avec d'autres pays.

Dans le système scolaire public thaïlandais, l'enfant commence sa scolarité par 6 ans d'enseignement primaire (*ɓà·tŏm*), que suivent 3 ou 6 ans d'enseignement secondaire (*má·tá·yom*). Le programme de 3 ans est prévu pour ceux qui souhaitent intégrer ensuite les 3 à 5 ans d'enseignement technique (*wí·chah·chêep*) ; celui de 6 ans (*má·tá·yom*) est destiné à ceux qui poursuivent leurs études dans l'enseignement supérieur (*ù·dom*), c'est-à-dire à l'université. Environ 69% de la population continue après les 9 années d'études obligatoires et 15% ne reçoit que peu ou pas d'éducation du tout.

On trouve des écoles privées et internationales pour l'élite locale et les étrangers à Bangkok et à Chiang Mai, ainsi que dans d'autres grandes villes de province. Le pays compte plus de 30 universités publiques et environ 41 écoles de formation des maîtres (Rajabhat) et 9 écoles techniques (Rajamangala), qui ont acquis un statut d'universités. Les écoles de commerce et techniques sont également nombreuses. Thammasat et Chulalongkorn figurent parmi les universités les plus prestigieuses du pays.

Panrit "Gor" Daoruang a commencé à raconter sa vie d'élève sur www.thailandlife.com à 12 ans. Aujourd'hui âgé de 22 ans, il purge une peine de 3 ans de prison pour possession de drogue et met régulièrement en ligne des récits sur www.thaiprisonlife.com (en anglais).

## SPORTS

### Mou·ay tai (boxe thaïlandaise)

On trouve de tout dans cet art martial, à la fois sur le ring et dans les gradins. Le *mou·ay tai* (ou *muay thai* ; boxe thaïlandaise) est un sport de contact pratiqué au son d'un orchestre populaire. Chaque match est précédé d'une danse rituelle cérémonielle extravagante, tandis que des paris frénétiques sont organisés dans tout le stade.

Il est permis de frapper l'adversaire à n'importe quel endroit du corps. Les plus usités sont les coups de pied au cou, les coups de coude au visage et à la tête, les crochets du genou dans les côtes et les coups de pied tournant dans les mollets. Les coups de poing sont considérés comme les plus faibles et ceux du pied comme un simple moyen d'"attendrir" l'adversaire. Dans la plupart des matchs, ce sont les coups de genou et de coude qui sont décisifs.

La Thaïlande a remporté 2 médailles d'or lors des JO de Pékin de 2008, une en haltérophilie féminine et l'autre en boxe masculine.

Le *ram mou ay* (danse de la boxe) précède chaque match. Ce cérémonial de 5 min environ est un hommage au gourou (*krou*) du combattant, ainsi qu'à l'esprit gardien de la boxe thaïlandaise. Le boxeur accomplit un ensemble de gestes et de mouvements du corps complexes, accompagné de percussions et de hautbois thaïlandais (*ɓèe*).

Les bandeaux et brassards sacrés que portent les combattants leur assurent chance et protection divine. Le bandeau se retire après le *ram mou ay*, mais le brassard illustré d'un petit bouddha est conservé durant tout le match.

De nombreux matchs – du combat opposant des boxeurs professionnels à l'entraînement des amateurs – sont organisés sur les rings de province ou durant les foires des temples. Les plus grands combats ont lieu dans deux stades de Bangkok, Ratchadamnoen et Lumphini.

## Grà·bèe grà·borng

Autre art martial traditionnel, le *grà·bèe grà·borng* utilise des armes de main comme le *grà·bèe* (épée), le *plorng* (bâton), le *ngów* (hallebarde), les *dàhp sŏrng meu* (une épée dans chaque main) et les *mái sŭn·sòrk* (une paire de massues). Aujourd'hui, ce sport est surtout un rituel interprété pendant les festivals ou les fêtes touristiques, mais il reste enseigné selon une tradition vieille de 400 ans et qui descend du Wat Phutthaisawan d'Ayuthaya. Les soldats de la garde personnelle du roi s'entraînent encore au *grà·bèe grà·borng* et nombre de spécialistes de la culture thaïlandaise voient dans ce sport une tradition plus "pure" et aristocratique que le *mou ay thai*.

Aujourd'hui, les matchs de *Grà·bèe Grà·borng* se déroulent à l'intérieur d'un cercle délimité ; ils commencent par un *wâi krou* (cérémonie) et sont accompagnés de musique. Les techniques de la boxe se superposent à des mises à terre empruntées au judo et à des techniques de maniement d'armes. Celles-ci sont affûtées, mais les adversaires évitent de porter des coups directs – le gagnant l'emporte en démontrant son endurance et son habileté technique.

## Đà·grôr

Parfois surnommé football siamois dans des textes anglais anciens, le *đà·grôr* consiste à frapper une balle de rotin tissé (environ 12 cm de diamètre).

Traditionnellement, les joueurs de *đà·grôr* forment un cercle (dont la taille dépend de leur nombre) et s'efforcent de garder le ballon en l'air à l'aide de coups de pied. Les points sont attribués en fonction du style, de la difficulté et de la variété des coups.

Une variante populaire du *đà·grôr*, pratiquée dans les compétitions internationales ou en salle, se joue avec un filet de volley-ball et suit les règles du volley-ball, si ce n'est qu'il n'est permis de toucher le ballon qu'avec les pieds et la tête. Le résultat est surprenant : on voit des joueurs faire des pirouettes aériennes et jeter la balle au-dessus du filet avec le pied. Dans une autre variante, la balle doit passer dans une boucle à 4,5 m du sol, évoquant cette fois le basket avec les pieds.

Ce sport, pratiqué dans plusieurs pays limitrophes, fut introduit dans les jeux du Sud-Est asiatique par la Thaïlande. Thaïlandais et Malaisiens remportent à tour de rôle les championnats internationaux.

## MÉDIAS

Les gouvernements d'Asie du Sud-Est sont particulièrement frileux en matière de liberté des médias, mais la Thaïlande est souvent allée à contre-courant dans les années 1990, garantissant même la liberté de la presse dans sa Constitution de 1997, avec quelques notables lacunes cependant. Cette époque est révolue depuis l'ascension de Thaksin Chinawatra, magnat des télécommunications, et de son parti, le Thai Rak Thai (TRT), au début des années 2000. Juste avant les élections décisives de 2001, l'entreprise de Thaksin, Chin Corp, a acquis une participation de contrôle dans iTV, la seule chaîne de télévision indépendante du pays. Le nouveau conseil d'administration ne tarda pas à renvoyer 23 journalistes d'iTV qui se plaignaient que la chaîne manipulait les informations électorales en faveur de Thaksin et de TRT. Presque du jour au lendemain, la chaîne a été transformée en porte-parole pro-Thaksin.

Quand Thaksin est devenu Premier ministre et que son parti a acquis une position majoritaire, la presse a subi une censure et une intimidation judiciaire inconnues depuis la dictature militaire des années 1970. En 2002, deux journalistes occidentaux, Shawn W Crispin et Rodney Tasker, qui travaillaient pour la Far Eastern Economic Review, ont été menacés d'expulsion après que les autorités thaïlandaises ont estimé qu'un article du 10 janvier 2002 offensait le pays. En 2004, Veera Pratipchaikul, rédacteur en chef du *Bangkok Post,* a été déposé à la suite de pressions directes par des membres du conseil d'administration liés au TRT, pour avoir critiqué la gestion de la crise de la grippe aviaire de 2003-2004 par Thaksin. Le gouvernement TRT a également porté plainte pour diffamation à l'encontre d'un grand nombre d'individus, de publications et de groupes de médias ayant fait des révélations embarrassantes sur le régime.

En 2006, quand Thaksin a été évincé, les médias ont obtenu que la liberté de la presse soit garantie dans la nouvelle Constitution, mais cette "promesse de papier" n'a pas évité à la presse les intimidations, les procès ni les attaques physiques. La junte militaire et son gouvernement par intérim ont fait en sorte que soit interdit tout reportage pro-Thaksin. Par exemple, en 2007, l'armée a empêché le câble thaïlandais et Internet de transmettre une interview de Thaksin par CNN, donnée des mois après le coup d'État. La chaîne de télévision pro-Thaksin iTV a été saisie par l'armée et rebaptisée Thai PBS, chaîne publique sans publicité. Les élections, après le coup d'État, ont rendu le pouvoir à l'ancien parti de Thaksin, qui s'est empressé de censurer les médias défendant traditionnellement ses propres opposants politiques : les manifestations antigouvernementales. Le nouveau gouvernement a aussi fait de la chaîne contrôlée par l'État National Broadcasting Thailand (NBT) une chaîne "publique" rivale de Thai PBS, considérée par le public comme la voix du gouvernement pendant le bref retour de l'ancien TRT en 2008. À deux occasions en 2008, les manifestants antigouvernement du Peoples Alliance for Democracy (PAD) ont envahi NBT, interrompant les diffusions et agressant les présentateurs.

Ainsi, la lutte politique du pays consiste essentiellement en une épreuve de force entre deux nababs des médias, qui les utilisent comme des instruments de pouvoir. L'opposition gouvernementale est organisée par Sondhi Limthongkul, un ancien journaliste qui a bâti un empire de presse écrite et audiovisuelle qu'il a utilisé pour rassembler l'opposition au régime de Thaksin et au gouvernement élu après le coup d'État. Sa chaîne privée Asia Satellite Television (ASTV) a diffusé de la propagande pour le PAD quasi sans interruption et mobilisé ses supporters contre les interventions de la police.

L'intimidation de la presse en Thaïlande est facilitée par les lois de lèse-majesté qui prévoient un emprisonnement compris entre 3 et 15 ans. Les médias pratiquent souvent l'autocensure au sujet de la monarchie, principalement par respect, mais aussi par peur des accusations de leurs ennemis politiques. Depuis 2006, 8 plaintes pour lèse-majesté ont été déposées, surtout par Thaksin et Sondhi l'un contre l'autre, ainsi que contre des journalistes thaïlandais et étrangers. La plupart des plaintes demeurent sans suite, mais, récemment, l'Australien Harry Nicolaides a été condamné à une peine de 3 ans de prison pour avoir fait imprimer des histoires sur les indiscrétions du prince dans une œuvre de fiction. Il a été gracié par le roi un peu plus d'un mois après le début de sa peine et est rentré en Australie. Signe fort de la censure, l'interdiction des livres historiques (et les plaintes pour lèse-majesté contre leurs auteurs) qui, selon le gouvernement, montrent le rôle manipulateur joué par la monarchie dans la vie politique moderne.

## RELIGION

La religion se porte bien en Thaïlande et des exemples hauts en couleur des pratiques quotidiennes s'imposent à chaque coin de rue. Arpentez les rues tôt le matin et vous verrez la progression solennelle des moines bouddhistes aux crânes rasés et vêtus de robes orange, pratiquant le *bin·dá·bàht,* l'aumône de nourriture, de maison en maison.

Si le pays est majoritairement bouddhiste, les religions minoritaires sont souvent pratiquées en voisines. Les dômes verts des mosquées signalent les poches musulmanes de Bangkok et des villes du Sud. Dans les centres urbains, de grandes entrées arrondies frappées de caractères chinois et flanquées de lanternes de papier rouge indiquent les *săhn jôw,* ces temples chinois dédiés à la vénération des déités bouddhistes, taoïstes et confucéennes.

### Bouddhisme

Approximativement 95% des Thaïlandais pratiquent le bouddhisme theravada, venu du Sri Lanka à l'époque de Sukhothai. L'école de theravada est souvent appelée école du Sud, car elle a voyagé du sous-continent indien jusqu'au sud-est de l'Asie, alors que le bouddhisme mahayana a été adopté dans toutes les régions du nord du Népal, du Tibet, de la Chine et du reste de l'est de l'Asie.

Avant l'arrivée des moines cinghalais au XIIIe siècle, une forme indienne theravada existait dans le royaume Dvaravati (du VIe au Xe siècle), tandis que le bouddhisme mahayana était connu dans certaines poches du Nord-Est sous contrôle khmer aux Xe et XIe siècles.

Depuis la période de Sukhothai (XIIIe-XVe siècle), la Thaïlande est le seul pays à avoir conservé une tradition canonique ininterrompue et une lignée "pure" d'ordinations. Ironie du sort, quand la lignée des ordinations s'interrompit au Sri Lanka durant le XVIIIe siècle sous la persécution des Hollandais, c'est la Thaïlande qui restaura alors la *sangha* (la communauté monastique bouddhiste).

**VISITER LES TEMPLES**

Les bouddhistes thaïlandais n'ont pas de jour de rassemblement défini (outre les jours lunaires sacrés). Les temples sont donc toujours ouverts aux particuliers désireux d'acquérir du mérite. Le visiteur achète son offrande traditionnelle de boutons de lotus, encens et bougies à un vendeur local. Il dépose les fleurs sur l'autel, s'agenouille (ou reste debout pour les autels extérieurs) devant l'image du Bouddha et allume les trois bâtons d'encens, qu'il tient dans ses mains dans un geste de prière. Il incline la tête et lève les mains entre le cœur et le front 3 fois avant de planter l'encens sur l'autel. C'est un rite simple et individuel. Pour amasser du mérite, on peut aussi offrir de la nourriture à la *sangha* (communauté) du temple, méditer (individuellement ou en groupe), écouter les moines psalmodier les *sutta* (discours bouddhistes) et assister aux *têht* ou *dhamma* (les enseignements).

La doctrine theravada insiste sur les trois aspects principaux de l'existence : la *dukkha* (satisfaction impossible), l'*anicca* (nature éphémère de toute chose) et l'*anatta* (non-substantialité de la réalité). Ces trois concepts, développés par Siddhartha Gautama au VIe siècle av. J.-C., s'opposaient à la croyance hindoue en un moi éternel et bienheureux (*paramatman*). Le bouddhisme fut donc dès l'origine considéré comme une hérésie par la religion brahmanique indienne. Devenu ascète, le prince Gautama se soumit à de longues années d'austérité avant de comprendre que ce n'était pas le moyen de mettre un terme à la souffrance. Connu ensuite sous le nom de Bouddha, "l'Illuminé" ou "l'Éveillé", il enseignait les "Quatre nobles vérités" qui avaient le pouvoir de libérer tout être humain capable d'en prendre conscience.

La finalité du bouddhisme theravada est le *nibbana* (nirvana en sanskrit), qui, au sens littéral, signifie l'extinction de toute cupidité et donc de toute douleur. C'est aussi la fin du cycle des renaissances (à la fois de moment à moment et de vie à vie) qui constitue l'existence.

En fait, la plupart des bouddhistes thaïlandais aspirent plutôt à une renaissance dans une existence meilleure qu'au but supra-terrestre du *nibbana*. En nourrissant les moines, en faisant des dons aux temples et en accomplissant fidèlement leurs devoirs religieux au *wat* local (monastère), ils espèrent améliorer leur sort et acquérir suffisamment de mérite (*puñña* en pâli, *bun* en thaï) pour empêcher, ou au moins diminuer, les renaissances successives. Le concept de renaissance est presque universellement accepté en Thaïlande, même par les non-bouddhistes, et la théorie bouddhique du karma est bien traduite par le proverbe : *tam di, dâi di ; tam chôoa, dâi chôoa* ("Les bonnes actions mènent à de bons résultats ; les mauvaises actions à de mauvais résultats").

*La Sagesse du Bouddha* (Découverte Gallimard, 1993), de Jean Boisselier, est un récit, entre histoire et légende, sur la vie de l'homme qui fut l'initiateur de la religion bouddhiste.

Le tiratana (Trois Joyaux), hautement respecté par les bouddhistes thaïlandais, comprend le Bouddha, le *dhamma* (les enseignements) et la *sangha* (la communauté religieuse). Le Bouddha, sous une multitude de formes, trône sur une étagère, dans la plus rustique échoppe de rue comme dans les bars luxueux des grands hôtels de Bangkok. Le *dhamma* est psalmodié soir et matin dans tous les temples et enseigné à tous les citoyens à l'école primaire. La *sangha* est incarnée par les moines à robe orange que l'on verra, le matin de bonne heure, accomplir leur tournée d'aumône.

Le bouddhisme thaïlandais ne connaît pas de jour spécifique consacré aux dévotions. Les fidèles fréquentent le temple selon leurs envies ou leurs besoins, mais plus souvent pendant les *wan prá* ("excellents jours"), période faste qui revient tous les 7 ou 8 jours, selon la lune.

## MOINES ET NONNES

Socialement, il est du devoir de tout homme de passer une brève période de sa vie comme moine (*bhikkhu* en pâli ; *prá* ou *prá pík sù* en thaï), de préférence après la fin de ses études, avant d'entamer sa carrière et de se marier. Les hommes ou les garçons de moins de 20 ans peuvent devenir novices "de 10 vœux" (*samanera* en pâli, *nairn* en thaï). Une famille acquiert beaucoup de mérite quand l'un de ses fils prend la robe et la sébile. Traditionnellement, les novices passaient 3 mois au *wat*, pendant le carême bouddhique (*pan săh*), qui commence en juillet et coïncide avec la saison des pluies. De nos jours, ils n'y séjournent plus qu'une semaine.

Les moines résidant en ville s'attachent surtout à l'étude des textes bouddhiques, alors que ceux vivant dans les forêts tendent à pratiquer davantage la méditation.

Dans le bouddhisme thaï, les femmes désireuses de mener une vie monastique se voient accorder un petit rôle dans le temple. Une nonne

## LA VIE DU BOUDDHA *Didier Férat*

Qu'elle soit mythique ou qu'elle repose sur une vérité historique, la vie du Bouddha est indissociable des principes du bouddhisme. Son nom de naissance est Siddharta Gautama, mais plusieurs noms lui sont attribués dans la littérature bouddhiste : Sakyamuni, Bhagavat, Jinna, Tathagata et finalement Bouddha, qui signifie l' "Éveillé".

Le découpage des épisodes de son existence adopté ici correspond aux scènes que vous verrez le plus souvent reproduites dans les temples thaïlandais.

### La prémonition

Avant son arrivée sur terre, le Bouddha séjournait dans le paradis de Tusita. Sa mère, la reine Maya, eut une prémonition de sa naissance et rêva qu'il entrait en elle, assis sur un petit éléphant blanc venant du ciel.

### La naissance

Siddharta Gautama naquit vers 560 av. J.-C. dans le parc de Lumbini (alors en Inde), sur les versants de l'Himalaya, dans le sud de l'actuel Népal. Appuyée sur une branche de figuier, la reine vit sortir l'enfant de sa manche droite, sans qu'elle éprouve aucune souffrance. Il effectua ses premiers pas en marchant sur 7 lotus. Dans le ciel, 9 dragons le réchauffèrent de leur souffle.

### Les années de jeunesse

La mère de Siddharta mourut une semaine après sa naissance. Il fut élevé par sa tante, Mahaprajapati. Issu du clan des Sakya, son père, le roi Shuddhodana, régnait sur la ville de Kapilavastu. Il tint à préserver son fils de toute vision de la souffrance humaine. Confiné dans son palais, Siddharta fit rapidement preuve d'une grande intelligence et développa des qualités extraordinaires. Il épousa sa cousine, Yashodara.

### La révélation

À 29 ans, Siddharta se rendit compte que la réalité du monde lui était cachée. En sortant du palais, il fit 4 rencontres décisives : celles d'un malade, d'un mort et d'un mendiant, figures de la souffrance humaine, puis celle d'un moine mendiant, qui lui fit entrevoir la voie à suivre. Apprenant que son épouse venait de mettre au monde un fils digne d'assurer la lignée royale, le prince décida de s'enfuir du palais pour choisir l'ascèse. Accompagné de son fidèle écuyer, Chandaka, il enfourcha son cheval blanc, Kanthaka, et gagna la forêt. Là, il échangea ses habits contre un vêtement d'écorce et renvoya son valet et son cheval, qui mourut de chagrin.

bouddhiste est appelée *mâa chi* (mère prêtresse) et vit comme une nonne *atthasila* (8 préceptes), position traditionnellement occupée par des femmes qui n'avaient pas d'autre place dans la société. Les nonnes thaïes se rasent la tête, portent des robes blanches et s'occupent des travaux ménagers du temple. En général, les *mâa chi* ne jouissent pas du prestige des moines et n'ont pas de fonction dans les rituels de mérite des laïques.

Certaines ont pourtant demandé à obtenir le même statut que les moines. L'une des plus éminentes était Voramai Kabilsingh, qui s'est rendue à Taïwan pour être ordonnée *bhikkhuni* (version féminine du *bhikku*, le moine) dans la tradition mahayana. Elle est revenue en Thaïlande pour fonder le Wat Songtham Kalayani à Nakhon Pathom. Sa fille, Chatsumarn Kabilsingh, a perpétué la tradition en allant se faire ordonner theravada au Sri Lanka en 2003 ; elle dirige aujourd'hui le temple fondé par sa mère. La renaissance de cette tradition féminine dans le bouddhisme thaï a profondément bouleversé l'ordre établi, mais cette évolution se poursuit tranquillement, une femme ayant été ordonnée pour la première fois en Thaïlande en 2002.

### La période brahmanique

Durant 7 ans, Siddharta vécut auprès des brahmanes, prêtres pratiquant le jeûne et la mortification – en Inde, les brahmanes étaient les représentants de l'hindouisme, détenteurs du "savoir" (*veda* en sanskrit). Ils dormaient sur un lit de ronces et se nourrissaient peu. À bout de force, Siddharta comprit que cette voie était sans issue, tout comme celle de la luxure et du désir, qu'il avait suivie dans sa jeunesse. Il prit conscience de l'importance de la Voie moyenne.

### L'illumination

Siddharta prit place sous l'arbre de la connaissance, un figuier, et commença à méditer afin d'atteindre la vérité absolue, l' "illumination". Furieux de le voir s'échapper ainsi de son monde, Mara, le dieu du Péché et de la Mort, lança son armée contre lui. Après sa défaite, il envoya ses filles pour tenter de le séduire. En vain : Siddharta les transforma en vieilles femmes.

Au terme de cette période méditative, Siddharta parvint à la connaissance des Quatre vérités universelles : la souffrance de l'homme, l'origine de cette souffrance, la suppression de cette souffrance et le moyen de parvenir à cette suppression. Il était devenu le Bouddha, "l'Illuminé", "l'Éveillé".

Le Bouddha resta 7 jours sous l'arbre. Les dieux l'adorèrent et prirent soin de lui. Le dieu Brahma descendit sur terre pour le saluer et l'implora d'apporter la bonne parole aux hommes.

### Le discours de Bénarès

Pour répondre à ce souhait, le Bouddha prit le chemin de Bénarès où, dans le parc des Gazelles, il délivra pour la première fois sa parole : il faut supprimer le désir pour supprimer la souffrance, et la Voie moyenne permet d'échapper à la vie charnelle, cause de cette souffrance, mais aussi à son extrême, la vie ascétique. Il fit tourner la roue de la Loi devant 5 moines, anciens témoins de son ascèse qui s'étaient détournés de lui quand il avait renoncé aux privations. Ils adhérèrent à ses paroles et constituèrent le premier ordre bouddhiste.

Ainsi furent fondés les 3 éléments sacrés du bouddhisme : le Bouddha, sa doctrine (*dharmma*) et la communauté (*sangha*).

Le Bouddha consacra le reste de sa vie à convertir les êtres humains qui croisèrent son chemin, parmi lesquels son fils, Rahula.

### La mort et le nirvana

Bouddha mourut à l'âge de 80 ans, entouré de ses disciples. Il leur demanda de ne pas pleurer et de penser à sa doctrine, selon laquelle tout ce qui naît meurt, et les exhorta à suivre ses conseils pour atteindre l'éveil. Il s'éleva petit à petit et atteignit alors le nirvana, un état qui marque la fin du cycle des réincarnations. Son corps fut alors brûlé et ses restes, conservés dans des stupas.

### LA MONARCHIE

La vénération dont le roi de Thaïlande est l'objet présente traditionnellement une dimension religieuse. Il est même souvent considéré comme à demi-divin. Le roi actuel, sa majesté Bhumibol Adulyadej, occupe le trône depuis 62 ans, ce qui fait de lui le monarque en exercice à la plus longue longévité dans le monde. Les cérémonies royales thaïlandaises relèvent presque exclusivement de l'une des plus anciennes traditions religieuses encore pratiquées dans le royaume, le brahmanisme. Des prêtres d'origine indienne vêtus de blanc, au crâne surmonté d'un toupet, accomplissent régulièrement une série de rites destinés à protéger les 3 piliers de la nation : la souveraineté, la religion et la monarchie. Ces cérémonies se tiennent dans un ensemble de sanctuaires près du Wat Suthat à Bangkok.

## Les autres religions

Environ 4,6% de la population est musulmane. Le reste de la population est chrétien (notamment des ethnies montagnardes évangélisées et des immigrants vietnamiens) ou confucianiste, taoïste, bouddhiste mahayana et hindou.

# Arts

La Thaïlande possède une culture hautement visuelle et un sens de la beauté qui se manifeste aussi bien dans les temples aux lignes audacieuses que dans les humbles maisons traditionnelles et dans les arts raffinés développés à la cour.

## ARCHITECTURE

### L'habitat traditionnel

Les maisons thaïlandaises traditionnelles, aussi élégantes que fonctionnelles, sont adaptées au climat, à la vie familiale et aux sensibilités artistiques. Ces habitations anciennes étaient de modestes maisons en bois sur pilotis, composées d'une pièce unique. Plus élaborées, celles des chefs de village ou des membres mineurs de la famille royale comportaient plusieurs pièces reliées entre elles par des passerelles. À l'origine, les Thaïlandais s'installaient le long des cours d'eau et la surélévation des maisons permettait de préserver leurs habitations d'éventuelles inondations pendant la mousson. Durant la saison sèche, l'espace situé sous la maison servait à s'abriter de la chaleur, mais aussi de cuisine ou même d'étable. Il a plus tard été transformé en garage pour les motos et les vélos. Lorsqu'il était encore abondant dans les forêts thaïlandaises, le teck était le matériau de prédilection des Thaïlandais. Les habitations en teck que l'on voit aujourd'hui ont été édifiées il y a au moins une cinquantaine d'années.

Le Musée national de Bangkok (p. 132) offre un panorama complet de l'art bouddhique et de son évolution à travers les âges.

En Thaïlande du Centre, du Nord et du Sud, les toits sont très pentus. Ils sont souvent décorés aux angles et le long des combles d'un *naga*, serpent mythique, longtemps considéré comme le protecteur spirituel des cultures thaïes, éparpillées dans toute l'Asie.

Il existe de nombreuses différences géographiques, qui reflètent souvent l'influence des pays voisins. Dans les provinces méridionales, on aperçoit souvent des habitations d'inspiration malaise, dont les hauts frontons ou les fondations en maçonnerie remplacent les pilotis. Les habitants du Sud utilisent aussi parfois le bambou et le palmier, plus abondants que le bois. Au nord, les maisons des chefs de village étaient souvent décorées d'un motif ouvragé en forme de corne appelé *galare*, un élément décoratif devenu représentatif de l'architecture du vieux Lanna. Les toits en tuiles ou en palmes présentent en général une pente moins accentuée, et certaines habitations situées plus au nord possèdent même des pignons arrondis (une forme venue du Myanmar).

### Les temples

Le spécimen le plus frappant de l'héritage architectural thaïlandais est le temple bouddhique, resplendissant sous le soleil tropical, tout en couleurs flamboyantes et en lignes élancées.

Les temples thaïlandais (*wat*) se composent de différents bâtiments dévolus à des fonctions bien précises. Les plus importants sont l'*uposatha* (*bòht* dans le centre du pays, *sǐm* dans le Nord et le Nord-Est), un sanctuaire où a lieu l'ordination des moines, et le *wí·hǎan*, qui abrite les représentations du Bouddha.

Autre élément classique de l'architecture des temples : la présence d'un ou plusieurs stupas (*chedi* en thaï). Il s'agit d'un monument robuste, en forme de cône, édifié en l'honneur de la pérennité du bouddhisme. Il existe de nombreux styles de stupas, du simple dôme importé du Sri Lanka aux formes octogonales plus élaborées que l'on trouve dans le nord du pays. De nombreux stupas sont censés abriter des reliques du Bouddha (souvent des morceaux d'os) – on les

**MAISONS SACRÉES**

De nombreuses maisons ou lieux d'habitation en Thaïlande possèdent une "maison des esprits" attenante, qui a pour fonction d'abriter les *prá poum* (esprits gardiens) du lieu. Vestige des croyances animistes antérieures au bouddhisme, ces esprits gardiens, qui vivraient dans les rivières, les arbres et autres éléments naturels, doivent être honorés (et apaisés). L'esprit gardien d'un lieu est un peu l'équivalent surnaturel de la belle-mère, un membre de la famille respecté mais parfois gênant. Pour s'offrir leurs bonnes grâces, les Thaïlandais construisent de jolies petites maisons sur leur terrain afin que les esprits puissent "vivre" confortablement loin des affaires des hommes. Pour cultiver ces bonnes relations et s'attirer la chance, les résidents y déposent des offrandes quotidiennes de riz, de fruits, de fleurs et d'eau. Si la demeure d'une famille s'agrandit, sa maison des esprits doit elle aussi être agrandie, afin que les esprits ne se sentent pas offensés. Les maisons des esprits doivent être consacrées par un prêtre brahmane.

Les autels les plus ornementés se trouvent devant les hôtels et les immeubles de bureaux, et sont parfois dédiés à une divinité hindoue comme Brahma ou Shiva. À Bangkok, beaucoup de ces maisons des esprits qui gardent des sites de dimension conséquente sont réputées favoriser l'accomplissement de certaines prières et sont devenues de véritables sanctuaires fréquentés par toute la ville.

appelle alors *tâht* en Thaïlande du Nord et du Nord-Est. Variante du stupa hérité du royaume d'Angkor, le *prang*, en forme d'épi de maïs, évoque les anciens temples de Sukhothai et d'Ayuthaya. Parsemés autour de la plupart des temples, de petits *chedi* carrés, les *tâht grá·dòok* (reliquaires), renferment les cendres des fidèles.

Les *wat* sont également composés d'un ou plusieurs *săh·lah*, abris ouverts servant aux réunions de la communauté et à l'enseignement de la doctrine bouddhiste ; de quelques *gù·đì*, quartiers des moines ; d'un *hŏr·đrai*, lieu où sont conservées les écritures ; d'un *hŏr·glorng*, tour du tambour (et parfois d'une *hŏr·rá kang*, tour de la cloche) ; et de divers bâtiments auxiliaires, tels que des écoles ou des dispensaires.

Le symbolisme architectural de ces diverses parties du temple s'inspire nettement de l'iconographie hindo-bouddhiste : sur la ligne de toit du temple est représenté *naga*, le serpent mythique qui protégeait le Bouddha durant ses méditations, dont les écailles sont figurées par les tuiles vertes et dorées (certains pensent que ses écailles représentent la terre et le roi), et la tête en forme de diamant, par les avant-toits. Sur le dessus du toit se détache la silhouette du *chôr fáh*, constitué d'ornements dorés généralement en forme d'oiseaux. Les lignes de toit se départagent souvent en trois niveaux représentant les Trois Joyaux du bouddhisme : le Bouddha, le *dhamma* (philosophie bouddhiste) et la *sangha* (la communauté bouddhiste).

Autre motif sacré, le bouton de lotus apparaît au-dessus des portes des temples, sur les colonnes des galeries et les flèches des *chedi* de la période de Sukhothai. Le Bouddha est souvent représenté méditant sur un piédestal en forme de fleur de lotus. Celle-ci était largement utilisée avant l'apparition des représentations humaines du Bouddha. C'est un symbole qui rappelle les principes du bouddhisme. Le lotus est capable de donner des fleurs magnifiques dans les mares les plus inhospitalières, un phénomène naturel qui rappelle au fidèle la perfection religieuse. De nombreux marchés de Thaïlande vendent des fleurs de lotus, qui ne servent qu'à des fins religieuses, jamais décoratives.

## Architecture contemporaine

L'ajout de formes européennes à l'architecture traditionnelle remonte au tournant du XIX^e^ et du XX^e^ siècle, comme en témoignent le palais Vimanmek (p. 143) et certains bâtiments du Grand Palace (p. 130).

**LE PARADIS SUR TERRE**

En entrant dans un temple, vous aurez sans doute l'impression que tout est construit au hasard, comme tous les bâtiments de Thaïlande. Mais, du ciel, la vision que l'on découvre est celle d'un ancien mandala sacré fondé sur la croyance hindo-bouddhiste selon laquelle l'univers est constitué de différents plans verticaux et horizontaux qui correspondent plus ou moins au paradis, à la terre et à l'enfer. Au centre de l'univers se trouve le mont Sumeru (le mont Meru indien), où résident Brahma et les autres grandes divinités, et autour duquel tournent le Soleil et la Lune. Le mont Sumeru est souvent symbolisé par un *chedi* central, les stupas plus petits érigés aux points cardinaux représentant les sommets mineurs et les océans qui entourent le Sumeru. Le *chedi* central est souvent l'édifice le plus révéré d'un temple thaïlandais et possède des caractéristiques particulières que nous détaillons pour les différentes périodes artistiques (voir p. 73).

Les villes portuaires, Bangkok et Phuket notamment, abritent de belles réalisations architecturales d'inspiration sino-portugaise – en brique et en stuc avec de belles façades ouvragées, un style qui a vu le jour avec l'arrivée des marchands qui sillonnaient les mers à l'époque coloniale. Ce style est habituellement désigné sous le nom de "vieux Bangkok" ou "Ratanakosin".

Les constructions de style mixte témoignent des influences française et anglaise dans le Nord et le Nord-Est, et portugaise dans le Sud. Quant aux magasins (*hôrng tăa·ou*), qu'ils soient vieux d'un siècle ou de quelques mois, ils sont organisés comme les boutiques chinoises traditionnelles, le rez-de-chaussée servant de commerce et les étages supérieurs d'habitation.

Dans les années 1960 et 1970, la tendance fonctionnaliste, inspirée du Bauhaus européen, produisit d'immenses boîtes à œufs dressées à la verticale. Lorsque les architectes se remirent à privilégier la forme et non plus la fonction, pendant le boom de la construction du milieu des années 1980, ce fut pour donner naissance à des profils très high-tech, comme le fameux "Robot Building" de Sumet Jumsai, sur Th Sathon Tai, à Bangkok. Rangsan Torsuwan, diplômé du Massachusetts Institute of Technology, a lancé le style néoclassique (ou néothaïlandais). Spécialiste des constructions traditionnelles, Pinyo Suwankiri dessine des temples, des bâtiments officiels et des autels pour les hôpitaux et les universités. Son œuvre, omniprésente, est le modèle d'une esthétique institutionnelle de l'architecture traditionnelle.

Depuis le début du nouveau millénaire, Duangrit Bunnag enthousiasme le monde de l'architecture avec ses cubes de verre dépouillés, au style moderniste relevé d'une touche contemporaine. À Bangkok, le complexe H1 dans Soi Thonglor se présente comme une série de cubes à toit plat, dotés de grandes baies vitrées et d'une structure en acier apparente, disposés autour d'une cour traditionnelle. Le restaurant Pier de Ko Samui et le Costa Lanta de Ko Lanta sont deux autres de ses œuvres. Duangrit Bunnag s'est aussi fait connaître comme architecte d'intérieur en créant une ligne de design minimaliste Anyroom.

## PEINTURE ET SCULPTURE

### Art traditionnel

Le patrimoine artistique de la Thaïlande se trouve principalement dans ses temples, où vous pouvez admirer des fresques élaborées illustrant la mythologie hindo-bouddhiste et des sculptures du Bouddha, qui constituent la principale contribution du pays à l'art religieux.

Toujours didactiques, ces œuvres comprennent souvent des représentations des *jataka* (récits des vies antérieures du Bouddha) et de la version thaïlandaise du *Ramayana* (récit épique indien). Pour décrypter ces fresques, il faut à la fois connaître les mythes religieux auxquels elles se réfèrent et être initié à la correspondance entre la place occupée par les représentations sur le mur et leur place dans le temps. La plupart des fresques sont divisées en scènes, le thème principal étant dépeint au centre et les événements qui en résultent au-dessus et au-dessous. En marge des épisodes relatant l'histoire de plusieurs personnages figurent souvent des scènes indépendantes représentant la vie villageoise : femmes portant des victuailles dans des paniers en bambou, hommes à la pêche, réunions de village, le visage de tous ces gens simples étant éclairé par l'omniprésent sourire thaïlandais.

Il ne reste que très peu de fresques antérieures au XXe siècle, leur fragilité rendant leur conservation très difficile. Les plus anciennes de ces fresques exécutées dans des temples se trouvent au Wat Ratburana d'Ayuthaya (1424 ; p. 205), au Wat Chong Nonsi de Bangkok (1657-1707 ; p. 133) et au Wat Yai Suwannaram de Phetchaburi (fin du XVIIe siècle).

La peinture religieuse du XIXe siècle est mieux représentée. Ainsi, les temples de style Ratanakosin sont davantage estimés pour la qualité de leurs peintures que pour celle de leurs sculptures ou de leur architecture. Les couleurs sont variées, les détails nombreux et minutieux. Vous pourrez en admirer les plus beaux exemples dans la chapelle Buddhaisawan du Musée national de Bangkok et au Wat Suwannaram, à Thonburi. Pour plus de détails sur les fresques des temples de la capitale, reportez-vous p. 133.

Le Rama IX Art Museum (www.rama9art.org) est un site de référence consacré aux artistes contemporains et aux galeries d'art de Thaïlande.

L'étude et la réalisation de la fresque murale restent une tradition vivace et les artisans d'aujourd'hui disposent de techniques et de matériaux innovants qui devraient permettre aux fresques de se conserver bien plus longtemps que celles d'autrefois.

Les temples abritent aussi des statues vénérées de Bouddha qui témoignent de l'évolution sculpturale de la Thaïlande. Particulièrement renommé pour sa statuaire empreinte de grâce et de sérénité apparue sous la période de Sukhothai, le pays est devenu une destination incontournable pour les collectionneurs et les amateurs d'art religieux.

## PÉRIODES ARTISTIQUES

Le développement de l'architecture et de l'art religieux thaïlandais s'organise en différentes périodes ou écoles reliées à la capitale dominante de l'époque. Les caractéristiques les plus évidentes d'une époque se révèlent dans les variations de la forme des *chedi* et dans les traits des sculptures du Bouddha. Le socle et la cloche centrale des *chedi* (leur partie inférieure) changent souvent de forme en fonction des styles. Les statues présentent des différences dans les traits du visage, dans l'ornement qui surmonte la tête, dans la robe et la position des pieds en méditation.

### Période de Dvaravati (du VIIe au XIe siècle)

Cette période fait référence au royaume môn qui occupait une partie du nord-ouest et du centre de la Thaïlande. Empruntant largement aux périodes

**LES POSITIONS SYMBOLIQUES DU BOUDDHA**

Comme d'autres civilisations bouddhistes, la Thaïlande a emprunté puis adapté l'iconographie et le symbolisme religieux originaires d'Inde. Conformément aux règles édictées par les artistes indiens, le Bouddha est représenté dans diverses positions symboliques (*mudra*), qui peuvent évoquer une période importante de sa vie aussi bien que certains préceptes religieux. Un bouddha debout, avec une ou deux mains levées, paumes vers l'avant et doigts pointés vers le haut, indique qu'il éloigne la peur de ses disciples. Un bouddha assis dans la position du lotus, mains croisées et paumes vers le haut, symbolise la méditation. Lorsque le bouddha se trouve en position de méditation, mais avec sa main droite pointée vers la terre, c'est qu'il résiste aux tentations infligées par le démon Mara. Un bouddha allongé représente le moment de sa mort.

indiennes Amaravati et Gupta, les sculptures du Bouddha se caractérisent alors par un corps massif, de grandes boucles de cheveux, une forme arquée des sourcils représentant un oiseau en vol, des yeux protubérants, des lèvres épaisses et un nez épaté. On peut en admirer quelques exemples au Phra Pathom Chedi (p. 195), à Nakhon Pathom. Lamphun (p. 349), dans le Nord, était un autre bastion môn où plusieurs temples conservent des *chedi* dotés de flèches très fines caractéristiques de cette période.

Sur la civilisation Dvaravati, consultez l'ouvrage *Dvaravati : aux sources du bouddhisme en Thaïlande* (Réunion des musées nationaux, 2009), dirigé par Pierre Baptiste et Thierry Zéphir, à la suite de l'exposition faite au Musée national des Arts asiatiques Guimet, à Paris, en 2009.

### Période de Srivijaya (du VIIe au XIIIe siècle)

Les créations artistiques de ce royaume méridional implanté dans toute la péninsule malaise et jusqu'en Indonésie, étroitement liées aux formes indiennes, étaient plus sensuelles et stylisées que dans le centre et le nord du pays. Vous en verrez des exemples au Wat Phra Boromathat, à Chaiya, et au Wat Phra Mahathat Woramahawihaan, à Nakhon Si Thammarat (p. 644).

### Période khmère (du IXe au XIe siècle)

Le vaste empire d'Angkor, basé sur le territoire du Cambodge actuel, a jadis laissé son empreinte artistique sur le sol thaïlandais, notamment sur les statues du Bouddha méditant sous un dais en forme de *naga* à sept têtes et sur un piédestal en forme de lotus. La plus célèbre contribution khmère à l'architecture des temples est le stupa central en forme d'épi de maïs, appelé *prang*. Des exemples demeurent dans le parc historique de Sukhothai (p. 410) et à Phimai (p. 478).

### Période de Chiang Saen-Lanna (du XIe au XIIIe siècle)

Ce royaume thaï du Nord s'inspirait de ses voisins laotiens, chan et birmans dans son évocation du Bouddha. Celui-ci se présente avec un visage rond et souriant, en position de méditation avec la plante des pieds tournée vers le haut. Le bouddha debout était généralement représenté dans les postures indiquant qu'il éloigne la peur ou donne des instructions. Les temples de style Lanna sont en teck et leurs *chedi* souvent dentelés. On en trouve quelques-uns dans les temples et les musées de Chiang Mai (p. 302) et au Musée national de Chiang Saen (p. 379).

### Période de Sukhothai (du XIIIe au XVe siècle)

Souvent considéré comme le premier royaume à proprement parler thaï, le Sukhothai a initié l'esthétique de l'art thaïlandais. Les statues du Bouddha, qui ne comportent aucun détail anatomique, évoquent la sérénité et la grâce, l'intention étant de souligner ses qualités spirituelles plutôt que son apparence humaine. La position typique de cette période est celle du bouddha marchant. Les *chedi* de style Sukhothai possèdent des flèches assez fines surmontées d'un bouton de lotus, à découvrir dans le parc historique de Sukhothai (p. 410).

### Période d'Ayuthaya (du XIVe au XVIIIe siècle)

Incorporant des éléments hérités des royaumes khmer et de Sukhothai, le style Ayuthaya a transformé le Bouddha en un roi portant une couronne sertie de pierres et d'autres attributs royaux au lieu de l'austère tunique monacale. Typique de cette période, le *chedi* en forme de cloche, surmonté d'une longue flèche en pointe, est visible au parc historique d'Ayuthaya (p. 204).

### Période de Bangkok-Ratanakosin (XIXe siècle-)

L'art religieux de la capitale moderne se caractérise par une fusion entre styles thaïs traditionnels et influences européennes. Le Wat Phra Kaew et le Grand Palace (p. 130) en donnent un bon exemple.

## Art contemporain

L'adaptation des thèmes et de l'esthétique traditionnels aux modèles laïques remonte au début du XXe siècle, alors que l'influence occidentale prend son essor dans la région. D'une façon générale, la peinture thaïlandaise préfère l'approche abstraite au réalisme et continue de privilégier les représentations unidimensionnelles, à la manière des fresques murales traditionnelles. Deux tendances se dégagent aujourd'hui dans l'art thaïlandais : la mise au goût du jour des thèmes religieux et une discrète critique sociale, parfois même les deux chez certains jeunes artistes.

L'Italien Corrado Feroci est souvent considéré comme le père de l'art thaïlandais moderne. Invité en Thaïlande pour la première fois par Rama VI en 1924, il est l'auteur du Monument de la démocratie de Bangkok et du monument militariste à Rama Ier, qui se dresse à l'entrée du Memorial Bridge. En 1933, il fonde la première École des beaux-arts du pays, noyau de la future université de Silpakorn, principal lieu de formation des artistes thaïlandais d'aujourd'hui. Pour le remercier, le gouvernement offrit à Feroci la nationalité thaïlandaise, lui donnant le nom de Silpa Bhirasri.

Dans les années 1970, les artistes thaïlandais entreprennent de moderniser les thèmes bouddhiques par le biais de l'expressionnisme abstrait. Parmi les tendances maîtresses, le surréalisme coloré de Pichai Nirand, les dessins mystiques au crayon et à l'encre de Thawan Duchanee, ou encore les huiles et les aquarelles naturalistes, si fluides, de Pratuang Emjaroen ont particulièrement marqué leur époque. Suscitant plus d'intérêt à l'étranger que dans son pays, Montien Boonma utilisa certains éléments de la pratique bouddhique, comme la feuille d'or, les clochettes et la cire de bougie, pour créer des espaces-temples abstraits dans les musées. Parmi les autres artistes reconnus, citons encore Songdej Thipthong et ses mandalas alternatifs, Surasit Saokong et ses peintures réalistes de temples ruraux, et Monchai Kaosamang avec ses aquarelles éphémères. Jitr (Prakit) Buabusaya, qui peignait dans le style des impressionnistes français, reste avant tout dans les mémoires pour son rôle d'enseignant.

Dans une société qui s'industrialisait rapidement, de nombreux artistes ont assisté à la transformation des rizières en usines et des forêts en autoroutes, et observé les cercles du pouvoir tirer profit de ces mutations. Porté par des motivations politiques, un mouvement parallèle est alors né au sein de l'art contemporain thaïlandais. Dans les années 1970, grande époque de l'activisme estudiantin, les artistes révoltés, musiciens, peintres et intellectuels de tout poil, se regroupèrent sous la bannière du mouvement Art for Life. Opposés à la dictature militaire, ils reprenaient à leur compte certains aspects du communisme et des droits des travailleurs. Deux artistes importants ont marqué cette période : Sompote Upa-In et Chang Saetang.

Pendant et après le boom des années 1980, une tendance anti-autoritaire s'est manifestée dans l'œuvre de certains artistes connus sous le nom d'école de la "Boule de feu". Le plus célèbre d'entre eux est Manit Sriwanichpoom, qui s'est fait remarquer avec sa série des *Pink Man On Tour* ("Performance de l'homme rose"), où il met en scène l'acteur Sompong Thawee, vêtu d'un costume rose et poussant un chariot de supermarché rose dans les grands sites touristiques thaïlandais. Moins célèbres mais tout aussi parlantes, ses photos en noir et blanc dénoncent le capitalisme et le consumérisme, qualifiés d'imports occidentaux hautement indésirables. Plus controversé, Vasan Sitthiket est connu pour ses installations multimédia condamnant les politiques qu'il considère comme corrompus. Ses travaux, taxés d'"anti-thaïlandais", ont été interdits dans le pays.

Les années 1990 ont été marquées par un mouvement visant à sortir l'art des musées pour le rendre à la vie dans les espaces publics. C'est alors que

**L'ESSOR DU DESIGN**

La Thaïlande possède une longue tradition artisanale, des paniers en bambou tressé servant au transport des outils et du poisson aux laques et aux céladons utilisés à la cour royale. Bien qu'une grande partie de l'artisanat "traditionnel" soit aujourd'hui produit en masse pour le marché touristique, la sensibilité artistique n'a pas disparu, mais se canalise désormais dans une vague de design industriel moderne, principalement centré sur Bangkok. La plupart des designers appartenant à ce mouvement ont fait leurs études à l'étranger pendant la croissance des années 1990 et sont revenus en Thaïlande durant la crise financière asiatique pour insuffler à leur pays une dose d'énergie créatrice. Il en résulte une séduisante fusion de styles aussi divers que le minimalisme scandinave et les matériaux exotiques comme le rotin et la jacinthe d'eau.

Il existe aujourd'hui plusieurs fabricants réputés et designers créatifs qui suivent l'esprit de cette mouvance. La société de design Yothaka a été l'une des premières à utiliser la jacinthe d'eau, une plante envahissante qui a longtemps encombré les canaux du pays. Planet 2001 a développé des chaises en rotin très design symboliques de la Thaïlande, tandis que Jitrin Jintaprecha a été primé pour son fauteuil tournant i-Kon, qui utilise la jacinthe d'eau dans une version artistique de pouf. Crafactor est une société réputée qui dispose de designers de talent comme Eggarat Wongcharit, le maître thaïlandais de la conception de meubles, créateur d'éléments en plastique moulé non linéaires, ou encore Paiwate Wangbon, qui aime imposer aux matériaux naturels des formes courbes.

l'artiste et organisateur d'expositions Navin Rawanchaikul a commencé ses collaborations "de rue" à Chiang Mai, sa ville natale. Ses grandes idées l'ont suivi à Bangkok, où il a créé des installations d'art dans les taxis de la capitale, devenus de véritables galeries ambulantes. Il se plaît aussi à jouer sur les mots, comme dans les titres de son œuvre multimédia de 2002, *We Are the Children of Rice (Wine)*, et de son tableau monumental *Super (M)art Bangkok Survivors* (2004), dans lequel il exprime sa rage contre la commercialisation des musées. Ce tableau, qui réunit des artistes, conservateurs et décideurs renommés dans un décor inspiré de Véronèse, évoque le combat de la communauté artistique pour empêcher que le nouveau musée d'art contemporain de Bangkok ne devienne une galerie commerçante déguisée.

Les travaux de Thaweesak Srithongdee sont d'un pur style pop, avec des personnages extravagants que l'on dirait sortis de dessins animés, auxquels il associe des éléments de l'imagerie ou de l'artisanat traditionnels. Dans une mouvance similaire, Jirapat Tasanasomboon oppose des figures thaïlandaises traditionnelles à des icônes occidentales dans des combats de BD ou de sensuelles étreintes. Dans *Hanuman is Upset!*, le roi singe mâchonne les lignes géométriques des célèbres toiles quadrillées de Mondrian.

Kritsana Chaikitwattana produit des œuvres abstraites sombres alliant peinture et collage, parmi lesquelles une série d'autoportraits inspirés de la période où il était moine bouddhiste. Jaruwat Boonwaedlom explore quant à elle le réalisme moderne, un genre peu répandu parmi les artistes thaïlandais. On retiendra notamment ses peintures aux effets de prisme, prenant pour thème des scènes de rues à Bangkok.

Même si la sculpture thaïlandaise ne suscite pas l'intérêt qu'elle mérite sur le marché de l'art, on la considère souvent comme le plus marquant des arts contemporains en Thaïlande. Rien d'étonnant à cela quand on connaît l'importance de la production traditionnelle de statues du Bouddha. Ayant opté pour un registre profane, Khien Yimsiri se pose comme le maître moderne avec ses élégantes créations en bronze évoquant des formes humaines et mythiques. Quant à Sakarin Krue-On, il s'est fait remarquer en associant sculpture et installation. Son œuvre intitulée *Phawang Si Leuang* ("Jaune simple"), une immense tête de bouddha, est façonnée avec de l'argile, de la boue, du papier mâché et du curcuma. Manop Suwanpinta attribue à l'anatomie humaine des formes imaginaires souvent associées à des éléments techniques, tels ces visages s'ouvrant en deux pour dévoiler un contenu inexpressif.

Kamin Lertchaiprasert explore la spiritualité et la vie quotidienne à travers ses installations sculpturales, qui incluent souvent une petite armée de figurines en papier mâché. L'une de ses expositions les plus récentes, intitulée *Ngern Nang* ("Argent assis"), regroupe une série de personnages fabriqués à partir de vieux billets mis au rebut par la banque nationale et agrémentés de conseils poétiques sur la vie et l'amour.

## MUSIQUE

La Thaïlande offre une grande variété de genres et de styles musicaux : des airs de musique de cour qui accompagnent les drames dansés classiques aux sons de la house music des boîtes branchées de Bangkok.

### Musique traditionnelle

Dans la région du Centre, la musique traditionnelle (*pleng tai deum*) mêle des sons étonnamment subtils, des tempos renversants et des mélodies pastorales. L'orchestre classique est appelé le *Ђèe pâht* et peut comprendre de 5 à une vingtaine de musiciens. L'un des instruments les plus courants est le *Ђèe*, un instrument à vent en bois, avec un bec à anche, joué la plupart du temps en accompagnement des matchs de boxe. Le *pĭn*, un instrument à 4 cordes qui se joue comme une guitare, donne le contrepoint, tandis que le *rá·nâht èhk*, un instrument à percussion en bambou ressemblant au xylophone, assure la mélodie. On joue également du *sor*, un instrument à archet dont la caisse est creusée dans une noix de coco, et du *klòo·i*, une flûte en bois.

Le film *The Overture* (2004), d'Ittisoontorn Vichailak, est un mélodrame inspiré de la vie du compositeur et joueur de *rânâat èhk* Luang Pradit Phairao, qui protégea la musique classique thaïlandaise de l'influence de la musique européenne.

Très curieux, le *kòrng wong yài* consiste en un ensemble de gongs accordés et disposés en demi-cercle ; on y joue des lignes rythmiques simples pour créer la structure d'une chanson. Enfin, n'oublions pas les différentes sortes de percussions qui donnent le tempo, lequel change en général à plusieurs reprises dans un même morceau. Le *đà·pohn*, ou *tohn*, un tambourin double, est l'instrument à percussion le plus important ; c'est lui, en effet, qui conduit tout l'ensemble. Avant chaque représentation, les artistes font une offrande d'encens et de fleurs au *đà·pohn*, car il est considéré comme le "chef d'orchestre" du contenu spirituel de la musique.

La gamme standard thaïe est une octave de 8 notes, mais elle comprend 7 intervalles d'un ton, et pas de demi-tons. Les gammes thaïlandaises furent transcrites pour la première fois par le compositeur germano-thaïlandais Peter Feit (Phra Chen Duriyanga), qui composa l'hymne national en 1932.

À l'origine, les orchestres *Ђèe pâht* accompagnaient les drames dansés classiques et le théâtre d'ombres, mais, de nos jours, ils jouent également lors des fêtes religieuses ou en concert.

Pour en savoir plus sur la musique thaïlandaise, consultez www.ethaimusic.com, qui propose des translittérations et des traductions de chansons, ainsi que la vente d'albums.

La musique classique thaïlandaise, loin d'être reléguée dans les annales poussiéreuses de l'Histoire, a fusionné avec certains éléments du jazz international. L'ensemble traditionnel Fong Nam, dirigé par le compositeur américain Bruce Gaston, joue des morceaux mêlant la musique classique thaïlandaise à des thèmes occidentaux, un répertoire souvent utilisé pour les musiques de films, les publicités ou les clips de promotion touristique. Le compositeur et instrumentiste Tewan Sapsanyakorn (aussi connu sous le nom de Tong Tewan), virtuose du violon, du saxophone – alto et soprano – et de la flûte *klòo·i*, est une autre figure importante de ce style musical.

### Lôok tûng et mŏr lam

Le plus prisé des styles de musique moderne en Thaïlande reste le *lôok tûng* (termes signifiant littéralement "enfants des champs"). Véritable phénomène social remontant aux années 1940, il s'adresse principalement aux classes laborieuses, à la manière de la musique country américaine. Les paroles content presque toujours des histoires d'amour perdu, de morts tragiques et prématurées ou font état des dures conditions de vie des fermiers qui travaillent jour et nuit pour finir malgré tout l'année endettés. Il existe deux styles essentiels de *lôok tûng* : le style original, dit Suphanburi, dont les paroles sont en thaï courant ; et le style Ubon, chanté en dialecte isan.

Si le *lôok tûng* est l'équivalent thaïlandais de la country américaine, le *mŏr lam* s'apparente au blues. Cette musique folklorique est fermement enracinée dans le nord-est de la Thaïlande. Les mélodies sont jouées au *kaan*, un instrument à vent d'origine lao-isan, constitué d'une double rangée de roseaux fixés à l'intérieur d'une caisse de résonance en bois dur. Dans le style le plus ancien, encore joué lors de rassemblements ou de défilés villageois, des mélodies vocales, souvent en dialect isan, accompagnent un rythme de basse simple mais insistant. Longtemps considéré comme une musique "campagnarde", le *mŏr lam* a sauté le fossé des générations et se joue aujourd'hui dans des versions pop électriques.

Le site 365 Jukebox (www.365jukebox.com) donne le classement des hits pour toutes les grandes radios thaïlandaises, dont Fat (104.5 FM, rock alternatif), Seed (97.5 FM, T-pop) et Luk Thung (95.0 FM, *lôok tûng* et *mŏr lam*).

Ces dix dernières années, avec l'afflux d'Isan à Bangkok pour des raisons économiques, les deux genres ont commencé à fusionner pour donner le *lôok tûng ɓrá-yúk*. Aujourd'hui, les chanteurs passent souvent d'un style à l'autre en intercalant quelques chansons entre les deux, et les termes sont souvent interchangeables.

Pumpuang Duangjan, la chanteuse de *lôok tûng* la plus célèbre du pays, eut droit à des obsèques royales en 1992. Un sanctuaire à sa mémoire accueille un flot continu d'admirateurs au Wat Thapkradan de Suphanburi. Beaucoup ont craint que ce genre musical ne disparaisse avec elle, mais Siriporn Amphaipong reprit le flambeau avec sa voix grave. C'est aujourd'hui la plus adulée des stars de *lôok tûng*. Peut-être sera-t-elle suivie par la prometteuse Tai Orathai, qui a le don de transformer ces notes en une plainte émouvante.

Actuellement, la grande vedette de *mŏr lam/lôok tûng ɓrá·yúk* est Jintara Poonlarp, dont la coupe et le style vestimentaire branchés rompent avec le genre traditionnel. Mike Pirompon excelle dans les airs mélancoliques de *lôok tûng*, tandis que Rock Salaeng renouvelle le *mŏr lam* avec des chansons aux tonalités plus rock que le *lôok tûng*.

## Pop et rock thaïlandais

Depuis l'apparition du rock engagé aux États-Unis et en Europe dans les années 1970, les amateurs de musique montrent un goût de plus en plus marqué pour les sonorités thaïlandaises métissées d'influences étrangères. Le groupe Caravan a été ainsi l'instigateur d'une nouvelle révolution musicale (après celle que représenta l'apparition du *lôok tûng* dans les années 1940) en popularisant un style moderne de musique thaïlandaise baptisé *pleng pêu·a·chee·wít* ("chansons pour la vie"). Bien éloignées des fadaises alors en vigueur, leurs paroles parlaient principalement de politique et d'écologie. Pour cette raison, de nombreuses chansons de Caravan furent interdites par les gouvernements dictatoriaux des années 1970. Autre représentant de ce style, le groupe Carabao a réalisé un mélange détonant à base de *pleng pêu·a·chee·wít*, de *lûuk thûng* et de hard rock, ouvrant la voie à toute une génération d'imitateurs. Les concerts de ces groupes attirent toujours des centaines de fans.

GMM Grammy Entertainment, principale maison de disques de Thaïlande, formate les stars de la pop depuis des décennies, mais quelques crooners parviennent désormais à se faire connaître par les concours de la télévision comme *Star* et *Academy Fantasia*.

La Thaïlande possède également une industrie florissante de teen-pop (pop pour adolescents) – parfois appelée T-pop. Les artistes, choisis pour leur physique avantageux, sont en général *lôok krêung* (moitié thaïlandais, moitié occidentaux) et portent des noms anglais. Le roi de la pop est Thongchai 'Bird' Mcintyre (ou Pi Bird), qui a produit presque un album par an depuis ses débuts en 1986, doté de l'endurance et du charme nécessaires pour durer.

**LA MUSIQUE THAÏLANDAISE**

Ces tubes, et titres plus excentriques, vous donneront une idée des genres musicaux qui prévalent dans le royaume :

- *Ting Nong Noy* (Modern Dog) – le dernier album des maîtres du rock alternatif thaïlandais.
- *Thai Pop Spectacular 1960–1980s* – une longue compilation de Sublime Frequencies, avec de vieux hits comme "Look Who's Underwear is Showing".
- *Made in Thailand* (Carabao) – l'album incontournable du rock thaïlandais.
- *Best* (Pumpuang Duangjan) – une compilation des derniers tubes de la diva du *lôok tûng*.
- *Captain Loma* (Captain Loma) – des chansons agréables sans être trop sirupeuses pour ceux qui aiment le rythme, mais sans excès.
- *Newbie Party* – une série de compilations des titres des nouveaux rockers indie, comme Abuse the Youth, Tabasco ou Mind the Gappers.

Sa musique forme souvent l'essentiel de la collection des trentenaires et des quadragénaires.

Si les jolies lolitas de la pop savent mettre leurs charmes à profit, Tata Young a franchi les limites de la décence avec son album *Sexy, Naughty, Bitchy*. Depuis qu'elle a tenté de séduire la scène internationale avec deux albums en anglais, en 2006, l'ancienne idole des adolescents thaïlandais a perdu leurs faveurs. La mélancolique Palmy (moitié thaïlandaise, moitié belge) s'est en revanche imposée en cultivant le genre hippie. Du côté des garçons, les stars du moment sont Golf + Mike, deux frères qui font aussi carrière au Japon. Également en tête des hit-parades, Aof Pongsak fait fondre le cœur des filles avec sa voix doucereuse et ses chansons attendrissantes.

Les Thaïlandais aiment chanter et tous les grands groupes et chanteurs sortent des CD (VCD) destinés aux séances de karaoké.

Les années 1990 ont vu l'émergence d'une scène alternative pop – appelée *glorng săir·ri* (*free drum*), *pleng đâi din* (musique underground) ou simplement indie –, lancée par le label indépendant Bakery Music, qui s'est emparé d'une révolution plus complexe sur le plan musical que la production commerciale de Grammy. Après avoir détrôné Grammy lors des MTV Asia Awards de 2002, Bakery Music a été absorbé par un grand groupe. L'avènement de l'indie a été orchestré par Modern Dog, composé de 4 étudiants de l'université de Chulalongkorn. Dix ans plus tard, le groupe reste une référence du rock alternatif et a sorti en 2008 un album très attendu. Une autre vedette de la scène indie est Loso (pour "*low society*", par opposition à la "*hi-so*", ou "*high-society*"), qui a remis au goût du jour les mélodies et les rythmes folk de Carabao. Les morceaux des 2 groupes, que la plupart des jeunes Thaïlandais connaissent par cœur, ont presque atteint le statut d'hymnes nationaux.

Bangkok offre une scène underground effervescente grâce à de petites maisons de disques comme Mind the Gap et aux compilations des artistes indépendants de Sanamluang Zine. Abuse the Youth, les Papers et Slur caracolent en tête des hits sur la radio alternative Fat 104.5 et sont des vedettes sur MySpace. Les Kai-Jo Brothers impriment des rythmes reggae à la langue thaïe, tandis que Blue on Blue développe une version asiatique de BB King.

## THÉÂTRE ET DANSE

Le théâtre traditionnel compte 6 genres bien distincts d'expression dramatique : le *kŏhn*, drame dansé classique avec masques qui suit des règles précises et représente des scènes du *Ramakian* (la version thaïlandaise du *Ramayana* indien) ; le *lá·kon* qui désigne plusieurs types de pièces dansées ; le *lí·gair*, pièces populaires en partie improvisées, souvent paillardes, mêlant comédie, danse et musique ; le *má·noh·rah*, l'équivalent méridional du *lí·gair*, fondé sur une histoire indienne vieille de 2 000 ans ; le *năng*, ou le théâtre d'ombres, limité à la Thaïlande du Sud ; le *lá·kon lék* ou *hùn lŏo·ang*, le théâtre de marionnettes ; et le *lá·kon pôot*, le théâtre parlé contemporain.

## Le kŏhn

Dans toutes les pièces *kŏhn*, 4 types de personnages apparaissent : des hommes, des femmes, des singes et des démons. Singes et démons sont toujours masqués, la tête surmontée de coiffes compliquées. Sous les masques et le maquillage, les acteurs sont tous des hommes. Le *kŏhn* traditionnel est un art très coûteux – la suite de Ravana (le méchant de l'histoire) comprend à elle seule plus de 100 démons, portant chacun son masque caractéristique.

Les pièces du répertoire *kŏhn* traditionnel (et de celui du *lá·kon*, voir plus bas) sont tirées du récit épique *Ramayana* (*Ramakian* en thaï). Elles ont pour principale intrigue la recherche par le prince Rama de sa bien-aimée, la princesse Sita, enlevée par le démon aux dix têtes, Ravana, et emmenée sur l'île de Lanka.

Le *kŏhn* s'est aujourd'hui pratiquement éteint, sans doute parce qu'il n'était autrefois représenté que dans les palais et qu'il n'a jamais reçu la faveur populaire. Voir p. 179 pour des détails sur les représentations de *kŏhn*.

## Le lá·kon

Le très formel *lá·kon nai* (*lá·kon* "intérieur", car représenté à l'intérieur du palais) était joué à l'origine pour la petite noblesse par des troupes entièrement féminines ; plus encore que le *kŏhn* royal, cet art est en voie d'extinction. Le *lá·kon nai* ajoutait des contes populaires au *Ramakian*. Quelle que soit l'histoire, le texte est toujours chanté. Plus souple, le *lá·kon nôrk* (*lá·kon* "extérieur", joué en dehors du palais) traite uniquement des légendes populaires et mêle les textes chantés et parlés. Il fait appel à des acteurs des deux sexes. Les représentations de *lá·kon nai*, comme le *kŏhn*, se font de plus en plus rares.

Plus courant de nos jours, le *lá·kon chah·đri*, moins raffiné, est un drame dansé au rythme rapide, donné lors des fêtes de temples ruraux ou devant des sanctuaires (à la demande d'un fidèle dont le vœu a été exaucé par la divinité du sanctuaire). Les histoires du *chah·đri* ont subi l'influence d'un théâtre plus ancien de Thaïlande méridionale appelé *má·noh·rah*.

Variante du *chah·đri* donné devant les sanctuaires, le *lá·kon gâa bon* implique une vingtaine de personnes, musiciens compris. Dans les lieux sacrés les plus importants (le Lak Meuang de Bangkok, par exemple), 4 troupes différentes de *gâa bon* peuvent se produire alternativement, attendues généralement par une file de fidèles désireux de faire appel à leurs services.

## Le lí·gair

Dans les banlieues ouvrières de Bangkok, vous aurez peut-être la chance de voir une représentation de *lí·gair*. Cette forme théâtrale aussi provocante que dissonante aurait été introduite en Thaïlande du Sud par des commerçants malais et arabes. La première représentation assurée par des acteurs thaïlandais s'est déroulée à Bangkok devant Rama V, lors de la commémoration de la mort de la reine Sunantha. Le *lí·gair* eut beaucoup de succès sous le règne de Rama VI, avant de connaître son apothéose au début du XXe siècle. Il a tendance à disparaître depuis les années 1960.

Souvent représenté lors des fêtes bouddhiques par des troupes ambulantes, le *lí·gair* est un mélange étonnant : musique folklorique et classique, costumes extravagants, grosse farce, allusions scabreuses et commentaires d'actualité. Les étrangers, même s'ils parlent couramment thaï, ont souvent du mal à comprendre les idiotismes et les références culturelles de la langue et de la gestuelle.

## Marionnettes

Comme le *kŏhn*, le *lá·kon lék* (petit théâtre), également appelé *hùn lŏo·ang* (marionnettes royales), était autrefois réservé à la cour. Des marionnettes d'un mètre de hauteur, en papier *kòi* et en fil de fer, vêtues de magnifiques costumes, mettent en scène les mêmes thèmes que ceux du *kŏhn*, sur une musique et selon une chorégraphie semblables.

Deux ou trois marionnettistes sont nécessaires pour manipuler chaque *hùn lŏo·ang* au moyen de fils de fer attachés à de longs bâtons. Les histoires sont tirées des légendes populaires, comme le *Phra Aphaimani* ou, parfois, le *Ramakian*. Ces marionnettes sont de véritables objets de collection. Le musée national de Bangkok n'en possède qu'un seul exemplaire. Des marionnettes plus petites, de 30 cm de hauteur, les *hùn lék* ("petites marionnettes"), sont également utilisées dans les spectacles.

Un autre théâtre de marionnettes, le *hùn grà·bòrk* ("marionnette à baguette"), dérive des spectacles populaires de l'île chinoise de Hainan. Il se joue avec des marionnettes de 30 cm de hauteur en bois sculpté.

L'un des derniers maîtres de marionnettes thaïlandais, Sakorn Yangkhiawsod (surnommé Joe Louis), a fait revivre, dans la seconde partie du XX^e siècle, l'art menacé du *hùn lék* avec sa célèbre troupe de Bangkok. Le patriarche est décédé en 2007, mais ses enfants perpétuent la tradition au théâtre Aksra (p. 179).

## Le năng

Le théâtre d'ombres – où des marionnettes plates sont manipulées entre un écran de tissu et une source de lumière – existe en Asie du Sud-Est depuis près de 500 ans. Introduite dans la péninsule malaise par des marchands du Moyen-Orient, cette technique s'est peu à peu répandue dans tout le Sud-Est asiatique. En Thaïlande, on la rencontre surtout dans le Sud. Comme en Malaisie et en Indonésie, les marionnettes sont découpées dans du cuir de buffle ou de vache (*năng* en thaï).

Deux traditions distinctes ont survécu en Thaïlande. La plus répandue est le *năng đà·lung*, qui tient son nom de la province de Phattalung, où elle s'est développée à partir de modèles malais. Comme leurs équivalents malais et indonésien, les marionnettes représentent une variété de personnages tirés du théâtre classique et populaire, principalement du *Ramakian*, et du *Phra Aphaimani* en Thaïlande. Un seul marionnettiste manipule les découpages prolongés par un manche en corne de buffle. Le *năng đà·lung* est encore joué parfois lors des fêtes des temples dans le Sud, surtout dans les provinces de Songkhla et de Nakhon Si Thammarat. Des représentations sont également organisées à l'occasion de visites de groupes de touristes ou de dignitaires venus de Bangkok.

La seconde tradition, *năng yài* (littéralement "gros cuir"), utilise des découpages beaucoup plus grands, chacun étant relié à 2 bâtons en bois tenus par un marionnettiste. Lors d'une représentation, plusieurs personnes peuvent se relayer. De nos jours, le *năng yài* est rarement joué, en raison du manque de marionnettistes compétents et du coût de ces marionnettes. La plupart des *năng yài* fabriquées aujourd'hui sont destinées aux décorateurs intérieurs ou aux touristes.

# CINÉMA

Lorsqu'on évoque le cinéma thaïlandais, on le divise généralement en 2 courants : le cinéma commercial et le cinéma de qualité, les deux se recoupant rarement.

Le cinéma populaire thaïlandais a connu un essor important dans les années 1960 et 1970, en particulier durant la période où le gouvernement instaura une taxe sur les films hollywoodiens, favorisant ainsi l'industrie nationale. Celle-ci se concentrait surtout sur la production de films d'action à petit budget, surnommés "*nám nôw*" ("eau puante"). Cela dit, les intrigues fantastiques, parfois sans queue ni tête, et la beauté des couleurs caractéristiques de cet univers ont exercé une influence durable

*Le Cinéma thaïlandais, Thai cinema* (Asiexpo association, 2007), dirigé par B. Meiresonne, S. Ariyavicha, G. Boutigny, A. Chaiworaporn et *al.*, dresse un vaste panorama cinématographique du cinéma thaïlandais. Tous les genres sont couverts : comédie, film d'action, drame, documentaire, etc. Le DVD contient 2 heures d'interviews et de reportages complétant les propos des auteurs.

sur la génération suivante de réalisateurs, qui ont replacé ces éléments dans des contextes modernes.

Couple vedette de ces films d'action, Mitr Chaibancha et Petchara Chaowarat tournèrent quelque 75 films ensemble. Le duo prit fin lors du tournage d'*Insee Thong* (*Golden Eagle*), par la mort tragique de Mitr Chaibancha, héros du film, au cours d'une cascade en hélicoptère.

Autre film à succès de l'époque, *Mon Rak Luk Thung* est une comédie musicale mettant en scène la vie rurale thaïlandaise. Les comédies musicales de la province d'Isan, qui étaient également très appréciées à cette époque, renouèrent avec le succès en 2001 avec *Monpleng Luk Thung FM* (*Hoedown Showdown*), ainsi qu'avec *Monrak Transistor,* de Pen-Ek Ratanaruang, un hommage à la musique de Suraphol Sombatcharoen. En 2005, Yam Yasothon, un film écrit, réalisé et interprété par Petchtai Wongkamlao, rend un hommage haut en couleur aux comédies musicales des années 1970.

Criticine (www.criticine.com, en anglais), magazine en ligne consacré au cinéma sud-asiatique, publie les commentaires en anglais de critiques de Bangkok sur l'actualité de ce secteur et les films à l'affiche.

Dans un pays réputé pour son sens de la fête, la comédie est une source de revenu inépuisable. Un grand classique des années 1960 s'intitulait d'ailleurs *Ngern Ngern Ngern* (*Money, Money, Money*), avec Lor Tork dans le rôle titre. Les comédies contemporaines mettent invariablement en scène des *gà·teu·i* (travestis et transsexuels), dont l'humour thaï fait ses choux gras. *Satree Lek* (*The Iron Ladies*), du réalisateur Yongyoot Thongkongtoon, sorti en 2000, met en scène les exploits véridiques d'une équipe de volley-ball de Lampang presque entièrement constituée de *gà·teu·i.*

Plus important en termes d'inspiration artistique, le réalisateur Rattana Pestonji est souvent considéré comme le père de la nouvelle vague cinématographique en Thaïlande. *Rong Raem Narok* (*Country Hotel*), sorti en 1957, est une sombre comédie qui se déroule dans un bar et une pension de Bangkok, filmée avec une seule caméra.

Notre époque compte plusieurs générations de réalisateurs très talentueux, dont un certain nombre ont étudié à l'étranger et sont très appréciés dans les festivals internationaux. Nonzee Nimibutr est considéré comme le (très rentable) chef de file de la nouvelle vague de cinéastes depuis son *Nang Nak* de 1998, adaptation d'un célèbre conte thaïlandais (déjà porté une vingtaine de fois à l'écran). Le film rapporta la plus grosse recette de l'histoire du cinéma thaïlandais, dépassant même *Titanic.* Ses œuvres ultérieures, comme *Ok Baytong* (2003) et *Queens of Langkasuka* (2008), invitent la majorité bouddhiste à mieux connaître les régions où vit la minorité musulmane thaïlandaise. Superproduction coûteuse, *Queens of Langkasuka* a fait rêvé les cinéphiles du monde entier, ce qui n'est guère étonnant pour une épopée historique d'une telle envergure.

Les œuvres du réalisateur Pen-Ek Ratanaruang, grinçantes et satiriques, attirent autant les passionnés de cinéma que les amoureux de la Thaïlande. Les héros de son premier film, *Fun Bar Karaoke* (1997), une parodie de la vie à Bangkok, sont un vieux play-boy thaïlandais et sa fille. En 2003, le réalisateur a rejoint les auteurs de grands classiques avec *Ruang Rak Noi Nid Mahasan* (*Dernière Vie dans l'univers*), écrit par Prabda Yoon. Son dernier film, *Kham Phiphaksa Khong Mahasamut* (*Vagues invisibles*, 2005), qui a pour cadre Macao et Phuket, est considéré comme son œuvre la plus noire.

Le cinéma thaïlandais a connu un grand moment de gloire lorsque *Sut Sanaeha* (*Blissfully Yours*) a remporté le prix Un certain regard au Festival de Cannes 2002. Réalisé par Apichatpong Weerasethakul, principal représentant du cinéma vérité en Thaïlande, il raconte l'histoire d'une romance entre une Thaïlandaise et un immigré clandestin birman. Deux ans plus tard, *Sut Pralat* (*Tropical Malady*) du même Weerasethakul remportera le prix du jury à Cannes. Très attendu, *Sang Satawat* (*Syndromes and a Century*, 2006) a été rejeté par la censure thaïlandaise, car on y voit des médecins boire du whisky et s'embrasser dans un hôpital. Plutôt que de supprimer les séquences incriminées, le réalisateur a retiré le film des écrans thaïlandais, ce qui a conduit les cinéastes indépendants à protester contre la censure.

Weerasethakul est devenu un modèle pour les réalisateurs de la nouvelle vague, qui doivent souvent se contenter de courts-métrages en raison du manque d'argent. Alors que Pimpaka Towira était salué par la critique pour *One-Night Husband* (2003), le gouvernement thaïlandais a délivré en 2003 le prix Silpathorn des artistes contemporains à Thunska Pansittivorakul. Son documentaire *Happy Berry* (2003) suit 4 amis branchés qui tentent de vivre leur rêve de mode et de musique à Bangkok.

L'imaginaire thaïlandais est plein de contes hauts en couleur mêlant le mythe à la réalité. *Fah Talai Jone* (*Les Larmes du tigre noir*, 2000), dirigé par Wisit Sasanatieng, jette un pont entre la nouvelle vague et les années 1960, avec un hommage appuyé au film d'action. Dans *Mekhong Sipha Kham Deuan Sip-et* (*Mékong Full Moon Party*, 2002), Jira Malikul juxtapose les croyances populaires concernant les mystérieuses "lumières *naga*" qui émaneraient du Mékong et le scepticisme des scientifiques de Bangkok.

Tous les films et ouvrages ayant pour thème la vie d'Anna Leowens à la cour du Siam, rendue célèbre par la comédie musicale des années 1950 *Le Roi et moi*, sont interdits en Thaïlande.

La tradition des arts martiaux et l'importance de la mafia font de la Thaïlande un terrain fertile pour un cinéma d'action typiquement local. Les frères Pang (Danny et Oxide) ont importé le savoir-faire de Hong Kong avec leur succès de 1999, *Bangkok Dangerous*, dont le héros est un tueur à gages sourd-muet. Le film a été remanié en 2008, avec Nicolas Cage dans le rôle du personnage principal. *Ong Bak* (2004), de Prachya Pinkaew, et sa suite, *Tom-Yum-Goong* (2005) et *Ong Bak 2* (2008), ont fait de Tony Jaa un héros de *mou·ay tai* international, de la trempe d'un jeune Jackie Chan.

La nouvelle génération phare de cinéastes a un penchant pour les films d'horreur, qui s'inspirent des histoires de fantômes et de sciences occultes populaires dans le pays. *Art of the Devil I* et *II* (2004/2005) sont deux films sans aucun rapport entre eux, œuvre de la "Ronin Team", un groupe de réalisateurs spécialisés dans le gore grotesque et la magie noire. Dans un genre soumis à rude concurrence, *See Phrang* (du film intitulé *4bia* ou *Phobia*) figure parmi les meilleurs scénarios d'horreur de 2008. Réalisé par 4 cinéastes, dont Yongyoot Thongkongtoon, le film réunit des contes riches en suspense sur le thème des phobies.

Film à succès saisissant, *Rak Haeng Siam* (*Love of Siam*, 2007), de Chookiat Sakveerakul, a séduit à la fois les fans de cinéma d'auteur et les adolescents qui découvrent l'amour. Ce drame sombre évoque les difficultés d'une famille après la disparition de leur fille et sœur. Les scénarios centrés sur les personnages caracolent en tête du box-office, entraînés par l'ancien scénariste devenu réalisateur, Kongdej Jaturanrasamee. Dans *Kod* (*Handle Me with Care*, 2008), il raconte le voyage jusqu'à Bangkok d'un homme doté de 3 bras pour se faire retirer ce membre superflu.

## LITTÉRATURE

L'histoire de l'écriture en Thaïlande remonte au XI^e^ ou XII^e^ siècle, date à laquelle le premier texte en thaï fut rédigé à partir d'un ancien alphabet môn. La première œuvre littéraire en thaï que l'on connaisse aurait été rédigée en 1345 par Phaya Lithai, de Sukhothai. Il s'agit du *Traiphum Phra Ruang*, un traité décrivant les trois royaumes de l'existence selon les cosmologies hindoue et bouddhiste. Selon les spécialistes, cette œuvre et son symbolisme auraient encore à ce jour une grande influence sur l'univers artistique et culturel de la Thaïlande.

Le taux d'alphabétisation de la Thaïlande est excellent (92,6%), mais toute lecture en dehors des journaux et des bandes dessinées est considérée comme excentrique.

### Littérature classique

Le *Phra Aphaimani*, qui compte 30 000 vers composés par le poète Sunthorn Phu à la fin du XVIII^e^ siècle, est une œuvre littéraire classique très célèbre.

Comme nombre de textes épiques antérieurs, il raconte l'histoire d'un prince exilé qui doit accomplir une odyssée d'amour et de guerre avant de revenir victorieux dans son royaume.

De tous les classiques de la littérature thaïlandaise, le *Ramakian* est le plus célèbre. Son influence sur la culture thaïlandaise est très profonde. Il y a 9 siècles, les Khmers apportèrent avec eux en Thaïlande sa source indienne, le *Ramayana*. Il fut mis en image pour la première fois dans les reliefs sculptés du Prasat Hin Phimai et d'autres temples du Nord-Est remontant à la période d'Angkor. Les Thaïlandais finirent par développer leur propre version de l'épopée, qui fut rédigée la première fois sous Rama Ier. Avec 60 000 strophes, elle était plus longue d'un quart que l'original en sanskrit.

Si les thèmes centraux restent inchangés, les Thaïlandais ont ajouté de nombreux détails biographiques à la description des méchants personnages que sont Ravana (appelé Thotsakan ou "l'homme aux 10 cous" dans le *Ramakian*) et sa femme Montho. Hanuman, le dieu singe, diffère aussi sensiblement : on le voit courtiser âprement le beau sexe, alors que, dans la version indienne, il se conforme strictement à son vœu de chasteté. L'un des bas-reliefs les plus connus du Wat Pho, à Bangkok, est une illustration du *Ramakian* montrant Hanuman s'emparant du sein nu d'une jeune fille comme s'il s'agissait d'une pomme.

Silkworm Books publie les œuvres des écrivains primés en anglais, sous le titre *The SEA Write Anthology of Thai Short Stories & Poems* (en anglais).

Les nombreux *jataka* (*chah·dòk* en thaï), ou récits des vies antérieures du Bouddha, proviennent également de la tradition indienne. Les 547 *jataka* du *Tipitaka* (un canon bouddhique), en pali, ont été transcrits pour la plupart mot pour mot de la version originale rédigée au Sri Lanka.

Un ensemble de 50 histoires supplémentaires, s'inspirant de contes populaires de l'époque, fut ajouté à ce corpus par les sages de Chiang Mai, il y a 300 ou 400 ans. Le *jataka* le plus connu en Thaïlande est l'un des originaux en pali, le *Mahajati* ou *Mahavessantara*, qui raconte l'avant-dernière vie du Bouddha.

La poésie classique thaïlandaise a vu le jour durant la période d'Ayuthaya. Elle s'appuie traditionnellement sur 5 formes lyriques – *chăn, gàhp, klong, glorn* et *râi* –, qui obéissent chacune à un éventail de règles très strictes où versification, métrique et prosodie sont rigoureusement codifiées. Si ces 5 modes d'expression poétique s'écrivent en thaï, le *chăn* et le *gàhp* proviennent de la versification sanskrite, tandis que le *klong*, le *glorn* et le *râi* sont vernaculaires. Les formes indiennes sont tombées en désuétude.

## Littérature contemporaine

Le premier roman en langue thaïe s'inspire directement des modèles occidentaux. La plupart des œuvres de fiction thaïlandaises (qu'elles soient contemporaines ou plus anciennes) n'ont pas encore été traduites en français ni en anglais. Vous trouverez p. 20 des suggestions d'ouvrages en français sur la Thaïlande.

Considéré comme le premier véritable roman thaïlandais, *The Circus of Life* (publié en thaï en 1929 ; en anglais en 1994), d'Arkartdamkeung Rapheephat, suit un jeune Thaïlandais de bonne famille dans ses pérégrinations à Londres, à Paris, aux États-Unis et en Chine, dans les années 1920. Le fait que l'auteur, un jeune prince thaïlandais, se soit donné la mort à l'âge de 26 ans a contribué à faire de ce récit un ouvrage mythique.

Dans *Plusieurs vies* (L'Asiathèque, 2003), l'un des rares romans en langue thaïe traduit en français, Kukrit Pramoj, ancien ambassadeur et ex-Premier ministre thaïlandais, raconte 11 vies différentes (11 karmas), toutes victimes d'un même naufrage. Dans *The Story of Jan Darra* (publié en thaï en 1966 ; en anglais en 1994), le journaliste et nouvelliste Utsana Phleungtham évoque les fantasmes sexuels d'un aristocrate thaïlandais. Praphatsorn Seiwikun, pour sa part, décrit le quotidien d'une famille de classe moyenne de Bangkok dans son best-seller *Time in a Bottle* (publié en thaï en 1984 ; en anglais en 1996). Sous le pseudonyme de Siburapha (les auteurs thaïlandais recourent très couramment au pseudonyme), Kulap Saipradit a écrit de nombreux contes romantiques, parmi lesquels *Behind the Painting*, qui raconte l'histoire, dans l'après-guerre, d'un étudiant amoureux d'une aristocrate mariée.

Dans la seconde moitié du XXe siècle, le roman thaïlandais a commencé à s'intéresser au commun du peuple, en partie sous l'influence d'écrivains d'origine modeste sortis diplômés de l'université de Bangkok. Au lieu de se concentrer sur les privilèges de l'aristocratie, leurs récits ont trouvé leur inspiration auprès de leurs parents et voisins et des changements spectaculaires vécus par les Thaïlandais ordinaires, souvent issus de la classe ouvrière, dans des régions reculées du pays. Connu pour son talent de critique social, Chart Korbjitti a remporté à deux reprises le Prix des écrivains sud-asiatiques (SEA Write Award) : une fois pour *La chute de Fak* (Seuil, 2003), dans lequel un jeune villageois est accusé à tort par des voisins fouineurs, et la seconde fois pour son roman *Sonne l'heure* (Seuil, 2002). Dans *Of Time and Tide* (1985), Atsiri Thammachoat, journaliste-rédacteur que l'on qualifie souvent de "chantre des mers", décrit avec une douce amertume la détresse de Noi, un videur de poissons devenu veuf. S'exprimant en anglais pour toucher un public plus vaste, Pira Sudham explore les difficultés du Nord-Est appauvri dans ses ouvrages *The Force of Karma, Terre de mousson* (P. Picquier, aujourd'hui épuisé), *Enfances thaïlandaises* (Fayard, 1990), *People of Esarn* et *Shadowed Country*. Issu d'une famille d'agriculteurs pauvre, il a été envoyé à Bangkok pour recevoir une éducation comme garçon de temple.

Les Thaïlandais de la classe moyenne ont également pris la plume à la même période. Dans *Married to the Demon King*, Sri Daoruang a adapté le *Ramakian* au Bangkok d'aujourd'hui, en plaçant les membres d'une famille ordinaire dans la peau des principaux personnages de l'épopée. Des nouvelles modernes d'écrivaines paraissent dans la belle collection "A Lioness in Bloom", traduite en anglais et richement annotée par Susan Kepner.

Les écrivains postmodernes, dont très peu sont traduits en anglais et en français, abordent une grande variété de sujets, de l'isolement et des bouleversements contemporains à leur vision personnelle des événements actuels. Prabda Yoon a remporté en 2002 le prix des SEA Write avec sa nouvelle intitulée *Probability*. Le public occidental le connaît surtout pour son scénario de *Last Life in the Universe* (2003) et ceux d'autres films réalisés par Pen-ek Ratanaruang.

La crise politique actuelle donne l'occasion aux écrivains thaïlandais de sonder la psyché collective. Chartvut Bunyarak explore les tensions politiques qui ont précédé le renvoi en 2006 du Premier ministre de l'époque, Thaksin Shinawatra. Dans sa nouvelle *Thor Sor 2549* (*Taxi 2006*), un client est éjecté d'un taxi pour avoir désapprouvé le chauffeur pro-Thaksin. À la fois écrivain et poète, Siriworn Kaewkan a gagné le prix de littérature contemporaine Silpathorn pour son livre au titre évocateur : *Tales from a Scribe that a Storyteller Once Told Him* (Contes d'un scribe qu'un conteur lui a jadis racontés).

# Cuisine thaïlandaise

Outre les "pad thai" et le curry vert, la gastronomie thaïlandaise compte une multitude de mets délicieux qui contribuent à justifier, pour nombre de voyageurs, le choix de cette destination. Les Thaïlandais sont eux aussi des inconditionnels de leur propre cuisine et l'enthousiasme qu'ils manifestent attablés à un étal réputé ou devant un bon bol de nouilles est pareil à celui des touristes. Cet intérêt pour la nourriture, combiné à la profusion des produits et à des influences extraordinaires, a donné naissance à l'une des cuisines les plus inventives et variées du monde.

## ALIMENTS DE BASE ET SPÉCIALITÉS LOCALES

### Riz

*La Cuisine thaïlandaise,* par Sirikit Thaï (Solar, 2007). Une invitation appétissante à savourer 62 recettes traditionnelles, régionales ou festives.

Le riz occupe une telle place dans la culture gastronomique thaïlandaise que le verbe "manger" se dit *gin kôw*, ce qui signifie littéralement "manger du riz", et que l'on se salue le plus souvent par la formule *"Gin kôw rĕu yang ?"* (Avez-vous mangé du riz aujourd'hui ?). Se nourrir, c'est manger du riz, et pour tous ceux qui sont attachés aux traditions, un repas sans riz est une aberration.

La Thaïlande se classe parmi les premiers exportateurs mondiaux de riz depuis les années 1960. Parmi les nombreuses variétés cultivées, la meilleure est le *kôw hŏrm má·lí* (riz au jasmin), au long grain parfumé, qui suscite tant de convoitises qu'il fait l'objet de contrebande régulière vers les pays voisins.

**VOYAGE AU PAYS DU GOÛT**

La cuisine thaïlandaise varie selon les régions et chaque ville a son plat typique, que l'on ne trouve pas (ou qui n'est pas aussi bon) ailleurs. Voici une liste de quelques-unes des meilleures spécialités régionales, pour manger comme les gens du coin.

- **Ayuthaya** : *gŏo·ay đĕe·o reu·a* ("nouilles bateau") Nouilles de riz servies dans un bouillon sombre et très épicé.
- **Chiang Mai** : *nám prík nùm* et *kâab mŏo* (couenne de porc rissolée et sauce de piments grillés). Disponibles dans tous les marchés de la ville, ces deux mets se marient parfaitement. Idéalement accompagnés de légumes blanchis et de riz gluant.
- **Hat Yai** : *gài tôrt hàht yài.* Le "poulet frit de Hat Yai" est mariné dans un mélange d'épices, qui lui donne sa couleur rouge caractéristique.
- **Khon Kaen** : *gài yâhng.* Poulet fermier mariné (*gài bâhn*), grillé sur des braises – cette spécialité du nord-est du pays est censée être la meilleure ici.
- **Lampang** : *kôw taan.* Galettes de riz gluant au jus de pastèque, arrosées de sucre de palme. Friandises prisées dans cette ville du Nord.
- **Nong Khai** : *năam neu·ang.* Boulettes de porc accompagnées de feuilles de riz et d'herbes fraîches. Ce plat vietnamien a trouvé sa place dans le nord-est du royaume.
- **Phetchaburi** : *kôw châa.* Ce plat môn étrange mais délicieux est composé de riz parfumé froid, agrémenté d'accompagnements sucrés-salés. C'est dans cette ville du centre qu'il est le meilleur.
- **Trang** : *mŏo yâhng.* Porc rôti avec la peau. Une spécialité de cette ville du Sud que l'on mange pour le brunch, avec des *dim sum*.

Les Thaïlandais du Nord et du Nord-Est mangent du *kôw nĕe·o* ("riz gluant"), un riz à petit grain, cuit non dans l'eau mais à la vapeur. Les restaurants chinois servent souvent du *kôw đôm* ("riz à l'eau"), un porridge assez liquide parfois préparé avec du riz complet ou violet.

Tous les plats courants, tels les currys, les sautés ou les soupes, sont accompagnés de riz et comportent *gàp kôw* ("sur riz") dans leur appellation. Pour commander du riz nature, demandez du *kôw Ƀlòw*, "riz simple" ou *kôw sŏoay*, "beau riz". Il est servi dans une assiette (*jahn*) ou un *tŏh*, grand bol muni d'un couvercle pour conserver l'humidité et la chaleur.

Sur Appon's Thai Food (www.khiewchanta.com, en anglais), une Thaïlandaise répertorie une multitude d'authentiques recettes thaïlandaises.

## Nouilles

Arrivé en Thaïlande, vous ne tarderez sans doute pas à goûter au *gŏo·ay đĕe·o,* terme générique désignant la soupe de nouilles. Empruntées à la gastronomie chinoise, les nouilles font désormais partie intégrante du régime thaïlandais et rares sont les Thaïlandais qui n'en mangent pas au moins un bol par jour.

On compte quatre sortes de nouilles en Thaïlande. On s'en doute, vu l'importance du riz dans ce pays, les nouilles les plus prisées sont les *sên gŏo·ay đĕe·o*, à base de farine de riz et d'eau. La pâte est cuite à la vapeur pour former de larges feuilles fines qui sont ensuite pliées et découpées en *sên yài* (nouilles en "lignes larges" de 2 à 3 cm de largeur), en *sên lék* (nouilles en "petites lignes" de 5 mm environ) et en *sên mèe* (nouilles en "ligne de nouille" de 1 à 2 mm seulement). Dans la plupart des restaurants ou stands de rue dont la spécialité est le *gŏo·ay đĕe·o,* il est d'usage de préciser le type de nouilles souhaité lors de la commande.

N'auriez-vous pas envie d'apprendre les secrets de la cuisine thaïlandaise ? De nombreux cours adaptés à vos envies vous le proposent à Bangkok, à Chiang Mai et dans les hauts lieux du tourisme.

Le plat le plus simple et le plus répandu est le *gŏo·ay đĕe·o nám*, un bol de nouilles généralement agrémentées de bouillon de porc, de boulettes de viande et divers légumes et parsemées de *pàk chi* (feuilles de coriandre). Cet en-cas est dégusté à toute heure : avant le travail, après le shopping, en rentrant de boîte de nuit ou entre les repas principaux.

Le plat de *gŏo·ay đĕe·o* le plus connu des étrangers est sans conteste le *gŏo·ay đĕe·o pàt tai,* également appelé *pàt tai.* Il s'agit de fines nouilles de riz assaisonnées et sautées avec des crevettes fraîches ou séchées, des germes de soja, du tofu, de l'œuf, et le plus souvent garnies de quartiers de citron vert, de ciboulette chinoise et d'une fleur de bananier émincée.

Un autre type de nouilles, les *kà·nŏm jin,* sont fabriquées à la manière des pâtes italiennes, en poussant la pâte de riz à travers une passoire, puis en la plongeant dans l'eau bouillante. Les *kà·nŏm jin* sont un plat de choix sur les marchés du matin. On les déguste arrosés de divers currys épicés et accompagnés de fines herbes et d'une sélection de légumes frais ou saumurés.

### COMMENT ASSAISONNER SES NOUILLES

Si votre table dispose d'un présentoir en métal contenant 4 bols ou pots transparents à couvercle, c'est un signe que le restaurant sert du *gŏo·ay đĕe·o* (soupe aux nouilles de riz). Ces récipients contiennent généralement 4 ingrédients : *nám sôm prík* (piments verts émincés dans du vinaigre), *nám Ƀlah* (sauce de poisson), *prík Ƀòn* (pétales ou poudre de piments rouges séchés) et *nám·đahn* (sucre blanc en poudre).

Dans la tradition thaïlandaise, ces condiments permettent d'épicer la soupe de 3 manières différentes (épicée et aigre, épicée et salée, ou simplement épicée) et de l'adoucir grâce au sucre. Un consommateur de nouilles averti ajoutera à sa soupe une cuillerée à café de chacun des 3 premiers condiments et deux de sucre. Si vous n'êtes pas habitué à ces saveurs prononcées, ajoutez-les petit à petit, en goûtant la soupe au fur et à mesure pour éviter d'en mettre trop.

**(CON)FUSION CULINAIRE**

On trouve dans certains restaurants de Thaïlande du "riz sauté américain" (*kôw pàt à·me·rí·gan*), un riz sauté au ketchup, raisins secs et petits pois, accompagné de jambon et de saucisse frite et recouvert d'un œuf au plat. Ce plat est peu attirant, mais son histoire est intéressante : il serait apparu lors de la guerre du Vietnam, alors que des milliers de soldats américains étaient stationnés dans le nord-est de la Thaïlande. Un cuisinier thaïlandais s'est approprié le fameux "breakfast" américain (œufs au plat, jambon et/ou saucisses, pain de mie et ketchup) pour le cuisiner "à la thaïlandaise" en faisant sauter ces ingrédients dans du riz.

Ce cas récent de "fusion" gastronomique illustre la tendance des cuisiniers thaïlandais à s'inspirer d'autres traditions culinaires. Parmi les exemples les plus savoureux, le *gaang mát·sà·màn*, "curry musulman", un mélange désormais classique entre cuisines thaïlandaise et moyen-orientale, et les fameux *pàt tai*, combinaison des techniques et ingrédients chinois (sauté, nouilles de riz) et des saveurs thaïlandaises (sauce de poisson, piment, tamarin).

*Le Livre de la cuisine thaïe* (Rouergue, 2004), de David Thompson, est considéré comme la référence en matière de cuisine thaïlandaise.

Les *bà·mèe*, à base de farine de blé et d'œuf, sont des nouilles fraîches de couleur jaune vendues sous forme de petits paquets. Après les avoir ébouillantées, on les agrémente d'un bouillon, et le plus souvent de porc grillé ou de crabe, ce qui donne les *bà·mèe nám*. Servies dans un bol sans bouillon mais avec un peu d'huile aillée, elles prennent le nom de *bà·mèe hâang*. Les restaurants ou stands de rue qui servent des *bà·mèe* vendent aussi en général du *gée·o*, un carré de pâte de *bà·mèe* fourré à la viande hachée.

Citons enfin les *wún·sên*, des nouilles translucides à base de fécule de haricot mungo. Vendues exclusivement sèches et en paquet, les *wún·sên* (littéralement "fils de gélatine") cuisent en quelques minutes dans l'eau bouillante. On les prépare le plus souvent en salade épicée et piquante, le *yam wún sên*, avec du jus de citron vert, des *prík kêe nŏo* frais (minuscules piments), des crevettes, du porc haché et divers assaisonnements. Vous les trouverez aussi dans le *Ƀou òp wún·sên*, cuites à l'étouffée dans un pot de terre avec du crabe ou des crevettes et des assaisonnements, ou dans le *gaang jèut*, une soupe à la chinoise plus fade, constituée de porc haché, de tofu frais et de quelques nouilles de fécule de haricot.

## Currys et soupes

Le mot thaï *gaang* est souvent traduit par "curry". Il désigne en fait tout plat à consistance liquide et peut donc s'appliquer à des soupes (le *gaang jèut*, par exemple) comme aux currys classiques à base de pâte de curry, qui font la renommée de la cuisine thaïlandaise. La préparation de ces derniers commence par la confection du *krê·uang gaang*, obtenu en pilant dans un mortier en pierre de nombreux ingrédients frais jusqu'à obtenir une pâte épaisse, aromatique et âcre. Les ingrédients de base du *krê·uang gaang* sont le piment séché, le galanga (racine de souchet ou "poivre thaï"), la citronnelle, les zestes de combava (kaffir lime), les échalotes, l'ail, la pâte de crevettes et le sel.

Trois principaux *gaang* composent la cuisine thaïlandaise : le plus traditionnel, le *gaang pèt* (curry épicé), est souvent utilisé comme base à la préparation d'autres currys. Cette pâte de curry, qui doit sa couleur rouge aux nombreux piments séchés qui la composent, doit être assez épicée. En comparaison, le *gaang pá·naang* est plutôt doux, du fait de la présence d'arachides pilées. Dans le *gaang kĕe·o wăhn*, littéralement "curry vert doux", les piments sont verts et frais et on y ajoute des épices en poudre comme le cumin et la coriandre. D'autres assaisonnements comme les *bai má·gròot* (feuilles de combava), *bai hŏh·rá·pah* (feuilles de basilic doux) et *nám Ƀlah* (sauce de poisson) peuvent être ajoutés juste avant la dégustation.

La plupart des *gaang* sont préparés à la poêle avec de la crème de noix de coco. Le chef y incorpore ensuite les autres ingrédients (viande, fruits de mer et/ou légumes) et du lait de coco afin d'allonger la sauce et de relever la saveur du *gaang*. Le lait de coco est absent de certaines recettes comme le *gaang Ƀàh* (curry de la jungle), une soupe très épicée aux légumes et à la viande.

Les Thaïlandais ne mangent du curry qu'au petit-déjeuner ou au déjeuner, et les lieux dont c'est la spécialité sont ouverts de 7h à 14h seulement. Il n'est pas habituel de manger du curry le soir en Thaïlande, c'est pourquoi la plupart des restaurants (à l'exception des établissements touristiques) n'en proposent pas au dîner.

Une autre spécialité célèbre dans la catégorie des soupes est le *đôm yam*, une soupe âcre et épicée. L'aspect souvent velouté du *đôm yam* cache de petits piments frais (*prík kêe nŏo*) parfois remplacés par une demi-cuillerée à café de *nám prík pŏw* (pâte de curry grillée). Ce plat très épicé doit son piquant caractéristique au jus de citron vert, à la citronnelle et aux feuilles de combava (kaffir lime). On y ajoute du galangal qui, à l'instar du laurier dans la cuisine occidentale, ne participe qu'à son bouquet et n'est pas censé être mangé. Comme les autres soupes et currys thaïlandais, le đôm yam ne se consomme pas seul mais accompagné de riz.

Pour épater vos amis, *Dîner thaï : le meilleur de la cuisine thaïe !* (Marabout, 2008), traduit et adapté de l'anglais par Élisabeth Boyer, regroupe une centaine de recettes thaïes salées.

Parmi toutes les variantes de *đôm yam*, le préféré des Occidentaux est le *đôm kàh gài* (littéralement "poulet galangal bouilli", souvent traduit par "soupe de poulet au lait de coco"), où l'ajout de lait de coco atténue considérablement le feu du piment.

## Sautés et fritures

Les mets les plus simples du répertoire de la cuisine thaïlandaise sont les sautés (*pàt*), dont la technique fut introduite en Thaïlande par les Chinois, réputés capables de préparer tout un banquet avec un unique wok.

La liste des *pàt* semble infinie. Beaucoup restent fidèles à leur origine chinoise, tel le fameux *pàt pàk bûng fai daang* (belles-de-jour saisies avec de l'ail et du piment), dont la préparation s'accompagne souvent de flammes impressionnantes. On trouve aussi des mélanges sino-thaïlandais comme le *gài pàt prík kĭng*, du poulet sauté au gingembre et à l'ail (ingrédients communs aux deux traditions culinaires), assaisonné à la pâte de curry et à la sauce de poisson.

Les Thaïlandais figurent parmi les plus gros consommateurs d'ail au monde.

Le *pàt* le plus fidèle à la tradition thaïe est sans doute le *pàt gá·prow*, plat typique au déjeuner, composé de porc ou de poulet sauté, d'ail, de piment fraîchement émincé, de sauce de soja et de poisson, et de basilic sacré (ou tulsi) en quantité. Un autre classique thaïlandais, le *pàt pèt* (littéralement "sauté épicé"), est réalisé en faisant brièvement sauter les ingrédients principaux (le plus souvent de la viande ou du poisson) dans de la pâte de curry rouge avant d'y ajouter des feuilles de basilic doux.

La technique du *tôrt* (friture à l'huile) est réservée aux en-cas comme les *glôo·ay tôrt* (bananes frites) ou les *Ƀo·Ƀée·a* (pâtés impériaux). Il est néanmoins commun de préparer le poisson de la sorte, à l'instar du *Ƀlah*

### COURS DE CUISINE

Vous passez plus de temps à flâner sur les marchés que dans les temples ? Vous mangez au moins 4 repas par jour ? Si c'est le cas, inscrivez-vous à un cours de cuisine. Il en existe de toutes sortes, de l'initiation informelle et conviviale à l'enseignement sérieux permettant notamment de découvrir les différents ustensiles. Vous en trouverez à Bangkok, à Chiang Mai et dans les îles les plus touristiques. La plupart comprennent une visite du marché. Pour plus d'informations, référez-vous aux chapitres régionaux.

**LE CULTE DU SÔM·ĐAM**

La salade de papaye verte (*sôm·đam* en thaï) vient sans doute du Laos, mais c'est aujourd'hui l'un des plats les plus appréciés en Thaïlande. Elle est composée de lamelles de papaye verte non mûre que l'on pile dans un mortier avec de l'ail, du sucre de palme, des haricots verts, des tomates, du jus de citron vert, de la sauce de poisson et une quantité astronomique de piments frais. *Sôm·đam low,* la version "originale" de ce plat, utilise de plus gros morceaux de papaye, des tranches d'aubergine, du crabe salé et une sauce de poisson épaisse non pasteurisée appelée *ɓlah ráh.* À Bangkok, on trouvera le plus souvent le *đam tai,* qui contient des crevettes séchées et des cacahuètes, assaisonné à la sauce de poisson industrielle. Le *sôm·đam* est presque toujours cuisiné par des femmes et ce sont également elles qui le consomment le plus, sous forme d'en-cas plutôt que de repas complet, les épices provoquant une sensation de satiété.

*tôrt* (poisson frit). Dans le *gài tôrt* (poulet frit), les *gûng chúp ɓâang tôrt* (beignets de crevettes) et quelques autres plats, les ingrédients sont enrobés de pâte à beignet avant d'être frits.

## Salades piquantes et acidulées

Comme les currys, les *yam* sont un plat thaïlandais emblématique et omniprésent. Ces "salades" piquantes et acidulées sont généralement composées de viande, de légumes grillés ou de fruits de mer.

La touche acidulée provient du jus de citron vert, et le piquant, des nombreux piments frais. Les autres ingrédients varient largement, mais on trouve le plus souvent beaucoup d'herbes fraîches et de légumes à feuilles comme la laitue, qui borde souvent le plat, et le *kêun chài* (céleri chinois). Les *yam* sont servis à température ambiante ou parfois tiédis par les ingrédients grillés. Ce mets est consommé aussi bien lors d'un repas que sous forme de *gàp glâam,* en en-cas avant une soirée arrosée.

*Best of Thaï, recettes de Mmmmh !* (Marabout, 2009), regroupe des recettes de cuisine thaïe, avec les techniques et les ingrédients de base.

Ce type de plat atteint sans doute l'apogée de sa popularité dans le *sôm·đam* de Thaïlande du Nord-Est (voir l'encadré ci-dessus).

## Fruits

Pays tropical, la Thaïlande offre un vaste choix de fruits particulièrement délicieux. Les vendeurs ambulants vous proposent partout *sàp·ɓà·rót* (ananas), *má·lá·gor* (papayes) et *đaang moh* (pastèques), qu'ils vous tendront souvent accompagnés d'un mélange de sucre, de sel et de piments hachés. Vous trouverez des fruits encore plus exotiques sur les marchés locaux. On ne peut passer sous silence le *tú·ri·an* (durian), le meilleur des fruits selon les Asiatiques. Dans sa grosse coque épaisse, qui évoque une boule à pointe de fléau d'arme, il dégage un parfum aigre-doux. Son odeur ammoniaquée est si forte que les compagnies aériennes, les lignes de bus climatisés et certains hôtels l'ont banni. Parmi les autres fruits de saison, goûtez les crémeuses *nóy náh* (pommes-cannelle), les *ngó* (ramboutan) qui ressemblent à une balle de tennis en Velcro, les *mang·kút* (mangoustan) à la peau violacée, les *lá·mút* (sapotille) en forme de grain de raisin, et les *lam yai* (longan).

Il existe une dizaine de variétés de *má·môo·ang* (mangues), que l'on déguste à tous les stades de maturation. Vertes et craquantes, elles rappellent la pomme ; mûres et pulpeuses, elles entrent dans la confection d'un dessert enivrant : le *kôw nĕe·o má·môo·ang* (mangues au riz gluant).

## Desserts

Les menus traduits en anglais comportent souvent une section "desserts", mais ce concept prend deux formes distinctes en Thaïlande. Les *kŏrng wăhn,* ou "douceurs", sont de petites friandises très riches avec une pointe

**MUITO OBRIGADO**

Imaginez un curry thaïlandais sans piments, des *pàt tai* sans arachides ou une salade de papaye sans papaye ! De nombreux ingrédients à la base de la cuisine thaïlandaise ont été introduits relativement récemment par les marchands et missionnaires européens. Au début du XVIe siècle, alors que les explorateurs espagnols et portugais arrivaient les premiers sur les côtes d'Asie du Sud-Est, l'expansion et les découvertes se poursuivaient aux Amériques. Les Portugais étaient particulièrement prompts à s'emparer des produits du Nouveau Monde et à les vendre en Asie. C'est ainsi que sont arrivées des matières premières de la cuisine asiatique contemporaine comme la tomate, la pomme de terre, le maïs, la laitue, les piments, la papaye, la goyave, l'ananas, la courge, la patate douce, les arachides et le tabac.

Les piments ont particulièrement plu aux Thaïlandais. On pense qu'ils ont été introduits par les Portugais à Ayuthaya vers 1550. Avant cela, les Thaïlandais relevaient leurs plats à l'aide d'herbes amères et épicées, de racines (gingembre) et de poivre.

Les Portugais ne se sont pas contentés d'importer des ingrédients essentiels de la cuisine thaïlandaise, ils ont aussi apporté des techniques de cuisson aujourd'hui encore employées, en particulier en pâtisserie. Les friandises jaune vif à base d'œuf de canard et de sirop que l'on voit sur de nombreux marchés sont les descendants directs des desserts portugais *fios de ovos* ("fils d'œuf") et *ovos moles*. Et dans l'ancienne enclave portugaise, autour de l'église Santa Cruz de Bangkok (voir p. 138), on trouve encore des *kà·nŏm fa·ràng*, sorte de brioches cuites sur des braises.

de sel, dont les ingrédients de base sont la noix de coco râpée, le lait de coco, la farine de riz (blanc ou gluant), le riz gluant cuit, le tapioca, la fécule de haricot mungo, le taro bouilli et les fruits. Le lait de coco est également présent dans des *kŏrng wăhn* plus sirupeux et souvent rafraîchis par de la glace pilée. De nombreux *kŏrng wăhn*, dont le célèbre *fŏy torng* (littéralement "fils d'or"), contiennent du jaune d'œuf, probablement sous l'influence des desserts portugais introduits au début de la période d'Ayuthaya (voir l'encadré ci-dessus).

Les *kà·nŏm* s'apparentent aux pâtisseries européennes. Là encore, l'influence portugaise se fait sentir. Les *kà·nŏm* préférés des Thaïlandais sont les bouchées enrobées d'une feuille de bananier. Les *kôw đôm gà·tí* et *kôw đôm mát*, renfermant du riz gluant cuit à la vapeur de *gà·tí* (lait de coco), ont une texture proche de celle des caramels.

Si les touristes ont parfois du mal à s'habituer aux douceurs locales, rares sont ceux qui ne succombent pas à l'*ai·đim gà·tí*, la glace façon thaïlandaise. Dans les échoppes les plus traditionnelles, cet en-cas particulièrement apprécié les jours de canicule est garni de haricots rouges ou de riz gluant.

## BOISSONS

### Café, thé et boissons aux fruits

Les Thaïlandais sont de grands consommateurs de café, des arabica et des robusta de bonne qualité étant cultivés sur place, dans les régions montagneuses du Nord et du Sud. La méthode traditionnelle de filtrage consiste à faire couler de l'eau chaude dans un sac en tissu rempli de café moulu. On obtient ainsi le *gah·faa tŭng* ("café sac") ou le *gah·faa boh·rahn* (café typique). L'habituel *gah·faa tŭng* est servi sucré et mélangé à du lait condensé. Si vous ne voulez ni l'un ni l'autre, précisez *gah·faa dam* (café noir) suivi de *mâi sài nám·đahn* (sans sucre).

On trouve du thé (*chah*) noir, importé ou d'origine thaïlandaise, sur les étals qui proposent du vrai café. Le *chah thai* tient sa couleur rouge-orange des graines de tamarin pilées ajoutées après séchage. Le *chah rórn* (thé chaud) et le *chah yen* (thé glacé) sont pratiquement toujours adoucis avec du lait condensé et du sucre.

Partout en Thaïlande, vous trouverez des boissons aux fruits, excellent moyen pour vous réhydrater quand vous en aurez assez de l'eau. La plupart des *nám pŏn·lá·mái* (jus de fruits) sont servis sur un lit de glaçons, avec une pincée de sucre et de sel. De nombreux étrangers font la grimace à la vue du sel, ils ont tort, dans les régions tropicales, le sel aide le corps à mieux supporter la chaleur.

### Bière et alcools

Il existe plusieurs marques de bière thaïlandaise de qualité équivalente et au goût similaire. Le label Singha (prononcez *sĭng* et non "sing-ha") est souvent présenté comme le must de la bière thaïlandaise. C'est une bière fortement alcoolisée (6°) dont les ventes représentent 50% de parts du marché intérieur. La Chang soutient la comparaison au niveau du goût, mais fait 7°. Il existe d'autres marques de bière, telle la Leo, au taux d'alcool supérieur pour le même prix. La Heineken et la Singapore's Tiger, brassées en Thaïlande, sont également très appréciées. Dans certaines villes, vous trouverez de la Lao. Quant à la Phuket, c'est la seule bière locale fabriquée artisanalement.

En compagnie de Thaïlandais, la bière ne se boit pas à la bouteille. Elle a son rituel de communion. Chaque convive verse le breuvage dans son verre rempli de glaçons, puis on porte un toast. Le plus jeune du groupe est en général chargé de garder les verres pleins, en bière et en glaçons. Dans un climat si chaud, la glace conserve la fraîcheur du liquide tout en contribuant à atténuer les effets déshydratants de l'alcool. Vous ne vous en sentirez que mieux le lendemain matin.

Le whisky de riz, plus abordable que la bière, est une boisson très prisée des ouvriers et des étudiants désargentés. Pour cette raison, il est également très présent lors des réunions familiales. Souvent mélangé à de l'alcool de canne lors de sa distillation, le whisky de riz n'est pas sans rappeler le rhum par son goût prononcé et sucré. Les marques les plus connues, Mekong et Sang Som, sont vendues en grande bouteille (*glom*) ou en flasque (*bàan*). Le whisky se déguste sur de la glace, avec du soda ou du Coca.

Les quelques whiskys thaïlandais élaborés à base d'orge (voir l'encadré p. 93) sont plus coûteux et visent une clientèle qui ne peut s'offrir du Johnnie Walker.

## OÙ SE RESTAURER ET PRENDRE UN VERRE

On trouve des plats préparés quasi partout en Thaïlande, ce qui explique que les Thaïlandais mangent rarement chez eux. En tant que touriste, vous vous intégrerez donc sans problème.

#### PEUT-ON CONSOMMER DES GLAÇONS ?

L'une des questions que l'on se pose lors d'une première visite en Thaïlande concerne la consommation de glaçons. Au risque de sembler fataliste, si c'est votre premier voyage en Thaïlande, les glaçons sont le cadet de vos soucis ! Il y a de grandes chances que vous soyez malade à un moment ou un autre étant donné que vous exposez votre organisme à une cuisine complètement différente, sans parler des bactéries qui lui sont inconnues.

La bonne nouvelle, c'est que cela se limite souvent à un mal de ventre dont on se remet en quelques jours. Des ennuis plus sérieux peuvent être évités, au moins au début, en mangeant dans les restaurants et stands de rue où les plats sont préparés à la commande, et en buvant de l'eau minérale.

Quant aux glaçons ? Cela fait des années que nos boissons en sont remplies et nous n'avons jamais eu de désagrément particulier à signaler.

**POUR FAIRE LA FÊTE JUSQU'AU BOUT DE LA NUIT**

Il n'est pas rare d'apporter sa propre bouteille d'alcool fort dans un bar thaïlandais. Dans ce cas, on vous fera parfois payer un droit de bouchon.

Il faut ensuite choisir les sodas qui l'accompagnent. Pour le whisky, il faut plusieurs bouteilles d'eau gazeuse et une ou deux bouteilles de Coca, ainsi qu'un seau de glace. Ils vous seront normalement apportés d'office par les serveuses.

L'étape du mélange ne pose aucun problème : le plus souvent, la serveuse l'exécutera à votre place, en remplissant les verres de glace puis d'une mesure de whisky, d'un peu d'eau gazeuse et d'un peu de Coca, avant de remuer le tout avec la pince à glaçons.

Si vous ne réussissez pas à finir votre bouteille, ne vous inquiétez pas : il est d'usage de la laisser au bar jusqu'à la prochaine fois. Informez-en la serveuse qui indiquera votre nom et la date sur la bouteille.

C'est surtout dans les marchés de plein air et étals ambulants que les Thaïlandais se restaurent. Les déplacements des vendeurs d'un marché à l'autre vous donnent une idée de l'heure, aussi sûrement qu'un cadran solaire. Le matin, apparaissent aussi sur les artères commerciales les marchands de café et de beignets chinois. À midi, dans une autre sorte de kiosque encore, les employés tirent une chaise en plastique et s'attablent pour avaler un simple sauté, ou bien ils viennent chercher une boîte de nouilles qu'ils rapportent au bureau. Dans la plupart des petites villes, les marchés de nuit remplacent l'enfilade de restaurants des villes plus importantes. Le soir, ces centres d'étals ambulants alignent leurs tables et chaises en métal au cœur de la ville près d'autres boutiques.

Il existe aussi bien sûr des restaurants (*ráhn ah·hăhn*), qui vont du plus modeste au plus huppé. À midi, allez donc manger dans un *ráhn kôw gaang* (boutique de riz et de curry) qui propose une sélection de plats préparés à l'avance. On reconnaît souvent un simple *ráhn ah·hăhn đahm sàng* (boutique de plats sur commande) aux vitrines réfrigérées devant l'entrée, garnies des produits de base des cuisines thaïlandaise et chinoise : chou frisé, tomates, porc émincé, poisson frais et séché, nouilles, aubergines, oignons blancs. Comme leur nom l'indique, les cuisiniers vous préparent le plat que vous commandez, ce qui se révèle plus compliqué si vous ne parlez pas thaï.

www.austinbushphotography.com/category/foodblog, écrit (en anglais) et illustré par l'auteur de ce chapitre, donne des détails sur la nourriture et les restaurants de Thaïlande.

Longtemps, les Thaïlandais ont célébré les grandes occasions dans des restaurants chinois servant des fruits de mer ou proposant des banquets, cette cuisine étant considérée comme plus raffinée que la leur. Depuis quelques années, Bangkok, Chiang Mai et certaines villes quelque peu internationales offrent des restaurants au décor branché servant de la nouvelle cuisine ou des spécialités étrangères.

## VÉGÉTARIENS ET VÉGÉTALIENS

Le végétarisme n'est pas une tendance très répandue en Thaïlande. Cependant, nombre de restaurants touristiques proposent des plats végétariens. Par ailleurs, on ne peut pas dire que tous les Thaïlandais soient des carnivores. Le végétarisme et le végétalisme fondés sur une interprétation stricte du bouddhisme ont été rendus populaires par l'ex-gouverneur de Bangkok, Chamlong Srimuang, qui a lui-même développé une chaîne d'établissements végétariens à but non lucratif (*ráhn ah·hăhn mang·sà·wí·rát*). À Bangkok et dans plusieurs capitales provinciales, ces restaurants de style buffet très peu chers proposent des plats 100% végétaliens, c'est-à-dire sans viande, volaille, poisson, laitage ou œuf.

Durant le mois que dure la fête végétarienne, célébrée par les Chinois bouddhistes, à Bangkok, à Phuket et dans les quartiers d'affaires chinois de la plupart des autres villes, nombre de restaurants ne servent pas de viande. Moins courants, les établissements indiens proposent presque tous quelques plats du genre.

En thaï, "je suis végétarien" se dit *pŏm gin jair* (pour les hommes), *dì·chăn gin jair* (pour les femmes). Traduit librement, cela signifie "je mange seulement végétarien".

## NOURRITURE POUR ENFANTS

En Thaïlande, manger à l'extérieur avec des enfants, surtout des bébés, est reposant tant ils sont appréciés des Thaïlandais. Attendez-vous à ce que les serveurs s'extasient sur vos enfants, les portent et jouent avec eux. Profitez de ce répit mérité qui est aussi l'occasion d'un échange interculturel.

L'essentiel des plats thaïlandais étant très épicés, c'est tout un art de commander des plats adaptés aux enfants, mais la plupart des cuisiniers se plient volontiers à de telles requêtes. L'alimentation des petits Thaïlandais se résume souvent au *gaang jèut*, une soupe à la chinoise au porc haché et tofu frais accompagnés de quelques vermicelles, ou à des variantes de *kôw pàt* (riz sauté). Le *kôw man gài*, riz au poulet hainanais, et le *jóhk*, porridge au riz, sont des alternatives.

## À TABLE

Les manières de table, à l'instar des autres domaines de la culture thaïlandaise, apparaissent plutôt décontractées et informelles. Toutefois, ne vous y trompez pas : des règles implicites s'appliquent. Partager un repas est un acte social important, qui procure non seulement l'occasion de bavarder avec des amis, mais aussi le plaisir de goûter à différents plats. Plus on est d'amis et plus on pourra exercer ses papilles. Vous ne verrez que rarement un Thaïlandais manger seul – en solo, ils se contentent d'un riz sauté, l'équivalent de notre restauration rapide.

Que ce soit à la maison ou au restaurant, un repas thaïlandais est toujours servi comme en famille, c'est-à-dire dans des plats communs. Ils arrivent sur la table dans le désordre, dès qu'ils sont prêts. La chose à laquelle les Thaïlandais attachent le plus d'importance est l'harmonie des textures et des saveurs. Traditionnellement, on commande un curry, un poisson à la vapeur ou frit, un sauté de légumes et une soupe, en prenant soin d'équilibrer le chaud et le froid, l'aigre et le doux, le salé et le nature.

Quand on mange en famille, tous les plats sont déposés sur la table et chacun se sert dans ces plats sans les faire circuler. Vous pouvez tendre le bras devant quelqu'un pour atteindre le plat. Si vous êtes trop loin, passez

### AU-DELÀ DES ÉTALS

Les articles journalistiques présentant la gastronomie thaïlandaise s'extasient invariablement sur les merveilles de la cuisine de rue. S'il est vrai que la grande majorité des mets vendus par les étals ambulants ou sur les trottoirs est effectivement très bonne, ils ne sont pas les seuls. Notre expérience nous conduit même à penser que la meilleure cuisine n'est pas ambulante, mais bien enracinée dans les petits restaurants familiaux des vieilles boutiques sino-portugaises. Les cuisiniers de ces établissements servent depuis des décennies un unique plat ou quelques spécialités qu'ils maîtrisent parfaitement. C'est un peu plus cher que de manger dans la rue, mais c'est aussi plus confortable et plus hygiénique, sans parler du fait que vous goûterez aussi un morceau d'histoire. Ces restaurants proposent rarement un menu en anglais, mais vous pouvez indiquer le plat que vous désirez ou en montrer une photo. Si ça ne marche pas, reportez-vous p. 95 et lancez-vous.

Notre conseil : vivez l'expérience pittoresque des étals ambulants, mais ne faites pas l'impasse sur les vieux restaurants.

**À CHAQUE PLAT SON OUTIL**

Si on ne vous donne pas de baguettes, n'en réclamez pas : la cuisine thaïlandaise se déguste avec une cuillère et une fourchette ! Le fait que des *fa·ràng* (Occidentaux) demandent des baguettes pour la consommer ne fait qu'intriguer les restaurateurs.

Les baguettes ne sont utilisées que dans les restaurants chinois ou pour manger des plats d'origine chinoise servis dans des bols. Dans ces deux cas, elles vous seront apportées d'office. À la différence de leurs homologues installés en Occident, les restaurateurs thaïlandais supposeront que vous savez les manier.

votre assiette à un convive mieux placé pour qu'il vous la remplisse. Les Thaïlandais, qui sont des hôtes attentionnés, vous le proposeront d'eux-mêmes et, dans l'assiette de leur honorable invité ou de l'incompréhensible *fa·ràng* (étranger), ils déposeront le meilleur morceau du poisson.

Traditionnellement, les Thaïlandais mangeaient avec les doigts, ce qui est encore le cas dans certaines régions du royaume. Au début du XXe siècle, les couverts sont apparus sur les tables thaïlandaises pour leur donner un air "royal" et leur usage s'est vite normalisé à Bangkok puis dans le reste du pays. À la manière thaïlandaise, on dépose une cuillerée d'un plat sur une partie du riz dans son assiette. La fourchette sert à pousser le riz imbibé de sauce dans la cuillère que l'on porte ensuite à sa bouche.

## LES MOTS À LA BOUCHE

Même si les cartes de certains restaurants sont sous-titrées en anglais, ce n'est pas le cas général. Il est donc nécessaire de connaître quelques expressions pour faire la différence entre *pàt tai* et *kôw pàt*. Voir p. 802 pour la prononciation.

### Quelques expressions utiles

**RESTAURATION**

**Pas trop épicé, s'il vous plaît.** — *kŏr mâi pèt mâhk*
**Je voudrais un/une...** — *kŏr...*
- **verre** — *gâaou*
- **tasse** — *tôo·ay*
- **fourchette** — *sôrm*
- **cuillère** — *chórn*
- **assiette** — *jahn ƀlòw*
- **serviette** — *grà·dàht chét ƀàhk*

**Merci, c'était délicieux.** — *kòrp kun mâhk, aròy mâhk*
**L'addition, s'il vous plaît.** — *kŏr bin*

**VÉGÉTARIENS ET ALLERGIES**

**Je suis allergique à la/au/aux...** — *pŏm/dì·chăn páa ...*
**Je ne mange pas de ...** — *pŏm/dì·chăn gin ... mâi dâi*
- **viande** — *néu·a sàt*
- **poulet** — *gài*
- **poisson** — *ƀlah*
- **fruits de mer** — *ah·hăhn tá·lair*
- **porc** — *mŏo*

**Ce plat contient-il de la viande ?** — *ah·hăhn jahn née sài néu·a sàt măi*
**Sans sauce de poisson, s'il vous plaît.** — *gà·rú·nah mâi sài nám ƀlah*
**Sans monosodium glutamate (MSG), s'il vous plaît.** — *gà·rú·nah mâi sài pŏng chou rót*
**N'ajoutez pas de sel.** — *mâi sài gleu·a*

## Glossaire

### NOTIONS DE BASE

| | | |
|---|---|---|
| *ah·hăhn tá·lair* | อาหารทะเล | fruits de mer |
| *jóhk* | โจ๊ก | soupe de riz épaisse ou congee |
| *gài* | ไก่ | poulet |
| *kài* | ไข่ | œuf |
| *kà·nŏm* | ขนม | pâtisseries ou desserts |
| *kôw jôw* | ข้าวเจ้า | riz blanc |
| *kôw glôrng* | ข้าวกล้อง | riz complet |
| *kôw pàt* | ข้าวผัด | riz sauté |
| *kôw ɓlòw* | ข้าวเปล่า | riz nature |
| *kôw* | ข้าว | riz |
| *gŏo·ay đĕe·o* | ก๋วยเตี๋ยว | nouilles de riz |
| *gûng* | กุ้ง | variété de crevette grise, rose et de langouste |
| *mŏo* | หมู | porc |
| *néu·a* | เนื้อ | bœuf, viande |
| *ɓèt* | เป็ด | canard |
| *ɓlah* | ปลา | poisson |
| *ɓlah mèuk* | ปลาหมึก | calamar ; seiche (terme générique) |
| *ɓou* | ปู | crabe |

### LÉGUMES

| | | |
|---|---|---|
| *pàk* | ผัก | légumes |
| *hèt* | เห็ด | champignons |
| *má·kĕua* | มะเขือ | aubergine |
| *má·kĕua·têt* | มะเขือเทศ | tomates |
| *man fa·ràng* | มันฝรั่ง | pommes de terre |
| *đôw hôo* | เต้าหู้ | tofu |
| *tòo·a fàk yow* | ถั่วฝักยาว | haricots verts, haricots rouges, haricots blancs |
| *tòo·a lĕu·ang* | ถั่วเหลือง | soja |
| *tòo·a ngôrk* | ถั่วงอก | pousses de haricots mungo |
| *ká·náh* | คะน้า | chou chinois |
| *pàk bûng* | ผักบุ้ง | belle-de-jour (légume vert craquant) |

### CONDIMENTS ET ASSAISONNEMENTS

| | | |
|---|---|---|
| *kĭng* | ขิง | gingembre |
| *gleu·a* | เกลือ | sel |
| *nám jîm* | น้ำจิ้ม | sauces froides ("dips") |
| *nám ɓlah* | น้ำปลา | sauce de poisson |
| *nám si·éw* | น้ำซีอิ๊ว | sauce de soja |
| *nám sôm săi chuu* | น้ำส้มสายชู | vinaigre |
| *nám đahn* | น้ำตาล | sucre |
| *pàk chi* | ผักชี | feuille de coriandre |
| *pŏng chou rót* | ผงชูรส | monosodium glutamate (MSG) |
| *prík* | พริก | piment |
| *sà·rá·nàa* | สะระแหน่ | menthe |

### FRUITS

| | | |
|---|---|---|
| *pŏn·lá·mái* | ผลไม้ | fruit |
| *fa·ràng* | ฝรั่ง | goyave |
| *glôo·ay* | กล้วย | banane |
| *má·kăhm* | มะขาม | tamarin |
| *má·lá·gor* | มะละกอ | papaye |

| | | |
|---|---|---|
| *má·môo·ang* | มะม่วง | mangue |
| *má·now* | มะนาว | citron vert, lime |
| *mang·kút* | มังคุด | mangoustan |
| *má·prów* | มะพร้าว | noix de coco |
| *ngó* | เงาะ | ramboutan |
| *đaang moh* | แตงโม | pastèque |

**BOISSONS**

| | | |
|---|---|---|
| *bi·a* | เบียร์ | bière |
| *chah* | ชา | thé |
| *gah·faa* | กาแฟ | café |
| *krêu·ang dèum* | เครื่องดื่ม | boissons |
| *nám* | น้ำ | eau ou jus de fruits |
| *nám ôy* | น้ำอ้อย | jus de sucre de canne |
| *nám dèum* | น้ำดื่ม | eau potable |
| *nám kăang* | น้ำแข็ง | glaçons |
| *nám sôm* | น้ำส้ม | jus d'orange |
| *nám đôw hôo* | น้ำเต้าหู้ | lait de soja |
| *nom jèut* | นมจืด | lait |

**PRÉPARATION**

| | | |
|---|---|---|
| *dìp* | ดิบ | cru |
| *nêung* | นึ่ง | à la vapeur |
| *pŏw* | เผา | grillé (piments, légumes, poisson et crevettes uniquement) |
| *pàt* | ผัด | sauté |
| *đôm* | ต้ม | bouilli |
| *tôrt* | ทอด | frit |
| *yâhng* | ย่าง | grillé ou rôti |

# Environnement

## LE PAYS

La forme étrange de la Thaïlande est souvent comparée à une tête d'éléphant dont la trompe serait la Malaisie. Plus pragmatiquement, la Thaïlande, avec une superficie de 514 000 km², fait à peu près la même taille que la France. La capitale, Bangkok, se situe au 14e degré de latitude nord, au même niveau que Madras, Manille, Guatemala Ciudad et Khartoum. S'étirant sur 1 650 km et 16 degrés de latitude du nord au sud, c'est le pays d'Asie du Sud-Est dont le climat est le plus contrasté.

Le nord-est de la Thaïlande est dominé par la chaîne montagneuse de Dawna-Tenasserim, qui appartient au massif himalayen. La topographie s'adoucit lorsqu'on approche du centre de la Thaïlande, grenier à riz du pays, arrosé de rivières aussi respectées que la famille royale. La plus vénérée est la Chao Phraya, formée par les affluents des Ping, Wang, Yom et Nan, une lignée digne de l'aristocratie. Les premiers royaumes de Thaïlande virent le jour autour du bassin de la Chao Phraya, qui abrite aujourd'hui encore le siège de la monarchie. Le delta est cultivé presque toute l'année et passe au fil des saisons du vert émeraude des jeunes pousses de riz au doré des épis à moissonner. Les aigrettes émaillent ce tableau de leurs élégantes silhouettes blanches. C'est l'un des rares animaux sauvages à subsister dans cette région ayant connu d'importantes transformations.

Le Doi Inthanon (2 565 m) est le plus haut sommet de Thaïlande.

Traçant les frontières du nord et du nord-est du pays, le Mékong est un fleuve particulièrement vénéré par les Thaïlandais. Il constitue l'artère de l'Asie du Sud-Est et sépare physiquement la Thaïlande de ses voisins, en même temps qu'il les unit culturellement. Plusieurs barrages hydroélectriques jalonnent ce fleuve puissant dont le cours grossit ou se tarit selon l'abondance des pluies saisonnières. À la saison sèche, les fermiers plantent leurs légumes dans la plaine inondable pour les récolter avant que le fleuve n'ait repris ses droits.

La frontière nord-est contourne le plateau aride du Khorat qui culmine à 300 m au-dessus de la plaine centrale. Ce territoire déshérité, boudé par les pluies, est couvert d'une poussière rouge qui tache autant que les noix de bétel mâchonnées par les vieilles femmes du coin.

Depuis le nord du royaume, la Chao Phraya et ses affluents, chargés de sédiments, viennent se jeter dans le golfe de Thaïlande, un bassin jouxtant la mer de Chine méridionale. Ses eaux peu profondes, tièdes et paisibles, favorisent la formation de superbes récifs coralliens.

La Thaïlande étend sa fine "trompe" vers le sud, occupant une partie de la péninsule malaise bordée à l'est par le golfe de Thaïlande et à l'ouest par la mer d'Andaman. La côte d'Andaman est un joyau tropical aux eaux turquoise parsemées d'îles spectaculaires taillées dans le calcaire. En retrait du littoral, la péninsule malaise est le territoire des vestiges de la forêt humide et des parcelles de plantations de caoutchouc et de palmiers, de plus en plus nombreuses.

## VIE SAUVAGE

La Thaïlande, qui s'étire sur 1 650 km du nord au sud, et dont le relief et le climat sont très variés, possède une faune et une flore d'une impressionnante diversité. Que le pays exploite depuis longtemps ses ressources naturelles ne l'empêche pas, curieusement, de présenter un environnement bien préservé. C'est notamment au courage de héros écologiques comme Seub Nakasathien (p. 104) et aux efforts consentis par le gouvernement et des organisations écologiques qu'il faut attribuer cette réussite.

**RANDONNÉES ET PANORAMAS D'EXCEPTION DANS LES PLUS BEAUX PARCS NATIONAUX THAÏLANDAIS**

- **Doi Inthanon** (p. 344) : immenses montagnes de granite, vue sur les vallées embrumées et nombreux sites d'observation des oiseaux. Meilleure période : de novembre à mai
- **Doi Phu Kha** (p. 400) : sommet escarpé dominant des vallées embrumées, des grottes karstiques et des cascades argentées. Meilleure période : de novembre à mai
- **Réserve naturelle d'Um Phang** (p. 438) : elle abrite les plus grandes et les plus belles chutes d'eau du pays
- **Parc national de Thung Salaeng Luang, Phetchabun/Phitsanulok** (p. 408) : immenses prairies tapissées de fleurs (après la saison des pluies), grande variété d'animaux sauvages et d'oiseaux
- **Khao Yai** (p. 480) : épaisse forêt de mousson réputée pour ses chutes d'eau et sa population de singes et d'oiseaux. Meilleure période : de novembre à mai
- **Phu Kradung** (p. 541) : une randonnée réputée, couronnée par un magnifique coucher de soleil dans une sympathique ambiance de camping. Meilleure période : de novembre à mai
- **Kaeng Krachan** (p. 567) : 6 km et beaucoup d'énergie pour cette excursion qui vous mène au sommet du Phanoen Tung, d'où la vue sur les vallées embrumées est à couper le souffle au petit matin
- **Khao Sok** (p. 655) : belle forêt tropicale remarquablement préservée du sud du pays, où participer à un "*jungle safari*" ou partir pour une descente en kayak ; singes et calaos y sont chez eux et, si la saison s'y prête, vous apercevrez peut-être les fameuses *Rafflesia*, les fleurs les plus grandes du monde. Meilleure période : de février à mai

## Faune

La plupart des animaux de la moitié nord du pays entrent d'un point de vue zoologique dans la catégorie des espèces indochinoises, qui englobe toute la faune originaire de l'Asie du Sud-Est continentale. Dans le sud de la Thaïlande, les espèces ont les caractéristiques de la faune indomalaise (péninsule malaise, îles de la Sonde, Sumatra, Bornéo et Java). À cheval sur ces deux zones, le territoire compris entre Prachuap Khiri Khan au sud et Uthai Thani au nord abrite des espèces des deux catégories.

*The Elephant Keeper* (1987, du réalisateur Prince Chatrichalerm Yukol) raconte l'histoire d'un garde forestier qui tente de lutter contre l'exploitation forestière illégale. Un courageux mahout et son fidèle éléphant luttent à ses côtés.

Les oiseaux sont particulièrement nombreux, avec plus d'un millier d'espèces résidentes ou migrantes observées, ce qui représente à peu près 10% des espèces ornithologiques du monde. L'air frais des montagnes du Nord convient à des espèces d'oiseaux sédentaires et migrateurs de type himalayen, grives et gobe-mouches notamment. Dans le Nord-Est, les forêts sèches du parc de Khao Yai sont prisées des calaos. Les limicoles préfèrent les régions humides du Centre, tandis que les espèces indomalaises, comme le pitta gurneyi, recherchent les climats encore plus humides du Sud. Environ 6 000 types d'insectes ont été répertoriés. Les territoires marins hébergent quant à eux des dizaines de milliers d'espèces de poissons.

Outre de nombreux oiseaux, les visiteurs des parcs nationaux thaïlandais ont de grandes chances d'apercevoir des singes. La Thaïlande abrite en effet cinq espèces de macaques, quatre de semnopithèques et trois de gibbons. Si ces singes pâtissent de la même dégradation de leur habitat que les autres espèces indigènes, ils ont parfois subsisté parce qu'ils étaient plus ou moins domestiqués par l'homme. En effet, les gibbons étaient autrefois élevés aux côtés des enfants dans les petits villages et les macaques vivent parmi la population, dans des temples désertés ou sur de petites parcelles boisées. On utilise également les singes pour ramasser les noix de coco. L'attitude des

Thaïlandais à leur égard oscille entre générosité et cruauté : si nourrir les colonies de singes est considéré comme un acte méritoire d'un point de vue bouddhiste, il n'est pas rare non plus de voir ces animaux tenus enfermés dans de petites cages, sans qu'on leur prête vraiment attention.

Parmi les autres espèces peuplant les parcs et les réserves naturelles, citons, notamment, le gaur (bison indien), le banteng (taureau sauvage), le serow (antilope asiatique), le cerf sambar, le cerf muntjac, le cerf aboyeur, le chevrotain et le tapir.

Thai Birding (www.thaibirding.com, en anglais) est une excellente source de documentation sur les sites d'observation des oiseaux. On peut également y consulter des comptes-rendus d'excursions.

S'ils ne sont plus aussi nombreux que par le passé, lézards et serpents sont toujours présents en Thaïlande, avec notamment six serpents venimeux : cobra commun, cobra royal, bungare annelé, vipère verte, vipère de Malaisie et crotale de Russell. Le cobra royal, relativement rare, peut atteindre 6 m de longueur ; le python réticulé, le plus grand serpent du pays, près de 10 m. Parmi les nombreuses espèces de lézards, deux sont familières des maisons, le *dúk gaa*, un gecko solitaire que l'on entend en fin d'après-midi crier son nom, et le *jîng jòk*, un petit lézard vif que l'on voit souvent courir après les insectes sur les murs et les plafonds. Le varan à cou rugueux, qui ressemble à un dinosaure miniature, vit dans certaines forêts du Sud.

De part et d'autre de la péninsule malaise, l'océan recèle de nombreuses variétés de coraux agglutinés en récifs, qui forment l'habitat de centaines d'espèces de poissons, de crustacés et de petits invertébrés. On y trouve le plus petit poisson du monde (un gobie de 10 mm), mais aussi le plus grand (le requin-baleine avec ses 18 m de longueur). Autres habitants des récifs : le poisson-clown, le poisson-perroquet, le poisson labre, le scalaire, le baliste et le poisson-lion. Dans les profondeurs se croisent des espèces plus imposantes – mérous, barracudas, requins, raies mantas, marlins et thons. On peut aussi y apercevoir des tortues de mer, des baleines et des dauphins.

Les animaux les plus connus en Thaïlande sont malheureusement aussi les plus menacés. L'éléphant d'Asie, cousin de celui d'Afrique, sillonnait autrefois en hardes les forêts indochinoises. Du fait de sa taille et de son intelligence, il a été longtemps utilisé comme bête de somme, et souvent domestiqué à l'intérieur de corrals à l'occasion des grandes fêtes. L'éléphant, symbole national, a toujours tenu divers rôles dans l'histoire du pays : tour à tour machine de guerre, utilisé pour abattre les arbres, véhicule royal et être au caractère divin dans la mythologie héritée de l'hindouisme. Aujourd'hui, la menace de l'extinction des éléphants de Thaïlande, qu'ils soient sauvages ou domestiqués, augmente au même rythme que la population thaïlandaise s'accroît et que le pays se modernise. Le nombre des éléphants sauvages en Thaïlande est aujourd'hui estimé à 2 000. Des villages et des terres agricoles sont souvent établis à proximité de ce qui subsiste de leur habitat. Les éléphants ayant tendance à se servir dans les récoltes pour s'alimenter plutôt que dans la forêt, il en résulte une hostilité tenace de la part des fermiers à leur égard. Et, bien que les éléphants aient été déclarés espèce protégée, les fermiers considèrent souvent les représailles et le braconnage comme les seules solutions leur permettant de préserver leur moyen de subsistance.

Pour les amateurs d'oiseaux, *A Field Guide to the Birds of Thailand* (2002), de Craig Robson, est un guide indispensable (en anglais). Consultable en bibliothèque, *Les Oiseaux de Thaïlande* (Delachaux et Niestlé, 1996), de Roland Eve et Anne-Marie Guigue, regroupe l'avifaune riche et variée de ce pays.

La société moderne n'a plus besoin des éléphants domestiques — ils ne sont plus employés dans l'industrie du bois ni mis à l'honneur lors de processions. Les éléphants et leurs cornacs en sont réduits à errer dans les rues des grandes villes du royaume où ils vivent de petits spectacles, voire de mendicité. Pour des informations sur les réserves d'éléphants, reportez-vous p. 54.

La population de tigres est elle aussi en déclin. Il est difficile d'estimer leur nombre avec précision, mais, selon les spécialistes, il n'en subsisterait qu'entre 200 et 300 en Thaïlande. Leur territoire s'étend dans l'arrière-pays,

**PLAGES ET CORAUX : LES PLUS BEAUX PARCS MARITIMES**

- **Similan Islands** (p. 661). Un parc bien préservé, idéal pour la plongée et le snorkeling. Meilleure période : de novembre à mai
- **Ko Tarutao** (p. 737). Groupements d'îles très variées : désertiques ou dotées d'équipements pour les adeptes d'un retour à la nature, d'exploration des coraux et de randonnée. Meilleure période : de novembre à mai
- **Khao Lak/Lamru** (p. 657). Un parc côtier avec plages dorées et eaux turquoise pour les fans de plongée, et forêt tropicale pour les randonneurs. Meilleure période : de janvier à mai
- **Ko Lanta** (p. 716). Une île simple où s'adonner à la randonnée comme aux joies de la plage
- **Khao Sam Roi Yot** (p. 577). Une forêt de mangrove où abondent les oiseaux

entre la Thaïlande et le Myanmar. Malgré l'interdiction de la chasse et de la pose de pièges, ils continuent à être traqués par les braconniers qui alimentent ainsi un marché étranger des plus lucratifs.

Le dugong (aussi appelé lamantin ou vache de mer), que l'on croyait disparu de Thaïlande, survit en réalité dans quelques rares zones, surtout autour de Trang, en Thaïlande du Sud. Son territoire se restreint toujours plus, cet animal étant notamment décimé par les hélices des bateaux touristiques.

La chauve-souris "Kitti à nez de porc" est le plus petit des 280 mammifères peuplant la Thaïlande. Le plus gros est l'éléphant d'Asie.

Environ 250 espèces d'animaux et de plantes de Thaïlande figurent sur la liste des espèces menacées de l'Union internationale pour la conservation de la nature, les plus touchées étant les poissons, les oiseaux et les plantes. Le gouvernement thaïlandais commence toutefois à comprendre la nécessité de leur protection, peut-être grâce aux efforts et à l'influence de la reine Sirikit. De nombreux zoos du royaume ont adopté un programme sérieux de protection et de reproduction. Il existe également des organisations comme le Gibbons Rehabilitation Centre de Phuket qui sensibilisent la population à la protection de la faune et de la flore, et qui mènent des projets de sauvegarde et de réhabilitation d'espèces.

## Flore

L'époque où la Thaïlande n'était qu'une vaste jungle est depuis longtemps révolue. L'agriculture et l'industrialisation ont transformé la forêt en plaines agricoles et en villes. Dans les secteurs préservés subsistent deux types de forêt tropicale : la forêt de mousson (caractérisée par une saison sèche de trois mois ou plus) et la forêt humide (où la pluie tombe plus de neuf mois par an). Les provinces les plus boisées sont Chiang Mai et Kanchanaburi.

Les forêts tropicales de Thaïlande sont si luxuriantes qu'on a recensé jusqu'à 200 espèces d'arbres sur une parcelle de 100 m$^2$.

Les forêts de mousson du nord du pays sont constituées d'arbres à feuilles caduques, particulièrement luxuriants pendant la saison des pluies, mais dénudés et poussiéreux à la saison sèche. Le teck, que l'on ne trouve plus qu'en faible quantité, en est l'un des arbres les plus réputés.

Le sud du pays, où les précipitations sont plus abondantes et réparties sur toute l'année, est le territoire des forêts humides, avec quelques zones de forêt de mousson. Dans certaines de ces forêts pousse la *Rafflesia kerrii*, une plante imposante dont la fleur gigantesque atteint 80 cm de largeur ; on peut en voir au parc national de Khao Sok (p. 655), près de Surat Thani.

La plupart des côtes sont frangées de mangroves, qui se sont révélées de précieuses zones tampon lors du tsunami de 2004. La Thaïlande abrite plus de 75 espèces d'arbustes de mangrove qui, tolérant le sel, sont adaptés aux écosystèmes littoraux. Malheureusement, les mangroves sont souvent considérées comme des zones insalubres et ont été très réduites par le développement urbain et agricole, malgré le rôle essentiel d'incubateur qu'elles jouent pour de nombreuses espèces de poissons et d'animaux.

La Thaïlande compte également une incroyable variété d'arbres fruitiers (manguiers, bananiers, papayers, jacquiers et quelques *durian*), 60 espèces de bambous (plus que dans tout autre pays, excepté la Chine), des bois durs tropicaux et plus de 27 000 plantes à fleurs, dont 1 300 variétés d'orchidée, emblème du pays. Dans les plantations destinées au commerce, dans le sud du pays, on récolte la noix de coco, l'huile de palme, la noix de cajou et le caoutchouc. Dans le Nord-Est, plus aride, on plante des eucalyptus pour parer aux phénomènes d'érosion, mais aussi pour assurer un approvisionnement en bois rapide et bon marché. Toutefois, ces plantations n'ont aucun intérêt écologique.

## PARCS NATIONAUX ET RÉSERVES NATURELLES

Avec 15% de son territoire – terrestre et maritime – déclarés réserves ou parcs naturels, la Thaïlande possède l'un des plus forts pourcentages d'espaces protégés de toute l'Asie : plus de 100 parcs nationaux, auxquels s'ajoutent plus d'un millier de "zones interdites à la chasse", des réserves naturelles et forestières, des jardins botaniques et des arboretums. Vingt-six de ces parcs nationaux sont maritimes : ils préservent des zones côtières, insulaires et de hauturières. Les efforts en matière de protection de la nature en Thaïlande remontent à 1960, date de la promulgation de la loi sur la protection des animaux sauvages, qui permit de mettre en place les premières réserves naturelles. Elle fut suivie d'une loi sur les parcs nationaux en 1961. Le parc national de Khao Yai fut le premier à bénéficier de ce nouveau statut. En 2005, Khao Yai et quatre parcs et sanctuaires voisins ont été inscrits sur la liste du patrimoine mondial de l'Unesco. Ils recouvrent 230 km de forêt allant du parc national de Ta Phraya au Cambodge à celui de Khao Yai en Thaïlande.

Malgré les promesses, l'appellation de parc national ou de sanctuaire ne suffit pas toujours à garantir la protection des espèces et de leur habitat. Dans les parcs nationaux thaïlandais, fermiers locaux, riches promoteurs et autres entrepreneurs l'emportent bien souvent, légalement ou non, sur la protection de l'environnement. Rares sont ceux qui respectent la loi et le gouvernement ne fait pas de zèle pour les y encourager. Ko Chang, Ko Samet et Ko Phi Phi, par exemple, sont confrontés, malgré leur statut de parc national, au problème du développement des aménagements côtiers.

Les parcs de Thaïlande sont gérés par le **National Park, Wildlife & Plant Conservation Department** (DNP ; www.dnp.go.th), qui a succédé au Royal Forest Department en 2002. Son site Internet donne de nombreuses informations sur les parcs et propose un service de réservation de camping et autres hébergements.

Le tsunami de 2004 a endommagé les parcs nationaux maritimes de la côte d'Andaman. Entre 5 et 13% des récifs coralliens ont été gravement abîmés. Toutefois, les dégâts n'ont pas affecté l'activité des parcs et, dans de nombreuses zones, le corail semble se régénérer rapidement.

## DÉFIS ENVIRONNEMENTAUX

### Déforestation, inondations et espèces en voie d'extinction

À l'instar d'autres pays à forte densité de population, la Thaïlande a mis son écosystème à rude épreuve. La forêt naturelle ne couvre plus aujourd'hui que 32% du territoire, au lieu de 70% il y a 50 ans. Cette rapide disparition est due à l'industrialisation, à l'urbanisation et à l'exploitation forestière. Bien que ces statistiques soient alarmantes, on note un ralentissement de

### VOUS APPELEZ CELA UN PARC ?

Pourquoi certains parcs nationaux thaïlandais ressemblent-ils davantage à des stations balnéaires qu'à des parcs naturels ? Pour commencer, si le gouvernement s'est engagé sur le papier à renforcer la protection de l'environnement, il n'a jamais réellement veillé à faire appliquer les lois votées. À l'époque où les forêts constituaient encore des ressources naturelles et non de précieux vestiges, la Royal Forest Division (RFD) gérait les très rentables concessions de teck. Comment le gouvernement s'y est-il pris pour remplacer une industrie florissante comme celle du bois par une autre beaucoup moins profitable, axée sur la protection de l'environnement ? Un budget de mise en œuvre conséquent aurait fait un bon début. Or, en l'occurrence, les fonds investis n'ont jamais été suffisants pour empêcher les intérêts financiers de manœuvrer dans l'ombre pour tirer profit de ces domaines publics. Le conflit entre les lois couchées sur le papier et les réalités économiques s'est encore accentué vers la fin des années 1990, lorsque le budget de la RFD a été anéanti par la crise monétaire asiatique.

Autre problème, le vide législatif concernant la propriété terrienne et l'utilisation de la terre : dans de nombreux parcs thaïlandais vivent des communautés – minorités ethniques marginalisées, fermiers ou pêcheurs comptant sur leurs maigres récoltes ou prises pour subsister – parfois installées bien avant l'aménagement de ces terrains en parcs nationaux. Les villageois ne respectent pas toujours les règles de protection de la forêt, en poursuivant par exemple la culture sur brûlis ou en coupant du bois de chauffage ; certains arrondissent même leurs revenus en s'adonnant au braconnage. Le cas des parcs maritimes du sud du pays est plus flagrant encore : les habitants y ont carrément troqué leurs filets contre des bungalows destinés à servir une industrie touristique en plein essor. Prenons l'exemple du parc de Ko Chang. Son développement commercial a été orchestré par des investisseurs en liaison avec le gouvernement du Premier ministre Thaksin. L'île, jadis habitée par une simple communauté rurale où n'existaient que quelques pensions rudimentaires et où l'électricité ne fonctionnait que par intermittence, a en effet obtenu sous Thaksin un statut économique particulier et a été promue au rang de modèle de l'écotourisme. Au final, ce sont les acquéreurs, bien placés politiquement, qui ont réalisé de substantiels profits dans cette affaire, transformant au passage l'île en mini-Samui.

Il est sans doute facile de juger la Thaïlande pour avoir mal géré ses atouts naturels quand l'Occident a bien souvent gaspillé et vendu les siens aux enchères, mais une chose est sûre : le gouvernement thaïlandais ne s'investit pas comme il s'y est engagé dans la protection de l'environnement. Cette attitude qui remonte à la création du système des parcs est aujourd'hui encouragée par l'apparition d'une nouvelle source de revenus : le tourisme.

cette tendance depuis la fin du XXe siècle. Si l'on en croit les chiffres publiés par la Banque mondiale en 2008, le recul de la forêt serait aujourd'hui tombé à 0,2% par an.

Pour lutter contre la dégradation de l'environnement, l'État thaïlandais a créé depuis les années 1970 un grand nombre de zones protégées et s'est donné pour objectif de ramener la couverture forestière à 40% du pays d'ici à 2050. En 1989, l'exploitation forestière a été complètement interdite à la suite d'un désastre survenu l'année précédente : des centaines de tonnes d'arbres abattus ont dévalé des pentes déboisées dans la province de Surat Thani, détruisant plusieurs villages et tuant plus de 100 personnes. La vente de bois coupé dans le pays est désormais interdite. Les entreprises thaïlandaises d'exploitation du bois se sont donc tournées vers les pays voisins moins regardants sur l'application des lois environnementales.

La rubrique "Eco-news" d'Ecology Asia (www.ecologyasia.com, en anglais) suit de près l'actualité de l'écologie en Thaïlande.

Si les inondations saisonnières sont un fléau bien connu des Thaïlandais, 2006 a été une année particulièrement destructrice, notamment dans la province de Nan, où des précipitations ininterrompues des jours durant ont provoqué les inondations les plus catastrophiques depuis 40 ans. La même année, les pluies de mousson ont également causé l'inondation de 46 provinces du Nord et du Centre. En août 2008, une nouvelle crue du

Mékong a inondé plus de 2 200 villages. Dans certaines zones, c'était la pire depuis un siècle.

De nombreux spécialistes de l'environnement craignent que l'altération des digues naturelles et des cours d'eau, dont l'homme est responsable, n'entraîne des inondations de plus en plus fréquentes et de plus en plus graves. L'augmentation des inondations dans la vallée du Mékong est pour sa part souvent liée à la mise en œuvre de projets d'infrastructure en amont – barrages, suppression de rapides — et à l'accroissement de la population sur ses rives. La déforestation, la destruction des marécages et des berges des rivières sont quelques-uns des autres facteurs qui aggravent la situation. Le réchauffement climatique contribue également à l'augmentation des pluies saisonnières qui saturent l'écosystème, désormais incapable d'absorber les excédents d'eau.

La Thaïlande est signataire de la Convention des Nations unies sur le commerce international des espèces menacées (CITES). Bien que le pays arbore de meilleurs résultats que la plupart de ses voisins, la corruption entrave les efforts consentis par le gouvernement pour protéger les essences "exotiques". Lucratif, le trafic illégal dans ce domaine représente le troisième marché mondial après le trafic de drogue et celui des armes. Le calme étant revenu à la frontière entre la Thaïlande et le Myanmar, il est plus facile pour les braconniers et autres exploitants forestiers illégaux d'organiser la contrebande depuis les forêts birmanes, non soumises aux mêmes réglementations, jusqu'aux marchés thaïlandais et au-delà. L'Asie du Sud-Est reste ainsi un haut lieu du braconnage en raison de sa grande biodiversité et de la non-application généralisée de la législation sur la protection de l'environnement.

Quoi qu'il en soit, les spécialistes s'accordent à affirmer que la principale menace pesant sur la faune thaïlandaise n'est ni la chasse ni le commerce illicite, mais la disparition de son milieu naturel. Le kouprey (bœuf sauvage),

## SEUB NAKASATHIEN, CHAMPION DE LA FORÊT

Même les plus engagés des fonctionnaires restent le plus souvent dans l'ombre. Seub Nakasathien, dont le travail au sein du Royal Forest Department est un modèle de dévouement, fait exception.

Il avait commencé à travailler au service de protection de l'environnement du Royal Forest Department (RFD) de la province de Chonburi au milieu des années 1970. C'est alors qu'il découvrit ce qui faisait obstacle à la préservation des parcs nationaux thaïlandais : des employés sous-payés devaient protéger les forêts contre ceux qui voulaient les exploiter, souvent avec le soutien des fonctionnaires de l'office des forêts. Beaucoup de petits employés choisissaient de fermer les yeux sur ces activités illégales afin d'éviter des conflits à l'issue souvent fatale. Seub réussit à trouver un compromis et à s'attirer le respect de ses pairs comme de ses adversaires.

Après l'obtention à l'étranger d'une maîtrise en protection de l'environnement, Seub rentra en Thaïlande où il fut promu directeur du sanctuaire de Huay Kha Khaeng en 1989. Ce parc isolé à la frontière du Myanmar était une plaque tournante de la contrebande de bois et du braconnage. Afin de contrecarrer un projet de concession forestière appuyé par le RFD, Seub fit appel à l'Unesco pour faire inscrire le sanctuaire de Thung Yai/Huay Kha Khaeng au patrimoine mondial.

Le parc acquit le statut de site classé au patrimoine mondial un an plus tard. Peu avant cela, en septembre 1990, Seub s'était suicidé (selon la thèse officielle). Avant sa mort, il avait fait don de son matériel de recherche à un centre de préservation de la nature et avait fait construire un sanctuaire à la mémoire des gardes forestiers du Huay Kha Khaeng morts pour la protection du parc. Il fut reconnu comme martyr et héros du mouvement écologiste thaïlandais dans les années 1990. La **Fondation Seub** (www.seub.or.th, en thaï), créée à sa mémoire, poursuit son travail de sauvegarde de la nature et de protection des gardes forestiers luttant contre les activités illégales.

le daim de Schomburgk et le rhinocéros de Java figurent parmi les espèces disparues en Thaïlande. Mais de très nombreuses espèces mineures s'y sont également éteintes dans l'indifférence générale.

### Développement du littoral et pêche à outrance

Le développement du littoral fait peser une menace certaine sur le système corallien, très diversifié, et sur l'environnement marin. On estime ainsi que 40% des coraux thaïlandais sont déjà morts et que l'anéantissement des récifs sains se poursuivra au rythme de 20% par an. Pour ces coraux, la plus grande menace est la sédimentation, due à la construction d'immeubles, d'hôtels et de routes le long du littoral. La pollution provoquée par les bateaux de tourisme au mouillage, la multiplication des déchets, mais aussi les égouts déversés directement dans la mer, sans oublier les divers produits rejetés par les activités agricole et industrielle, constituent d'autres problèmes préoccupants. Le développement du littoral s'accompagne aussi d'une altération de la lumière naturelle qui menace les cycles de reproduction des tortues marines, réglés sur les nuits éclairées par la lune.

La dégradation de l'océan est également due à la pêche intensive pratiquée par la Thaïlande et ses voisins. Les prises ont baissé de 33% dans la région du Pacifique asiatique et la partie supérieure du golfe de Thaïlande n'est plus aussi poissonneuse que par le passé, loin s'en faut. L'essentiel des produits de la pêche est envoyé sur les marchés étrangers et ne bénéficie que rarement aux Thaïlandais eux-mêmes. Les poissons et les fruits de mer vendus dans le pays proviennent des élevages marins, qui représentent une autre grande activité côtière du pays.

### Pollution de l'air et de l'eau

Bangkok est l'une des villes les plus polluées du monde. Au moins un million d'habitants souffrent de problèmes respiratoires ou d'allergies dus à la pollution atmosphérique. Au cours des deux dernières années cependant, la qualité de l'air s'est grandement améliorée et la capitale thaïlandaise est devenue un modèle en Asie du Sud-Est. Malgré une augmentation de 40% du nombre de voitures, le niveau moyen de pollution atmosphérique a diminué de 47% à Bangkok, ce qui place la qualité de son air dans la norme tolérable aux États-Unis.

Bangkok compte plus de 5 millions de voitures immatriculées.

Chiang Mai, deuxième ville de Thaïlande, souffre également de la pollution due à la saturation de la circulation routière, un problème aggravé par les brûlis agricoles et la combustion des déchets ménagers. La ville pourrait renverser la situation en acceptant les mêmes concessions que Bangkok.

La pollution de l'eau varie d'une région à l'autre, mais elle est particulièrement importante autour de Bangkok, du fait de la grande concentration d'usines, surtout à l'est de la ville. Les rejets chimiques de l'agro-industrie, les fermes de crevettes sur la côte et l'absence de traitement des eaux usées contribuent à la pollution des nappes phréatiques et des régions côtières.

## ORGANISATIONS ÉCOLOGISTES

Un grand nombre d'ONG travaillent sur les questions liées aux problèmes ruraux et à la déforestation en Thaïlande. Les organisations internationales s'installent en général à Bangkok. Sur la côte d'Andaman et sur le littoral du golfe de Thaïlande, des associations villageoises informelles, dont l'objet est la protection de l'océan, organisent régulièrement des opérations de nettoyage des plages et d'assistance aux animaux. Les organismes cités ci-dessous se consacrent à la recherche ou militent sur le terrain. Voir également *La Thaïlande et vous* (p. 46).

**Bird Conservation Society of Thailand** ( ☎ 0 2691 4816 ; www.bcst.or.th). Spécialisé dans la protection des sites ornithologiques, cet organisme bénéficie de l'aide publique.
**Friends of Asian Elephant** ( ☎ 0 2509 1200 ; en.elephant-soraida.com). Une ONG thaïlandaise qui gère un hôpital pour animaux spécialisé dans les soins aux éléphants dans le parc national de Mae Yao (province de Lampung).
**Sanithirakoses-Nagapateepa Foundation** (www.sulak-sivaraksa.org). Groupement d'organisations impliquées dans les questions d'environnement et de justice sociale, dans l'esprit de Sulak Sivaraksa, lauréat du prix Nobel alternatif de la paix de 1995.
**Southeast Asia Rivers Network** (Searin ; ☎ 0 5340 8873 ; www.livingriversiam.org/indexE.htm). Milite pour le maintien de l'accès des communautés locales aux rivières et aux cours d'eau ; axé sur le Mékong, la Mun et la Salween.
**Thailand Environment Institute** (TEI ; ☎ 0 2503 3333 ; www.tei.or.th). Institut de recherche à but non lucratif ; développement durable et promotion de modèles d'échanges commerciaux écologiques.
**Wild Animal Rescue Foundation of Thailand** (WAR ; ☎ 0 2712 9515 ; www.warthai.org). ONG leader en Thaïlande ; travaille à la protection des espèces indigènes par le biais de projets de protection et de réhabilitation.
**World Wide Fund for Nature** (WWF ; ☎ 0 2524 6128 ; www.wwfthai.org). L'antenne thaïlandaise de WWF a pour objectif la réduction des conflits entre l'homme et l'éléphant sauvage et la protection de l'écosystème dans la région du Mékong, ainsi que de l'environnement marin.

# Bangkok

Autrefois archétype de la métropole asiatique fourmillante, Bangkok a beaucoup changé ces dernières années. La ville possède un réseau de transports efficace, une communauté internationale bigarrée, une scène artistique en plein essor et un aéroport flambant neuf. Des vestiges de son passé subsistent, mais ils sont souvent masqués par de gigantesques centres commerciaux et des restaurants dignes des grandes capitales occidentales. Si vous avez visité Bangkok il y a plusieurs années vous aurez du mal à la reconnaître.

Mais n'allez pas croire que le "vrai" Bangkok n'existe plus. Deux siècles plus tard, le palais royal et le Wat Phra Kaew n'ont rien perdu de leur superbe. On peut toujours goûter la cuisine locale traditionnelle dans les échoppes de Banglamphu. Et l'apparition du Skytrain et du métro a eu un impact minime sur les habitations bordant le canal à Thonburi. Le cadre traditionnel qui faisait la spécificité de cette métropole est toujours bel et bien présent.

Pour profiter de Bangkok comme il se doit, il est important de se défaire de toute idée préconçue et de partir à la découverte de ces deux mondes qui cohabitent. Prenez le métro climatisé pour atteindre la moiteur du trépidant quartier chinois ou rendez-vous au centre commercial Central World en vieux bateau-taxi. Vous verrez que l'ancien et le nouveau Bangkok composent un mélange des plus heureux.

## À NE PAS MANQUER

- Aller d'un site historique à l'autre à bord du **Chao Phraya Express** (p. 190)
- Marcher dans les rues du vieux Bangkok, dont **Ko Ratanakosin** (p. 147)
- Apprendre la cuisine thaïlandaise dans l'une des nombreuses **écoles de cuisine** (p. 150) de la capitale
- Trinquer à la lumière des étoiles et des gratte-ciel à la terrasse du **Moon Bar at Vertigo** (p. 174) ou du **Sirocco Sky Bar** (p. 174)
- Se faire délicieusement pétrir pour un prix dérisoire dans l'un des **salons de massage** (p. 145) de la ville
- Manger plus que de raison dans les rues de **Chinatown** (p. 168)
- Partir visiter la petite ville d'**Amphawa**, au bord du canal (p. 196)

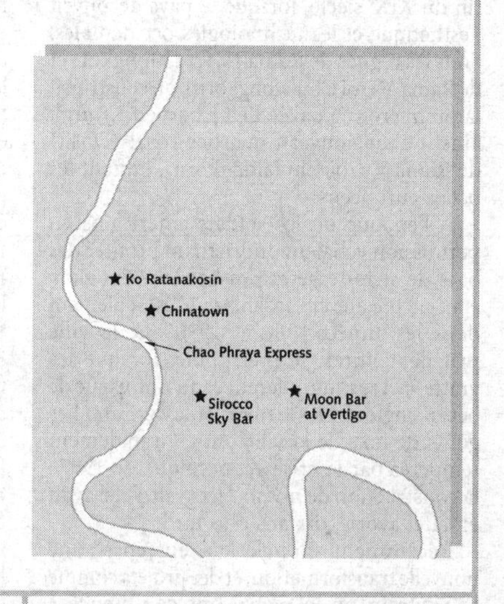


- LA MEILLEURE SAISON : NOVEMBRE À FÉVRIER
- POPULATION : 7,7 MILLIONS D'HABITANTS

## HISTOIRE

Aujourd'hui capitale politique et culturelle, Bangkok doit sa naissance à un miracle de l'Histoire, dans une période très troublée. Après la chute d'Ayuthaya en 1767, des armées rivales se partagèrent le royaume. Le charismatique général Taksin s'imposa bientôt comme unificateur et choisit d'établir sa capitale à Thonburi, sur la rive occidentale du Mae Nam (fleuve) Chao Phraya, site propice au commerce maritime avec le golfe de Thaïlande. Taksin se révéla meilleur stratège militaire que dirigeant, et fut déposé par un autre général, Chao Phraya Chakri, qui déplaça la capitale de l'autre côté de la rivière en 1782, sur un site plus facile à défendre contre de futures attaques birmanes. L'accession au trône de son fils en 1809 marqua le début de l'actuelle dynastie ; Chao Phraya Chakri est aussi connu sous le nom de Rama I^er^.

Cette nouvelle capitale se voulait une Ayuthaya ressuscitée, avec son quartier insulaire (Ko Ratanakosin) arraché aux marécages, où demeurait la cour du roi (le Grand Palais), et son temple dédié au Bouddha d'Émeraude (Wat Phra Kaew). Une muraille épaisse entourait la cité naissante, faite de pilotis et de maisons flottantes parfaitement adaptées aux inondations saisonnières.

La modernité s'imposa dans la capitale à la fin du XIX^e^ siècle, lorsque le pays découvrit l'esthétique et les technologies occidentales. Sous les règnes de Rama IV (roi Mongkut) et de Rama V (roi Chulalongkorn), on construisit la première rue pavée (Th Charoen Krung), ainsi qu'un nouveau quartier royal (Dusit) de Rama V (roi Chulalongkorn), imitant les palais européens.

À l'époque où les soldats américains en permission venaient du Vietnam profiter des bars de strip-tease et des bordels, Bangkok était encore une cité insalubre. C'est seulement dans les années 1980 et 1990 que la ville prit des allures de métropole, lorsque les gratte-ciel se multiplièrent et qu'une vague de béton engloutit les rizières et la verdure. Les goûts de luxe de la ville ont été rapidement tempérés par la crise économique de 1997 : la construction de nombreux gratte-ciel avait en effet avorté, dix ans plus tard.

Récemment, Bangkok a entrepris une nouvelle transformation, et des projets comme le Skytrain ou le métro ont commencé à endiguer le légendaire problème des embouteillages, tout en conférant à la ville un visage résolument moderne. La multiplication des gigantesques centres commerciaux climatisés a donné à certains quartiers de la ville des airs de Singapour. La capitale thaïlandaise aura bientôt atteint le niveau de modernisation d'autres grandes villes asiatiques.

## ORIENTATION

La rive est du Mae Nam Chao Phraya, Bangkok proprement dite, est coupée en deux par la principale ligne ferrée nord-sud qui s'arrête à la gare de Hualamphong.

Le vieux Bangkok, compris entre la boucle du fleuve et la voie ferrée, est un quartier de temples, de marchés et de boutiques familiales. Les échoppes de Chinatown occupent les deux côtés de la gare, dans une débauche de rouges, d'ors et de néons. Ce chaos s'apaise à mesure que l'on approche de Ko Ratanakosin, ancien quartier du palais royal et principal site touristique de la ville. Plus au nord, dans le charmant quartier de Banglamphu, près du fleuve, se trouve Khao San (Th Khao San), célèbre artère touristique. Au-dessus de la vieille ville se côtoient enfin Dusit, hommage aux grandes capitales européennes, et Thewit, avec ses rues tranquilles.

À l'est de la voie ferrée s'étend le nouveau Bangkok, ville asiatique moderne pas tout à fait dénuée de charme toutefois. Siam Square est le quartier des centres commerciaux, où traînent les jeunes Thaïlandais branchés et les touristes venus faire leurs achats. Thanon Sukhumvit dessine une ligne de jonction entre le centre-ville et le golfe de Thaïlande ; tout un réseau de rues part de cette voie pour rejoindre le quartier des expatriés et celui des filles de bar à Soi Cowboy et Nana Entertainment Plaza. Le quartier financier de Bangkok s'étend autour de Th Silom, entre le fleuve et le parc Lumphini. Coupant Th Silom près de la rivière, Th Charoen Krung fut la première rue pavée de Bangkok et le théâtre des premières activités commerciales de la ville ; les *soi* (petites ruelles) étroits bifurquent à travers les vieux quartiers des fà·ràng (étrangers d'origine européenne) où se succèdent les monuments victoriens en décomposition, les églises et le célèbre Oriental Hotel. Pour ajouter à la confusion, les ambassades se partagent deux quartiers distincts : Th Withayu/Wireless Road et Th Sathon.

Sur la rive opposée (ouest) se dresse Thonburi, qui fut pendant 15 ans la capitale de la Thaïlande, jusqu'à la création de Bangkok. Fàng thon (la rive de Thonburi), comme l'appellent souvent les Thaïlandais, semble appartenir à un autre monde que celui des gratte-ciel prétentieux de la rive opposée.

Le principal aéroport international de Bangkok, Suvarnabhumi (prononcé *sù·wan·ná·poum*), est situé à 30 km à l'est du centre-ville. Certains vols intérieurs partent toujours de l'ancien aéroport de Don Muang, au nord de la ville. Pour plus d'informations sur l'accès à ces aérogares, voir p. 187.

## Trouver une adresse

Il peut être difficile de s'orienter dans une cité de la taille de Bangkok, dépourvue de plan d'urbanisme. Les noms de rues ont de quoi intimider, sans parler de l'incohérence de la transcription en caractères romains et de la disposition des rues sinueuses qui semblent déjouer toute tentative de cartographie.

Le terme thaï *thanŏn* (Th) signifie indifféremment route, rue ou avenue. La rue Ratchadamnoen (parfois appelée Ratchadamnoen Ave) porte toujours, en thaï, le nom de Th Ratchadamnoen.

Un *soi* est une petite rue ou une ruelle qui donne sur une rue plus grande. Notre exemple, 48/3-5 Soi 1, Th Sukhumvit, se trouve donc dans le Soi 1 qui part de Th Sukhumvit. La même adresse peut s'écrire 48/3-5 Th Sukhumvit Soi 1, ou même simplement 48/3-5 Sukhumvit 1. Certains *soi* de Bangkok sont devenus si larges qu'on les qualifie à la fois de *thanŏn* et de *soi*, comme c'est le cas de Soi Sarasin/Th Sarasin et de Soi Asoke/Th Asoke. Plus petit encore que le *soi*, le *trok* (ou *đrórk*) est une allée.

La numérotation des bâtiments n'est pas moins déroutante : les rangées de numéros séparées de traits obliques et de tirets (par ex "48/3-5 Soi 1, Th Sukhumvit") indiquent une répartition par lots de développement, et non une géographie séquentielle. Le chiffre qui précède la barre indique le numéro de pâté de maisons initial, celui qui suit désigne le bâtiment (ou les entrées du bâtiment) construit dans ce pâté. Les chiffres avant la barre respectent l'ordre dans lequel ils ont été ajoutés aux cartes de la ville, et ceux qui sont placés après la barre sont choisis arbitrairement par les promoteurs.

## Cartes

Une carte est indispensable pour se repérer. Souvent imité, le guide *Nancy Chandler's Map of Bangkok* répertorie des lieux et des restaurants à l'écart des circuits touristiques, et rapporte des anecdotes pittoresques sur les quartiers et les marchés. Agréable à regarder, il est recommandé en complément d'un autre guide, par exemple la carte bilingue *Bangkok* de Think Net, accompagnée d'un logiciel. Pour bien maîtriser le système des bus urbains, achetez la *Bangkok Bus Map*, publiée par Roadway. Le ministère thaïlandais de la Marine édite la carte gratuite *Boat to All Means*, qui répertorie les voies maritimes et fluviales de Bangkok. Vous pouvez vous la procurer à tous les appontements importants. Et si, pour vous, découverte de la ville rime avec gastronomie, choisissez, parmi les cartes Ideal Map, celle intitulée *Good Eats* qui détaille les restaurants de cuisine familiale les plus renommés dans 3 quartiers de Bangkok dédiés aux plaisirs du palais. Pour une tournée des bars ou clubs, le *Bangkok Map 'n' Guide*, publié par Groovy Map, sera le meilleur compagnon.

Si l'on veut s'éloigner du centre de Bangkok, le *Bangkok & Vicinity A to Z Atlas* détaille les autoroutes et les quartiers de banlieue.

# RENSEIGNEMENTS

## Accès Internet

Les cybercafés ne manquent pas à Bangkok, chacun prétendant offrir la connexion la plus rapide et la moins chère. Les prix varient selon la quantité d'utilisateurs locaux ; Banglamphu est considérablement moins cher que Sukhumvit ou Silom : on peut y surfer pour 20 B/h. De nombreux cybercafés ont équipé leurs ordinateurs du logiciel Skype qui permet de passer un appel international au prix d'une consultation sur la Toile. Le **TrueMove Shop** (carte p. 124 ; ☎ 0 2658 4449 ; www.truemove.com ; Soi 2, Siam Sq ; 🕑 7h-20h ; Skytrain Siam) est un bon endroit pour tout ce qui touche à la communication. Ses ordinateurs connectés en haut débit sont équipés de Skype, on peut y acheter des appareils et abonnements téléphoniques et trouver des renseignements sur les lieux de la capitale équipés en Wi-Fi.

Le Wi-Fi est omniprésent et le plus souvent gratuit à Bangkok. Vous le trouverez dans

**BANGKOK EN...**

Pour profiter au maximum des trésors de la ville, combinez ces suggestions à votre guise.

**Une journée**

Levez-vous tôt et prenez le **Chao Phraya Express** (p. 190) jusqu'au **marché de Nonthaburi** (p. 186). Au retour, visitez les sites historiques de **Ko Ratanakosin** (p. 130), et goûtez la cuisine traditionnelle à **Banglamphu** (p. 166).

Après vous être rafraîchi, buvez un cocktail en admirant le coucher de soleil sur la ville depuis l'un des **bars sur les toits** (p. 174), puis dégustez la cuisine thaïlandaise haut de gamme du **Bo.lan** (p. 171) ou la cuisine internationale renommée du **Cy'an** (p. 173).

**Trois jours**

Laissez le **Skytrain** (p. 190) vous mener vers différentes destinations de **shopping** (p. 180), avec une pause **buffet** (p. 173) dans l'un des hôtels de la capitale. Finissez la journée par un **massage traditionnel thaïlandais** (p. 145). S'il vous reste de l'énergie, allez vous déhancher dans les clubs du **RCA** (p. 177).

**Une semaine**

Maintenant que vous vous êtes habitué au bruit, à la pollution et à la circulation, vous êtes prêts à visiter **Chinatown** (p. 148). Passez une journée au **marché de Chatuchak** (p. 185) ou prenez un **cours de cuisine** (p. 150). Les adeptes de l'air pur pourront s'évader à **Ko Kret** (p. 198), une île sans voitures au nord de Bangkok, ou louer un *long-tail boat* pour parcourir les **canaux de Thonburi** (p. 146).

la plupart des commerces et lieux publics. Pour une liste plus détaillée des points Wi-Fi du centre-ville, consultez www.bkkpages.com (page "Bangkok Directory") ou www.stickmanbangkok.com.

## Agences de voyages

Bangkok regorge d'agences de voyages où l'on peut réserver des bus et des vols. Certaines sont fiables mais d'autres sont tenues par des escrocs sans scrupule qui vendent de faux billets d'avion et promettent des services inexistants. Avant tout achat, renseignez-vous auprès d'autres voyageurs. Il est souvent préférable d'acheter vos billets de bus ou de train directement à la gare plutôt que dans les agences de voyages.

Les agences suivantes officient depuis longtemps :

**Diethelm Travel** (Carte p. 128 ; ☎ 0 2660 7000 ; www.diethelmtravel.com ; 12e ét., Kian Gwan Bldg II, 140/1 Th Withayu/Wireless Rd ; Skytrain Phloenchit)

**STA Travel** (carte p. 122 ; ☎ 0 2236 0262 ; www.statravel.com ; 14e ét., Wall Street Tower, 33/70 Th Surawong ; Skytrain Sala Daeng ; métro Silom)

**Vieng Travel** ( ☎ 0 2326 7191 ; www.viengtravel.com ; Trang Hotel, 12 Soi Lad Krabang 9)

## Argent

Les banques ouvrent généralement de 10h à 16h, et l'on trouve des DAB dans tous les quartiers. Bon nombre de banques thaïlandaises disposent d'un guichet de change ; vous en trouverez également dans les stations du Skytrain et à proximité de la plupart des sites touristiques. Il est possible de caser les billets de 1 000 B dans un 7-Eleven, par exemple, mais ne tendez pas 500 B à un vendeur de rue ou à un taxi, car il refusera de faire la monnaie.

## Bibliothèques

Les bibliothèques de Bangkok vous paraîtront peut-être peu fournies, mais elles vous permettront d'échapper un instant à la chaleur et au bruit.

**Bibliothèque nationale** (carte p. 116 ; ☎ 0 2281 5212 ; Th Samsen ; accès libre ; 🕑 9h-18h30 lun-ven, 9h-17h sam-dim ; ferry Tha Thewet). Quelques ouvrages en langue étrangère, mais surtout des ouvrages d'astrologie, cartes des étoiles, enregistrements du roi, écrits sacrés sur feuilles de palmier et cartes anciennes.

**Neilson Hays Library** (carte p. 122 ; ☎ 0 2233 1731 ; www.neilsonhayslibrary.com ; 195 Th Surawong ; abonnement familial 3 300 B ; 🕑 9h30-17h mar-dim ; Skytrain Surasak). La plus vieille bibliothèque anglophone du pays possède de nombreux livres pour enfants et un choix intéressant d'ouvrages sur la Thaïlande.

## Centres culturels

Festivals de cinéma, conférences, cours de langues et autres activités éducatives sont proposés dans les divers centres culturels internationaux de la ville.

**Alliance française** (carte p. 128 ; ☎ 0 2670 4200 ; www.alliance-francaise.or.th ; 29 Th Sathon Tai ; métro Lumphini)

**British Council** (carte p. 124 ; ☎ 0 2652 5480 ; www.britishcouncil.or.th ; Siam Square, 254 Soi Chulalongkorn 64, Th Phra Ram I ; Skytrain Siam)

**Foreign Correspondents Club of Thailand** (FCCT ; carte p. 124 ; ☎ 0 2652 0580 ; www.fccthai.com ; Penthouse, Maneeya Center, 518/5 Th Ploenchit ; Skytrain Chitlom)

**Goethe Institut** (centre culturel germano-thaïlandais ; carte p. 128 ; ☎ 0 2287 0942 ; www.goethe.de ; 18/1 Soi Goethe, entre Th Sathon Tai et Soi Ngam Duphli ; métro Lumphini)

**Japan Foundation** (carte p. 126 ; ☎ 0 2260 8560 ; Serm-mit Tower, 159 Soi Asoke/21, Th Sukhumvit ; bus 36, 206)

## Librairies

Les succursales de **Bookazine** (www.bookazine.co.th) et de **B2S** (www.b2s.co.th), que l'on trouve dans tous les centres commerciaux de Bangkok, proposent une bonne sélection de livres en anglais. Les librairies indépendantes de Bangkok sont presque toutes situées dans le quartier de Banglamphu, où se trouvent également trois boutiques Bookazine. Th Khao San est le seul endroit où vous sont vendus des livres d'occasion en anglais. Les prix ne sont pas particulièrement intéressants, mais le choix est large.

**Asia Books** (www.asiabook.com) Soi 15 ( carte p. 126 ; Soi 15, 221 Th Sukhumvit ; Skytrain Asoke) ; Siam Discovery Center (carte p. 124 ; 4e niv., Th Phra Ram I ; Skytrain Siam). Une autre boutique dans l'Emporium Shopping Center, sur Th Sukhumvit (carte p. 126).

**Dasa Book Café** (carte p. 126 ; ☎ 0 2661 2993 ; 710/4 Th Sukhumvit, entre Soi 26 et 28 ; Skytrain Phrom Phong). Livres d'occasion en plusieurs langues.

**Kinokuniya** Siam Paragon (carte p. 124 ; ☎ 0 2610 9500 ; www.kinokuniya.com ; 3e niv., Th Phra Ram I ; Skytrain Siam) ; Emporium (carte p. 126 ; ☎ 0 2664 8554 ; 3e niv., Th Sukhumvit ; Skytrain Phrom Phong). La plus grande librairie de Thaïlande a deux boutiques, qui proposent une sélection de livres en plusieurs langues, magazines, livres d'enfants.

**RimKhobFah Bookstore** (carte p. 118 ; ☎ 0 2622 3510 ; 78/1 Th Ratchadamnoen). Cette boutique vend des publications spécialisées du département des Beaux-Arts portant sur l'art et l'architecture thaïlandais.

**Saraban** (carte p. 118 ; ☎ 0 2629 1386 ; 106/1 Th Rambutri). Le plus grand choix de presse internationale et d'éditions récentes de guides Lonely Planet sur Th Khao San.

**Shaman Bookstore** (carte p. 118 ; ☎ 0 2629 0418 ; D&D Plaza, 71 Th Khao San). Avec ses deux boutiques sur Th Khao San et une au 127 Th Tanao, Shaman propose le plus grand choix de livres d'occasion. Possibilité de recherche sur une base de données.

### VUE DE L'INTÉRIEUR

Plusieurs résidents de Bangkok, thaïlandais et étrangers, tiennent des blogs et des sites Internet sur la vie dans la capitale thaïlandaise. Parmi les plus intéressants :

- **2Bangkok** (www.2bangkok.com). Ce passionné de l'actualité, mordu d'histoire, décortique les gros titres d'hier et d'aujourd'hui concernant la capitale.
- **Absolutely Bangkok** (www.absolutelybangkok.com). Infos et photos de Bangkok ; liens vers d'autres blogs ou sites intéressants.
- **Austin Bush Food Blog** (www.austinbushphotography.com/category/foodblog). Écrit par l'auteur de ce chapitre, le blog se concentre sur la gastronomie à Bangkok et ailleurs.
- **Bangkok Jungle** (www.bangkokjungle.com). Un blog sur la scène musicale de la capitale.
- **Gnarly Kitty** (www.gnarlykitty.blogspot.com). Écrit par une Thaïlandaise née à Bangkok, une ville où l'"on trouve toujours quelque chose à critiquer".
- **Newley Purnell** (www.newley.com). Cet auteur américain indépendant installé à Bangkok commente tout, de la vie politique locale à son amour pour un bon *pàt gà·prow*.
- **Stickman** (www.stickmanbangkok.com). Auparavant associé à la vie nocturne coquine de la capitale, le "nouveau" Stickman est un blog plus général sur la vie, le travail et l'amour à Bangkok.

## Médias

Vous trouverez les quotidiens dans les kiosques de rue. Quant aux mensuels, ils sont distribués dans la plupart des librairies.

**Bangkok 101** (www.bangkok101.com). Le principal mensuel sur la ville présente des reportages photo et passe en revue les sites touristiques, les restaurants et lieux de divertissement.

**Bangkok Post** (www.bangkokpost.net). Le principal quotidien en anglais. Les éditions du vendredi et du week-end sont une mine d'informations sur la vie culturelle et nocturne.

**BK Magazine** (www.bkmagazine.com). Hebdomadaire gratuit à l'usage de la jeunesse branchée.

**The Nation** (www.nationmultimedia.com). Quotidien en anglais centré sur l'économie.

## Poste

**Poste principale** (carte p. 122 ; Th Charoen Krung ; ⌚ 8h-20h lun-ven, 8h-13h sam et dim ; river ferry Tha Si Phraya). Poste restante et service d'emballage de colis dans le bâtiment principal. Ne pas envoyer d'argent ou d'objet de valeur par courrier simple. Les autres bureaux de poste de la ville proposent également un service de poste restante et d'envoi des colis.

## Renseignements touristiques

Les offices du tourisme officiels donnent des renseignements et distribuent cartes et brochures. Ne pas confondre ces bureaux, où les services sont gratuits, avec les agences de voyages agréées, qui prennent une commission sur les circuits et les réservations. Ces dernières ajoutent souvent dans leur nom le sigle du bureau thaïlandais du tourisme (TAT ou Tourism Authority of Thailand) pour attirer les clients.

**Bangkok Information Center** (carte p. 118 ; ☎ 0 2225 7612-5 ; www.bangkoktourist.com ; 17/1 Th Phra Athit ; ⌚ 9h-17h ; ferry Tha Phra Athit). L'office du tourisme de Bangkok fournit cartes, brochures et conseils ; des étudiants bénévoles tiennent des comptoirs d'information, de couleur jaune, un peu partout dans la ville.

**Tourism Authority of Thailand** (TAT ; ☎ 1672 renseignements 8h-20h ; www.tourismthailand.org) Siège (carte p. 116 ; ☎ 0 2250 5500 ; 1600 Th Petchaburi Tat Mai ; ⌚ 8h30-16h30 ; Skytrain City Air Terminal, métro Phetburi) ; Banglamphu (carte p. 118 ; ☎ 0 2283 1555 ; angle Th Ratchadamnoen Nok et Th Chakrapatdipong ; ⌚ 8h30-16h30). Face au stade de boxe. Aéroport international Suvarnabhumi (☎ 0 2134 4077 ; 2e ét., entre les portes 2 et 5 ; ⌚ 8h-16h).

### PÉDALEZ À L'ŒIL

Lancé en 2008, **Green Bangkok Bike** est un programme financé par la municipalité destiné à encourager les touristes à explorer certains quartiers du vieux Bangkok à bicyclette. Les petits vélos verts peuvent être empruntés gratuitement sur une zone partiellement aménagée et assez bien fléchée reliant les principaux sites du quartier. Huit stations sont disséminées entre Ko Ratanakosin et Banglamphu, et le lieu de départ/d'arrivée suggéré se trouve au coin sud-est de Sanam Luang (p. 134), face à l'entrée principale de Wat Phra Kaew. Les vélos sont disponibles de 10h à 18h. Ils vous seront prêtés en échange d'une pièce d'identité.

## Services médicaux

Le professionnalisme du personnel hospitalier attire de plus en plus les touristes en quête de soins dentaires, de chirurgie esthétique et de confort bon marché. Dans toute la ville, les pharmaciens traiteront les petits maux (turista, infections des sinus ou de la peau, etc). Les hôpitaux suivants offrent un service d'urgence 24h/24, et vous pouvez les appeler pour demander une ambulance. Consultations quotidiennes dans la plupart de ces hôpitaux.

**Bangkok Christian Hospital** (carte p. 122 ; ☎ 0 2235 1000-07 ; 124 Th Silom ; Skytrain Sala Daeng ; métro Silom).

**BNH** (carte p. 122 ; ☎ 0 2686 2700 ; 9 Th Convent, sur Th Silom ; Skytrain Sala Daeng ; métro Silom).

**Bumrungrad Hospital** (carte p. 126 ; ☎ 0 2667 1000 ; 33 Soi Nana Neua/3, Th Sukhumvit ; Skytrain Ploenchit).

**Rutnin Eye Hospital** (carte p. 126 ; ☎ 0 2639 3399 ; 80/1 Soi Asoke/21, Th Sukhumvit ; Skytrain Asoke ; métro Sukhumvit). Possède un service d'urgences ophtalmologiques.

**Samitivej Hospital** (hors carte p. 126 ; ☎ 0 2711 8000 ; 133 Soi 49, Th Sukhumvit ; Skytrain Phrom Phong).

**St Louis Hospital** (carte p. 122 ; ☎ 0 2675 9300 ; 215 Th Sathon Tai ; Skytrain Surasak).

## Téléphone et fax

L'ancien indicatif téléphonique de Bangkok (☎ 02) fait désormais partie intégrante de tous les numéros composés à l'intérieur ou à l'extérieur de la ville. En ville, on trouve un peu partout des cabines téléphoniques permettant d'appeler l'étranger.

À côté de la poste principale, la **Communications Authority of Thailand** (CAT ; carte p. 122 ; ☎ 0 2573

**ESCROQUERIES CLASSIQUES À BANGKOK**

Gardez en tête ces arnaques classiques et aidez-nous à combattre les ingénieux experts en escroquerie de la ville. Pour plus de détails sur la fameuse arnaque aux pierres précieuses, voir l'encadré p. 185.

- **Fermé aujourd'hui.** Ignorez tout "gentil" Thaïlandais vous informant qu'un site est fermé pour cause de fête religieuse ou de nettoyage. C'est un moyen de vous attirer vers une vente de pierres précieuses.
- **Circuit en *túk-túk* pour 10 B.** Oubliez votre programme du jour si vous avez accepté une telle offre. Les "visites" feront l'impasse sur les sites et le chauffeur vous amènera voir les tailleurs et vendeurs de pierres précieuses qui voudront bien le rémunérer.
- **Course de taxi au forfait.** Refusez fermement toute course à un tarif imposé (entre 100 et 150 B dans la ville), souvent trois fois supérieur au tarif au compteur. En vous éloignant d'une zone touristique, vous aurez plus de chances de trouver un chauffeur honnête. S'il a "oublié" de mettre le compteur, dites simplement "*Meter, kha/khap*".
- **Bus touristiques vers le sud.** Au cours du long voyage vers le sud, les voleurs bien organisés auront tout le loisir de forcer les cadenas (avant de les refermer) et de fouiller vos sacs à la recherche de cartes de crédit, d'objets électroniques et même d'affaires de toilettes. Pour éviter cette escroquerie classique dans les bus, gardez avec vous tout ce qui a de la valeur.
- **Aimables inconnus.** Méfiez-vous des hommes bien habillés qui viennent vous demander d'où vous venez et où vous allez. Cette manœuvre est souvent suivie de "Oh ! Mon fils/ma fille étudie à l'université de (votre ville) !" Les services touristiques locaux rappellent que cette attitude, inhabituelle chez les Thaïlandais, doit être accueillie avec méfiance.

0099 ; Th Charoen Krung ; 24h/24 ; ferry Oriental) dispose du service Home Country Direct, de fax et de services par carte téléphonique.

La **Telephone Organization of Thailand** (TOT ; carte p. 124 ; ☎ 0 2251 1111 ; Th Ploenchit ; Skytrain Chitlom) permet également de passer des appels longue distance et propose une version anglaise des Pages jaunes locales.

## Toilettes

Il existe peu de toilettes publiques à Bangkok. Le plus simple est de se rendre dans un hôtel, un fast-food ou un centre commercial (où on vous demandera peut-être de 2 à 5 B). Les centres commerciaux les plus récents ont des toilettes pour handicapés. Les toilettes à la turque sont en voie de disparition à Bangkok.

## Urgences

En cas d'urgence médicale, si vous avez besoin d'une ambulance, appelez un des hôpitaux (où l'on parle anglais) inscrits sur la liste ci-dessus. Pour un problème concernant la police ou tout problème de sécurité, appelez les numéros suivants (24h/24) :

**Police/urgences** ☎ 191

**Pompiers** ☎ 199

**Police touristique** (☎ 1155 ; 24h/24). Les membres de cette unité parlent anglais et s'occupent des délits impliquant des touristes, y compris les escroqueries aux pierres précieuses. Ils peuvent également jouer le rôle d'interprète auprès de la police.

## DÉSAGRÉMENTS ET DANGERS

À Bangkok, les escrocs professionnels font preuve d'une gentillesse toute thaïlandaise pour dépouiller les touristes crédules. Les lieux les plus touristiques, comme le Wat Phra Kaew, le Wat Pho, la maison de Jim Thompson, Th Khao San, le sanctuaire Erawan, sont le repaire des escrocs de tout poil, qui portent en général une tenue très correcte et arborent un air affairé. La meilleure prévention, c'est l'information. Avant d'arriver, familiarisez-vous avec les arnaques les plus fréquentes, répertoriées dans l'encadré ci-dessus.

Si vous avez été victime d'une escroquerie, la police touristique peut se révéler efficace contre les délits et les pratiques commerciales douteuses. Cependant, avant de prendre part à une transaction financière, sachez qu'il n'existe ni protection des consommateurs ni recours.

*(Suite à la page 130)*

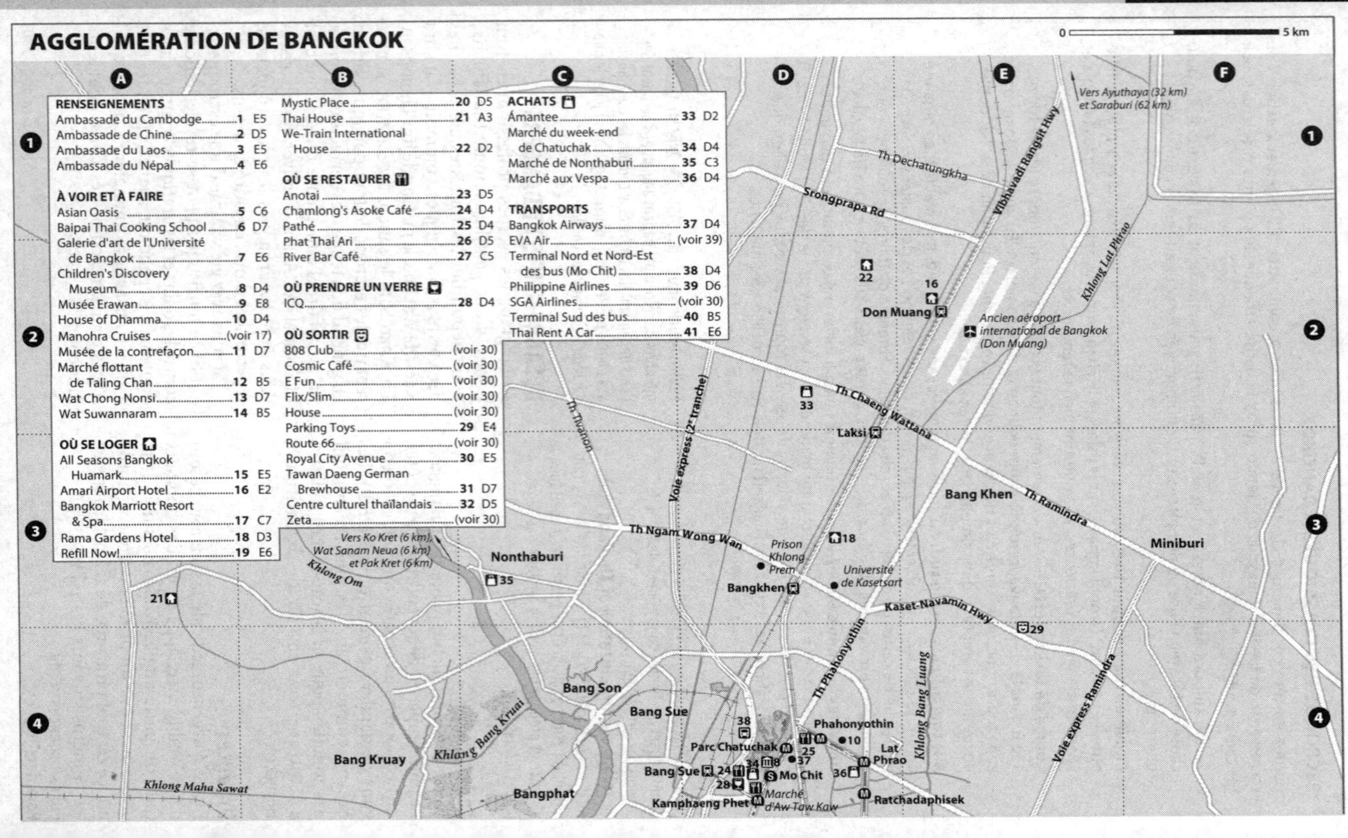
AGGLOMÉRATION DE BANGKOK
0 5 km
RENSEIGNEMENTS
Ambassade du Cambodge 1 E5
Ambassade de Chine 2 D5
Ambassade du Laos 3 E5
Ambassade du Népal 4 E6
À VOIR ET À FAIRE
Asian Oasis 5 C6
Baipai Thai Cooking School 6 D7
Galerie d'art de l'Université de Bangkok 7 E6
Children's Discovery Museum 8 D4
Musée Erawan 9 E8
House of Dhamma 10 D4
Manohra Cruises (voir 17)
Musée de la contrefaçon 11 D7
Marché flottant de Taling Chan 12 B5
Wat Chong Nonsi 13 D7
Wat Suwannaram 14 B5
OÙ SE LOGER
All Seasons Bangkok Huamark 15 E5
Amari Airport Hotel 16 E2
Bangkok Marriott Resort & Spa 17 C7
Rama Gardens Hotel 18 D3
Refill Now! 19 E6
Mystic Place 20 D5
Thai House 21 A3
We-Train International House 22 D2
OÙ SE RESTAURER
Anotai 23 D5
Chamlong's Asoke Café 24 D4
Pathé 25 D4
Phat Thai Ari 26 D5
River Bar Café 27 C5
OÙ PRENDRE UN VERRE
ICQ 28 D4
OÙ SORTIR
808 Club (voir 30)
Cosmic Café (voir 30)
E Fun (voir 30)
Flix/Slim (voir 30)
House (voir 30)
Parking Toys 29 E4
Route 66 (voir 30)
Royal City Avenue 30 E5
Tawan Daeng German Brewhouse 31 D7
Centre culturel thaïlandais 32 D5
Zeta (voir 30)
ACHATS
Ámantee 33 D2
Marché du week-end de Chatuchak 34 D4
Marché de Nonthaburi 35 C3
Marché aux Vespa 36 D4
TRANSPORTS
Bangkok Airways 37 D4
EVA Air (voir 39)
Terminal Nord et Nord-Est des bus (Mo Chit) 38 D4
Philippine Airlines 39 D6
SGA Airlines (voir 30)
Terminal Sud des bus 40 B5
Thai Rent A Car 41 E6
Vers Ayuthaya (32 km) et Saraburi (62 km)
Vibhavadi Rangsit Hwy
Th Dechatungkha
Srongprapa Rd
Khlong Lat Phrao
Don Muang
Ancien aéroport international de Bangkok (Don Muang)
Th Chaeng Wattana
Laksi
Th Tiwanon
Voie express (2e tranche)
Bang Khen
Th Ramindra
Miniburi
Th Ngam Wong Wan
Prison Khlong Prem
Université de Kasetsart
Bangkhen
Kaset-Navamin Hwy
Vers Ko Kret (6 km), Wat Sanam Neua (6 km) et Pak Kret (6 km)
Nonthaburi
Khlong Om
Bang Son
Bang Sue
Th Phahonyothin
Khlong Bang Luang
Voie express Ramindra
Phahonyothin
Parc Chatuchak
Lat Phrao
Mo Chit
Marché d'Aw Taw Kaw
Ratchadaphisek
Kamphaeng Phet
Bang Kruay
Khlong Bang Kruai
Bangphat
Khlong Maha Sawat

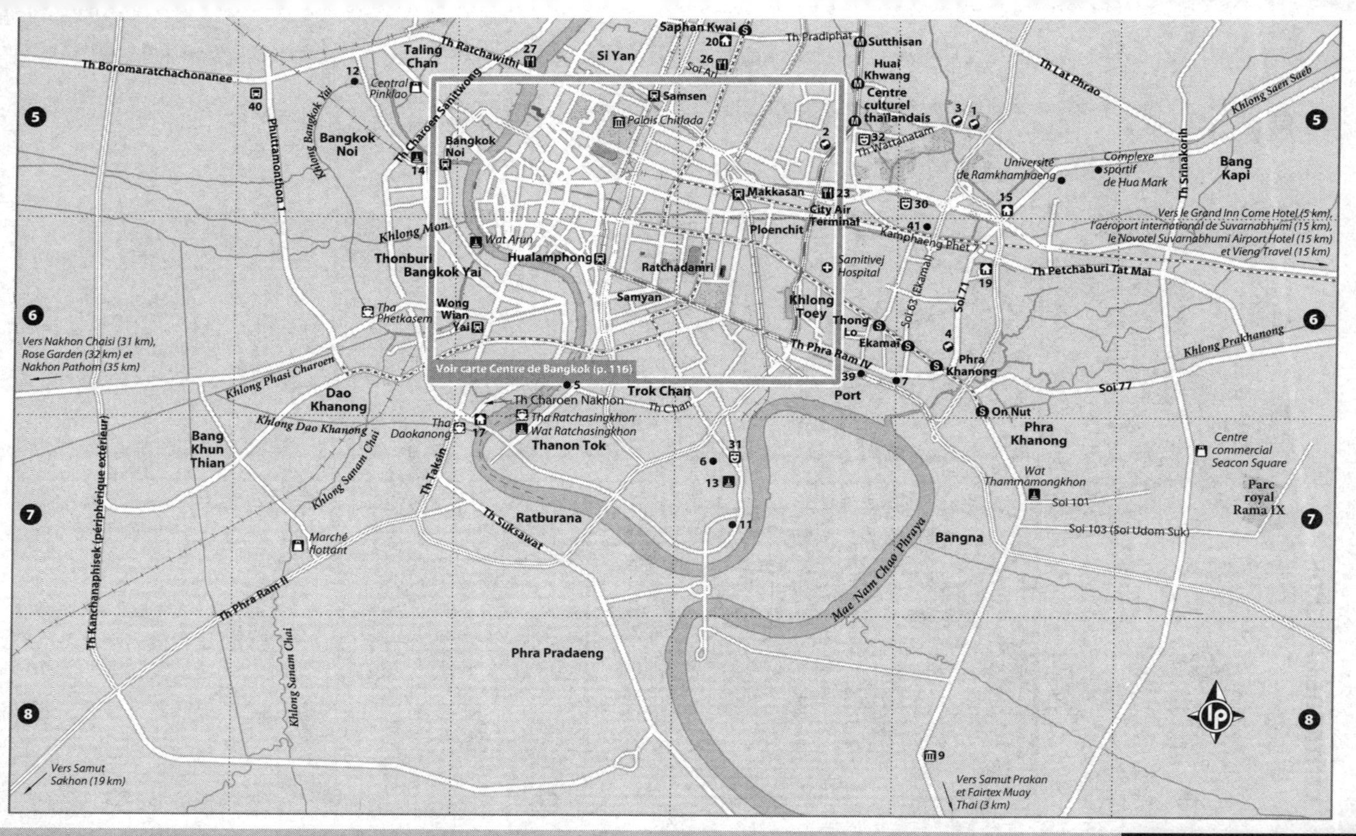
Saphan Kwai
Th Pradiphat
Sutthisan
Th Boromaratchachonanee
Th Ratchawithi
Taling Chan
Si Yan
Soi Ari
Huai Khwang
Centre culturel thaïlandais
Th Lat Phrao
Khlong Saen Saeb
Central Pinklao
Samsen
Palais Chitlada
Th Wattanatam
Khlong Bangkok Yai
Bangkok Noi
Th Charoen Sanitwong
Phuttamonthon 1
Université de Ramkhamhaeng
Complexe sportif de Hua Mark
Th Srinakarin
Bang Kapi
Makkasan
City Air Terminal
Ploenchit
Kamphaeng Phet 7
Vers le Grand Inn Come Hotel (5 km), l'aéroport international de Suvarnabhumi (15 km), le Novotel Suvarnabhumi Airport Hotel (15 km) et Vieng Travel (15 km)
Khlong Mon
Wat Arun
Thonburi
Bangkok Yai
Hualamphong
Ratchadamri
Samitivej Hospital
Soi 63 (Ekamai)
Soi 71
Th Petchaburi Tat Mai
Samyan
Khlong Toey
Tha Phetkasem
Wong Wian Yai
Thong Lo
Ekamai
Phra Khanong
Th Phra Ram IV
Khlong Prakhanong
Vers Nakhon Chaisi (31 km), Rose Garden (32 km) et Nakhon Pathom (35 km)
Voir carte Centre de Bangkok (p. 116)
Khlong Phasi Charoen
Dao Khanong
Trok Chan
Port
Soi 77
Th Charoen Nakhon
Th Chan
On Nut
Khlong Dao Khanong
Tha Daokanong
Tha Ratchasingkhon
Wat Ratchasingkhon
Thanon Tok
Bang Khun Thian
Khlong Sanam Chai
Centre commercial Seacon Square
Wat Thammamongkhon
Soi 101
Parc royal Rama IX
Th Taksin
Th Suksawat
Ratburana
Bangna
Soi 103 (Soi Udom Suk)
Marché flottant
Th Kanchanaphisek (périphérique extérieur)
Mae Nam Chao Phraya
Th Phra Ram II
Phra Pradaeng
Vers Samut Sakhon (19 km)
Vers Samut Prakan et Fairtex Muay Thai (3 km)

## CENTRE DE BANGKOK

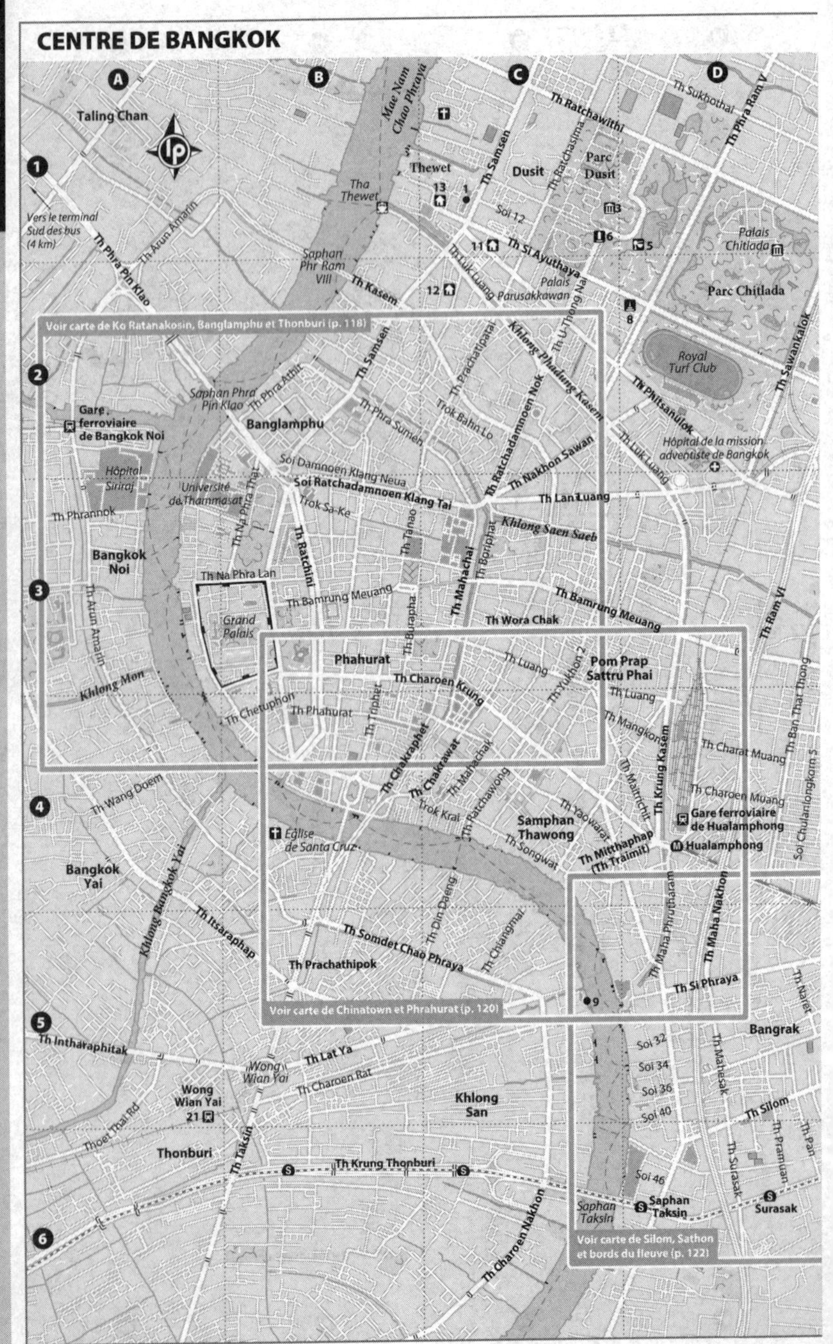

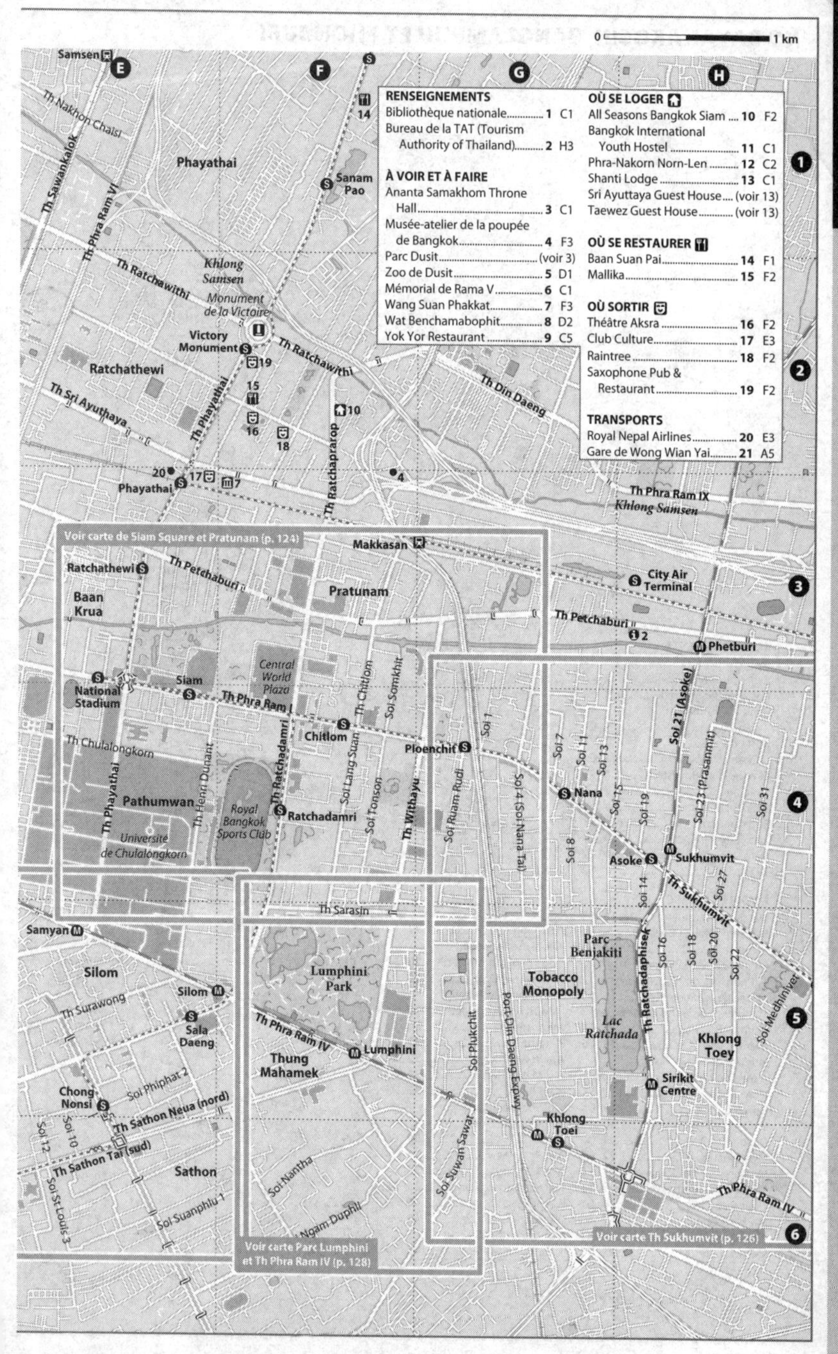
0
1 km
E
F
G
H
1
2
3
4
5
6
RENSEIGNEMENTS
Bibliothèque nationale 1 C1
Bureau de la TAT (Tourism Authority of Thailand) 2 H3
À VOIR ET À FAIRE
Ananta Samakhom Throne Hall 3 C1
Musée-atelier de la poupée de Bangkok 4 F3
Parc Dusit (voir 3)
Zoo de Dusit 5 D1
Mémorial de Rama V 6 C1
Wang Suan Phakkat 7 F3
Wat Benchamabophit 8 D2
Yok Yor Restaurant 9 C5
OÙ SE LOGER
All Seasons Bangkok Siam 10 F2
Bangkok International Youth Hostel 11 C1
Phra-Nakorn Norn-Len 12 C2
Shanti Lodge 13 C1
Sri Ayuttaya Guest House (voir 13)
Taewez Guest House (voir 13)
OÙ SE RESTAURER
Baan Suan Pai 14 F1
Mallika 15 F2
OÙ SORTIR
Théâtre Aksra 16 F2
Club Culture 17 E3
Raintree 18 F2
Saxophone Pub & Restaurant 19 F2
TRANSPORTS
Royal Nepal Airlines 20 E3
Gare de Wong Wian Yai 21 A5
Samsen
Th Nakhon Chaisi
Th Sawankalok
Phayathai
Th Phra Ram VI
Sanam Pao
Khlong Samsen
Th Ratchawithi
Monument de la Victoire
Victory Monument
Ratchathewi
Th Sri Ayuthaya
Th Phayathai
Th Ratchaprarop
Th Din Daeng
Phayathai
Th Phra Ram IX
Khlong Samsen
Voir carte de Siam Square et Pratunam (p. 124)
Makkasan
Ratchathewi
Th Petchaburi
Baan Krua
Pratunam
City Air Terminal
Th Petchaburi
Phetburi
National Stadium
Siam
Central World Plaza
Th Phra Ram I
Th Chitlom
Soi Somkhit
Chitlom
Ploenchit
Soi 1
Th Chulalongkorn
Th Henri Dunant
Th Ratchadamri
Soi Lang Suan
Soi Tonson
Th Withayu
Soi Ruam Rudi
Soi 4 (Soi Nana Tai)
Soi 7
Soi 11
Soi 13
Soi 15
Soi 19
Soi 21 (Asoke)
Soi 23 (Prasanmit)
Soi 31
Nana
Pathumwan
Royal Bangkok Sports Club
Ratchadamri
Th Phayathai
Université de Chulalongkorn
Soi 8
Asoke
Sukhumvit
Soi 14
Th Sukhumvit
Soi 27
Th Sarasin
Samyan
Parc Benjakiti
Th Ratchadaphisek
Soi 16
Soi 18
Soi 20
Soi 22
Silom
Lumphini Park
Tobacco Monopoly
Soi Medhiniwet
Silom
Th Surawong
Sala Daeng
Th Phra Ram IV
Lumphini
Soi Plukchit
Port Din Daeng Expwy
Lac Ratchada
Khlong Toey
Thung Mahamek
Sirikit Centre
Chong Nonsi
Soi Phiphat 2
Th Sathon Neua (nord)
Soi 12
Soi 10
Th Sathon Tai (sud)
Sathon
Soi St Louis 3
Soi Suanphlu 1
Soi Nantha
Soi Ngam Duphli
Soi Suwan Sawat
Khlong Toei
Th Phra Ram IV
Voir carte Th Sukhumvit (p. 126)
Voir carte Parc Lumphini et Th Phra Ram IV (p. 128)

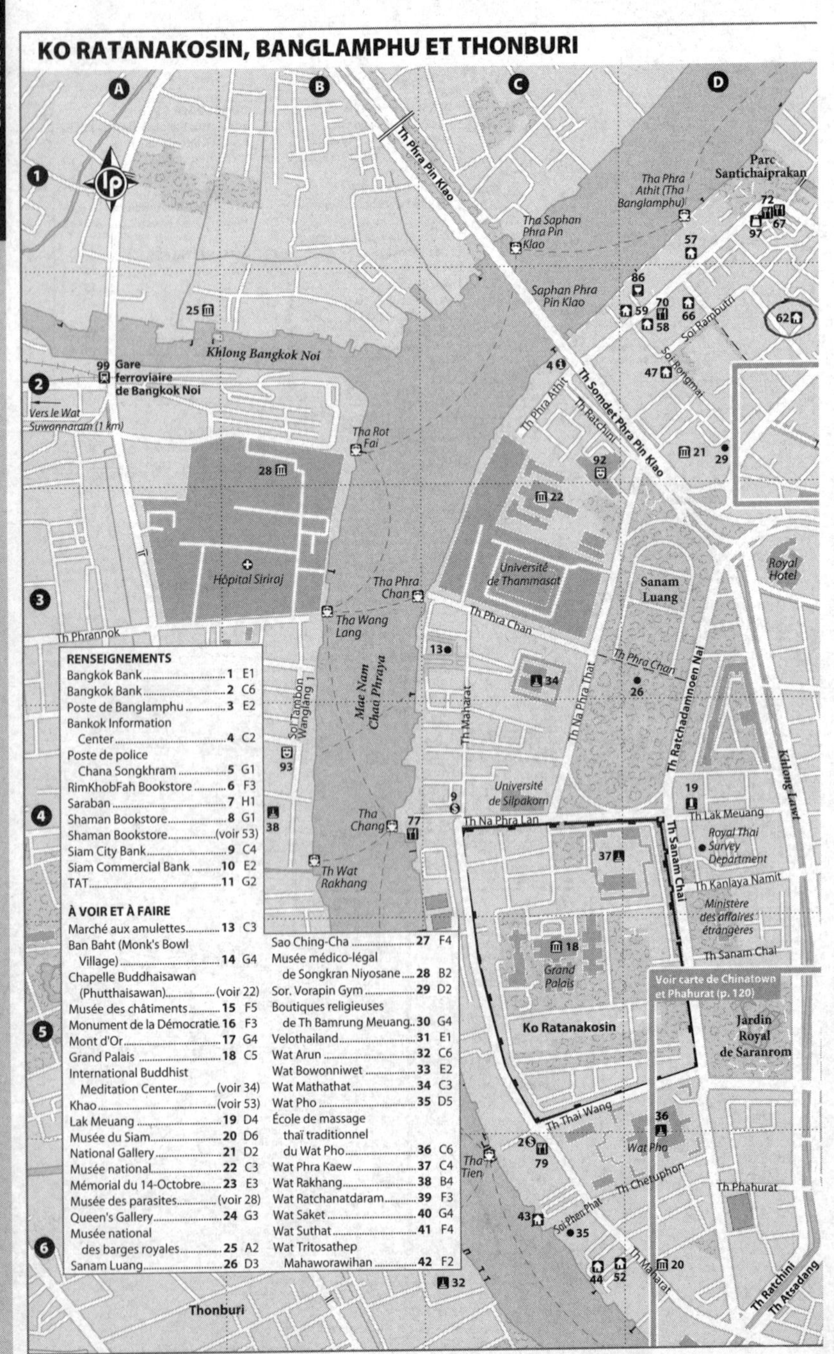
KO RATANAKOSIN, BANGLAMPHU ET THONBURI
RENSEIGNEMENTS
Bangkok Bank 1 E1
Bangkok Bank 2 C6
Poste de Banglamphu 3 E2
Bankok Information Center 4 C2
Poste de police Chana Songkhram 5 G1
RimKhobFah Bookstore 6 F3
Saraban 7 H1
Shaman Bookstore 8 G1
Shaman Bookstore (voir 53)
Siam City Bank 9 C4
Siam Commercial Bank 10 E2
TAT 11 G2
À VOIR ET À FAIRE
Marché aux amulettes 13 C3
Ban Baht (Monk's Bowl Village) 14 G4
Chapelle Buddhaisawan (Phutthaisawan) (voir 22)
Musée des châtiments 15 F5
Monument de la Démocratie 16 F3
Mont d'Or 17 G4
Grand Palais 18 C5
International Buddhist Meditation Center (voir 34)
Khao (voir 53)
Lak Meuang 19 D4
Musée du Siam 20 D6
National Gallery 21 D2
Musée national 22 C3
Mémorial du 14-Octobre 23 E3
Musée des parasites (voir 28)
Queen's Gallery 24 G3
Musée national des barges royales 25 A2
Sanam Luang 26 D3
Sao Ching-Cha 27 F4
Musée médico-légal de Songkran Niyosane 28 B2
Sor. Vorapin Gym 29 D2
Boutiques religieuses de Th Bamrung Meuang 30 G4
Velothailand 31 E1
Wat Arun 32 C6
Wat Bowonniwet 33 E2
Wat Mathathat 34 C3
Wat Pho 35 D5
École de massage thaï traditionnel du Wat Pho 36 C6
Wat Phra Kaew 37 C4
Wat Rakhang 38 B4
Wat Ratchanatdaram 39 F3
Wat Saket 40 G4
Wat Suthat 41 F4
Wat Tritosathep Mahaworawihan 42 F2
Th Phra Pin Klao
Parc Santichaiprakan
Tha Phra Athit (Tha Banglamphu)
Tha Saphan Phra Pin Klao
Saphan Phra Pin Klao
Soi Rambutri
Soi Rongmai
Khlong Bangkok Noi
Gare ferroviaire de Bangkok Noi
Vers le Wat Suwannaram (1 km)
Th Phra Athit
Th Ratchini
Th Somdet Phra Pin Klao
Tha Rot Fai
Hôpital Siriraj
Tha Phra Chan
Tha Wang Lang
Th Phrannok
Th Phra Chan
Université de Thammasat
Sanam Luang
Royal Hotel
Soi Tambon Wanglang 1
Mae Nam Chao Phraya
Th Maharat
Th Na Phra That
Th Ratchadamnoen Nai
Université de Silpakorn
Khlong Lawt
Tha Chang
Th Wat Rakhang
Th Na Phra Lan
Th Lak Meuang
Royal Thai Survey Department
Th Sanam Chai
Th Kanlaya Namit
Ministère des affaires étrangères
Th Sanam Chai
Grand Palais
Voir carte de Chinatown et Phahurat (p. 120)
Ko Ratanakosin
Jardin Royal de Saranrom
Th Thai Wang
Wat Pho
Tha Tien
Th Chetuphon
Th Phahurat
Soi Phen Phat
Th Maharat
Th Ratchini
Th Atsadang
Thonburi

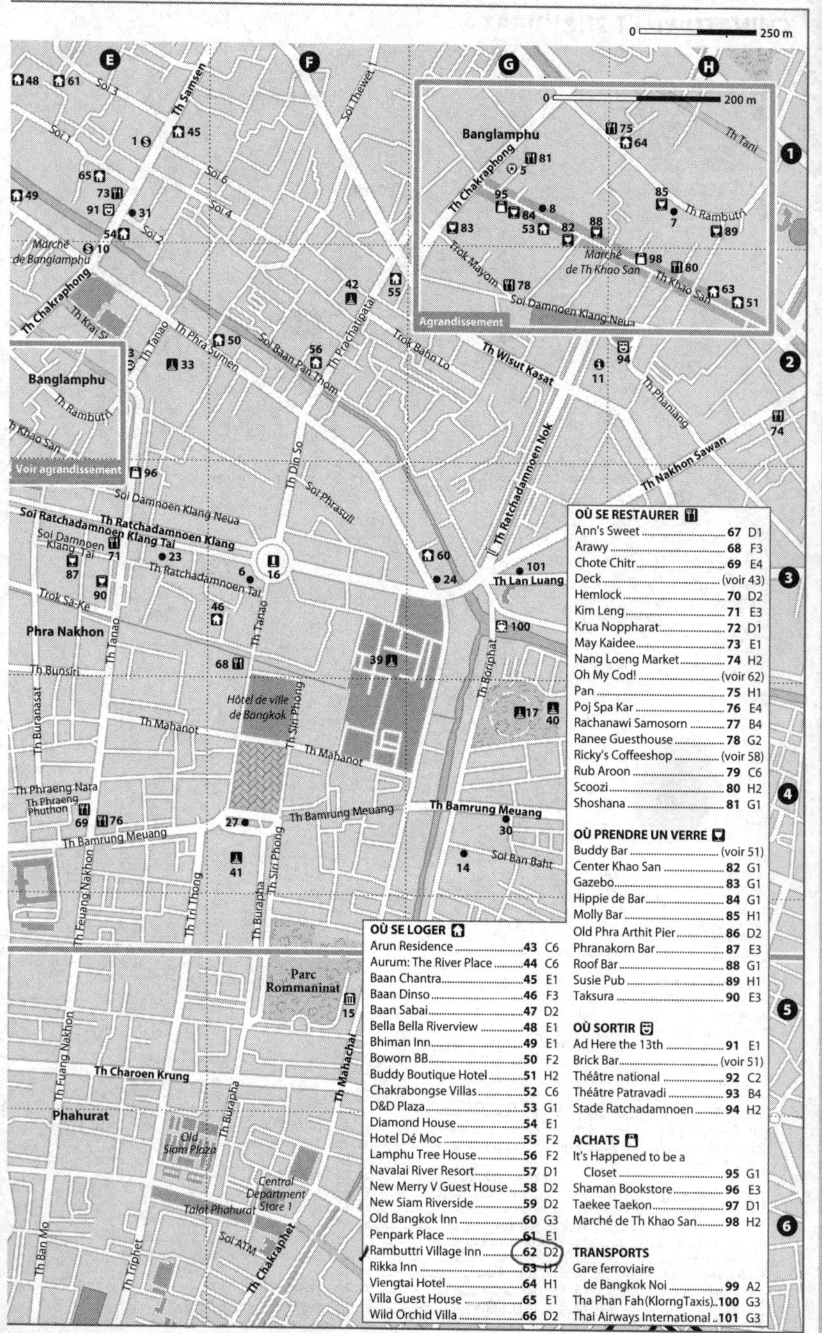
0 250 m
E
F
G
H
1
2
3
4
5
6
0 200 m
Banglamphu
Th Chakraphong
Th Tani
Th Rambutri
Trok Mayom
Marché de Th Khao San
Th Khao San
Soi Damnoen Klang Neua
Agrandissement
Banglamphu
Th Rambutri
Th Khao San
Voir agrandissement
Soi 3
Soi 1
Soi 6
Soi 4
Soi 2
Th Samsen
Soi Thewet 1
Marché de Banglamphu
Th Chakraphong
Th Krai Si
Th Tanao
Th Phra Sumen
Soi Baan Pan Thom
Th Prachatipatai
Trok Bahn Lo
Th Wisut Kasat
Th Phaniang
Th Nakhon Sawan
Th Ratchadamnoen Nok
Th Din So
Soi Phrasuli
Soi Damnoen Klang Neua
Soi Ratchadamnoen Klang Tai
Th Ratchadamnoen Klang
Soi Damnoen Klang Tai
Th Ratchadamnoen Tai
Th Lan Luang
Trok Sa-Ke
Phra Nakhon
Th Tanao
Th Bunsiri
Th Buranasat
Hôtel de ville de Bangkok
Th Siri Phong
Th Mahanot
Th Mahanot
Th Boriphat
Th Phraeng Nara
Th Phraeng Phuthon
Th Bamrung Meuang
Th Bamrung Meuang
Th Bamrung Meuang
Soi Ban Baht
Th Feuang Nakhon
Th Tri Thong
Th Burapha
Th Siri Phong
Parc Rommaninat
Th Fuang Nakhon
Th Charoen Krung
Phahurat
Old Siam Plaza
Th Burapha
Th Mahachai
Central Department Store 1
Talat Phahurat
Soi ATM
Th Chakraphet
Th Ban Mo
Th Triphet
OÙ SE RESTAURER
Ann's Sweet 67 D1
Arawy 68 F3
Chote Chitr 69 E4
Deck (voir 43)
Hemlock 70 D2
Kim Leng 71 E3
Krua Noppharat 72 D1
May Kaidee 73 E1
Nang Loeng Market 74 H2
Oh My Cod! (voir 62)
Pan 75 H1
Poj Spa Kar 76 E4
Rachanawi Samosorn 77 B4
Ranee Guesthouse 78 G2
Ricky's Coffeeshop (voir 58)
Rub Aroon 79 C6
Scoozi 80 H2
Shoshana 81 G1
OÙ PRENDRE UN VERRE
Buddy Bar (voir 51)
Center Khao San 82 G1
Gazebo 83 G1
Hippie de Bar 84 G1
Molly Bar 85 H1
Old Phra Arthit Pier 86 D2
Phranakorn Bar 87 E3
Roof Bar 88 G1
Susie Pub 89 H1
Taksura 90 E3
OÙ SORTIR
Ad Here the 13th 91 E1
Brick Bar (voir 51)
Théâtre national 92 C2
Théâtre Patravadi 93 B4
Stade Ratchadamnoen 94 H2
ACHATS
It's Happened to be a Closet 95 G1
Shaman Bookstore 96 E3
Taekee Taekon 97 D1
Marché de Th Khao San 98 H2
TRANSPORTS
Gare ferroviaire de Bangkok Noi 99 A2
Tha Phan Fah (KlorngTaxis) 100 G3
Thai Airways International 101 G3
OÙ SE LOGER
Arun Residence 43 C6
Aurum: The River Place 44 C6
Baan Chantra 45 E1
Baan Dinso 46 F3
Baan Sabai 47 D2
Bella Bella Riverview 48 E1
Bhiman Inn 49 E1
Boworn BB 50 F2
Buddy Boutique Hotel 51 H2
Chakrabongse Villas 52 C6
D&D Plaza 53 G1
Diamond House 54 E1
Hotel Dé Moc 55 F2
Lamphu Tree House 56 F2
Navalai River Resort 57 D1
New Merry V Guest House 58 D2
New Siam Riverside 59 D2
Old Bangkok Inn 60 G3
Penpark Place 61 E1
Rambuttri Village Inn 62 D2
Rikka Inn 63 H2
Viengtai Hotel 64 H1
Villa Guest House 65 E1
Wild Orchid Villa 66 D2

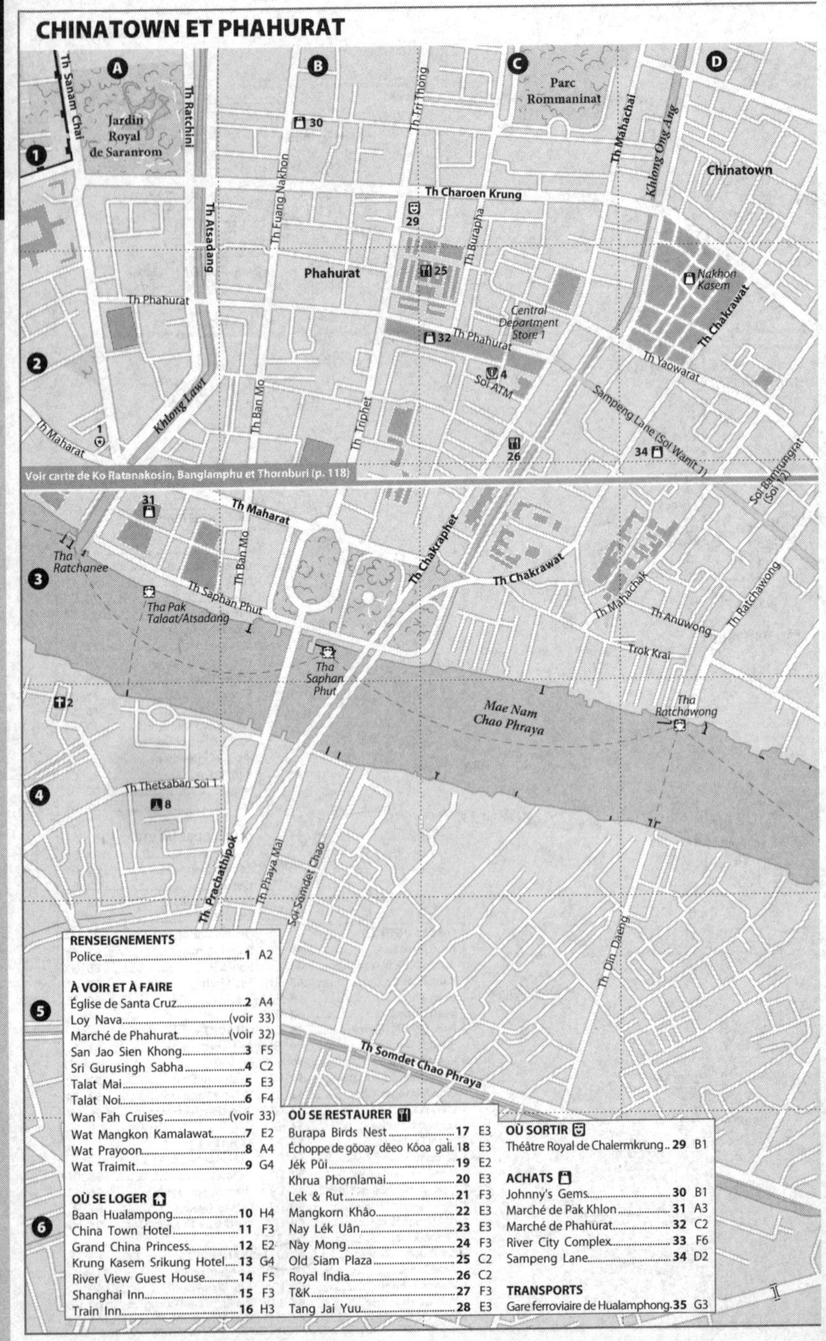
CHINATOWN ET PHAHURAT
A
B
C
D
1
2
3
4
5
6
Th Sanam Chai
Jardin Royal de Saranrom
Th Ratchini
Th Atsadang
Th Fuang Nakhon
Th Trì Thong
Parc Rommaninat
Th Mahachai
Khlong Ong Ang
Chinatown
Th Charoen Krung
Th Burapha
Phahurat
Nakhon Kasem
Th Chakrawat
Central Department Store 1
Th Phahurat
Th Yaowarat
Soi ATM
Sampeng Lane (Soi Wanit 1)
Khlong Lawt
Th Ban Mo
Th Triphet
Th Maharat
Voir carte de Ko Ratanakosin, Banglamphu et Thonburi (p. 118)
Soi Bamrungrat (Soi 12)
Th Chakraphet
Tha Ratchanee
Th Saphan Phut
Tha Pak Talaat/Atsadang
Th Chakrawat
Th Mahachak
Th Anuwong
Th Ratchawong
Trok Krai
Tha Saphan Phut
Mae Nam Chao Phraya
Tha Ratchawong
Th Thetsaban Soi 1
Th Prachathipok
Th Phaya Mai
Soi Somdet Chao
Th Din Daeng
Th Somdet Chao Phraya
RENSEIGNEMENTS
Police....1 A2
À VOIR ET À FAIRE
Église de Santa Cruz....2 A4
Loy Nava....(voir 33)
Marché de Phahurat....(voir 32)
San Jao Sien Khong....3 F5
Sri Gurusingh Sabha....4 C2
Talat Mai....5 E3
Talat Noi....6 F4
Wan Fah Cruises....(voir 33)
Wat Mangkon Kamalawat....7 E2
Wat Prayoon....8 A4
Wat Traimit....9 G4
OÙ SE LOGER
Baan Hualampong....10 H4
China Town Hotel....11 F3
Grand China Princess....12 E2
Krung Kasem Srikung Hotel....13 G4
River View Guest House....14 F5
Shanghai Inn....15 F3
Train Inn....16 H3
OÙ SE RESTAURER
Burapa Birds Nest....17 E3
Échoppe de gŏoay dĕeo Kŏoa gài....18 E3
Jék Pûi....19 E2
Khrua Phornlamai....20 E3
Lek & Rut....21 F3
Mangkorn Khâo....22 E3
Nay Lék Uân....23 E3
Nay Mong....24 F3
Old Siam Plaza....25 C2
Royal India....26 C2
T&K....27 F3
Tang Jai Yuu....28 E3
OÙ SORTIR
Théâtre Royal de Chalermkrung....29 B1
ACHATS
Johnny's Gems....30 B1
Marché de Pak Khlon....31 A3
Marché de Phahurat....32 C2
River City Complex....33 F6
Sampeng Lane....34 D2
TRANSPORTS
Gare ferroviaire de Hualamphong....35 G3

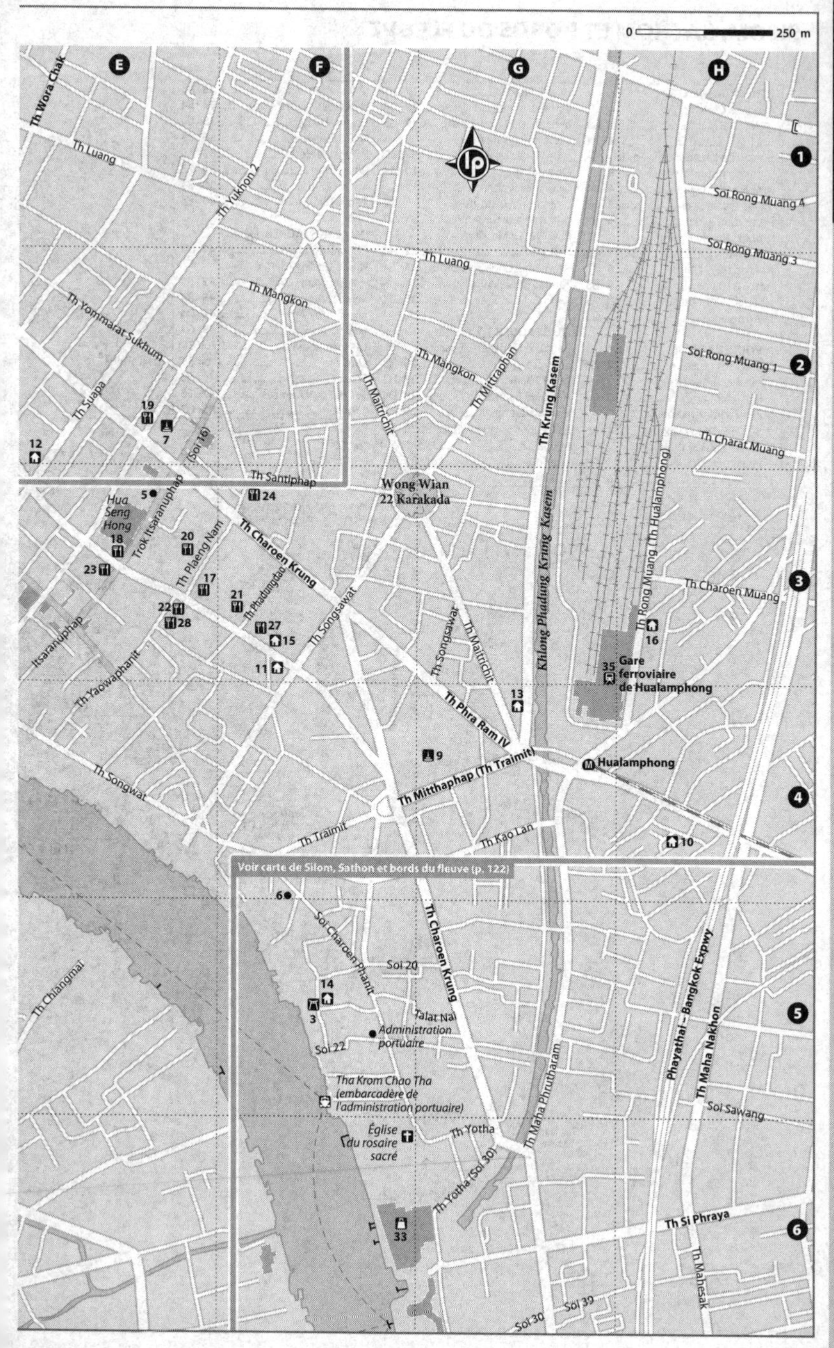
0
250 m
Th Wora Chak
Th Luang
Th Yukhon 2
Soi Rong Muang 4
Soi Rong Muang 3
Th Luang
Th Mangkon
Th Yommarat Sukhum
Th Mangkon
Th Mittraphan
Th Maitrichit
Soi Rong Muang 1
Th Suapa
Th Krung Kasem
Th Charat Muang
(Soi 16)
Th Santiphap
Wong Wian 22 Karakada
Hua Seng Hong
Trok Itsaranuphap
Th Plaeng Nam
Th Charoen Krung
Th Phadungdao
Th Rong Muang (Th Hualamphong)
Th Charoen Muang
Itsaranuphap
Th Songsawat
Th Songsawat
Th Maitrichit
Khlong Phadung Krung Kasem
Gare ferroviaire de Hualamphong
Th Yaowaphanit
Th Phra Ram IV
Hualamphong
Th Songwat
Th Mitthaphap (Th Traimit)
Th Traimit
Th Kao Lan
Voir carte de Silom, Sathon et bords du fleuve (p. 122)
Soi Charoen Phanit
Th Charoen Krung
Soi 20
Th Chiangmai
Phayathai – Bangkok Expwy
Th Maha Nakhon
Talat Nai
Administration portuaire
Soi 22
Tha Krom Chao Tha (embarcadère de l'administration portuaire)
Soi Sawang
Église du rosaire sacré
Th Yotha
Th Maha Phrutharam
Th Yotha (Soi 30)
Th Si Phraya
Th Mahesak
Soi 39
Soi 30

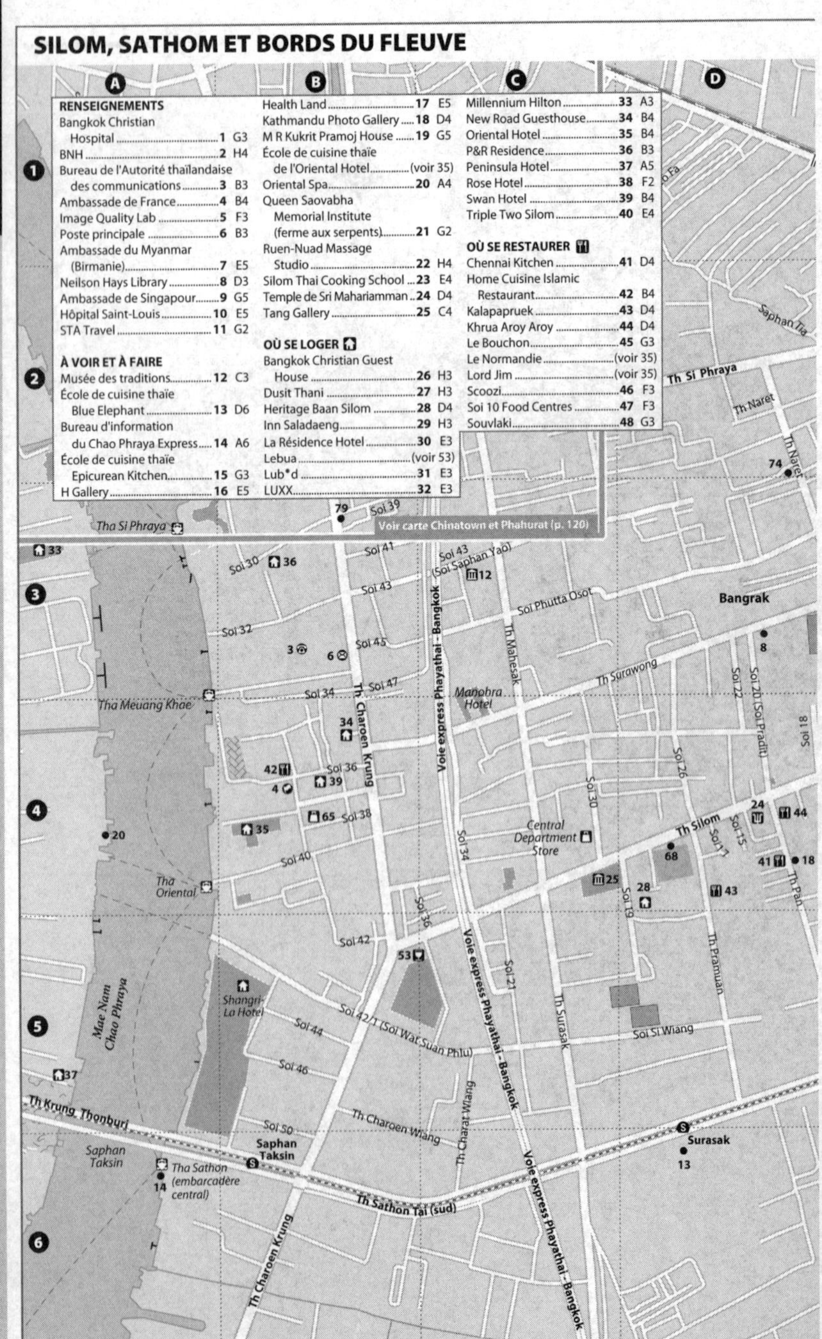
SILOM, SATHOM ET BORDS DU FLEUVE
A
B
C
D
1
2
3
4
5
6
RENSEIGNEMENTS
Bangkok Christian Hospital 1 G3
BNH 2 H4
Bureau de l'Autorité thaïlandaise des communications 3 B3
Ambassade de France 4 B4
Image Quality Lab 5 F3
Poste principale 6 B3
Ambassade du Myanmar (Birmanie) 7 E5
Neilson Hays Library 8 D3
Ambassade de Singapour 9 G5
Hôpital Saint-Louis 10 E5
STA Travel 11 G2
À VOIR ET À FAIRE
Musée des traditions 12 C3
École de cuisine thaïe Blue Elephant 13 D6
Bureau d'information du Chao Phraya Express 14 A6
École de cuisine thaïe Epicurean Kitchen 15 G3
H Gallery 16 E5
Health Land 17 E5
Kathmandu Photo Gallery 18 D4
M R Kukrit Pramoj House 19 G5
École de cuisine thaïe de l'Oriental Hotel (voir 35)
Oriental Spa 20 A4
Queen Saovabha Memorial Institute (ferme aux serpents) 21 G2
Ruen-Nuad Massage Studio 22 H4
Silom Thai Cooking School 23 E4
Temple de Sri Mahariamman 24 D4
Tang Gallery 25 C4
OÙ SE LOGER
Bangkok Christian Guest House 26 H3
Dusit Thani 27 H3
Heritage Baan Silom 28 D4
Inn Saladaeng 29 H3
La Résidence Hotel 30 E3
Lebua (voir 53)
Lub*d 31 E3
LUXX 32 E3
Millennium Hilton 33 A3
New Road Guesthouse 34 B4
Oriental Hotel 35 B4
P&R Residence 36 B3
Peninsula Hotel 37 A5
Rose Hotel 38 F2
Swan Hotel 39 B4
Triple Two Silom 40 E4
OÙ SE RESTAURER
Chennai Kitchen 41 D4
Home Cuisine Islamic Restaurant 42 B4
Kalapapruek 43 D4
Khrua Aroy Aroy 44 D4
Le Bouchon 45 G3
Le Normandie (voir 35)
Lord Jim (voir 35)
Scoozi 46 F3
Soi 10 Food Centres 47 F3
Souvlaki 48 G3
Voir carte Chinatown et Phahurat (p. 120)
Tha Si Phraya
Th Si Phraya
Th Naret
Saphan Tia
Soi 39
Soi 41
Soi 43 (Soi Saphan Yao)
Soi 30
Soi 43
Soi Phutta Osot
Bangrak
Soi 32
Soi 45
Soi 47
Soi 34
Th Surawong
Manohra Hotel
Th Charoen Krung
Voie express Phayathai - Bangkok
Th Mahesak
Tha Meuang Khae
Soi 22
Soi 20 (Soi Pradit)
Soi 18
Soi 36
Soi 38
Soi 26
Soi 30
Th Silom
Central Department Store
Soi 34
Soi 40
Tha Oriental
Soi 17
Soi 15
Th Pan
Soi 19
Soi 36
Soi 42
Soi 21
Th Pramuan
Shangri-La Hotel
Mae Nam Chao Phraya
Soi 42/1 (Soi Wat Suan Phlu)
Soi 44
Soi 46
Soi Si Wiang
Th Surasak
Th Charat Wiang
Th Krung Thonburi
Soi 50
Th Charoen Wiang
Saphan Taksin
Tha Sathon (embarcadère central)
Surasak
Th Sathon Tai (sud)
Th Charoen Krung
Voie express Phayathai - Bangkok

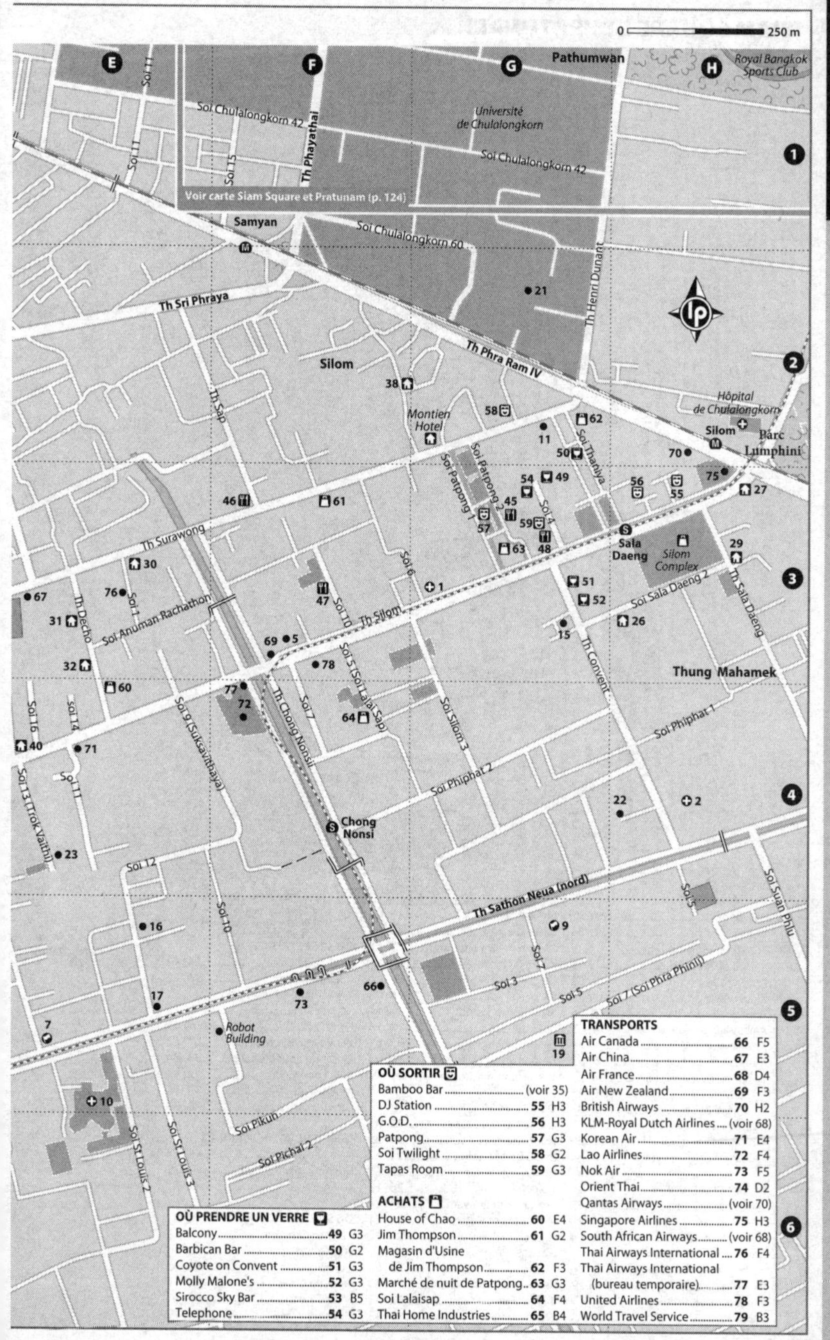
0
250 m
E
F
G
H
Pathumwan
Royal Bangkok Sports Club
Soi 11
Soi Chulalongkorn 42
Université de Chulalongkorn
Soi 15
Th Phayathai
Voir carte Siam Square et Pratunam (p. 124)
Samyan
Soi Chulalongkorn 60
Th Henri Dunant
Th Sri Phraya
Th Phra Ram IV
Silom
Th Sap
Montien Hotel
Hôpital de Chulalongkorn
Silom
Parc Lumphini
Soi Thaniya
Soi Patpong 2
Soi Patpong 1
Th Surawong
Sala Daeng
Silom Complex
Soi Sala Daeng 2
Th Sala Daeng
Soi 6
Soi 4
Th Decho
Soi 1
Soi Anuman Rachathon
Soi 10
Th Silom
Soi 5 (Soi Lalai Sap)
Th Convent
Thung Mahamek
Soi 16
Soi 14
Soi 9 (Suksavithaya)
Th Chong Nonsi
Soi 7
Soi Silom 3
Soi Phiphat 1
Soi 13 (Trok Vaithi)
Soi 11
Soi Phiphat 2
Chong Nonsi
Soi 12
Th Sathon Neua (nord)
Soi 5
Soi Suan Phlu
Soi 10
Soi 7
Soi 3
Soi 5
Soi 7 (Soi Phra Phinij)
Robot Building
Soi Pikun
Soi Pichai 2
Soi St Louis 2
Soi St Louis 3
OÙ PRENDRE UN VERRE
Balcony 49 G3
Barbican Bar 50 G2
Coyote on Convent 51 G3
Molly Malone's 52 G3
Sirocco Sky Bar 53 B5
Telephone 54 G3
OÙ SORTIR
Bamboo Bar (voir 35)
DJ Station 55 H3
G.O.D. 56 H3
Patpong 57 G3
Soi Twilight 58 G2
Tapas Room 59 G3
ACHATS
House of Chao 60 E4
Jim Thompson 61 G2
Magasin d'Usine de Jim Thompson 62 F3
Marché de nuit de Patpong 63 G3
Soi Lalaisap 64 F4
Thai Home Industries 65 B4
TRANSPORTS
Air Canada 66 F5
Air China 67 E3
Air France 68 D4
Air New Zealand 69 F3
British Airways 70 H2
KLM-Royal Dutch Airlines (voir 68)
Korean Air 71 E4
Lao Airlines 72 F4
Nok Air 73 F5
Orient Thai 74 D2
Qantas Airways (voir 70)
Singapore Airlines 75 H3
South African Airways (voir 68)
Thai Airways International 76 F4
Thai Airways International (bureau temporaire) 77 E3
United Airlines 78 F3
World Travel Service 79 B3

## SIAM SQUARE ET PRATUNAM

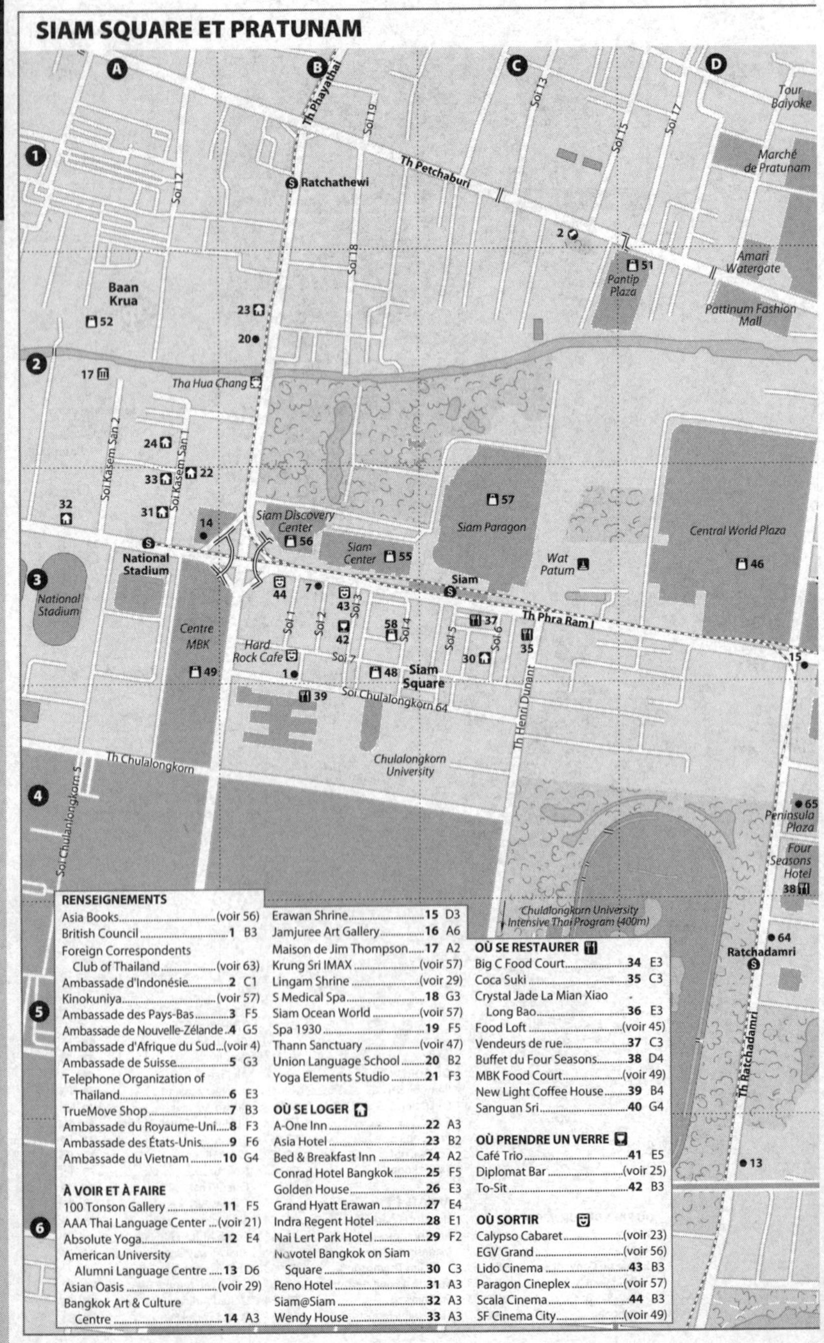

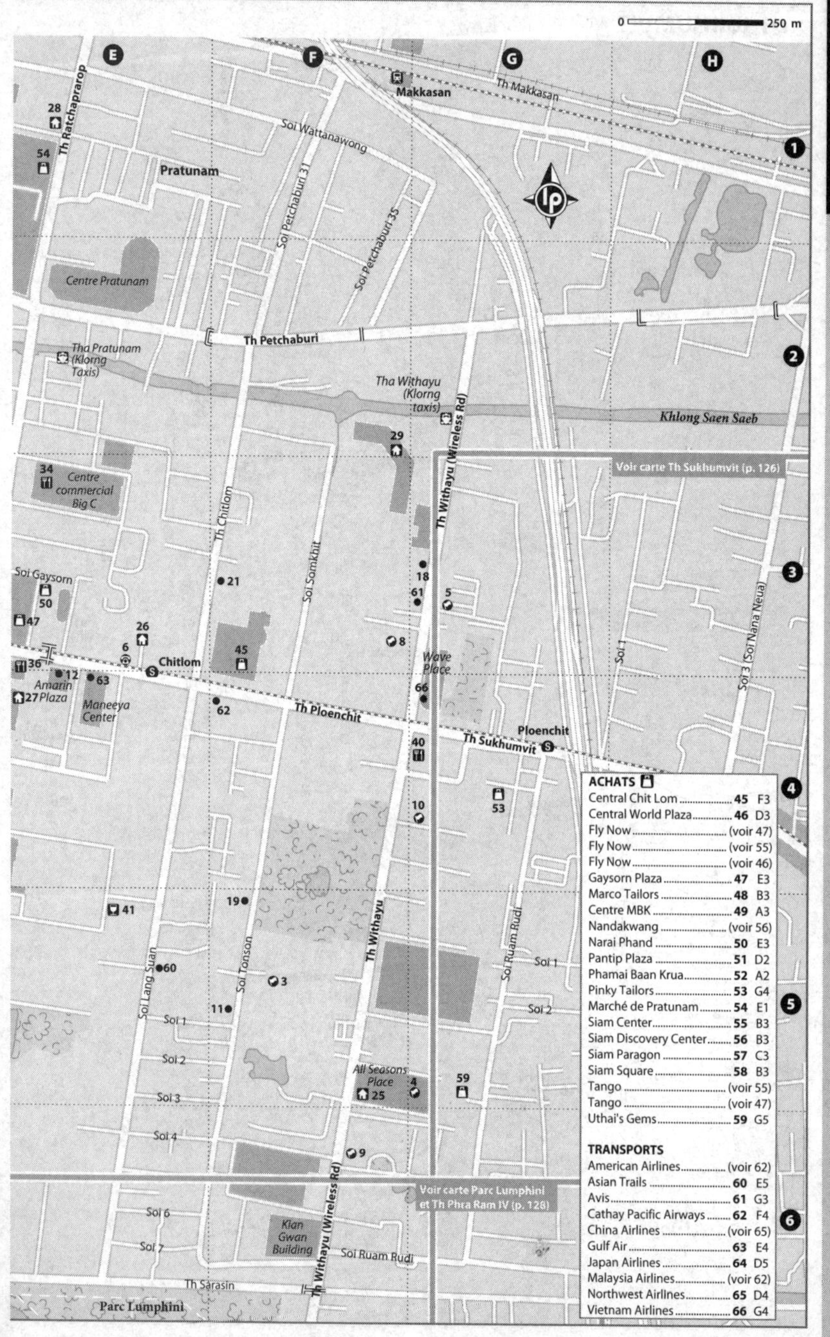
0 250 m
E
F
G
H
1
2
3
4
5
6
Makkasan
Th Makkasan
Th Ratchaprarop
Soi Wattanawong
Pratunam
Soi Petchaburi 31
Soi Petchaburi 35
Centre Pratunam
Th Petchaburi
Tha Pratunam (Klorng Taxis)
Tha Withayu (Klorng taxis)
Khlong Saen Saeb
Voir carte Th Sukhumvit (p. 126)
Centre commercial Big C
Th Chitlom
Soi Somkhit
Th Withayu (Wireless Rd)
Soi Gaysorn
Chitlom
Amarin Plaza
Maneeya Center
Wave Place
Th Ploenchit
Ploenchit
Th Sukhumvit
Soi 1
Soi 3 (Soi Nana Neua)
Soi Lang Suan
Soi Tonson
Th Withayu
Soi Ruam Rudi
Soi 1
Soi 2
Soi 3
Soi 4
Soi 6
Soi 7
All Seasons Place
Voir carte Parc Lumphini et Th Phra Ram IV (p. 128)
Kian Gwan Building
Soi Ruam Rudi
Th Sarasin
Parc Lumphini
ACHATS
Central Chit Lom 45 F3
Central World Plaza 46 D3
Fly Now (voir 47)
Fly Now (voir 55)
Fly Now (voir 46)
Gaysorn Plaza 47 E3
Marco Tailors 48 B3
Centre MBK 49 A3
Nandakwang (voir 56)
Narai Phand 50 E3
Pantip Plaza 51 D2
Phamai Baan Krua 52 A2
Pinky Tailors 53 G4
Marché de Pratunam 54 E1
Siam Center 55 B3
Siam Discovery Center 56 B3
Siam Paragon 57 C3
Siam Square 58 B3
Tango (voir 55)
Tango (voir 47)
Uthai's Gems 59 G5
TRANSPORTS
American Airlines (voir 62)
Asian Trails 60 E5
Avis 61 G3
Cathay Pacific Airways 62 F4
China Airlines (voir 65)
Gulf Air 63 E4
Japan Airlines 64 D5
Malaysia Airlines (voir 62)
Northwest Airlines 65 D4
Vietnam Airlines 66 G4

## TH SUKHUMVIT

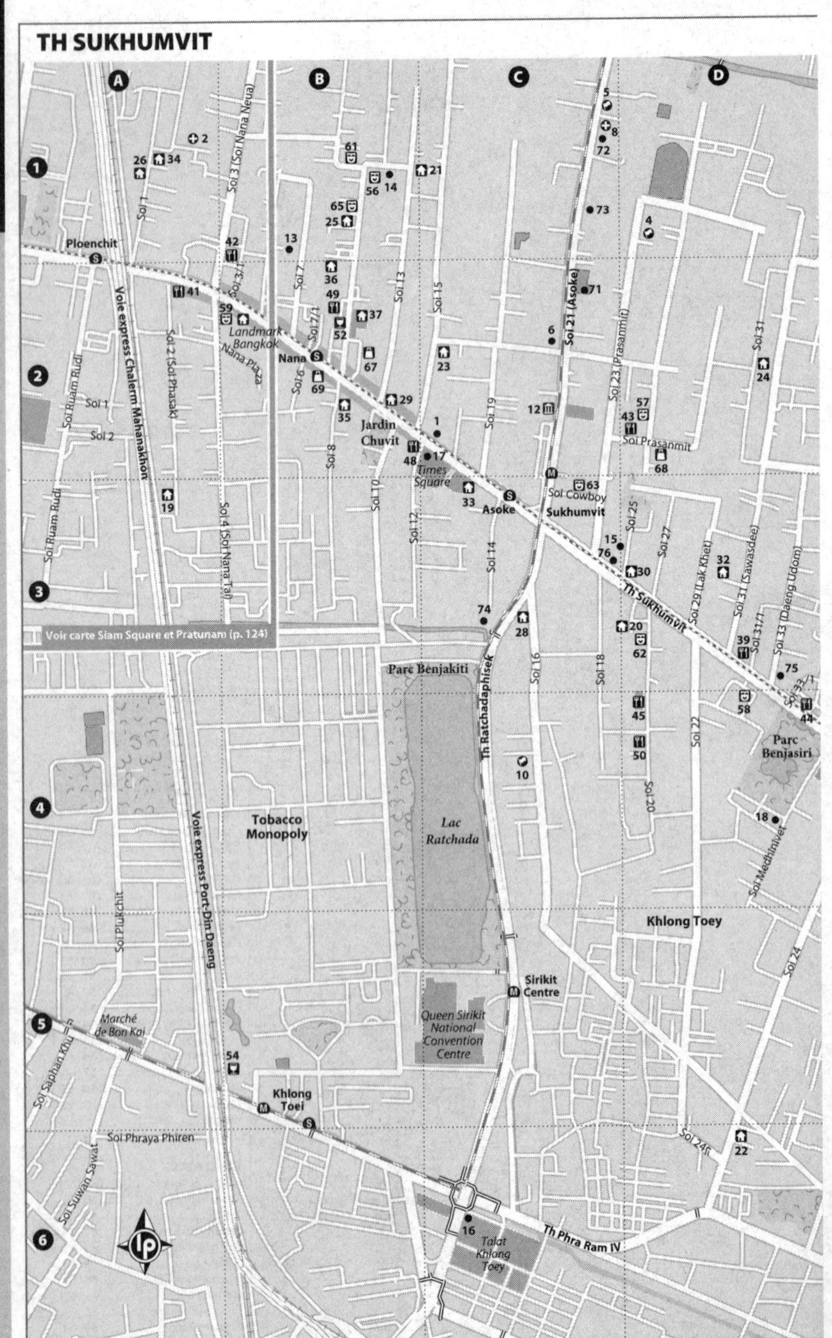

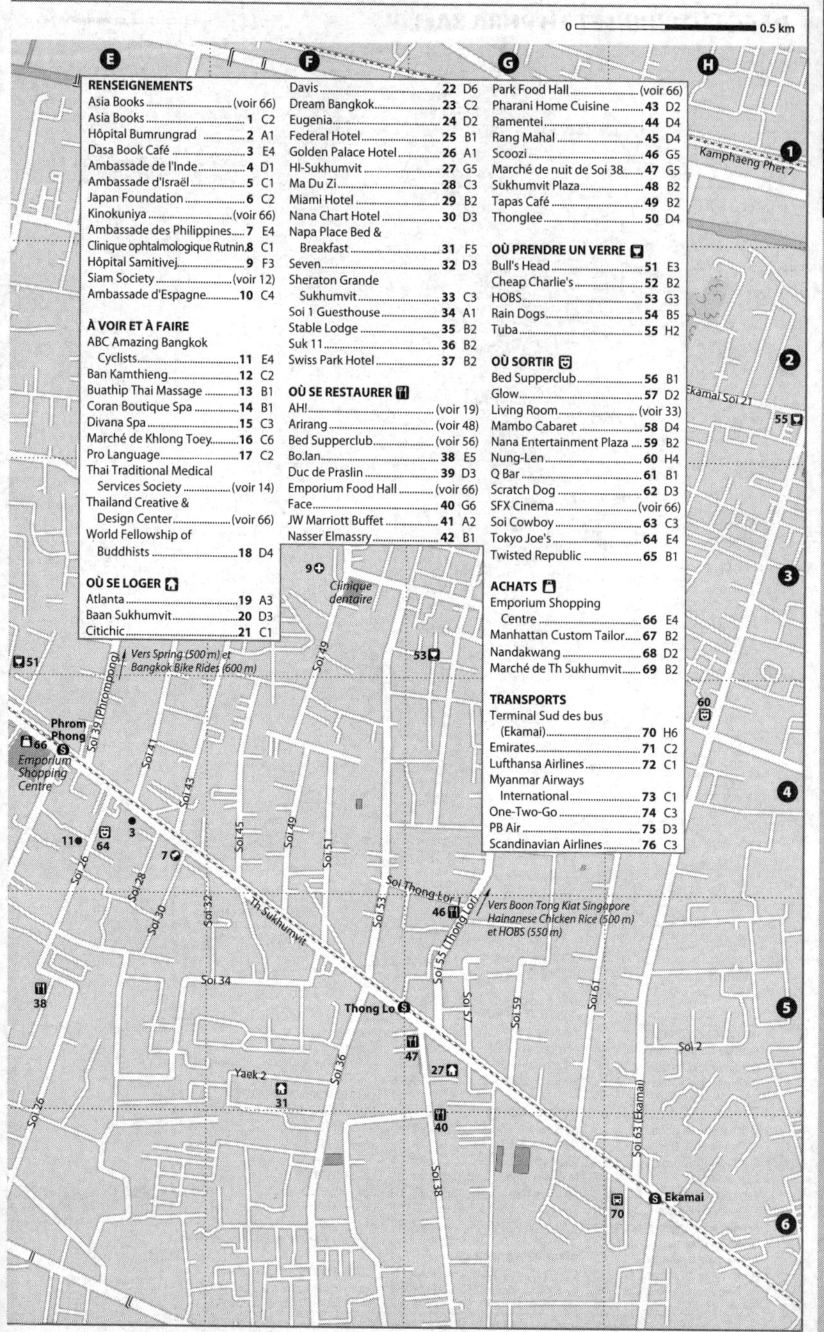
0 0.5 km
E
F
G
H
RENSEIGNEMENTS
Asia Books (voir 66)
Asia Books 1 C2
Hôpital Bumrungrad 2 A1
Dasa Book Café 3 E4
Ambassade de l'Inde 4 D1
Ambassade d'Israël 5 C1
Japan Foundation 6 C2
Kinokuniya (voir 66)
Ambassade des Philippines 7 E4
Clinique ophtalmologique Rutnin 8 C1
Hôpital Samitivej 9 F3
Siam Society (voir 12)
Ambassade d'Espagne 10 C4
À VOIR ET À FAIRE
ABC Amazing Bangkok Cyclists 11 E4
Ban Kamthieng 12 C2
Buathip Thai Massage 13 B1
Coran Boutique Spa 14 B1
Divana Spa 15 C3
Marché de Khlong Toey 16 C6
Pro Language 17 C2
Thai Traditional Medical Services Society (voir 14)
Thailand Creative & Design Center (voir 66)
World Fellowship of Buddhists 18 D4
OÙ SE LOGER
Atlanta 19 A3
Baan Sukhumvit 20 D3
Citichic 21 C1
Davis 22 D6
Dream Bangkok 23 C2
Eugenia 24 D2
Federal Hotel 25 B1
Golden Palace Hotel 26 A1
HI-Sukhumvit 27 G5
Ma Du Zi 28 C3
Miami Hotel 29 B2
Nana Chart Hotel 30 D3
Napa Place Bed & Breakfast 31 F5
Seven 32 D3
Sheraton Grande Sukhumvit 33 C3
Soi 1 Guesthouse 34 A1
Stable Lodge 35 B2
Suk 11 36 B2
Swiss Park Hotel 37 B2
OÙ SE RESTAURER
AH! (voir 19)
Arirang (voir 48)
Bed Supperclub (voir 56)
Bo.lan 38 E5
Duc de Praslin 39 D3
Emporium Food Hall (voir 66)
Face 40 G6
JW Marriott Buffet 41 A2
Nasser Elmassry 42 B1
Park Food Hall (voir 66)
Pharani Home Cuisine 43 D2
Ramentei 44 D4
Rang Mahal 45 D4
Scoozi 46 G5
Marché de nuit de Soi 38 47 G5
Sukhumvit Plaza 48 B2
Tapas Café 49 B2
Thonglee 50 D4
OÙ PRENDRE UN VERRE
Bull's Head 51 E3
Cheap Charlie's 52 B2
HOBS 53 G3
Rain Dogs 54 B5
Tuba 55 H2
OÙ SORTIR
Bed Supperclub 56 B1
Glow 57 D2
Living Room (voir 33)
Mambo Cabaret 58 D4
Nana Entertainment Plaza 59 B2
Nung-Len 60 H4
Q Bar 61 B1
Scratch Dog 62 D3
SFX Cinema (voir 66)
Soi Cowboy 63 C3
Tokyo Joe's 64 E4
Twisted Republic 65 B1
ACHATS
Emporium Shopping Centre 66 E4
Manhattan Custom Tailor 67 B2
Nandakwang 68 D2
Marché de Th Sukhumvit 69 B2
TRANSPORTS
Terminal Sud des bus (Ekamai) 70 H6
Emirates 71 C2
Lufthansa Airlines 72 C1
Myanmar Airways International 73 C1
One-Two-Go 74 C3
PB Air 75 D3
Scandinavian Airlines 76 C3
1
2
3
4
5
6
Kamphaeng Phet 7
Ekamai Soi 21
Clinique dentaire
Vers Spring (500 m) et Bangkok Bike Rides (600 m)
Soi 39 (Phrompong)
Phrom Phong
Emporium Shopping Centre
Soi 41
Soi 43
Soi 45
Soi 49
Soi 51
Soi 53
Soi 26
Soi 28
Soi 30
Soi 32
Soi 34
Th Sukhumvit
Soi Thong Lor 1
Vers Boon Tong Kiat Singapore Hainanese Chicken Rice (500 m) et HOBS (550 m)
Soi 55 (Thong Lor)
Soi 57
Soi 59
Soi 61
Soi 63 (Ekamai)
Soi 2
Thong Lo
Yaek 2
Soi 36
Soi 38
Ekamai

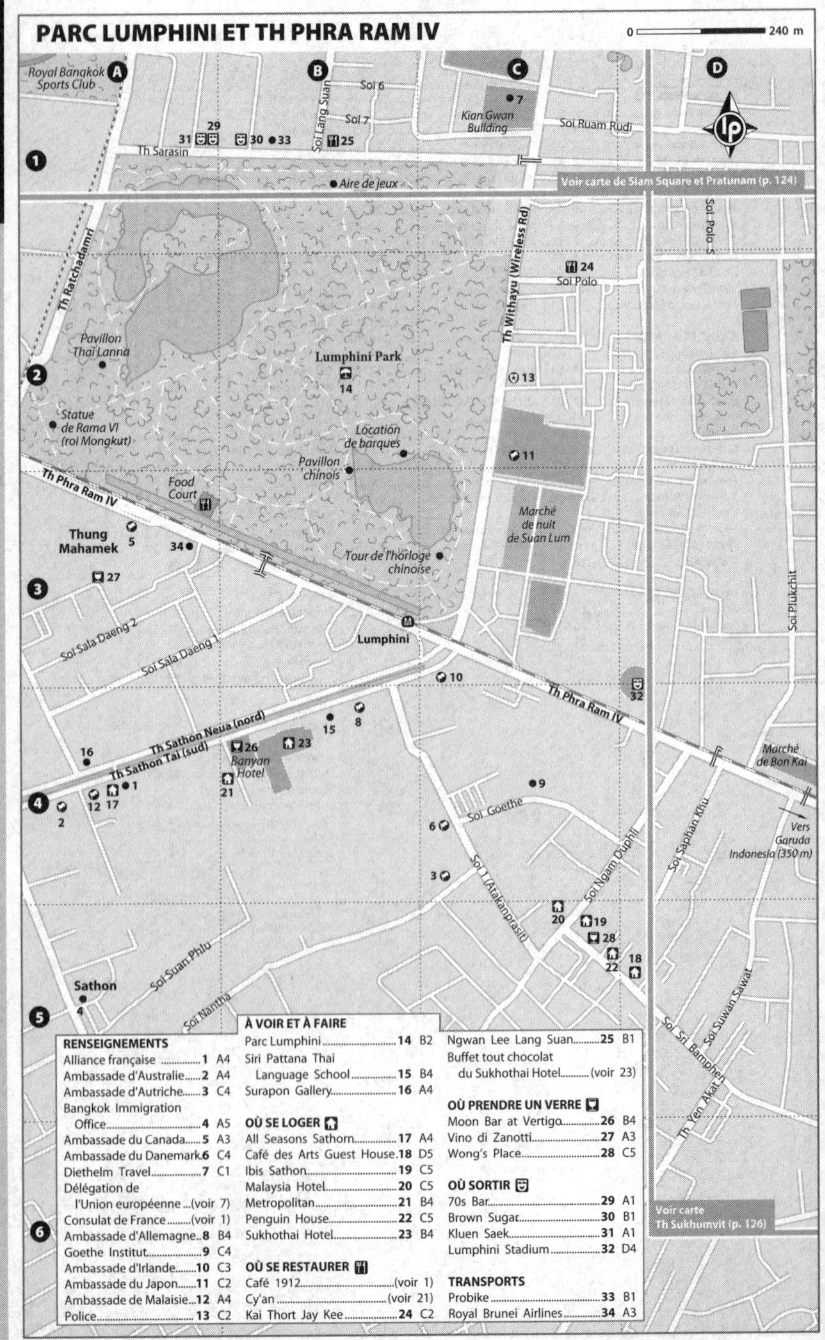
PARC LUMPHINI ET TH PHRA RAM IV
0 240 m
Royal Bangkok Sports Club
Soi 6
Soi 7
Soi Lang Suan
Kian Gwan Building
Soi Ruam Rudi
Th Sarasin
Aire de jeux
Voir carte de Siam Square et Pratunam (p. 124)
Soi Polo 5
Th Ratchadamri
Th Withayu (Wireless Rd)
Soi Polo
Pavillon Thaï Lanna
Lumphini Park
Statue de Rama VI (roi Mongkut)
Location de barques
Pavillon chinois
Food Court
Th Phra Ram IV
Marché de nuit de Suan Lum
Thung Mahamek
Tour de l'horloge chinoise
Lumphini
Soi Plukchit
Soi Sala Daeng 2
Soi Sala Daeng 1
Th Sathon Neua (nord)
Th Sathon Tai (sud)
Banyan Hotel
Marché de Bon Kai
Soi Goethe
Vers Garuda Indonesia (350 m)
Soi Saphan Khu
Soi Ngam Duphli
Soi 1 (Atakanprasit)
Soi Suan Phlu
Sathon
Soi Nantha
Soi Suwan Sawat
Soi Sri Bamphen
Th Yen Akat
Voir carte Th Sukhumvit (p. 126)
RENSEIGNEMENTS
Alliance française 1 A4
Ambassade d'Australie 2 A4
Ambassade d'Autriche 3 C4
Bangkok Immigration Office 4 A5
Ambassade du Canada 5 A3
Ambassade du Danemark 6 C4
Diethelm Travel 7 C1
Délégation de l'Union européenne (voir 7)
Consulat de France (voir 1)
Ambassade d'Allemagne 8 B4
Goethe Institut 9 C4
Ambassade d'Irlande 10 C3
Ambassade du Japon 11 C2
Ambassade de Malaisie 12 A4
Police 13 C2
À VOIR ET À FAIRE
Parc Lumphini 14 B2
Siri Pattana Thai Language School 15 B4
Surapon Gallery 16 A4
OÙ SE LOGER
All Seasons Sathorn 17 A4
Café des Arts Guest House 18 D5
Ibis Sathon 19 C5
Malaysia Hotel 20 C5
Metropolitan 21 B4
Penguin House 22 C5
Sukhothai Hotel 23 B4
OÙ SE RESTAURER
Café 1912 (voir 1)
Cy'an (voir 21)
Kai Thort Jay Kee 24 C2
Ngwan Lee Lang Suan 25 B1
Buffet tout chocolat du Sukhothai Hotel (voir 23)
OÙ PRENDRE UN VERRE
Moon Bar at Vertigo 26 B4
Vino di Zanotti 27 A3
Wong's Place 28 C5
OÙ SORTIR
70s Bar 29 A1
Brown Sugar 30 B1
Kluen Saek 31 A1
Lumphini Stadium 32 D4
TRANSPORTS
Probike 33 B1
Royal Brunei Airlines 34 A3

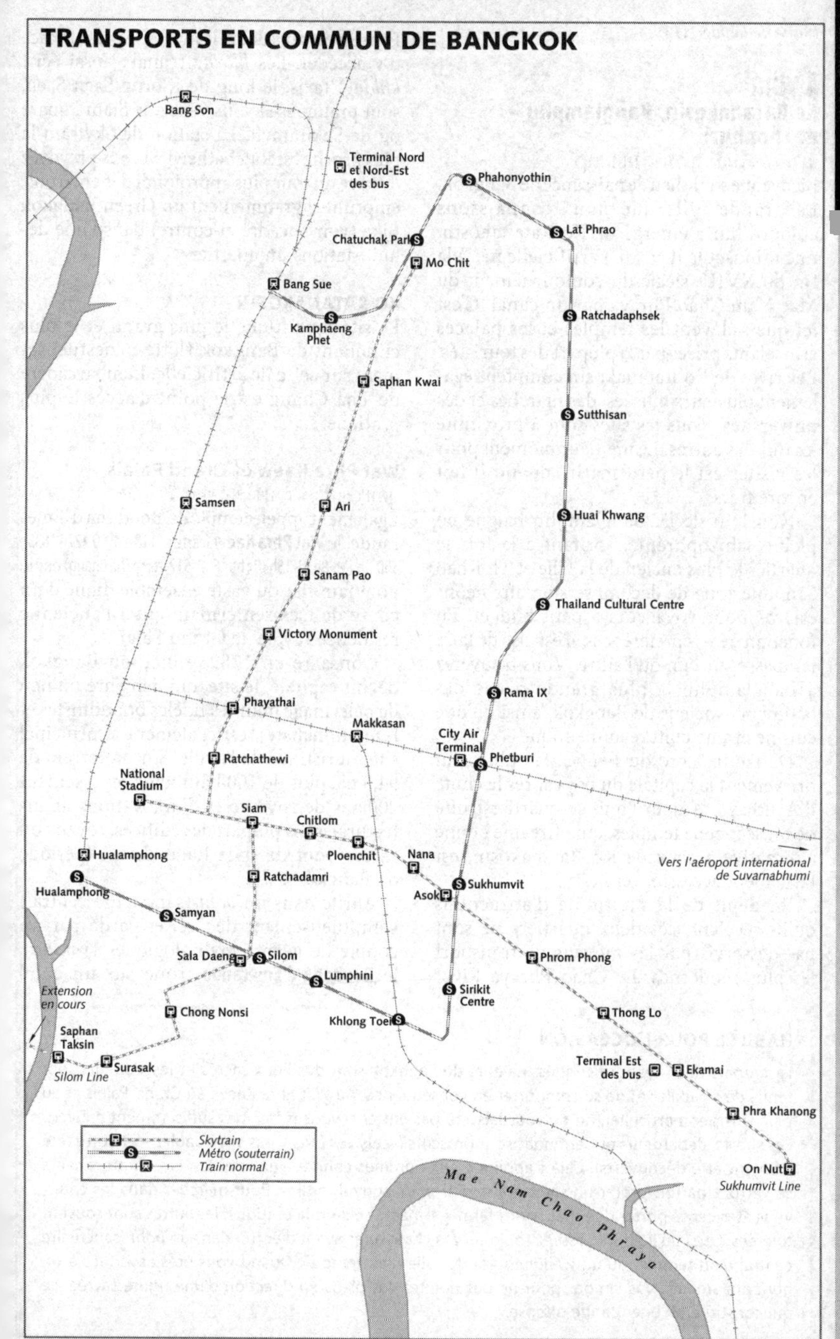
TRANSPORTS EN COMMUN DE BANGKOK
Bang Son
Terminal Nord et Nord-Est des bus
Phahonyothin
Lat Phrao
Chatuchak Park
Mo Chit
Bang Sue
Kamphaeng Phet
Ratchadaphsek
Saphan Kwai
Sutthisan
Samsen
Ari
Huai Khwang
Sanam Pao
Thailand Cultural Centre
Victory Monument
Rama IX
Phayathai
Makkasan
City Air Terminal
Phetburi
Ratchathewi
National Stadium
Siam
Chitlom
Ploenchit
Nana
Hualamphong
Hualamphong
Sukhumvit
Asok
Vers l'aéroport international de Suvarnabhumi
Ratchadamri
Samyan
Sala Daeng
Silom
Phrom Phong
Lumphini
Sirikit Centre
Extension en cours
Chong Nonsi
Khlong Toei
Thong Lo
Saphan Taksin
Surasak
Silom Line
Terminal Est des bus
Ekamai
Phra Khanong
Skytrain
Métro (souterrain)
Train normal
On Nut
Sukhumvit Line
Mae Nam Chao Phraya

*(Suite de la page 113)*

## À VOIR

### Ko Ratanakosin, Banglamphu et Thonburi

เกาะรัตนโกสินทร์/บางลำพู/ธนบุรี

Bienvenue sur le lieu de naissance de Bangkok. La grande ville que nous connaissons aujourd'hui a émergé de Ko Ratanakosin, une minuscule île ("*ko*") artificielle née à la fin du XVIII^e siècle du contournement du Mae Nam Chao Phraya par un canal. C'est ici que s'élèvent les temples et les palaces étincelants prisés par la plupart des touristes. Les rives de Ko Ratanakosin comptent également plusieurs musées, des marchés et des universités. Tous les sites sont à proximité les uns des autres. Le meilleur moment pour les visiter est le petit matin, quand il fait encore frais.

Non loin de là, Banglamphu baigne en pleine schizophrénie, abritant à la fois le quartier le plus ancien de la ville et Th Khao San, une zone de décompression aux néons criards pour voyageurs à petit budget. En fonction de vos préférences, il est aisé de faire l'impasse sur l'un ou l'autre. Vous trouverez à Banglamphu la plus grande partie des bâtiments anciens de Bangkok, ainsi qu'une cuisine et une culture authentiques.

De l'autre côté du fleuve, Thonburi fut brièvement la capitale du pays après la chute d'Ayuthaya. Aujourd'hui, ce quartier truffé de musées et de temples, qui offre une bonne alternative à ceux de Ko Ratanakosin, est facilement accessible en ferry.

En dépit de la multitude d'attractions qu'ils recèlent, ces deux quartiers ne sont pas desservis par les moyens de transport les plus modernes. Le Chao Phraya River Express est sans doute le moyen le plus efficace d'y accéder. Les *klorng* (canal ; aussi écrit *khlong*) taxis, le long de Klorng Saen Saeb, sont pratiques si vous venez de Siam Square ou de Sukhumvit. La station de Skytrain la plus proche est Ratchathewi. Si vous prévoyez de faire un tour plus approfondi des environs, empruntez gratuitement un Green Bangkok Bike (voir encadré ci-contre) dans l'une des huit stations du quartier.

#### KO RATANAKOSIN

Le site touristique le plus grand et le plus clinquant de Bangkok flotte majestueusement sur cette île artificielle. L'embarcadère de Tha Chang est le point d'accès le plus pratique.

#### Wat Phra Kaew et Grand Palais

วัดพระแก้ว/พระบรมมหาราชวัง

Également appelé temple du Bouddha d'Émeraude, le **Wat Phra Kaew** (carte p. 118 ; ☎ 0 2224 1833 ; 350 B ; ⌚ 8h30-15h30 ; bus 508, 512, ferry Tha Chang) est le nom familier du vaste ensemble digne d'un conte de fées renfermant aussi l'ancienne résidence royale, le Grand Palais.

Consacré en 1782, année où Bangkok devint capitale, le site, qui demeure un lieu de pèlerinage pour les fidèles bouddhistes et les nationalistes, est également le principal site touristique de la ville. Sur un terrain de 94,5 ha, plus de 100 bâtiments représentent 200 ans de royauté et d'innovations architecturales. La plupart des édifices, royaux ou sacrés, sont de style Ratanakosin (période de Bangkok).

Abrité dans un *bòht* (sanctuaire central) somptueusement décoré, et gardé par un couple de géants mythologiques (*yaksha*), le **Bouddha d'Émeraude** trône sur un autel

#### HABILLÉ POUR L'OCCASION

La plupart des sites touristiques majeurs de Bangkok sont des lieux sacrés et les visiteurs sont tenus de s'habiller et de se comporter en conséquence. Au Wat Phra Kaew, au Grand Palais et au parc Dusit en particulier, on ne vous laissera pas entrer si vous n'êtes pas suffisamment couvert. Les shorts, débardeurs et bermudas sont proscrits (seuls vos bras – pas vos épaules – et votre tête peuvent être découverts). Cela s'applique aux hommes comme aux femmes. Les contrevenants se verront parfois prêter un sarong à revêtir pour pouvoir entrer. Pour marcher dans les cours, vous êtes censé porter des chaussures fermées, même si, dans la pratique, les autres sont souvent tolérées. Quoi qu'il en soit, retirez toujours vos chaussures avant d'entrer dans un *bòht* (sanctuaire central d'un temple) ou un *wí·hăhn* (grande salle d'un temple). Quand vous êtes assis face à un bouddha, repliez vos jambes pour ne pas pointer vos pieds en direction d'une figure sacrée, ce qui constituerait une grande offense.

### LES AVENTURES DU BOUDDHA D'ÉMERAUDE

Le Bouddha d'Émeraude (Phra Kaew Morakot) occupe une place importante dans le bouddhisme thaï, et pas seulement par sa taille (66 cm) ou son matériau (probablement un quartz jaspe ou du jade de néphrite, et non de l'émeraude). De fait, il fut d'abord considéré comme une statue ordinaire, sans rang particulier, jusqu'à sa "redécouverte" au XVe siècle à Chiang Rai. Lors d'une chute, la statue apparut alors sous une couche de plâtre couverte de feuilles d'or (une pratique courante destinée à protéger les bouddhas des voleurs). Après quelques séjours glorieux dans différents temples du nord de la Thaïlande, elle tomba entre les mains des envahisseurs laotiens au millieu du XVIe siècle, et demeura au Laos pendant deux siècles.

En 1778, le roi Taksin de Thaïlande combattit le Laos, retrouva l'effigie et la monta à Thonburi. Plus tard, lorsque Bangkok devint la nouvelle capitale et que le général Chakri succéda au roi Taksin, le Bouddha d'Émeraude se vit offrir comme écrin l'un des monuments les plus grandioses du pays : le Wat Phra Kaew.

surélevé. La petite statue disparaît presque sous les dorures et les draperies dont elle est toujours enveloppée. Au début de chaque saison, le roi (ou, depuis peu, le prince héritier) change les vêtements de la statue au cours d'une cérémonie solennelle (pour plus de détails, voir l'encadré ci-contre). Des **fresques bouddhiques** récemment restaurées ornent les parois intérieures du *bòht,* alors que les **fresques du Ramakian** (version thaïlandaise de l'épopée indienne du *Ramayana*) courent sur les murailles intérieures de l'enceinte. Peintes sous le règne de Rama Ier (1782-1809) et fraîchement restaurées, elles retracent l'épopée dans son intégralité, depuis la porte nord et en poursuivant dans le sens des aiguilles d'une montre.

À l'exception de quelques antichambres ici et là, le **Grand Palais** (Phra Borom Maharatchawong) n'est désormais utilisé par le roi qu'à l'occasion de cérémonies officielles, comme l'anniversaire du couronnement (le roi réside le plus souvent à Hua Hin).

Le **Borombhiman Hall** (extrémité est), inspiré de l'architecture française et autrefois la résidence de Rama VI, accueille aujourd'hui les dignitaires étrangers en visite officielle. En avril 1981, il a servi de centre opérationnel au général San Chitpatima lors d'un coup d'État avorté. À l'ouest, l'**Amarindra Hall**, ancien palais de justice, est aujourd'hui réservé aux cérémonies du couronnement.

Le **Chakri Mahaprasat** (grande salle des Chakri), plus souvent désigné sous le nom de "Grand Palace Hall", est le plus imposant de tous ces palais. Construit en 1882 par des architectes britanniques – avec l'aide d'une main-d'œuvre thaïlandaise –, il offre un singulier mélange de style Renaissance italienne et d'architecture thaïlandaise traditionnelle, baptisé *fà·ràng sài chá·dah* (Occidental coiffé d'une couronne thaïlandaise) : chaque aile du bâtiment est surmontée d'un *mon·dòp*, une coupole pointue à plusieurs étages lourdement décorée, version thaïlandaise du *mandapa* (salle à colonnes dans un temple) hindou. La coupole centrale, la plus haute, renferme les urnes funéraires des rois Chakri, et les deux autres celles des princes Chakri. L'immense harem royal, au cœur du palais, était gardé par des femmes sentinelles entraînées aux arts martiaux.

Enfin, d'est en ouest, le dernier de ces palais, le Dusit Hall, de style Ratanakosin, après avoir accueilli les audiences royales, fut ensuite réservé aux obsèques des monarques.

Des guides proposent leurs services près du guichet. Ignorez tous ceux qui se trouvent à l'extérieur du site. Le meilleur moyen d'accéder au Wat Phra Kaew et au Grand Palais est de traverser le parc de Sanam Luang à pied depuis Banglamphu ou de prendre le Chao Phraya Express jusqu'à Tha Chang. Depuis le quartier de Siam Square (devant le Centre MBK, Th Phra Ram I), prendre le bus 47.

Le billet d'entrée donne également accès au parc Dusit (p. 143), qui comprend le palais de teck Vimanmek et la salle du trône Abhisek Dusit.

#### Wat Pho

วัดโพธิ์(วัดพระเชตุพน)

Le **Wat Pho** (Wat Phra Chetuphon ; carte p. 118 ; ☎ 0 2221 9911 ; Th Sanamchai ; 50 B ; 🕑 8h-17h ; bus 508, 512, ferry Tha Tien) est bien moins fréquenté que le Wat Phra Kaew, mais des grands temples de Bangkok il est notre préféré. Il détient d'ailleurs plusieurs

**LE JUSTE PRIX ?**

Si vous lisez le thaï, vous remarquerez que le prix d'entrée de nombreux musées, galeries, temples et parcs nationaux est très inférieur pour les citoyens thaïlandais. Jusqu'à récemment, les étrangers payaient en général le double. Nous trouvions ça normal étant donné que les impôts thaïlandais financent de telles institutions. Cependant, en 2008, les tarifs ont augmenté de manière significative et les étrangers paient désormais au moins 4 fois plus cher que les visiteurs thaïlandais. Même si le prix du billet reste souvent inférieur à celui de nos pays, un tarif de 100 ou 200 B peut faire réfléchir certains touristes pour les petits musées de province ou les parcs nationaux moins réputés.

La bonne nouvelle, c'est qu'à Bangkok, si vous visitez le musée des Barges royales, la National Gallery et le Musée national, un tarif spécial de 350 B (au lieu de 500) vous donne accès aux 3 lieux. Et le billet du Wat Phra Kaew (300 B) comprend l'entrée du parc Dusit et de ses nombreuses attractions (p. 143).

records : il possède le plus grand bouddha couché et la plus vaste collection de bouddhas de Thaïlande. Il fut aussi le premier centre d'éducation publique.

Presque à l'étroit entre les quatre murs du bâtiment, l'extraordinaire **bouddha couché**, de 46 m de longueur et 15 m de hauteur, illustre l'accession du Bouddha au nirvana (la mort du Bouddha, état de béatitude éternelle). La statue est modelée en plâtre sur une armature en brique, et dorée à la feuille. Des incrustations de nacre ornent les yeux et les pieds ; ceux-ci détaillent 108 *lák·sà·nà* (caractères d'un bouddha) bienveillants.

Les **statues du Bouddha** exposées dans les quatre *wí·hăhn* (sanctuaires) sont intéressantes, en particulier les bouddhas Phra Chinnarat et Phra Chinnachai, de la période Sukhothai, dans les salles ouest et sud. Les galeries reliant les quatre salles sont ornées de 394 bouddhas dorés. La dépouille du roi Rama Ier repose au pied du grand bouddha, dans le *bòht*.

Le Wat Pho est le centre national d'enseignement de la médecine thaïlandaise traditionnelle, qui comprend le massage. Rama III lui donna pour mission d'assurer la survie de ces traditions en voie de disparition. La célèbre école de massage possède deux salles sans air conditionné à l'intérieur du temple (p. 145) et des pièces climatisées à l'extérieur. On trouve encore à l'intérieur des inscriptions en pierre, anciens supports visuels d'enseignement des techniques de yoga et de massage.

Le vaste ensemble du Wat Pho couvre 8 ha ; la majorité des sites touristiques occupent le côté nord de Th Chetuphon et les logements des moines, le côté sud.

### Marché aux amulettes

ตลาดพระเครื่องวัดมหาธาตุ

Ce **marché** (carte p. 118 ; Th Maharat ; 🕒 9h-17h ; ferry Tha Chang) aussi étrange que fascinant s'étend sur les trottoirs de Th Maharat et de Th Phra Chan, et dans un dédale de stands couverts près de Tha Phra Chan. On y vend une grande variété de petits talismans qu'examinent avec attention des collectionneurs, moines, chauffeurs de taxi et professionnels de métiers à risques. Les acheteurs potentiels, souvent déjà couverts d'amulettes, marchandent et feuillettent des magazines spécialisés proposant des objets à des prix exorbitants.

Dans la même artère se trouvent de jolies échoppes débordant de remèdes d'herboriste, ainsi que des salons de massage. Des marchands de rue vendent des livres, cassettes et même des dentiers.

### Musée national

พิพิธภัณฑสถานแห่งชาติ

Souvent présenté comme le plus grand musée d'Asie du Sud-Est, le **Musée national** (carte p. 118 ; ☎0 2224 1333 ; 4 Th Na Phra That ; 200 B ; 🕒 9h-15h30 mer-dim ; bus 503, 506, 507, 53, ferry Tha Chang) abrite une collection impressionnante de sculptures religieuses, plus appréciable encore lors des **visites guidées** (🕒 9h30 mer et jeu en anglais, allemand, japonais et français).

Construit en grande partie en 1782 pour accueillir le palais du prince Wang Na, vice-roi de Rama Ier, il est devenu un musée sous le règne de Rama V en 1874. Le musée actuel comprend trois expositions permanentes réparties dans plusieurs galeries.

Récemment réorganisée, la **galerie de l'Histoire** présente succinctement et dans l'ordre chronologique les événements et personnages marquants de la préhistoire et des périodes sukhothai, Ayuthaya et Bangkok. Parmi les trésors du musée se trouvent le pilier couvert d'inscriptions du roi Ramakamhaeng (censé être la plus ancienne trace d'écriture thaïe), le trône du roi Taksin et la section Rama V. À voir également, la projection du film *The Magic Ring (L'Anneau magique)*, réalisé par le roi Prajadhipok.

L'**exposition d'arts décoratifs et d'ethnologie** présente toutes les formes d'artisanat possibles : instruments de musique traditionnelle, céramique, vêtements et textiles, sculpture sur bois, parures royales et armes.

L'aile d'**archéologie et d'histoire de l'art** expose des objets datant de la préhistoire jusqu'à la période Bangkok.

En plus des galeries principales, la **Chapelle de Buddhaisawan (Phutthaisawan)** renferme des fresques originales très bien conservées et l'une des statues du Bouddha les plus vénérées du royaume, Phra Phut Sihing. La légende voudrait qu'elle vienne du Sri Lanka, mais les historiens la datent de la période Sukhothai (XIIIe siècle).

### Musée du Siam

สถาบันพิพิธภัณฑ์การเรียนรู้แห่งชาติ

Ce nouveau **musée** (carte p. 118 ; ☎ 0 2225 2777 ; Th Maharat ; gratuit ; 🕒 10h-18h mar-dim ; bus 508, 512, ferry Tha Tien) installé dans un palais du règne de Rama III explore les origines et la culture du peuple thaï de manière passionnante. Ses expositions sont interactives et divertissantes. On notera tout particulièrement les vidéos instructives présentées dans chaque pièce et un jeu de combat interactif situé à la période Ayuthaya. L'enthousiasme tend à diminuer vers la fin de la visite, mais ce musée mérite d'être vu, en particulier si vous voyagez avec des enfants.

### Lak Meuang (Pilier de la ville)

ศาลหลักเมือง

Symbole spirituel de la ville, le **Lak Meuang** (carte p. 118 ; angle Th Ratchadamnoen Nai et Th Lak Meuang ; gratuit ; 🕒 6h30-18h30 ; bus 506, 507, ferry Tha Chang) est un pilier en bois de forme phallique érigé par Rama Ier lors de la fondation de la nouvelle

---

### LES FRESQUES DES TEMPLES

Bangkok étant relativement riche et considérée comme le centre culturel et artistique du royaume, les artistes commissionnés pour peindre les murs des différents temples de la ville étaient parmi les plus talentueux du pays. Les peintures des temples de Bangkok sont considérées comme les plus belles de Thaïlande et certaines des plus exceptionnelles se trouvent dans les lieux suivants :

- **Wat Bowonniwet** (p. 135). Effectuées par In Kong pendant le règne de Rama II, les fresques sur les panneaux de l'*ubosot* (chapelle) de ce temple donnent une vision thaïlandaise de la vie occidentale au début du XIXe siècle. Elles furent probablement réalisées à partir d'illustrations de magazines.
- **Wat Chong Nonsi** (carte p. 114 ; Th Nonsi, près de Th Phra Ram III ; 🕒 8h-18h ; accès en taxi de la station de métro Khlong Toei). Datant de la fin de la période Ayuthaya, les plus anciennes peintures subsistant à Bangkok sont défraîchies et incomplètes, mais les représentations de la vie quotidienne thaïlandaise de l'époque, y compris des mœurs sexuelles, méritent le détour.
- **Chapelle de Buddhaisawan (Phutthaisawan)** (en face). Si la construction de ce temple commença en 1795, les peintures furent probablement terminées sous le règne de Rama III (1824-1851). Les fresques élégantes représentent, notamment, la conception, la naissance et l'enfance du Bouddha.
- **Wat Suthat** (p. 134). Presque aussi impressionnantes par leur taille que par leur qualité, les fresques du Wat Suthat sont parmi les plus grandioses du royaume. Des représentations terrifiantes de l'enfer bouddhiste ornent un pilier juste derrière la statue du Bouddha.
- **Wat Suwannaram** (carte p. 114 ; ☎ 0 2434 7790 ; 33 Soi 32, Th Charoen Sanitwong, Khlong Bangkok Noi ; 🕒 8h-18h ; khlong-taxi depuis Tha Chang). Ce temple de la fin de la période Ayuthaya à Thonburi renferme notamment des représentations saisissantes de scènes de combat et de guerriers chinois et musulmans.
- **Wat Tritosathep Mahaworawihan** (carte p. 118 ; Th Prachatipatai ; bus 12, 19, 56). Même si elles ne sont pas terminées, les fresques de style postmoderne de ce temple de Banglamphu sont déjà qualifiées de chefs-d'œuvre de l'art bouddhique.

capitale thaïlandaise, en 1782. Un sanctuaire cruciforme blanc abrite aujourd'hui le pilier recouvert de feuilles d'or. Selon une tradition animiste, le pilier incarne la divinité protectrice de la ville (Phra Sayam Thewathirat). Plus pragmatiquement, il sert de repère symbolisant le centre de la ville et de base pour mesurer la distance qui sépare Bangkok des autres villes.

Des deux piliers d'origine, il ne reste que le plus petit. L'autre, sculpté dans du *chai·yá·préuk* ("arbre de la victoire" ou cytise) fut découpé à la suite de la mise à sac d'Ayuthaya par les Birmans en 1767. Grâce à une série de rituels bouddhistes et animistes, l'abattage du tronc aurait donné aux Thaïlandais le pouvoir de vaincre les Birmans. Le choix de ce pilier pour marquer la fondation de la nouvelle capitale du royaume était donc hautement symbolique. Une partie du pilier (2 des 4,70 m) est enfouie dans le sol.

Vous aurez peut-être la chance d'assister à un *lá·kon gâa bon*, danse exécutée à pas lents par des danseurs magnifiquement vêtus. Les fidèles les font exécuter pour remercier la divinité d'avoir réalisé leur vœu.

### Sanam Luang

สนามหลวง

Le **Sanam Luang** (Royal Field - champ royal ; carte p. 118 ; bordé par Th Na Phra That, Th Na Phra Lan, Th Ratchadamnoen Nai, Th Somdet Phra Pin Klao ; gratuit ; 6h-20h ; bus 30, 32, 47, 53, ferry Tha Chang) est le champ poussiéreux que les touristes doivent traverser pour atteindre le Wat Phra Kaew et les curiosités environnantes. Le parc change de visage durant la cérémonie annuelle lors de laquelle le roi ouvre officiellement la saison de la culture du riz. Un important concours de cerfs-volants s'y déroule également entre mi-février et avril. Plus récemment, le parc a accueilli la cérémonie de crémation de la princesse Galayani Vadhana, sœur aînée du roi. Pendant la journée, le Sanam Luang accueille une grande partie des SDF de la ville, tandis que, le soir, il est le repaire des prostituées.

### National Gallery

หอศิลปแห่งชาติ

La modeste **National Gallery** (carte p. 118 ; ☎ 0 2282 2639 ; Th Chao Fa ; entrée 30 B ; 9h-16h mer-dim ; ferry Tha Phra Athit) ne rend pas hommage à la grande tradition des beaux-arts thaïlandais. On peut y voir, dans un bâtiment datant du début de la période Ratanakosin, des œuvres d'art traditionnelles et modernes, signées pour la plupart d'artistes agréés par l'État. Tout le monde s'accorde à dire que les artistes thaïlandais sont capables de mieux, mais la visite de la galerie permet de faire une pause. L'exposition permanente est un peu poussiéreuse, mais les expositions temporaires qui se tiennent dans les grands pavillons à l'arrière sont parfois intéressantes.

## BANGLAMPHU

Même s'il est un peu moins majestueux que son voisin, le quartier de Banglamphu abrite des sites qui donnent une idée du Bangkok d'autrefois, sur le point de disparaître.

### Wat Saket et le mont d'Or

วัดสระเกศ

Les temples vous ont épuisé ? Encore un effort pour aller jusqu'au **Wat Saket** (carte p. 118 ; ☎ 0 2223 4561 ; entre Th Wora Chak et Th Boriphat ; 10 B ; 8h-17h ; bus 508, 511, bateau-taxi jusqu'à Tha Phan Fah). Visible depuis Th Ratchadamnoen, le mont d'Or (Phu Khao Thong ou Golden Mount) semble plus proche qu'il ne l'est en réalité. L'escalier qui gravit la colline artificielle serpente entre les arbres noueux, les tombes abandonnées et les portraits des disparus. Le sommet offre une vue panoramique de Bangkok – et un peu d'air frais.

Après l'effondrement d'un grand stupa bâti sur un sol trop meuble à l'époque de Rama III, le monticule de boue et de briques fut laissé à l'abandon jusqu'à ce que Rama IV fasse construire un petit stupa au sommet. Plus tard, Rama V compléta l'édifice et y plaça une relique du Bouddha en provenance d'Inde (offerte par le gouvernement britannique). Les murs de béton furent ajoutés pendant la Seconde Guerre mondiale pour empêcher l'érosion des pentes. Chaque année, en novembre, une grande fête se déroule au Wat Saket, avec une procession aux flambeaux jusqu'au mont d'Or.

Si vous venez de l'est de la ville, le mont d'Or est à quelques pas du terminus ouest des *klorng-taxis*, à Tha Phan Fah.

### Wat Suthat et Sao Ching-Cha

วัดสุทัศน์/เสาชิงช้า

Le brahmanisme prédomina en Thaïlande jusqu'à l'arrivée du bouddhisme, et ses rituels furent intégrés à la religion officielle. Le **Wat Suthat** (carte p. 118 ; ☎ 0 2224 9845 ; Th Bamrung Meuang ; 20 B ; 9h-20h ; bus 508, bateau-taxi jusqu'à Tha Phan Fah) est celui des prêtres brahmanes qui officient lors de la fête royale des Labours en mai. Érigé sous Rama Ier et achevé sous les règnes suivants, le Wat Suthat s'enorgueillit d'un *wihǎan* où trônent des bouddhas en bronze doré, dont Phra Si Sakayamuni, l'un des plus grands bronzes Sukhothai parvenus jusqu'à nous. On peut aussi admirer les jolies fresques illustrant les *jataka* (récits des vies antérieures du Bouddha). Ce temple occupe également le rang de Rachavoramahavihan, grade le plus élevé dans la hiérarchie des temples royaux ; en outre, les cendres de Rama VIII (Ananda Mahidol, frère aîné de l'actuel roi) sont conservées dans le socle du bouddha principal, dans le *wihǎan*.

Les prêtres de Suthat accomplissent leurs rites dans deux sanctuaires hindouistes à proximité du *wat* : le Thewa Sathaan (Deva Sathan), où dominent des représentations de Shiva et de Ganesh, et le Saan Jao Phitsanu (Vishnu Shrine), plus modeste, dédié à Vishnu.

Face au temple se tient un symbole de la ville aussi important que le Wat Phra Kaew : **Sao Ching-Cha** (balançoire géante). Cette balançoire accueillait autrefois une fête brahmanique spectaculaire en l'honneur de Shiva. Les participants se balançaient de plus en plus haut pour tenter d'attraper un sac d'or suspendu à un mât de bambou de 15 m. Beaucoup en sont morts et la fête fut interdite sous le règne de Rama VII. En 2007, l'ancienne balançoire délabrée fut remplacée par le modèle actuel, fabriqué à partir de six rondins de teck sélectionnés spécialement dans la province de Phrae, en Thaïlande du Nord.

Le temple est à proximité du terminus de *klorng-taxi* à Tha Phan Fah.

### Autres temples

Édifié en 1826, le **Wat Bowonniwet** (carte p. 118 ; angle Th Phra Sumen et Th Tanao ; ⏲ 8h-17h30 ; bus 15, 53, ferry Tha Phra Athit) est le siège de la secte monastique Thammayut. Le roi Mongkut, qui a fondé cette communauté, instaura une tradition royale en y résidant en tant que moine (il fut même l'abbé du Wat Bowonniwet pendant plusieurs années). Le roi Bhumibol et le prince héritier Vajiralongkorn, ainsi que d'autres hommes de la famille royale, y ont été temporairement ordonnés moines. L'*ubosot* (chapelle) présente d'intéressantes fresques murales (voir encadré p. 133). En raison de son statut royal, ses règles vestimentaires sont particulièrement strictes : ni short ni débardeur.

Sur Th Mahachai, face au Wat Saket, le **Wat Ratchanatdaram** (carte p. 118 ; ☎ 0 2224 8807 ; angle Th Ratchadamnoen Klang et Th Mahachai ; ⏲ 9h-17h ; bus 56, 505, *klorng-taxi* jusqu'à Tha Phan Fah) date du milieu du XIXe siècle et abrite aujourd'hui un marché réputé de *prá pim* bouddhiques (amulettes au pouvoir magique). On en trouve de tous styles, formes et tailles, représentant non seulement le Bouddha, mais aussi des moines thaïlandais célèbres et des divinités hindoues. On peut également y acheter des statues du bouddha.

### Th Bamrung Meuang

ถนนบำรุงเมือง

**Th Bamrung Meuang** (carte p. 118 ; bus 508, *klorng-taxi* jusqu'à Tha Phan Fah) est l'une des premières rues de la ville (c'est la voie qu'empruntaient les éléphants se rendant au palais royal). Ses trottoirs, de part et d'autre du Wat Suthat, forment un centre commercial à ciel ouvert, spécialisé dans les articles religieux. Les boutiques s'étalent jusque dans la rue et vendent des paquets prêts à être déposés en offrande dans les temples, des figurines de moines célèbres, des vêtements monastiques et toutes sortes d'articles de piété. Les grosses statues du Bouddha enveloppées de plastique sont particulièrement photogéniques.

### Ban Baht (village du bol du moine)

บ้านบาตร

Pour vous réconcilier avec le tourisme, rien de tel que le **village d'artisans** (carte p. 118 ; Soi Ban Baht, Th Bamrung Meuang ; ⏲ 10h-20h ; bus 508, bateau-taxi jusqu'à Tha Pan Fah), accessible à pied depuis Th Khao San. Un seul a subsisté des trois villages que fonda Rama Ier pour la fabrication des bols à aumônes (*bàat*), dans lesquels les moines reçoivent chaque matin de la nourriture déposée par les fidèles. De nos jours, les moines se contentent en général de bols "*made in China*", mais l'intérêt des touristes a permis au Ban Baht (village du bol du moine) de préserver les techniques traditionnelles.

Une demi-douzaine de familles continuent de marteler ces objets composés de huit feuilles de métal, censées représenter les huit rayons de la Roue du Dharma (qui symbolise l'Octuple Sentier, Voie du bouddhisme). Les joints sont soudés au feu de bois avec du cuivre, puis les bols sont polis et enduits de plusieurs couches

### MUSÉES INSOLITES DE BANGKOK

Si vous en avez assez des tigres empaillés et des statues du Bouddha, visitez un de ces lieux incongrus.

- **Ancient City** (Muang Boran ; carte p. 195 ; ☎ 0 2709 1644 ; www.ancientcity.com ; 296/1 Th Sukhumvit, Samut Prakan ; adulte/enfant 300/150 B ; ⏲ 8h-17h). Prétendument le plus grand musée à ciel ouvert du monde, avec plus de 80 ha de nature parsemés de 109 représentations miniatures des monuments les plus célèbres du royaume. Le vélo est le moyen idéal pour visiter ce site peu fréquenté (location 50 B/j). Ancient City est à l'extérieur de Samut Prakan. Prendre le bus climatisé 511 depuis l'extrémité est de Th Sukhumvit. Une fois au terminus des bus de Pak Nam, prendre le minibus 36 qui passe devant l'entrée d'Ancient City.
- **Musée des Traditions** (Bangkok Folk Museum ; carte p. 122 ; ☎ 0 2233 7027 ; 273 Soi Saphan Yao/43, Th Charoen Krung ; gratuit ; ⏲ 10h-16h mer-dim ; ferry Tha Si Phraya). Composé de 3 maisons en bois, ce musée familial dépeint le Bangkok des années 1950 et 1960. La cuisine traditionnelle est particulièrement intéressante.
- **Musée des Châtiments** (Corrections Museum ; carte p. 118 ; ☎ 0 2226 1706 ; 436 Th Mahachai ; gratuit ; ⏲ 9h30-16h ; bus 508, *klorng-taxi* jusqu'à Tha Phan Fah). Une visite dans ce qui reste de cette ancienne prison vous renseignera sur les châtiments à la thaïlandaise. Des mannequins sont mis en scène dans d'horribles représentations d'exécutions et de châtiments qui vous convaincront de respecter la loi jusqu'à la fin de votre séjour.
- **Musée Erawan** (carte p. 114 ; ☎ 0 2371 3135 ; www.erawan-museum.com ; Soi 119, Th Sukhumvit ; adulte/enfant 150/50 B ; ⏲ 8h-17h). La pièce maîtresse de ce musée est la statue haute de 5 étages d'Erawan, l'éléphant hindou à 3 têtes. C'est le bienfaiteur et protecteur de la culture thaïlandaise à l'origine d'Ancient City (ci-contre) qui l'a fait construire. Le bâtiment, qui abrite une collection d'antiquités, est à 8 km de la station de bus Ekamai de Bangkok, et tous les bus à destination de Samut Prakan peuvent vous y déposer. Demandez au chauffeur de s'arrêter à Chang Sam Sian.
- **Musée de la Contrefaçon** (carte p. 114 ; ☎ 0 2653 5555 ; www.tillekeandgibbins.com/museum/museum.htm ; Tilleke & Gibbins, Supalai Grand Tower, 1011 Th Phra Ram III ; gratuit ; ⏲ 8h-17h lun-ven sur rdv ; en taxi depuis la station de métro Khlong Toei). Cette collection privée rassemble les articles contrefaits saisis par le cabinet Tilleke and Gibbins. Beaucoup de faux sont présentés avec les originaux. Visites sur rendez-vous uniquement.
- **Musée médicolégal de Songkran Niyosane et musée des Parasites** (carte p. 118 ; ☎ 0 2419 7000 ; 2e ét., bât Forensic Pathology, chde Siriraj, Th Phrannok, Thonburi ; 40 B ; ⏲ 8h30-16h30 lun-ven ; ferry Tha Wang Lang). Cette institution sordide présente les vestiges de crimes célèbres, dont le T-shirt ensanglanté d'une victime poignardée à mort avec un... godemiché. Le musée mitoyen des Parasites vaut également le détour, pour les mêmes raisons. Pour accéder au musée, le plus simple est de traverser le fleuve depuis Tha Chang ou Tha Phra Chan. Arrivé à l'embarcadère, tourner à droite et entrer dans l'hôpital Siriraj, puis suivre les pancartes.
- **Musée thaïlandais de l'Imagerie humaine** (carte p. 195 ; ☎ 0 3433 2607 ; Nakhon Pathom ; 250 B ; ⏲ 9h-17h30 lun-ven, 8h30-18h sam-dim). Ce musée contient 120 sculptures grandeur nature en fibres de verre. Il a fallu 10 ans à un groupe d'artistes pour étudier et reproduire des personnages allant de moines bouddhistes célèbres à Winston Churchill.

de laque noire. Un bol sort des ateliers chaque jour. Si vous souhaitez en acheter un, l'artisan vous montrera les instruments et la technique qu'il utilise. Pour trouver le village, marchez vers le sud depuis Tha Pan Fah (quai des bateaux-taxis) dans Th Boriphat, dépassez Th Bamrung Meuang, puis tournez à gauche dans le Soi Ban Baht.

### Monument de la Démocratie

อนุสาวรีย์ประชาธิปไตย

En arrivant à Banglamphu, vous ne pourrez manquer le grand **monument** de style Art déco (carte p. 118 ; Th Ratchadamnoen Klang, Th Din So ; ferry Tha Phra Athit, bus 44, 511, 512) au centre du carrefour. Érigé en 1932 pour commémorer le passage de la monarchie absolue à la monarchie constitutionnelle, il est l'œuvre de Corrado Feroci, artiste italien qui enterra également 75 boulets de canon au pied du monument pour symboliser l'année 2475 de l'ère bouddhiste (1932). Avant d'immigrer en Thaïlande et d'y devenir le "père de l'art moderne" thaïlandais, Feroci dessinait des édifices pour le dictateur Benito Mussolini. Récemment, le "Demo" est devenu le lieu favori des manifestations, notamment lors des journées d'action antimilitariste et prodémocratique de 1992.

### Mémorial du 14-Octobre

อนุสาวรีย์14ตุลาคม

Cet **amphithéâtre** (carte p. 118 ; angle Khok Wua, Th Ratchadamnoen Klang ; bus 2, 82, 511, 512) a été érigé à la mémoire des participants au rassemblement pour la démocratie tués par l'armée le 14 octobre 1973 (en thaï, on parle de *sip-si tula*, date de l'événement). Ce jour-là, plus de 200 000 personnes s'étaient regroupées à cet endroit et le long de Th Ratchadamnoen pour protester contre la longue dictature militaire et l'arrestation des opposants politiques. Plus de 70 manifestants furent tués lorsque les tanks foncèrent dans la foule. L'édifice est un bel exemple d'adaptation du style des temples thaïs à des fins laïques et politiques. Au centre, un *chedi* (stupa) est dédié à la mémoire des morts, et sur les murs intérieurs sont exposés des photos historiques.

## THONBURI

La rive est du Mae Nam Chao Phraya est si calme qu'on se croirait dans une autre province – et c'est le cas ! Les lieux d'intérêt y sont peu nombreux, mais Fàng ton et ses rues bordées d'arbres sont un bon endroit pour flâner.

### Wat Arun

วัดอรุณฯ

L'étonnant **Wat Arun** (carte p. 118 ; ☎ 0 2891 1149 ; Th Arun Amarin ; 50 B ; 9h-17h ; ferry Tha Thai Wang) est le troisième des temples les plus sacrés de Bangkok (avec le Wat Phra Kaew et le Wat Pho). Après la chute d'Ayuthaya, le roi Taksin prit cérémonieusement possession du site jusque-là occupé par un lieu saint (le Wat Jaeng) et y fit ériger un palais royal et un temple pour le Bouddha d'Émeraude. Le temple fut rebaptisé d'après le nom du dieu indien de l'Aube (Aruna) et en hommage à la fondation symbolique d'une nouvelle Ayuthaya.

Ce n'est qu'après le transfert de la capitale et du Bouddha d'Émeraude à Bangkok que le Wat Arun prit cet aspect si caractéristique, avec son *prang* (tour de style khmer) de 82 m de hauteur, dont la construction commença durant la première moitié du XIXe siècle sous le règne de Rama II. La tour fut achevée plus tard par Rama III. Ses fondations, réalisées avec une boue poreuse, nécessitèrent une reconstruction. Seulement visibles de près, les mosaïques décorées de fleurs proviennent de bris de porcelaine chinoise multicolore, qu'on retrouve souvent dans le style du début de la période Ratanakosin ; les navires chinois qui faisaient alors escale à Bangkok utilisaient des tonnes de vieille porcelaine en guise de lest.

L'intérieur du *bòht* vaut également le détour. Le grand bouddha aurait été dessiné par Rama II en personne. Les fresques datent du règne de Rama V ; l'une d'elles montre le prince Siddhartha découvrant la naissance, la vieillesse, la maladie et la mort hors de son palais, expérience qui le conduisit à se retirer du monde. Les cendres de Rama II reposent sous le bouddha.

Les ferrys qui traversent le fleuve jusqu'au Wat Arun circulent très fréquemment entre Tha Tien et Tha Thai Wang (3 B pers).

Pour une belle vue sur le temple au coucher du soleil, traversez le fleuve jusqu'à Tha Maharat. Installez-vous sur la rive, devant les entrepôts dans la rue du même nom, ou encore dans le patio du restaurant surélevé le "Deck" (p. 168).

### Musée national des Barges royales

เรือพระที่นั่

Les barges royales sont de superbes embarcations, richement décorées, utilisées pour les processions sur le fleuve – une tradition qui remonte à la période Ayuthaya, où le navire était le principal moyen de locomotion. Les processions royales sont rares de nos jours – la dernière eut lieu en 2006 à l'occasion du 60e anniversaire de l'accession au trône du roi –, mais on peut observer les barges dans ce **musée** de Thonburi (carte p. 118 ; ☎ 0 2424 0004 ; Klorng Bangkok Noi, Thonburi ; entrée 30 B, permis photo 100 B ; 9h-17h ; navette de Tha Phra Athit). Au moment de la rédaction de ce guide, les hangars étaient temporairement fermés pour permettre la restauration des bateaux les plus anciens. Renseignez-vous auprès du guichet Chao Phraya Express de Tha Phra Athit.

**L'INFLUENCE CHINOISE**

Par de nombreux aspects, Bangkok est aussi chinoise que thaïlandaise. Les Chinois étaient déjà présents dans la ville avant sa fondation, quand Thonburi Si Mahasamut n'était qu'un petit avant-poste chinois sur le Chao Phraya. Vers 1780, lors de la construction de la nouvelle capitale sous Rama Ier, des Chinois Hokkien, Teochiew et Hakka furent employés comme coolies et travailleurs. Ceux qui habitaient déjà dans le secteur furent déplacés vers les districts de Yaowarat et de Sampeng, qui forment aujourd'hui Chinatown.

Au cours du règne de Rama Ier, beaucoup de Chinois prospérèrent, contrôlant de nombreux commerces et boutiques de Bangkok. Les relations commerciales avec la Chine se développèrent, si bien qu'elles furent à l'origine d'une grande expansion dans l'économie de marché de la Thaïlande. Les Européens de passage dans les années 1820, impressionnés par le nombre de bateaux de commerce naviguant sur le Chao Phraya, pensaient que la population de la ville était majoritairement chinoise.

Certaines familles de commerçants chinois, s'étant enrichies, formèrent la première élite du pays sans lien direct avec la royauté. Appelés *jôw sŏo·a*, ces "seigneurs marchands" finirent par accéder à un nouveau statut en acceptant des fonctions officielles et des titres royaux et en offrant leurs filles à la famille royale. Plus de la moitié des habitants actuels de Bangkok auraient des ancêtres chinois.

Sous le règne de Rama III, la capitale thaïlandaise commença à intégrer de nombreux éléments de la culture chinoise : nourriture, architecture, mode, littérature. L'influence grandissante de la culture chinoise associée à la multiplication des unions sino-thaïlandaises a fait qu'au début du XXe siècle, il devenait difficile de différencier de nombreux Chinois de leurs voisins siamois.

Baptisée *Suphannahong* (Cygne doré), la barge personnelle du roi, taillée dans une pièce de bois unique, est la plus grande pirogue au monde. Une énorme tête de cygne orne sa proue. Les proues des barges plus petites sont décorées d'autres divinités de la mythologie hindoue bouddhique, comme le *naga* (serpent marin mythologique) et le *garuda* (oiseau, monture de Vishnu). Des photos permettent de se représenter ces processions au cours desquelles 50 rameurs propulsaient la grande barque, qui accueillait sept porteurs d'ombrelles, deux barreurs, deux navigateurs, un porte-drapeau, un donneur de cadence et un chanteur.

Pour accéder au musée, le plus pratique est de prendre un taxi depuis Tha Saphan Phra Pin Klao (demandez au chauffeur d'aller à *reu·a prá têe nâng*). Vous pouvez aussi marcher depuis la gare de Bangkok Noi (accessible en descendant du ferry à Tha Rot Fai), mais la marche est pénible et vous serez peut-être harcelé par des guides. Les circuits en *long-tail boat* sur les canaux de Thonburi prévoient un arrêt devant le musée.

### Église de Santa Cruz

โบสถ์ซางตาครูส

Construite en 1913, cette **église** catholique (carte p. 120 ; ☎ 0 2466 0347 ; Th Kuti Jiin ; ⌚ sam-dim ; ferry depuis Tha Pak Talat/Atsadang) ne présente pas un grand intérêt, hormis le dimanche. Néanmoins, le quartier environnant vaut le détour pour le charme désuet de l'ancienne concession portugaise de la période Ayuthaya et pour ses pâtisseries d'inspiration portugaise (*kà·nŏm fà·ràng*).

### Chinatown et Phahurat

เยาวราช(สำเพ็ง)/พาหุรัด

Le quartier chinois de Bangkok (appelé Yaowarat, du nom de sa rue principale) est l'équivalent urbain du bassin de l'Amazone. À la différence des quartiers voisins de Ko Ratanakosin et de Banglamphu, il compte non pas des temples proprets ou des musées, mais un réseau complexe de passages minuscules, de marchés bondés et d'étals de rue délicieux. Contrairement aux autres quartiers chinois du monde, celui-ci est resté résolument populaire. Le meilleur moyen de le découvrir est de s'y perdre. Si vous préférez vous faire guider, reportez-vous à notre parcours, p. 148.

L'origine du quartier remonte à 1782. La population chinoise de Bangkok, principalement constituée de travailleurs participant à la construction de la nouvelle capitale, fut alors chassée de l'actuel Ko Ratanakosin par le gouvernement royal. Peu de choses ont changé depuis et on peut toujours entendre différents dialectes chinois, acheter des remèdes à base de plantes ou goûter des plats chinois qu'on ne trouve qu'ici. Si ces derniers vous intéressent particulièrement, suivez notre promenade gourmande du quartier, p. 168.

La circulation épouvantable aux abords du quartier chinois rend son accès difficile. L'arrêt du Chao Phraya Express à Ratchawong était auparavant le moyen le plus simple d'y arriver, mais, grâce au métro, Chinatown n'est qu'à quelques pas de la station Hualamphong.

Un petit quartier indien, souvent appelé Phahurat, commence à l'extrémité ouest de Chinatown. Des dizaines d'échoppes tenues par des Indiens vendent des tissus et vêtements de toutes sortes.

### TALAT MAI

ตลาดใหม่

Le nom de "nouveau marché" n'est plus très approprié pour ce **marché** (carte p. 120 ; Trok Itsaranuphap/Soi 16 ; ferry Tha Ratchawong, métro Hualamphong) en activité depuis deux siècles. Essentiellement constitué d'une ruelle couverte entre deux hauts immeubles, il vaut le détour même si la nourriture ne vous passionne pas. L'ambiance survoltée, la vue et l'odeur de fruits et légumes exotiques en font une expérience sensorielle inoubliable. Le mieux est d'y aller avant 8 h. Prenez garde aux motos qui slaloment parmi la foule.

La majeure partie du marché vend de la nourriture, mais dans la section nord de Th Charoen Krung (équivalente à Soi 21, Th Charoen Krung), vous trouverez de l'encens, des statues en papier et des friandises de cérémonies, c'est-à-dire les ingrédients essentiels à un enterrement chinois traditionel.

### WAT MANGKON KAMALAWAT

วัดมังกรกมลาวาส

Nuages de fumée d'encens et chants religieux composent l'ambiance de ce **temple** (Neng Noi Yee ; carte p. 120 ; Th Charoen Krung ; 🕑 9h-18h ; métro Hualamphong, bus 73, 501, 507, ferry Tha Ratchawong) bouddhique mahayana, de style chinois. Il s'agit de la plus grande et la plus importante structure religieuse du quartier, datant de 1871. L'activité culinaire et religieuse y est particulièrement soutenue au cours de la fête végétarienne (voir encadré p. 170).

### WAT TRAIMIT

วัดไตรมิตร

Le **Wat Traimit** (temple du Bouddha d'or ; carte p. 120 ; ☎ 0 2225 9775 ; angle Th Yaowarat et Th Charoen Krung ; 20 B ; 🕑 9h-17h ; métro Hualamphong, bus 53) est célèbre pour son extraordinaire bouddha en or massif de 3 m de hauteur qui pèse 5,5 tonnes. Sculptée dans le gracieux style Sukhothai, la statue fut "redécouverte" il y a 40 ans, sous un revêtement de stuc qui se brisa alors qu'on la déplaçait dans le temple. Ce revêtement fut sans doute ajouté pour la protéger des maraudeurs, à la fin de la période Sukhothai ou, plus tard, lors du siège birman de la période Ayuthaya. Le temple daterait, lui, du début du XIIIe siècle.

Les donations et l'affluence de touristes ont profité au temple qui a entrepris la construction d'un stupa doré. À terme, il culminera au-dessus de Chinatown.

### TALAT NOI

ตลาดน้อย

Délimité par le fleuve, Th Songwat, Th Charoen Krung et Th Yotha, ce quartier ancien est un mélange surprenant de minuscules allées, d'ateliers d'usinage graisseux et d'architecture traditionnelle. Situé en face de la River View Guest House (p. 158), le **San Jao Sien Khong** (carte p. 120 ; donation ; 🕑 6h-18h ; ferry Tha Krom Chao Tha) est l'un des plus vieux sanctuaires chinois de la ville. C'est aussi l'un des endroits les plus attrayants lors de la fête végétarienne (voir encadré p. 170).

### MARCHÉ DE PHAHURAT

ตลาดพาหุรัด

Caché derrière l'India Emporium, un centre commercial flambant neuf qui détonne terriblement, le **marché de Phahurat** (carte p. 120 ; Th Phahurat et Th Chakraphet ; bus 73, ferry Tha Saphan Phut) est un bazar infini mêlant tissus indiens, vendeurs de rue proposant du *paan* (noix de bétel à chiquer) et boutiques débordant de délicieuses friandises d'Inde du Nord.

Dans une allée donnant sur Th Chakraphet, le **Sri Gurusingh Sabha** (carte p. 120 ; Th Phahurat ; 🕑 9h-17h ; bus 53, 73 ; ferry Tha Saphan Phut), un vaste temple sikh dont l'intérieur rappelle une mosquée, est consacré au culte du *Guru Granth Sahib*, livre sacré sikh du XVIe siècle, considéré comme un gourou "vivant" et dernier des dix grands maîtres de la religion. Le temple serait le deuxième plus grand temple sikh hors de l'Inde. Les visiteurs sont les bienvenus, mais ils doivent retirer leurs chaussures.

## Silom, Sathon et Riverside

สีลม/ลุมพินี

Artère principale du quartier des finances de Bangkok, ponctué d'hôtels d'affaires, de bureaux et de restaurants haut de gamme, Th Silom n'a pas grand-chose à offrir aux touristes. À mesure que l'on s'approche de Th Charoen Krung, la rue s'emplit d'effluves et de couleurs : on entre dans le quartier indien et musulman. L'espace qui sépare Th Charoen Krung du Chao Phraya Express était autrefois le quartier international des affaires, à l'époque où Bangkok dominait le marché de l'import-export. Dans ce dédale de *soi*, les bâtiments victoriens en ruine côtoient désormais les hôtels de luxe.

Go-go bars et produits de contrefaçon font la gloire de Patpong, le quartier torride de Silom. La circulation est épouvantable dans cette partie de la ville, mais le Skytrain, le métro et le Chao Phraya Express permettent d'y échapper.

### TEMPLE DE SRI MARIAMMAN

วัดพระศรีมหาอุมาเทวี(วัดแขกสีลม)

Aussi prospère que flamboyant, ce **temple hindou** (Wat Phra Si Maha Umathewi ; carte p. 122 ; angle Th Silom et Th Pan ; dons bienvenus ; 🕑 6h-20h ; Skytrain Chong Nonsi) tranche avec les maisons voisines. Construit dans les années 1860 par des immigrants tamouls (la communauté tamoule demeure encore dans ce quartier), le bâtiment principal, à la façade très travaillée, est surmonté d'un dôme de bronze recouvert d'or. Il abrite trois divinités : Jao Mae Maha Umathewi (Uma Devi, ou Shakti, épouse de Shiva) ; son fils Phra Khanthakuman (Subramaniam), à sa droite, et Phra Phikkhanet (Ganesh), à tête d'éléphant, à sa gauche. Le long du mur intérieur gauche sont alignées des rangées de Shiva et de Vishnu, parmi d'autres divinités hindoues, ainsi que quelques bouddhas. Thaïlandais, Chinois et Indiens peuvent donc venir y prier et y déposer d'éclatantes guirlandes d'œillets jaunes en offrande.

Les Thaïlandais appellent ce temple Wat Khaek – *khàek* est un terme familier pour désigner les personnes d'origine indienne. Le mot signifie précisément "invité", un terme ironique évident appliqué à un groupe que l'on ne souhaite pas voir s'installer définitivement ; il n'est guère étonnant que les Indiens établis en Thaïlande n'apprécient pas ce surnom.

### M R KUKRIT PRAMOJ HOUSE

บ้านหม่อมราชวงศ์คึกฤทธิ์ปราโมช

Écrivain et homme d'État, Mom Ratchawong Kukrit Pramoj résida dans cette ravissante demeure thaïlandaise transformée aujourd'hui en **musée** (carte p. 122 ; ☎ 0 2286 8185 ; Soi 7/Phra Phinij, Th Narathiwat Rachananakharin ; 50 B ; 🕑 10h-17h sam et dim ; Skytrain Chong Nonsi). Instruit en Europe mais Thaïlandais dans l'âme, M. R. Kukrit baignait dans les deux cultures, s'entourant de ce que chacune avait de plus beau. La maison, composée de cinq pavillons traditionnels en teck, résonne encore de grisantes conversations et renferme des chefs-d'œuvre de l'art thaïlandais et des livres occidentaux. Une visite guidée permettra de mieux apprécier la personnalité de son ancien résident, qui fut Premier ministre de Thaïlande, ainsi que l'auteur de plus de 150 ouvrages.

### FERME AUX SERPENTS

สถานเสาวภา(สวนงู)

Les fermes aux serpents sont souvent assez grotesques. Ce n'est pas le cas du **Queen Saovabha Memorial Institute** (carte p. 122 ; ☎ 0 2252 0161 ; angle Th Phra Ram IV et Th Henri Dunant ; adulte/enfant 200/50 B ; 🕑 9h30-15h30 lun-ven, 9h30-13h sam-dim ; Skytrain Sala Daeng, métro Silom). On y élabore des contrepoisons à partir du venin de serpents terrifiants (cobras communs et royaux, bungares annelés, vipères trigonocéphales de Malaisie et vipères de Russel), pour les envoyer dans tout le pays. Fondé en 1923, cet établissement n'était alors que le second du genre dans le monde (le premier étant au Brésil).

Le terrain arboré de l'institut abrite quelques serpents en cage (sur fond de rock occidental), mais le plus intéressant se trouve dans le bâtiment Simaseng, à l'arrière de l'enceinte. Le rez-de-chaussée présente plusieurs espèces de serpents dans des vivariums. L'**extraction de venin** quotidienne (🕑 11h) et les **démonstrations de manipulation des serpents** (🕑 14h30 lun-ven) ont lieu au deuxième étage.

## Siam Square et Pratunam

สยามสแควร์/ประตูน้ำ

Ce quartier est essentiellement dédié à la consommation, dans d'immenses centres commerciaux. Il existe néanmoins quelques sites ne nécessitant pas l'usage d'une carte bancaire. On y accède facilement en Skytrain ou en *klorng-taxi*.

### MAISON DE JIM THOMPSON

บ้านจิมทอมปสัน

La **maison de Jim Thompson** (carte p. 124 ; ☎ 0 2216 7368 ; www.jimthompsonhouse.com ; 6 Soi Kasem San 2 ; adulte/enfant 100/50 B ; 🕒 9h-17h, visites guidées obligatoires en français et anglais toutes les 10 min ; Skytrain National Stadium, bus 73, 508, *klorng-taxi* jusqu'à Tha Ratchathewi) est le lieu idéal pour découvrir l'architecture thaïlandaise et l'art sud-asiatique.

Cette résidence arborée fut habitée par l'exportateur de soie et collectionneur d'art américain du même nom. Né dans le Delaware en 1906, Thompson fut brièvement agent de l'OSS (ancienne CIA) en Thaïlande, pendant la Seconde Guerre mondiale. Démobilisé, il s'installa à Bangkok, où il se passionna pour les soies thaïlandaises, dont il envoyait des échantillons aux grands couturiers de Milan, de Londres et de Paris, parvenant peu à peu à fidéliser une clientèle mondiale.

Infatigable promoteur des arts et de la culture traditionnels thaïlandais, Thompson recueillit patiemment des pans de maisons en ruine du centre de la Thaïlande pour les réassembler sur le site actuel, en 1959. Bien qu'il eût, dans l'ensemble, scrupuleusement respecté l'agencement classique des demeures thaïlandaises, il s'autorisa une surprenante dérogation : il inversa les façades des maisons, de sorte que les murs extérieurs étaient à l'intérieur, afin que l'on puisse en admirer la facture. Sa collection d'objets d'art asiatique, modeste mais d'un goût exquis, et ses objets personnels sont également exposés dans le bâtiment principal.

Thompson disparut dans des circonstances mystérieuses en 1967, lors d'une randonnée dans les Cameron Highlands, dans l'ouest de la Malaisie. La même année, sa sœur fut assassinée aux États-Unis, ce qui alimenta encore la théorie du complot : Thompson était-il au service des communistes ? Aurait-il été éliminé par des concurrents ? Ou dévoré par un tigre ? La dernière théorie en date, qui semblerait appuyée par des preuves solides, voudrait que le magnat de la soie ait été accidentellement renversé par un camion malais et que le chauffeur ait camouflé son corps. L'excellent *Jim Thompson The Unsolved Mystery*, de William Warren, évoque sa carrière, la construction de sa maison et son étrange disparition.

### BAAN KRUA

บ้านครัว

Ce quartier animé situé entre Klorng Saen Saeb, Th Phayathai et Th Phra Ram I accueille l'une des plus anciennes communautés musulmanes de la ville. Ses tisserands auraient donné l'idée à Jim Thompson d'exporter de la soie thaïlandaise (voir ci-contre). La production s'est aujourd'hui déplacée, mais le quartier a gardé son caractère et au moins une des enseignes originales, **Phamai Baan Krua** (☎ 0 2215 7458 ; *klorng-taxi* jusqu'à Tha Hua Chang), qui continue de tisser la soie sur d'anciens métiers en teck.

### SANCTUAIRE ERAWAN

ศาลพระพรหม

À côté de l'hôtel Grand Hyatt Erawan, le **sanctuaire Erawan** (San Phra Phrom ; carte p. 124 ; angle Th Ratchadamri et Th Ploenchit ; entrée gratuite ; 🕒 8h-19h ; Skytrain Chitlom), dédié à Brahma (Phra Phrom), dieu hindou de la Création, fut bâti pour conjurer le mauvais sort durant la construction du premier hotel Erawan (démoli et remplacé par l'hôtel actuel). Comme quoi le commerce et la religion font bon ménage… Il semble en effet que les promoteurs de l' hotel Erawan (baptisé d'après Airvata, l'éléphant à trois têtes d'Indra) aient d'abord érigé une maison des esprits typiquement thaïlandaise, mais qu'ils aient décidé de la remplacer par ce sanctuaire brahmanique plus imposant après que plusieurs accidents graves eurent retardé les travaux. Sa faculté d'exaucer les vœux continue à attirer les fidèles qui reviennent parfois au sanctuaire et paient musiciens et danseurs, présents sur place, pour jouer en l'honneur du dieu.

### TEMPLE AU LINGAM DU PARC NAI LERT

Des phallus en pierre et en bois entourent la maison des esprits et l'**autel** (carte p. 124 ; Saan Jao Mae Thap Thim ; Nai Lert Park Hotel, Th Withayu ; Skytrain Ploenchit, bateau-taxi Tha Withayu) construits par Nai Loet, riche homme d'affaires, en hommage à Jao Mae Thap Thim, une déesse qui résiderait, dit-on, dans l'un des vieux banians. Une femme ayant accouché peu après ses dévotions, le lieu attire des foules de fidèles (surtout des femmes). Lorsqu'on fait face à l'entrée du Raffles, suivre, à droite, le petit chemin en ciment qui passe à côté du parking. L'autel est au bout du bâtiment, près du *klorng*.

### UNE MÉMOIRE D'ÉLÉPHANT

Une des images de Bangkok les plus galvaudées est celle de danseurs vêtus du costume traditionnel thaïlandais, en représentation devant le sanctuaire à l'entrée de l'hôtel Grand Hyatt Erawan. Comme c'est souvent le cas en Thaïlande, cette façade lisse cache une longue histoire.

Le sanctuaire fut construit en 1956 afin de contrer une série d'événements malheureux survenus tout au long de la construction de l'ancien hôtel Erawan. À la suite de plusieurs incidents (de travailleurs blessés au naufrage d'un bateau transportant du marbre pour l'hôtel), un prêtre brahmane fut consulté. Le nom prévu pour l'hôtel étant celui de l'éléphant monté par Inra dans la mythologie hindoue, le prêtre en déduisit qu'Erawan réclamait un cavalier, et suggéra le seigneur Brahma. Une statue fut érigée et les problèmes cessèrent comme par enchantement.

L'hôtel Erawan original fut détruit en 1987, mais le sanctuaire subsiste et reste un lieu de pèlerinage important pour les Thaïlandais, surtout ceux dans le besoin. Pour présenter un vœu à la statue, venez entre 7h et 8h ou 19h et 20h et apportez une liste d'objets spécifiques dont des bougies, de l'encens, de la canne à sucre ou des bananes, presque toujours par multiples de 7. Les petits éléphants en teck sont des souvenirs prisés et les bénéfices de leur vente sont reversés à une œuvre caritative gérée par le Grand Hyatt Erawan. Comme l'indique la brochure touristique, il est possible de commander une danse traditionnelle thaïlandaise en remerciement d'un vœu exaucé.

Après 40 ans d'existence relativement paisible, le sanctuaire d'Erawan fut sous les projecteurs quand le 21 mars 2006, peu après minuit, Thanakorn Pakdeepol, un déséquilibré de 27 ans, détruisit la statue en plâtre doré de Brahma à coup de marteau. Immédiatement après, il mourut sous les coups de deux éboueurs qui se trouvaient dans les environs.

Malgré la restauration immédiate de la statue ordonnée par le gouvernement, l'incident donna une impulsion au mouvement anti-Thaksin, qui battait son plein à l'époque. Le lendemain, lors d'un meeting politique, le leader de l'opposition Sondhi Limthongkul évoqua la responsabilité possible du Premier ministre dans la destruction de la statue de Brahma, en vue de son remplacement par une "force obscure" alliée de Thaksin. Dans la capitale, les rumeurs prétendaient que Thaksin avait loué les services d'un chamane cambodgien pour jeter un sort à Pakdeepol afin qu'il accomplisse son terrible forfait, ce à quoi le père du criminel répondit que Sondhi était "le plus grand menteur qu'il ait jamais vu". Thaksin, à qui l'on demandait de commenter les accusations portées par Sondhi, répondit simplement : "C'est de la folie." Une nouvelle statue, construite avec des débris de l'ancienne, fut installée un mois plus tard. Au moment où nous écrivons, Thaksin est en exil et n'a toujours pas regagné la Thaïlande.

## Sukhumvit

สุขุมวิท

Les expatriés les plus fortunés élisent domicile dans ce quartier (desservi essentiellement par le Skytrain), près de l'interminable Th Sukhumvit, plus connue pour ses bars, ses restaurants et ses hôtels que pour ses sites touristiques.

### BAN KAMTHIENG

บ้านคำเที่ยง

Une visite dans la maison-musée **Ban Kamthieng** (carte p. 126 ; ☎ 0 2661 6470 ; Siam Society, 131 Soi 21/Asoke, Th Sukhumvit ; adulte/enfant 100/50 B ; ⌚ 9h-17h lun-sam ; Skytrain Asoke), maison en bois de style traditionnel, permet de découvrir les objets, les tâches de la vie quotidienne et les croyances populaires du nord de la Thaïlande. La Siam Society gère ce musée ethnologique et en partage les locaux. Éditrice du célèbre *Journal of the Siam Society*, elle défend aussi farouchement la culture traditionnelle. Une bibliothèque très complète d'ouvrages de référence est ouverte au public, contenant pratiquement tout sur la Thaïlande (hormis le domaine politique, car l'association est financée par la famille royale).

### MARCHÉ DE KHLONG TOEY

La majeure partie de ce que vous mangerez à Bangkok proviendra certainement de ce **marché de gros** (carte p. 126 ; angle Th Ratchadaphisek et Th Phra Ram IV ; ⌚ 5h-10h ; métro Khlong Toei), l'un des plus grands de la ville. Allez-y tôt pour photographier les piles de durians, les poissonniers souriants, ou même des coins du marché bien moins photogéniques.

### THAILAND CREATIVE & DESIGN CENTER

Le design contemporain fait fureur à Bangkok et ce nouveau **musée** (TCDC ; carte p. 126 ; ☎ 0 2664 8448 ; www.tcdc.or.th ; 6e ét., Emporium Shopping Centre, Th Sukhumvit ; gratuit ; 10h30-22h mar-dim ; Skytrain Phrom Phong) accueille des expositions temporaires, abrite une boutique et un café branchés et offre à ses membres l'accès à une bibliothèque bien fournie, ainsi qu'à des ordinateurs et à d'autres ressources.

## Parc Lumphini et Th Phra Ram IV

### PARC LUMPHINI

สวนลุมพินี

La ville natale du Bouddha, au Népal, a donné son nom au **parc Lumphini** (carte p. 128 ; Th Phra Ram IV, entre Th Withayu et Th Ratchadamri ; entrée gratuite ; 5h-20h ; bus 13, 505, Skytrain Sala Daeng, métro Lumphini), havre de paix en plein centre-ville, avec un grand lac artificiel entouré de sentiers ombragés et de pelouses soignées.

Le matin avant 7h, l'air y est encore frais (pour Bangkok), et des Chinois y pratiquent le *taijiquan* (tai-chi). C'est aussi le matin que des vendeurs installent leurs étals de sang et de bile de serpent, considérés comme des fortifiants. Le soir, lorsque la chaleur décroît, le parc se réveille au son des classes d'aérobic. La nuit, les abords du parc sont fréquentés par des prostitué(e)s.

## Centre de Bangkok

ใจกลางกรุงเทพฯ

Le centre de Bangkok couvre une large superficie mais abrite peu de sites touristiques notables. Le quartier le plus intéressant est le district royal de Dusit, avec ses rues larges, ses monuments et sa verdure.

### WANG SUAN PHAKKAT

วังสวนผักกาด

Trésor souvent méconnu, ce ravissant "**palais de la Ferme aux laitues**" (Lettuce Farm Palace ; carte p. 116 ; ☎ 0 2245 4934 ; Th Sri Ayuthaya, près de Th Ratchaprarop ; 100 B ; 9h-16h ; Skytrain Phayathai, bus 504, 63) est un ensemble de cinq maisons en bois traditionnelles, qui servit jadis de résidence à la princesse Chumbon de Nakhon Sawan, après avoir été une ferme à laitues (d'où son nom). Les bâtiments sur pilotis contiennent des objets d'art, des antiquités et des meubles. Havre de paix, le parc du palais accueille des cygnes et des canards, et comprend un jardin semi-clos.

À l'arrière, le minuscule **pavillon de laque**, de la période Ayuthaya, est orné de fresques dorées à la feuille représentant les *jataka* (récits des vies antérieures du Bouddha), le *Ramayana* et des scènes de la vie quotidienne. Le pavillon se trouvait naguère dans le monastère situé sur le Mae Nam Chao Phraya, juste au sud d'Ayuthaya. À l'entrée de l'ensemble, de vastes bâtiments résidentiels exposent des objets d'art hindous et bouddhiques de style khmer, des céramiques de Ban Chiang et une belle collection de bouddhas anciens, dont une remarquable représentation de style U Thong.

### WAT BENCHAMABOPHIT

วัดเบญจมบพิตร(วัดเบญฯ)

Le **Wat Benchamabophit** (temple de marbre ; carte p. 116 ; angle Th Si Ayuthaya et Th Phra Ram V ; 20 B ; 8h-17h30 ; bus 503, 72) fut construit en marbre de Carrare à la fin du XIXe siècle, sous le règne de Rama V, dont les cendres reposent au pied du bouddha central, copie du Phra Phuttha Chinnarat de Phitsanulok. Le grand *bòht* cruciforme est le premier exemple local d'architecture thaïlandaise moderne. Derrière, la cour est ornée de 53 bouddhas (33 originaux et 20 copies), qui représentent des statues et des styles célèbres en Thaïlande et dans d'autres pays bouddhistes.

### PARC DUSIT

วังสวนดุสิต

À la suite de son premier voyage en Europe en 1897, Rama V (premier monarque thaïlandais à se rendre sur ce continent) rentra au pays la tête remplie d'images de châteaux. Il entreprit d'exprimer les styles européens à la manière thaïlandaise, ce qui donna le **parc Dusit** (carte p. 116 ; ☎ 0 2628 6300 ; bordé par Th Ratchawithi, Th U-Thong Nai et Th Ratchasima ; adulte/enfant 100/50 B ou gratuit sur présentation du billet du Grand Palais ; 9h30-16h ; bus 70, 510). Le palais royal, la salle du trône et les petits palais destinés à la famille furent ainsi transportés ici depuis Ko Ratanakosin, où se trouvait l'ancienne cour royale. Le souverain actuel ne demeure plus ici et cet ensemble abrite désormais un musée et quelques collections.

Initialement bâti à Ko Si Chang en 1868, puis démonté et transporté en 1910 sur le site actuel, le **palais Vimanmek** compte 81 pièces, salles et antichambres, qui lui confèrent le titre du plus grand bâtiment en teck doré du monde, construit semble-t-il sans aucun

**NEWLEY PURNELL ET KHUN JU**

Interview d'un étudiant en langue thaïe et d'un professeur de langue.

**Est-il vraiment nécessaire de parler thaï quand on est à Bangkok ?** Newley : On s'en sort très bien sans. Mais je pense qu'il est important de faire l'effort d'apprendre la langue locale, en signe de respect.

**Quels types d'erreurs sont typiques des étrangers quand ils parlent thaï ?** Khun Ju : Beaucoup n'arrivent pas à prononcer les sons "ng" et "đ" au début des mots et ont du mal avec les intonations thaïes.

**Newley, tu maîtrises les intonations ?** J'y travaille ! Ça vient naturellement au bout d'un moment, au fil de la pratique, mais il est certain que c'est difficile.

**À part la prononciation, qu'est-ce qui est le plus difficile dans l'apprentissage d'une langue comme le thaï ?** Newley : L'absence de racines communes. Ça complique la mémorisation du vocabulaire.

**Quelle langue est la plus difficile ? Le thaï ou l'anglais ?** Khun Ju : Le thaï, car en fonction de l'intonation, un même mot peut signifier différentes choses.

Newley : La grammaire thaïe est très simple. Par exemple, les verbes ne sont pas conjugués, ce qui simplifie les choses par rapport à l'anglais.

clou. Premier bâtiment permanent édifié sur le site du palais Dusit, le Vimanmek servit de résidence à Rama V au début du XX^e^ siècle. À l'intérieur, outre quelques effets personnels du roi, on peut admirer un véritable trésor d'objets d'art et d'antiquités du style Ratanakosin. Des visites guidées (en anglais) obligatoires d'une heure ont lieu toutes les demi-heures entre 9h30 et 15h. À 10h et 14h, vous pourrez assister à des représentations de danses traditionnelles thaïlandaises dans un pavillon adjacent.

Non loin de là, le **musée des Tissus anciens** présente la formidable collection royale de soieries et de cotonnades traditionnelles.

Construite en 1904 pour accueillir le trône de Rama V, la petite **salle du trône Abhisek Dusit** illustre le raffinement de l'architecture de cette époque, où fioritures victoriennes se mêlent aux portiques mauresques pour créer une étonnante façade, typiquement thaïlandaise. La salle présente une très belle exposition d'artisanat, réalisée par les membres de la Fondation pour la promotion et le soutien des artisans décorateurs et des techniques (Promotion of Supplementary Occupations & Related Techniques), une organisation placée sous l'égide de la reine Sirikit.

Près de l'entrée sur Th U Thong, deux vastes étables abritaient jadis trois éléphants blancs : les animaux albinos, considérés comme un heureux présage, appartenaient légalement à la couronne. Les bâtiments accueillent aujourd'hui le **musée des Éléphants royaux**. La première étable explique, à travers des photos et des objets, le rôle joué par les éléphants dans l'histoire du pays et la hiérarchie qui s'appliquait en fonction de leurs attributs physiques. La seconde contient la réplique sculptée d'un éléphant blanc royal qui loge désormais au palais Chitlada, où vit l'actuel souverain. Les Thaïlandais vénèrent cette statue drapée d'ornements royaux. Une tenue vestimentaire stricte (pantalon ou jupe longue et manches longues) est de rigueur, car vous êtes sur un terrain royal.

**MÉMORIAL DE RAMA V**

พระบรมรูปทรงม้า

Une **statue en bronze** (carte p. 116 ; Royal Plaza, Th U-Thong Nai ; bus 70, 510) d'un militaire en tenue peut sembler constituer un autel incongru, mais les habitants de Bangkok ne sont pas à cheval sur les principes lorsqu'il s'agit d'exprimer leur dévotion. Mais surtout, cette représentation est celle non pas d'un général oublié, mais de Rama V (le roi Chulalongkorn, qui régna de 1868 à 1910), dont on considère généralement qu'il modernisa le pays et le préserva des velléités colonialistes européennes. Il est également considéré comme un défenseur des droits de l'homme, pour avoir aboli l'esclavage et la corvée. Ses actions sont tellement révérées, notamment par la classe moyenne, que sa statue attire des adorateurs (surtout le mardi, jour de sa naissance) qui viennent y déposer des offrandes de bougies, fleurs (des roses roses), encens et bouteilles de whisky. C'est également ici qu'est célébré en grande pompe l'anniversaire de la mort du monarque, le 23 octobre.

Derrière la statue, le bâtiment néoclassique surmonté d'un dôme abrite la **salle du trône Ananta Samakhom**. Construite au début du XXe siècle par des architectes italiens dans le style des résidences gouvernementales européennes, elle fait aujourd'hui partie du parc Dusit (p. 143). Aujourd'hui utilisée pour les cérémonies, la salle du trône abrita les premières séances du Parlement thaïlandais jusqu'à ce qu'il s'installe dans un bâtiment proche. Les visiteurs disposant d'un billet pour le parc Dusit peuvent en admirer l'architecture et découvrir les expositions temporaires.

## ACTIVITÉS

### Massages traditionnels

À Bangkok, le massage fait partie du quotidien et les touristes se font une joie de se plier à la tradition. On trouve par conséquent des salons de massages à tous les coins de rue. Pour trouver un massage et non un "massage", évitez les salons des quartiers malfamés de la ville, aux publicités aguicheuses distribuées par des femmes en petite tenue.

Si c'est la première fois que vous vous trouvez entre les mains d'une masseuse thaïlandaise, oubliez vos idées préconçues. Pour la plupart des gens, un authentique massage thaïlandais est aussi délassant que douloureux. Il s'accompagne souvent de compresses d'herbes chaudes (l'huile étant plutôt réservée aux massages "sexy").

Les prix varient en fonction du quartier, mais se situent aux alentours de 250 B pour un massage des pieds et de 500 B pour un massage de tout le corps. La plupart des spas cités plus bas proposent des massages.

**Buathip Thai Massage** (carte p. 126 ; ☎ 0 2251 2627 ; 4/13 Soi 5, Th Sukhumvit ; massage d'une heure 270 B, des pieds 250 B ; 🕑 10h-minuit ; Skytrain Nana). Dans un quartier où le mot massage signifie souvent tout autre chose, ce centre, situé dans un petit sous-*soi* derrière l'Amari Boulevard Hotel, est aussi digne de confiance que d'éloges.

**Coran Boutique Spa** (carte p. 126 ; ☎ 0 2651 1588 ; www.coranbangkok.com ; 27/1-2 Soi 13, Th Sukhumvit ; massage traditionnel d'une heure 400 B ; 🕑 11h-22h ; Skytrain Nana). Massages traditionnels effectués par des diplômés de l'école adjacente, Thai Traditional Medical Services Society, qui propose également des cours de massage thaïlandais (voir p. 152).

**Ruen-Nuad Massage Studio** (carte p. 122 ; ☎ 0 2632 2662 ; Th Convent, Th Silom ; massage traditionnel d'une heure 350 B, des pieds 350 B ; 🕑 10h-22h ; Skytrain Sala Daeng, métro Silom). Ce charmant centre situé dans une maison en bois rénovée réussit à éviter le côt[é] New Age de nombre de salons de massage. P[...]

La plupart des masseuses du pays ont suivi la formation de l'**école de massage thaï traditionnel du Wat Pho** (carte p. 118 ; ☎ 0 2221 2974 ; Soi Pen Phat, Th Sanamchai ; massage d'une heure 220 B ; 🕑 8h-22h ; ferry Tha Tien). Des salons de massages se trouvent également à l'intérieur du temple.

### Spas

À moins d'avoir passé tout votre temps dans une bulle climatisée (ce qui serait possible), vous aurez besoin tôt ou tard de vous débarrasser des effets de la pollution. Les options sont nombreuses, du simple gommage au traitement en plusieurs étapes avec sélection de senteurs et d'huiles, équipe complète à votre service et même acupuncture. Les spas sont innombrables à Bangkok et tous les grands hôtels proposent des soins à la mesure de leur prestige. Pour faire votre choix, consultez www.spasinbangkok.com ou considérez les options suivantes.

**Divana Spa** (carte p. 126 ; ☎ 0 2261 6784 ; www.divanaspa.com ; 7 Soi 25, Th Sukhumvit ; forfait à partir de 2 500 B ; Skytrain Asoke). Centre de beauté et de bien-être qui offre, grâce à son architecture et à son jardin, une authentique atmosphère thaïlandaise, intime et apaisante.

**Health Land** (carte p. 122 ; ☎ 0 2637 8883 ; 120 Th Sathon Neua ; soins à partir de 750 B ; Skytrain Chong Nonsi). Sa formule de soins d'experts à prix modiques a si bien réussi qu'aujourd'hui Health Land est à la tête d'un petit empire dont les centres émaillent la ville.

**Oriental Spa** (carte p. 122 ; ☎ 0 2659 9000, ext 7440 ; www.mandarinoriental.com/bangkok/spa ; 48 Soi 38, Th Charoen Krung ; forfait spa à partir de 1 650 B). Considéré comme l'un des meilleurs du monde, l'Oriental Spa a posé les jalons du soin à la mode asiatique. Quinze ans et une rénovation plus tard, le spa situé dans une maison en bois au bord du Chao Phraya est plus beau que jamais. Si vous venez de loin, le Jet Lag Massage vous comblera. Tous les soins sont à réserver à l'avance.

**S Medical Spa** (carte p. 124 ; ☎ 0 2253 1010 ; www.smedspa.com ; Th Withayu ; soins à partir de 1 000 B ; Skytrain Ploenchit). Exemple de cette nouvelle génération de spas à Bangkok qui allie médecine alternative, techniques de relaxation et chirurgie esthétique. Le centre offre une vaste gamme de services comprenant acupuncture, hydrothérapie, conseils diététiques, liftings du visage et programmes d'exercices physiques.

**Spa 1930** (carte p. 124 ; ☎ 0 2254 8606 ; www.spa1930.com ; Soi Tonson, Th Ploenchit ; à la carte à partir de 1 200 B, forfait à partir de 3 800 B ; 🕑 9h30-21h30 ; Skytrain Chitlom). Une alternative à l'atmosphère baignée de musique New Age de certains lieux aux produits suspects. L'offre est simple (visage, soin du corps et massage complet) et tous les produits de soin et huiles de massage sont inspirés de remèdes traditionnels thaïs.

**Thann Sanctuary** (carte p. 124 ; ☎ 0 2658 0550 ; 3e ét., Gaysorn Plaza, angle Th Ploenchit et Th Ratchadamri ; soins à partir de 900 B ; 10h-22h ; Skytrain Chitlom). Annexe de la boutique voisine proposant des produits parfumés à base de plantes, ce spa offre une gamme de soins bienvenus après une journée de shopping. Un autre centre se trouve au Siam Discovery Center (angle Th Phra Ram I et Th Phayathai, Skytrain National Stadium).

## Excursions fluviales

Certes, pour des raisons pratiques, les bateaux à moteur ont gagné du terrain, mais Bangkok mérite toujours son surnom de "Venise orientale". Elle est en effet parcourue par un vaste réseau de canaux et d'affluents sillonnés par des embarcations en tout genre, des canoës aux péniches. Dans ces quartiers, nombre de maisons particulières, de commerces et de temples restent tournés vers la vie fluviale, rappelant l'époque où les Thaïlandais se considéraient comme des *jâo náam* (seigneurs de l'eau).

Une excursion sur le Mae Nam Chao Phraya est un voyage dans l'"artère" de la Thaïlande : d'imposantes péniches remontent le fleuve, chargées du sable de l'embouchure envasée, et les *long-tail boats* font l'aller-retour d'une rive à l'autre en soulevant la boue du fleuve. Sur chaque embarcadère, l'équipage des bateaux exhorte la foule à "garder le cœur frais" (*jai yen*) et à attendre que le bateau soit assez proche du quai pour embarquer ou débarquer.

La meilleure façon de passer d'un site à l'autre sur les rives du fleuve est de prendre le **Chao Phraya Express** (carte p. 191 ; ☎ 0 2623 6001 ; tickets 10-27 B). Le terminus de la plupart des bateaux en direction du nord est Tha Nonthaburi et celui des bateaux vers le sud Tha Sathon (appelé aussi Central Pier), près de la station de Skytrain Saphan Taksin Skytrain. Quelques bateaux toutefois continuent jusqu'au Wat Ratchasingkhon plus au sud. Voir p. 190 pour plus de détails.

Pour apprécier au mieux les fameux canaux, une multitude de *long-tail boats* vous attendent à Tha Chang, Tha Tian et Tha Phra Athit. La plupart des excursions d'une heure parcourent les canaux pittoresques de Nonthaburi **Khlong Bangkok Noi** et **Khlong Bangkok Yai**, et s'arrêtent au musée national des Barges royales et au Wat Arun. De plus longues promenades vont jusqu'à **Khlong Mon**, entre Khlong Bangkok Noi et Khlong Bangkok Yai, qui offre des scènes plus pittoresques, dont des fermes aux orchidées. La location d'un bateau coûte généralement 1 000 B/h, sans compter les différents frais d'amarrage. La plupart des bateliers suivent des circuits précis, mais si une destination précise vous tente, ils vous y conduiront.

Pour les dîners-croisières sur le Chao Phraya, voir p. 152.

## Équipements sportifs

Avec un climat tel que celui de Bangkok, la climatisation est indispensable à la pratique d'une activité sportive. La plupart des clubs privés et des hôtels de luxe possèdent des centres de gym et des piscines. Certains hôtels vous laisseront utiliser leurs équipements moyennant un tarif journalier.

Le **British Club** (☎ 0 2234 0247 ; www.britishclub-bangkok.org ; 189 Th Surawong ; club de gym 6h-22h lun-ven, 6h-21h sam et dim) est ouvert aux citoyens du Commonwealth ; les autres étrangers doivent s'inscrire sur une liste d'attente. Le club compte une piscine, un practice de golf, des salles de squash et des courts de tennis.

**Clark Hatch Physical Fitness Centers** (www.clarkhatchthailand.com) est une chaîne haut de gamme qui possède 14 clubs à travers la ville. Tous proposent salle de musculation, cours d'aérobic, piscine, sauna et massages.

D'autres chaînes de remise en forme sont représentées par **California Wow** (www.californiawowx.com ; 13 clubs) et **Fitness First** (www.fitnessfirst.co.th ; 7 clubs).

Depuis peu, la tendance fitness fait fureur à Bangkok. Vous trouverez des cours de Pilates, de kickboxing et même de salsa, tous situés dans les environs du quartier d'affaires sur Th Ploenchit ou Th Sukhumvit. Certains ateliers toutefois se trouvent directement sur Th Khao San.

Le **Yoga Elements Studio** (carte p. 124 ; ☎ 0 2655 5671 ; www.yogaelements.com ; 23e niv., 29 Vanissa Bldg, Soi Chitlom ; Skytrain Chitlom) dispense des cours de yoga vinyasa et ashtanga ; formules d'initiation à des tarifs raisonnables.

**Absolute Yoga** (carte p. 124 ; ☎ 0 2252 4400 ; www.absoluteyogabangkok.com ; 4e niv., Amarin Plaza, Th Ploenchit ; Skytrain Chitlom) propose du yoga plus orienté vers la gym. Cours de hot yoga, Pilates et vinyasa.

Le **Hash House Harriers** (www.bangkokhhh.com) est l'une des plus vieilles associations sportives de course à pied. Ses membres sont fiers de leur discipline, mais aussi de leur capacité à se réhydrater en consommant de la bière. Si vous voulez suivre leurs traces, commencez par un petit footing dans un parc, Lumphini ou Sanam Luang par exemple. Tous les sports occidentaux imaginables – softball, football, rugby ou cyclisme – ont une clientèle fidèle d'expatriés. La plupart de ces clubs donnent des informations sur leur site.

## PROMENADES À PIED

### Ko Ratanakosin

La plupart des sites "à ne pas manquer" à Bangkok sont concentrés dans l'ancien district royal de Ko Ratanakosin. Nous avons mis au point une promenade menant de l'un à l'autre en moins d'une journée (5 heures en comptant les arrêts). Mieux vaut partir tôt, pour éviter à la fois la chaleur et les hordes de touristes. Habillez-vous sobrement (jupes ou pantalons longs, chemises avec manches, chaussures fermées) si vous voulez être admis(e) dans les temples. Ignorez les personnes qui vous proposent une visite de la ville, des bijoux, des pierres ou des tissus.

Partez de **Tha Chang (1)** et suivez Th Na Phra Lan vers l'est. Vous arriverez bientôt à **Silpakorn University** (**2** ; Th Na Phra Lan), l'ancienne École des beaux-arts créée par l'artiste italien Corrado Feroci, devenue la meilleure université des beaux-arts du pays ; le campus comprend une partie d'un palais bâti autrefois pour Rama Ier. Continuez jusqu'à la troisième porte d'entrée au **Wat Phra Kaew** et **au Grand Palais** (**3** ; p. 130), deux des sites les plus célèbres de Bangkok.

Revenez sur Th Maharat et tournez à droite en restant du côté ouest de la rue. La quatrième porte à gauche est celle d'**Ah Khung** (**4** ; enseigne en thaï uniquement ; ☎ 0 81775 2540 ; Th Maharat), qui vous servira votre premier en-cas bien mérité : un bol de *chŏw góoay* glacé (de la gelée à l'herbe).

Continuez vers le nord le long de Th Maharat, qui regorge de vendeurs d'amulettes et de petites échoppes d'herboristerie. Dépassez le kiosque envahi de chats (facilement reconnaissable) et tournez à gauche dans **Trok Tha Wang (5)**, une allée étroite bordant un quartier ancien et méconnu de Bangkok. Revenez sur Th Mahathat et continuez vers le nord. À votre gauche, le **Wat Mahathat** (**6** ; p. 150) est l'une des université[s] respectées du pays.

Un ou deux pâtés d[...] tournez à gauche dans [...] parcourir le petit **marc**[...] p. 132). Longez l'allée m[...] pour apprécier la divers[...]

À mesure que vous poursuivez vers le nord le long du fleuve, la nourriture remplace les

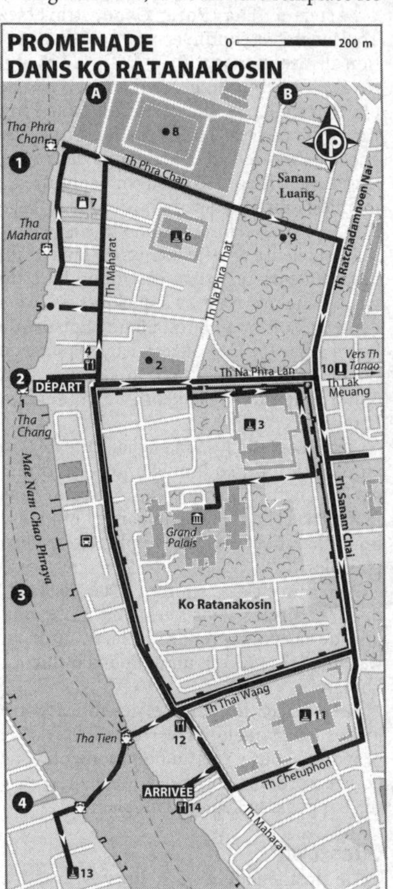


**DONNÉES PRATIQUES**

**Départ** Tha Chang
**Arrivée** Deck
**Distance** environ 5 km
**Durée** 3 heures

s. Les uniformes blancs et noirs se plieront à mesure que vous approchez l'**université de Thammasat** (**8** ; Th Phra Chan), célèbre pour ses facultés de droit et de sciences politiques. C'est sur son campus qu'ont eu lieu les manifestations sanglantes de 1976, pendant lesquelles des étudiants prodémocratie furent blessés ou tués par l'armée.

Sortez à Tha Phra Chan, traversez Th Maharat et continuez vers l'est en direction de **Sanam Luang** (**9** ; p. 134), le "champ royal". Traversez-le et ne manquez pas de photographier la silhouette du Wat Phra Kaew. Traversez Th Ratchadamnoen Nai et partez vers le sud et la divinité de la ville, **Lak Meuang** (**10** ; p. 133), souvent le théâtre de manifestations de dévotion (dont le brûlage d'encens et les danses traditionnelles).

Il est l'heure de déjeuner et Th Tanao, l'un des meilleurs quartiers gastronomique du vieux Bangkok, n'est qu'à quelques pas, vers l'ouest. Choisissez un restaurant climatisé de Poj Spa Kar (p. 168) ou la cuisine typique de Bangkok à Chote Chitr (p. 167), tous deux à 5 min à pied vers l'est le long de Th Kanlaya Lamit.

Retournez sur Th Sanamchai, faites 500 m en direction du sud, puis tournez à droite sur Th Chetuphon, où vous pénétrerez dans le **Wat Pho** (**11** ; p. 131), qui abrite l'immense bouddha couché et de nombreux recoins paisibles.

Après un en-cas roboratif à **Rub Aroon** (**12** ; p. 167), dirigez-vous vers Tha Tien, non loin de là, pour prendre le ferry jusqu'au **Wat Arun** (**13** ; p. 137), un temple d'influence khmère.

Retraversez le fleuve et terminez votre journée par quelques verres au **Deck** (**14** ; p. 168). Si vous y êtes au bon moment, vous pourrez profiter d'une des meilleures vues sur Bangkok au coucher de soleil.

## Chinatown

Cette promenade de 3 heures (5 avec les pauses) vous entraînera dans les rues et les marchés trépidants du quartier le plus encombré de Bangkok et le long de ses rives les plus méconnues.

Prenez le métro à **Hualamphong (1)**. Explorez la plus grande gare ferroviaire de la ville ou prenez directement la sortie n°1. Faites 200 m jusqu'à votre premier arrêt : le **Wat Traimit** (**2** ; p. 139), connu pour son bouddha doré.

Continuez le long de Th Traimit, prenez la porte chinoise sur la droite et traversez jusqu'à Th Yaowarat, la rue principale de Chinatown. Du côté opposé de la rue se trouve un **sanctuaire Kuan Im (3)** datant de 1902. Il abrite une statue ancienne de la divinité bouddhiste éponyme et le siège de la fondation caritative Thian Fah.

Poursuivez vers le nord le long de Th Yaowarat jusqu'à l'**intersection Chaloem Buri (4)**, au coin de Th Songsawat. La partie nord de Th Yaowarat est le meilleur point de vue sur la multitude de néons associés au Chinatown de Bangkok.

Tournez à gauche dans Th Phadungdao, puis à droite au croisement. Environ 50 m plus loin, vous verrez un petit sanctuaire chinois sur la droite. Sur le trottoir d'en face, **la Sae** (**5** ; Th Phat Say), l'un des plus vieux cafés de la ville, peuplé en permanence de vieux Chinois, sera votre premier arrêt.

Revenez sur vos pas sur Th Phat Sai et tournez sur Trok Khao San. Parcourez cette minuscule allée pittoresque jusqu'à la première grosse intersection, **Sampeng** (**6** ; Soi Wanit 1), la grande rue marchande de Chinatown. Suivez-la vers l'ouest jusqu'à la deuxième grosse intersection. Tournez à droite et continuez vers le nord jusqu'à retrouver Th Yaowarat. Parcourez Soi 6, une ruelle fraîche avec son marché, aussi appelée **Talat Mai** (**7** ; p. 139). Sortez sur Th Charoen Krung que vous traverserez pour continuer le long de la ruelle. Prenez la première à droite. Cette section du marché est connue pour les offrandes de papier que l'on brûle lors des funérailles chinoises. Faites demi-tour jusqu'à Th Charoeng Krung. Partant vers le nord, cette enfilade de boutiques de produits médicinaux chinois, de cercueils, de produits séchés et de restaurants servant des soupes de nids d'hirondelle est le Chinatown typique.

Juste après Soi 21, tournez à droite dans le **Wat Mangkon Kamalawat** (**8** ; p. 139), le plus grand et le plus animé des temples de Chinatown.

Suivez Th Mangkorn ver le sud et traversez Th Yaowarat. Continuez dans la même direction sur deux pâtés de maisons et vous verrez de part et d'autre de l'intersection deux des plus vieux bâtiments commerciaux de Bangkok : **Bangkok Bank (9)** et la vénérable boutique d'or **Tang To Kang (10)**. Les deux ont plus d'un siècle et sont de beaux spécimens de l'architecture du début de l'ère Ratanakosin.

Tournez à droite à Sampeng Lane (Soi Wanit 1) et continuez jusqu'à la rue principale, Th Ratchawong. Tournez à gauche et marchez jusqu'au cul-de-sac : Tha Ratchawong, où se trouve **Wan Fah** (**11** ; ☎ 0 2622 7657 ; 292 Th Ratchawong ; déj et dîner), un lieu climatisé où vous pourrez déjeuner.

Revenez sur vos pas le long de Th Ratchawong et tournez à droite dans Th Songwat. Cette rue regroupe de nombreux bâtiments anciens de Bangkok. Tournez à droite dans Th Phanurangsi. Vous vous trouvez désormais dans **Talat Noi** (**12** ; p. 139). Suivez le chemin tracé par les moteurs et autres ferrailleries laissés à l'abandon dans Th Wanit 2 et tournez à droite dans Soi Chow Su Kong. Continuez dans cette ruelle jusqu'à atteindre **San Jao Jo Sue Kong (13)**, un sanctuaire chinois. Suivez les pancartes indiquant la River View Guest House jusqu'à deux grands banians couverts de rubans et d'offrandes. Suivez le chemin jonché d'ordures qui passe derrière eux jusqu'à la **maison Chao Sua Son (14)**, la seule maison chinoise traditionnelle subsistant à Bangkok.

**DONNÉES PRATIQUES**

**Départ** station de métro de Hualamphong
**Arrivée** centre commercial de River City
**Distance** environ 5 km
**Durée** 3 heures

## PROMENADE DANS CHINATOWN

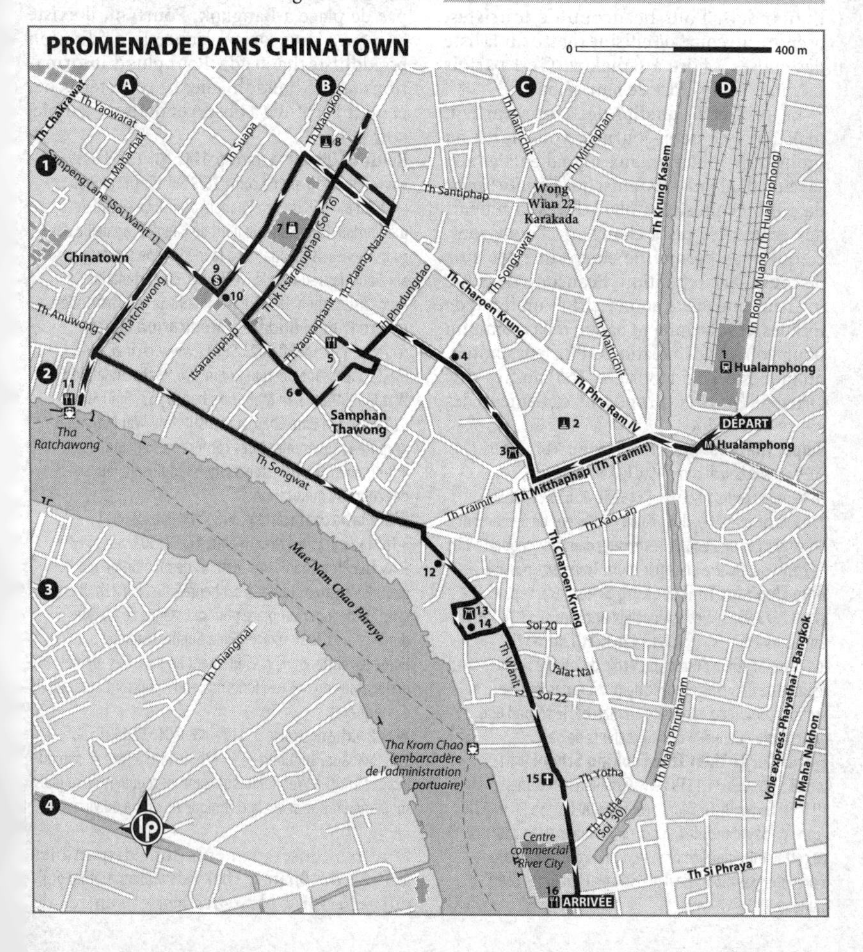

En revenant sur Th Wanit 2, allez vers le sud et passez devant l'**église du Rosaire sacré** (**15** ; Th Yotha), le plus vieux lieu de culte chrétien de la ville. Continuez sur 200 m et arrêtez-vous pour un expresso et une tarte au citron bien mérités au **Folies** (**16** ; Captain Bush Lane), un café français situé entre le centre commercial River City et le Royal Orchid Sheraton.

## COURS

Les cours de culture et de cuisine sont en tête des programmes de formation continue à Bangkok.

### Cuisine

Imaginez la tête de vos amis si vous leur prépariez à votre retour un authentique repas thaïlandais. Pour beaucoup de touristes, prendre un cours de cuisine figure sur la liste des choses à faire à Bangkok. C'est parfois même le temps fort de leur séjour.

Le prix et la qualité des cours varient, mais, en une demi-journée, vous aurez au moins une initiation aux ingrédients et aux saveurs thaïlandaises, ainsi que l'opportunité de cuisiner plusieurs plats. Dans la plupart des écoles, les plats changent chaque jour, ce qui vous permet de suivre une semaine de cours sans répétition. Beaucoup de cours incluent une visite au marché et un livret de recettes, et se terminent par un repas commun pour goûter vos créations. Plusieurs hôtels, du modeste Thai House (p. 166) au très chic Oriental (p. 161), proposent également des cours de cuisine.

**Baipai Thai Cooking School** (carte p. 114 ; ☎ 0 2294-9029 ; www.baipai.com ; 150/12 Soi Naksuwan, Th Nonsee ; cours 1 800 B ; ⏲ 9h30-13h30 et 13h50-17h30 mar-dim). Les deux cours quotidiens de Baipai sont dispensés par une équipe restreinte, dans une coquette villa de banlieue. Quatre plats par cours. Transferts possibles.

**Blue Elephant Thai Cooking School** (carte p. 122 ; ☎ 0 2673 9353 ; www.blueelephant.com ; 233 Th Sathon Tai ; cours 2 800 B ; ⏲ 8h45-12h30 et 13h15-17h lun-sam ; Skytrain Surasak). L'école de cuisine la plus réputée de Bangkok propose deux cours par jour. Le premier comprend une visite au marché, le second une présentation détaillée des ingrédients de base.

**Epicurean Kitchen Thai Cooking School** (carte p. 122 ; ☎ 0 2631 1119 ; www.thaikitchen.com ; 10/2 Th Convent, Th Silom ; cours 2 000 B ; ⏲ 9h30-13h lun-ven ; Skytrain Sala Daeng, métro Silom). Les cours de cette petite mais charmante école vous apprendront à préparer pas moins de 8 plats (4 plats pour les cours d'une heure).

**Khao** (carte p. 118 ; ☎ 0 89111 0947 ; khaocookingschool@gmail.com ; D&D Plaza, 68-70 Th Khao San ; cours 1 200 B ; ⏲ 8h30-12h30 et 14h30-18h30 lun-sam). Un expert de la cuisine thaïlandaise a fondé cette nouvelle école de cuisine au cœur de Th Khao San (juste derrière D&D Inn). Vous y apprendrez à réaliser divers plats traditionnels.

**Silom Thai Cooking School** (carte p. 122 ; ☎ 0 84726 5669 ; www.bangkokthaicooking.com ; 68 Trok Vaithi/ Soi 13, Th Silom ; cours 1 000 B ; ⏲ 9h30-13h ; Skytrain Chong Nonsi). Les équipements sont basiques, mais Silom réussit à placer une visite au marché et la confection de 6 plats en 3 heures 30, ce qui en fait le meilleur rapport quantité/prix. Transferts possibles.

### Méditation

On pourrait penser que le bouddhisme n'a pas de place à Bangkok. Pourtant, il existe quelques lieux où pratiquer la méditation bouddhiste theravada. Pour plus d'informations sur le bouddhisme, se reporter p. 66, et pour l'attitude à observer dans un temple, voir p. 46.

**House of Dhamma** (carte p. 114 ; ☎ 0 2511 0439 ; www.houseofdhamma.com ; 26/9 Soi 15, Th Lat Prao ; Skytrain Mo Chit, métro Phahonyothin). Ce centre de méditation de la banlieue nord de Bangkok accueille des cours mensuels d'initiation à la méditation vipassana, ainsi que des retraites le week-end, en partenariat avec l'Association des jeunes bouddhistes de Thaïlande.

**International Buddhist Meditation Center** (carte p. 118 ; ☎ 0 2623 5881 ; www.mcu.ac.th/IBMC ; Vipassana Section Room 106, Mahachula Bldg, Wat Mahathat, 3 Th Maharat ; bus 47, 53, 503, 508, 512, ferry Tha Phra Chan). Cet institut du Wat Mahathat propose régulièrement des conférences en anglais autour de différents aspects du bouddhisme, et des cours de méditation.

**Wat Mahathat** (carte p. 118 ; ☎ 0 2222 6011 ; 3 Th Maharat ; ⏲ 7h-21h ; bus 47, 53, 503, 508, 512, ferry Tha Phra Chan). Des sessions de méditation ont lieu quotidiennement toutes les 3 heures, de 7h à 21h. Il est possible de loger sur place pour des stages de longue durée (s'inscrire sur place). Phra Suphe, le moine qui dirige le centre, parle parfaitement anglais. Des moines occidentaux ou des résidents du centre pourront aussi servir d'interprètes.

**Wat Rakhang** (carte p. 118 ; ☎ 0 81622 4507 ; Soi Wat Rakhang, Thonburi ; ⏲ 12h30-15h30 2e et 4e dim du mois ; ferry Tha Wat Rakhang). Exposés réguliers en anglais sur la méditation selon la technique dhamma ou vipassana.

D'autres renseignements sont disponibles auprès de **Dharma Thai** (www.dhammathai.org), qui répertorie plusieurs *wat* et centres de méditation de renom. Vous pouvez également vous adresser à la **World Fellowship of Buddhists** (WFB, Association mondiale des bouddhistes ; carte p. 126 ; ☎ 0 2661 1284 ; www.wfb-hq.org ; 616 Benjasiri Park, Soi 24, Th Sukhumvit ; 🕑 8h30-16h30 lun-ven ; Skytrain Phrom Phong), qui propose parfois des cours de méditation.

## Muay thai (boxe thaïlandaise)

Au cours des cinq dernières années, pratiquer le *muay thai* (la boxe thaïlandaise) est devenu de plus en plus populaire auprès des étrangers. Des écoles, un peu partout dans le pays, proposent un programme adapté aux étudiants étrangers. Les établissements cités ici délivrent un enseignement en anglais et acceptent les hommes et les femmes. Hébergement et nourriture font généralement l'objet d'un supplément. Le site www.muaythai.com est une mine d'informations sur les écoles d'entraînement.

**Fairtex Muay Thai** (au sud de la carte p. 114 ; ☎ 0 2755 3329 ; www.muaythaifairtex.com ; 99/5 Mu 3, Soi Buthamanuson, Th Thaeparak, Bangpli, Samut Prakan ; 1 100 B/j). Cette école célèbre, au sud de Bangkok, existe depuis de nombreuses années.

**Muay Thai Institute** (carte p. 195 ; ☎ 0 2992 0096 ; www.muaythai-institute.net ; Rangsit Muay Thai Stadium, 336/932 Th Prachatipat, Pathum Thani ; cours 1er niveau 6 400 B). Cet institut, associé au vénérable World Muay Thai Council, dispense un cours fondamental en trois niveaux, qui se déroule sur 120 jours, ainsi que des cours réservés aux instructeurs, arbitres et juges. Si vous êtes intéressé, prenez rendez-vous pour visiter l'institut, situé au nord de l'aéroport international de Bangkok. Vous pourrez ainsi observer professeurs et étudiants sur le ring.

**Sor. Vorapin Gym** (carte p. 118 ; ☎ 0 2282 3551 ; www.thaiboxings.com ; 13 Trok Krasab, Th Chakraphong ; tarif par jour/mois 500/9 000 B). Spécialiste de l'entraînement pour Occidentaux (h/f). La salle de sport n'est pas très loin de Th Khao San. Des entraînements plus poussés ont lieu à l'extérieur de la ville.

## Cours de thaï

**AAA Thai Language Center** (carte p. 124 ; ☎ 0 2655 5629 ; www.aaathai.com ; 6e ét., 29 Vanissa Bldg, Th Chitlom ; Skytrain Chitlom). Fondée par une équipe de professeurs expérimentés, cette école populaire propose des cours de thaï d'un bon rapport qualité/prix.

**AUA Language Center** (carte p. 124 ; ☎ 0 2252 8170 ; www.auathai.com ; 179 Th Ratchadamri ; Skytrain Ratchadamri ; tarif 102 B /h). Ce centre, qui dépend de l'American University Alumni (AUA), est l'un des centres d'enseignement du thaï les plus importants dans le monde. Le cursus, qui comprend 10 niveaux de 200 heures, fondé sur l'aptitude naturelle des enfants à acquérir une langue, privilégie d'abord l'écoute et la compréhension avant de passer à la formation de phrases et à la lecture.

**Chulalongkorn University's Intensive Thai Office** (carte p. 124 ; ☎ 0 2218 4640 ; www.inter.chula.ac.th ; faculté des arts, université de Chulalongkorn, Th Phayathai ; Skytrain Siam). Elle offre un enseignement de la langue thaïe qui comprend 3 niveaux (débutant, intermédiaire et avancé), dispensés chacun sur 5 semaines (100 heures). Les cours intermédiaires portent sur le vocabulaire de l'environnement, du tourisme, de la culture, de la religion, de l'économie et de l'actualité. Ce programme s'adresse surtout à des universitaires ou à des hommes d'affaires. Pour plus d'informations sur l'enseignement, les frais d'inscription ou l'hébergement, contactez le département.

**Chulalongkorn's Thai Studies Center** (carte p. 124 ; ☎ 0 2218 4862 ; www.inter.chula.ac.th ; faculté des arts, université de Chulalongkorn, Th Phayathai ; Skytrain Siam). Ce centre de formation offre un programme d'études thaïes en anglais qui aboutit à un master ou à un doctorat. Il couvre plusieurs aspects de la culture, y compris le folklore, le théâtre, l'écologie et l'urbanisation. Le programme de doctorat comprend plusieurs années supplémentaires de recherches supervisées. Selon la disponibilité des places, le centre accepte également des étudiants qui ne sont pas inscrits dans le cursus complet de master. Contactez le département pour plus de renseignements sur les cursus et les conditions d'inscription et d'hébergement.

**Siri Pattana Thai Language School** (carte p. 128 ; ☎ 0 2677 3150 ; siri_pattanathai@hotmail.com ; Bangkok Insurance Bldg, 13 Th Sathon Tai ; frais d'inscription 7 500 B). Située en face du YWCA, cette école propose des cours de thaï étalés sur 30 heures, à raison d'une leçon de 1 ou 2 heures par jour, ainsi que la préparation au *paw hòk* (examen d'aptitude qui permet de travailler dans l'enseignement public).

**Pro Language** (carte p. 126 ; ☎ 0 2250 0072 ; www.prolanguage.co.th ; 10e niv., Times Square Bldg, Th Sukhumvit ; Skytrain Nana). Voici l'école préférée des expatriés. L'enseignement progresse graduellement, des notions de base jusqu'au niveau supérieur qui comprend la littérature thaïlandaise. Les cours s'organisent autour de thèmes tels que : poser des questions, donner son opinion, le monde des affaires en Thaïlande, etc.

**Union Language School** (carte p. 124 ; ☎ 0 2214 6033 ; www.unionlanguage.com ; 7e niv., 328 CCT Office Bldg, Th Phayathai ; cours à partir de 6 000 B ; Skytrain Ratchathewi). Ce cours est considéré comme le meilleur cours de langue (de nombreux missionnaires y sont inscrits). L'école alterne enseignement des structures et séances de communication sur des modules de 80 heures, en 4 semaines.

## Massage thaï

**Thai Traditional Medical Services Society** (carte p. 126 ; ☎ 0 2651 1587 ; www.school-thaimassage.com ; Coran Boutique Spa, 27/1-2 Soi 13, Th Sukhumvit ; cours à partir de 7 500 B ; ⏰ 11h-22h ; Skytrain Nana). Cet institut agréé par le ministère de la Santé, situé au sein du Coran Boutique Spa (p. 145), dispense des formations diplômantes dans différents types de massages et de traitements holistiques.

**École de massage thaï traditionnel du Wat Pho** (carte p. 118 ; ☎ 0 2622 3533 ; www.watpomassage.com ; 392/25-28 Soi Phen Phat ; cours à partir de 6 500 B ; ⏰ 8h-18h ; ferry Tha Tien). Elle organise des cours de massage traditionnel pour débutants à avancés. Les cours débutants comptent 30 heures réparties sur 5 jours et forment aux massages des pieds ou du corps. Pour les cours de niveau avancé (60 heures) sur le massage thérapeutique et curatif, il faut au préalable avoir suivi le cours de base. D'autres cours avancés portent sur les massages aux huiles, l'aromathérapie ou encore les massages pour bébés et enfants. L'école est située à l'extérieur de l'enceinte du temple, dans une maison typique rénovée près de Tha Tien. Il en existe désormais des annexes au nord et à l'est de Bangkok, ainsi qu'à Chiang Mai.

# BANGKOK POUR LES ENFANTS

Les attractions spécialement conçues pour les enfants sont rares, mais les habitants de Bangkok ne manquent pas d'attentions à leur égard. Les parents trouveront des informations utiles sur www.bambiweb.org.

Le **musée-atelier de la Poupée de Bangkok** (carte p. 116 ; ☎ 0 2245 3008 ; 85 Soi Ratchataphan/Mo Leng ; gratuit ; ⏰ 8h-17h lun-sam) expose une sélection de poupées traditionnelles thaïlandaises modernes et anciennes. Le musée n'est pas facile à trouver : en arrivant depuis Th Si Ayuthaya vers l'est, traversez sous la voie rapide après le croisement avec Th Ratchaprarop, puis prenez le *soi* à droite de la poste. Suivez cette rue jusqu'aux premiers panneaux.

Le **Children's Discovery Museum** (carte p. 114 ; ☎ 0 2618 6509 ; www.bkkchildrenmuseum.com ; Queen Sirikit Park, Th Kamphaeng Phet 4 ; adulte/enfant 70/50 B ; ⏰ 9h-17h mar-ven, 10h-18h sam-dim), en face du marché du week-end de Chatuchak, est l'endroit idéal pour apprendre en s'amusant. La plupart des activités sont destinées aux enfants de 6 à 11 ans, mais il existe une aire de jeux pour plus petits à l'arrière du bâtiment principal.

Même s'il n'est pas spécifiquement destiné à un jeune public, le musée du Siam (p. 133) propose des expositions interactives qui plairont aux enfants.

Le **zoo de Dusit** (carte p. 116 ; ☎ 0 2281 9027 ; www.zoothailand.org ; Th Ratchawithi ; adulte/enfant 100/50 B ; ⏰ 8h-18h lun-jeu, 8h-21h ven-dim ; bus 18, 510) accueille, sur 19 ha, près de 300 mammifères, 200 reptiles et 800 oiseaux dont des espèces indigènes assez rares comme le banteng, le gaur, le serow et quelques rhinocéros. Le terrain, boisé, comprend une aire de jeux pour les petits et on peut louer des pédalos sur le lac. Nocturne (jusqu'à 21h) le week-end.

Un monde sous-marin a été recréé au **Siam Ocean World** (carte p. 124 ; ☎ 0 2687 2000 ; www.siamoceanworld.co.th ; sous-sol, Siam Paragon, Th Phra Ram I ; adulte/enfant 350/250 B ; ⏰ 10h-19h ; Skytrain Siam), l'aquarium d'un centre commercial. On peut admirer derrière la vitre la zone des grands récifs ou assister au repas quotidien des pingouins et des requins.

Le **parc Lumphini** (carte p. 128 ; Th Phra Ram IV, entre Th Withayu et Th Ratchadamri ; entrée gratuite ; ⏰ 5h-20h ; bus 13, 505, Skytrain Sala Daeng, métro Lumphini) est idéal pour une promenade aux heures fraîches de la matinée ou de la soirée, ou pour une partie de cerf-volant (pendant la saison). Une visite à la **ferme aux serpents** (p. 140) vous permettra d'assister à l'extraction du venin des redoutables serpents.

À **Tha Thewet** (carte p. 116 ; Th Samsen ; ⏰ 7h-19h), imitez les jeunes moines et les enfants : jetez dans le fleuve de minuscules boulettes de nourriture (vendues sur l'embarcadère) pour les poissons.

Non loin de l'ancien quartier portugais, à Thonburi, le **Wat Prayoon** (carte p. 120 ; 24 Th Prachadhipok et Thetsaban Soi 1, près du Memorial Bridge ; entrée gratuite ; ⏰ 8h-18h ; ferry de Tha Pak Talaad/Atsadang) est une colline artificielle parsemée de temples miniatures. Un chemin sinueux fait le tour d'une mare hébergeant des tortues que l'on peut nourrir de fruits achetés à proximité.

Le MBK (p. 182) et le Siam Paragon (p. 183) ont chacun des pistes de bowling qui occuperont les plus grands. Le **Krung Sri IMAX** (carte p. 124 ; %0 2511 5555 ; Siam Paragon, Th Phra Ram I ; entrée adulte/enfant 600/250 B) projette des films d'action américains avec effets spéciaux ,ainsi que des documentaires sur la nature.

# CIRCUITS ORGANISÉS

## Dîners-croisières

En amoureux ou en famille, vous apprécierez les dîners-croisières sur le Mae Nam Chao Phraya. Si la cuisine est souvent médiocre, le spectacle de Bangkok illuminée se détachant sur l'horizon et la fraîcheur de la brise sont divins. La rumeur de la ville fait place au calme. Les formules vont de la croisière bon marché à plus sophistiquée, mais la nourriture est rarement bonne.

**Loy Nava** (carte p. 120 ; ☎ 0 2437 4932 ; www.loynava.com ; menu 1 618 B ; 🕑 18h-20h et 20h-22h). Créée en 1970, cette croisière pourrait bien être la plus vieille de Bangkok. Deux excursions par jour, au départ du River City Complex. Menu végétarien disponible.

**Manohra Cruises** (carte p. 114 ; ☎ 0 2477 0770 ; www.manohracruises.com ; Bangkok Marriott Resort & Spa, Thonburi ; croisière cocktail ou dîner 900/1 990 B ; 🕑 croisière cocktail 18h-19h, dîner 19h30-22h) dispose d'une flotte d'anciennes barges à riz en teck qui fendent majestueusement les flots. L'embarcadère se trouve au Marriott Resort, accessible en navette gratuite depuis Tha Sathon (près de la station de Skytrain Saphan Taksin).

Les **Wan Fah Cruises** (carte p. 120 ; ☎ 0 2222 8679 ; www.wanfah.in.th ; croisières 1 200 B ; 🕑 19h-21h) partent du River City Complex. Le dîner (au choix : menu standard ou de fruits de mer), sur un bateau de bois à belle coque rebondie, est accompagné de chants et de danses traditionnels. Transfert possible.

**Yok Yor Restaurant** (carte p. 116 ; ☎ 0 2439 3477 ; www.yokyor.co.th ; dîner 300-550 B plus 140 B de supplément ; 🕑 20h-22h). Ce restaurant flottant du côté de Thonburi propose également des dîners-croisières quotidiens. Possibilité de location de bateaux pour des soirées privées.

## Croisières vers Bang Pa-In et Ayuthaya

Plus rapides qu'au temps des bateaux à voile, mais tout aussi romantiques, des croisières partent de Bangkok vers le nord, jusqu'aux ruines de l'ancienne capitale royale d'Ayuthaya (p. 201). La plupart des circuits comprennent une visite guidée des ruines d'Ayuthaya et un arrêt au palais d'été de Bang Pa-In (p. 210). Pour ceux qui ne sont pas férus d'histoire, le voyage sur le fleuve à lui seul est un vrai bonheur. En principe, seul l'aller entre Bangkok et Ayuthaya se fait en bateau, le retour s'effectuant en bus.

**Asian Oasis** (carte p. 114 ; ☎ 0 2651 9101 ; www.asian-oasis.com ; 2 jours 9 050-14 100 B selon saison et parcours) propose des croisières sur le Chao Phraya à bord de barges à riz restaurées, alliant charme ancien et confort moderne. Le voyage comprend le trajet en bateau depuis/vers Ayuthaya et le retour en bus.

**Chao Phraya Express Boat** (carte p. 122 ; ☎ 0 2623 6001 ; www.chaophrayaboat.co.th ; adulte/enfant 1 400/1 200 B). Cette compagnie de bateaux municipale propose chaque mois une visite guidée jusqu'à Ayuthaya. Pour les détails pratiques, consultez le site Internet ou rendez-vous au bureau d'informations de Tha Sathon (Skytrain Saphan Taksin).

**Manohra Cruises** (carte p. 114 ; ☎ 0 2477 0770 ; www.manohracruises.com ; Bangkok Marriott Resort & Spa, Thonburi ; 3 jours 64 000 B). Équivalent flottant de *L'Orient Express*, le *Mahnora Song* est une barge à riz restaurée comptant 4 cabines luxueuses, décorées d'antiquités et de tapis persans. Le prix de la croisière vers Ayuthaya (3 jours/2 nuits) comprend tout, sauf les taxes et pourboires. Le *Manohra Dream,* encore plus luxueux, accueille 4 personnes et peut être loué pour de plus longues excursions.

## Circuits à vélo ou Segway

Si de nombreuses visites à vélo parcourent les banlieues urbaines de Bangkok, d'autres profitent du district voisin de Phra Pradaeng (carte p. 114), plus verdoyant et moins moderne. Entre les canaux qui irriguent de petites plantations, des sentiers débouchent sur de modestes villages.

Pour une visite du vieux Bangkok avec les vélos gratuits, voir l'encadré p. 112.

**ABC Amazing Bangkok Cyclists** (carte p. 126 ; ☎ 0 2665 6364 ; www.realasia.net ; 10/5-7 Soi 26, Th Sukhumvit ; à partir de 1 000 B ; 🕑 départ tlj à 10h ou 13h ; Skytrain Phrom Phong). Depuis plus de 10 ans, ces circuits proposent de découvrir la "vraie" Asie en suivant les sentiers surplombant les canaux champêtres de la ville.

**Bangkok Bike Rides** (carte p. 126 ; ☎ 0 2712 5305 ; www.bangkokbikerides.com ; 14/1-B Soi Phromsi 2, en retrait de Soi 39, Th Sukhumvit ; circuits à partir de 2 000 B), géré par l'agence de voyages Spice Roads, organise aussi des circuits à vélo dans les zones agricoles autour de la capitale, notamment au marché flottant de Ko Kret et de Damnoen Saduak, et au-delà.

**Thailand Segway Tours** ( ☎ 0 86890 5675 ; www.thailandsegwaytours.com ; 1 heure 30 à partir de 3 100 B). Si le climat tropical vous épuise, Segway propose diverses excursions sur ses trotinettes électriques, à travers les parcs de Bangkok et jusqu'à l'ancienne cité de Samut Prakan (p. 136).

**Velothailand** (carte p. 118 ; ☎ 0 89201 7782 ; www.velothailand.com ; Soi 2, Th Samsen ; à partir de 1 100 B). Cette petite structure organise des excursions originales, comme une visite de Thonburi la nuit. Le bureau de Banglamphu loue, vend et répare des vélos.

## Circuits à pied

Malgré la pollution et la chaleur, marcher dans Bangkok peut être tout à fait fascinant. Si vous cherchez un guide, **Bangkok Private Tours** (www.bangkokprivatetours.com ; visite à la journée 8 000 B) élabore des circuits sur mesure, notamment des visites gastronomiques.

## FÊTES ET FESTIVALS

Outre les fêtes nationales (généralement religieuses), il se passe toujours quelque chose à Bangkok. Consulter le site du TAT (www.tourismthailand.org) ou du Bangkok Tourist Office (http://bangkoktourist.bma.go.th) pour les dates exactes. Les hôtels et les centres culturels organisent aussi divers festivals internationaux.

### Janvier

**Festival international du film de Bangkok** (mi-janvier ; www.bangkokfilm.org). Cinéma indépendant thaïlandais et étranger. Saviez-vous que Bangkok commençe à rivaliser avec Bollywood et Hong Kong ?

### Février/mars

**Nouvel An chinois**. Le Nouvel An lunaire est l'occasion d'organiser des danses du lion, des feux d'artifice et de se lancer dans un grand ménage de printemps. La plupart des festivités ont lieu autour de Chinatown.

### Mars

**Saison des cerfs-volants**. Pendant la saison du vent, des cerfs-volants multicolores envahissent le ciel, dans les parcs de Sanam Luang et Lumphini.

### Avril

**Songkhran** (mi-avril). Le Nouvel An thaïlandais est l'occasion d'affrontements aquatiques : les passants, avertis ou non, sont la cible de pistolets à eau et de ballons remplis d'eau. Les batailles les plus déchaînées ont lieu sur Th Khao San.

### Mai

**Fête royale des Labours** (date variable). Sa Majesté le roi inaugure la saison de la plantation du riz lors d'une cérémonie religieuse à Sanam Luang.

**Concours de beauté Miss Jumbo** (début mai). La mode des rondes gagne le monde entier, et aussi la Thaïlande : concours de beauté pour femmes XXL et célébration de la grâce éléphantesque (parc aux éléphants de Samphran à Nakhon Pathom).

### Juin

**Festival international de musique et de danse**. Une manifestation prestigieuse consacrée aux arts et à la culture, sous l'égide du Centre culturel thaïlandais. Deux fois par an, en juin et en septembre.

### Août

**Anniversaire de la reine** (12 août). L'anniversaire de la reine est également la Fête des mères. À Bangkok, les festivités se concentrent autour de Th Ratchadamnoen et du Grand Palais.

### Septembre/octobre

**Fête végétarienne** (dates variables). Fête bouddhiste chinoise rassemblant pendant 10 jours des charrettes de plats végétariens signalées par des bannières jaunes, surtout dans Chinatown.

### Octobre

**Fête du roi Chulalongkorn** (23 octobre). Le jour anniversaire de la mort de Rama V est fêté auprès de sa statue de Royal Plaza à Dusit. La foule des dévots vient rendre grâce en déposant de l'encens et des guirlandes de fleurs.

### Novembre

**Loi Kràthong** (début novembre). Superbe fête où, la nuit de pleine lune, de petits paniers en forme de lotus, faits de feuilles de bananier, sont ornés de bougies et déposés sur le fleuve.

**Festival du gras** (début novembre). Sponsorisé par radio FAT (104.5 FM), les groupes les plus excentriques de Bangkok se retrouvent pour une grande fiesta.

**Bangkok Pride** (mi-novembre ; www.utopia-asia.com). Une semaine de festival où se succèdent défilés, fêtes et remises de prix organisés par les organisations gays de la ville.

### Décembre

**Anniversaire du roi** (5 décembre). Défilés et feux d'artifice.

## OÙ SE LOGER

À première vue, choisir un hébergement à Bangkok peut paraître mission impossible tant les hôtels sont innombrables dans cette ville tentaculaire. Le quartier dans lequel vous logerez sera déterminé par votre budget : Banglamphu et le ghetto touristique de Th Khao San regroupent la majorité des hébergements à petit budget de Bangkok, mais, de là, il peut être un peu difficile de se rendre dans d'autres parties de la ville. Vous trouverez également des chambres bon marché vers la partie inférieure de Sukhumvit, mais il faudra vous accommoder des touristes sexuels et des rabatteurs. Chinatown compte aussi bon nombre d'hôtels bon marché ; vous vous y déplacerez plus discrètement. Une autre option est Soi Ngam Duphli, près de Th Sathon.

Avec un budget légèrement supérieur, vous pourrez loger dans le centre de Bangkok. Th Sukhumvit et Th Silom comptent de nombreux hôtels de catégorie moyenne, souvent à proximité d'une station de Skytrain ou de métro. D'autres sont situés dans les *soi* face au

**SE LOGER À BANGKOK**

Les chambres d'hôtel sont généralement plus chères à Bangkok qu'ailleurs en Thaïlande, mais le choix est immense et il est possible d'obtenir des réductions. Nous avons classé les chambres en 3 catégories :

**Petits budgets** moins de 1 000 B
**Catégorie moyenne** de 1 000 B à 3 000 B
**Catégorie supérieure** plus de 3 000 B

Les prix indiqués sont ceux pratiqués en haute saison. N'oubliez pas que des offres spéciales sont proposées si vous réservez en ligne. Voir l'encadré p. 164 pour les sites Internet que nous recommandons.

Ce qui est compris dans le prix : pour les hôtels à **petit budget**, l'époque des lits à 50 B dans Banglamphu est révolue, mais si vous êtes très près de vos sous, vous pourrez trouver un lit dans un dortoir (ou une "chambre-placard") avec ventilateur et sdb commune pour 150 à 200 B. Plus vous pouvez dépenser, plus vous avez de chance d'obtenir une serviette de toilette, une douche chaude et la climatisation. Si vous recherchez l'intimité et une sdb privative, vous pourrez louer une chambre basique aux environs de 700 B.

On trouve un peu de tout dans la **catégorie moyenne**, des chambres médiocres aux pensions de très bonne qualité. Au-delà de 1 000 B, vous trouverez des hôtels de type occidental avec groom, personnel en uniforme, réception impeccable. Si vous ne voulez pas dépenser trop et que vous n'êtes pas à cheval sur l'esthétique, il y a des chambres très correctes entre 1 500 et 2 000 B. Si votre budget est plus élevé, réservez à l'avance pour bénéficier de réductions parfois conséquentes.

Les hôtels de **catégorie supérieure** se multiplient à Bangkok. Ils comprennent en général une piscine, un spa, une salle de sport, des salles de réunion et une connexion Internet hors de prix. Les chambres des grandes enseignes sont en général plus spacieuses, alors que les hôtels de charme insistent sur la création d'une ambiance. Au sommet de cette catégorie, le prix des chambres commence à 10 000 B, mais pour la plupart des hôtels internationaux, de charme ou "design", le prix oscille entre 6 000 et 9 000 B, avant réductions éventuelles. La plupart des hôtels de cette catégorie ajoutent des frais de service de 10%, ainsi que 7% de taxe.

stade national près de Siam Square, et ils ont l'avantage d'être proches du Skytrain.

Beaucoup d'hôtels de charme ou de luxe sont en haut de Sukhumvit et les établissements les plus célèbres se trouvent pour la plupart le long du fleuve, près de Th Silom.

## Ko Ratanakosin et Banglamphu

Ko Ratanakosin, le quartier le plus touristique de Bangkok, était encore récemment dépourvu d'hébergements touristiques. Avec l'engouement pour les hôtels de charme, quelques boutiques le long du fleuve ont été transformées en nids douillets pour les voyageurs.

Banglamphu, et plus particulièrement le secteur de Th Khao San, la rue des voyageurs à petit budget, est l'épicentre des hébergements de Bangkok, ce qui ne veut pas dire que c'est le seul endroit, ni le meilleur. Cela dit, les prix y sont généralement bas et les cybercafés, agences de voyages et kiosques à bières y abondent, ce qui en fait une bonne base.

Ces dernières années, de nombreux propriétaires d'hôtels installés de longue date ont converti leur ancien taudis en petit hôtel, fournissant ainsi une profusion de nouvelles options d'hébergements de catégorie moyenne. Si certains déplorent un embourgeoisement de Th Khao San, on y trouve désormais une catégorie d'hôtels qui manquait jusqu'alors.

Quel que soit votre budget, n'oubliez pas que Th Khao San n'est qu'une grande rue d'un vaste quartier et qu'il existe de plus en plus d'alternatives intéressantes pour tous les budgets dans les rues environnantes, comme Th Phra Athit le long du fleuve, Soi Rambutri bordé d'arbres, ou les petites rues vers Th Samsen.

Il serait impossible de dresser une liste exhaustive de tous les hébergements de Banglamphu. Nous en avons sélectionné quelques-uns qui se démarquent, en particulier hors de la rue principale, souvent bruyante. Si vous avez du temps, explorez les environs et visitez plusieurs pensions avant d'arrêter votre choix. Pendant la saison haute (décembre à février) en revanche, il vaut mieux prendre le premier lit que vous trouverez. Pour cela, la meilleure heure est vers 10h ou 11h, au moment où les touristes libèrent leur chambre.

## PETITS BUDGETS

Les hôtels bon marché proposés ci-dessous ne constituent qu'un échantillon de l'offre autour de Th Khao San. L'absence d'une adresse dans cette liste ne signifie pas qu'elle n'est pas intéressante. Si vous peinez à trouver un hôtel à petit budget, d'autres options sur Soi Rambutri, les *soi* près de Th Samsen, et les différentes allées entre Th Khao San et Th Ratchadamnoen Klang, où quelques vieilles pensions en bois subsistent.

**New Merry V Guest House** (carte p. 118 ; ☎ 0 2280 3315 ; 18-20 Th Phra Athit ; ch 150-700 B ; bus 53, 506, ferry Tha Phra Athit ; ). On pourrait penser que ce vaste hôtel vient d'être rénové, mais il est simplement très bien entretenu. Les chambres bon marché, très basiques, sont impeccables et très claires, parfois avec une belle vue. Si les plus chères sont bien équipées, elles ne sont pas d'un très bon rapport qualité/prix.

**Baan Sabai** (carte p. 118 ; ☎ 0 2629 1599 ; baansabai@hotmail.com ; 12 Soi Rongmai ; ch 190-600 B ; bus 53, 506, ferry Tha Phra Athit ; ). Ce vieux bâtiment bringuebalant porte bien son nom (maison confortable). On y trouve des dizaines de chambres basiques mais douillettes pour tous les prix. Il y règne une ambiance désuète, en particulier sur la terrasse du bar-restaurant.

**Wild Orchid Villa** (carte p. 118 ; ☎ 0 2629 0046 ; www.wild-orchidvilla.com ; 8 Soi Chana Songkhram ; ch 280-950 B ; bus 53, 506, ferry Tha Phra Athit ; ). Les chambres bon marché, parmi les plus minuscules qu'on ait jamais vues, sont propres, bien rangées et claires. Cet hôtel accueillant étant de plus en plus populaire, il est conseillé de réserver.

**Rambuttri Village Inn** (carte p. 118 ; ☎ 0 2282 9162 ; www.khaosan-hotels.com ; 95 Soi Rambutri ; ch 290-950 B ; bus 30, 53, 506, ferry Tha Phra Athit). Si vous êtes prêts à supporter les sollicitations incessantes des tailleurs (“*Excuse me, suit?*”), cet hôtel relativement récent a des chambres correctes et bon marché. Une cour avec des restaurants et des boutiques est située juste en bas, ce qui en fait un lieu pratique.

**Bella Bella Riverview** (carte p. 118 ; ☎ 0 2628 8077 ; 6 Soi 3, Th Samsen ; ch 300-570 B ; bus 53, 506, ferry Tha Phra Athit ; ). On traverse un quartier pittoresque de Bangkok pour arriver à cette pension dégingandée. Les chambres sont simples et dépourvues du confort moderne, rares sont celles qui donnent sur le fleuve, mais c'est un bon endroit pour ceux qui veulent être près de Th Khao San sans en être *trop* près.

**Villa Guest House** (carte p. 118 ; ☎ 0 2281 7009 ; 230 Soi 1, Th Samsen ; s/d 300/600 B ; bus 30, 53, 506, ferry Tha Phra Athit). Un couple d'un certain âge a ouvert sa maison centenaire en teck aux visiteurs étrangers. Les 10 chambres avec ventilateur (toutes avec sdb commune) sont meublées d'antiquités dont des lits à baldaquin. Quelques nouvelles chambres ont été aménagées récemment.

**Penpark Place** (carte p. 118 ; ☎ 0 2281 4733 ; www.penparkplace.com ; 22 Soi 3, Th Samsen ; s/d 350/400 B ; bus 53, 506, ferry Tha Phra Athit ; ). Cette ancienne fabrique a été transformée en hôtel pour petit budget d'un bon rapport qualité/prix. Les chambres ne disposent que d'un lit et d'un ventilateur, et une seule a une sdb privative, mais elles sont toutes immaculées. Le toit est aménagé en un espace commun et de nouvelles chambres devraient ouvrir très prochainement.

**Boworn BB** (carte p. 118 ; ☎ 0 2629 1073 ; www.bowornbb.com ; 335 Th Phra Sumen ; s/d 600/700 B ; ferry Tha Phra Athit ; ). De l'extérieur, cet hôtel ressemble à une échoppe vieillotte de Banglamphu. Un coup d'œil à l'intérieur révèle une multitude de chambres un peu fades mais propres. Un jardin agréable est aménagé sur le toit.

**Rikka Inn** (carte p. 118 ; ☎ 0 2282 7511 ; www.rikkainn.com ; 259 Th Khao San ; s/d 600-950 B ; bus 53, 506, ferry Tha Phra Athit ; ). Avec ses chambres exiguës mais agréables, sa piscine sur le toit et sa situation centrale, le nouveau Rikka est un des hôtels au très bon rapport qualité/prix qui participent au changement de Th Khao San.

**Baan Dinso** (carte p. 118 ; ☎ 0 2622 0560 ; www.baandinso.com ; 113 Trok Sin, Th Dinso ; ch 942-2 000 B ; bus 53, 506, ferry Tha Phra Athit ; ). Le fait que toutes les sdb soient communes empêche Baan Dinso de prétendre à la catégorie supérieure, mais cette maison thaïlandaise de 85 ans, parfaitement restaurée, située dans un quartier ancien de Bangkok, est l'une des adresses les plus exceptionnelles de la ville. Les 9 chambres sont très accueillantes et les sdb très propres.

### CATÉGORIE MOYENNE

Cette catégorie d'hébergement est en pleine expansion dans cette partie de la ville et, si vos moyens vous le permettent, il est possible de dénicher de véritables affaires.

**Bhiman Inn** (carte p. 118 ; ☎ 0 2282 6171 ; www.bhimaninn.com ; 55 Th Phra Sumen ; ch 1 000-1 700 B ; bus 30, 53, 506, ferry Tha Phra Athit ; ). La décoration de cet hôtel est assez incongrue, avec un extérieur mêlant un style d'église moderne et de château, et un intérieur décoré de nombreux miroirs et de carrelages pop-art. Les chambres sont un peu moins originales, les plus petites étant à peine plus grandes qu'un placard. L'hôtel dispose d'un restaurant agréable et d'une piscine.

**Lamphu Tree House** (carte p. 118 ; ☎ 0 2282 0991 ; www.lamphutreehotel.com ; 155 Wanchat Bridge, Th Prachatipatai ; ch 1 200-1 800 B ; *klorng-taxi* jusqu'à Tha Phah Fah ; ). En dépit de son nom, cet hôtel d'un excellent rapport qualité/prix est bien sur la terre ferme. Ses chambres sont charmantes et agréables. Son bar sur le toit, sa piscine, son restaurant, l'accès Internet et le calme qui l'entoure vous feront regretter de partir.

**New Siam Riverside** (carte p. 118 ; ☎ 0 2629 3535 ; www.newsiam.net ; 21 Th Phra Athit ; ch avec petit-déj 1 390-2 390 B ; bus 53, 506, ferry Tha Phra Athit ; ). Un des nouveaux hôtels de Th Phra Athit situé au bord du fleuve. Ses chambres sont confortables et équipées de minuscules sdb. Son véritable atout, toutefois, réside dans ses infrastructures (Internet, agence de voyages, restaurant) et son emplacement dans l'une des rues les plus agréables de Bangkok.

**Hotel Dé Moc** (carte p. 118 ; ☎ 0 2282 2831 ; www.hoteldemoc.com ; 78 Th Prachatipatai ; ch avec petit-déj 1 500-1 700 B ; bus 12, 56 ; ). Les chambres de cet hôtel classique sont spacieuses, avec de hauts plafonds et de grandes fenêtres, mais le mobilier mériterait d'être modernisé. Les plus : transferts gratuits jusqu'à Th Khao San ou Wat Phra Kaew et prêt de vélos.

**Diamond House** (carte p. 118 ; ☎ 0 2629 4008 ; www.thaidiamondhouse.com ; 4 Th Samsen ; ch 2 000-2 800 B, ste 3 600 B ; bus 30, 53, 506, ferry Tha Phra Athit ; ). Même s'il partage le bâtiment avec un temple chinois kitsch, les fautes de goût sont absentes de cet hôtel original et branché. La plupart des chambres sont conçues dans un style loft (lit sur une estrade) et décorées avec du vitrail, des couleurs sombres et chics, de beaux meubles. Le manque de fenêtres et la petite taille de certaines chambres sont compensés par une terrasse sur le toit et un Jacuzzi extérieur.

**Buddy Boutique Hotel** (carte p. 118 ; ☎ 0 2629 4477 ; www.buddylodge.com ; 265 Th Khao San ; ch 2 000-2 600 B ; bus 53, 506, ferry Tha Phra Athit ; ). Cet immense complexe comprenant une piscine, une salle de sport et... un McDonald's semble être l'hôtel le plus cher de Th Khao San. Les chambres ont un air de manoir tropical et sont décorées de manière typiquement thaïlandaise.

**Viengtai Hotel** (carte p. 118 ; ☎ 0 2280 5434 ; www.viengtai.co.th ; 42 Th Rambutri ; ch 2 200-3 000 B, ste 5 200 B ; bus 53, 506, ferry Tha Phra Athit ; ). Bien avant la "découverte" de Th Khao San, le Viengtai était un hôtel chinois ordinaire, dans un quartier calme. Il entre désormais dans la catégorie moyenne, avec ses chambres banales mais très correctes. Réservez à l'avance pour bénéficier de réductions.

**Baan Chantra** (carte p. 118 ; ☎ 0 2628 6988 ; www.baanchantra.com ; 120 Th Samsen ; ch avec petit déj 2 700-4 000 B ; bus 30, 53, 506, ferry Tha Phra Athit ; ). Cette très belle maison sans prétention a préféré au "*hype*" le confort et l'espace. De nombreux détails originaux en teck subsistent et la chambre de luxe dispose d'un patio ensoleillé.

### CATÉGORIE SUPÉRIEURE

**Navalai River Resort** (carte p. 118 ; ☎ 0 2280 9955 ; www.navalai.com ; 45/1 Th Phra Athit ; ch avec petit-déj 3 000-4 500 B ; bus 53, 506, ferry Tha Phra Athit ; ). Dernier-né de la Th Phra Athit, cet hôtel chic possède 74 chambres modernes, dont beaucoup avec vue sur le Chao Phraya. La décoration d'inspiration thaïlandaise est charmante, mais vous passerez sans doute plus de temps à admirer la vue depuis la piscine, sur le toit.

**Old Bangkok Inn** (carte p. 118 ; ☎ 0 2629 1787 ; www.oldbangkokinn.com ; 609 Th Phra Sumen ; ch avec petit-déj 3 190-6 590 B ; bus 2, 82, 511, 512, *klorng-taxi* jusqu'à Tha Phan Fah ; ). Les 10 chambres de cette ancienne échoppe restaurée sont somptueuses, avec leurs couleurs chaudes et leurs meubles en bois massif. Toutes disposent d'ordinateurs et certaines ont une sdb semi-extérieure. Idéal pour une lune de miel.

**Arun Residence** (carte p. 118 ; ☎ 0 2221 9158 ; www.arunresidence.com ; 36-38 Soi Pratu Nok Yung, Th Maharat ; ch/ste avec petit-déj 3 500/5 500 B ; ferry Tha Tien ; ). Parfaitement située face au Wat Arun, cette haute maison en bois donnant sur le fleuve offre bien plus qu'une vue magnifique. Ses 7 chambres sont à la fois douillettes et stylées. Certaines sont hautes de plafond, évoquant un loft, d'autres réunissent 2 chambres. La plus belle, la suite du dernier étage, possède un balcon privé. Les espaces communs, dont une bibliothèque, un bar sur le toit et un restaurant (Deck), sont accueillants.

**Aurum: The River Place** (carte p. 118 ; ☎ 0 2622 2248 ; www.aurum-bangkok.com ; 394/27-29 Th Maharat ; ch avec petit-déj 3 950-4 900 B ; ferry Tha Tien ; ). Les 12 chambres modernes de cette ancienne échoppe ne sont pas à l'image de sa grandiose façade européenne, mais elles sont confortables et bien aménagées. La plupart ont une vue partielle sur le Chao Phraya. Réductions possibles sur le site Internet.

**Chakrabongse Villas** (carte p. 118 ; ☎ 0 2622 3356 ; www.thaivillas.com ; 396/1 Th Maharat ; ch avec petit-déj 5 000-5 500 B, ste avec petit-déj 10 000-25 000 B ; ferry Tha Tien ; ). Conçu dans une résidence royale de 1908 rarement occupée, cet hôtel comprend 3 chambres somptueuses mais exiguës et quatre suites et villas plus spacieuses. En plus : une piscine, des jardins luxuriants et une plate-forme surélevée pour des dîners romantiques sur le fleuve.

## Chinatown et Phahurat

Yaowarat, le Chinatown de Bangkok, n'est pas le quartier le plus accueillant de la ville, mais si vous voulez loger loin des touristes, vous y serez anonyme. On y trouve un bon nombre d'hôtels, souvent non loin des rues animées. Pensez à évaluer le niveau sonore avant de choisir une chambre. Le quartier était auparavant très difficile d'accès, mais l'arrêt de métro de Hualamphong a grandement simplifié les choses.

**Baan Hualampong** (carte p. 120 ; ☎ 0 2639 8054 ; www.baanhualampong.com ; 336/20 Soi 21, Th Charoen Krung ; dort/s 220/290 B, d 520-700 B ; métro Hualamphong ; ). Les habitués ne tarissent pas d'éloges sur cette pension accueillante au service chaleureux, à proximité de la station de Hualamphong. Cuisine et salle de lessive à disposition, ainsi que de nombreux ordinateurs et espaces de détente.

**River View Guest House** (carte p. 120 ; ☎ 0 2234 5429 ; www.riverviewbkk.com ; 768 Soi Phanurangsi, Th Songwat ; d 250-950 B ; ferry Tha Krom Chao Tha ; ). Vous avez certainement remarqué ce bâtiment depuis le fleuve, mais il est plus difficile à localiser sur place. Les chambres sont basiques, à l'image de l'aspect abandonné du lieu, et seules les plus chères aux étages supérieurs ont un balcon avec vue. Pour vous y rendre depuis Th Si Phraya, suivez Th Charoen Krung vers le nord et prenez à gauche sur Th Songwat (avant l'arche de Chinatown), puis la 2e à gauche : Soi Phanurangsi. De là, suivez les pancartes.

**Train Inn** (carte p. 120 ; ☎ 0 2215 3055 ; www.thetraninn.com ; 428 Th Rong Muang/Hualamphong ; ch 450-900 B ; métro Hualamphong ; ). Située à l'arrière de la principale gare de la ville, cette coquette pension est un bon choix si votre train part tôt ou arrive tard. Seules les chambres les plus chères ont une sdb privative, mais toutes bénéficient du Wi-Fi et d'une décoration soignée.

**Krung Kasem Srikung Hotel** (carte p. 120 ; ☎ 0 2225 0132 ; fax 0 2225 4705 ; 1860 Th Krung Kasem ; d 650-700 B ; métro Hualamphong ; ). Les chambres de ce vieil hôtel sont légèrement plus accueillantes que ne le suggère la façade (et le quartier). Toutes disposent d'un balcon et les plus élevées ont une superbe vue sur Chinatown. À proximité de la gare ferroviaire de Hualamphong.

**China Town Hotel** (carte p. 120 ; ☎ 0 2225 0204 ; www.chinatownhotel.co.th ; 215 Th Yaowarat ; ch 1 390-1 800 B, ste 2 200-2 800 B ; ferry Tha Ratchawong ; ). Prisé des touristes chinois, l'hôtel possède un hall très décoré, mais les chambres sont plus épurées. Certaines suites ont été réorganisées et offrent un assez bon rapport qualité/prix.

♥ **Shanghai Inn** (carte p. 120 ; ☎ 0 2221 2121 ; www.shanghai-inn.com ; 479-481 Th Yaowarat ; ch 2 900-4 000 B ; ferry Tha Ratchawong ; ). Sans conteste l'hôtel le plus chic de Chinatown, si ce n'est de Bangkok. Cet hôtel de charme rappelle le Shanghai de 1935 avec des vitraux, de nombreuses lanternes, des couleurs criardes et un style kitsch très étudié. Wi-fi gratuit. Si vous voulez faire une folie, demandez une des grandes chambres sur rue, très lumineuses avec leurs hautes fenêtres.

**Grand China Princess** (carte p. 120 ; ☎ 0 2224 9977 ; www.grandchina.com ; 528 Th Yaowarat ; ch 4 200-4 800 B, ste 8 400-9 000 B ; ferry Tha Ratchawong ; ). Cet hôtel immaculé mais dénué de charme est le choix le plus prudent à Chinatown. Les chambres sont immenses et les plus élevées ont une très belle vue sur la ville. Une piscine sur le toit et le restaurant permettent également d'apprécier la vue. Réductions avantageuses en ligne.

## Silom, Sathon et les bords du fleuve

Le quartier d'affaires le long de Th Silom n'est pas le plus charmant de la capitale, mais il

**ATTERRISSAGE TARDIF**

L'angoisse du voyageur arrivant à Bangkok est décuplée si son vol atterrit aux alentours de minuit. "Vais-je trouver un taxi, une chambre ?" Soyez rassuré : si la plupart des vols internationaux arrivent tard, Bangkok est une ville accueillante où vous trouverez toujours un taxi, voire un bus (voir p. 189), pour vous conduire au centre-ville.

Si vous n'avez pas réservé d'hôtel, rendez-vous au bas de Sukhumvit, à la sortie de la voie rapide venant de l'aéroport. Autour de Soi Nana, des hôtels à prix raisonnable comme le **Swiss Park** (p. 163) et le **Federal** (p. 163) ont l'habitude d'accueillir des voyageurs en pleine nuit. Vous pouvez également aller à Th Khao San, toujours animée et pleine d'hôtels et de pensions remplis de touristes fraîchement arrivés.

Si vous avez besoin de loger près de l'aéroport, voici quelques adresses plus que correctes :

**Aéroport international de Suvarnabhumi**

**Refill Now!** L'option bon marché la plus proche (voir p. 166).

**Grand Inn Come Hotel** (à la limite de la carte p. 114 ; ☎ 0 2738 8189-99 ; www.grandinncome-hotel.com ; 99 Moo 6, Th Kingkaew, Bangplee ; ch à partir de 2 000 B ; ). Un bon hôtel de catégorie moyenne à 10 km de l'aéroport, avec navette et bar karaoké "animé".

**All Seasons Bangkok Huamark** (carte p. 114 ; ☎ 0 2308 7888 ; 5 Soi 15, Th Ramkhamhaeng ; ch 2 040 B ; ). À 20 km de l'aéroport, cet hôtel de catégorie moyenne compte 268 chambres.

**Hôtel Novotel de l'aéroport de Suvarnabhumi** (à la limite de la carte p. 114 ; ☎ 0 2131 1111 ; www.novotel.com ; ch à partir de 5 000 B ; ). Plus de 600 chambres luxueuses à l'intérieur de l'aéroport.

**Aéroport de Don Muang**

**We-Train International House** (carte p. 114 ; ☎ 0 2967 8550-54 ; www.we-train.co.th ; 501/1 Th Dechatungkha, Don Muang ; dort 200 B, ch 800-1 100 B ; ). Géré par l'Association pour la promotion du statut des femmes, cet hôtel propose des chambres d'un bon rapport qualité/prix, non loin de l'aéroport (en taxi).

**Amari Airport Hotel** (carte p. 114 ; ☎ 0 2566 1020 ; www.amari.com ; 333 Th Choet Wutthakat ; ch à partir de 2 263 B ; ). Juste en face de l'aéroport, cet hôtel très populaire propose des chambres bien équipées à la journée.

**Rama Gardens Hotel** (carte p. 114 ; ☎ 0 2561 0022 ; www.ramagardenshotel.com ; 9/9 Th Vibhavadi Rangsit ; ch à partir de 4 708 B ; ). Entouré de verdure, il offre des chambres calmes, luxueuses et très confortables, avec des baignoires profondes. Navettes reliant l'aéroport.

est pratique pour sortir le soir et accéder aux quartiers modernes en Skytrain ou métro. Les hôtels pour petit budget sont rares autour de Th Silom. On trouve toutefois des hôtels de charme d'un bon rapport qualité/prix sur Soi Sala Daeng. Certains des hôtels les plus luxueux de Bangkok sont également installés sur cette rive. On y accède gratuitement grâce aux ferrys qu'ils mettent à disposition à Tha Sathon.

Th Sathon compte de nombreux hôtels de luxe, mais le quartier manque de charme. Si vous devez y loger, consultez les autres suggestions autour de Th Sathon sud, p. 165.

### PETITS BUDGETS ET CATÉGORIE MOYENNE

**New Road Guesthouse** (carte p. 122 ; ☎ 0 2630 6994 ; fax 0 2237 1102 ; 1216/1 Th Charoen Krung ; dort ventil/clim 130/220 B, d 280-1 500 B ; ferry Tha Si Phraya ; ). Juste assez loin de la cacophonie de Th Charoen Krung (ancienne New Rd) pour être calme, cette auberge pour voyageurs à petit budget tenue par des Danois propose toutes sortes de chambres sobres mais propres. Pour les plus désargentés, les dortoirs avec ventilation sont une des options les moins chères de la ville.

**Lub*d** (carte p. 122 ; ☎ 0 2634 7999 ; www.lubd.com ; 4 Th Decho ; dort/s/d 520/1 280/1 800 B ; Skytrain Chong Nonsi ; ). Son nom est un jeu de mots (*làp di* : "dormez-bien", en thaï), mais vu l'ambiance qui règne dans cette pension pour voyageurs à petit budget, vous n'aurez aucune envie de vous coucher. Quatre étages de dortoirs (dont une aile réservée aux femmes) et quelques chambres, avec ou sans sdb. Un bar se trouve dans la pièce commune où des cartes sont peintes sur les murs. L'accès à Internet est gratuit et des jeux sont à disposition.

**P&R Residence** (carte p. 122 ; ☎ 0 2639 6091-93 ; pandrresidence@gmail.com ; 34 Soi 30, Th Charoen Krung ; ch 1 000-1 200 B ; ferry Tha Si Phraya ; ). Situé dans une rue calme près de l'ancienne ambassade du Portugal, P&R n'a rien d'exceptionnel, mais ses chambres sont propres, confortables et à des prix corrects pour ce quartier plutôt charmant. Petit-déjeuner à 80 B et paiement en espèces uniquement.

**Bangkok Christian Guest House** (carte p. 122 ; ☎ 0 2233 2206 ; www.bcgh.org ; 123 Soi Sala Daeng 2, Th Convent ; s/d 1 100/1 540 B ; Skytrain Sala Daeng, métro Silom ; ). Cette pension austère date de 1926 mais ressemble aujourd'hui à de nombreux bâtiments de Bangkok. Une bonne adresse pour les familles : des chambres à 5 lits, une salle de jeux au 2e étage et une pléthore d'informations touristiques.

**La Résidence Hotel** (carte p. 122 ; ☎ 0 2233 3301, www.laresidencebangkok.com ; 173/8-9 Th Surawong ; s/d 1 200-2 000 B, ste 2 700 B ; Skytrain Chong Nonsi ; ). Un hôtel de charme aux chambres toutes différentes. Les chambres standard, très petites, ressemblent parfois à des chambres d'enfants. Les plus grandes sont plus chaleureuses, avec des murs rouges ou du papier peint thaïlandais contemporain.

**Swan Hotel** (carte p. 122 ; ☎ 0 2235 9271 ; www.swanhotelbkk.com ; 31 Soi 36, Th Charoen Krung ; s/d 1 200-1 500 B ; ferry Tha Oriental ; ). Malgré sa taille, cet hôtel classique de Bangkok réussit à conserver une atmosphère accueillante. De récentes rénovations l'ont embelli, mais le mobilier date toujours des années 1970. Le coin piscine est plus intemporel. Propreté irréprochable. Une très bonne adresse dans cette catégorie.

**Inn Saladaeng** (carte p. 122 ; ☎ 0 2637 5522 ; www.theinnsaladaeng.com ; 5/12 Soi Sala Daeng ; d 1 400-1 800 B ; Skytrain Sala Daeng, métro Silom ; ). Des nombreux hôtels de charme du quartier, c'est le plus récent et le mieux placé. Le thème floral de la réception est repris dans les 38 petites chambres dont les équipements compensent le manque de fenêtres. Le Wi-Fi est gratuit, de même que le buffet du petit-déjeuner.

**Rose Hotel** (carte p. 122 ; ☎ 0 2266 8268-72 ; www.rosehotelbkk.com ; 118 Th Surawong ; ch à partir de 1 800 B ; Skytrain Sala Daeng, métro Silom ; ). Ne vous laissez pas influencer par sa devanture : de récentes rénovations ont modernisé ce vétéran de la guerre du Vietnam. Avec une salle de sport, un sauna et le petit-déjeuner compris, c'est une excellente affaire.

**Heritage Baan Silom** (carte p. 122 ; ☎ 0 2236 8388 ; www.theheritagehotels.com ; Baan Silom Shopping Centre, 669 Soi 19, Th Silom ; ch 2 750-3 250 B ; Skytrain Surasak ; ). Caché derrière un centre commercial, cet hôtel qui se prend pour un grand est une version moderne de manoir colonial anglais. Décorées avec de beaux meubles en bois et en osier, ses chambres sont claires et spacieuses, chacune dans des tons différents.

### CATÉGORIE SUPÉRIEURE

**LUXX** (carte p. 122 ; ☎ 0 2635 8800 ; www.staywithluxx.com ; 6/11 Th Decho ; ch 3 300-6 100 B ; Skytrain Chong Nonsi ; ). Malgré son emplacement dans une rue quelconque bordée d'arbres, cet hôtel de 13 chambres est tellement "*hype*" qu'on pourrait se croire à Londres ou à New York. Certaines chambres n'ont pas de fenêtre mais un pan de mur en briques translucides donnant sur une cour intérieure.

**Triple Two Silom** (carte p. 122 ; ☎ 0 2627 2222 ; www.tripletwosilom.com ; 222 Th Silom ; ch/ste 4 800/5 500 B ; Skytrain Chong Nonsi ; ). Les chambres ressemblent à des bureaux modernes, mais leurs immenses sdb et leurs lits confortables vous pousseront à vous détendre plutôt qu'à travailler. Terrasse sur le toit et accès à la piscine et à la salle de sport de l'hôtel voisin, Narai Hotel.

**Millennium Hilton** (carte p. 122 ; ☎ 0 2442 2000 ; www.bangkok.hilton.com ; 123 Th Charoen Nakorn, Thonburi ; ch 6 800-7 300 B, ste 12 000-26 000 B ; navette fluviale de l'hôtel depuis River City et Tha Sathon/Central Pier ; ). Dès la réception, on comprend que c'est le plus récent et le plus moderne des hôtels en bordure de fleuve. Les chambres sont à cette image : ameublement branché et grandes baies donnant sur le fleuve. Un ascenseur vitré et une plage artificielle complètent le tableau.

**Lebua** (carte p. 122 ; ☎ 0 2624 9999 ; www.lebua.com ; State Tower, angle Th Silom et Th Charoen Krung ; d/ste à partir de 200/300 $US ; Skytrain Saphan Taksin ; ). L'un des bâtiments les plus hauts et les plus emblématiques de la capitale renferme aussi un hôtel de luxe. Les suites sont immenses, certaines avec deux balcons. Des réductions importantes sont proposées en ligne.

**Dusit Thani** (carte p. 122 ; ☎ 0 2200 9000 ; www.dusit.com ; 946 Th Phra Ram IV ; ch 10 000-17 000 B, ste 19 500-79 000 B ; Skytrain Sala Daeng, métro Silom ; ). Il fut un temps où ce vénérable hôtel de luxe était le plus haut building du pays. C'est dire que les choses ont changé à Bangkok. Malgré la façade résolument seventies, les chambres et la réception sont

**LA GRANDE DAME DE BANGKOK**

L'Oriental Hotel, qui n'était au XIX^e siècle qu'une simple pension pour marins débarqués d'Europe, devint, grâce à Hans Niels Anderson, fondateur de la gigantesque East Asiatic Company (qui reliait Bangkok à Copenhague), une véritable attraction pour aristocrates : un architecte italien conçut pour lui l'Author's Wing (l'aile de l'écrivain), le bâtiment non religieux le plus raffiné de la ville (en dehors des constructions royales).

Avec une vue imprenable sur le Mae Nam Chao Phraya, il attira les plus grandes personnalités. Un certain marin d'origine polonaise, du nom de Joseph Conrad, y demeura régulièrement en 1888. William Somerset Maugham (1874-1965) y traîna une grave malaria contractée lors de son voyage en Birmanie. Dans sa fièvre, il fut témoin d'une scène entre le docteur et le directeur allemand de l'hôtel, soucieux d'éviter l'embarras d'un décès dans son établissement. Le récit que l'écrivain fit de sa guérison dans *Un gentleman en Asie. Relation d'un voyage de Rangoon à Haiphong* (10/18) contribua grandement à la réputation de l'Oriental. Parmi d'autres grands noms, citons Graham Greene, John Le Carré, James Michener, Gore Vidal et Barbara Cartland. Certains écrivains prétendraient même qu'un séjour dans l'hôtel suffirait à triompher de l'angoisse de la page blanche.

Pour renouer avec le passé marin de Bangkok, rien ne vous empêche de venir siroter un cocktail au Bamboo Bar ou d'imiter Noël Coward et de porter un toast aux "eaux vives du fleuve" depuis la terrasse. Un "*afternoon tea*" est également servi dans un bar à fanfreluches victorien, au milieu des photographies en noir et blanc de Rama V. L'hôtel, très soucieux de son image, applique quelques règles vestimentaires : shorts, chemises sans manches et sandales sont prohibés.

modernes, mais ordinaires. La salle de bal accueille de nombreuses réceptions de mariage de la haute société et ses restaurants sont parmi les préférés de la famille royale.

**Oriental Hotel** (carte p. 122 ; ☎ 0 2659 9000 ; www.mandarinoriental.com ; 48 Soi Oriental/38, Th Charoen Krung ; ch avec petit-déj 420-600 $US, ste avec petit-déj 600-3 000 $US ; navette fluviale depuis Tha Sathon/Central Pier ; ). Pour vraiment savourer Bangkok, loger dans cet ancien grand hôtel en bord de fleuve est un must. Voir l'encadré ci-dessus pour un court historique. La plupart des chambres sont dans l'aile moderne, mais nous préférons l'ambiance désuète des ailes des Auteurs et du Jardin. Son restaurant, le Normandie (p. 170), est le plus ancien haut lieu gastronomique de la ville. L'hôtel gère également un spa extrêmement renommé de l'autre côté du fleuve, à Thonburi (p. 145), ainsi qu'une école de cuisine.

**Peninsula Hotel** (carte p. 122 ; ☎ 0 2861 2888 ; www.peninsula.com ; 333 Th Charoen Nakhon, Thonburi ; ch 12 000-15 000 B, ste 20 000-120 000 B ; navette fluviale depuis Tha Sathon/Central Pier ; ). Dix ans plus tard, le Pen dispose toujours d'autant d'atouts : l'emplacement (dominant la rive à Thonburi), la réputation (il est classé comme l'un des plus luxueux hôtels du monde) et un service irréprochable de très haut niveau. Si vous pouvez vous le permettre, choisissez un étage élevé (38 au total) pour admirer Bangkok à vos pieds.

## Siam Square et Pratunam

Le quartier entourant Siam Square est le plus central qui soit. À l'intersection de 2 lignes de Skytrain et pas trop loin de Banglamphu en taxi (en fonction du trafic), on peut difficilement espérer mieux dans cette ville en constante expansion. Son seul point faible est l'absence de vie nocturne, mais il est facile d'accéder aux zones plus animées de Silom ou de Sukhumvit.

Pour ceux qui souhaitent loger à petit prix dans un quartier central, une communauté discrète de voyageurs à petit budget se forme le long de Soi Kasem San 1 (prononcé "*gà·săirm*"), face au National Stadium.

### PETITS BUDGETS ET CATÉGORIE MOYENNE

**Bed & Breakfast Inn** (carte p. 124 ; ☎ 0 2215 3004 ; Soi Kasem San 1 ; s/d avec petit-déj 600/700 B ; Skytrain National Stadium, *klorng-taxi* jusqu'à Tha Ratchathew i ; ). Les chambres de cette pension labyrinthique sont basiques mais confortables.

**A-One Inn** (carte p. 124 ; ☎ 0 2215 3029 ; www.aoneinn.com ; 25/13-15 Soi Kasem San 1 ; d à partir de 650 B ; Skytrain National Stadium, *klorng-taxi* jusqu'à Tha Ratchathewi ; ). La réception n'est pas très ordonnée, mais les chambres sont de taille correcte et d'un bon rapport qualité/prix. De nombreux voyageurs lui sont fidèles.

**Wendy House** (carte p. 124 ; ☎ 0 2214 1149 ; www.wendyguesthouse.com ; 36/2 Soi Kasem San 1 ; d avec petit-déj à partir de 1 000 B ; Skytrain National Stadium, *klorng-taxi* jusqu'à Tha Ratchathewi ; ). Les chambres sont petites et basiques mais bien équipées pour le prix (TV, frigo). Café au rez-de-chaussée et service très agréable.

**Reno Hotel** (carte p. 124 ; ☎ 0 2215 0026 ; www.renohotel.co.th ; 40 Soi Kasem San 1 ; d 1 280-1 650 B ; Skytrain National Stadium, *klorng-taxi* jusqu'à Tha Ratchathewi ; ). Seules la façade, la réception et quelques chambres ont été rénovées, mais le café et la piscine de ce vétéran datant de la guerre du Vietnam restent attachés au passé.

**Golden House** (carte p. 124 ; ☎ 0 2252 9535 ; www.goldenhouses.net ; 1025/5-9 Th Ploenchit ; d 1 650 B ; Skytrain Chitlom ; ). Ses 27 chambres avec parquet et meubles encastrés font plus penser à des studios thaïlandais modernes qu'à des chambres d'hôtel. Les lits sont immenses mais parfois mous. À quelques pas de la station de Skytrain Chitlom. Suivre les pancartes VIP Guest House.

**Indra Regent Hotel** (carte p. 124 ; ☎ 0 2208 0022-33 ; www.indrahotel.com ; 120/126 Th Ratchaprarop ; d à partir de 2 720 B ; Skytrain Chitlom, *klorng-taxi* jusqu'à Tha Pratunam ; ). La façade de ce bloc noirâtre des années 1970 n'est pas très attrayante, mais vous trouverez à l'intérieur l'un des meilleurs rapports qualité/prix de cette catégorie, en particulier les suites Junior.

**Asia Hotel** (carte p. 120 ; ☎ 0 2215 0808 ; www.asiahotel.co.th ; 296 Th Phayathai ; ch à partir de 2 900 B ; Skytrain Ratchathewi, *klorng-taxi* jusqu'à Tha Ratchathewi ; ). L'immense Asia Hotel est l'archétype de l'hôtel asiatique de catégorie moyenne : chambres basiques mais spacieuses avec grande sdb. Les amateurs de kitsch apprécieront la présence du Calypso Cabaret (voir encadré p. 178) et d'un show Elvis. Réductions importantes en ligne.

### CATÉGORIE SUPÉRIEURE

**Novotel Bangkok on Siam Square** (carte p. 124 ; ☎ 0 2255 6888 ; www.accorhotels-asia.com ; Soi 6, Siam Sq ; d à partir de 3 655 B ; Skytrain Siam ; ). Que ce soit pour affaires ou pour tourisme, le Novotel Siam est bien situé, près de commerces et d'une station de Skytrain. Les chambres sont exactement les mêmes que chez nous, mais les deluxe sont plus adaptées aux séjours d'affaires.

**Nai Lert Park Hotel** (carte p. 124 ; ☎ 0 2253 0123 ; www.swissotel.com/bangkok-nailertpark ; 2 Th Withayu/Wireless Rd ; d à partir de 5 300 B ; Skytrain Ploenchit, *klorng-taxi* jusqu'à Tha Withayu ; ). La version actuelle de cet hôtel, qui a subi plusieurs transformations en 25 ans d'existence, est réussie. Les suites sont à l'image du design épuré de la réception. Les chambres moins chères sont plus classiques, avec des meubles en bois. Toutes sont immenses et équipées d'un balcon.

**Siam@Siam** (carte p. 124 ; ☎ 0 2217 3000 ; www.siamatsiam.com ; 865 Th Phra Ram I ; ch 5 700-8 400 B ; Skytrain National Stadium ; ). La réception de ce nouvel établissement ressemble plus à un parc d'attractions qu'à un hôtel, et c'est ce qui fait son charme. Ce méli-mélo organisé de couleurs et de matières fait penser à un fourre-tout, au bon sens du terme. Les chambres, du même style, sont entre les 14e et 25e étages et offrent une vue splendide sur la ville. Wi-fi gratuit et petit-déjeuner inclus. Parmi les équipements : spa, piscine au 8e étage et restaurant sur le toit.

**Conrad Hotel Bangkok** (carte p. 124 ; ☎ 0 2690 9999 ; www.conradhotels.com ; 87 Th Withayu/Wireless Rd ; d à partir de 7 062 B ; Skytrain Ploenchit ; ). À sa construction en 2003, le Conrad était un des premiers hôtels de Bangkok à viser une clientèle jeune et branchée. Il s'est fait dépasser depuis mais reste attrayant. Le thème est vaguement asiatique, avec des soieries de Jim Thompson. Le bar adjacent, le Diplomat, est un très bon endroit pour se détendre en écoutant du jazz, un cocktail à la main.

**Grand Hyatt Erawan** (carte p. 124 ; ☎ 0 2254 1234 ; www.bangkok.hyatt.com ; angle Th Ratchadamri et Th Ploenchit ; d à partir de 10 400 B ; Skytrain Chitlom ; ). Ce grand nom du luxe, établi dans la zone commerçante de Bangkok depuis des années, dispose de 380 belles chambres fonctionnelles, bien équipées pour ceux qui devraient y travailler. Pour les touristes (qui ont les moyens), six nouveaux Spa Cottages incluent un balcon, un Jacuzzi, ainsi que des soins du corps et des massages gratuits.

## Sukhumvit

Cette artère interminable est la zone internationale non officielle de la capitale. Elle regroupe la majorité de ses hébergements, de la pension pour voyageurs à petit budget au taudis pour touristes sexuels, en passant par les hôtels de luxe. Les deux premiers sont situés entre les Soi 1 et 4, alors que ces derniers ne commencent qu'au Soi 12.

Les voyageurs qui la fréquentent ayant les moyens, les prestations touristiques y sont généralement plus chères qu'à Banglamphu.

En compensation, on y trouve de la nourriture de toutes les régions du globe, une vie nocturne animée et un accès facile au Skytrain comme au métro.

**PETITS BUDGETS**

**Suk 11** (carte p. 126 ; ☎ 0 2253 5927 ; www.suk11.com ; 1/33 Soi 11, Th Sukhumvit ; dort/s/d/ste 250/500/750/2 000 B ; Skytrain Nana ; ). Extrêmement bien tenue, cette pension populaire est une oasis de bois et de verdure dans la jungle urbaine de Th Sukhumvit. Bien qu'elle possède une centaine de chambres, il est nécessaire de réserver au moins 2 semaines à l'avance.

**HI-Sukhumvit** (carte p. 126 ; ☎ 0 2391 9338 ; www.hisukhumvit.com ; 23 Soi 38, Th Sukhumvit ; dort 300 B, s 550-600 B, d 800-850 B ; Skytrain Thong Lo ; ). Située dans une rue résidentielle calme à quelques pas du Skytrain, cette sympathique pension se démarque par ses dortoirs impeccables aux immenses sdb. Vous y trouverez de nombreux renseignements touristiques, une terrasse sur le toit, une laverie et une cuisine.

**Soi 1 Guesthouse** (carte p. 126 ; ☎ 0 2655 0604 ; www.soi1guesthouse.com ; 220/7 Soi 1, Th Sukhumvit ; dort 350 B ; Skytrain Ploenchit ; ). Ce bâtiment étroit affichant le slogan "Parcourez le monde avant qu'il ne vous dévore" abrite 4 dortoirs encombrés. Quand vous ne parcourrez pas le monde, vous pourrez vous faire "dévorer" par la convivialité de sa salle commune, sa table de billard, sa TV et ses ordinateurs.

**Nana Chart** (carte p. 126 ; ☎ 0 2259 4900 ; www.thailandhostel.com ; angle Soi 25, Th Sukhumvit ; dort 390 B, ch 1 200-1 800 B ; Skytrain Asoke, métro Sukhumvit ; ). Cette pension assez récente pour voyageurs à petit budget propose 90 chambres basiques mais plus que correctes et d'excellents dortoirs avec sdb attenante. Des restaurants et une agence de voyages font également partie du complexe.

**Atlanta** (carte p. 126 ; ☎ 0 2252 1650/6069 ; fax 0 2656 8123 ; 78 Soi Phasak/2, Th Sukhumvit ; ch 535-650 B, ste 1 820 B ; Skytrain Ploenchit ; ). Résolument vieillotte et vétuste, cette ancienne gloire a peu changé depuis sa construction en 1952. La somptueuse réception contraste avec les chambres simples, mais la jolie piscine (premier hôtel du royaume à en posséder une) et le charmant restaurant sont de sérieux atouts. Étant donné sa politique radicale en matière de tourisme sexuel, vos ami(e)s thaï(e)s devront rester dehors.

**Miami Hotel** (carte p. 126 ; ☎ 0 2253 0369 ; www.thaimiami.com ; 2 Soi 13, Th Sukhumvit ; s/d 800/1 000 B ; Skytrain Nana ; ). Malgré ses 40 ans bien sonnés et les travaux bruyants de gratte-ciel aux alentours, le Miami réussit à garder un certain charme du vieux Bangkok. Demandez une carte de visite originale tant qu'il en reste.

**CATÉGORIE MOYENNE**

**Golden Palace Hotel** (carte p. 126 ; ☎ 0 2252 5115 ; www.goldenpalacehotel.com ; 15 Soi 1, Th Sukhumvit ; ch 1 110-1 350 B ; Skytrain Ploenchit ; ). L'abondance de miroirs dans les chambres du rez-de-chaussée trahit le passé coquin du lieu. Pour quelques centaines de bahts de plus, les chambres à l'étage sont spacieuses, mais simples. Pour ce qui est de vous divertir, vous y trouverez une piscine et un café, ainsi qu'un spa à proximité.

**Federal Hotel** (carte p. 126 ; ☎ 0 2253 0175 ; www.federalbangkok.com ; 27 Soi 11, Th Sukhumvit ; ch 1 200-1 500 B ; Skytrain Nana ; ). L'extérieur n'en laisse rien paraître, mais le "Club Fed" a finalement été rénové. Les chambres à l'étage sont confortables et presque contemporaines, mais celles du bas sont toujours terriblement à la mode de 1967. Les vrais atouts sont la piscine bordée de frangipaniers et le café de style américain d'un autre âge.

**Stable Lodge** (carte p. 126 ; ☎ 0 2653 0017 ; www.stablelodge.com ; 39 Soi 8, Th Sukhumvit ; ch 1 495-1 695 B ; Skytrain Nana ; ). Que le style Tudor du restaurant au rez-de-chaussé ne se poursuive pas dans les chambres est le seul défaut qu'on ait trouvé à cet hôtel. Une rénovation récente a donné un peu de vie à ses chambres simples aux grands balcons offrant toujours une aussi belle vue de la ville.

**Baan Sukhumvit** (carte p. 126 ; ☎ 0 2258 5625 ; www.baansukhumvit.com ; 392/38-39 Soi 20, Th Sukhumvit ; s/d 1 540/1 760 B ; Skytrain Asoke, métro Sukhumvit ; ). Un des trois hôtels de même catégorie dans cette petite ruelle près de Soi 20, le Baan Sukhumvit compte 12 chambres accueillantes et douillettes. Une branche plus récente est située tout près, sur Soi 18.

**Swiss Park Hotel** (carte p. 126 ; ☎ 0 2254 0228 ; 155/23 Soi Chaiyot/11, Th Sukhumvit ; ch 1 900-2 350 B, ste 3 350 B ; Skytrain Nana ; ). Les chambres de cet hôtel sont très ordinaires mais ses employés sympathiques et compétents en font une bonne adresse dans cette catégorie.

**Citichic** (carte p. 126 ; ☎ 0 2342 3888 ; www.citichichotel.com ; 34 Soi 13, Th Sukhumvit ; ch 2 700-3 000 B ; Skytrain Nana ; ). Le nom de cet hôtel peut sembler prétentieux, mais il est justifié. La réception est

**ANTICIPER**

Les prix indiqués dans ce chapitre sont les prix hauts de la haute saison. Vous paierez donc sans doute moins que ça, surtout si vous vous y prenez à l'avance et bénéficiez de réductions en ligne (20% et plus). Consultez les sites Internet des hôtels renommés de Bangkok ou celui des **Hôtels et pensions de Lonely Planet** (www.lonelyplanet.com, en anglais), proposant des critiques détaillées, des avis d'utilisateurs, ainsi qu'une plate-forme de réservation.

Le simple fait d'appeler pour réserver à l'avance peut aussi se révéler avantageux. Il arrive que les employés de la réception prennent une commission sur les chambres sans réservation, c'est pourquoi ils rechignent à accorder des réductions. Téléphonez pour vous renseigner sur les tarifs les plus bas de l'hôtel.

chic, de même que les chambres qui, si elles sont assez exiguës, disposent de tout le confort moderne, dont une TV à écran plat.

**Napa Place Bed & Breakfast** (carte p. 126 ; ☎ 0 2661 5525 ; www.napaplace.com ; 11/3 Sap 2, Soi 36, Th Sukhumvit ; d 2 750-4 800 B ; Skytrain Thong Lo ; ). Noyé au milieu d'un complexe urbain typique de Bangkok, ce lieu est sans doute le plus accueillant de la capitale. Ses 12 chambres spacieuses sont décorées de tissus thaïlandais artisanaux et de bois sombres provenant de l'ancien commerce familial.

### CATÉGORIE SUPÉRIEURE

**Seven** (carte p. 126 ; ☎ 0 2662 0951 ; www.sleepatseven.com ; 3/15 Soi Sawasdee/31, Th Sukhumvit ; ch 3 296-6 000 B ; Skytrain Phrom Phong ; ). Ce tout petit hôtel parvient à être à la fois chic et chaleureux, branché et confortable, thaïlandais et international. La couleur de chacune des 6 chambres est en lien avec l'astrologie thaïlandaise. Très bien équipé, avec en plus nombre de petites attentions.

**Davis** (carte p. 126 ; ☎ 0 2260 8000 ; www.davisbangkok.net ; Soi 24, Th Sukhumvit ; d à partir de 5 000 B ; ). Si vous avez du mal à cerner le style de cet hôtel à l'esprit jeune, c'est sûrement parce qu'il en combine plusieurs, avec ses chambres d'inspiration chinoise, japonaise, birmane ou balinaise. Sept villas typiquement thaïlandaises entourent la piscine. L'hôtel est assez loin, vers Th Phra Ram IV, mais des *túk-túks* vous conduiront jusqu'à la moderne Th Sukhumvit.

**Eugenia** (carte p. 126 ; ☎ 0 2259 9017-19 ; www.theeugenia.com ; 267 Soi Sawasdee/31, Th Sukhumvit ; ch 5 800-7 200 B ; Skytrain Asoke, métro Sukhumvit ; ). Même si la Thaïlande n'a jamais été colonisée, l'influence de ce charmant hôtel meublé d'antiquités ne fait aucun doute : en séjournant ici, vous vous croirez dans la Birmanie de 1936. N'ayez crainte : si les baignoires sont en cuivre, votre chambre aura l'eau courante et tout le confort moderne (écran LCD et appels locaux ou internationaux gratuits). Offrez-vous un transfert depuis/vers l'aéroport en voiture de collection.

**Dream Bangkok** (carte p. 126 ; ☎ 0 2254 8500 ; www.dreambkk.com ; 10 Soi 15, Th Sukhumvit ; ch à partir de 200 $US ; Skytrain Asoke ; ). Si, pour vous, une déco réussie comprend des tigres empaillés, une multitude de miroirs et du cuir, vous adorerez ce lieu. Endroit idéal pour une star du rock, le Dream est l'hôtel le plus improbable de Bangkok. Les chambres standard sont petites mais remplies de nombreux équipements parfois bizarres, comme la fameuse lumière bleutée pour aider à s'endormir.

**Sheraton Grande Sukhumvit** (carte p. 126 ; ☎ 0 2649 8888 ; www.sheratongrandesukhumvit.com ; 250 Th Sukhumvit ; ch à partir de 8 700 B ; Skytrain Asoke, métro Sukhumvit ; ). Les chambres de cet hôtel visant une clientèle professionnelle sont parmi les plus spacieuses de la ville. Multitude de produits et d'équipements à disposition. Une passerelle aérienne relie l'hôtel à la station de Skytrain Asoke, ce qui en fait un lieu très pratique pour les employés de sociétés généreuses.

**Ma Du Zi** (carte p. 126 ; ☎ 0 2615 6400 ; www.maduzihotel.com ; angle Th Ratchadapisek et Soi 16, Th Sukhumvit ; ch 17 200-33 000 B ; Skytrain Asoke, métro Sukhumvit ; ). Son nom, "venez voir" en thaï, correspond mal à cet hôtel sur réservation n'acceptant pas les clients au débotté. Si vous êtes autorisé à y entrer, vous trouverez un lieu charmant, de taille moyenne et à la déco aux couleurs sombres et classieuses. Les sdb sont immenses, avec baignoire encastrée dans le sol et douche minimaliste. Pas de piscine, mais le tarif exorbitant comprend le transfert à l'aéroport, la demi-pension et tous les appels téléphoniques.

## Parc Lumphini et Th Phra Ram IV

Si vous aviez été hippie en Asie dans les années 1970, vous auriez posé vos macramés dans une pension de Soi Ngam Duphli, près de Th Phra Ram IV, pas trop loin du parc Lumphini. Des décennies plus tard, c'est toujours un bon quartier où trouver des chambres à des prix défiant toute concurrence, surtout le long de Soi Sri Bamphen. La station de métro Lumphini en a fait un lieu accessible.

**Café des Arts Guest House** (carte p. 128 ; ☎ 0 2679 8438 ; 27/39 Soi Sri Bamphen ; ventil/clim 350/450 B ; métro Lumphini ; ). Dans cet établissement géré par un couple franco-thaïlandais, on ne trouve ni café ni art, mais un restaurant à barbecue coréen au rez-de-chaussée et 8 chambres basiques à l'étage.

**Malaysia Hotel** (carte p. 128 ; ☎ 0 2679 7127 ; www.malaysiahotelbkk.com ; 54 Soi Ngam Duphli ; d 798-998 B ; métro Lumphini ; ). Le Malaysia fut l'une des pensions bon marché les plus célèbres. Il a même accueilli Maureen et Tony Wheeler (auteurs originaux de Lonely Planet) lors de leur premier voyage en routards. Ils logeraient désormais ailleurs à Bangkok, mais cet hôtel reste un bon choix pour ses prix intéressants et son ambiance vieillotte.

**Penguin House** (carte p. 128 ; ☎ 0 2679 9991 ; www.geocities.com/penguinhouses ; 27/23 Soi Sri Bamphen ; ch 800-950 B, 2 nuits minimum ; métro Lumphini ; ). Penguin est une bouffée d'air frais dans ce quartier de vieux hôtels fatigués. Les chambres à l'arrière sont plus calmes et quelques-unes à l'intérieur peuvent accueillir 2 couples. Tarif à la semaine ou au mois possibles.

**All Seasons Sathorn** (carte p. 128 ; ☎ 0 2343 6333 ; www.allseasons-sathorn.com ; 31 Th Sathon Tai ; ch 1 800-2 500 B ; métro Lumphini ; ). L'ancien King's Hotel s'est réincarné dans ce joli lieu moderne, en plein milieu du quartier des ambassades. La décoration aux couleurs vives et aux lignes originales compense le manque de lumière de certaines chambres. Pour se faire une idée de l'hôtel (et du quartier) d'autrefois, regardez les photos de la salle à manger.

**Ibis Sathon** (carte p. 128 ; ☎ 0 2659 2888 ; Soi Ngam Duphli ; ch avec petit-déj 2 040 B ; métro Lumphini ; ). Hôtel confortable et pratique pour hommes d'affaires. Prix moderés.

**Metropolitan** (carte p. 128 ; ☎ 0 2625 3333 ; www.metropolitan.como.bz ; 27 Th Sathon Tai, ch avec petit-déj 145-185 $US, ste avec petit-déj 210-2 000 $US ; métro Lumphini ; ). L'extérieur de l'ancien YMCA a peu changé, mais il cache l'un des hôtels les plus soignés de la capitale. Le minimalisme urbain domine ici, sauf au niveau des suites en duplex, immenses. Le petit-déjeuner est américain ou "bio", et le restaurant, Cy'an (voir p. 173), est un grand nom du haut de gamme à Bangkok.

**Sukhothai Hotel** (carte p. 128 ; ☎ 0 2344 8888 ; www.sukhothai.com ; 13/3 Th Sathon Tai ; ch 9 500-10 700 B, ste 12 900-100 000 B ; Metro Lumphini ; ). Comme son nom le laisse supposer, une ambiance historique règne dans cet hôtel grâce à des stupas de brique, à des cours intérieures et à des sculptures anciennes. Les chambres délicieusement décorées sont dotées de parquet et de sdb gigantesques.

## Centre de Bangkok

La plupart des hôtels cités ci-dessous se trouvent à l'extérieur des quartiers habituels et sont par conséquent un peu moins faciles d'accès. Ils sont en général situés dans des zones plus calmes, ce qu'apprécieront ceux qui ne souhaitent pas être au cœur de l'agitation. Au nord de Banglamphu, Thewet, près de la bibliothèque nationale, est une enclave agréable pour voyageurs à petit budget, fréquentée principalement par les familles et les trentenaires. C'est un quartier arboré, mais sujet aux inondations à la saison des pluies.

**Bangkok International Youth Hostel** (carte p. 116 ; ☎ 0 2282 0950 ; www.hihostels.com ; 25/2 Th Phitsanulok, Dusit ; dort 170 B, ch 600-2 400 B ; bus 16, 509, ferry Tha Thewet ; ). Une des seules adresses du quartier calme de Dusit. Cette pension récemment rénovée propose des chambres bon marché dans le bâtiment original et d'autres neuves mais exiguës dans la haute structure face à Th Phitsanulok. Jolie terrasse sur le toit et bibliothèque d'ouvrages touristiques.

**Shanti Lodge** (carte p. 116 ; ☎ 0 2281 2497 ; 37 Soi Thewet, Th Si Ayuthaya, Thewet ; dort 200 B, ch 400-2 950 B ; bus 30, 503, ferry Tha Thewet ; ). Cette pension familiale respire le calme et la sérénité. C'est une véritable maison d'hôtes, avec panier de linge sale dans le couloir et vélo d'appartement abandonné. Le choix est vaste, visitez plusieurs chambres avant de vous décider (les moins chères sont très mal insonorisées).

**Taewez Guest House** (carte p. 116 ; ☎ 0 2280 8856 ; 23/12 Th Si Ayuthaya, Thewet ; s/d 250/530 B ; bus 30, 503, ferry Tha Thewet ; ). Très fréquentée par les Français. Les chambres les moins chères sont basiques et sans sdb, mais d'un bon rapport qualité/prix.

**Sri Ayuttaya Guest House** (carte p. 112 ; ☎ 0 2282 5942 ; 23/11 Th Si Ayuthaya, Thewet ; s 400 B, d 600-850 B ; bus 30, 503, ferry Tha Thewet ; ). La présence de bois et de briques ajoute au charme de cette pension aux chambres accueillantes, dont la moitié possède une sdb privative.

**Phra-Nakorn Norn-Len** (carte p. 116 ; ☎ 0 2628 8600 ; www.phranakorn-nornlen.com ; 46 Soi 1, Th Thewet, Thewet ; s avec petit-déj 1 800 B, d avec petit-déj 2 200-2 400 B ; bus 30, 503, ferry Tha Thewet ; ). Sis dans une vaste enceinte arborée rappelant le Bangkok d'antan, cet hôtel clair et agréable est charmant, même s'il n'est pas très bon marché. Les chambres, meublées simplement, sont joliment peintes et amplement décorées d'antiquités. Accès Internet, massages et autres moyens de relaxation sont disponibles. Le petit-déjeuner est composé de produits bio provenant du jardin situé sur le toit.

**All Seasons Bangkok Siam** (carte p. 116 ; ☎ 0 2209 3888 ; www.accorhotels.com/asia ; 97 Th Ratchaprarop ; ch avec petit-déj 2 000 B ; Skytrain Victory Monument, bus 513 ; ). Un des nouveaux hôtels pour hommes d'affaires au budget modéré. Offres spéciales en ligne.

## Agglomération de Bangkok

Pour les hôtels situés près des aéroports de Bangkok, voir l'encadré p. 159.

**Refill Now!** (carte p. 114 ; ☎ 0 2713 2044 ; www.refillnow.co.th ; 191 Soi Pridi Banhom Yong 42/71, Th Sukhumvit, Phra Khanong ; dort/s/d 560/1 085/1 470 B ; Skytrain Phra Khanong ; ). Son look à la Kubrick façon catalogue Habitat vous fera peut-être hésiter à choisir les dortoirs, d'un blanc immaculé et aux panneaux coulissants séparant les lits superposés. Pièce commune terriblement "*hype*" et salon de massage à l'étage. *Túk-túk* pour les stations de Skytrain de Thong Lo et de Phra Khanong (30 B/pers).

**Thai House** (carte p. 114 ; ☎ 0 2903 9611 ; www.thaihouse.co.th ; 32/4 Mu 8, Bang Yai, Nonthaburi ; s/d 1 500/1 700 B). Au nord du centre-ville et au cœur d'un verger, cette maison traditionnelle de Nonthaburi a été reconvertie en pension. Contactez les propriétaires pour vous y rendre. Cours de cuisine ouverts à tous (voir p. 150).

**Mystic Place** (carte p. 114 ; ☎ 0 2270 3344 ; www.reflections-thai.com ; 224/5-9 224/11-18 Th Pradiphat, Th Phahonyothin, Saphan Kwai ; ch 2 250-3 250 B ; Skytrain Saphan Kwai ; ). Nouvellement situé sur la bruyante Th Pradiphat, cet hôtel dispose de 34 chambres toutes décorées de manière unique et originale (fauteuil en nounours et grafittis aux murs, par exemple). Très animé et populaire : pensez à réserver à l'avance.

**Bangkok Marriott Resort & Spa** (carte p. 114 ; ☎ 0 2476 0022 ; www.marriott.com ; 257/1-3 Th Charoen Nakhon, Thonburi ; d à partir de 5 800 B ; navette fluviale de Tha Sathon et Tha Oriental ; ). Au sud du centre-ville, sur les rives du Mae Nam Chao Phraya, cette vaste oasis de sérénité mérite son nom de *resort*. La piscine et les jardins vous donneront l'impression d'être loin de la ville, pourtant facilement accessible grâce à une navette fluviale reliant Saphan Taksin.

# OÙ SE RESTAURER

On ne plaisante pas avec la nourriture à Bangkok, et profiter de ce plaisir est sans risque. Les restaurants de la capitale, qui attirent des voyageurs des quatre coins du monde, sont également fréquentés par des Thaïlandais venus de tous les quartiers de la ville, prêts à braver les embouteillages ou les inondations pour un bon bol de nouilles.

Le choix est immense, des chariots ambulants aux salles à manger des hôtels de luxe. La meilleure cuisine se situe d'après nous entre les deux, dans de petites échoppes familiales servant un nombre limité de plats.

Les influences sont également très variées et vous trouverez de la cuisine sino-thaïlandaise ou arabo-thaïlandaise, sans parler des spécialités régionales. Si vous vous lassez des *gŏo·ay đĕe·o* (nouilles de riz) et des currys, Bangkok possède de plus en plus de restaurants internationaux haut de gamme, allant de l'authentique bistrot français à la cantine de nouilles japonaise.

## Ko Ratanakosin et Banglamphu

S'il compte une multitude de sites historiques, le district royal de Bangkok est pauvre en restaurants, ce qui est bien dommage étant donné son emplacement.

Si l'on oublie les médiocres *pàt tai* et les insipides *đôm yam* de Th Khao San, Banglamphu est l'un des quartiers les plus extraordinaires en matière de nourriture. Des restaurants et vendeurs de rue installés depuis des décennies bordent les rues de ce coin arboré du vieux Bangkok et on pourrait facilement passer la journée à grignoter sur la seule extrémité sud de Th Tanao.

Les meilleures adresses se trouvent plutôt à l'écart des artères touristiques. Pourtant, l'influence internationale sur Th Khao San a donné naissance à quelques excellentes adresses.

### UN VÉGETARIEN À BANGKOK

Le végétarisme est de plus en plus populaire à Bangkok, mais les restaurants exclusivement végétariens sont rares et disséminés dans la ville.

C'est à Banglamphu qu'on en trouve le plus. Il s'agit en général d'échoppes modestes cuisinant des plats sautés. Citons **May Kaidee** (carte p. 118 ; ☎ 0 89137 3173 ; www.maykaidee.com ; 33 Th Samsen ; plats 50 B ; 🕑 déj et dîner ; bus 56, 506, ferry Tha Phra Athit), qui compte également une école de cuisine thaïlandaise végétarienne, et **Ranee Guesthouse** (carte p. 118 ; 77 Trok Mayom ; plats 70-120 B ; 🕑 petit-déj, déj, dîner ; bus 56, 506, ferry Tha Phra Athit).

On assiste à un renouveau du régime végétarien dans les restaurants de la communauté Santi Asoke. Cette secte bouddhiste ascétique est autosuffisante grâce à l'agriculture et à un régime végétarien strict. Ces établissements sont placés sous l'égide de Chamlong Srimuang, ancien gouverneur de Bangkok qui popularisa à la fois le végétarisme et la secte au cours de son mandat marqué par la lutte contre la corruption, dans les années 1980 et 1990. Parmi ces restaurants : **Baan Suan Pai** (carte p. 116 ; ☎ 0 2615 2454 ; Th Phahonyothin ; plats 25 B ; 🕑 déj et dîner ; Skytrain Ari), **Chamlong's Asoke Café** (carte p. 110 ; ☎ 0 2272 4282 ; 580-592 Th Phahonyothin, Chatuchak ; plats 20-30 B ; 🕑 déj sam-dim ; métro Chatuchak Park) et **Arawy** (carte p. 118 ; 152 Th Din So, Phra Nakhon ; plats 20-30 B ; 🕑 7h-20h ; bus 15, *klorng-taxi* jusqu'à Tha Phan Fah).

On trouve des plats végétariens plutôt haut de gamme d'inspiration italienne et thaïlandaise à **Anotai** (carte p. 114 ; ☎ 0 2641 5366 ; 976/17 Soi Rama 9 Hospital, Rama 9 ; plats 55-150 B ; 🕑 10h-21h30 jeu-mar ; métro Phra Ram 9), où se tient également un marché aux légumes bio.

Les restaurants indiens ont un grand choix de mets végétariens, en particulier ceux d'Inde du Sud, comme **Chennai Kitchen** (ci-contre).

Le **MBK Food Court** (p. 172) est doté d'un délicieux stand de cuisine végétarienne très prisé (étal C8).

Pendant le festival végétarien d'octobre, la ville se délecte de tofu (voir l'encadré p. 170). Les étals et restaurants signalent leur menu végétarien par un drapeau jaune. C'est à Chinatown qu'ils sont le plus nombreux.

### THAÏ

**Nang Loeng Market** (carte p. 118 ; entre Soi 8-10, Th Nakhon Sawan ; 🕑 10h-14h lun-sam ; bus 72). Fondé en 1899, ce marché pittoresque est surtout associé aux friandises thaïlandaises, mais on y trouve aussi de délicieux mets salés au déjeuner. Testez un bol de nouilles maison chez Rung Reuang ou un succulent curry de l'autre côté, à Ratana.

**Chote Chitr** (carte p. 118 ; ☎ 0 2221 4082 ; 146 Th Phraeng Phuthon ; plats 30-200 B ; 🕑 déj et dîner lun-sam ; bus 15, *klorng-taxi* jusqu'à Tha Phan Fah). Cette échoppe aux 6 tables, présente depuis 3 générations, est une institution à Bangkok. La cuisine est inégale, mais, les bons jours, *mèe gròrp* (nouilles frites croustillantes) et *yam tòoa plo* (salade de wing-bean) sont incomparables.

**Kim Leng** (enseigne en thaï uniquement ; carte p. 118 ; ☎ 0 2622 2062 ; 158-160 Th Tanao ; plats 40-100 B ; 🕑 déj et dîner lun-sam ; bus 15, *klorng-taxi* jusqu'à Tha Phan Fah). Ce minuscule restaurant familial est spécialisé dans la cuisine thaïlandaise du centre. Le patron est grognon et ne parle pas anglais. Montrez-lui ce que vous désirez dans la vitrine ou consultez le menu en anglais.

**Pan** (carte p. 118 ; ☎ 0 83817 4227 ; Th Rambutri ; plats 50-90 B ; 🕑 11h30-22h ; bus 30, 53, 506, ferry Tha Phra Athit). Si vous recherchez de l'authentique cuisine thaïlandaise sans vous éloigner de Th Khao San, ce restaurant est ce qu'il vous faut. Montrez du doigt les ingrédients souhaités et Pan les fera sauter dans sa poêle.

**Rub Aroon** (carte p. 118 ; ☎ 0 2622 2312 ; 310-312 Th Maharat ; plats 60-95 B ; 🕑 8h-18h ; ferry Tha Tien). Stratégiquement située face au Wat Pho, cette échoppe joliment restaurée sera l'étape idéale dans votre journée de visite. Plats simples et boissons fraîches au menu.

**Krua Noppharat** (carte p. 118 ; ☎ 0 2281 7578 ; 130-132 Th Phra Athit ; plats 60-100 B ; 🕑 déj et dîner lun-sam ; bus 30, 53, 506, ferry Tha Phra Athit). La décoration n'est pas le fort de ce restaurant familial, mais, pour ce qui est des saveurs, Krua Noppharat est très doué et a le bon goût de ne pas adapter sa merveilleuse cuisine du centre et du sud du pays aux papilles des étrangers.

**Rachanawi Samosorn** (Khun Kung Kitchen ; carte p. 118 ; ☎ 0 2222 0081 ; 77 Th Maharat ; plats 70-150 B ; 🕑 10h-18h ; bus 508, 512, bus 32, 53, ferry Tha Chang). Le restaurant de la Royal Navy Association jouit d'un des rares emplacements en bordure du fleuve de ce côté du Chao Phraya. Les Thaïlandais y viennent pour la vue et pour la cuisine bon marché à base de fruits de mer. L'entrée du restaurant se trouve près des DAB de Tha Chang.

**Hemlock** (carte p. 118 ; ☎ 0 2282 7507 ; 56 Th Phra Athit ; plats 60-220 B ; 🕐 16h-minuit ; bus 30, 53, 506, ferry Tha Phra Athit). Agréablement situé dans une échoppe, ce restaurant est une bonne entrée en matière de cuisine thaïlandaisee. Le menu conséquent propose les classiques du genre, ainsi que d'autres plats bien plus rares et un grand choix pour végétariens.

**Poj Spa Kar** (carte p. 118 ; ☎ 0 2222 2686 ; 443 Th Tanao ; plats 100-200 B ; 🕐 déj et dîner ; bus 15, *klorng-taxi* jusqu'à Tha Phan Fah). Prononcé *pôht sà·pah kahn*, ce restaurant, le plus vieux de Bangkok, continue de concocter les recettes d'un ancien cuisinier du palais. Ne manquez pas la simple mais délicieuse omelette à la citronnelle ou le *gaang sôm*, une soupe aigre-douce typique du centre de la Thaïlande.

### INTERNATIONAL

**Shoshana** (carte p. 118 ; ☎ 0 2282 9948 ; 88 Th Chakraphong ; plats 30-150 B ; 🕐 10h-23h30 ; bus 30, 53, 506, ferry Tha Phra Athit). Même si les prix ont augmenté depuis sa création en 1982, Shoshana propose toujours des plats israéliens goûtus et bon marché. Tous les mets frits sont délicieux, et ne partez pas sans goûter le caviar d'aubergine.

**Ricky's Coffeeshop** (carte p. 118 ; ☎ 0 2629 0509 ; 18 Th Phra Athit ; plats 50-180 B ; 🕐 8h-23h ; ferry Tha Phra Athit). Ce café confortable a déménagé (de quelques mètres) et sert désormais de la cuisine mexicaine en plus de ses cafés, petits-déjeuners copieux et sandwichs baguette.

**Oh My Cod!** (carte p. 118 ; ☎ 0 2282 6553 ; 95d Rambuttri Village Inn, Soi Rambuttri I ; plats 70-200 B ; 🕐 petit-déj, déj et dîner ; bus 30, 53, 506, ferry Tha Phra Athit). Le "*fish and chips*", spécialité de la maison, consiste en un gigantesque filet de poisson accompagné de frites épaisses et de petits pois. Le petit-déjeuner est servi toute la journée et les Anglais pourront savourer un véritable thé sur la terrasse ensoleillée.

**Ann's Sweet** (carte p. 118 ; ☎ 0 86889 1383 ; 138 Th Phra Athit ; plats 75-150 B ; 🕐 11h30-20h ; bus 53, 506, ferry Tha Phra Athit). Ann, native de Bangkok et diplômée du programme "Cordon Bleu", fait les meilleurs gâteaux occidentaux de la ville. Café Lavazza et glaces iBerry au menu.

**Deck** (carte p. 118 ; ☎ 0 2221 9158 ; Arun Residence, 36-38 Soi Pratu Nok Yung, Th Maharat ; plats 170-690 B ; 🕐 déj et dîner ; ferry Tha Tien). La popularité du Deck vient de sa vue sur le Wat Arun, mais son menu simple et varié, proposant confit de canard ou salade thaïlandaise au pamplemousse, vaut également le détour. Après le dîner, possibilité de boire un verre au bar de l'hôtel, sur le toit.

### PROMENADE GOURMANDE À CHINATOWN

La nourriture de rue est légion dans ce quartier de la ville et les meilleurs restaurants de Chinatown n'ont ni murs ni toit.

Si de nombreux stands servent à manger jusqu'au petit matin, les plus populaires sont vite dévalisés et mieux vaut arriver entre 19h et 21h. Peu de vendeurs sont présents le lundi.

Commencez votre promenade au croisement de Th Yaowarat et de Th Phadungdao. Partez vers l'ouest et tournez à droite dans Th Plaeng Nam. Immédiatement sur la droite, vous verrez **Burapa Birds Nest** (carte p. 120 ; ☎ 0 2623 0191 ; Th Plaeng Nam), un endroit comme un autre où goûter la célèbre soupe aux nids d'hirondelle. Juste en face, un homme s'affaire sur trois poêles à charbon. Son stand, **Khrua Phornlamai** (ครัวพรละมัย; carte p. 120 ; ☎ 0 81823 0397 ; Th Plaeng Nam), est l'endroit idéal pour des mets gras mais délicieux, comme le *pàt kêe mow* (larges nouilles de riz sautées avec des fruits de mer, des piments et du basilic thaï).

Poursuivez sur Th Plaeng Nam et traversez Th Charoen Krung. Continuez sur 50 m en restant sur le trottoir de droite jusqu'à atteindre **Nay Mong** (นายหมึ; carte p. 120 ; ☎ 0 2623 1890 ; 539 Th Phlap Phla Chai), un minuscule restaurant renommé pour ses délicieux *hŏy tôrt*, des moules ou huîtres frites en beignet.

Revenez sur Th Charoen Krung et tournez à droite. Arrivez sur Th Mangkorn, prenez à droite et vous verrez, immédiatement sur votre gauche, des gens qui font la queue et d'autres assis sur des tabourets en plastique et dégustant du riz au curry. C'est **Jék Pûi** (เจ๊กปุ๊ย; carte p. 120 ; ☎ 0 81850 9960 ; Th Mangkorn), un étal réputé pour ses currys thaïlandais à la mode chinoise et pour son absence de tables.

## Chinatown et Phahurat

Pour les habitants de Bangkok, Chinatown évoque spontanément la cuisine de rue, dont nous vous offrons un aperçu dans l'encadré "*Promenade gourmande*", p. 168. Le quartier est également l'épicentre de la fête végétarienne annuelle (voir encadré ci-contre). Sa partie ouest est occupée par Little India, le district des tissus de Phahurat, truffé de petits restaurants indiens et népalais dans le *soi* partant de Th Chakraphet.

**Old Siam Plaza** (carte p. 120 ; rdc, Old Siam Plaza, angle Th Phahurat et Th Triphet ; plats 15-50 B ; déj ; ferry Tha Saphan Phut). Les accros au sucre doivent absolument inclure une visite à cette adresse dans leur séjour. Le rez-de-chaussée de ce centre commercial est une caverne d'Ali Baba remplie de friandises et d'en-cas thaïlandais confectionnés sous vos yeux.

**Royal India** (carte p. 120 ; ☎ 0 2221 6565 ; 392/1 Th Chakraphet ; plats 40-130 B ; déj et dîner ; ferry Tha Saphan Phut). C'est vrai, cette adresse légendaire figure dans chaque édition de ce guide depuis sa création, mais elle reste la meilleure adresse de Little India. Tous les pains et currys sont délicieux, de même que les desserts punjabi maison.

**Tang Jai Yuu** (enseigne en thaï uniquement ; carte p. 120 ; ☎ 0 2224 2167 ; 85-89 Th Yaowaphanit ; plats 120-500 B ; déj et diner ; métro Hualamphong, ferry Tha Ratchawong). À Bangkok, la présence de policiers et de femmes à la coiffure extravagante dans un restaurant est souvent synonyme de bonne nourriture. Cette adresse réputée est idéale pour un festin. Spécialité de Teo Chew et de cuisine sino-thaïlandaise basée sur les fruits de mer.

## Silom, Sathon et les bords du fleuve

On trouve de tout sur Th Silom, des restaurants vieillots à quelques-unes des meilleures tables haut de gamme de la ville. L'extrémité ouest de la ville, près du Chao Phraya, compte plusieurs restaurants indiens et arabo-thaïlandais.

### THAÏ

**Soi 10 Food Centres** (carte p. 122 ; Soi 10, Th Silom ; plats 20-60 B ; déj lun-ven ; Skytrain Sala Daeng, métro Silom). Ces deux immenses bâtiments mitoyens cachés derrière Soi 10 sont le QG des employés de bureau du coin. Vous pourrez choisir parmi des *kôw gaang* (choix de currys sur du riz) et une grande variété de nouilles thaïlandaises.

**Khrua Aroy Aroy** (carte p. 122 ; ☎ 0 2635 2365 ; Th Pan ; plats 30-70 B ; 6h-18h ; Skytrain Surasak). L'endroit est parfois bondé ou surchauffé, mais il ne dément jamais son nom ("Délicieuse, délicieuse cuisine"). Currys très riches et plats du jour.

**Home Cuisine Islamic Restaurant** (carte p. 122 ; ☎ 0 2234 7911 ; 196-198 Soi 36, Th Charoen Krung ; plats

---

Reprenez Th Charoen Krung à gauche et continuez vers l'est jusqu'à Trok Itsaranuphap (Soi 16). Cette ruelle étroite, aussi appelée **Talat Mai** (ตลาดใหม่; carte p. 120), est la rue commerçante la plus célèbre du quartier. Le meilleur moment pour la visiter est le matin, mais, si vous n'arrivez pas trop tard, vous pourrez vous faire une bonne idée des ingrédients exotiques qui composent le quartier.

Au bout de l'allée, un homme fait sauter des nouilles dans un wok en cuivre. Il prépare du **gŏo·ay ðĕeo kôoa gài** (ก๋วยเตี๋ยวคั่วไก่), un plat simple et délicieux de nouilles de riz sautées dans de l'huile aillée avec du poulet et un œuf.

Une fois sur Th Yaowarat, traversez jusqu'au marché animé juste en face. Le premier stand à droite, **Nay Lék Uan** (นายเล็กอ้วน; carte p. 120 ; ☎ 0 2224 3450 ; Soi 11, Th Yaowarat), est l'un des plus connus de Bangkok. Il vend du *gŏo·ay jáp nám săi*, un bouillon épais et très poivré aux nouilles et abats de porc. Plusieurs autres stands préparent divers plats, *pàt tai*, satay, etc.

Descendez Th Yaowarat vers l'est et, à l'intersection de Th Yaowaphanit et de Th Yaowarat, vous verrez un stand avec des nouilles jaunes et du porc grillé. C'est **Mangkorn Khăo** (มังกรขาว; carte p. 120 ; ☎ 0 2682 2352), un vendeur renommé de *bà·mèe* (nouilles de blé chinoises) et de délicieux wontons (raviolis chinois).

Continuez le long de Th Yaowarat et vous revoilà au point de départ. Les deux établissements de fruits de mer se faisant face, **Lek & Rut** (carte p. 120 ; ☎ 0 81637 5039) et **T&K** (carte p. 120 ; ☎ 0 223 4519), doivent être pris d'assaut. Si vous n'êtes pas encore rassasié, joignez-vous aux touristes pour déguster quelques crevettes grillées.

**HISSER LE DRAPEAU JAUNE**

Au cours de la fête végétarienne annuelle de septembre/octobre, Chinatown fait une orgie de cuisine sans viande. Le gros des festivités a lieu dans la rue principale, Th Yaowarat, et dans le quartier de Talat Noi (p. 139). Pourtant, dans toute la ville, des restaurants et étals font flotter des drapeaux jaunes pour indiquer leur statut végétarien.

Les Thaïlandais aussi célèbrent cette fête et attendent avec impatience l'apparition des plats chinois spécialement préparés pour l'occasion. La plupart des restaurants transforment leur menu et remplacent la viande du *đôm yam* et du *gaang kĕe-o wăhn* par des substituts à base de soja. Même la cuisine régionale traditionnelle est préparée sans viande. Parmi les plats typiques de la fête, on trouve les nouilles jaunes de type hokkien sautées avec des champignons charnus et de gros morceaux de légumes.

Pendant les 10 jours que dure cette fête, les participants s'abstiennent de consommer de la viande et font des visites spéciales au temple, souvent vêtus de blanc.

45-130 B ; ⌚ 11h-22h lun-sam, 6h-22h dim ; ferry Tha Oriental). Ce restaurant en bungalow cuisine de bons plats arabo-thaïlandais avec une touche d'indien. Prenez place dans le patio aéré et goûtez au curry de poisson, accompagné de quelques rôtis feuilletés.

**Kalapapruek** (carte p. 122 ; ☎ 0 2236 4335 ; 27 Th Pramuan ; plats 60-120 B ; ⌚ 8h-18h ; Skytrain Surasak). Ce restaurant thaïlandais se décline en de nombreux dérivés et branches, mais notre préféré reste l'original, peu connu. Le menu varié propose des spécialités régionales thaïlandaises, des plats du jour et parfois des plats de saison.

### INTERNATIONAL

**Chennai Kitchen** (carte p. 122 ; ☎ 0 2234 1266 ; 10 Th Pan ; plats 50-150 B ; ⌚ 10h-15h ; Skytrain Surasak). Le menu de ce minuscule restaurant est ce qui se fait de mieux en matière de cuisine végétarienne d'Inde du Sud. Les énormes (pains croustillants) sont une valeur sûre, mais si vous hésitez, choisissez le *thali* qui rassemble tous les plats ou presque.

**Souvlaki** (carte p. 122 ; ☎ 0 2632 9967 ; 114/4 Soi 4, Th Silom ; plats 120-280 B ; ⌚ déj et dîner ; Skytrain Sala Daeng, métro Silom). La cuisine grecque est une des plus difficiles à trouver à Bangkok. Le menu de ce nouveau lieu compte les snacks et mezze classiques, ainsi que de bons plats du jour. Attention : les portions sont colossales.

**Scoozi** (carte p. 122 ; ☎ 0 2234 6999 ; 174 Th Surawong ; plats 150-350 B ; ⌚ déj et dîner ; Skytrain Chong Nonsi). Scoozi est désormais présent dans plusieurs quartiers de Bangkok, mais c'est à l'adresse originale (ici) que les pizzas sont les meilleures. Cependant, si une envie subite de pizza vous assaille, vous trouverez d'autres branches sur Th Khao San (carte p. 118 ; ☎ 0 2280 5280 ; 201 Soi Sunset) et Thonglor (carte p. 126 ; ☎ 0 2391 5113 ; Fenix Thonglor, Soi 1, Soi 55/Thong Lor, Th Sukhumvit).

**Le Bouchon** (carte p. 122 ; ☎ 0 2234 9109 ; Soi 2, Th Patpong ; plats 150-840 B ; ⌚ 12h-15h et 18h-minuit ; Skytrain Sala Daeng, métro Lumphini). Son emplacement dans Patpong suffit à signifier qu'il s'agit de haute cuisine. C'est en fait un bistrot accueillant où se retrouvent les expatriés français en quête d'un petit goût d'Hexagone. Menu à l'ardoise, incontournables cuisses de grenouille et foie gras.

**Le Normandie** (carte p. 122 ; ☎ 0 2659 9000 ; www.mandarinoriental.com ; 48 Soi Oriental/38, Th Charoen Krung ; plats 750-3 900 B ; ⌚ déj et dîner ; navette fluviale depuis Tha Sathon/Central Pier). À son ouverture en 1962, le Normandie était le seul restaurant chic de Bangkok. Plus de quatre décennies plus tard, presque rien n'a changé. Les cuisines de cette grande table française ont vu passer pas moins de 20 chefs triplement étoilés au Michelin. La carte comporte une section entière de foie gras et un menu dégustation à 4 400 B, avec, en option, l'accord mets et vins (7 400 B).

## Siam Square et Pratunam

Si la faim vous taraude dans ce quartier du centre-ville, vous avez de grandes chances de vous retrouver dans le *food court* d'un centre commercial ou dans un établissement franchisé. Mais vous êtes en Thaïlande et, si vous arrivez à oublier l'ambiance préfabriquée du lieu, vous pourrez manger correctement. Une autre option est de manger sur le pouce à l'un des nombreux **étals ambulants** (carte p. 124 ; entre Soi 5 et 6, Siam Sq ; plats 30-40 B ; ⌚ 10h-14h ; Skytrain Siam) de Siam Square.

**Sanguan Sri** (carte p. 124 ; ☎ 0 2252 7637 ; 59/1 Th Withayu/Wireless Rd ; plats 60-150 B ; ⌚ 10h-15h lun-sam ; Skytrain Ploenchit). Si vous réussissez à le trouver, entrez dans ce repaire des employés de bureau du quartier. Le menu en anglais est incomplet, mais vous pouvez choisir d'indiquer les plats appétissants des clients qui vous entourent.

**Coca Suki** (carte p. 124 ; ☎ 0 2251 6337 ; 416/3-8 Th Henri Dunant ; plats 60-200 B ; 🕑 11h-23h ; Skytrain Siam). Immensément populaire auprès des familles thaïlandaises, le *sù·gêe* est une fondue, avec divers ingrédients crus à tremper dans un bouillon. Coca Suki est l'un des premiers restaurants à l'avoir servi et cette adresse reflète la tentative de modernisation de la chaîne. Si vous aimez manger épicé, commandez le bouillon *tŏm yam*.

**New Light Coffee House** (carte p. 124 ; ☎ 0 2251 9592 ; 426/1-4 Siam Sq ; plats 60-200 B ; 🕑 8h-23h30 ; Skytrain Siam). Voyagez dans le Bangkok des années 1960 grâce à ce petit restaurant prisé des étudiants de l'université voisine de Chulalongkorn. Plats occidentaux traditionnels ou menu thaïlandais varié.

**Crystal Jade La Mian Xiao Long Bao** (carte p. 124 ; ☎ 0 2250 7990 ; Urban Kitchen, sous-sol, Erawan Bangkok, 494 Th Ploenchit ; plats 120-300 B ; 🕑 déj et dîner ; Skytrain Chitlom). Le nom terriblement long de cette excellente chaîne singapourienne fait référence aux nouilles de blé (*la mian*), spécialité du restaurant, et aux célèbres bouchées à la vapeur de Singapour (*xiao long pao*). Si vous commandez les nouilles faites à la main, laissez le serveur les découper, ou bien vous finirez avec une chemise mouchetée.

## Sukhumvit

Cette rue interminable est idéale pour oublier que l'on se trouve en Thaïlande. La gastronomie du monde entier est représentée ici, du Moyen-Orient à la Corée. Quelques restaurants thaïlandais sont recommandés ci-dessous, mais sachez que la cuisine locale n'est pas la spécialité du lieu.

### THAÏ

**Marché de nuit de Soi 38** (carte p. 126 ; Soi 38, Th Sukhumvit ; plats 30-60 B ; 🕑 8h-15h ; Skytrain Thong Lo). Après une longue nuit en discothèque, ce regroupement d'étals de cuisine sino-thaïlandaise fera l'effet d'une oasis dans le désert. Les meilleurs sont situés dans une allée sur la droite, quand vous arrivez dans la rue.

**Pharani Home Cuisine** (Sansab Boat Noodle ; carte p. 126 ; ☎ 0 2664 4454 ; Soi Prasanmit/23, Th Sukhumvit ; plats 35-200 B ; 🕑 10h-22h ; Skytrain Asoke, métro Sukhumvit). Cet accueillant restaurant thaïlandais propose un peu de tout, du ragoût de langue de bœuf au riz sauté à la pâte de crevettes, mais ce sont les "nouilles bateau" qui valent vraiment le déplacement. On les appelle ainsi car elles étaient vendues par des bateaux naviguant sur les *klorng* d'Ayuthaya.

**Thonglee** (carte p. 126 ; ☎ 0 2258 1983 ; Soi 20, Th Sukhumvit ; plats 40-70 B ; 🕑 10h-20h, fermé le 3e dim du mois ; Skytrain Asoke, métro Sukhumvit). Un des rares établissements familiaux subsistant à Sukhumvit, ce minuscule restaurant concocte des plats que vous ne trouverez nulle part ailleurs, comme le *mŏo pàt gà·Ƀì* (porc frit à la pâte de crevettes) et le *mèe gròrp* (nouilles croustillantes sucrées et épicées).

**Face** (carte p. 126 ; ☎ 0 2713 6048 ; 29 Soi 38, Th Sukhumvit ; plats 190-680 B ; 🕑 6h30-22h lun-ven, 6h30-23h sam-dim ; Skytrain Thong Lo). Cet élégant complexe gastronomique combine deux très bons restaurants. Lan Na Thai propose l'une des meilleures cuisines thaïlandaises des environs et Hazara sert de la "cuisine indienne de pointe". Pour couronner le tout, Visage, le café/boulangerie adjacent, prépare certainement les meilleurs gâteaux et chocolats de Bangkok.

♥ **Bo.lan** (carte p. 126 ; ☎ 0 2260 2962 ; www.bolan.co.th ; 42 Soi Rongnarong Phichai Songkhram, Soi 26, Th Sukhumvit ; menu 1 500 B ; 🕑 déj et dîner ; Skytrain Phrom Phong). La haute cuisine thaïlandaise est souvent plus appétissante que goûtue, mais celle de ce nouveau restaurant chic ouvert par deux anciens chefs du Nahm, restaurant londonien étoilé au Michelin, fait exception. Bo et Dylan ("Bo.lan" signifie également "ancien") ont une approche érudite de la cuisine thaïlandaise. En résultent d'excellents menus combinant des plats régionaux savoureux.

### INTERNATIONAL

**Duc de Praslin** (carte p. 126 ; ☎ 0 2258 3200 ; rdc Fenix Tower, Soi 31/1, Th Sukhumvit ; plats 20-120 B ; 🕑 9h-21h ;

> **RELÂCHE**
>
> Amateurs de nourriture de rue, soyez prévenus : tous les étals sont fermés le lundi pour cause de nettoyage de rue (même si le résultat n'est pas vraiment notable le mardi matin). Profitez de l'occasion pour tester le restaurant d'un des grands hôtels de la ville, ils ne ferment quasi jamais.

Skytrain Phrom Phong). Quittez la moiteur de Bangkok pour la vieille Europe dans ce café-chocolaterie. En plus des bonbons et du bon café, goûtez le chocolat chaud maison, à base de lait chaud et de copeaux de chocolat.

**AH!** (carte p. 126 ; ☎ 0 2252 6069 ; Atlanta Hotel, 78 Soi Phasak/2, Th Sukhumvit ; plats 60-150 B ; 🕑 petit-déj, déj et dîner ; Skytrain Ploenchit). Le petit restaurant désuet de l'hôtel Atlanta excelle à la fois par son ambiance et par sa cuisine. Plongez dans ses plats "continentaux" des années 1950 comme le goulasch hongrois ou le wiener schnitzel (escalope de veau panée) ou goûtez sa cuisine thaïlandaise réputée.

**Boon Tong Kiat Singapore Hainanese Chicken Rice** (carte p. 126 ; ☎ 0 2390 2508 ; 440/5 & 396 Soi 55/Thong Lor, Th Sukhumvit ; plats 60-150 B ; 🕑 déj et dîner ; Skytrain Thong Lo). Commandez le plat éponyme de ce restaurant et découvrez à quel point un mets peut être à la fois simple et subtil. Pendant que vous y êtes, il serait dommage de ne pas goûter le *rojak*, la "salade" de fruits épicée et aigre ici appelée "Singapore Som Tam".

**Nasser Elmassry** (carte p. 126 ; ☎ 0 2253 5582 ; 4/6 Soi 3/1, Th Sukhumvit ; plats 80-350 B ; 🕑 8h-17h ; Skytrain Nana). L'un des nombreux restaurants moyen-orientaux de Soi 3/1, Nasser Elmassry est facilement reconnaissable à son impressionnant habillage métallique. En plus des plats habituels à base de viande, vous trouverez ici de nombreuses entrées végétariennes.

**Tapas Café** (carte p. 126 ; ☎ 0 2651 2947 ; 1/25 Soi 11, Th Sukhumvit ; plats 90-550 B ; 🕑 11h30-23h30 ; Skytrain Nana). Des tapas éclatantes, de la sangria fraîche et une ambiance désinvolte valent une visite dans ce nouvel établissement espagnol. Avant 19h, une tapas offerte pour 2 achetées.

**Ramentei** (carte p. 126 ; ☎ 0 2662 0050 ; 593/23-24 Soi 33/1, Th Sukhumvit ; plats 120-300 B ; 🕑 déj et dîner ; Skytrain Phrom Phong). Situé au centre du quartier japonais de Bangkok, ce restaurant de *ramen* ordinaire propose un grand choix de plats de nouilles traditionnels, ainsi que du *katsudon* (escalope de porc panée sur du riz) et d'autres plats classiques à base de riz.

**Sukhumvit Plaza** (Korean Town ; carte p. 126 ; angle Soi 12 et Th Sukhumvit ; 🕑 déj et dîner ; Skytrain Asoke, métro Sukhumvit). Aussi appelé "ville coréenne", ce grand ensemble est le meilleur endroit de Bangkok pour goûter la véritable cuisine de Séoul. Les habitants du quartier ne jurent que par Arirang (☎ 0 2653 0177, plats 120-350 B),

## LES FOOD COURTS DES CENTRES COMMERCIAUX

À Bangkok, tout centre commercial qui se respecte possède un *food court*. Ces dernières années, beaucoup se sont modernisés et l'aménagement, la cuisine et le service se sont améliorés. Parmi les meilleurs, citons :

- **Big C Food Court** (carte p. 124 ; ☎ 0 2250 4888 ; 5e ét., Centre commercial Big C, 97/11 Th Ratchadamri ; 🕑 9h-22h ; Skytrain Chitlom). Le *food court* de Big C est le bas de gamme du genre. Les plats ne sont pas très appétissants, mais ils sont bon marché et le choix est vaste. Pour payer, échangez votre argent contre une carte prépayée à l'un des guichets. C'est également là que vous récupérerez votre monnaie.
- **Food Loft** (carte p. 124 ; 6e ét., Central Chit Lom, 1027 Th Ploenchit ; 🕑 10h-22h ; Skytrain Chitlom). Central Chit Lom est le pionnier du *food court* haut de gamme. Des représentations fictives vous aideront à faire votre choix parmi les plats indiens, italiens, singapouriens ou autres. À l'entrée, on vous remettra une carte de crédit temporaire et on vous attribuera une table. Vous devrez commander au comptoir, mais on vous apportera les plats. Vous paierez à la sortie.
- **MBK Food Court** (carte p. 124 ; 6e ét, Centre MBK, angle Th Phra Ram I et Th Phayathai ; 🕑 10h-21h ; Skytrain National Stadium). L'ancêtre du genre emploie des dizaines de vendeurs servant des mets de tous les coins de Thaïlande et d'ailleurs. Parmi les meilleurs, un stand végétarien (C 8) et un très bon vendeur de cuisine isan (C 22).
- **Park Food Hall** (carte p. 126 ; 5e ét., Emporium Shopping Centre, 622 Th Sukhumvit, angle Soi 24 ; 🕑 10h-22h ; Skytrain Phrom Phong). L'Emporium regroupe certains des meilleurs restaurants internationaux de la ville. L'Emporium Food Hall, au même étage, propose une cuisine thaïlandaise/chinoise moins onéreuse et les tables avec vue les moins chères de la capitale. Pour payer, achetez des coupons à l'entrée. Ceux que vous n'aurez pas utilisés ne vous seront remboursés que le jour-même.

### RÉGALEZ-VOUS AUX BUFFETS DES HÔTELS

Le brunch dominical est une institution dans la communauté d'expatriés de Bangkok. Quasi tous les grands hôtels de la ville proposent des buffets gargantuesques, parfois tous les jours de la semaine. Vous repartirez plus que repus des lieux suivants :

Les restaurants de renom de l'hôtel **Four Seasons** (carte p. 124 ; ☎ 0 2250 1000 ; hôtel Four Seasons, 155 Th Ratchadamri ; buffet 2 350 B ; 🕑 11h30-15h dim ; Skytrain Ratchadamri) proposent chaque dimanche un abondant buffet chaud (réservation nécessaire). Si vous ne pouvez pas vous permettre de loger à l'Oriental Hotel, économisez pour pouvoir profiter de son buffet de fruits de mer au bord de l'eau au **Lord Jim** (carte p. 122 ; ☎ 0 2659 9000 ; www.mandarinoriental.com ; 48 Soi Oriental/38, Th Charoen Krung ; buffet 1 500 B ; 🕑 12h-14h lun-sam, 11h-15h dim ; ferry Tha Oriental).

Le buffet primé du **JW Marriott** (carte p. 126 ; ☎ 0 2656 7700 ; rdc, hôtel JW Marriott, 4 Soi Phasak/2, Th Sukhumvit ; buffet 1 637 B ; 🕑 11h-15h sam-dim ; Skytrain Nana), à l'abondance tout américaine, propose des formules avec bière ou vin à volonté. **Rang Mahal** (carte p. 126 ; ☎ 0 2261 7100 ; 26e ét., hôtel Rembrandt, 19 Soi 20, Th Sukhumvit ; buffet 848 B ; 🕑 11h-14h30 dim ; Skytrain Asok, métro Sukhumvit), en haut du Hotel Rembrandt, associe chaque dimanche vue magnifique et buffet indien. Pour les amateurs de sucre, l'**hôtel Sukhothai** (carte p. 126 ; ☎ 0 2344 8888 ; www.sukhothai.com ; 13/3 Th Sathon Tai ; buffet 790 B ; 🕑 14h-18h ven-dim ; métro Lumphini) propose un buffet entièrement à base de cacao.

au 1er étage, mais il existe d'autres endroits un peu moins chers.

**Bed Supperclub** (carte p. 126 ; ☎ 0 2651 3537 ; www.bedsupperclub.com ; 26 Soi 11, Th Sukhumvit ; dîner 3 plats à la carte dim-jeu 1 450 B, menu 4 plats ven-sam 1 850 B ; 🕑 19h30-22h30 dim-jeu, dîner 21h ven-sam ; Skytrain Nana). Le chef néo-zélandais Paul Hutt et sa brigade de talentueux cuisiniers thaïlandais créent la cuisine la plus pointue de la ville. Des ustensiles et des techniques comme l'azote liquide et le sous-vide ont donné des plats tels que le bouillon de tomate infusé au houblon avec nouilles de haloumi, neige d'avocat et huile de basilic. Le dîner est à la carte sauf les vendredi et samedi où un menu surprise de 4 plats est servi à 21h pile.

## Parc Lumphini et Th Phra Ram IV

**Kai Thort Jay Kee** (Soi Polo Fried Chicken ; carte p. 128 ; ☎ 0 2655 8489; 137/1-3 Soi Polo, Th Withayu/Wireless Rd ; plats 30-150 B ; 🕑 petit-déj, déj et dîner ; Skytrain Ploenchit, métro Lumphini). Le *sôm·đam* (salade épicée de papaye verte), le riz gluant et le *lâhp* (une "salade" thaïlandaise de viande hachée) peuvent faire penser à un restaurant de style nord-thaïlandais, mais l'oiseau frit qui lui donne son nom est en fait une spécialité du Sud. Quoi qu'il en soit, couvert d'une épaisse couche d'ail frit, c'est une véritable expérience en soi.

**Café 1912** (carte p. 128 ; ☎ 0 2679 2056 ; Alliance française, 29 Th Sathon Tai ; plats 60-120 B ; 🕑 7h-19h lun-sam, 7h-14h dim ; métro Lumphini). Au sein du centre culturel français, une bonne adresse dans le quartier des ambassades. Les produits de la cafétéria proviennent d'une bonne boulangerie voisine. Plats français et thaïlandais, café, friandises et délicieux gâteaux.

**Ngwan Lee Lang Suan** (carte p. 128 ; ☎ 0 2250 0936 ; angle Soi Lang Suan et Soi Sarasin ; plats 60-180 B ; 🕑 10h-14h ; Skytrain Ratchadamri). Ce hall caverneux aux nombreux restaurants est central et reste ouvert tard, ce qui en fait la destination post-discothèque idéale. C'est également un bon endroit pour goûter des plats que vous n'auriez pas osé commander ailleurs, comme les *jàp chăi*, légumes vapeur à la chinoise, ou le délicieux *Ƀèt đŭn*, un ragoût de canard aux épices chinoises.

♥ **Cy'an** (carte p. 128 ; ☎ 0 2625 3333 ; Metropolitan Hotel, 27 Th Sathon Tai ; menu 9 plats 3 100 B ; 🕑 déj et dîner ; métro Lumphini). Les meilleurs chefs de la ville ne tarissent pas d'éloges sur ce repaire de la haute gastronomie, ce qui est bon signe. Il combine saveurs méditerranéennes et marocaines, fruits de mer soigneusement sélectionnés, ambiance chic et intime. Si vous voulez faire des folies, c'est la bonne adresse.

## Centre et agglomération de Bangkok

**Phat Thai Ari** (carte p. 114 ; ☎ 0 2270 1654 ; 2/1-2 Soi Ari/7, Th Phahonyothin ; plats 40-95 B ; 🕑 11h-22h ; Skytrain Ari). Une des échoppes de *pàt tai* les plus connues de la ville, à quelques pas de la station de Skytrain Ari. Goûtez la version innovante "sans nouilles", dans laquelle de fines lamelles de papaye verte croustillantes remplacent les nouilles de riz de Chanthaburi.

**Pathé** (carte p. 114 ; ☎ 0 2938 4995 ; angle Th Lad Phrao et Th Viphawadee ; plats 40-120 B ; ⏰ 10h-1h ; métro Phahonyothin). Équivalent thaïlandais d'un restaurant américain des années 1950, ce lieu populaire combine nourriture thaïlandaise copieuse, ambiance joviale et juke-box aux disques rayés. Ne manquez pas les beignets de glace.

**Mallika** (carte p. 116 ; ☎ 0 248 0287 ; 21/36 Th Rang Nam ; plats 70-180 B ; ⏰ 10h-22h lun-sam ; Skytrain Victory Monument). Un rêve devenu réalité : de l'authentique cuisine régionale thaïlandaise (du Sud), un menu en anglais compréhensible, un service agréable et un cadre impeccable. Les prix sont un peu élevés pour un restaurant familial, mais ils sont justifiés.

**River Bar Café** (carte p. 114 ; ☎ 0 2879 1747 ; 405/1 Soi Chao Phraya, Th Ratchawithi, Thonburi ; plats 90-240 B ; ⏰ 17h-minuit ; *klorng-taxi* jusqu'à l'embarcadère Tha Krung Thon Bridge). Avec son emplacement superbe au bord du fleuve, sa bonne cuisine et sa musique live, le River Bar Café comporte tous les ingrédients pour une soirée réussie.

## OÙ PRENDRE UN VERRE

Autrefois célèbre pour sa vie nocturne décadente, Bangkok tend plutôt vers la sobriété depuis quelques années, avec des lois strictes limitant la vente d'alcool et des horaires de fermeture de plus en plus conservatrices. Malgré tout, la ville compte toujours de nombreux bars en tout genre et vous trouverez même des lieux ouverts après 1h du matin, si vous n'êtes pas prêt à aller vous coucher.

Depuis 2008, fumer est interdit à l'intérieur de tous les établissements, même partiellement découverts. Étonnamment, cette loi est strictement respectée.

### Ko Ratanakosin et Banglamphu

Pendant la journée, toutes les nationalités, thaïlandaise exceptée, se retrouvent sur Th Khao San. Le soir venu, les Thaïlandais osent se mêler à la foule, ce qui transforme complètement l'ambiance du lieu. En plus de la rue principale, Th Rambutri et Th Phra Athit attirent des clients de l'autre bout de la ville, ou du monde, en quête de fête et d'alcool.

**Hippie de Bar** (carte p. 118 ; ☎ 0 2629 3508 ; 46 Th Khao San ; ferry Tha Phra Athit). Très fréquenté par les Thaïlandais, le Hippie propose différentes ambiances, à l'intérieur comme à l'extérieur. Restauration, billards et programmation musicale très originale.

**Old Phra Arthit Pier** (carte p. 118 ; ☎ 0 2282 9202 ; 23 Th Phra Athit ; ferry Tha Phra Athit). Ce "Gastronobar" autoproclamé est constitué d'un joli lounge bar boisé et d'une terrasse avec vue partielle sur le fleuve. Comme son nom semble l'indiquer, on y trouve aussi à manger.

**Taksura** (carte p. 118 ; ☎ 0 2622 0708 ; 156/1 Th Tanao ; *klorng-taxi* jusqu'à Tha Phan Fah). Aucune pancarte n'indique cette vieille maison qui semble abandonnée au cœur de Bangkok, et c'est tant mieux. Fréquenté par des étudiants branchés et bohèmes, ce bar possède une terrasse aérée et sert des en-cas épicés.

**Phranakorn Bar** (carte p. 118 ; ☎ 0 2282 7507 ; 58/2 Soi Damnoen Klang Tai ; *klorng-taxi* jusqu'à Tha Phan Fah). Ce grand immeuble sans âme a été transformé en un lieu chaleureux où règne une super ambiance. Étudiants et artistes dans l'âme donnent vie à ce lieu à la déco éclectique et aux expositions temporaires variées.

Les bars sont souvent fréquentés soit par les Thaïlandais, soit par les étrangers. À vous d'inverser la tendance, en visitant ces établissements :

**Buddy Bar** (carte p. 118 ; Th Khao San ; ferry Tha Phra Athit). Un bar immaculé à l'architecture coloniale, climatisé pour les jours de canicule.

**Center Khao San** (carte p. 118 ; Th Khao San ; ferry Tha Phra Athit). Un des nombreux points d'observation de la foule sur Th Khao San. Concerts à l'étage, tard dans la soirée.

**Molly Bar** (carte p. 118 ; Th Rambutri ; ferry Tha Phra Athit). Bondé le week-end (musique thaïlandaise live), plus calme la semaine. Terrasse extérieure.

**Roof Bar** (carte p. 118 ; Th Khao San ; ferry Tha Phra Athit). Si les groupes qui s'y produisent sont inégaux, la vue depuis ce pub n'est jamais décevante.

**Susie Pub** (carte p. 118 ; allée 108/5-9, entre Th Khao San et Th Rambutri ; ferry Tha Phra Athit). Musique pop thaïlandaise et billard.

### Silom, Sathon et les bords du fleuve

**Sirocco Sky Bar** (carte p. 122 ; ☎ 0 2624 9555 ; The Dome, 1055 Th Silom ; Skytrain Saphan Taksin). Bangkok est l'un des rares endroits au monde où tout est permis, y compris de construire un bar sur le toit d'un gratte-ciel. Profitez-en en sirotant un cocktail au Sky Bar. Tenue correcte exigée.

**Moon Bar at Vertigo** (carte p. 122 ; ☎ 0 2679 1200 ; Banyan Tree Hotel, 21/100 Th Sathon Tai ; métro Lumphini). Perché lui aussi au sommet d'un building, ce bar offre une vue un peu différente sur Bangkok. Très prisé au coucher du soleil : mieux vaut arriver tôt pour avoir une bonne place.

**JUSQU'AU PETIT MATIN**

La majorité des pubs et des discothèques fermant aux alentours d'une heure du matin, la vie nocturne de Bangkok n'est plus ce qu'elle était. Heureusement, quelques établissements ont obtenu la permission de rester ouverts jusqu'au petit matin.

Près de Soi Ngam Duphli, **Wong's Place** (carte p. 128 ; 27/3 Soi Sri Bumphen, Th Phra Ram IV ; 20h-tard ; métro Lumphini) est un bar pour voyageurs à petit budget ouvert depuis des années. L'ambiance ne commence qu'après minuit. Avec son thème vaguement oriental, **Gazebo** (carte p. 118 ; ☎ 0 2629 0705 ; 3e ét., 44 Th Chakraphong ; 19h-tard ; ferry Tha Phra Athit) représente le côté snob de Th Khao San. Du fait de son emplacement, il n'est pas soumis aux régulations strictes en matière d'horaire de fermeture.

Il en va de même pour **Rain Dogs** (carte p. 126 ; ☎ 0 817206 989 ; 16 Soi Phrya Phiren, près de Soi Sawan Sawat, près de Th Phra Ram IV ; 19h-tard ; métro Khlong Toei), situé sous un péage et épargné par les visites de la police. Avec son thème hip-hop, **Scratch Dog** (carte p. 126 ; ☎ 0 2262 1234 ; hôtel Windsor Suites, 8-10 Soi 20, Th Sukhumvit ; 20h-tard ; Skytrain Asoke, métro Sukhumvit), la discothèque de l'hôtel Windsor, vous fera danser jusqu'au petit matin.

**Vino di Zanotti** (carte p. 128 ; ☎ 0 2636 3366 ; 41 Soi Yommarat ; Skytrain Sala Daeng, métro Silom). Extension du restaurant homonyme voisin, ce bar italien sans prétention propose des concerts, un impressionnant choix de vins et de délicieux en-cas.

**Barbican Bar** (carte p. 122 ; ☎ 0 2234 3590 ; 9/4-5 Soi Thaniya, Th Silom ; Skytrain Sala Daeng, métro Silom). Entouré de salons de massage aux jeunes filles aguichant les hommes d'affaires japonais, ce bar guindé est fréquenté par des employés de bureau de l'*happy hour* à la fermeture.

**Coyote on Convent** (carte p. 122 ; ☎ 0 2631 2325 ; 1/2 Th Convent, Th Silom ; 11h-1h ; Skytrain Sala Daeng, métro Silom). Oubliez sa cuisine tex-mex bien trop chère : l'intérêt de ce bar, ce sont ses innombrables variétés de margaritas (plus de 75). Le mercredi de 18h à 20h et le samedi de 22h à minuit, un verre est offert à chaque femme, à son arrivée.

**Molly Malone's** (carte p. 122 ; ☎ 0 2266 7160 ; 1/5-6 Th Convent, Th Silom ; 11h-1h ; Skytrain Sala Daeng, métro Silom). Sa récente rénovation en fait un peu trop dans le kitsch irlandais, mais l'ambiance de ce bar présent depuis longtemps reste chaleureuse, et son service agréable et rapide.

## Siam Square et Pratunam

**Diplomat Bar** (carte p. 124 ; ☎ 0 2690 9999 ; Conrad Hotel, 87 Th Withayu/Wireless Rd ; Skytrain Ploenchit). Un des rares bars d'hôtel que les locaux aiment à fréquenter. Immense choix de Martini originaux et concerts de jazz en fond sonore.

**To-Sit** (carte p. 124 ; ☎ 0 2658 4001 ; Soi 3, Siam Sq, Th Phra Ram 1 ; Skytrain Siam). To-Sit possède les ingrédients essentiels pour une bonne soirée étudiante : musique thaïlandaise "sappy" et en-cas épicés bon marché. To-Sit a plusieurs enseignes dans la capitale, mais celle de Siam Square a l'avantage d'être la seule ou presque dans un quartier plutôt morne le soir.

**Café Trio** (carte p. 124 ; ☎ 0 2252 6572 ; 36/11-12 Soi Lang Suan ; Skytrain Chitlom). Après une soirée dans ce bar de jazz confortable, vous aurez l'impression d'être du coin. Concerts plus ou moins bons ; téléphonez pour connaître le programme.

## Sukhumvit

**Tuba** (carte p. 126 ; ☎ 0 2622 0708 ; 30 Ekamai Soi 21, Soi Ekamai/63, Th Sukhumvit ; Skytrain Ekamai). Entre dépôt de meubles vintage extravagants et bar local sympathique, cet étrange établissement ne manque pas de caractère. Offrez-vous une bouteille et régalez-vous avec les ailes de poulet.

**Spring** (carte p. 126 ; ☎ 0 2392 2747 ; 199 Soi Promsri 2, Soi Phrompong/39, Th Sukhumvit ; Skytrain Phrom Phong). Même s'il ne s'agit pas à proprement parler d'un bar, la vaste pelouse de cette maison des années 1970 reconvertie est le seul endroit où vous verrez la jeunesse dorée de Bangkok en pleine nature.

**Cheap Charlie's** (carte p. 126 ; Soi 11, Th Sukhumvit ; lun-sam ; Skytrain Nana). Il n'y a jamais de places assises et la décoration s'apparente à un dépotoir, mais ce lieu sympathique en plein air est un bon endroit pour faire des rencontres, du touriste en voyage organisé à l'expatrié.

**Bull's Head** (carte p. 126 ; ☎ 0 2259 4444 ; 595/10-11 Soi 33/1, Th Sukhumvit ; Skytrain Phrom Phong). Des pubs anglais de Bangkok, celui-ci est sans doute le

### LE BANGKOK HOMO

Bangkok est tellement gay qu'elle ferait passer San Francisco pour une ville rurale du Texas. Des établissements nocturnes ouvertement gays et un défilé annuel prouvent la grande tolérance dont bénéficie la population homosexuelle de la ville. Il est à noter cependant que ces dernières années ont vu une forte recrudescence des contaminations par le VIH et autres MST, en particulier chez les hommes. Sortez donc couvert.

Vous trouverez sur **Utopia** (www.utopia-asia.com), site de la communauté homosexuelle sud-asiatique, des adresses à Bangkok, des infos et des conseils touristiques. **Dreaded Ned** (www.dreadedned.com) et **Fridae** (www.fridae.com) proposent également un agenda et un annuaire. Le **guide du Bangkok lesbien** (www.bangkoklesbian.com) est le seul site en anglais consacré à la scène lesbienne.

Le meilleur moment pour visiter Bangkok est mi-novembre, lors du petit **Pride Festival** (www.bangkokpride.org). Des dîners, croisières, soirées et concours animent cette semaine. Voir le site Internet pour plus d'infos.

**Bed Supperclub** (voir p. 178) organise chaque dimanche sa très populaire soirée "rose". D'autres lieux chics des environs accueillent des *"circuit parties"* de 2 jours. Pour connaître les lieux et dates des prochaines, voir **G Circuit** (www.gcircuit.com).

Le long du Soi 2 sur Th Silom, une succession de clubs comme **DJ Station** (carte p. 122 ; ☎ 0 2266 4029 ; 8/6-8 Soi 2, Th Silom ; 🕒 22h30-2h ; Skytrain Sala Daeng, métro Silom) mélange "guppies" thaïlandais (prostitués gays), "money boys" et Occidentaux. Un peu plus loin, **G. O. D.** (Guys on Display ; carte p. 122 ; ☎ 0 2632 8032 ; Soi 2/1, Th Silom ; entrée 280 B ; 🕒 23h30-tard ; Skytrain Sala Daeng, métro Silom), comme son nom l'indique, n'est pas opposé aux torses nus. Si vous préférez discuter, rendez-vous dans les vieux bars non dansants du Soi 4, au **Balcony** (carte p. 122 ; ☎ 0 2235 5891 ; 86-88 Soi 4, Th Silom ; Skytrain Sala Daeng, métro Silom) ou au **Telephone** (carte p. 122 ; ☎ 0 2234 3279 ; 114/11-13 Soi 4, Th Silom ; Skytrain Sala Daeng, métro Silom). L'équivalent gay des bars à entraîneuses de Patpong est situé près de Soi Anuman Ratchathon, également appelé "Soi Twilight".

Vous trouverez d'autres bars lounge sur Th Sarasin, derrière le parc Lumphini. Le **70s Bar** (carte p. 128 ; ☎ 0 2253 4433 ; 231/16 Th Sarasin ; gratuit ; 🕒 18h-1h ; Skytrain Ratchadamri), petite boîte de nuit à l'ambiance disco, et **Kluen Saek** (carte p. 128 ; ☎ 0 2254 2962 ; 297 Th Sarasin ; Skytrain Ratchadamri) font partie d'un ensemble de bars autrefois hétéros qui ont viré leur cuti.

Un peu à l'extérieur de la ville, on trouve des bars plutôt fréquentés par des Thaïlandais. Pour boire et vous éclater sans retenue, allez dans un des bars de Th Kamphaeng Phet comme l'**ICQ** (carte p. 114 ; ☎ 0 2272 4775 ; Th Kamphaeng Phet, Chatuchak ; Skytrain Mo Chit, métro Kamphaeng Phet).

Bangkok compte enfin quelques lieux lesbiens : **E Fun** (carte p. 114 ; Royal City Ave/RCA, près de Phra Ram IX ; gratuit ; 🕒 22h-2h ; métro Ram IX) et **Zeta** (carte p. 114 ; ☎ 0 2203 0994 ; 29 Royal City Ave/RCA, près de Phra Ram IX ; gratuit ; 🕒 22h-2h ; métro Ram IX) sont des clubs plutôt cool avec des groupes jouant des reprises de tubes thaïlandais et occidentaux. E Fun attire une clientèle un peu plus âgée que la tapageuse Zeta.

plus "authentique". Le service est sympathique, les activités nombreuses, et c'est un bon endroit pour rencontrer des gens, surtout des Britanniques.

**HOBS** (House of Beers ; carte p. 126 ; ☎ 0 2392 3513 ; 522/3 Soi 16, Soi Thong Lor/55, Th Sukhumvit ; Skytrain Thong Lo). Grâce à ce nouveau pub, les meilleures bières du monde ont désormais leur maison. Ne manquez pas les frites belges à la mayonnaise.

## OÙ SORTIR

Il est impossible de s'ennuyer à Bangkok, et les établissements de nuit ne sont pas forcément peuplés d'entraîneuses. La vie nocturne de Bangkok est aujourd'hui équivalente à celle de toute ville moderne (mais elle est bien moins onéreuse). Même si vous êtes un couche-tôt, vous aurez un grand choix d'activités intéressantes, du cinéma aux spectacles traditionnels.

### Concerts

La musique est un élément important de la vie nocturne thaïlandaise. À Bangkok, la plupart des pubs programment des concerts de qualité variable. Il s'agit souvent de reprises de musique pop locale ou de vieux classiques occidentaux (nous vous mettons au défi de quitter la ville sans avoir entendu au moins une reprise de *Hotel California*), mais de plus en plus d'établissements s'écartent de la norme et proposent des groupes originaux aux performances inspirées. Consultez le **Bangkok Gig Guide** (www.bangkokgigguide.com) pour connaître la programmation des plus petits lieux.

**Brick Bar** (carte p. 118 ; ☎ 0 2629 4477 ; sous-sol, Buddy Lodge, 265 Th Khao San ; ferry Tha Phra Athit). Cette cave renferme un pub à la programmation quotidienne variée et au public presque exclusivement thaïlandais. Venez avant minuit, prenez place à quelques pas des cuivres et laissez-vous porter par Teddy Ska, l'un des groupes les plus énergiques de la ville.

**Living Room** (carte p. 126 ; ☎ 02 649 8888 ; niveau I, Sheraton Grande Sukhumvit, 250 Th Sukhumvit ; Skytrain Asoke, métro Sukhumvit). Ne vous laissez pas influencer par son apparence : ce bar d'hôtel plutôt morne se transforme chaque soir en club de jazz le meilleur de la ville. Renseignez-vous à l'avance pour connaître la programmation, toujours de qualité.

**Parking Toys** (carte p. 114 ; ☎ 0 2907 2228 ; 17/22 Soi Mayalap, Kaset-Navamin Hwy). Sorte d'abri biscornu pour vieilleries, Parking Toys accueille beaucoup de bons groupes, de la formation classique/acoustique au bœuf d'électro-funk. Pour vous y rendre, prenez un taxi vers le nord depuis la station de Skytrain Mo Chit et demandez à aller à Th Kaset-Navamin. Une fois dans cette rue, tout de suite après le second feu, cherchez l'enseigne Heineken sur votre gauche.

**Saxophone Pub & Restaurant** (carte p. 116 ; ☎ 0 2246 5472 ; 3/8 Th Phayathai ; Skytrain Victory Monument). Cette institution est le centre de la scène musicale de Bangkok. Si c'est un peu trop bruyant pour un premier rendez-vous, la qualité et la diversité de la musique en font un lieu parfait pour une virée entre potes mélomanes.

**Raintree** (carte p. 116 ; ☎ 0 2245 7230 ; 116/63-64 Soi Ruam Mit, Th Rang Nam ; Skytrain Victory Monument). Un des derniers lieux de la ville pour écouter de la musique folk thaïlandaise héritée des soulèvements communistes des années 1960 et 1970.

**Ad Here the 13th** (carte p. 118 ; 13 Th Samsen ; ferry Tha Phra Athit). À côté de Khlong Banglamphu, Ad Here est un vrai bar de quartier : des habitués, de la bière fraîche et de la musique chaleureuse jouée par un groupe talentueux à 22h. Tout le monde se connaît ici, n'ayez pas peur d'engager la conversation.

**Tawan Daeng German Brewhouse** (carte p. 114 ; ☎ 0 2678 1114 ; angle Th Phra Ram III et Th Narathiwat Ratchanakharin). C'est la fête de la bière toute l'année dans cette salle de concert immense. La nourriture germano-thaïlandaise est bonne, les bières maison très buvables, et les concerts quotidiens sont une invitation à chanter. Concert à 20h30, accès en taxi.

**Brown Sugar** (carte p. 128 ; ☎ 0 2250 1825 ; 231/20 Th Sarasin ; Skytrain Ratchadamri). Placez-vous dans un coin de ce pub labyrinthique et accueillant, et sympathisez avec Zao-za-dung, le groupe de la maison. Les tables sont si proches qu'on s'y fait forcément de nouveaux amis.

**Bamboo Bar** (carte p. 122 ; ☎ 0 2236 0400 ; Oriental Hotel, 48 Soi Oriental/38, Th Charoen Krung ; ferry Tha Oriental). Le bar de l'Oriental est célèbre pour ses concerts de jazz qui ont lieu dans une cabane de style colonial avec ventilateurs paresseux, palmiers et meubles en rotin.

## Discothèques

Les discothèques de Bangkok sont pour la plupart des établissements douteux, et les boîtes à la super ambiance que vous avez pu fréquenter il y a deux ou trois ans ont probablement disparu. Pour connaître la programmation en cours, consultez **Dude Sweet** (www.dudesweet.org), qui organise des soirées mensuelles extrêmement courues, et **Bangkok Recorder** (www.bangkokrecorder.com) pour les soirées à thème et les résidences temporaires de DJ célèbres.

L'entrée des clubs et des discothèques coûte de 250 à 600 B et comprend en général une boisson. Inutile de vous présenter avant 23h, ni sans pièce d'identité. La plupart des établissements ferment à 2h. Les Thaïlandais sortent plutôt en début de mois (au moment de la paie).

**Tapas Room** (carte p. 122 ; ☎ 0 2234 4737 ; 114/17-18 Soi 4, Th Silom ; Skytrain Sala Daeng, métro Silom). Vous ne trouverez rien à manger ici, mais le nom reflète bien l'ambiance hispano-marocaine qui règne dans cet antre aux multiples étages. La combinaison DJ/percussions live des jeudi et samedi fait des ravages.

**Club Culture** (carte p. 116 ; ☎ 0 89497 8422 ; Th Sri Ayuthaya ; 🕒 19h-tard mer, ven, sam ; Skytrain Phayathai). Situé dans un très beau bâtiment thaïlandais des années 1960, Club Culture est le nouveau venu le plus grand et le plus bizarre de Bangkok. On y danse au son de DJ internationalement reconnus.

**Glow** (carte p. 126 ; ☎ 0 2261 3007 ; 96/4-5 Soi 23, Th Sukhumvit ; Skytrain Asoke, métro Sukhumvit). Glow est un petit club à la grande réputation. Immense choix de vodka, nouveau sound-system amélioré, hip-hop (le vendredi), electronica (le samedi) et à peu près tout le reste les autres jours.

**Nung-Len** (carte p. 126 ; ☎ 0 2711 6564 ; 217 Soi Ekamai/63 ; Skytrain Ekamai). Jeune, bruyant et thaïlandais, Nung-Len ("asseyez-vous et détendez-vous") est un minuscule club extrêmement populaire sur Th Ekamai. Peu de chance de pouvoir entrer après 22h.

**Bed Supperclub** (carte p. 126 ; ☎ 0 2651 3537 ; www.bedsupperclub.com ; 26 Soi 11, Th Sukhumvit ; Skytrain Nana). Ce néon est depuis longtemps un des clubs phares de la ville. Vous pouvez y dîner (voir p. 173) et, si vous voulez danser, les soirées hip-hop du mardi sont renommées.

Soi 11 abrite désormais le bien connu **Q Bar** (carte p. 126 ; ☎ 0 2252 3274 ; Soi 11, Th Sukhumvit ; Skytrain Nana) et le plus récent **Twisted Republic** (carte p. 126 ; ☎ 0 2651 0800 ; www.twistedrepublic.com ; 37 Soi 11, Th Sukhumvit ; 300 B ; Skytrain Nana).

**Royal City Avenue** (RCA ; carte p. 114 ; près de Th Phra Ram IX) est bel et bien l'avenue du clubbing. Autrefois le repaire des ados, cette rue qui semble sortie de Las Vegas a enfin grandi et les lieux suivants accueillent des clubbeurs de tout âge :

**808 Club** (carte p. 114 ; www.808bangkok.com). Le leader actuel du quartier, avec des DJ de renom et des soirées absolument bondées.

**Cosmic Café** (carte p. 114 ; ☎ 0 2641 5619). À mi-chemin d'un pub et d'une discothèque. Venez le mercredi pour entendre des tubes disco thaïlandais des années 1980.

**Flix/Slim** (carte p. 114 ; ☎ 0 2203 0377). Le plus snob de la rue, avec son gros son house et sa clientèle blasée.

**Route 66** (carte p. 114 ; ☎ 0 1440 9666 ; www.route66club.com). Des sons plus jeunes avec du hip-hop et du R&B "vers l'Est", ainsi que différents styles de house "vers l'Ouest".

## Go-go bars

Tout ce que Tonton Robert vous a raconté sur Bangkok était vrai. Si elle est théoriquement illégale, la prostitution a pignon sur rue. Étant donné l'influence du crime organisé et les pots-de-vin généreux, elle n'est pas près de disparaître. Cela dit, malgré l'image qu'en donnent les médias occidentaux, ce qui ressort des quartiers chauds de Bangkok, ce n'est pas tant l'illégalité et l'exploitation (même s'il est indéniable qu'elles existent) que l'ennui et le kitsch. Les scènes où se produisent des femmes aux formes équivoques se trouvent à Patpong et leurs spectacles légendaires sont désormais principalement destinés aux touristes. Les hommes qui rechercheraient exclusivement des femmes (des *ladyboys*, ou *gà·teu·i*, également écrit *kàthoey*) les trouveront désormais dans Soi Cowboy ou Nana.

> **CABARET GÀ·TEU·I**
>
> La dernière attraction touristique à la mode à Bangkok est le spectacle de travestis reprenant des chansons kitsch. Le **Calypso Cabaret** (carte p. 124 ; ☎ 0 2653 3960 ; www.calypsocabaret.com ; Asia Hotel, 296 Th Phayathai ; 1 200 B ; 🕒 20h15 et 21h45 ; Skytrain Ratchathewi) et le **Mambo Cabaret** (carte p. 126 ; ☎ 0 2259 5128 ; Washington Theatre, Th Sukhumvit, entre Soi 22 et 24 ; 800 B ; 🕒 20h30 et 22h ; Skytrain Phrom Phong) proposent des spectacles de danse et de play-back sur des chansons pop par des hommes on ne peut plus virils.

**Patpong** (carte p. 122 ; Soi Patpong 1 et 2, Th Silom ; Skytrain Sala Daeng, métro Silom) est l'un des quartiers chauds les plus célèbres au monde. Le "charme" qui pouvait s'en dégager a été gâté par le tourisme et on y voit plus de fausses Rolex et de copies de T-shirts de marque que de peau dénudée. L'atmosphère très coquine subsiste évidemment, mais surtout à l'étage et derrière des portes closes. Si vous tenez vraiment à voir un "*pussy show*" (spectacle érotique), mettez-vous bien d'accord à l'avance sur le tarif, faute de quoi la note sera astronomique.

**Soi Cowboy** (carte p. 126 ; entre Soi 21 et Soi 23, Th Sukhumvit ; Skytrain Asoke, métro Sukhumvit). Cette ruelle flanquée de bars sexy date de l'époque post-guerre du Vietnam. Un vrai commerce des corps s'opère derrière les néons clignotants.

**Nana Entertainment Plaza** (carte p. 126 ; Soi 4/Nana Tai, Th Sukhumvit ; Skytrain Nana). Similaire à Soi Cowboy, ce complexe de trois étages départage les touristes sexuels de ceux qui viennent juste "pour voir". On y trouve quelques bars à *ladyboys*.

**Soi Twilight** (Soi Pratuchai ; carte p. 122 ; Soi Pratuchai, Th Surawong ; Skytrain Sala Daeng, métro Silom). Les spectacles de ce bar, petit frère gay du Patpong, mettent en scène de fins *ladyboys* comme de grands baraqués.

## Cinémas

Oubliez la pollution et la moiteur dans un des cinémas high-tech de la capitale. Tous les blockbusters hollywoodiens et un certain nombre de productions locales (comédie, horreur) sont à l'affiche. Les films étrangers sont parfois tronqués par la commission de censure thaïlandaise qui supprime la plupart du temps les scènes de nudité. Les mordus de cinéma préféreront sans doute les centres culturels de la ville (voir p. 111). Pour le grand jeu, offrez-vous les équipements haut de gamme que seul Bangkok peut vous proposer (voir encadré ci-dessous). La diffusion de tous les films est précédée de l'hymne royal thaïlandais, pendant lequel vous êtes censé vous lever respectueusement.

Les cinémas suivants projettent les films anglophones en version originale sous-titrée. Ceux des centres commerciaux proposent un service VIP. Le Lido et le Scala sont plus anciens et plutôt orientés vers le cinéma d'auteur. House est le premier cinéma "artistique" de Bangkok.

Les horaires sont disponibles sur **Movie Seer** (www.movieseer.com).

**EGV Grand** (carte p. 124 ; ☎ 0 2515 5555 ; Siam Discovery Center, Th Phra Ram I ; Skytrain Siam).

**House** (carte p. 114 ; ☎ 0 2641 5177 ; www.houserama.com ; Bât UMG, Royal City Ave, près de Th Petchaburi ; métro Phetburi).

**Lido Cinema** (carte p. 124 ; ☎ 0 2252 6498 ; Siam Sq, Th Phra Ram I ; Skytrain Siam).

**Paragon Cineplex** (carte p. 124 ; ☎ 0 2515 5555 ; Siam Paragon, Th Phra Ram I ; Skytrain Siam).

**Scala Cinema** (carte p. 124 ; ☎ 0 2251 2861 ; Siam Sq, Soi 1, Th Phra Ram I ; Skytrain Siam).

**SF Cinema City** (carte p. 124 ; ☎ 0 2268 8888 ; 7e ét., Centre MBK, angle Th Phra Ram I et Th Phayathai ; Skytrain National Stadium).

**SFX Cinema** (carte p. 126 ; ☎ 0 2268 8888 ; 6e ét., Emporium Shopping Centre, Th Sukhumvit ; Skytrain Phrom Phong).

## Spectacles traditionnels

Véritable sanctuaire de la culture thaïlandaise, Bangkok propose nombre de spectacles de théâtre et de danse. Pour plus d'informations sur ces traditions séculaires, voir p. 79.

**Théâtre royal de Chalermkrung** (Sala Chaloem Krung ; carte p. 120 ; ☎ 0 2222 0434 ; www.salachalermkrung.com ; angle Th Charoen Krung et Th Triphet ; 1 000-2 000 B ; ferry Tha Saphan Phut). Situé dans un bâtiment Art déco thaïlandais, à la limite du quartier de Chinatown-Phahurat, ce théâtre offre un cadre magnifique aux représentations de *kŏhn* (théâtre dansé et masqué évoquant l'épopée du *Ramakian*, la version thaïlandaise du *Ramayana*). À son ouverture en 1933, ce théâtre fondé par la famille royale était le plus grand et le plus moderne d'Asie. Les représentations de *kŏhn* durent 2 heures sans compter l'entracte. Téléphonez pour connaître les horaires. Une tenue correcte est demandée (ni short, ni débardeur, ni sandales), et pensez à prendre un châle ou un gilet pour supporter la climatisation.

**Théâtre Aksra** (carte p. 116 ; ☎ 0 2677 8888, ext 5604 ; www.aksratheatre.com ; King Power Complex, 8/1 Th Rang Nam ; 800 B ; 🕐 19h mar-ven, 13h et 19h sam-dim ; Skytrain Victory Monument). L'ancien théâtre de marionnettes de Joe Louis a déménagé et s'est installé dans l'Aksra Hoon Lakorn Lek. Divers spectacles ont désormais lieu dans ce théâtre moderne, mais les représentations les plus intéressantes sont celles du *Ramakian* avec des marionnettes d'une quarantaine de centimètres de hauteur que trois marionnettistes actionnent pour leur faire prendre des poses troublantes d'humanité.

### CINÉMA 4 ÉTOILES

Aller au cinéma est une sortie à part entière à Bangkok. Peu d'autres villes au monde peuvent s'enorgueillir d'avoir une salle de cinéma de moins de 50 places comme la EGV's Gold Class, dont le ticket comprend le prêt de couverture, oreiller, chaussettes et bien sûr le service à votre place de boissons et d'en-cas. Au Major Cineplex's Emperor Class, vous aurez, pour le prix d'un strapontin chez nous, une banquette double, spécial couple. Si les 5 000 places des 16 salles du Paragon Cineplex vous paraissent trop "populo", devenez membre de l'Enigma, un cinéma réservé à ses adhérents.

Que la chaleur et la moiteur des rues ne vous fassent pas oublier que tous les cinémas de Bangkok ont tendance à forcer un peu sur la climatisation. À moins d'être en Gold Class, pensez donc à vous munir d'un pull.

**Théâtre national** (carte p. 118 ; ☎ 0 2224 1352 ; Th Na Phra That ; 50-100 B ; ferry Tha Phra Chan). Quand les rénovations seront enfin achevées, le Théâtre national accueillera chaque mois des spectacles de danse dans la tradition royale, comme le *lá·kon* (théâtre dansé classique) et le *kŏhn*. Le programme en anglais est disponible au centre d'information de Bangkok voisin (p. 112).

**Théâtre Patravadi** (carte p. 118 ; ☎ 0 2412 7287 ; www.patravaditheatre.com ; 69/1 Soi Tambon Wanglang 1 ; 500 B ; ferry depuis Tha Maharat). Ce théâtre en plein air promeut le théâtre et la danse d'avant-garde à Bangkok. Sa nouvelle annexe, Studio 9, propose des dîners-spectacles les vendrediset samedi soir. Une navette gratuite passe prendre les spectateurs à Tha Mahathat, près de l'université de Silpakorn. Il est conseillé de réserver.

**Centre culturel thaïlandais** (carte p. 118 ; ☎ 0 2247 0028 ; www.thaiculturalcenter.com ; Th Ratchadaphisek entre Th Thiam Ruammit et Th Din Daeng ; métro Thailand Cultural Centre). Des représentations de danse classique ont parfois lieu dans la salle de concert, la galerie d'art ou les studios à ciel ouvert de ce centre. Des compagnies internationales de théâtre et de danse s'y produisent, notamment pendant le Festival international de musique et de danse, deux fois par an (juin et septembre). Il est recommandé de téléphoner pour connaître le programme, le site web n'étant pas mis à jour régulièrement.

Le parc Dusit (p. 143) accueille également des spectacles de danse classique chaque jour à 10h et 14h.

### Boxe thaïlandaise

Vous pourrez voir la crème de la crème de la boxe thaïlandaise combattre aux **stades Lumphini** (Sanam Muay Lumphini ; carte p. 128 ; ☎ 0 2251 4303 ; Th Phra Ram IV ; 3e/2de classe/devant le ring 1 000/1 500/2 000 B ; métro Lumphini) et **Ratchadamnoen** (Sanam Muay Ratchadamnoen ; carte p. 118 ; ☎ 0 2281 4205 ; Th Ratchadamnoen Nok ; 3e/2de classe/devant le ring 1 000/1 500/2 000 B ; bus 70, 503, 509). Les billets ne sont pas bon marché et vous paierez bien plus cher que les Thaïlandais. Pour couronner le tout, ces prix exorbitants ne comprennent aucun service spécial et, au stade Ratchadamnoen, les étrangers sont souvent placés dans un coin où la vue est partiellement obstruée. Vous apprécierez mieux le spectacle en étant préparé à l'arnaque que vous réservent les organisateurs...

Les places proches du ring permettent d'être aux premières loges, mais la foule de spectateurs est relativement calme (les paris y sont interdits). Les sièges de seconde classe sont occupés par des voyageurs et des bookmakers qui prennent les paris. Comme à la Bourse, les mains s'agitent entre les 2e et 3e classes pour communiquer les paris et les cotes. La 3e classe est la plus fiévreuse. Séparés du reste de la foule par un grillage, les fans se tiennent debout pour ne rien manquer du match (ou de l'issue de leurs paris). Si la perspective de voir des hommes se taper dessus vous enthousiasme, le spectacle des spectateurs de 3e classe vaut à lui seul le détour.

Les combats ont lieu toute la semaine, en alternance entre les deux stades : à Ratchadamnoen les lundi, mercredi et jeudi à 18h et le dimanche à 17h, et à Lumphini les mardi, vendredi et samedi à 18h. D'après les aficionados, les meilleurs combats sont ceux du mardi à Lumphini et du jeudi à Ratchadamnoen.

Une soirée comprend de 8 à 10 matchs de 5 rounds chacun. Le stade ne se remplit généralement qu'au moment des matchs importants, vers 20h ou 21h.

Devant le stade, des "employés" parlant anglais vous sauteront dessus dès votre arrivée. Il est arrivé que certains touristes se fassent escroquer, mais, la plupart du temps, ces membres du personnel vous indiqueront les guichets pour étrangers et vous remettront le programme des combats. Ils vous diront également quels sont les meilleurs matchs (d'après certains, ce sont les poids welter, entre 63,5 et 67 kg). Afin de ne pas encourager la contrebande, achetez toujours vos billets au guichet.

Pour vous mettre en appétit, les restaurants aux abords des stades vendent du *gài yâhng* (poulet grillé) et d'autres spécialités nord-thaïlandaises.

## ACHATS

Bienvenue au paradis des acheteurs. Difficile de ne pas être surpris par l'offre commerciale de Bangkok. La ville compte un des plus grands marchés à ciel ouvert du monde, d'innombrables et immenses centres commerciaux de luxe et des bazars sur quasi tous ses trottoirs. Cependant, en dépit de l'apparente diversité de l'offre, Bangkok n'excelle véritablement que dans un domaine : les babioles. Ce n'est pas ici que vous achèterez un appareil photo numérique dernier cri ou un (vrai) sac de marque. En revanche, vous pourrez faire le plein de

### LA RUÉE VERS L'ART

Si l'hyper urbanité de Bangkok semble satisfaire la plupart d'entre nous, la ville abrite aussi une scène artistique méconnue mais non négligeable. Les galeries d'art ont proliféré ces dernières années et la capitale thaïlandaise est devenue une plate-forme artistique dans la région, avec de jeunes artistes en provenance du Myanmar et du Cambodge, notamment. Pour découvrir les manifestations en cours pendant votre séjour, consultez l'excellente brochure gratuite *BAM!* (Bangkok Art Map). Quelques-unes des meilleures galeries :

- **100 Tonson Gallery** (carte p. 124 ; ☎ 0 2684 1527 ; www.100tonsongallery.com ; 100 Soi Tonson, Th Ploenchit ; 🕑 11h-19h jeu-dim ; Skytrain Chitlom) présente les travaux d'artistes émergents ou confirmés, locaux et internationaux. Peinture, sculpture et installations.
- **Bangkok Art and Culture Centre** (BACC ; carte p. 124 ; ☎ 0 2214 6630 ; www.bacc.or.th ; angle Th Phayathai et Th Phra Ram 1 ; Skytrain Siam). Ce complexe public flambant neuf combine art et commerce dans une tour en plein centre-ville.
- **Bangkok University Art Gallery** (BUG ; carte p. 114 ; ☎ 0 2350 3500 ; http://fab.bu.ac.th/buggallery ; 3e ét., Bât 9, City Campus, Th Phra Ram IV ; 🕑 9h30-19h mar-sam). Ce nouveau complexe spacieux est situé dans l'école d'art la plus pointue du pays. Les récentes expositions ont regroupé des œuvres de tout type réalisées par certains grands artistes thaïlandais et internationaux.
- **H Gallery** (carte p. 122 ; ☎ 0 1310 4428 ; www.hgallerybkk.com ; 201 Soi 12, Th Sathon ; 🕑 12h-18h mer-sam ; Skytrain Surasak). Une référence en matière de jeunes peintres abstraits thaïlandais.
- **Jamjuree Art Gallery** (carte p. 124 ; ☎ 0 2218 3708 ; Bât. Jamjuree, Chulalongkorn University, Th Phayathai ; 🕑 10h-19h lun-ven, 12h-18h sam-dim ; Skytrain Siam). Thèmes modernes et spirituels pour des œuvres abstraites aux couleurs chatoyantes, réalisées par des étudiants en art.
- **Kathmandu Photo Gallery** (carte p. 122 ; ☎ 0 2234 6700 ; www.kathmandu-bkk.com ; 87 Th Pan ; 🕑 11h-19h dim-ven ; Skytrain Surasak). La seule galerie de Bangkok exclusivement consacrée à la photographie. Le premier étage de cette ancienne échoppe portugaise présente des expositions temporaires de photographes et d'artistes thaïlandais et internationaux.
- **Queen's Gallery** (carte p. 118 ; ☎ 0 2281 5360 ; www.queengallery.org ; 101 Th Ratchadamnoen Klang ; entrée 20 B ; 🕑 10h-19h ; *klorng-taxi* jusqu'à Tha Phan Fah). Ce musée financé par la famille royale propose sur 5 étages des expositions temporaires d'art moderne et d'influence traditionnelle.
- **Surapon Gallery** (carte p. 128 ; ☎ 0 2638 0033 ; www.rama9art.org/gallery/surapon/index.html ; Tour Tisco, 1er ét., Th Sathon Neua ; Skytrain Sala Daeng, métro Silom). Art contemporain thaïlandais d'exception.
- **Tang Gallery** (carte p. 122 ; ☎ 0 2630 1114 ; sous-sol, Silom Galleria, 919/1 Th Silom ; 🕑 11h-19h lun-sam ; Skytrain Surasak). Premier lieu à accueillir des artistes chinois à Bangkok, cette galerie est devenue l'une des plus respectées en matière d'art contemporain. Les expositions sont annoncées à la réception de la Galleria.

porcelaine, de T-shirts à des prix défiant toute concurrence, de bibelots asiatiques et, si la culpabilité ne vous ronge pas, de CD et de logiciels pirates. Vous pourrez également acquérir des vêtements ou objets créés par de jeunes designers locaux (voir suggestions dans l'encadré p. 187).

Le problème est de dénicher les bonnes adresses dans cette ville tentaculaire. La *Nancy Chandler's map of Bangkok*, très bien faite, comporte des annotations sur toutes sortes de petites boutiques et de marchés (*tàlàat*) hors des sentiers battus.

## Antiquités

Les véritables antiquités thaïlandaises sont rares et coûteuses. La plupart des antiquaires de la ville conservent quelques pièces authentiques à l'intention des collectionneurs, et remplissent leurs magasins de pseudo-antiquités ou d'objets artisanaux ayant l'air ancien. La majorité des marchands vous diront franchement ce qui est vieux et ce qui ne l'est pas.

**River City Complex** (carte p. 120 ; Th Yotha, donnant sur Th Charoen Krung ; ferry Tha Si Phraya). Près du Royal Orchid Sheraton Hotel, ce centre commercial

### MARCHANDAGE

La plupart de vos achats à Bangkok nécessiteront de pratiquer une activité disparue depuis belle lurette en Occident : le marchandage. Contrairement à ce qui se pratique sur Th Khao San, le marchandage (*gahn đòr rahkah* en thaï) ne s'accompagne pas nécessairement d'animosité. Il s'agit plutôt pour les deux interlocuteurs de parvenir posément à un accord, juste pour chacun d'eux.

La première règle pour négocier, c'est d'avoir une notion du prix de l'objet. Renseignez-vous auprès de plusieurs vendeurs pour vous faire une idée. Il est recommandé de partir de 50% du prix demandé, puis de remonter. Si vous achetez plusieurs exemplaires d'un même objet, vous aurez d'autant plus de légitimité à demander et à obtenir une réduction. Si le vendeur accepte immédiatement votre prix, il doit être trop élevé, mais il serait malvenu de redémarrer la négociation. En règle générale, courtoisie et flexibilité joueront en votre faveur. Ne marchandez que si vous avez réellement l'intention d'acheter un article. Et, surtout, ne vous mettez pas en colère pour quelques bahts. Les Thaïlandais, qui ont tous moins d'argent que vous, ne réagissent jamais de la sorte.

compte plusieurs étages de magasins d'antiquités asiatiques en tout genre. Les meilleurs occupent les 3e et 4e niveaux. Old Maps & Prints possède l'une des plus belles collections de cartes et d'illustrations rares se rapportant à l'Asie. Une clientèle de touristes aisés garantit la qualité des marchandises, mais fait aussi grimper les prix. De nombreux magasins sont fermés le dimanche.

**Amantee** (carte p. 114 ; ☎ 0 2982 8694 ; www.amantee.com ; 131/3 Soi 13, Th Chaeng Wattana ; 🕑 9h-20h ; accès en taxi depuis la station de Skytrain Mo Chit). Bien que situé loin du centre-ville, ce "sanctuaire des antiquités et de l'art tibétain et oriental" vaut le détour. Constitué de plusieurs maisons traditionnelles communicantes qui abritent de nombreux objets chics, il comprend aussi un café (ouvert de 9h à 17h) et une chambre d'hôtes. Des événements culturels y sont parfois organisés. Vous pouvez télécharger sur le site Internet une carte en thaï pour le taxi.

**House of Chao** (carte p. 122 ; ☎ 0 2635 7188 ; 9/1 Th Decho ; 🕑 9h-19h ; Skytrain Chong Nonsi). Cette maison ancienne abrite un magasin d'antiquités sur trois étages. Vous y trouverez tout ce qu'il faut pour décorer la demeure coloniale de vos rêves. Les portes, encadrements de porte, portails et treillages usés par le temps sont présentés dans l'espace couvert situé derrière la salle d'exposition.

## Grands magasins et centres commerciaux

Les grands magasins de Bangkok sont autant d'oasis d'ordre et de modernité dans un chaos de bruit et de pollution. Il y fait extrêmement froid, et une grande partie de la population de Bangkok s'y réfugie les dimanches après-midi pour échapper à la chaleur. Les stations du Skytrain disposent souvent de passages menant directement aux magasins. La plupart des centres commerciaux sont ouverts de 10h ou 11h à 21h ou 22h.

Le choix dans les centres commerciaux de Bangkok est étonnamment vastes, mais ne vous attendez pas à faire des affaires : la plupart des articles importés coûtent plus cher qu'en Europe. Ne vous offusquez pas de voir les vendeurs ou les vendeuses vous suivre à la trace entre les rayons : c'est l'expression du service à la thaïlandaise. Par ailleurs, assurez-vous qu'un article vous convient avant de le payer : les magasins n'acceptent pas les retours.

**Centre MBK** (Mahboonkhrong ; carte p. 124 ; ☎ 0 2217 9111 ; angle Th Phra Ram I et Th Phayathai ; Skytrain National Stadium). Ce centre commercial colossal est devenu une attraction touristique à part entière. On y entend parler suédois autant que thaï et, tous les week-ends, la moitié de Bangkok s'y retrouve pour farfouiller parmi les innombrables petits stands et boutiques. C'est ici que vous trouverez au meilleur prix lentilles de contact, téléphones portables et leurs accessoires ou articles de marque bradés. C'est également l'un des meilleurs endroits pour acheter du matériel photographique, neuf ou d'occasion.

**Siam Center & Siam Discovery Center** (carte p. 124 ; angle Th Phra Ram I et Th Phayathai ; Skytrain National Stadium). Ces deux centres commerciaux jumeaux sont presque austères en comparaison du frénétique MBK, de l'autre côté de la rue. Siam Discovery Center est spécialisé dans la décoration d'intérieur (le 3e niveau est entièrement consacré au minimalisme à l'asiatique et aux tissus chatoyants). Siam Center, premier centre commercial construit en Thaïlande (en 1976), a récemment été relooké pour attirer les jeunes *fashionistas*. La mode branchée est la nouvelle spécialité du lieu ; vous pouvez trouver plusieurs lignes de vêtements locales au 2e étage.

**Siam Paragon** (carte p. 124 ; ☎ 0 2610 8000 ; Th Phra Ram I ; Skytrain Siam). Dernier en date, le plus grand et le plus glamour des centres commerciaux de la ville, le Siam Paragon a plutôt des allures de parc urbain, avec, presque à tous les étages, les grands noms du luxe. La foule des consommateurs se concentre dans l'atrium miroitant de la piscine ou s'affaire au premier sous-sol consacré à l'alimentation. Kinokuniya, le plus grand magasin de livres anglophones de Thaïlande, occupe le 5e étage.

**Central World Plaza** (carte p. 124 ; ☎ 0 2635 1111 ; Th Ratchadamri et Th Phra Ram I ; Skytrain Chitlom). Sérieusement distancé, ce mastodonte est revenu dans le peloton de tête, au prix de grands efforts de modernisation, passant d'une image ringarde à celle de vitrine des tendances. Une passerelle surélevée relie le centre commercial au Skytrain et à d'autres centres commerciaux voisins.

**Gaysorn Plaza** (carte p. 124 ; angle de Th Ploenchit et Th Ratchadamri ; Skytrain Chitlom). Avec ses escaliers en spirales et ses halls blancs, le Gaysorn Plaza est devenu un véritable musée de la haute couture. Les couturiers locaux occupent le 2e niveau, tandis que le dernier étage invite à une promenade dans des intérieurs du dernier chic.

**Central Chit Lom** (carte p. 124 ; ☎ 0 2655 1444 ; 1027 Th Ploenchit ; Skytrain Chitlom). Réputé pour le choix et la qualité, le Central compte 13 succursales dans la capitale, en plus de la maison mère. Si vous êtes curieux des dernières tendances de la mode locale, inspectez les collections des couturiers thaïlandais, comme Tube, ou découvrez la marque de cosmétiques Erb.

**Emporium Shopping Centre** (carte p. 126 ; 622 Th Sukhumvit, angle Soi 24 ; Skytrain Phrom Phong). Temple du luxe, l'Emporium abrite les boutiques Prada, Miu Miu et Chanel, et les marques thaïlandaises comme Greyhound et Propaganda.

**Pantip Plaza** (carte p. 124 ; 604 Th Phetchaburi ; Skytrain Ratchathewi). Au nord de Siam Square, ce centre regroupe cinq niveaux de magasins d'électronique plus ou moins licites. On vient ici pour acheter des périphériques et logiciels pirates, mais la foule et les revendeurs ("*DVD sex* ?") rendent l'expérience éreintante.

## Mode et textiles

Devenue très tendance, Bangkok est une ville de plus en plus intéressante en matière de mode. Des couturiers thaïlandais comme senada*, Fly Now et Tango ont prouvé que la Thaïlande avait désormais sa place sur la scène internationale. Quant aux jeunes branchés, reconnaissables à leur look "Bangkok", ils s'habillent à des prix plus modiques dans les nombreux centres commerciaux.

### 7-ELEVEN FOREVER

Méfiez-vous des rendez-vous que l'on vous donnerait "devant le 7-Eleven". Il existerait 3 912 magasins 7-Eleven rien qu'en Thaïlande (et leur nombre ne cesse d'augmenter), soit plus de la moitié qu'aux États-Unis. À Bangkok, ils sont omniprésents, si bien qu'il n'est pas rare de trouver deux boutiques se faisant face dans une même rue.

Le premier *sewên* du pays (prononciation thaïlandaise) a été ouvert à Patpong en 1991. Le succès fut quasi immédiat et, en Asie, seuls le Japon et Taïwan comptent aujourd'hui plus de branches que la Thaïlande. Les magasins sont soit la propriété de la marque, soit des franchises gérées par des indépendants.

L'entreprise s'enorgueillit de proposer plus de 2 000 articles, mais les saveurs thaïlandaises ne sont pas représentées dans les boutiques de Bangkok, plutôt pourvues en cochonneries pour grignotages en tout genre. Comme partout en Thaïlande, l'alcool n'y est vendu que de 11h à 14h et de 17h à 23h, et les 7-Eleven situés aux abord des hôpitaux, des temples ou des écoles ne vendent ni alcool ni cigarettes (mais vous y trouverez tous les ingrédients d'une alimentation malsaine).

Dans une ville aussi étouffante que Bangkok, la variété de boissons disponibles dans les 7-Eleven est particulièrement appréciable. On peut également payer ses factures au "Service counter" et acheter des cartes téléphoniques, des prophylactiques et quelques "livres" (mais, bizarrement, peu de journaux). Parfois, le simple bonheur de se retrouver dans un espace climatisé justifie une visite au 7-Eleven. Sans oublier les petites serviettes rafraîchissantes, idéales pour se débarrasser, avant un rendez-vous, de la couche de pollution et de transpiration accumulée.

**Siam Square** (carte p. 124 ; entre Th Phra Ram I et Th Phayathai ; Skytrain Siam). Ce paradis pour ados aligne ses boutiques branchées éphémères dans 12 *soi*, pour la plupart de jeunes créateurs qui se lancent. C'est le bon endroit pour acheter des vêtements que vous ne verrez nulle part ailleurs et les sociologues dans l'âme pourront y observer les ados thaïlandais dans leur habitat naturel.

**It's Happened to be a Closet** (carte p. 118 ; ☎ 0 2629 5271 ; 32 Th Khao San ; 🕒 13-23h ; ferry Tha Phra Athit). Une mine de fringues conçues et fabriquées sur place. Les couleurs vives et les coupes originales priment dans cette boutique éclectique qui comprend un café-restaurant, un salon de coiffure et de manucure, ainsi que des salons privés où regarder des films. Ce complexe entièrement noir est situé dans la même cour que le restaurant Tom Yam Kung.

**Fly Now** (carte p. 124 ; ☎ 0 2656 1359 ; 2e niv., Gaysorn Plaza, angle Th Ploenchit et Th Ratchadamri ; Skytrain Chitlom). L'une des premières boutiques à promouvoir la haute couture thaïlandaise. Créations remarquées à plusieurs occasions sur la scène internationale. Également disponibles au Siam Center (p. 182) et au Central World Plaza (p. 183).

**Tango** (carte p. 124 ; ☎ 0 2656 1047 ; www.tango.co.th ; Gaysorn Plaza, angle Th Ploenchit et Th Ratchadamri ; Skytrain Chitlom). La spécialité de cette marque locale sont les articles branchés en cuir… qu'il est difficile d'identifier sous les nombreuses broderies et les grosses breloques. Également disponibles au Siam Center (p. 182).

**Jim Thompson** (carte p. 122 ; ☎ 0 2632 8100 ; 9 Th Surawong ; 🕒 9h-18h ; Skytrain Sala Daeng, métro Silom). Cette boutique, la plus grande de la marque fondée par Jim Thompson (qui contribua à exporter la soie thaïlandaise à l'étranger), vend des mouchoirs, sets de table, châles et coussins en soie colorée. Juste au-dessus, au 149/4-6 Th Surawong (carte p. 122 ; ☎ 0 2235 8931), un magasin d'usine vend des fins de série à des tarifs très intéressants.

### COACH EN SHOPPING

Gaysorn Plaza (p. 184) est sans doute le centre commercial le plus chic de Bangkok. Sa multitude de magasins de luxe a dû perturber plus d'un visiteur, car vous pouvez maintenant louer les services d'un **consultant en style de vie** (☎ 0 2656 1177). Gratuitement, mais sur rendez-vous, 2 "experts" (un designer local et une maquilleuse) vous accompagneront pour choisir la tenue idéale, le mascara qu'il vous faut et le soin du corps qui vous conviendra.

## Artisanat

Les marchés pour touristes vendent une multitude d'objets manufacturés que l'on retrouve dans toutes les villes touristiques. Dans les centres commerciaux, la qualité des produits – et les prix – sont légèrement supérieurs. Ce sont les boutiques indépendantes qui proposent les articles les plus intéressants. Voir l'encadré p. 187 pour d'autres magasins plus design.

**Thai Home Industries** (carte p. 122 ; ☎ 0 2234 1736 ; 35 Soi Oriental, Th Charoen Krung ; 🕒 9h-18h30 lun-sam ; ferry Tha Oriental). Visiter cette ancienne résidence de moines à l'allure de temple, c'est comme découvrir un butin oublié. Malgré son désordre et la diversité surprenante des éléments qui y sont rassemblés (des assiettes aux maquettes de bateaux), cette boutique est bien plus amusante que beaucoup de magasins d'objets artisanaux classiques et sans âme.

**Narai Phand** (carte p. 124 ; ☎ 0 2656 0398 ; www.naraiphand.com ; rdc, President Tower, 973 Th Ploenchit ; 🕒 10h-20h ; Skytrain Ploenchit). Vous trouverez ici des objets artisanaux de piètre qualité à prix fixes, dans un environnement climatisé. Ce magasin gouvernemental ne propose rien de plus que les marchés touristiques, mais c'est une bonne option si vous êtes pressé ou stressé à l'idée de marchander.

**Nandakwang** (carte p. 126 ; ☎ 0 2258 1962 ; 108/2-3 Soi Prasanmit/23, Th Sukhumvit ; 🕒 9h-18h lun-sam, 10h-17h dim ; Skytrain Asoke, métro Sukhumvit). Annexe d'un magasin de Chiang Mai, Nandakwang vend un bric-à-brac intéressant d'articles en bois, en verre et en tissu. Les sacs et coussins brodés à la main sont particulièrement jolis. Magasin également dans le Siam Discovery Center (carte p. 182).

**Taekee Taekon** (carte p. 118 ; ☎ 0 2629 1473 ; 118 Th Phra Athit ; 🕒 8h30-18h lun-sam ; ferry Tha Phra Athit). Très belle sélection de chemins de table et de tentures murales provenant des principales régions productrices de soie en Thaïlande. En plus des soieries, vous trouverez de petits échantillons de faïence céladon et de magnifiques cartes postales.

### LA CHASSE AUX FAUSSES PIERRES PRÉCIEUSES

On ne saurait trop insister : si vous n'êtes pas spécialiste, n'achetez pas de pierres non ser[illegible] Thaïlande. D'innombrables touristes ont été victimes d'escroquerie à la pierre précieuse, ar[illegible]aque juteuse et bien rodée lors de laquelle un sympathique inconnu vous entraîne dans une boutique et vous incite à acheter des pierres précieuses en gros, en vous promettant que vous pourrez les revendre le double dans votre pays. Les soit-disant experts (membres d'un cartel bien organisé) semblent de bonne foi quand ils expliquent qu'ils ont besoin d'un ressortissant du pays pour contourner les régulations douanières. Le véritable commerce de pierres précieuses ne fonctionne pas de la sorte et les touristes qui acceptent de jouer le jeu se retrouvent bien souvent avec des éclats de verre sans valeur. Une fois qu'ils s'en rendent compte, il est trop tard. Le magasin aura fermé, les noms auront changé et la police ne pourra rien faire pour les aider. Pour en savoir plus ou pour signaler une escroquerie, rendez-vous sur www.2bangkok.com à la page "Gem Scam" où sont exposés les résultats de 5 années de travail sur le sujet. Vous pouvez également trouver sur **Thai Gems Scam Group** (www.geocities.com/thaigemscamgroup) des photos des rabatteurs qui sévissent aux abords des temples. La police touristique pourra dans certains cas régler des litiges, mais n'espérez pas de miracles.

## Pierres et bijoux

On dit souvent que la Thaïlande est un bon endroit pour acheter des pierres et des bijoux. En réalité, vous avez beaucoup plus de chances de vous faire avoir que de faire une bonne affaire. Pour plus de détails sur les escroqueries à la pierre précieuse, voir l'encadré ci-dessus.

Les deux vendeurs suivants jouissent d'une solide réputation :

**Johnny's Gems** (carte p. 120 ; ☎ 0 2224 4065 ; 199 Th Fuang Nakhon ; lun-sam ; ferry Tha Saphan Phut). Une des bonnes adresses des expatriés de Bangkok depuis longtemps. Johnny's Gems est un nom de confiance dans un secteur qui n'en est pas toujours digne.

**Uthai's Gems** (carte p. 124 ; ☎ 02 253 8582 ; 28/7 Soi Ruam Rudi ; lun-sam ; Skytrain Ploenchit). Les 40 années d'expérience d'Uthai, ses prix fixes et son service de qualité, dont la garantie "satisfait ou remboursé", en font une adresse renommée.

## Marchés

Si les centres commerciaux climatisés proposent un meilleur service, les marchés de plein air reflètent le vrai Bangkok commerçant, et c'est là que vous ferez les meilleures affaires.

### MARCHÉS NON SPÉCIALISÉS

**Marché du week-end de Chatuchak** (Talat Nat Jatujak ; carte p. 114 ; 9h-18h sam-dim ; Skytrain Mo Chit, métro Chatuchak Park). Il est l'un des plus grands du monde. On y trouve tout ce qui s'achète, des baskets vintage aux bébés écureuils. "JJ", comme on dit, est l'endroit idéal pour acheter vos souvenirs à la dernière minute et pour trouver des objets de décoration pour votre intérieur. Le marché est plus ou moins divisé en sections thématiques. Le meilleur moyen pour s'y retrouver est de consulter la *Nancy Chandler's Map of Bangkok*. Chatuchak étant une institution thaïlandaise, la nourriture y joue un rôle prépondérant et on y trouve de nombreux vendeurs de boissons et d'en-cas, ainsi que plusieurs bons restaurants en bordure de marché. Prévoyez d'y passer la journée pour voir, faire et acheter le maximum de choses. L'idéal est de venir tôt, vers 9h ou 10h, pour éviter la foule et la chaleur.

Un centre d'information qui délivre des plans, une banque avec DAB et un guichet de change sont installés dans les bureaux du parc, près de l'extrémité nord des Soi 1, Soi 2 et Soi 3 du marché. Des plans schématiques, ainsi que des toilettes, sont répartis dans le marché.

Une section du marché, "Or Tor Kor", vend des fruits et fruits de mer gigantesques, et possède un rayon de produits tout à fait honorable.

**Marché de Pak Khlong** (carte p. 120 ; Th Chakkaphet et Th Atsadang ; 24h/24 ; ferry Tha Saphan Phut). Toutes les nuits, ce marché proche du Chao Phraya devient le plus grand marché de fleurs en gros. Venez le plus tard possible et n'oubliez pas votre caméra pour immortaliser le mouvement des roses, lotus et marguerites. Pendant la journée, Pak Khlong est un marché de gros pour fruits et légumes.

**Marché aux Vespa** (carte p. 114 ; angle Th Ratchadaphisek et Th Lad Phrao, agglomération de Bangkok ; 18h-minuit sam ; métro Lat Phrao). Cow-boys urbains, branchés,

## ÉTUDE DE MARCHÉS

Les marchés en plein air sont au cœur des échanges commerciaux à Bangkok, mais le choix peut être déconcertant. Cette antisèche vous aidera à dépenser vos bahts le mieux possible.

- **Marché du week-end de Chatuchak** (p. 185). Pour faire le plein de souvenirs ou investir dans un survêtement vintage.
- **Marché de Nonthaburi** (ci-contre). Le marché aux fruits et légumes le plus pittoresque du quartier, en particulier avant 7h du matin.
- **Marché de Pak Khlong** (ci-contre). C'est tard que l'on peut le mieux admirer la poésie de ce marché aux fleurs (tous les soirs).
- **Marché de Pratunam** (ci-contre). Des hectares de fringues moins chères qu'une paire de chaussettes chez nous.
- **Marché aux Vespa** (ci-contre). Le repaire des scooters vintage et des jeunes Thaïlandais branchés, chaque samedi soir.

adeptes du hip-hop et punks éméchés se mêlent dans ce vaste marché extérieur, melting-pot de la culture underground de Bangkok. À l'origine spécialisé dans les véhicules anciens, il propose désormais surtout des T-shirts originaux, des baskets d'occasion et des objets d'art moderne.

**Marché de Nonthaburi** (carte p. 114 ; Tha Nam Non, Nonthaburi ; ⏲ 5h-8h ; ferry Tha Nonthaburi). Situé non loin de l'embarcadère de Nonthaburi, point le plus au nord desservi par les bateaux du Chao Phraya Express, ce marché alimentaire est le plus vaste et le plus pittoresque de la région. Venez tôt, car beaucoup de vendeurs partent avant 9h.

**Marché de Pratunam** (carte p. 124 ; angle Th Petchaburi et Th Ratchaprarop ; ⏲ 8h-18h ; *klorng-taxi* jusqu'à Tha Pratunam). Pratunam, le plus grand marché vestimentaire de la ville, est un labyrinthe étroit d'étals serpentant entre les immeubles du quartier. En plus des T-shirts et jeans bon marché, on y vend des bagages, des articles de toilette en vrac et des souvenirs.

**Sampeng Lane** (carte p. 120 ; Sampeng Lane/Soi Wanit 1, Chinatown ; ferry Tha Ratchawong). Ce marché de gros, presque parallèle à Th Yaowarat, sert de frontière entre les quartiers de Chinatown et de Phahurat. Prenez l'étroite artère depuis Th Ratchawong et suivez-la (vous traverserez ainsi tout le marché) — sacs à main, vaisselle, accessoires de coiffure, autocollants, gadgets japonais, porte-clés électroniques en plastique… Quand l'allée croise Phahurat, ce sont surtout des magasins de tissus tenus par des Indiens (sikhs pour la plupart). À moins de rechercher quelque chose de précis, la visite de Sampeng est surtout distrayante.

**Marché de Phahurat** (carte p. 120 ; Th Phahurat et Th Triphet ; ferry Tha Saphan Phut). De l'autre côté de l'Old Siam Plaza, dans le quartier indien des tissus, on a une préférence pour les couleurs tape-à-l'œil, les fausses fourrures, les paillettes fluo et les tissus que vous ne verriez qu'à Halloween ou sur une scène de théâtre thaïlandais. Plus loin dans le marché, on trouve des vêtements pour enfants et des textiles thaïlandais à bon prix.

**Soi Lalaisap** (carte p. 122 ; Soi Lalai Sap/5, Th Silom ; ⏲ 8h-18h ; Skytrain Chong Nonsi). Toutes sortes de vêtements, montres et articles de maison bon marché. Des articles légèrement défectueux sortant d'usines de marques y seraient écoulés.

### MARCHÉS TOURISTIQUES

Les vendeurs de souvenirs possèdent un flair sans pareil pour prédire ce que le touriste voudra rapporter chez lui. Parmi les indémodables : T-shirts grivois, coussins thaïlandais, CD pirates et sarongs en synthétique. Les marchés pour touristes ne proposent pas nécessairement les mêmes choses ; ainsi, pour les produits érotiques, on se rendra plutôt à Th Sukhumvit qu'à Th Khao San, tandis que les vêtements en chanvre sont absolument introuvables à Patpong.

**Marché de Th Sukhumvit** (carte p. 126 ; Th Sukhumvit entre Soi 2 et 12, 3 et 15 ; ⏲ 11h-10h30 ; Skytrain Nana). Sacs et montres à prix réduits, DVD érotiques, *shuriken* chinois, briquets phalliques et autres souvenirs d'un goût douteux.

**Marché de Th Khao San** (carte p. 118 ; Th Khao San, ⏲ 11h-23h ; ferry Tha Phra Athit). La principale artère de pensions de Banglamphu abrite un marché permanent, ouvert jour et nuit. T-shirts, CD pirates, éléphants en bois, vêtements en chanvre, coussins thaïlandais (en forme de pyramide), pantalons baggy et tout l'attirail du bourlingueur.

**Marché de nuit de Patpong** (carte p. 122 ; Patpong Soi 1 et 2, Th Silom ; 19h-1h ; Skytrain Sala Daeng, métro Silom). Ce marché et ses montagnes de produits de contrefaçon, notamment les montres et les vêtements, attirent plus de monde que les spectacles de ping-pong. N'hésitez pas à marchander, car les prix affichés sont généralement astronomiques.

## Tailleurs

Les meilleurs tailleurs de Bangkok ont une clientèle fidèle dans le corps diplomatique. Quant aux autres, souvent moins scrupuleux, ils se rabattent sur la manne que représentent les touristes. Les escroqueries classiques vont du chauffeur de *túk-túk* avide de commissions à la coupe approximative, en passant par le tissu de mauvaise qualité. N'oubliez pas que ce sont plutôt les clients qui cherchent les bons tailleurs que l'inverse.

Chemises et pantalons sont en général prêts en 48 heures, ou moins, si l'essayage se fait en une seule fois. Sachez qu'il faut plus d'un ou deux essayages pour un costume parfait. Les tailleurs consciencieux vous demanderont de revenir entre deux et cinq fois.

Parmi les adresses réputées :

**Pinky Tailors** (carte p. 124 ; ☎ 0 2252 9680 ; www.pinkytailor.com ; 888/40 Mahatun Plaza Arcade, Th Ploenchit ; 10h-19h30 lun-sam ; Skytrain Ploenchit). Les vestes de costumes sur mesure sont la spécialité de M. Pinky depuis 35 ans. Derrière le Mahatun Building.

**Marco Tailors** (carte p. 124 ; ☎ 0 2251 7633 ; 430/33 Soi 7, Siam Sq ; 10h-17h lun-ven ; Skytrain Siam). Ce tailleur réputé confectionne exclusivement des costumes pour hommes. Vaste choix de lainages et de cotons à des prix raisonnables.

**Manhattan Custom Tailor** (carte p. 126 ; ☎ 0 2253 0173 ; 155/9 Soi 11/1, Th Sukhumvit ; 10h-19h lun-sam ; Skytrain Nana). Un des nombreux tailleurs situés autour de la partie inférieure de Sukhumvit, Manhattan jouit de critiques favorables.

# DEPUIS/VERS BANGKOK

## Avion

Bangkok a deux aéroports. Après des années de retard, l'**aéroport international de Suvarnabhumi** (carte p. 195 ; ☎ 0 2723 0000 ; www.bangkokairportonline.com) est entré en service en septembre 2006 et assure les vols

### DES SOUVENIRS QUI CHANGENT

Vous avez trouvé votre éléphant brodé, vos chaussons en soie et votre grenouille en bois qui coasse ? Sachez qu'il existe aussi des tas d'articles locaux dont vous ne vous serez pas lassé dans un an ou deux !

- **D&O Shop** Cette galerie en plein air est le premier établissement créé par une association destinée à encourager la visibilité des designers thaïlandais à l'étranger. Les articles, modernes et branchés, donnent une image nouvelle du design thaïlandais. Disponible à Gaysorn (p. 183).
- **Doi Tung/Mae Fah Luang** Ce projet financé par la famille royale vend de magnifiques tapis tissés à la main, de la porcelaine luxueuse et du café thaïlandais de premier choix. Boutique dans le Siam Discovery Center (p. 182).
- **Harnn & Thann** Des produits de beauté à base de plantes qui sentent si bon qu'on les mangerait. Lotion de massage à la lavande, savon au son de riz, compresses au jasmin... Les produits sont naturels, ancrés dans la tradition médicinale thaïlandaise et suffisamment stylés pour côtoyer les grandes marques cosmétiques dans votre salle de bains. Disponible à Gaysorn (p. 183).
- **Couverts Niwat** Issue de la tradition de confection d'épées de la province d'Ayuthaya, l'entreprise familiale NV Aranyik fabrique des couverts typiquement thaïlandais en Inox. Disponible à Gaysorn (p. 183).
- **Propaganda** Le designer thaïlandais Chaiyut Plypetch a imaginé le personnage emblématique de cette marque, le diabolique Mr P, présent sur des lampes et autres produits de forme humaine. Disponible au Siam Discovery Center (p. 182) et à l'Emporium (p. 183).

internationaux et certains vols intérieurs. Il est situé à 30 km à l'est de Bangkok. Son nom se prononce "*soo-wan-na-poom*". Il a hérité du code BKK, utilisé auparavant par l'ancien aéroport de Don Muang. Le site non officiel de l'aéroport www.bangkokairportonline.com propose des informations pratiques en anglais et le détail des arrivées et départs en temps réel.

Fermé en septembre 2006, l'ancien aéroport international et domestique de Bangkok, l'**aéroport de Don Muang** (☎ 0 2535 1111 ; www.airportthai.co.th), situé à 25 km au nord du centre de Bangkok, a repris des vols intérieurs en mars 2007 afin de désengorger Suvarnabhumi. D'après des rumeurs circulant au moment de notre visite, la fermeture de l'aéroport serait imminente. Jusqu'à présent, des vols intérieurs y transitent encore. Vous trouverez le détail des arrivées et départs en temps réel sur www.donmuangairportonline.com, le site non officiel de l'aéroport.

Pour les hôtels situés à proximité des aéroports, voir l'encadré p. 159. Pour des détails concernant les moyens de transport depuis/vers les aéroports, voir ci-contre.

### COMPAGNIES AÉRIENNES

Les compagnies aériennes suivantes assurent les liaisons intérieures et parfois des vols internationaux. La liste des compagnies assurant les vols internationaux se trouve p. 775.

**Air Asia** (☎ 0 2515 9999 ; www.airasia.com ; aéroport international de Suvarnabhumi). De Suvarnabhumi vers Chiang Mai, Chiang Rai, Hat Yai, Phuket, Surat Thani, Udon Ratchathani et Udon Thani.

**Bangkok Airways** (carte p. 114 ; ☎ 0 2265 5555, centre d'appel 1771 ; www.bangkokair.com ; 99 Moo 14, Th Viphawadee). Suvarnabhumi à Chiang Mai, Phuket, Ko Samui, Sukhothai et Trat. Agence à l'aéroport international de Suvarnabhumi.

**Nok Air** (carte p. 122 ; ☎ 1318 ; www.nokair.co.th ; 17e ét., Bât Rajanakarn, Th Sathon). Cette filiale de Thai propose des vols de Don Muang à Chiang Mai, Hat Yai, Nakhon Si Thammarat, Phuket, Trang et Udon Thani. Nok Air opère également en partenariat avec PB Air de Suvarnabhumi à Buriram, Lampang, Nakhon Phanom, Nan, Roi Et et Sakon Nakhon. Agences dans les deux aéroports.

**One-Two-Go** (carte p. 126 ; ☎ 0 2229 4260, centre d'appel 1126 ; www.fly12go.com ; 18 Th Ratchadaphisek). Filiale domestique d'Orient Thai. Vols de Don Muang à Chiang Mai, Chiang Rai, Hat Yai, Nakhon Si Thammarat et Phuket. Agence à l'aéroport de Don Muang.

**PB Air** (carte p. 126 ; ☎ 0 2261 0222 ; www.pbair.com ; Bât UBC II, 591 Soi Daeng Udom/33, Th Sukhumvit). Suvarnabhumi à Buriram, Chumphon, Lampang, Mae Hong Son, Nan, Nakhon Phanom, Roi Et et Sakon Nakhon. Agence à l'aéroport international de Suvarnabhumi.

**SGA Airlines** (carte p. 114 ; ☎ 0 2664 6099 ; www.sga.co.th ; 19/18-19 Royal City Ave/RCA, près de Th Phra Ram IX). Filiale de Nok Air (ce qui en fait la filiale d'une filiale), SGA propose des vols sur de minuscules avions à hélices de Suvarnabhumi à Hua Hin, et de Chiang Mai à Chiang Rai, Mae Hong Son et Pai. Agence à l'aéroport international de Suvarnabhumi.

**Thai Airways International** (THAI ; ☎ 0 2356 1111 ; www.thaiairways.co.th) Silom (carte p. 122 ; ☎ 0 2232 8000 ; adresse temporaire rdc, Bât BUI, 175-77 Soi Anuman Rachathon, adresse permanente 485 Th Silom) ; Banglamphu (carte p. 118 ; ☎ 0 280 0110 ; 6 Th Lan Luang). Affrète des vols domestiques à destination de nombreuses capitales de province. Agences dans les deux aéroports.

## Bus

De Bangkok partent des lignes de bus qui sillonnent tout le royaume. Pour les voyages longue distance vers des destinations touristiques populaires, il est conseillé d'acheter les billets directement auprès des compagnies de bus situées dans les gares, plutôt que de passer par les agents de voyage de Th Khao San. Voir l'encadré p. 113 pour les escroqueries à éviter dans les transports.

### GARES ROUTIÈRES

La ville compte trois grandes gares routières pour les bus publics ; deux d'entre elles sont assez éloignées du centre-ville. Comptez une heure pour les atteindre depuis n'importe quel endroit de Bangkok.

Le **terminal Est** (Ekamai ; carte p. 126 ; ☎ 0 2391 6846 ; Soi Ekamai/40, Th Sukhumvit ; Skytrain Ekamai), dit aussi gare d'Ekamai (*sà·tăh·ni èk·gà·mai*), est le point de départ des bus pour Pattaya, Rayong, Chanthaburi et d'autres destinations à l'est.

Le **thosara et Nord-Est** (carte p. 114 ; bus vers le nord ☎ 0 2936 3659-60 ; bus vers le nord-est ☎ 0 2936 2852, 0 2936 2841-8 ; Th Kamphaeng Phet) se situe au nord du parc Chatuchak. On l'appelle également gare de Moh Chit (*kŏn sòng mŏr chít* ; à ne pas confondre avec la gare BTS de Mor Chit). Les bus desservent les villes du Nord et du Nord-Est. Les bus pour Aranya Prathet (à la frontière cambodgienne) partent également de cette gare, et non du terminal Est, comme on pourrait s'y attendre. Pour rejoindre le terminal, prenez le Skytrain jusqu'à

Mo Chit, puis un bus n°3, ou bien empruntez un moto-taxi.

Le nouveau **terminal Sud des bus** (Sai Tai Mai ; carte p. 114 ; ☎ 0 2435 1200 ; angle Th Bromaratchachonanee et Th Phuttamonthon 1, Thonburi) est assez éloigné du centre-ville. Souvent appelée *săi đâi mài*, c'est l'une des gares routières les plus agréables et ordonnées du pays. En plus des bus en partance vers le sud de Bangkok, c'est ici que s'effectuent les départs pour Kanchanaburi et l'ouest de la Thaïlande. Pour vous y rendre, prenez le bus 503 de Th Phra Athit ou prenez un taxi sur Th Ratchadamnoen, en direction du fleuve.

### Train

La **gare de Hualamphong** (carte p. 120 ; ☎ 0 2220 4334, informations générales et réservations 1690 ; www.railway.co.th ; Th Phra Ram IV ; métro Hualamphong) est le terminus pour la plupart des trajets en provenance du sud, du nord, du nord-est et de l'est. Voir p. 785 pour plus d'informations sur les classes et les services dans le train.

Le bureau des réservations (suivez les pancartes) est ouvert de 8h30 à 16h. Les autres guichets concernent les départs le même jour, pour la plupart en 3e classe. De 5h à 20h30 et de 16h à 23h, on peut aussi réserver aux guichets 2 et 11. Le guichet des informations distribue des horaires. Évitez les employés souriants qui essaient de diriger tous les voyageurs vers l'entresol, où se trouve une agence de voyages.

Hualamphong offre les services suivants : douches, centre postal, consignes, cafés et *food courts*. Depuis Sukhumvit, prenez le métro jusqu'à Hualamphong. Depuis l'ouest (Banglamphu, Thewet), prenez le bus 53.

La **gare de Bangkok Noi** (carte p. 118 ; près du Sriraj Hospital, Thonburi) dessert de temps à autre (et à un prix "spécial" pour les étrangers) Nakhon Pathom, Kanchanaburi et Nam Tok. On peut y accéder en ferry en descendant à Tha Rot Fai. Les billets s'achètent à la gare.

## COMMENT CIRCULER

La circulation dans Bangkok à l'heure de pointe est digne des pires cauchemars, et même le trajet le plus court peut être ralenti par des embouteillages intempestifs à toute heure, tous les jours. Si vous avez le choix, circulez sur le fleuve, les canaux ou en Skytrain. Sinon, comptez au moins 45 min de voiture.

### Depuis/vers l'aéroport

Lors de notre visite, les deux aéropo[rts étaient] toujours en activité à Bangkok. La [grande] majorité des vols transite par l'aéro[port] flambant neuf de Suvarnabhumi, mais quelques vols intérieurs passent toujours par le vieil aéroport de Don Muang. Pour se rendre de l'un à l'autre, comptez au minimum une heure, car ils se trouvent à des points opposés de la ville.

Les moyens de transports autorisés à partir de l'aéroport pour des destinations en ville sont les suivants : taxis avec compteur, navettes d'hôtels, bus express, véhicules et bus privés. S'il n'y a pas de taxis, ou si la queue est trop longue, vous pouvez prendre la navette gratuite (ordinaire ou express) de l'aéroport jusqu'au Centre des transports publics, où vous en trouverez.

Le Centre des transports publics est à 3 km du terminal de l'aéroport international ; il comprend, outre la station de taxis, un terminal des bus publics, une agence de location de voitures et un parking de longue durée.

#### AÉROPORT INTERNATIONAL DE SUVARNABHUMI

#### Bus de l'aéroport

Le bus express de l'aéroport dessert 4 itinéraires entre Suvarnabhumi et le centre de Bangkok, de 5h à minuit (150 B). À deux, un taxi ne vous coûtera pas plus cher, sauf pour aller à Banglamphu. Le guichet de l'Airport Express est au niveau 1, près de l'entrée 8. Le bus s'arrête à des stations de Skytrain, dans les principaux hôtels et à d'autres points stratégiques.

**AE-1 jusqu'à Silom** (par la voie express) Arrêts : Pratunam, Central World Plaza, Skytrain Ratchadamri, parc Lumphini, Th Sala Daeng, Patpong, Plaza Hotel et autres, terminus à la station de Skytrain Sala Daeng.

**AE-2 jusqu'à Banglamphu** (par la voie express) Arrêts : Th Petchaburi Soi 30, monument de la Démocratie, Royal Hotel, Th Phra Athit, Th Phra Sumen et Th Khao San.

**AE-3 jusqu'à Sukhumvit** Arrêts : Soi 52, terminal Est des bus, Soi 34, 24, 20, 18, 10, 6, Central Chit Lom, Central World Plaza et Soi Nana.

**AE-4 jusqu'à la gare ferroviaire de Hualamphong** Arrêts : monument de la Victoire, station de Skytrain Phayathai, Siam Square, Centre MBK et université de Chulalongkorn.

#### Transports locaux

Si vous avez plus de temps et moins d'argent, prenez le Skytrain jusqu'à On Nut (40 B), puis près de l'entrée du marché face au Tesco, prenez le minibus BTS jusqu'à l'aéroport (25 B, 40 min environ ; cherchez le sigle jaune "BTS 522 Suvarnabhumi" sur la vitre).

Plusieurs autres bus locaux climatisés desservent le Centre des transports publics de l'aéroport, à 3 km de l'aérogare de Suvarnabhumi (navette gratuite) pour 35 B. Les plus pratiques sont :

**Bus 551 Siam Paragon** par le monument de la Victoire.
**Bus 552 Klong Toei** par Sukumvit 101 et la station de Skytrain On Nut.
**Bus 554 et 555 aéroport de Don Muang**
**Bus 556 terminal Sud des bus** par le monument de la Démocratie (pour Th Khao San) et l'université de Thammasat.

Les bus intercités vers l'est, dont Pattaya, Rayong et Trat, passent par le Centre des transports publics, accessible en navette gratuite depuis l'aérogare.

### Minibus

Pour vous rendre à l'aéroport depuis Banglamphu, votre hôtel ou pension peut réserver une place dans un minibus climatisé qui passera vous prendre (180 B/pers). L'Aiport Express est plus avantageux.

### Skytrain

Dès fin 2009, une nouvelle ligne de Skytrain reliera l'aéroport à un nouveau terminal immense au centre-ville (City Air Terminal), près de Soi Asoke/21 et Th Petchaburi, en 15 min sur le service express (ligne rose) et 27 min sur le service local (ligne rouge).

### Taxi

À la sortie du terminal, ignorez les racoleurs et les pancartes jaunes "official airport taxi" (qui demandent 700 B). Sortez au niveau des arrivées et faites la queue pour prendre un taxi public. Ces derniers doivent utiliser leur compteur, mais ils tentent souvent leur chance en proposant un tarif. Insistez en demandant "*Meter, please*". Vous devrez payer 50 B de supplément aéroport et rembourser les éventuels frais de péage (environ 60 B). Les chauffeurs vous demanderont toujours si vous êtes d'accord pour emprunter les voies à péage. En fonction du trafic, un trajet coûte entre 200 et 250 B jusqu'à Asoke, 300 à 350 B pour Silom et 350 à 425 B pour Banglamphu (par taxi et non par personne).

## AÉROPORT DE DON MUANG

Il n'existe plus de bus express depuis/vers l'aéroport de Don Muang.

### Bus

Le bus local 59, lent et bondé, s'arrête sur la voie rapide devant l'aéroport et continue jusqu'à Banglamphu, en passant par Th Khao San et le monument de la Démocratie. Bagages interdits. Les bus climatisés sont plus rapides et vous avez une chance d'avoir un siège. Parmi les itinéraires pratiques :

**Bus 510** Monument de la Victoire et terminal Sud des bus.
**Bus 513** Th Sukhumvit et terminal Est des bus.
**Bus 29** Terminal Nord des bus, monument de la Victoire, Siam Square et gare ferroviaire de Hualamphong.

### Taxi

Comme à Suvarnabhumi, les taxis publics partent de l'extérieur du terminal d'arrivée et un supplément de 50 B est à prévoir en plus de la course. Le trajet jusqu'à Banglamphu vous coûtera environ 400 B, supplément pour l'aéroport et péages inclus. Comptez un peu moins pour aller à Sukhumvit ou à Silom.

### Train

La passerelle allant du Terminal 1 à l'hôtel de l'aéroport Amari mène également à la gare de Don Muang, d'où partent des trains reliant la gare de Hualamphong toutes les 60 à 90 min de 4h à 11h30, puis toutes les heures de 14h à 21h30 (3e classe ordinaire/express 5/10 B, 1 heure).

# Bateau

Jadis le principal moyen de transport de la ville, les bateaux publics continuent de circuler sur l'imposant Mae Nam Chao Phraya et sur quelques *klorng* (canaux) intérieurs.

## ITINÉRAIRES FLUVIAUX

Le **Chao Phraya Express** (carte p. 191 ; ☎ 0 2623 6001 ; www.chaophrayaboat.co.th), l'un des moyens de transport les plus spectaculaires (et pratiques) de la capitale, navigue sur le Mae Nam Chao Phraya et dessert le sud et le nord de Bangkok. L'embarcadère central est appelé Tha Sathon ou Saphan Taksin, et relie la station de Skytrain Saphan Taksin à l'extrémité sud de la ville. Il y a des chances que vous vous dirigiez vers les arrêts précédés d'un N, en direction du nord.

Les tickets coûtent de 13 à 34 B et s'achètent en général à bord, mais les plus grandes

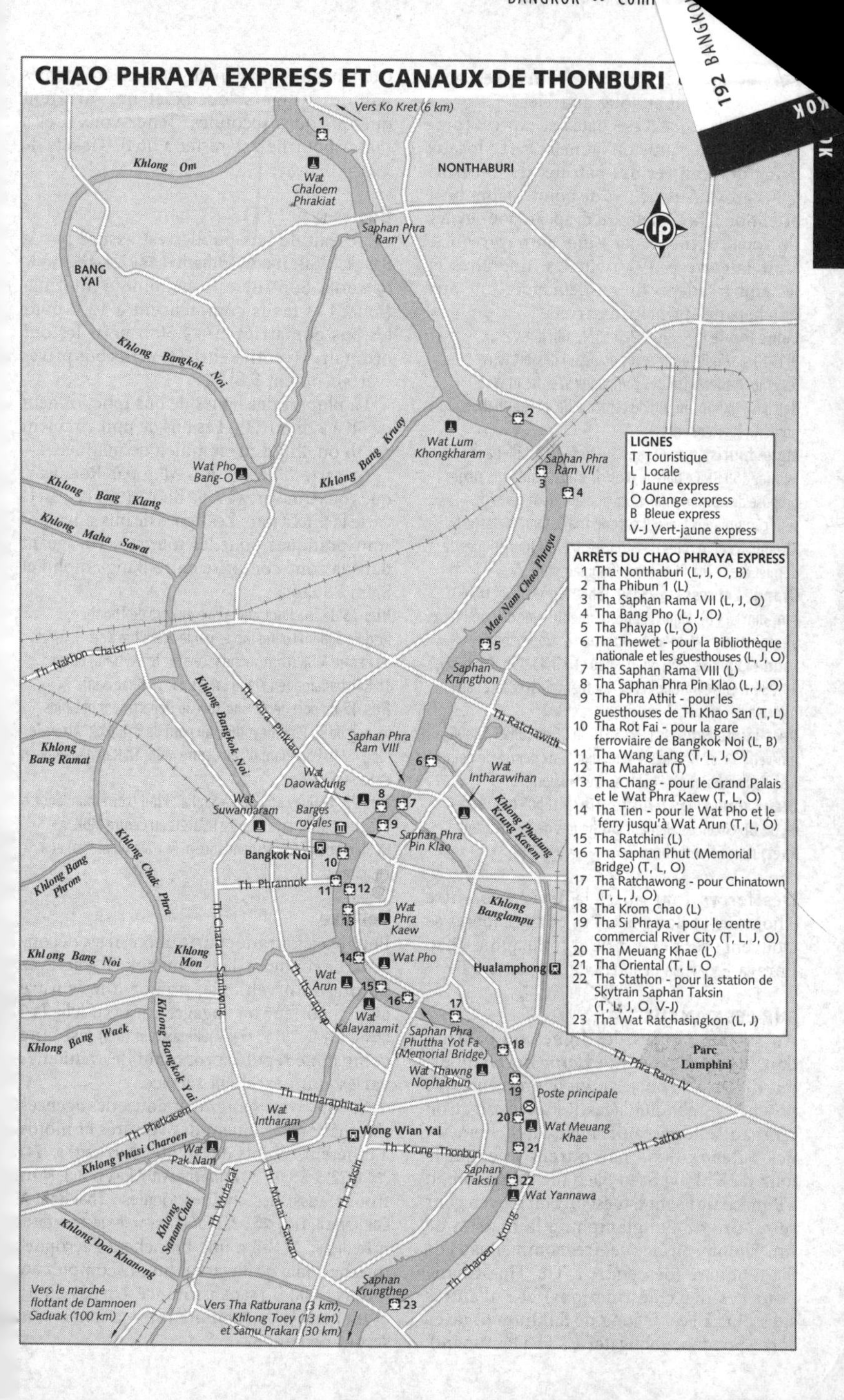
CHAO PHRAYA EXPRESS ET CANAUX DE THONBURI
Vers Ko Kret (6 km)
NONTHABURI
Khlong Om
Wat Chaloem Phrakiat
Saphan Phra Ram V
BANG YAI
Khlong Bangkok Noi
Khlong Bang Kruay
Wat Lum Khongkharam
Wat Pho Bang-O
Saphan Phra Ram VII
Khlong Bang Klang
Khlong Maha Sawat
Mae Nam Chao Phraya
Th Nakhon Chaisri
Saphan Krungthon
Th Phra Pinklao
Th Ratchawith
Khlong Bang Ramat
Saphan Phra Ram VIII
Wat Intharawihan
Wat Daowadung
Wat Suwannaram
Barges royales
Saphan Phra Pin Klao
Khlong Phadung Krung Kasem
Bangkok Noi
Khlong Bang Phrom
Khlong Chak Phra
Th Phrannok
Khlong Banglampu
Wat Phra Kaew
Th Charan Sanitwong
Khlong Mon
Khlong Bang Noi
Wat Pho
Wat Arun
Hualamphong
Th Itsaraphap
Wat Kalayanamit
Saphan Phra Phuttha Yot Fa (Memorial Bridge)
Khlong Bang Waek
Khlong Bangkok Yai
Wat Thawng Nophakhun
Parc Lumphini
Th Phra Ram IV
Poste principale
Th Intharaphitak
Wat Intharam
Th Phetkasem
Wong Wian Yai
Wat Meuang Khae
Khlong Phasi Charoen
Wat Pak Nam
Th Krung Thonburi
Th Sathon
Saphan Taksin
Wat Yannawa
Th Wutakat
Th Mahai Sawan
Th Taksin
Khlong Sanam Chai
Khlong Dao Khanong
Th Charoen Krung
Saphan Krungthep
Vers le marché flottant de Damnoen Saduak (100 km)
Vers Tha Ratburana (3 km), Khlong Toey (13 km) et Samu Prakan (30 km)
LIGNES
T Touristique
L Locale
J Jaune express
O Orange express
B Bleue express
V-J Vert-jaune express
ARRÊTS DU CHAO PHRAYA EXPRESS
1 Tha Nonthaburi (L, J, O, B)
2 Tha Phibun 1 (L)
3 Tha Saphan Rama VII (L, J, O)
4 Tha Bang Pho (L, J, O)
5 Tha Phayap (L, O)
6 Tha Thewet - pour la Bibliothèque nationale et les guesthouses (L, J, O)
7 Tha Saphan Rama VIII (L)
8 Tha Saphan Phra Pin Klao (L, J, O)
9 Tha Phra Athit - pour les guesthouses de Th Khao San (T, L)
10 Tha Rot Fai - pour la gare ferroviaire de Bangkok Noi (L, B)
11 Tha Wang Lang (T, L, J, O)
12 Tha Maharat (T)
13 Tha Chang - pour le Grand Palais et le Wat Phra Kaew (T, L, O)
14 Tha Tien - pour le Wat Pho et le ferry jusqu'à Wat Arun (T, L, O)
15 Tha Ratchini (L)
16 Tha Saphan Phut (Memorial Bridge) (T, L, O)
17 Tha Ratchawong - pour Chinatown (T, L, J, O)
18 Tha Krom Chao (L)
19 Tha Si Phraya - pour le centre commercial River City (T, L, J, O)
20 Tha Meuang Khae (L)
21 Tha Oriental (T, L, O
22 Tha Stathon - pour la station de Skytrain Saphan Taksin (T, L, J, O, V-J)
23 Tha Wat Ratchasingkon (L, J)

stations ont des guichets. Conservez bien votre billet tout au long du trajet.

La compagnie a des bateaux express (drapeau orange, jaune ou jaune et vert), locaux (sans drapeau) et des bateaux de tourisme (plus gros). Aux heures de pointe, faites bien attention à la couleur du drapeau pour éviter de vous retrouver dans une autre province. Voir la carte p. 191 pour les itinéraires et les embarcadères ou en demander une aux guichets des principaux arrêts.

**Ligne locale** ( 6h-8h30 et 15h-18h lun-ven ; 9-13 B). La ligne locale (sans drapeau) dessert tous les embarcadères (toutes compagnies) entre le Wat Ratchasingkhon, au sud du centre-ville, et Nonthaburi, au nord. Arrêts fréquents.

**Ligne touristique** ( 9h30-16h ; 19 B, billet à la journée 150 B). Ce bateau plus cher aux nombreux sièges propose des commentaires en anglais (dont certains sont compréhensibles). Il part de Tha Sathon et dessert 10 embarcadères près des principaux sites touristiques, le dernier étant Tha Phra Athit (Banglamphu).

**Orange Express** ( 5h50-18h40 lun-ven, 6h-18h40 sam-dim ; 14 B). Ligne la plus fréquente avec de nombreux arrêts, entre le Wat Ratchasingkhon et Nonthaburi.

**Jaune Express** ( 6h10-8h40 et 15h45-19h30 lun-ven ; 19-28 B). Entre Ratburana et Nonthaburi, avec arrêt aux principaux embarcadères.

**Vert-jaune Express** ( 6h15-8h05 et 16h05-18h05 lun-ven ; 11-32 B). Circule seulement aux heures de pointe jusqu'à l'embarcadère Pakkret, très au nord.

**Bleu Express** ( 7-7h30 et 17h35-18h05 lun-ven ; 11-32 B). Circule seulement aux heures de pointe, sans arrêt jusqu'à Nonthaburi.

Des ferrys font aussi la traversée entre Thonburi et Bangkok. Les embarcadères se trouvent près de ceux de la compagnie Chao Phraya Express et la traversée coûte 3 B.

### SUR LES CANAUX

Au fil des années, les lignes de bateaux dans Bangkok et sur le *klorng* de Thonburi ont diminué. Pourtant, vu le problème que posent les embouteillages, il se pourrait qu'on réorganise le réseau fluvial. Actuellement, des bateaux-taxis parcourent le canal le long de Khlong Saen Saeb (de Banglamphu à Ramkhamhaeng). C'est un bon moyen pour se rendre de Banglamphu à la maison de Jim Thompson, aux centres commerciaux de Siam Square (descendre à Tha Hua Chang pour ces deux destinations) et à d'autres sites plus à l'est le long de Sukhumvit (avec correspondance obligatoire à Tha Pratunam). Ces bateaux sont principalement fréquentés par des usagers locaux et ne s'arrêtent que quelques secondes. Tenez-vous prêt à sauter pour ne pas rester à quai. Tickets de 7 à 20 B.

## Bus

Le réseau de bus publics est assuré par la **Bangkok Mass Transit Authority** ( 0 2246 4262 ; www.bmta.co.th). Son site est une mine d'informations. Les tarifs commencent à 12 B pour les bus climatisés et à 7,50 B pour les bus ordinaires (ventilateur). De petits bus privés (verts) coûtent 5 B.

La plupart des lignes de bus fonctionnent de 5h à 22h ou 23h. Les bus de nuit circulent de 3h ou 4h jusqu'en milieu de matinée.

La carte *Bangkok Bus Map* par Roadway, que vous trouverez à Asia Books (p. 111), est la carte la plus à jour. Les lignes de bus suivantes sont pratiques pour les touristes vogageant dans la zone comprise entre Banglamphu et Siam Square :

**Bus 15** de Tha Phra, sur la rive du côté de Thonburi, jusqu'à Sanam Luang (accès par le Wat Phra Kaew). Arrêts au Centre MBK (correspondance avec le Skytrain) et sur Th Ratchadamnoen Klang (accès par Th Khao San).

**Bus 47** du port de Khlong Toei au Department of Lands, le long de Th Phahonyothin, au nord de Bangkok. Arrêts le long de Th Phra Ram IV, au Centre MBK, Th Ratchadamnoen et Sanam Luang.

**Bus 73** de Huay Khwang à Saphan Phut (correspondance avec le Chao Phraya Express). Arrêts au Centre MBK, à Hualamphong (correspondance avec train ou métro) et à Chinatown.

## Voiture

Pour les séjours de courte durée, il est déconseillé de conduire dans Bangkok. Si vous avez besoin d'un véhicule, prenez une voiture avec chauffeur ou engagez un taxi. **Julie Taxi** ( 0 81846 2014 ; www.julietaxitour.com) est une compagnie réputée proposant des véhicules variés et un excellent service.

Si vous vous sentez d'attaque, des agences internationales louent des voitures et motos à différents points de la ville : **Avis** (carte p. 124 ; 0 2255 5300 ; 2/12 Th Withayu/Wireless Rd). On trouve aussi des chaînes locales : **Thai Rent A Car** (carte p. 114 ; 0 2737 8787 ; www.thairentacar.com ; Th Petchaburi Tat Mai) a une branche à l'aéroport international de Suvarnabhumi. Comptez au moins 1 000 B/j sans assurance. Un passeport et un permis de conduire international vous seront demandés.

### Métro (MRT)

La première ligne de métro de Bangkok a été mise en service en 2004 par le **Metropolitan Rapid Transit Authority** (MRTA ; ☎ 0 2624 5200 ; www.mrta.co.th). Les Thaïlandais appellent le métro *rót fai fáh đâi din*.

La ligne bleue (20 km), de la gare ferroviare de Hualamphong à Bang Sue, compte 18 stations, dont 4 qui croisent l'Airport Link. Les tickets coûtent de 15 à 39 B (billets enfants et tarifs réduits à acheter au guichet). Un métro toutes les 7 min de 6h à minuit, toutes les 5 min aux heures de pointes (6h-9h et 16h30-19h30). Le gros avantage pour les touristes est qu'on accède désormais facilement du quartier des hôtels de Sukhumvit à la gare ferroviaire de Hualamphong et à Chinatown d'un côté, et au marché du week-end de Chatuchak et au terminal Nord des bus de l'autre, depuis la station de Bang Sue.

La MRTA a l'ambitieux projet d'agrandir encore le réseau (le multiplier par 4) pour relier le nord de Bangkok, Samut Prakan et Th Ramkhamhaeng. Si les travaux sont aussi longs que pour l'Airport Link, ce n'est pas pour demain.

### Moto-taxi

En toile de fond du Bangkok moderne, des nuées de motos-taxis numérotés attendent au bout de chaque avenue. Un trajet jusqu'à l'entrée (*sùt soy*) ou jusqu'au bout (*Ɓàhk soy*) d'un *soi* coûte de 10 à 15 B. Pour de plus longs trajets, négociez à l'avance (entre 20 et 100 B).

Des casques sont parfois proposés, mais, vu la conduite de certains chauffeurs, c'est le corps tout entier qu'il faudrait protéger. En particulier, gardez bien vos jambes contre la machine, car les conducteurs, habitués à transporter des Thaïlandais aux jambes plus courtes que celles du *fàràng* moyen, ont l'habitude de frôler dangereusement les véhicules. Si vous portez une jupe, asseyez-vous en amazone et ramenez tous vos vêtements pour éviter qu'un morceau de tissu ne se coince dans la roue ou la chaîne.

### Skytrain (BTS)

Le Skytrain est le moyen le plus confortable de vous rendre dans le "nouveau" Bangkok (Silom, Sukhumvit et Siam Square). Ce métro aérien permet d'échapper aux embouteillages cauchemardesques. Les Thaïlandais le surnomment *rót fai fáh*. Le Skytrain a révolutionné les transports dans la zone nord de Bangkok. Un trajet qui aurait exigé une heure ne prend plus que 15 min. En outre, il offre une jolie vue de la ville, de ses jardins et de ses édifices historiques, invisibles depuis la rue.

Jusqu'à présent, deux lignes ont été mises en service par le **Bangkok Mass Transit System Skytrain** (BTS ; ☎ 0 2617 7300 ; www.bts.co.th), Sukhumvit et Silom.

La ligne de Sukhumvit commence à la station Mo Chit, dans le nord de la ville, près du parc Chatuchak, et suit Th Phayathai vers le sud jusqu'à la station Siam sur Th Rama Ier, puis bifurque à l'est sur Th Phloenchit et Th Sukhumvit pour aboutir à la station On Nut, près de Soi 81, Th Sukhumvit. La construction d'une extension de la ligne (5,2 km) jusqu'à Soi 107, Th Sukhumvit est en cours.

La ligne de Silom part du Stade national (National Stadium), près de Siam Square, puis oblique vers le sud-ouest, suit Th Ratchadamri et Th Silom qu'elle surplombe jusqu'à Th Narathiwat Ratchanakharin, et longe Th Sathon pour aboutir au pied de Saphan Taksin au bord du Mae Nam Chao Phraya. Cette ligne est actuellement en cours d'extension. Il est prévu d'y ajouter 2 km pour traverser le Mae Nam Chao Phraya et arriver à Thonburi.

Les rames circulent fréquemment sur les deux lignes, de 6h à minuit. Le trajet coûte de 10 à 40 B, selon la destination. La plupart des distributeurs de billets dans chaque station acceptent uniquement les pièces de 5 et 10 B, mais les guichets d'information peuvent faire la monnaie ; ils vendent aussi des cartes de transport prépayées et distribuent des fascicules détaillant les changements de trains et les cartes de transport.

### Taxi

Les *táak·si mi·đêu* (taxis avec compteur) sont apparus à Bangkok en 1993 et le tarif de base (35 B) n'a que très peu augmenté depuis. De nombreux touristes hésitent à les utiliser. Pourtant, la plupart des taxis sont neufs et confortables, et leurs chauffeurs sont aimables. C'est un très bon moyen de se déplacer à Bangkok. Une course dans le centre vous coûtera entre 60 et 80 B. Les frais de péage (de 20 à 45 B, en fonction du point de départ) sont à votre charge.

**Taxi Radio** (☎ 1681 ; www.taxiradio.co.th), notamment, propose un service de taxi à la demande 24 h/24 pour 20 B supplémentaires. Les taxis sont généralement légion, sauf pendant les heures de pointe, quand il pleut ou à l'heure de fermeture des bars (entre 1h et 2h).

Les taxis qui attendent dans les quartiers touristiques refusent souvent de mettre leur compteur en marche et demandent des prix exorbitants. Vous trouverez plus facilement un chauffeur honnête sur les artères principales.

### Túk-túk

Un trajet dans le véhicule à trois roues le plus emblématique de la Thaïlande est une expérience prisée des touristes fraîchement débarqués. Malheureusement, du fait de leur grande taille, la plupart des étrangers ne verront souvent que son toit penché.

Les nouveaux arrivés, comme tout le monde, se feront piéger par les *túk-túk*… et emmener bien plus loin que leur destination, et au prix fort. Méfiez-vous notamment de ceux qui, pour 10 ou 20 B, proposent de vous faire découvrir la ville : ce sont des filous qui essaieront de vous faire acheter des souvenirs hors de prix. Un court trajet en *túk-túk* coûte au moins 40 B.

À part causer des ennuis aux touristes, on peut se demander à quoi servent les *túk-túk*. Les Bangkokiens utilisent ces trois-roues pour une petite course, quand ils reviennent moins cher qu'un taxi à compteur ou quand les embouteillages sont insurmontables. Malheureusement, l'augmentation récente du prix de l'essence a poussé les *túk-túk* à réclamer dès le départ 100 B ou même 200, ce qui finalement n'est plus très avantageux.

# ENVIRONS DE BANGKOK

Aux alentours de Bangkok, monuments religieux anciens, marchés flottants, joyaux architecturaux et sympathiques villages de pêcheurs sont autant d'occasions d'échapper à la ville pour une journée : les charmes de la province vous attendent à quelques kilomètres de la capitale.

## MARCHÉS FLOTTANTS

ตลาดน้ำดำเนินสะดวก

L'image idyllique des barques multicolores chargées de fruits et de légumes, conduites par des femmes parées de vêtements bleu indigo et coiffées de larges chapeaux de paille, a fait le tour du monde et inspiré plus d'un photographe : malheureusement, elle n'est plus qu'un souvenir. Ces 20 dernières années, la Thaïlande s'est modernisée ; les routes ont remplacé les canaux, et les motos et voitures ont supplanté les bateaux. Les marchés flottants, où les producteurs locaux de fruits et légumes rencontraient jadis les ménagères venues s'approvisionner, ont disparu.

Le plus célèbre marché flottant, celui de **Damnoen Saduak** (🕑 7h-16h sam et dim), se trouve à 104 km au sud-est de la capitale, entre Nakhon Pathom et Samut Songkhram. Même si c'est surtout un marché de souvenirs pour touristes, il est l'un des plus faciles d'accès à Bangkok et le lieu idéal pour ceux qui n'ont pas encore eu l'occasion de remplir leurs valises de cadeaux. Depuis le terminal Sud de Thonburi, les bus climatisés 78 et 996 vous y conduisent directement (80 B, 2 heures, toutes les 20 min de 6h à 21h). La plupart vont déposeront juste devant les embarcadères qui bordent Th Sukhaphiban 1, la route qui mène au marché flottant. À vous de louer un bateau au tarif de 300 B/personne de l'heure. Des *sŏrng·tăa·ou* (ou *săwngthăew* ; 5 B) jaunes circulent souvent sur la boucle entre le marché flottant et l'arrêt du bus en ville.

Le marché de **Taling Chan** (🕑 7h-16h sam et dim), moins effervescent que Dammoen Saduak, est plus récent. Sur la route donnant accès au Khlong Bangkok Noi, au premier coup d'œil rien ne distingue Taling Chan des autres marchés, où s'activent les producteurs des environs. Mais la magie opère quand on aperçoit sur le canal les docks flottants transformés en salles à manger accueillantes, et les cuisines installées sur les barques à côté. De nombreuses familles thaïlandaises s'y régalent de crevettes grillées, de nouilles et de poissons de rivière, tous cuisinés sur ces youyous qui se balancent comme des bouchons sur l'eau. Taling Chan est dans Thonburi et on y accède depuis Bangkok par le bus climatisé 79 (16 B, 25 min), sur Th Ratchadamnoen Klang ou Th Ratchaprasong. Sur n'importe quel embarcadère, vous pouvez aussi louer un *long-tail boat* pour un voyage jusqu'à Taling Chan et au Khlong Chak Phra tout proche.

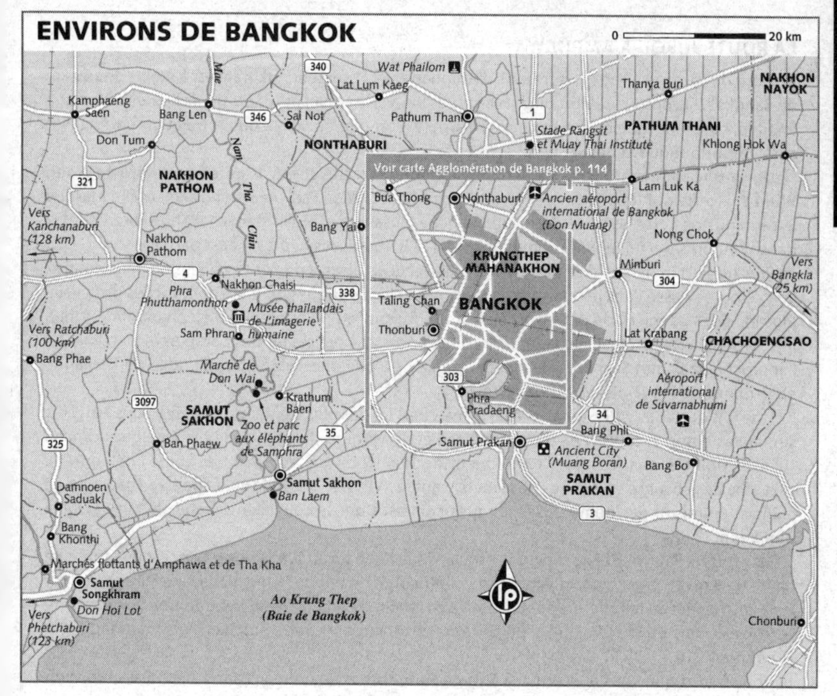


Pas à proprement parler sur l'eau, le **marché de Don Wai** (Talat Don Wai ; 6h-18h) est en bordure de la rivière, dans la province de Nakhon Pathom. Au début du XX^e^ siècle, ce marché flottant réunissait cultivateurs et marchands de pamplemousses et de jaquiers. Comme toutes les attractions touristiques destinées aux Thaïlandais, le principal attrait de ce marché est la nourriture : fruits, friandises typiques et *Ɓèt pálóh* (ragoût de canard aux 5 épices) peuvent être consommés à bord de grands bateaux naviguant sur la Nakhon Chaisi (60 B, 1 heure). Le moyen le plus simple d'accéder à ce marché est de prendre un minibus (45 B, 35 min) à côté de Central Pinklao à Thonburi (voir carte p. 114).

Le **marché flottant d'Amphawa** (Talat Náam Amphắwaa ; 16-21h ven-dim), à 7 km au nord-est de Samut Songkhram, a lieu près du Wat Amphawa (voir p. 196). D'autres marchés flottants se tiennent non loin de là certains matins, en fonction du calendrier lunaire. Parmi eux, le **Tha Kha** ( 7h-12h le week-end les 2^e^, 7^e^ et 12^e^ jours de lune croissante et décroissante), qui se déploie le long d'un *klorng* aéré, bordé de verdure et de vieilles maisons en bois.

## NAKHON PATHOM

นครปฐม

**120 657 habitants**

Petite ville de province, Nakhon Pathom se proclame la plus ancienne cité de Thaïlande et en veut pour preuve le *chedi* de Phra Pathom. Que "Nakhon Pathom" vienne du pâli "Nagara Pathama" qui signifie "première ville" semble confirmer cette hypothèse.

Bien que la ville moderne soit plutôt endormie, elle est idéale pour découvrir la vie quotidienne en Thaïlande. Vous pourrez aussi tester votre vocabulaire thaï auprès de ses habitants, qui seront touchés par vos efforts.

### À voir

Dans le centre-ville, le **chedi Phra Pathom** s'élève à 127 m, ce qui en fait le plus haut monument bouddhique du monde. Le stupa d'origine, enseveli sous le massif dôme orange verni, fut édifié au début du VI^e^ siècle par des bouddhistes theravada de Dvaravati (peut-être à la même époque que le célèbre stupa Shwedagon au Myanmar). Au début du XI^e^ siècle, le roi khmer d'Angkor Suriyavarman I^er^ s'empara

### LA ROUTE JUSQU'À AMPHAWA

Au bord du canal, le village pittoresque d'Amphawa vers Samut Songkhram est à moins de 100 km de Bangkok. Si vous vous débrouillez bien, vous pouvez y arriver après plusieurs heures de voyage en train, bateau, et quelques kilomètres à l'arrière d'un camion. Parce que le trajet est parfois tout aussi important que la destination.

L'aventure commence par un tour dans Thonburi à la recherche de la **gare ferroviaire de Wong Wian Yai** (carte p. 116). Juste après le rond-point (Wong Wian Yai), un marché alimentaire masque le terminus de cette ligne de trains de banlieue, aussi appelée la "Mahachai Shortline". Montez dans un train à destination de Samut Sakhon (12 B, toutes les heures). C'est parti !

Près de 15 min plus tard, la densité de la ville cède la place à de petits villages où vous pourrez voir ce qui se passe dans les maisons, les temples et les boutiques, tant ils sont proches de la voie. Plus loin, des palmiers, de petites rizières et des marais remplis d'oreilles d'éléphant et de canna lily bordent la route, émaillée de rares et courts arrêts. Les petites fermes paisibles disparaissent à l'approche de Samut Sakhon, ville portuaire animée à quelques kilomètres du golfe de Thaïlande et terminus de la première portion ferroviaire.

Une fois que vous vous serez extirpé du marché, l'un des plus trépidants du pays, vous arriverez sur un vaste port recouvert de jacinthes d'eau et de barques de pêche en bois. Quelques canons rouillés, pointés vers le fleuve, témoignent de la mission des remparts en ruine : défendre le royaume des envahisseurs venus de la mer. Avant le XVIIe siècle, la ville était appelée Tha Jiin (quai chinois) en raison des nombreuses jonques chinoises qui y mouillaient. Prenez le ferry jusqu'à **Ban Laem** (3 B).

Une fois de l'autre côté, le sanctuaire de Jao Mae Kuan Im au **Wat Chong Lom** est une fontaine haute de 9 m représentant la divinité de la miséricorde du bouddhisme mahayana. Pour parcourir les 2 km menant au temple, prenez un moto-taxi (10 B) à l'embarcadère. Juste derrière le sanctuaire se trouve la gare de Tha Chalong, d'où partent deux trains pour votre prochaine destination, Samut Songkhram (10 B, 13h30 et 16h40).

Vous saurez que vous êtes arrivé à **Samut Songkhram** quand vous aurez l'impression d'avoir foncé dans le marché de la ville. Ce dernier se tient en fait directement sur les rails et les vendeurs doivent ramasser leurs marchandises en catastrophe à l'arrivée du train.

**Don Hoi Lot**, à l'embouchure du Mae Nam Mae Klong, est l'attraction touristique la plus célèbre de la région. Il s'agit d'un banc de coquillages fossilisés, véritablement visible uniquement à la saison sèche, quand le niveau du fleuve atteint son niveau le plus bas (vers avril-mai). On y vient surtout pour les restaurants de fruits de mer installés autour du site. Pour y accéder, prenez un *sŏrng·tăa·ou* devant l'hôpital de Somdet Phra Phuttalertla à l'intersection de Th Prasitwatthana et de Th Thamnimit (10 B, 15 min) ou louez un bateau depuis l'embarcadère du marché de Mae Klong (*tâh đà·làht mâa glorng*), pour une croisière pittoresque de 45 min (1 000 B).

Vous arriverez à votre destination finale, **Amphawa**, en louant un bateau (1 000 B) ou en prenant un *sŏrng·tăa·ou* près du marché (9 B, 10 min). Ce village au bord de l'eau est une destination prisée des citadins qui apprécient son cadre typiquement "thaïlandais". Malgré le léger embourgeoisement qui résulte de cette fréquentation urbaine, les canaux, les vieux bâtiments en bois, les charmants cafés et la circulation fluviale donnent à ce village un charme fou. Le week-end, Amphawa accueille un marché flottant relativement authentique (p. 194) et, en semaine, vous y serez quasi seuls.

de la cité et édifia un *prang* brahmanique sur le sanctuaire. Sous le roi Anawrahta, en 1057, les Birmans de Bagan mirent la ville à sac et le *prang* fut réduit en ruine jusqu'à ce que le roi Mongkut le restaure en 1860. Le temple est surtout visité le week-end par les familles locales.

Sur le côté est de l'édifice, dans le *bòht*, un bouddha Dvaravati est assis "à l'européenne", comme celui du Wat Phra Meru à Ayuthaya – d'où il pourrait même provenir.

Remarquez également les nombreuses sculptures chinoises de pierre verte parvenues en Thaïlande sous forme de lest dans les jonques chinoises au XIXe siècle. Face au *bòht*, un **musée** (dons ; 9h-16h mer-dim) présente quelques sculptures Dvaravati intéressantes. À l'intérieur du *chedi* se trouve

À quelques pas de la passerelle centrale d'Amphawa, le joli temple **Wat Amphawan Chetiyaram** renferme de magnifiques fresques. Il se trouverait à l'emplacement de la maison familiale de Rama II. Non loin de là, le **parc commémoratif du roi Buddhalertla (Phuttha Loet La) Naphalai** (Km 63, Route 35, Samut Songkhram ; entrée 20 B ; parc 9h-18h tlj, musée 9h-18h mer-dim) regroupe plusieurs maisons traditionnelles thaïlandaises sur 1,5 ha de terrain aménagé. Dédié à Rama II, le musée compte une bibliothèque de livres thaïlandais anciens et des antiquités de l'ère Siam, au début du XIXe siècle.

La nuit, des *long-tail boats* fendent les eaux endormies d'Amphawa pour assister au ballet étincellant des libellules (*hìng hôy*). Plusieurs compagnies proposent des croisières, dont **Niphaa** ( 0 81422 0726), une agence expérimentée et bien équipée située à l'embouchure du canal, près de la passerelle.

## Où se loger et manger

Amphawa est très fréquenté le week-end et la moitié des habitations semblent s'être reconverties en chambres d'hôte. Il y en a pour tous les goûts, du matelas au sol recouvert d'une moustiquaire jusqu'à la pension haut de gamme.

**Baan Song Thai Plai Pong Pang** ( 0 3475 7333 ; Amphawa) est une pension sans prétention, reconnue pour son excellence en matière d'écotourisme. **Reorn Pae Amphawa** ( 0 3475 1333 ; 139-145 Rim Khlong Amphawa ; d 800 B ; ) est une bonne option de catégorie moyenne, avec des chambres soignées dans une vieille maison en bois. Un peu plus chic, **Baan Ku Pu** ( 0 3472 5920 ; Th Rim Khlong, Amphawa ; d 1 000 B ; ) est un pseudo *resort* avec bungalows en bois et **Baan Tai Had Resort** ( 0 3476 7220 ; www.baantaihad.com ; 1 Moo 2, Th Tai Had, Samut Songkhram ; ch 1 750-5 000 B ; ), au bord de l'eau, propose de nombreuses activités.

Au **Tarua Restaurant** ( 0 3441 1084 ; Ferry Terminal Bldg, 859 Th Sethakit, Samut Sakhon ; plats 60-200 B), un restaurant de fruits de mer dans l'imposant bâtiment du terminal de ferry, vous aurez une belle vue sur le port et un menu en anglais.

Le **Khrua Chom Ao** ( 0 85190 5677 ; Samut Sakhon ; plats 60-200 B), un restaurant en plein air surplombant le golfe, spécialisé dans les fruits de mer, est très fréquenté par les locaux. Il est à quelques pas du Wat Chawng Lom, en descendant la rue qui longe le temple face à la statue de la divinité chinoise Kuan Im.

Si vous êtes à Amphawa le week-end, mangez au **marché flottant** (*đà·làht nám am·pá·wah* ; plats 20-40 B ; 16h-21h ven-dim), où les *pàt tai* et autres plats à base de nouilles vous seront servis directement depuis les bateaux.

## Comment s'y rendre

Les trains quittent la gare de Wong Wian Yai à Thonburi (carte p. 116) pour Samut Sakhon environ toutes les heures à partir de 5h30. Pour aller jusqu'à Samut Songkhram en train, partez avant 8h30.

Samut Songkhram est la gare la plus au sud de la Mahachai Shortline. Quatre trains relient Ban Laem à Samut Songkhram chaque jour (10 B ; 1 heure ; 7h30, 10h10, 13h30 et 16h30) et Samut Songkhram à Laem (6h20, 9h, 11h30 et 15h30).

De Bangkok à Amphawa, des bus partent toutes les 40 min du terminal Sud des bus de Thonburi (carte p. 114 ; 72 B). Des bus partent aussi régulièrement de Samut Sakhon (44 B) et de Samut Songkhram (65 B). Plusieurs bus relient également la voie rapide près d'Amphawa depuis/vers Damnoen Saduak (80 B).

la **grotte Lablae**, un tunnel artificiel abritant le sanctuaire de plusieurs bouddhas.

Le *wat* jouit du plus haut rang dont peuvent s'enorgueillir les temples du royaume : il est l'un des six Ratchavoramahavihan de Thaïlande. Les cendres de Rama VI reposent sous Phra Ruang Rochanarit, un grand bouddha de l'époque Sukhothai, dans le *wí·hăhn* nord du *wat*.

Dans le sud-est de la ville, **Phra Phutthamonthon**, un bouddha debout de style Sukhothai de 15,8 m réalisé par Corrado Feroci, serait le plus haut du monde. Le parc de 400 ha qui l'entoure abrite des sculptures qui illustrent les principales étapes de la vie du Bouddha, dont une roue du dharma haute de 6 m, taillée dans un seul bloc de granit.

### LA POSSIBILITÉ D'UNE ÎLE

Détendez-vous lors d'une escapade d'une demi-journée à **Ko Kret**, une île sans voitures au milieu du Mae Nam Chao Phraya, au nord de Bangkok. Cette île artificielle, résultat du dragage d'un canal dans le fleuve, abrite l'une des plus anciennes colonies môn du pays. La culture môn prédomina dans le centre de la Thaïlande entre le VIe et le Xe siècle, et ses potiers talentueux font toujours la renommée de Ko Kret. Leurs céramiques sont réalisées avec l'argile locale.

En semaine, l'île est quasi déserte. Un ou deux temples valent le détour et quelques restaurants sont ouverts, mais la vraie attraction de l'île, c'est l'ambiance bucolique de ses rives. Le week-end, l'atmosphère change radicalement. Ko Kret est une destination très prisée des habitants de la capitale et vous y trouverez alors de nombreux étals de nourriture, de boissons et de souvenirs.

Le meilleur moyen de se rendre sur l'île est de prendre le taxi ou le bus (n°33 depuis Sanam Luang) jusqu'à Pak Kret, puis d'embarquer dans le ferry qui part du Wat Sanam Neua. Si vous décidez de braver la foule et d'y aller le week-end, le **Chao Phraya Express** (☎ 0 2623 6001 ; www.chaophrayaboat.co.th ; adulte/enfant 300/250 B ; 🕒 10h-16h45 sam-dim) organise des excursions depuis Tha Sathon.

Tous les bus reliant Bangkok à Nakhon Pathom passent devant la route d'accès au parc ; de là, faites le chemin à pied, en stop ou en *sŏrng·tăa·ou*. À Nakhon Pathom, vous pouvez aussi prendre un bus Salaya blanc et pourpre ; l'arrêt est sur Th Tesa en face de la poste.

Le **marché de Don Wai**, sur les rives de la Mae Nam Nakhon Chaisi, vaut également le détour. Pour y accéder, voir p. 195.

## Où se restaurer

Un excellent **marché** se tient le long de la rue entre la gare ferroviaire et le *chedi* de Phra Pathom ; le *khâo lăam* (riz gluant à la noix de coco, cuit à la vapeur dans une tige de bambou) serait le meilleur du pays. Dans ce quartier, de nombreux marchands ambulants et des restaurants servent une excellente cuisine à petits prix.

## Depuis/vers Nakhon Pathom

Nakhon Pathom se trouve à 56 km à l'ouest de Bangkok. Il n'y existe pas de gare routière centrale ; la plupart des bus arrivent et partent près du marché ou de la gare ferroviaire.

Le plus rapide et le plus facile pour se rendre à Nakhon Pathom est de prendre un *rót đôo* (minibus partagé) depuis Central Pinklao (30 B) ou le monument de la Victoire (60 B). Les véhicules ne partent qu'une fois pleins, entre 6h et 18h environ.

Des trains, plus fréquents, relient la gare de Hualamphong (3e/2e/1re classe 14/31/60 B, 1 heure) à Nakhon Pathom toute la journée. La ville se trouve également sur la ligne allant de la gare de Bangkok Noi à Thonburi, jusqu'à la gare de Nam Tok à Kanchanaburi, mais, du fait de son statut de “voie touristique”, son prix est exorbitant.

# Le Centre

Centre géographique et culturel du royaume, cette région est le berceau de la Thaïlande moderne. Des rois ont régné, des empires ont prospéré et des marchands ont commercé dans cette zone aux richesses fabuleuses, dont les rivières irriguent les plaines fertiles de la vallée.

En plus de son importance historique, la région compte les plus vastes territoires protégés d'Asie du Sud-Est. L'exploitation forestière a largement transformé le paysage originel, mais la plupart des terres restent couvertes de forêts, de jungle et de prairies. Au cœur de cette végétation dense vivent tigres, éléphants et léopards.

Au nord de Bangkok s'étendent les ruines de l'ancienne capitale thaïe, Ayuthaya, qui fut à son apogée un centre du commerce, de l'art et de la culture. Plus au nord se trouve la petite ville de Lopburi, dont les ruines de style khmer sont le terrain de jeu des singes.

Au nord-ouest de la capitale, Kanchanaburi est la troisième province du pays. Sa beauté attire les touristes thaïlandais et étrangers qui viennent se baigner dans ses cascades, faire du kayak dans ses rivières et des randonnées dans sa jungle. Des vétérans de la Seconde Guerre mondiale s'y rendent en mémoire des prisonniers de guerre réquisitionnés par les Japonais et décédés lors de la construction du "chemin de fer de la mort".

Dans les montagnes au nord-ouest de Kanchanaburi, près de la frontière, sommeillent Thong Pha Phum et Sangkhlaburi. De nombreuses ethnies cohabitent dans ces petites villes et alentour. Les rares touristes qui s'y aventurent sont récompensés par un mélange fascinant de cultures et de croyances.

**À NE PAS MANQUER**

- Les ruines d'**Ayuthaya** (p. 201), ancienne capitale du royaume de Siam, inscrite au patrimoine mondial de l'Unesco
- La cascade aux sept rebonds du **parc national d'Erawan** (p. 225)
- Les singes malicieux et photogéniques de **Lopburi** (p. 214)
- Les musées et les sites de la Seconde Guerre mondiale dans la paisible ville de **Kanchanaburi** (p. 216)
- Un séjour dans les arbres et sur les sentiers du **parc national de Thong Pha Phum** (p. 228)
- Une sortie en bateau dans les brumes sereines de l'aube à **Sangkhlaburi** (p. 230)

- MEILLEURE PÉRIODE : D'OCTOBRE À DÉCEMBRE
- POPULATION : 2,3 MILLIONS D'HABITANTS

## Histoire

Parmi les vestiges les plus anciens découverts dans la région, des outils et des armes en pierre du néolithique ont été mis à jour à la confluence des rivières Mae Nam Khwae Noi et Mae Nam Khwae Yai.

Cette région est par la suite passée sous le contrôle du royaume de Dvaravati, puis de l'Empire khmer. Au cours des 400 ans de la période d'Ayuthaya, elle a prospéré et de nombreux pays occidentaux y ont établi un comptoir, sans jamais réussir à assujettir sa population.

Pendant la Seconde Guerre mondiale, les forces d'occupation japonaises réquisitionnèrent des prisonniers de guerre alliés et des travailleurs asiatiques pour construire le "chemin de fer de la mort" autour de Kanchanaburi. La maladie et les mauvais traitements firent plus de 100 000 victimes.

## Climat

Le centre de la Thaïlande connaît les trois saisons prévalant dans le pays. Il n'est pas rare que Kanchanaburi jouisse d'un grand soleil alors que des pluies torrentielles s'abattent sur Sangkhlaburi. D'une façon générale, la chaleur s'installe de février à juin et la pluie prend le relais jusqu'en octobre. Des températures relativement fraîches perdurent normalement jusqu'en janvier, avec une constante tout au long de l'année : l'humidité. On constate néanmoins certaines variations. À Sangkhlaburi, en raison de l'altitude, il peut faire beaucoup plus frais qu'ailleurs dans la région. Il en va de même autour des parcs nationaux. Situées dans une vaste plaine, les villes d'Ayuthaya et de Lopburi bénéficient d'une chaleur et de précipitations comparables à celles de Bangkok.

## Parcs nationaux

La majeure partie de la province de Kanchanaburi est recouverte de forêts, de prairies et de massifs montagneux. Ces zones sont divisées en parcs nationaux, dont les plus connus sont Erawan et Sai Yok. Les parcs de Si Nakharin, Chaloem Ratanakosin, Khao Laem et Thong Pha Phum accueillent moins de visiteurs mais disposent tous de guides et d'hébergements.

### Langue

Les populations du centre de la Thaïlande parlent un dialecte considéré comme le thaï "standard", du simple fait que Bangkok, lieu du pouvoir, se situe dans la région. De larges communautés chinoises sont disséminées dans les villes des provinces centrales, car c'est là que s'établirent les premiers immigrés chinois, qu'ils soient fermiers, laboureurs ou, plus tard, commerçants. De nombreux Môn et Karen vivent à Kanchanaburi, et l'on trouve dans les trois provinces (Ayuthaya, Lopburi et Kanchanaburi) quelques groupes de Lao et de Phuan – descendants des prisonniers de guerre qui furent réimplantés de force après les nombreuses attaques de la Thaïlande contre le Laos au fil des siècles.

### Depuis/vers le centre de la Thaïlande

La plupart des voyageurs arrivent dans le centre par le train ou le bus. Les bus sont plus rapides, plus propres et généralement plus confortables. Les trains offrent cependant de meilleurs panoramas et peuvent être plus conviviaux. Des liaisons par train sont également assurées entre le centre et le nord ou le nord-est de la Thaïlande. Un bon réseau routier permet de louer un véhicule et de voyager indépendamment.

### Comment circuler

Les bus et trains locaux sont un moyen simple et bon marché de se rendre d'un point à un autre. On trouve presque toujours des *săhm·lór* (également écrit *săamláw ;* cyclo-pousse à trois roues) ou des *túk-túk* (prononcé *đúk dúk* ; *săamláw* motorisé). Ces derniers ont un tarif pour les Thaïlandais qui est rarement proposé aux touristes, négociez donc le prix avant de monter. Lopburi peut être parcourue à pied, Ayuthaya à vélo, mais, pour Kanchanaburi, il vous faudra un véhicule ou un tour organisé pour visiter certains sites.

# PROVINCE D'AYUTHAYA

## AYUTHAYA

พระนครศรีอยุธยา

**137 553 habitants**

Ayuthaya, ancien centre névralgique de l'Asie, a conservé des vestiges de son glorieux passé.

Cette ancienne capitale royale était un important centre de commerce et des marchands de tous pays s'y arrêtaient pendant la saison des alizés. Beaucoup considéraient Ayuthaya, avec ses temples imposants et ses palais remplis de richesses, comme la plus belle ville du monde. Envahie et mise à sac par une armée ennemie, la ville déclina pour n'être plus considérée aujourd'hui que comme une gloire déchue.

**TOP 5 DES SITES D'AYUTHAYA**

- Wat Phra Si Sanphet
- Wat Phanan Choeng
- Wat Chai Wattanaram
- Wat Yai Chai Mongkhon
- Wihaan Mongkhon Bophit

De récents travaux de restauration et de rénovation permettent toutefois d'avoir une idée de ce à quoi ressemblaient les ruines au temps de leur splendeur.

Malgré sa fréquentation touristique, Ayuthaya est restée relativement préservée et a gardé son charme. Plus loin, la campagne environnante se transforme sous le coup de l'industrialisation, les rizières faisant place à des usines.

Ayuthaya est une destination culturelle majeure et sa proximité avec Bangkok en fait une étape populaire pour les touristes en route vers le nord.

### Histoire

Ayuthaya, capitale du Siam pendant 417 ans (de 1350 à 1767), entretenait des liens privilégiés avec plusieurs pays européens. À son apogée, elle contrôlait une zone plus grande que la France et l'Angleterre réunies et mêlait culture, art et négoce. Son règne glorieux prit fin en 1767 lors de la mise à sac de la ville par l'armée birmane, qui pilla ses trésors.

Le nom d'Ayuthaya vient d'Ayodhya ("invincible" en sanskrit), la ville du prince Rama dans l'épopée indienne du *Ramayana*. Ce qui n'était au départ qu'un petit avant-poste khmer devint l'une des plus grandes villes d'Asie. Les Portugais, premiers Occidentaux à y pénétrer en 1511, furent si impressionnés par sa beauté qu'ils la nommèrent la "Venise de l'Orient".

En 1685, l'abbé de Choisy, diplomate français, écrivit qu'Ayuthaya était "une grande cité insulaire entourée d'une rivière trois fois plus large que la Seine remplie de vaisseaux français, anglais, hollandais, chinois, japonais et siamois

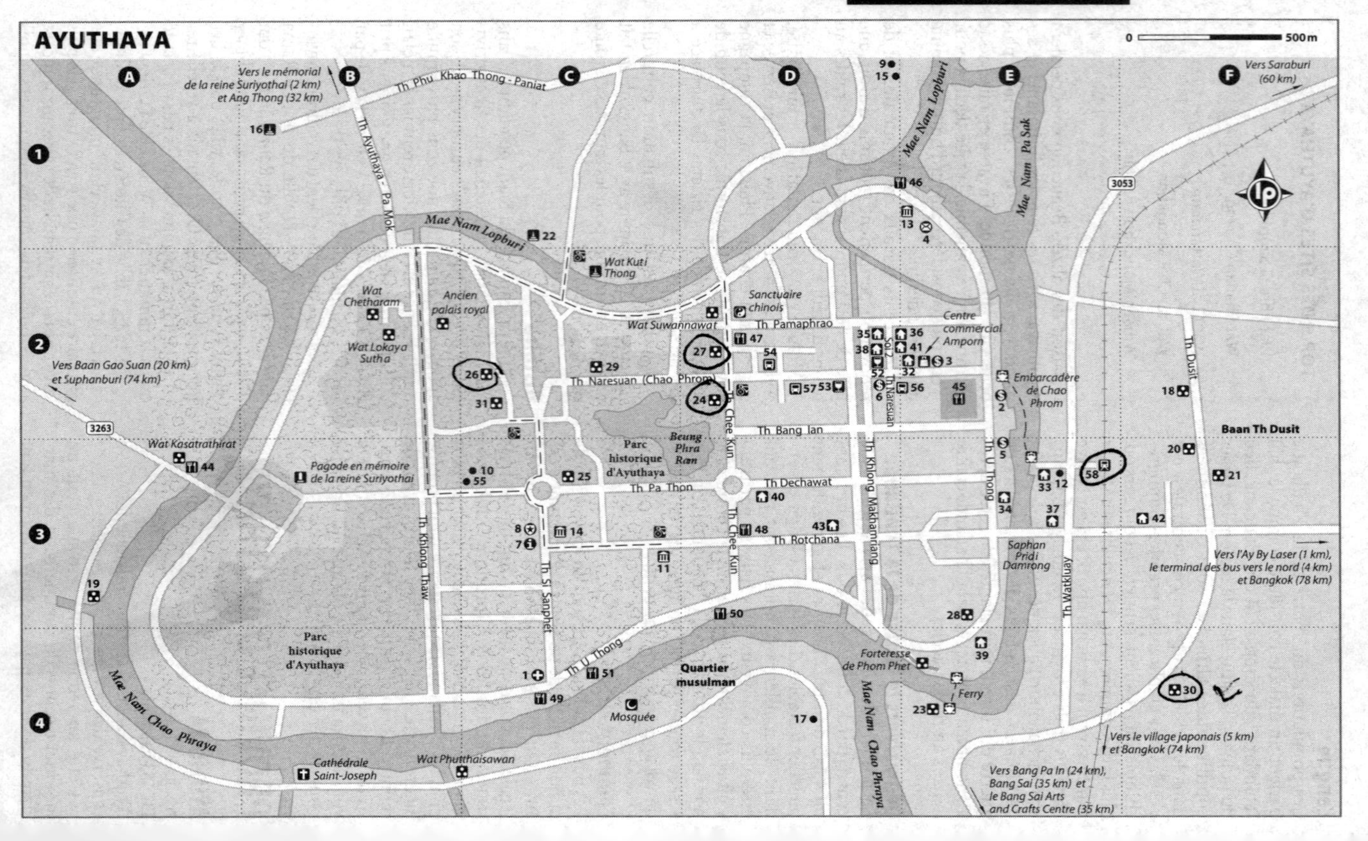
AYUTHAYA
0
500 m
Vers le mémorial de la reine Suriyothai (2 km) et Ang Thong (32 km)
Th Phu Khao Thong - Paniat
Vers Saraburi (60 km)
Th Ayuthaya - Pa Mok
Mae Nam Lopburi
Mae Nam Pa Sak
Wat Kuti Thong
Wat Chetharam
Ancien palais royal
Wat Lokaya Sutha
Sanctuaire chinois
Wat Suwannawat
Th Pamaphrao
Centre commercial Amporn
Soi 2
Th Naresuan
Th Naresuan (Chao Phrom)
Embarcadère de Chao Phrom
Vers Baan Gao Suan (20 km) et Suphanburi (74 km)
3263
3053
Th Dusit
Baan Th Dusit
Th Bang Ian
Beung Phra Ram
Parc historique d'Ayuthaya
Wat Kasatrathirat
Pagode en mémoire de la reine Suriyothai
Th Pa Thon
Th Dechawat
Th Chee Kun
Th Khlong Makhamriang
Th U Thong
Th Khlong Thaw
Th Si Sanphet
Th Rotchana
Saphan Pridi Damrong
Th Watkluay
Vers l'Ay By Laser (1 km), le terminal des bus vers le nord (4 km) et Bangkok (78 km)
Forteresse de Phom Phet
Ferry
Quartier musulman
Mosquée
Mae Nam Chao Phraya
Cathédrale Saint-Joseph
Wat Phutthaisawan
Vers le village japonais (5 km) et Bangkok (74 km)
Vers Bang Pa In (24 km), Bang Sai (35 km) et le Bang Sai Arts and Crafts Centre (35 km)
A
B
C
D
E
F
1
2
3
4

ainsi que d'un nombre incalculable de barges et de galères dorées à 60 rameurs".

Trente-trois rois se succédèrent à Ayuthaya, régnant avec mansuétude plutôt qu'avec violence. Grâce à leur talent en matière de diplomatie, aucun pouvoir occidental ne s'empara de la cité.

La ville connut une période d'instabilité après sa mise à sac par les Birmans et jusqu'à l'arrivée du général Taksin, qui déplaça la capitale vers Bangkok. Ayuthaya demeura une ville marchande de province et ses ruines continuèrent à se désagréger. Le département des Beaux-Arts entreprit la restauration du site dans les années 1950. Il fut inscrit au patrimoine mondial de l'Unesco en 1991.

## Orientation

Le centre d'Ayuthaya est une île à la confluence de trois rivières (Mae Nam Chao Phraya, Mae Nam Pa Sak et Mae Nam Lopburi). Les temples sont situés pour la plupart dans le quart nord-ouest de l'île et les hébergements et transports, au nord-est. Plusieurs belles ruines sont sur l'autre rive. Une route, Th U Thong, fait le tour de l'île. La gare ferroviaire et le terminal des bus longue distance vers le nord se trouvent dans l'est de la ville.

## Renseignements

### ARGENT

Il y a de nombreux DAB en ville, en particulier le long de Th Naresuan et à proximité du centre commercial Amporn.

**Bank of Ayuthaya** (angle Th U Thong et Th Naresuan)
**Kasikorn Bank** (Th Naresuan)
**Siam City Bank** (Th U Thong)
**Siam Commercial Bank** (Th Naresuan)

### INTERNET (ACCÈS)

Plusieurs boutiques autour de Soi 2, Th Naresuan, proposent une connexion Internet pour 30 B/h.

### OFFICE DU TOURISME

**Tourism Authority of Thailand** (TAT ; ☎ 0 3532 2730, 0 3524 6076 ; 108/22 Th Si Sanphet ; 🕒 8h30-16h30). Situé au rez-de-chaussée d'un vaste bâtiment public blanc, l'office du tourisme propose, en plus des informations habituelles, une exposition interactive gratuite sur l'histoire d'Ayuthaya.

### POSTE

**Poste principale** (Th U Thong ; 🕒 8h30-16h30 lun-ven, 9h-12h sam-dim).

### SERVICES MÉDICAUX

**Hôpital d'Ayuthaya** (☎ 0 3532 2555, urgences 1669 ; angle Th U Thong et Th Si Sanphet). Possède un service d'urgences ; beaucoup de médecins parlent anglais.

### URGENCES

**Police touristique** (☎ urgences 1155 ; Th Si Sanphet).

## Désagréments et dangers

Les routes principales de l'île sont en bon état, mais, ailleurs, prenez garde aux

**RENSEIGNEMENTS**
Hôpital d'Ayuthaya....................1 C4
Bank of Ayuthaya....................2 E2
Kasikorn Bank....................3 E2
Poste principale....................4 E1
Siam City Bank....................5 E3
Siam Commercial Bank....................6 D2
Bureau de la Tourism Authority of Thailand (TAT)....................7 C3
Police touristique....................8 C3

**À VOIR ET À FAIRE**
Palais des Éléphants d'Ayuthaya....................9 D1
Ayuthaya Fighting Show....................10 C3
Centre d'études historiques d'Ayuthaya....................11 C3
Ayutthaya Boat and Travel....................12 E3
Musée national Chantharakasem....................13 E1
Musée national Chao Sam Phraya....................14 C3
Kraal des éléphants....................15 D1
Phu Khao Thong....................16 B1
Colonie portugaise....................17 D4
Wat Ayuthaya....................18 F2
Wat Chai Wattanaram....................19 A3
Wat Kudi Dao....................20 F3
Wat Maheyong....................21 F3
Wat Na Phra Meru....................22 C1
Wat Phanan Choeng....................23 E4
Wat Phra Mahathat....................24 D2
Wat Phra Ram....................25 C3
Wat Phra Si Sanphet....................26 C2
Wat Ratburana....................27 D2
Wat Suwan Dararam....................28 E3
Wat Thammikarat....................29 C2
Wat Yai Chai Mongkhon....................30 F4
Wihaan Mongkhon Bophit....................31 C2

**OÙ SE LOGER**
Ayothaya Hotel....................32 E2
Baan Are Gong....................33 E3
Baan Khun Phra....................34 E3
Baan Lotus Guest House....................35 D2
Chantana Guest House....................36 E2
Krungsri River Hotel....................37 E3
PU Guest House....................38 D2
River View Place Hotel....................39 E4
Sherwood Guest House....................40 D3
Tony's Place....................41 E2
U Thong Hotel....................42 F3
Wieng Fa Hotel....................43 D3

**OÙ SE RESTAURER**
Baan Khun Phra....................(voir 34)
Baan Watcharachai....................44 A3
Marché couvert de Chao Phrom....................45 E2
Marché de nuit de Hua Raw....................46 E1
Lung Lek....................47 D2
Rabieng Nam....................48 D3
Étals de roti sai mai....................49 C4
Sai Thong....................50 D3
Sombat Chao Phraya....................51 C4
Tony's Place....................(voir 41)

**OÙ PRENDRE UN VERRE**
Jazz Bar....................52 D2
Spin....................53 D2

**TRANSPORTS**
Bus pour Bangkok....................54 D2
Stand d'éléphants "taxis"....................55 C3
Terminal principal des bus....................56 E2
Minibus pour Bangkok....................57 D2
Gare ferroviaire....................58 E3

### AYUTHAYA EN 3 JOURS

Cet itinéraire de 3 jours vous permettra de voir les plus belles ruines et de profiter de la nature pittoresque à l'écart du centre.

**1er jour**

Voir le circuit à vélo p. 207.

**2e jour**

Prenez le train pour le **palais de Bang Pa In** (p. 210) et continuez jusqu'au **Bang Sai Arts and Crafts Centre** (p. 211). L'après-midi, de retour vers Ayuthaya, arrêtez-vous au **Wat Phanan Choeng** (p. 205).

**3e jour**

Sortez de l'île pour visiter le **Wat Yai Chai Mongkhon** (p. 207) et la **colonie portugaise** (p. 206). Passez l'après-midi à parcourir les ruines de **Baan Th Dusit** (p. 207), et finissez par une croisière au coucher du soleil (p. 207) pour admirer les temples éclairés par la lumière du soir.

nids-de-poule. À vélo, gardez vos sacs près du corps plutôt que de les déposer dans un panier où ils sont à la merci des voleurs à l'arraché.

De nombreux croisements ne sont pas équipés de feux de signalisation. La loi thaïe en la matière : priorité au plus gros et au plus rapide.

La nuit, des meutes de chiens errent dans les rues. Évitez de les approcher et de les regarder dans les yeux, sans quoi ils risqueraient de vous mordre.

## À voir

Sur les 400 temples construits à Ayuthaya, peu subsistent, mais les bouddhas sans tête et les escaliers effondrés suffisent à s'imaginer ce qui fut une cité grandiose.

Pour plus de clarté, les sites sont classés en deux sections : "sur l'île" et "en dehors de l'île". Il est facile de circuler à vélo de l'un à l'autre. Pour plus de détails historiques, on peut faire appel à un guide.

Les temples sont généralement ouverts de 8h à 16h. L'entrée des sites les plus connus est payante. Un billet à la journée pour la plupart des sites de l'île, vendu sur place ou dans les musées, coûte 220 B.

Les ruines symbolisent la royauté et la religion, deux des piliers de la société thaïlandaise, il est donc important de faire preuve de respect (voir p. 46).

### SUR L'ÎLE

Les sites suivants sont au centre d'Ayuthaya, sur l'île. Ils peuvent être visités en 1 à 3 jours.

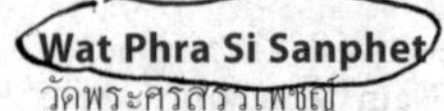

#### Wat Phra Si Sanphet

วัดพระศรีสรรเพชญ์

Le **Wat Phra Si Sanphet** (50 B) et ses trois *chedi* (stupas) principaux sont à voir absolument. Construit à la fin du XIVe siècle, il était le plus grand temple d'Ayuthaya et accueillait les cérémonies royales. Il contenait un bouddha debout (Phra Si Sanphet) haut de 16 m, recouvert de 250 kg d'or que les occupants birmans firent fondre.

#### Wihaan Mongkhon Bophit

วิหารมงคลบพิตร

Voisin du Wat Phra Si Sanphet, ce sanctuaire abrite l'un des plus grands bouddhas de bronze de Thaïlande. Ayant survécu à la foudre et au feu, cette statue haute de 17 m est également l'un des symboles de résistance du royaume.

Lors d'une visite en 1955, le premier ministre birman fit un don de 200 000 B pour la restauration du bâtiment, en réparation du pillage de la ville par son pays 200 ans plus tôt.

#### Wat Phra Mahathat

วัดพระมหาธาตุ

L'élément le plus célèbre du **Wat Phra Mahathat** (50 B), édifié en 1374 sous le règne du roi Borom Rachathirat Ier, est une tête de bouddha sertie de racines. Si cette alliance de la nature et d'une statue sacrée est de bon augure, nul ne sait comment elle s'est retrouvée là. Peut-être les Birmans l'abandonnèrent-ils après avoir mis à sac Ayuthaya, laissant les arbres s'en emparer. Ou bien des pilleurs la jugèrent trop lourde pour être emportée. La tour de style khmer (*prang*) qui subsiste est également à voir.

### Wat Ratburana

วัดราชบูรณะ

Juste au nord du Wat Phra Mahathat, ce **temple** (Ratcha-burana ; 50 B) recèle l'un des *prang* les mieux conservés de la cité. Il fut érigé par le roi Borom Rachathirat II sur le site de la crémation de ses deux frères, morts après s'être affrontés pour le pouvoir.

En 1957, des pillards se sont emparés de nombreux trésors du site. Certains furent arrêtés et, par la suite, des fouilles ont mis au jour d'exceptionnelles représentations du Bouddha dans la crypte.

### Wat Thammikarat

วัดธรรมิกราช

Il est agréable de s'asseoir un moment au milieu de ce temple, situé à l'ouest du Wat Ratburana. Son principal intérêt, un *chedi* central, est gardé par des *singha* (lions sculptés). Selon les habitants de la région, ce temple daterait d'avant la période d'Ayuthaya, ce que démentent nombre d'éléments architecturaux.

### Wat Suwan Dararam

วัดสุวรรณดาราราม

Ce temple du sud-est de l'île présente différents styles architecturaux thaïs et mérite une visite. Le roi Rama Ier conçut l'extérieur de l'*uposatha* (bâtiment central d'un temple renfermant une statue du Bouddha), de style plus ancien donc, et Rama III en élabora l'intérieur. La ligne légèrement arrondie du temple et ses finitions relativement simples sont typiques de l'époque. On trouve à côté un *wí·hăhn* (grande salle) de l'époque de Rama IV, avec une mosaïque extérieure étincelante et de magnifiques peintures intérieures représentant la vie du roi Naresuan.

### Centre d'études historiques d'Ayuthaya

ศูนย์ศึกษาประวัติศาสตร์อยุธยา

Les maquettes intéressantes de ce **centre** (☎ 0 3524 5124 ; Th Rotchana ; adulte/étudiant 100/50 B ; 🕓 9h-16h30 lun-ven, 9h-17h sam-dim) donnent une idée de la vie dans l'ancienne Ayuthaya. Des installations présentent la vie rurale et certains aspects de la culture thaïe.

### Musée national Chao Sam Phraya

พิพิธภัณฑสถานแห่งชาติเจ้าสามพระยา

La plupart des trésors d'Ayuthaya ont été volés ou fondus il y a bien longtemps. Ceux qui ont pu être sauvés sont exposés dans ce **musée** (150 B ; 🕓 9h-16h mer-dim). Parmi eux figurent des objets en or provenant des cryptes des Wat Phra Mahathat et Wat Ratburana, ainsi qu'une énorme tête de bouddha en bronze de la période d'U Thong. Plusieurs livres sur la culture et l'architecture thaïes sont vendus à l'entrée.

### Musée national Chantharakasem

พิพิธภัณฑสถานแห่งชาติจันทรเกษม

L'intérêt de ce **musée national** (Th U Thong ; 100 B ; 🕓 9h-16h mer-dim) réside plus dans son emplacement que dans ses collections d'objets, de sculptures et d'armes anciennes. En effet, le musée, proche des rives de la Mae Nam Pasak, est dans l'enceinte du Wang Chan Kasem (palais Chan Kasem), construit par son père pour le roi Naresuan, en 1577.

### Ayuthaya Fighting Show

Derrière le stand d'éléphants "taxis" se tient l'**Ayuthaya Fighting Show** (550 B). Les spectacles de cette troupe de 10 artistes durent 30 min et ont lieu à 10h30, 11h30, 13h, 14h et 15h. Leurs combats à l'épée et au bâton illustrent l'art de la guerre d'autrefois. Chaque représentation est rapide et puissante et les éléments comiques sont aussi percutants que les coups esquivés.

## EN DEHORS DE L'ÎLE

De l'autre côté des douves naturelles autour du centre d'Ayuthaya se dressent plusieurs temples célèbres. Les communautés ethniques qui vivent dans cette partie de la ville sont à l'origine du prestige de l'ancien royaume dans le monde. On peut facilement accéder à certains de ces sites à vélo ; pour les autres, mieux vaut louer une moto. Les circuits organisés en bateau le soir permettent également de les découvrir (voir p. 207).

### Wat Phanan Choeng

วัดพนัญเชิง

Ce **temple** (20 B) moderne et très fréquenté accueille de nombreux Sino-Thaïlandais venus pour accomplir un acte méritoire ou en quête de prédictions.

Un bouddha de 19 m (Phra Phanan Choeng) siège dans le *wí·hăhn* entouré de 84 000 statuettes le long des murs. Un temple chinois occupe le site, ce qui explique le crépitement constant des pétards. Dans la salle d'ordination se tient un bouddha de style U-Thong flanqué de deux autres de style Sukhothai.

Nombreux sont les pèlerins qui achètent des sacs contenant des poissons qui, pour acquérir du mérite, doivent être relâchés dans la rivière.

Le Wat Phanan Choeng est au sud-est d'Ayuthaya et le meilleur moyen de s'y rendre depuis le centre-ville est de prendre le ferry (5 B) à côté de la forteresse de Phom Phet. On peut embarquer avec son vélo.

### Colonie portugaise

Jusqu'à 40 groupes ethniques peuplèrent Ayuthaya à l'époque de sa gloire. Les premiers étrangers à arriver furent les Portugais, suivis des Hollandais, des Britanniques et des Japonais. Jusqu'à 2 000 commerçants et diplomates portugais vécurent dans cette région qui comptait trois églises catholiques. Quelques Thaïlandais catholiques y vivent toujours.

Les Portugais apportèrent des armes à feu grâce auxquelles les Thaïlandais vainquirent les Birmans en 1520. À la suite de cette victoire, les Portugais se virent offrir un terrain pour s'installer. En 1767, les envahisseurs birmans brûlèrent la colonie. Ce n'est qu'en 1985 qu'une fondation portugaise a entrepris la restauration du village.

Dans le sud de l'île, on peut voir dans la colonie portugaise une fosse ouverte dans laquelle gisent les squelettes de 40 colons. Jetez un œil à la maison des esprits abritant des représentations de saint Joseph et de saint Paul, ainsi qu'à la carte française indiquant que les eaux de la ville étaient autrefois infestées de crocodiles. À l'ouest de la colonie portugaise se trouve le **quartier musulman**.

### Village japonais

Le **village japonais** (adulte/enfant 50/20 B ; 🕗 8h-17h) est à 5 km au sud de la colonie portugaise. La communauté japonaise, l'une des plus importantes, était principalement composée de chrétiens ayant fui les persécutions dont ils étaient victimes dans leur pays. Une présentation vidéo relate les faits et la reproduction électronique grand format d'une peinture hollandaise donne une idée de la grandeur d'Ayuthaya à son apogée. Un jardin japonais jouxte la petite salle d'exposition.

### Wat Chai Wattanaram

วัดไชยวัฒนาราม

Il y a encore 40 ans, ce **temple** (50 B) était noyé dans la jungle. Son impressionnant *prang* central (tour de style khmer), haut de 35 m, en fait l'un des sites les plus photographiés d'Ayuthaya. Édifié en 1630 par le roi Prasat Thong en l'honneur de sa mère, ce temple offre un superbe point de vue au coucher du soleil. Il est situé dans l'ouest de l'île et on peut y accéder à vélo par un pont proche.

**C'EST BEAU UNE RUINE LA NUIT**

Si les ruines vous semblent impressionnantes de jour, venez donc les admirer de nuit. Quelques-uns des temples d'Ayuthaya sont tout à fait fascinants, le soir venu, lorsqu'ils sont illuminés.

Le Wat Ratburana, le Wat Chai Wattanaram, le Wat Phra Ram et le Wat Mahathat sont éclairés de 19h à 21h. Les sites ne sont pas ouverts au public, mais il est agréable de se promener à proximité des temples ou de les admirer depuis la terrasse d'un restaurant.

### Phu Khao Thong

เจดีย์ภูเขาทอง

L'ascension des 79 marches de ce *chedi*, aussi appelé Golden Monument ("Monument doré"), offre un magnifique panorama de la ville. Construit à l'origine par les Birmans lors de leur occupation d'Ayuthaya durant 15 ans, l'édifice a été rehaussé par les Thaïs. Devant se dresse une statue du roi Naresuan, bizarrement entouré ici de coqs de combats. La légende veut que, au cours de sa captivité en Birmanie, sa réputation redoutable persista grâce à ses coqs invincibles.

### Mémorial de la reine Suriyothai

พระบรมราชานุสาวรีย์สมเด็จพระศรีสุริโยทัย

Cet hommage à la reine guerrière se trouve non loin du Phu Khao Thong, près du lieu où elle mourut au combat contre les Birmans en 1548. Visitez ce vaste parc à la tombée du jour, quand les Thaïlandais viennent s'y promener.

### Wat Na Phra Meru

วัดหน้าพระเมรุ

Ce **temple** (Phra Mehn ; 20 B) est l'un des rares à avoir été épargné par l'attaque de l'armée birmane en 1767, étant donné qu'il lui servait de camp de base.

Dans le *bòht* (salle des ordinations), un magnifique plafond en bois sculpté représente les cieux bouddhiques. À l'intérieur du *wí hăhn* est exposé un bouddha srilankais en grès vert, de la période de Dvaravati, vieux d'environ

1 500 ans. Ses traits prononcés et ses sourcils joints sont typiques de cette époque.

### Krahl des éléphants

เพนียดคล้องช้าง

Les éléphants sauvages étaient autrefois rassemblés dans ce *krahl* (enclos). Chaque année, le roi venait assister au choix des plus beaux spécimens, utilisés ensuite soit comme bêtes de somme, soit comme machines de guerre. Le *krahl* restauré, entouré de 980 poteaux de teck, se trouve à 2 km du centre-ville.

### Baan Th Dusit

บ้านถนนดุสิต

À l'est de l'île, cet ensemble de ruines, avec ses lacs pittoresques aux pêcheurs patients, donne une image plus champêtre d'Ayuthaya.

Le **Wat Maheyong** propose le week-end des retraites de méditation dans une cour ombragée, à proximité des ruines du temple. Un peu plus loin, les herbes ont envahi le **Wat Kudi Dao**, ce qui lui confère une ambiance particulière. Un petit marché se tient les mercredi et samedi soir au **Wat Ayuthaya**, temple du début de la période d'Ayuthaya.

### Wat Yai Chai Mongkhon

20B

วัดใหญ่ชัยมงคล

Le bouddha couché de 7 m drapé dans une longue toge orange est le centre d'intérêt principal de ce **temple** (20 B). Le roi U Thong le construisit en 1357 pour y accueillir des moines srilankais. Le *chedi* fut édifié plus tard, en l'honneur de la victoire du roi Naresuan sur les Birmans.

## Circuit à vélo

Commencez par le **Centre d'études historiques d'Ayuthaya** (p. 205), puis continuez sur la Th Rotchana jusqu'au **bureau de la TAT** (p. 203) et sa présentation vidéo. De là, tournez à gauche et passez le rond-point. Vous verrez le **Wat Phra Ram** sur votre droite. Dirigez-vous vers le **Wat Phra Si Sanphet** (p. 204) et traversez-le à pied pour atteindre le **Wihaan Mongkhon Bophit** (p. 204). Retournez ensuite sur la Th Si Sanphet et au rond-point, prenez la Th Pa Thon, à droite. Traversez le petit pont de bois et prenez la Th Khlong Thaw, sur la droite. Vous verrez à gauche l'entrée des **Wat Chetharam** et **Wat Lokaya Sutha**. Retournez sur la Th Khlong Thaw en direction du nord. Empruntez la Th U Thong à droite et longez la rivière vers l'est, avant de tourner à gauche sur un autre petit pont qui mène au **Wat Na Phra Meru** (p. 206). Reprenez la Th U Thong vers l'est avant de tourner sur la Th Chee Kun. Jetez un œil au **Wat Phra Mahathat** (p. 204) et à son voisin, le **Wat Ratburana** (p. 204).

> **CIRCUIT À VÉLO**
>
> **Départ** Th Rotchana
> **Arrivée** Th Chee Kun
> **Distance** 10 km
> **Durée** 4 heures

## Circuits organisés

Des sorties en bateau (à partir de 200 B/h) peuvent être organisées à l'embarcadère, à côté du marché de nuit, ou dans les guesthouses. Plusieurs d'entre elles proposent des visites nocturnes des ruines (200 B/pers), susceptibles d'être annulées à la dernière minute par manque de participants.

Si vous voulez en savoir plus sur l'histoire d'Ayuthaya, vous pouvez louer les services d'un guide par l'intermédiaire de la **TAT** (☎ 0 3524 6076 ; 108/22 Th Si Sanphet ; ⏲ 8h30-16h30).

**Ayutthaya Boat and Travel** (☎ 0 2746 1414 ; www.ayutthaya-boat.com), près de Th Rotchana, propose des promenades à vélo, sur l'île ou à l'extérieur. Les excursions de 2 jours dans les alentours comprennent une nuit chez l'habitant, ainsi qu'une croisière sur le canal.

## Fêtes et festivals

En novembre, célébrez **Loi Kratong** au Bang Sai Arts and Crafts Centre (p. 211) : des centaines de superbes petites embarcations en forme de lotus et chargées de bougies et d'encens sont mises à l'eau dans la rivière. Fin janvier, la fête annuelle du centre propose des spectacles de chants et de danses traditionnels.

Les **Thailand International Swan-Boat Races**, des courses nautiques, ont lieu en septembre sur le Mae Nam Chao Phraya, à côté du Bang Sai Arts and Crafts Centre.

## Où se loger

Les voyageurs à petit budget logent en général autour du Soi 2, Th Naresuan, où sont regroupées quelques modestes pensions. Les hébergements de catégories moyenne et supérieure sont situés le long de la rivière. Des réductions importantes peuvent être accordées en basse saison (d'avril à novembre).

### UN AMI DE TAILLE

Les éléphants ont joué un rôle de taille dans l'histoire de la Thaïlande en tant que machine de guerre, engin de construction et véhicule royal.

Leur statut et leur nombre ont décliné et on les voit souvent mendier en déambulant dans les rues. Il ne reste que 4 000 éléphants sauvages et domestiques en Thaïlande. Leur habitat naturel a été considérablement réduit et l'exploitation forestière est illégale, ils sont donc aujourd'hui principalement utilisés dans l'industrie touristique.

Le **palais des Éléphants d'Ayuthaya** (☎ 08 0668 7727 ; www.elephantstay.com) participe à la réhabilitation des pachydermes et de leurs cornacs. Il propose des promenades touristiques au milieu des ruines, a mis en place un programme efficace de reproduction et organise d'intéressantes activités promotionnelles. Les éléphants du *krahl* ont figuré dans les films *Alexandre* d'Oliver Stone et *Le Tour du monde en 80 jours* avec Jackie Chan.

Quelques-uns des 90 animaux du centre se sont reconvertis dans l'art et leurs peintures sont si impressionnantes que certaines ont été utilisées en haute couture. Même leurs excréments sont utilisés pour fabriquer du papier, des marque-pages et des albums photo.

Les éléphants ont prouvé leur utilité lors du tsunami de 2004, en atteignant des endroits inaccessibles aux véhicules de secours.

Le rôle du centre est de protéger les derniers éléphants de Thaïlande en achetant les bêtes malades ou maltraitées. Certains mâles, autrefois dangereux, ont été dressés et promènent maintenant les touristes dans les ruines.

Laithongrien Meepan a ouvert le centre en 1996 après avoir offert un éléphant à sa fille. Il a pris conscience de l'importance de ces animaux dans la culture thaïlandaise et a fait de leur réhabilitation une passion. Michelle Reedy, une ancienne employée de zoo australienne, organise avec Ewa Narkiewicz des séjours de plusieurs jours ou semaines (4 000 B/j) au cours desquels on apprend à monter, à laver les éléphants et à gagner la confiance des pachydermes.

Un éléphant coûte cher : il peut manger jusqu'à 150 kg de nourriture par jour. Les éléphants-taxis et les séjours dans le centre permettent de couvrir ces dépenses. La nourriture est fournie en partie par une ferme spécialisée qui produit un type d'herbe particulièrement nourrissant, et par les habitants de la région qui donnent des fruits.

Cette association à but non lucratif n'a pas été conçue pour accueillir des foules de touristes, mais ceux qui font l'expérience d'un séjour parmi les éléphants en repartent avec beaucoup de respect et d'admiration pour cet emblème de la Thaïlande.

### PETITS BUDGETS

**Baan Gao Suan** (☎ 0 3526 1732 ; Ko Kert ; ch 150-250 B). Les touristes en quête d'expériences authentiques pourront loger chez le chef du village et mettre la main à la pâte. Voir avec la TAT (p. 203).

**Baan Are Gong** (☎ 0 3523 5592 ; siriporntan@yahoo.com.sg ; près de Th Rotchana ; s/d 150/350 B ; ❄). Cette superbe maison centenaire en teck tenue par une famille sino-thaïlandaise est située dans le *soi* face à la gare. Le ferry à 4 B pour rejoindre l'île est à quelques mètres de là.

**PU Guest House** (☎ 0 3525 1213 ; 20/1 Soi Thaw Kaw Saw ; ch 180-550 B ; ❄ 💻). Un lieu sympathique aux chambres confortables, dont certaines équipées de la télévision par satellite, de la clim et d'un minibar. On y parle japonais.

**Tony's Place** (☎ 0 3525 2578 ; 12/18 Soi 2, Th Naresuan ; ch 200-500 B ; ❄). Un lieu très populaire qui ne désemplit pas. Chambres d'un bon rapport qualité/prix et service agréable.

**Baan Khun Phra** (☎ 0 3524 1978 ; 48/2 Th U Thong ; s/d 250/600 B). Cette charmante maison en teck, construite sous le règne de Rama VI, est pleine de surprises – où d'autre dort-on sous la protection d'authentiques épées thaïes ? La plupart des chambres partagent une salle de bains commune et certaines sont aménagées en dortoir.

**Sherwood Guest House** (☎ 08 6666 0813 ; 21/25 Th Dechawat ; ch 280-380 B ; ❄ 💻 🏊). Les chambres sont ordinaires, mais le propriétaire, un expatrié, vous donnera de bons conseils pour apprécier la ville. Piscine accessible à tous (adulte/enfant 50/35 B).

**Chantana Guest House** (☎ 0 3532 3200 ; chantanahouse@yahoo.com ; 12/22 Soi 2, Th Naresuan ; ch 350-450 B ; ❄). Une bonne adresse. Le personnel est sympathique, les chambres propres et confortables, en particulier celles disposant d'un balcon.

**Wieng Fa Hotel** (☎ 0 3524 3252 ; 1/8 Th Rotchana ; ch 400-500 B ; ). Un accueil professionnel pour cet hôtel de caractère à la déco rétro, agrémenté d'un patio extérieur.

**Baan Lotus Guest House** (☎ 0 3525 1988 ; 20 Th Pamaphrao ; ch 400-600 B ; ). Cette pension gérée par une famille, une ancienne école, est la plus charmante de la ville. Devant le bâtiment en teck s'étend un terrain boisé et, à l'arrière, un étang où fleurissent des lotus.

### CATÉGORIES MOYENNE ET SUPÉRIEURE

La plupart de ces hôtels sont occupés par des touristes en voyage organisé. Vous en trouverez sur l'île et à l'extérieur, et si beaucoup de bons hôtels sont un peu vieillots, ils disposent d'une vue imprenable sur la rivière.

**Ayothaya Hotel** (☎ 0 3523 2855 ; www.ayothayahotel.com ; 12 Soi 2, Th Naresuan ; ch 650-3 500 B ; ). Superbement situé, cet hôtel, qui mériterait d'être rafraîchi, propose des chambres spacieuses et d'autres, moins chères, dans une pension à l'arrière. Le personnel est sympathique et des réductions sont possibles en basse saison.

**U Thong Hotel** (☎ 0 3521 2531 ; www.uthonginn.com ; 210 Th Rotchana ; ch à partir de 1 200 B ; ). Un bon rapport qualité/prix avec service irréprochable et chambres tout confort. Navette gratuite pour le centre-ville.

**Krungsri River Hotel** (☎ 0 3524 4333 ; www.krungsririver.com ; 27/2 Th Rotchana ; ch à partir de 1 800 B ; ). Son cadre en bordure de rivière et ses chambres spacieuses et élégantes en font l'hôtel le plus chic de la ville.

**River View Place Hotel** (☎ 0 3524 1444 ; 35/5 Th U Thong ; ch à partir de 2 000 B ; ). Le meilleur hôtel de l'île avec de belles et grandes chambres tout confort et de nombreux équipements.

## Où se restaurer

Ayuthaya est célèbre pour ses pâtisseries musulmanes, ses currys et ses *nám prík* (sauce épicée). Les voyageurs à petit budget se rassemblent autour du Soi 2, Th Naresuan, et de ses nombreux restaurants adaptés aux papilles occidentales. Beaucoup de restaurants en bordure de rivière sont spécialisés dans les fruits de mer et offrent une vue magnifique sur les temples. Le très animé **marché couvert de Chao Phrom** (Th Naresuan) propose des plats sino-thaïlandais et musulmans.

**Le marché de nuit de Hua Raw** (Th U Thong) est un bon endroit pour dîner au bord de la rivière. En plus des plats thaïlandais habituels, des étals, repérables au croissant vert, servent de la cuisine musulmane.

**Étals de roti sai mai** (Th U Thong ; 10h-20h). Ayuthaya est célèbre pour son dessert musulman, le *roti sai mai*. C'est à vous de concocter cette spécialité très sucrée à base de fils de sucre de canne enrobés dans un *roti*. Vous en trouverez auprès des étals installés face à l'hôpital.

**Lung Lek** (Th Chee Kun ; plats 30-40 B ; 8h30-16h) prépare de délicieuses soupes de nouilles à déguster en admirant le Wat Ratburana, entouré d'habitants du coin.

**Tony's Place** (Soi 2, Th Naresuan ; plats 50-180 B). Un restaurant où l'on se presse pour une carte thaïlandaise/occidentale fournie.

**Baan Watcharachai** (près de Th Worachate ; plats 75-150 B). Cet endroit calme et charmant situé près du Wat Kasatrathirat sert du *yam plaa dùk fòo* (salade de poisson-chat grillé). Choisissez une place sur le bateau amarré devant.

**Sombat Chao Phraya** (Th U Thong ; plats 80-140 B ; 10h-21h30). Un bel établissement au bord de l'eau où l'on mange d'excellents fruits de mer.

**Baan Khun Phra** (☎ 0 3524 1978 ; plats 80-140 B ; 48/2 Th U Thong). Derrière la pension du même nom, ce restaurant au bord de la rivière offre une ambiance agréable et de bons plats thaïlandais, occidentaux et végétariens.

**Sai Thong** (Th U Thong ; plats 80-140 B ; 10h-22h30). Un lieu au parfum désuet extrêmement populaire, au bord de la rivière. Nombreux plats à base de fruits de mer.

**Rabieng Nam** (angle Th Rotchana et Th Chee Kun ; plats 100-160 B ; 17h-minuit). Manger est pour les Thaïlandais un moment de convivialité. La preuve en est faite ici, où des sessions impromptues de karaoké s'organisent au milieu des grignotages.

## Où prendre un verre

Ayuthaya est une ville paisible le soir, et les voyageurs à petit budget ne dépassent guère les limites du Soi 2, Th Naresuan.

**Jazz Bar** (Soi 2). Tenu par quatre Thaïlandais mélomanes qui n'hésitent pas à sortir leurs instruments pour un bœuf.

**Spin** (angle Th Naresuan et Th Khlong Makhamriang). Dans ce bar de rue branché, de jeunes Thaïlandais boivent de la vodka en grignotant des en-cas.

À l'extérieur de l'île, près du terminal des bus vers le nord, la boîte de nuit Ay By Laser (AY) est entourée de bars à karaoké qui attirent les noctambules de la ville.

## Depuis/vers Ayuthaya

### BATEAU

Plusieurs compagnies proposent un service fluvial jusqu'à Bangkok (voir p. 207). **Boat Step Travel** (☎08 9744 2672 ; 1 500 B) opère des liaisons quotidiennes partant d'Ayuthaya à 11h30 pour arriver à Bangkok à 16h30.

### BUS

Ayuthaya possède deux terminaux de bus. Celui des bus longue distance se situe à 5 km à l'est du centre d'Ayuthaya et dessert les destinations au nord de la ville. L'arrêt de bus pour la province se trouve dans Th Naresuan, à quelques minutes à pied du secteur des pensions. Les bus de Bangkok arrivent à deux rues du principal terminal des bus.

Les bus pour le terminal Nord de Bangkok (56 B, 1 heure 30, toutes les 20 min) passent par l'ancien aéroport Don Muang. Si vous venez directement de l'aéroport international Suvarnabhumi, prenez un bus jusqu'au terminal Nord de Bangkok (Mo Chit ; p. 188).

Des minibus relient Ayuthaya au monument de la Victoire à Bangkok (65 B, 2 heures, toutes les heures de 5h à 19h) ; ils partent de Th Naresuan, à l'ouest du terminal principal des bus.

Les bus pour Lopburi (40 B, 2 heures, toutes les 45 min) partent également de ce terminal. Pour aller à Kanchanaburi, prenez un bus jusqu'à Suphanburi (60 B, 1 heure 30, toutes les 30 min), puis une correspondance pour Kanchanaburi (50 B). Toutes les 20 min, de grands *sŏrng·tăa·ou* (ou *săwngthăew* ; des pick-up) partent pour Bang Pa In (25 B, 45 min).

Le guichet du terminal des bus pour le nord est à 5 min à pied de la gare. C'est là que l'on prend les billets pour Sukhothai (de 291 à 371 B, 6 heures, toutes les heures), Chiang Mai (de 463 à 596 B, 9 heures, 3 départs en soirée), Nan (de 444 à 571 B, 8 heures, 2 départs en matinée et 3 en soirée) et Phitsanulok (de 256 à 329 B, 5 heures, départs fréquents).

### TRAIN

Une rapide traversée en ferry (4 B) permet de rejoindre la gare ferroviaire, à l'est du centre-ville.

Les trains pour Ayuthaya (ordinaire/rapide/express 15/20/315 B, 1 heure 30) partent de la gare de Hualamphong à Bangkok tout au long de la journée, avec plus de départs entre 7h et 11h et entre 18h et 22h. Les horaires sont disponibles au guichet de la gare de Hualamphong. Pour gagner du temps, on peut prendre le métro de Bangkok jusqu'à la station de Bang Sue, qui croise le réseau ferré national.

D'Ayuthaya, on peut prendre le train pour se rendre au nord à Chiang Mai (ordinaire/rapide/express 586/856/1 198 B, 6 fois/j), au nord-est à Pak Chong, la gare la plus proche du parc national de Khao Yai (ordinaire/rapide/express 23/73/130 B, départs fréquents), et à Khon Kaen (ordinaire/rapide/express 173/265/375 B, 6 heures, 4 fois/j). Un *sŏrng·tăa·ou* pour le centre-ville coûte 60 B.

## Comment circuler

À tous les coins de rue d'Ayuthaya, vous trouverez un *săhm·lór* ou un *túk-túk* prêt à vous emmener où vous voulez. La règle d'or est de fixer le prix avant de monter. Les courses à l'intérieur de l'île coûtent entre 30 et 40 B.

Les principaux temples étant assez rapprochés, les manières les plus écologiques de circuler de l'un à l'autre sont le vélo ou l'éléphant. Beaucoup de pensions louent des vélos (30 B) et des motos (200 B). Vous pouvez faire de courtes promenades parmi les ruines en calèche (300 B) ou à dos d'éléphant (de 400 à 500 B). Pour ces derniers, se renseigner au *krahl*, sur Th Pa Thon.

Des tours de l'île en *long-tail boat* (à partir de 200 B/h) peuvent être organisés à l'embarcadère près du marché de nuit ou auprès des pensions.

# ENVIRONS D'AYUTHAYA

## Bang Pa In

บางปะอิน

Le **palais de Bang Pa In** (☎0 3526 1548 ; 100 B ; 🕙 8h-15h30) vaut le détour, ne serait-ce que pour son architecture éclectique. Le mélange d'édifices de styles européen, chinois et thaïlandais paraît incongru de prime abord mais reflète les influences du roi Rama V (Chulalongkorn, 1868-1910). Le roi Chula était un monarque progressiste ayant étudié les traditions occidentales. De retour d'Europe, il restaura le palais construit au XVIIe siècle. On y trouve aujourd'hui une réplique du pont du Tibre de Rome, le **Wehut Chamrun** de style chinois, le **Withun Thatsana** d'influence victorienne et un jardin d'arbres taillés en forme d'éléphants.

En 1880, la reine Sunanta périt noyée lors d'un séjour au palais. La loi interdisant aux courtisans de toucher la souveraine, personne ne tenta de la sauver. À la suite de cette tragédie, le roi Rama V modifia la loi. Un obélisque en marbre fut érigé dans l'enceinte du palais en mémoire de la reine.

À l'arrière du parking du palais, le **Wat Niwet Thamaprawat** est un temple particulièrement étrange, conçu pour ressembler à une cathédrale. Son style gothique, ses vitraux et ses chevaliers en armures contrastent avec les statues du Bouddha. On y accède gratuitement en traversant la rivière en télécabine.

Bang Pa In est desservi par des *sŏrng·tăa·ou* (25 B) qui partent fréquemment de l'arrêt des bus pour la province sur Th Naresuan. Une fois à la gare routière de Bang Pa In, prenez un moto-taxi (30 B) jusqu'au palais, à 4 km de là. La gare ferroviaire est un peu plus proche et un train relie Ayuthaya à Bang Pa In (3e classe 3 B, 30 min), mais, là encore, il faudra prendre un moto-taxi pour rejoindre le palais (20 B).

À 17 km au sud-ouest du palais, le **Bang Sai Arts and Crafts Centre** (centre d'art et d'artisanat de Bang Sai ; ☎ 0 3536 6252 ; www.bangsaiarts.com ; ☎ 9h-17h) s'étend sur 180 ha. Ce site ouvert en 1984 avec le soutien de la reine Sirikit vise à préserver l'artisanat thaïlandais traditionnel. Des agriculteurs y fabriquent des objets qui leur permettent de s'assurer un revenu pendant la morte-saison. On peut visiter les ateliers de sculpture sur bois, teinture sur soie ou coutellerie. Bijoux, tissus et vêtements sont vendus dans le pavillon Sala Phra Ming Kwan et dans un village artisanal conçu spécialement.

Un **parc aux oiseaux** (20 B) et deux **aquariums** géants remplis d'énormes poissons d'eau douce divertiront les plus jeunes touristes.

Pour vous rendre au centre, prenez un train ou un *sŏrng·tăa·ou* jusqu'à Bang Pa In, puis louez un moto-taxi.

# PROVINCE DE LOPBURI

## LOPBURI

ลพบุรี

Lopburi est une charmante petite ville tranquille parsemée de ruines, d'étals de nouilles et de marchés de rue.

On peut aisément faire le tour des sites principaux en un jour ou deux et s'imprégner de l'histoire d'une ville qui avait son importance au cours des périodes de Dvaravati, de Khmère, de Sukhothai et d'Ayuthaya.

Les marchés de rue du matin ou du soir sont un bon moyen de découvrir le quotidien d'une petite ville de province. Le rythme paisible ne s'accélère que pour chasser les résidents les plus célèbres de la ville : les singes. Les macaques vivent parmi les ruines et s'aventurent aussi parfois près des hôtels.

Lopburi est connue pour ses champs de tournesols, sa gelée de noix de coco et ses meubles en rotin. Son agriculture tourne principalement autour du sucre de canne et du riz.

La plupart des touristes traversent rapidement la ville, située à 150 km de Bangkok, lorsqu'ils se rendent dans le nord du pays.

### Histoire

Lopburi, l'une des plus anciennes villes de Thaïlande, gagna en importance au cours de la période de Dvaravati (du VIe au XIe siècle).

L'avancée des Khmers vers l'est au Xe siècle influença grandement l'architecture et l'art de la ville. Nombre d'édifices antérieurs furent détruits et les ruines qui subsistent, notamment le Prang Sam Yot et le Wat Phra Si Ratana Mahathat, ont un style khmer prononcé.

Alors nommée Lavo, Lopburi était une ville frontalière de l'Empire khmer, qui devint un centre administratif et commercial. L'essor de l'empire de Sukhotai entraîna le déclin de Lopburi, qui devait néanmoins devenir la seconde capitale au cours de la période d'Ayuthaya. Elle accueillit alors de nombreux hauts dignitaires étrangers. Ces influences extérieures furent à l'origine de grandes avancées au niveau architectural, astronomique et littéraire.

Le roi Narai fortifia Lopburi au milieu du XVIIe siècle lors d'une menace de blocus naval par les Hollandais. En 1665, il y fit construire un palais dans lequel il mourut en 1688.

### Orientation

Lopburi est scindée en deux parties, de part et d'autre de la voie ferrée : d'un côté la ville moderne, sans charme, de l'autre la vieille ville, plus compacte, regroupant tous les sites historiques importants, accessibles à pied.

### Renseignements

Plusieurs banques sont installées dans la vieille ville et des cybercafés jalonnent Th Na Phra Kan (20 B/h).

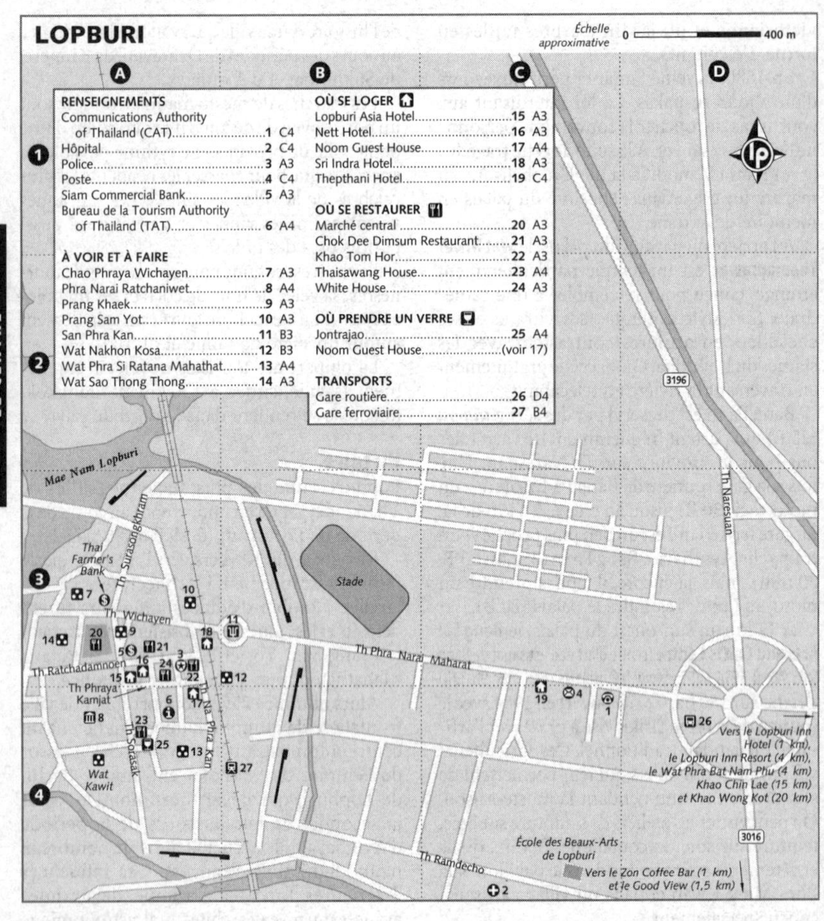


**Communications Authority of Thailand** (CAT ; Th Phra Narai Maharat ; 8h30-16h30)
**Hôpital** ( 0 3662 1537-45 ; Th Ramdecho)
**Nature Adventure** ( 0 3642 7693 ; kkhumwong@yahoo.com ; 15-17 Th Phraya Kamjat). Organise des sorties d'escalade à Khao Chin Lae.
**Police** ( 0 3642 4515 ; Th Na Phra Kan)
**Poste** (Th Phra Narai Maharat)
**TAT** ( 0 3642 2768-9 ; Th Phraya Kamjat ; 8h30-16h30). Cartes très complètes.
**Zon Coffee Bar** (Th Naresuan). Wi-Fi gratuit.

## À voir

### PHRA NARAI RATCHANIWET

พระนารายณ์ราชนิเวศน์

Cet **ancien palais royal** (entrée Th Sorasak ; 150 B ; galerie 8h30-16h mer-dim ; enceinte du palais 7h-17h30) est l'endroit idéal pour commencer une visite des ruines de Lopburi.

L'enceinte du palais abrite le **musée de Lopburi** (officiellement "musée national Somdet Phra Narai"), qui présente l'histoire de la province. Le musée est divisé en trois bâtiments : le **pavillon Phiman Mongkut** renferme sculptures et objets d'art des périodes de Lopburi, de Khmère, de Dvaravati, d'U Thong et d'Ayuthaya ; la **salle du trône Chantara Phisan** abrite peintures et objets d'art en hommage au roi Narai ; et le **pavillon Phra Pratiab**, de style européen, comprend une petite exposition d'objets traditionnels et de matériel de chasse.

Le palais fut construit entre 1665 et 1677 avec le concours d'ingénieurs français et italiens. Lopburi faisait office de seconde capitale du royaume sous le règne du roi Narai d'Ayuthaya. Le monarque y accueillait des dignitaires étrangers et résidait dans le palais durant la chasse.

Après la mort du souverain en 1688, le palais fut laissé à l'abandon. Le roi Monkgut (Rama IV) en ordonna la restauration en 1856.

L'entrée principale du palais se fait par la porte **Pratu Phayakkha**, sur Th Sorasak. À gauche de l'entrée se trouvent les réservoirs d'eau du palais et la salle de réception où étaient accueillis les émissaires étrangers.

Un peu plus loin se dressent les écuries des éléphants et le pavillon royal **Suttha Sawan** où le roi Narai mourut. Vous pourrez acheter ici un billet à la journée pour toutes les ruines (150 B).

### WAT PHRA SI RATANA MAHATHAT
วัดพระศรีรัตนมหาธาตุ

Face à la gare, ce **wat** khmer du XIII^e^ siècle (Th Na Phra Kan ; 50 B ; 7h-17h), autrefois le plus grand monastère de la ville, a été très bien restauré et offre de belles occasions pour les photographes. Le Phra Prang central est orné d'un bas-relief illustrant la vie de Bouddha.

### PRANG SAM YOT
ปรางค์สามยอด

Ce **sanctuaire** (Th Wichayen ; 50 B; 8h-18h) est le site le plus célèbre et le plus photographié de la ville. Les trois tours symbolisaient à l'origine la trimurti hindoue : Shiva, Vishnu et Brahma. Elles sont accessibles et procurent une fraîcheur bienvenue.

Des jeunes vous proposeront de vous guider, et si leur anglais est approximatif, leurs lance-pierres tiendront les singes à distance. Ce monument, particulièrement beau la nuit lorsqu'il est éclairé, est le plus bel exemple d'architecture khmère-Lopburi.

### CHAO PHRAYA WICHAYEN
บ้านวิชชาเยนทร์

Le roi Narai fit construire ce **palais** (Th Wichayen ; 50 B ; 9h-16h) de style thaïlando-européen pour loger les ambassadeurs étrangers, notamment le plus célèbre d'entre eux, Constantin Phaulkon. Grâce à ses connaissances technologiques, ce négociant et diplomate grec devint l'un des plus proches conseillers du roi. Son pouvoir et sa fortune faisaient des envieux et, alors que Narai se mourait, Phaulkon fut arrêté et décapité. Le palais est situé au nord-est du Wat Sao Thong Thong.

### PRANG KHAEK
ปรางค์แขก

Installée sur une parcelle triangulaire bordée au nord par Th Wichayen, cette tour du XI^e^ siècle aurait été un temple dédié au dieu hindou Shiva. La structure de brique est de style khmer.

### AUTRES VESTIGES

Le long de la gare ferroviaire, le **Wat Nakhon Kosa** (Th Na Phra Kan), construit au XII^e^ siècle, aurait été un sanctuaire hindou. Le *chedi* principal date de l'époque Dvaravati et le *wí·hăhn* fut ajouté par la suite par le roi Narai. À l'arrière, on peut voir plusieurs bouddhas sans tête.

Au nord-ouest du palais, le **Wat Sao Thong Thong** (Th Wichayen), que le roi Narai utilisa comme chapelle chrétienne, a la particularité d'être percé de fenêtres de style gothique. Les lieux auraient aussi servi de résidence à des ambassadeurs perses.

### Wat Phra Bat Nam Phu
วัดพระบาทน้ำพุ

Dans ce temple situé entre montagnes embrumées et champs verdoyants, des moines soignent des séropositifs et des malades du sida, et participent à des projets de prévention. La philosophie bouddhique selon laquelle la mort fait partie intégrante de la vie est particulièrement bien illustrée dans le "musée de la vie", présentant des corps d'hommes, de femmes et d'enfants ayant succombé à la maladie, et des sculptures à base de poudre d'os. Il est possible de faire du bénévolat au temple. Le temple est à 4 km de Th Phahol Yothin.

### GROTTES AUX CHAUVES-SOURIS

Lopburi est environnée de lieux pittoresques et de plusieurs grottes, dont la plus intéressante est **Khao Wong Kot**, à 20 km au nord-ouest de la ville. Au crépuscule, des milliers de chauves-souris en sortent pour chasser. On y accède en prenant le train (5 B) de Lopburi à Nong Sai Khao, puis un moto-taxi. Le dernier train pour rentrer à Lopburi part à 16h45.

## Activités

### ESCALADE

Non loin de là, Khao Chin Lae propose plus de 40 voies d'escalade de tous niveaux. Ceux qui arrivent au sommet pourront admirer les fameux champs de tournesols entourant Lopburi (en fleurs de novembre à janvier).

### SINGES FARCEURS

Si vous voyez des gens courir, armés de longs bâtons et de lance-pierres, rassurez-vous, ils ne sont pas devenus fous. Ce sont juste des méthodes pour tenter (souvent en vain) d'éloigner les singes. Ces macaques font partie du charme de Lopburi et, dans la vieille ville, il est impossible de s'en débarrasser. Galopant le long des fils électriques, martelant des toits de tôle ou chapardant un morceau de mangue, ces créatures sont partout.

Leurs lieux de prédilection sont le **San Phra Kan** (sanctuaire de Kala ; Th Wichayan) et le **Prang Sam Yot** (Th Wichayan). Quand vous visitez ces lieux, rangez dans vos sacs vos bouteilles d'eau et tout ce qui peut ressembler à de la nourriture. Ce qui n'est pas dissimulé sera considéré comme une proie. Le rayon d'action des singes ne s'arrête pas aux ruines. Vous pourrez voir ces plaisantins courir sur le balcon de votre chambre ou se balancer sur l'auvent d'une boutique.

Si les habitants de la ville utilisent des lance-pierres pour les faire déguerpir, ils ne leur font aucun mal, la religion bouddhiste prônant la préservation de toute forme de vie. Les singes sont en outre considérés par certains comme des "descendants" du dieu hindou Kala et les blesser porterait malheur. Fin novembre, une fête est organisée en l'honneur des singes au Prang Sam Yot, pour les remercier de contribuer à la prospérité de Lopburi. Le thème du buffet change chaque année (fruits, glaces…). Des tables sont installées et garnies de toutes sortes de victuailles pour régaler les singes, qui ne se font pas prier. Un point d'alimentation a été installé pour dissuader les animaux de piller les touristes. Il est approvisionné chaque jour à 10h et 16h près du sanctuaire de San Phra Kan.

Observez l'agent de sécurité s'évertuant à empêcher les singes d'entrer dans le sanctuaire, à l'aide de sa matraque. Un des spectacles les plus surprenants est celui des singes sauvages regardant d'un air amusé leurs cousins accomplir des tours. Ces derniers sautent à travers des cerceaux enflammés et jouent au basket-ball avec des noix de coco dans un petit pavillon.

Il faut se montrer prudent avec ces créatures, car si les singes peuvent paraître mignons, il ne faut pas oublier que ce sont des animaux sauvages. Aussi, quand vous voyez un joli bébé singe, il y a des chances qu'une mère protectrice se trouve à proximité. Pour vous convaincre des risques de morsure, jetez un œil aux bras meurtris des jeunes guides.

Pour les voir de plus près, prenez le bus de Lopburi à Ban Muang (18 B) et demandez à descendre à Khao Chin Lae.

## Fêtes et festivals

La **fête du roi Narai** (www.thailandgrandfestival.com) a lieu pendant trois jours mi-février au Phra Narai Ratchaniwet. Les habitants de la région vêtus de costumes traditionnels paradent jusqu'à l'ancien palais. L'un des temps forts est le *lá·kon ling* (pièce de théâtre jouée par des singes).

Les vrais macaques ont leur propre **fête des singes** (voir l'encadré p. 214) la dernière semaine de novembre. Ils occupent alors le devant de la scène et dévorent un somptueux banquet sous les yeux de milliers de curieux.

## Où se loger

L'offre hôtelière de Lopburi se limite à des chambres basiques et défraîchies. Dans la vieille ville, vous serez près des sites, mais aussi des singes. Pour les éviter, éloignez-vous du Prang Sam Yot. Quelques établissements de catégorie moyenne se trouvent dans la ville moderne, mais il faut alors être motorisé.

### PETITS BUDGETS

C'est pratiquement la seule gamme disponible à Lopburi. Les chambres sont vieillottes, mais, dans la vieille ville, elles sont proches de tout.

**Noom Guest House** (☎ 0 3642 7693 ; kkhumwong@yahoo.com ; Th Phraya Kamjat ; ch 150-300 B). Un des lieux les plus agréables avec ses bungalows au toit en bambou et son jardin. Chambres avec salles de bains communes à l'étage.

**Sri Indra Hotel** (☎ 0 3641 1261 ; Th Na Phra Kan ; ch 200-300 B ; ❄). Face à la gare ferroviaire, le Sri Indra propose des chambres propres, un excellent service et une vue sur le San Phra Kan.

**Lopburi Asia Hotel** (☎ 0 3661 8894 ; angle Th Sorasak et Th Phraya Kamjat ; s/d à partir de 250/450 B ; ❄). Les chambres sont médiocres mais équipées de TV, clim et eau chaude. Voyez-en plusieurs avant de vous décider.

**Nett Hotel** (☎ 0 3641 1738 ; 17/1-2 Th Ratchadamnoen ; ch 300-500 B ; ❄). Au cœur de la vieille ville, ses chambres rénovées en font le meilleur rapport qualité/prix de la ville.

**Thepthani Hotel** (☎ 0 3641 1029 ; Th Phra Narai Maharat ; ch 400 B ; ). Hôtel géré par le département du tourisme et de l'hébergement de l'université de Rajabhat. Les chambres sont correctes et les salles de bains immaculées. Il est situé en dehors de la vieille ville, mais les bus bleus allant vers la ville moderne vous y déposeront pour 10 B.

### CATÉGORIES MOYENNE ET SUPÉRIEURE

**Lopburi Inn Hotel** (☎ 0 3641 2300 ; www.lopburiinnhotel.com ; 28/9 Th Phra Narai Maharat ; ch 700-950 B ; ). Une statue de singe en bronze de 3 m, ainsi que des dizaines de plus petites vous accueillent ici, au cas où vous conserveriez un peu d'affection pour ces créatures. Les plus belles chambres ont des salles de bains gigantesques.

**Lopburi Inn Resort** (☎ 0 3642 0777 ; www.lopburiinnresort.com ; 144 Tambon Tha Sala ; ch 950-1 350 B ; ). Le thème simiesque est aussi de rigueur dans cette annexe du Lopburi Inn Hotel. Il est un peu excentré (5 km du centre), mais c'est l'hôtel le plus chic de la ville.

## Où se restaurer et prendre un verre

Les rues de la vieille ville regorgent d'étals servant toutes sortes d'en-cas. Le mercredi, un marché emplit Th Phraya Kamjat et tous les soirs, d'autres étals sont regroupés sur Th Na Phra Kan.

**Khao Tom Hor** (angle Th Na Phra Kan et Th Ratchadamnoen, plats 30-80 B). Ce lieu bondé tous les soirs sert de la cuisine sino-thaïlandaise dont d'excellents *plaa salid tôrd* (poisson salé frit) et *pàd gàprow gài* (poulet aux feuilles de basilic).

**Thaisawang House** (Th Sorasak ; plats 60-100 B ; 8h30-20h). Un modeste restaurant vietnamo-thaïlandais aux solides portions. Les crêpes à la vapeur et le thé glacé au citron sont délicieux. Ne partez pas sans avoir vu l'"autel" entouré de figurines, derrière le comptoir.

**Marché central** (angle Th Ratchadamnoen et Th Surasongkhram ; 6h-17h). Promenez-vous parmi les dizaines d'étals pour goûter le *kôw đom mùd* (riz enveloppé de feuilles de coco), le *đa·go peu·ak* (crème de taro au lait de coco) ou le *gài tôrt* (poulet frit). Un stand végétarien est installé au centre du marché.

**White House** (Th Phraya Kamjat ; plats 80-200 B ; 17-22h). Ce restaurant aux allures coloniales sert d'assez bons plats sino-thaïlandais. Le gentil Khun Piak vous donnera des conseils touristiques.

**Chok Dee Dimsum Restaurant** (Th Ratchadamnoen ; plats 16-22 B ; 8h30-22h). Raviolis chinois à la viande et boulettes de porc à la vapeur font partie des mets appétissants de ce restaurant. Les cris des serveurs annonçant les plats contribuent à l'ambiance joyeuse du lieu.

La ville moderne compte quelques restaurants et bars, pour la plupart sur Th Naresuan. **Good View** (Th Naresuan ; plats 80-150 B ; 17h-1h) est la meilleure adresse. Ce bar sur trois niveaux a une belle carte de fruits de mer.

En ce qui concerne les bars, le choix dans la vieille ville se limite à la **Noom Guest House** (Th Phraya Kamjat), où les expatriés sirotent des Chang et des Leo, et, non loin de là, au **Jontrajao** (enseigne en thaï uniquement ; Th Sorasak). Ce lieu à la mode chez les habitants a son propre groupe de musique. Faute d'enseigne en caractères romains, cherchez l'énorme publicité "Benmore" sur le toit.

## Depuis/vers Lopburi

### BUS

La **gare routière** (Th Naresuan) est à 2 km de la vieille ville. Sont desservis : Ayuthaya (32 B, 2 heures, toutes les 30 min), le terminal Nord de Bangkok (120 B, 3 heures, toutes les 40 min) et Nakhon Ratchasima (Khorat ; 136 B, 3 heures 30, toutes les heures). Les bus pour Ayuthaya partent du quai n°21.

Pour aller à Kanchanaburi, partez du quai 13 et descendez à Suphanburi (65 B, 3 heures, toutes les 1 heure 30). De là, prenez un bus local jusqu'à Kanchanaburi (50 B). Singburi et Ang Thong sont aussi accessibles en bus depuis Lopburi.

### TRAIN

La **gare ferroviaire** (Th Na Phra Kan) est à proximité de la vieille ville et de ses hébergements.

Les trains vers le sud pour Ayuthaya (ordinaire/rapide/express 13/20/310 B) et la gare de Hualamphong à Bangkok (ordinaire/rapide/express 28/50/344 B) circulent environ toutes les heures jusqu'à 14h50, suivis de quelques départs en début de soirée. Les trains express mettent environ 3 heures, les trains ordinaires, 4 heures 30. À Bangkok, vous pouvez gagner du temps en descendant à la gare de Bang Sue, puis en prenant le métro pour le centre de la ville.

Les trains desservant le nord depuis Lopburi s'arrêtent à Phitsanulok (ordinaire/rapide/express 49/99/393 B). Les départs sont fréquents avant 15h et après 20h. Si vous ne vous arrêtez que quelques heures à Lopburi, des consignes sont à votre disposition pour 10 B par sac.

### Comment circuler

Des *sŏrng·tăa·ou* et les bus municipaux circulent dans Th Wichayen et Th Phra Narai Maharat entre la vieille ville et la ville moderne pour 10 B par personne. Les *săhm·lór* vous conduiront partout dans la vieille ville pour 30 B.



# PROVINCE DE KANCHANABURI

Kanchanaburi est l'une des plus grandes provinces du royaume et c'est aussi l'une des moins développées sur le plan industriel. Cela s'explique par la présence de l'imposant massif montagneux qui sépare la Thaïlande du Myanmar et par les nombreux champs fertiles produisant riz, sucre de canne et tapioca.

La plupart des visiteurs commencent par quelques jours dans la capitale provinciale pour visiter les mémoriaux de la Seconde Guerre mondiale et faire des randonnées. Cascades, grottes et forêts se trouvent à proximité. Dans le nord de la province, plusieurs parcs nationaux peuplés de tigres, d'éléphants et de gibbons attirent de plus en plus de touristes désireux de se rapprocher de la nature.

C'est à Kanchanaburi qu'il est le plus simple de réserver des tours organisés, et la ville propose un large choix d'hébergements et d'activités. Le nord-ouest recèle des villes peu visitées, peuplées d'ethnies ayant fui le régime du Myanmar voisin. On se laisse vite porter par le rythme de ces villes frontalières, aussi paisible que celui des bateaux de pêcheurs sur les rivières, et il n'est pas rare que le séjour se prolonge. Ces lieux démentent le mythe selon lequel il n'existerait plus aucun endroit épargné par le tourisme et le progrès en Thaïlande.

## KANCHANABURI

กาญจนบุรี

**63 112 habitants**

La beauté naturelle de Kanchanaburi attire les touristes cherchant à fuir le tumulte de Bangkok (à 130 km de là). De nombreux citadins y viennent pour le week-end et embarquent dans des karaokés flottants qui troublent momentanément la sérénité de la ville.

Assise sur la vallée surplombant la Mae Nam Mae Klong, la ville est encerclée de champs produisant tapioca, canne à sucre et maïs. Au nord et au nord-ouest, cascades, rivières et jungle offrent quelques-uns des plus beaux paysages du royaume. Les collines calcaires sont connues pour leurs grottes remplies de stalactites, de stalagmites et d'étincelantes formations de cristal. Elles abritent aussi des lieux de culte animiste, et des statues du Bouddha.

Durant la Seconde Guerre mondiale, la ville a été le théâtre d'événements tragiques. Les forces d'occupation japonaises réquisitionnèrent des prisonniers de guerre et des travailleurs du Sud-Est asiatique pour la construction d'une voie ferrée reliant la Birmanie. Pierre Boule en a fait le récit poignant dans son livre *Le Pont de la rivière Kwaï*, adapté à l'écran en 1957. Le pont en question est à Kanchanaburi, où plusieurs cimetières et musées rendent hommage aux victimes. Les rues du quartier des hôtels portent les noms des pays ayant pris part au conflit.

### Histoire

Fondée par Rama Ier, la ville de Kanchanaburi fut conçue comme une place forte destinée à barrer la route aux Birmans. Ces derniers étaient en effet susceptibles d'emprunter l'ancien itinéraire passant par le col des Trois Pagodes, à la frontière entre la Thaïlande et la Birmanie.

Durant la Seconde Guerre mondiale, les forces d'occupation japonaises utilisèrent les prisonniers alliés et les conscrits du Sud-Est asiatique pour construire le tristement célèbre "chemin de fer de la Mort" (Death Railway) destiné à emprunter la même voie, mais dans l'autre sens, de la vallée de la Mae Nam Khwae Noi au col. Pendant les travaux, un prisonnier de guerre hollandais, HR Van Heekeren, mit au jour des vestiges néolithiques. À la fin de la guerre, une équipe dano-thaïlandaise étudia la découverte de Van Heekeren et conclut que cette zone avait été un important lieu de sépulture néolithique. Les archéologues estiment aujourd'hui qu'elle était habitée il y a 10 000 ans.

### Orientation

Kanchanaburi possède une version miniature de Th Khao San à Bangkok concentrée sur Th Mae Nam Khwae, à quelques minutes de marche de la gare ferroviaire. Les hébergements se regroupent à proximité ou sur la rivière. Le secteur commerçant suit Th Saengchuto. Les sites à visiter étant trop distants les uns

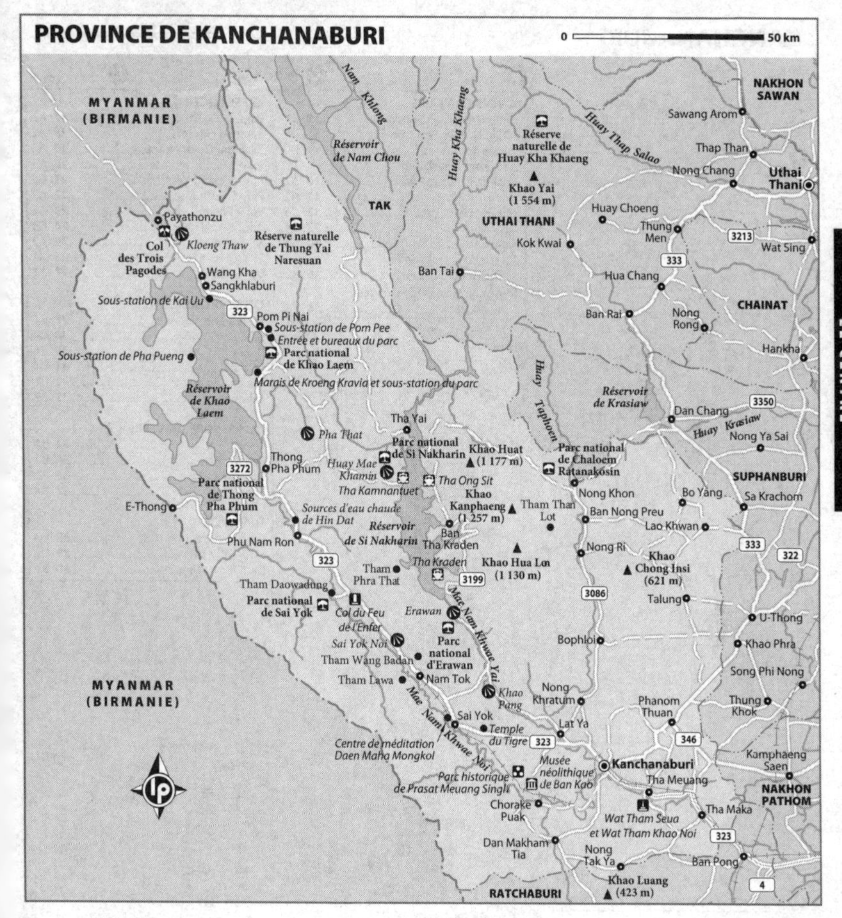


des autres, il est nécessaire de louer un vélo ou une moto.

## Renseignements

### ARGENT

Plusieurs grandes banques thaïlandaises sont présentes autour de Th Saengchuto, à proximité du marché et de la gare routière.

**AS Mixed Travel** (☎ 0 3451 2017 ; Apple's Guesthouse, 3/17 Th Chaokunen). Change possible en dehors des heures de bureau.

**Bangkok Bank** (Th U-Thong). À côté du centre commercial Kanakan.

**Krung Thai Bank** (Th Saengchuto). Près du pont de la rivière Kwaï.

**Thai Military Bank** (Th Saengchuto). À côté de la gare routière.

### INTERNET (ACCÈS)

Les cybercafés sont regroupés autour de Th Mae Nam Khwae. Comptez 30 B/h.

### OFFICE DU TOURISME

**TAT** (☎ 0 3451 1200 ; Th Saengchuto ; 🕑 8h30-16h30). Distribue des cartes gratuites de la ville et de la région et fournit des renseignements sur les activités et les hébergements.

### POSTE

**Poste principale** (Th Saengchuto ; 🕑 8h30-16h30 lun-ven, 9h-12h sam-dim)

### SERVICES MÉDICAUX

**Hôpital Thanakarn** (☎ 0 3462 2366, urgences 0 3462 2811 ; Th Saengchuto). À côté de l'intersection

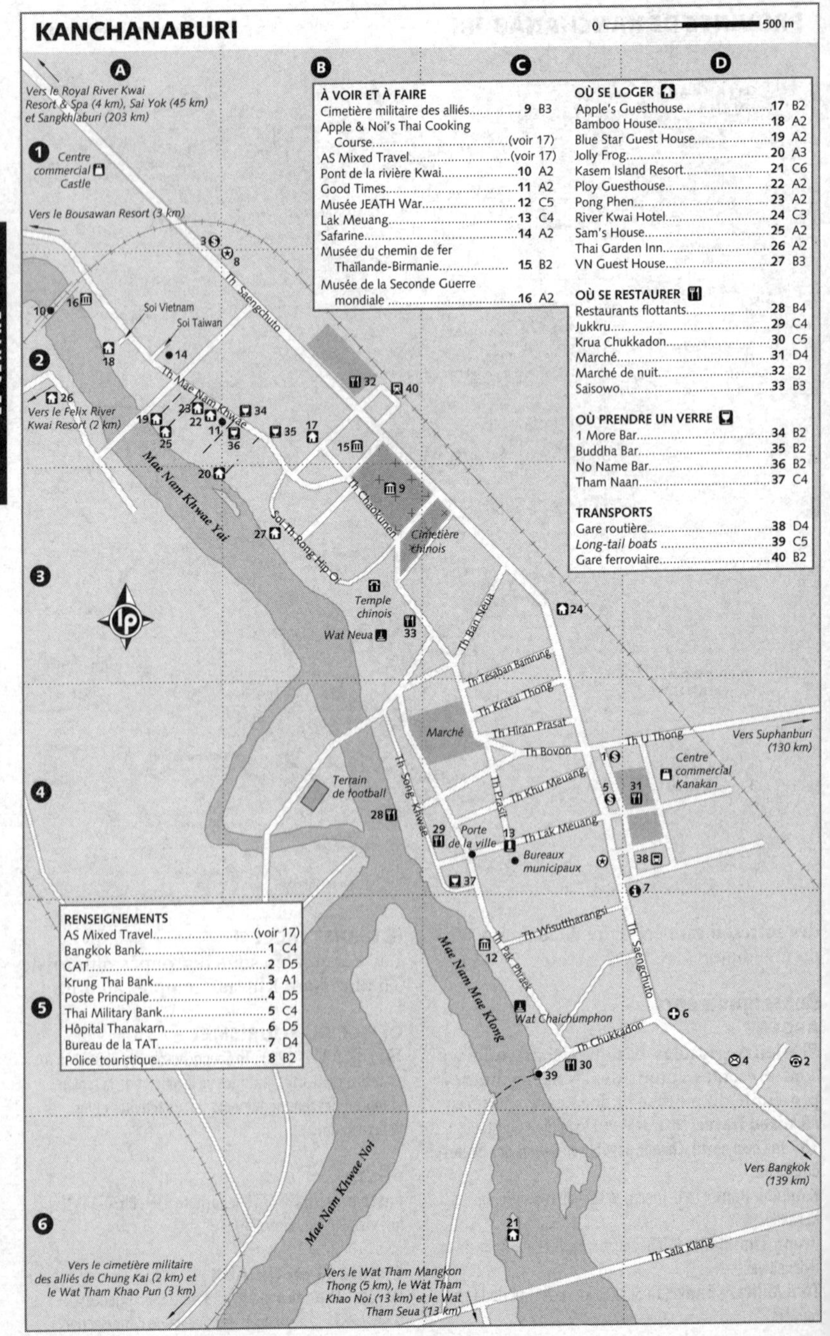
KANCHANABURI
0
500 m
A
B
C
D
1
2
3
4
5
6
Vers le Royal River Kwai Resort & Spa (4 km), Sai Yok (45 km) et Sangkhlaburi (203 km)
Centre commercial Castle
Vers le Bousawan Resort (3 km)
Vers le Felix River Kwai Resort (2 km)
Soi Vietnam
Soi Taiwan
Th Saengchuto
Th Mae Nam Khwae
Mae Nam Khwae Yai
Th Chaokunen
Soi Th Rong Hip Oi
Cimetière chinois
Temple chinois
Wat Neua
Th Ban Neua
Th Tesaban Bamrung
Th Kratai Thong
Th Hiran Prasat
Th Bovon
Th U Thong
Marché
Vers Suphanburi (130 km)
Centre commercial Kanakan
Th Song Khwae
Terrain de football
Th Prasit
Th Khu Meuang
Th Lak Meuang
Porte de la ville
Bureaux municipaux
Th Wisuttharangsi
Th Pak Phraek
Th Saengchuto
Mae Nam Mae Klong
Wat Chaichumphon
Th Chukkadon
Vers Bangkok (139 km)
Mae Nam Khwae Noi
Th Sala Klang
Vers le cimetière militaire des alliés de Chung Kai (2 km) et le Wat Tham Khao Pun (3 km)
Vers le Wat Tham Mangkon Thong (5 km), le Wat Tham Khao Noi (13 km) et le Wat Tham Seua (13 km)
À VOIR ET À FAIRE
Cimetière militaire des alliés.............. 9 B3
Apple & Noi's Thai Cooking Course...................................(voir 17)
AS Mixed Travel...........................(voir 17)
Pont de la rivière Kwai.....................10 A2
Good Times........................................11 A2
Musée JEATH War...........................12 C5
Lak Meuang.......................................13 C4
Safarine..............................................14 A2
Musée du chemin de fer Thaïlande-Birmanie................... 15 B2
Musée de la Seconde Guerre mondiale ...............................16 A2
OÙ SE LOGER
Apple's Guesthouse.........................17 B2
Bamboo House..................................18 A2
Blue Star Guest House......................19 A2
Jolly Frog...........................................20 A3
Kasem Island Resort.........................21 C6
Ploy Guesthouse...............................22 A2
Pong Phen..........................................23 A2
River Kwai Hotel................................24 C3
Sam's House......................................25 A2
Thai Garden Inn.................................26 A2
VN Guest House................................27 B3
OÙ SE RESTAURER
Restaurants flottants.........................28 B4
Jukkru................................................29 C4
Krua Chukkadon................................30 C5
Marché...............................................31 D4
Marché de nuit..................................32 B2
Saisowo.............................................33 B3
OÙ PRENDRE UN VERRE
1 More Bar........................................34 B2
Buddha Bar.......................................35 B2
No Name Bar.....................................36 B2
Tham Naan........................................37 C4
TRANSPORTS
Gare routière.....................................38 D4
Long-tail boats ..................................39 C5
Gare ferroviaire.................................40 B2
RENSEIGNEMENTS
AS Mixed Travel...........................(voir 17)
Bangkok Bank...............................1 C4
CAT...............................................2 D5
Krung Thai Bank...........................3 A1
Poste Principale............................4 D5
Thai Military Bank.........................5 C4
Hôpital Thanakarn........................6 D5
Bureau de la TAT..........................7 D4
Police touristique..........................8 B2

avec Th Chukkadon, cet hôpital est très bien équipé pour accueillir les visiteurs étrangers.

### TÉLÉPHONE

On peut passer des appels longue distance depuis de nombreuses boutiques sur Th Mae Nam Khwae.

**CAT** (près de Th Saengchuto ; ⏲ 8h30-16h30 lun-ven). Propose un service d'appels internationaux.

### URGENCES

**Police touristique** (☎ 0 3451 2668/2795 ; Th Saengchuto)

## À voir

Des excursions à la journée comprenant une visite des cascades et des sites historiques de la Seconde Guerre mondiale permettent de voir les attractions principales sans toutefois laisser le temps de les apprécier. Tous les lieux intéressants sont faciles d'accès et il est aisé de s'y rendre en bus ou en train.

Les musées de la guerre et la plupart des grottes peuvent être visités en deux jours. Avec quelques jours supplémentaires, on peut partir en train ou en bus à la découverte des environs. L'entrée de la plupart des parcs et grottes coûte 200 B et inclut un ticket à la journée pour les lieux du même type.

### THAILAND-BURMA RAILWAY CENTRE (MUSÉE DU CHEMIN DE FER THAÏLANDE-BIRMANIE)

ศูนย์รถไฟไทย–พม่า

Cet intéressant **musée** (☎ 0 3451 0067 ; www.tbrconline.com ; 73 Th Chaokunen ; adulte/enfant 100/50 B ; ⏲ 9h-17h) est le point de départ idéal pour comprendre le rôle joué par Kanchanaburi dans la Seconde Guerre mondiale. Les neuf galeries présentent des images, des objets et des maquettes qui racontent l'histoire du chemin de fer, illustrent le traitement des prisonniers de guerre et expliquent ce qu'est devenu le réseau, une fois terminé. Des vidéos particulièrement poignantes de survivants apportent une humanité tragique à ce qui aurait pu se résumer à de froides données chiffrées.

### CIMETIÈRE MILITAIRE DES ALLIÉS

สุสานทหารสัมพันธมิตรดอนรัก

En face du musée, l'**Allied War Cemetery** (Th Saengchuto ; ⏲ 8h-18h) est parfaitement entretenu par la War Graves Commission (commission des sépultures de guerre). Près de la moitié des 6 982 prisonniers de guerre qui y sont enterrés étaient britanniques. Les autres étaient principalement australiens et néerlandais. On estime à au moins 100 000 le nombre de morts lors de la construction du chemin de fer, dont la plupart étaient des travailleurs des pays limitrophes. Le petit bureau à côté du cimetière tient une liste détaillée des emplacements.

### PONT DE LA RIVIÈRE KWAÏ (DEATH RAILWAY BRIDGE)

สะพานข้ามแม่น้ำแคว

Ce **pont ferroviaire** de 300 m (Th Mae Nam Khwae) est un véritable piège à touristes. Évitez les vendeurs à la sauvette et marchez prudemment le long des lattes de bois et de fer. La partie centrale du pont fut détruite par les Alliés en 1945 et seules les travées incurvées sont d'origine. Vous trouverez de l'autre côté du pont des cafés et des espaces verts au bord de l'eau.

Les matériaux de construction proviennent d'un pont démantelé à Java. La première version en bois, achevée en 1943, fut par la suite remplacée par un pont métallique. Fin-novembre/début-décembre, un spectacle son et lumière commémore l'attaque des Alliés sur le "chemin de fer de la mort" en 1945. Si vous souhaitez y assister, réservez bien à l'avance pour être sûr de trouver une chambre.

Le pont enjambe la Mae Nam Khwae Yai, à 2,5 km du centre de Kanchanaburi. On peut y accéder à pied depuis Th Mae Nam Khwae ou en prenant un *sŏrng·tăa·ou* (10 B) en direction du nord, sur Th Saengchuto.

### MUSÉE DE LA SECONDE GUERRE MONDIALE

พิพิธภัณฑ์สงครามโลกครั้งที่สอง

Ce **musée** (40 B ; ⏲ 8h-18h30), l'un des sites les plus bizarres des environs, est admirable pour sa collection improbable d'objets sans rapport les uns avec les autres.

Il est composé de deux bâtiments. Devant le plus petit sont alignées des statues grandeur nature de personnages en lien avec la Seconde Guerre mondiale, dont Churchill, Hitler, Hirohito et Einstein. On trouve à l'intérieur des wagons ayant servi à transporter les prisonniers, de vieilles photographies et des mannequins de cire représentant des prisonniers de guerre. Au mur, des informations sur l'histoire de

### POURQUOI LE PONT DE LA RIVIÈRE KWAÏ ?

La construction de ce que l'on nomme aujourd'hui le "chemin de fer de la mort" fut une véritable prouesse technique. Les prisonniers et travailleurs réquisitionnés pour le réaliser ont payé le prix fort. Plus de 100 000 d'entre eux trouvèrent la mort sur ce chantier du fait des conditions extrêmes et des mauvais traitements.

Le chemin de fer fut construit pendant l'occupation japonaise de la Thaïlande (1942-1943) lors de la Seconde Guerre mondiale. Son objectif stratégique était de relier la Thaïlande à la Birmanie (Myanmar) sur 415 km de terrain accidenté, afin de créer une route de ravitaillement en vue de la conquête par le Japon d'autres pays de l'Asie occidentale. Un projet irréalisable selon certains, qui aboutit malgré le manque d'équipement et des conditions déplorables.

La construction commença le 16 septembre 1942 aux gares (déjà existantes) de Thanbyuzayat au Myanmar et de Nong Pladuk (Ban Pong) en Thaïlande. Les ingénieurs japonais estimaient à 5 ans la durée des travaux pour relier les deux pays. En réalité, l'armée japonaise contraignit les prisonniers de guerre à achever cette voie d'un mètre de largeur en 16 mois seulement. Pour édifier des arches et creuser des tranchées dans le flanc de la montagne, presque tout le travail fut accompli à la main, à l'aide d'outils rudimentaires. La plupart des arches étant en bois, les prisonniers firent plusieurs tentatives de sabotage à l'aide de nids de termites.

Les conditions se dégradèrent à mesure que les Japonais accéléraient le rythme de travail. Les maigres rations de riz étaient souvent arrosées de kérosène, conséquence des bombardements alliés sur les réserves. Le choléra, le paludisme et la dysenterie étaient monnaie courante, et tout écart était sévèrement puni par les gardes japonais.

Les deux portions se rejoignirent à 37 km du col des Trois Pagodes et la ligne fut inaugurée par un train de prostituées.

Le pont qui enjambe la Mae Nam Khwae Yai près de Kanchanaburi fut opérationnel pendant 20 mois, avant d'être bombardé par les Alliés en 1945. Plus qu'un itinéraire de ravitaillement, cette ligne devint rapidement une voie de fuite pour les troupes japonaises. Après la guerre, les Britanniques prirent le contrôle du réseau du côté birman et firent sauter 4 km de voie vers le col des Trois Pagodes de peur que les rebelles karen ne s'en emparent.

Du côté thaïlandais, la ligne fut régie par la société des chemins de fer du pays (SRT), qui continue à affréter des trains sur 130 km de voies originelles entre Nong Pladuk, au sud de Kanchanaburi, et Nam Tok (voir p. 224).

Près de 40 km de voies sont actuellement submergées par le barrage de Vachiralongkorn (Khao Laem Dam). Le reste, de part et d'autre du barrage, a été démantelé. Une des étapes les plus difficiles de la construction du chemin de fer, le col du Feu de l'Enfer (tranchée de Konyu) est visible au mémorial du même nom (p. 227).

la région, dont la traduction anglaise laisse souvent à désirer, suscitent involontairement l'hilarité.

Plus somptueux, ou plus kitsch, selon les goûts, le bâtiment principal ressemble à un temple chinois. D'anciennes armes et des portraits hauts en couleur de tous les rois de l'histoire thaïlandaise y sont exposés.

Le musée est au sud du pont de la rivière Kwaï.

### MUSÉE JEATH WAR

พิพิธภัณฑ์สงคราม

Ce **musée de la guerre** (Th Wisuttharangsi ; 30 B ; 🕓 8h30-18h), petit mais émouvant, ressemble aux huttes exiguës dans lesquelles étaient logés les prisonniers de guerre. Des coupures de journaux et des croquis sont autant de traces douloureuses attestant du traitement inhumain qu'infligeaient les troupes japonaises aux captifs alliés. On notera l'histoire du chirurgien sir Edward "Weary" Dunlop, qui a sauvé des centaines de blessés et s'est battu pour améliorer les conditions médicales du camp. Le musée est géré par les moines du Wat Chaichumphon (Wat Tai), dont la visite vaut le détour, pour le temple autant que pour la vue depuis les berges de la Mae Nam Mae Klong. L'acronyme JEATH fait référence aux pays ayant participé au chemin de fer (Japon, Angleterre, Australie/Amérique, Thaïlande et Hollande). Le musée est à l'extrémité ouest de Th Wisuttharangsi (Visutrangsi).

### LAK MEUANG (PILIER DE LA VILLE)
ศาลหลักเมือง

Ce **pilier** (lák meuang ; Th Lak Meuang), qui marque le centre de la vieille ville, abrite les esprits du lieu. Un peu plus loin, une statue du roi Rama III se tient près des fortifications rénovées, qui s'étendaient autrefois sur plus de 400 m et renfermaient six forteresses. Trois des canons originaux subsistent.

### CIMETIÈRE MILITAIRE DES ALLIÉS DE CHUNG KAI (CHUNG KAI ALLIED WAR CEMETERY)
สุสานสัมพันธมิตรช่องไก่

Pendant la Seconde Guerre mondiale, un important camp de prisonniers alliés se trouvait à Chung Kai. Ces derniers avaient même construit, non loin de là, un hôpital et une église. Les visiteurs de ce cimetière où reposent 1 700 soldats sont relativement peu nombreux. La plupart des tombes sont ornées d'une courte épitaphe à la mémoire des soldats hollandais, britanniques, français et australiens qui y sont enterrés.

Le cimetière est à 4 km du centre de Kanchanaburi, de l'autre côté de la Mae Nam Khwae Noi. On peut s'y rendre à vélo ou à moto.

### WAT THAM KHAO PUN
วัดถ้ำเขาปูน

À 1 km du cimetière de Chung Kai, après avoir franchi la voie ferrée, vous trouverez ce **temple** (20 B ; ⌚ 6h-18h30) aux 9 grottes. La première, la plus vaste, abrite un bouddha allongé. Les autres présentent des caractéristiques surprenantes, comme les racines d'un figuier qui plongent dans l'une d'entre elles, une colonne cristallisée ou encore une formation rocheuse qui serait à l'image d'une sirène tirée de l'œuvre du poète Sunthorn Phu. Les origines exactes de ce temple restent méconnues, mais on sait que le roi Rama V s'y est rendu en 1870.

Ce lieu a une histoire tragique : les Japonais y auraient torturé des prisonniers pendant la Seconde Guerre mondiale et, en 1995, une touriste britannique s'est fait assassiner dans une des grottes par un moine drogué.

### WAT THAM SEUA ET WAT THAM KHAO NOI
วัดถ้ำเสือ/วัดถ้ำเขาน้อย

Ces monastères voisins juchés sur la colline offrent une vue splendide sur les champs verdoyants et les montagnes. Le Wat Tham Khao Noi (monastère de la Petite Grotte) présente une petite pagode chinoise de conception très élaborée. En face, le Wat Tham Seua (monastère de la Grotte du tigre) arbore différents *chedi* et un bouddha doré de 18 m de hauteur. Devant la statue, de petites coupelles argentées circulent sur un tapis roulant dans l'attente de donations (1 B). On peut gravir la colline à pied ou emprunter un téléphérique (10 B).

Les temples se situent à 14 km au sud du centre-ville. Si vous êtes à moto, arrivé à Tha Meuang, prenez l'embranchement de droite sur la grande route, tournez à droite pour passer le Kheuan Meuang (barrage de la ville) ,puis encore à droite une fois sur l'autre rive. À vélo, vous pouvez éviter l'axe principal en suivant les petites routes le long de la rivière. Suivez Th Pak Phraek au sud-est de Kanchanaburi et traversez le pont en direction du Wat Tham Mangkon Thong ; bifurquez à gauche sur l'autre berge et suivez la route parallèle à la rivière. Au bout d'environ 14 km, vous verrez le barrage Kheuan Meuang devant vous. Repérez alors les pagodes sur les collines, à votre droite. Des bus pour Ratchaburi (10 B) partent de la gare routière de Kanchanaburi toutes les 20 min. Descendez à l'hôpital de Tha Meuang et prenez un moto-taxi (40 B).

## À faire

### COURS DE CUISINE

Si vous confondez *sôm·đam* et *đôm yam*, l'**Apple & Noi's Thai Cooking Course** (☎ 0 3451 2017 ; Apple's Guesthouse, Th Chaokunen ; 1 250 B) est pour vous. Ce cours de cuisine thaïlandaise d'une journée commence au marché local et finit à table, 5 plats plus tard.

### RANDONNÉE ET CYCLOTOURISME

Les agences de voyages proposent des promenades à dos d'éléphant, des excursions aux cascades et des descentes en rafting, mais il existe bien d'autres activités.

#### NE SOYEZ PAS BUFFLE

Le film *Le Pont de la rivière Kwaï* a rendu ce cours d'eau célèbre et pérennisé une prononciation incorrecte. Il faut parler de la rivière Khwae (prononcé comme la fin de "rastaquouère") et non pas Kwaï (comme dans "gouaille"). En le prononçant mal, vous évoquez les buffles d'eau, ce qui ne manque pas de faire rire les Thaïlandais.

LE CENTRE

Ceux qui disposent de temps et d'énergie pourront réserver à Kanchanaburi des circuits à vélo, des descentes en canoë-kayak et des randonnées dans la jungle. Le meilleur moyen d'apprécier certaines routes principales aux paysages à couper le souffle est le vélo. Pédaler hors des sentiers battus vous mènera à des cascades et à des grottes que peu de touristes ont la chance de voir. Plusieurs excursions de 2 jours avec nuit dans un village môn ou karen incluent rafting, randonnées et promenade à dos d'éléphant.

Si vous avez peu de temps, les environs de Kanchanaburi foisonnent de sites magnifiques et le vélo est le moyen idéal d'en profiter. Un itinéraire particulièrement pittoresque part des pensions à petit budget. Depuis l'extrémité nord de Th Mae Nam Khwae, traversez le pont Sutjai et prenez à droite. Explorez Baan Thamakham et Baan Hua Hin et admirez le spectacle grandiose des champs de citronnelle, de maïs, de tapioca et des tecks baignés de soleil sur fond de montagnes brumeuses.

Renseignez-vous bien à l'avance, car certains circuits organisés peuvent être annulés si le nombre de participants est insuffisant. Les adresses suivantes jouissent d'une solide réputation :

**AS Mixed Travel** (☎ 0 3451 2017 ; www.applenoi-kanchanaburi.com ; Apple's Guesthouse, Th Chaokunen). Agence bien organisée et bénéficiant d'une longue expérience. Elle propose des excursions sur mesure pour s'adapter à vos envies et à votre budget.

**Good Times** (☎ 0 3462 4441 ; www.good-times-travel.com ; 63/1 Tha Mae Nam Khwae). En plus des options habituelles, cette agence propose aux plus aventureux des excursions dans des zones isolées. Organise des circuits à vélo.

### KAYAK

Le kayak est un bon moyen d'explorer la région. **Safarine** (☎ 0 3462 5567 ; www.safarine.com ; Th Mae Nam Khwae), tenue par des Français, propose des excursions sur mesure à la journée ou sur 2 jours.

## Où se loger

Sur une bande de 1 km, Th Mae Nam Khwae abonde en pensions aux chambres modestes, souvent avec vue sur la rivière. Sur la rive opposée, des complexes de catégories moyenne et supérieure offrent tous les équipements de rigueur. L'ancien repaire des voyageurs à petit budget le long de Soi Th Rong Hip Oi est bien moins fréquenté que par le passé à cause du passage régulier des bateaux-karaoké. Pourtant, les nuisances sonores sont moins fréquentes aujourd'hui et on y trouve des pensions bon marché.

Plusieurs pensions de catégorie moyenne jalonnent Th Saengchuto, mais les chambres plus proches de la rivière sont moins chères et bien plus charmantes. Consultez **Kanchanaburi Info** (www.kanchanaburi-info.com) pour plus de choix.

### LE BLUES DU KARAOKÉ

Les cours d'eau qui traversent Kanchanaburi semblent être un véritable havre de paix. Ils sont la plupart du temps calmes et tranquilles, mais le soir venu, les bateaux-karaoké emplissent l'air de leurs décibels et la sérénité semble alors bien loin.

Tous les week-ends, des bus entiers de citadins de Bangkok et de touristes asiatiques envahissent ces bateaux. Le vacarme qui durait toute la nuit le long de Soi Rong Hip Oi et dissuadait les touristes d'y loger se limite désormais aux passages temporaires des bateaux.

### PETITS BUDGETS

Vous trouverez les chambres les moins chères le long de Th Mae Nam Khwae. Elles sont basiques mais souvent pourvues d'une belle vue sur la rivière. Il est recommandé de réserver si vous voulez une chambre avec vue pendant la saison haute, surtout en décembre.

**Jolly Frog** (☎ 0 3451 4579 ; 28 Soi China ; s 70 B, d 150-290 B ; ❄). Si vous arrivez de Th Khao San, l'absence de serviettes de toilette et de WC à l'occidentale ne devrait pas trop vous déranger.

**Blue Star Guest House** (☎ 0 3451 2161 ; 241 Th Mae Nam Khwae ; ch 150-650 B ; ❄). On y trouve des chambres rudimentaires et bon marché et d'autres plus confortables avec clim et TV. Les bungalows en branchages torsadés donnant sur la rivière sont épatants.

**Pong Phen** (☎ 0 3451 2981 ; www.pongphen.com ; Th Mae Nam Khwae ; ch 150-900 B ; ❄ 🏊). Des chambres confortables, un bon restaurant et une piscine font de Pong Phen une adresse à part. La plupart des chambres donnent sur la piscine et non sur la rivière.

**Bamboo House** (☎ 0 3462 4470 ; 3-5 Soi Vietnam, Th Mae Nam Khwae ; ch 200-500 B ; ❄). Une pension un peu à l'écart de l'agitation où les chambres sur la rivière et le jardin spacieux donnent l'impression d'être loin de tout.

**Apple's Guesthouse** (☎ 0 3451 2017 ; www.applenoi-kanchanaburi.com ; 3/17 Th Chaokunen ; ch avec ventil/clim 450/650 B ; ✇ ▣). La nouvelle pension d'Apple et Noi est aussi agréable et confortable que l'ancienne. Les cours de cuisine thaïlandaise de Noi (voir p. 221) ont un franc succès.

**VN Guest House** (☎ 0 3451 4082 ; www.vnguesthouse.net ; 44 Soi Th Rong Hip Oi ; ch 250-450 B ; ✇). À l'écart de la rue principale, ces chambres flottantes simples ont une vue imprenable sur la rivière. Préparez-vous cependant à supporter le passage occasionnel des bateaux-karaoké.

**Sam's House** (☎ 0 3451 5956 ; www.samsguesthouse.com ; Th Mae Nam Khwae ; d 450-600 B ; ✇). Pension lumineuse et aérée, aux chambres rudimentaires jouissant d'une superbe vue sur l'eau couverte de lotus. Les chambres avec ventilateur sont d'un excellent rapport qualité/prix.

### CATÉGORIE MOYENNE

Nombre d'établissements de cette catégorie proposent des réductions hors saison (d'avril à novembre), mais il faut réserver bien à l'avance.

**Ploy Guesthouse** (☎ 0 3451 5804 ; www.ploygh.com ; 79/2 Th Mae Nam Kwai ; ch 600-950 B ; ✇). Stylée et chic, cette pension est bien au-dessus de ses voisines pour petits budgets. Ses salles de bains en plein air et sa belle terrasse sur le toit sont particulièrement agréables.

**Thai Garden Inn** (☎ 08 5819 1686 ; www.thaigardeninn.com ; 74/11 M4 Baan Tamakahm ; ch 650-850 B ; ✇ ▣). Ce complexe paisible de 11 bungalows est situé non loin de Th Mae Nam Khwae. Les chambres sont décorées, avec goût, de matériaux naturels. Le restaurant à l'étage est très populaire au coucher du soleil.

**Kasem Island Resort** (☎ 0 3451 3359 ; à Bangkok 0 2255 3604 ; ch 800-1 600 B ; ✇ ▣). Dans ce *resort* installé sur une île de la Mae Nam Mae Klong, vous pouvez être sur votre balcon, les pieds dans l'eau. Ses terrasses et pavillons ont une belle vue sur le paysage environnant. Une navette gratuite fait la liaison avec Th Chaichumphon.

**Bousawan Resort** (☎ 0 3451 4324 ; près de Th Mae Nam Khwae ; ch 1 000 B ; ✇). Ce magnifique ensemble de style thaï propose des bungalows et des chambres flottantes, sur un vaste terrain un peu à l'écart du centre. Un moyen de transport est nécessaire pour y accéder.

### CATÉGORIE SUPÉRIEURE

Les établissements ci-dessous ne sont pas de qualité égale. Les *resorts* se situent pour la plupart au nord du pont, des deux côtés de la rivière. Les sites Internet proposent parfois des réductions.

**River Kwai Hotel** (☎ 0 3451 3348 ; www.riverkwai.co.th ; 284/3-16 Th Saengchuto ; ch à partir de 1 500 B ; ✇ ▣). La meilleure adresse si vous souhaitez rester en centre-ville, même si les chambres sont assez impersonnelles. La seule boîte de nuit de la ville, "Glitzy", est ici.

**Royal River Kwai Resort & Spa** (☎ 0 3465 3297 ; 88 Kanchanaburi-Saiyok Rd ; ch à partir de 2 450 B ; ✇ ▣). Des chambres élégantes sur un terrain magnifique font de ce complexe une adresse exceptionnelle. Le spa, dont les cabines donnent sur la rivière, propose divers soins.

**Felix River Kwai Resort** (☎ 0 3455 1000 ; www.felixhotels.com ; ch à partir de 3 500 B ; ✇ ▣). Le plus ancien des *resorts* de Kanchanaburi accuse son âge mais reste un complexe luxueux avec tout le confort moderne.

## Où se restaurer

Les lieux pour se restaurer ne manquent pas à Kanchanaburi. Le **marché de nuit** (Th Saengchuto ; ⏲ jeu-mar), près de la gare ferroviaire, propose un large choix de plats dont des *satay*, des milk-shakes et même des sandwichs. Des étals émaillent le trottoir à proximité du River Kwai Hotel sur Th Saengchuto et on trouve de bons restaurants flottants le long de Th Song Khwae, souvent remplis de touristes en voyage organisé. Th Mae Nam Khwae compte de nombreux restaurants de type occidental. Le **marché** (Th Saengchuto) près de la gare routière est célèbre pour ses fameux *hŏy tôrt* (moules frites dans de l'œuf battu).

**Saisowo** (enseigne en thaï uniquement ; Th Chaokunen ; plats 20-30 B ; ⏲ 8h-16h). Ce lieu à la solide réputation sert des nouilles, dont les meilleures *gŏo·ay đěe·o mŏo* à des kilomètres à la ronde.

**Krua Chukkadon** (enseigne en thaï uniquement ; Th Chukkadon ; plats 40-100 B). Ce modeste restaurant flottant proche du musée JEATH War propose un choix restreint de plats de qualité. Le menu est bilingue mais pas les employés, qui sont néanmoins charmants.

**Jukkru** (enseigne en thaï uniquement ; Th Song Khwae ; plats 50-120 B). S'il n'est pas aussi glamour que les restaurants flottants lui faisant face, Jukkru compense par son excellente cuisine thaïlandaise. Grand choix de plats végétariens. Repérez les tables et chaises bleues.

## Où prendre un verre

Les touristes se retrouvent pour boire un verre dans les nombreux bars de Th Mae Nam

Khwae, dont le Buddha Bar et le 1 More Bar, repaires des voyageurs à petit budget. On trouve des billards et même des prostituées dans les établissements de la portion sud, plus animée. Les Thaïlandais vont plutôt dans les quelques bars et restaurants de Th Song Khwae.

**No Name Bar** (Th Mae Nam Khwae). "Saoulez-vous pour trois fois rien", un logo qui en dit long. Ce thème irrévérencieux se confirme à l'intérieur du lieu qui propose toutes sortes d'en-cas, de plats végétariens et de cocktails.

**Tham Naan** (Th Song Khwae). Des concerts de groupes thaïlandais, un style rustique et un grand choix de whisky.



## Depuis/vers Kanchanaburi

### BUS

La **gare routière** de Kanchanaburi (☎ 0 3451 5907 ; Th Saengchuto) est située dans le sud de la ville. Elle dessert le terminal Sud des bus de Bangkok (112 B, 3 heures, toutes les 20 min de 3h30 à 20h), le terminal Nord des bus de Bangkok (2e/1re classe 108/139 B, 3 heures, toutes les heures de 6h30 à 18h), Nakhon Pathom (50 B, 2 heures, toutes les 15 min entre 4h et 18h30) par l'ancienne route de Bangkok depuis le quai n°14, Sangkhlaburi (2e/1re classe 174/273 B, 4 heures, fréquemment entre 7h30 et 16h30) et Suphanburi (50 B, 2 heures, toutes les 20 min entre 4h50 et 18h), d'où vous pouvez prendre une correspondance pour Ayuthaya et Lopburi.

Si vous partez vers le sud, passez par Ratchaburi (50 B, 2 heures, départs fréquents) et prenez un bus pour Hua Hin ou Phetchaburi. Pour aller vers le nord, le plus rapide est de retourner au terminal Nord de Bangkok pour une correspondance.

### TRAIN

La gare ferroviaire se tient à environ 2 km au nord-ouest de la gare routière. Kanchanaburi se trouve sur la ligne Bangkok Noi-Nam Tok qui inclut une partie de l'ancien "chemin de fer de la mort". La SRT fait valoir le côté historique de cet itinéraire et il en coûte 100 B aux touristes quelle que soit la distance parcourue. Si vous venez de la gare de Bangkok Noi (à Thonburi), c'est un prix raisonnable, mais pour des trajets plus courts autour de Kanchanaburi, c'est exorbitant.

La partie historique du voyage commence au nord de Kanchanaburi lorsque le train traverse le pont de la rivière Kwaï et s'achève à la gare de Nam Tok. Les trains ordinaires pour Kanchanaburi quittent la gare de Thonburi (Bangkok Noi) à 7h44 et 13h55. Pour le trajet inverse, les trains partent de Kanchanaburi à 7h19 et à 14h44. Le voyage dure 3 heures.

Les trains qui empruntent la partie historique de la voie ferrée quittent Kanchanaburi pour le nord et Nam Tok à 5h57, 10h50 et 16h19. Dans l'autre sens, ils partent de Nam Tok à 5h20, 12h50 et 15h15. Le voyage dure environ 2 heures. On peut aller à pied de la gare de Nam Tok aux chutes de Sai Yok Noi, ou héler l'un des bus Sangkhlaburi-Kanchanaburi (fréquents).

La SRT affrète quotidiennement un **train touristique** (☎ 0 3451 1285) de Kanchanaburi à Nam Tok (aller simple 300 B). C'est le même train que celui à 100 B, mais la différence de prix inclut un certificat et un goûter.

## Comment circuler

Le trajet de la gare routière jusqu'au quartier des pensions revient en principe à 50 B en *săhm·lór* et 30 B en moto-taxi. Des *sŏrng·tăa·ou* publics montent et descendent Th Saengchuto (10 B/pers) ; descendez au niveau du cimetière. Du quartier des pensions, on peut se rendre à pied à la gare ferroviaire.

Pour louer une moto, adressez-vous aux pensions et aux boutiques de Th Mae Nam Khwae (150 B/j). Pour un vélo, comptez 50 B.

Pour traverser la Mae Nam Mae Klong en ferry, il en coûte 5 B/personne, l'aller simple.

Des *long-tail boats* proposent des circuits de 1 heure 30 vers différents sites en bordure de rivière. Le tarif minimum est de 700 B mais peut être négocié en fonction du nombre de personnes. Le départ des bateaux se fait à l'embarcadère à proximité de Th Chukkadon ou au musée JEATH War.

# ENVIRONS DE KANCHANABURI

Les environs de cette ville de province sont parcourus de ruisseaux, de rivières et de cascades.

Dans la plus grande surface forestière protégée de Thaïlande, vous pourrez explorer des grottes remplies de cristaux scintillants, effectuer des randonnées dans la jungle sauvage et visiter des villages isolés. Il est possible de profiter de certains sites lors d'excursions d'une journée mais plus vous poursuivez vers le nord-est, mieux c'est.

Ceux qui s'aventureront jusqu'à Thong Pha Phum et à Sangkhlaburi pourront découvrir des bourgades véritablement préservées où la vie suit son cours paisiblement. Ces villes sont une base idéale pour explorer les parcs nationaux des environs.

Les sites à voir sont répertoriés géographiquement le long des grands axes principaux afin de rendre leur visite plus facile en transports publics.

Les chutes d'eau autour de Kanchanaburi se visitent de préférence pendant la saison des pluies, de juin à octobre, ou en novembre et décembre – c'est là que les eaux atteignent leur niveau le plus haut.

## Parc national d'Erawan

อุทยานแห่งชาติเอราวัณ

Célèbre pour sa cascade aux sept rebonds, ce **parc** (☎ 0 3457 4222 ; 200 B ; 8h-16h, niveaux 1-2 jusqu'à 17h) de 550 km² renferme d'autres sites naturels qui valent le détour.

Le bassin supérieur de la cascade est nommé Erawan en raison de sa ressemblance supposée avec l'éléphant à trois têtes de la mythologie hindoue. Il est aisé de gravir les trois premiers bassins, mais, pour le dernier 1,5 km, il est recommandé d'avoir de l'entraînement et de bonnes chaussures de marche. Les niveaux 3 et 4 sont particulièrement impressionnants. Méfiez-vous des singes qui risquent de s'emparer de vos affaires pendant que vous vous baignez.

La grotte de **Tham Phra That** renferme différentes formations calcaires. Des guides y emmènent les visiteurs pour leur montrer, à la lueur de la lampe à pétrole, des roches translucides, des cristaux étincelants et des cavernes peuplées de chauves-souris. Pour les géologues, c'est sa ligne de faille clairement visible qui fait l'intérêt de cette grotte. Située à 12 km au nord-ouest de l'entrée du parc, elle est difficile d'accès sans moyen de transport, mais tentez de négocier avec les employés du parc pour vous y faire emmener. On arrive à l'entrée de la grotte par une piste puis en gravissant une pente assez raide. À 5 km au nord se trouve l'énorme et splendide **réservoir de Si Nakharin**.

Près de 80% du parc d'Erawan sont couverts de forêts. Les différentes variétés d'arbres peuvent être observées depuis trois sentiers de 1 à 2 km. Les amateurs d'oiseaux apercevront des calaos, des piverts et des perruches depuis les terrains de camping et les sentiers d'observation. Les **bungalows** du parc (☎ 0 2562 0760 ; www.dnp.go.th ; camping 90-150 B, bungalows 800-5 000 B) peuvent accueillir de 2 à 52 personnes.

Les bus depuis Kanchanaburi s'arrêtent à l'entrée des chutes (55 B, 1 heure 30, toutes les heures 8h-17h20, en heures creuses après midi à 14h et 16h). Le dernier bus pour Kanchanaburi part à 16h.

> **MAUVAIS PLANT**
>
> Les champs de tapioca autour de Kanchanaburi font parfois l'objet d'une attention particulière de la part de certains voyageurs. Les guides voient en effet des visiteurs prélever subrepticement des feuilles et les glisser dans leur sac. Il ne leur reste qu'à expliquer patiemment que les feuilles de tapioca ont beau ressembler à la marijuana, elles sont loin d'en avoir les effets.

## Parc historique du Prasat Meuang Singh

อุทยานประวัติศาสตร์ปราสาทเมืองสิงห์

Situé à l'angle sud-est de l'ancien empire d'Angkor, ce **parc historique** (☎ 0 3459 1122 ; 40 B ; 8h-17h) préserve les vestiges d'un avant-poste khmer du XIIIᵉ siècle établi afin de faciliter le commerce le long de la Mae Nam Khwae Noi. Les ruines – dans le style du Bayon d'Angkor Thom –, récemment restaurées, couvrent 73,6 ha et ont été classées parc historique par le département des Beaux-Arts, en 1987.

Les différents sanctuaires de Meuang Singh, construits en briques de latérite, sont répartis sur une immense pelouse ceinte de remparts de latérite. À certains endroits, on remarque que sept couches de terre ont été ajoutées aux remparts, témoignant de l'existence d'un symbolisme cosmologique dans le plan de construction de la cité. Les remparts et les fossés portent également les traces d'un système d'irrigation complexe.

Meuang Singh comprend quatre ensembles de ruines, dont deux seulement ont été mis au jour et sont accessibles aux visiteurs. Le sanctuaire principal, le **Prasat Meuang Singh**, occupe le centre de l'ensemble architectural, face à l'est (direction cardinale de la plupart des temples d'Angkor). Des portes pour chaque point cardinal sont percées dans le mur qui entoure le monument ; les bassins et les rigoles représentent les océans et les continents. La reproduction d'une statue d'Avalokitesvara, sur la face interne du mur nord, permet d'identifier Meuang Singh en tant que centre bouddhiste mahayana. La statue d'origine est conservée au Musée national de Bangkok. À l'intérieur du *prang* principal, vous trouverez la réplique d'une statue de Prajnaparamita, déesse de la sagesse du bouddhisme mahayana.

Les ruines d'un **sanctuaire** plus petit, dont le contenu et la vocation sont inconnus, se trouvent au nord-est du *prasat* (grand temple). Une petite **salle d'exposition**, à l'entrée du parc, abrite différentes statues de divinités mahayana, ainsi que des décorations de stuc (des répliques pour la plupart) provenant des temples.

Le Prasat Meuang Singh s'étend à environ 40 km à l'ouest de Kanchanaburi et est plus facilement accessible en transport individuel. Les trains de Kanchanaburi à Nam Tok s'arrêtent non loin de là, à la gare de Tha Kilen (100 B ; voir p. 224 pour les horaires). Il faut ensuite marcher 1 km jusqu'à l'entrée du parc, mais il est préférable d'avoir un moyen de transport, car les distances sont importantes.



## Musée néolithique de Ban Kao

พิพิธภัณฑ์บ้านเก่ายุคหิน

Pendant la Seconde Guerre mondiale, un prisonnier de guerre du nom de HR van Heekeren mit au jour un ensemble d'antiques outils en pierre à Ban Kao, à environ 7 km de Meuang Singh. Après la guerre, cet ancien archéologue retourna sur le site et le résultat de ses découvertes est aujourd'hui exposé dans ce **musée** (50 B ; 9h-16h mer-dim).

D'après l'équipe dano-thaïlandaise qui a dirigé les fouilles, cette zone aurait été un important lieu de sépulture néolithique il y a environ 5 000 ans.

Une exposition peu attrayante détaille la géologie et la géographie de la province. L'élément le plus fascinant du musée est un ensemble de troncs évidés qui auraient été des embarcations ou des cercueils.

Mieux vaut être motorisé pour se rendre à Ban Kao. Sinon, il faut emprunter, depuis Kanchanaburi, un train à destination de Nam Tok (au nord) et descendre à Tha Kilen (100 B ; voir p. 224 pour les horaires), à 6 km. Un moto-taxi sera peut-être disponible à la gare pour vous conduire au musée, à 3 km.

## Centre de méditation Daen Maha Mongkol

แดนมหามงคล

Si vous rêvez d'un monde sans télévision, ni téléphone, ni e-mail, ce **centre de méditation** (5h-18h) vous comblera. Fondée en 1986, cette retraite est bien connue des habitants de la région. Tamara, une Britannique y vivant depuis plusieurs années, peut vous aider lors des cours de méditation de 2 heures (à 4h et 18h). N'hésitez pas à visiter ce lieu pour vous imprégner de l'atmosphère du centre, situé dans un parc très bien entretenu. Entrez en traversant le pont de teck qui enjambe la Mae Nam Khwae Noi et commencez par rendre hommage au bouddha en bois du pavillon de méditation.

Le centre compte environ 300 résidents, dont 200 permanents. La plupart sont des nonnes, mais il existe un pavillon pour les hommes. Les visites ou séjours y sont gratuits, mais une donation est appréciée. Des chambres basiques sont disponibles pour ceux qui souhaitent s'immerger dans la vie du centre. Chemise et pantalon blancs sont de rigueur et peuvent être empruntés gratuitement à l'entrée.

Le centre est situé près de la Highway 323, à 12 km du temple du Tigre, et il est bien indiqué. Si vous venez en train, descendez à la gare de Maha Mongkol.

## Temple du Tigre (Wat Luang Ta Bua Yanna Sampanno)

วัดหลวงตาบัวญาณสัมปันโน

L'attraction touristique la plus chère de Kanchanaburi est aussi la plus controversée. Ce **monastère** (☎ 0 3453 1557 ; 500 B ; 12h30-15h30) donne aux visiteurs l'occasion incroyable de se faire photographier particulièrement près des félins. Quelques-uns des 30 tigres du temple prennent la pose dans un canyon alors que les visiteurs se succèdent rapidement.

Malgré les visites incessantes, l'attraction a longtemps fait l'objet de controverse. Certains s'interrogent sur les raisons de la docilité des tigres et d'autres remettent en question le prix d'entrée toujours plus élevé. Abbot Phra Chan, qui a fondé le site en 1994, nous a affirmé que les tigres n'étaient jamais drogués et qu'ils étaient en bonne santé, mais il s'est refusé à commenter le coût de l'entrée. Une des raisons avancées pour expliquer la placidité des animaux est qu'ils font de l'exercice juste avant leurs apparitions publiques. Ils ne sortiraient en outre qu'aux heures les plus chaudes du jour, quand en temps normal ils resteraient inactifs.

Des travaux ont commencé pour construire un "enclos", mais ce projet à 20 millions de bahts est loin d'être terminé. L'opportunité de s'approcher à ce point d'un tel animal est unique, cependant nous encourageons les visiteurs potentiels à se renseigner par eux-mêmes avant de décider de se rendre au temple ou non. Si vous y allez, évitez de porter des couleurs "chaudes" (rouge ou orange), susceptibles d'exciter les tigres.

Le temple est à 38 km de Kanchanaburi sur la Highway 323. Vous pouvez prendre le bus local Kanchanaburi-Sangkhlaburi jusqu'à l'embranchement, puis marcher jusqu'à l'entrée (à 2 km). La plupart des touristes s'inscrivent à un tour organisé pour l'après-midi.

## Cascade de Sai Yok Noi

น้ำตกไทรโยค

Si vous voulez voir comment les Thaïlandais occupent leurs loisirs, mettez le cap sur cette cascade, qui fait partie du parc national de Sai Yok (ci-contre). Le week-end venu, les familles affluent : on s'installe sur des nattes, on grignote du *sôm·đam* (salade épicée de papaye verte) en regardant l'eau tomber sur les rochers. Les adolescents s'essaient à l'escalade, tandis que les plus jeunes barbotent dans le bassin naturel peu profond en contrebas.

La cascade est à 60 km au nord-ouest de Kanchanaburi sur la Highway 323 et idéalement desservie par le bus Sangkhlaburi-Kanchanaburi (45 B, 1 heure, départs fréquents) ; annoncez votre destination au chauffeur : "*nám đòk sai yôhk nóy*". Pour le retour, le dernier bus passe à 17h. La gare ferroviaire de Nam Tok est à 2 km de là (100 B ; voir p 224 pour les horaires).

## Mémorial du col du Feu de l'Enfer

ช่องเขาขาด

Ce **musée** (www.dva.gov.au/commem/oawg/thailand.htm ; dons ; 9h-16h) est un projet australo-thaïlandais commémorant simplement et dignement la tragédie du "chemin de fer de la mort". Le musée expose peu d'objets, tout simplement parce que les prisonniers disposaient de peu d'outils, mais présente les événements à l'aide d'expositions et de quelques extraits vidéo des survivants. Un parcours de 4 km (3 heures aller-retour) suit le tracé original du chemin de fer.

Au début du sentier, la portion la plus célèbre, **Hellfire Pass** (col du Feu de l'Enfer ; aussi appelée "tranchée de Konyu"), fut baptisée ainsi pendant la période de construction la plus effrénée où, 3 mois durant, 500 prisonniers travaillèrent de 16 à 18 heures par jour. Le halo des torches projetait les ombres effrayantes des gardes japonais et éclairait les visages émaciés des prisonniers, ce qui rappelait *L'Enfer* de Dante.

La mauvaise hygiène, l'absence d'équipement médical et les mauvais traitements emportèrent près de 15 000 prisonniers de guerre alliés, auxquels s'ajoutèrent les 100 000 travailleurs civils réquisitionnés en Asie du Sud-Est.

Ce parcours offre des vues splendides de la vallée de la Khwae Noi en direction du Myanmar et du **Pack of Cards Bridge** ("pont du jeu de cartes") ainsi surnommé car il s'effondra à trois reprises.

Une carte du sentier et un audioguide sont disponibles. Le musée est à 80 km de Kanchanaburi sur la Highway 323 et on peut s'y rendre par le bus Sangkhlaburi-Kanchanaburi (50 B, 1 heure 30, départs fréquents). Le dernier bus à destination de Kanchanaburi passe à 16h30.

## Parcs nationaux

Au nord de Kanchanaburi, de nombreux **parcs nationaux** ( 0 2562 0760 ; www.dnp.go.th) abritent des cascades, une jungle dense et des animaux à foison. Ils constituent une partie du Western Forest Complex (complexe forestier occidental), une des plus grandes zones protégées d'Asie.

L'entrée des parcs coûte 200 B pour les touristes étrangers. Des bungalows et des terrains de camping sont disponibles dans la plupart des sites, mais il est important de réserver.

Les centres d'information des visiteurs distribuent des cartes et des brochures gratuites et il est possible de louer les services d'un guide pour 200 à 300 B. La température peut varier de 8 à 45°C en fonction des périodes de l'année, prenez donc des vêtements appropriés.

Quelques agences de voyages de Kanchanaburi peuvent organiser des tours guidés des parcs (voir p. 222).

### PARC NATIONAL DE SAI YOK

อุทยานแห่งชาติไทรโยค

D'une superficie de 1 400 km², le **parc national de Sai Yok** ( 0 3451 6163 ; www.dnp.go.th ; 200 B) est facile d'accès. Il comporte plusieurs cascades et grottes, et des animaux très rares.

C'est dans ce parc qu'ont été tournées en 1978 les fameuses scènes de roulette russe de *Voyage au bout de l'enfer*. La faune du parc compte des éléphants, des muntjacs (cerfs aboyeurs), des calaos festonnés, des gibbons et des crabes royaux rouges, blancs et bleus, découverts ici pour la première fois en 1983.

Près de l'entrée principale, vous admirerez des grottes calcaires, les vestiges d'un pont du "chemin de fer de la mort" et les fours des cantiniers japonais (réduits aujourd'hui à un tas de briques). La signalisation du parc est claire et on peut trouver des informations sur les sentiers de randonnée et la location de canoës-kayaks et de vélos dans les brochures gratuites du parc. Un parcours cycliste mène jusqu'à la grotte des chauves-souris Kitti à nez de porc, où ont été découvertes ces minuscules créatures (les plus petits mammifères du monde) en 1973.

Non loin du centre d'information des visiteurs, les Nam Tok Sai Yok Yai (les chutes de Sai Yok Yai), qui ressemblent plutôt à une petite cascade, se jettent dans la Mae Nam Khwae Noi, près d'un pont suspendu.

Les **bungalows** du Forestry Department (☎ 0 2562 0760 ; 800-2 100 B) peuvent accueillir jusqu'à 6 personnes. Plusieurs pensions flottantes près du pont suspendu jouissent d'une vue magnifique. L'une des plus jolies, la **Saiyok View Raft** (☎ 08 1857 2284 ; ch 800 B), loue des chambres avec salle de bains et vue sur la rivière. On trouve des restaurants flottants à proximité et des stands de restauration autour du centre d'information des visiteurs.

L'entrée du parc est à une centaine de kilomètres de Kanchanaburi et à 5 km de la Highway 323. Vous pouvez prendre le bus Sangkhlaburi-Kanchanaburi (60 B, 2 heures, départs fréquents) jusqu'à l'embranchement, puis louer un moto-taxi jusqu'à l'entrée du parc. Dites au conducteur que vous allez "*nám đòk sai yôhk yài*". Le dernier bus pour Kanchanaburi passe vers 16h30.

À environ 18 km au sud de Sai Yok Noi, la **grotte de Lawa** (200 B) compte, sur 500 m de longueur, 5 grandes cavernes avec d'imposantes stalactites et stalagmites. Pour vous y rendre, le mieux est d'être motorisé, mais vous pouvez aussi prendre le train jusqu'à Nam Tok, puis chercher un moto-taxi.

Il est possible de louer des *long-tail boats* (800 B/h, négociable) près du pont suspendu pour découvrir les abords de la rivière ainsi que la grotte **Tham Daowadung**. Il est conseillé de prendre un guide et une lampe torche avant de pénétrer dans la grotte.

## PARC NATIONAL DE THONG PHA PHUM

อุทยานแห่งชาติทองผาภูมิ

Les chutes de Jorgrading et des hébergements – spartiates mais époustouflants – dans des **maisons dans les arbres** (☎ 0 2562 0760 ; www.dnp.go.th ; ch 600-1200 B) sont les points forts de ce **parc** (☎ 0 1382 0359 ; district de Thong Pha Phum).

Les 62 km de Thong Pha Phum au parc se font le long d'une route sinueuse à l'ombre des arbres qui s'élèvent à flanc de colline. La principale cascade de Jorgrading est à 5 km de l'entrée.

À 8 km de là sur la Highway 3272 se trouve **E-Thong**, un village frontalier où 80% de la population est birmane. Au centre du village, **E-Thong Homestay** (☎ 08 7169 0394 ; ch 600-800 B) peut vous aider à organiser des excursions.

## PARC NATIONAL DE KHAO LAEM

อุทยานแห่งชาติเขาแหลม

Avec le majestueux lac artificiel de Khao Laem trônant en son centre, ce **parc** de 1 497 km² (☎ 0 3453 2099 ; district de Thong Pha Phum) est l'un des plus beaux du pays. Le centre des visiteurs du parc est à 28 km au sud de Sangkhlaburi.

Plus de 260 espèces animales ont été recensées dans le parc, parmi lesquelles le gibbon, le cerf et le sanglier. Les ornithologues se rassemblent autour du **marais de Kroeng Kravia** pour observer l'oiseau bleu des fées (Irène vierge) et le malcoha sombre. Pour atteindre le marais, allez à la sous-station de Kroeng Kravia, à 45 km au sud de Sangkhlaburi.

Le réservoir est entouré de plusieurs chutes d'eau et d'immenses montagnes calcaires. Les chutes de **Kra Teng Jeng** débutent à 400 m de l'entrée du parc. Un sentier ombragé mène jusqu'à la cascade principale et il est recommandé d'être accompagné d'un guide pour parcourir les 4 km de marche. À environ 12 km au sud de l'entrée du parc, se trouve la cascade de **Dai Chong Thong**.

À près de 1 km au nord de l'entrée du parc, la **sous-station de Pom Pee** (☎ 0 2562 0760 ; www.dnp.go.th ; ch à partir de 900 B) propose des terrains de camping et des bungalows. Le parc principal ne dispose que de campings. De là, vous pouvez louer des *long-tail boats* pour traverser le réservoir et atteindre les sous-stations de Pha Pueng ou de Kai Uu, ou retourner à la colonie môn de Wang Kha. La location d'un bateau pour 8 personnes coûte environ 2 000 B.

Le bateau **Lake Safari** (www.insideasia.travel ; adulte/enfant 15 400/10 780 B) part du parc national de Khao Laem pour une croisière de 4 jours jusqu'à Sangkhlaburi. Il est possible de louer le bateau intégralement.

### PARC NATIONAL DE SI NAKHARIN

อุทยานแห่งชาติศรีนครินทร์

Ce **parc** de 1 500 km² (☎ 0 3451 6667 ; district de Si Sawat) est dominé par le réservoir de Si Nakharin. Non loin de l'entrée du parc, les chutes de **Huay Mae Khamin** sont considérées comme les plus belles de Thaïlande. Se jetant des montagnes calcaires, l'eau parcourt 7 niveaux sur plus de 2 km.

**Camping et bungalows** (☎ 0 2562 0760 ; www.dnp.go.th ; ch 150-600 B, bungalows 900-2 700 B) sont disponibles.

Les infrastructures du parc sont assez bonnes, mais son accès n'est pas évident. La piste de 40 km menant au Si Nakharin n'est praticable qu'avec un véhicule tout-terrain. Une autre possibilité consiste à prendre le ferry qui traverse le réservoir entre Tha Ong Sit à l'est et Tha Kamnantuet à l'ouest (45 min). Il circule de 6h à 20h et ne part qu'une fois plein. Vous pouvez le chartériser pour 300 B/voiture. L'entrée du parc est à 7 km de Tha Kamnantuet. Il est également possible de louer une vedette depuis l'embarcadère de Tha Kradan, sur la rive est (environ 1 500 B).

### PARC NATIONAL DE CHALOEM RATANAKOSIN

อุทยานแห่งชาติรัตนโกสินทร์

Ce **parc** de 59 km² (☎ 0 3451 9606 ; district de Nong Preu) est connu pour les grottes de **Tham Than Lot Noi** et de **Tham Than Lot Yai**. La première n'est pas exceptionnelle, mais un chemin plaisant de 2,5 km dans la nature mène à Tham Than Lot Yai, une immense grotte aux stalactites irrégulières.

À la **cascade Slider**, vous pourrez, pendant la saison des pluies, faire de l'aquaplane sur une descente de 20 m, comme les petits Thaïlandais pleins d'assurance.

Vous aurez peut-être la chance d'apercevoir des coucous koël, oiseaux à longue queue connus pour leur peur apparente de l'altitude (ils dépassent rarement 10 m de hauteur). Tigres, léopards, gibbons et éléphants vivent au cœur de la forêt tropicale sèche.

Vous pourrez loger dans des **bungalows** (☎ 0 2562 0760 ; www.dnp.go.th ; tentes 300-500 B, ch 700-2 700 B) et manger dans le restaurant adjacent. Non loin de là, il est également possible de loger avec une famille karen au **Khao Lek Homestay** (☎ 08 7110 8445 ; 150 B/pers).

La plupart des visiteurs viennent au parc en transport individuel par la Highway 3086. Un bus quotidien (75 B, 3 heures, 7h45) parcourt les 97 km entre Kanchanaburi et Dahn Chang. Demandez à descendre à Muang Tow, à 2 km du parc. Des bus pour Kanchanaburi partent de Muang Tow à 6h20, 8h15 et 12h25.

## THONG PHA PHUM

ทองผาภูมิ

Entourée de montagnes aux sommets brumeux et de forêts denses, cette petite ville est l'endroit idéal pour goûter à un rythme plus paisible. Thong Pha Phum est une étape sur la route de Sangkhlaburi, ainsi qu'un point d'accès vers les sites naturels environnants.

Il est facile de se repérer dans cette ville à l'unique rue principale, au centre de laquelle se trouve la place du marché. Les infrastructures sont limitées, mais on y trouve deux banques et quelques pensions. La Mae Nam Khwae Noi traverse la partie est de la ville.

Le marché est un bon endroit pour débuter la journée avec toutes sortes de plats, des en-cas sucrés aux nouilles. Le **temple** qui coiffe la colline est illuminé la nuit et envoie un halo doré sur la ville endormie. Pour y aller en journée, suivez la route qui longe la rivière en direction de la grande route, traversez la passerelle, puis grimpez la colline.

Au sud de Thong Pha Phum se trouvent les **sources chaudes de Hin Dat** (40 B ; 6h-22h). En plus des deux bassins géothermiques, un pavillon propose des massages. Vous pourrez également vous baigner dans le cours d'eau tumultueux non loin de là. Pour vous rendre aux *bòr nám rórn* (sources chaudes), prenez le bus Sangkhlaburi–Kanchanaburi sur la Highway 323 (au Km 105), puis marchez 1 km.

Sur la même route, les **Nam Tok Pha That** (200 B) sont des sources chaudes sur plusieurs niveaux, peu fréquentées. Il est possible de se baigner à certains endroits, mais faites attention, la roche peut être glissante.

Le **Kheuan Khao Laem**, connu sous le nom de Vachiralongkorn Dam (barrage de Vachiralongkorn), est à 9 km au nord-ouest de la ville. Du haut du barrage, une colonie de singes profite de la vue.

### Où se loger et se restaurer

La rue principale comprend plusieurs pensions, et des hôtels se trouvent près du barrage.

**Som Jainuk Hotel** (☎ 0 3459 9001 ; 29/10 Mu 1 ; ch 200-500 B ; ). À proximité du marché, cet hôtel possède des chambres simples avec ventilateur ou des bungalows en pierre plus confortables, avec balcon. Demandez June, qui vous donnera des conseils précieux sur les environs.

LE CENTRE

**Barn Cha Daan** (☎ 0 3459 9035 ; Mu 1; ch 450 B ; ). Près de l'entrée principale de la ville, cette pension loue, dans une cour boisée, des chambres sur deux niveaux avec TV, clim et eau chaude.

**Ban Suan** (☎ 0 3459 98412 ; près de la Hwy 3272; ch 650-1 200 B ; ). À l'extérieur de la ville, Ban Suan jouit d'une belle vue sur le barrage et d'équipements de qualité. Son gérant parle anglais, ce qui est rare dans cette région.

L'influence des importantes communautés birmane et ethniques se reflète dans les restaurants de la ville. Les grandes marmites en fer pleines de currys appétissants sont typiquement môn. Derrière le marché, le Krua Tom Nam, sur trois niveaux, a une belle vue sur la rivière. Près de l'entrée principale de la ville, quelques restaurants proposent des plats locaux, mais ils sont souvent vides le soir.

## Depuis/vers Thong Pha Phum

Le départ des bus climatisés se fait dans la rue principale, face à la Siam City Bank. Vous pouvez acheter les tickets à l'arrière du restaurant **Krua Ngobah** (☎ 0 3459 9377). Les bus pour le terminal des bus Nord de Bangkok (202 B, 5 heures, toutes les 90 min) quittent la ville jusqu'à 15h40. Les bus pour Sangkhlaburi (67 B, 1 heure 30, 4 fois/j) partent également d'ici. Les bus locaux partent du marché.

## Comment circuler

Un bon moyen de se déplacer dans la région est de négocier un tarif à la journée avec les pilotes de moto-taxi (environ 300 B, selon vos compétences en négociation). Des *sŏrng·tăa·ou* parcourent la rue principale. Pour un trajet à l'intérieur de la ville, comptez au maximum 10 B.

# SANGKHLABURI

สังขละบุรี

**47 147 habitants**

Pour beaucoup de touristes, Sangkhlaburi marque la fin du voyage, mais pour nombre de ses résidents, c'est l'endroit d'un nouveau départ. Rares sont les lieux en Thaïlande où se mêlent tant d'ethnies. Birmans, Karen, Môn, Thaïs et quelques Lao cohabitent dans cette ville. Beaucoup ont traversé la frontière birmane pour des raisons économiques ou pour fuir la répression. Il en résulte un brassage de cultures, de croyances et de langues.

Sangkhlaburi est une ville isolée surplombant l'immense Kheuan Khao Laem (réservoir de Khao Laem). Elle doit son existence à l'eau : elle a été fondée après l'inondation totale d'un ancien village à la confluence des trois cours d'eau qui alimentent le barrage.

Plusieurs ONG soutiennent les communautés ethniques et les aident dans leur lutte pour le peu de droits dont elles disposent. Elles ont constamment besoin de bénévoles (voir p. 232).

La dernière semaine de juillet, la ville s'anime pour célébrer la **fête nationale môn**.

## Renseignements

Pour les questions d'argent, adressez-vous à la Siam Commercial Bank (DAB), près du marché. On trouve des cybercafés à proximité (25 B/h) et un téléphone longue distance est situé devant la poste, dans la rue principale.

## À voir et à faire

### WANG KHA

วังคา

De l'autre côté du plus long **pont en bois** (Saphan Mon) du pays vit une petite communauté môn. Le village fut déplacé après l'inondation de la colonie d'origine à la suite de la construction du barrage. Les conflits incessants au Myanmar ont poussé de nombreux Môn à s'installer en Thaïlande, donnant à Wang Kha sa spécificité. Ici, les enfants jouent à une variante du cricket et les femmes au visage poudré à la manière traditionnelle fument d'énormes cigares (*cheroot*). Cela dit, les temps changent et il y a même un cybercafé dans le village.

Un **marché de jour** se tient au centre du village, où vous pourrez déguster de délicieux currys môn. Au nord du marché, le **Wat Wang Wiwekaram** (Wat Mon) est le centre spirituel du peuple môn en Thaïlande. Le temple occupe deux bâtiments à 600 m l'un de l'autre. À droite du carrefour se dresse le *wí·hăhn* avec sa toiture complexe, ses portes de bois sculptées et ses rampes en marbre. À gauche le **Chedi Luang Phaw Uttama**, construit selon le modèle du *chedi* de la Mahabodhi à Bodhgaya, en Inde. La nuit, les 6 kg d'or qui le recouvrent sont illuminés. Les hommes peuvent gravir les quelques marches qui mènent au sommet, mais les femmes n'y sont pas autorisées. Un *chedi* plus ancien se dresse dans la même cour, où a également lieu un marché artisanal.

## PRÉSERVER LA NATURE

S'étendant sur 6 200 km², les **réserves naturelles de Thung Yai Naresuan** et de **Huay Kha Khaeng** constituent les zones terrestres protégées les plus importantes d'Asie du Sud-Est. Inscrites au patrimoine mondial de l'Unesco en 1991, elles abritent une faune et une flore d'une incroyable diversité.

Situées au nord-est de la province de Kanchanaburi et s'étirant jusque dans les provinces voisines, ces réserves sont principalement composées de zones montagneuses, de vallées et de plaines parcourues de rivières et de cours d'eau.

Au cours des 50 dernières années, la couverture forestière de la Thaïlande s'est considérablement réduite, mais une prise de conscience écologique a progressivement renversé la donne, favorisant la sauvegarde de la nature plutôt que sa destruction. Les réserves sont des zones protégées et non pas des parcs nationaux, et les visiteurs désirant s'y rendre doivent obtenir un permis. Malgré cela, l'exploitation forestière et la chasse illégales se poursuivent.

Ces réserves sont l'un des derniers habitats naturels de 700 tigres sauvages. D'après un rapport récent, la zone pourrait en accueillir jusqu'à 2 000 s'ils étaient protégés efficacement. Le **Western Forest Conservation Club** (Club pour la sauvegarde de la forêt occidentale ; www.thungyai.org) surveille attentivement les tigres, qui cohabitent avec une faune très variée. Le dernier recensement a dénombré 400 espèces d'oiseaux, 96 de reptiles et 120 de mammifères, dont des léopards, des gaurs, des ours et peut-être même des rhinocéros de Java. Au total, 34 espèces en voie de disparition peuplent les réserves, dont le singe Gan, vivant près du col des Trois Pagodes, très recherché pour ses prétendues vertus médicinales.

La Thung Yai Naresuan ("vaste champ") tient son nom de son immense prairie centrale et de son utilisation en tant que base militaire temporaire au temps du roi Naresuan. On y trouve aussi des éléments plus surprenants, telles ces dolines calcaires dont certaines font 2 km de longueur et 30 m de profondeur. Les archéologues pensent que la zone renferme des vestiges du pléistocène, qui restent enfouis faute de fouilles d'envergure.

La Huay Kha Khaeng dispose de plus d'équipements et de terrains de camping, mais il n'y a ni restaurants ni bungalows. Les inondations sont fréquentes pendant la saison des pluies, renseignez-vous bien sur les conditions locales avant de vous y rendre. Dans le parc, un itinéraire de 6 km, le **Khao Hin Daeng**, permettant d'observer la nature et de voir de nombreux oiseaux, mène à un beau point de vue à Pong Thian. Le sentier est accessible en voiture en passant par Uthai Thani, après avoir pris la Highway 333, puis la Highway 3438.

La Huay Kha Khaeng compte deux aires de camping : Cyber Ranger Station et Huay Mae Dee. La première est située à 7 km du bureau principal et, de là, des randonnées mènent jusqu'à plusieurs cascades et vallées. Le sentier de 37 km jusqu'à Huay Mae Dee passe par un village karen et traverse la jungle. Des guides (parlant thaï uniquement) proposent leurs services dans les deux sites. Il est possible de camper (30 B/tente), mais vous devez apporter votre propre équipement.

Le plus simple pour atteindre le bureau principal est de disposer d'un véhicule. Les arrêts de bus ou de train les plus proches sont à Lan Sak, à 35 km de là.

Les réserves sont précieuses, car intactes, et le tourisme n'y est pas encouragé. Les quelques centaines de visiteurs qui s'y rendent chaque année font généralement partie d'équipes scientifiques. Les personnes souhaitant y entrer doivent préalablement obtenir l'aval du Royal Thai Forestry Department.

Le temple est connu pour avoir accueilli un hôte célèbre : le respecté Luang Phaw Uttama. Ce moine né en Birmanie en 1910 s'est réfugié en Thaïlande en 1949 pour fuir la guerre civile. Il était un pilier de la communauté môn et aida à consolider le nouveau village après l'inondation du précédent. Il mourut en 2006, à l'âge de 97 ans, au Srirat Hospital de Bangkok. La reine prit en charge la totalité de ses frais médicaux.

## RÉSERVOIR DE KHAO LAEM

เขื่อนเขาแหลม

Ce lac gigantesque s'est formé après l'édification du **barrage de Vachiralongkorn** (appelé localement Khao Laem Dam ou Kheuan Khao Laem) sur la Mae Nam Khwae Noi en 1983. Le lac a submergé un village entier à la confluence de trois rivières : la Khwae Noi, la Ranti et la Sangkhalia. À la saison sèche, les flèches de l'ancien temple du village, le **Wat Sam Prasop**, émergent de la surface de l'eau.

On peut louer des canoës, des *long-tail boats* et, malheureusement, des jet-skis sur le lac. Le petit matin est un moment particulièrement magique, où la brume et les bruits de la nature enveloppent l'eau. Les pensions peuvent organiser des sorties en bateau.

## Bénévolat

Le grand bâtiment orange surplombant la ville est la **Baan Unrak** (maison de la joie ; www.baanunrak.org), qui prend en charge les enfants de minorités ethniques orphelins ou abandonnés. En plus de l'orphelinat, il abrite un centre de tissage permettant aux femmes de la région de s'assurer un revenu, il vient en aide aux mères célibataires en détresse et s'occupe de patients atteints du sida. La plupart des enfants à la Baan Unrak sont karen. Tous suivent les préceptes de la philosophie néo-humaniste de la fondation, centrée sur l'amour universel, la méditation et le végétarisme.

Étant donné le nombre élevé de réfugiés à Sangkhlaburi, le centre est très sollicité et a constamment besoin de bénévoles. On demande à ces derniers de rester au moins 6 mois, mais les visiteurs sont les bienvenus. Les enfants font des démonstrations de yoga au centre tous les mercredis à 18h.

Pour des séjours bénévoles de courte durée, vous pouvez faire don de vos compétences en anglais ou de votre huile de coude au **Hilltribe Learning Centre** (via P Guest House ; ☎ 0 3459 5061). Voir p. 50.

## Où se loger

**Burmese Inn** (☎0 3459 5146 ; www.sangkhlaburi.com ; 52/3 Mu 3 ; ch 120-800 B ; ❄). Cette pension est la moins chère de la ville, et c'est justifié. Simples basiques à flanc de colline ou bungalows plus spacieux.

**P Guest House** (☎ 0 3459 5061 ; www.pguesthouse.com ; 8/1 Mu 1 ; ch 252-909 B ; ❄). Les employés parlent anglais et les chambres jouissent d'une superbe vue sur le lac. Les chambres avec ventilateur sont rudimentaires et partagent une salle de bains. Possibilité d'organiser des excursions et de louer des canoës, des motos et des vélos.

**Samprasob Resort** (☎ 0 3459 5050 ; www.samprasob.com ; 122 Mu 3 ; ch 600-3 000 B ; ❄). Un peu plus confortable, ce complexe soigné propose un large choix d'hébergement, de la petite chambre double à la maison sur deux étages pour les groupes de Thaïlandais qui viennent le week-end. Petit-déjeuner inclus.

## Où se restaurer

La plupart des visiteurs dînent dans les pensions, du fait de leur situation en bordure de rivière. Comme dans toutes les villes thaïes, c'est au marché que l'on trouve le plus de choix. Ne manquez pas de goûter les délicieux currys birmans et thaïlandais (20 B).

**Baan Unrak Bakery** (en-cas 25-90 B). Les végétariens adoreront ce café, qui sert des pâtisseries et des plats thaïlandais délicieux. Les beignets au fromage et aux fèves sont absolument exquis. La pâtisserie fait partie du centre Baan Unrak (voir ci-contre).

## Achats

Si vous recherchez des étoffes tissées de style karen, rendez-vous au petit magasin de la Baan Unrak Bakery ou à la boutique près de la P Guest House. Les produits sont réalisés par les femmes de la coopérative Baan Unrak.

## Depuis/vers Sangkhlaburi

Juste en face du marché, un terrain vague fait office de gare routière. Le bus ordinaire 8203 quitte Sangkhlaburi en direction de Kanchanaburi (130 B) à 6h45, 8h15, 9h45 et 13h15. Le voyage dure 5 heures. Des bus climatisés pour le terminal des bus Nord de Bangkok (1re/2e classe, 333/259 B) partent à 7h30, 9h, 10h30 et 14h30 pour arriver 4 heures plus tard ; ces bus s'arrêtent également à Sai Yok et à Kanchanaburi. À l'arrière du marché, un guichet vend des tickets de minibus pour Kanchanaburi (180 B, 3 fois/j). Ils marquent l'arrêt à Thong Pha Phum (80 B). Un trajet en moto-taxi jusqu'à une pension coûte environ 15 B.

Kanchanaburi se trouve à près de 230 km de Sangkhlaburi. Thong Pha Phum est à 74 km.

# ENVIRONS DE SANGKHLABURI

## Col des Trois Pagodes

ด่านเจดีย์สามองค์

Cette ville frontalière est située en Thaïlande mais a véritablement des airs birmans. Les pagodes (Phrá Jedii Săam Ong) auxquelles elle doit son nom ne sont pas particulièrement intéressantes et la raison principale d'une visite dans cette bourgade est l'obtention d'une autorisation à la journée pour entrer au Myanmar.

**QUI SONT LES MÔN ?**

La fierté du peuple môn tient à son histoire. En plus d'avoir introduit le bouddhisme theravada dans la région, son empire Dvaravati couvrait la plus grande partie des plaines centrales de Thaïlande et de Birmanie du VIe au XIe siècle.

Aujourd'hui, de nombreux Môn ont fui le régime oppressif du Myanmar et vivent en tant que réfugiés autour de Sangkhlaburi. Moins d'un million de personnes parlent la langue môn et doivent lutter pour préserver leurs traditions, leurs croyances et leur indépendance.

Pendant des siècles, les Môn ont été en conflit avec les Birmans. Pendant la colonisation de la Birmanie, les Britanniques utilisèrent cette rivalité en promettant l'indépendance aux Môn en échange de leur soutien. Après l'indépendance de la Birmanie en 1948, les Môn lancèrent une campagne d'autodétermination, mais leurs manifestations furent vite écrasées, leurs dirigeants assassinés et leurs villages rasés. Un État môn semi-autonome fut créé en 1974 et un cessez-le-feu instauré en 1996, mais les tensions perdurent.

Pour échapper à la violence, de nombreux Môn se réfugient en Thaïlande, principalement autour de Sangkhlaburi. Quelque 23 800 des 47 000 citoyens de la ville sont issus de minorités ethniques et la Thaïlande ne fait guère plus que les tolérer sur son sol. Les Môn disposent d'une carte d'identité thaïlandaise sur laquelle il est indiqué que le titulaire ne possède quasi aucun droit. Ils ne peuvent pas circuler librement, et la région de Sangkhlaburi et du col des Trois Pagodes est parsemée de check-points. De nombreux Môn et Karen y habitent et travaillent pour moins de 100 B/j, tout en craignant d'être verbalisés, déportés ou même attaqués. En conséquence, ils s'imposent souvent un couvre-feu.

Une amélioration s'est cependant produite en 2006 quand le gouvernement thaïlandais a accordé la citoyenneté à 2 000 enfants môn de Sangkhlaburi, nés dans le royaume.

En 2008, à la suite des violentes répressions des manifestations au Myanmar et des ravages du cyclone Nagris, de nombreux habitants ont tenté de fuir le pays. La souffrance des Môn du Myanmar continue et les récits de viols, de violences et d'arrestations sont communs. Ils sont coincés entre un pays où ils sont opprimés et un autre dans lequel ils n'ont aucun droit. En conséquence, la culture et les traditions qui faisaient leur fierté pourraient bien finir par s'éteindre à jamais.



De l'autre côté de la frontière se trouve la ville de Payathonzu, comptant un **marché aux souvenirs** et quelques **maisons de thé**. Renseignez-vous bien auprès de la population locale avant de vous y rendre, le gouvernement birman fermant fréquemment les frontières pour cause de conflit entre les groupes ethniques et l'armée.

Si vous ne pouvez pas passer la frontière, un **marché** a lieu du côté thaïlandais. Du whisky birman, des bijoux, des cigares et d'étranges traitements médicinaux à base de tête de chèvre y sont vendus. À l'entrée d'un restaurant de nouilles, une "capsule" a été enterrée en 1995 par d'anciens prisonniers de guerre pour commémorer le 50e anniversaire du "chemin de fer de la mort". Si vous passez par là le 20 avril 2045, vous pourrez assister à son ouverture.

Si la frontière est ouverte, les étrangers pourront obtenir un visa journalier sans prolongation possible. Vous devrez confier votre passeport au bureau d'immigration thaïlandais à qui il faudra fournir une photo d'identité. Du côté birman, on vous demandera la photocopie de la page photo de votre passeport, ainsi qu'une photo d'identité et 500 B ou 10 $US. Votre passeport vous sera rendu à votre retour en Thaïlande. Un petit magasin de photocopies se trouve à côté du bureau d'immigration thaïlandais.

Les choses semblent s'être apaisées, mais les rebelles karen et môn se sont longtemps battus pour le contrôle de la frontière et tous les moyens étaient bons pour financer leur mouvement de résistance (la taxation de biens de contrebande, par exemple). Aujourd'hui encore, le col serait un haut lieu du trafic de drogues, d'amphétamines en particulier.

Au moment où nous écrivons, cela fait plus d'un an que la frontière est fermée.

## Depuis/vers le col des Trois Pagodes

Des *sŏrng·tăa·ou* quittent la gare routière de Sangkhlaburi (40 B) toutes les 45 min entre 6h40 et 17h20. Il faut une quarantaine de minutes pour parcourir les 28 km vers le nord.

La frontière n'est qu'à quelques pas de l'arrêt des *sŏrng·tăa·ou* au col des Trois Pagodes.

# Sud-Est de la Thaïlande

Difficile de voir un juste milieu dans le sud-est de la Thaïlande. Fief des hédonistes en vacances et des hippies décontractés, c'est la région de tous les extrêmes.

On y trouve Pattaya, ville balnéaire tapageuse où abondent jupes courtes et talons hauts. Si la localité amorce sa reconversion en ville familiale, elle est toujours le théâtre de chaudes nuits de fête. À l'opposé de la région, tant sur le plan géographique que de l'intensité, le parc national maritime de Mu Ko Chang abrite des îles surgissant d'eaux aussi bleues que le ciel. Entre ces deux extrémités, tout est possible !

Le marché aux pierres précieuses de Chanthaburi regorge de bijoux clinquants qui attirent badauds et négociants. Tout aussi envoûtantes, les eaux azuréennes et les plages de sable blanc de Ko Samet lui valurent autrefois le nom de "grande île-joyau". Le week-end, regardez (ou accompagnez) les habitants de Bangkok dans leurs divertissements.

Discret et charmant, l'esprit du Siam d'antan est encore palpable dans la région. Face aux quais de Si Racha, les cargos parsèment les eaux jusqu'à Ko Si Chang, une île paisible aux temples à flanc de colline et une escale appréciée des Bangkokiens. La province de Trat, avec ses excellents logements pour petits budgets, invite les routards à destination de Mu Ko Chang et du Cambodge à ralentir la cadence.

Enfin, plusieurs parcs naturels viennent couronner les attraits de la région. Au nord, dans les environs de Prachinburi, on peut faire du rafting et du VTT, tandis que les parcs plus petits près de la côte se prêtent à passer la journée près de cascades, loin du tumulte des villes.



**À NE PAS MANQUER**

- Les temples et les sanctuaires de **Ko Si Chang** (p. 238) à découvrir en *túk-túk*.
- Le jour et la nuit à **Pattaya** (p. 240), avec l'ambiance tranquille et familiale de ses journées et la vie nocturne animée de ses cabarets et ses discothèques
- Les multiples sentiers menant de plage en plage et de bungalow en bungalow le long de la côte orientale de **Ko Samet** (p. 252)
- Une sieste dans un hamac en contemplant la mer depuis la douce **Ko Mak** (p. 277)
- Une randonnée musclée dans la jungle (avec baignade dans les chutes d'eau à la clé) dans les montagnes de **Ko Chang** (p. 265)

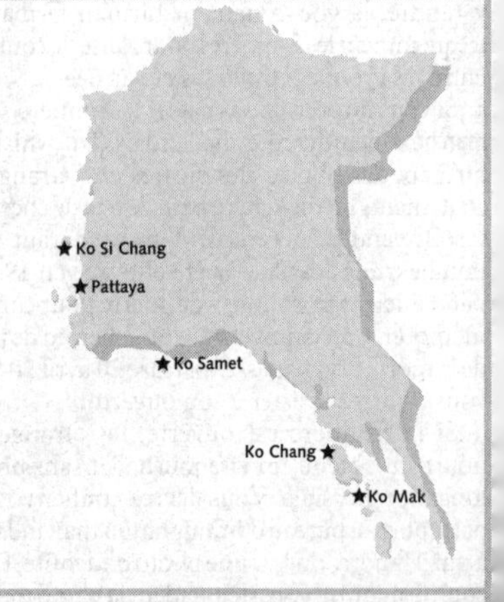


- MEILLEURE PÉRIODE : DE NOVEMBRE À MAI
- POPULATION : 3,6 MILLIONS D'HABITANTS

### Climat

Soumis à un climat de mousson, le sud-est de la Thaïlande connaît généralement 3 saisons : une période relativement fraîche et sèche de novembre à décembre, suivie d'une saison chaude et sèche de janvier à mai, puis d'une saison chaude et humide de juin à octobre. Pendant la saison chaude, Ko Samet, l'île la plus épargnée par la mousson, demeure curieusement sèche.

### Parcs nationaux

Formant des parcs nationaux (respectivement le parc national de Laem Ya/Ko Samet et le parc maritime de Ko Chang), les îles de Ko Samet (p. 252) et de Ko Chang (p. 265) sont, après Pattaya, les sites les plus fréquentés de la région. Ko Chang en particulier, avec ses forêts denses et vierges, offre encore moult possibilités de "retour à la nature" à l'intérieur des terres, et ce malgré le développement rapide de son littoral.

Quant aux parcs nationaux de Khao Chamao/Khao Wong (p. 251), Khao Khitchakut (p. 260) et Nam Tok Phlio (p. 260), s'ils présentent moins de surprises, ils méritent une visite si l'on désire échapper à l'agitation de la côte.

### Depuis/vers le sud-est de la Thaïlande

Pour la majorité des voyageurs, un périple dans le sud-est de la Thaïlande consiste en une lente progression vers l'est, de Bangkok à Hat Lek, à la frontière cambodgienne. Des bus climatisés relient régulièrement la capitale à toutes les grandes villes, et il existe aussi des vols de Phuket ou de Ko Samui à Pattaya, ainsi que de Bangkok à Trat. Moins pratique, un train relie quotidiennement Bangkok à Pattaya.

Si vous arrivez du nord-est, des bus climatisés quittent régulièrement Khorat et Ubon Ratchathani en direction de Rayong et de Pattaya.

### Comment circuler

Il est assez simple de se déplacer dans le sud-est de la Thaïlande, des bus et des minibus réguliers assurant la liaison entre les principaux sites d'intérêt. Tout au long de l'année, des ferrys gagnent quotidiennement les îles de la région, à l'exception de celles, plus éloignées, de l'archipel de Ko Chang, peu desservies pendant la basse saison (très humide).

# PROVINCE DE CHONBURI

## SI RACHA

ศรีราชา

**141 400 habitants**

Si Racha mêle à ses racines de village de pêcheurs les nouveautés apportées par les immigrants. Un labyrinthe de jetées et de pontons branlants témoigne du Siam d'antan, et les clinquants restaurants de sushis et karaokés illustrent la présence des Japonais et des Coréens. Ainsi, sur le bord de mer, vous apercevrez aussi bien des pêcheurs jetant leurs filets dans le crépuscule tropical qu'une gigantesque équipe d'aérobic en uniforme. Si les bateaux qui attendent l'autorisation de mouiller dans le port moderne de Si Racha constellent l'horizon, ils sont assez éloignés pour ne pas gâcher l'illusion des jours passés.

Si Racha a donné son nom à la fameuse *nám prík sĕe rah·chah* (sauce piquante), qui accompagne ici à merveille les délicieux fruits de mer.

### Renseignements

**Bureau de poste** (Th Jermjompol). Quelques rues au nord de Krung Thai Bank.

**Coffee Terrace** (94 Th Si Racha Nakorn 1 ; 12h-23h). Café (45 B) et Internet (25 B/h).

**Hôpital Samitivej Sriracha** ( 0 3832 4111 ; Th Jermjompol, Soi 8). Le plus réputé de Si Racha.

**Krung Thai Bank** (angle Th Surasak 1 et Th Jermjompol)

### À voir

Les curiosités sont rares dans cette ville ouvrière, mais l'ambiance oisive des quais mérite un second coup d'œil. **Ko Loi**, une modeste île rocheuse à l'extrémité nord des rives de Si Racha, est reliée à la terre par une longue jetée. Elle constitue une expédition intéressante. Là se dresse un **temple bouddhique sino-thaïlandais** ( ouverture aux heures du jour) et l'on découvre, dans une atmosphère de fête bon enfant, des étals de nourriture et deux gigantesques étangs peuplés de tortues de toutes tailles. Au sud de la jetée de Ko Loi se trouve le **Health Park** (parc de santé), parfait pour digérer son repas. Un peu plus dans les terres se tient un marché de nuit sur **Night Square**. S'il n'a rien d'extraordinaire, c'est néanmoins un excellent point de repère.

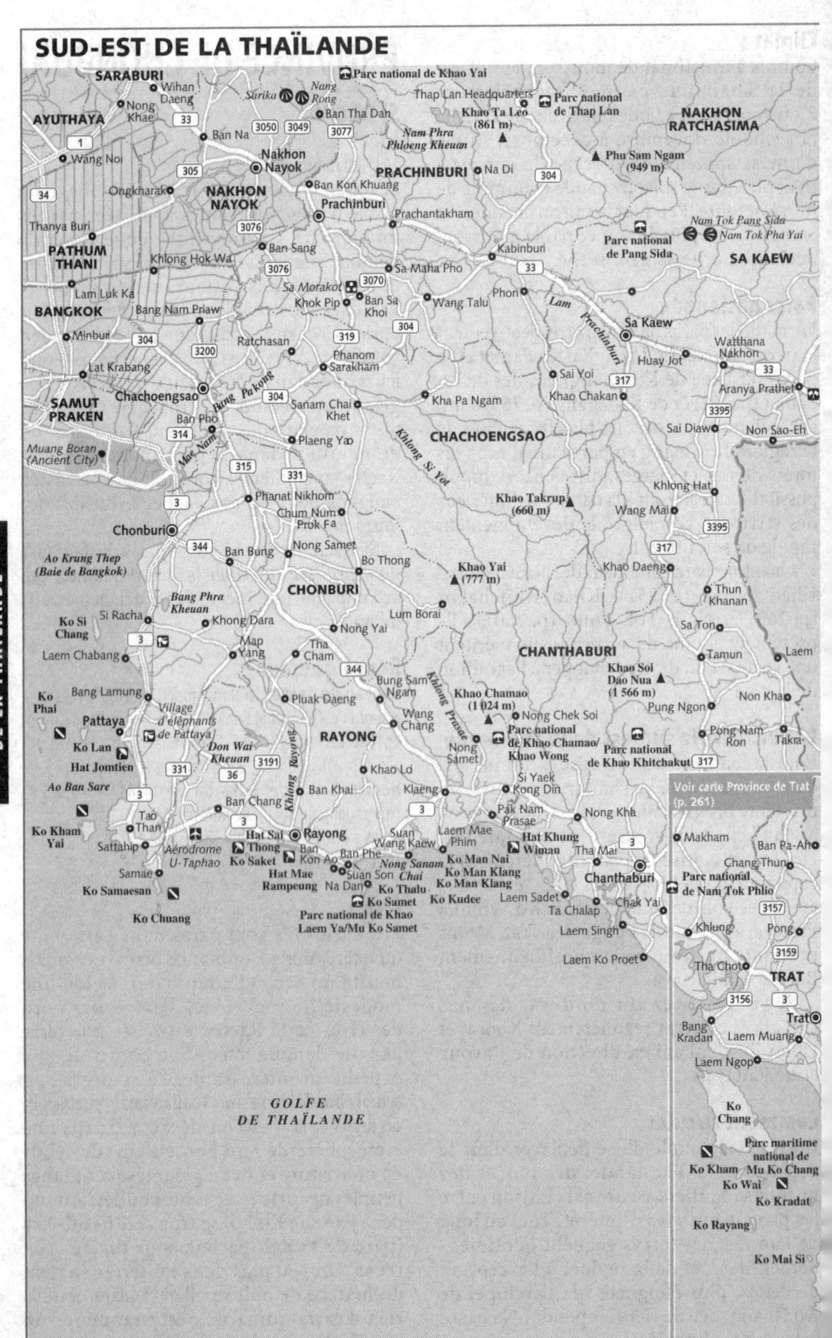
SUD-EST DE LA THAÏLANDE
SARABURI
Wihan Daeng
Nong Khae
AYUTHAYA
Wang Noi
Ban Na
Nakhon Nayok
NAKHON NAYOK
Ongkharak
Thanya Buri
PATHUM THANI
Khlong Hok Wa
Lam Luk Ka
BANGKOK
Bang Nam Priaw
Minburi
Lat Krabang
SAMUT PRAKEN
Chachoengsao
Ban Pho
Muang Boran (Ancient City)
Mae Nam Bang Pakong
Parc national de Khao Yai
Sarika
Nang Rong
Ban Tha Dan
Thap Lan Headquarters
Parc national de Thap Lan
Khao Ta Leo (861 m)
Nam Phra Phloeng Kheuan
PRACHINBURI
Na Di
NAKHON RATCHASIMA
Phu Sam Ngam (949 m)
Ban Kon Khuang
Prachinburi
Prachantakham
Nam Tok Pang Sida
Nam Tok Pha Yai
Parc national de Pang Sida
SA KAEW
Kabinburi
Ban Sang
Sa Maha Pho
Sa Morakot
Khok Pip
Ban Sa Khoi
Wang Talu
Phon
Lam Prachinburi
Sa Kaew
Ratchasan
Phanom Sarakham
Watthana Nakhon
Huay Jot
Aranya Prathet
Sai Yoi
Kha Pa Ngam
Khao Chakan
Sanam Chai Khet
Sai Diaw
Non Sao-Eh
Plaeng Yao
CHACHOENGSAO
Khlong Si Yot
Khlong Hat
Khao Takrup (660 m)
Wang Mai
Phanat Nikhom
Chum Num Prok Fa
Chonburi
Nong Samet
Ban Bung
Bo Thong
Khao Daeng
Ao Krung Thep (Baie de Bangkok)
Khao Yai (777 m)
Thun Khanan
CHONBURI
Bang Phra Kheuan
Si Racha
Khong Dara
Lum Borai
Ko Si Chang
Nong Yai
Sa Ton
Laem Chabang
Map Yang
Tha Cham
CHANTHABURI
Tamun
Laem
Khao Soi Dao Nua (1 566 m)
Bung Sam Ngam
Khlong Prasae
Bang Lamung
Pluak Daeng
Khao Chamao (1 024 m)
Non Kha
Ko Phai
Village d'éléphants de Pattaya
Wang Chang
Nong Chek Soi
Pung Ngon
Pattaya
RAYONG
Parc national de Khao Chamao/ Khao Wong
Nong Samet
Parc national de Khao Khitchakut
Pong Nam Ron
Takra
Ko Lan
Don Wai Kheuan
Khlong Rayong
Hat Jomtien
Khao Lo
Si Yaek Kong Din
Voir carte Province de Trat (p. 261)
Ao Ban Sare
Ban Khai
Klaeng
Ban Chang
Pak Nam Prasae
Nong Kha
Makham
Ko Kham Yai
Tao Than
Hat Sai Thong
Rayong
Suan Wang Kaew
Laem Mae Phim
Hat Khung Wiman
Tha Mai
Ban Pa-Ah
Sattahip
Aérodrome U-Taphao
Ko Saket
Ban Kon Ao
Ban Phe
Nong Sanam Chai
Ko Man Nai
Ko Man Klang
Ko Man Klang
Chanthaburi
Chang Thun
Samae
Hat Mae Rampeung
Suan Son
Na Dan
Ko Thalu
Ko Kudee
Laem Sadet
Parc national de Nam Tok Phlio
Ko Samaesan
Ko Samet
Ta Chalap
Chak Yai
Ko Chuang
Parc national de Khao Laem Ya/Mu Ko Samet
Laem Singh
Khlung
Pong
Laem Ko Proet
Tha Chot
TRAT
Trat
Bang Kradan
Laem Muang
Laem Ngop
GOLFE DE THAÏLANDE
Ko Chang
Parc maritime national de Mu Ko Chang
Ko Kham
Ko Wai
Ko Kradat
Ko Rayang
Ko Mai Si

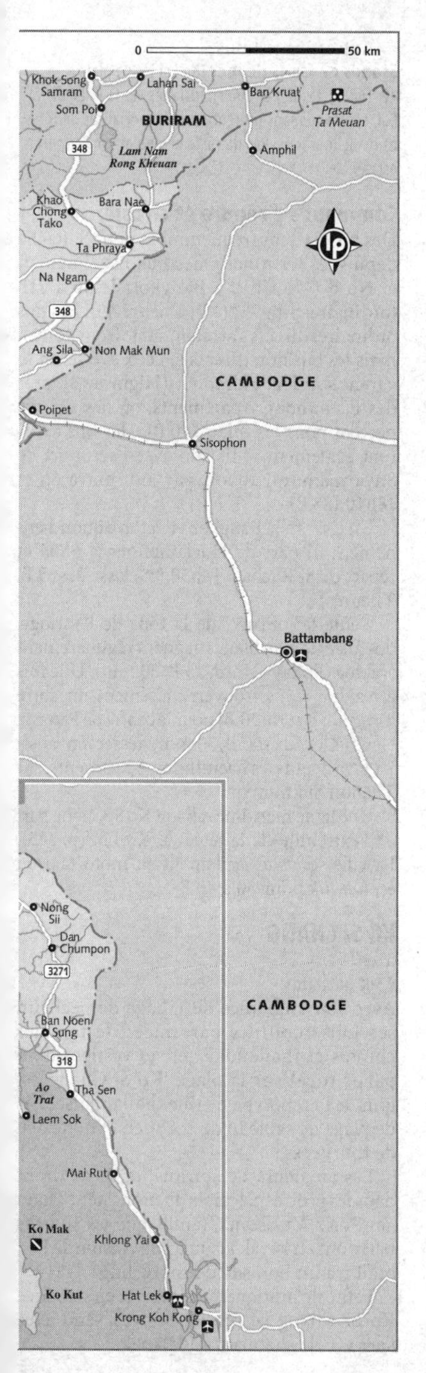


## Où se loger

Les adresses les plus basiques sont les hôtels en bois des pontons. Quelques hôtels plus confortables vous attendent dans les terres.

**Siriwatana Hotel** (☎ 0 3831 1037 ; 35 Th Jermjompol ; s/d 160/200 B). Hôtel en bois au-dessus de la mer (on voit l'océan par le trou des toilettes). Simples, les chambres basiques sont bon marché.

**Samchai** (☎ 0 3831 1800 ; Soi 10 ; ch 300-450 B ; ). Ambiance similaire dans ce grand établissement, l'atmosphère portuaire en prime (sol en ciment et bandes jaunes). Lors de notre visite, certaines chambres étaient en phase de rénovation (sol et peintures). Les chambres les plus chères devraient vous garantir la clim et une douche chaude.

**Seaview Sriracha Hotel** (☎ 0 3831 9000 ; 50-54 Th Jermjompol ; ch 890-1 150 B ; ). Adorables chambres, vastes et confortables. Certaines ont une vue magnifique sur la mer et les quais. Celles donnant sur la rue peuvent être bruyantes, même si l'animation de Si Racha se calme relativement tôt.

**City Hotel** (☎ 0 3832 2700 ; www.citysriracha.com ; 6/126 Th Sukhumvit ; ch à partir de 2 300 B ; ). L'hôtel le plus chic de Si Racha dispose du Wi-Fi, d'une piscine et d'une salle de gym. Service impeccable et sympathique. L'austérité des chambres est adoucie par une décoration asiatique et des vasques de marbre.

## Où se restaurer et prendre un verre

Si Racha est célèbre pour ses fruits de mer. Un vaste marché de nuit démarre à 17h environ sur Th Si Racha Nakorn 3.

**Picha Bakery** (☎ 0 3832 4796 ; angle Th Jermjompol et Th Surasak 1 ; café 40 B, en-cas 20-40 B ; petit-déj, déj et dîner). En-cas sortis du four, excellent café et clim font de cet endroit immaculé un refuge idéal contre les rues animées de Si Racha. Le café frappé est un délice.

**Lahp Ubon** (sud-est de Night Square ; plats 20-80 B ; petit-déj, déj et dîner). Établissement isan préparant une succulente *nám đòk mŏo* (salade au porc épicé). La carte n'est pas en anglais (ni l'insigne à l'entrée), mais dispose d'illustrations permettant de choisir.

**Moom Aroy** (plats 100-350 B ; déj et dîner). Face à l'hôpital Samitivej, l'endroit s'appelle le "coin des délices", et nous approuvons ! Avec sa salle sur plusieurs niveaux agréablement éclairée, et sa vue sur les quais et les pêcheurs de calamars,

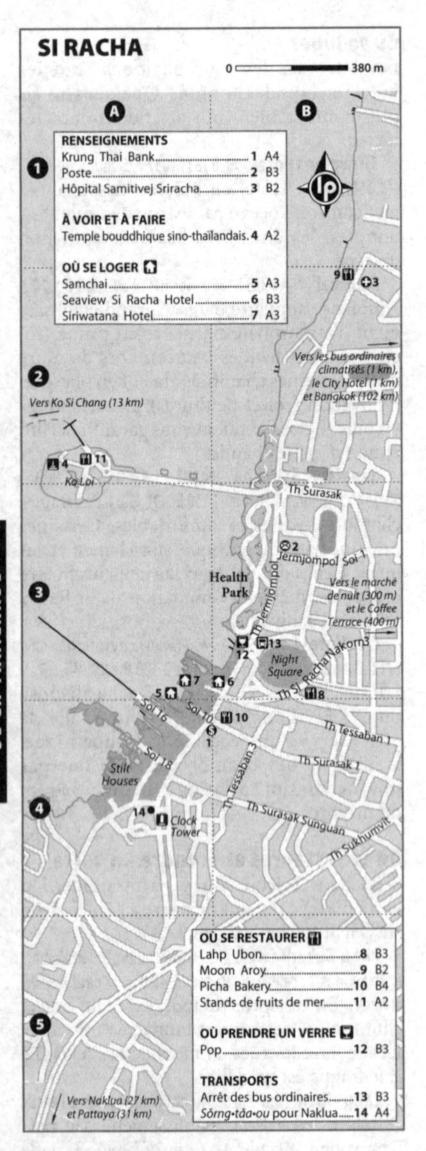


c'est l'une des meilleures adresses de Si Racha. Tournez à gauche à l'hôpital et cherchez le réservoir arborant un poisson de 2 m. Pas de panneau en alphabet latin.

**Pop** (Th Jermjompol ; plats 60-220 B ; 17h-23h). Ce club en bord de mer sert de la bière sur fond musical plutôt rock, et des plats allant des en-cas salés aux repas complets.

Autres suggestions :

**Stands de fruits de mer** (Ko Loi jetty ; plats 40-160 B ; déj et dîner). Installés sur la jetée de Ko Loi, ces stands sans prétention sont spécialisés dans les fruits de mer frais. Pas de carte en anglais, mais tout est délicieux.

## Comment s'y rendre et circuler

Des bus partent fréquemment pour Si Racha depuis les terminaux des bus Est (Ekamai) et Nord (Mo Chit) à Bangkok de 5h à 21h (ordinaire/clim 73/94 B, 1 heure 45). Les bus ordinaires directs s'arrêtent sur le front de mer, mais les bus non directs et ceux avec clim se garent sur Th Sukhumvit (Highway 3), près des Laemthong Apartments, où des *túk-túk* partent pour les quais (40 B). Des bus assurent également la liaison avec l'aéroport de Suvarnabhumi 10 fois par jour entre 6h et 18h40 (85 B).

Un train relie Bangkok et Pattaya quotidiennement. Il part de Hualamphong à 6h55 et repart de Si Racha à 14h50 (3e classe 25-35 B, 3 heures).

Toute la journée, de la tour de l'horloge, des *sŏrng·tăa·ou* blancs gagnent régulièrement Naklua (Pattaya Nord, 25 B, 30 min). Une fois à Naklua, vous trouverez aisément un autre *sŏrng·tăa·ou* (10-20 B) pour le centre de Pattaya. Des bus locaux (40 B, 30 min) desservent aussi Pattaya depuis les Laemthong Apartments, sur Thanon Sukhumvit.

Une ligne maritime ralliant Ko Si Chang part de l'extrémité de la jetée de Ko Loi (p. 235). La ville se visite facilement en moto-taxi ou en *túk-túk* pour 30 à 40 B.

# KO SI CHANG

เกาะสีชัง

**4 500 habitants**

Avec son ambiance de village de pêcheur, ses jolies collines parsemées de temples chinois et thaïlandais, et ses vestiges d'un palais royal sur la plage, Ko Si Chang est loin de l'archétype de l'île thaïlandaise. Pas de plage de sable ni de cocotier, et donc peu de touristes.

Les amateurs de spiritualité se rendront dans les grottes calcaires du monastère Tham Yai Phrik Vipassana, tandis que les sportifs partiront en kayak jusqu'à l'île voisine de Bat, où il y a un bon site de snorkeling.

Petite île pratiquement déserte en semaine, Ko Si Chang se réveille le week-end avec l'arrivée des habitants de Bangkok.

## Orientation et renseignements

L'unique petite agglomération de l'île fait face au continent et accueille le ferry en provenance de Si Racha. Des routes bosselées relient le village à tous les autres sites.

**Centre de services pour touristes** (☎ 0 3821 6201 ; Th Atsadang ; 🕑 9h-16h30 lun-ven). En face du Sichang Palace, dans la rue principale, à droite en venant de la jetée. Distribue la brochure *Island Welcome*.

**Kasikornbank** (99/12 Th Atsadang). Possède un DAB et change les devises.

**Poste** (Th Atsadang). Près du quai.

**www.koh-sichang.com** Une excellente source de renseignements.

## À voir et à faire

Offrant des vues splendides du haut de son stupa, au sommet d'une colline, le **monastère bouddhique Tham Yai Phrik Vipassana** (☎ 08538 80059, 03821 6104 ; 🕑 jusqu'au crépuscule) est installé dans des grottes qui parsèment la crête centrale de l'île. Moines et *mâa chi* (nonnes) viennent de toute la Thaïlande pour profiter de l'environnement paisible, et l'on peut partager la vie du monastère ou y étudier gratuitement (téléphoner avant de venir et se munir d'un passeport) – en respectant les règles monastiques, strictes. Que vous veniez une heure ou restiez un mois entier, un don sera le bienvenu (d'un montant équivalent à vos frais d'hébergement et de restauration si vous séjournez quelques jours) : versez-le au moine ou à la nonne qui vous fait visiter. Votre excursion risque de s'éterniser, et si le bouddhisme vous intéresse, vous ne le regretterez pas.

La partie ouest de l'île compte quelques plages propices à la baignade. **Hat Tham Phang** (plage de la grotte effondrée), au sud-ouest, possède des équipements de base, dont des chaises longues et des parasols à louer. La plage située près du palais Hat Tha Wang (voir ci-dessous) est très prisée des Thaïlandais. Le meilleur endroit pour se baigner est à **Hat Sai Kaew**, dans le sud de l'île.

À la pointe ouest de l'île (à 2 km de la jetée), le **palais Hat Tha Wang** (Th Chakra Pong ; entrée libre ; 🕑 9h-17h) attire les Thaïlandais venus de Bangkok, qui adorent pique-niquer sur les pelouses soigneusement entretenues, qu'ils partagent avec les fameux écureuils blancs. Autrefois résidence d'été du roi Chulalongkorn (Rama V), le palais fut abandonné après la brève occupation de l'île par les Français en 1893. La salle du trône – magnifique structure en teck doré, appelée Vimanmek – a été transportée à Bangkok en 1910 (p. 143). Récemment, le département des Beaux-Arts a restauré les vestiges des bâtiments.

Dominant Hat Tha Wang, un grand *chedi* (stupa) blanc abrite le **Wat Atsadang Nimit** (🕑 heures du jour), petite chambre consacrée où le roi Rama V méditait. Le bouddha qu'il renferme, sculpté il y a 50 ans, est l'œuvre d'un moine de l'ermitage. Non loin un affleurement rocheux est enveloppé d'un drap sacré. Les habitants l'appellent le "rocher cloche", car, lorsqu'on le frappe avec une pierre ou un bâton, il rend un son de cloche.

Près du Wat Atsadang Nimit, une grande grotte calcaire, **Tham Saowapha** (entrée libre ; 🕑 heures du jour), s'enfonce profondément dans l'île. Avec une torche, vous pourrez l'explorer.

Juste avant d'arriver au palais, visitez le **musée Cholatassathan** (don à l'entrée ; 🕑 9h-17h mar-dim), tenu par l'Aquatic Resources Research Institute. Les collections sont modestes, mais celles concernant la vie maritime de la région sont intéressantes.

Le site le plus imposant est le **temple chinois San Jao Phaw Khao Yai** (🕑 heures du jour), sur une colline dominant la mer, à l'extrémité est de la bourgade. Au Nouvel An chinois, en février, l'île est envahie de visiteurs chinois. Ses grottes sanctuaires, ses différents niveaux et sa belle vue sur l'océan font de ce temple l'un des plus intéressants de Thaïlande.

Quelques habitants proposent des **excursions de snorkeling** à Koh Khaang Khao (île de Bat), à l'extrémité sud de Ko Si Chang. Un bateau pour 10 personnes revient à environ 2 500 B. Renseignez-vous au Pan & David Restaurant (p. 240) ou au Tiewpai-Park Resort (p. 240).

Vous pouvez louer des **kayaks de mer** (400 B/j) à Hat Tham Phang, et suivre la côte jusqu'à Koh Khaang Khao, un autre bon site de snorkeling. Sinon, la **Si Chang Healing House** (☎ 0 3821 6467 ; 167 Mu 3 Th Makhaam Thaew ; 🕑 8h-18h, jeu-mar) propose massages et soins de beauté (400-800 B) dans un immense jardin situé en face du Pan & David Restaurant.

## Où se loger

**Rim Talay** (☎ 0 3821 6237 ; 38/3 Mu 2 Th Devavongse ; ch 500-800 B, bateaux d'habitation 1 000-1 500 B ; ❄). Derrière le restaurant Pan & David, ce bateau loue des chambres simples mais propres avec clim, et une série de bateaux de pêche thaïlandais colorés reconvertis en mini-appartements pour 5 personnes.

**Sripitsanu** (☎ 0 3821 6034 ; 38/3 Mu 2 Th Devavongse ; ch 550-1 000 B ; ). De ces chambres simples, on voit et on entend la mer. Deux chambres avec clim sont creusées dans la colline et recouvertes de coquillages (à l'intérieur comme à l'extérieur).

**Sichang View Resort** (☎ 0 3821 6210 ; ch 600-1 400 B ; ). Séjourner sur cette île implique de nombreux transports, mais les chambres sont vastes et l'aménagement apaisant, avec beaucoup de pierres. C'est un endroit reposant, où le coucher du soleil n'a pas son pareil. Le restaurant de l'hôtel compte une terrasse en haut de la falaise et sert d'excellents fruits de mer pour 180-300 B. Suivez la route qui monte la colline et dépassez le temple chinois, le complexe est à 1,5 km, sur votre droite.

**Sichang Palace** (☎ 0 3821 6276 ; Th Atsadang 81 ; ch 1 200-1 400 B ; ). Si le hall déborde de meubles et de sculptures du bois, les chambres modernes sont inondées de lumière et dotées de balcons. Comptez 200 B supplémentaires pour une vue sur la mer, et la piscine est accessible aux non-résidents pour 50 B.

Autres recommandations :

**Tampang Beach Resort** (☎ 0 3821 6179 ; ch à partir de 450 B ; ). Le personnel parle mal anglais, mais l'emplacement face à la mer est idéal. Chambres simples.

**Tiewpai-Park Resort** (☎ 0 3821 6084 ; tom_tiewpai@hotmail.com ; Th Atsadang ; ch 200-850 B ; ). Installée dans une clairière paisible, cette adresse centrale loue des chambres ultrabasiques avec sdb commune, et des grandes chambres pour familles nombreuses.



## Où se restaurer

La ville compte plusieurs petits restaurants, les fruits de mer accommodés avec simplicité étant une valeur sûre.

**Pan & David Restaurant** (☎ 0 3821 6629 ; 167 Mu 3 Th Makham Thaew ; plats 40-260 B ; petit-déj, déj et dîner, mer-lun). Poulet fermier, glace maison (nous avons adoré sirop d'érable-noix de pécan), café piston, une carte des vins et d'excellents plats thaïlandais, le menu est parfait. Mieux vaut appeler pour réserver.

## Depuis/vers Ko Si Chang

Des bateaux partent pour Ko Si Chang toutes les heures entre 7h et 20h depuis l'embarcadère de Ko Loi à Si Racha (60 B). Depuis Ko Si Chang, les navires repartent toutes les heures de 6h à 18h. Les bateaux sont ponctuels. Comptez 30 B pour un *túk-túk* depuis les hôtels du front de mer de Si Racha jusqu'au ferry.

## Comment circuler

Ko Si Chang possède de grands *túk-túk*, qui vous emmènent n'importe où pour 40-60 B. Un tour complet de l'île revient à quelque 300 B : préparez-vous à marchander. Il est possible de louer des motos au Tiewpai-Park Resort (250 B/j) et des bicyclettes pour 120-150 B/j dans différentes boutiques de Th Atsadang.

# PATTAYA

พัทยา

**85 000 habitants**

Témoignage moite et libidineux que la quête du plaisir peut se monnayer, Pattaya attire les touristes depuis près de 40 ans, et l'activité ne montre aucun signe de ralentissement. Les visiteurs d'hier préfèrent aujourd'hui des destinations plus "distinguées", mais les Russes et les Européens de l'Est, qui la découvrent pour la première fois, adorent arroser leurs tout nouveaux passeports dans la première et principale "cité pécheresse" d'Asie.

Si le public a changé, le décor, non. Formant un superbe croissant autour de la baie de Pattaya, la plage principale de la ville est une péninsule qui atteint, au sud, le promontoire de Hat Jomtien, plage légèrement plus élégante. La brise distille un lourd parfum composé d'huile solaire, de fast-food et de gaz d'échappement des Jet-Ski, tandis que le tintamarre des musiques, les pétarades des *sŏrng·tăa·ou* et le brouhaha des vendeurs composent à eux seuls une symphonie surprenante. Les groupes de touristes étonnés y côtoient tailleurs indiens, Occidentaux et vendeurs de fruits de mer. Une fois la nuit tombée, les voyageurs observent avec une surprise encore plus grande les tristement célèbres *go-go bars* de Walking St, artère principale du tourisme sexuel de Pattaya.

Pattaya vit énormément la nuit, mais elle s'anime quand même plus tôt que bien des stations balnéaires et offre une multitude d'activités pour que les voyageurs aient leur dose d'occupations diurnes. Vous pourrez ainsi faire le tour des clubs de plongée pour partir à la découverte des récifs coralliens et des épaves, ou prendre l'air sur des parcours de golf de niveau international. Il existe aussi quantité de loisirs familiaux pour passer de bonnes vacances avec des enfants.

Si le côté trouble et décadent de la ville est resté intact, il a toutefois tendance à s'adoucir. Et, pour peu que l'on sache l'aborder sans crainte et avec un certain goût de l'aventure, Pattaya peut même se révéler agréable.

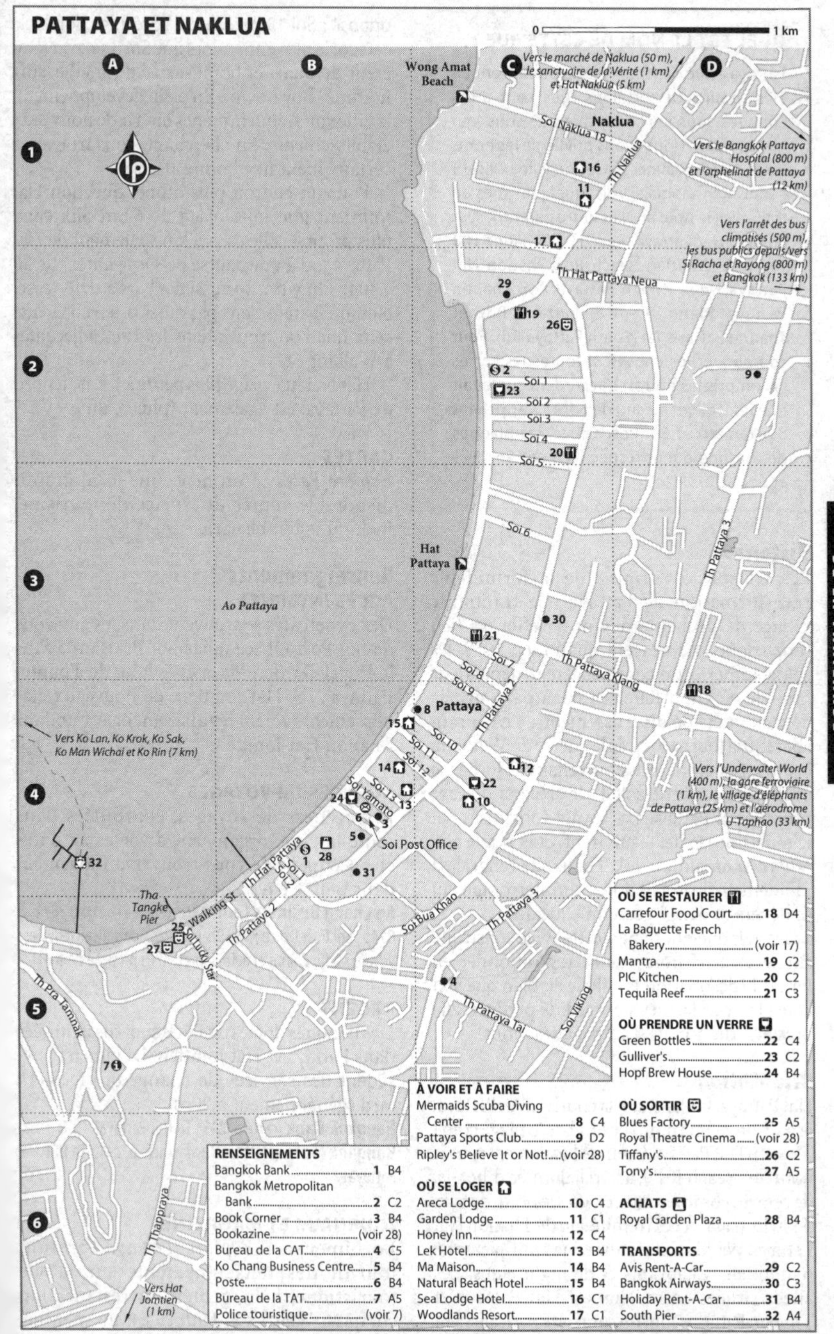
PATTAYA ET NAKLUA
0
1 km
Wong Amat Beach
Vers le marché de Naklua (50 m), le sanctuaire de la Vérité (1 km) et Hat Naklua (5 km)
Naklua
Soi Naklua 18
Th Naklua
Vers le Bangkok Pattaya Hospital (800 m) et l'orphelinat de Pattaya (12 km)
Vers l'arrêt des bus climatisés (500 m), les bus publics depuis/vers Si Racha et Rayong (800 m) et Bangkok (133 km)
Th Hat Pattaya Neua
Soi 1
Soi 2
Soi 3
Soi 4
Soi 5
Soi 6
Hat Pattaya
Ao Pattaya
Th Pattaya 3
Soi 7
Soi 8
Soi 9
Th Pattaya Klang
Th Pattaya 2
Pattaya
Soi 10
Soi 11
Soi 12
Soi 13
Soi Yamato
Soi Post Office
Vers Ko Lan, Ko Krok, Ko Sak, Ko Man Wichai et Ko Rin (7 km)
Vers l'Underwater World (400 m), la gare ferroviaire (1 km), le village d'éléphants de Pattaya (25 km) et l'aérodrome U-Taphao (33 km)
Th Hat Pattaya
Walking St
Tha Tangke Pier
Soi Lucky Star
Soi Bua Khao
Th Pattaya Tai
Soi Viking
Th Pra Tamnak
Th Thappraya
Vers Hat Jomtien (1 km)
OÙ SE RESTAURER
Carrefour Food Court 18 D4
La Baguette French Bakery (voir 17)
Mantra 19 C2
PIC Kitchen 20 C2
Tequila Reef 21 C3
OÙ PRENDRE UN VERRE
Green Bottles 22 C4
Gulliver's 23 C2
Hopf Brew House 24 B4
À VOIR ET À FAIRE
Mermaids Scuba Diving Center 8 C4
Pattaya Sports Club 9 D2
Ripley's Believe It or Not! (voir 28)
OÙ SORTIR
Blues Factory 25 A5
Royal Theatre Cinema (voir 28)
Tiffany's 26 C2
Tony's 27 A5
RENSEIGNEMENTS
Bangkok Bank 1 B4
Bangkok Metropolitan Bank 2 C2
Book Corner 3 B4
Bookazine (voir 28)
Bureau de la CAT 4 C5
Ko Chang Business Centre 5 B4
Poste 6 B4
Bureau de la TAT 7 A5
Police touristique (voir 7)
OÙ SE LOGER
Areca Lodge 10 C4
Garden Lodge 11 C1
Honey Inn 12 C4
Lek Hotel 13 B4
Ma Maison 14 B4
Natural Beach Hotel 15 B4
Sea Lodge Hotel 16 C1
Woodlands Resort 17 C1
ACHATS
Royal Garden Plaza 28 B4
TRANSPORTS
Avis Rent-A-Car 29 C2
Bangkok Airways 30 C3
Holiday Rent-A-Car 31 B4
South Pier 32 A4

### QUEL EST LE NOM DE CETTE RUE ?

Pattaya attire des touristes du monde entier, c'est pourquoi certaines rues sont aussi connues sous leur nom thaï que sous leur nom anglais. Nous avons privilégié les noms thaïs, mais certaines cartes de ville utilisent l'équivalent anglais. Voici quelques rues en thaï, avec le nom anglais entre parenthèses : Thanon Hat Pattaya (Beach Rd), Thanon Hat Jomtien (Jomtien Beach Rd), Thanon Hat Pattaya Neua (North Pattaya Rd), Thanon Pattaya Klang (Central Pattaya Rd) et Thanon Pattaya Tai (South Pattaya Rd). Pour compliquer les choses, si toutes les cartes (y compris les nôtres) s'accordent sur le fait que les 2 allées au sud de Soi 13 s'appellent Soi Yamato et Soi Post Office, les plaques de rues indiquent respectivement Soi 13/1 et Soi 13/2.



## Histoire

Les GI sont à l'origine de la formidable transformation de Pattaya. Ce tranquille village de pêcheurs devint en effet un lieu touristique effervescent quand, en 1959, les soldats américains commencèrent, depuis leur base de Nakhon Ratchasima, à parcourir la côte en quête de divertissements. Ce courant s'accentua tout au long de la guerre du Vietnam, les troupes en permission venant absorber le cocktail lucratif de soleil, de sable et de sexe proposé par Pattaya. Les voyages organisés – et le tourisme sexuel – suivirent, et la poule aux œufs d'or du sud-est de la Thaïlande s'engraissa rapidement du flot de dollars ininterrompu qui se déversait dans l'économie locale.

Depuis quelque temps, cette "ville construite sur le sexe" s'efforce de se repositionner en tant que destination familiale et, bien que son côté glamour fastueux et sordide perdure, elle présente désormais d'autres attractions.

## Orientation

Hat Pattaya, la plage, suit la courbe d'Ao Pattaya, la baie du même nom. Le long de la plage court Thanon Hat Pattaya (connue localement sous le nom de "Beach Rd"), artère jalonnée d'hôtels, de centres commerciaux et, vers le nord, de bars de strip-tease. À l'extrémité sud de Thanon Hat Pattaya, Walking St est une zone semi-piétonne remplie de restaurants et de night-clubs. Les allées situées entre Thanon Hat Pattaya et Thanon Pattaya 2 ont un caractère radicalement opposé : Soi 13 présente d'agréables hôtels de catégorie moyenne, alors que Soi 3 se trouve au cœur du quartier homosexuel de la ville, surnommé "Boyztown". En plein développement, la ville voit fréquemment s'ouvrir de nouveaux établissements. En cherchant, vous trouverez certainement une bonne affaire.

Pour un endroit plus calme, direction Hat Jomtien, une jolie plage de 6 km aux eaux plus propres. Elle est à 5 km seulement de Hat Pattaya, ou à une course de *sŏrng·tăa·ou* de 20 à 40 B. On y trouve aussi des bars à strip-tease, bien qu'ils ne soient pas aussi ostensibles que ceux que l'on trouve dans les rues adjacentes à Walking St.

Hat Naklua, plage plus petite à 1 km au nord de Pattaya, est également (plus) calme.

### CARTES

*Explore Pattaya,* un magazine local gratuit disponible auprès de l'office de tourisme, inclut une bonne carte.

## Renseignements

### ACCÈS INTERNET

Des cybercafés se trouvent dans les environs de Soi Post Office (alias Soi Praisani), dans le Royal Garden Plaza et le long de Thanon Pattaya 2. À Hat Jomtien, de nouveaux établissements voient régulièrement le jour dans Thanon Hat Jomtien.

### AGENCES DE VOYAGES

Les agences de voyages, éparpillées dans toute la ville, organisent diverses activités et s'occupent de vous trouver un logement dans tout le pays.

**Ko Chang Business Centre** (carte p. 241 ; ☎ 0 3871 0145 ; Soi Post Office ; 🕑 9h-minuit). Spécialisée dans les voyages à Ko Chang et à Ko Samet, mais propose de tout.

### ARGENT

Des banques dotées de DAB sont disséminées dans Pattaya et Hat Jomtien. La plupart possèdent des services de change qui ferment tard (généralement à 20h).

**Bangkok Bank** (carte p. 241 ; Th Hat Pattaya)

**Bangkok Metropolitan Bank** (carte p. 241 ; Th Hat Pattaya)

### JOURNAUX ET MAGAZINES

Le bimensuel *Explore Pattaya*, gratuit, fournit des renseignements sur la vie touristique, hébergement et restauration compris. *What's On Pattaya* est un mensuel similaire. L'hebdomadaire *Pattaya Mail* (www.pattayamail.com) s'intéresse aux faits divers de la ville, tout comme *Pattaya People* (www.pattayapeople.com), autre hebdomadaire encore plus frivole.

### LIBRAIRIES

**Book Lovers** (carte p. 244 ; Soi 3 ; 10h-18h lun-sam). Bonne sélection de livres de poche d'occasion à prix raisonnables.

**Bookazine Pattaya** (carte p. 241 ; 1er niv, Royal Garden Plaza, Th Hat Pattaya ; 11h-23h ; Hat Jomtien carte p. 244 ; Th Hat Jomtien, 11h-23h). Livres de voyage, littérature et magazines.

**Book Corner** (carte p. 241 ; Soi Post Office ; 10h-22h). Romans et guides de voyage.

### OFFICE DU TOURISME

**Tourism Authority of Thailand** (TAT ; carte p. 241 ; ☎ 0 3842 8750 ; tatchon@tat.or.th ; 609 Mu 10, Th Phra Tamnak ; 8h30-16h30). À l'extrémité nord-ouest du parc Rama IX. Personnel efficace et nombreuses brochures, notamment l'excellente *Bigmap Pattaya*.

### POSTE

**Poste** (carte p. 241 ; Soi 13/2)

### SERVICES MÉDICAUX

**Bangkok Pattaya Hospital** ( ☎ 0 3842 9999 ; www.pbh.co.th ; 301 Mu 6, Th Sukhumvit, Naklua ; 24h/24). Soins médicaux de premier ordre.

### TÉLÉPHONE

Il existe quantité d'agences téléphoniques privées, facturant 12 B/min vers l'Europe et les États-Unis. La plupart des cybercafés sont équipés de Skype.

**Communications Authority of Thailand** (CAT ; carte p. 241 ; ☎ 0 3842 5301 ; angle Th Pattaya Tai et Th Pattaya 3 ; 8h30-16h30 lun-ven, 9h-12h sam). Au sud-est du centre de Pattaya.

### URGENCES

**Police touristique** (carte p. 241 ; ☎ 0 3842 9371, urgences 1155 ; tourist@police.go.th ; Th Pattaya 2). Le poste principal se trouve à côté du bureau de la Tourism Authority of Thailand, dans Thanon Phra Tamnak. Des guérites de police longent les plages de Pattaya et de Jomtien.

## Désagréments et dangers

N'oubliez pas que le tourisme sexuel est florissant à Pattaya et que de grandes parties de la ville sont remplies de night-clubs et de boîtes de strip-tease. Difficile d'éviter ce côté subversif de Pattaya, surtout la nuit. Si vous voyagez avec des enfants, attendez-vous à ce qu'ils vous posent des questions embarrassantes.

Tard dans la nuit, Pattaya peut s'échauffer un peu, et si la ville n'est pas dangereuse, nous avons assisté à plus d'une rixe entre Occidentaux saouls. Si vous assistez à ce type de scène, partez (ou arrêtez d'urgence un *sŏrng·tăa·ou* et fichez le camp). La police arrive rapidement.

## À voir et à faire

### PLAGES

Principal croissant de sable de la ville, **Hat Pattaya** voit déferler chaque jour des hordes

### PROSTITUTION À PATTAYA

La notoriété de Pattaya pour le tourisme sexuel tient aux innombrables discothèques, bars en plein air et *go-go bars* qui composent son quartier chaud, à l'extrémité sud de la plage. Appelée le "Village", cette zone attire quantité de prostituées, dont des *gà teu·i* (travestis), qui exercent leur métier parmi les hordes de touristes sexuels *fà·ràng* (Occidentaux). La prostitution homosexuelle est également très développée à Pattaya, notamment à Hat Dongtan. Si ce "commerce" ne peut échapper aux yeux des visiteurs, il n'en est pas de même pour sa partie la plus écœurante, la prostitution enfantine, même s'il n'est hélas pas rare de voir des hommes occidentaux marcher dans la rue avec des enfants thaïlandais (voir p. 51 comment aider à enrayer cette prostitution).

Traditionnellement, la prostitution se concentrait dans Walking St, mais de nouveaux bars ouvrent chaque année. Ironiquement, un panneau à l'entrée de Walking St proclame la rue "Lieu de rencontres internationales". Les prostituées blanches viennent pour la plupart de Roumanie et de Moldavie et les prostitués noirs du Nigeria. Cette "mondialisation" se caractérise aussi par l'influence croissante de mafias de pays aussi lointains que la Russie.

Bien entendu, la prostitution est tout aussi illégale à Pattaya que dans le reste du pays, mais les millions de bahts générés par le blanchiment d'argent, le trafic de drogue et le commerce des diamants rendent l'application des lois peu rigoureuse.

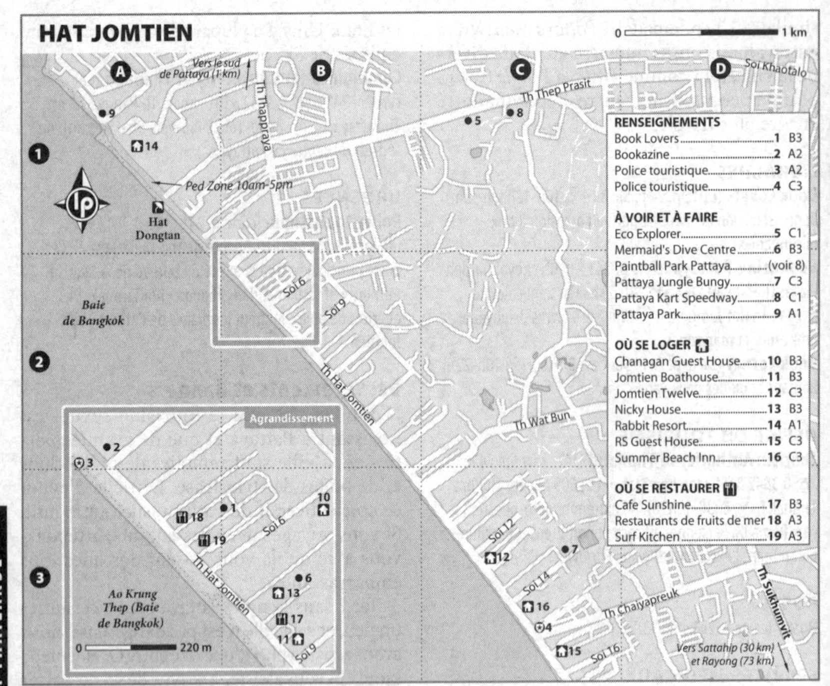




de touristes adeptes de bains de soleil et de mer, de marchands de souvenirs et, au large, des Jet-Ski et des hors-bord bruyants qui fendent l'écume. Le sable est assez propre, l'eau généralement calme, et l'on peut aussi faire des emplettes de l'autre côté de la route.

À 1 km au sud de Pattaya, **Hat Jomtien** (Jawmthian), beaucoup plus tranquille, s'étend sur une courbe de 6 km. C'est une meilleure base pour les routards : on y est plus ou moins à l'abri de l'activité sexuelle de la ville, mais toujours à un jet de *sŏrng·tăa·ou* de sa vie nocturne déchaînée. À son extrémité nord, **Hat Dongtan** est le point de ralliement des voyageurs gays.

Petite plage calme au nord de Pattaya, **Hat Naklua** s'avère idéale pour les familles.

Les îles de **Ko Larn**, **Ko Krok** et **Ko Sak**, à 7 km au large, possèdent des plages appréciées – notamment **Hat Ta Waen** sur Ko Larn. Les bateaux quittent l'**embarcadère sud** de Pattaya (carte p. 241) toutes les 2 heures, de 8h à 16h30 (30 B). De Ko Larn, le dernier départ a lieu à 17h. Une excursion à la journée, incluant une sortie en mer dans un bateau à fond transparent, revient à 150 B.

## SPORTS NAUTIQUES

La proximité de Bangkok fait de Pattaya un lieu prisé pour la plongée, bien qu'elle ne rivalise en rien avec les sites les plus réputés du pays. La visibilité peut se révéler mauvaise dans les spots les plus proches de la ville, en raison de la surexploitation des fonds marins et de l'importance du trafic maritime. Près de Ko Larn, les débutants apprécieront Ko Sak et Ko Krok, mais les plongeurs chevronnés préféreront les îles plus éloignées de **Ko Man Wichai** et de **Ko Rin**, où la visibilité est meilleure et la vie marine plus riche. Dans de bonnes conditions, vous aurez presque partout une visibilité de 3-9 m, voire de 5-12 m dans les sites les plus éloignés.

Plus loin vers le sud, les **épaves** du *Petchburi Bremen* et du *Hardeep*, au large de Sattahip et de Samae, ont créé des récifs artificiels. Quant au HMS *Khram*, navire thaïlandais sabordé, il repose à 30 m de profondeur, non loin de Ko Phai, et fait l'objet d'excursions, proposées par de nombreux opérateurs.

L'un des spots les plus intéressants est un ancien dépôt de munitions de la marine américaine appelé **Samaesan Hole**, au sud de

Pattaya, près de Sattaship – une sortie pour les plongeurs confirmés qui descend jusqu'à 87 m et passe par une pente douce couverte de coraux, où l'on aperçoit des barracudas et de grosses raies. Par beau temps, la visibilité peut atteindre 20 m.

Une excursion vers la plupart des sites, avec 2 plongées, coûte quelque 3 000 B. Les amateurs de snorkeling peuvent s'y joindre moyennant 600-1 000 B. Pour obtenir un brevet PADI complet (3 ou 4 jours), comptez 12 000-15 000 B.

**Mermaids Scuba Diving Center** (www.mermaiddive.com ; Hat Jomtien carte p.244 ; ☎ 0 3823 2219 ; Soi White House, Hat Jomtien ; Pattaya carte p. 241 ; ☎ 0 3871 0726 ; Siam Bayview Hotel, Th Hat Pattaya). Appréciée, avec 4 adresses entre Hat Naklua, Hat Pattaya, et Hat Jomtien, cette enseigne propose de nombreuses formules, de l'excursion d'un jour au brevet PADI.

Pattaya et Jomtien possèdent les meilleures installations de loisirs nautiques du pays. Le ski nautique coûte 200 B/h, un tour en parachute ascensionnel (10-15 min) 250-350 B et la planche à voile 300-400 B/h. Hat Jomtien est l'endroit idéal pour tirer des bords en planche à voile, d'autant plus que les risques de collision avec des adeptes de parachute ascensionnel ou de Jet-Ski y sont réduits.

### SANCTUAIRE DE LA VÉRITÉ

Cette **expérience** surréaliste (☎ 0 3836 7229 ; www.sanctuaryoftruth.com ; 206/2 Mu 5 Th Naklua ; 500 B ; 8h-18h) commence par une balade en *boghei* à cheval qui aboutit à une superbe cathédrale entièrement faite de bois, sans clous ni vis. Prenez le temps d'admirer les sculptures décoratives.

### AUTRES SPORTS

Parmi les nombreux sports proposés à Pattaya, citons le **bowling**, le **billard**, le **tir à l'arc**, le **tir à l'arme à feu**, le **softball**, l'**équitation** et le **tennis**. La plupart peuvent être pratiqués au **Pattaya Sports**

SUD-EST DE LA THAÏLANDE

### PATTAYA AVEC DES ENFANTS

Le **Ripley's Believe It or Not !** (carte p. 241 ; ☎ 0 3871 0294 ; 2e niv, Royal Garden Plaza, Th Pattaya 2 ; adulte/enfant 370/270 B ; 11h-23h) semble observer les curiosités du monde avec les yeux de Disney et propose des circuits sur le thème de la haute technologie.

Les fans de Michael Schumacher se rendront au **Pattaya Kart Speedway** (carte p. 244 ; ☎ 0 3842 2004 ; 248/2 Th Thep Prasit Soi 9 ; 9h-18h30), où l'on peut pratiquer le karting sur une impressionnante boucle de 800 m. Comptez 300 B/10 min à bord d'un kart 10 CV. Il existe aussi une piste off-road non goudronnée. Les plus petits apprécieront le circuit pour débutants de 400 m.

Non loin, le **Paintball Park Pattaya** (carte p. 244 ; ☎ 0 3830 0608 ; 248/10 Mu 12, Th Thep Prasit ; à partir de 400 B les 50 balles ; 9h-18h) permet aux adolescents de se défouler.

Pour les plus audacieux, le saut à l'élastique de 50 m du **Pattaya Jungle Bungy** (carte p. 244 ; ☎ 08 6378 3880 ; www.thaibungy.com ; Mu 12, Th Hat Jomtien ; sauts 1 800 B ; 9h-18h) offre des sensations fortes.

Il existe 3 moyens de sortir de la tour de 55 étages du parc aquatique de **Pattaya Park** (carte p. 244 ; ☎ 0 3836 4129 ; www.pattayapark.com ; 345 Th Hat Jomtien ; adulte/enfant 100/50 B ; 9h-18h). Une fois l'adrénaline un peu retombée, amenez votre progéniture au parc d'attractions Funny Land pour un tour de montagnes russes ou d'auto-tamponneuses.

Échappez à la chaleur et au soleil en allant à l'**Underwater World** (☎ 0 3875 6879 ; Th Sukhumvit ; adulte/enfant 450/250 B ; 9h-18h), dont les tunnels en acrylique forment un circuit dans l'aquarium. À 200 m au sud du centre commercial Tesco-Lotus, sur la route principale, en direction du sud.

Le **village d'éléphants de Pattaya** (☎ 0 3824 9853 ; www.elephant-village-pattaya.com) est une réserve à but non lucratif pour les vieux éléphants domestiqués. Ce refuge propose un spectacle (adulte/enfant 500/400 B, début à 14h30), qui illustre diverses techniques de domptage, et des promenades de 1 heure (adulte/enfant 900/700 B) ou de 3 heures 30 (adulte/enfant 1 900/1 300 B) à dos d'éléphant. Le village se situe à 7 km de Thanon Sukhumvit.

Venez partager une demi-journée (ou jusqu'à 4 semaines) avec les cornacs et leurs éléphants, en réhabilitation après avoir été forcés de travailler en ville, de l'organisation Elephant Mahout Project gérée par **Eco Explorer** (carte p. 244 ; ☎ 08 4561 8873 ; www.theelephantmahoutproject.com ; 217/7 Soi 15, Th Thep Prasit ; 27 €/demi-journée, déj compris). La journée type commence tôt le matin pour baigner et nourrir les éléphants, suivie d'une formation qui fera de vous un cornac en herbe.

**Club** (carte p. 241 ; ☎ 0 3836 1167 ; www.pattayasports.org ; 3/197 Th Pattaya 3) ou sont organisés par les hôtels. Les amateurs de **golf** pourront réserver des formules auprès de l'**East Coast Travel & Golf Organisation** ( ☎ 0 3830 0927 ; www.pattayagolfpackage.com).

### BÉNÉVOLAT

L'**orphelinat de Pattaya** ( ☎ 0 3871 6628 ; volunteer@redemptorists.or.th) a besoin de bénévoles pour s'occuper d'un peu plus de 50 enfants de moins de 3 ans, apprendre l'anglais à des enfants plus âgés et travailler dans un centre d'accueil pour les enfants des rues. Cet orphelinat très bien administré compense de manière rassurante la dureté des rues de Pattaya. Il est prévu que les bénévoles s'engagent pour au moins 6 mois, mais des séjours plus courts peuvent être envisagés (décision prise au cas par cas). Les bénévoles sont nourris et logés.

## Où se loger

### PETITS BUDGETS

Pattaya compte un grand nombre d'hébergements. Les options pour petits budgets sont vite pleines pendant le week-end et les vacances, mais, en semaine, hôtels et pensions proposent souvent des réductions. Hat Jomtien est le meilleur endroit pour trouver des chambres à petit prix.

#### Pattaya

Les pensions les moins chères se situent dans le sud de Pattaya, sur Th Pattaya 2, la rue parallèle à Th Hat Pattaya, essentiellement regroupées près des Soi 6, 10, 11 et 12.

**Honey Inn** (carte p. 241 ; ☎ 0 3842 9133 ; 529/2 Soi 11, Th Pattaya 2 ; ch 600-800 B ; ). Chambres propres, bon café au rez-de-chaussée, ni trop loin, ni trop près de la vie nocturne de Pattaya.

#### Hat Jomtien

Les alentours des Soi 3 et 4 comptent quelques pensions d'un bon rapport qualité/prix.

**Chanagan Guest House** (carte p. 244 ; ☎ 08 9834 3561 ; Soi 6, Th Hat Jomtien ; ch 500 B ; ). De grandes chambres avec TV câblée, eau chaude et clim, au juste prix. Le *soi* est plutôt calme la nuit, et à quelques mètres de la plage et de bons restaurants.

**RS Guest House** (carte p. 244 ; ☎ 0 3823 1867 ; Th Hat Jomtien ; ch à partir de 650 B ; ). Les chambres sont petites mais propres dans ce refuge ombragé, à l'extrémité sud de Hat Jomtien. Deux petits-déjeuners compris. Piscine sur 2 niveaux.

### CATÉGORIE MOYENNE

Pattaya abrite beaucoup d'hôtels de cette catégorie, la concurrence maintenant les exigences élevées et les prix (relativement) bas. Ouvrez l'œil, car les hôtels récemment ouverts font souvent des offres spéciales.

#### Pattaya

**Natural Beach Hotel** (carte p. 241 ; ☎ 0 3842 9239 ; naturalbeach@excite.com ; 216 Mu 10, Soi 11 ; ch 750-950 B ; ). Ambiance décontractée en décalage délicieux avec le tapage de Pattaya. Joli jardin, piscine ombragée et chambres bien tenues à la décoration rétro des années 1970.

**Lek Hotel** (carte p. 241 ; ☎ 0 3842 5552 ; lek_hotel@hotmail.com ; 284/5 Th Pattaya 2 ; ch 850-1 200 B ; ). Les moquettes sont un peu défraîchies, mais l'endroit est toujours prisé des visiteurs, qui reviennent ici pour l'emplacement central et le petit-déjeuner d'un bon rapport qualité/prix (110 B). Demandez une chambre calme, loin de la rue.

**Ma Maison** (carte p. 241 ; ☎ 0 3871 0433 ; www.mamaison-hotel.com ; Soi 13 ; ch 1 180-1 480 B ; ). Sirotez un verre près de la piscine dans cette oasis de détente très française. Connexion Wi-Fi.

**Areca Lodge** (carte p. 241 ; ☎ 0 3841 0123 ; www.arecalodge.com ; 198/23 Mu 9, Soi 13, Th Pattaya 2 ; ch petit-déj compris 2 000 B ; ). Avec ses chambres très stylées et ses 2 piscines, on approche de la catégorie supérieure. Le propriétaire ne semble pas en avoir conscience, et les chambres ne coûtent que 1 300 B entre février et novembre. L'une des meilleures affaires de Pattaya.

#### Naklua

**Garden Lodge** (carte p. 241 ; Th Naklua ; ☎ 0 3842 9109 ; fax 0 3842 1221 ; ch 850-1 300 B ; P ). L'une des meilleures options de cette catégorie, qui échappe à l'agitation huppée de Pattaya grâce à son jardin agrémenté de bassins poissonneux et de pavillons verdoyants. Le bureau des excursions à la réception propose un large choix de sorties à la journée.

**Sea Lodge Hotel** (carte p. 241 ; ☎ 0 3842 5128 ; 170/1 Mu 5 Soi 18/2, Th Naklua ; ch à partir de 1 000 B ; ). Si le Garden Lodge est plein, cet établissement propose une offre similaire (légèrement inférieure) et des bungalows propres.

#### Hat Jomtien

À l'extrémité sud de la plage, on trouve une ambiance plus paisible et familiale. Les touristes thaïlandais viennent y déguster des fruits de mer frais le week-end.

**Nicky House** (carte p. 244 ; ☎ 0 3823 2000 ; 75/2-3 Mu 12, Th Hat Jomtien ; ch 650-950 B ; ). Nouvel hôtel au personnel sympathique, avec un bon café Internet au rez-de-chaussée. Assurez-vous que votre chambre est dotée d'une véritable fenêtre.

**Summer Beach Inn** (carte p. 244 ; ☎ 0 3823 1777 ; Th Hat Jomtien ; ch 650-1 500 B ; ). Une bonne adresse, dans un bâtiment flambant neuf aux larges baies vitrées. Les chambres bon marché sont dans l'ancienne bâtisse et certaines sentent le tabac froid. Reniflez avant de choisir.

**Jomtien Twelve** (carte p. 244 ; ☎ 0 3875 6865 ; 240/13 Soi 12, Th Hat Jomtien ; ch 1 100-1 500 B ; ). Si le design du hall est impressionnant, celui des chambres l'est beaucoup moins, mais le petit-déjeuner est compris. Les hommes d'affaires de Bangkok y viennent en week-end.

**Jomtien Boathouse** (carte p. 244 ; ☎ 0 3875 6143 ; www.jomtien-boathouse.com ; 380/5-6 Th Hat Jomtien ; ch 1 200-1 400 B ; ). Des chambres immaculées, sans rien d'extraordinaire. Celles avec vue sur la mer (avec balcons) sont peu bruyantes. Le restaurant du rez-de-chaussée, à la décoration marine, est très prisé.

### CATÉGORIE SUPÉRIEURE

Pattaya attire les touristes en voyages organisés et les participants aux salons professionnels, et compte donc un grand nombre d'hébergements de catégorie supérieure. Les réservations via une agence de voyages de Bangkok ou Internet proposent souvent des réductions. Les complexes luxueux ne manquent pas, mais les deux adresses ci-dessous offrent quelque chose en plus.

#### Naklua

**Woodlands Resort** (carte p. 241 ; ☎ 0 3842 1707 ; www.woodland-resort.com ; 164/1 Th Naklua ; ch petit-déj compris 2 900-7 600 B ; ). Discret et raffiné, cet établissement idéal pour les familles est organisé autour de jardins tropicaux dotés de 2 piscines. Les chambres claires et vastes sont meublées de teck et comprennent un accès Internet haut débit et des lecteurs CD et DVD. Plusieurs restaurants sont à votre disposition.

#### Hat Jomtien

**Rabbit Resort** (carte p. 244 ; ☎ 0 3830 3303 ; www.rabbitresort.com ; Dongtan Beach, Hat Jomtien ; ch 6 900-7 500 B, villas jusqu'à 4 pers 13 500-15 000 B ; ). Ces magnifiques bungalows et maisonnettes sont installés dans une forêt en bord de mer, à l'extrémité nord de Jomtien. L'ameublement est composé de design et d'art thaïlandais, et un panneau indique “matelas souples disponibles” à la réception. La décoration des sdb est particulièrement soignée.

## Où se restaurer

La cuisine occidentale a la cote à Pattaya, et si les restaurants thaïlandais abondent, ils manquent d'authenticité. Schnitzel, samosas ou smorgasbord sont en revanche légion dans les nombreux restaurants.

Entre les Soi 6 et 7, sur Th Hat Jomtien, sont installés quelques bons restaurants de fruits de mer. On en trouve également au sud de Pattaya, près de Walking St.

**Carrefour Food Court** (carte p. 241 ; Th Pattaya Klang ; 11h-22h). En l'absence de marché de nuit digne de ce nom, rabattez-vous sur le traiteur du supermarché Carrefour. La cuisine thaïlandaise est épicée (plats à partir de 30 B).

**Surf Kitchen** (carte p. 244 ; ☎ 0 3823 1710 ; Th Hat Jomtien ; plats 80-180 B ; petit-déj, déj et dîner). Restaurant animé, l'une des meilleures adresses relax de Jomtien Beach. La cuisine thaïlandaise y est authentique, et les cuisiniers maîtrisent également les plats occidentaux.

**Cafe Sunshine** (carte p. 244 ; Th Hat Jomtien ; plats 100-300 B ; petit-déj, déj et dîner). Particulièrement recommandé pour un petit-déjeuner dans le jardin ombragé. L'*happy-hour* commence dès 10h.

**PIC Kitchen** (carte p. 241 ; ☎ 0 3842 8374 ; 10 Soi 5, Th Pattaya 2 ; plats 110-290 B ; déj et dîner). L'intérieur de teck, agréable et raffiné, est parfait pour se détendre, avec ses coussins et ses tables basses en bois. L'endroit vaut surtout pour son excellente cuisine thaïlandaise. Longue carte des vins et des cocktails, et jazz live tous les soirs au sous-sol à partir de 20h au Jazz Pit.

**La Baguette French Bakery** (carte p. 241 ; ☎ 0 3842 1707 ; 164/1 Th Naklua ; crêpes à partir de 120 B ; petit-déj, déj et dîner ; ). Dépendant du complexe Woodlands, ce café décontracté et élégant prépare de délicieuses pâtisseries, un bon expresso et des crêpes succulentes. Connexion Wi-Fi.

**Tequila Reef** (carte p. 241 ; ☎ 0 3841 4035 ; Soi 7, Th Hat Pattaya ; plats 220-310 B ; déj et dîner). À mi-chemin de la cantine mexicaine et de la cabane de surf californienne, ce restaurant bourdonnant sert la meilleure margarita de Pattaya. Très fréquenté par les gars de l'US Navy, qui s'y connaissent en burrito.

**Mantra** (carte p. 241 ; ☎ 0 3842 9591 ; Th Hat Pattaya ; plats 240-800 B ; dîner lun-sam, brunch et dîner dim ; ). Gigantesque hauteur sous plafond, et un personnel qui se souvient de votre nom : faites un tour chez Mantra, même si vous ne pouvez vous offrir qu'un cocktail. Le bar est tendu de soie brute et la salle à manger recouverte de bois sombre. Au menu, plats japonais, thaïlandais et indiens, une longue liste de cocktails et plus de 20 vins au verre.

## Où prendre un verre

Malgré la profusion de bar à bières, de *go-go bars* et de discothèques (voir ci-dessous), bruyants et quasi identiques, il existe encore des endroits agréables où simplement siroter un verre.

**Hopf Brew House** (carte p. 241 ; ☎ 0 3871 0650 ; Th Hat Pattaya 219 ; 15h-1h dim-ven, 16h-2h sam ; ). Authentique et un peu triste avec son décor en bois sombre, cette brasserie est un paradis pour les amateurs de bières et les voyageurs à petit budget. Pils et bière blanche brassées sur place très correctes, qui coûtent moins cher avant 20h, quand débutent les concerts. À accompagner d'énormes pizzas cuites au four à bois ou d'escalopes à peine plus petites.

**Gulliver's** (carte p. 241 ; 0 3871 0641 ; Th Hat Pattaya ; 11h30-2h ; ). L'élégante piscine ornementale extérieure dénote avec l'atmosphère "café des sports" de l'intérieur. À l'extrémité nord de Pattaya, le ténébreux Gulliver offre une connexion Wi-Fi gratuite et une longue carte de plats thaïlandais et occidentaux. *Happy hour* avant 19h sur les bières et les cocktails.

**Green Bottles** (carte p. 241 ; ☎ 0 3842 9675 ; 216/6-20 Th Pattaya 2 ; 11h-2h ; ). Ambiance douillette et rétro (l'orchestre peut jouer votre chanson favorite) dans ce pub qui date de 1988, l'un des plus traditionnels de Pattaya. L'éclairage tamisé invite à commencer la soirée de bonne heure.

## Où sortir

Si l'on oublie la prostitution, prendre du bon temps à Pattaya signifie boire un verre dans un bar vidéo ou danser toute la nuit dans une discothèque de South Pattaya. Commencez votre "périple" Thanon Hat Pattaya, qui devient, à son extrémité sud, "Walking St", zone semi-piétonne bordée de bars et de clubs pouvant satisfaire tous les goûts. Non loin, "Pattaya Land", principal quartier où se concentrent les *go-go bars*, regroupe Soi 1, 2 et 3. Les nombreux bars homosexuels de Soi 3 se repèrent au panneau indiquant "Boyztown". Du côté de Hat Dongtan, à l'extrémité nord de Hat Jomtien, une nouvelle scène gay est en plein essor.

### CLUBS ET CABARETS

**Tony's** (carte p. 241 ; ☎ 0 3842 5795 ; www.tonydisco.com ; 139/15 Walking St ; entrée gratuite ; 20h30-2h30 ; ). Une grande discothèque éclairée aux néons, où retentit une musique assourdissante. Spectacles de magie, karaoké, tables de billard, dîner-buffet d'un bon rapport qualité/prix, cocktails fort alcoolisés et bière brassée maison. Le lendemain, vous pourrez compenser vos excès dans la salle de sport du Tony's.

**Tiffany's** (carte p. 241 ; ☎ 0 3842 1700 ; www.tiffany-show.co.th ; 464 Mu 9, Th Pattaya 2 ; 500-800 B ; à partir de 18h ; ). Fondé en 1974, le principal cabaret de travestis de la ville se révèle chaste et dégage un charme vieillot. Fabuleux, les spectacles rythmés de 75 min présentent une profusion de paillettes, satin et surprises (18h, 19h30 et 21h).

**The Blues Factory** (carte p. 241 ; ☎ 0 3830 0180 ; www.thebluesfactorypattaya.com ; Soi Lucky Star ; entrée gratuite ; à partir de 20h30 ; ). Non loin de Walking St, la meilleure salle de concerts, où au moins 2 groupes se produisent chaque soir. L'ambiance est agréable et on ne s'y fait pas importuner.

### CINÉMA

**Royal Theatre Cinema** (carte p. 241 ; ☎ 0 3842 8057 ; boutique C30, 2e niv, Royal Garden Plaza, Th Pattaya 2 ; 120 B). Projette les films hollywoodiens dès leur sortie.

## Achats

Thanon Hat Pattaya est bordée d'étals qui vendent T-shirts, bijoux et autres articles bon marché. Pour des achats plus importants, rendez-vous au **Royal Garden Plaza** (carte p. 241 ; Th Pattaya 2 ; 11h-23h).

## Depuis/vers Pattaya

### AVION

**Bangkok Airways** (carte p. 241 ; ☎ 0 3841 2382 ; www.bangkokair.com ; 179/85-212, Mu 5, Th Pattaya 2 ; 8h30-16h30 lun-ven, jusqu'à 12h sam) relie l'**aérodrome U-Taphao** (☎ 0 3824 5599 ; 33 km au sud de Pattaya) à Ko Samui et Phuket (aller 3 200 B ; tlj).

### BUS

Des bus climatisés relient les terminaux des bus Est (Ekamai) et Nord (Mo Chit) de

SUD-EST DE LA THAÏLANDE

Bangkok à Pattaya (124 B, 2 heures, toutes les 30 min 6h-21h). Depuis Pattaya, des bus partent pour Ekamai toutes les demi-heures entre 9h30 et 23h, et pour Mo Chit entre 16h30 et 21h. À Pattaya, l'arrêt des bus climatisés se trouve Thanon Hat Pattaya Neua, à proximité de l'intersection de Thanon Sukhumvit. Une fois à la plus importante gare routière de Pattaya, prenez un *sŏrng·tăa·ou* rouge qui vous conduira à la principale route de la plage (30-40 B/pers). Attention, la plupart des bus reliant Ekamai à Hat Jomtien sont des 2e classe. Il est souvent plus rapide de prendre le bus de 1re classe jusqu'au nord de Pattaya, puis de sauter dans un *sŏrng·tăa·ou* jusqu'à Hat Jomtien.

Plusieurs hôtels et agences de voyages assurent des liaisons en minibus avec Bangkok ou, à l'est, avec Ko Samet et Ko Chang – comptez un minimum de 200 B. Renseignez-vous auprès du **Ko Chang Business Centre** (p. 243) ou de votre hôtel.

Une ligne de bus directe assure la liaison entre l'aéroport Suvarnabhumi de Bangkok et Pattaya et Hat Jomtien (120-150 B, 2 heures).

Au départ de Si Racha, vous pouvez prendre un bus public dans Thanon Sukhumvit (60 B, 30 min). Une fois à Pattaya, ils s'arrêtent à l'angle de Thanon Sukhumvit et de Thanon Pattaya Neua. De là, hélez un bus pour Rayong (80-90 B, 1 heure 30).

Vous pouvez également prendre un *sŏrng·tăa·ou* blanc depuis le marché de Naklua jusqu'à Si Racha (25 B, 30 min), puis continuer jusqu'à Ko Si Chang, monter dans un autre *sŏrng·tăa·ou* qui vous dépose au clocher (voir p. 238).

#### TRAIN

Chaque jour, du lundi au vendredi, un train assure la liaison entre Pattaya et la gare de Hualamphong à Bangkok (3e classe 40 B ; 3 heures 45). Il quitte Bangkok à 6h55 et repart de Pattaya à 14h20.

Les horaires de cette ligne peuvent changer, mieux vaut vérifier les derniers passages auprès de la **gare ferroviaire de Pattaya** (☎ 0 3842 9285), près de Th Sukhumvit au nord de Th Hat Pattaya Neua, avant de partir.

### Comment circuler

#### VOITURE ET MOTO

**Avis Rent-A-Car** (carte p. 241 ; ☎ 0 3836 1628 ; www.avisthailand.com ; Th Hat Pattaya Neua ; 9h-17h). Possède des agences au Dusit Thani Resort.

**Holiday Rent-A-Car** (carte p. 241 ; ☎ 0 3842 6203 ; www.pattayacar-rent.com ; Th Pattaya 2 ; 9h-17h). Variante locale plus économique, en face du Royal Garden Plaza, qui offre aussi l'assurance tous risques. Pour une Toyota Vios 1 500 cm$^3$, comptez au moins 1 250 B/j. Réductions accordées pour des locations longues.

Des agences de voyages locales proposent des Jeep Suzuki pour environ 1 000 B/j, mais attendez-vous à payer une fortune en cas d'accident.

Pour une moto, tablez sur 150-250 B/j pour une 100 cm$^3$ ; environ 350 B pour une 125 à 150 cm$^3$, et l'on trouve même quelques 750 cm$^3$ et 1 000 cm$^3$ à louer pour 500-1 000 B. Plusieurs loueurs de motos sont installés le long de Th Hat Pattaya et de Th Pattaya 2.

#### SŎRNG·TĂA·OU

Des *sŏrng·tăa·ou*, appelés localement "*baht buses*", arpentent fréquemment Th Hat Pattaya et Th Pattaya 2. Vous paierez 10 B pour vous rendre n'importe où entre Naklua et South Pattaya, 40 B si vous allez jusqu'au sud de Jomtien. Les tarifs affichés à l'arrière des véhicules indiquent le montant maximum de chaque trajet.

Nombre de nos lecteurs ayant emprunté un *sŏrng·tăa·ou* à 10 B avec des Thaïlandais se sont plaints d'avoir dû payer finalement 20-50 B. Convenez du prix à l'avance. Ne montez pas dans un *sŏrng·tăa·ou* qui attend vide sur le bas-côté, car le conducteur pourra insister pour que vous "louiez" le véhicule entier.

## PROVINCE DE RAYONG

De Pattaya, la plupart des touristes descendent rapidement la côte pour profiter du calme relatif de Ko Samet en semaine et de son animation le week-end. Le petit port de Ban Phe est le point de départ pour cette île, mais, le cas échéant, il se peut que vous deviez changer de bus à Rayong. Si vous allez à Samet, les plages du continent n'auront que peu d'intérêt pour vous, mais sachez qu'il en existe d'autres, ainsi que de petites îles, dans les environs, où l'on ne voit guère de touristes occidentaux.

Pour plus de renseignements sur les transports depuis/vers Rayong et Ban Phe, reportez-vous p. 257.

## RAYONG
ระยอง

**106 700 habitants**

Ensemble de banques, de marchés et de concessionnaires de motos au milieu de la poussière, la ville de Rayong a peu à offrir. Important carrefour de transports, elle voit surtout passer les personnes qui ont un changement à faire. Il y a là deux hôtels corrects, pour qui manquerait la correspondance avec le ferry menant à Ko Samet.

### Renseignements

**Krung Thai Bank** (144/53-55 Th Sukhumvit). Une des banques de la rue principale. Service de change et DAB.

**Tourism Authority of Thailand** (TAT ☎ 0 3865 5420 ; tatyong@tat.or.th ; 153/4 Th Sukhumvit ; 8h30-16h30). À 7 km à l'est de Rayong, sur la Hwy 3. Mérite un arrêt si vous êtes motorisé.

### Où se loger et se restaurer

Pour vous restaurer à moindres frais, dirigez-vous vers le marché proche du cinéma Thetsabanteung ou les restaurants et échoppes de nouilles qui longent Thanon Taksin Maharat, au sud du Wat Lum Mahachaichumphon. Des étals de nourriture se trouvent près de la gare routière.

**Rayong President Hotel** (☎ 0 3861 1307 ; Th Sukhumvit ; ch petit-déj inclus 700 B ; ). Le personnel ne parle pas trop anglais, mais l'accueil est sympathique et l'endroit calme la nuit. Depuis la gare routière, traversez Thanon Sukhumvit. L'hôtel est dans une petite rue qui se trouve juste à côté de la Siam Commercial Bank ; il est indiqué par un panneau.

### Comment s'y rendre et circuler

Des bus climatisés partent pour Rayong (132 B, 2 heures 30, toutes les 30 min) depuis le terminal Est des bus (Ekamai) de Bangkok entre 4h et 22h. Vous pouvez aussi rejoindre les terminaux des bus Nord (Mo Chit) et Sud depuis Rayong (les bus sont moins fréquents mais les tarifs et durées de trajet sont les mêmes). Le trajet à destination de Chanthaburi depuis la gare routière de Rayong coûte 80 B pour environ 2 heures 30. De Pattaya à Rayong, faites signe à un bus en direction du sud à l'angle de Th Sukhumvit et de Th Pattaya (ordinaire/clim 60/80 B, 1 heure 30). Un *sŏrng·tăa·ou* bleu entre la gare routière de Rayong et Ban Phe coûte 25 B pour une course simple.

## BAN PHE
บ้านเพ

Si le petit port de Ban Phe est indiqué sur les cartes, c'est uniquement parce qu'il sert de point de départ pour Ko Samet. Néanmoins, les marchés aux fruits de mer animés proches du terminal des ferrys sont colorés, et quelques plages alentour, tranquilles en semaine, méritent un petit détour avant ou après la visite de l'île.

Vous pouvez consulter votre messagerie et passer des appels téléphoniques à l'étranger au **Tan Tan Café** (☎ 0 1925 6713 ; Soi 2 ; 1 B/min ; 7h30-19h), en bas d'une rue voisine du terminal des ferrys. Un DAB se trouve devant le 7-Eleven, en face de la Christie's Guesthouse. En face de l'embarcadère, **Blue Sky Books** (☎ 0 3865 1885 ; Soi 1 ; 10h-19h) possède un beau choix d'ouvrages en anglais, rangés par genre par un vrai bibliophile. La quantité de vieux titres Lonely Planet est tout simplement… archéologique.

Le **bureau de poste** (Th Ban Phe), à l'est des quais de Ban Phe, dispose également d'un service Western Union pour les urgences financières.

### Où se loger

Ban Phe compte plusieurs hôtels tout proches des quais.

**Hotel Diamond** (☎ 0 3865 1826 ; fax 0 3865 1757 ; 286/12 Mu 2 ; ch 350-500 B ; ). La propreté n'est pas irréprochable, mais rien d'effrayant pour les routards avertis. Prenez à gauche à la sortie du terminal des ferrys et suivez la route principale sur 150 m. Pratique si vous ratez le dernier ferry du soir.

**Christie's Guesthouse** (☎ 0 3865 1976 ; fax 0 3865 2103 ; 280/92 Soi 1 ; ch à partir de 500 B ; ). Chambres correctes et restaurant-bar apprécié au rez-de-chaussée, c'est l'endroit le plus confortable près des quais. Bonne pizzeria et librairie d'occasion attenantes pour s'occuper en attendant le bateau.

**M@cGarden** (☎ 0 3865 1150 ; 280/153 Th Ban Phe Mu 2 ; ch 700 B ; ). Nouvel établissement disposant de beaux bungalows de teck (1 200 B) et de chambres plus petites, un peu ternes mais propres. Continuez sur 50 m après l'Hotel Diamond.

Le **Tan Tan Cafe** (☎ 08 1925 6713 ; Soi 2 ; 500 B) loue également des chambres soignées avec climatisation.

### Où se restaurer

**Christie's Bar and Restaurant** (☎ 0 3865 1976 ; 280/92 Soi 1 ; ⏲ petit-déj, déj et dîner). Musique branchée et personnel accueillant : c'est ici que les voyageurs se retrouvent en attendant le ferry. Achetez un sandwich à emporter avant d'embarquer. La nuit, le bar est fréquenté par des expatriés donnant des cours d'anglais.

### Depuis/vers Ban Phe

Ban Phe possède deux gares routières d'où partent des bus climatisés pour le terminal Est des bus (Ekamai) de Bangkok. À 50 m à l'ouest des quais de Ban Phe, des bus partent 4 fois par jour à partir de 12h30. Ils quittent Bangkok autant de fois le matin à partir de 7h (138 B, 2 heures 30). Des bus plus lents mais plus fréquents démarrent en face de l'embarcadère de Nuan Tip, à 100 m à l'est des quais de Ban Phe. Ces bus quittent Ekamai toutes les heures entre 5h et 20h30, et reviennent de 4h à 19h (167 B, 4 heures).

Plus simples, mais aussi plus chers, les minibus de touristes relient Ban Phe à d'autres destinations touristiques : Pattaya (200 B/pers), le monument de la Victoire ou Th Khao San à Bangkok (300 à 450 B/pers) et l'embarcadère de Laem Ngop, point de départ pour Ko Chang (300 B/pers). Réservez vos places via les pensions de Ko Samet, les agences de voyages près du 7-Eleven face au terminal des ferrys à Ban Phe, ou par les agences de voyages de Pattaya.

Voir p. 257 pour plus de renseignements sur les bateaux depuis et vers Ko Samet.

## ENVIRONS DE RAYONG ET DE BAN PHE

### Parc national de Khao Chamao/ Khao Wong

อุทยานแห่งชาติเขาชะเมา–เขาวง

Bien qu'il s'étende sur moins de 85 km², le **parc national de Khao Chamao/Khao Wong** (☎ 0 3889 4378 ; reserve@dnp.go.th ; 200 B ; ⏲ 8h30-16h30) est réputé pour ses montagnes de calcaire, ses falaises vertigineuses, ses grottes, son épaisse forêt et ses chutes d'eau. Dans le paysage accidenté se cachent des tigres, des éléphants sauvages et des ours. Le bureau principal dispose de restaurants et d'une petite boutique, ainsi que d'un point d'informations et d'hébergement pour les visiteurs. Le parc se situe dans les terres derrière Ban Phe, à 17 km au nord du Km 274, en quittant la nationale 3. Pour atteindre le parc, il faut être véhiculé. Un taxi depuis Ban Phe coûte environ 1 500 B.

Vous pouvez passer la nuit au camping (50 B/pers) ou louer un bungalow pour 2 (600 à 800 B). Réservez sur www.dnp.go.th ou par téléphone au ☎ 0 2562 0760.

### Îles et plages

**Ko Man Klang**, **Ko Kudee** et **Ko Man Nok**, ainsi que **Ko Man Nai** à l'ouest, font partie du **parc national de Khao Laem Ya/Mu Ko Samet** (☎ 0 3865 3034 ; reserve@dnp.go.th ; adulte/enfant 200/100 B ; ⏲ 8h30-16h30). Ce statut officiel n'a pas écarté tout développement, mais l'a simplement modéré. Ko Kudee possède une jolie petite plage de sable, des eaux claires pour profiter du snorkeling et un charmant petit sentier de randonnée. Ko Man Nai abrite le **centre de protection des tortues de Rayong** (☎ 0 3861 6096 ; ⏲ 9h-16h), site de nidification pour cette espèce menacée, comptant un petit centre d'information des visiteurs. Le mieux est de vous joindre à un circuit en bateau depuis Ko Samet (p. 253).

Sachez par ailleurs que la réserve accueille des travailleurs bénévoles – contactez **Starfish Ventures** (www.starfishventures.co.uk ; à partir de 900 £/4 sem logement inclus). Parmi les tâches, il faut enregistrer les progrès des tortues, relâcher les jeunes dans l'océan et expliquer le projet aux touristes venus pour la journée depuis Ko Samet. Le logement se fait dans un village de pêcheurs, d'où les bénévoles rejoignent chaque jour Ko Man Mai en bateau. Le rythme n'est pas effréné – de 8h à 13h, 4 jours par semaine – et permet de profiter des belles plages des environs.

Petite île proche de Rayong, **Ko Saket** se situe à 20 min de bateau de la plage de Hat Sai Thong (au Km 208, quittez la Highway 3 en direction du sud).

**Suan Son** (parc de pins), 5 km plus bas sur la route en provenance de Ban Phe, est apprécié des pique-niqueurs thaïlandais.

À 11 km à l'est de Ban Phe, **Suan Wang Kaew** possède plus de plages. **Ko Thalu**, en face, offre d'assez bons sites de plongée et un chemin de randonnée boisé qui mène à un point de vue.

Parmi les autres stations balnéaires de la côte de Rayong, citons **Laem Mae Phim** et **Hat Sai Thong**. **Hat Mae Rampeung**, plage de 10 km située entre Ban Taphong et Ban Kon Ao (à 11 km à l'est de Rayong), fait également partie du parc national de Khao Laem Ya/Mu Ko Samet. Des *sŏrng·tăa·ou* desservent assez fréquemment ces plages, partant de l'extrémité est de Ban Phe. S'ils transportent beaucoup de Thaïlandais le week-end, ils sont quasi vides en semaine. Côté hébergements et restaurants, c'est à Laem Mae Phim que vous trouverez le plus grand choix.

### Où se loger

Ko Man Klang et Ko Man Nok proposent des offres d'hébergements haut de gamme comprenant le transport en bateau depuis le continent et la pension complète. Uniquement sur réservation par téléphone.

**Mun Nork Island Resort** (bureau de Bangkok ☎ 0 2860 3025 ; www.munnorkislandresort.com ; offre 3 990-4 390 B/pers ; ). Sur Ko Man Nok, ce complexe luxueux propose des offres 1 nuit-2 jours dans un grand choix de villas. L'île se trouve à 15 km de Pak Nam Prasae (53 km à l'est de Ban Phe).

**Raya Island Resort** (bureau de Bangkok ☎ 0 2316 6717 ; offre 1 nuit, 2 jours 1 400-2 500 B/pers ; ). Établissement confortable offrant 15 bungalows et du silence, situé à 8 km au large de Laem Mae Phim (27 km de Ban Phe), sur Ko Man Klang.

#### DEPUIS/VERS LES ÎLES

À Ban Phe, les transports publics permettent de gagner les embarcadères pour Ko Man Klang et Ko Man Nok. Le week-end et en période de vacances, on trouve parfois des *sŏrng·tăa·ou* ; le reste du temps, on peut louer un véhicule au départ du marché (environ 100 B l'aller simple) – n'oubliez pas de vous entendre avec le chauffeur pour le retour.

## KO SAMET

เกาะเสม็ด

Bordée de 14 plages de sable blanc, à une demi-journée à peine de la capitale, île de Ko Samet est devenue un lieu de villégiature pour les gens fortunés de Bangkok, qu'ils soient thaïlandais ou expatriés. Et son climat sec (l'île est épargnée par la mousson) en fait une destination encore plus prisée. Le week-end, les hôtels peuvent augmenter leurs tarifs jusqu'à 100% ; sur certaines plages, il faut alors souvent se protéger des ballons de volley et des bateaux gonflables.

En semaine, l'atmosphère est moins survoltée, et il est plus facile de découvrir ce qui attirait tant les routards il y a quelques décennies.

Officiellement, Ko Samet a le statut de parc national, mais, le long du littoral nord, très construit, il est difficile de voir à quoi a servi le droit d'entrée de 400 B acquitté. Vous rencontrerez probablement des détritus sur les sentiers et les plages. L'écosystème de l'île est mis à rude épreuve, aussi est-il essentiel que les visiteurs participent à sa conservation en économisant l'eau et en ne jetant pas leurs déchets.

Si vous allez un peu plus au sud, vous découvrirez de superbes baies à l'ambiance décontractée, où le développement immobilier reste encore mesuré.

### Histoire

Ko Samet s'est taillé une place de choix dans la littérature thaïlandaise depuis que le poète classique Sunthorn Phu choisit ses rivages pour cadre d'une partie de son épopée, *Phra Aphaimani*. L'histoire raconte les tribulations d'un prince exilé dans le royaume sous-marin dirigé par une géante qui se languit d'amour. Une sirène aide le prince à s'échapper vers Ko Samet, où il vainc la géante en jouant d'une flûte magique. D'abord désignée sous le nom de Ko Kaew Phitsadan ou "grande île joyau" – une allusion à son abondant sable blanc –, l'île fut ensuite appelée Ko Samet ou "île Cajeput", en raison de la présence de nombreux arbres de cette essence très appréciée, pour son huile essentielle et comme bois de chauffage, dans tout le Sud-Est asiatique. Les cajeputs servent aussi localement à la charpenterie navale.

### Orientation

Ko Samet est une île en forme approximative de "T". La plupart des plages et des installations se situent sur sa rive est. Seuls quelques hôtels de catégorie supérieure se regroupent autour de la jolie baie d'Ao Prao, sur la côte ouest. Na Dan, le plus grand village de l'île et le terminal des ferrys de Ban Phe, se trouve sur la côte nord, en face du continent. Quelques hébergements bon marché jalonnent sur le littoral nord, joli et calme, mais les plages ont moins d'attrait.

### Renseignements

Ko Samet est un parc national dont il faut payer l'entrée (adulte/enfant 200/100 B), au bureau principal des parcs nationaux — les *sŏrng·tăa·ou* qui partent des quais s'arrêtent juste devant. Gardez votre billet en vue du contrôle.

Il y a plusieurs distributeurs automatiques sur Ko Samet. L'un se trouve sur l'embarcadère et deux autres sont proches du bureau principal des parcs nationaux.

Des cybercafés bordent la route entre Na Dan et Hat Sai Kaew, le meilleur étant le Miss You Café (p. 257).

Vous pourrez aussi consulter vos e-mails au Jep's Bungalows (p. 255), au Naga Bungalows (p. 255) à Ao Hin Hok, et à deux autres endroits à Ao Wong Deuan. Tous demandent la somme excessive de 2 B/min.

Un téléphone satellite pour appeler l'international est installé devant le centre d'information des visiteurs, au bureau principal des parcs nationaux.

**Bureau principal des parcs nationaux** (entre Na Dan et Hat Sai Kaew). Autre bureau à Ao Wong Doan.

**Centre médical de Ko Samet** (☎ 0 3861 1123 ; 🕑 8h30-20h lun-ven, jusqu'à16h30 sam-dim). Sur la route principale entre Na Dan et Hat Sai Kaew. Des numéros de portables à appeler en cas d'urgence hors des heures d'ouverture sont affichés.

**Poste**. Le Naga Bungalows, à Ao Hin Khok, fait office de poste de l'île, et vend ou loue aussi des livres d'occasion.

**Poste de police** (☎ 1155). Sur la route principale entre Na Dan et Hat Sai Kaew. Il y a un bureau de police à Ao Wong Deuan.

**Samed Travel Service** (☎ 0 1664 8563 ; 🕑 8h30-17h). En face du terminal des ferrys. Réserve vos billets pour tous transports (y compris le train) et vos chambres d'hôtel.

**Silver Sand** (Ao Phai). Possède un bon choix de livres neufs dans la supérette adjacente.

## Désagréments et dangers

Ko Samet était autrefois un foyer de paludisme. Bien que le centre médical prétende avoir aujourd'hui résolu le problème, l'île reste infestée de moustiques – couvrez-vous et utilisez le maximum de répulsifs.

Faites attention sur la route qui part de la plage et passe devant le Sea Breeze Bungalows, à Ao Phai, car des voyageurs nous ont rapporté avoir été dévalisés dans le coin.

On nous a également parlé d'escroqueries sur le continent : les voyageurs achètent un billet de hors-bord à environ 800 B par personne. Reportez-vous p. 258 pour connaître les prix et les horaires, mais sachez qu'un aller simple en hors-bord coûte partout entre 1 500 et 2 500 B *au total*, quel que soit le nombre de passagers.

## À faire

Planches à voile, bodyboards, bouées et équipement de snorkeling peuvent être loués sur les plages de Hat Sai Kaew, d'Ao Hin Khok et d'Ao Phai. Les clubs de plongée organisent des sorties dans les sites autour de l'île, le meilleur se trouvant à Hin Pholeung, à mi-chemin de Ko Samet et de Ko Chang. Isolé et très en retrait du trafic maritime destructeur, ce site est marqué par deux sommets rocheux sous-marins et jouit d'une excellente visibilité (jusqu'à 30 m). Vous pourrez y apercevoir de grandes espèces pélagiques, dont des raies cornues, des barracudas, des requins et, peut-être, des requins-baleines.

**Ploy Scuba Diving** (☎ 0 3864 4212-3 ; www.ployscuba.com), à Hat Sai Kaew, et **Ao Prao Divers** (☎ 0 3864 4100-3 ; aopraodivers@hotmail.com), installé à l'Ao Prao Resort et à la Saikaew Villa, sont deux sociétés réputées pour la plongée.

Naga Bungalows (p. 255) propose des leçons de *mou·ay tai* (écrit également *muay thai*) sur son ring de boxe près de la plage. Un cours très populaire s'adresse exclusivement aux femmes.

## Circuits organisés

**Jimmy's Tours** (☎ 0 9832 1627) propose une grande variété de circuits sur et aux environs de Ko Samet et dans les îles voisines. Une croisière de 6 heures (10h-16h) dans les îlots alentour, dont le centre de protection des tortues de Rayong (p. 251) de Ko Man Nai, coûte 1 500 B/pers (groupe d'au moins 10 pers).

## Où se loger

Ko Samet était autrefois le paradis des routards, mais le prix des logements grimpe inexorablement, et la plupart des anciens hébergements petits budgets sont rasés ou cernés de bungalows de catégories moyenne et supérieure. Nombre de complexes proposent les trois catégories, ce qui explique les écarts de prix. Une hutte simple coûte généralement 350 B environ, tandis que les bungalows avec clim valent au moins 1 200 B.

Nous indiquons les tarifs de base en semaine, qui peuvent doubler (au gré de l'offre et de la demande) le week-end et pendant les vacances. Si vous arrivez un week-end, assurez-vous de demander le tarif de semaine pour le lundi (cette réduction est souvent omise). Si vous arrivez en semaine, demandez systématiquement une réduction. La plupart des bungalows disposent désormais de l'électricité 24h/24 et de l'eau courante.

KO SAMET
0
1 km
A
B
C
D
1
2
3
4
5
6
Vers Ban Phe (7 km)
Vers Ban Phe (7 km)
Vers Ban Phe (7 km)
Laem Noi Na
Ao Wiang Wan
Laem Phra
Ao Kham
Ao Noi Na
Na Dan Pier
Na Dan
Ao Prao
Hat Ao Prao
Parc national de Khao Laem Ya/Mu Ko Samet
Hat Laem Ya
Laem Ya
Hat Sai Kaew
Ao Hin Khok
Ao Phai
Ao Phutsa (Ao Tub Tim)
Laem Rua Taek
Ao Nuan
Ao Cho
Ao Wong Deuan
GOLFE DE THAÏLANDE
Hat Saeng Thian
Ao Thian
Ao Wai
GOLFE DE THAÏLANDE
Ao Kiu Na Nai
Ao Kiu Na Nok
Laem Khut
Ao Karang
À VOIR ET À FAIRE
Ao Prao Divers....(voir 21)
Jimmy Tours....6 C2
Jimmy Tours....(voir 10)
Mermaid Statue....7 C2
Ploy Scuba Diving....8 C2
OÙ SE LOGER
Ao Nuan....9 B3
Ao Prao Resort....10 B2
Baan Puu Paan....11 B2
Blue Sky....12 B4
Candlelight Beach....13 B4
Jep's Bungalows....14 C3
Lima Coco Resort....15 B2
Lung Dam Apache....16 B4
Lungwang Wonderland Resort....17 B4
Naga Bungalows....18 C2
PJ House....19 B4
Pudsa Bungalow....20 B3
Saikaew Villa....21 C2
Samed Villa....22 B3
Samet Ville Resort....23 B5
Silver Sand....24 C3
Sinsamut....(voir 21)
Tok's....25 C2
Tonhard Bungalow....26 B4
Tubtim Resort....27 B3
Viking Holiday Resort....28 B4
Vongduern Villa....29 B4
OÙ SE RESTAURER
Baywatch Bar....30 B4
Stands de nourriture....31 C2
Jep's Restaurant....(voir 14)
Miss You Cafe....32 C2
Naga Bar....(voir 18)
Rabeang Bar....33 C2
Silver Sand Bar....(voir 24)
OÙ PRENDRE UN VERRE
Tok's Little Bar....(voir 25)
TRANSPORTS
Terminal des ferrys....34 C2
Arrêt de sǒrng·tǎa·ou....35 B4
Arrêt de sǒrng·tǎa·ou....(voir 24)
Arrêt de sǒrng·tǎa·ou....(voir 24)
RENSEIGNEMENTS
Distributeur automatique de billets....1 C2
Distributeur automatique de billets.(voir 34)
Appels internationaux....(voir 3)
Centre médical de Ko Samet....2 C2
Bureau principal des parcs nationaux....3 C2
Bureau des parcs nationaux....4 B4
Poste de police....(voir 2)
Bureau de police....(voir 4)
Poste....(voir 18)
Samed Travel Service....5 C2

Auparavant, nombre d'établissements ne prenaient pas de réservations, mais les temps changent et les sites Internet et adresses e-mails se font plus nombreux. Notez que certaines adresses parmi les plus simples, même si elles ont le téléphone, ne prennent pas (ou n'honorent pas) les réservations. Préparez-vous à être flexible, car l'hébergement de votre choix prendra peut-être les premiers arrivés. Les bureaux et rabatteurs de Ban Phe proposant des réservations gonflent souvent les prix.

### CÔTE EST

Les deux plages les plus aménagées sont Hat Sai Kaew et Ao Wong Deuan. Les autres plages sont toujours paisibles en comparaison, mais le développement va bon train. Les hébergements sont classés du nord au sud.

#### Hat Sai Kaew

Appelée "plage de diamant", c'est la plus grande et la plus animée de l'île. Le sable y est blanc et relativement propre, bien que le front de mer soit bordé d'hôtels, de bars et de restaurants. Les Bangkokiens adorent cet endroit, attendez-vous à une cacophonie de Jet-Ski et de karaoké le week-end.

**Saikaew Villa** (☎ 0 3864 4144 ; ch 500-1 550 B ; ❄). Grandes et petites chambres, ventil ou clim, vous trouverez un large choix dans cet endroit soigné à l'atmosphère de camp de vacances. Si l'intimité n'est pas la spécialité de la maison, la nourriture, les boissons et les activités le sont.

**Sinsamut** (☎ 0 3864 4207 ; www.sinsamut-kohsamed.com ; ch 800-1 300 B ; ❄). Chambres claires et colorées, bien qu'un peu défraîchies. Celles avec ventil ont des douches avec eau froide, tandis que celles avec clim ont la TV, l'eau chaude et des réfrigérateurs.

#### Ao Hin Khok

À l'extrémité sud de Hat Sai Kaew, les statues du prince et de la sirène de l'épopée de Sunthorn Phu (voir p. 252) se regardent dans les yeux, éperdus d'amour. C'est ici que commence Ao Hin Khok : une jolie bande de sable jalonnée d'arbres et de rochers. C'est le repaire des routards sur l'île, et si l'ambiance prend lentement le chemin du haut de gamme, les voyageurs indépendants y trouveront encore leur compte pour s'amuser, surtout la nuit venue.

**Naga Bungalows** (☎ 0 3864 4035 ; ch 350-600 B ; 💻). Ici, l'esprit routard de Ko Samet est toujours vivant. Les bungalows simples avec ventil sont installés dans la forêt à flanc de colline et l'incroyable restaurant projette des films tous les soirs. Sue, une expatriée, gère le bureau de poste, la bibliothèque et l'association de bienfaisance (demandez comment vous rendre utile) et s'avère une excellente source d'informations sur l'île.

**Tok's** (☎ 0 3864 4072 ; ch 300-1 200 B ; ❄). Le même, en différent (Tok's loue des chambres avec clim). Prévoyez la lampe de poche pour aborder la pente raide qui mène aux bungalows simples, surtout si vous avez participé aux jeux à boire organisés régulièrement. Lors de notre visite, des bungalows du genre voyant étaient en construction.

**Jep's Bungalows** (☎ 0 3864 4112 ; www.jepbungalow.com ; ch 600-2 600 B ; ❄ 💻). Pionnier de l'évolution d'Ao Hin Khok, cet établissement de longue date loue des chambres allant du bungalow délabré avec ventil aux chambres avec clim et TV câblée. Malgré ces changements, l'ambiance routard se perpétue avec la projection de films le soir et les barbecues du restaurant en bord de mer.

#### Ao Phai

Derrière le promontoire le plus proche, Ao Phai est une autre baie peu profonde dotée d'une large plage qui peut être surpeuplée la journée. Le soir, place à la fête.

**Silver Sand** (☎ 08 6530 2147 ; www.silversandresort.com ; s 300-800 B, d 1 200-2 000 B ; ❄). Les jardins sont exagérément soignés mais heureusement les chambres aussi. Les activités nocturnes du bar peuvent être un peu plus désordonnées.

**Samed Villa** (☎ 0 3864 4094 ; www.samedvilla.com ; ch 1 800-4 000 B ; ❄). La gestion est suisse, et ça se voit. Tout est impeccable et les architectes n'ont pas lésiné sur les moyens pour rendre l'intérieur aussi pimpant que l'extérieur.

#### Ao Phutsa

Également appelée Ao Tub Tim, cette plage petite et isolée est appréciée des habitués et des expatriés de Bangkok.

**Tubtim Resort** (☎ 0 3864 4025 ; www.tubtimresort.com ; ch 600-1 500 B ; ❄). Un choix de bungalows, avec ventil ou plus sophistiqués, remplit le jardin qui vire lentement à l'état de jungle. Les huttes les moins chères ont des trous dans le plancher, apportez vos spirales anti-moustiques.

**Pudsa Bungalow** (☎ 0 3864 4030 ; ch 600-1 500 B ; ❄). Les bungalows les plus jolis, près de la plage, sont décorés de bois flotté, mais sont malheureusement juste à côté du principal sentier pédestre reliant Ao Phai à Ao Phutsa. Vous risquez de devoir supporter les conversations d'ivrognes tard dans la nuit. Plan de secours correct si Tubtim est plein.

### Ao Nuan

Cette minuscule plage reculée est parfaite si vous ne voulez pas descendre jusqu'à l'extrémité sud de l'île.

**Ao Nuan** (ch 700-1 500 B). Un endroit de détente rêvé sur Ko Samet. Les simples bungalows de bois sont disséminés dans la végétation. Le belvédère/bar/restaurant original dispose de livres et passe de la bonne musique dans une ambiance communautaire. Pas de téléphone, donc pas de réservation possible. Apportez votre répulsif pour insectes.

### Ao Cho

À 5 min à pied d'Ao Nuan, Ao Cho possède une bande de sable correcte, bien que dominée par un immense complexe.

**Lungwang Wonderland Resort** (☎ 0 3864 4162 ; www.samedlungwang.com, en thaï ; ch 500-3 000 B ; ❄). Les chambres avec clim sont hors de prix, mais les bungalows simples sont corrects (recouverts de tuiles aux couleurs vives). Location de kayaks pour 200 B/h.

### Ao Wong Deuan

Cette baie en demi-lune est animée d'une ambiance décontractée la nuit, mais le son des Jet-Ski et des vedettes rythme la journée. Des ferrys (70 B aller) partent depuis et vers Ban Phe, avec plus de trafic le week-end.

**PJ House** (☎ 0 3864 4182 ; ch 500 B ; ❄). Près du Baywatch Bar, un petit établissement basique proposant des chambres avec clim à 500 B. Table de billard au sous-sol.

**Blue Sky** (☎ 08 1509 0547 ; ch 600-800 B ; ❄). L'une des dernières adresses petits budgets sur Ao Wong Deuan, Blue Sky loue des bungalows simples installés sur un promontoire rocheux. Le restaurant sert de bons fruits de mer.

**Vongduern Villa** (☎ 0 3864 4260 ; www.vongduernvilla.com ; ch 1 200-3 000 B ; ❄). Le long de l'extrémité sud de la baie, les bungalows de Vongduern sont disposés près de la plage, ou en hauteur sur la falaise pour une plus belle vue. Le Beach Front Bar est idéal pour discuter autour d'un cocktail au coucher du soleil, mais les couples préféreront l'ambiance plus feutrée du Rock Front Restaurant.

### Ao Thian

Aussi appelée Candlelight Beach, Ao Thian se compose de bandes sablonneuses d'où émergent des affleurements rocheux. Pour vous y rendre, prenez un ferry pour Ao Wong Deuan, puis marchez vers le sud, en passant le cap. De là, on rejoint rapidement la partie ouest de l'île à pied (cherchez le sentier balisé près de Tonhard Bungalow).

**Candlelight Beach** (☎ 08 1762 9387 ; ch 700-1 200 B ; ❄). Sur la plage, ces bungalows de bois avec ventil et clim dégagent une atmosphère très nature.

**Lung Dam Apache** (☎ 08 1659 8056 ; ch 800-1 200 B ; ❄). Ces bungalows excentriques semblent faits de débris issus de la mer. Certains ont une véranda privée et des fenêtres panoramiques.

**Tonhard Bungalow** (☎ 08 1435 8900 ; ch 700-1 500 B ; ❄). Situé à l'extrémité sud de Candlelight, sur une partie boisée et sablonneuse de la plage, cet établissement paisible et accueillant possède des bungalows tous différents.

**Viking Holiday Resort** (☎ 0 3864 4353 ; ch à partir de 2 000 B ; ❄). Neuf chambres spacieuses et luxueuses, à réserver à l'avance.

### Ao Wai

La partie sud de l'île est encore pratiquement intacte, et compte seulement quelques hôtels sur autant de kilomètres de côte. La charmante Ao Wai se situe à 1 km d'Ao Thian, mais vous pouvez louer une vedette à Ban Phe (1 500 B/2 pers) pour vous y rendre.

**Samet Ville Resort** (☎ 0 3865 1682 ; www.sametvilleresort.com ; ch petit-déj compris 2 000-5 300 B ; ❄). Caché à l'abri d'une forêt, ce complexe isolé offre un cadre romantique. En cas de dispute, profitez des activités nautiques proposées pour pagayer chacun sur son kayak. Le soir venu, réconciliez-vous autour d'un cocktail au son de la musique. Choix de chambres avec clim ou ventil pour tous les budgets.

## CÔTES OUEST ET NORD

### Ao Prao

Ao Prao, donnant sur l'ouest, jouit de fabuleux couchers de soleil et compte quelques hôtels chics. Transfert en vedette depuis le continent compris (naturellement).

**Lima Coco Resort** (☎ 0 2938 1811 ; www.limacoco.com ; ch 2 600-7 000 B ; ❄). Chambres blanchies à la chaux, claires et un peu différentes de la norme.

**Ao Prao Resort** (☎ 0 2437 7849 ; www.samedresorts.com ; ch à partir de 6 300 B ; ❄ 💻). Premier hôtel de luxe ouvert sur l'île dans les années 1990, il vieillit bien avec ses bungalows privés installés sur la colline jusqu'à une plage magnifique. Les hauts plafonds créent une impression d'espace, et le restaurant est délicieux.

### Ao Noi Na

Au nord-ouest de Na Dan, la plage d'Ao Noi Na est assez moyenne, mais on y goûte un calme relaxant dans quelques adresses correctes.

**Baan Puu Paan** (☎ 0 3864 4095 ; ch 700-1 200 B ; ❄). Adresse à la gestion britannique, louant quelques huttes indépendantes au-dessus de l'océan, à l'extrémité d'une jetée. Apportez de la lecture, c'est l'endroit idéal pour s'évader.

## Où se restaurer et prendre un verre

La plupart des établissements ont des restaurants se transformant en bars au coucher du soleil. Si la nourriture n'est pas exceptionnelle, elle est d'un bon rapport qualité/prix (spécialités thaïlandaises et occidentales entre 80 et 130 B). Hat Sai Kaew, Ao Hin Khok, Ao Phai et Ao Wong Deuan disposent du plus grand choix, mais même les hôtels reculés ne vous laisseront pas mourir de faim. Le soir, des barbecues sont organisés sur la plage, surtout le long d'Ao Hin Khok et d'Ao Phai.

Très commerçants, de nombreux bars proposent des promotions "pile ou face". Lancez la pièce, pour savoir si vous payez votre verre ou non. Ao Wong Deuan est légèrement plus haut de gamme.

Pour manger à très bon marché, cherchez les stands de nourriture qui s'installent en fin d'après-midi sur la route entre Na Dan et Hat Sai Kaew.

**Rabeang Bar** (Na Dan ; plats 30-100 B ; ⏲ petit-déj, déj et dîner). Juste à côté du terminal des ferrys, cet établissement au-dessus de l'eau propose de quoi manger en attendant votre bateau.

**Miss You Cafe** (café 40-90 B ; ⏲ petit-déj, déj et dîner ; ❄ 💻). Près du bureau principal des parcs nationaux, propose 13 sortes de café et presque autant de pâtisseries et de glaces différentes. Accès Wi-Fi.

**Jep's Restaurant** (☎ 0 3864 4112 ; Ao Hin Khok ; plats 40-150 B ; ⏲ petit-déj, déj et dîner). Cuisine thaïlandaise, indienne, mexicaine, japonaise et européenne au choix, à déguster les pieds dans le sable. Organise régulièrement des barbecues sur la plage.

**Naga Bar** (☎ 0 3864 4035 ; Ao Hin Khok ; plats 60-150 B). Carte gigantesque proposant des menus fixes de cuisine thaïlandaise (pour goûter à tout), tourtes à la viande, vrai café et spécialités tout juste sorties du four. Un bar se trouve de l'autre côté du ring de *mou·ay tai* (boxe).

**Silver Sand Bar** (☎ 0 6530 2417 ; Ao Phai ; plats 60-180 B ; ⏲ petit-déj, déj et dîner). Outre le menu habituel, on y trouve des crêpes fraîches, un bar à jus de fruits et des projections de film le soir. Après quoi on boit des cocktails autour d'un feu sur la plage. Pour les fringales nocturnes, le bar à burger veille au grain.

**Baywatch Bar** (☎ 08 1826 7834 ; Ao Wong Deuan ; kebabs 190-290 B ; ⏲ petit-déj, déj et dîner). Terrasses décontractées avec parasols asiatiques, et poufs en poire le soir sur le sable. Une foule sympathique vient y déguster des cocktails corsés le soir.

**Tok's Little Bar** (☎ 0 3864 4072 ; Ao Hin Khok). Décor de bric et de broc, quelques locaux se prenant pour des tombeurs et jeux à boire : impossible de confondre avec un bar à cocktails sophistiqué. On y mange pour 60 à 150 B.

## Depuis/vers Ko Samet

Des ferrys (aller/aller-retour 50/100 B, 40 min) partent toutes les heures entre 7h et 17h du quai Saphan Nuan Tip de Ban Phe (face au 7-Eleven, où s'arrêtent les bus et les *sŏrng·tăa·ou*). Les billets sont en vente auprès du petit **office du tourisme** (☎ 0 3889 6155 ; ⏲ 7h-17h) directement sur l'embarcadère. Les ferrys rentrent à Ban Phe par l'embarcadère de Na Dan toutes les heures entre 7h et 17h (achetez votre billet sur le quai). En dépit de ce qu'on vous dira, il n'est pas nécessaire d'acheter un aller-retour.

Depuis Ban Phe, deux ferrys (9h et 12h) vont également à Ao Wong Deuan (aller/aller-retour 70/110 B, 1 heure). Le retour se fait à 8h30 et 12h. En haute saison, des bateaux relient d'autres baies s'il y a assez de passagers. Vous pouvez aussi louer une vedette à destination des différentes plages de l'île. Cela coûte assez cher (1 200 B pour Na Dan, 1 600 B pour Ao Wai), mais le prix correspond à 10 passagers au maximum – une bonne solution si vous êtes nombreux.

Ignorez les rabatteurs agglutinés autour du terminal des ferrys, car ils prennent une marge sur les billets de bateau et vous pousseront à réserver un logement à un prix élevé. Allez directement au bureau de vente. Des voyageurs ont signalé des escroqueries sur les billets de bateau de Ban Phe ; voir p. 253.

Si vous devez quitter l'île rapidement, vous pouvez louer une vedette, par l'intermédiaire de votre hôtel ou auprès de **Jimmy's Tours** (☎ 08

SUD-EST DE LA THAÏLANDE

9832 1627). Les tarifs débutent à 1 200 B au départ de Na Dan.

### Comment circuler

D'une petite superficie, Ko Samet est une île propice à la marche à pied. Un réseau de mauvaises routes relie le littoral ouest à la plupart des baies du sud de l'île, tandis que des sentiers serpentent autour des rochers et des promontoires qui séparent les différentes plages avant d'atteindre la pointe sud.

Il suffit de 15 min à pied pour rallier Hat Sai Kaew depuis Na Dan. Si vous allez plus loin ou si vous êtes chargé, prenez un des *sŏrng·tăa·ou* vert gazon qui attendent près de l'embarcadère, à l'arrivée des ferrys, et peuvent vous conduire dans toute l'île. Les tarifs des courses au départ de Na Dan sont affichés sur un arbre devant l'embarcadère. Ils ne sont pas vraiment respectés, mais vous ne devriez pas payer plus de 20-50 B. Si le véhicule n'est pas plein, le conducteur ne partira pas ou demandera aux passagers de louer le véhicule entier (200-500 B). Les *sŏrng·tăa·ou* se rassemblent également au Silver Sand et derrière la plage sur Ao Wong Deuan.

Des motos sont à louer un peu partout dans la moitié nord de l'île. Comptez environ 300 B/j, ou 100 B/h. Les routes de terre étant cahoteuses et vallonnées, vous préférerez peut-être marcher. Quel que soit le tarif, vérifiez les freins avant de vous décider.

SUD-EST DE LA THAÏLANDE

# PROVINCE DE CHANTHABURI

## CHANTHABURI

จันทบุรี

**86 400 habitants**

La "cité de la Lune" est la preuve tangible que tout ce qui brille n'est pas or. Ici, ce sont les pierres précieuses qui étincellent, notamment du vendredi au dimanche lors des très lucratifs et très animés marchés aux pierres précieuses, qui attirent des acheteurs de saphirs et de rubis de tout le Sud-Est asiatique. Le reste de la semaine, alors que Chanthaburi se repose, les influences françaises, chinoises et vietnamiennes du passé très riche de la ville résonnent dans ses ruelles paisibles, refuge bienvenu après l'agitation mercantile du week-end.

### Histoire

La communauté vietnamienne de Chanthaburi commença à se constituer au XIXe siècle, lorsque des réfugiés chrétiens y affluèrent pour échapper aux persécutions religieuses et politiques de Cochinchine (Vietnam du Sud). Une seconde vague suivit dans les années 1920 et 1940, fuyant la tutelle française, et la troisième, après la prise du pouvoir par les communistes, en 1975. De 1893 à 1905, les Français ont occupé la ville – en laissant également leur empreinte –, le temps de parvenir à un accord avec les Siamois, sur les frontières laotienne et cambodgienne.

### Orientation

Artère qui court parallèlement à la rivière, Thanon Si Chan, ou "Gems Road", est le centre commerçant de la ville. Les bijouteries les plus réputées sont installées là, ainsi que dans les environs. La gare routière et le grand parc du Roi Taksin se situent à quelque 800 m à l'ouest.

### Renseignements

Vous n'aurez aucun mal à trouver des banques équipées de services de change ou de DAB.

**Bank of Ayudhya** (Th Khwang)

**Chanthaburi Bangkok Hospital** (☎ 0 3935 1467 ; Th Tha Luang ; ⌚ 6h-21h). Fait partie du groupe Bangkok. Traite les urgences.

**Om.com** (134 Th Si Chan ; 10 B/h ; ⌚ 9h-22h). La connexion Internet la moins chère de Thaïlande.

### À voir et à faire

Les **négociants en pierres précieuses**, qui inspectent minutieusement leur marchandise à travers de grosses loupes, sont installés le long de Thanon Si Chan et de Thanon Thetsaban 4. Toute la journée, les vendredi et samedi, ainsi que le dimanche matin, les rues environnantes sont le théâtre d'âpres discussions et négociations. Les voyageurs se verront proposer "la meilleure affaire de leur vie" ; mieux vaut cependant rester un simple spectateur lorsque l'on ne s'y connaît pas. Les plus débrouillards pourront décrocher de bonnes affaires, mais la plupart des touristes rentrent chez eux avec un sac de cailloux sans valeur. Il est bien plus intéressant de faire le plein de produits locaux aux étals de nourriture voisins et, si vous ressentez le besoin irrépressible d'acheter quelque chose, quantité de bijouteries climatisées

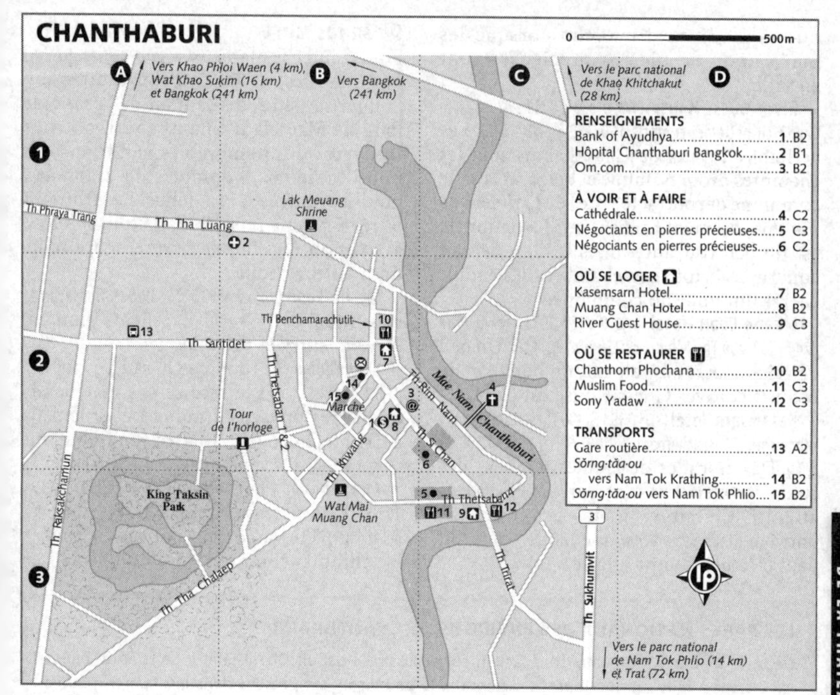


proposent des produits certes plus onéreux, mais de valeur sûre.

L'influence franco-vietnamienne a marqué de son empreinte l'architecture de Chanthaburi : des **boutiques** clinquantes bordent la rivière sur Thanon Rim Nam et des **temples chinois** aux couleurs criardes ponctuent la ville. Séparée de Thanon Rim Nam par une passerelle, la **cathédrale** (heures du jour), de style français, a remplacé une petite chapelle missionnaire édifiée en 1711 et reconstruite à quatre reprises entre 1712 et 1906 (la dernière réalisée par les Français) ; elle est aujourd'hui la plus grande cathédrale de ce genre en Thaïlande.

Principale oasis de la ville, le **parc du Roi Taksin** (24h/24) est l'endroit rêvé pour une promenade tranquille. C'est là que viennent pique-niquer les familles et ceux qui se désintéressent du marché aux pierres précieuses.

À 4 km au nord de Chanthaburi, à côté de la Route 3249, le **Khao Phloi Waen** (montagne de l'anneau de saphir ; entrée libre ; heures du jour) ne fait que 150 m d'altitude, mais il est couronnée d'un *chedi* de style srilankais, datant du règne de Rama IV. Les tunnels creusés dans ses flancs sont d'anciennes galeries de mines de gemmes.

À 16 km au nord par la Route 3322, le **Wat Khao Sukim**, un centre de méditation assez célèbre, abrite un **musée** (dons appréciés) où sont exposés les dons précieux des fidèles : sculptures en jade, céramiques, mobilier ancien, figurines en résine des moines les plus vénérés de Thaïlande.

## Foire et fête

Chaque année, début décembre, les visiteurs affluent à Chanthaburi pour la **foire aux pierres précieuses**. Parmi les principales manifestations, citons les expositions de bijoux et un concours de taille de pierres. La première semaine de juin, la ville accueille la **fête annuelle des fruits**, qui offre l'occasion de goûter à la superbe production locale, tout spécialement les ramboutans, les mangoustans et les durians au goût si fort.

## Où se loger

Les logements peuvent être pris d'assaut. Essayez de réserver à l'avance, surtout du vendredi au dimanche, lorsque les marchands de pierres précieuses sont en ville.

**River Guest House** (☎ 0 3932 8211 ; 3/5-8 Th Si Chan ; ch petit-déj compris 150-350 B ; ❄ 💻). Les véritables joyaux de Chanthaburi sont les chambres propres, taupe et beige, et la salle commune décontractée près de la rivière de cet établissement accueillant. La nationale est un peu bruyante, mais la clim devrait couvrir le bruit. Les chambres les moins chères ont une sdb commune.

**Muang Chan Hotel** (☎ 0 3932 1073 ; fax 0 3932 7244 ; 257-259 Th Si Chan ; ch 250-600 B ; ❄). Un peu défraîchi, mais accueillant, un bon plan de secours si River Guest House est plein.

**Kasemsarn Hotel** (☎ 0 3931 1100 ; kasemsarnhotel@yahoo.com ; Th Benchamarachutit 98/1 ; ch 1 300-1 500 B ; ❄). Des cascades de feuilles tombent des couloirs extérieurs et le personnel est très attentif. Chambres vastes et réductions pouvant atteindre 45% la semaine : l'endroit peut être une bonne affaire.

## Où se restaurer

Pour goûter les fameuses *gŏo·ay đĕe·o sên jan* (nouilles) de Chanthaburi, direction le quartier sino-vietnamien de la ville, le long de Mae Nam Chanthaburi, où vous trouverez d'innombrables variations des nouilles de riz, y compris du crabe aux nouilles sautées — un délice. Les fruits de la région sont réputés dans tout le pays, arrivez au marché de bonne heure pour un meilleur choix.

**Muslim Food** (☎ 08 1353 5174 ; 19/5 Th Thetsaban 4 ; plats 25-50 B ; 🕒 9h30-21h). Excellents *paratha*, *biryani*, *curry* et thé chai.

**Sony Yadaw** (Th Si Chan ; plats 30-100 B ; 🕒 petit-déj, déj et dîner). Voici le repaire des marchands de pierres précieuses indiens et srilankais à Chanthaburi pour affaires : un restaurant végétarien qui vend aussi à emporter.

**Chanthorn Phochana** (☎ 0 3931 2339 ; 102/5-8 Th Benchamarachutit ; plats 30-120 B ; 🕒 petit-déj, déj et dîner). Très large choix de plats thaïlandais et chinois comprenant des spécialités



### LES PARCS NATIONAUX DES ENVIRONS DE CHANTHABURI

Deux petits parcs nationaux sont facilement accessibles depuis Chanthaburi. Ce sont de belles excursions à faire en une journée. Attention, le paludisme est présent dans les 2 parcs, prenez vos précautions.

Le **parc national de Khao Khitchakut** (☎ 0 3945 2074 ; reserve@dnp.go.th ; 400 B ; 🕒 8h30-16h30) est à 28 km au nord-est de la ville, sur la Route 3249. Bien qu'il soit l'un des parcs nationaux les plus petits de Thaïlande (59 km²), il est bordé par la réserve naturelle de Khao Soi Dao (elle-même côtoyant une autre réserve naturelle) et abriterait des troupeaux d'éléphants sauvages.

La cascade de **Nam Tok Krathing** est la principale curiosité de Khao Khitchakut. Ses 13 étages dégringolent depuis un haut sommet, visible de la route. Un sentier remonte les nombreuses cataractes, croise de magnifiques bassins turquoise (les numéros 1, 7 et 8 sont les plus propices à la baignade), avant de se raidir à partir du bassin 9.

Des **hébergements** (☎ 0 2562 0760 ; reserve@dnp.go.th) existent dans le parc : un camping herbeux au bord du lac (50 B/pers) ou des bungalows pour 2 personnes (600 B/chambre). Téléphonez ou réservez en ligne.

Pour rejoindre Khao Khitchakut, prenez un *sŏrng·tăa·ou* à côté du bureau de poste, près du côté nord du marché de Chanthaburi (35 B, 45 min). Il s'arrête à 1 km de l'accueil du parc, sur la Route 3249, puis il vous faudra marcher. Au retour, les transports sont rares, prévoyez jusqu'à 1 heure d'attente.

Le **parc national de Nam Tok Phlio** (☎ 0 3943 4528 ; reserve@dnp.go.th ; 400 B ; 🕒 8h30-16h30), en retrait de l'autoroute 3, est à 14 km au sud-est de Chanthaburi et est bien plus fréquenté, comme en témoignent les stands de nourriture qui jalonnent la route vers l'entrée. Un circuit nature agréable de 1 km fait le tour des chutes, où pullulent les carpes soro. Ne manquez pas non plus le stupa couvert de mousse de Phra Nang Ruar Lom (1876) et le *chedi* Along Khon (1881).

Vous pourrez loger au camping (site 10 B, plus 50 B/pers) ou dans un bungalow pour 6 personnes (1 800 B/chambre). Réservez en ligne ou téléphonez aux **réservations du parc** (☎ 0 2562 0760 ; www.dnp.go.th).

Pour vous rendre au parc, prenez un *sŏrng·tăa·ou* à l'entrée nord du marché de Chanthaburi jusqu'à l'entrée du parc (30 B, 30 min). Vous serez déposé à environ 1 km de l'entrée.

telles que les papayes sautées et le vin de mangoustan local. Essayez les rouleaux de printemps vietnamiens et achetez un paquet de chips de durians locaux (c'est meilleur qu'on ne pense) pour votre prochain voyage en bus.

### Depuis/vers Chanthaburi

Des bus assurent la liaison entre Chanthaburi et le terminal Est des bus de Bangkok (Ekamai) (200 B, 4 heures 30) toutes les demi-heures entre 16h30 et 23h30. Depuis le terminal Nord des bus de Bangkok (Mo Chit), les bus démarrent fréquemment de 6h à 20h45. Des lignes vont aussi à Rayong (80 B, 2 heures 30, 5/j) et à Trat (55 à 70 B, 1 heure 30, toutes les heures). Si vous vous dirigez vers Ko Chang, allez jusqu'à Laem Ngop.

Il est également possible de prendre un bus direct jusqu'à Sa Kaew, puis vers l'est jusqu'à Aranya Prathet (si vous devez changer de bus à Sa Kaew, les lignes allant vers l'est sont plus fréquentes) à la frontière cambodgienne (150 B, 4 heures 30). Depuis ce poste-frontière, vous pouvez partager un taxi depuis Poipet, du côté cambodgien, vers Siem Reap (près d'Angkor Wat).

Les motos-taxis en ville coûtent entre 20 et 30 B. Des *sŏrng·tăa·ou* en direction de diverses destinations, telles que les parcs nationaux (voir p. 260), s'arrêtent sur le marché.

# PROVINCE DE TRAT

Le commerce des pierres précieuses s'avère particulièrement lucratif dans la province de Trat et les *đà·làht·ploi* (marchés aux pierres précieuses) abondent. Triste conséquence de cette exploitation : la destruction de vastes étendues de terre arable, ne laissant que des hectares de boue orange vif.

À côté des pierres précieuses, la province compte beaucoup d'autres splendeurs. Avant de rejoindre les plages de l'île déchiquetée de Ko Chang ou les îles voisines, plus douces, ne manquez pas de flâner un peu dans les rues traditionnelles de Trat. Et si rien ne vous presse, livrez-vous aux douceurs du farniente sur les longues plages qui s'étirent paresseusement à la lisière du Cambodge – Hat Sai Si Ngoen, Hat Sai Kaew, Hat Thap Thim et Hat Ban Cheun méritent particulièrement le détour.

## TRAT

ตราด

**20 100 habitants**

De trop nombreux voyageurs ne voient de Trat que sa nouvelle gare routière étincelante, où ils montent dans un *sŏrng·tăa·ou* avant de prendre le ferry pour Ko Chang, ou dans un minibus en direction de l'ouest et de Hat Lek, à la frontière cambodgienne.

Mais si vous vous arrêtez ici, ne serait-ce qu'une nuit, le charme paisible de la ville vous séduira. Avec ses ruelles piétonnes sinueuses bordées de maisons en teck centenaires, qui abritent des pensions et des restaurants accueillants, et ses marchés animés, Trat vous retiendra plus longtemps que prévu.

Si vous vous rendez à Ko Chang, ignorez les rabatteurs de la gare routière qui vous conseillent de vous dépêcher pour ne pas rater le "dernier ferry", sinon attendez-vous à payer le prix fort pour le *sŏrng·tăa·ou* jusqu'au quai. Mieux vaut passer une nuit à Trat, qui compte des pensions très bon marché, profiter du marché nocturne et continuer votre périple le lendemain matin.

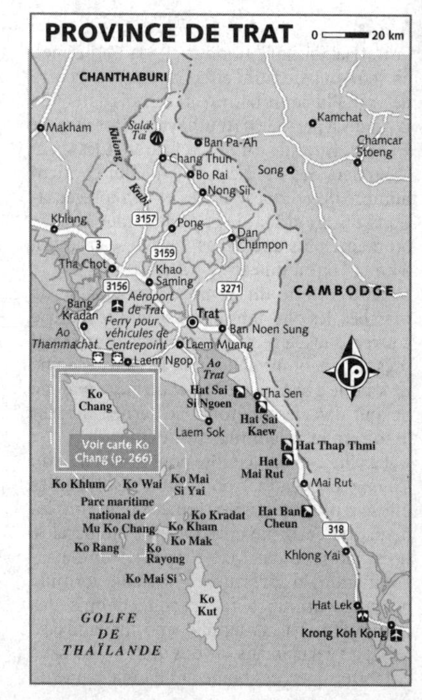

## Orientation et renseignements

La nouvelle gare routière de Trat se trouve à 1,5 km au nord du centre-ville. La course en *sŏrng·tăa·ou* ou en moto-taxi jusqu'au quartier des pensions coûte 30-40 B.

Th Sukhumvit, appelée souvent Th Ratanuson, est l'artère qui traverse la ville.

**Bangkok Trat Hospital** (☎ 0 3953 2735 ; Th Sukhumvit ; 24h/24). Le plus efficace des centres de soin de la région, à 400 m au nord du centre-ville.

**Bureau des téléphones** (Th Tha Reua Jang). Près de la poste.

**Koh Chang TT Travel** (☎ 0 3953 1420 ; 109 Th Sukhumvit ; 8h-17h).

**Krung Thai Bank** (Th Sukhumvit). Possède un DAB et change les devises.

**Poste de police** (☎ 1155 ; angle Th Santisuk et Th Wiwatthana). À quelques minutes à pied du centre de Trat.

**Poste** (Th Tha Reua Jang). À l'est du centre commercial de Trat.

**Sawadee@Café Net** (☎ 0 3952 0075 ; Th Lak Meuang ; 1 B/min ; 10h-22h). Internet et Skype.

**Tratosphere Books** (23 Soi Rimklong ; 8h-22h). Livres d'occasion en anglais, et dans presque toutes les autres langues. Serge, le propriétaire, est une bonne source d'information sur Ko Kut, Ko Wai et Ko Mak.

SUD-EST DE LA THAÏLANDE

## À voir

Le **Wat Plai Khlong** (Wat Bupharam ; 9h-17h) permet, en semaine, de fuir l'effervescence du centre de Trat. Plusieurs bâtiments en bois datent de la fin de la période d'Ayuthaya, notamment le *wí·hăhn* (grande salle), le clocher et les *gù·đì* (quartiers des moines). Le *wí·hăhn* contient nombre de reliques sacrées et de représentations du Bouddha de la période d'Ayuthaya ou même plus anciennes. Le site se trouve à 2 km à l'ouest du centre-ville.

Trat compte un nombre incalculable de marchés, les plus intéressants étant le marché couvert sous le centre commercial municipal près de Thanon Sukhumvit, le vieux marché de jour de Thanon Tat Mai et un autre marché de jour dans les environs. Ce dernier devient le soir un excellent marché de nuit.

La ville est aussi célèbre pour son *nám·man lĕu·ang* (huile jaune), breuvage à base d'herbes infusées proposé comme remède pour tous les maux, de l'arthrite aux douleurs stomacales. Il est fabriqué par Mae Ang-Ki (Somthawin Pasananon) d'après une très vieille formule pharmaceutique tenue secrète depuis des générations par sa famille sino-thaïlandaise. Selon les Thaïlandais, si vous quittez Trat sans emporter quelques bouteilles d'huile jaune de Mae Ang-Ki, vous n'avez pas séjourné à Trat. Ça marche vraiment ! Mettez quelques gouttes sur vos paumes, frottez-les l'une contre l'autre et respirez : c'est impressionnant. La potion, également efficace contre les douleurs, les piqûres d'insectes et les boutons, est disponible dans les pharmacies de la ville, ainsi qu'à Tratosphere Books (voir ci-dessus).

Une **promenade** suit le cours de la rivière, au sud de la vieille ville, permettant aux voyageurs de découvrir le mode de vie sur les quais. Dommage cependant qu'elle ait été construite en béton.

À 5 km environ en dehors de la ville, en direction de Tha Dan Kao, se trouve une **mangrove** pourvue d'un charmant sentier surélevé. Arrivez au lever du soleil pour profiter du ballet des lucioles.

Dans la direction opposée, derrière le Wat Plai Khlong, un petit **lac** sans prétention invite à regarder de jolis couchers du soleil à la terrasse d'un restaurant, ou à un tour du lac à bicyclette. Renseignez-vous auprès de votre auberge ou de Cool Corner (p. 262) sur les locations de vélos.

## Où se loger

Trat abrite de nombreux hôtels bon marché nichés dans des bâtiments de bois traditionnels dans et autour de Th Thana Charoen. Il vous sera difficile de dépenser plus. Les auberges de Trat se livrent une concurrence sévère et les rabatteurs opèrent parfois au terminal des bus. Certains voyageurs se sont vu promettre des chambres avec clim, puis on tdû accepter des logements meilleur marché une fois arrivés sur place. Demandez aux rabatteurs d'appeler la pension pour vous et essayez de parler à la réception afin de vous assurer que le type de chambre proposé est bien disponible.

**Garden Guest House** (☎ 0 3952 1018 ; 87/1 Th Sukhumvit ; ch 120 B). N'ayez pas peur des jeunes boxeurs thaïs soulevant des poids à l'entrée. Les chambres sont au fond, au calme. Sur les huit chambres, une seule dispose d'une sdb privative (200 B). Traversez Th Sukhumvit depuis la vieille ville.

**Ban Jaidee Guest House** (☎ 0 3952 0678 ; 6 Th Chaimongkol ; ch 150-200 B). Maison décontractée de style thaïlandais décorée des œuvres de l'un des propriétaires, proposant des chambres simples avec sdb communes. Adresse prisée, réservez absolument à l'avance.

**Residang Guest House** (☎ 0 3953 0103 ; www.trat-guesthouse.com ; 87/1-2 Th Thana Charoen ; ch 260-500 B ; ❄). De grands lits, des matelas épais et de

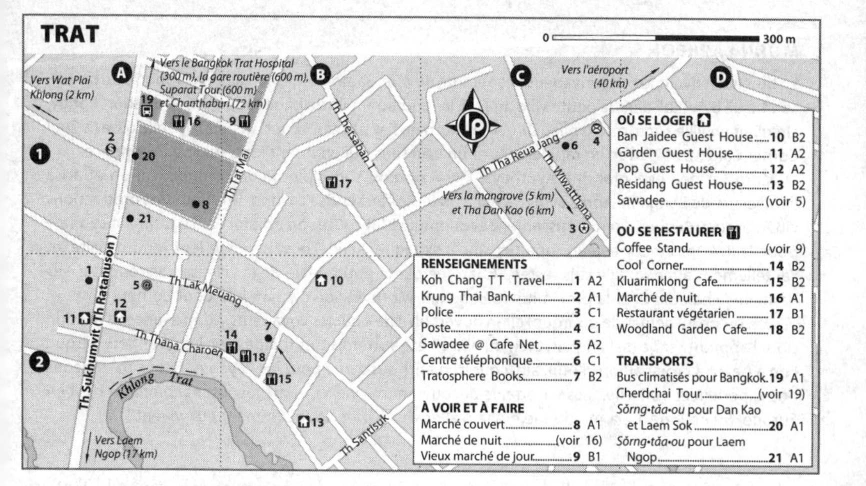


bonnes sdb avec eau chaude. Que demander de plus ? Les chambres avec ventil ont des balcons, dont certains surplombent la rivière.

Autres recommandations :

**Sawadee** (☎ 0 3951 2392 ; sawadee_trat@yahoo.com ; 90 Th Lak Meuang ; ch 100-300 B). Chambres simples, mais très propres, avec ventil et sdb commune.

**Pop Guest House** (☎ 0 3951 1152 ; popson1958@hotmail.com ; 1/1 Th Thana Charoen ; ch 100-500 B ; ). Loue des chambres disséminées dans le voisinage. Lors de notre visite, une nouvelle adresse était presque achevée près de la rivière, à quelques kilomètres de la ville. Les propriétaires sont amicaux, même parfois un peu trop : certains lecteurs se sont plaints des méthodes de vente un peu agressive de leur part et de celle des rabatteurs au terminal des bus.

## Où se restaurer et prendre un verre

Avec tous les marchés de Trat, vous n'êtes jamais loin d'un repas succulent. Le marché couvert, en dessous du centre commercial, dispose d'un rayon alimentation vendant des nouilles et du riz bon marché du matin au soir. Pour un petit-déjeuner à petit prix, direction l'ancien stand de café dans le vieux marché de jour sur Th Tat Mai.

Le marché de nuit (baptisé avec assurance la "rue de la nourriture saine") est idéal pour un en-cas bon marché. La journée, un **restaurant végétarien** (plats 20 B ; 6h-11h) sans nom à l'est du marché de nuit propose des plats à prix cassé dès l'aube et ferme aussitôt la nourriture écoulée, généralement bien avant midi.

**Cool Corner** (☎ 08 4159 2030 ; 49-51 Th Thana Charoen ; plats 50-150 B ; petit-déj, déj et dîner). Bien qu'il n'occupe plus l'angle depuis que le bâtiment originel a brûlé en 2008, le propriétaire/artiste (voir p. 264) sert toujours d'excellents *lassi* à la mangue sur fond de bonne musique.

**Kluarimklong Cafe** (☎ 0 3952 4919 ; Soi Rimklong ; plats 70-90 B ; petit-déj, déj et dîner ; ). Une délicieuse cuisine thaïlandaise dans un environnement moderne, à des prix étonnamment abordables pour le décor chic.

Autre recommandation :

**Woodland Garden Cafe** (53 Th Thana Charoen ; 18h-minuit). La meilleure adresse pour des cocktails et des bières fraîches. Lors de notre passage, le propriétaire était sur le point de dévoiler sa toute nouvelle carte de plats français.

## Depuis/vers Trat

### AVION

**Bangkok Airways** (☎ aéroport de Trat 0 3952 5767, à Bangkok 0 2265 5555 ; www.bangkokair.com) assure 3 vols quotidiens entre Trat et Bangkok (aller/aller-retour 2 575/5 150 B). L'aéroport se situe à 40 km de la ville ; des minibus et des taxis attendent à l'arrivée des avions. En haute saison, il est recommandé de réserver.

### BUS

La compagnie **Cherdchai Tour** (☎ 0 3951 1062 ; Th Sukhumvit ; 6h-23h30) relie toutes les heures (moins fréquents en heures creuses) Trat avec les terminaux Est des bus (Ekamai) et Nord (Mo Chit) de Bangkok (223-260 B, 5 heures 30). Les bus allant de Bangkok à Trat circulent aussi fréquemment. Sachez aussi que la plupart des bus pour Mo Chit s'arrêtent à l'aéroport Suvarnabhumi de Bangkok, donc si vous quittez la Thaïlande, vous n'aurez

**MORN LAPKEON**

En tant qu'écrivain, artiste, voyageuse et gérante de café, Samorm "Morn" Lapkeon apporte un peu du souffle de Bangkok dans la petite ville de Trat. Inconditionnelle du bandeau coloré et du short baggy, circulant en ville sur son vélo pliant argenté, Morn ne fait pas ses 37 ans. Cependant, elle gère le Cool Corner Cafe (p. 262) avec un raffinement et un bon sens qui en disent long sur son expérience.

Morn est née et a grandi à Ayuthaya. Elle a obtenu son diplôme de communication et art à l'université de Bangkok. Après avoir travaillé un temps au service casting de différentes productions cinématographiques, un ralentissement économique lui coûte son emploi et elle quitte la capitale pour Trat. "Des amis y avaient une pension", explique-t-elle. "Je suis venue leur rendre visite, et j'ai tellement aimé que j'y suis restée." Charmée par la petite taille de la ville, sa gastronomie, ses habitants chaleureux et la proximité de Bangkok, Morn décide d'y ouvrir le Cool Corner.

Lorsqu'on lui demande pourquoi elle a ouvert un café pour les voyageurs, Morn avance sa passion pour l'apprentissage de l'anglais, bien qu'elle ait été autrefois très timide avec les étrangers (ce que l'on a peine à croire aujourd'hui), ainsi que son enthousiasme pour les voyages. "Nous partageons nos expériences", dit-elle. "Les voyageurs découvrent ma vie ici, et me racontent comment c'est en Europe, ou en Inde. Cela me donne envie d'aller voir à mon tour comment eux vivent."



pas besoin de retourner à Bangkok. À la gare routière, **Suparat Tour** (☎ ☎ 0 3951 1481) propose également des liaisons avec Ekamai et Mo Chit (257-266 B). Des bus climatisés des compagnies Cherdchai et Suparat s'arrêtent également à Chanthaburi (55-70 B, 1 heure 15). Des bus publics ordinaires circulent depuis et vers le terminal Est de Bangkok (200 B, toutes les heures).

Des minibus directs partent toutes les 45 min de la gare routière de Trat à destination de Hat Lek (120 B, 1 heure). Des *sŏrng·tăa·ou* (50 B) assurent aussi la liaison, mais ils ne démarrent qu'une fois pleins.

Les *sŏrng·tăa·ou* pour Laem Ngop et Centrepoint Pier (40-60 B) quittent Trat depuis un stand situé sur Th Sukhumvit, face à la pharmacie (à ne pas confondre avec ceux qui sont situés à un pâté de maisons au nord du marché, que vous devriez louer pour vous seul), et depuis l'arrêt de bus. Ils partent régulièrement toute la journée, mais le soir il faut louer son véhicule (250-300 B).

## Comment circuler

Les motos-taxis demandent environ 20 B pour une course en ville.

# ENVIRONS DE TRAT

## Laem Ngop

แหลมงอบ

Laem Ngop est le point de départ des ferrys vers Ko Chang (voir p. 274). La **TAT** (☎ 0 3959 7259 ; tattrat@tat.or.th ; 100 Mu 1, Th Trat-Laem Ngop ; 🕑 8h30-16h30) dispose d'un bureau de renseignements juste à côté de l'embarcadère. Un peu plus au nord sur la route de Trat, un **bureau d'immigration** (☎ 0 3959 7261 ; Th Trat-Laem Ngop ; 🕑 8h30-12h et 13h-16h30 lun-ven) effectue les prolongations de visas.

Entre les deux, la **Kasikornbank** (Th Trat-Laem Ngop) possède un guichet de change.

Voir p. 263 les renseignements sur les transports pour Laem Ngop.

### OÙ SE LOGER ET SE RESTAURER

Il n'y a généralement pas de raison de séjourner dans cette bourgade, puisque des bateaux partent toute la journée pour Ko Chang et que Trat ne se trouve qu'à 20 km. Si vous êtes coincé, la **Laem Ngop Inn** (☎ 0 3959 7044 ; s/d 300/600 B ; ❄), à 5-7 min de marche de la route de Trat, loue quelques chambres modestes avec clim et ventilateur.

Près de l'embarcadère de Laem Ngop sont établis plusieurs petits **restaurants** de fruits de mer offrant des vues sur la mer et les îles.

## Plages

La pointe de la province de Trat, qui s'étend au sud-est en lisière de la frontière avec le Cambodge, est bordée de plusieurs plages le long du golfe de Thaïlande. **Hat Sai Si Ngoen** (plage de sable d'argent) se situe au nord du Km 41, sur la Highway 3. Vous y apprécierez les couchers de soleil et les baignades, et les eaux sont calmes. Tout à côté, **Hat Sai Kaew** (plage de sable de cristal), au Km 42, et **Hat Thap Thim** (également appelée Hat Lan) au Km 48 permettent de se promener au bord de l'eau ou de pique-niquer à l'ombre des casuarinas et des eucalyptus. Seul hébergement des environs, le **Sun Sapha Kachat Thai** (Croix-Rouge thaïlandaise ; ☎ 0 3950 1015 ; ch 800B) comprend des bungalows douillets, dotés de tout le confort standard, ainsi qu'un restaurant.

On trouve aussi des hébergements à **Hat Ban Cheun**, une très longue bande de sable clair, à proximité du Km 63. La route de 6 km qui mène à la plage passe devant un ancien camp de réfugiés cambodgiens. Au milieu des eucalyptus et des casuarinas se tiennent un petit **restaurant** et de simples **bungalows** (300 B) sur un terrain marécageux, derrière la plage.

## DE HAT LEK AU CAMBODGE

Le petit poste-frontière thaïlandais de Hat Lek marque l'extrémité sud de la province. Tout ce que vous verrez ici est un petit marché situé juste avant la frontière, et moult rabatteurs qui proposeront de vous aider dans les formalités de douane.

Pour 50-60 B, un moto-taxi ou un taxi vous fera passer au Cambodge depuis Hat Lek. L'île cambodgienne de Krong Koh Kong compte quelques hébergements, mais rien ne pousse à s'y arrêter. Si vous envisagez d'aller plus loin, prenez un bateau pour rallier, en 4 heures, Sihanoukville (15 $US). Comme il appareille une seule fois par jour, à 8h, vous devrez passer une nuit à Koh Kong si vous ne franchissez pas la frontière assez tôt. La solution la plus simple pour aller de Trat à Sihanoukville en une journée consiste à prendre le minibus de 6h pour Hat Lek, afin d'arriver à la frontière avec votre passeport dès l'ouverture du poste, c'est-à-dire à 7h. Des minibus quittent Krong Koh Kong à 9h pour Sihanoukville (550 B) et Phnom Penh (650 B).

Vous pourrez généralement vous procurer un visa cambodgien en arrivant à la frontière (prévoir 1 200 B et une photo d'identité), mais renseignez-vous tout de même auprès de l'ambassade du Cambodge à Bangkok avant de partir. Bien que les visas touristiques cambodgiens coûtent 20 $US ailleurs, ce poste-frontière n'accepte que les paiements en bahts. N'essayez pas de discuter cette règle, vous risquez de perdre votre temps.

Si vous vous rendez au Cambodge pour la journée, profitez de l'occasion pour renouveler votre visa thaïlandais. Notez cependant que les visas délivrés aux frontières ont été raccourcis à 15 jours. Voir p. 265 pour plus de renseignements. Ce poste-frontière ferme à 20h.

Voir p. 263 les renseignements sur les transports pour Hat Lek.

## KO CHANG

อุทยานแห่งชาติเกาะช้าง

Avec ses pics escarpés couverts de jungle émergeant de la mer et encerclés de plages de sable blanc, la verdoyante Ko Chang a tout de l'île tropicale idéale. Estampillée "la nouvelle Phuket" il y a quelques années, Ko Chang vibre au son des marteaux et des scies mécaniques. Des constructions sont apparues sur une grande partie de son littoral ouest et d'autres commencent à envahir des zones plus isolées.

Cependant, si vous pénétrez plus avant à l'intérieur de l'île, montagneux, vous découvrirez un monde perdu composé de cascades tumultueuses et d'une jungle impénétrable remplie d'animaux sauvages, dont des macaques bruns, des civettes de l'Inde et des pythons réticulés. Une fois sorti de cette forêt tropicale, vous atteindrez des points de vue isolés qui surplombent des plages idéales pour les Robinson en puissance. Ainsi, si vous vous êtes adonné au farniente sur les plages d'autres îles thaïlandaises, profitez de votre séjour ici pour participer à quelques activités.

Après une journée sportive, vous aurez l'embarras du choix entre les bars et restaurants cosmopolites, et les nombreux établissements que compte l'île, qui vont des bungalows de plage basiques aux complexes cinq étoiles. Les plages de Ko Chang ont chacune leur style, de l'atmosphère familiale de Hat Sai Khao et de Hat Kai Mook à l'ambiance festive de Hat Tha Nam (plage solitaire). Sachez aussi que, malgré le développement croissant de ce petit paradis, vous pourrez y trouver, en prenant le temps de l'explorer, quelques bandes de sable encore intactes.

Outre Ko Chang, le parc maritime national de Mu Ko Chang abrite d'autres îles magnifiques qui méritent largement le détour, même si elles offrent moins de choses à faire. Ainsi de Ko Kut, Ko Mak et Ko Wai, idéales pour souffler un peu.

### Orientation

Le **parc national** (☎ 0 3955 5080 ; reserve@dnp.go.th ; 200 B ; 🕒 8h-17h) se divise en quatre sections, réparties à Ban Khlong Son, à Tha Than Mayom, à l'ouest de Nam Tok Khlong Plu et à Ban Salak Phet. Les droits d'entrée sont perçus dans les différents bureaux d'information du parc. Veillez à garder votre ticket, car les gardes forestiers peuvent vous demander de payer à nouveau si vous ne l'avez pas.

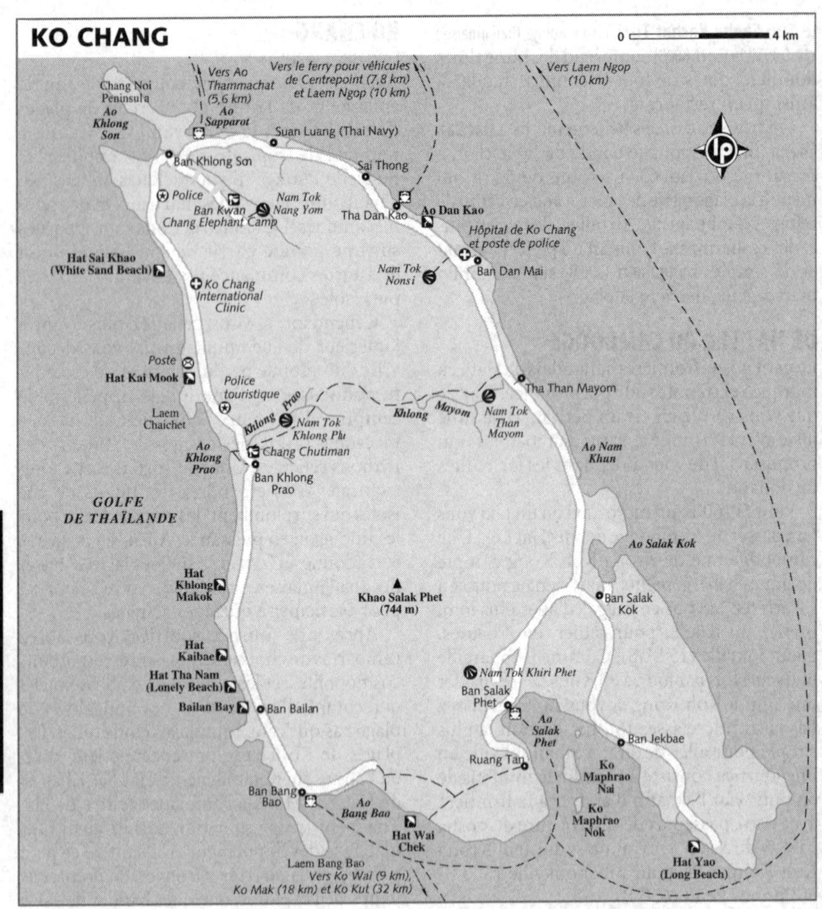


Seule la côte ouest a fait l'objet d'importants projets de construction et la forêt tropicale sauvage constitue toujours 75% de l'île. La route goudronnée qui longe la côte ouest témoigne du développement continu de Ko Chang : si elle s'arrêtait à Hat Tha Nam il y a quelques années, elle s'étire aujourd'hui jusqu'à Bang Bao et devrait bientôt faire le tour complet de l'île.

Au nord, Hat Sai Khao, la plus longue plage de Ko Chang, concentre le plus grand nombre d'hébergements, de bars et de restaurants au kilomètre. Un peu plus au sud, Hat Kai Mook, plus tranquille, possède des établissements d'un bon rapport qualité/prix destinés aux familles. Ao Khlong Phrao, qui contourne un affleurement rocheux depuis Hat Kai Mook, regroupe pour sa part des options un peu plus haut de gamme, tandis que Hat Kaibae, plus au sud encore, est une plage décontractée associée à un centre touristique animé.

Quant à Hat Tha Nam, la fameuse plage solitaire, aujourd'hui lieu de rendez-vous nocturne des voyageurs fêtards de l'île, elle doit désormais se trouver un surnom plus approprié. Toutefois, vous découvrirez encore des baies plus calmes bordées de plages désertes, au nord et au sud de Hat Tha Nam. Petit village de pêcheurs situé tout au sud de la côte ouest, Bang Bao compte plusieurs hôtels, de bons restaurants de fruits de mer et un embarcadère animé bordé de boutiques de plongée, de compagnies maritimes et de boutiques de souvenirs.

Cependant, les choses devraient changer, car, lors de notre séjour, la construction d'un luxueux condominium dans les environs de Bang Bao était en cours.

La côte est, peu développée, ne compte que quelques complexes sans prétention. Hat Yao se classe parmi les plus belles plages de l'île, même si quelques projets de construction de bungalows attirent l'attention sur ce coin jusqu'ici isolé. Cependant, avec la route goudronnée qui rejoint désormais Hat Yao, il est probable que la situation change dans les années à venir. À la pointe sud-est de l'île, Ao Salak Phet, qui a gardé intacte son atmosphère de village de pêcheurs, dispose de bons restaurants de fruits de mer, ainsi que de quelques hébergements paisibles perchés au-dessus de la mer.

## Renseignements

### ACCÈS INTERNET

Les accès Internet ne manquent pas tout du long de la côte ouest. Comptez jusqu'à 2 B/minute.

**BW Cafe** (Hat Sai Khao ; Wi-Fi gratuit ; 9h-tard). En retrait de la route, au cœur de Hat Sai Khao. Produits sortis du four et *happy-hour* de 18h à 21h.

**Earthlink** (Hat Sai Khao ; 1 B/min ; 10h-23h). Pour prendre un café en discutant tranquillement sur Skype à l'extrémité nord de Hat Sai Khao.

**iSite** (Ban Khlong Prao ; www.i-sitekohchang.com ; 2 B/min ; 9h30-21h30). Skype, Wi-Fi, agence de voyages et café correct.

### ARGENT

Une multitude de banques pourvues de DAB et de services de change jalonnent Hat Sai Khao, et les plages de la côte ouest disposent toutes de DAB.

### OFFICE DU TOURISME

L'office du tourisme le plus proche se trouve à Laem Ngop (p. 264). La revue gratuite *Koh Chang, Trat & The Eastern Islands* (www.whitesandsthailand.com), facilement disponible dans l'île, fournit des adresses et des conseils précieux. Son site Internet est une mine d'informations utiles pour préparer son voyage et il édite aussi un guide des bars et restaurants de Ko Chang.

Le site www.iamkohchang.com (en anglais, très complet) est le résultat d'un travail passionné d'un Anglais irrévérencieux vivant sur l'île. La partie "KC Essentials A-Z" est un florilège de renseignements et de pensées.

### POSTE

**Poste de Ko Chang** (☎ 0 3955 1240 ; Hat Sai Khao). À l'extrémité sud de Hat Sai Khao.

### SERVICES MÉDICAUX

**Centre médical Bang Bao** (☎ 0 3955 8088 ; Ban Bang Bao ; 8h30-18h). Pour les soins de base.

**Clinique internationale de Ko Chang** (☎ 0 1863 3609, 0 3955 1151 ; Hat Sai Khao ; 24h/24). Appartient au Groupe Bangkok Hospital, peut traiter la plupart des urgences mineures. Dispose d'une ambulance.

**Hôpital de Ko Chang** (☎ 0 3952 1657 ; Ban Dan Mai). Juste au sud du principal terminal des ferrys.

### URGENCES

**Poste de police** (☎ 0 3958 6191 ; Ban Dan Mai)

**Bureau de la police touristique** (☎ 0 3957 7255, urgences 1155). Installé au nord de Ban Khlong Prao. Petites guérites de police à Hat Sai Khao et à Hat Kaibae.

## Désagréments et dangers

Les plages de la côte ouest sont souvent bordées de panneaux prévenant de l'existence de contre-courants et de courants sous-marins dangereux pendant la mousson (de mai à septembre). Si la plage où vous êtes présente ce genre d'avertissements, n'entrez dans l'eau que jusqu'à hauteur des genoux. Ces dernières années, Hat Tha Nam, Hat Sai Khao et Ao Khlong Phrao ont été le théâtre de plusieurs drames.

La police mène régulièrement des opérations antidrogue dans les hôtels de l'île. Si vous vous faites arrêter en possession de drogues, vous risquez de lourdes amendes et une peine de prison.

La route qui fait le tour de l'île est désormais goudronnée, mais certaines parties sont très escarpées et présentent plusieurs virages en épingle à cheveux. Se déplacer dans l'extrémité sud-est de l'île est particulièrement difficile, certaines parties de la route ayant été emportées. Ne conduisez pas de moto si vous n'êtes pas expérimenté.

Les vedettes les plus légères ruent comme des mules en colère, même sur des eaux relativement calmes. Depuis ou vers les plus petites îles, prenez des médicaments avant le voyage et asseyez-vous à l'arrière du bateau si vous êtes sensible au mal de mer.

## À faire

### COURS

La **Koh Chang Thai Cookery School** (☎ 08 1940 0649 ; Ao Khlong Prao), au Blue Lagoon Resort, propose d'amusants cours de cuisine pour qui veut se familiariser avec les spécialités culinaires thaïlandaises. Les cours de 5 heures coûtent 1 000 B et permettent d'apprendre 4 recettes. Il faut réserver.

**KaTi** (☎ 08 1903 0408 ; Ban Khlong Prao ; leçon 1 300 B/pers) propose également des cours de cuisine, du lundi au samedi de 10h à 15h. La mère et la fille vous montrent leurs recettes familiales. Réservez à l'avance.

**Jungle Way** (☎ 08 9223 4795 ; www.jungleway.com) enseigne l'art subtil du reiki (médecine japonaise). Comptez 5 000 B pour un cours de 8 heures dans la forêt. Organise également des retraites de yoga et de massage. Consultez le site Internet pour connaître les dates.

Pour apprendre une nouvelle discipline près d'un lagon, contactez **Baan Zen** (☎ 08 6530 9354 ; www.baanzen.com), près du lagon d'Ao Khlong Prao. Les cours de yoga et de techniques de soins naturels (4 000 B/week-end, 5 500 B/3 j) se déroulent dans un pavillon traversé par la brise, au bord de la mer.

## PLONGÉE ET SNORKELING

Les reliefs sous-marins au large de la pointe sud de l'île, entre Ko Chang et Ko Kut, constituent un lieu idéal pour plonger. Deux d'entre eux, **Hin Luk Bat** et **Hin Lap**, incrustés de corail sur une profondeur de 18-20 m, sont peuplés de bancs de poissons. **Hin Phrai Nam** et **Hin Gadeng** (entre Ko Wai et Ko Rang), formés par de spectaculaires pointes rocheuses, sont recouverts de coraux visibles jusqu'à 28 m de profondeur. Au sud-ouest d'Ao Salak Phet, les récifs de **Ko Wai** sont couverts d'une extrême diversité de coraux très colorés, entre 6 m et 15 m.

Quoi qu'il en soit, les meilleurs sites de plongée sont, de loin, les alentours de **Ko Rang**. Protégé de la pêche grâce au statut de parc marin, ce coin possède l'un des récifs coralliens les plus intacts de Thaïlande. La visibilité y est meilleure que près de Ko Chang, en moyenne entre 10 et 20 m. Dans le même secteur, **Ko Yak** et **Ko Laun** sont deux sites peu profonds, parfaits pour les débutants comme pour les plongeurs expérimentés : on peut faire le tour de ces deux petits îlots rocheux dont les eaux regorgent de coraux, de bancs de poissons, de poissons-globes, de murènes, de barracudas, de raies et, à l'occasion, de tortues. À l'est de **Hin Kuak Maa** (aussi connue sous le nom de Récif des trois doigts) est sans doute le site le plus intéressant, avec une falaise incrustée de coraux qui plonge de 2 à 14 m de profondeur et attire une abondante faune marine.

### PAS DE NUDISME À KO CHANG

Le nudisme bains, ou simplement le monokini, sont interdits dans le parc maritime national de Mu Ko Chang, qui englobe toutes les plages de Ko Chang, Ko Kut, Ko Mak, Ko Kradat, etc.

Les sorties comprennent généralement deux plongées guidées, le transport, l'équipement et la nourriture, et coûtent environ 3 500 B. La certification PADI Open Water coûte 11 500 B/pers.

La plupart des clubs de plongée ferment durant la saison basse (de juin à septembre), car la visibilité et les conditions marines peuvent être mauvaises. Parmi les plus appréciés, citons :

**BB Divers** (☎ 0 3955 8040 ; www.bbdivers.com). Basé à Tha Ban Bang Bao, mais un autre club se trouve à Hat Tha Nam.

**Scuba Evolution** (☎ 08 7926 4973 ; www.scuba-evolution.com). Cette nouvelle entreprise compte trois bureaux, à Hat Sai Khao, Hat Kaibae et Hat Tha Nam. Les moniteurs sont hautement recommandés.

## RANDONNÉES À DOS D'ÉLÉPHANT

Plusieurs camps d'éléphants de Ko Chang permettent d'approcher de vieux pachydermes domestiqués. Le meilleur est le **camp d'éléphants de Ban Kwan** (☎ 08 1919 3995 ; changtone@yahoo.com ; 🕑 8h30-17h), situé près de Ban Khlong Son, dans un cadre magnifique. Le propriétaire insiste sur l'importance de voir des éléphants dans leur environnement naturel et propose des programmes informatifs et éducatifs. Une "expérience" de 1 heure, incluant l'alimentation, le bain et une randonnée à dos d'éléphant, coûte 900 B ; une promenade de 40 min, 500 B.

**Chang Chutiman** (☎ 0 9939 6676 ; Ban Khlong Prao ; 🕑 8h-16h) offre des prestations équivalentes dans un cadre moins impressionnant. Comptez 500/900 B pour une randonnée de 1/2 heure ; gratuit pour les enfants de moins de 5 ans. Ce camp se trouve à Ban Khlong Prao, en face du Blue Lagoon Resort (p. 271).

Les transferts sont compris dans les tarifs indiqués ici, mais il faut réserver à l'avance. La plupart des hôtels peuvent organiser ces randonnées à dos d'éléphant du jour au lendemain.

### RANDONNÉES

En raison de son terrain accidenté et de ses cours d'eau jamais asséchés, Ko Chang est jalonnée de superbes chutes d'eau. Série de trois cascades le long du Khlong Mayom, cours d'eau à l'intérieur de l'île, **Nam Tok Than Mayom** (droit d'entrée au parc 200 B ; 8h-17h) est accessible à pied depuis Tha Than Mayom ou Ban Dan Mai, sur la côte est. La vue depuis le sommet est splendide. Non loin, vous pourrez voir des pierres où sont gravées les initiales de Rama V, Rama VI et Rama VII.

Autre cascade impressionnante (et populaire), **Nam Tok Khlong Plu** (droit d'entrée au parc 200 B ; 8h-17h) se rejoint facilement depuis Ao Khlong Phrao, sur la côte ouest. Située au milieu d'une magnifique forêt tropicale, à 600 m à pied le long d'un sentier verdoyant bien balisé, cette chute à trois étages se jette dans une piscine naturelle, propice aux baignades.

**Nam Tok Khiri Phet** est une petite cascade à 2 km de Ban Salak Phet sur la côte sud-est. Après 15 min de marche, on arrive à une petite piscine profonde au pied d'une chute, généralement plus calme que la plupart des grands sites.

À l'extrémité sud-est d'Ao Bang Bao, autour d'un promontoire qui mène à Ao Salak Phet, s'étend **Hat Wai Chek**, une belle plage isolée. Ne tentez pas la randonnée de Bang Bao à Ao Salak Phet, sauf si vous êtes un randonneur chevronné doté d'un bon sens de l'orientation – il y a beaucoup de collines et de multiples sentiers non balisés enchevêtrés. Si vous ne vous perdez pas, cette randonnée prend 4-6 heures. Si vous décidez de la faire, emportez suffisamment de provisions et d'eau pour passer la nuit en chemin. Si vous vous perdez, en suivant un cours d'eau, vous parviendrez généralement à un village ou à la mer. Vous pouvez ensuite suivre la côte ou demander votre chemin.

Les postes des gardes forestiers éparpillés autour de l'île ne sont pas d'un grand intérêt pour les randonneurs solitaires, mais vous pouvez louer les services d'un guide auprès d'**Evolution Tour** ( 0 3955 7078 ; www.evolutiontour.com ; Khlong Prao). Lek, de **Jungle Way** ( 0 9223 4795 ; www.jungleway.com), propose des randonnées de 1 (800 B) ou 2 jours (950 B) au cœur de l'île. La marche d'une journée dans la péninsule de Chang Noi, au nord de l'île, n'est conseillée qu'aux sportifs. **Salak Phet Kayak Station** ( 08 7834 9489) organise des excursions de 2 jours (1 nuit, 1 500 B) jusqu'au plus haut point de Ko Chang, Khao Salak Phet, à 744 m, d'où l'on peut admirer le lever et le coucher du soleil. Choisissez de dormir sous tente ou à la belle étoile. M. Tan ( 08 9645 2019), guide indépendant, prend la tête de randonnées tout aussi intenses depuis la côte ouest de l'île, souvent sur des sentiers qu'il a lui-même tracés. Excursions d'une demi-journée (600 B) à une journée à dos d'éléphant (1 300 B). Les ornithologues contacteront **Trekkers of Koh Chang** ( 08 1578 7513), pour des circuits dans le parc national (1 200 B/j, 2 000 B/2 j).

### KAYAK

Installée dans un village sur pilotis traditionnel, dans le sud-est de l'île, **Salak Kok Kayak Station** ( 08 1919 3995 ; Ban Salak Kok) loue des kayaks (100 B/h) pour aller découvrir les baies où poussent les mangroves. Un circuit guidé de 90 min coûte 200 B. Il y a aussi des "dîners-croisières" (3 heures, 1 200 B/pers, repas maison) à travers les mangroves au coucher du soleil.

Dans les environs, une chaussée surélevée en béton sinue à travers les mangroves, vous plongeant dans un écosystème fascinant.

La plupart des pensions louent des kayaks ; prix compris en général entre 100 B/h et 300 à 500 B/j.

### AUTRES ACTIVITÉS

Certaines des pensions de Hat Sai Khao, de Hat Kai Mook et de Hat Kaibae louent des bateaux gonflables, des kayaks, des planches à voile, des masques et des tubas, ainsi que des boggie boards. On peut aussi louer des VTT (150 B/j), surtout à Hat Sai Khao ou à Hat Kaibae, et organiser des excursions d'une journée (200-1 000 B) ou de 2 jours (1 500-2 000 B) vers les îles environnantes depuis la plupart des hôtels.

Le **Bailan Herbal Sauna** ( 08 6252 4744 ; plage de Bailan ; 16h-21h) possède un sauna en pisé rond installé au milieu d'une dense végétation, où vous serez traité à l'aide de diverses préparations à base d'herbes (200 B). Bailan propose aussi des massages (350 B) et des soins du visage (40-60 B) aux ingrédients récoltés localement. La journée détente peut se terminer dans le bar à jus de fruits.

Considéré par certains comme le meilleur masseur de l'île, **Sima Massage** ( 08 1489 5171 ; Ao Khlong Prao ; massage 250 B/h ; 8h-22h) est l'adresse de prédilection des locaux pour soigner des blessures sportives ou se délasser, et propose des masseurs féminins ou masculins, et d'autres soins. Essayez le soin corporel après-soleil (600 B) pour nourrir votre peau après une journée (ou plus) sur la plage. Sur la route, près des cours de cuisine KaTi.

### BÉNÉVOLAT

Si Ko Chang compte moins d'animaux errants que le reste de la Thaïlande, c'est en raison des efforts fournis par la **Koh Chang Animal Foundation** (☎ 08 9042 2347 ; www.kohchanganimalfoundation.org ; Ban Khlong Son), créée en 2000 par l'Américaine Lisa McAlonie. Entièrement financée par les dons, la fondation propose des services vétérinaires gratuits aux habitants de Ko Chang, et fournit un refuge et des soins aux animaux errants de l'île. La participation de vétérinaires et d'aides vétérinaires en voyage est bienvenue, et la fondation apprécie également les visites d'une journée de toutes les personnes qui veulent donner un peu de temps afin d'aider à baigner et à socialiser les animaux battus. Outre les ronrons et les câlins des animaux, vous aurez droit à un déjeuner sur place.

SUD-EST DE LA THAÏLANDE

## Où se loger

Des hébergements de plus en plus tape-à-l'œil ouvrent chaque année. Heureusement, il reste encore de petits bungalows et chacun devrait trouver son bonheur dans la variété des logements proposés. Le développement se limite principalement au littoral, où se regroupent pratiquement tous les hôtels et restaurants. Ko Chang connaît également une hausse de la fréquentation des groupes de touristes européens, et est une destination prisée des Thaïlandais le week-end et les jours fériés.

Certaines adresses ferment durant la saison des pluies (avril à octobre), durant laquelle les bateaux ne vont généralement que jusqu'à Ao Sapparot et à Tha Dan Kao. Le ressac peut d'ailleurs être infranchissable plus au sud le long de la côte est, en cas de fortes précipitations.

Les prix indiqués sont ceux de la haute saison : les réductions peuvent atteindre 40% entre avril et octobre. Beaucoup d'établissements ont une adresse e-mail et un site Internet : pensez à réserver à l'avance en haute saison (novembre à mars), et pour les week-ends et principaux jours fériés, car l'île affiche vite complet.

Les logements sont regroupés par région, du nord au sud.

### BAN KHLONG SON

Ban Khlong Son, le plus grand village de l'île, se situe à son extrémité nord. Il est desservi par plusieurs embarcadères à l'embouchure du *klorng* (canal ; également écrit *khlong*), et possède un *wat*, une école, plusieurs échoppes de nouilles, une clinique et un DAB.

**Jungle Way** (☎ 08 9223 4795 ; www.jungleway.com ; ch 200-400 B). Des bungalows sur pilotis et un restaurant original avec poste d'observation de la faune nichés dans la jungle près du camp des éléphants de Ban Kwan Chang. La plage est loin, mais il y a des possibilités de randonnée (p. 269), et le personnel est adorable.

### HAT SAI KHAO

La longue plage de Hat Sai Khao n'est pas la plus belle de l'île, mais elle est fréquentée pour son grand choix d'hébergements et de restaurants, et pour son animation nocturne. Ces dernières années, les groupes de touristes sont plus nombreux à y venir, maintenant les prix à un niveau plus élevé qu'ailleurs sur l'île.

Si votre budget est limité, dirigez-vous vers le nord de l'île, à pied. Bifurquez au niveau du 7-Eleven, face au KC Grande. En arrivant à la plage, prenez à droite et poursuivez sur 500 m. Vous le saurez lorsque vous serez arrivé.

**Independent Bo's** (☎ 0 3955 1165 ; ch 250-500 B). Une adresse colorée dans la jungle, qui évoque l'île de Robinson. Les bungalows originaux sont tous différents, et très propres. Les moins chers sont loin, perdus dans la jungle.

**Rock Sand Beach Resort** (☎ 0 8712 0044 ; ch 400-1 500 B ; ❄). Juste après Bo's, le Rock Sand est une bonne adresse pour les budgets serrés à moyens. Bungalows simples avec ventil et sdb commune ou chambres plus chères, climatisées et donnant sur la mer. Les familles avec enfants apprécieront l'aire de jeux. Bon restaurant directement sur l'eau azuréenne.

**Logan's Place** (☎ 0 3955 1451 ; ch à partir de 1 500 B ; ❄). Décor scandinave épuré et service excellent pour cet hôtel de charme géré par des Suédois, séparé de la plage par la route. Malheureusement, le rez-de-chaussée est occupé par un bar sur le thème du western, avec machine à rodéo.

**Cookies Hotel** (☎ 0 3955 1056 ; www.fly.to/cookies hotel ; ch 2 000-3 500 B ; ❄ 🏊). Les huttes bon marché sont devenues deux grands bâtiments de part et d'autre de la route principale de la plage. Vous paierez deux fois plus cher côté plage, mais les chambres y sont plus agréables qu'en face. Piscine et bar côté plage.

**KC Grande Resort** ( 0 3955 1199 ; www.kcresortkohchang.com ; ch 3 000-6 300 B ; ). Autrefois une adresse originale pour les baroudeurs, l'établissement est aujourd'hui haut de gamme. Malheureusement, il a perdu son charme rustique et évoque plutôt un camp de vacances. Il semble que c'est dans cette direction qu'évolue Ko Chang.

À côté de Bo's Independent et de Rock Sand, Pan's Bungalows et Star Beach Bungalows proposent des installations un peu négligées à des prix similaires.

### HAT KAI MOOK

Hat Kai Mook (Pearl Beach) affiche une ambiance décontractée, plus calme que Hat Sai Khao, et offre surtout des hébergements de catégorie moyenne. La plupart des adresses sont situées sur la petite plage rocheuse, loin de la route principale, très passante.

**Saffron on the Sea** ( 0 3955 1253 ; ch 1 200-1 800 B ; ). Tenue par un artiste fuyant l'agitation de Bangkok, cette agréable pension de charme vous accueille dans une atmosphère bohème. Huttes toutes différentes, peintes de couleurs chaudes, disséminées sur un terrain paysagé avec mobilier de rotin et flore locale. Pas de vraie plage, mais c'est pour cela que le lieu est calme.

**Penny's Bungalow Resort** ( 08 1595 9750 ; www.penny-thailand.com ; ch petit-déj compris 1 600-3 500 B ; ). Les bungalows sont un peu proches les uns des autres, pour faire de la place à la piscine, mais l'adresse est bien tenue, calme, et située non loin de l'animation de Hat Sai Khao. Certains bungalows plus grands sont parfaits pour les familles.

**Remark Cottage** ( 0 3955 1261 ; www.remarkcottage.com ; ch 2 000-3 500 B ; ). Quinze bungalows balinais noyés dans la végétation. Simples à première vue, ils sont en réalité truffés d'éléments de design. Détendez-vous dans le bassin spa en bois, ou accordez-vous une séance de brumisateur. Verdure et sérénité sont au rendez-vous.

### AO KHLONG PRAO

À environ 4 km au sud de Hat Sai Khao, Ao Khlong Prao est en passe de devenir la destination luxe de l'île, mais il y reste quelques adresses abordables.

**Tiger Huts** ( 08 1762 3710 ; ch 300-600 B). Au milieu des complexes hôteliers de luxe, le Tiger Huts maintient le cap des prix bas. Quelque 40 huttes, au toit de chaume, jalonnent une langue de plage de sable. Deux modèles sont proposés : avec sdb commune ou privée. Simples et (assez) bon marché.

**Blue Lagoon Resort** ( 08 1940 0649 ; ch 600-1 000 B ; ). Des bungalows blanchis à la chaux avec terrasses privées et jolis rideaux rayés surplombent une lagune paisible. D'autres, en retrait, avec clim et deux étages, sont nichés à l'ombre d'un bosquet. Une passerelle en bois mène à la plage, tandis qu'un radeau à manœuvrer à la main permet de traverser une étendue d'eau. Une adresse très sympathique faisant aussi école de cuisine thaïlandaise (p. 267).

**Aana** ( 0 3955 1539 ; www.aanaresort.com ; ch à partir de 7 000 B ; ). Jolies maisonnettes privées accrochées en surplomb de la forêt et du Khlong Prao. Avec ses murs courbes et son décor enlevé, cet établissement s'affranchit des styles préconçus pour imposer sa propre personnalité. Les chambres sont d'un romantisme raffiné ; certaines ont un Jacuzzi. L'une des meilleures adresses de l'île.

### HAT KAIBAE

Au sud de la lagune, Hat Kaibae est en plein essor avec la création d'adresses de catégorie moyenne et la montée en gamme des anciens établissements pour routards. En haute saison, les embouteillages sont importants (surtout le week-end), voitures et vélos encombrant l'étroite route principale.

**Kaibae Beach** ( 0 3955 7142 ; ch 700-2 000 B ; ). Fréquenté par des Thaïlandais en congés, le Kaibae Beach propose des bungalows simples en bois avec ventil, et d'autres en béton (bien conçus) avec clim. Barbecue servi dans le grand restaurant en plein air.

**KB Resort** ( 0 1862 8103 ; www.kbresort.com ; ch 1 150-2 600 B ; ). Ancienne adresse de routards, l'endroit est monté en catégorie et accueille aujourd'hui des familles, avec un toboggan pour enfants et un terrain de jeu rempli de jouets en bois. Beau décor et décoration design, mais les prix sont un peu trop élevés.

**Garden Resort** ( 0 3955 7260 ; www.gardenresortkohchang.com ; ch 2 200 B ; ). Dans un lieu calme en retrait de la route passante, le Garden Resort propose des bungalows décorés individuellement, l'accès Internet dans les chambres et des touches originales, telles que les tuyaux de bambous dans les sdb, ou encore les pieds géants en ciment émergeant de la fontaine.

### HAT THA NAM (LONELY BEACH) ET BAILAN BAY

Au sud de Hat Kaibae, vous arrivez à Hat Tha Nam, plus connue sous le nom de Lonely Beach. Chasse gardée des baroudeurs, l'endroit devient un peu plus chic avec le développement de *resorts* plus haut de gamme, et une vie nocturne animée secoue le petit village. À éviter donc, si vous recherchez le calme. Plus au sud, Bailan Bay reste délicieusement paisible.

**Paradise Cottages** (☎ 08 5831 4228 ; Hat Tha Nam ; ch 300-500 B ; 💻). Pas de véritable plage juste en face, et les huttes en chaume sont rudimentaires, avec eau froide, mais le Paradise se rattrape avec des parties communes de détente très agréables. Les tonnelles individuelles pour dîner sont équipées de hamacs et donnent sur la mer. Une jolie fontaine apporte du charme. Fond sonore agréable et original, clientèle détendue.

**P & Nico Guest House** (☎ 08 4362 6673 ; Hat Tha Nam ; ch 400-800 B). Petites huttes propres décorées de bleu et jaune, séparées de la plage par la route, mais proches des bars et restaurants.

**Magic Garden** (☎ 08 3756 8827 ; www.magicgardenresort.com ; Hat Tha Nam ; ch 500-750 B ; 💻). Mélange du calme insulaire thaïlandais et de la frénésie d'Ibiza, avec une touche d'un festival de musique d'été. Le Magic Garden ne plaira pas à tous, mais il est tout indiqué pour les néo-hippies du XXIe siècle. Les bungalows circulaires à deux étages ont des airs de maisons dans les arbres. Les huttes plus petites sont classiques. Tous ont une sdb avec douches chaudes.

**Siam Beach Resort** (☎ 08 9161 6664 ; www.siambeachkohchang.com ; Hat Tha Nam ; ch 1 000-2 500 B ; ❄ 💻 🏊). Les huttes climatisées, spacieuses mais vieillottes, donnant sur la mer, sont les moins chères ici. Quelques bungalows avec ventil ou clim sont regroupés sur la plage, et de toutes nouvelles chambres "deluxe" donnent directement sur l'eau. Si votre budget est serré, la maison gère également Siam Huts, un peu plus loin sur la côte, qui loue des huttes très simples et délabrées (500-700 B), avec hamacs dans leur petite véranda.

**Mangrove** (☎ 08 1949 7888 ; Bailan Bay ; ch 1 000 B). Installés à flanc de coteau descendant jusqu'à une plage privée, ces bungalows sont magnifiques, circulaires et spacieux, dotés d'une porte en accordéon qui s'ouvre sur le paysage. Les sdb balinaises en plein air ajoutent au charme de ce paradis de la jungle. Restaurant architecturé.

**White House** (☎ 08 1409 8307 ; www.whitehousekohchang.com ; Bailan Bay ; ch 1 200-1 500 B ; ❄ 🏊). Des bungalows d'un blanc éblouissant entourent une petite piscine dans cet établissement de taille moyenne. Grands lits et sdb à baignoire encastrée, rehaussée de carrelage blanc immaculé. Moins chères, les chambres d'hôtel sont en retrait de la plage et de la piscine, mais aussi du bruit du restaurant.

**Warapura Resort** (☎ 08 9122 9888 ; Hat Tha Nam ; ch petit-déj compris 1 500-3 500 B ; ❄ 🏊). Ces bungalows de béton blanchis à la chaux détonnent sur Hat Tha Nam (dans une mesure raisonnable). Tous ont une terrasse, certains donnent sur la mer. L'espace restaurant est aménagé par des tonnelles individuelles avec tables thaïlandaises traditionnelles, quelques hamacs. Une piscine était en construction lors de notre passage. Le sol en imitation de bois dans la réception gâche un peu le décor, mais l'endroit reste chic.

### BAN BANG BAO

Bien que la moindre trace du village de pêcheurs d'origine ait été effacée par les boutiques de plongée, les pensions et les restaurants de fruits de mer, Bang Bao reste pittoresque et charmant. Le village, perché sur pilotis au-dessus de l'eau, est magnifique dans la lumière du soir. Il peut être agréable de passer la nuit sur place, pour profiter des bons hébergements et du calme une fois les visiteurs d'un jour partis, surtout si vous êtes en route vers les petites îles au sud de Ko Chang.

**Bang Bao Cliff Cottage** (☎ 08 5904 6706 ; www.cliff-cottage.com ; ch 300 B). Partiellement dissimulées par un flanc de colline boisée derrière le Nirvana, ces quelques dizaines de huttes sont bien espacées. La plupart ont une belle vue sur la petite crique d'en bas, et certaines offrent un panorama spectaculaire. Snorkeling facile d'accès juste en bas.

**Ocean Blue** (☎ 08 1889 2348 ; www.oceanbluethailand.com ; ch 700 B). Les chambres simples avec ventil jalonnent le passage au plancher poli de cette maison traditionnelle sur ponton. Les toilettes se résument à un seau, et les douches sont froides, mais les chambres sont propres, et vous entendez le bruit des vagues sous vos pas. Le personnel jeune est excentrique et drôle.

**Bang Bao Sea Hut** (☎ 08 1285 0570 ; ch 2 000 B ; ❄). Avec ses bungalows individuels installés jusque dans le port de Bang Bao, c'est l'une des adresses les plus enchanteresses de Ko Chang. Chaque élégante "hutte" au toit de chaume (bien plus chic qu'il ne semble) est entourée d'une terrasse privée et fermée par des volets de bois que l'on ouvre pour laisser entrer la brise marine.

**Nisa Cabana Resort** (☎ 0 3955 8161 ; www.nisacabanakohchang.com ; ch 4 650-13 500 B ; ). Cette toute nouvelle adresse très chic de luxueux bungalows nichés dans la jungle n'attend plus que sa clientèle aisée. Calme, intimité et isolement sont les maîtres mots, bien que l'architecture asiatique raffinée des chambres laisse entrer la lumière à flots. Pas de plage, mais une piscine à débordement qui donne sur le golfe.

**Nirvana** (☎ 0 3955 8061 ; www.nirvanakohchang.com ; ch 5 900-9 900 B ; ). Le complexe hôtelier haut de gamme de Ko Chang est retiré sur une presqu'île, et parfaitement camouflé dans la végétation luxuriante. Les bungalows ont à la base été conçus dans le style balinais, mais chacun est meublé de façon différente dans des tons de terre aux accents asiatiques subtils.

### CÔTE EST

Cette partie de l'île est un peu isolée. La plupart des *resorts* accueillent une clientèle thaïlandaise. Quelques bonnes adresses y existent néanmoins. Les transports sont rares.

Une route part juste au sud de Judo Resort pour mener à Hat Yao (Long Beach), une langue de sable immaculée, très peu développée. Bien que la route ait apporté un peu d'activité à la région, elle est mal entretenue, et était en très mauvais état lors de notre passage. Nous vous conseillons de ne pas l'emprunter à moto, à moins d'être prêt à la pousser sur de longs passages.

**Treehouse Lodge** (☎ 08 1847 8215 ; www.treehouse.org ; Hat Yao ; ch 300 B). Adresse originale, le Treehouse Lodge a déménagé ici depuis Tha Nam, et l'ouverture d'un nouvel établissement est prévue sur Ko Pha Ngan en 2009. Les nouveaux propriétaires ont gardé le nom, et l'atmosphère. Paradis du routard, on y reste souvent plus longtemps que prévu. Des huttes basiques (partageant des sdb rudimentaires) accrochées à la colline regardent l'étendue sableuse de la plage en contrebas.

**Séjour chez l'habitant Salak Phet** (☎ 08 1294 1650 ; Ban Salak Phet ; ch repas compris 300 B). Parmi les quelques maisons du ponton proposant un séjour chez l'habitant, le Salak Phet est moins fréquenté par les touristes que le Bang Bao par exemple, et est donc un peu plus authentique. Le logement se résume à une natte sur le sol d'une petite pièce, et à une sdb basique commune. Vous dînerez avec la famille, des fruits de mer frais étant généralement au menu. La **station de kayak de Salak Phet** (☎ 08 7834 9489) peut vous aider à organiser votre séjour.

**Zion Guest House** (☎ 08 4947 8179 ; yann.espinosa@yahoo.fr ; Hat Yao ; ch 300-400 B). Juste après le Treehouse Lodge, Zion est géré par Yann, d'un zen à toute épreuve. L'adresse compte une douzaine de huttes avec sdb, mais il prévoit encore de développer la capacité. Si le Treehouse n'est pas assez tranquille à votre goût, venez ici.

**Amber Sands** (☎ 0 3958 6177 ; www.funkyhut-thailand.com ; Ao Dan Kao ; ch 1 600-1 850 B ; ). L'ancien Funky Hut Resort a changé de propriétaire, et a troqué son originalité contre plus de confort. Refaits à neuf et paysagés, les vastes bungalows sont accueillants et d'un bon rapport qualité/prix. Vos chaleureux hôtes, Cheryl et Julian, peuvent venir vous chercher au ferry si vous les prévenez à l'avance.

## Où se restaurer et prendre un verre

Pratiquement tous les hébergements de l'île ont un restaurant attenant, mais quelques restaurants indépendants se développent.

### HAT SAI KHAO

Hat Sai Khao concentre le plus grand nombre de restaurants.

**Thor's Palace** (☎ 08 1927 2502 ; plats 70-170 B ; petit-déj, déj et dîner). L'excentrique Thor sert une cuisine délicieuse sur un excellent fond sonore et dans un décor magnifique fait d'objets rapportés des quatre coins du monde. Magnifique vue sur Hat Sai Khao. Ouvert seulement en haute saison.

**Tonsai** (☎ 08 9895 7229 ; plats 40-150 B ; déj et dîner). Confortablement installé sur les coussins de ce restaurant construit dans un solide banian (*đôn sai* en thaï), vous goûterez à de bons plats thaïlandais et occidentaux, dans une ambiance décontractée. Une sortie en soi.

**Oodie's Place** (☎ 0 3955 1193 ; pizzas 170-260 B ; déj et dîner). Musicien local, Oodie gère cet endroit éclectique mêlant cuisine française, bonnes spécialités thaïlandaises et concerts à partir de 22h.

**Invito** (☎ 0 3955 1326 ; plats 250-550 B ; déj et dîner). Probablement la meilleure adresse de l'île, Invito est toutefois cher. Spécialité de la maison : pizzas au feu de bois et pâtes maison. Bonne cave à vins. Terminez votre repas par un café à l'italienne et un tiramisu moelleux. À l'extrémité sud de Hat Sai Khao.

#### AO KHLONG PRAO

Comptant quelques écoles de cuisine, Khlong Prao propose à ses visiteurs plutôt détendus quelques bonnes adresses où manger.

**Blue Lagoon Resort** (☎ 08 1940 0649 ; plats 60-220 B ; ⏲ petit-déj, déj et dîner). Avec une école de cuisine sur place, les plats servis ne peuvent être que bons. Encore mieux : ils sont servis sous des tonnelles individuelles surplombant le lagon, reliées par des passerelles de bois. Service sympathique et plats présentés de façon originale.

**KaTi** (☎ 08 1903 0408 ; plats 60-120 B ; ⏲ déj et dîner). Autre école de cuisine thaïlandaise, autre bonne adresse. De plus, si vous demandez que vos plats soient épicés "à la thaïlandaise", ils le seront vraiment. Goûtez également aux délicieux *smoothies*, notamment aux litchis, citron et menthe poivrée. Sur la route principale, à 50 m en face de l'entrée du Blue Lagoon Resort.

**Barracuda Bar** (☎ 08 1448 2187 ; plats 70-150 B ; ⏲ petit-déj, déj et dîner). Une bonne petite adresse dont la popularité auprès des expatriés ne varie pas. Les prix sont un peu élevés, car la plupart des clients logent dans les complexes hôteliers des environs, mais ne sont pas *trop* exagérés. Quelques tables en bord de plage.



#### HAT KAIBAE

De bons bars et restaurants se développent également à Hat Kaibae. Au moment où nous écrivons, il y existe un restaurant français, un établissement musulman végétarien et une bonne adresse de curry indien. À vous de découvrir les derniers-nés de la ville.

**Kharma** (☎ 08 1663 3286 ; ⏲ petit-déj, déj et dîner). Sur fond sonore éclectique, piochez dans la vaste carte alliant cuisines thaïlandaise, mexicaine et végétarienne. Les poissons-hérissons gonflés ajoutent au charme de cette adresse *gay-friendly*. Bons cocktails.

#### BAN BANG BAO

L'embarcadère de Bang Bao est jalonné d'excellents restaurants de fruits de mer.

**Ruan Thai** (☎ 08 7000 162 ; plats 80-300 B ; ⏲ déj et dîner). Les fruits de mer sont un peu chers, mais extra-frais (votre dîner nage tranquillement dans l'aquarium quand vous entrez), et les portions sont copieuses. Service plus qu'excellent (on vous aidera même à décortiquer votre crabe).

Près de Ruan Thai, Chow Talay et Bay servent une cuisine comparable.

## Depuis/vers Ko Chang et les îles voisines

Laem Ngop compte 3 embarcadères permettant de rallier Ko Chang : le principal, à l'extrémité de la route en arrivant de Trat, est baptisé Tha Laem Ngop (aussi appelé Tha Krom Luang Chumporn, ou "quai du Monument à la bataille navale") ; 4 km plus loin au nord-ouest de Laem Ngop se trouve Tha Ko Chang Centrepoint ; et Tha Thammachat est situé à Ao Thammachat, plus à l'ouest de Laem Ngop.

Durant la saison haute, Tha Laem Ngop est le principal embarcadère pour nombre des îles du parc maritime de Ko Chang. Un bateau de pêcheurs rouillé reconverti en "ferry pour passagers" dessert Ko Chang toutes les heures (100 B, 1 heure), mais c'est souvent bondé et loin d'être l'option la plus sûre.

Tous les jours, de 6h à 19h, des ferrys circulent toutes les heures entre Tha Ko Chang Centrepoint et Tha Dan Kao, sur Ko Chang (aller/aller-retour 80/160 B, 45 min), prenant aussi à leur bord des véhicules : chaque place passager donne le droit de transporter gratuitement sa voiture ou sa moto. Option plus rapide, plus sûre et moins chère que le "ferry pour passagers", elle offre en outre l'avantage de vous déposer plus près des plages principales. Un *sŏrng·tăa·ou* de Trat à Tha Ko Chang Centrepoint coûte environ 60 B par personne, mais prenez garde aux chauffeurs qui vous font faire des détours avant d'arriver à l'embarcadère. Certains s'arrêteront pour vous faire acheter un billet dans une agence de voyage, ce qui revient un peu plus cher que de le faire directement à l'embarcadère.

Il est également possible de rejoindre Ko Chang par le ferry pour véhicules (par pers/voiture 60/120 B, 30 min), qui part toutes les heures de Tha Thammachat, et accoste à Ao Sapparot. C'est souvent le seul bateau disponible lorsque la mer est forte.

## Comment circuler

#### BATEAU

La location d'un bateau pour visiter les îles avoisinantes coûte en moyenne 600-900 B la demi-journée, ou 1 200-2 000 B la journée complète. Assurez-vous que tout soit compris dans les tarifs afin de ne pas avoir de surprise – certains loueurs demandent parfois un supplément de 200 B pour l'"utilisation" de la plage.

À la pointe sud de Ko Chang, vous pourrez louer un *long-tail boat* ou un bateau de pêche entre Hat Kaibae et Ao Bang Bao, moyennant 2 000 B, ou quelque 250 B/pers si le bateau a fait le plein de passagers. D'autres locations sont possibles entre Ao Bang Bao et Ao Salak Phet.

La remontée en bateau du Khlong Phrao jusqu'aux chutes coûte environ 50 B/pers et peut être réservée auprès de la plupart des bungalows.

#### SŎRNG·TĂA·OU

Les *sŏrng·tăa·ou* qui viennent à la rencontre des bateaux à Tha Dan Kao et Ao Sapparot facturent 60 B/pers pour Hat Sai Khao, 70 B pour Ban Khlong Prao, 80 B pour Hat Kaibae et 100 B pour Hat Tha Nam, sur la côte ouest. Vous aurez peut-être à négocier. Plusieurs *sŏrng·tăa·ou* desservent Bang Bao de façon irrégulière, mais attendez-vous à payer environ 120-150 B. Entre Tha Dan Kao et à Ao Salak Phet, le tarif local est de 50 B/pers, mais il arrive que les touristes déboursent davantage.

#### VOITURE ET MOTO

Les ensembles de bungalows de la côte ouest louent des motos pour 200-300 B la journée. Ailleurs sur l'île, les locations de deux-roues sont rares. Les routes de montagne sinueuses de Ko Chang, assez dangereuses, sont réservées aux motards expérimentés – il y a chaque année des victimes parmi les touristes. Il est possible de louer une Jeep (2 000 B/j en saison haute).

## ENVIRONS DE KO CHANG

Il existe plusieurs magnifiques petites îles dans le parc national maritime de Mu Ko Chang. Certaines sont désertes, mais beaucoup accueillent les touristes sur leurs plages paradisiaques. Découvrir ces îles reste cher, mais devient chaque année de plus en plus abordable. Le coût des transports, de la nourriture et de l'hébergement est plutôt élevé par rapport à Ko Chang et à Ko Samet.

Il est plus simple de visiter les îles en haute saison, car entre mai et septembre (basse saison), beaucoup de bateaux ne circulent plus, et les établissements de bungalows tournent au ralenti. Le week-end et les jours fériés de haute saison, des Thaïlandais en congés remplissent les *resorts* de Ko Kut, Ko Wai et Ko Mak, mais, en semaine, l'ambiance est détendue.

À Trat, Serge, qui tient la boutique Tratosphere Books (p. 262), vous donnera des informations fiables et à jour sur l'hébergement et le transport vers les îles.

### Ko Kut

Dédale de jungle et de routes sablonneuses, Ko Kut est deux fois plus petite que Ko Chang. C'est la quatrième île de Thaïlande par la taille. Avec ses eaux limpides, l'ombre de ses palmiers et ses plages paradisiaques, Ko Kut est totalement dépourvue de discothèques, et même de restaurants : c'est justement ce qui fait son charme.

#### ORIENTATION ET RENSEIGNEMENTS

L'île ne compte aucun DAB, mais les principaux complexes hôteliers changent de l'argent. Un petit **hôpital** (☎ 0 3952 5748 ; ⏰ 8h30-16h30) situé dans les terres à Ban Khlong Hin Dam prend en charge les urgences. Le **commissariat de police** (☎ 0 3952 5741) est tout proche. Les points d'accès à Internet sont épars, mais beaucoup de *resorts* en ont au moins un.

Des plages aux sublimes eaux turquoise bordent la côte ouest à Hat Taphao, Hat Khlong Chao, Ao Bang Bao et Hat Khlong Yai Ki. Une route goudronnée relie Ban Khlong Hin Dam, le principal village de la côte ouest de l'île, à Ao Khlong Chao, plus au sud, et au village de pêcheurs de Bang Ao Salat, qui possède un embarcadère, sur la côte nord. Au sud d'Ao Khlong Chao, la route se détériore en une piste défoncée, qui se rétrécit à une seule voie accessible uniquement à moto. Les autres villages de l'île sont Ta Poi, Ban Laem Kluai et Ban Lak Uan notamment.

#### À FAIRE

Avec ses eaux cristallines et ses criques paisibles, Ko Kut est le paradis du **snorkeling** et du **kayak**. La plupart des établissements hôteliers louent de l'équipement.

L'île compte deux chutes d'eau qui font de belles randonnées. Les plus grandes et les plus fréquentées sont **Nam Tok Khlong Chao**, très belles et formant une vaste piscine naturelle. Vous n'y serez cependant pas seul, surtout le week-end. On y arrive par une petite marche dans la jungle depuis la base, ou en kayak sur le Khlong Chao. Plus au nord, les chutes de **Nam Tok Khlong Yai Ki** sont plus petites, mais également dotées d'une grande piscine.

Koh Kood Ngamkho Resort (p. 276) loue des VTT (150 B/j) ; le **vélo** est un moyen agréable de découvrir l'île vallonnée, malgré les pistes poussiéreuses.

**OÙ SE LOGER**

Ko Kut est dépourvue d'infrastructures correctes pour le transport, et la plupart des complexes hôteliers sont conçus pour les groupes de touristes. Il est donc difficile d'arriver par ses propres moyens et de chercher une chambre. Si toutes les adresses que nous citons acceptent les voyageurs sans réservation préalable, mieux vaut téléphoner à l'avance, d'autant plus que la plupart des compagnies de bateaux rapides vous déposeront à l'embarcadère de votre hôtel.

**Koh Kood Ngamkho Resort** (☎ 08 1825 7076 ; www.kohkood-ngamkho.com ; Ao Ngam Kho ; hutte/bungalow 300/650 B). Huttes ombragées adossées à une colline boisée, donnant sur Ao Ngam Kho (au nord de Bang Bao). L'"Oncle Joe" gère le meilleur établissement des environs pour les petits budgets. Les huttes sont très simples et rustiques, équipées seulement d'un matelas et d'une moustiquaire, mais elles sont douillettes et rehaussées de carrelage coloré et de mosaïques. Du camping amélioré.

**Mangrove Bungalows** (☎ 08 5279 0278 ; www.kohkoodmangrove.com ; Ban Khlong Chao ; ch 600-1 200 B ; ❄). Loin de la plage, mais agréablement situés au bord du Khlong Chao mangé par la mangrove, les bungalows tout neufs de cet établissement ont un plancher de bois poli et des douches chaudes. Restaurant sur le canal. Kayaks à disposition.

**Dusita** (☎ 08 1523 7369 ; Ao Ngam Kho ; ch 700-1 200 B ; ❄). Plage de sable fin, verdure, tonnelles et restaurants rafraîchis par la brise marine : les bungalows (ventil et clim) de Dusita sont fort agréables. Beaucoup de monde le week-end en haute saison.

**Siam Beach** (☎ 08 1945 5789 ; Ao Bang Bao ; ch 800-1 500 B ; ❄ 💻). Huttes rudimentaires avec ventil et matelas au sol, ou bungalows climatisés (plus chers), sur la plus belle portion de la plage d'Ao Bang Bao. Quelques-uns ont une belle vue, mais les huttes sont trop chères.

**Koh Kood Resort & Spa** (☎ 08 1829 7751 ; www.kohkoodholiday.com ; Ao Bang Bao ; ch petit-déj compris 1 000-1 800 B ; ❄). Les bungalows sans clim, spacieux, au cœur de la jungle, avec leurs douches extérieures blanchies à la chaux, sont d'un bon rapport qualité/prix. Bien qu'on ne puisse pas parler de "spa", les possibilités de détente ne manquent pas : tous les bungalows ont une grande véranda, tandis que la brise marine agite les légers rideaux de leurs immenses fenêtres. À ne pas confondre avec le "Ko Kut Resort & Spa" sur une autre partie de l'île.

**Beach Natural Resort** (☎ 08 6999 9420, Bangkok 0 2222 9969 ; www.thebeachkohkood.com ; Ao Bang Bao ; ch petit-déj compris 1 200-2 600 B ; ❄ 💻). Bungalows balinais perdus dans la végétation, sur une crique paisible parfaite pour le kayak. Le service fait honneur à l'hospitalité thaïlandaise légendaire, et le restaurant est le meilleur de la plage. Les tonnelles sur la plage invitent à la détente. Le week-end, des Thaïlandais amateurs de karaoké envahissent les lieux, venez plutôt en semaine pour profiter du calme.

**Shantaa** (☎ 08 1817 9648 ; www.shantaakohkood.com ; Hat Khlong Yai Ki ; ch petit-déj compris 5 000 B ; ❄). Des bungalows élégants au sommet d'une falaise baignée de soleil : c'est l'adresse la plus chic de l'île. Tout y est luxueux, en particulier les sdb : quelques marches de pierre conduisent à un jardin privé, agrémenté de deux douches extérieures dans la végétation ou d'une baignoire, avec produits de toilette végétaux à disposition. Citons encore la chaîne stéréo, les lits king-size, la plage privée et l'absence bienvenue de TV.

**COMMENT S'Y RENDRE ET CIRCULER**

Les îles étant de plus en plus fréquentées, les transports se sont développés. Voici une petite sélection des moyens à votre disposition. La plage horaire et la fréquence des bus augmentent en haute saison. En basse saison, les transports vers les îles peuvent être inexistants.

De Ko Chang, le "ferry rapide" de **Bang Bao Boats** (☎ 08 7054 4300) rallie deux fois par jour en haute saison Bang Bao et les autres îles. Il quitte Ko Kut à 9h et arrive à Bang Bao à 11h (900 B). Dans le sens inverse, le bateau part de Ko Chang à 12h. Vous pouvez aussi prendre le bateau "en bois" (lent) pour Ko Chang qui quitte Ko Kut à 9h (700 B, 5 heures). Une navette inverse part de Bang Bao à 9h en direction de Ko Kut.

**Siriwite Speedboat** (☎ 08 6126 7860) assure une liaison depuis Tha Laem Sok, à 22 km (environ 45 min) au sud-est de Trat. Le départ est quotidien à 13h pour Ko Kut (600 B, 1 heure 15). Dans le sens inverse, des bateaux quittent Ko Kut à 9h30 et 13h. Un bateau de **Ninmungkorn Express Boat** (☎ 08 6126 7860 ; Laem Sok) part du même embarcadère. Il part de Ko Kut à 10h et

SUD-EST DE LA THAÏLANDE

revient du continent à 12h (350 B, 2 heures 15). Des taxis collectifs assurant la navette avec Laem Sok sont compris dans le prix.

Le bateau rapide Dan Kao part de Tha Dan Kao, à 5 km à l'est de Trat (à ne pas confondre avec le Tha Dan Kao de Ko Chang), à 9h tous les jours en haute saison (550 B, 1 heure 15). Il quitte Ko Kut pour le continent à 13h.

À l'intérieur des îles, les transports sont rares : mieux vaut louer une moto ou un vélo (voir p. 277). Les motos sont facilement disponibles sur Ko Kut ; comptez entre 300 et 500 B/24 heures.

## Ko Mak

La jolie petite île de Ko Mak ne s'étend que sur 16 km², et ne possède pas les monts et les vallées couverts de jungle de Ko Chang ou Ko Kut, mais sa simplicité est d'autant plus touchante. Ses plages bordées de cocotiers sont baignées de douces vagues. La forêt tropicale humide couvre 30% de la surface de l'île, les plantations de cocotiers et de caoutchouc en occupant 60%. Quelques routes sont goudronnées.

### ORIENTATION ET RENSEIGNEMENTS

Il n'y a ni banque ni DAB sur l'île : prenez vos précautions avant d'arriver. L'embarcadère principal est à Ao Nid, sur la côte ouest de l'île, et un petit village se dresse dans les terres, non loin de là. Les plages sont reliées par un réseau de routes, non goudronnées pour la plupart.

**Ball's Cafe** (☎ 08 1925 6591 ; embarcadère d'Ao Nid ; 1 B/min ; 🕑 9h-18h). Accès Internet. Organise hébergement et circuits.

**Centre de santé Ko Mak** (☎ 08 9403 5986 ; sur la route qui traverse l'île, près de l'embarcadère d'Ao Nid ; 🕑 8h30-16h30). Prend en charge les premiers soins en cas d'urgence et de maladie.

**Police** (☎ 0 3952 5741). Près du centre de santé.

### À FAIRE

Avec son réseau de pistes sillonnant l'île et son relief doux, Ko Mak est un terrain de jeu idéal pour le **VTT**. Près du centre de santé, **Chan Chao** (☎ 08 9728 0703) loue des vélos robustes (50/150 B h/j) et propose des itinéraires sur carte. Beaucoup de pensions louent également des vélos.

La plupart des pensions peuvent organiser des sorties de **snorkeling** et de **plongée**. Dans ce domaine, **Kok Mak Divers** (☎ 08 3297 7724), sur la route, derrière Island Huts, a bonne réputation et participe activement à des projets de protection du corail. Comptez 650 B pour du snorkeling, avec déjeuner et transport, et 2 300 B pour une sortie de plongée.

### OÙ SE LOGER ET SE RESTAURER

Ko Mak possède quelques charmantes petites adresses (surtout sur Ao Khao) qui donnent un aperçu du rythme apaisant de la vie insulaire thaïlandaise. Les prix mentionnés sont ceux de la haute saison, et chutent parfois de 50% en basse saison, pour les établissements qui restent ouverts.

L'île entière, y compris les gérants des hébergements, se rassemble sur l'embarcadère pour accueillir le bateau quotidien en provenance du continent. N'ayez crainte, vous ne serez pas oublié.

**Island Huts** (☎ 08 7139 5537 ; Ao Khao ; huttes 300-350 B). Huttes colorées en bois avec hamacs invitant à la paresse, et plage semi-privée pour cette adresse petits budgets agréable, malgré les matelas en triste état.

**Buri Huts** (☎ 08 9752 5285 ; www.kohmakburihut.com ; Baan Lang ; ch 500-1 300 B ; ❄ 🏊). Le long de la côte est de l'île, le Buri offre des huttes de style africain installées en espalier au-dessus de l'eau. Les moins chères ont un toit de chaume ; celles en dur sont couvertes d'un joli cône bleu. Une piscine couleur terre est bordée de transats, mais n'hésitez pas à fréquenter la plage, le panneau du *resort* promettant : "pas de mouches des sables".

**Monkey Island** (☎ 08 9501 6030 ; www.monkeyislandkohmak.com ; Ao Khao ; ch 600-3 000 B ; ❄ 💻 🏊). Adresse pour tous budgets. La meilleure de l'île pour les baroudeurs. Les bungalows en terre ou en bois et au toit de chaume sont de trois catégories : Babouin, Chimpanzé ou Gorille. Les premiers ont des sdb communes, tandis que les derniers offrent sdb privée en plein air et grande terrasse. Tous ont une touche originale, comme des draps violets. Le bar et le restaurant animent les nuits de la paisible Ko Mak. Les enfants profiteront de la petite piscine.

**Baan Koh Maak** (☎ 0 3952 4028 ; www.baan-koh-mak.com ; Ao Khao ; ch 700-1 400 B ; ❄). Vous reconnaîtrez l'adresse à ses bungalows originaux et colorés. La clôture de piquets blancs classiques et les teintes vertes et fuchsia vives forment un mélange détonnant. Les matelas sont plus moelleux que la moyenne dans cette catégorie. À côté, les Koh Mak Cottages, qui proposent de simples bungalows avec ventil (550 B), sont gérés par la même maison.

**Ko Mak Coco-Cape** (☎ 08 1937 9024 ; www.kohmakcococape.com ; ch 1 000-4 500 B ; ❄ 🅿). Géré par un couple d'architectes de Bangkok, cet immense établissement affiche un certain raffinement, avec ses bungalows et maisonnettes chics aux murs blanchis à la chaux. Les options les moins chères sont des huttes de bambou au bord de cuvettes de mare (1 000 B avec sdb commune et ventil). Petite plage pour la baignade, à quelques minutes.

**Makathanee Resort** (☎ 08 7600 00374 ; www.makathanee.com ; Ao Khao ; ch 2 500-3 000 B ; ❄ 💻 🅿). Des bungalows vastes, dotés d'immenses fenêtres donnant sur la mer et de matelas délicieusement moelleux. S'il ne devrait pas gêner la vue, la proximité du nouvel hôtel en construction lors de notre passage est un peu dérangeante.

**Food Garden** (Ao Khao ; plats 30-80 B ; 🕑 16h-22h). En face de Monkey Island, le Food Garden est un véritable jardin clôturé rempli de tables et entouré d'étals de nourriture. Un serveur prendra votre commande : inutile de parcourir tous les stands (sauf si vous le souhaitez, bien sûr). Nous vous recommandons le *hŏy tort* : des moules frites avec une sauce pimentée douce (50 B), un délice.



### DEPUIS/VERS KO MAK

Plusieurs compagnies de bateaux rapides assurent des navettes fréquentes entre Ko Mak et le continent ; le moyen le plus simple de réserver un billet est par votre pension. Panan Speedboat assure un trajet depuis l'embarcadère de Ko Mak Resort du côté nord-ouest de l'île à 8h et 13h, et part de Tha Laem Ngop à 10h et 16h (450 B, 1 heure). Le bateau de Leelawadee Speedboat part devant Makathanee Resort à 8h, 10h30 et 12h, et de Laem Ngop à 10h30, 14h et 15h (450 B, 1 heure 15).

Un ferry lent (via Ko Wai) quitte l'embarcadère Ao Nid de Ko Mak à 8h pour Tha Laem Ngop, et part du continent pour rentrer à 15h (300 B, 3 heures).

Tous les bateaux allant du continent et de Ko Chang à Ko Kut s'arrêtent à Ko Mak. Parmi eux, le bateau rapide de Bang Bao Boat quitte Bang Bao, ville du sud de Ko Chang, à 12h (550 B, 1 heure), et le bateau en bois de la même compagnie part de Ko Chang à 9h (400 B, 2 heures). Citons aussi le Siriwite Speedboat, qui part de Tha Laem Ngop à 13h (450 B, 1 heure). Voir p. 277 pour plus d'informations sur les bateaux rapides. Comptez de 200 à 400 B pour le trajet entre Ko Kut et Ko Mak.

Une fois sur l'île, vous pouvez vous déplacer à vélo (voir p. 277), ou bien à pied si l'île est assez petite. Louer une moto vous coûtera entre 60 et 80 B l'heure, et 300 à 450 B pour la journée.

## Autres îles

D'autres petites îles offrent isolement, eaux turquoise et hébergements. La plupart des bateaux rapides s'y arrêtent sur demande.

### KO WAI

Ko Wai est minuscule et assez rudimentaire, mais dotée de magnifiques récifs coralliens. Il existe plusieurs sites à découvrir le long de la face nord de l'île. L'après-midi, vous devrez partager les lieux avec les visiteurs d'un jour, mais, le reste du temps, l'endroit sera paisible.

**Ao Yai Ma** (☎ 08 1841 3011 ; ch 200-350 B). Simple et bon marché. Les huttes les plus chères ont une sdb privée.

**Ko Wai Paradise** (ch 300 B). Une adresse appréciée, avec des bungalows simples sur la plage. Vous devrez certainement partager le récif corallien, juste en face, avec les hordes de visiteurs venus faire du snorkeling pour la journée.

**Good Feeling** (☎ 08 8503 3410 ; ch 300 B). Huttes basiques avec toit de chaume et sdb communes.

**Grand Mer** (ch 400 B). Six huttes sur une portion de plage calme. Petit restaurant. Du côté nord de l'île.

**Ko Wai Pakarang** (☎ 08 4113 8946 ; www.kohwaipakarang.com ; ch 800-2 500 B ; ❄ 💻). Bungalows climatisés en béton de couleurs vives. Centre d'informations sur le corail et ferme de tortues. Restaurant-bar sur place.

### KO KHAM

Au nord-ouest de Ko Mak, cette petite île est idéale pour explorer les fonds marins. Tout comme Ko Wai, Ko Kham est très fréquentée par des barboteurs venus pour la journée. Une seule adresse pour passer la nuit : **Ko Kham Resort** (☎ 08 1393 1229 ; ch 400-2 000 B), simple, petite, et assez chère. Des bateaux rapides (70 B) font la navette depuis Ko Mak Resort, et d'autres y accosteront sur demande. Il est possible de venir en kayak depuis Ao Suan Yai sur Koh Mak.

### KO RAYANG

**Rayang Island Resort** (☎ 0 3950 1000 ; www.rayang-island.com ; ch 2 400-3 360 B). Une autre petite île au large de Ko Mak, et un autre petit resort, qui propose 15 bungalows rénovés de 1 ou 2 chambres. Aucun visiteur pour la journée ne vient troubler la tranquillité des lieux. Si vous voulez faire du bruit, vous pouvez louer l'île entière pour 500 €/j. Si vous dormez ici, le transport est compris ; sinon, un bateau rapide coûte 150 B.

# PROVINCES DE PRACHINBURI ET DE SA KAEW

La ville de Prachinburi vaut le coup d'œil pour son hôpital intéressant, et la région constitue une bonne base pour partir vers le sud, explorer le parc national de Khao Yai (p. 480). La région recèle également les deux parcs nationaux voisins de Thap Lan et de Pang Sida, qui suivent l'escarpement sud du plateau de Khorat.

Les régions rurales de Prachinburi et de Sa Kaew sont parsemées de petites ruines dvaravati et khmères. Le nom de Sa Kaew, le "bassin au joyau", fait référence aux divers réservoirs khmers de la région : ce ne sont que des blocs de latérite présentant peu d'intérêt pour le visiteur. Continuez sur la Highway 33 vers le Cambodge et, surtout, Angkor Wat.

## PRACHINBURI

À Prachinburi, le **Chao Phraya Abhaibhubejhr Hospital** (☎ 0 3721 3610 ; www.adhaiherb.com ; 32/7 Moo 12, Th Prachin-Ahuson) est réputé dans tout le pays pour ses remèdes à base de plantes et son utilisation de la médecine traditionnelle. La boutique de l'hôpital (ouverte de 8h30 à 20h30) vend divers remèdes et produits de beauté à des prix abordables. Les savons, notamment ceux au galangal et au mangoustan, sont excellents, et la tisane de carthame (*safflower*) permettrait de réduire le cholestérol. Des produits authentiques donc, à acheter d'urgence avant que le Body Shop ou Starbucks n'en sortent des versions destinées au marché mondial !

Un agréable salon de massage (160 B/h), où les masseuses prennent votre pression artérielle avant de prendre soin de votre corps, est rattaché à l'hôpital. Le bâtiment gothique situé juste à côté fut construit par le fondateur de l'hôpital, le gouverneur siamois Chao Phraya Abhaibhubejhr. Il abrite désormais un musée de la médecine par les plantes. Le trajet en *túk-túk* entre la gare routière de Prachinburi et l'hôpital coûte 40 B, 60 B depuis la gare ferroviaire.

### Depuis/vers Prachinburi

Des bus partent pour Prachinburi (95 à 115 B) du terminal Nord des bus de Bangkok (Mo Chit). Quatre trains quotidiens (2 à 3 heures ; 42 à 110 B) desservent Prachinburi depuis la gare Hualamphong de Bangkok.

## ENVIRONS DE PRACHINBURI

Les environs de la ville sont parsemés de fondations de latérites des périodes de Dvaravati et d'Angkor. Au sud-est de la capitale provinciale de Prachinburi, via les Routes 319 et 3070, dans le village de Ban Sa Khoi (entre Khok Pip et Sa Maha Pho, sur la Route 3070), s'étendent les ruines de **Sa Morakot** (bassin d'émeraude ; entrée libre ; 🕓 heures du jour), un important réservoir khmer construit sous le règne de Jayavarman VII, souverain d'Angkor. On voit encore, à côté du barrage, les écluses en latérite d'origine, ainsi que des *săir·mah* (bornes), des *naga* sculptés (serpent mythique aux pouvoirs magiques), des piliers et un lingam en grès. L'eau de ce réservoir, réputée sacrée, fut utilisée dans les cérémonies thaïlandaises de couronnement. Vous devrez y accéder par vos propres moyens de transport.

Plus à l'ouest sur la Route 33, la ville de Nakhon Nayok est très fréquentée par les Thaïlandais de Bangkok en quête d'aventure, notamment de rafting, que l'on peut pratiquer toute l'année. **Sarika Adventure Point** (☎ 0 3732 8432 ; Nakhon Nayok) organise des excursions combinant rafting sur le barrage de Tha Dan et VTT (1 800 B/j). Des descentes en rappel sont également proposées (1 500 B/j). Sarika se trouve à 11 km de la ville, près de l'intersection entre la Route 3049 et la Route 3050. Les amateurs de sports de plein air pourront s'adonner à l'escalade ou à la randonnée ; contactez la **Tourism Authority of Thailand** (☎ 0 3731 2284 ; 182/88 Suwannason Rd) de Nakhon Nayok pour des itinéraires et pour réserver. Le week-end, des groupes d'entreprises sont de sortie.

Au nord de Prachinburi, la Route 3077 mène à l'entrée sud du **parc national de Khao Yai** (p. 480). Le Palm Garden Lodge (p. 280) organise des excursions à la journée (1 700 B/pers) de Ban Kon Khuang à Khao Yai ; le lodge n'est qu'à 7 km de l'entrée du parc.

## Où se loger

À Nakhon Nayok, des touristes thaïlandais envahissent le week-end les bungalows familiaux qui jalonnent Soi Suan Lung Nai, en retrait de la Route 3029, mais la semaine, ces établissements sont très calmes. Vous y profiterez du paysage brumeux des montagnes alentour et de jolis ruisseaux. La plupart des adresses louent des VTT et des kayaks. L'anglais est peu parlé, et il n'y a pas de transports en commun, mais il est possible de prendre un taxi depuis la gare routière de Nakhon Nayok pour environ 200 B.

Non loin de la bordure sud du parc national, le village de Ban Kon Khuang sur la Route 33 comprend quelques bons logements, et est proche de l'entrée du parc.

**Mai Ked Homestay** (☎ 08 1458 9531 ; Nakhon Nayok ; s à partir de 100 B). Cette demeure sympathique est située dans une petite ferme, qui compte des dizaines d'arbres fruitiers différents, ainsi qu'un petit étang à poissons. Le petit-déjeuner, le déjeuner et le dîner coûtent 50 B, 80 B et 100 B, respectivement. Les lits se résument à des matelas au sol dans une salle commune. La **Tourism Authority of Thailand** (☎ 0 3731 2284) de Nakhon Nayok peut vous aider à réserver, car le personnel parle peu anglais.

**Palm Garden Lodge** (☎ 08 9989 4470 ; www.palmgalo.com ; Moo 10, Ban Kon Khuang, Prachinburi ; ch 400-650 B, bungalow 1 200 B ; ✇). Dans un jardin verdoyant, le Palm Garden Lodge est une affaire familiale sympathique. Chambres climatisées et cuisine exceptionnelle. Une vraie boîte à idées pour visiter les environs. Motos à louer (250 B/j). Transport possible vers le superbe marché de nuit de Prachinburi et l'hôpital de Chao Phraya Abhaibhubejhr (environ 300 B). N'oubliez pas de saluer l'iguane de la maison.

## Comment s'y rendre et circuler

Des bus fréquents rallient Nakhon Nayok (75-95 B) depuis le terminal Nord des bus de Bangkok (Mo Chit). Les bus prenant la Route 33 vers Aranya Prathet depuis Mo Chit s'arrêtent à Ban Kon Khuang sur demande. Le **Palm Garden Lodge** (www.palmgalo.com) peut organiser un transport privé et louer des motos (250 B/j).

Les routes de la région sont excellentes, ce qui la rend idéale à explorer en voiture.

# PARCS NATIONAUX DE THAP LAN ET DE PANG SIDA

Couvrant 2 235 km², le **parc national de Thap Lan** (☎ 0 3721 9408 ; reserve@dnp.go.th ; 400 B ; 🕒 8h-17h) est le second du pays par sa taille. Réputé pour ses forêts de *đôn lahn* (palmiers talipots impressionnants et gracieux), le parc est également peuplé d'éléphants, de tigres, de gaurs, de cerfs sambar, de muntjacs, de civettes des palmiers, de macareux rhinocéros et de gibbons. On espère aussi que le kouprey, espèce très rare de bœuf sauvage, vit toujours ici, bien que sa dernière apparition officielle date de plus de 30 ans. L'exploitation illégale du bois a endommagé le parc, mais des programmes de plantation d'arbres tendent à rétablir l'équilibre.

Les aménagements du parc sont sommaires ; si vous souhaitez l'explorer, faites appel aux gardes forestiers. Leur **quartier général** (☎ 0 3721 9408) se trouve dans le village de Thap Lan. Ils organiseront votre périple et vous délivreront un permis de camping (50 B/pers). Il y a aussi 3 bungalows pour 6 pers à disposition (1 500 B) – réservez à l'adresse Internet du parc national de Thap Lan.

Il n'existe aucun moyen de transport public pour accéder au parc ; l'entrée donne sur la Route 304 (qui mène à Nakhon Ratchasima), à 32 km au nord de Kabinburi.

Le **parc national de Pang Sida** (☎ 0 3724 6100 ; reserve@dnp.co.th ; 200 B ; 🕒 8h-17h), à 30 km au sud-est de Thap Lan, non loin de Sa Kaew, est moins étendu mais beaucoup plus escarpé. On y trouve de spectaculaires chutes d'eau, dont Nam Tok Pang Sida et Nam Tok Na Pha Yai, près du quartier général du parc, et, d'accès plus périlleux, Suan Man Suan Thong et Nam Tok Daeng Makha. Depuis la gare routière de Sa Kaew, vous pouvez emprunter un minibus jusqu'au parc (50 B).

# ARANYA PRATHET

อรัญประเทศ

**15 800 habitants**

La ville-frontière d'Aranya Prathet (alias Aran) a longtemps attiré les réfugiés cambodgiens fuyant les épisodes les plus tragiques du XXᵉ siècle. Après la prise du pouvoir par les Khmers rouges en 1975, puis l'invasion vietnamienne en 1979, les Cambodgiens sont arrivés en masse dans la région. Des accrochages entre la guérilla des Khmers rouges et le gouvernement de Phnom Penh eurent lieu de façon sporadique jusqu'en 1998, mais la zone est désormais sûre et constitue le point de passage le plus fréquenté entre la Thaïlande et Angkor Wat, au Cambodge.

La répression des jeux d'argent à Phnom Penh a entraîné l'apparition d'une foule de casinos à Poipet. La plupart s'adressent à la population de Bangkok, et le contraste entre les touristes thaïlandais nantis et une population locale d'une extrême pauvreté est saisissant.

Certaines parties de la région étant encore criblées de mines, ne vous éloignez pas des routes et chemins balisés.

## À voir

Le grand marché frontalier de **Talat Rong Kleua**, à la bordure nord de la ville, attire une foule de Cambodgiens sans le sou venus y faire commerce avec leurs voisins plus aisés de Thaïlande. La tradition voulait que l'on y vende des bijoux, des objets artisanaux et des textiles, mais l'on y trouve aujourd'hui surtout du matériel de seconde main des pays développés – paires de Converse, de Prada ou de Gucci usagées, ou tenues de taekwondo ayant jadis servi à l'équipe nationale de Corée du Sud. Le mieux est de louer un vélo (20 B) pour explorer ce labyrinthe de plus de 3 000 échoppes. Même sans être intéressé par les produits vendus, il est fascinant d'observer le flux continu des Cambodgiens qui traversent la frontière avec d'énormes charrettes à bras où s'empilent des marchandises.

## Où se loger et se restaurer

Des chambres simples à louer (200-300 B) sont disponibles près du croisement du marché, juste avant la frontière. Cherchez la pancarte Pepsi en thaï.

**Market Hotel** (☎ 0 3723 2302 ; 105/30-32 Th Rat Uthit ; ch 250-400 B ; ❄ 🅿). Le service laisse à désirer, mais les baroudeurs sont les bienvenus.

**Ban Ratanatam** (ch 350 B). Chambres simples et climatisées sur la route de Talat Rong Kluea. Le personnel ne parle pas anglais. Cherchez le café de jeux sur Internet et les étals de nourriture.

**Aran Mermed Hotel** (☎ 0 3722 3655 ; fax 0 3722 3666 ; 33 Th Tanawithi ; ch/ste 1 200/2 500 B ; ❄). Les chambres spacieuses et confortables de ce gratte-ciel lumineux feraient oublier que l'on est dans une ville frontalière thaïlandaise. Derrière la gare routière.

Face à la Kasikorn Bank à Talat Rong Kluea, un panneau indique clairement ce qui est proposé : Coffee Steak Internet (café, steak, Internet), sur une terrasse en bois ombragée par des parasols rouges.

De nombreux stands de nourriture à petits prix sont installés autour du marché.

## Depuis/vers Aranya Prathet

Du terminal Nord (Mo Chit) de Bangkok, des bus ordinaires partent toutes les heures, entre 5h30 et 16h30, à destination d'Aranya Prathet (125 B, 5 heures) ; les bus climatisés (215 B ; 4 heures 15) circulent à raison d'un par heure également, de 5h30 à 10h30 et de 12h à 17h. Pour rejoindre le nord-est de la Thaïlande, des bus réguliers partent d'Aranya Prathet vers Khorat (200 B, 5 heures). Il y a également un bus direct de l'aéroport Suvarnabhumi de Bangkok vers la frontière cambodgienne (190 B, 4 heures).

Deux trains par jour (5h55 et 13h05) desservent Aranya Prathet (3e classe uniquement, 48 B, 6 heures) depuis la gare de Hualamphong, à Bangkok.

De la gare routière, un bus local (15 B) rallie Talat Rong Kleua, d'où il faut marcher jusqu'à la frontière. La gare ferroviaire est située près de la gare routière et la course en *túk-túk* depuis la frontière ou le marché coûte 60-80 B. Les motos-taxis coûtent environ deux fois moins cher que les *túk-túk* et vous conduiront aussi au marché.

## Passage de la frontière (Cambodge)

La frontière cambodgienne est ouverte tous les jours de 7h à 20h. Passez d'abord par le bureau de l'immigration thaïlandais, puis traversez la frontière à pied jusqu'au bureau de l'immigration cambodgien. Prévoyez une photo et 1 000 B (ou 25 $US). Vous pouvez également obtenir par avance un visa cambodgien à l'ambassade du Cambodge de Bangkok. Une navette touristique, à l'extérieur du bureau de l'immigration cambodgien, conduit les passagers gratuitement jusqu'à la station de taxis de Poipet, d'où il est possible d'aller plus loin. Lors de la rédaction de ce guide, la route venant de Poipet était enfin en passe d'être en assez bon état. Le temps de trajet a été divisé par deux, et il ne faut désormais que 2 heures pour rallier Siem Reap. Pour plus d'informations, consultez le guide Lonely Planet *Cambodge*.

Attention, cette frontière est très fréquentée le week-end, car de nombreux Thaïlandais la traversent pour se rendre aux casinos de Poipet. Les douaniers recommandent de se présenter assez tôt pour éviter de trop attendre.

# Province de Chiang Mai

Avec ses montagnes nimbées de brume, la province de Chiang Mai séduit depuis longtemps les visiteurs attirés par le flanc sud de la chaîne himalayenne. S'ils viennent dans le nord du pays, c'est d'abord pour voir les éléphants et découvrir la jungle luxuriante, mais ils sont agréablement surpris par la ville de Chiang Mai, lieu de passage et capitale culturelle décontractée. Les minorités qui vivent dans les vallées d'altitude et luttent pour conserver leur identité marquent également les esprits.

La province se trouve à la croisée des grandes routes d'Asie, sur la partie sud de la route de la Soie. Elle évoque ainsi le mariage du commerce et de la culture propre aux contrées situées au nord et à l'ouest, en Chine, au Laos et au Myanmar. Les anciens caravaniers faisaient le commerce de l'opium, des soies et des bois de construction. Aujourd'hui, seul le commerce de la soie est autorisé et les transports de marchandises à cheval ne sont plus qu'un souvenir. La province s'est adaptée aux exigences de l'économie moderne. Chiang Mai compte parmi les grands centres urbains de Thaïlande tout en conservant le charme d'une petite ville. Elle est le cœur du tourisme, des transports, de l'éducation et du commerce transfrontalier dans le nord du pays.

En dehors de la capitale, le Chiang Mai recèle plus de forêts que toutes les autres provinces du Nord. Il possède en outre deux des plus hauts sommets de Thaïlande : Doi Inthanon (2 595 m) et Doi Chiang Dao (2 195 m). Les randonnées pédestres, à vélo et à dos d'éléphant, l'observation des oiseaux et le rafting attirent ceux qui s'intéressent à l'environnement naturel de la province de Chiang Mai.



## À NE PAS MANQUER

- Visiter les temples sacrés **Wat Phra Singh** (p. 290), **Wat Chedi Luang** (p. 290) et **Wat Chiang Man** (p. 291)
- Se divertir dans **Saturday Walking Street** (p. 299) et **Sunday Walking Street** (p. 295) à Chiang Mai
- Apprendre à préparer un festin thaïlandais en un tour de main en prenant un **cours de cuisine** (p. 309)
- Faire le célèbre pèlerinage au **Wat Phra That Doi Suthep** (p. 304)
- Fuir à la campagne et passer le week-end à **Chiang Dao** (p. 336)

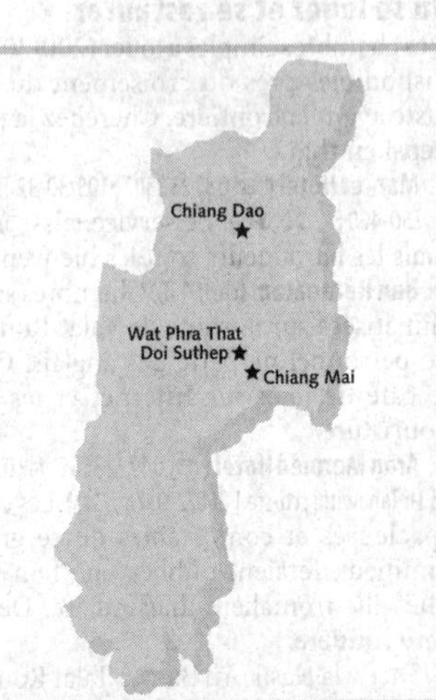


- MEILLEURE PÉRIODE : DE NOVEMBRE À FÉVRIER
- POPULATION : 1,65 MILLION

### Climat

La plupart des visiteurs préfèrent le climat de la province de Chiang Mai pendant la saison fraîche (novembre-février), lorsque les températures sont douces et les précipitations peu abondantes. Les paysages sont encore verts après les pluies des mois précédents et, le soir, une veste peut même être nécessaire, surtout en altitude.

Pendant la saison chaude (mars-juin), Chiang Mai est souvent écrasée par la canicule et plongée dans une brume épaisse formée de poussières et de fumées dues aux brûlis des rizières. Les températures peuvent être très élevées. Les forêts sont alors affectées par la sécheresse et le vert tourne au brun. Vous bénéficierez de quelque répit sur les hauteurs de Chiang Dao et de Doi Inthanon.

La saison des pluies (de juin à octobre) est en général moins marquée à Chiang Mai que dans le centre ou le sud du pays. Lorsque les précipitations sont particulièrement abondantes, il arrive que les régions autour de Chiang Mai soient inondées, mais cela ne devrait pas contrarier votre programme.

### Depuis/vers la province de Chiang Mai

De nombreux vols intérieurs et internationaux desservent l'aéroport de Chiang Mai. La ville elle-même est le principal nœud routier du nord du pays. C'est également le terminus de la ligne ferroviaire du nord.

### Comment circuler

Des bus et des *sŏrng·tăa·ou* au départ du terminal des bus de Chang Pheuak desservent régulièrement les villes et villages de la province de Chiang Mai. On trouve aussi des moyens de transport privés pour circuler librement dans la province.

# CHIANG MAI

เชียงใหม่

**174 000 habitants**

Blottie sur les contreforts de la Thaïlande du Nord, Chiang Mai présente à certains égards des allures de sanctuaire où atmosphères urbaine et provinciale se marient agréablement. C'est une ville où se mêlent artisans, professeurs d'université et étudiants. Ce mélange crée une ambiance décontractée et originale. La vie y est plus facile que dans la jungle urbaine de Bangkok. Les Thaïlandais des autres provinces aiment à idéaliser Chiang Mai. À leurs yeux, c'est le cadre rêvé pour échapper à la routine et réaliser des rêves longtemps différés.

La ville est très appréciée pour ses vestiges du royaume lanna, la multitude de temples de son quartier fortifié et les montagnes alentour, empreintes de mystère. Le caractère sacré de Chiang Mai est attesté par ses 300 temples (dont 121 à l'intérieur de la ville). Elle rivalise ainsi avec Bangkok, capitale religieuse du pays et siège de la monarchie.

Mais Chiang Mai n'est pas une ville-musée, préservée au point d'en perdre son authenticité. C'est une ville dynamique et moderne qui a conservé son charme et sa simplicité. Il est vrai que la circulation, la pollution et les horribles bâtiments en béton cadrent mal avec les récits des anciens qui se souviennent du village traditionnel où ne circulaient que des vélos. Mais les commodités offertes par les boutiques à l'occidentale, le wi-fi et une industrie du tourisme de niveau international exigent quelques sacrifices. Les étudiants de l'université contribuent eux aussi à l'atmosphère jeune et branchée. Les expatriés, peu nombreux, s'intègrent mieux que leurs homologues de Bangkok et apprennent plus souvent à parler le thaï. Le visiteur désireux de se familiariser avec la vie quotidienne thaïlandaise pourra s'y essayer, sans se heurter à des barrières culturelles. Les habitants de Chiang Mai ont par ailleurs beaucoup d'humour, ce qui simplifie les échanges.

Après tous ces éloges, un peu de concret : que faire à Chiang Mai ? Réjouissez-vous d'abord de ne pas être en train de suffoquer à Bangkok et passionnez-vous de culture durant quelques jours : vous pouvez suivre un cours de cuisine, visiter les temples, acheter des produits artisanaux ou explorer les sites naturels aux alentours. Avant même que ne vous vienne l'idée de continuer votre voyage ailleurs, une semaine sera passée.

## HISTOIRE

Même si l'histoire de cette région fait aujourd'hui partie de celle de la Thaïlande, Chiang Mai et les autres provinces du Nord ont, d'un point de vue historique, plus de points communs avec l'État chan du Myanmar actuel, les régions limitrophes du Laos et même les montagnes du sud de la Chine qu'avec Bangkok et les plaines du centre de la Thaïlande. Pour de plus amples informations sur l'histoire et la langue de la région, voir p. 349.

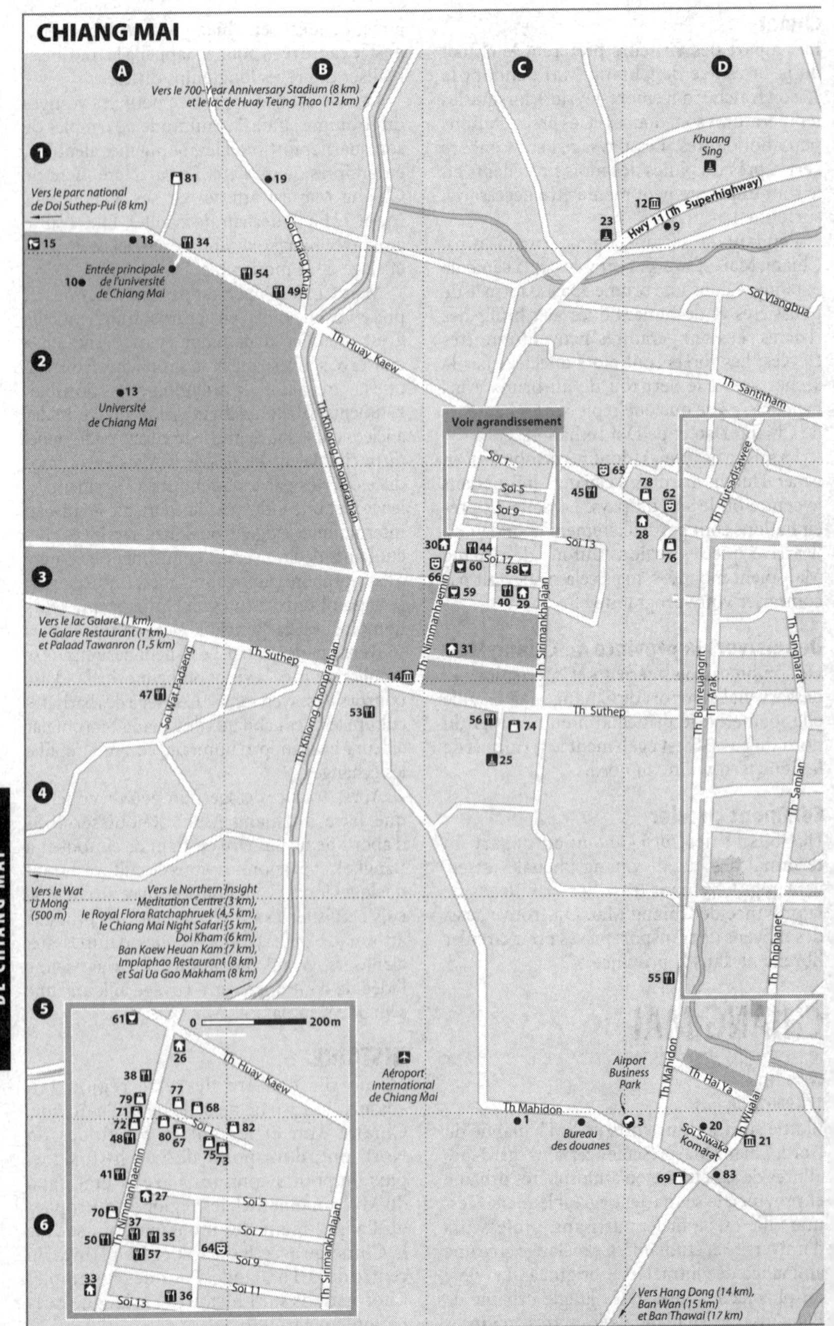

CHIANG MAI
Vers le 700-Year Anniversary Stadium (8 km) et le lac de Huay Teung Thao (12 km)
Vers le parc national de Doi Suthep-Pui (8 km)
Entrée principale de l'université de Chiang Mai
Université de Chiang Mai
Khuang Sing
Hwy 11 (Th Superhighway)
Soi Chang Khian
Th Huay Kaew
Soi Viangbua
Th Santitham
Voir agrandissement
Th Khlong Chonprathan
Soi 1
Soi 5
Soi 9
Soi 13
Soi 17
Th Hutsadisawee
Th Nimmanhaemin
Th Sirimankhalajan
Vers le lac Galare (1 km), le Galare Restaurant (1 km) et Palaad Tawanron (1,5 km)
Th Suthep
Soi Wat Padaeng
Th Bunreuangrit
Th Arak
Th Singharat
Th Samlan
Th Thiphanet
Vers le Wat U Mong (500 m)
Vers le Northern Insight Meditation Centre (3 km), le Royal Flora Ratchaphruek (4,5 km), le Chiang Mai Night Safari (5 km), Doi Kham (6 km), Ban Kaew Heuan Kam (7 km), Implaphao Restaurant (8 km) et Sai Ua Gao Makham (8 km)
0 200 m
Aéroport international de Chiang Mai
Airport Business Park
Th Mahidon
Th Hai Ya
Th Wualai
Soi Siwaka Komarat
Bureau des douanes
Soi 7
Soi 11
Vers Hang Dong (14 km), Ban Wan (15 km) et Ban Thawai (17 km)

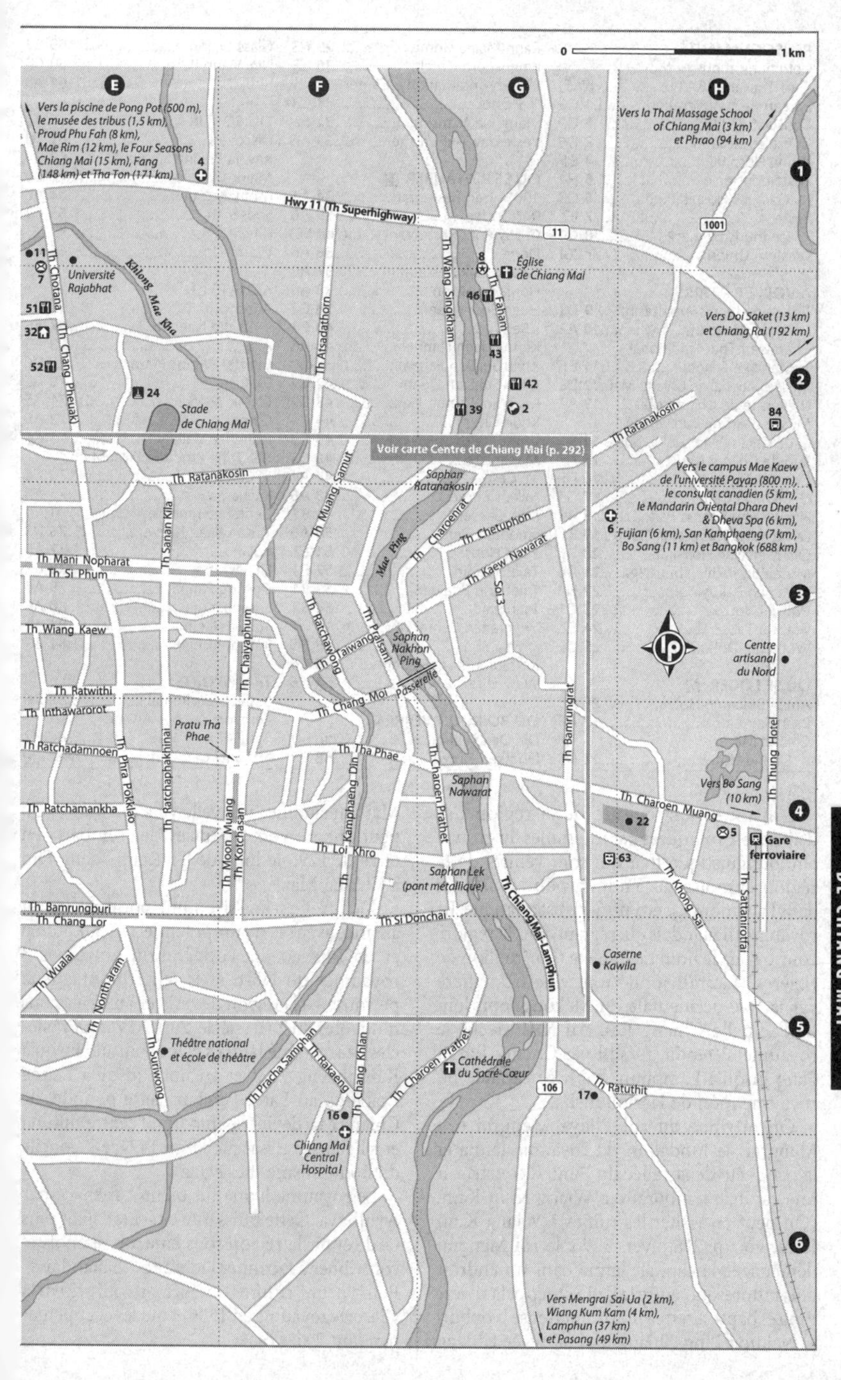

Vers la piscine de Pong Pot (500 m), le musée des tribus (1,5 km), Proud Phu Fah (8 km), Mae Rim (12 km), le Four Seasons Chiang Mai (15 km), Fang (148 km) et Tha Ton (171 km)
Vers la Thai Massage School of Chiang Mai (3 km) et Phrao (94 km)
Hwy 11 (Th Superhighway)
Université Rajabhat
Khlong Mae Kha
Th Chotana
Th Chang Pheuak
Th Atsadathorn
Th Wang Singkham
Th Faham
Église de Chiang Mai
Vers Doi Saket (13 km) et Chiang Rai (192 km)
Stade de Chiang Mai
Voir carte Centre de Chiang Mai (p. 292)
Th Ratanakosin
Saphan Ratanakosin
Vers le campus Mae Kaew de l'université Payap (800 m), le consulat canadien (5 km), le Mandarin Oriental Dhara Dhevi & Dheva Spa (6 km), Fujian (6 km), San Kamphaeng (7 km), Bo Sang (11 km) et Bangkok (688 km)
Th Sanan Kila
Th Muang Samut
Mae Ping
Th Charoenrat
Th Chetuphon
Th Kaew Nawarat
Soi 3
Th Mani Nopharat
Th Si Phum
Th Wiang Kaew
Th Chaiyaphum
Th Ratchawong
Th Praisani
Th Taiwang
Saphan Nakhon Ping
Passerelle
Centre artisanal du Nord
Th Ratwithi
Th Inthawarorot
Th Chang Moi
Pratu Tha Phae
Th Ratchadamnoen
Th Phra Pokklao
Th Ratchaphakhinai
Th Tha Phae
Th Charoen Prathet
Saphan Nawarat
Th Bamrungrat
Vers Bo Sang (10 km)
Th Thung Hotel
Th Ratchamankha
Th Charoen Muang
Th Moon Muang
Th Kotchasan
Th Kamphaeng Din
Th Loi Khro
Gare ferroviaire
Saphan Lek (pont métallique)
Th Chiang Mai-Lamphun
Th Khong Sai
Th Sattanirottai
Th Bamrungburi
Th Chang Lor
Th Si Donchai
Th Wualai
Th Nontharam
Caserne Kawila
Théâtre national et école de théâtre
Th Suriwong
Th Pracha Samphan
Th Rakaeng
Th Chang Khlan
Th Charoen Prathet
Cathédrale du Sacré-Cœur
Th Ratuthit
Chiang Mai Central Hospital
Vers Mengrai Sai Ua (2 km), Wiang Kum Kam (4 km), Lamphun (37 km) et Pasang (49 km)
PROVINCE DE CHIANG MAI

**RENSEIGNEMENTS**
Communications Authority of Thailand (CAT)..............(voir 5)
Bureau de l'immigration ...........**1** C6
Consulat de l'Inde....................**2** G2
Consulat du Japon....................**3** D6
Lanna Hospital..........................**4** E1
Poste principale........................**5** H4
McCormick Hospital..................**6** G3
Poste.......................................**7** E2
Police touristique......................**8** G1
Western Union....................(voir 76)

**À VOIR ET À FAIRE**
Courts de tennis Anantasiri.......**9** D1
Lac Ang Kaew........................**10** A2
Chetawan Thai Traditional Massage School..................**11** E1
Musée national de Chiang Mai...**12** D1
Université de Chiang Mai ........**13** A2
Musée d'Art de l'université de Chiang Mai....................**14** B3
Zoo de Chiang Mai.................**15** A1
Contact Travel.........................**16** F5
Gymkhana Club......................**17** G5
Huay Kaew Fitness Park...........**18** A1
Lanna Muay Thai Boxing Camp....**19** B1
Old Medicine Hospital............**20** D6
Musée du textile Sbun-Nga.....**21** D6
Talat San Pakoy.....................**22** H4
Wat Jet Yot.............................**23** C1
Wat Ku Tao.............................**24** E2
Wat Suan Dok........................**25** C4

**OÙ SE LOGER**
Amari Rincome Hotel..............**26** A5
Baan Say-La...........................**27** A6
Chiang Mai Orchid Hotel.......................**28** D3
Pann Malee Home.................**29** C3
Pingnakorn Hotel...................**30** C3
Uniserv-International Center Hostel...............................**31** C3
Viangbua Mansion.................**32** E2
Yesterday The Village.............**33** A6

**OÙ SE RESTAURER**
100% Isan Restaurant............**34** A1
94° Coffee..............................**35** A6
Crispy Pork Restaurant........(voir 56)
Dong......................................**36** A6
Grilled Pork Restaurant...........**37** A6
Hong Tauw Inn......................**38** A5
Huan Soontaree.....................**39** G2
I-Berry....................................**40** C3
Kanom Jeen Nimman.............**41** A6
Khao Soi Ban Faham...........(voir 42)
Khao Soi Lam Duan...............**42** G2
Khao Soi Samoe Jai................**43** G2
Khun Churn...........................**44** C3
Lanna Cafe............................**45** C3
Mahanaga..............................**46** G2
Mi Casa.................................**47** A4
Mike's Burgers.......................**48** A6
Milk Garden..........................**49** B2
Smoothie Blues......................**50** A6
Spirit House..........................**51** E2
Talat Thanin..........................**52** E2
Talat Ton Phayom..................**53** B4
Tsunami.................................**54** B2
Vegetarian Centre of Chiang Mai.......................................**55** D5
Restaurants végétariens..........**56** C4
Wawee Coffee........................**57** A6

**OÙ BOIRE UN VERRE**
Din Dee Teahouse..............(voir 14)
Drunken Flower......................**58** C3
Glass Onion...........................**59** C3
NimMahn Bar.........................**60** C3
Pub.........................................**61** A5

**OÙ SORTIR**
Discovery...............................**62** D3
Kawila Boxing Stadium...........**63** G4
Major Cineplex..................(voir 69)
Monkey Club..........................**64** A6
Sudsanan...............................**65** C3
Cinéma Vista ....................(voir 76)
Warm-Up...............................**66** C3

**ACHATS**
Adorn with Studio Naenna...................**67** A6
Aka.........................................**68** A5
Central Airport Plaza..............**69** D6
Chabaa...................................**70** A6
Classic Model.........................**71** A5
Ginger....................................**72** A6
Gongdee Gallery.....................**73** A6
Hill-Tribe Products Promotion Centre.................................**74** C4
Kachama.................................**75** A6
Centre commercial Kad Suan Kaew...................**76** D3
Koland...................................**77** A5
Shinawatra.............................**78** D3
Sipsong Panna........................**79** A5
Srisanpanmai..........................**80** A6
Studio Naenna........................**81** A1
Suriyam Chandra....................**82** B6

**TRANSPORTS**
Budget Car Rental...................**83** D6
Terminal des bus Arcade de Chiang Mai....................**84** H2
National Car Rental.............(voir 26)



L'histoire et la culture de la région ont d'abord été marquées par les ethnies du groupe ethnolinguistique thaï qui sont venues de la région chinoise du Yunnan pour s'installer dans l'arc montagneux du Sud-Est asiatique. Le royaume thaïlandais qui régnait dans la région, connu sous le nom de Lan Na (ou "million de rizières"), aurait fondé une ville frontalière sur la rive occidentale du Mékong, non loin de l'actuelle Chiang Rai. Au XIIIe siècle, le royaume s'étendit au sud via Chiang Rai et Fang jusqu'à Lamphun, baptisée capitale du royaume môn de Hariphunchai.

On attribue au roi Phaya Mengrai (ou Mangrai) la fondation du royaume lanna et la conquête de la vallée du Ping. Il construisit une capitale temporaire à Wiang Kum Kam. (On peut en visiter les ruines à Wiang Kum Kam, voir p. 298.) Vers 1296, le roi Mengrai déménagea la capitale lanna dans un endroit plus pittoresque, entre le Doi Suthep et la rivière Ping et baptisa cette ville prometteuse Nopburi Si Nakhon Ping Chiang Mai (abrégée Chiang Mai qui signifie "nouvelle ville fortifiée"). On peut encore voir les traces des remparts en terre de 1296 le long de Th Kamphaeng Din à Chiang Mai.

Mengrai est aussi connu pour avoir fait alliance avec ses rivaux potentiels de Sukhothai et de Phayao. La coopération entre ces 3 royaumes du Nord et le relief montagneux permirent à la région de résister aux invasions mongoles du XIIIe siècle. Aux XIVe et XVe siècles, le royaume lanna s'étendit au sud jusqu'à Kamphaeng Phet et au nord jusqu'à Luang Prabang, au Laos. Pendant cette période, de Chiang Mai devint un important centre culturel et religieux et elle accueillit en 1477 le 8e concile du bouddhisme theravada.

Le royaume lanna fut bientôt menacé par Ayuthaya. Cette puissante cité-État allait plus tard réunir la région sous contrôle siamois et contribuer à façonner l'identité "thaïlandaise". Pour l'heure, ce furent les Birmans qui prirent la ville et le royaume en 1556 et qui les occupèrent pendant 2 siècles.

En 1767, la prise d'Ayuthaya par les Birmans marqua un nouveau tournant dans l'histoire de Chiang Mai. Phraya Taksin réforma l'armée vaincue des Thaïs au sud d'Ayuthaya, l'emplacement actuel de Bangkok, et entreprit une campagne militaire pour repousser les forces birmanes. Chao Kavila, un chef de clan ou *jôw meu·ang, originaire de la principauté voisine de Lampang, contribua à libérer la Thaïlande du Nord du joug birman. Le royaume lanna fut finalement intégré au royaume thaïlandais établi à Bangkok, alors en plein essor.*

Sous le règne de Kavila, Chiang Mai devint un important centre de commerce régional. En 1800, Kavila fit ériger une monumentale enceinte intérieure en brique, étendit la ville vers le sud et l'est, et créa un port sur la rivière à l'extrémité de l'actuelle Th Tha Phae (*tha phae* signifie "embarcadère des radeaux"). Plusieurs temples de style chan ou birman furent édifiés plus tard par de riches négociants de teck venus de Birmanie. Des ouvriers du Chan et d'autres régions furent contraints par la "corvée" (obligation de servir l'État) de venir à Chiang Mai pour reconstruire la ville ravagée par la guerre.

Le royaume lanna finit par perdre son indépendance. En 1892, le gouvernement basé à Bangkok fit de Chiang Mai une entité administrative, tandis que les lois coloniales s'imposaient en Birmanie et au Laos. En 1921, l'achèvement de la voie ferrée du nord permit enfin de relier le Nord au centre du pays. En 1927, le roi Rama VII et la reine Rambaibani pénétrèrent dans la ville à la tête d'une caravane de 84 éléphants. Ce furent les premiers souverains thaïlandais du Centre à visiter le Nord. Chiang Mai devint officiellement une province du Siam en 1933.

Au XX^e siècle, Chiang Mai était un centre artisanal important dans le domaine de la poterie, de l'orfèvrerie et de la sculpture sur bois. Au milieu des années 1960, le tourisme est devenu la première ressource économique de la ville, devant le commerce. Ces dernières décennies, le gouvernement a soutenu la modernisation de Chiang Mai : il a financé des projets éducatifs et d'infrastructure tout en s'employant à éradiquer la production d'opium des hautes terres de la province. En 2001, Thaksin Shinawatra, homme politique originaire de Chiang Mai, devint Premier ministre. Il s'engagea alors à faire de sa région l'un des grands pôles nationaux des technologies de l'information en commençant par agrandir l'aéroport et par construire des voies express. Thaksin envisageait alors de doubler la taille et la richesse de la ville et d'encourager la construction d'hôtels 5 étoiles pour accueillir de grandes réunions internationales et stimuler un tourisme haut de gamme.

La destitution de Thaksin à la suite du coup d'État militaire de 2006 et l'impasse politique actuelle ont fait retomber l'enthousiasme suscité au départ par les grands travaux de Chiang Mai. La crise économique mondiale de 2008 s'est ajoutée aux incertitudes. La ville a pourtant toujours l'intention de construire un centre international capable d'accueillir expositions et salons. Sa construction devait s'achever fin 2009 et les hôteliers sont confiants sur les capacités de la ville à devenir une destination privilégiée pour les conférences.

## ORIENTATION

Chiang Mai est une ville où il est facile de se repérer. De nombreux habitants se déplacent à moto pour parcourir les courtes distances qui séparent leurs lieux de résidence, de travail et de loisirs.

La plupart des visiteurs s'installent dans la vieille ville. Les hébergements bon marché se trouvent dans les ruelles adjacentes à Th Moon Muang, le long de l'enceinte orientale de la vieille ville. On peut facilement s'y déplacer à pied ou à vélo.

De nouveaux quartiers se construisent le long des grands axes qui divisent la ville en quatre, suivant les points cardinaux. Parfois, les directions indiquées se réfèrent aux différentes portes par lesquelles on accède à la vieille ville fortifiée.

Pratu Tha Phae, porte orientale de la vieille ville, mène à Th Tha Phae, un autre quartier touristique. En poursuivant sur Th Tha Phae, on arrive à la Mae Nam Ping (la rivière Ping) et au fameux Talat Warorot, tout près du bazar de nuit de Chiang Mai. La rive orientale du fleuve (Riverside dans ce chapitre) ne manque pas de restaurants et la vie nocturne y est très animée. Plus loin vers l'est, on parvient à la gare et au terminal des bus longue distance.

À l'ouest, on quitte la vieille ville et ses douves par Pratu Suan Dok. De là, on tombe sur Th Suthep et Th Huay Kaew, 2 rues très fréquentées qui relient la vieille ville aux quartiers verdoyants de l'université de Doi Suthep, plus à l'ouest. Le cœur de la vie universitaire de Chiang Mai se trouve dans Th Nimmanhaemin.

Au nord, la porte Pratu Chang Pheuak et Th Chang Pheuak mènent au terminal des bus Chang Pheuak (autocars à destination de la

**LES CARAVANES DU NORD DE LA THAÏLANDE**

À partir du XVe siècle au moins, des caravanes de commerçants chinois musulmans venues de la province du Yunnan (Chine) utilisaient Chiang Mai comme porte d'entrée et de sortie des denrées qu'ils transportaient entre la Chine et les ports de l'océan Indien.

Les caravaniers du Yunnan utilisaient comme principal moyen de transport les poneys et les mules, une tradition d'élevage adoptée pendant les invasions mongoles du Yunnan au XIIIe siècle. À califourchon sur leurs surprenantes bêtes de somme, ces étrangers furent surnommés *jin hor* ("Chinois galopants") par les Thaïlandais.

Les principales exportations en direction du sud comprenaient la soie, l'opium, le thé, les fruits secs, les objets en laque, le musc, les poneys et les mules, tandis que, vers le nord, les caravanes vendaient plutôt de l'or, du cuivre, du coton, des nids d'oiseaux comestibles, des noix de bétel, du tabac et de l'ivoire. Vers la fin du XIXe siècle, de nombreux artisans originaires de Chine, du nord de la Birmanie et du Laos s'établirent dans la région pour produire des objets en vue de participer régulièrement au commerce régional. La ville comptait un point de transbordement dans un secteur du marché connu sous le nom de Ban Haw, à deux pas de l'actuel bazar de nuit (p. 330).

province). La Pratu Chiang Mai est la porte sud. La périphérie de la ville est en partie ceinturée par 3 rocades concentriques qui permettent d'accéder à la Highway 21 (appelée également route *klorng*). La rocade intérieure s'appelle Th Superhighway.

## Cartes

N'hésitez pas à investir dans un exemplaire de la *Map of Chiang Mai* de Nancy Chandler, en vente en librairie. Elle signale les centres d'intérêt, les lieux de shopping et des curiosités que vous serez ravi de découvrir. *Groovy Map Chiang Mai Map'n'Guide*, disponible dans les librairies, comprend des transcriptions en thaï et plus de lieux de sorties nocturnes.

La Tourism Authority of Thailand (TAT) distribue gratuitement un plan de la ville assez sommaire, disponible auprès du bureau TAT situé dans Thanon Chiang Mai-Lamphun. Vous trouverez également plusieurs autres cartes noyées au milieu d'encarts publicitaires dans les boutiques fréquentées par les touristes et dans les restaurants.



# RENSEIGNEMENTS

## Accès Internet

La plupart des pensions de Chiang Mai offrent un accès gratuit à Internet (y compris wi-fi). Vous trouverez aussi quantité de centres Internet dans les rues Tha Phae, Moon Muang et Ratchamankha.

## Argent

Les principales banques thaïlandaises disposent d'agences et de DAB dans tout Chiang Mai. La plupart sont dans Th Tha Phae.

**Western Union** (carte p. 284 ; ☎ 0 5322 4979). Vous pouvez recevoir ou envoyer de l'argent par virement. Guichets sur la place de l'aéroport central, au centre commercial Kad Suan Kaew, sur Th Huay Kaew, ainsi que dans tous les bureaux de poste.

## Centres culturels

**Alliance Française** (carte p. 292 ; ☎ 0 5327 5277 ; 138 Th Charoen Prathet). Projection de films français sous-titrés en anglais le vendredi à 20h.

**American University Alumni** (AUA ; carte p. 292 ; ☎ 0 5327 8407, 0 5327 7951 ; 73 Th Ratchadamnoen). Dispose d'une petite bibliothèque en langue anglaise et propose des cours de thaï fort appréciés (voir p. 292).

**British Council** (carte p. 292 ; ☎ 0 5324 2103 ; 198 Th Bamrungrat). Petite bibliothèque avec des ouvrages en anglais. Service d'aide du consul honoraire.

**Université Payap** ( ☎ 0 5324 1255, ext 7242 ; http://ic.payap.ac.th ; Th Superhighway, Mae Kaew campus). Conférences en anglais le jeudi soir ("*Payap Presents*") sur des sujets variés concernant l'Asie du Sud-Est.

## Librairies

La plupart des librairies de la ville se trouvent sur Th Chang Moi Kao et sont ouvertes de 9h à 21h.

**Backstreet Books** (carte p. 292 ; ☎ 0 5387 4143 ; 2/8 Th Chang Moi Kao). Une librairie pleine de recoins près de Gecko Books.

**Book Zone** (carte p. 292 ; ☎ 0 5325 2418 ; Th Tha Phae). En face du Wat Mahawan. Guides de voyage récents, littérature de voyage et fiction contemporaine.

**Gecko Books** (carte p. 292 ; ☎ 0 5387 4066 ; Th Chang Moi Kao). Cette chaîne possède plusieurs boutiques que vous trouverez sur Th Ratchamankha et Th Loi Kroh. Livres neufs et d'occasion protégés par des emballages en plastique peu pratiques.

**Lost Book Shop** (carte p. 292 ; ☎ 0 5320 6656 ; 34/3 Th Ratchamankha). Livres d'occasion sans emballage facilement consultables. Même propriétaire que Backstreet Books.
**On the Road Books** (carte p. 292 ; ☎ 0 5341 8169 ; 38/1 Th Ratwithi). Librairie d'occasion, ancienne. Petite sélection de bons ouvrages.
**Suriwong Book Centre** (carte p. 292 ; ☎ 0 5328 1052 ; 54 Th Si Donchai). La meilleure librairie de Chiang Mai. Elle vend surtout des livres en thaï, mais dispose également d'un petit rayon en langue anglaise avec de bons ouvrages sur la Thaïlande et l'Asie du Sud-Est.

## Office du tourisme

**Tourism Authority of Thailand** (TAT ; carte p. 292 ; ☎ 0 5324 8604 ; tatchmai@tat.or.th ; Th Chiang Mai-Lamphun ; 8h30-16h30). Le personnel anglophone fournit des cartes et recommande des accompagnateurs. Il ne fait pas de réservations d'hôtels.

## Poste

**Poste principale** (carte p. 284 ; ☎ 0 5324 1070 ; Th Charoen Muang ; 8h30-16h30 lun-ven, 9h-12h sam-dim). Autres bureaux de poste : dans Thanon Singarat/Samlan, Thanon Mahidon, Thanon Phra Pokklao, Thanon Chotana, Thanon Charoen Prathet, ainsi qu'à l'université et à l'aéroport international de Chiang Mai.

## Ressources Internet et médias

**1 Stop Chiang Mai** (www.1stopchiangmai.com). Site Internet qui recense les choses à voir en ville, notamment les excursions à la journée et les activités de plein air.
**Chiang Mai 101.** Publication trimestrielle qui présente Chiang Mai et ses environs à la manière d'un guide.
**Chiangmai Mail** (www.chiangmai-mail.com). Hebdomadaire en langue anglaise sur l'actualité politique locale et régionale.
**City Now** (http://www.city-now.com). Bimensuel publié par le magazine *City Life* qui recense les manifestations et les activités de la ville.
**Citylife** (www.chiangmainews.com). Présente les restaurants, la culture de la région, l'actualité politique et certaines personnalités.
**Guidelines** (www.guidelineschiangmai.com). Magazine mensuel de reportages qui présente de bonnes pages historiques sur le Nord.
**Irrawaddy News Magazine** (www.irrawaddy.org). Revue de renom qui couvre l'actualité du Myanmar, de la Thaïlande et d'autres parties de l'Asie du Sud-Est.

## Services médicaux

**Chiang Mai Ram Hospital** (carte p. 292 ; ☎ 0 5322 4861 ; www.chiangmairam.com ; 8 Th Bunreuangrit). L'hôpital le plus moderne de la ville, recommandé par la plupart des expatriés.
**Lanna Hospital** (carte p. 284 ; ☎ 0 5335 7234 ; www.lanna-hospital.com ; Th Superhighway). Un des meilleurs hôpitaux de Chiang Mai tout en s'avérant moins onéreux que le Chiang Mai Ram.
**Malaria Centre** (carte p. 292 ; ☎ 0 5322 1529 ; 18 Th Bunreuangrit). Dépistage sanguin gratuit du paludisme.
**McCormick Hospital** (carte p. 284 ; ☎ 0 5326 2200 ; 133 Th Kaew Nawarat). Ancien hôpital de missionnaires. Pour les problèmes mineurs.
**Mungkala Traditional Medicine Clinic** (carte p. 292 ; ☎ 0 5327 8494 ; 21-27 Th Ratchamankha ; 9h-12h30, 14h30-19h). Clinique disposant d'une licence d'État pratiquant l'acupuncture, les massages et la phytothérapie chinoise.

## Téléphone

De nombreux cybercafés sont équipés de casques permettant d'utiliser Skype. Vous trouverez également des *call-shops* dans les quartiers touristiques de Chiang Mai et de nombreuses cabines avec des téléphones à carte dans les bars et magasins.
**Communications Authority of Thailand** (CAT ; carte p. 284 ; ☎ 0 5324 1070 ; Th Charoen Muang ; 24h/24). Bureau des télécommunications ; derrière la poste principale.

## Urgences

**Police touristique** (carte p. 284 ; ☎ 0 5324 7318, urgences 24h/24 1155 ; Th Faham ; 6h-minuit). Personnel bénévole de différentes nationalités (qui parle plusieurs langues). Certains bénévoles sont postés sur Sunday Walking Street.

# DANGERS ET DÉSAGRÉMENTS

Les touristes sont moins sollicités à Chiang Mai qu'à Bangkok. Les assauts des conducteurs de *sŏrng·tăa·ou* et *túk-túk* restent limités. Reportez-vous à la rubrique *Depuis/vers la province de Chiang Mai* (p. 332) pour vous faire une idée des prix des voyages en bus et en train habituellement pratiqués.

Méfiez-vous des bus et des minibus au départ de Thanon Khao San, à Bangkok, qui vous promettent une nuit d'hébergement gratuit à Chiang Mai si vous achetez un billet Bangkok-Chiang Mai. En général, dès votre arrivée, la pension "gratuite" exige que vous vous inscriviez immédiatement pour une excursion. Si vous refusez, la pension affiche soudain complet. Les pensions de bonne qualité ne se prêtent pas à ce type de manigances. Il arrive qu'il y ait des vols dans les bus au départ de Th Khao San à Bangkok.

Certaines pensions très bon marché de Chiang Mai refusent parfois les clients qui ne souhaitent pas s'inscrire à une randonnée. La plupart des établissements sont plutôt transparents sur leurs pratiques à cet égard et offrent en général des chambres à ces clients pour de courtes durées.

## À VOIR

### Vieille ville

Le quartier historique de Chiang Mai est un entrelacs de ruelles anciennes, d'où se dégage une certaine modernité. Les voitures et les motos ont remplacé les vélos et les attelages à cheval dans les rues à 2 voies, mais le rythme lent des voyages à l'ancienne imprègne encore la ville. Les bâtiments sont à taille humaine et seuls les stupas des temples dépassent au-dessus des toits. Ces temples furent construits avec les revenus du commerce du teck, qui en influence l'esthétique. La douceur des couleurs de terre rouge y côtoie de délicates feuilles d'or. Au petit matin, avant que les motos ne se réveillent, vous entendrez tinter dans le vent les clochettes attachées sous l'avancée des toits.

Un flux continu de visiteurs et de moines en robe orange emprunte les minces trottoirs des rues. (À propos des moines, les hommes et les garçons doivent veiller à leur céder le passage et il est recommandé aux femmes de descendre sur la chaussée à leur passage afin d'éviter de les effleurer par mégarde.) Derrière les rues principales, les ruelles s'entremêlent dans des quartiers résidentiels parsemés de jardins et de fleurs parfumées.

Toutes les rues mènent jusqu'à l'ancienne enceinte. Elle est en partie préservée et restaurée, mais certains de ses tronçons sont très abîmés par le temps. Les rues à sens unique autour des douves vous plongent dans le bouillonnement d'une grande ville : elles sont fort encombrées de véhicules qui circulent à toute allure en crachant des fumées bleues.



#### WAT PHRA SINGH

วัดพระสิงห์

Temple le plus visité de Chiang Mai, le **Wat Phra Singh** (carte p. 292 ; ☎ 0 5381 4164 ; Th Singharat ; dons appréciés) doit sa notoriété à son Phra Singh (Bouddha Lion), le bouddha le plus vénéré de la ville, est représentatif de l'art classique lanna.

Malgré la vénération dont Phra Singh fait l'objet, on sait très peu de chose de lui. La légende raconte qu'il vient du Sri Lanka, mais son style n'est pas particulièrement cinghalais. L'épaisseur de ses traits, très proches de la physionomie humaine, et le nœud en forme de lotus au sommet de son crâne en font l'un des plus beaux exemples d'art religieux lanna. À l'instar de tous les bouddhas célèbres, il a été fréquemment déplacé (Sukhothai, Ayuthaya, Chiang Rai et Luang Prabang), soit pour être protégé des pillards, soit parce qu'il constituait la pièce maîtresse du butin. Comme il en existe 2 répliques, l'une à Nakhon Si Thammarat, l'autre à Bangkok, personne ne sait lequel des 3 est le Phra Singh authentique. Son lieu d'origine reste inconnu, mais il arriva dans ce temple dans les années 1360. Il est aujourd'hui au cœur des cérémonies religieuses du festival de Songkran.

Le Phra Singh se situe dans Wihan Lai Kham, une petite chapelle à l'arrière du temple près du *chedi* (stupa). Son architecture extérieure est typique du style lanna avec son toit à 3 étages et ses pignons ciselés. À l'intérieur, le temple recèle de superbes peintures *lai·krahm* (à l'or) sur le mur du fond. Sur le mur côté nord, une fresque aujourd'hui écaillée dépeint "Sangthong", ce conte thaïlandais qui relate l'histoire d'un prince exilé, caché par sa mère dans un coquillage. Le petit personnage au-dessus de l'une des fenêtres serait un autoportrait de l'artiste, un peintre chinois. Les fresques du mur côté sud illustrent l'histoire de Suwannahong (un cygne divin au plumage doré), très populaire dans le nord du pays.

La base octogonale du principal *chedi* est caractéristique du style lanna le plus pur. Il fut érigé par King Pa Yo en 1345, en l'honneur de son père. Plus près de l'entrée, le principal *wí·hăhn* (grande salle d'un temple) abrite Thong Thip, un Bouddha plus grand mais moins important que le bouddha Lion. Le *garuda* qui orne ce *wí·hăhn* témoigne de la présence royale.

Une petite collection de textes sacrés se trouve à l'entrée sur une plate-forme surélevée. Elle est magnifiquement décorée de motifs de style lanna. Vous verrez des mosaïques en verre sur les pignons, des miniatures très ouvragées sur bois sculpté et des clochettes au son éclatant.

#### WAT CHEDI LUANG

วัดเจดีย์หลวง

Étape importante sur le circuit des temples, le **Wat Chedi Luang** (carte p. 292 ; ☎ 0 5327 8595 ; Th Phra Pokklao ; dons appréciés) est construit autour d'un *chedi* érigé en 1441 et partiellement en ruine aujourd'hui. C'était probablement l'une des plus hautes bâtisses de l'ancienne Chiang Mai. Il aurait été en partie détérioré par un tremblement de terre au XVIe siècle ou lors de la canonnade commandée par le roi Taksin en 1775 pour reprendre Chiang Mai aux Birmans.

Le célèbre Phra Kaew (Bouddha d'Émeraude), visible au Wat Phra Kaew de Bangkok, séjourna ici, dans la niche orientale, en 1475. À sa place, une réplique en jade, financée par le roi de Thaïlande, fut sculptée en 1995 pour célébrer un double anniversaire, les 600 ans du *chedi* (selon certaines estimations) et les 700 ans de la ville.

Des travaux de restauration du *chédi* ont été financés conjointement par l'Unesco et le gouvernement japonais. Malheureusement, on repère trop aisément les parties restaurées : de nouveaux portiques, le *naga* qui garde l'entrée, et de nouvelles représentations du Bouddha dans 3 des 4 niches. Du côté sud du monument, on aperçoit 5 éléphants sculptés sur le fronton. 4 sont des reconstitutions en ciment. Seul celui qui a perdu ses oreilles et sa trompe, le plus à droite du fronton, est fait de stuc et de brique, comme à l'origine. Comme personne ne sait à quoi la flèche ressemblait, elle n'a pas été reconstruite au moment de la restauration du *wat*.

Le *làk meu·ang* (ou pilier de la ville, qui renfermerait le dieu gardien de la cité) est enchâssé dans un petit bâtiment à gauche de l'entrée principale. Au mois de mai, le bâtiment est ouvert au public qui peut ainsi acquérir des "mérites" pour sa prochaine vie. Chao Kawila, le libérateur de Chiang Mai, aurait apporté ce pilier pour protéger la ville (principalement des Birmans). Les arbres alentour étaient considérés comme des protecteurs de Chiang Mai, symboles de sa bonne fortune, à condition qu'ils ne soient jamais coupés.

Dans le principal *wí·hăhn,* le bouddha debout, appelé Phra Chao Attarot, est flanqué de 2 disciples, tous les deux connus pour leurs pratiques méditatives et mystiques.

Ces 10 dernières années, 2 nouvelles chapelles ont été construites dans un style néo-lanna joliment ornées de peintures dorées et d'épaisses colonnes en bois. Afficher une telle richesse est inhabituel dans les temples comme celui-ci. La première chapelle abrite une statue en cire d'Ajahn Mun Bhouretađo, ancien moine supérieur du Wat Chedi Luang et l'un des fondateurs de la tradition méditative thaïlandaise des moines de la forêt. La chapelle attenante, bâtie en bois de rose et en teck, contient des reliques serties de verre et une représentation en cire de Luang Ta Maha Bua, un disciple d'Ajahn Mun Bhouretađo qui rassembla des dons destinés à acheter des réserves d'or pour la banque nationale lors de la crise financière asiatique de 1997.

Vous pouvez discuter avec les moines lors de votre visite (voir l'encadré p. 296).

### WAT PHAN TAO

วัดพันเถา

À côté du Wat Chedi Luang, le **Wat Phan Tao** (carte p. 292 ; ☎0 5381 4689 ; Th Phra Pokklao ; dons appréciés) possède un magnifique *wí·hăhn* en teck qui fut autrefois une résidence royale et compte aujourd'hui parmi les trésors méconnus de Chiang Mai. Entièrement fait de boiseries en teck, il est soutenu par 28 énormes piliers, eux aussi en teck. Les *naga* du *wí·hăhn* sont incrustés de morceaux de mosaïque de verre coloré. À l'intérieur sont présentés les vieilles cloches du temple, quelques poteries et des bouddhas en bois doré typiques du Nord, ainsi que des armoires très anciennes qui débordent de vieux manuscrits sur feuilles de palmier. Le fronton du bâtiment est orné d'une mosaïque vernissée qui représente un paon perché sur un chien, symbole de l'année astrologique du prince (horoscope chinois) qui résidait autrefois au Wat Phan Tao. Ce temple est donc bien entendu un lieu de pèlerinage pour les natifs des années du chien.

### WAT CHIANG MAN

วัดเชียงมั่น

Considéré comme le temple le plus ancien de la ville, le **Wat Chiang Man** (carte p. 292 ; ☎0 5337 5368 ; Th Ratchaphakhinai ; dons appréciés) aurait été érigé par Phaya Mengrai, le fondateur de la ville. Il est caractéristique de l'architecture religieuse du nord de la Thaïlande.

Deux importantes représentations du Bouddha sont conservées dans une vitrine du petit sanctuaire, à droite de la chapelle principale. Un bas-relief de marbre d'environ 30 cm de hauteur, le Phra Sila, montre le bouddha debout. La croyance veut qu'il soit venu du Sri Lanka ou d'Inde voici 2 500 ans, mais, puisqu'il n'existe aucune représentation du Bouddha antérieure à 2 millénaires, il est probablement plus récent. Pour sa part, le célèbre Phra Sae Tang Khamani, un bouddha assis en cristal,

# CENTRE DE CHIANG MAI

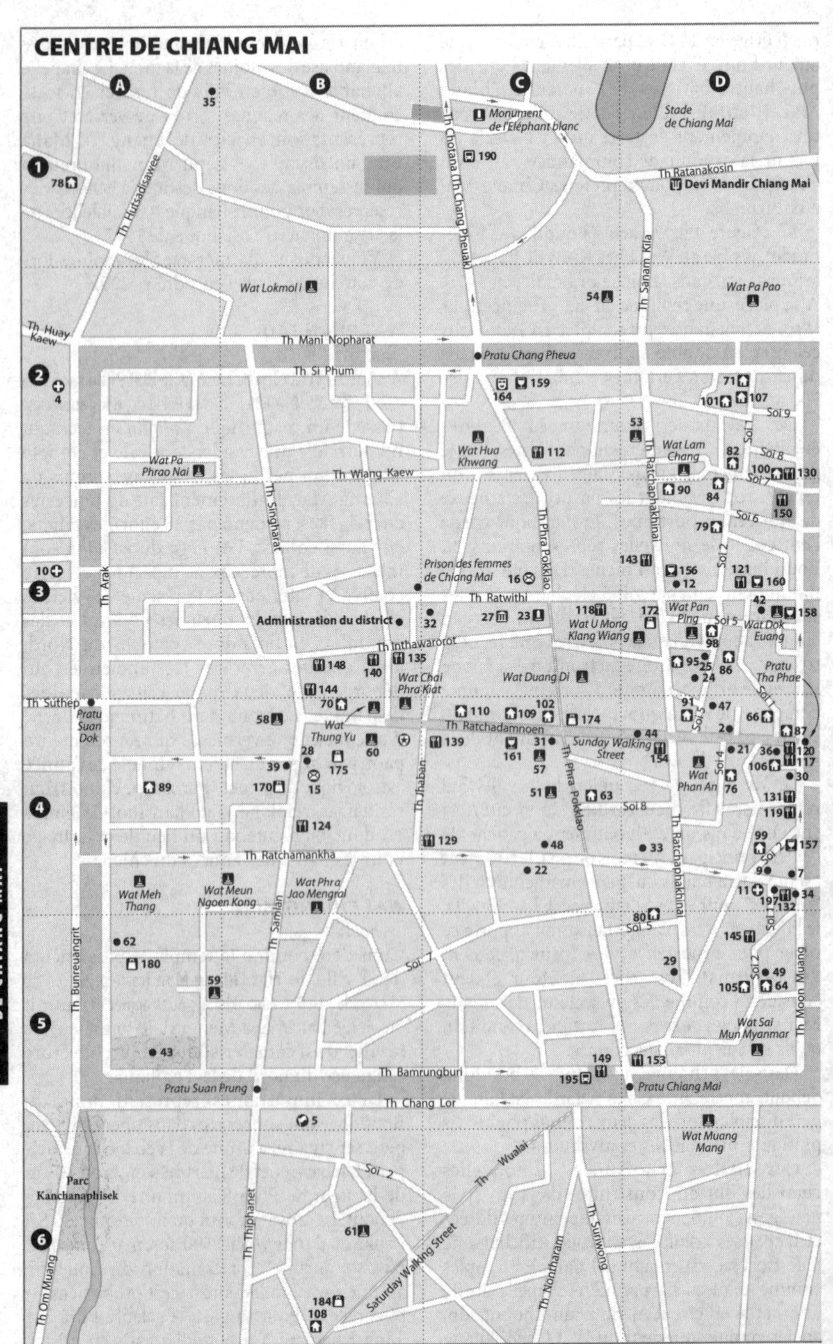

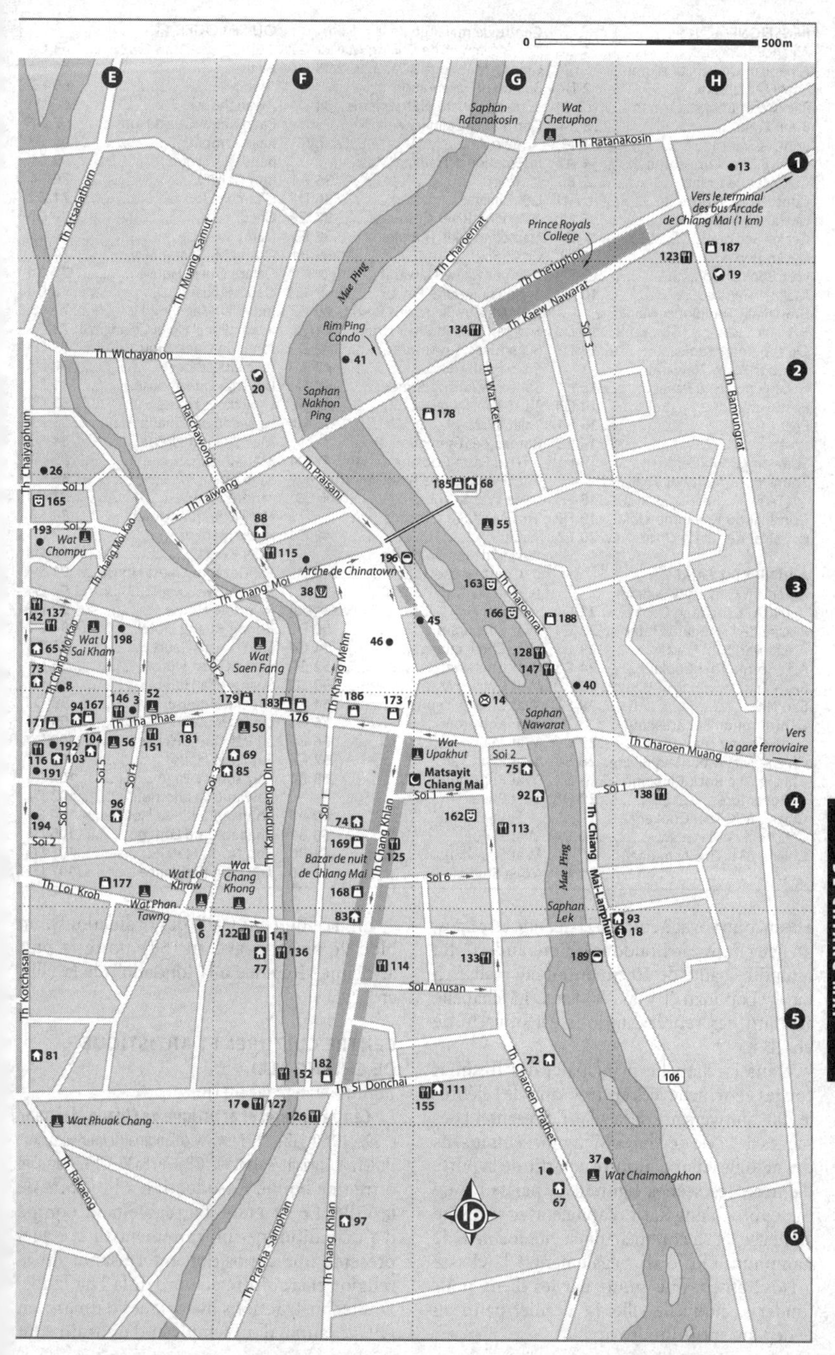

Saphan Ratanakosin
Wat Chetuphon
Th Ratanakosin
Vers le terminal des bus Arcade de Chiang Mai (1 km)
Prince Royals College
Th Chetuphon
Th Kaew Nawarat
Th Charoenrat
Mae Ping
Rim Ping Condo
Saphan Nakhon Ping
Th Atsadathorn
Th Muang Samut
Th Wichayanon
Th Ratchawong
Th Chaiyaphum
Th Taiwang
Th Praisani
Th Wat Ket
Soi 3
Th Bamrungrat
Wat Chompu
Th Chang Moi Kao
Th Chang Moi
Arche de Chinatown
Wat U Sai Kham
Wat Saen Fang
Th Khang Mehn
Saphan Nawarat
Th Tha Phae
Th Charoen Muang
Vers la gare ferroviaire
Wat Upakhut
Matsayit Chiang Mai
Bazar de nuit de Chiang Mai
Th Chang Khlan
Th Kamphaeng Din
Th Chiang Mai-Lamphun
Wat Loi Khraw
Wat Chang Khong
Th Loi Kroh
Wat Phan Tawng
Saphan Lek
Soi Anusan
Th Kotchasan
Th Si Donchai
Th Charoen Prathet
Wat Phuak Chang
Wat Chaimongkhon
Th Rakaeng
Th Pracha Samphan
Th Chang Khlan
PROVINCE DE CHIANG MAI

**RENSEIGNEMENTS**
Alliance française ... 1 G6
American University Alumni (AUA) Library ... 2 D4
Backstreet Books ... (voir 8)
Book Zone ... 3 E4
British Council ... (voir 19)
Chiang Mai Ram Hospital ... 4 A2
Consulat de Chine ... 5 B5
Consulat de France ... (voir 1)
Gecko Books ... 6 E5
Gecko Books ... 7 D4
Gecko Books ... 8 E3
Lost Book Shop ... 9 D4
Malaria Centre ... 10 A3
Mungkala Traditional Medicine Clinic ... 11 D4
On the Road Books ... 12 D3
Campus Kaew Nawarat de l'université Payap ... 13 H1
Poste ... 14 G4
Poste ... 15 B4
Poste ... 16 C3
Suriwong Book Centre ... 17 F5
Tourism Authority of Thailand (TAT) ... 18 H5
Consulat du Royaume-Uni ... 19 H2
Consulat des États-Unis ... 20 F2

**À VOIR ET À FAIRE**
American University Alumni (AUA) Language Centre ... 21 D4
Piscine de l'Anodard Hotel ... 22 C4
Anusawari Sam Kasat ... 23 C3
Asia Scenic Thai Cooking ... 24 D3
Baan Thai ... 25 D3
Ban Nit ... 26 E2
Centre culturel et artistique de Chiang Mai ... 27 C3
Chiang Mai Mountain Biking ... 28 B4
Chiang Mai Rock Climbing Adventures ... 29 D5
Chiang Mai Thai Cookery School ... 30 D4
Chiang Mai Thai Language Center ... 31 C4
Centre de massage de la prison des femmes de Chiang Mai ... 32 C3
Chiang Mai Yoga Sala ... 33 D4
Bureau de réservation de l'Elephant Nature Park ... 34 D4
Gap's Thai Culinary Art School ... (voir 76)
International Training Massage School ... 35 A1
Lek Chaiya ... 36 D4
Mae Ping River Cruises ... 37 G6
Namdhari Sikh Temple ... 38 F3
Oasis Spa ... 39 B4
Campus Kaew Nawarat de l'université Payap ... (voir 13)
RarinJinda Wellness Spa Resort ... 40 G3
Scorpion Tailed River Cruise ... 41 F2
Siam River Adventures ... 42 D3
Suan Buak Hat ... 43 A5
Sunday Walking Street ... 44 D4
Talat Tonlamyai ... 45 G3
Talat Warorot ... 46 F3
Bureau de réservation de la Thai Farm Cooking School ... 47 D4
Thai Healing Arts Association de Wat Si Koet ... (voir 60)
Thai Massage Conservation Club ... 48 C4
Piscine de la Top North Guest House ... 49 D5
Piscine du Top North Hotel ... (voir 106)
Wat Bupparam ... 50 F4
Wat Chedi Luang ... 51 C4
Wat Chetawan ... 52 E4
Wat Chiang Man ... 53 D2
Wat Chiang Yeun ... 54 C2
Wat Ketkarem ... 55 G3
Wat Mahawan ... 56 E4
Wat Phan Tao ... 57 C4
Wat Phra Singh ... 58 B4
Wat Phuak Hong ... 59 A5
Wat Si Koet ... 60 B4
Wat Sisuphan ... 61 B6
Yoga Studio ... 62 A5

**OÙ SE LOGER**
3 Sis ... 63 C4
All in 1 ... 64 D5
Amora ... 65 E3
Awanahouse ... 66 D4
Baan Kaew Guest House ... 67 G6
Baan Orapin ... 68 G3
Banthai Village ... 69 F4
Buri Gallery ... 70 B4
Charcoa House ... 71 D2
Chedi ... 72 G5
Daret's House ... 73 E3
Dusit D2 Chiang Mai ... 74 F4
Galare Guest House ... 75 G4
Gap's House ... 76 D4
Imperial Mae Ping Hotel ... 77 F5
International Hotel Chiangmai ... 78 A1
Jonadda Guest House ... 79 D3
Julie Guesthouse ... 80 D5
Lai-Thai Guesthouse ... 81 E5
Lamchang House ... 82 D2
Le Meridien Chiang Mai ... 83 F5
Malak Guest House ... 84 D3
Manathai ... 85 F4
Mini Cost ... 86 D3
Montri Hotel ... 87 D4
New Mitrapap Hotel ... 88 F3
Rachamankha ... 89 A4
RCN Court ... 90 D3
Rendezvous Guest House ... 91 D4
River View Lodge ... 92 G4
Riverside House ... 93 H5
Roong Ruang Hotel ... 94 E4
Safe House Court ... 95 D3
Sarah Guest House ... 96 E4
Shangri-La Hotel ... 97 F6
Siri Guesthouse ... 98 D3
Smile House 1 ... 99 D4
Sri Pat Guest House ... 100 D2
Supreme House ... 101 D2
Tamarind Village ... 102 C4
Tawan Guesthouse ... 103 E4
Thapae Boutique House ... 104 E4
Thapae Gate Lodge ... 105 D5
Top North Hotel ... 106 D4
Tri Gong Residence ... 107 D2



a beaucoup voyagé entre la Thaïlande et le Laos, un peu comme le Bouddha d'Émeraude. Cette sculpture haute de 10 cm aurait été réalisée à Lavo (Lopburi) il y a 1 800 ans. La chapelle abritant ces représentations est ouverte de 9hà 17h.

Dans la chapelle principale, des fresques rouges et or, achevées en 1996 afin de célébrer le 700e anniversaire de la ville, représentent des scènes de la vie de Phaya Mengrai. Dans le sens des aiguilles d'une montre à partir de la porte d'entrée, les scènes figurent la naissance de Mengrai, Chiang Rai, sa capitale, avec sa rivière sinueuse, et sa conquête de la cité fortifiée de Lamphun. On le voit également à la chasse à Doi Suthep, puis guidé par les dieux pour fonder sa nouvelle ville. Le dernier panneau le dépeint mort foudroyé.

En face du *bòht* (salle des ordinations), un bloc de pierre gravé en 1581 porte la plus ancienne référence à la fondation de la ville, en 1296.

### CENTRE CULTUREL ET ARTISTIQUE DE CHIANG MAI

หอศิลปวัฒนธรรมเชียงใหม่

Le **Centre culturel et artistique de Chiang Mai** (carte p. 292 ; ☎ 0 5321 7793 ; www.chiangmaicitymuseum.org ; Th Ratwithi ; adulte/enfant 90/40 B ; 8h30-17h30 mar-dim) offre une bonne introduction à l'histoire de la ville. Le 1er étage (agréablement équipé d'air conditionné contrairement au 2e étage) présente une exposition intéressante sur la religion et la culture du nord de la Thaïlande. Des reconstructions historiques d'un ancien village lanna, d'un temple et d'un train sont

Tri Yaan Na Ros.................**108** B6
U Chiang Mai.....................**109** C4
Villa Duang Champa...........**110** C4
Yaang Come Village ..........**111** G5

**OÙ SE RESTAURER**

Amazing Sandwich.............**112** C2
Antique House ...................**113** G4
Marché de nuit d'Anusan....**114** F5
Aomngurn..........................**115** F3
Art Cafe.............................**116** E4
AUM Vegetarian Food........**117** D4
Bang Moey Kaafae.............**118** C3
Bierstube............................**119** D4
Black Canyon Coffee..........**120** D4
Chiangmai Saloon...............**121** D3
Chiangmai Saloon...............**122** F5
Dalaabaa Bar & Restaurant..**123** H1
Vendeurs du soir.................**124** B4
Favola...............................(voir 83)
Galare Food Centre............**125** F4
Ginger Kafe...................(voir 130)
Giorgio Italian Restaurant....**126** F5
Good Health Store..............**127** F5
Good View..........................**128** G3
Heuan Phen........................**129** C4
House.................................**130** D2
House of Thai Coffee........(voir 31)
Jerusalem Falafel................**131** D4
Juicy 4U ............................**132** D4
Just Khao Soy.....................**133** G5
Khao Soi Prince..................**134** G2
Kow Soy Siri Soy.................**135** B3
Kuaytiaw Kai Tun Coke.......**136** F5
Libernard Cafe....................**137** E3
Love at First Bite................**138** H4
Plats sur commande............**139** C4
Mangsawirat Kangreuanjam..**140** B3
Mike's Burgers....................**141** F5
Mike's Burgers....................**142** E3
Moxie...........................(voir 74)
Nayok Fa ...........................**143** D3
Pak Do Restaurant..............**144** B3
Pum Pui Italian Restaurant..**145** D5
Rachamankha....................(voir 89)
Ratana's Kitchen.................**146** E4
Riverside Bar & Restaurant..**147** G3
Sailomyoy.......................(voir 120)
Si Phen Restaurant..............**148** B3
Talat Pratu Chiang Mai.......**149** C5
Talat Somphet....................**150** D3
Talat Warorot...................(voir 46)
Taste From Heaven.............**151** E4
Tea House......................(voir 183)
Tianzi Tea House................**152** F5
Tien Sieng Vegetarian Restaurant......................**153** D5
Wawee Coffee.....................**154** D4
Whole Earth Restaurant......**155** G5

**OÙ BOIRE UN VERRE**

Babylon..............................**156** D3
Cafe del Sol....................(voir 156)
Heaven Beach.................(voir 156)
John's Place .......................**157** D4
Kafe....................................**158** D3
Khan-Asa............................**159** C2
Mix Bar.............................(voir 74)
Pinte Blues Pub...............(voir 119)
UN Irish Pub.......................**160** D3
Writer's Club & Wine Bar....**161** C4

**OÙ SORTIR**

Bubbles...............................**162** G4
Good View......................(voir 128)
Le Brasserie........................**163** G3
North Gate Jazz Co-Op.......**164** C2
Riverside Bar & Restaurant...............(voir 147)
Spicy...................................**165** E3
Tha Chang Gallery .............**166** G3
Thapae Boxing Stadium...(voir 106)

**ACHATS**

Angel..................................**167** E4
Bazar de nuit de Chiang Mai..**168** F4
Bâtiment du bazar de nuit de Chiang Mai..............**169** F4
Dor Dek Gallery..................**170** B4
Elements.............................**171** E4
Freedom Wheel Chairs Workshop.....................**172** D3
Gong's Shop.......................**173** F4
Herb Basics .......................**174** C4
HQ Paper Maker.................**175** B4
Kesorn................................**176** F4
KukWan Gallery ................**177** E4
La Luna Gallery..................**178** G2
Lost Heavens......................**179** F4
Mengrai Kilns.....................**180** A5
Nova...................................**181** E4
Pantip Plaza........................**182** F5
Siam Celadon.....................**183** F4
Magasins d'argenterie........**184** B6
Sop Moei Arts.....................**185** G3
Sun Gallery.........................**186** F4
Thai Tribal Crafts................**187** H1
Under the Bo .................(voir 169)
Vila Cini.............................**188** G3

**TRANSPORTS**

Bus pour Lamphun, Lampang et Chiang Rai...............**189** G5
Terminal des bus de Chang Pheuak............**190** C1
Dang Bike Hire...................**191** E4
Journey...............................**192** E4
Mr Mechanic..................(voir 158)
North Wheels......................**193** E3
Pop Rent-A-Car..................**194** E4
Arrêt de bus (Pratu Chiang Mai).**195** C5
Arrêt des *sŏrng·tăa·ou* ........**196** F3
Tony's Big Bikes.................**197** D4
Top Gear Bike Shop...........**198** E3

exposées au 2e étage. Là, on jouit d'une belle vue sur cet ancien palais, un beau bâtiment de style postcolonial. En 1999, le centre culturel a reçu une distinction de la Société royale des architectes siamois pour sa restauration fidèle à l'architecture d'origine.

### ANUSAWARI SAM KASAT

อนุสาวรีย์สามกษัตริย์

Le **monument des Trois Rois** (carte p. 292 ; Th Phra Pokklao) commémore l'alliance des 3 rois de la Thaïlande du Nord et du Laos pour fonder Chiang Mai (Phaya Ngam Meuang de Phayao, Phaya Mengrai de Chiang Mai et Phaya Khun Ramkhamhaeng de Sukhothai). Leurs statues en bronze les montrent arborant fièrement les costumes royaux du XIVe siècle. Le monument est devenu l'un des centres spirituels de la ville et un lieu de pèlerinage des habitants de Chiang Mai, qui y déposent régulièrement des offrandes de fleurs, d'encens ou des bougies en remerciement des grâces accordées par les puissants esprits royaux.

### WAT PHUAK HONG

วัดพวกหงส์

Ce temple (carte p. 292 ; ☎ 0 5327 8864 ; près de Th Samlan ; dons appréciés), situé derrière le parc Buak Hat (Suan Buak Hat), contient le Chedi Si Pheuak qui fait l'objet d'une grande vénération. Ce stupa date de plus d'un siècle et témoigne de ce style déjà noté au Wat Ku Tao où différentes sphères se superposent et qui s'inspire certainement des *chedi* thai lü du district de Xishuangbanna (également appelé Sipsongpanna), dans la province du Yunnan (Chine).

### SUNDAY WALKING STREET

ถนนเดินวันอาทิตย์

C'est une expérience sans pareille. La **Sunday Walking Street** (p. 292 ; Th Ratchadamnoen ; 🕒 16h-minuit

**DISCUSSIONS AVEC LES MOINES**

Il existe en Thaïlande de nombreux endroits pour se reposer, tout simplement, mais il est dommage de ne pas chercher à s'instruire lorsqu'on séjourne à Chiang Mai. Dans cet esprit, certains temples proposent des "*monk chat*", lors desquels un moine ou un novice répondent aux questions des étrangers. Cet échange leur donne l'opportunité de pratiquer leur anglais et permet aux étrangers de poser des questions sur le quotidien dans les temples, les enseignements bouddhiques ou encore l'art de s'envelopper dans les robes. Une tenue correcte (épaules et genoux couverts) est exigée par respect pour vos hôtes. Il est demandé aux femmes d'éviter tout contact physique avec les moines ou leurs effets personnels, et de ne jamais leur tendre directement ce qu'elles voudraient leur donner.

Le **Wat Suan Dok** (carte p. 284 ; ☎ 0 5380 8411-3 ; Th Suthep ; 17h-19h lun, mer et ven) possède une salle consacrée aux discussions entre étrangers et étudiants du monastère. Vous la trouverez à une centaine de mètres de l'entrée principale, en face de vous en entrant.

Le **Wat Chedi Luang** (carte p. 292 ; ☎ 0 5327 8595 ; Th Phra Pokklao ; 13h-18h lun-ven) et le **Wat Sisuphan** (carte p. 292 ; ☎ 0 5320 0332 ; 100 Th Wualai ; 17h30-19h mar, jeu et sam) proposent également des discussions avec les moines certains jours de la semaine.

dim) offre de bons produits bien représentatifs de la culture de la province. Elle rappelle aussi la tradition des marchands itinérants des anciennes caravanes chinoises. Pour voir les vendeurs déballer leurs énormes paquets et préparer soigneusement leurs étals, il faut arriver tôt, dès que Th Ratchadamnoen est fermée à la circulation. Après leur première vente de la soirée, les vendeurs s'adonnent parfois à un petit rituel ou à une prière pour que les affaires continuent sous de bons auspices.

Le marché s'étend sur tout Th Ratchadamnoen, de la place en face de Pratu Tha Pae au Wat Phra Singh, et occupe également les premières longueurs de Th Phra Pokklao, de chaque côté de Th Ratchadamnoen. De nombreux produits, comme les foulards en coton, les sandales en cuir et les sculptures sur bois, sont faits main à Chiang Mai et aux alentours. Sur ce marché, pas de mode hippie : vous trouverez plutôt de nombreux accessoires ethniques élégants, des T-shirts en coton naturel et des sacs en toile "*save the planet*".

Les temples du quartier installent également des étals où ils vendent de la cuisine thaïlandaise du Nord et d'autres délices qui vous requinqueront. Sur Th Phra Pokklao, près du Wat Chedi Luang, vous trouverez toutes sortes de *kôw soy* dans des bols en terre cuite.

Avant 18h, heure à laquelle retentit l'hymne national, le marché a un charme particulier qui remporte nos faveurs. Après la tombée de la nuit, des musiciens de rue s'installent sur le passage et haranguent la foule avec leurs rengaines éculées et leurs tubes ultramodernes.

Lorsque la fatigue se fait sentir, c'est le moment de sauter sur une chaise de massage où l'on vous étirera et pétrira comme un gros morceau de pâte.

Si vous n'êtes pas à Chiang Mai un dimanche, vous pouvez aller arpenter **Saturday Walking Street** (p. 299) sur Th Wualai.



## Est de la vieille ville et Riverside

À la sortie de la vieille ville, Pratu Tha Phae mène dans un quartier commercial ordinaire constitué de magasins en béton à 2 étages et d'avenues encombrées. Principale rue touristique, Th Tha Phae est bordée d'intéressants magasins d'artisanat et de quelques bâtiments de style colonial habités autrefois par les marchands de teck britanniques et birmans. C'est un quartier beaucoup plus prosaïque que la vieille ville : des magasins de peinture et de plastique côtoient des échoppes délabrées principalement spécialisées en poussière et commérages ! Le bazar de nuit (p. 330) se trouve au sud de Talat Warorot, sur Th Chang Khlan. Le Mae Ping et ses méandres valent également le détour et une balade à vélo dans le quartier des berges orientales de la rivière est tout à fait indiqué.

### WAT CHETAWAN, WAT MAHAWAN ET WAT BUPPARAM

วัดเชตวัน/วัดมหาวัน/วัดบุปผาราม

Ces 3 temples situés le long de Thanon Tha Phae possèdent des *wí·hăhn* très ornés. Leurs stupas sont l'œuvre d'artisans chan et birmans. On remarque l'influence birmane dans l'abondance de paons (symbole solaire fréquent dans l'architecture des temples chan et birmans) et dans les bouddhas debout de style Mandalay que l'on aperçoit dans les niches murales.

### TALAT WARAROT

ตลาดวโรรส

En suivant Th Chang Moi en direction de la rivière, vous découvrirez un quartier grouillant d'activités autour de **Talat Warorot** (carte p. 284 ; intersection Th Chang Moi et Th Praisani ; 6h-17h). À première vue, rien ne le distingue des autres marchés si ce n'est son délabrement avancé et sa très grande affluence. Il faut pourtant voir en cet endroit modeste un vestige de l'ancienne tradition commerçante de Chiang Mai. Autrefois, le Ping était une importante voie navigable par laquelle les marchandises de la campagne transitaient jusqu'à Bangkok. En thaï du Nord, le marché est appelé *gàht lŏo·ang* (grand marché).

Le Talat Warorot se situe concrètement dans 2 bâtiments à plusieurs étages, mais il y a tellement d'activités tout autour et dans le quartier voisin qu'il est difficile de le circonscrire. À l'extérieur de ces bâtiments, des marchands vendent des variétés de fruits et légumes des hautes vallées, exotiques aux yeux des Thaïlandais du Centre. À côté, on trouve encore une espèce totalement disparue dans les rues de Bangkok : des conducteurs de *săhm·lór* (cyclo-pousse) qui transportent les acheteurs et leurs courses.

Si vous vous glissez entre les étals des marchands, vous trouverez à l'intérieur du marché des produits saumurés, des currys à emporter et des *kâap mŏo* (couenne de porc) sous vide. Au rez-de-chaussée de la halle principale, de nombreux étals proposent des plats de nouilles préparés. C'est un endroit idéal pour acheter du tissu bon marché, des ustensiles de cuisine, des produits cosmétiques pas chers et de l'artisanat.

En face de la rivière, le **Talat Tonlamyai** (carte p. 292 ; Th Praisani ; 24h/24), le principal marché aux fleurs de la ville, est appelé ici *gàht dòrk mái*. Les gros bouquets d'asters, de roses et de coréopsis sont transportés la nuit pour éviter qu'ils ne fanent dans la chaleur du jour. Ils proviennent des hautes vallées où le climat est plus frais. Les variétés comme le saule blanc, qui ont besoin de températures encore plus fraîches, sont cultivées dans les villages des ethnies montagnardes perchés plus en altitude. Il y a aussi la sensualité des fleurs tropicales comme le jasmin, les orchidées et les bourgeons de lotus qui s'épanouissent à la chaleur. Les fleurs sont vendues en gros et livrées à Bangkok et dans d'autres centres provinciaux. Vendues au détail, elles servent aux couronnes funéraires et aux offrandes pour l'acquisition de "mérites". Le marché aux fleurs est toujours bondé et encore davantage lors des fêtes de la ville comme Loi Krathong et bien entendu pendant la fête des fleurs.

Le petit **Chinatown** de la ville s'étend dans Th Chang Moi, à l'ouest du marché. On le repère facilement à son arche en style chinois flamboyant et à ses *shophouses* à 2 étages

#### PERDRE DES CALORIES DANS LES PARCS

Chiang Mai ne dispose pas d'un grand parc, contrairement à Bangkok, mais elle offre quelques espaces verts où les habitants de la ville viennent le soir faire de l'exercice sans verser une goutte de sueur – une spécialité thaïlandaise.

**Suan Buak Hat** (carte p. 292 ; Th Bamrungburi) est le seul parc de la vieille ville. Vous pouvez faire des tours de piste sur une allée bien entretenue au milieu de Thaïlandais à la démarche nonchalante. Il y a aussi un étang, un vendeur de nourriture pour poissons et un petit terrain de jeux.

Le quartier autour de l'université de Chiang Mai jouit de nombreux espaces verts, en particulier le terrain d'exercice boisé de **Huay Kaew Fitness Park** (carte p. 284 ; Th Huay Kaew). Le **lac Ang Kaew** situé à côté du **lac Galare** (près de Th Suthep) offre une belle vue sur la ville. Ce n'est pas vraiment un lieu d'entraînement, mais les étudiants semblent l'apprécier pour sa décontraction.

Le **Royal Flora Ratchaphruek** (près de la Rte 121/Th Klorng Chonprathan ; entrée gratuite ; aube-crépuscule) fait l'effet d'une trouée au pied sud de Doi Suthep. Ce jardin de 65 ha fut inauguré en 2006 en l'honneur du 60e anniversaire du règne du roi. Depuis 2008, il est ouvert au public mais n'est fréquentable que lors des moments de fraîcheur en raison du manque d'ombre. La même route mène à **Doi Kham**, un itinéraire de course à pied réputé qui serpente jusqu'au sommet après les vaches de race brahmane. Mieux vaut se rendre dans ce coin par ses propres moyens, car un taxi risquerait de revenir cher.

typiques des quartiers commerçants d'Asie du Sud-Est. La plupart sont des boutiques familiales où l'on trouve des produits ménagers en gros et des bijoux en or jaune. Il y a aussi ces vieilles pharmacies qui sentent l'écorce et les plantes séchées. Deux temples chinois se dressent également dans le quartier. C'est là qu'a lieu la procession du Nouvel An chinois. Chinatown accueille aussi une petite communauté sikh, spécialisée dans le commerce de tissus. La communauté dispose d'un temple, le **Namdhari Sikh Temple** (carte p. 292 ; Th Ratchawong), situé à proximité, qui appartient à la branche Namdhari du sikhisme.

### MAE PING ET WAT KETKARAM

แม่ปิง/วัดเกตการาม

Dans les temps anciens, les villes thaïlandaises étaient très dépendantes des voies navigables qui assuraient le transport et le ravitaillement. De par leur rôle essentiel dans la vie quotidienne, les rivières n'étaient pas seulement considérées comme des voies de passage et des sources d'approvisionnement, mais également comme des déités auxquelles étaient consacrés des fêtes annuelles comme Loi Krathong. Le **Mae Ping** (carte p. 292) est la rivière vénérée de Chiang Mai. Elle prend sa source dans les montagnes de Chiang Dao, puis serpente sur les hautes terres jusqu'à la vallée fertile de Mae Sa, le centre commercial de Chiang Mai, et la vallée du Ping, la plus grande vallée fertile des provinces du Nord. À Nakhon Sawan, la rivière rejoint le fleuve Chao Phraya qui s'écoule jusqu'à Bangkok et se jette dans le golfe de Thaïlande. Avec ses 569 km de longueur, elle nourrit tout un système agricole de rizières, de plantations de café, de vergers *lam yai*, de champs de fraises et de jardins de fleurs.

Le Mae Ping a également permis le développement commercial de Chiang Mai au début du XIX^e^ siècle. À l'époque, il avait des eaux plus fournies, bien que sujettes aux variations saisonnières, et était plus fréquenté qu'aujourd'hui. Les bateaux étaient peu profonds et équipés d'une grande queue fourchue (souvent appelée "queue de scorpion") pour assurer leur stabilité et leur flottaison lorsque le niveau des eaux diminuait. Désormais, ces bateaux ne servent plus qu'aux excursions touristiques sur la rivière (voir p. 299). Vous pouvez les admirer depuis les restaurants de la berge orientale (p. 322).

C'est une communauté de commerçants chinois et de missionnaires occidentaux qui s'installa d'abord sur le côté oriental de la berge, juste en face du Talat Warorot. Ce quartier s'appelle Wat Ket, du surnom donné au **Wat Ketkaram** (carte p. 292 ; ☎ 0 5326 2605 ; Th Charoenrat), le temple avoisinant. Construit au XV^e^ siècle, le Wat Ketkaram renferme aujourd'hui un musée éclectique abritant des trésors des temps anciens. Avec les hôpitaux des missionnaires et les anciennes *shophouses* chinoises transformées en restaurants et en antiquaires, Th Charoenrat porte encore la marque du XIX^e^ siècle. Il ne lui manque plus que des trottoirs pour dégager la même atmosphère surannée et attirer autant de touristes que la vieille ville. Toutefois, la circulation, souvent trop rapide, s'est emparée de tout l'espace. Mieux vaut donc s'enfoncer plus loin dans le quartier en prenant une petite rue derrière Th Charoenrat et le temple.

Plus au sud, le **Talat San Pakoy** (carte p. 284 ; derrière Th Charoen Muang) est un marché municipal au style dépouillé où l'on vend toutes sortes de marchandises, peu fréquenté par les touristes. Le marché ouvre à 4h du matin et bat son plein jusqu'à 10h environ. Derrière, vous tomberez sur un petit *soi* complètement recouvert de feuillages. Les habitants y construisent leurs abris de fortune autour des épais troncs d'arbre. Comme ils ne sont pas propriétaires de la terre, ils louent les emplacements au gouvernement, pour la modique somme de 900 B par an pour certains.

### WIANG KUM KAM

เวียงกุมกาม

Ces **ruines** (🕐 8h30-17h) s'étendent à 5 km au sud de la ville par la Highway 106 (Th Chiang Mai-Lamphun), près du Mae Nam Ping. Ce site est le premier habitat connu de la région de Chiang Mai. Des moines môn du royaume de Hariphunchai vinrent s'établir ici au XI^e^ ou XII^e^ siècle. Le site fut abandonné au milieu du XVIII^e^ siècle, à la suite de terribles inondations, et il reste peu de vestiges architecturaux : du Wat Chedi Si Liam, seul a survécu le *chedi* quadrangulaire de style môn qui aurait pour modèle celui du Wat Kukut de Lamphun ; du Wat Kan Thom (Wat Chang Kham en thaï) subsistent des fondations en brique.

Plus de 1 300 dalles de pierre, briques, cloches et *chedi* ont été exhumés sur le site. La découverte la plus importante à ce jour est une dalle de pierre en quatre morceaux, entièrement gravée, conservée au Musée national. Ces inscriptions du XI^e^ siècle témoignent de l'existence d'une écriture thaïe antérieure d'au moins un siècle

**CROISIÈRES SUR LA RIVIÈRE**

Le Mae Ping traverse un paysage principalement rural. Il est bordé de petites maisons sur pilotis ramassées le long de ses berges herbeuses. De nombreuses excursions sont proposées la journée et le soir pour explorer la rivière en bateau.

**Scorpion Tailed River Cruise** (carte p. 292 ; ☎ 08 1960 9308, 0 5324 5888 ; www.scorpiontailed.com ; Th Charoenrat ; 500 B) est axé sur l'histoire de la rivière et utilise des embarcations traditionnelles appelées *scorpion-tailed boats* (bateaux à queue de scorpion). Les croisières durent entre 1 heure et 1 heure 30 (5/j). Elles partent de l'embarcadère Wat Srikhong près de Rim Ping Condo. Une halte est prévue dans leur village partenaire, le Scorpion Tailed Boat Village, pour grignoter et se désaltérer.

**Mae Ping River Cruises** (carte p. 292 ; ☎ 0 5327 4822 ; www.maepingrivercruise.com ; Wat Chaimongkhon, Th Charoen Prathet) offre des croisières en journée (450 B, 2 heures) sur des *longs-tail boats* couverts. Après une visite de la campagne, les bateaux s'arrêtent dans une petite exploitation maraîchère. La croisière "Thai dinner" propose un menu unique (550 B, 2 heures, tous les jours à 19h).

**Riverside Bar & Restaurant** (p. 322) organise également des dîners-croisières.

à celle de la célèbre inscription sukhothai du roi Ramkhamhaeng (1293).

La bicyclette est un autre moyen pour se rendre à Wiang Kum Kam. Suivez sur 3 km en direction du sud-est la route de Thanon Chiang Mai-Lamphun (Route 106) et guettez un panneau signalant les ruines, sur la droite. De ce carrefour, il reste 2 km à parcourir. On peut aussi louer un *túk-túk* ou un *sŏrng·tăa·ou* rouge pour 90 B l'aller simple. Si vous disposez d'un véhicule personnel, vous pouvez compléter une journée de tourisme thématique par Wiang Kum Kam, sur la route de Lamphun.

## Sud de la vieille ville

La partie sud de la ville présente un mélange d'anciens quartiers pittoresques et de quartiers modernes impersonnels. Autrefois, les faubourgs de la ville étaient généralement habités par les étrangers. Certains s'y sont implantés, comme les commerçants chinois et les missionnaires occidentaux installés sur la berge orientale de la rivière, d'autres ont été contraints de quitter leurs terres pour aider à la reconstruction de la ville après l'occupation birmane. Il y a environ 2 siècles, des Tai Khoen furent ainsi capturés à Kengtung (dans l'État chan du Myanmar) par l'armée siamoise du royaume lanna et forcés de s'établir dans ce quartier de Chiang Mai. Les Tai Khoen contribuèrent à la reconstruction de leur ville, employant leurs talents d'orfèvres, de forgerons ou encore de tailleurs de pierre.

Aujourd'hui, Th Wualai est connue pour ses boutiques d'argenterie. La rue résonne souvent du bruit des gravures sur plats en argent (ou, plus souvent, en aluminium). Vous profiterez au mieux de cette rue en la visitant lorsqu'elle est réservée aux piétons, à l'ouverture du marché de Saturday Walking Street.

### SATURDAY WALKING STREET

ถนนเดินวันเสาร์

**Saturday Walking Street** (carte p. 292 ; Th Wualai ; 🕑 16h-minuit sam) a plus que jamais la réputation d'offrir plus d'artisanat authentique et d'être moins commercial que Sunday Walking Street. Cette réputation est sans doute quelque peu usurpée, puisque la plupart des vendeurs travaillent indifféremment sur les 2 marchés. Cette impression d'authenticité provient en fait de l'atmosphère anachronique que les argenteries et les vieilles dames enroulées dans leurs soies thaïlandaises confèrent au quartier.

### WAT SISUPHAN

วัดศรีสุพรรณ

Ce temple (carte p. 292 ; ☎ 0 5320 0332 ; Soi 2, Th Wualai ; dons appréciés), au sud des douves, fut édifié en 1502, mais rares sont les vestiges remontant à cette époque, à l'exception de certains piliers en teck et de quelques poutres du toit du *wí·hăhn*. À l'intérieur, les peintures murales réunissent des éléments taoïste, zen et bouddhique theravada. L'*ubosòht* attenant était en cours de rénovation au moment de la rédaction de ce guide. Ce serait la seule salle des ordinations de Thaïlande construite en argent (il s'agit en fait d'un mélange d'aluminium, d'argent composé et d'argent pur). Le temple propose des discussions avec les moines et des cours de méditation (voir p. 296). C'est un des rares *wat* de Chiang Mai où les touristes sont autorisés à assister à la fête Poy Luang (Poy Sang Long), la cérémonie de style chan d'ordination d'un groupe de jeunes garçons qui accèdent au rang de novices. Cette fête se déroule fin mars.

### MUSÉE DU TEXTILE SBUN-NGA

พิพิธภัณฑ์ผ้าโบราณสบันงา

Le **musée du textile Sbun-Nga** (carte p. 284 ; ☎ 0 5320 0655 ; www.sbun-nga.com ; Centre culturel Chiang Mai, 185/20 Th Wualai ; 100 B ; ⌚ 10h30-18h30 mar-jeu) comprend des textiles thaïlandais du Nord accompagnés d'explications culturelles sur les différentes ethnies du groupe lanna (Tai Lue, Tai Kaun, Tai Yai et Tai Yuan). Les couleurs et motifs utilisés par chaque minorité évoquent l'histoire des peuples de Chiang Mai et du nord de la Thaïlande.

Vous y verrez aussi bien des sarongs que de somptueuses garde-robes royales, en passant par la robe aux motifs lanna et birmans de la princesse Dararasmi (de la famille du roi Rama V) et le costume de couronnement du prince Thai Yai. Le musée propose un audioguide en anglais et des descriptions efficaces. Résultat de 20 ans de travail, la collection a été rassemblée par le propriétaire, Akarat Nakkabunlungest.

## Ouest de la vieille ville

Th Huay Kaew est la principale rue qui mène aux confins occidentaux de la ville. Elle devient plus intéressante à proximité de l'université de Chiang Mai (appelée Mor Chor en thaï, d'après ses initiales), dont les étudiants branchés s'entassent dans de jolis cafés, circulent en Vespa d'époque et boivent l'argent réservé à leurs manuels pendant le week-end. Th Nimmanhaemin est l'avenue la plus chic de la ville, un croisement entre le Siam Square de Bangkok et Banglamphu. Ce grand boulevard encombré donne sur de petites rues résidentielles bordées de pavillons des années 1970, transformés en établissements stylés qui accueillent la vie nocturne locale.



### WAT SUAN DOK

วัดสวนดอก

Construit en 1373 sur le site d'un ancien jardin d'ornement, ce **temple** (carte p. 284 ; ☎ 0 5327 8967 ; Th Suthep ; dons appréciés) ne présente pas le même intérêt architectural que les temples de la vieille ville. Ses nombreux *chedi* blanchis à la chaux se détachent dans le bleu des cimes du Doi Suthep et du Doi Pui. Les photographes affectionnent le petit matin, lorsque les montagnes sont encore nimbées de brume.

Le Wat Suan Dok possède une parenté spirituelle avec le temple installé en haut du Doi Suthep. En effet, Phra Sumana Thera, un moine de Sukhothai, y apporta une relique (Wan Suan Dok fut en fait érigé par Phaya Keu Na, le 6e roi lanna, pour que Phra Sumana Thera puisse s'y retirer). Selon la légende, la relique se dupliqua miraculeusement : l'une fut enchâssée dans le grand *chedi* central du temple (récemment couvert de feuilles d'or), tandis que l'autre servit de "guide" pour fonder le Wat Doi Suthep (voir le récit complet p. 303). Ce *chedi* est exemplaire de l'influence Sukhothai pendant la période de Lanna. L'autre *chedi* contient les cendres de plusieurs membres de la famille royale lanna.

La grande salle de culte, ouverte sur les côtés, fut reconstruite en 1932 par Khruba Siwichai, un moine lanna éminent, également artisan de la route du Wat Doi Suthep et d'autres aménagements. La salle est souvent remplie de méditants thaïlandais.

Plus loin, un petit *bòht* contient un bouddha en bronze vieux de 500 ans, dit Phra Chao Kao Tu. Il était initialement destiné au Wat Phra Singh, mais son poids empêcha tout déménagement. Les murs sont ornés de *jataka* (récits des vies antérieures du Bouddha).

Aujourd'hui, le Wat Suan Dok accueille de nombreux moines et novices à demeure, pour la plupart étudiants de l'université bouddhiste Mahachulalongkorn du monastère. Les étrangers sont nombreux à participer aux discussions avec les moines (voir p. 296) et aux retraites méditatives en langue anglaise.

### UNIVERSITÉ CHIANG MAI (CMU)

มหาวิทยาลัยเชียงใหม่

La principale **université** publique de la ville (carte p. 284 ; ☎ 0 5384 4821 ; Th Huay Kaew), fondée en 1964, fut la première université de Thaïlande ouverte en province. Aujourd'hui, considérée comme la meilleure dans le Nord, elle s'enorgueillit de 107 départements, 26 800 étudiants et 2 165 enseignants. Si, en termes d'enseignement, la CMU ne peut rivaliser avec les universités réputées de Bangkok comme Silpakorn, Chulalongkorn ou Thammasat, ses facultés d'ingénierie et de techniques médicales sont largement reconnues. L'un de ses plus illustres diplômés est Apirak Kosayothin, devenu gouverneur de Bangkok.

Le campus principal, à 2 km à l'ouest du centre-ville, s'étend sur un espace de 2,9 $km^2$ resté en grande partie boisé. L'environnement verdoyant fait de la CMU une version thaïlandaise du campus idyllique, en dépit de l'architecture médiocre de ses bâtiments noircis par la suie. Deux entrées principales mènent au campus, l'une dans Th Suthep, l'autre dans Th Huay Kaew. Pour indiquer les directions, les Thaïlandais parlent souvent de "*lăng mor*" (derrière l'université), pour la partie de l'université située dans Th Suthep, et de "*nâh mor*" (en face de l'université), pour le côté situé sur Th Huay Kaew. À côté des 2 entrées, de petits bazars de nuit vendent de la nourriture et des vêtements bon marché pour étudiants désargentés.

Le **musée d'Art de l'université Chiang Mai** (carte p. 284 ; ☎ 0 5394 4833 ; Th Nimmanhaemin ; entrée gratuite ; 9h-17h mar-dim), situé non loin de l'intersection entre Th Suthep et Th Klorng Chonprathan. Il organise des expositions temporaires d'art contemporain thaïlandais et étranger dont la qualité est inégale. Il n'y a pas de collection permanente. Si vous souhaitez vous désaltérer après la visite du musée, le Din Dee Teahouse, petite cabane en terre située à côté du musée, est réputé pour ses infusions.

## ZOO DE CHIANG MAI

สวนสัตว์/แหล่งเพาะพันธ์ไม้ป่าเขตร้อนเชียงใหม่

Situé au pied du Doi Suthep, le **zoo de Chiang Mai** (carte p. 284 ; ☎ 0 5335 8116 ; www.chiangmaizoo.com ; Th Huay Kaew ; adulte/enfant 100/50 B ; 8h-18h, fermeture des guichets à 17h), installé sur un site luxuriant, est souvent très fréquenté par les familles thaïlandaises et les groupes scolaires. Il abrite une quantité d'animaux de toutes sortes et 2 attractions particulières (les pandas et un aquarium) pour lesquelles il faut prendre un ticket supplémentaire.

La partie "pandas" du zoo (adulte/enfant 100/50 B) présente d'adorables Chuang-Chuang et Lin-Hui qui vivent dans un bâtiment spécial équipé d'air conditionné. Ils ont presque le statut de stars auprès des écoliers de Chiang Mai. Le nouvel aquarium (adulte/enfant 450/350 B) a été construit pour 600 millions de bahts dans l'espoir d'attirer plus de touristes au zoo. Il serait muni du plus long tunnel d'Asie (113 m) et reconstitue les environnements aquatiques de Thaïlande – aussi bien les rivières du Nord que les mangroves et les côtes océaniques – et du bassin amazonien.

Si vous arrivez suffisamment tôt, vous pouvez facilement vous rendre à pied aux enclos des lions, girafes, tigres et oiseaux qui se situent près de l'entrée. À l'exception des éléphants et des orangs-outans, la plupart des animaux semblent en bonne forme. Vous pouvez également vous rendre à pied jusqu'aux pandas. L'aquarium est en revanche un peu trop loin. Des bus ouverts (adulte/enfant 20/10 B) et un tram surélevé (adulte/enfant 100/50 B) font le tour du zoo, mais le temps d'attente est long. Votre ticket de bus ou de tram est valable pendant toute votre visite : prenez soin de bien le conserver en cas de contrôle. Si vous venez avec des enfants en bas âge, pensez à apporter une poussette.

Le zoo est également équipé d'un garage à motos et vélos (10 B) et d'un parking pour les voitures et camions (50 B).

## WAT U MONG

วัดอุโมงค์

Ce **temple de forêt** (☎ 0 5327 3990 ; Soi Wat U Mong) fut utilisé pour la première fois sous le règne du roi Phaya Mengrai, au XIVe siècle. Les tunnels en brique auraient été construits sur un large plateau en 1380 pour le moine extralucide Thera Jan. Tombé ensuite à l'abandon, ce monastère fut restauré vers la fin des années 1940 grâce à la générosité d'un prince local. Une communauté monastique vint s'y établir dans les années 1960, initiée par Ajahn Buddhadasa Bhikkhu, célèbre moine et professeur au Wat Suanmok (Thaïlande du Sud), à présent décédé.

Un bâtiment contient des objets d'art moderne fabriqués par des moines thaïlandais et étrangers ayant appartenu à cette communauté. Au sommet du plateau, vous verrez un bouddha jeûnant très expressif, les côtes saillantes, les veines à fleur de peau, ainsi qu'un très grand *chedi*. Le domaine abrite un petit lac entouré de *gù·đì* (lieu de vie des moines).

Les moines étrangers résidant au Wat U Mong organisent des débats en anglais le dimanche après-midi, à 15h, près du lac.

On accède au Wat U Mong par une série de petites ruelles derrière Th Suthep, non loin de l'université de Chiang Mai. En arrivant à l'université, suivez les panneaux indicatifs. Il est à noter qu'il existe un autre temple du même nom à Chiang Mai. Pour que votre chauffeur de *sŏrng·tăa·ou* ou de *túk-túk* vous conduise bien à l'original, demandez le "Wat U Mong Thera Jan".

### CHIANG MAI NIGHT SAFARI

เชียงใหม่ไนท์ซาฟารี

Le très controversé **Night Safari** (☎0 5399 9050 ; www.chiangmainightsafari.com ; Route 121/Th Klorng Chonprathan ; 13h-minuit lun-ven, 10h-minuit sam et dim) était l'un des grands projets de Thaksin Shinawatra, l'ancien Premier ministre, qui souhaitait améliorer l'image de la ville afin d'attirer le tourisme haut de gamme.

Le Night Safari est ouvert pendant la journée, mais l'animation commence véritablement le soir avec le "Predator Prowl" et le "Savannah Safari" (adulte/enfant 500/300 B). Ces circuits commentés en anglais commencent à 19h45 et à 21h30 et durent environ 2 heures. À la différence des animaux du zoo de Chiang Mai, certains animaux comme les gnous, les girafes, les rhinocéros blancs et les zèbres sont en liberté et viennent parfois tout près des bus. Sur l'itinéraire du "Predator Prowl", les véhicules sont protégés des tigres, lions, ours noirs d'Asie et crocodiles par de profondes tranchées.

Pendant la journée, le "Jaguar Trail" (adulte/enfant 100/50 B) est un circuit à pied autour du lac Swan (1,2 km). Plus de 50 espèces (des lapins aux grues) y vivent en liberté, à l'exception bien entendu du jaguar

Le Night Safari se situe à environ 12 km du centre de Chiang Mai (*sŏrng·tăa·ou* 100 B). Les agences qui assurent les transferts depuis les hôtels peuvent se charger de la réservation. Lors de sa construction, le Night Safari fut très controversé en raison de son emplacement – en plein cœur du parc national de Doi Suthep sur une superficie de 1,3 million de km² – et de son impact écologique présumé (qui n'a pas encore fait l'objet d'une estimation).



## Nord de la vieille ville

Les sites du nord de la ville – auxquels on accède par Pratu Chang Pheuak (la "porte de l'éléphant blanc", en référence à l'éléphant qui transporta la relique sacrée au Doi Suthep) – sont moins touristiques, ce qui peut en soi présenter un intérêt pour certains. Il est préférable de louer un véhicule pour les visiter, car ils sont assez éloignés les uns des autres.

### WAT CHIANG YEUN

วัดเชียงยืน

Le **Wat Chiang Yeun** (carte p. 292 ; Th Mani Nopharat) fut construit au XVI^e^ siècle à l'est de la Pratu Chang Phuak, à l'angle nord-est de la vieille ville. Outre le grand *chedi* (style thaïlandais du Nord), son attrait réside dans la vieille porte et le pavillon colonial birmans – à l'est de l'école attenante au temple. Ce quartier de Chiang Mai fut historiquement peuplé par les Chans. On en ressent encore l'influence dans les boutiques qui approvisionnent les fidèles chan et birmans en feuilles de thé saumurées (*mêe·ang* en thaï) et en nouilles à la mode chan.

### WAT KU TAO

วัดกู่เต้า

Au nord des douves, le **Wat Ku Tao** (carte p. 284 ; ☎0 5321 1842), de 1613, possède un *chedi* qui ressemble à un empilement de sphères de diamètres décroissants, peut-être de style Yunnan. Le stupa contiendrait les cendres de Tharawadi Min, un fils du roi birman Bayinnaung, souverain de Lanna de 1578 à 1607.

### WAT JET YOT

วัดเจ็ดยอด

Le **Wat Jet Yot** (carte p. 284 ; ☎0 5322 1947 ; Th Superhighway) fut édifié pour accueillir le 8^e^ concile bouddhique en 1477, une occasion historique pour la capitale lanna. À l'arrière de l'enceinte, s'élèvent les ruines de l'ancien *wí·hăhn*. Ce serait une réplique du temple Mahabodhi en Inde, mais les proportions ne concordent pas. Certains érudits pensent que le plan du temple aurait été inspiré d'une petite tablette votive sur laquelle la perspective du temple Mahabodhi était déformée.

Le *jèt yôrt* (les sept flèches) représente les sept semaines que le Bouddha aurait passées à Bodhgaya après son Éveil. La plupart des reliefs en stuc ont disparu, mais on peut encore admirer quelques bodhisattvas intacts (sages de la tradition bouddhiste mahayana) sur les murs extérieurs.

Non loin se trouvent un *chedi* d'âge inconnu et un luxueux *wí·hăhn* (à côté de l'entrée) qui renferme des peintures représentant des scènes de la vie quotidienne contemporaine.

### MUSÉE NATIONAL DE CHIANG MAI

พิพิธภัณฑสถานแห่งชาติเชียงใหม่

Créé en 1973, le **Musée national de Chiang Mai** (carte p. 284 ; ☎0 5322 1308 ; www.thailandmuseum.com ; à l'arrière de Th Superhighway ; 100 B ; 9h-16h mer-dim) est géré par le département des Beaux-Arts. Il fait fonction de gardien des trésors lanna et de conservateur de l'histoire de la Thaïlande du Nord. Il complète bien le centre culturel et artistique de Chiang Mai (p. 294), parce que ses objets d'art sont plus nombreux et ne proviennent pas seulement de la ville proprement dite. Lamphun, Chiang Saen et Nan abritent d'autres musées nationaux qui présentent d'importantes collections d'objets d'art de la Thaïlande du Nord. Ils sont tous gérés avec l'appui du Musée national de Chiang Mai.

La section d'art lanna est la mieux faite du musée. Une collection de bouddhas de tout style est accompagnée d'explications sur les différentes périodes et influences.

#### MUSÉE DES ETHNIES

พิพิธภัณฑ์ชาวเขา

Surplombant un lac dans le parc de Ratchamangkhala, en périphérie nord de la ville (à 1,5 km), ce **musée** de forme octogonale (☎ 0 5321 0872 ; près de Th Chang Pheauk ; entrée libre ; 🕑 9h-16h lun-ven) expose de vastes collections d'objets artisanaux, costumes, bijoux, pièces d'ornement, ustensiles ménagers, outils agricoles, instruments de musique et objets de cérémonie. De nombreux panneaux explicatifs permettent de comprendre les spécificités culturelles de chaque ethnie montagnarde. Le musée présente aussi les actions entreprises par la famille royale thaïlandaise pour soutenir ces ethnies, ainsi que certains des travaux de recherche et de développement, placés sous le parrainage d'organisations gouvernementales et non gouvernementales. Les projections vidéo ont lieu de 10h à 14h (20-50 B). Le musée est fermé les jours fériés.

#### LAC DE HUAY TEUNG THAO

อ่างเก็บน้ำห้วยตึงเฒ่า

Cet assez grand **lac** (entrée 20 B ; 🕑 8h-coucher du soleil), situé en contrebas au nord-ouest du parc Doi Suthep-Pui, est devenu bien plus qu'un simple plan d'eau. Ses rives sont bordées de cabanes flottantes en bambou (10 B/pers), où les Thaïlandais viennent grignoter des bestioles grillées, partager une bouteille de whisky et parfaire leur art de la relaxation. S'il fait trop chaud, vous pouvez faire un plongeon depuis votre petit appontement personnel. Si vous souhaitez tenter de pêcher votre déjeuner, sachez que la pêche est autorisée.

Deux ou trois petits restaurants préparent des *gûng đên* (crevettes dansantes) qui sont la spécialité locale, ainsi que des crevettes d'eau douce servies vivantes dans une sauce piquante au citron et au *prík lâhp* (une recette thaïlandaise du Nord, faite d'un mélange d'épices et de piments).

Le lac se trouve à 12 km au nord-ouest de la ville. En voiture ou à moto, prenez la Route 107 sur 10 km (suivez les panneaux Mae Rim), puis bifurquez à l'ouest, 2 km plus loin, après un camp militaire. Les cyclistes emprunteront Th Khan Khlorng Chonlaprathan (également connue sous le nom de route *klorng*), flanquée de façades assez ternes. Si vous partez de l'angle nord-ouest des douves, comptez une heure pour parcourir ce trajet à vélo.

### Parc national de Suthep-Pui

อุทยานแห่งชาติดอยสุเทพ–ปุย

Le Doi Suthep (1 676 m) et le Doi Pui (1 685 m), les sommets sacrés de Chiang Mai, se dressent au-dessus de la ville comme le feraient des esprits protecteurs. Lorsqu'ils cherchèrent un emplacement favorable pour leur ville, les fondateurs de Chiang Mai se servirent de ces sommets comme d'un compas divin. Suthep a été baptisé du nom de Sudeva, un ermite qui passa de nombreuses années sur les flancs de la montagne. C'est là qu'est installé le Wat Phra That Doi Suthep, le temple sacré de Chiang Mai.

Un **parc national** (☎ 0 5321 0244 ; adulte/moins de 14 ans 200/100 B ; 🕑 8h-coucher du soleil) a été créé dans la montagne, sur un territoire de 265 km$^2$. C'est un mélange de jungle, de villages d'ethnies montagnardes et de curiosités touristiques comme le Wat Phra That Doi Suthep. Malgré la présence humaine, le parc demeure une excellente destination pour les citadins désireux de s'évader en forêt. La plupart des gens ne s'éloignent pas de la route principale : ils visitent le temple, le palais d'hiver et l'un des villages hmong envahis par les touristes et contournent la forêt.

Le flanc oriental de la montagne reste vert et frais presque toute l'année. La montagne s'élève des basses terres humides et traverse la fraîcheur (et même parfois la froideur) de la ceinture de nuages, là où la brume souffle sur la route dont les bas-côtés sont envahis par la mousse. Plus de 300 espèces d'oiseaux et près de 200 espèces de fougères et de fleurs prospèrent dans ce climat varié. Pendant la saison des pluies, il y a autant de papillons que de fleurs.

Le parc se prête à la randonnée, au VTT, au camping, à l'observation des oiseaux et au repérage des cascades. La chute d'eau la plus spectaculaire est **Nam Tok Monthathon** (c'est là que se trouve le guichet), à 2,5 km de la route bitumée qui mène au Doi Suthep. Des piscines naturelles perdurent toute l'année sous les chutes, mais c'est juste après la mousson que la période est la plus propice aux baignades. L'accès à **Nam Tok Wang Bua Bahn** est gratuit. Ce n'est pas une cascade à proprement parler mais plutôt une série de rapides au pied de la montagne, très fréquentés par les Thaïlandais.

Il est possible de randonner dans le parc sans accompagnateur, mais le manque de transports et de panneaux indicatifs peut être gênant. Des chemins étroits, utilisés anciennement par les villageois des ethnies montagnardes pour la chasse et le transport, peuvent être empruntés par les VTT. Ils ne sont jamais bondés et promettent des heures de descente. Comme ils sont mal balisés, il est préférable de s'adjoindre l'aide d'un guide (voir la rubrique *À faire* p. 306 pour de plus amples informations).

Les tickets sont vendus au pied de certaines cascades du parc. Le parc ne fait pas payer de droit d'entrée pour la visite des sites le long de la route principale, mais chaque site a son propre guichet.

Dans le parc national, vous pouvez **loger** (www.dnp.go.th ; camping 60-90 B, bungalows 500-300 B) dans d'élégants bungalows à 1 km au nord du temple, non loin de l'administration du parc, ou dans le camping Doi Pui, près du sommet de la montagne.

Situé à 16 km au nord-ouest du centre de Chiang Mai, le parc est accessible en partageant un *sŏrng·tăa·ou* qui part de l'entrée de l'université de Chiang Mai sur Th Huay Kaew. Le prix minimum de l'aller simple est de 40 B, il augmente ensuite en fonction de la destination à l'intérieur du parc et du nombre de passagers. Vous pouvez également louer un *sŏrng·tăa·ou* pour environ 600 B ou une moto pour un prix bien moins élevé. Les *sŏrng·tăa·ou* partent aussi de Pratu Chang Pheuak et du zoo de Chiang Mai. Il est possible de faire l'ascension jusqu'au temple à vélo (13 km), mais veillez à choisir le petit matin ou la fin de soirée, lorsque la circulation est moins dense.

PROVINCE DE CHIANG MAI

### WAT PHRA THAT DOI SUTHEP

วัดดอยสุเทพ

Le **Wat Suthep** (30 B) est l'un des temples les plus vénérés du nord du pays. Il trône majestueusement au sommet du Doi Suthep. Les pèlerins thaïlandais y affluent pour rendre hommage à la relique bouddhique enchâssée dans un pittoresque *chedi* doré. Le temple abrite une intéressante collection d'art et d'architecture lanna. Par beau temps, il offre une belle vue sur la ville.

Le Wat Suthep fut édifié en 1383 sous le roi Keu Naone. Un moine venu de Sukhothai donna l'ordre au roi d'emporter dans la montagne la réplique d'une relique miraculeuse (enchâssée au Wat Suan Dok) et d'y fonder un temple. La relique fut transportée sur le dos d'un éléphant qu'on laissa vagabonder jusqu'à ce qu'il "choisisse" le lieu d'établissement du temple qui contiendrait la relique. L'éléphant mourut au sommet du Doi Suthep à 13 km à l'ouest de Chiang Mai, et c'est là que le temple fut construit pendant l'année de la chèvre.

Un sanctuaire dédié à Kruba Siwichai, un moine très respecté du début du XXe siècle, se dresse sur la route principale près de l'accès au tram. Ce moine, souvent considéré comme une sorte de saint patron des Thaïlandais du Nord, œuvra à reconstruire et à relancer de nombreux temples de la région. Il collecta également des fonds pour la construction de la route qui mène de la ville de Chiang Mai au Wat Suthep.

On accède au temple par un épuisant escalier de 306 marches bordé de 2 rampes en forme de *naga*. Pour ceux que l'ascension rebute, il est possible d'emprunter un tram pour 20 B. Vous arrivez d'abord sur une terrasse ouverte jalonnée de statues imposantes et de châsses retraçant l'histoire du temple. À côté d'un jaquier, une chapelle est dédiée à Sudeva, l'ermite qui vécut sur cette montagne. Non loin, une statue immortalise l'éléphant blanc qui transporta la relique. En suivant l'allée dans le sens des aiguilles d'une montre, vous parvenez à un belvédère et à un petit sanctuaire dédié au roi fondateur du temple. Le bâtiment est protégé par 2 *mom*, des personnages mythiques à la fois lion, caméléon et poisson.

Une deuxième série d'escaliers mène au cloître principal et au célèbre *chedi* plaqué or surmonté d'une ombrelle à 5 niveaux, érigé en l'honneur de la fin de l'occupation birmane et du rattachement de Chiang Mai à la Thaïlande. Dans le cas du Wat Suthep, la majorité des fidèles viennent spécialement pour ce *chedi* (et la relique sacrée du Bouddha qui se trouve à l'intérieur) et non pas pour la statue du Bouddha. Il possède de nombreuses caractéristiques de l'art lanna : la barrière autour de sa base, le socle carré en dents de scie et la flèche octogonale. Il est flanqué de plusieurs *wí·hăhn* qui contiennent des bouddhas typiques du style lanna : formes et traits généreux, position d'assise en lotus, buste serré dans des bandelettes et nœud en forme de lotus au sommet du crâne.

Dans l'enceinte du monastère, le Centre international du bouddhisme propose plusieurs programmes d'enseignement destinés aux visiteurs. Reportez-vous à la rubrique *Cours* (p. 308) pour de plus amples informations.

### PHRA TAMNAK PHU PHING

พระตำหนักภูพิงค์

Situé à environ 4 km au-delà du temple, le **Phra Tamnak Phu Phing** (palais Phu Phing ; 50 B ; 8h30-11h30 et 13h-15h30) est une résidence d'hiver de la famille royale entourée de jardins ouverts au public. Ils sont fermés lorsque la famille royale y séjourne, ce qui est en fait rarement le cas. Des fleurs des climats tempérés y sont cultivées, notamment des roses, exotiques aux yeux des Thaïlandais. Allez plutôt voir les fontaines qui jaillissent sur un plan d'eau au rythme de compositions musicales du roi. Le jardin de fougères attenant est également une promenade agréable. Même s'ils ne sont pas incontournables, les jardins plairont aux amateurs de nature qui l'apprécient aménagée.

### VILLAGES HMONG

หมู่บ้านชาวม้ง

La route qui longe le palais bifurque sur la gauche pour s'arrêter au sommet du Doi Pui. De là, un chemin de quelques kilomètres mène à **Ban Doi Pui**, un village hmong. La vie villageoise s'y résume en fait à un marché touristique d'artisanat et de souvenirs hmong. Un petit **musée** (10 B) fournit quelques informations sur les communautés et la production d'opium.

**Ban Kun Chang Kian**, au nord du camping Doi, est un village hmong qui présente plus d'intérêt. Au lieu d'aller à gauche après le palais, tournez à droite. La route est pavée jusqu'au terrain de camping et se transforme en piste accidentée sur les 500 derniers mètres. Pour éviter les avaries, laissez votre véhicule au parking du camping et finissez à pied. Vous profiterez ainsi de la crête et du rose des arbres en fleurs (appelés *pá·yah sĕua krôhng* en thaï). Vous tomberez alors sur un café rudimentaire tenu par les villageois, entouré de plantations de café qui sont récoltées en janvier. Un hébergement (à partir de 600 B), certes sommaire mais d'où la vue est fantastique, permet de passer la nuit dans ce village.

## PROMENADE À PIED

### Circuit des temples de la vieille ville

Vous n'aurez pas achevé votre visite de Chiang Mai tant que vous n'aurez pas consacré une journée à découvrir les temples. Ce circuit comprend les plus connus de la vieille ville (à l'exception du Wat Suthep auquel il faut consacrer une autre journée). Commencez votre visite tôt le matin, avant qu'il ne commence à faire très chaud. Vous assisterez ainsi aux rituels quotidiens comme les allers et venues des moines et les rituels de prière effectués pour l'acquisition de mérites. N'oubliez pas de porter une tenue correcte (épaules et genoux couverts), d'enlever vos chaussures à l'entrée des bâtiments et de vous asseoir en "position de la sirène" (assis sur les talons, les jambes repliées sous les fesses) pour observer l'intérieur des sanctuaires.

Le circuit commence par le plus remarquable : le **Wat Phra Singh** (**1** ; p. 290), un bel exemple d'architecture lanna, et son bouddha, le plus révéré de la ville. Descendez ensuite Th Ratchadamnoen et tournez à droite dans Th Phra Pokklao où se trouve le **Wat Chedi Luang** (**2** ; p. 290), un autre temple qui fait l'objet d'une grande vénération. Si vous souhaitez

**EN BREF**

**Départ** Wat Phra Singh
**Arrivée** Prison des femmes de Chiang Mai
**Distance** 2,5 km
**Durée** de 2 à 3 heures

**PROMENADE À PIED DANS CHIANG MAI**

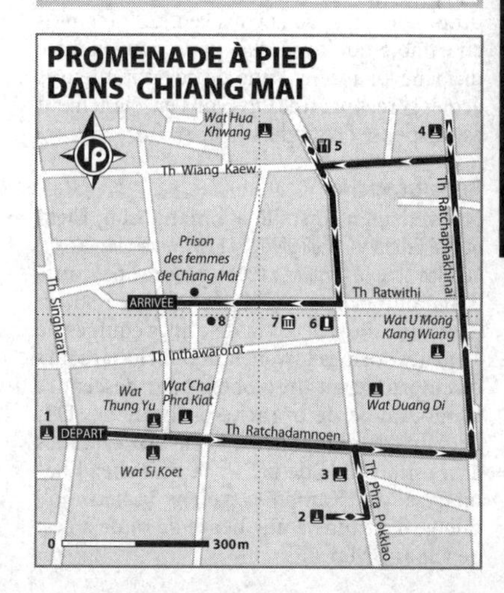


PROVINCE DE CHIANG MAI

vous documenter sur le bouddhisme, il est possible de discuter avec les moines du côté nord du *chedi*. Retournez ensuite sur vos pas jusqu'au charmant **Wat Phan Tao** (**3** ; p. 291), un temple en teck. On accède enfin au **Wat Chiang Man** (**4** ; p. 291), le plus ancien de la ville, en tournant à droite dans Th Ratchadamnoen, puis à gauche dans Th Ratchaphakhinai.

Pour vous restaurer, tournez à droite dans Th Wiang Kaew, puis prenez Th Phra Pokklao, la première à droite, jusqu'à **Amazing Sandwich** (**5** ; p. 320), qui remporte les faveurs des expatriés. Pour admirer les statues d'**Anusawari Sam Kasat** (**6** ; p. 295), le monument des Trois Rois, descendez Th Phra Pokklao vers le sud, puis tournez à droite dans Th Ratwithi. Continuez votre route jusqu'à l'instructif centre culturel et artistique de Chiang Mai (**7** ; p. 294), qui bénéficie de la climatisation.

Si vous souhaitez faire une pause, suivez Th Ratwithi jusqu'à la prison des femmes de Chiang Mai. Vous y trouverez le **Chiang Mai Women's Prison Massage Centre** (**8** ; p. 310). N'essayez pas de pénétrer dans la prison elle-même. Les massages sont dispensés dans le bâtiment portant l'enseigne "Prison Shop" qui se situe du côté sud de la route.

## À FAIRE

Chiang Mai s'intègre bien dans le nouveau millénaire avec tous ses circuits d'aventure. Les montagnes alentour, les rivières et les chemins accueillent une nouvelle vague de sports à sensations fortes qui ont commencé à supplanter les circuits de randonnée traditionnels. Et si vous vous sentez l'âme plus charitable que fonceuse, vous pouvez faire du bénévolat dans l'une de ces nombreuses écoles gérées par une ONG où l'enseignement est dispensé en anglais (voir p. 50).

### Accrobranche

Nouvellement installé à Chiang Mai, **Flight of the Gibbon** (☎ 08 9970 5511 ; www.treetopasia.com ; Mae Kampong ; à partir de 2 000 B) gère un parcours d'Accrobranche dans la forêt à plus de 1 300 m d'altitude. Près de 2 km de câbles équipés de 18 plates-formes suivent la crête et le parcours qu'emprunterait un gibbon pour descendre la montagne de branche en branche. Des chemins de randonnée mènent aux cascades et il est possible de passer la nuit chez l'habitant à Mae Kampong (voir p. 342), un joli village d'altitude à une heure de route à l'est de Chiang Mai.

Flight of the Gibbon a des objectifs ambitieux dans le domaine de la protection de la forêt : consacrer 10% de ses bénéfices à des projets visant à reboiser le site de l'Accrobranche et aménager un lieu de vie pour une petite population de macaques.

### Circuits à vélo, à VTT et à moto

La campagne et les montagnes autour de Chiang Mai se prêtent parfaitement aux sorties à deux-roues. Le Doi Suthep (p. 304), l'espace vert le plus proche de la ville, est particulièrement réputé pour le VTT. À moto ou à vélo, le circuit Mae Sa-Samoeng (p. 336) est une boucle sensationnelle à travers les montagnes, non loin de la ville. Il est facile de se déplacer dans Chiang Mai en scooter, à vélo ou à moto ; pour les bonnes adresses de location de deux-roues, se reporter à la rubrique *Comment circuler* (p. 333).

**Chiang Mai Mountain Biking** (carte p. 292 ; ☎ 08 1024 7046 ; www.mountainbikingchiangmai.com ; 1 Th Samlan ; circuits à partir de 1 450 ou 1 550 B) propose plusieurs circuits de VTT (ou VTT et randonnée combinés) dans le Doi Suthep, avec guides, pour tout niveau.

**Click and Travel** (☎ 0 5328 1553 ; www.clickandtravel online.com ; circuits 950-1 300 B) s'est spécialisé dans des circuits à vélo dans Chiang Mai (1 demi-journée). Ces circuits culturels (sportifs mais adaptés aux familles) vous mènent aux temples et aux curiosités touristiques situés à l'extérieur du centre-ville. Le prix comprend le transfert depuis l'hôtel ; possibilité de s'organiser avec eux via leur site ou par téléphone.

**Contact Travel** (carte p. 284 ; ☎ 0 5320 4665 ; www.activethailand.com ; 420/3 Th Chang Khlan ; circuits d'une journée 1 800-2 000 B, circuits de plusieurs jours à partir de 12 500 B) organise de grands circuits de VTT sur plusieurs jours dans le nord de la Thaïlande, principalement de Chiang Mai à Chiang Dao ou à Chiang Rai. Les circuits empruntent de petites routes avec quelques passages tout-terrain.

Le site Internet de **Golden Triangle Rider** (www.gt-rider.com) fournit des idées de circuits à moto et de bonnes adresses pour la location de motos. Il publie des cartes topographiques qui détaillent les itinéraires les plus connus vers le Triangle d'or, Mae Hong Son et Samoeng (et la vallée Mae Sa).

### Circuits à dos d'éléphant

Chiang Mai est l'une des destinations réputées pour aller à la rencontre des éléphants. Par le passé, on ne les voyait que dans de médiocres numéros de cirque, mais, depuis 10 ans, la qualité de vie de l'animal emblématique de Thaïlande est devenue une préoccupation. Les activités autour des éléphants se sont ainsi diversifiées avec des réserves qui favorisent la protection des éléphants et des écoles de formation pour futurs cornacs.

**Elephant Nature Park** (carte p. 292 ; centrale de réservation ☎ 0 5320 8246 ; www.elephantnaturepark.org ; 1 Soi 1, Th atchamankha ; circuit d'une journée 2 500 B). Khun Lek (Sangduen Chailert) a reçu de nombreuses récompenses pour le sanctuaire des éléphants qu'elle a établi dans la vallée boisée de Mae Taeng, à 60 km de Chiang Mai (1 heure 30 de route). Des éléphants maltraités ou trop vieux pour travailler y sont recueillis et protégés dans un environnement semi-sauvage. Le parc en compte actuellement 26 (22 éléphants adultes et 4 petits). Les visiteurs peuvent aider à les laver et à surveiller le troupeau, mais il n'y a ni spectacle ni circuit sur leur dos. Les groupes sont limités à 25 personnes ; le transport depuis l'hôtel est compris. Khun Lek gère également un programme médical pour les pachydermes et accepte l'aide de bénévoles.

Le séjour à **Patara Elephant Farm** ( ☎ 08 1992 2551 ; www.pataraelephantfarm.com ; circuit d'une journée 5 800 B) est plus onéreux, mais aussi plus expérimental. L'approche de cette ferme diffère légèrement de celle d'Elephant Nature Park. Sa première mission est de lutter contre la diminution du nombre d'éléphants en Thaïlande en soutenant leur reproduction et en favorisant un tourisme respectueux. Les 6 éléphants à demeure sont "adoptés" par les visiteurs pour la journée : ils les nourrissent et les baignent, apprennent quelques gestes élémentaires des cornacs et se promènent à dos d'éléphant jusqu'au pied d'une cascade. Les groupes comprennent 6 personnes au maximum. Le prix inclut le transport de l'hôtel à la ferme qui se trouve à 30 min de route au sud de Chiang Mai, dans le Hang Dong.

## Escalade

Le site de Crazy Horse Buttress, d'impressionnantes falaises calcaires, est bien connu des grimpeurs. Situé derrière Tham Meuang, non loin de Sankamphaeng, à 45 km à l'est de Chiang Mai, il n'est certes pas aussi époustouflant que les falaises du bord de mer de Krabi, mais il offre une belle vue sur la campagne alentour. Les compagnies ci-après proposent des cours d'escalade pour débutants et des entraînements pour différents niveaux. Les guides, le matériel, les transports et le déjeuner sont compris dans les tarifs des sorties.

**Chiang Mai Rock Climbing Adventures** (carte p. 292 ; ☎ 0 6911 1470 ; 55/3 Th Ratchaphakhinai ; cours d'escalade 1 800-6 600 B) a équipé de nombreuses voies de Crazy Horse Buttress et en assure aujourd'hui l'entretien. Le propriétaire (un expatrié) publie un guide d'escalade qui couvre la Thaïlande du Nord. Des sorties de spéléologie sont également possibles dans le même secteur pour les amateurs des promenades souterraines. Le bureau situé dans Th Ratchaphakhinai loue et vend du matériel, assure un service de mise en relation entre les grimpeurs et dispose d'un mur d'escalade pour les entraînements.

**Peak** ( ☎ 0 5380 0567 ; www.thepeakadventure.com ; cours d'escalade 1 500-2 500 B) propose aussi des cours d'escalade pour débutants et grimpeurs expérimentés à Crazy Horse Buttress. Il organise également toutes sortes d'excursions comme la descente en rappel de Nam Tok Wachiratan à Doi Inthanon (p. 344), de la randonnée, du rafting et un cours de survie dans la jungle.

## Randonnée

Des milliers de visiteurs viennent jusque dans les montagnes du Nord avec l'idée qu'ils verront de fantastiques paysages, dialogueront avec les habitants des villages et se promèneront à dos d'éléphant. La plupart arrivent pleins d'enthousiasme et repartent déçus par la brièveté de leur incursion dans la jungle, par le désintérêt des ethnies villageoises à leur égard et par l'ambiance du groupe.

Il faut savoir que toutes les agences proposent le même type de circuits à partir de Chiang Mai : 1 heure de minibus jusqu'à Mae Taeng ou à Mae Wang (en fonction de la durée du trajet), une courte randonnée jusqu'à un camp d'éléphants, une promenade de 1 heure à dos d'éléphant jusqu'à une cascade, 1 heure de rafting et une nuit dans ou à proximité d'un village des ethnies montagnardes. La journée passe relativement vite et il faut ensuite attendre l'heure du coucher en compagnie des autres membres du groupe.

Tout dépend alors de l'ambiance du groupe et des relations que vous nouerez. Dans le meilleur des cas, la bonne atmosphère du groupe fera de votre excursion une expérience remarquable. Sachez par ailleurs que dans leur présentation, les agences ont tendance à exagérer les contacts réels que vous aurez avec les membres des ethnies montagnardes.

Chiang Mai n'est pas le seul point de départ pour les randonnées à la rencontre des habitants, mais c'est le plus facile d'accès. La plupart des pensions de la ville se chargent des réservations et perçoivent une commission en échange (qui compense le faible coût des chambres). Une randonnée d'une journée coûte autour de 1 500 B. Pour les randonnées de plusieurs jours (3 jours et 2 nuits), comptez 2 500 B. Ces prix comprennent le transport, le guide, les repas ainsi que l'hébergement dans le cas de la randonnée de 3 jours.

Pour le choix des agences de trekking et des sites de randonnée, voir p. 759.

### Rafting

La rivière Mae Taeng se situe au nord de Chiang Mai, où elle se fraie un chemin à travers les parcs nationaux de Doi Chiang et de Huai Nam Dang. Ses eaux sont vives et agitées 9 mois par an (de juillet à mars), une saison relativement longue sous ce climat de moussons. Le parcours fait 10 km et comprend des rapides de niveau 2 à 4, certains de niveau 5. Sur une section particulièrement palpitante, la dénivellation est de 60 m sur seulement 1,5 km. Après de très fortes pluies, spécialement en septembre, ses flots grossissent tellement et sont si agités qu'il y a des cas de noyade. Pour choisir un organisateur, vérifiez scrupuleusement leurs normes de sécurité et leur formation. Si la réponse vous semble vague ou hâtive, optez pour un opérateur plus réputé.

**Siam River Adventures** (carte p. 292 ; ☎ 08 9515 1917 ; www.siamrivers.com ; Kona Cafe, 17 Th Ratwithi ; parcours à partir de 1 800 B) jouit de la meilleure réputation en matière de sécurité. Les guides sont formés au sauvetage en eaux vives et une partie de l'équipe est postée sur les passages difficiles de la rivière avec des cordages de sauvetage. Il est possible de combiner un parcours en rafting avec une randonnée à dos d'éléphant et une nuit dans un village. Des parcours en kayak sont également organisés.

### Yoga et sports

**700-Year Anniversary Stadium** ( ☎ 0 5311 2301 ; Th Klorng Chonprathan). Un complexe sportif moderne équipé d'une piscine olympique.

**Anantasiri Tennis Courts** (carte p. 284 ; près de Th Superhighway ; 🕑 6h-20h tlj). La meilleure infrastructure publique de Chiang Mai pour le tennis.

**Anodard Hotel** (carte p. 292 ; ☎ 0 5327 0755 ; 57-59 Th Ratchamankha). Un hôtel du centre-ville dont la piscine est ouverte à tous, moyennant un droit d'entrée à la journée.

**Chiang Mai Yoga Sala** (carte p. 292 ; ☎ 0 5320 8452 ; www.cmyogasala.com ; 48 Th Ratchamankha ; cours 250-300 B). Cours pour les débutants le matin : hatha-yoga et yoga de l'école de Mysore ; cours de hatha-yoga de différents niveaux le soir.

**Gymkhana Club** (carte p. 284 ; ☎ 0 5324 1035 ; Th Ratuthit). Beau club amical et sportif qui dispose de courts de tennis et de squash, d'un golf et d'un practice accessibles à la journée contre un droit d'entrée pour les non-adhérents.

**Pong Pot Swimming Pool** ( ☎ 0 5321 2812 ; 73/22 Soi 4, Th Chotana) est une piscine publique.

**Top North Guest House** (carte p. 292 ; ☎ 0 5327 8900 ; 15 Soi 2, Th Moon Muang). Piscine de l'hôtel ouverte à tous pour un forfait à la journée.

**Top North Hotel** (carte p. 292 ; ☎ 0 5327 9623 ; 41 Th Moon Muang). Piscine de l'hôtel ouverte à tous moyennant un forfait à la journée.

**Yoga Studio** (carte p. 292 ; ☎ 08 6192 7375 ; www.yoga-chiangmai.com ; 65/1 Th Arak ; cours 250 B). Cours à la carte le matin, 4 fois par semaine ; séance de méditation le jeudi soir.

## COURS

### Méditation bouddhiste

Les temples suivants proposent des cours de méditation vipassana et des retraites en langue anglaise. Une tenue correcte est exigée, le blanc est de rigueur (des vêtements blancs sont en général vendus par le temple). Conformément aux préceptes bouddhistes, les cours sont gratuits, mais les dons sont appréciés. Pour des détails concernant les cours et l'emploi du temps, reportez-vous aux différents sites Internet.

**International Buddhism Center** (IBC ; ☎ 0 5329 5012 ; www.fivethousandyears.org ; Wat Phra That Doi Suthep) est situé dans l'enceinte du temple de Doi Suthep. Retraites de 3 à 21 jours pour débutants et avancés.

**Northern Insight Meditation Centre** ( ☎ 0 5327 8620 ; Wat Ram Poeng). Situé à 4 km au sud de Chiang Mai, ce centre propose un cours intensif de 26 jours et des cours plus longs. Les journées commencent à 4h du matin ; les repas sont pris en silence. Le nom officiel du Wat Ram Poeng est Wat Tapotaram.

Le **Wat Sisuphan** (carte p. 292 ; ☎ 0 5320 0332 ; 100 Th Wualai ; 19h-21h mar, jeu et sam) dispense un cours de 2 heures d'introduction au bouddhisme avec pratique des 4 postures (debout, assise, en marche et allongée).

**Wat Suan Dok** (carte p. 284 ; ☎ 0 5380 8411 poste 114 ; www.monkchat.net ; Th Suthep) organise une retraite méditative de 2 jours, du mardi au mercredi. À la fin de chaque mois, la retraite dure un jour de plus (mardi à jeudi). Les participants doivent s'inscrire à l'avance et se retrouver au Wat Suan Dok pour le trajet jusqu'au centre de méditation qui se trouve à 15 km au nord-est de Chiang Mai. Vérifiez sur le site Internet que la retraite a bien lieu.

## Cuisine

Les cours de cuisine thaïlandaise sont un incontournable parmi toutes les offres de cours de Chiang Mai. De très nombreuses écoles proposent des cours de cuisine moyennant en général 900 B la journée, soit dans un lieu en ville, par exemple dans une vieille maison de charme, soit à la campagne, dans un jardin ou une ferme. Ils se tiennent habituellement au moins 5 fois par semaine et le menu varie tous les jours. Les élèves sont initiés à l'utilisation des herbes et des épices, visitent un marché local et préparent un menu qu'ils dégustent ensuite. On repart avec un petit livre de recettes.

**Asia Scenic Thai Cooking** (carte p. 292 ; ☎ 0 5341 8657 ; www.asiascenic.com ; 31 Soi 5, Th Ratchadamnoen) est tenu par Khun Gayray qui parle très bien l'anglais et a elle-même voyagé.

**Baan Thai** (carte p. 292 ; ☎ 0 5335 7339 ; www.baanthaicookery.com ; 11 Soi 5, Th Ratchadamnoen) dispose d'un local en ville où il est possible de choisir les plats qu'on souhaite préparer. Leur cours "intensif" comprend un menu composé de spécialités thaïlandaises du Nord.

**Chiang Mai Thai Cookery School** (carte p. 292 ; ☎ 0 5320 6388 ; www.thaicookeryschool.com ; bureau de réservation, 47/2 Th Moon Muang) est l'une des plus renommées de Chiang Mai. Ses cours ont lieu dans un établissement rural à la campagne. Elle propose aussi une "masterclass" avec un menu thaïlandais du Nord.

**Gap's Thai Culinary Art School** (carte p. 292 ; ☎ 0 5327 8140 ; www.gaps-house.com ; 3 Soi 4, Th Ratchadamnoen) est associé à la pension Gap's House (d'où vous pouvez réserver) ; ses cours ont lieu à la campagne, dans la maison du propriétaire.

**Thai Farm Cooking School** (carte p. 292 ; ☎ 08 7174 9285, 08 1288 5989 ; www.thaifarmcooking.com ; bureau de réservation, 2/2 Soi 5, Th Ratchadamnoen). Les cours sont dispensés dans une exploitation d'agriculture biologique, à 17 km de Chiang Mai.

## Langue et culture

Comme Chiang Mai est une ville universitaire, elle est riche en opportunités de formation pour adultes en langue thaïe et en culture thaïlandaise.

**American University Alumni** (AUA ; carte p. 292 ; ☎ 0 5327 8407, 0 5327 7951 ; www.learnthaiinchiangmai.com ; 73 Th Ratchadamnoen ; cours en groupe 4 200 B). Cours de 6 semaines visant à maîtriser les tons, à mener des conversations simples et à maîtriser les bases de la lecture et de l'écriture. Les cours ont lieu du lundi au vendredi, 2 heures 15 par jour. Il est également possible de prendre des cours particuliers.

**Chiang Mai Thai Language Center** (carte p. 292 ; ☎ 0 5327 7810 ; www.thaicultureholidays.com ; 131 Th Ratchadamnoen ; cours en groupe 3 000 B) offre une grande palette de cours : langue thaïe pour tout niveau, cours particuliers, langue thaïe des affaires, dialecte thaï du Nord. Possibilité de loger chez l'habitant au nord de Chiang Mai. Les cours durent 3 semaines.

L'**université de Chiang Mai** (carte p. 284 ; ☎ 0 5394 1000 ; www.cmu.ac.th ; Th Huay Kaew) propose une formation diplômante en thaï langue étrangère, sur 1 année, dispensée par la **faculté de pédagogie** (International Relations Section ; ☎ 0 5394 4274 ; fax 0 5322 1283 ; kuku_cmu@hotmail.com ; 1 semestre à partir de 42 000 B). Cette formation est prévue dans le cadre des échanges de la CMU avec les universités partenaires, mais elle est également ouverte aux étrangers intéressés. Elle couvre tous les niveaux de conversation en thaï, l'écriture et la lecture, ainsi que la culture thaïlandaise. Elle peut être complétée par 2 semestres supplémentaires qui comprennent environ 10 heures de cours par semaine.

L'**université Payap** (carte p. 284 ; http://ic.payap.ac.th ; Kaew Nawarat Campus, Th Kaew Nawarat) est une institution privée fondée par l'Église du Christ de Thaïlande. Son **département des langues étrangères** (☎ 0 5324 1255, ext 7220) propose des cours intensifs de thaï pour tous les niveaux (modules de 60/120 heures ; 7 500/19 700 B), ainsi qu'un **programme diplômant en études thaïlandaises et sud-est asiatiques** (☎ 0 5385 1478, ext 7227 ; http://thaistudies.payap.ac.th) : un cursus de 1 ou 2 semestres avec des cours de langue thaïe et des cours sur l'histoire, la culture et les problématiques contemporaines de l'Asie du Sud-Est.

## Boxe thaïlandaise

Le **Lanna Muay Thai Boxing Camp** (Kiatbusaba en thaï ; carte p. 284 ; ☎ 0 5389 2102 ; www.lannamuaythai.com ;

64/1 Soi Chang Khian, Th Huay Kaew ; j/mois 400/8 000 B) enseigne le *mou·ay tai* (ou *muay thai*, boxe thaïlandaise) aux étrangers et aux Thaïlandais. Plusieurs étudiants du club sont devenus des champions, notamment le célèbre boxeur travesti Parinya Kiatbusaba.

## Massage traditionnel

Les adresses suivantes proposent des formations agréées par l'État. On y apprend l'essentiel d'une pratique professionnelle du massage. Certaines écoles sont reconnues par les écoles de massage étrangères. Des modules de formation continue peuvent donc y être validés.

L'école de massage du Wat Pho de Bangkok a ouvert une annexe de la **Chetawan Thai Traditional Massage School** (carte p. 284 ; ☎ 0 5341 0360 ; www.watpomassage.com ; 7/1-2 Soi Samud Lanna, Th Pracha Uthit ; cours à partir de 6 500 B) à l'extérieur de Chiang Mai, près de l'université de Rajabhat.

Khun Lek enseigne à **Lek Chaiya** (carte p. 292 ; ☎ 0 5327 8325 ; www.nervetouch.com ; 25-29 Th Ratchadamnoen ; cours à partir de 5 200 B) le *jàp sên* (littéralement "toucher des nerfs"), une technique de massage du nord de la Thaïlande proche de l'acupressure qu'elle a apprise de sa mère. Elle est devenue une praticienne célèbre et, lorsqu'elle a pris sa retraite, son fils a repris le flambeau. Les cours durent de 3 à 5 jours. La moitié est consacrée au massage thaïlandais traditionnel, le reste à la technique du toucher des nerfs et à la phytothérapie. Pour expérimenter le *jàp sên*, faites-vous masser par un assistant (500 B) ou par Jack, le fils de Lek (950 B).

Un ancien professeur de l'Old Medicine Hospital a mis en place son propre cursus à l'**International Training Massage School** (carte p. 292 ; ☎ 0 5321 8632 ; 17/6-7 Th Morakot ; www.itmthaimassage.com ; 3 500-5 000 B). Il utilise des techniques de massage du nord de la Thaïlande. Chacun des 4 niveaux de formation comprend 30 heures de cours. Un 5e niveau est réservé à la formation des enseignants. Il est également possible de suivre des cours ponctuels de réflexologie, de massage et de thermalisme.

Le cursus à l'**Old Medicine Hospital** (OMH ; carte p. 284 ; ☎ 0 5327 5085, 0 5320 1663 ; www.thaimassageschool.ac.th ; 78/1 Soi Siwaka Komarat, Th Wualai ; cours 2 500-5 000 B) est un enseignement très traditionnel influencé par les coutûmes du Nord. C'est le premier à avoir ouvert ses cours de massage aux étrangers. Il propose 2 stages de massage de 10 jours par mois, et des cours de massages des pieds et massages à l'huile sur des périodes moins longues. Les cours sont souvent pleins de décembre à février, mais moins fréquentés le reste de l'année.

### MASSAGES ET SOINS CORPORELS

Chiang Mai possède certes quelques centres thermaux vraiment exceptionnels, mais elle excelle dans une catégorie plus modeste : les anciens massages thaïlandais. Le salon de massage peut se réduire à quelques matelas sur le sol, ce qui n'empêche pas le praticien de plier, d'étirer et de pétrir les corps pleins de tensions pour en faire de la gelée sans pour autant recourir à des trucs New Age.

De nombreux temples de la vieille ville disposent d'un *săhlah* (ou *sala*, salle de réunion) dans leurs bâtiments, dans la continuité de l'ancienne tradition qui fait des monastères les dépositaires des connaissances et des techniques de guérison traditionnelles. Toutes les écoles (voir ci-dessus) proposent des formations en massage.

**Chiang Mai Women's Prison Massage Centre** (carte p. 292 ; ☎ 08 1706 1041 ; 100 Th Ratwithi ; 🕑 8h30-16h30 ; 150-200 B). Les détenues de la prison des femmes prodiguent d'excellents massages des pieds et de tout le corps dans le cadre de leur programme de réinsertion. Bien qu'incarcérées, ces femmes ne sont pas de grandes criminelles. Elles souhaitent changer de vie en utilisant les compétences qu'elles ont développées derrière les barreaux. L'argent gagné par ces massages leur est remis à leur sortie de prison. D'autres programmes de réinsertion concernent l'apprentissage de la couture et de la pâtisserie – vous trouverez quelques-unes de leurs réalisations dans le même bâtiment.

**Ban Hom Samunphrai** ( ☎ 0 5381 7362 ; www.homprang.com ; 93/2 Moo 12 ; traitements 500-800 B) est un exceptionnel vestige des anciennes traditions, situé à 9 km de Chiang Mai à proximité de l'institut McKean. Maw Hom ("docteur herboriste") est une phytothérapeute diplômée et une thérapeute spécialisée en massage. Elle tient la plus grande partie de son art de sa grand-mère, sage-femme et herboriste qui vit près de la frontière birmane. Elle entretient un bain de vapeur aux herbes, autrefois habituel dans les villages. Elle donne également des massages traditionnels thaïlandais qui

Au nord de la ville, **Thai Massage School of Chiang Mai** (TMC ; ☎ 0 5385 4330 ; www.tmcschool.com ; 203/6 Th Chiang Mai-Mae Jo ; cours 7 000-7 500 B) propose un cursus de massage très sérieux, agréé par l'État, articulé autour de 3 niveaux préparatoires et d'un cours intensif pour les enseignants. L'école dispense aussi un cours de yoga thaïlandais sur la journée.

Si vous voulez simplement vous faire une idée des massages sans vous engager sérieusement dans cette voie, les alternatives suivantes, plus familiales, pourraient vous convenir :

**Thai Healing Arts Association at Wat Si Koet** (carte p. 292 ; ☎ 0 4042 2452 ; Th Ratchadamnoen ; cours 3 000-6 000 B). Khun Nek donne des cours de massage des pieds et du corps (3 à 10 jours) dans l'enceinte du temple.

**Ban Nit** (carte p. 292 ; ☎ 08 1035 2103 ; Soi 2, Th Chaiyaphum ; cours 1 000-4 000 B). Khun Nit a pris sa retraite à l'âge vénérable de 76 ans après avoir longtemps enseigné. C'est sa fille Noy qui perpétue la tradition. Vous pouvez aller voir si leur style vous convient.

## FÊTES ET FESTIVALS

Pendant une semaine, de fin décembre à début janvier, la **foire d'hiver** (*thêtsàkaan ngaan reuduu não*) est l'occasion de fêtes célébrées dans la gaieté. Des stands rudimentaires fleurissent aux abords de la Pratu Tha Phae, proposant spécialités culinaires du Nord, artisanat, vêtements de fabrication locale, etc.

La fête la plus renommée de Chiang Mai reste la **fête des Fleurs** (*têt·sà·gahn mái dòrk mái Ƀrà·dàp*). Cet événement annuel se déroule en février, les dates changeant toutefois d'une année sur l'autre. Durant 3 jours, des festivités variées se succèdent avec des compositions florales, des représentations culturelles et des concours de beauté. Le moment fort de cette fête consiste en un défilé, qui débute à Saphan Nawarat, parcourt Th Tha Phae pour rejoindre Suan Buak hat.

En février, la fête du **Nouvel An chinois de Chiang Mai** est l'occasion, pour le quartier chinois de la ville, de porter haut sa culture, sa gastronomie et ses traditions.

Mi-avril, la **fête Songkran**, la fête du Nouvel An thaïlandais, génère un vif enthousiasme… et une véritable cacophonie ! Des milliers de personnes s'alignent de chaque côté des douves pour s'approvisionner à volonté en eau et s'arroser joyeusement. Il est quasi impossible de rester sec.

Mi-mai, la **fête Intakin** (*ngahn tam bun sŏw in·tá·gin*) se déroule au Wat Chédi Luang autour du sanctuaire du *làk meu·ang*. Il s'agit d'apaiser les divinités gardiennes de la ville afin de garantir l'arrivée annuelle de la mousson.

peuvent être combinés à un bain de vapeur si l'on souhaite une sortie "thermale" dans l'arrière-pays. Il est préférable de téléphoner pour se faire indiquer le chemin.

**Thai Massage Conservation Club** (carte p. 292 ; ☎ 0 5390 4452 ; 99 Th Ratchamankha ; massage 150 B). Le monde du massage de Chiang Mai aime à créer ses propres clubs avec le nom bien affiché sur une banderole en devanture. Ce groupe-là n'emploie que des masseuses aveugles considérées comme des expertes parce que leur sens du toucher est décuplé.

**Dheva Spa** ( ☎ 0 5388 8888 ; www.mandarinoriental.com/hotel ; Mandarin Oriental Dhara Dhevi, 51/4 Th Chiang Mai-San Kamphaeng ; traitements à partir de 3 400 B). Le plus grand spa de tout Chiang Mai est un trésor architectural, construit pour ressembler à l'ancien palais birman situé à Mandalay. Aller au spa est aussi un bon moyen de pénétrer dans l'espace sélect et éblouissant du luxueux Mandarin Oriental Dhara Dhevi Resort, moins onéreux qu'une visite en soirée. Il est intéressant d'essayer le massage tok sen, une ancienne technique lanna dans laquelle on utilise un marteau en bois ciselé pour taper sur certains points du corps.

**RarinJinda Wellness Spa Resort** (carte p. 292 ; ☎ 0 5330 3030 ; www.rarinjinda.com ; 14 Th Charoenrat ; traitements à partir de 1 500 B). Ce centre de santé possède l'une des plus grandes piscines d'hydrothérapie, ainsi que des douches Vicky et des saunas (à la vapeur et à infrarouges). Leurs formules sont étonnamment abordables pour un traitement classique qui comprend gommages du corps, massage et même quelques curiosités comme la thérapie par les sons tibétains.

**Oasis Spa** (carte p. 292 ; ☎ 0 5381 5000 ; www.chiangmaioasis.com ; 4 Th Samlan ; traitements 1 900-2 500 B ; 🕙 10h-20h). Un ensemble de villas séparées pour des traitements individuels ou en couple, situées dans un jardin parcouru d'allées surélevées. Si vous êtes habitué des spas thaïlandais, les soins gommants et enveloppants, les massages et les traitements ayurvédiques d'Oasis vous sembleront très doux.

Pendant la fête de **Loi Krathong**, généralement célébrée fin octobre ou début novembre, aussi appelée Yi Peng à Chiang Mai, les quais de la ville bruissent d'une foule de gens venus faire voguer les rituels petits bateaux en forme de lotus en l'honneur de la divinité de la rivière. Certains *kon meu·ang* (habitants du nord de la Thaïlande) fêtent aussi Loi Krathong en lançant la nuit des ballons cylindriques qui éclairent le ciel de centaines de points lumineux.

## OÙ SE LOGER

Le voyageur économe pourra se loger sans difficulté à Chiang Mai, car la concurrence entre les très nombreuses pensions fait baisser les prix. Une nouvelle génération d'hôtels de charme a récemment grossi les rangs des hôtels de catégories moyenne et supérieure, pas très nombreux jusque-là, en espérant tirer profit d'un tourisme un peu plus haut de gamme que la ville cherche désormais à attirer. De nombreux étudiants viennent à Chiang Mai pour de longues périodes, si bien que la plupart des hébergements font des réductions sur les chambres occupées à la semaine ou au mois ou proposent des tarifs au mois auxquels il faut ajouter l'eau et l'électricité.

Il existe essentiellement 2 types d'établissements dans la catégorie petits budgets : de vieilles demeures familiales transformées en chambres d'hôtes, à l'atmosphère en général agréable mais offrant peu d'intimité, et des bâtiments de type immeubles où des chambres sans originalité s'alignent les unes à la suite des autres. Dans les deux cas, l'ameublement est sommaire : un lit et le strict nécessaire. La plupart des pensions vivent des commissions qu'elles prennent sur l'organisation de randonnées. À votre arrivée, on vous demandera si vous envisagez de faire une randonnée et votre séjour sera limité à 3 nuits si ce n'est pas le cas.

Entre les hébergements petits budgets et la catégorie moyenne, vous trouverez le classique hôtel sino-thaïlandais : un bâtiment à plusieurs étages qui a dû avoir l'air chic dans les années 1980. La plupart ont vieilli ,mais ils ont un certain charme rétro. Les "*flashpackers*" pourront profiter d'hôtels offrant un excellent rapport qualité/prix pour quelques bahts de plus. Les services comme les grooms et gardiens sont réduits à leur portion congrue pour maintenir des tarifs très bon marché, mais les chambres sont en général calmes et coquettes. Dans cette catégorie, vous bénéficierez d'un service de nettoyage quotidien, de la clim, d'un réfrigérateur et de la TV câblée. Les tarifs comprennent en général le petit-déjeuner.

Beaucoup de ces pensions louent des vélos et des motos et disposent d'un accès Internet gratuit et du wi-fi. En téléphonant à l'avance, elles viendront vous chercher gratuitement à la gare ou au terminal des bus pour éviter d'avoir à payer une commission à un chauffeur.

Dans la catégorie supérieure, il y a surtout d'énormes hôtels d'affaires dont certains sont des chaînes internationales. Les plus intéressants sont les hôtels de charme qui allient intimité, style lanna et équipements modernes. Au sommet de l'échelle, on trouve, à la périphérie de la ville, des centres de villégiature qui ont recréé un village entouré de rizières, respectant l'architecture traditionnelle. Dans la plupart des hébergements de catégorie supérieure, les tarifs comprennent le petit-déjeuner, mais l'accès Internet est payant. Certains disposent encore d'étages fumeurs.

Dans le cas des hôtels de catégorie moyenne et supérieure, passez toujours par Internet pour les offres promotionnelles, notamment pendant la basse saison.

### Vieille ville

Il y a tellement de pensions dans les *soi* résidentiels près de Th Moon Muang, spécialement dans Soi 7 et Soi 9, que la rue a été surnommée Th Khao Muang (*kôw meuang* signifie "riz gluant" en thaï du Nord, une référence à la célèbre rue de Bangkok, nommée Th Khao San ou "riz pas cuit"). Il y en a également quelques-unes près de Th Ratchamankha, dans le quart sud-est de la vieille ville, et près de Th Moon Muang, dans les premiers *soi*.

#### PETITS BUDGETS

**Julie Guesthouse** (carte p. 292 ; ☎ 0 5327 4355 ; www.julieguesthouse.com ; 7 Soi 5, Th Phra Pokklao ; dort 70 B, ch 100-300 B). Moitié hôtel, moitié pension, un lieu de rencontre prisé des jeunes routards. Le café du jardin est souvent plein de visiteurs qui s'échangent de bonnes adresses. Sur le toit, agréable terrasse couverte, où sont tendus des hamacs.

**Malak Guest House** (carte p. 292 ; ☎ 0 5322 4648 ; malakguesthouse@hotmail.com ; 25 Soi 2, Th Ratwithi ; ch 180-250 B ; 💻). Immeuble récemment rénové très apprécié des routards pour ses chambres bien propres avec sdb.

**Lamchang House** (carte p. 292 ; ☎ 0 5321 0586 ; Soi 7, Th Moon Muang ; ch 200 B). L'une des pensions

**LES PRIX À CHIANG MAI ?**

Petits budgets (moins de 1 000 B)

Catégorie moyenne (de 1 001 à 3 000 B)

Catégorie supérieure (plus de 3 000 B)

moins chères de Chiang Mai. Cette vieille maison en bois propose des chambres rudimentaires avec ventilateur ; sdb commune. Les chambres du rez-de-chaussée sont un peu sombres, mais il y a un joli jardin dans la cour et un restaurant attenant.

**Supreme House** (carte p. 292 ; ☎ 0 5322 2480 ; 44/1 Soi 9, Th Moon Muang ; ch 200-300 B). Bâtisse de 3 étages assez quelconque tenue par M. Gordon, un ancien routard installé à Chiang Mai. Atmosphère détendue. Petite bibliothèque au rez-de-chaussée.

**Jonadda Guest House** (carte p. 292 ; ☎ 0 5322 7281 ; 23/1 Soi 2, Th Ratwithi ; ch 250-450 B ; ). Tenu par un couple australo-thaïlandais, ce bâtiment de plusieurs étages propose des chambres impeccables mais rudimentaires. Agréable café au rez-de-chaussée avec des renseignements sur les expéditions de randonnée.

**Smile House 1** (carte p. 292 ; ☎ 0 5320 8661 ; www.smileguesthouse.com ; 5 Soi 2, Th Ratchamankha ; ch 250-700 B ; ). Voici comme un village pour routards, installé autour d'une vieille maison thaïlandaise. À côté se trouve un immeuble crasseux peu avenant. La maison principale est munie de chambres sommaires avec sdb commune. Les chambres de plain-pied qui entourent la piscine sont bien plus agréables et elles se prêtent bien à un séjour en famille. L'ambiance est sympathique, le personnel chaleureux. La vieille maison aurait servi une fois de refuge à Kun Sa, un Chinois d'origine chan, tristement célèbre pour avoir été un seigneur de l'opium.

**Siri Guesthouse** (carte p. 292 ; ☎ 0 5332 6550 ; Soi 5, Th Moon Muang ; s/d 250/300 B). Un lieu cosy et des chambres vraiment bien décorées pour ce prix. Quelques chambres un peu sombres, mais toutes sont confortables et propres.

**Thapae Gate Lodge** (carte p. 292 ; ☎ 0 5320 7134 ; www.thapaegatelodge.com ; 38/7 Soi 2, Th Moon Muang ; s 250-350 B, d 300-400 B ; ). En face d'All in 1. Chambres propres et bon marché avec petites terrasses, dans une bâtisse à plusieurs étages. Le propriétaire est sympathique et parle bien anglais.

**Awanahouse** (carte p. 292 ; ☎ 0 5341 9005 ; www.awanahouse.com ; 7 Soi 1, Th Ratchadamnoen ; ch 300-900 B ; ) fut d'abord une petite pension avant de devenir un bâtiment de plusieurs étages installé dans un *soi* tranquille. Grandes chambres claires, TV, réfrigérateurs, balcon pour certaines. Les chambres les moins chères ont un ventilateur et une salle de bain commune. La piscine se prête bien à un plongeon, mais pas aux bains de soleil. Le dernier étage a été transformé en un espace de détente muni d'un billard, d'où l'on jouit d'une belle vue sur la ville.

**Rendezvous Guest House** (carte p. 292 ; ☎ 053213763 ; rendezvousgh@hotmail.com ; 3/1 Soi 5, Th Ratchadamnoen ; ch 350-500 B ; ). Cette jolie pension à 3 étages dispose de chambres propres et bon marché. La ventilation ou la climatisation justifie la variation des tarifs. Certaines chambres ont un carrelage plus soigné. TV, coffre-fort et réfrigérateur partout. Petit déjeuner compris dans le prix.

**Safe House Court** (carte p. 292 ; ☎ 0 5341 8955 ; www.safehousecourt.com ; 178 Th Ratchaphakhinai ; ch 350-550 B ; ). Ce bâtiment flanqué d'une cour intérieure se situe au cœur de la vieille ville. Choisissez bien votre chambre : l'avant du bâtiment est très bruyants tandis qu'à l'arrièr, on n'entend que le silence des moines du temple voisin !

**Gap's House** (carte p. 292 ; ☎ 0 5327 8140 ; www.gaps-house.com ; 3 Soi 4, Th Ratchadamnoen ; ch 350-800 B ; ). Un vrai petit bijou, un peu décalé. Ses chambres en bois de style thaïlandais parsèment un épais jardin luxuriant encombré de statues et de babioles. Il y a même un *săhlah* (ou *sala*, salle de réunion). Certaines chambres sont décorées de meubles anciens, mais elles sont un peu humides et les cloisons sont très fines. Les chambres en dur sont plus rudimentaires et moins chères. N'oubliez pas votre spray antimoustique. Gap's House est également réputée pour ses cours de cuisine thaïlandaise (p. 309) et pour le buffet végétarien préparé le soir.

**All In 1** (carte p. 292 ; ☎ 0 5320 7133 ; www.allin1gh.com ; 31 Soi 2, Th Moon Muang ; ch 400-500 B ; ). Anciennement appelé Baan Mani, cet établissement a été entièrement rénové. Chambres très propres équipées de TV câblée. Soi 2 attire manifestement une clientèle d'hommes d'âge mûr. La discothèque Mandalay qui se trouve à côté peut être gênante la nuit.

**RCN Court** (carte p. 292 ; ☎ 0 5341 8280-2 ; www.rcnguesthouse.com ; 35 Soi 7, Th Moon Muang ; ch 450-500 B ; ). Réputé pour ses tarifs au mois avantageux (à partir de 6 300 B) et son emplacement central et calme. Les chambres sont quelconques, mais elles sont équipées de la TV câblée et d'un réfrigérateur. Lors de notre dernière visite, le 2e étage était en travaux pour rénovation. Cuisine en plein air pour la clientèle, petit patio et salle de fitness.

**Tri Gong Residence** (carte p. 292 ; ☎ 0 5321 4754 ; www.trigong.com ; 8 Soi 1, Th Si Phum ; ch 700-1 000 B ; ). Les pensions ont souvent des débuts modestes : Kun Adam se trouvait un jour dans son jardin lorsqu'un voyageur lui demanda s'il pouvait le loger. C'est ainsi qu'il est devenu patron d'un établissement, où il accueille aujourd'hui les étrangers dans des chambres confortables, spatieuses, construites autour d'une cour ; ameublement correct, TV câblée et réfrigérateur. Il y a aussi une cuisine commune, le café gratuit et le plaisir de côtoyer ce propriétaire enthousiaste.

**Mini Cost** (carte p. 292 ; ☎ 0 5341 8787 ; www.minicostcm.com ; 19-19/4 Soi 1, Th Ratchadamnoen ; s 550 B, d 750-1 050 B ; ). Bâtiment de type immeuble, chambres modernes munies de fauteuils, couleurs apaisantes et quelques touches de style thaïlandais dans la décoration. Les chambres les moins chères sont situées au dernier étage et la sdb est commune.

**Montri Hotel** (carte p. 292 ; ☎ 0 5321 1069/70 ; 2-6 Th Ratchadamnoen ; ch 850 B ; ). Un hôtel sino-thaïlandais classique, bien situé à l'angle animé de Th Moon Muang et de Th Ratchadamnoen. Les chambres sont spacieuses et lumineuses, mais les lits auraient besoin d'être changés. Des rénovations étaient en cours lors de notre dernière visite.

## CATÉGORIE MOYENNE

**Top North Hotel** (carte p. 292 ; ☎ 0 5327 9623 ; www.topnorthgroup.com ; 41 Th Moon Muang ; ch 800-1 200 B ; ). Un grand bâtiment maintenant démodé, situé près de Pratu Tha Phae, au cœur des services touristiques de Chiang Mai. Le principal attrait pour les inconditionnels de la baignade à prix modeste : la piscine centrale. Pour le reste, les chambres sont un peu rudimentaires.

**Sri Pat Guest House** (carte p. 292 ; ☎ 0 5321 8716 ; www.sri-patguesthouse.com ; 16 Soi 7, Th Moon Muang ; ch 1 000 B ; ). Certains hôtels "*flashpackers*" sont certes pratiques et confortables, mais leur style est un peu stéréotypé. Sri Pat Guest House a juste la bonne dose d'originalité. Chambres bien exposées avec balcon. Carrelages de couleur vert pâle et rideaux en coton sans prétention. Évitez les chambres avec ventilateur, car, pour ce prix, vous trouverez mieux ailleurs.

**3Sis** (carte p. 292 ; ☎ 053273243 ; www.3sisbedandbreakfast.com ; 1 Soi 8, Th Phra Pokklao ; ch 1 350-1 650 B ; ). Un nouvel établissement de style "*flashpacker*", qui offre tout le confort d'un hôtel sans les inconvénients. Dans le premier bâtiment ("pavillon de vacances"), chambres avec lits spacieux, murs bien blancs, réfrigérateur et TV câblée. Dans le bâtiment attenant ("B&B"), les chambres sont plus petites et la moquette risque de ne pas résister à la saison des pluies.

**Charcoa House** (carte p. 292 ; ☎ 0 5321 2681 ; www.charcoa.com ; 4 Soi 1, Th Si Phum ; ch 1 400-3 500 B ; ). Au cœur du quartier des routards, ce nouvel hôtel de charme fait penser à une jolie sucrerie miniature. Les 10 chambres ont un style néocolonial avec leur bois apparent et leurs murs blanchis à la chaux. La pâtisserie et le restaurant attenants sont réputés auprès des Thaïlandais branchés de la ville.

**Buri Gallery** (carte p. 292 ; ☎ 0 5341 6500 ; 102 Th Ratchadamnoen ; ch 1 600-2 000 B ; ). Une pension très appréciée. Elle occupe un bâtiment en teck reconverti, décoré d'artisanat lanna. La plupart des chambres du rez-de-chaussée n'ont pas de fenêtres et sont très mal isolées du bruit. Les chambres de catégorie "deluxe" de l'étage sont plus tranquilles, ont un accès Internet et donnent sur de petites terrasses. Les tarifs sont un peu élevés, mais le personnel offre le service des véritables hôtels.

## CATÉGORIE SUPÉRIEURE

**Villa Duang Champa** (carte p. 292 ; ☎ 0 5332 7199 ; www.duangchampa.com ; 82 Th Ratchadamnoen ; ch 2 800-3 800 B ; ). Un mini-hôtel de charme où se mêlent architecture victorienne et minimalisme moderne dans un bâtiment de style colonial. Ses 10 chambres sont d'une telle sobriété qu'elles ne sont meublées que de bons matelas pour les dos fragiles et de l'appareillage électronique moderne. Les chambres "deluxe" du dernier étage ont une vue sur le Doi Suthep.

**U Chiang Mai** (carte p. 292 ; ☎ 0 5332 7000 ; www.uchiangmai.com ; 70 Th Ratchadamnoen ; ch à partir de 4 500 B ; ). Cet hôtel accueille une clientèle d'affaires, ce qui est rare au cœur de la vieille ville. Les chambres sont situées autour d'une piscine à débordement. Leurs motifs couleur lavande et noir sont contemporains, sans être dernier cri. Les chambres à l'étage ont des douches, pas de baignoires. Il est possible de rendre sa chambre à toute heure (l'heure de départ est la même que l'heure d'arrivée).

**Tamarind Village** (carte p. 292 ; ☎ 0 5341 8896-9 ; www.tamarindvillage.com ; 50/1 Th Ratchadamnoen ; ch 6 000-18 000 B ; ). Considéré comme l'un des premiers hôtels à avoir reconstitué le style lanna, Tamaring Village a recréé l'ambiance tranquille des temples avec des bâtiments en galerie et des cours agrémentées de jardins sur le terrain d'une ancienne plantation de tamariniers. L'allée couverte de bambous et le mur d'enceinte blanchi à la chaux l'isolent du monde moderne. Un atout supplémentaire : les activités culturelles et religieuses du temple situé à proximité. Internet n'est accessible que dans les espaces communs.

**Rachamankha** (carte p. 292 ; ☎ 0 5390 4111 ; www.rachamankha.com ; 6 Th Ratchamankha ; ch 7 000-9 500 B ; ). Réalisé par l'architecte Ong-ard Satrabhandu, Rachamankha évoque un ancien monastère de Lampang. Étant donné sa réputation, les chambres ne sont pas si somptueuses et celles de catégorie "supérieure" sont plutôt petites. Les "deluxe", plus spacieuses, ont des lits à baldaquin et des sdb aussi grandes que les chambres. La principale réussite de l'hôtel : sa bibliothèque, une pièce à la lumière tamisée, aux odeurs de bois ciré et de papier moisi.

## Est de la vieille ville

La circulation est plus dense à l'extérieur de la vieille ville. Là, le bruit assourdissant des moteurs trouble souvent l'atmosphère tranquille de la ville. Th Tha Phae n'est pas aussi pittoresque que le centre historique, mais c'est un endroit pratique pour visiter la ville et sortir le soir. On y est même plus proche du bazar de nuit. Les visiteurs plus sélects apprécieront que les hébergements chics se trouvent mêlés à la vie ordinaire thaïlandaise, c'est-à-dire aux vieilles maisons à l'odeur de moisi, aux allers et venues des motos et aux ménagères qui vendent café et nouilles.

Les hôtels d'affaires dotés de salles de conférences se trouvent dans le quartier proche du bazar de nuit. Les commerces voisins accueillent donc ces voyageurs plus classiques. Auparavant, la niche du tourisme d'affaires était occupée par de petits hôtels. Chiang Mai tentant de s'imposer comme un centre de conférences international, les chaînes d'hôtels internationales se réservent dorénavant ce secteur.

### PETITS BUDGETS

**Daret's House** (carte p. 292 ; ☎ 0 5323 5440 ; 4/5 Th Chaiyaphum ; ch 150-160 B). Prisé des routards depuis longtemps, le Daret's House, avec ses nombreuses chambres sommaires et élimées, ressemble aux refuges pour routards de Th Khao San. Kun Daret, l'aimable propriétaire, est souvent au café, accompagné de son oiseau domestique. Vous payez surtout pour le luxe d'avoir de l'eau chaude.

**Tawan Guesthouse** (carte p. 292 ; ☎ 0 5320 8077 ; 4 Soi 6, Th Tha Phae ; ch 240-500 B) se démarque des autres pensions par son magnifique jardin jalonné de fontaines et de bassins à *kòi*. Le tout, auréolé des feuillages en fleurs des bougainvillées, bénéficie de l'ombre d'un grand arbre dont les vrilles font penser à des cheveux bouclés. Les chambres n'ont rien de spécial : certaines sont dans une vieille maison en bois, d'autres dans des cahutes en bambou où le bruit peut être un problème. Établissement bien propre ; le personnel a manifesté une certaine réticence pour nous montrer les chambres (peut-être l'horaire était-il mal choisi).

**Sarah Guest House** (carte p. 292 ; ☎ 0 5320 8271 ; http://sarahgh.hypermart.net ; 20 Soi 4, Th Tha Phae ; s 240-400 B, d 300-450 B ; ). Un endroit bien connu des routards. Pension entourée d'un paisible jardin, tenue par une Anglaise originale; 12 chambres simples décorées d'un imposant mobilier en bois, grandes sdb. Clim ou ventil au choix.

**New Mitrapap Hotel** (carte p. 292 ; ☎ 0 5325 1262 ; fax 0 5325 1260 ; 94/96 Th Ratchawong ; ch à partir de 330 B ; ). Situé près de Talat Warorot. La décoration (classique, dans le style sino-thaïlandais) est un peu dépassée. Les chambres, munies de clim, TV et mini-réfrigérateur, sont d'un bon rapport qualité/prix. L'hôtel est construit autour d'un atrium et d'un puits de lumière qui éclaire les couloirs.

**Roong Ruang Hotel** (carte p. 292 ; ☎ 0 5323 4746 ; fax 0 5325 2409 ; roongruanghotel@yahoo.com ; 398 Th Tha Phae ; ch 400-800 B ; ). Très bien situé, près de Pratu Tha Phae, le Roong Ruang pratique de bons prix pour un hôtel de style ancien. Il ne paie pas de mine de l'extérieur, mais la cour intérieure est protégée du bruit de la circulation et les chambres du 2e étage disposent d'agréables salons sur la terrasse commune. Les chambres les plus chères ont la clim, les autres un ventilateur.

**Lai-Thai Guesthouse** (carte p. 292 ; ☎ 0 5327 1725 ; www.laithai.com ; 111/4-5 Th Kotchasan ; ch 440-750 B ; ). Bâtisse de 3 étages avec cour intérieure. Le décor en style thaïlandais du Nord fait de cette pension a priori banale un lieu ethno-chic. Chambres confortables quoique un peu exiguës, TV câblée et mini-réfrigérateur. Les chambres les moins chères se situent à l'étage supérieur, où la sdb est commune. Bon prix pour un établissement avec piscine, situé cependant juste derrière une rue encombrée et bruyante.

**Thapae Boutique House** (carte p. 292 ; ☎ 0 5328 5295 ; www.thapaeboutiquehouse.com ; 4 Soi 5, Th Tha Phae ; ch à partir de 750 B ; ) est une pension élégante et chic qui correspond aux critères *flashpackers* : un lit sympa, une déco où le bambou domine, de jolies salles de bains et un endroit caressé par le vent pour s'asseoir à l'extérieur.

**Baan Kaew Guest House** (carte p. 292 ; ☎ 0 5327 1606 ; www.baankaew-guesthouse.com ; 142 Th Charoen Prathet ; ch 800 B ; ). Cachée dans un coin raffiné, loin des touristes, cette pension est idéale pour un amoureux de Chiang Mai souhaitant s'y installer un certain temps. La bâtisse à 2 étages est en retrait de la route, derrière la maison du propriétaire. Chambres bien tenues quoique ternes, mini-réfrigérateur et sièges en plein air. Le patron parle anglais et aime s'entretenir de politique internationale.

### CATÉGORIES MOYENNE ET SUPÉRIEURE

**Amora** (carte p. 292 ; ☎ 0 5325 1531 ; www.amorahotels.com ; 22 Th Chaiyaphum ; ch 1 900-2 200 B ; ). L'idéal dans le genre hôtel à l'occidentale : chambres ad hoc, lits ad hoc et décoration *ad hoc*. Les points forts d'Amora : sa piscine et sa vue imprenable, depuis toutes les chambres, sur le Doi Suthep. Petit-déjeuner inclus. Internet payant.

**Imperial Mae Ping Hotel** (carte p. 292 ; ☎ 0 5328 3900 ; www.imperialhotels.com ; 153 Th Si Donchai ; ch à partir de 4 000 B ; ). Des immenses hôtels proches du bazar de nuit, Imperial Mae Ping est celui qui allie le mieux étrangeté asiatique et style moderne. Lors de notre dernier passage, l'hôtel était en cours de rénovation et les chambres de catégorie supérieure venaient d'être joliment refaites. À partir du 5e étage, la vue sur Doi Suthep est grandiose. Étages fumeurs et non fumeurs.

**Banthai Village** (carte p. 292 ; ☎ 0 5325 2789 ; www.banthaivillage.com ; 19 Soi 3, Th Tha Phae ; ch à partir de 4 500 B ; ). Les villages des rizières sont la principale inspiration des décorations stylisées des nouveaux hôtels de charme de Chiang Mai. Banthai Village est une réussite, notamment par la taille de ses chambres, suffisamment spacieuses pour que l'on ne se cogne pas dans tous les coins. Avec seulement 33 chambres, il réussit à créer une ambiance à la fois chaleureuse et intime. Les chambres sont situées dans des maisons avec terrasse de style lanna, collées les unes contre les autres. Lits de grande taille, sdb vitrées avec mini-baignoires.

**Yaang Come Village** (carte p. 292 ; ☎ 0 5323 7222 ; www.yaangcome.com ; 90/3 Th Si Donchai ; ch 6 000-9 000 B ; ). Une variante intelligente, parmi des hôtels de style lanna : cet hôtel s'inspire d'un village du peuple Tai Lue, de la région du Yunnan en Chine, que les propriétaires ont sillonnée. Reproduction du style architectural et culturel de ce village des hauts plateaux, jusqu'au puits aux airs de sanctuaire situé à côté de l'entrée et aux toits très inclinés des bâtiments. Grandes chambres décorées de peintures, de tissus et de mobilier en teck choisis avec goût. Des sentiers sinueux traversant un jardin très bien entretenu mènent à la piscine et au restaurant.

**Le Meridien Chiang Mai** (carte p. 292 ; ☎ 0 5325 2666 ; www.starwoodhotels.com ; 108 Th Chang Khlan ; ch à partir de 6 000 B ; ). Ouverture prévue un mois après nos recherches pour ce guide. L'une des 3 chaînes internationales à s'être installée dans le quartier du bazar de nuit (qu'il décrit sur son site Internet comme le principal quartier d'affaires de la ville) pour tirer parti de la promotion de Chiang Mai en tant que centre de congrès.

**Manathai** (carte p. 292 ; ☎ 0 5328 1666 ; www.manathai.com ; 39/9 Soi 3, Th Tha Phae ; ch 7 000-16 000 B ; ). Cet hôtel de charme allie styles lanna et colonial pour créer un village retiré du monde, disposé autour d'une piscine. Chambres chargées de meubles en teck, photos noir et blanc aux murs, sdb de style contemporain. Hôtel très bien tenu qui conviendra aux voyageurs avertis. Le lieu, qui affiche des ambitions romantiques, n'est toutefois pas à recommander aux claustrophobes.

**Shangri-La Hotel** (carte p. 292 ; ☎ 0 5325 3888 ; www.shangri-la.com/chiangmai ; 89/8 Th Chang Khlan ; ch à partir de 7 000 B ; ). Un énorme bâtiment qui semblerait plus adapté à une mégalopole. Construit pour faire face à la pénurie de lieux de réunions, ce grand hôtel n'est pas le plus charmant de la ville, chambres sur le modèle de celles d'une chaîne. Piscine immense et courts de tennis. Wi-fi gratuit dans le hall. Accès Internet ADSL payant dans les chambres.

**DusitD2 Chiang Mai** (carte p. 292 ; ☎ 0 5399 9999 ; www.dusit.com ; 100 Th Chang Khlan ; ch 8 000 B ; ). D2 apparaît décalé à Chiang Mai avec son décor branché de style très urbain, ses cocktails funky et les pulsations de sa musique lounge. Le hall, au mobilier moderne, est un espace chic et relax dans des teintes orangées pétillantes. Salle de remise en forme au dernier étage avec vue sur le Doi Suthep. Le restaurant et le bar de l'hôtel ont un style ultra contemporain.

## Riverside

**Riverside House** (carte p. 292 ; ☎ 0 5324 1860 ; www.riversidehousechiangmai.com ; 101 Th Chiang Mai-Lamphun ; ch 500-900 B ; ❄ 💻). Voisin de la TAT, cet établissement calme et accueillant propose des chambres impeccables et bon marché, disposées autour d'un petit jardin. TV câblée dans toutes les chambres ; petit-déjeuner continental. Les chambres à 700 B peuvent être un peu bruyantes. Une aile est en cours de construction plus à l'intérieur de la propriété avec des chambres à 900 B.

♡ **Galare Guest House** (carte p. 292 ; ☎ 0 5381 8887 ; www.galare.com ; 7/1 Soi 2, Th Charoen Prathet ; ch 1 100 B ; ❄). Pension abordable et bien située (à côté du bazar de nuit), elle a réussi à fidéliser sa clientèle. Les chambres, un peu défraîchies, n'offrent pas de vue sur la rivière, mais elles sont spacieuses et donnent sur une grande véranda accessible à tous. Petit parking.

Le **River View Lodge** (carte p. 292 ; ☎ 0 5327 1109 ; www.riverviewlodgch.com ; 25 Soi 4, Th Charoen Prathet ; ch 1 500-2 200 B ; ❄ 🏊) a un charme certain avec ses vitrines pleines d'objets anciens et de babioles, son jardin à 2 niveaux qui donne sur le Mae Ping et sa piscine. Chambres assez quelconques mais claires et aérées avec vue sur le fleuve. Places de parking. Bazar de nuit accessible à pied.

**Baan Orapin** (carte p. 292 ; ☎ 0 5324 3677 ; 150 Th Charoenrat ; ch à partir de 2 400 B ; ❄ 💻 🏊). Pension située à Baan Orapin, un joli jardin flanqué d'une majestueuse maison en teck qui appartient à la famille depuis 1914. Les clients sont reçus dans des bâtiments modernes répartis dans toute la propriété. Les 15 chambres sont spacieuses, d'un style contemporain, et plutôt intimes.

**Chedi** (carte p. 292 ; ☎ 0 5325 3333 ; www.ghmhotels.com ; 123 Th Charoen Prathet ; ch 16 200-24 000 B ; ❄ 💻 🏊). Le plus ambitieux hommage au modernisme de Chiang Mai. Le Chedi a transformé l'ancien consulat britannique en une sculpture minimaliste. Chambres en forme de boîte à bento, agrémentées de baies vitrées, dans un style zen très sobre. Les suites comprennent plus de commodités (minibar, service de pressing, transport depuis/vers l'aéroport) que les chambres "deluxe", un peu petites par ailleurs. Bien que l'hôtel se trouve face à la rivière, seules les chambres du dernier étage et des coins du bâtiment ont vue sur l'eau. C'est un endroit très chic et élégant, mais, pour ce prix, mieux vaut descendre dans un hôtel avec vue sur Central Park à New York.

## Ouest de la vieille ville

Plusieurs hôtels d'affaires de style thaïlandais sont groupés dans Th Huay Kaew à proximité du centre commercial Kad Suan Kaew. Quelques nouveaux établissements, d'un style à mi-chemin des hôtels et des pensions, ont fleuri dans les *soi* de Th Nimmanhaemin. Les prix sont un peu plus élevés que dans les quartiers pour routards, mais l'université de Chiang Mai est plus proche.

**Uniserv-International Center Hostel** (carte p. 284 ; ☎ 0 5394 2881 ; à côté de Th Nimmanhaemin ; ch 500-800 B ; ❄ 💻). Si vous cherchez un endroit proche de l'université, vous ne trouverez pas mieux que cet hôtel qui partage ses locaux avec le très animé centre international de la CMU. Les chambres sont de simples cubes en béton équipés de TV et de réfrigérateur. Petit-déjeuner compris. Possibilité de prix au mois.

**Baan Say-La** (carte p. 284 ; ☎ 08 1930 0187 ; www.baansaylaguesthouse.com ; Soi 5, Th Nimmanhaemin ; ch 500-950 B ; ❄). Cette pension à la fois chic et bohème est gérée par les mêmes propriétaires que le Yesterday the Village. Lits à baldaquin, mobilier en rotin et TV câblée dans les chambres. Les murs sont ornés de photos en noir et blanc. Les espaces communs disposent de grands fauteuils. Sdb commune pour les chambres à 500 B. Un inconvénient : comme l'hôtel est situé derrière le bar musical "Fine Thanks", certaines chambres ne sont pas très calmes.

**International Hotel Chiangmai** (carte p. 292 ; ☎ 0 5322 1819 ; www.ymcachiangmai.org ; 11 Soi Sermsak, Th Hutsadisawee ; ch 600-900 B ; ❄ 💻 🏊). Probablement le bâtiment le plus vilain dans un pays où la concurrence fait rage. Cette auberge de jeunesse (du groupe YMCA) offre cependant un excellent rapport qualité/prix avec piscine et des chambres qui donnent sur le Doi Suthep. Évitez les dortoirs dont le prix est surévalué. Un autre avantage : le quartier résidentiel avec ses jardins fleuris et ses pavillons, situé dans un coin bien pratique entre l'université et la vieille ville.

**Pann Malee Home** (carte p. 292 ; ☎ 0 5328 9147 ; www.pannmalee.com ; derrière Soi 17, Th Nimmanhaemin ; ch 1 000 B ; ❄). Cette maison de ville transformée en pension de 4 chambres vous donne l'impression d'avoir atterri chez une amie thaïlandaise bohème. En quelque sorte, c'est bien le cas. La propriétaire a décoré chaque chambre de manière à traduire la personnalité de chacun des membres de sa famille.

**Pingnakorn Hotel** (carte p. 292 ; ☎ 0 5335 7755 ; www.pingnakorn.com ; 4 Soi 12, Th Nimmanhaemin ; ch 1 500-3 000 B ; ). Surtout pour les longs séjours. Immeuble de plusieurs étages situés tout au fond du *soi*, avec des chambres d'appartement soignées et aérées, équipées de tout le nécessaire. Tarif au mois à partir de 10 000 B plus eau et électricité. Petit-déjeuner compris.

**Yesterday the Village** (carte p. 292 ; ☎ 0 5321 3809 ; 24 Th Nimmanhaemin ; www.yesterday.co.th ; ch à partir de 2 000 B ; ). Nouveau genre d'hébergement, Yesterday vous fait voyager dans le temps, avec son cadre rétro. Les espaces communs de cet immeuble sont soigneusement décorés d'anciennes gravures, de vieux phonographes et de ces TV à tube cathodique en voie d'extinction. Les chambres "deluxe" ont plus belle allure que la catégorie supérieure, mais toutes sont plutôt dépouillées. Le choix en matière d'hébergement de catégorie moyenne est limité dans Th Nimmanhaemin, mais cet établissement se surestime un peu.

**Chiang Mai Orchid Hotel** (carte p. 284 ; ☎ 0 5322 2091 ; www.chiangmaiorchid.com ; 23 Th Huay Kaew ; ch à partir de 2 000 B ; ). Classe dans son genre, cet hôtel est fréquenté par des hommes d'affaires et par des groupes. Emplacement central, proche du centre commercial Kad Suan Kaew. Les chambres qui ont été récemment refaites ont bien plus de charme. Étages fumeurs et non fumeurs. Centre de remise en forme, centre d'affaires.

**Amari Rincome Hotel** (carte p. 284 ; ☎ 0 5322 1130 ; www.amari.com ; 1 Th Nimmanhaemin ; ch 2 700-6 600 B ; ). Un hôtel d'affaires sérieux, proche de l'université, joliment décoré dans un style postcolonial. Infrastructures sportives de style plus moderne.

### À l'extérieur de la ville

**Viangbua Mansion** (carte p. 284 ; ☎ 0 5341 1202 ; www.viangbua.com ; 3/1 Soi Viangbua , Th Chang Pheuak ; ch à partir de 900 B ; ). Situé au nord de Pratu Chang Pheuak, hôtel de plusieurs étages un peu trop éloigné pour les touristes. Les chambres sont en revanche bien équipées pour les clients longue durée : meubles contemporains, penderie, réfrigérateur, petit salon, TV câblée et wi-fi. Cuisine pour certaines. Salle de gym, restaurant et café. Tarifs sem/mois à partir de 5 600/12 000 B.

**Tri Yaan Na Ros** (carte p. 292 ; ☎ 0 5327 3174 ; www.triyaannaros.com ; 156 Th Wualai ; ch à partir de 3 600 B ; ). Magnifique pour un voyage de noces : hôtel de charme minuscule qui a su créer une ambiance à l'ancienne pleine de romantisme. Maison restaurée avec art, chambres avec galerie, petits chemins menant à différents espaces où s'asseoir. La sympathique propriétaire est souvent sur les lieux et le bureau d'architecte de son fils se trouve au-dessus du restaurant de l'hôtel.

**Four Seasons Chiang Mai** (☎ 0 5329 8181 ; www.fourseasons.com ; Th Mae Rim-Samoeng Kao ; ch à partir de 19 000 B ; ). Ce nec plus ultra de Chiang Mai propose des suites dans des pavillons aux plafonds voûtés et des résidences réparties sur 8 ha de jardins aménagés et de rizières en terrasses, labourées par des buffles. Il se trouve au nord de la ville dans les contreforts boisés de la montagne. Toutes sortes d'activités sont possibles sur place : école de cuisine, centre thermal récompensé par un prix, piscine et courts de tennis.

**Mandarin Oriental Dhara Dhevi** (☎ 0 5388 8888 ; www.mandarinoriental.com ; 51/4 Th Chiang Mai-San Kamphaeng ; ch à partir de 20 000 B ; ). Presqu'un royaume à lui seul. Ce *resort* incroyable a recréé un village lanna en miniature. Des chemins mènent aux résidences à travers les enceintes entourées de rizières en terrasses. Une telle reproduction d'architecture historique a fait du *resort* un lieu touristique en lui-même, proposant des visites guidées et des démonstrations d'artisanat. Les chambres sont bien entendu royales et le *resort* accueille de nombreuses fêtes de mariage. Une aile de la résidence est légèrement moins grandiose et meilleur marché.

## OÙ SE RESTAURER

À Chiang Mai, on s'étonnera de manger aussi simplement et sainement. Il s'agit le plus souvent de modestes établissements familiaux et de stands en plein air qui font office de restaurants. Il y a aussi des tas de restaurants végétariens, cafés pour routards ou établissements de proximité gérés par des sociétés religieuses. Vous pouvez également aller voir les marchés locaux et les petites échoppes qui vendent la spécialité régionale, le *kôw soy* (écrit parfois *khao soi*), un plat de poulet au curry et nouilles qui serait d'origine chano-yunnanaise. Il est habituellement accompagné de légumes saumurés et d'une épaisse sauce au piment rouge. Pour plus d'informations sur la cuisine thaïlandaise du Nord, voir p. 356.

Chiang Mai est encore un peu provinciale pour abriter un large choix d'établissements de qualité supérieure. Les hôtels-restaurants sont les principaux endroits où faire des folies, mais il existe aussi quelques lieux indépendants dans la catégorie haut de gamme, fréquentés par les expatriés et les gens fortunés.

## Vieille ville

### CUISINE THAÏLANDAISE

Les nombreuses boutiques de plats sur commande (*ráhn ah·hăhn đahm sàng*) rassemblées le long de Th Ratchadamnoen à partir du poste de police font un commerce florissant. Les habitants se procurent des *gàp kôw* (plats préparés servis avec du riz) auprès des vendeurs de nuit installés sur le tronçon de Th Samlan au sud de Th Ratchadamnoen.

**Tien Sieng Vegetarian Restaurant** (carte p. 292 ; ☎ 0 5320 6056 ; Th Phra Pokklao ; plats 20 B ; 6h30-17h). Restaurant affilié à une société bouddhiste qui sert des plats végétariens préparés avec du riz. Ces plats sont *jair*, c'est-à-dire qu'ils ne contiennent ni viande, ni ail, ni oignon. Ils n'en sont pas moins savoureux et, pour 20 B, vous avez le choix entre 2 plats.

**Mangsawirat Kangreuanjam** (carte p. 292 ; Th Inthawarorot ; plats 20-35 B ; 8h-14h). La pancarte "Vegetarian Food" est bien cachée. Pourtant, les cuisiniers concoctent tous les jours de nombreuses marmites de plats 100% végétariens, toujours frais du jour.

**Bang Moey Kaafae** (carte p. 292 ; Th Ratwithi ; plats 25-30 B ; 9h-15h lun-ven). Le plus de cet établissement : une ambiance particulière, inattendue. Il est situé dans une vieille maison en bois surmontée d'anciennes publicités métalliques, contrastant avec les habituels tables et carrelages de la plupart des boutiques de nouilles.

**Pak Do Restaurant** (carte p. 292 ; Th Samlan ; plats 25-30 B ; 7h-début d'après-midi). Situé sur l'autre côté de la rue par rapport au Wat Phra Singh, cette boutique de curry ouverte le matin exhibe ses plats dans de grands bols en métal disposés dehors. Pour imiter les Thaïlandais, vous pouvez soulever les couvercles et inspecter le contenu des bols. Si vous aimez le riz dès le matin, vous serez enchanté de vos trouvailles.

**Kow Soy Siri Soy** (carte p. 292 ; ☎ 0 5321 0944 ; Th Inthawarorot ; plats 30-35 B ; 7h-15h lun-ven). Cette boutique toute simple prépare un bouillon riche et copieux pour son *kôw soy*, servi avec ou sans poulet. Elle propose également le réputé *kôw man gài* (poulet et riz).

**Nayok Fa** (carte p. 292 ; Th Ratchaphakhinai ; plats 30-35 B ; 10h-18h) est un petit établissement familial où les plats sont préparés devant vous dans de grands woks. Essayez le *pàt si·éw* (larges nouilles sautées au bœuf, porc ou poulet) ou le cochon de lait au riz.

**Sailomyoy** (carte p. 292 ; Th Ratchadamnoen ; plats 30-80 B). Équivalent thaïlandais d'une gargote, ce modeste établissement sert des petits-déjeuners à toute heure au cas où vous viviez la nuit, ainsi que des plats thaïlandais simples. Ce n'est pas le must de la cuisine, mais les prix sont modérés et l'emplacement pratique : à proximité de Pratu Tha Phae.

**Si Phen Restaurant** (carte p. 292 ; ☎ 0 5331 5328 ; 103 Th Inthawarorot ; plats 40-80 B ; 9h-17h). Petite adresse bon marché située près du Wat Phra Singh, spécialisée dans la cuisine du Nord et du Nord-Est. Essayez le *sôm·đam* (salade de papaye épicée).

**AUM Vegetarian Food** (carte p. 292 ; ☎ 0 5327 8315 ; 66 Th Moon Muang ; plats 50-140 B ; 8h-17h) prépare des plats très sains qui vous feront vous sentir en bonne santé et détendu. Il sert du café bio du Laos, des jus de saison et toute une série de sautés à la thaïlandaise, tous végétariens. La librairie d'occasion attenante et l'espace où l'on s'installe sur des coussins autour de tables basses en font un lieu chaleureux.

**Heuan Phen** (carte p. 292 ; ☎ 0 5327 7103 ; 112 Th Ratchamankha ; plats 60-150 B ; 8h-15h et 17h-22h). Dans ce restaurant renommé, tout est un spectacle, de la cuisine thaïlandaise du Nord aux groupes de visiteurs, en passant par la salle décorée d'antiquités. Les gens de Chiang Mai peuvent mettre en doute la qualité, mais, pour les néophytes, l'ambiance et la cuisine sont une merveille. Les déjeuners sont servis dans une grande salle sur l'avant.

**Rachamankha** (carte p. 292 ; ☎ 0 5390 4111 ; Rachamankha Hotel, 6 Th Ratchamankha ; plats 250-1 100 B). Niché dans une ruelle derrière le Wat Phra Singh, dans les jardins somptueux de l'hôtel de luxe du même nom. On y dîne autant pour profiter du froissement des lins blancs et de l'atmosphère d'époque que de la cuisine. Menu centré sur les spécialités thaïlandaises, avec touches du Myanmar, du Yunnan et d'Europe. Faites-vous plaisir et évitez le repas de nouilles qui est par définition un plat à manger dans la rue pour 30 B.

**CUISINE INTERNATIONALE**

**Bierstube** (carte p. 292 ; ☎ 0 5327 8869 ; 33/6 Th Moon Muang ; plats 50-130 B ; 7h-minuit). Ce lieu douillet où le bois domine est installé à Chiang Mai de longue date. C'est un lieu typiquement allemand qui propose de bons plats bien riches. À Bangkok, une telle institution serait boudée, mais, à Chang Mai, elle est considérée comme faisant partie de la famille.

**Pum Pui Italian Restaurant** (carte p. 292 ; ☎ 0 5327 8209 ; 24 Soi 2, Th Moon Muang ; plats 60-180 B ; 11h-23h). Charmant restaurant agrémenté d'un jardin, idéal pour un rendez-vous. Prix modérés. Au menu : tous les plats italiens habituels, des antipasti aux desserts. Réservez une partie de votre budget pour goûter quelques délicieuses boissons italiennes.

**Chiangmai Saloon** (carte p. 292 ; ☎ 0 6161 0690 ; Th Ratwithi ; plats 80-300 B). Far West à la thaïlandaise où vous pourrez déguster de véritables plats de viande – notamment des burgers et des steaks – avant de partir à l'assaut des villages des ethnies montagnardes et d'apprivoiser des éléphants sauvages. La maison mère se trouve dans Th Loi Kroh.

**Amazing Sandwich** (carte p. 292 ; 252/3 Th Phra Pokklao ; plats 90-150 B ; 8h30-20h30). Cet établissement se décrit lui-même comme étant une île de pain au milieu d'un océan de riz. On y fait des sandwichs sur mesure avec du pain tranché, appréciés des expatriés.

**Ginger Kafe** (carte p. 292 ; ☎ 0 5341 9011 ; 199 Th Moon Muang ; plats 90-200 B ; 10h-23h). Situé sur le même terrain que le House, le Ginger Kafe est un endroit élégant qui sied bien à une clientèle de jeunes filles de bonne famille et de femmes au foyer bien comme il faut. La salle ensoleillée est habillée de tissus proprets et les chefs cuisiniers régalent les papilles de leurs sages plats internationaux et thaïlandais.

**Juicy 4U** (carte p. 292 ; ☎ 0 5327 8715 ; 5 Th Ratchamankha ; plats 95-135 B ; 8h30-17h30). Ce joli café sert des jus salutaires après une soirée arrosée, des sandwichs végétariens sur mesure et des plats thaïlandais standard. Mieux vaut apporter de la lecture, car le temps d'attente peut être long.

♥ **Jerusalem Falafel** (carte p. 292 ; ☎ 0 5327 0208 ; 35/3 Th Moon Muang ; plats 100-280 B). Peut-être baillerez-vous d'ennui à l'idée d'un énième restaurant moyen-oriental dans un quartier à routards, mais celui-ci a des qualités certaines. Endroit vivant où se retrouver entre amis pour grignoter un plat de mezze avec falafels, chachliks, houmous et taboulé. Yaourts, halloumi et feta faits maison.

**House** (carte p. 292 ; ☎ 0 5341 9011 ; 199 Th Moon Muang ; plats 200-800 B ; 18h-23h). Ce restaurant se trouve dans une maison du milieu du XX^e^ siècle (ayant un jour appartenu à un prince birman en exil), décorée aujourd'hui dans un style colonial. Menu inspiré de tout le Pacifique : agneau et saumon importés combinés à des techniques culinaires et à des épices thaïlandaises. Si vous ne souhaitez pas dîner, vous pouvez prendre quelques tapas au bar extérieur présenté à la marocaine.

## Est de la vieille ville

**CUISINE THAÏLANDAISE**

Le petit Chinatown de Chiang Mai, situé le long de Th Chang Moi, est un délicieux quartier à explorer le matin. Dans Th Khang Mehn, vous trouverez des *kà·nŏm jin* et d'autres plats de nouilles. Une ruelle proche du Top Charoen Optical se réveille de bonne heure grâce à un étal renommé de *nám đow·hôo* (lait de soja) qui sert du lait de soja chaud avec des beignets frits à la chinoise.

**Kuaytiaw Kai Tun Coke** (carte p. 292 ; Th Kamphaeng Din ; plats 30-50 B ; 8h-16h lun-sam). Cette petite boutique située juste en face de l'entrée principale de l'Imperial Mae Ping Hotel prépare une version unique du *gŏoay đĕeo gài đŭn yah jin*. Le poulet y est mariné pendant la nuit dans du Coca-Cola et des épices, puis cuit à la vapeur et servi avec des nouilles de riz. C'est en fait assez bon et réputé jusqu'à Bangkok.

**Aomngurn** (carte p. 292 ; ☎ 0 5323 3675 ; Th Ratchawong ; plats 30-100 B). Proche du New Mitrapap Hotel, ce modeste établissement permet de s'échapper du chaos et de la foule de Talat Warorot. Ses spécialités : cuisine sino-thaïlandaise, poulet grillé et *yam* piquants (salades thaïlandaises).

**Ratana's Kitchen** (carte p. 292 ; ☎ 0 5387 4173 ; 320-322 Th Tha Phae ; plats 30-150 B). On a beau dire que Chiang Mai jouit de températures fraîches, il y fait très chaud à midi. Sortez du four et rendez-vous à Ratana's Kitchen. Sans être un grand restaurant, plats savoureux, bons prix et bon emplacement pour les touristes fatigués, à proximité de Pratu Tha Phae.

**Galare Food Centre** (carte p. 292 ; Bazar de nuit de Galare, Th Chang Khlan ; plats 50-80 B ; 18h-minuit). Situé dans l'une de ces cours typiques, le Galare Food Centre permet de goûter à l'ambiance d'un marché de nuit avec le stress en moins. On achète des coupons à l'entrée, sélectionne un plat préparé chez l'un des vendeurs et mange dans un environnement propre débarrassé de la circulation. Spectacles le soir, de danse classique thaïlandaise notamment.

**Taste From Heaven** (carte p. 292 ; ☎ 0 5320 8803 ; 237-239 Th Tha Phae ; plats 60-100 B). Vous pouvez manger comme un ogre dans ce restaurant végétarien dont les bénéfices vont à l'Elephant Nature Park (p. 307).

**Just Khao Soy** (carte p. 292 ; ☎ 0 5381 8641 ; 108/2 Th Charoen Prathet ; plats 100 B). C'est une version du *kôw soy* pour gourmets, servi sur une palette de peintre en bois. Vous créez votre propre soupe de nouilles avec de nombreux condiments comme le lait de coco pour épaissir votre bouillon à volonté. Vous pouvez choisir entre les nouilles à la Chiang Mai et celles à la Mae Salong.

**Dalaabaa Bar & Restaurant** (carte p. 292 ; ☎ 0 5324 2491 ; 113 Th Bamrungrat ; plats 110-350 B ; 🕓 18h-minuit). L'un des premiers restaurants branchés de Chiang Mai, Dalaabaa a bien vieilli. Ses lumières tamisées baignent les soies rouges et orangées d'une salle de restaurant complètement vitrée. Le menu thaïlandais est bien composé et assez bon marché vu sa sophistication.

**Antique House** (carte p. 292 ; ☎ 0 5327 6810 ; 71 Th Charoen Prathet ; plats 130-260 B ; 🕓 11h-minuit). Ce bâtiment en teck à 2 étages et le jardin plein d'antiquités en bois font l'effet d'une carte postale. Une douce musique de nuit accompagne votre repas dont le menu est majoritairement du Nord, avec tous les classiques du centre du pays. C'est surtout l'ambiance thaïlandaise qui vaut le détour.

**Whole Earth Restaurant** (carte p. 292 ; ☎ 0 5328 2463 ; 88 Th Si Donchai ; plats 130-300 B ; 🕓 11h-22h). Cette maison en teck coloré est agrémentée de vigne vierge, de bassins à koï et d'orchidées qui poussent dans les creux des branches des arbres. C'est le type d'endroit idéal pour inviter votre mère à l'occasion de son anniversaire : le personnel la traitera comme une reine et la cuisine indo-thaïlandaise et végétarienne est délicatement exotique.

**Marché de nuit d'Anusan** (carte p. 292 ; bazar de nuit Anusan, Th Chang Khlan ; plats 200-350 B ; 🕓 18h-minuit). Plus au sud après le Galare Food Centre, Anusan est un marché alimentaire très animé, connu notamment pour ses restaurants sino-thaïlandais de fruits de mer. Des étals sont installés autour de tables où chaque stand "restaurant" possède une section avec ses propres serveurs. À proximité se trouvent d'autres échoppes dont certaines ont leurs bassins de crevettes, ingrédient principal. Les prix sont plus élevés qu'ils ne le devraient, mais ces restaurants sont fréquentés par les Thaïlandais lors d'occasions spéciales.

### CUISINE INTERNATIONALE

**Libernard Cafe** (carte p. 292 ; ☎ 0 5323 4877 ; 36 Th Chaiyaphum ; plats 50-110 B ; 🕓 8h-17h mar-dim). Un café discret qui propose de l'arabica récolté en Thaïlande. Le menu offert habituellement aux routards est préparé avec un tel soin que la crêpe à la banane en devient très recommandable. Essayez également le *gaang mát·sà·màn* (curry musulman). Pong prépare tout elle-même, ce qui explique que le service soit un peu lent. Mais le sourire est toujours au rendez-vous.

**Tianzi Tea House** (carte p. 292 ; ☎ 0 5344 9539 ; Th Kamphaeng Din ; plats 60-120 B ; 🕓 10h-22h) allie cuisine ascétique et déco soignée. Un joli *săhlah* en plein air décoré de fleurs et tacheté de lumière abrite une sélection de plats bio et macrobiotiques comme le fromage au tofu du Yunnan, la soupe de betteraves et les cafés aux herbes.

**Art Cafe** (carte p. 292 ; ☎ 0 5320 6365 ; angle Th Tha Phae et Th Kotchasan ; plats 60-150 B). Un restaurant de vacances classique qui pourrait tout autant se trouver dans une station balnéaire familiale de chez nous. La carte vise à contenter tout le monde : des plats thaïlandais, italiens, mexicains et américains. Art Cafe est particulièrement recommandable pour les petits-déjeuners et il permettra à vos estomacs de se reposer de leurs expériences exotiques. Horaires d'ouverture et emplacement pratiques.

**Mike's Burgers** (carte p. 292 ; angle Th Chaiyaphum et Th Chang Moi ; plats à partir de 130 B ; 🕓 6h-15h). Une réplique des stands à burgers américains, à proximité de la route très fréquentée des douves. Installé sur un tabouret en vinyle rouge éculé, regardez le cuisinier retourner les burgers ou tournez-vous à 90° pour apercevoir le Doi Suthep. Mike's Burgers a des succursales dans Th Nimmanhaemin et près du marché de nuit.

**Giorgio Italian Restaurant** (carte p. 292 ; ☎ 0 5381 8236 ; 2/6 Th Pracha Samphan ; plats 150-300 B ; 🕓 11h30-14h et 18h-22h30 lun-sam). Situé près du bazar de nuit, ce petit restaurant italien très apprécié propose les meilleurs plats d'Italie. Ouvert le dimanche pendant la haute saison.

**Moxie** (carte p. 292 ; ☎ 0 5399 9999 ; DusitD2 Chiang Mai, 100 Th Chang Khlan ; plats 150-400 B ; 🕓 6h30-1h). Un restaurant ultra branché situé dans l'hôtel DusitD2, digne d'une métropole hyperactive. La salle du restaurant est baignée dans un puzzle de tons orangés, crème et de bois sombre. Les plats prennent la forme de sculptures comestibles composées d'éléments thaïlandais, japonais et italiens.

**Favola** (carte p. 292 ; ☎ 0 5325 3299 ; Le Meridien, 108 Th Chang Khlan ; plats 280-650 B ; 🕑 11h-23h). Le restaurant italien du Meridien met en scène un chef haut en couleur qui a transformé la cuisine de maman en une affaire high-tech : il utilise des techniques de gastronomie moléculaire pour préparer mousses, huiles infusées et glaces savoureuses. La vanille et l'huile de citrouille rendent les fettuccini spectaculaires. Le meilleur pari : les pizzas étonnamment bon marché avec leur croûte craquante cuite au feu de bois.

**Good Health Store** (carte p. 292 ; ☎ 0 5320 6888 ; Th Si Donchai ; 🕑 10h-18h). Situé à proximité de Suriwong Book Centre, ce magasin diététique vend surtout des produits bio comme des céréales complètes, du miel, des noix, des remèdes à base de plantes, ainsi que du café équitable cultivé par des ethnies montagnardes.

## Riverside

Le quartier à l'est de la rivière possède 2 types d'attractions culinaires. Au nord de Saphan Nawarat (le pont Nawarat) se trouvent un ensemble de restaurants qui offrent repas et divertissements avec vue sur l'eau. Ils sont particulièrement fréquentés le week-end. *Sŏrng·tăa·ou* et *túk-túk* attendent à l'extérieur des restaurants et demandent en général un prix excessif de 100 B pour vous raccompagner à la vieille ville après la tombée de la nuit.

Plus au nord, au-delà de Saphan Nakhon Ping, Th Faham, est réputé pour être le ghetto à *kôw soy* de Chiang Mai. Vous y trouverez **Khao Soi Lam Duan** (carte p. 284 ; Th Faham ; plats 35-60 B) qui sert également des *kà·nŏm rang pêung* (littéralement pâte de ruche, une gaufre parfumée à la noix de coco), **Khao Soi Samoe Jai** (carte p. 284 ; plats 25-65 B) et **Khao Soi Ban Faham** (carte p. 284 ; Th Faham ; plats 30-55 B). Les amateurs de *kôw soy* passent parfois leur journée à en goûter un à chaque étal. Dans le secteur se tient également **Khao Soi Prince** (carte p. 292 ; Th Kaew Nawarat ; plats 20-35 B ; 🕑 9h-15h), à proximité du Prince Royal's College.

**Love at First Bite** (carte p. 292 ; ☎ 0 5324 2731 ; 28 Soi 1, Th Chiang Mai-Lamphun ; pâtisseries 40-80 B ; 🕑 10h30-18h). Installée tout au fond d'un *soi* résidentiel sur la rive est de la rivière, cette célèbre boutique de desserts est remplie de Thaïlandais issus de la classe moyenne. Ne vous étonnez pas de voir des gens qui posent devant les vitrines de desserts pour une photo souvenir : les cheesecakes sont réputés.

**Riverside Bar & Restaurant** (carte p. 292 ; ☎ 0 5324 3239 ; Th Charoenrat ; plats 90-200 B ; 🕑 10h-1h). Ce restaurant formé d'un ensemble de bâtisses en bois est très prisé depuis plus de 20 ans. Sa cuisine (thaïlandaise, occidentale et végétarienne) n'est qu'une attraction mineure au regard de son ambiance conviviale. La clientèle est un mélange de Thaïlandais et de *fa·ràng*, qui chantent en cœur avec le groupe de rock classique. Vous pouvez choisir de dîner dehors ou dedans ainsi que dans le bâtiment flambant neuf de l'autre côté de la rue. Certains habitués préfèrent dîner sur le bateau à quai (supplément 90 B) avant qu'il ne parte pour la croisière de 20h.

**Huan Soontaree** (carte p. 284 ; ☎ 0 5325 2445 ; 46/2 Th Wang Singkham ; plats 100-150 B ; 🕑 17h-1h). Les Thaïlandais de Bangkok font le pèlerinage jusqu'à ce restaurant rustique construit sur la rive occidentale de la rivière, en partie pour la cuisine, mais surtout pour sa propriétaire : Soontaree Vechanont, une célèbre chanteuse du Nord des années 1970. Elle chante le week-end, tandis que d'autres musiciens locaux jouent pendant la semaine. La carte est un agréable mélange de spécialités du nord, nord-est et centre de la Thaïlande.

**Good View** (carte p. 292 ; ☎ 0 5324 1866 ; 13 Th Charoenrat ; plats 100-200 B ; 🕑 10h-1h). Situé à côté



### LA MOSQUÉE DES "CHINOIS GALOPANTS"

La communauté musulmane du Soi 1 près de Th Chang Khlan (à proximité du bazar de nuit) rappelle l'époque où Chiang Mai se situait sur l'une des branches de la route de la Soie. La **Matsayit Chiang Mai** ou mosquée Ban Haw (carte p. 292 ; Soi 1, Th Charoen Prathet) fut fondée il y a un siècle par les *jin hor* ("Chinois galopants"), l'expression thaïe pour nommer les caravaniers du Yunnan. Depuis 2 siècles, la communauté musulmane de la ville s'est agrandie avec l'arrivée des musulmans du Yunnan qui fuyaient les troubles du Myanmar et du Laos voisins.

De nombreux restaurants modestes et vendeurs de rue proposent des currys thaïlandais musulmans, du *kôw soy* (poulet au curry et nouilles), du *kôw mòk gài* (poulet biriani) et du *néu·a òp hŏrm* (bœuf séché "odorant"), une spécialité de la communauté musulmane du Yunnan. Le soir, un vendeur ambulant concocte de délicieux *roh·đi* (pain plat indien).

du Riverside, Good View offre effectivement une belle vue dans un cadre contemporain en plein air. La formule ressemble à celle du Riverside, mais la carte est davantage axée sur la cuisine thaïlandaise et les concerts du soir sont de styles plus variés.

**Mahanaga** (carte p. 284 ; ☎ 0 5326 1112 ; 431 Th Charoenrat/Faham ; plats 250-600 B ; 🕑 17h30-minuit). Cette succursale d'un restaurant fusion basé à Bangkok est très stylée et romantique : bougies aux flammes tremblotantes, bâtiments de style lanna et grands arbres. La carte propose des plats thaïlandais à la mode urbaine : des recettes classiques qui utilisent des mets importés haut de gamme, comme de l'agneau de Nouvelle-Zélande dans un curry jaune.

## Ouest de la vieille ville

### CUISINE THAÏLANDAISE

Le quartier de Th Suthep à l'ouest du Wat Suan Dok contient plusieurs restaurants végétariens (*ah·hăhn jair*) réputés, indiqués par une banderole jaune, ainsi qu'un restaurant qui sert du porc croustillant (*mŏo gròrp*). Les restaurants deviennent plus contemporains dans Th Nimmanhaemin, mais le restaurant de porc grillé (*mŏo Ƀîng*) reste le plus fréquenté. Il est situé à proximité du coin de Soi 9 et n'est ouvert que le soir.

**Milk Garden** (Suan Nom ; carte p. 284 ; ☎ 0 5381 1680 ; Th Huay Kaew ; plats 15-90 B ; 🕑 11h-21h). Colonne vertébrale de la tradition culinaire occidentale, le pain n'est qu'un drôle de dessert pour les Thaïlandais, souvent grillé et noyé dans du lait condensé sucré. On en trouve en général chez les vendeurs à l'étal, mais les boutiques de lait surgissent souvent là où il y a des étudiants, à la manière de ce repaire artisanal. Boissons et casse-croûte également.

**Kanom Jeen Nimman** (carte p. 284 ; Th Nimmanhaemin ; plats 25-30 B). Cette boutique en plein air située le long de la route principale vous évitera d'avoir à faire la route jusqu'à un marché matinal pour réjouir vos sens des intenses parfums du *kà·nŏm jin* (nouilles de riz blanc servies avec du riz).

**Khun Churn** (carte p. 284 ; ☎ 0 5322 4124 ; Soi 17, Th Nimmanhaemin ; plats 50-70 B). Si vous pensez que restaurant végétarien rime avec décoration rustique, Khun Churn et sa salle de restaurant minimaliste très XXI^e^ siècle vous détromperont. Ses principaux attraits sont le vaste buffet quotidien (80 B) ainsi que les jus de fruits, le riz croquant avec sauce à la noix de coco ou la salade de pamplemousse à la carte. Fermé le 16 de chaque mois.

**Hong Tauw Inn** (carte p. 284 ; ☎ 0 5322 8333 ; 95/17-18 Nantawan Arcade, Th Nimmanhaemin ; plats 50-150 B ; 🕑 11h-23h). Un lieu intime et un peu désuet avec son décor de vieilles pendules et d'antiquités. Bon début pour s'initier à la cuisine lanna, notamment à la salade de fleurs de banane.

**100% Isan Restaurant** (carte p. 284 ; Th Huay Kaew ; plats 60-200 B ; 🕑 17h-23h). Installée juste en face de l'entrée principale de la CMU, cette boutique à l'éclairage fluorescent vend des plats standards du Nord-Est : *sôm·đam, kôw nĕe·o* et *gài yâhng*. La musique du mortier et du pilon du *sôm·đam* qui se prépare ne manque pas de mettre l'eau à la bouche à tous ceux qui sortent de l'université.

**Ban Kaew Heuan Kam** (☎ 0 5381 1616 ; 96/8 Th Klorng Chonprathan ; plats 65-185 B ; 🕑 17h-22h) se trouve à l'extérieur de la ville sur la route *klorng*. Cette jolie bâtisse en teck est une affaire tout à fait thaïlandaise (même la carte n'est écrite qu'en thaï) et un endroit agréable pour inviter à dîner quelqu'un qui parle le thaï. En l'absence d'un traducteur, sachez que les 2 premières pages de la carte comportent surtout des plats thaïlandais du Nord, par exemple : n°1008 salade de grenouilles, n°1014 poulet à la vapeur en feuilles de pandanus, n°2003 curry à la mode birmane et n°2012 curry de poissons avec légumes de la forêt.

**Implaphao Restaurant** (☎ 0 5380 6603 ; Rte 121 ; plats 80-160 B). Situé à 10 km au sud-ouest de Chiang Mai, de l'autre côté de Talat Mae Huay, ce n'est pas le restaurant le plus accessible, mais il vous offrira une pure expérience thaïlandaise. Les Thaïlandais aiment à manger au bord de l'eau et ce restaurant en forme de grange a du succès pour son *Ƀlah pŏw* (poisson grillé farci aux herbes aromatiques) et son *đôm yam gûng*.

**Dong** (carte p. 284 ; ☎ 0 5322 2207 ; Soi 13, Th Nimmanhaemin ; plats 90-200 B ; 🕑 11h-15h). Cuisine thaïlandaise du Nord pour les Thaïlandais du Nord. Dong sert les spécialités lanna (*nám prík nùm, lâhp kôo·a* et *gaang hang·lair*) dans un décor dénué de bibelots, d'une modération incroyable quand on connaît le goût très prononcé de Chiang Mai pour les bricoles en bois. Le service est cependant très lent.

**Galare Restaurant** (☎ 0 5381 1041 ; 65 Th Suthep ; plats 90-200 B ; 🕑 17h-23h) se trouve au-delà de la périphérie de Chiang Mai. Restaurant en plein air avec terrasses, blotti dans un parc verdoyant, au bord d'un petit lac, vue sur la ville. Tables de pique-nique en bois disposées sur un tapis de fleurs. On y sert surtout des plats thaïlandais du Nord et, si la carte n'est pas spectaculaire, vous serez de toute façon ravi par la tranquillité du lieu.

**Palaad Tawanron** (☎ 0 5321 6039 ; Th Suthep ; plats 90-350 B ; 🕙 11h30-minuit). Installé dans les bois près du Doi Suthep, ce restaurant attire une clientèle thaïlandaise et étrangère aussi bien pour les délices de sa cuisine que pour la vue spectaculaire sur les lumières de Chiang Mai. Pour manger vraiment comme les Thaïlandais, commandez un plat de poisson grillé agrémenté de petits currys et de salades thaïlandaises du Nord. L'accès au restaurant se fait par les portes arrière du zoo.

### CUISINE INTERNATIONALE

**I-Berry** (carte p. 284 ; ☎ 0 5389 5181 ; petit soi à côté de Soi 17, Th Nimmanhaemin ; plats à partir de 50 B). Un glacier de Bangkok a transformé ce joli petit terrain en bois en un rendez-vous branché. Les étudiants et les gens du coin y affluent avec leur appareil photo en espérant tomber sur le célèbre propriétaire, le comédien Udom Taepanich (surnommé "Nez"). En son absence, on peut admirer l'immense sculpture jaune qui imite les traits distinctifs de la star (son gros nez). La glace est assez bonne, mais il est plus intéressant d'observer ce culte rendu à la célébrité de Chiang Mai.

**Tsunami** (☎ 08 7189 9338 ; Th Huay Kaew ; plats 60-180 B ; 🕙 17h30-23h30). Les étudiants de la CMU adorent les *râmen* au style de Kyoto et les stands à sushis qui ont surgi tout le long de Th Huay Kaew. Tsunami est le plus connu, il y a toujours la queue même pendant le *bìt teum* (vacances entre les 2 semestres). Si vous ne trouvez pas de place, allez plus au nord jusqu'à Na Mor Sushi, qui n'a pas d'enseigne mais que l'on reconnaît au grand wok à l'extérieur.

**Smoothie Blues** (carte p. 284 ; Th Nimmanhaemin ; plats 90-140 B ; 🕙 7h30-21h). En parlant de QG d'expatriés, ce café diététique a l'air sorti tout droit d'un quartier de "jeunes cadres dynamiques" d'une ville occidentale. Bien qu'excentré, il est réputé pour ses petits-déjeuners, sandwichs, baguettes et son "smoothie blues" (une boisson).

**Mi Casa** (carte p. 284 ; ☎ 0 5381 0088 ; Soi Wat Padaeng, Th Suthep ; plats 200-500 B ; 🕙 11h-14h et 18h-22h). Le chef, du nord de l'Espagne, marie fraîcheur des produits de Chiang Mai à ingrédients importés pour préparer tapas et entrées inventives. Possibilité de manger un assortiment méditerranéen. Restaurant plein de vitalité situé derrière l'université de Chiang Mai.

## Ailleurs

Chiang Mai révèle ses influences chinoises dans la dévotion qu'elle voue aux mets à base de porc, particulièrement manifeste dans la spécialité thaïlandaise du Nord de *sâi òo·a* (saucisse de porc). Un bon *sâi òo·a* doit être piquant et épicé tout en laissant s'exprimer les arômes de la citronnelle, du gingembre et du curcuma. Deux fabricants réputés de saucisses sont **Mengrai Sai Ua** (Th Chiang Mai-Lamphun), à côté de l'Holiday Inn sur la rive orientale de la rivière, et **Sai Ua Gao Makham** (Route 121), un petit stand du marché de Mae Huay (Talat Mae Huay) qui se trouve à quelques kilomètres au sud de Night Safari en direction de Hang Dong

**Vegetarian Centre of Chiang Mai** (carte p. 284 ; ☎ 0 5327 1262 ; 14 Th Mahidol ; plats 15-30 B ; 🕙 6h-14h lun-ven). Soutenu par la fondation Asoke, un mouvement bouddhiste ascétique, ce restaurant sert des plats végétariens de style cafétéria à un prix très bon marché. Le fondateur de la société était un leader du PAD, un mouvement antigouvernemental, et le restaurant était fermé lors de notre passage en raison des manifestations à Bangkok.

**Spirit House** (carte p. 284 ; ☎ 08 4803 4366 ; Soi Viangbua , Th Chang Pheuak ; plats 100-200 B). Parfois, les restaurants les plus charmants reflètent une personnalité originale. Le propriétaire de cet établissement rempli d'antiquités se décrit lui-même comme un "nul en cuisine" qui confectionne son menu du jour à partir de ce qui l'inspire sur le marché. Cet Américain est un ancien chef d'orchestre de La Nouvelle-Orléans, passé maître en négoces divers (des antiquités aux musiciens classiques). Son restaurant propose surtout des concerts de musique classique et on y rencontre les professeurs de musique de la ville et leurs étudiants. Ouvert en basse saison de 17h30 à 22h30.

**Fujian** (☎ 0 5388 8888 ; Mandarin Oriental Dhara Dhevi Hotel, Th Chiang Mai-San Kamphaeng ; plats à partir de 400 B ; 🕙 11h30-14h30 et 18h30-22h30). Les Thaïlandais se retrouvent traditionnellement dans un restaurant chinois pour fêter les événements particuliers. Chiang Mai est particulièrement bien pourvue en menus festifs grâce à cet établissement somptueux situé dans l'hôtel Dhara Dhevi. D'excellents *dim sum* figurent au menu à midi, tandis que les classiques cantonais et du Sichuan sont servis dans de la porcelaine Bone China.

**BOIRE UN CAFÉ À CHIANG MAI : UNE VÉRITABLE CULTURE**

Ville ouverte et chaleureuse, Chiang Mai a adopté avec enthousiasme l'habitude de boire du café, largement soutenue par des chaînes de café thaïlandaises et les cultures locales d'arabica. La prolifération des établissements dévolus à la vente de ce breuvage a été une véritable bénédiction pour les projets agricoles financés par la royauté. En effet, ces derniers encouragent depuis 30 ans les habitants des montagnes à planter du café plutôt qu'à produire de l'opium.

Souvent considéré comme le précurseur des cafés, le modeste **Libernard Cafe** (carte p. 292 ; ☎ 0 5323 4877 ; 36 Th Chaiyaphum ; 🕑 8h-17h mar-dim) est tenu par Pong, qui torréfie elle-même ses grains tous les jours et fait différents ajustements en fonction des conditions climatiques. Elle prépare un café au lait onctueux qui a à peine besoin de sucre.

À l'autre extrême, on trouve **Black Canyon Coffee** (carte p. 292; ☎ 0 5327 0793 ; 1-3 Th Ratchadamnoen), un café plutôt "m'as-tu-vu", situé en face de Pratu Tha Phae où nombre de curieux s'attroupent. Il s'agit d'une chaîne de Chiang Mai qui possède de nombreux cafés dans la ville.

Presque une attraction à lui seul, Soi Kaafae (ruelle des cafés dans Soi 9, Th Nimmanhaemin) comprend deux cafés très animés où de nombreux Thaïlandais s'affairent devant leur ordinateur portable. D'un côté de la ruelle, le **Wawee Coffee** (carte p. 284 ; ☎ 0 5326 0125 ; Soi 9, Th Nimmanhaemin) est une chaîne thaïlandaise qui a ouvert un premier café au camp des éléphants Mae Sa et s'est ensuite développée pour atteindre un point de saturation à la Starbucks (un autre café Wawee se trouve sur Th Ratchadamnoen dans la vieille ville). En face se tient **94 Coffee** ( ☎ 0 5321 0234 ; Soi 9, Th Nimmanhaemin).

Pour les buveurs de café qui souhaiteraient apporter leur contribution à un monde meilleur, **Lanna Cafe** (carte p. 284 ; Th Huay Kaew ; 🕑 8h-17h lun-sam) est un café tenu par une ONG qui torréfie et vend du café équitable en provenance des villages des montagnes.

Les montagnes du Nord produisent également du thé Assam que l'on sert dans le très victorien **Tea House** (Th Tha Phae ; 🕑 9h30-18h), qui partage ses locaux avec Siam Celadon. La **House of Thai Coffee** ( ☎ 0 5327 7810 ; 131-133 Th Ratchadamnoen) est un café pour étrangers assez quelconque qui propose une carte de thés éclectique avec des thés thaïlandais aux propriétés médicinales.

## OÙ PRENDRE UN VERRE

Il y a 3 types de bars à Chiang Mai : les bars pour routards dans Th Moon Muang et Th Ratwithi, les bars et discothèques prisés des étudiants dans Th Nimmanhaemin et les restaurants des bords de la rivière pour la musique live. Chiang Mai est bien plus fidèle que Bangkok en matière de lieux nocturnes : les bars favoris existent depuis toujours. Un autre avantage de Chiang Mai : les Thaïlandais n'y rechignent pas à fréquenter les étrangers ; vous y trouverez donc plus de lieux mixtes qu'à Bangkok.

Dans Th Ratwithi, près de l'intersection avec Th Ratchaphakhinai, il y a un parking rempli de petits bars aux éclairages scintillants et à la sono tonitruante. Il paraît que ce petit bout de paradis doit être démoli, mais nous n'avons pas plus de détails. Les bars qui rendent hommage à Bob Marley y sont très bien représentés avec Babylon (carte p. 292) et Heaven Beach (carte p. 292), tandis que Cafe del Sol (carte p. 292) est en permanence bondé grâce à sa carte de cocktails bon marché.

**Writer's Club & Wine Bar** (carte p. 292 ; ☎ 08 1928 2066 ; 141/3 Th Ratchadamnoen). Tenu par un ancien correspondant étranger, ce bar sans prétention accueille un rassemblement informel de reporters et d'écrivains de Chiang Mai le vendredi soir. Petite restauration de pub anglais.

**UN Irish Pub** (carte p. 292 ; ☎ 0 5321 4554 ; 24/1 Th Ratwithi). Un bar-restaurant standard pour les routards qui n'a rien de très irlandais, à part sa clientèle prompte à boire. Installé sur 2 étages, il est très apprécié pour ses soirées jeux du jeudi et pour ses soirées matchs.

**John's Place** (carte p. 292 ; Th Moon Muang). Un autre endroit classique facilement repérable à l'angle triangulaire de Th Ratchamankha et de Soi 2 avec ses néons et ses ventres à bière. Prenez les escaliers situés après les posters délavés de paysages thaïlandais pour arriver sur le toit où vous pourrez hurler à la lune avec vos camarades de soirée et prendre votre tour au "beer *nórng*" (variation de la tradition thaïlandaise qui veut que le plus jeune du groupe se charge de garder tous les verres pleins).

**Pinte Blues Pub** (carte p. 292 ; 33/6 Th Moon Muang). Fidèle à sa formule depuis 20 ans, ce pub

## MARCHÉS ALIMENTAIRES

Les experts en marchés adoreront les épiceries et centres alimentaires couverts de Chiang Mai où l'on trouve absolument tout, des nouilles du matin aux soupers, en passant par les en-cas pour les petites faims de la journée. Vous impressionnerez vos amis thaïlandais en prenant un sachet de *man gâa·ou,* un akène proche du gland récolté à la fin de la saison des pluies.

**Talat Somphet** (carte p. 292 , Th Moon Muang ; 6h-18h). Sur ce marché au nord du carrefour de Th Ratwithi, il y a tous les accompagnements nécessaires à une fête thaïlandaise, notamment des currys à emporter, des desserts et des fruits. Beaucoup d'écoles de cuisine font visiter ce marché. Sa proximité avec la zone touristique a malheureusement encouragé les vendeurs de fruits à gonfler leurs prix.

**Talat Pratu Chiang Mai** (carte p. 292 ; Th Bamrungburi ; 4h-12h et 18h-minuit). Au petit matin, ce marché abonde en produits frais et plats à emporter. Si vous souhaitez faire un don aux moines et acquérir des "mérites", venez trouver tôt le matin la femme qui vend des assortiments de nourriture tout prêts (20 B), spécialement prévus pour les moines. Elle vous expliquera le rituel. L'effervescence se calme un peu vers midi pour reprendre le soir avec un grand marché populaire qui s'installe de l'autre côté de la rue.

**Talat Thanin** (carte p. 284 ; près de Th Chang Pheuak ; 5h-début de soirée). Les amateurs de marchés seront impressionnés par ce marché couvert, propre et économique, l'un des plus soignés que nous ayons vu en Thaïlande. Le secteur des bouchers est séparé et vitré, ce qui évite aux âmes sensibles de s'y retrouver par mégarde. Les étals de fruits et légumes sont une magnifique démonstration de la générosité tropicale. Dans le secteur des plats préparés, vous trouverez les dernières tendances culinaires : des sushis et des salades *fahin* (une salade de style thaïlandais agrémentée d'ingrédients des années 1950 comme le tapioca et la gelée). Plus au fond, dans le centre alimentaire couvert, vous trouverez les plats de nouilles et les sautés sur commande.

**Talat Warorot** (carte p. 292 ; Th Chang Moi ; 6h-17h). Les bas prix des biens d'équipement ménager vous permettront de vous offrir encore un bol de nouilles servi dans la halle intérieure principale. Après la tombée de la nuit, le marché de nuit offre un dîner bon marché au bord de la rivière.

**Talat Ton Phayom** (carte p. 284 ; Th Suthep). Ce marché est à la fois un marché local et un lieu où les Thaïlandais en visite achètent des "souvenirs". Jetez un coup d'œil au secteur des produits alimentaires conditionnés pour vous faire une idée des cadeaux comestibles qu'il y a (comme les sacs de *kâap mŏo* et de *sâi òo·a*), indispensables pour achever une visite de Chiang Mai. Comme les étudiants de la CMU forment l'essentiel de sa clientèle, le marché pratique des prix plutôt bas.

sert uniquement des bières et des expressos, sur fond de blues exclusivement. On le rate facilement, en passant devant : tendez l'oreille pour le repérer.

**Kafe** (carte p. 292 ; Th Moon Muang). Bar cosy blotti à côté de Soi 5, Kafe est souvent très fréquenté par les Thaïlandais et les touristes même lorsque les autres lieux sont vides. Une formule simple : bière fraîche bon marché et service efficace.

**Khan-Asa** (carte p. 292 ; ☎ 08 1681 0037 ; 84 Th Si Phum). Suffisamment bon marché pour ne pas égratigner votre budget bière, ce joli endroit est surtout connu pour sa cuisine thaïlandaise. Il vous permet de faire une pause sur le circuit des routards sans avoir à prendre un taxi jusqu'à Th Nimmanhaemin. La bande-son est légèrement postérieure à l'étrange fascination de Chiang Mai pour Phil Collins et Jack Johnson.

**Pub** (carte p. 284 ; ☎ 0 5321 1550 ; 189 Th Huay Kaew). Aménagée dans une ancienne villa de style Tudor à l'écart de la route, cette vénérable institution de Chiang Mai évoque, avec plus ou moins de bonheur, l'atmosphère d'un pub anglais. La *happyhour* du vendredi soir attire tous les expatriés de longue date qui prétendent être arrivés dans la ville à dos d'éléphant.

**Drunken Flower** (carte p. 284 ; ☎ 0 5389 4210 ; 28/3 Soi 17, Th Nimmanhaemin). Bien qu'il ait déménagé, ce classique a gardé sa clientèle : un mélange d'étudiants bohèmes de la CMU et d'expatriés d'ONG. Ce tout petit bar évoque l'état d'esprit que pouvaient avoir les étudiants chevelus lorsqu'ils buvaient et dilapidaient leurs sous.

**Mix Bar** (carte p. 292 ; ☎ 0 5399 9999 ; DusitD2 Chiang Mai, 100 Th Chang Khlan). Si vous cherchez un coin où vous croire dans une ville plus cosmopolite que Chiang Mai, rendez-vous au séduisant bar à cocktails de l'hôtel DusitD2, un élégant élixir après une visite au marché de nuit. Soirées arc-en-ciel tous les derniers week-ends du mois, homosexuels bienvenus.

**NimMahn Bar** (carte p. 284 ; Th Nimmanhaemin). Ce bar en plein air était une étape avant de se rendre au Warm-Up (ci-contre), mais, depuis qu'il est interdit de fumer dans les discothèques climatisées, il s'est récemment transformé en salon fumeur.

**Glass Onion** (carte p. 284 ; ☎ 0 5321 8479 ; Rooms Boutique Mall, Th Nimmanhaemin). Ce petit bar très glamour se trouve à l'extrémité du passage bordé de boutiques et est décoré dans un style années 1960. Par opposition aux discothèques de Nimmanhaemin où des jeunes à peine majeurs vont brûler leurs tympans, ce bar est le domaine des adultes à la recherche de cocktails et de conversation. Réputé accueillant avec les homosexuels.

## OÙ SORTIR

### Musique live

**Riverside Bar & Restaurant** (carte p. 292 ; ☎ 0 5324 3239 ; 9-11 Th Charoenrat). Situé dans un très beau cadre au bord de Mae Ping, Riverside fait partie des plus anciens lieux de concert de la ville. Le groupe vedette, composé de hippies thaïlandais vieillissants, reprend à grand bruit les airs archiconnus du répertoire rock classique. Antidote parfait à un trop-plein de musique électronique.

**Good View** (carte p. 292 ; ☎ 0 5324 1866 ; 13 Th Charoenrat). Si le Riverside vous paraît trop rustique, allez au Good View, juste à côté. Des reprises interprétées de manière plus moderne.

**Le Brasserie** (carte p. 292 ; ☎ 0 5324 1665 ; 37 Th Charoenrat ; 🕑 23h15-1h). Au nord des restaurants du bord de la rivière, La Brasserie est un endroit nocturne réputé où affluent les fans de Took, un guitariste local. On y joue des reprises de toutes les légendes rock et blues disparues. Possibilité de se restaurer au bar ou à l'extérieur, près de la rivière.

**Tha Chang Gallery** (carte p. 292 ; Th Charoenrat). Voisine du restaurant Gallery, cette petite salle de concert propose de très bonnes soirées de jazz et blues live. Fermé pour rénovation au moment de la rédaction de ce guide.

**North Gate Jazz Co-Op** (carte p. 292 ; Th Si Phum). Plus de musiciens que de clients s'entassent dans cet étroit club de jazz, en particulier le mardi pour sa soirée "scène ouverte".

**Sudsanan** (carte p. 284 ; ☎ 08 5038 0764 ; Th Huay Kaew). En bas d'une route située à la diagonale de Kad Suan Kaew, cette maison en bois chaleureuse voit affluer des Thaïlandais aux cheveux longs et des expatriés, qui viennent applaudir des performances acoustiques passant de la samba à *pleng pêu·a chi·wít* (chansons pour la vie). Préparez-vous à quelques larmes pendant ces chansons particulièrement émouvantes.

### Discothèques

**Warm-Up** (carte p. 284 ; ☎ 0 5340 0676 ; 40 Th Nimmanhaemin). Éternel favori des divas de la piste de danse, le Warm-Up essaie de plaire un peu à tout le monde. Cour intérieure avec sièges pour se reposer. Sur les côtés, différentes boîtes dédiées à des genres de DJ variés qui vont de la musique lounge au break beat et au rock. De jeunes gens ultra branchés y viennent dans leurs tenues les plus cool : jeans serrés, coiffures hérissées, robes courtes aux motifs brillants et talons aiguilles. Mais des *fa·ràng* se joignent aussi à la foule. Des groupes connus au niveau national passent parfois au Warm-Up.

**Monkey Club** (carte p. 284 ; ☎ 0 5322 6997 ; Soi 9, Th Nimmanhaemin). À la fois restaurant et boîte de nuit, le Monkey Club attire toute une clientèle d'étudiants thaïlandais fortunés et quelques expatriés qui peuvent agréablement passer du jardin au bar vitré tout blanc qui fait aussi office de dancing. Une bonne alternative au Warm-Up.

**Discovery** (carte p. 284 ; ☎ 0 5340 4708 ; 12 Th Huay Kaew). Pas besoin d'être branché pour s'amuser dans cette discothèque. Située de l'autre côté de la rue par rapport à Kad Suan Kaew, elle est grande, bruyante et complètement ringarde. C'est la recette idéale pour que tout le monde danse.

**Bubbles** (carte p. 292 ; Pornping Tower Hotel, Th Charoen Prathet). Bien qu'un peu sordide, Bubbles continue mystérieusement de s'attirer les faveurs des rôdeurs et des fêtards. Un mélange de touristes et de quelques pros font bouger la piste de danse.

**Spicy** (carte p. 292 ; Th Chaiyaphum ; 🕑 21h-5h). Près de Pratu Tha Phae, tout le monde se rabat sur ce lieu quand les autres ont fermé. Très mal famé en début de soirée, Spicy se transforme en lieu de fête très agréable après 2h. Fourgon à cocktails juste à côté qui attire quelques noctambules.

### Cinéma

**Major Cineplex** (carte p. 284 ; ☎ 0 5328 3939 ; Central Airport Plaza, 2 Th Mahidol ; 80-160 B) et le **cinéma Vista** (carte p. 284 ; Kad Suan Kaew Shopping Centre, Th Huay Kaew ; 70-90 B) passent de mauvais films hollywoodiens et les derniers films thaïlandais pour adolescents.

**Chiang Mai University Art & Culture Center** (carte p. 284 ; Faculty of Media Art & Design ; gratuit ; 🕑 18h30 dim). Films d'auteur étrangers une fois par semaine, souvent autour d'une thématique particulière. Projection dans le grand auditorium ; entrée gratuite.

### Boxe thaïlandaise

**Thapae Boxing Stadium** (carte p. 292 ; ☎ 08 6187 7655 ; Th Moon Muang ; 400 B ; 🕑 21h jeu). En plein cœur du quartier des routards, ce stade attire un public étranger. Combats suivis d'un spectacle de cabaret.

**Kawila Boxing Stadium** (carte p. 284 ; près de Th Charoen Muang ; 600 B ; 🕑 20h mer et ven). Proche de Talat San Pakoy, c'est le stade local pour le *mou·ay tai* (ou *muay thai*).

## ACHATS

Chiang Mai étant le principal centre d'artisanat du pays, la ville est entourée de petites manufactures et d'ateliers. À l'instar de Bali et de Katmandou, Chiang Mai est également un carrefour commercial où transitent antiquités et textiles des petits villages du Laos, du sud de la Chine, du Myanmar et du Vietnam. Il y a environ 20 ans, les objets d'art et les textiles anciens des ethnies montagnardes étaient vendus directement par les villageois sur les marchés ordinaires de Chiang Mai et des environs, mais, aujourd'hui, la plupart de ces trésors sont entre les mains des marchands. Le monde des antiquités s'est également transformé : les antiquités thaïlandaises, massivement achetées par les collectionneurs, sont dorénavant remplacées par de vieux meubles en provenance du Myanmar.

Il y a plusieurs sites commerçants dans la ville : le bazar de nuit de Chiang Mai (p. 330), à l'est de la vieille ville, le Saturday Walking Street de Th Wualai (p. 299) et le Sunday Walking Street de Th Ratchadamnoen (p. 295). Pour l'artisanat des ethnies montagnardes, Th Tha Phae est la bonne adresse. Th Chang Moi Kao est la rue des librairies de la ville (voir la rubrique *Renseignements*, p. 288). Dans Th Nimmanhaemin, à l'ouest de la vieille ville, vous trouverez quelques boutiques contemporaines fréquentées par des Thaïlandais branchés.

Les villages d'artisanat se situent juste à la périphérie de la ville, au sud et à l'est. Hang Dong (p. 344) est largement considéré comme la capitale du mobilier de la région. Vous trouverez tout le reste à San Kampaeng et à Bo Sang (p. 343).

### Vieille ville

**Mengrai Kilns** (carte p. 292 ; ☎ 0 5327 2063 ; www.mengraikilns.com ; 79/2 Th Arak). À l'angle sud-ouest des douves intérieures, Mengrai Kilns s'attache surtout à faire perdurer la tradition des céramiques thaïlandaises.

**HQ Paper Maker** (carte p. 292 ; ☎ 0 5381 4717 ; www.hqartgallery.com ; 3/31 Th Samlan) vend principalement du papier d'art et notamment du papier de mûrier fait main (*săh*), une autre spécialité artisanale de Chiang Mai. Tout un choix de couleurs et de motifs, par exemple des pages imprimées de l'alphabet thaï du Nord. Peintures et gravures sur bois d'artistes de Chiang Mai.

**Herb Basics** (carte p. 292 ; ☎ 0 5341 8289 ; Th Ratchadamnoen ; 🕑 9h-18h lun-sam, 14h-21h dim). Produits aux parfums délicieux comme des baumes pour les lèvres, savons et shampooings, tous fabriqués à Chiang Mai.

### Est de la vieille ville

La plupart des boutiques de Th Tha Phae ouvrent à 9h.

**Elements** (Red Ruby ; carte p. 292 ; ☎ 0 5325 1750 ; 400-402 Th Tha Phae). Près du Roong Ruang Hotel. Sacs brodés, grande variété de bijoux fantaisie et autres colifichets.

**Angel** (carte p. 292 ; ☎ 0 5323 2651 ; 370 Th Tha Phae ; 🕑 10h-18h). Bijoux en argent de conception moderne et originale qui confirment la bonne réputation dont jouit la Thaïlande pour ces trésors.

**Nova** (carte p. 292 ; ☎ 0 5327 3058 ; www.nova-collection.com ; 201 Th Tha Phae ; 🕑 9h-20h30 lun-sam, 12h30-20h30 dim). Bijoux modernes. Cet atelier fabrique à la main de fantastiques bagues, pendentifs et boucles d'oreille en argent, en or et pierres précieuses. Possibilité de s'en faire fabriquer sur mesure.

**Lost Heavens** (carte p. 292 ; ☎ 0 5325 1557 ; 228-234 Th Tha Phae ; 🕑 10h-18h). Boutique spécialisée en objets d'art des ethnies , de véritables pièces de musée, notamment des textiles, tapis et antiquités. Elle vend également des objets d'art des Yao (appelés aussi Mien).

### LA CRÉATION D'UN ESPACE ARTISTIQUE

"N'attendez pas grand-chose de "La Terre", il n'y a pas grand-chose à voir", m'avait prévenu Ajahn Kamin Lertchaiprasert alors que nous filions à toute allure sur la route *klorng* en direction de la parcelle de terre où s'est installée en 1998 une expérience artistique spécifiquement thaïlandaise. Ce n'est en effet qu'une petite rizière travaillée à temps plein par un fermier local et ses 2 buffles. Ni électricité ni eau courante. Ni salle d'exposition ni grand monument artistique. Juste quelques huttes ouvertes sur pilotis et un *săhlah* au sol en forme de vague. Mais produire n'est pas la raison d'être du projet.

"Cet espace n'est ni une galerie ni une salle de classe", avait-il écrit en 2005 après avoir achevé ce "One Year Project", le titre du programme de résidence artistique de La Terre. Tous les 2 ou 3 ans, des participants étrangers viennent vivre à La Terre où ateliers de méditation et discussions artistiques sont organisés. Certains artistes en résidence ont été à l'origine de projets architecturaux sur la propriété et certaines de leurs œuvres sont toujours là, tandis que d'autres ne sont plus que cendres. "C'est une expérience de vie. Les artistes peuvent faire ce qu'ils veulent à La Terre", dit Ajahn Kamin. Ensuite, les œuvres des artistes inspirées par "The Land" sont exposées dans les galeries de Chiang Mai et de Bangkok.

"Avec ce projet, le cofondateur et moi-même souhaitions expérimenter 3 choses : la permaculture, la méditation vipassana et la collaboration artistique", explique-t-il. "Personne ne possède La Terre. J'ai aidé à la faire naître mais maintenant, elle vit sa vie." Comme son activité artistique lui prend du temps, Ajahn Kamin a confié une grande partie de la gestion de La Terre à certains de ses anciens étudiants de l'université de Chiang Mai. "Ils travaillent ensemble pour en prendre soin. Il n'y a pas de chef." Il pointe par là un autre élément essentiel de La Terre : l'idéal bouddhiste de suppression de l'ego.

La Terre est à beaucoup d'égards une reproduction artistique des temples thaïlandais. C'est un lieu ouvert au public et les gens y viennent pour travailler ensemble, que ce soit par la pratique de la méditation, par l'échange d'idées ou en donnant libre cours à leur énergie créative. "Dans ce projet, l'important, c'est donc le processus et non pas le produit final ?" lui ai-je demandé. "Vous parlez comme un artiste", m'a-t-il complimenté.

**Kesorn** (carte p. 292 ; ☎ 0 5387 4325 ; 154-156 Th Tha Phae). Cette boutique encombrée qui plaira aux collectionneurs existe depuis des années. Surtout spécialisée en tissus, colliers et artisanat des ethnies montagnardes. Le propriétaire s'intéresse depuis peu aux vêtements imprimés de formules magiques, sur le modèle des tatouages protecteurs (*sàk yan*) inspirés du zodiaque et de la numérologie.

**Sun Gallery** (carte p. 292 ; ☎ 0 5387 4028 ; 86-88 Th Tha Phae). Na Chanok Siemmai (surnommé "Sun") tient cette agréable galerie d'art où l'on peut farfouiller sans être un grand collectionneur. Œuvres du propriétaire et de ses amis, de l'abstrait au collage 3D. Pour les amateurs de miniatures, cartes postales faites à partir de photos.

**Siam Celadon** (carte p. 292 ; 0 5324 3518 ; 158 Th Tha Pae). Cette entreprise bien établie vend sa collection de céramiques vernissées dans une ravissante bâtisse en teck ouvragé de l'époque victorienne. Vous pouvez déguster un véritable thé anglais dans le salon de thé (Tea House Siam Celadon, p. 325) attenant et continuer à admirer le bâtiment.

**Gong's Shop** (carte p. 292 ; ☎ 0 5323 3235 ; Th Wichayanon). On manque toujours de vêtements en coton froissé sous ce climat tropical et Gong en propose une sélection avec des tailles adaptées au gabarit occidental.

**Under the Bo** (carte p. 292 ; ☎ 0 5381 8831 ; bâtiment du bazar de nuit, Th Chang Khlan). Nombreuses pièces uniques d'art tribal : meubles, bronzes, sculptures sur bois et tissages. Cette enseigne possède une autre boutique sur la route de Hang Dong, dans le centre commercial Kad Farang.

**KukWan Gallery** (carte p. 292 ; ☎ 0 5320 6747 ; 37 Th Loi Kroh). Dans ce joli bâtiment en teck, légèrement en retrait de la route, on peut acheter du coton et de la soie naturels au mètre. Endroit idéal pour se procurer des cadeaux : écharpes, dessus de lit, nappes, tous dans des coloris très subtils.

**Pantip Plaza** (carte p. 292 ; Th Chang Khlan). Proche du bazar de nuit, ce centre commercial lumineux est plus réussi que son homologue de Bangkok. Vendeurs agréés d'équipements électroniques, notamment ordinateurs et appareils photo. Pas un seul vendeur illégal de logiciels en vue.

**FAIRE DES ACHATS APRÈS LA TOMBÉE DE LA NUIT**

Le **bazar de nuit de Chiang Mai** (carte p. 292 ; Th Chang Khlan ; 19h-minuit) est l'une des curiosités touristiques majeures de la ville, notamment pour les familles. Il occupe la place d'une étape des anciens caravaniers du Yunnan sur leur route entre Simao (Chine) et Mawlamyaing, sur les rives du golfe de Martaban (Myanmar). Le bazar de nuit vend les souvenirs touristiques habituels, les mêmes que ceux que vous pourriez trouver sur les marchés de Bangkok. Comme c'est l'habitude sur les marchés, les vendeurs de rue s'alignent sur les trottoirs de Th Chang Khlan, de Th Tha Phae à Th Loi Kroh, s'intercalant entre les commerces en dur. Le bâtiment du bazar de nuit est surtout rempli de magasins d'antiquités et d'artisanat. En face, le bazar de nuit de Galare vend des vêtements haut de gamme et de la décoration d'intérieur. Derrière la série de boutiques se trouve le Galare Food Centre (p. 320). Le marché d'Anusan est moins oppressant. Il est rempli des étals de marchands de bonnets en tricot, de savons ciselés et d'autres marchandises des petites industries artisanales. Plus au fond, vous trouverez l'Anusan Food Center (p. 321). La qualité et les prix ne sont pas extraordinaires ; ce sont la variété et la concentration des marchandises ainsi que la dextérité dont il faut faire preuve pour se faufiler entre les étals qui font le charme de ce marché.

## Riverside

**La Luna Gallery** (carte p. 292 ; ☎ 0 5330 6678 ; www.lalunagallery.com ; 190 Th Charoenrat). Située dans le coin des anciennes boutiques sur la rive est de la rivière, cette galerie professionnelle expose une belle palette de jeunes artistes montants d'Asie du Sud-Est. De nombreuses toiles ont une thématique sociale et donnent au visiteur une idée des différents styles artistiques de la région. Calendrier en vente, présentant un artiste différent chaque mois (avec reproduction d'une de ses œuvres et biographie).

**Vila Cini** (carte p. 292 ; ☎ 0 5324 6246 ; www.vilacini.com ; 30-34 Th Charoenrat) vend de superbes pièces de soie et de coton qui rappellent la marque Jim Thompson. La réelle attraction : l'atmosphère de la boutique située dans une magnifique maison en teck ornée d'un sol en marbre et flanquée d'un étroit escalier branlant qui mène à une cour couverte.

**Sop Moei Arts** ( ☎ 0 5332 8143 ; www.sopmoeiarts.com ; 150/10 Th Charoenrat). À la différence de toutes ces boutiques qui vendent de l'artisanat des ethnies montagnardes dans leur forme brute, Sop Moei Arts a transformé l'artisanat des Pwo Karen, peuple qui vit dans la province de Mae Hong Son, en le modernisant. Les dirigeants du magasin ont commencé à travailler avec ce village il y a une trentaine d'années par l'intermédiaire d'un programme sanitaire. Ils ont depuis su utiliser leurs traditions artisanales de tissage et de vannerie pour nourrir un projet de développement économique (plus de 60% du revenu net revient au village et tous les profits alimentent des bourses d'études).

**Thai Tribal Crafts** (carte p. 292 ; ☎ 0 5324 1043 ; 208 Th Bamrungrat). Situé près du McCormick Hospital, ce magasin fonctionne sur les principes du commerce équitable et est géré par une communauté villageoise. Travaux d'aiguille richement ornés confectionnés par les différentes ethnies montagnardes.

## Sud de la vieille ville

Située juste au sud de Pratu Chiang Mai, la rue Th Wualai est réputée de longue date pour ses magasins d'orfèvres qui travaillent l'argent (carte p. 292).

**Central Airport Plaza** (carte p.284 ; Th Mahidon). Rattaché au grand magasin Robinson, ce centre commercial est d'une catégorie supérieure à celle du Kad Suan Kaewest (ci-dessous) : plus de marques internationales y sont représentées et sa clientèle est plus fortunée. Les boutiques du 2e étage, qui imitent un village du nord, vendent des souvenirs de très bonne qualité à des prix fixes. Les soies et le prêt-à-porter sont bon marché.

## Ouest de la vieille ville

Proche de l'université de Chiang Mai, Th Nimmanhaemin est souvent considérée comme le quartier branché de la ville. De nombreuses rues piétonnes sont remplies de minuscules boutiques de vêtements et de cadeaux. Ne ratez pas les pittoresques boutiques d'art et de décoration de Soi 1 à côté de Th Nimmanhaemin et son festival d'art et de design qui a lieu en décembre. Les magasins de cette ruelle ouvrent autour de 10h ou 11h.

**Centre commercial Kad Suan Kaew** (carte p. 284 ; Th Huay Kaew ; 10h-21h30). Rattaché au grand magasin basé à Bangkok, Kad Suan Kaew permet de s'adonner à la consommation avec tout le confort de la climatisation. On peut acheter des produits alimentaires d'origine étrangère au Tops Marketplace. Téléphones mobiles et accessoires se trouvent au dernier étage, les boutiques de vêtements au rez-de-chaussée. Les étudiants viennent s'y promener le soir, tandis que de nombreux petits vendeurs de rue s'installent à l'extérieur le jeudi et le vendredi.

**Hill-Tribe Products Promotion Centre** (carte p. 284 ; ☎ 0 5327 7743 ; 21/17 Th Suthep). Ce projet financé par la royauté vend de l'artisanat des ethnies montagnardes et des souvenirs. Tous les bénéfices sont reversés à des programmes d'aide à ces mêmes ethnies. Les poupées brodées et les petits porte-monnaie font de jolis cadeaux pour les petites filles.

**Sipsong Panna** (carte p. 284 ; ☎ 0 5321 6096 ; Nantawan Arcade, 6/19 Th Nimmanhaemin). Située en face de l'Amari Rincome Hotel, cette boutique haut de gamme est la bonne adresse pour trouver des bijoux de Thaïlande, du Laos, du Myanmar et du sud-ouest de la Chine.

**Srisanpanmai** (carte p. 284 ; ☎ 0 5389 4717 ; 6 Soi 1, Th Nimmanhaemin) est spécialisé dans les soies fabriquées selon les anciennes traditions. Si vous avez été emballé par le musée des textiles Sbun-Nga (p. 300), cette boutique de textiles vous ravira en vous offrant un manuel visuel des textiles lanna qui vont des motifs birmans arc-en-ciel de couleurs vives aux larges ourlets de Chiang Mai.

**Adorn with Studio Naenna** (carte p. 284 ; ☎ 0 5389 5136 ; 22 Soi 1, Th Nimmanhaemin). Les soies et cotons vendus dans cette boutique sont teints avec des couleurs naturelles. Ils sont l'un des résultats d'un projet de tissage lancé dans un village par Patricia Cheeseman, spécialiste des tissus thaïlandais et laotiens et auteure d'ouvrages sur le sujet. Possibilité d'observer le processus de fabrication au Studio Naenna (ci-dessous).

**Studio Naenna** (carte p. 284 ; ☎ 0 5322 6042 ; www.studio-naenna.com ; 138/8 Soi Chang Khian, Th Huay Kaew). Si vous avez aimé les tissus d'Adorn with

### FAIRE DU SHOPPING EN FAVEUR D'UNE BONNE CAUSE

Chiang Mai est la conscience de la Thaïlande, en partie parce qu'elle accueille de facto des immigrés du Myanmar en grande difficulté et les villageois des ethnies montagnardes. Ces derniers, en effet, n'ont pas la citoyenneté thaïlandaise proprement dite, ce qui leur porte préjudice pour bénéficier d'une instruction et de soins médicaux, ainsi que pour accéder à des emplois suffisamment rémunérés. Parce qu'ils côtoient de près la pauvreté, les habitants de Chiang Mai sont peu complaisants et prompts à passer à l'action. C'est pourquoi il existe une myriade d'ONG qui soutiennent le développement d'activités marchandes.

**Dor Dek Gallery** (carte p. 292 ; ☎ 08 9859 6683 ; Th Samlan) vend les réalisations artisanales des enfants des rues employés par les bénévoles de la Children Development Foundation. Cette ONG gère un orphelinat et des programmes d'apprentissage à destination des enfants déplacés. Les produits de la vente sont partagés entre l'enfant artisan, le fonds éducatif du programme et une donation pour l'achat de matériel.

Une idée de cadeau à laisser sur place : à **Freedom Wheel Chairs Workshop** (carte p. 292 ; ☎ 0 5321 3941 ; www.freedomwheelchairs.org ; 133/1 Th Ratchaphakhinai), vous pouvez acheter un fauteuil roulant qui sera offert à une personne handicapée qui n'a pas les moyens d'une telle dépense. Géré par une Thaïlandaise qui a survécu à la polio et par son mari, l'atelier achète et répare sur commande des fauteuils roulants et autres accessoires d'aide à la mobilité pour des personnes dans le besoin.

Peut-être êtes-vous soucieux de justice sociale lorsque vous achetez de jolies choses. Allez alors à l'Adorn with Studio Naenna (p. 331), la boutique d'un programme de tissage qui permet à de jeunes villageoises du district de Chom Thong de Chiang Mai de percevoir un revenu viable sans avoir à quitter leurs familles pour s'installer en ville. Le projet a aussi pour ambition de préserver les anciennes techniques de tissage tout en limitant l'empreinte écologique par l'utilisation de fibres et de teintures naturelles.

Les réalisations de ces projets de tissages villageois sont également en vente dans d'autres magasins, comme Kukwan Gallery (p. 329), Sop Moei Arts (p. 330), Thai Tribal Crafts (p. 330) et Hill-Tribe Products Promotion Centre (p. 331).

Studio Naenna, quittez la ville pour aller visiter le principal lieu d'exposition de cette coopérative textile.

**Shinawatra** (carte p. 284 ; ☎ 0 5322 1638 ; www.shinawatrathaisilk.co.th ; 16 Th Huay Kaew). Cette vénérable boutique de soie familiale était déjà connue avant que le neveu du propriétaire, Thaksin Shinawatra, devienne Premier ministre et un homme d'État controversé. Les couleurs et les styles sont un peu ternes par rapport aux goûts des étrangers, mais ils sont bien adaptés à ceux des notables de la ville.

**Classic Model** (carte p. 284 ; ☎ 0 5321 6810 ; 95/22 Th Nimmanhaemin). Des motifs géométriques voyants caractérisent cette marque de vêtements du créateur Sumate Phunkaew, originaire de la province de Nan. L'histoire de la réussite de ce fils de la campagne réchauffe certes le cœur, mais les vêtements sont très vieux jeu. En fouillant, vous trouverez peut-être quelque chose qui vous conviendra.

**Koland** (carte p. 284 ; ☎ 0 5321 4715 ; Soi 1, Th Nimmanhaemin) est la boutique la plus branchée du quartier. Mélange de céramiques thaïlandaises et d'art kitsch chinois.

**Kachama** (carte p. 284 ; ☎ 0 5321 8495 ; www.kachama.com ; Soi 1, Th Nimmanhaemin). Si vous avez l'intention d'acheter des tentures murales, visitez ce studio de textiles haut de gamme où sont exposés les tissus de l'artiste d'inspiration traditionnelle.

**Gongdee Gallery** (carte p. 284 ; ☎ 0 5322 2230 ; 30 Soi 1, Th Nimmanhaemin). Équipé de l'une des salles d'exposition les plus grandes du quartier, Gongdee est un incubateur de jeunes talents artistiques. Mélange de décoration d'intérieur, de meubles et de peintures. Cherchez les Bouddhas représentés dans le style des icônes byzantines et les autels de Barinya, un artiste de Chiang Mai.

**Suriyam Chandra** (carte p. 284 ; ☎ 0 5322 7480 ; www.suriyanchandra.com ; Soi 1, Th Nimmanhaemin). Cet artiste crée de jolies figurines en terre cuite représentant des femmes thaïlandaises, dans la même veine que le travail de l'artiste colombien Fernando Botero.

**Aka** (carte p. 284 ; ☎ 0 5389 4425 ; www.aka-aka.com ; Soi 1, Th Nimmanhaemin). Le designer d'intérieur Eakrit Pradissuwana a créé un look contemporain pour les amoureux de l'Asie à la recherche d'un style moderne. L'ameublement, minimaliste et doucereux, conserve un caractère oriental.

**Chabaa** (carte p. 284 ; www.atchabaa.com ; Nimman Promenade, 14/32 Th Nimmanhaemin). Si le label Putumayo produisait des vêtements plutôt que de la musique du monde, ce serait Chabaa. Ce magasin est en effet spécialisé dans l'ethno-chic. Jupes et hauts brodés très colorés et grande bijouterie.

**Ginger** (carte p. 284 ; ☎ 0 5321 5635 ; 6/21 Th Nimmanhaemin). Dans cette boutique, vous trouverez du prêt-à-porter plus habillé : robes brillantes, mules étincelantes, fabuleux bijoux et accessoires colorés, le tout relativement cher. Salle de vente au 3e étage.

## DEPUIS/VERS CHIANG MAI

### Avion

Des vols réguliers desservent le **Chiang Mai International Airport** (carte p. 284 ; ☎ 0 5327 0222), qui se trouve à 3 km au sud de la vieille ville. Sauf mention contraire, les compagnies aériennes suivantes passent par l'aéroport Suvarnabhumi à Bangkok.

**Air Asia** (☎ 0 2515 9999 ; www.airasia.com). Vols pour Bangkok (1 660 B, 6/j) et Kuala Lumpur (à partir de 4 000 B, 1/j).

**Bangkok Airways** (☎ 0 2265 5556; www.bangkokair.com). Vols pour Bangkok (3 400 B ; 2/j) puis Samui (7 300 B).

**China Airlines** (☎ 0 5320 1268 ; www.china-airlines.com). Vols pour Taipei (12 000 B, 2/sem).

**Lao Airlines** (☎ 0 5322 3401 ; www.laoairlines.com). Vols pour Vientiane (8 400 B, 2/j) et Luang Prabang (5 600 B, 1/j).

**Nok Air** (☎ 1318 ; www.nokair.com). Vols pour Bangkok Don Muang (2 440 B, 4 à 5/j). Filiale de la THAI ; elle affrète également un vol conjoint avec la THAI de Chiang Mai à Pai (660 B, 1/j) et de Chiang Mai à Mae Hong Son (1 090 B, 1/j) conjointement avec SGA.

**One-Two-Go** (☎ 1141, ext 1126 ; www.fly12go.com). 3 vols/sem pour Bangkok Don Muang (1 950 B).

**Siam GA** (SGA ; ☎ 0 5328 0444 ; www.sga.co.th). Vols pour Pai (660 B, 1/j) et Mae Hong Son (1 090 B, 1/j) ; vols affrétés conjointement avec Nok Air.

**Silk Air** (☎ 0 5390 4985 ; www.silkair.com). Vols pour Singapour (16 000 B, 1/j).

**Thai Airways International** (THAI ; ☎ 0 5321 1044/7 ; www.thaiair.com). Vols pour Bangkok (1 700 B) : 2/j pour l'aéroport de Don Muang et 8/j pour l'aéroport de Suvarnabhumi. Vols pour Mae Hong Son (1 300 B, 3/j).

### Bus

Le terminal des bus longue distance, **Arcade** (carte p. 284 ; ☎ 0 5324 2664 ; Th Kaew Nawarat), est situé à environ 3 km de la vieille ville. S'y rendre en *túk-túk* ou en *sŏrng·tăa·ou* coûte de 40 à 60 B depuis le centre-ville.

À partir du terminal Arcade, des bus partent pour Bangkok environ toutes les heures entre

7h et 10h30 et de nouveau entre 19h et 21h. Green Bus Thailand, la plus importante compagnie de ce terminal, dessert Chiang Rai avec des départs toutes les heures entre 7h et 16h. Les bus pour Mae Sai, Mae Sot et Chiang Saen partent 2 fois par jour. Les autres itinéraires comprennent la ligne Phayao-Chiang Khong (départs fréquents entre 6h30 et 17h30) et des bus pour Lampang, Phrae et Nan (départs toutes les heures entre 6h30 et 18h30).

Les guichets pour Pai, Mae Hong Son et Mae Sariang se trouvent derrière le terminal principal. Il y a 5 départs par jour pour For Udon Thani entre 12h et 20h.

Notez qu'au départ de Bangkok les compagnies les plus fiables partent du terminal Nord/Nord-Est des bus (Mo Chit). Il est déconseillé d'aller dans le nord avec une compagnie de bus qui part des centres touristiques de Bangkok, comme Th Khao San. Ils font systématiquement de fausses promesses. Un exemple flagrant : en novembre 2008, le conducteur et le personnel d'un bus Bangkok-Chiang Mai affrété par une agence de Th Khao San ont volé les passagers pour plus de 150 000 B avant de les abandonner, bus y compris, à l'extérieur d'Ayuthaya.

Pour rejoindre des destinations à l'intérieur de la province de Chiang Mai, utilisez le **terminal des bus Chang Pheuak** (carte p. 292 ; ☎ 0 5321 1586 ; Th Chang Pheuak), situé au nord de la vieille ville. Vous devriez pouvoir trouver un *sŏrng·tăa·ou* qui vous y conduise pour 20 B. Les principales destinations desservies sont : Chiang Dao (50 B, 1 heure 30, toutes les 30 min), Chom Thong (41 B, 2 heures, toutes les 20 min), Fang (105 B, 3 heures, toutes les 30 min), Hang Dong (15 B, 30 min, toutes les 20 min) et Tha Ton (115 B, 4 heures, toutes les 2 heures).

Il y a également un arrêt de *sŏrng·tăa·ou* dans Th Praisani entre Talat Warorot et Mae Ping, qui dessert les villes alentour comme Lamphun, Bo Sang, San Kamphaeng et Mae Rim. Des *sŏrng·tăa·ou* et des bus qui font le voyage pour Lamphun, Lampang et Chiang Rai (par une route plus ancienne et plus lente) se garent également sur la rive orientale de la rivière à proximité de Saphan Lek.

### Train

La **gare ferroviaire** de Chiang Mai (carte p. 284 ; ☎ 0 5324 5364, 0 5324 7462 ; Th Charoen Muang), à environ 2,5 km à l'est de la vieille ville, dispose d'un DAB, d'une consigne (10 B/bagage) et d'un guichet de réservation qui se trouve parmi les guichets ordinaires (ouvert 24h/24). Pour consulter les horaires et les tarifs, contactez la gare ou le **State Railway of Thailand** (☎ hotline gratuite 1690 ; www.railway.co.th ; 🕑 24h/24).

Tous les trains pour Chiang Mai partent de la gare Hualamphong de Bangkok. Au moment de la rédaction de ce guide, il y avait 6 trains par jour pour Chiang Mai (et autant dans le sens Chiang Mai-Bangkok) et le voyage durait entre 12 et 15 heures. Dans les tarifs ci-dessous, lorsque la mention clim ne figure pas, il s'agit de places dans des voitures avec ventilateur.

Les trains rapides quittent Bangkok à 14h30 et arrivent à 5h10 le jour suivant (2e/3e classe 391/231 B ; couchette de 2e classe bas/haut 541/491 B).

Les trains express quittent Bangkok à 22h et rallient Chiang Mai à 12h45 le jour suivant (2e/3e classe 431/271 B ; 2e classe clim 541 B ; couchette 2e classe bas/haut 581/531 B ; couchette 2e classe clim bas/haut 821/751 B).

Les *sprinter* (express spécial au diesel) quittent Bangkok à 8h30 et 19h20 pour arriver respectivement à 20h30 et 7h40 (2e classe clim 611 B).

Les trains express spéciaux quittent Bangkok à 18h et 19h20 pour arriver à 7h15 et 9h45 (couchette 1re classe clim 1 253 B ; couchette 2e classe bas/haut 881/791 B).

Horaires des trains Chiang Mai-Bangkok : express (départ 14h50, arrivée 5h10), express spécial (départ 16h30 et 17h50, arrivée respectivement 5h30 et 7h), *sprinter* (départ 21h et 8h45, arrivée 9h10 et 20h25) et rapide (départ 6h45, arrivée 21h10).

Il devient de plus en plus difficile de réserver des couchettes si l'on ne s'y prend pas longtemps à l'avance. Des groupes réservent parfois des voitures entières et les places sont encore plus rares pendant les vacances comme Songkran (mi-avril), Chulalongkorn (octobre) et le Nouvel An chinois (fin février-début mars). Reportez-vous au chapitre *Transports* pour d'autres informations sur les réservations (p. 790).

## COMMENT CIRCULER

### Depuis/vers l'aéroport

Une seule compagnie de taxis est autorisée à desservir l'aéroport. La course revient à 150 B. Le bus public n°6 (15 B) va de l'aéroport à l'université de Chiang Mai en passant par l'ouest, itinéraire peu pratique si vous logez dans la vieille ville. De nombreux hôtels et pensions assurent le transport depuis l'aéroport.

De n'importe où en ville, vous pouvez prendre un *túk-túk* ou un *sŏrng·tăa·ou* rouge qui vous conduira à l'aéroport pour 60 ou 70 B.

## Bicyclette

Voilà un bon moyen de se déplacer dans Chiang Mai. Certaines pensions et plusieurs boutiques à l'est des douves louent des vélos bringuebalants munis d'une seule vitesse (environ 50 B la journée). Les freins des anciens modèles ne sont pas fiables du tout. **Chiang Mai Mountain Biking** (carte p. 292 ; ☎ 0 5381 4207 ; Th Samlan ; 🕙 8h-17h) loue des VTT et vélos de ville bien entretenus à la journée.

Si vous souhaitez acheter un vélo ou en faire réparer un, la meilleure adresse est **Top Gear Bike Shop** (carte p. 292 ; ☎ 0 5323 3450 ; 173 Th Chang Moi), près de Soi 2, une boutique dont le propriétaire est canadien.

## Bus

Après moult discussions et études concernant la mise en place d'un réseau de transports en commun destiné à décongestionner la ville, un service de bus a finalement vu le jour pour être aussitôt réduit à une peau de chagrin. Les autorités publiques prétendent que 3 lignes de bus sont encore en circulation, mais nous n'avons pas trouvé les itinéraires indiqués. Le réseau municipal utilise des bus blancs climatisés qui circulent de 6h à 21h tous les jours et coûtent 15 B. Nous avons pu prendre le bus n°6 du terminal des bus Arcade au terminal Chang Pheuak via le Superhighway (Highway 11). Le bus est donc une option fiable entre les 2 terminaux si vous n'avez pas d'autre moyen de transport.

## Voiture et 4x4

Des agences de location mettent à disposition des véhicules particuliers. On en trouve dans toute la ville, notamment dans Th Moon Muang. Avant de partir, vérifiez que votre véhicule est bien couvert par une assurance. Celle-ci comprend en général une franchise de 5 000 B, mais ne couvre pas les dommages corporels et le remboursement des frais médicaux engagés par toute personne blessée dans un accident de la route. Demandez à voir les termes de la police d'assurance afin de savoir clairement ce qui est compris et ce qui ne l'est pas.

Deux des agences les plus réputées sont **North Wheels** (carte p. 292 ; ☎ 0 5387 4478 ; www.northwheels.com ; 70/4-8 Th Chaiyaphum) et **Journey** (carte p. 292 ; ☎ 0 5320 8787 ; www.journeycnx.com ; 283 Th Tha Phae). Ces 2 sociétés livreront le véhicule à votre hôtel et viendront l'y rechercher. Elles vous fourniront un service d'assistance 24h/24 et une assurance tous risques. Journey dispose même de sièges pour bébés.

Prix de location standard à la journée : Toyota Vios (1 200 B) et Toyota Sportrider (1 800 B). Des tarifs à la semaine et au mois sont également proposés. L'essence est en sus. La plupart des agences ont des tarifs similaires. C'est la qualité du véhicule qui fait la différence.

D'un très bon rapport qualité/prix et très recommandable, **Alternative Travel** (☎ 08 1784 4856, 08 9632 6556 ; noree9000@hotmail.com) propose des circuits sur mesure avec chauffeurs anglophones en berline Toyota, 4x4 ou minibus.

Autres agences de location en ville :

**Budget Car Rental** (carte p. 284 ; ☎ 0 5320 2871 ; 201/2 Th Mahidol). En face du Central Airport Plaza.

**National Car Rental** (carte p. 284 ; ☎ 0 5321 0118 ; Amari Rincome Hotel, 1 Th Nimmanhaemin)

## Moto

Louer une moto est l'une des meilleures solutions pour se déplacer par ses propres moyens. Les agences situées le long de Th Moon Muang et quelques pensions louent des Honda Dream de 100 cm³ (embrayage manuel au pied/automatique 150/200 B la journée environ). Les Honda ou Yamaha de 125 à 150 cm³ se louent pour 250 B la journée. Quelques agences louent des motos de 400 cm³ (600-900 B).

La plupart des agences proposent une assurance pour 50 B la journée. Demandez précisément ce que cette assurance recouvre. Certaines polices prennent en charge les réparations si la moto tombe en panne mais prévoient une franchise de 1 500 B en cas d'accident et de 10 000 B en cas de vol.

Si vous louez une moto pour visiter la campagne autour de Chiang Mai, jetez un œil aux suggestions et itinéraires proposés chez **Golden Triangle Rider** (www.gt-rider.com).

Parmi les loueurs les plus anciens et les plus fiables :

**Dang Bike Hire** (carte p. 292 ; ☎ 0 5327 1524 ; 23 Th Kotchasan)

**Mr Mechanic** (carte p. 292 ; ☎ 0 5321 4708 ; 4 Soi 5, Th Moon Muang). 2 autres agences dans la vieille ville.

**Pop Rent-A-Car** (carte p. 292 ; ☎ 0 5327 6014 ; Th Kotchasan, près de Soi 2)

**Tony's Big Bikes** (carte p. 292 ; ☎ 0 5320 7124 ; 17 Th Rachamankha) loue des cylindrés de 125 à 400 cm³

**DESTINATIONS DESSERVIES PAR LE TERMINAL DES BUS ARCADE DE CHIANG MAI**

| Destination | Classe | Prix (B) | Durée (heure) |
|---|---|---|---|
| Bangkok | 1re classe | 596 | 9½ |
| | VIP | 695 | |
| Chiang Khong | 2e classe | 239 | 6½ |
| | 1re classe | 308 | |
| Chiang Rai | ventil | 110 | 3-4 |
| | 2e classe | 150 | |
| | 1re classe | 190 | |
| | VIP | 295 | |
| Chiang Saen | ventil | 126 | 3½-4 |
| | 1re classe | 220 | |
| Khon Kaen | 1re classe | 578 | 12 |
| Khorat | 1re classe | 643 | 12 |
| | VIP | 750 | |
| Lampang | ventil | 37 | 2 |
| | 2e classe | 71 | |
| | 1re classe | 105 | |
| Lamphun | ventil | 20 | 1 |
| Mae Hong Son | ventil | 150 | 7-8 |
| | 2e classe | 210 | |
| Mae Sai | 2e classe | 188 | 5 |
| | 1re classe | 241 | |
| | VIP | 375 | |
| Mae Sariang | ventil | 106 | 4-5 |
| | 2e classe | 191 | |
| Mae Sot | 2e classe | 280 | 6-6½ |
| | 1ère classe | 347 | |
| Nan | 2e classe | 235 | 6 |
| | 1re classe | 302 | |
| | VIP | 578 | |
| Pai | ventil | 84 | 4 |
| | 2e classe | 118 | |
| Phayao | ventil | 97 | 2½-3 |
| | 2e classe | 107 | |
| | 1re classe | 164 | |
| Phrae | 2e classe | 155 | 3½-4 |
| | 1re classe | 200 | |
| | VIP | 310 | |
| Phitsanulok | 2e classe | 155 | 5-6 |
| | 1re classe | 306 | |
| | VIP | 350 | |
| Sukhothai | 2e classe | 249 | 5-6 |
| | 1re classe | 320 | |
| Udon Thani | 1re classe | 601 | 12 |
| | VIP | 801 | |

qui sont immatriculés. Également : leçons de conduite moto, conseils pour les circuits et réparation de motos.

### Taxi muni d'un compteur

Le tarif minimal s'élève à 40 B pour les 2 premiers kilomètres, plus 5 B par kilomètre supplémentaire. Les taxis munis d'un compteur sont encore très peu nombreux à Chiang Mai. Pour en réserver un, contactez **Taxi Meter** (☎0 5327 1242/9291).

### Sŏrng·tăa·ou, túk-túk et săhm·lór

Les habitants de Chiang Mai qui n'ont pas de véhicule particulier s'en remettent aux *sŏrng·tăa·ou* rouges (appelés également *rót daang*) ou aux *túk-túk*.

Les *sŏrng·tăa·ou* sont des taxis partagés : vous faites signe à l'un d'entre eux, vous lui indiquez votre destination et, s'il va dans cette direction, il fait oui de la tête. Si ce n'est pas le cas, il vous le fait savoir par un mouvement de tête. Sur le chemin, il prend d'autres passagers si le trajet correspond. Un trajet court revient à 20 B par personne, un trajet long à 40 B par personne. Une course de Pratu Tha Phae au marché de nuit coûte 20 B. Pour le trajet du Wat Phra Singh au marché de nuit, comptez 40 B. Dans l'ensemble, vous ne devriez pas être confronté à des conducteurs de *sŏrng·tăa·ou* trop gourmands. La plupart demandent un prix honnête. Le soir et le week-end, vous verrez souvent les conducteurs sillonner la ville accompagnés de leur femme assise à l'avant.

Les *túk-túk* fonctionnent uniquement sur une base forfaitaire. Un trajet revient à 20 B de plus qu'en *sŏrng·tăa·ou*. Un tarif compris entre 40 et 60 B est plutôt rare. Dans les quartiers de noctambules, la plupart des conducteurs de *túk-túk* demandent 100 B.

Chiang Mai compte encore quelques *săhm·lór* (cyclo-pousse), généralement postés à Talat Warorot. La plupart des courses coûtent de 20 à 30 B.

## NORD DE LA PROVINCE DE CHIANG MAI

Au nord de Chiang Mai, à la frontière avec le Myanmar, la province devient montagneuse et accidentée. La magnifique vallée Mae Sa et les sommets boisés des alentours de Chiang Dao comptent parmi les curiosités marquantes de la région.

## VALLÉE DE MAE SA ET SAMOENG

น้ำตกแม่สา/สะเมิง

La boucle Mae Sa-Samoeng est l'une des escapades dans la montagne les plus accessibles. Elle vous conduit des grandes étendues des basses terres aux limites boisées des montagnes. Longue de 100 km, elle offre l'occasion d'une bonne journée d'excursion en véhicule privé ou d'une virée à la campagne en passant la nuit à Samoeng. **Golden Triangle Rider** (www.gt-rider.com) édite une carte détaillée du secteur.

Dirigez-vous vers le nord de Chiang Mai par la Route 107 (Th Chang Pheuak) en direction de Mae Rim, puis prenez la Route 1096 sur votre gauche. À cet endroit, la route devient plus champêtre mais reste jalonnée d'attractions touristiques : plantations d'orchidées, parcs à papillons, fermes à serpents, etc..

À 6 km après la bifurcation, **Nam Tok Mae Sa** (adulte/enfant 100/50 B) fait partie du parc national de Doi Suthep-Pui. La cascade est un endroit pittoresque pour pique-niquer ou se balader un peu dans les bois. C'est une destination très appréciée des Thaïlandais pour le week-end.

Après la cascade, la route commence à grimper et à tourner. Faites un arrêt au **Maesa Elephant Camp** (☎ 0 5320 6247 ; www.maesaelephantcamp.com ; Rte 1096 ; adulte/enfant 120/80 B), l'un des camps d'éléphants les plus intéressants de cet itinéraire. Les éléphants y ont l'air heureux et bien traités. Un spectacle d'une heure (8h et 9h40 tous les jours, plus 13h30 pendant la haute saison) présente les numéros de cirque habituels. Si vous arrivez entre les démonstrations, vous pouvez flâner dans le joli parc, nourrir les éléphants avec du sucre de canne ou des bananes ou faire une promenade à dos d'éléphant dans la jungle (pour 2 personnes, 30 min/1 heure 800/1 200 B).

En continuant sur 2 km après le camp des éléphants, on arrive au **Queen Sirikit Botanic Gardens** (☎ 0 5384 1000 ; www.qsbg.org ; Rte 1096 ; adulte/enfant 40/10 B ; 8h30-17h), un jardin botanique qui couvre 227 ha d'un pan de montagne spécialement déboisé à cet effet. Flore locale et fleurs exotiques y sont cultivées à des fins de préservation et de recherche. Le bouquet de la collection : les serres en verre situées près du sommet de la montagne. Prenez le bus spécialement affecté (30 B) ou votre voiture (100 B) pour circuler à l'intérieur de cette structure. Les motos sont interdites dans les jardins.

Après cet ensemble de jardins, la route grimpe dans la fertile **vallée de Mae Sa**. Cette cuvette de haute altitude fut utilisée un temps pour la culture des pavots à opium. Les agriculteurs des ethnies montagnardes ont replanté aujourd'hui poivre doux, choux, fleurs et fruits dans leurs champs en terrasses. Ces produits sont vendus aux projets d'agriculture de la couronne, sous le label Doi Kham Label. Le projet du village hmong de Nong Hoi financé par la royauté se trouve à 1 200 m d'altitude. On y accède par une route qui part du village de Pong Yeang.

Dans la partie ouest de la vallée se trouve un hôtel, probablement annonciateur de la tendance à venir : **Proud Phu Fah** (☎ 0 5387 9389 ; www.proudphufah.com ; Km 17, Rte 1096 ; ch 4 500-7 000 B ; ) est un petit hôtel de charme constitué de villas tout confort conçues pour donner l'illusion d'une nuit passée à l'extérieur. Le restaurant en plein air sert de la cuisine thaïlandaise diététique (plats 90-150 B) avec une vue panoramique sur la vallée.

Après Proud Phu Fah, la route s'enroule autour de la crête de la montagne et commence à monter et à descendre jusqu'à atteindre la zone des conifères. On surplombe alors toute une série de montagnes. Pour finir, la route descend en spirale jusqu'à **Samoeng**, un joli village thaï. Si vous souhaitez y passer la nuit, essayez le modeste **Samoeng Resort** (☎ 0 5348 7074 ; www.samoengresort.com ; Rte 6033 ; ch 300-400 B ; ), situé à 2,5 km du village et constitué d'un ensemble de 15 solides bungalows plantés dans un jardin.

### Depuis/vers la vallée de Mae Sa et Samoeng

La route n'est desservie que partiellement par les transports publics. Des *sŏrng·tăa·ou* au départ du terminal des bus Chang Pheuak de Chiang Mai vont à Samoeng (70 B, 2 heures 45, 2 départs tous les matins). À Samoeng, l'arrêt des bus se situe près du marché, en face de l'hôpital.

## CHIANG DAO

เชียงดาว

Un peu comme Pai mais sans son ambiance festive, Chiang Dao est une excursion facile d'accès appréciée des familles et des voyageurs à la recherche de paysages de montagne et d'ambiance rurale du Nord. Le Doi Chiang Dao, la plus haute montagne de calcaire de

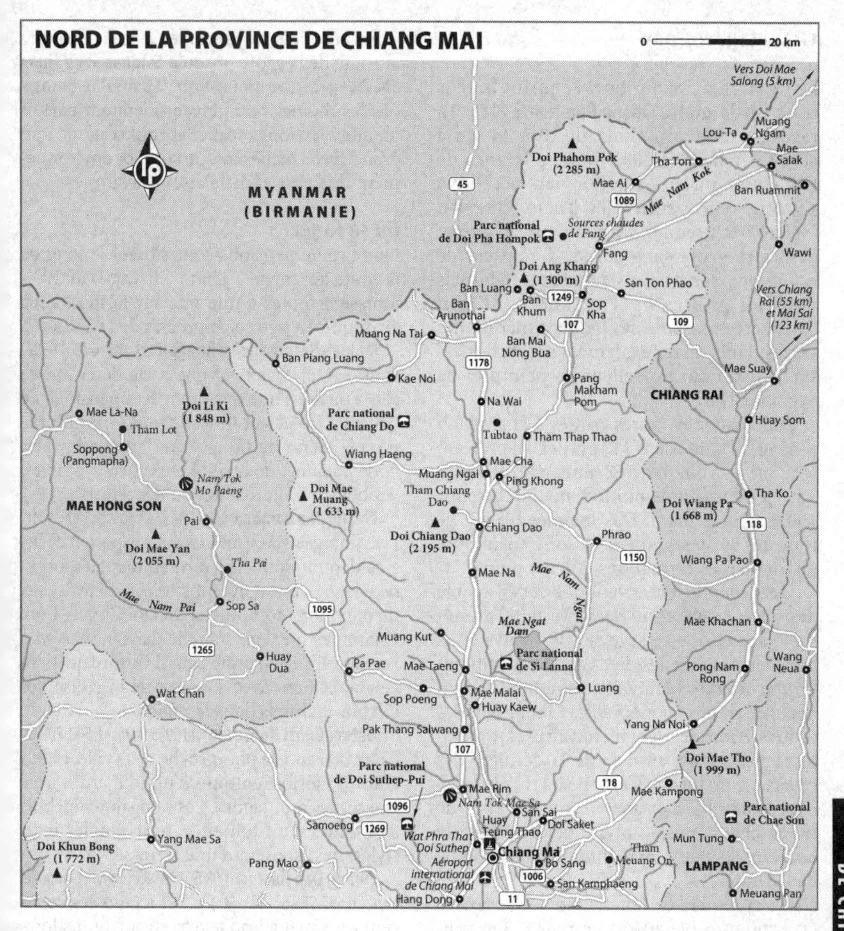


Thaïlande, couverte de forêts épaisses, abrite une grotte sacrée à sa base et des chemins réputés auprès des randonneurs et des observateurs d'oiseaux.

La ville de Chiang Dao n'est pas grand-chose de plus qu'un carrefour poussiéreux. À noter : le pittoresque **marché du mardi matin** (7h-12h) où les ethnies montagnardes viennent vendre leurs produits. La partie la plus attrayante de la ville se trouve à 5 km à l'ouest, le long de la route qui mène à Tham Chiang Dao (grotte Chiang Dao). Ce village et les pensions sont adossés à la montagne.

Au grand carrefour de Chiang Dao, ceux qui disposent d'un véhicule peuvent mettre le cap à l'est pour visiter les villages lahu, lisu et akha dans un rayon de 15 km. À 13,5 km de la Route 107, le village lisu de Lisu Huay Ko offre un hébergement rustique. Les pensions de Chiang Dao peuvent vous organiser des visites dans les villages des communautés montagnardes si vous n'avez pas de moyen de transport.

## À voir

À partir de presque toutes les pensions, vous pouvez vous rendre à pied à la grotte et vous promener dans le village. L'inconvénient de Chiang Dao : un moyen de transport particulier est nécessaire pour toutes les autres destinations. Certaines pensions louent des VTT pour 100 B la journée ; ça ne vous avancera pas tellement, mais c'est toujours mieux qu'à pied.

### THAM CHIANG DAO

ถ้ำเชียงดาว

Dans la chaleur du jour, l'endroit le plus frais est la **grotte Chiang Dao** (entrée 20 B), un réseau souterrain (long de 10 à 14 km à ce qu'il paraît) creusé dans les flancs de Doi Chiang Dao. Le public peut accéder à 4 grottes reliées entre elles. Tham Phra Non (360 m), le premier segment, est éclairé et peut être visité sans guide. Il contient de nombreux sanctuaires religieux, habituels dans les grottes de Thaïlande qui sont considérées comme des lieux de méditation sacrés. Vous verrez également des stalactites surréalistes qui rappellent les peintures de Salvador Dalí.

Pour visiter les autres grottes – Tham Mah (735 m), Tham Kaew (474 m) et Tham Nam (660 m) –, vous pouvez vous adjoindre les services d'un guide muni d'une torche pour 100 B (5 pers max). Des femmes du village font des visites guidées et sont en mesure d'indiquer les formations et leurs noms.

Une légende locale veut que cet ensemble de grottes ait abrité un *reu sĕe* (ermite) durant mille ans et que ce sage se soit trouvé en si bons termes avec les dieux qu'il convainquit un *tair·wá·dah* (équivalent bouddhiste d'un ange) de créer sept merveilles à l'intérieur des grottes. Ainsi, seraient nichés au plus profond de la montagne, au-delà de la dernière des cavernes : un torrent s'échappant du piédestal d'un bouddha d'or massif, un entrepôt de tissus divins, un lac mystique, une ville de *naga*, un éléphant sacré immortel et la tombe de l'ermite.

Un ensemble de temple s'étend devant la caverne où coule aussi une rivière. On peut y nourrir les énormes carpes et les poissons-chats. Sur le parking, des vendeurs ambulants proposent des racines et des herbes médicinales récoltées dans les forêts voisines.



### DOI CHIANG DAO

ดอยเชียงดาว

Le Doi Chiang Dao (ou Doi Luang), qui culmine à 2 195 m, fait partie du parc national de Doi Chiang Dao. Le sommet, accessible en 2 jours de marche, offre une vue spectaculaire. Le versant sud de la montagne est réputé être l'un des endroits les plus accessibles au monde pour voir la sittelle géante et le faisan de Hume. Les pensions alentour peuvent organiser des randonnées sur 2 jours et des excursions consacrées à l'observation des oiseaux.

Si vous voulez vous promener seul, continuez la route de la grotte jusqu'à **Samnak Song Tham Pha Plong** (centre monastique Tham Pha Plong), où des moines bouddhistes viennent parfois méditer. Un long escalier abrupt conduit à un grand *chedi*, niché dans un superbe environnement de forêts et de falaises calcaires.

## Où se loger

Nombre de pensions sont situées le long de la route qui mène à Tham Chiang Dao. Elles jouissent toutes d'une vue sur la montagne ainsi que de jardins appréciés des papillons.

**Malee's Nature Lovers Bungalows** (☎ 0 1961 8387 ; ch 300-1 200 B). Malee est une sorte de virtuose : elle a ouvert l'une des premières pensions de Chiang Dao et sait tout sur tout et sur tout le monde. Série de bungalows faits de briques et de chaume, de qualité et de prix variables. Ambiance routards un peu désuète.

**Chiang Dao Rainbow** (☎ 08 4803 8116 ; ch 380-750 B). Les 2 bungalows en teck recyclé disposent de lits à baldaquin, sont élégamment meublés, dotés de terrasses qui donnent sur les rizières et sur un panorama somptueux du Doi Chiang Dao. Chambres meilleur marché dans la maison à l'arrière. L'ancien professeur d'Oxford qui tient l'établissement avec son associé organise des circuits culturels dans la région.

**Nature Guest House** (☎ 08 9955 9074 ; ch 500-700 B). Cette pension, la plus proche de la ville, est un endroit paisible entouré d'un joli jardin avec vue sur les montagnes. Les bungalows en bois surmontés d'un toit en V sont simples mais stylés. Ils disposent d'une terrasse.

**Chiang Dao Nest** (☎ 08 6017 1985 ; www.chiangdao.com ; ch 695-995 B ; 💻 ). C'est ici que les voyageurs de Chiang Dao se retrouvent. Bungalows rudimentaires entourés d'un grand jardin et ambiance chaleureuse grâce aux propriétaires anglo-thaïlandais. Réservez à l'avance, car la pension est souvent complète. Même si vous ne séjournez pas ici, offrez-vous un repas au restaurant gastronomique.

**Chiang Dao Nest 2** (☎ 0 5345 6242 ; www.chiangdao.com ; ch 695-995 B ; 💻). Site complémentaire de Chiang Dao Nest, cette pension regroupe 5 bungalows. Elle est située à 600 m après l'embranchement vers les grottes, sur le côté gauche de la route. Le restaurant sert de la cuisine thaïlandaise.

Autres établissements recommandés :

**Hobby Hut** (☎ 08 0034 4153 ; ch 250 B). Un nouveau gîte, proche de la ville. Les repas sont pris avec la famille (déj/dîner 55/85 B).

**Chiang Dao Hut** (☎ 08 7208 1269 ; www.chiangdaohut.com ; ch 580 B). 2 bungalows en bois proches de la route.

### Où se restaurer

Chiang Dao dispose de tout un assortiment de produits frais de la ferme (sans produits chimiques pour la plupart), grâce aux projets d'agriculture financés par la royauté.

**Mon & Kurt Restaurant** (plats 40-280 B). Une institution à Chiang Dao. Ce restaurant qui sert des plats thaïlandais et occidentaux avait fermé pour une année au moment de la rédaction de ce guide il doit rouvrir en 2009.

**Chiang Dao Rainbow** (☎ 08 4803 8116 ; plats 50-230 B). Deux menus sont proposés dans ce restaurant vivement recommandé : l'un du nord de la Thaïlande, l'autre d'inspiration gréco-méditerranéenne. Le ragoût de porc et la salade à la fleur de banane font fureur. Grande variété de plats végétariens également.

**Baan Krating Chiang Dao** (☎ 0 5345 5577 ; Km 63, Rte 107 ; plats 60-130 B). À 9 km de Chiang Dao sur la Route 107, ce restaurant se prête bien à une pause déjeuner. Il surplombe des jardins bien entretenus, des pamplemoussiers et un cours d'eau. Au menu : des plats thaïlandais standard et des sandwichs à l'occidentale.

♡ **Chiang Dao Nest** (☎ 0 6017 1985 ; www.chiangdao.com ; plats 300-500 B). Un restaurant fusion à côté duquel Bangkok semble provincial. On y sert des plats européens sophistiqués dans un jardin décontracté. Wicha, la propriétaire et chef cuisinière, a été formée en Grande-Bretagne. Elle crée un menu à l'image des saisons en choisissant les meilleurs produits de la région. Menu enfant également. Le dimanche, les après-midi sont très animés ,tandis qu'en soirée l'ambiance se fait plus tamisée.

Un marché alimentaire se tient à proximité de la rue principale de Chiang Dao. Le marché du matin est le plus pittoresque grâce à la participation des communautés locales qui viennent y vendre leurs produits.

### Depuis/vers Chiang Dao

Chiang Dao se situe à 72 km au nord de Chiang Mai par la Route 107. Les bus pour Chiang Dao (50 B, 1 heure 30, toutes les 30 min) partent du terminal Chang Pheuak de Chiang Mai. À Chiang Dao, les bus arrivent et partent de la nouvelle gare des bus. Il est préférable de vous poster rapidement en face du pub d'où un *sŏrng·tăa·ou* vous conduira à votre pension. La plupart des conducteurs prennent 150 B pour conduire les passagers aux pensions de la route de la grotte. Les bus vont également à Fang (60 B).

## DOI ANG KHANG

ดอยอ่างขาง

Situé aux confins septentrionaux de la province, ce sommet culminant à 1 300 m est souvent surnommé la "Petite Suisse" du fait de la fraîcheur de son climat et de son relief. Dans la montagne, on cultive de nombreuses espèces de fleurs, de fruits et de légumes que l'on rencontre surtout dans les pays tempérés et qui sont assez exotiques en Thaïlande. Ils ont été introduits pour remplacer la culture de l'opium. C'est pour venir goûter à des sensations hivernales que beaucoup de Thaïlandais s'y rendent, notamment en janvier lorsque le gel ou même quelques flocons de neige leur offrent la rare occasion de s'emmitoufler dans de grosses vestes et de mettre un bonnet. Le Doi Ang Khang se trouve à la frontière avec le Myanmar, ce qui peut donner l'impression de passer la frontière incognito.

La TAT de Chiang Mai dispose d'une carte rudimentaire du Doi Ang Khang et des principaux itinéraires cyclables et de randonnée menant aux villages des ethnies montagnardes. Nombre d'entre elles sont impliquées dans les projets d'agriculture financés par la royauté. L'Angkhang Nature Resort (voir ci-dessous) est une autre source d'informations. Il a une approche écologique et organise des tours à vélo, à dos de mule et des randonnées jusqu'aux mêmes villages.

La Route 1249 est la principale voie d'accès au sommet, mais la Route 1249 est plus pittoresque : elle serpente le long d'une corniche jusqu'au flanc occidental de la montagne. Le village de **Ban Luang** est intéressant pour découvrir l'atmosphère du Yunnan. À 19 km avant l'embranchement pour le parc, sur la route 107, vous pouvez faire un détour de 12 km vers l'ouest pour visiter **Ban Mai Nong Bua**, un village du Kuomintang (GMD) à l'atmosphère yunnanaise désuète.

Près du sommet du Doi Ang Khang, non loin du village yunnanais de **Ban Khum**, il existe plusieurs lieux d'hébergement.

Appartenant au groupe Amari Hotel, l'**Angkhang Nature Resort** (☎ 0 5345 0110 ; www.amari.com/ang khang ; 1/1 Mu 5, Ban Khum, Tambon Mae Ngan, Fang ; ch à partir de 4 000 B ; 💻 ❄) est un hôtel étonnamment luxueux composé de vastes bungalows répartis à flanc de colline. L'entrée, immense, est agrémentée d'une cheminée à chaque extrémité pour la saison froide. La cuisine du restaurant utilise les produits bio locaux. M. Macku, le gérant des lieux, véritable mine d'informations sur la région, organise de nombreuses activités extérieures.

La **Naha Guest House** (☎ 0 5345 0008 ; Ban Khum, bungalows à partir de 2500 B) dispose de grands bungalows pour 5 ou 8 personnes avec douches chaudes et toilettes communes.

Au pied de la colline vous attendent 2 restaurants en plein air. On y sert des mets variés avec un accent particulier sur les plats thaïlandais et la cuisine musulmane du Yunnan.

### Depuis/vers le Doi Ang Khang

Le Doi Ang Khang se trouve à une vingtaine de kilomètres avant Fang, sur la Route 1249. Il faut compter environ 25 km entre le sommet et la route principale. Il est possible d'aller au Doi Ang Khang en transport en commun, mais difficile de se rendre ailleurs sans moyen de transport personnel. Au terminal des bus Chang Pheuak de Chiang Mai, vous pouvez prendre un bus en direction de Fang (105 B, 3 heures, toutes les 30 min). Prévenez le conducteur que vous souhaitez descendre à la bifurcation de la Route 1249, environ 20 km avant Fang. De là, vous pouvez prendre un *sŏrng·tăa·ou* jusqu'à Ban Khum (1 500 B, forfait), qui se trouve proche du sommet et dispose de possibilités d'hébergement.

## FANG ET THA TON

ฝาง/ท่าตอน

Pour la plupart des gens, Fang n'est qu'une étape sur la route de Tha Ton, le point de départ des circuits en bateau pour Chiang Rai. À Fang, quelques ruelles sont bordées de petites boutiques logées dans des bâtisses en bois. Près du New Wiang Kaew Hotel, le **Wat Jong Paen** de style chan birman est muni d'un impressionnant *wí·hăhn*. La ville de Fang fut fondée par Phaya Mengrai au XIII^e siècle, mais le site était déjà occupé depuis un millénaire et servait de halte aux caravanes *jin hor*. La région environnante, si proche du Myanmar, est devenue une plaque tournante du trafic de *yah bâh* (méthamphétamine).

Des banques situées dans la rue principale assurent le change et sont munies de DAB.

Tha Ton se trouve le long d'un joli méandre du Mae Nam Kok, bordé de quelques restaurants et de l'embarcadère pour rejoindre Chiang Rai par bateau.

Un **bureau de police touristique** (☎ 1155 ; ⏲ 8h30-16h30) est situé près du pont, côté quai des bateaux.

### À voir et à faire

Le **parc national de Doi Pha Hompok** (☎ 08 6430 9748 ; adulte/enfant 200/100 B) abrite un ensemble de sources chaudes appelé *bòr nám rórn* (*bor náam hórn* en thaï du Nord). Il se trouve à Ban Meuang Chom, près du centre agricole. C'est à environ 10 km de Fang, à proximité de la Route 107 au bout de la Route 5054. Le parc est parfois appelé Doi Fang ou Mae Fang. Le week-end, des *sŏrng·tăa·ou* conduisent régulièrement des pique-niqueurs thaïlandais aux sources chaudes. En milieu de journée, des groupes en provenance de Chiang Mai et de Chiang Rai se serrent les uns contre les autres dans les piscines.

Dans un rayon de 20 km de Fang et de Tha Ton, vous pouvez vous rendre – à pied, à VTT ou à moto – aux **villages** habités par les Palaung (un groupe karen arrivé du Myanmar il y a une quinzaine d'années), les Lahu noirs, les Akha et les Yunnanais. Tous les hôtels et pensions organisent des randonnées et des excursions en rafting.

À Tha Ton, le **Wat Tha Ton** (☎ 0 5345 9309 ; www.wat-thaton.org) est perché en haut d'une colline boisée. Il y a 9 niveaux jalonnés de sanctuaires, de statues du Bouddha et d'un *chedi*. Chaque niveau offre une superbe vue sur la vallée montagneuse vers le Myanmar et les plaines de Tha Ton. Il faut marcher 3 km (30 min) pour atteindre le dernier niveau. La courte marche jusqu'au 1^er niveau mène à une statue de Kuan Yin, la déesse chinoise de la Compassion ; c'est là que se trouve également le bureau du moine chargé des contacts avec les étrangers. Le temple propose des retraites silencieuses de méditation vipassana d'une durée de 7 jours. Consultez le site Internet pour les dates et les réservations. Le temple abrite également un centre de phytothérapie muni de saunas publics. Des massages traditionnels et l'acupuncture y sont prodigués.

À partir de Tha Ton, vous pouvez faire sur une demi-journée une **excursion en long-tail boat** (☎ 0 5345 9427 ; 350 B ; départs à 12h30) jusqu'à Chiang Rai. Les bateaux classiques embarquent jusqu'à 12 passagers. L'excursion est devenue très touristique : tous les passagers sont des touristes et les villages le long du trajet vendent Coca-Cola et souvenirs.

La meilleure époque pour l'excursion : en novembre, à la fin de la saison des pluies, lorsque le niveau des eaux est haut. La descente de la rivière prend de 3 à 5 heures en fonction des conditions de navigation et de la dextérité du pilote. Vous pourriez faire le voyage en une journée au départ de Chiang Mai et revenir de Chiang Rai en bus dès votre arrivée, mais mieux vaut passer la nuit à Tha Ton pour éviter toute précipitation.

Certains voyageurs font le voyage en bateau jusqu'à Chiang Rai en 2 ou 3 étapes : ils s'arrêtent d'abord à Mae Salak (90 B), un grand village lahu, ou à Ban Ruammit (300 B), un village karen. Les 2 sont très touristiques, mais il y a possibilité de sortir des sentiers battus en s'associant à un **trek dans les montagnes** qui permet de relier d'autres villages des ethnies montagnardes chans ou thaïes. Vous pouvez également faire des randonnées plus longues au sud de Mae Salak pour visiter Wawi, une grande communauté multiethnique qui regroupe des représentants des peuples jin hor, lahu, lisu, akha, chan, karen, mien et thaï. La région de Wawi compte de nombreux villages des ethnies montagnardes, avec notamment la plus grande communauté akha de Thaïlande (Saen Charoen) et le plus ancien village lisu (Doi Chang). Une autre alternative : randonner au sud de Mae Salak jusqu'à la ville de Mae Suay. De là, prenez un bus pour Chiang Rai ou Chiang Mai.

Une autre excursion possible malgré les rapides, mais beaucoup plus lente, consiste à remonter la rivière à partir de Chiang Rai. On peut également louer des bateaux pour un prix forfaitaire (2500 B, 6 pers).

## Où se loger

La plupart des visiteurs préfèrent loger à Tha Ton.

**Thaton Garden Riverside** (☎ 0 5345 9286 ; ch 300-600 B). À côté de Thaton Chalet vers le pont, cet établissement impeccable dispose de chambres climatisées ou munies d'un ventilateur. Mieux vaut payer un peu plus cher et prendre une chambre climatisée, car vous aurez alors une terrasse donnant sur la rivière. Le restaurant donne aussi sur l'eau.

**Apple Guest House** (☎ 0 5337 3144 ; ch 350-600 B). Située en face de l'embarcadère, cette pension occupe une bâtisse à 2 étages. Chambres spacieuses et bien équipées. Restaurant au rez-de-chaussée.

**Garden Home** (☎ 0 5337 3015 ; ch 380-1 500 B). Un endroit paisible au bord de la rivière à 150 m du pont, où des bungalows à toit de chaume sont disséminés au milieu des litchis et des bougainvillées. Quelques bungalows en pierre et 3 autres, plus grands et plus luxueux, complètent le tableau. Pour ces derniers : petite véranda, TV, réfrigérateur et vue sur la rivière. Du pont, tournez à gauche au niveau de l'enseigne du Thaton River View Hotel.

**Baan Suan Riverside Resort** (☎ 0 5337 3214 ; fax 0 5337 3215 ; ch 700-1 500 B ; ❄). Même si le parc est magnifiquement aménagé, le prix demandé est un peu surestimé. Petits bungalows climatisés en ciment, à l'écart de la rivière. Quelques grands bungalows en bois, munis de clim, avec terrasses, juste devant la rivière.

♡ **Thaton River View Hotel** (☎ 0 5337 3173 ; fax 0 5345 9288 ; ch 1 400 B ; ❄). Plus haut sur la rivière, cet hôtel tranquille propose 33 chambres qui donnent sur le Mae Nam Kok. On y accède par des allées en bois bordées de frangipaniers. Chambres élégamment décorées qui jouissent d'une vue boisée. Le restaurant de l'hôtel est considéré comme le meilleur du secteur.

**Thaton Chalet** (☎ 0 5337 3155/7 ; www.thatonchalet.com ; 1 400-2 200 B ; ❄). Proche du pont, cet hôtel un peu plus institutionnel a des chambres légèrement démodées. Agréable *beer garden* juste devant la rivière et restaurant à l'intérieur.

**Maekok River Village Resort** (☎ 0 5345 9355 ; www.maekok-river-village-resort.com ; ch 2 600-4 300 B ; 💻 🏊). Du côté du quai en descendant la rivière, ce grand complexe hôtelier propose des chambres familiales à 4 lits et des chambres à 2 lits qui donnent sur la piscine. Il est surtout connu pour recevoir tous les ans les séminaires hors les murs de groupes de chercheurs internationaux. Grand choix d'excursions, notamment randonnées, rafting, VTT et spéléologie.

## Où se restaurer

### FANG

Les stands du marché de la rue principale proposent de bons plats cuisinés. Quelques restaurants servent des spécialités du Yunnan comme le *kôw soy, man·toh* (*mantou* en mandarin ; petits pains sucrés cuits à la vapeur), le *kôw mòk gài,* le *gŏo·ay ďěe·o* (nouilles de riz) et autres classiques.

#### THA TON

La plupart des hôtels de catégorie supérieure se doublent de très bons restaurants. Une série de **restaurants thaïlandais/chinois** (plats 25-35 B) s'alignent en bordure du quai. Autre adresse : le **Coffee Cup** (plats 60-90 B ; 7h30-16h30), un endroit branché qui vent de bons petits déjeuners et des sandwichs accompagnés de café ou de thé, chaud ou glacé.

### Depuis/vers Fang et Tha Ton

#### BUS ET SŎRNG·TĂA·OU

Des bus pour Fang (105 B, 3 heures) partent toutes les 30 min du terminal des bus Chang Pheuak à Chiang Mai. On peut aussi gagner Fang en minibus climatisé (150 B, 3 heures, toutes les 30 min) partant du coin de Soi Sanan Kila, derrière le terminal Chang Pheuak.

Environ 23 km séparent Fang de Tha Ton (25 B). Des *sŏrng·tăa·ou* jaunes font le voyage en 40 min, partant du marché, toute la journée entre 5h30 et 17h.

Pour vous rendre au nord de Tha Ton, la rivière n'est pas la seule voie de communication. La route qui longe la crête de la montagne jusqu'au village de Mae Salong dans la province de Chiang Rai est l'un de nos itinéraires préférés en Thaïlande. Pour se rendre à Mae Salong, on peut prendre un *sŏrng·tăa·ou* jaune qui part de Tha Ton du côté nord de la rivière (70 B, 1 heure 30, toutes les 2 heures entre 8h et 12h30).

Un bus part du pont tous les après-midi pour vous emmener directement à Mai Sai (70-90 B) ou à Chiang Rai (95-105 B).

Si vous vous dirigez vers la province de Mae Hong Son à l'ouest, il n'est pas nécessaire de redescendre sur Chiang Mai. À Mae Malai, où se rejoignent les Routes 107 (Highway Chiang Mai-Fang) et 1095, vous pouvez prendre un bus à destination de Pai pour 55 B. Si vous venez de Pai, veillez à descendre à cet endroit pour reprendre un bus vers Fang.



#### MOTO

De Tha Ton au Doi Mae Salong, à 48 km au nord-est, les voyageurs à moto peuvent emprunter une route de montagne bitumée mais parfois dangereuse. Elle traverse 2 villages lisu et akha. Les 27 km qui séparent le village de Muang Ngam du Doi Mae Salong sont raides et tortueux – soyez prudent, surtout pendant la saison des pluies. Si le temps le permet, le trajet peut s'effectuer en 1 heure 30.

# SUD DE LA PROVINCE DE CHIANG MAI

Juste au sud de Chiang Mai se trouve la vallée du Ping, une plaine agricole fertile où se sont installés quelques remarquables villages d'artisans. Le Doi Inthanon, le plus haut sommet de Thaïlande, se dresse au sud-ouest.

## BO SANG ET SAN KAMPHAENG

บ่อสร้าง/สันกำแพง

Bo Sang, communément appelé le "village des ombrelles", est situé au sud-est de Chiang Mai. C'est surtout un marché touristique où de nombreuses boutiques d'artisanat vendent des ombrelles peintes (souvent fabriquées ailleurs), des éventails, de l'argenterie, des statues, de la porcelaine et des laques. On trouve les mêmes produits au marché de nuit de Chiang Mai, mais ils sont ici plus nombreux et plus variés.

Fin janvier, la **fête des ombrelles de Bo Sang** (*têt·sà·gahn·rôm*) est l'occasion d'assister à de joyeuses processions (d'ombrelles le jour et de lanternes le soir). Si l'ensemble peut paraître assez touristique, il s'agit pourtant d'une manifestation véritablement ancrée dans la culture locale. Ne manquez pas les spectacles de musique du Nord organisés dans la rue principale du village.

Plus loin, par la Route 1006, on arrive à San Kamphaeng, le village du **coton** et de la **soie**. La rue principale est bordée de magasins de tissus, tandis que les ateliers de tissage occupent les petites rues adjacentes. Vous pouvez y jeter un œil.

### Depuis/vers Bo Sang et San kamphaeng

Des *sŏrng·tăa·ou* blancs partent fréquemment dans la journée de Chiang Mai pour Bo Sang (20 B) et San Kamphaeng (20 B). La station de départ est située sur Th Praisani près de Talat Warorot. Bo Sang se trouve à 10 km de Chiang Mai, San Kamphaeng à 14 km.

## MAE KAMPONG

แม่กำปอง

Si vous traversez la vallée du Ping par la Route 1317 en direction du district de Mae On, la route commence à se rétrécir après les rizières et les prés à vaches, puis s'élève dans les collines boisées de Mae Kampong. La région attire depuis peu les visiteurs pour

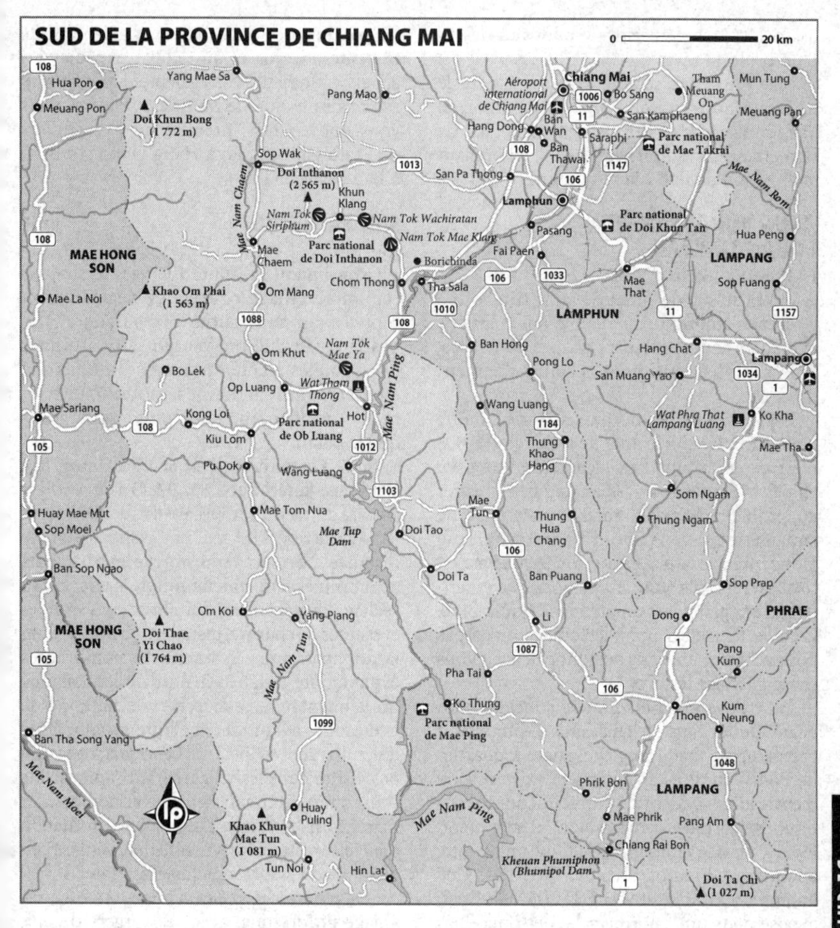


des excursions à la journée ou sur 2 jours qui permettent de combiner activités naturelles et découverte culturelle. La plupart des visiteurs s'y rendent d'abord pour **Flight of the Gibbons** (p. 306), un parcours d'Accrobranche.

À 1 300 m d'altitude, **Ban Mae Kampong** est un village thaï producteur de *mêeang* (feuilles de thé saumurées), l'équivalent nord-thaïlandais des noix de bétel. La plupart des villageois vivent de cette petite industrie, ramassant en forêt les feuilles de thé. À l'aube, les cueilleurs s'arrêtent au temple où le moine a préparé une infusion fortifiante aux herbes médicinales. Le village en lui-même est un dédale de huttes accrochées à flanc de coteau. Plusieurs familles participent au **programme de séjours chez l'habitant** (☎ 0 5322 9526 ; 980 B/pers) qui comprend 3 repas et un hébergement rudimentaire.

L'étroite route traverse le village pour gravir la colline et redescendre en lacets à travers le **parc national de Chae Son** (voir p. 343), où vous trouverez cascades et sources chaudes.

Si la solitude vous attire, passez quelque temps dans les lodges en pleine nature au sud du village. **Tharnthong Lodge** (☎ 0 5393 9472 ; www.tharnthonglodges.com ; ch 1 200-4 000 B) est divisé en deux par un cours d'eau semé de galets et surmonté d'un pont qui mène aux 6 maisons de la propriété. Si vous ne souhaitez pas rester pour la nuit, essayez le restaurant qui sert une cuisine thaïlandaise à un prix abordable (plats 70-180 B). Plus proche du village, **John's House Bed & Breakfast** (☎ 0 9813 2559 ; www.johnhousethailand.

com ; ch 1 500 B) est construit sur pilotis au-dessus d'un profond ravin.

Mae Kampong se situe à 48 km à l'est de Chiang Mai sur la Route 1317 en direction de San Kamphaeng. À l'embranchement en T de Ban Huay Kaew, tournez à droite en prenant la direction de Ban Mae Kampong.

## HANG DONG, BAN WAN ET BAN THAWAI

หางดง/บ้านวัน/บ้านถวาย

À 15 km au sud de Chiang Mai se trouve une véritable "autoroute du meuble" où magasins et ateliers sont spécialisés en arts décoratifs, bois sculptés, antiquités et ameublement moderne.

Il est impossible de passer à pied d'une boutique à l'autre, le long de la Route 108. Ce n'est pas non plus très facile en voiture. Le chic **Gàht Farang** (Route 108) a tenté de remédier au problème d'accès, mais il risque de ne jamais être bondé. Au nord du centre de Hang Dong, près de la place Amarin, **Siam Lanna Art** (☎ 0 5382 3419 ; Rte 108) est une boutique excentrique qui plaira aux amateurs de bric-à-brac. C'est le lieu idéal pour farfouiller, mais pas pour acheter parce que personne ne peut vous renseigner sur les prix.

On trouve une plus grande concentration de boutiques dans Th Thakhilek, la première à gauche après Talat Hang Dong dans le quartier de Ban Wan. Près de l'intersection, plusieurs d'entre elles vendent des reproductions d'antiquités, fabriquées en bois neuf. Récemment, le teck recyclé était encore utilisé, mais cette époque est bientôt révolue. Plus bas, **Chili Antiques & Arts** (☎ 0 5343 3281 ; 125 Th Thakhilek) expose dans une énorme salle des bouddhas en bronze et en bois, des sculptures, des bois sculptés et de très belles décorations. En face, **Jirakarn Antique** (☎ 0 5344 1615 ; 137 Th Thakhilek), une boutique de bric-à-brac, propose du teck recyclé. **Crossroads Asia** (☎ 0 5343 4650 ; Chaiyo Plaza, 214/7 Th Thakhilek) est le Pier Import de Thaïlande. On y trouve objets d'art ethniques et antiquités de toute l'Asie.

Continuez en prenant à droite à l'embranchement jusqu'au **Ban Thawai Tourism Village**, un marché long de 3 km, agréable pour les piétons, avec toutes sortes de décorations d'intérieur. Au-delà de la zone 5, l'atelier de Sriboonmuang illustre ce qui a rendu Ban Thawai célèbre : de petites armées d'éléphants en bois, de petits chevaux et des poupées poncés et polis par les employés de l'atelier.

Nombre de magasins font à la fois de la vente en gros et au détail ; expédier les achats à domicile est également possible. Il est recommandé de venir en voiture, mais vous pouvez aussi prendre un *sŏrng·tăa·ou* de Pratu Chiang Mai à Hang Dong (10 B) et à Ban Thawai (15 B).

## SAN PA THONG

สันปาตอง

En continuant la Route 108 vers le sud, on rejoint ce village couvert de végétation et réputé pour son **marché** aux buffles et aux bestiaux (🕑 5h30-11h sam) qui se tient toutes les semaines à côté du temple du Bouddha endormi. Les machines, notamment les motos, sont maintenant plus nombreuses que le bétail.

Situé à la périphérie de San Pa Thong, **Kao Mai Lanna Resort Hotel** (☎ 0 5383 4470 ; www.kaomailanna.com ; Km 29, Th Chiang Mai-Hot ; ch 2 500-3 500 B ; ) justifie à lui seul une visite, malgré la distance. Ce *resort* a transformé les bâtiments abandonnés, qui étaient autrefois affectés au séchage du tabac, en chambres confortables et pleines de charme, installées au milieu d'un jardin luxuriant. C'était une des nombreuses exploitations de tabac du nord de la Thaïlande qui alimentaient le marché international de la cigarette avant que la Chine ne supplante les cultivateurs locaux. Le *resort* organise des visites dans les villages d'artisans voisins (qui sont de véritables villages et non pas des marchés à souvenirs). Vous pouvez profiter du délicieux restaurant (cuisine thaïlandaise) en plein air du *resort* sans loger à l'hôtel.

À l'arrière du *resort*, vous trouverez un village pittoresque, avec ses vergers de *lam yai* et ses vieilles dames à vélo. Au fond des ruelles étroites, **Pee Goon's Saa House** (☎ 08 4613 8450) est une petite industrie artisanale qui emploie une centaine de villageois à fabriquer du papier à partir d'écorces de mûrier. Pi Goon peut expliquer le processus de fabrication si vous êtes accompagné de quelqu'un qui parle thaï.

Prenez un bus ou un *sŏrng·tăa·ou* pour San Pa Thong à la file d'attente des bus qui s'allonge près de Pratu Chiang Mai.

## PARC NATIONAL DE DOI INTHANON

อุทยานแห่งชาติดอยอินทนนท์

Le Doi Inthanon (ou Doi In) est le plus haut sommet de Thaïlande avec ses 2 565 m de hauteur. Les 100 km² du **parc national**

(☎ 0 5328 6730 ; adulte/enfant 200/100 B , voiture/moto 30/20 B ; 8h-coucher du soleil) comportent des chemins de randonnée, des cascades et 2 stupas monumentaux érigés en l'honneur du roi et de la reine. C'est une excursion appréciée des touristes et des habitants de Chiang Mai, en particulier pendant les vacances du Nouvel An, lorsque le gel fait son apparition, phénomène fort rare dans la région.

Huit chutes d'eau surgissent de la montagne. **Nam Tok Mae Klang** (au Km 8) est la plus imposante et aussi la plus facile d'accès. **Nam Tok Wachiratan** (au Km 20,8) est une autre halte réputée. On peut acheter à manger auprès des vendeurs qui se trouvent devant les eaux écumeuses qui dégringolent sur 50 m. Si vous préférez être dans la cascade, tentez une descente en rappel avec le Peak (p. 307). Vue de Ban Mong Khun Klang, un village hmong, **Nam Tok Siriphum** (au Km 30) ressemble à une rivière d'argent. En février, les villageois construisent des chariots en bois et font la course en dévalant une pente. Le long de la route qui mène au sommet, des rizières et des serres sont entretenues par des Hmong et des Karen.

Environ 3 km avant le sommet du Doi Inthanon, entre les Km 41 et 42, **Phra Mahathat Naphamethanidon** et **Nophamethanidon** (entrée 20 B) sont des *chedi* érigés par la Royal Thai Air Force pour célébrer le 60e anniversaire du roi et de la reine, respectivement en 1989 et 1992. À la base de ce *chedi* octogonal, une salle renferme un bouddha de pierre.

Dans ce parc, il s'agit d'aller aussi haut que possible pour faire l'expérience d'un climat plus froid. Le sommet est un véritable spectacle donné par les touristes. Les Thaïlandais adorent s'emmitoufler dans leurs vestes et porter un bonnet pour se photographier au milieu des conifères et rhododendrons. Presque à l'exact emplacement du sommet, un *chedi* est dédié à l'un des derniers rois lanna (Inthawichayanon). En contrebas, le **chemin Ang Ka**, une allée surélevée de 360 m, traverse un marais capitonné de mousses.

Le panorama depuis le Doi Inthanon est plus dégagé pendant la saison sèche de novembre à février, mais ne vous attendez pas à une vue époustouflante : presque toute l'année, le Doi Inthanon est coiffé d'une brume formée par la condensation d'air chaud et humide, ce qui ne manque pas de créer une atmosphère sinistre. Il fait très frais là-haut ; emportez une veste ou un pull.

Le parc est l'un des sites favoris des naturalistes et ornithologues du Sud-Est asiatique. Ses hautes pentes brumeuses permettent l'épanouissement de quantité d'orchidées, de lichens, de mousses et d'épiphytes, et abritent 400 espèces d'oiseaux – plus qu'aucun autre habitat de Thaïlande. C'est aussi l'un des derniers refuges du macaque d'Assam, de l'entelle de Phayre et d'autres singes et gibbons (dont certaines espèces rares), ainsi que d'espèces plus répandues comme la civette orientale grise, le cerf muntjac et l'écureuil volant géant (soit environ 75 espèces de mammifères).

La majorité des oiseaux du parc vit entre 1 500 et 2 000 m. La meilleure période pour l'observation se situe entre février et avril ; mieux vaut se poster dans les *beung* (marais), aux abords du sommet.

Les bungalows du parc (à partir de 1 000 B), situés près du centre d'information, sont confortables. Vous trouverez également un restaurant au Km 31 et un camping (60-90 B) en face du centre d'information ou à Nam Tok Mae Pan. Faites vos réservations en ligne sur www.dnp.go.th.

### Depuis/vers le parc national de Doi Inthanon

Bien que la plupart des visiteurs viennent de Chiang Mai par leurs propres moyens ou en groupe, le parc est accessible en transport en commun. Les bus partent du terminal Chang Pheuak et les *sŏrng·tăa·ou* jaunes de Pratu Chiang Mai pour rallier Chom Thong (61 B), la ville la plus proche du parc, à 58 km de Chiang Mai. Certains bus vont directement à l'entrée du parc près de Nam Tok Mae Klang, d'autres à destination de Hot vous déposeront en cours de route à Chom Thong.

Des *sŏrng·tăa·ou* relient régulièrement Chom Thong et l'entrée du parc à Nam Tok Mae Klang (8 km au nord, 30 B). Ensuite, de Mae Klang au sommet du Doi Inthanon (80B), des *sŏrng·tăa·ou* partent presque toutes les heures jusqu'en fin d'après-midi.

Au lieu de rentrer à Chiang Mai, vous pouvez aller à Hot, où des bus vont vers l'ouest à Mae Sariang et à Mae Hong Son. Une option qui permet de gagner du temps si vous quittez le parc après un séjour de 2 jours.

# Le Nord

La Thaïlande du Nord est réputée pour ses montagnes… Les rivières ont dessiné à travers ces collines tant glorifiées de fertiles vallées qui sont le berceau du peuple thaï et, par conséquent, de très nombreux éléments associés à la culture thaïlandaise moderne.

Venus du sud de la Chine, les premiers peuples thaïs se seraient installés ici. Malgré les siècles passés, la région du Nord continue de s'accrocher à ses racines, et beaucoup de Thaïlandais la voient toujours nimbée du halo de la "vraie" Thaïlande. Son dialecte et sa cuisine sont préservés, et nombre de traditions ancestrales restent inchangées.

Outre une majorité de Thaïs, la population du Nord constitue la mosaïque ethnique la plus variée du pays, composée d'ethnies montagnardes bien connues, tels les Hmong et les Akha, et de groupes dont on n'entend peu parler, comme les petites communautés chinoises musulmanes de Mae Salong et de Mae Hong Son.

Explorer à Phrae un temple bouddhique, devenir volontaire à Tak dans une clinique de réfugiés ou goûter des plats au marché de nuit de Lampang, voici les attraits plutôt sobres, mais non moins séduisants, de la Thaïlande du Nord. Et pour ceux qui recherchent quelque chose de plus tonique, la géographie et le climat de la région procurent de multiples possibilités : rafting, randonnée ou balade à moto ou en voiture jusqu'à Phayao.

**À NE PAS MANQUER**

- Explorer le parc historique de **Phu Hin Rong Kla** (p. 407), dans la province de Phitsanulok, ou le **parc national de Salawin** (p. 467), très accidenté, dans la province de Mae Hong Son
- Une randonnée ou une excursion en rafting jusqu'à Um Phang, où le trajet prend fin à **Nam Tok Thilawsu** (p. 438), la chute d'eau la plus spectaculaire de Thaïlande
- Rencontrer des éléphants à l'**Elephant Conservation Center** (p. 359) de Lampang
- Rejoindre les charmantes petites cités du Nord à peine visitées comme **Phayao** (p. 387)
- Visiter à vélo les ruines de l' "âge d'or" thaï dans les **parcs historiques de Sukhothai** (p. 410) et de **Si Satchanalai-Chaliang** (p. 416)
- Emprunter le légendaire **Mae Hong Son Loop** (p. 447) ou découvrir le paysage fabuleux qu'offre la route de **Chiang Khong** à **Phayao** (p. 383)

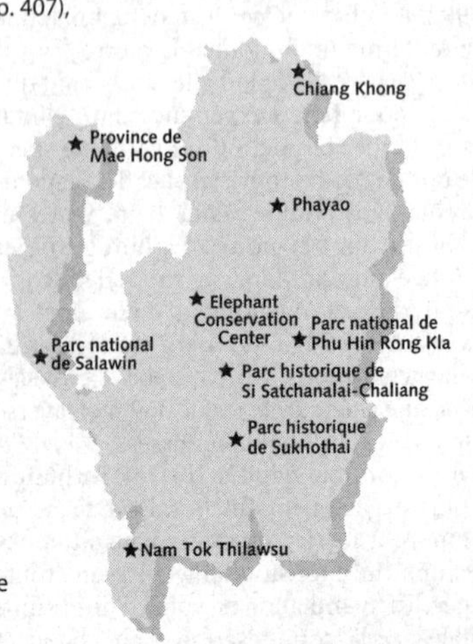


- MEILLEURE PÉRIODE : NOVEMBRE À MARS
- POPULATION : 7,8 MILLIONS D'HABITANTS

## Histoire

L'histoire de la Thaïlande du Nord est marquée par l'ascension et le déclin de différentes principautés autonomes. De la fin du VIII^e siècle au XIII^e siècle, le royaume môn de Hariphunchai (aujourd'hui Lamphun) fut l'un des premiers à imposer sa culture. De magnifiques exemples de l'art de cette période sont exposés au musée national de Hariphunchai à Lamphun.

Les Thaïs, dont on pense qu'ils sont arrivés de Chine vers le VII^e siècle, parvinrent à unifier plusieurs cités autonomes au XIII^e siècle et à se libérer de la tutelle des Khmers. Sukhothai devint en 1238, sous le règne de Si Intharathit, le premier véritable royaume thaï indépendant et étendit rapidement sa domination. Pour cette raison, à laquelle s'ajoute l'influence qu'exerça le royaume sur l'art et la culture thaïs modernes, Sukhothai est considéré comme le premier vrai royaume thaï. En 1296, après avoir conquis le puissant royaume môn de Hariphunchai et mis fin à son hégémonie, le roi Mengrai fonda Chiang Mai.

Durant les XIV^e et XV^e siècles, Chiang Mai, allié à Sukhothai, fit partie du royaume élargi de Lanna, ou Lan Na (royaume du Million de rizières). Ce royaume, qui s'étendait au sud jusqu'à Kamphaeng Phet et au nord jusqu'à Luang Prabang au Laos, connut son apogée au XV^e siècle. Pendant une brève période, la capitale du royaume de Sukhothai fut transférée à Phitsanulok (1448-1486), alors que Chiang Mai devenait un important centre religieux et culturel. Au XVI^e siècle, profitant du déclin des alliances thaïes, les Birmans s'emparèrent, en 1556, de Chiang Mai. Leur contrôle du royaume allait durer deux siècles. Après la prise d'Ayuthaya par les Birmans en 1767, les Thaïs se regroupèrent et, sous le roi Kawila, réussirent en 1774 à reprendre Chiang Mai, repoussant les envahisseurs vers le nord.

À la fin du XIX^e siècle, Rama V de Bangkok s'efforça d'unir les régions du Nord et du Centre afin d'échapper à la menace de la colonisation. L'achèvement en 1921 de la ligne de chemin de fer du Nord, qui ralliait Chiang Mai, renforça ces liens jusqu'à ce qu'enfin les provinces du Nord entrent dans le royaume du Siam au début du XX^e siècle.

## Climat

Le climat de la région est fortement influencé par les montagnes. Le froid peut régner en altitude, dans la ville de Mae Hong Son par exemple, et la pluie s'abattre aux abords de la province de Tak. Les variations sont moins importantes dans les plaines centrales du Sukhothai.

## Parcs nationaux

Si vous appréciez la nature et le calme, les parcs nationaux du Nord sont faits pour vous. Leur visite reste l'un des meilleurs moments du voyage pour ceux qui s'y sont aventurés. Les paysages sont uniques, à 2 000 m d'altitude, et la région abrite une faune rare dans le pays. Chae Son (p. 360) est connu pour ses cascades. Doi Luang (p. 360) et Thung Salaeng Luang (p. 408) sont des sites de protection des animaux. Phu Hin Rong Kla (p. 407) fut le quartier général du Parti communiste thaïlandais. Une rivière rocailleuse traverse le parc national de Salawin (p. 467), et celui de Doi Phu Kha (voir p. 460) culmine à 2 000 m.

## Langue

Les dialectes thaïs présentent une grande différence selon les régions et peuvent se révéler inintelligibles même pour un Thaïlandais. Le *găm méuang*, dialecte du Nord, n'est pas une exception, car, en plus d'une gamme de tons unique qu'il faut apprendre à maîtriser, il possède un vocabulaire spécifique très riche. On le parle également plus lentement que les trois autres dialectes principaux en vigueur dans le pays, une caractéristique qui reflète la décontraction et l'insouciance attribuées aux habitants du Nord.

Le dialecte du Nord possède de plus son propre système d'écriture, reposant sur le vieil alphabet môn, qui était à l'origine uniquement utilisé pour les écrits sacrés du bouddhisme. Toutefois, il devint si populaire durant la période de Lanna qu'il fut adopté par les ThaïsLü vivant en Chine, les Khün installés à l'est de l'État des Chan et par d'autres groupes qui parlaient le thaï-kadai entre le royaume du Lanna et la Chine. Bien que peu d'habitants du Nord puissent aujourd'hui lire cet alphabet – souvent appelé "écriture lanna" –, il est parfois utilisé dans la signalisation pour ajouter un parfum de culture du Nord.

Le chapitre sur la langue ne traite que du dialecte parlé dans le centre de la Thaïlande ; pour des mots et des phrases utiles en thaï du Nord, voir l'encadré p. 349.

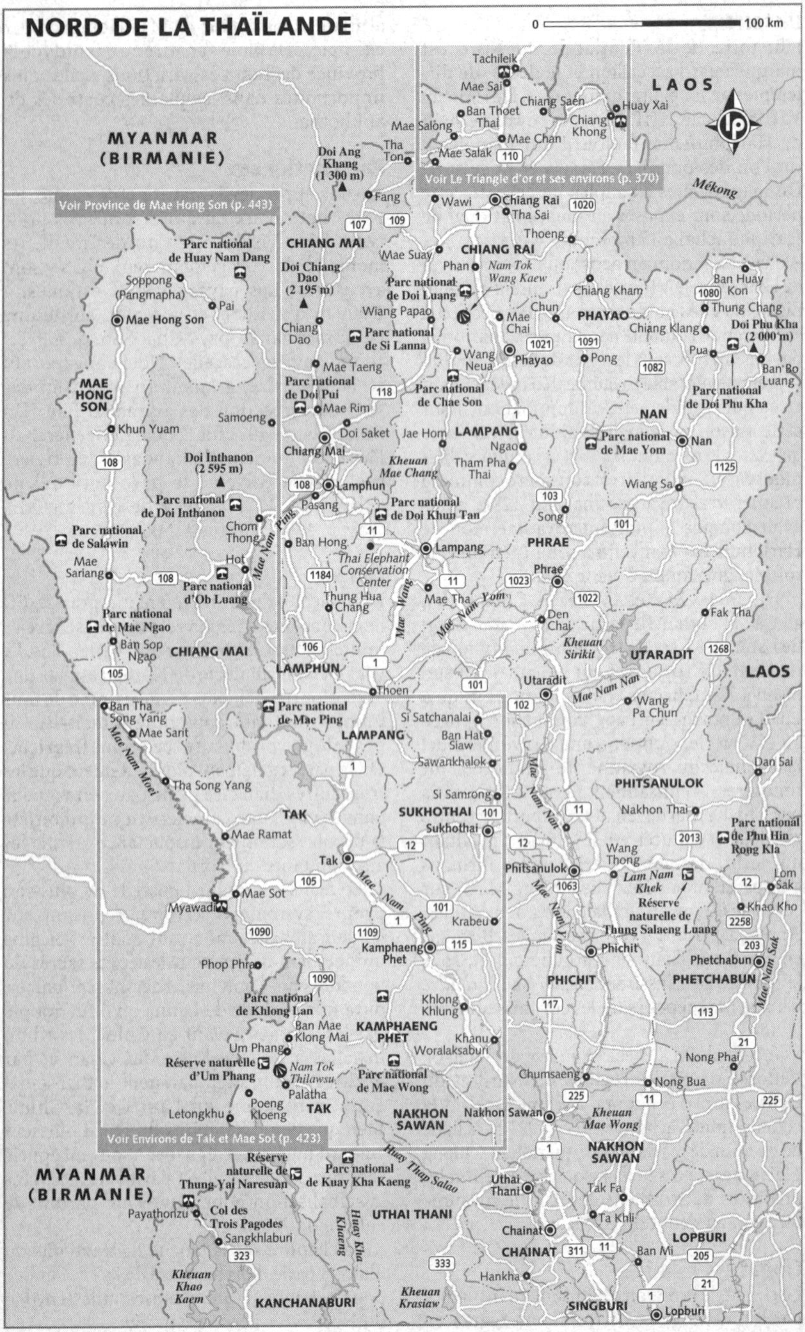

# NORD DE LA THAÏLANDE

0 — 100 km

Voir Le Triangle d'or et ses environs (p. 370)

Voir Province de Mae Hong Son (p. 443)

Voir Environs de Tak et Mae Sot (p. 423)

MYANMAR (BIRMANIE)

LAOS

Mékong

Tachileik
Mae Sai
Chiang Saen
Huay Xai
Chiang Khong
Ban Thoet Thai
Mae Salong
Mae Chan
Mae Salak
110
Tha Ton
Doi Ang Khang (1 300 m)
Fang
Wawi
Chiang Rai
Tha Sai
1020
107
109
1
Thoeng
CHIANG MAI
Mae Suay
CHIANG RAI
Phan
Nam Tok Wang Kaew
Parc national de Doi Luang
Parc national de Huay Nam Dang
Soppong (Pangmapha)
Pai
Mae Hong Son
Doi Chiang Dao (2 195 m)
Wiang Papao
Chiang Dao
Parc national de Si Lanna
Mae Chai
Chun
Chiang Kham
PHAYAO
Ban Huay Kon
1080
Thung Chang
Chiang Klang
Doi Phu Kha (2 000 m)
Pua
Ban Bo Luang
Parc national de Doi Phu Kha
1021
1091
Wang Neua
Phayao
Pong
1082
Mae Taeng
Parc national de Doi Pui
Mae Rim
118
Parc national de Chae Son
MAE HONG SON
Samoeng
Khun Yuam
Doi Saket
Jae Hom
LAMPANG
NAN
Parc national de Mae Yom
Nan
Chiang Mai
Ngao
Kheuan Mae Chang
Tham Pha Thai
108
Doi Inthanon (2 595 m)
1125
Wiang Sa
108
Lamphun
Pasang
Parc national de Doi Inthanon
Parc national de Doi Khun Tan
103
Song
Chom Thong
101
Mae Nam Ping
11
Parc national de Salawin
Ban Hong
Lampang
PHRAE
Thai Elephant Conservation Center
Hot
Mae Sariang
108
Parc national d'Ob Luang
1184
11
Phrae
Mae Wang
1023
Thung Hua Chang
Mae Tha
Mae Nam Yom
1022
Fak Tha
Parc national de Mae Ngao
Den Chai
Ban Sop Ngao
CHIANG MAI
Kheuan Sirikit
UTARADIT
1268
LAOS
106
LAMPHUN
1
105
101
Thoen
Utaradit
Mae Nam Nan
102
Wang Pa Chun
Ban Tha Song Yang
Parc national de Mae Ping
Si Satchanalai
Mae Sarit
LAMPANG
Ban Hat Siaw
Mae Nam Moei
1
Sawankhalok
Dan Sai
Mae Nam Nan
Tha Song Yang
PHITSANULOK
Si Samrong
TAK
SUKHOTHAI
101
11
Nakhon Thai
Sukhothai
Parc national de Phu Hin Rong Kla
Mae Ramat
2013
12
12
Wang Thong
Tak
Phitsanulok
Lam Nam Khek
Lom Sak
105
Mae Nam Ping
1063
12
Mae Sot
Mae Nam Yom
Réserve naturelle de Thung Salaeng Luang
Myawadi
101
Khao Kho
1
Krabeu
2258
1090
1109
Kamphaeng Phet
115
Phichit
203
Phetchabun
Phop Phra
Mae Nam Sak
1090
PHICHIT
PHETCHABUN
Parc national de Khlong Lan
Khlong Khlung
117
113
Ban Mae Klong Mai
KAMPHAENG PHET
Khanu
Um Phang
Woralaksaburi
21
Réserve naturelle d'Um Phang
Nam Tok Thilawsu
Parc national de Mae Wong
Nong Phai
Chumsaeng
Nong Bua
Palatha
Poeng Kloeng
225
11
225
TAK
Letongkhu
NAKHON SAWAN
Nakhon Sawan
Kheuan Mae Wong
1
NAKHON SAWAN
Réserve naturelle de Thung Yai Naresuan
Parc national de Kuay Kha Kaeng
Huay Thap Salao
MYANMAR (BIRMANIE)
Uthai Thani
Tak Fa
Payathonzu
Col des Trois Pagodes
UTHAI THANI
Ta Khli
Sangkhlaburi
Chainat
LOPBURI
Huay Khaeng
Huay Kha
CHAINAT
311
11
Ban Mi
205
323
333
Hankha
21
Kheuan Khao Kaem
KANCHANABURI
Kheuan Krasiaw
SINGBURI
1
Lopburi

### Depuis/vers le Nord

Certains découvrent la région en faisant des haltes le long des 700 km séparant Bangkok de Chiang Mai ; d'autres la visitent en rayonnant à partir de Chiang Mai. Le train est sans doute le moyen le plus confortable de rallier le Nord, bien qu'il n'existe qu'une seule ligne de train, relativement lente. Pour ceux qui sont pressés, presque toutes les grandes villes de Thaïlande du Nord possèdent aujourd'hui un aéroport. Bus et monospaces assurent néanmoins une bonne desserte de la province, à l'exception des communautés isolées installées le long de la frontière du Myanmar, où l'on circule en *sŏrng·tăa·ou* (camionnette, également transcrit *săwngthăew*).

### Comment circuler

Le réseau de transports publics en Thaïlande du Nord, sûr et assez étendu, permet de rejoindre nombre de destinations, même s'il se révèle un peu lent. On peut louer une voiture dans la plupart des agglomérations importantes. Si vous savez conduire une moto, louez-en une. Dans le cas contraire, apprenez, ce n'est pas difficile, et vous ne le regretterez pas. Pour des détails sur les circuits à moto dans le Nord, voir l'encadré p. 350.

# PROVINCE DE LAMPHUN

## LAMPHUN

ลำพูน

**56 800 habitants**

Motif d'une excursion essentiellement culturelle au départ de Chiang Mai, cette capitale provinciale s'étire paisiblement le long des rives de la Mae Kuang, un affluent de la Mae Ping, sans claironner qu'elle est l'une des plus vieilles cités de Thaïlande. Le mur de la forteresse et les anciens temples rappellent que Lamphun fut la plus septentrionale des cités du royaume môn de Dvaravati, connu alors sous le nom de Hariphunchai (750-1281). Pendant un temps, la cité eut pour souveraine Chama Thewi, une reine môn qui a acquis un statut légendaire parmi la multitude de souverains qui régna sur la Thaïlande.

La route de 26 km à travers une superbe campagne entre Chiang Mai et Lamphun est l'un des principaux attraits du voyage. À certains endroits, elle passe sous la voûte d'immenses arbres, des diptérocarpes.

**PARLER LA LANGUE DU NORD**

Autrefois, les habitants du Nord s'offusquaient quand un étranger essayait de leur parler en *găm méuang*, une attitude qui remonte au temps où les Thaïlandais du Centre considéraient les gens du Nord comme arriérés et se moquaient de leur jargon. Aujourd'hui, les habitants du Nord sont en général fiers de leur langue, qui est même parlée par de nombreux personnages dans une série TV populaire qui se passe à Bangkok.

Pour vous aider à conquérir le sourire des habitants, voici un bref lexique de leur langue.

| | |
|---|---|
| *Pŏm ôo găm méuang bòr jâhng* | Je ne peux pas parler le thaï du Nord |
| *A yăng gór ?* | Qu'est-ce que vous avez dit ? |
| *An née tôw dai ?* | Combien ça coûte ? |
| *Mee kôw nêung bòr ?* | Est-ce que vous servez du riz gluant ? |
| *Lám đáa đáa* | C'est délicieux |
| *Mâan lâ* | Oui ou C'est bien cela |
| *Bòr mâan* | Non |
| *Sow* | 20 |
| *Gàht* | Marché |
| *Jôw* | (Un mot poli utilisé par les femmes, qui correspond à *ka* dans la langue du Centre.) |
| *ɓàht só ! Nôrng née ngáhm kànàht !* | Oh, vous êtes vraiment charmant(e) ! |

LE NORD

**EASY RIDER**

Découvrir la Thaïlande du Nord en chevauchant une moto de location est de plus en plus populaire. Malgré les risques évidents que comporte la conduite en Thaïlande, la randonnée à moto est l'un des meilleurs moyens d'explorer la campagne à son propre rythme et de s'écarter, dès que l'on en a envie, des sentiers battus.

À moins que vous ne vouliez vraiment pas faire du tout-terrain ou emprunter les routes non goudronnées durant la saison des pluies, vous n'aurez certainement pas besoin d'une de ces grosses motos tout-terrain que l'on voit en location à Chiang Mai. Les 110-150 cm³ à transmission automatique, de type scooter, que l'on trouve partout dans le pays, vous suffiront. Elles sont rapides et assez puissantes pour la plupart des routes. Si vous voulez plus grand et plus confortable pour les longs trajets en ligne droite, vous louerez un chopper 200 cm³ Honda Phantom, de fabrication thaïlandaise.

À Chiang Mai, les tarifs de location à la journée démarrent aux alentours de 150 B pour une 125 cm³ Honda Wave/Dream et vont jusqu'à 1 200 B pour une Honda CB1000. Pour tous les renseignements concernant la location et la sécurité, voir p. 788.

Pour s'initier à la randonnée à moto en Thaïlande du Nord, rien ne vaut le Samoeng Loop (100 km), que l'on peut boucler en une demi-journée. S'élevant vers le nord de Chiang Mai, au fil des Routes 107, 1096 et 1269, ce parcours tout en lacets à travers de superbes paysages donne un avant-goût d'une expédition plus longue vers le Nord. Le Chiang Rai Loop (470 km), que l'on peut réaliser en 2 étapes avec une nuit à Chiang Rai, est également très apprécié : par les Routes 107, 1089 et 118, il fait découvrir des localités pittoresques comme Fang et Tha Ton. La route classique du Nord est la boucle de Mae Hong Son (p. 447), une expédition de 950 km, qui commence à Chiang Mai, puis négocie les 1 864 virages de la Route 1095, avec halte au choix à Pai, Mae Hong Son ou Mae Sariang, avant de redescendre vers Chiang Mai par la Route 108. Un trajet moins connu mais tout aussi intéressant consiste à emprunter les Routes 1155 et 1093 depuis Chiang Khong, dans la province de Chiang Rai, jusqu'à la petite cité peu visitée de Phayao (p. 387). En seulement une journée, vous découvrirez les plus spectaculaires paysages de montagne du pays.

**Golden Triangle Rider** (GT Rider ; www.gt-rider.com), qui publie une série de fantastiques cartes pour les motards, est la meilleure source d'informations sur la randonnée à moto en Thaïlande du Nord. Doté d'un forum interactif, son site renseigne en détail sur la location de motos (avec adresses recommandées à Chiang Mai et à Chiang Rai) et les assurances, tout en suggérant des randonnées avec cartes à l'appui.

## À voir

### WAT PHRA THAT HARIPHUNCHAI

วัดพระธาตุหริภุญชัย

Ce **temple** (Th Inthayongyot ; 30 B) jouit d'un statut élevé, car il remonte à la période de Môn. Construit en 1044 (1108 ou 1157, selon certaines estimations) sur le site du palais de la reine Chama Thewi, il était à l'abandon jusqu'à ce que Khruba Siwichai, un célèbre moine du Nord, entreprenne sa restauration dans les années 1930. Outre son architecture intéressante, il abrite deux beaux bouddhas et deux anciens *chedi* (stupas) de style Hariphunchai. Le plus haut des deux, le *chedi* Suwan, qui date de 1418, est une étroite structure de briques de 21 m. Un *chedi* plus récent, le Phra Maha That, haut de 46 m, est considéré comme un exemple classique d'architecture lanna (XVᵉ siècle) avec sa forme de cloche posée sur une base carrée.

Derrière le temple se trouve le **Kad Khau Moon Tha Singh**, un petit marché aux souvenirs sur un pont couvert, proposant des articles sous label OTOP (One Tambon, One Product), allant du *lam yai* séché (longane) à la soie.

### MUSÉE NATIONAL DE HARIPHUNCHAI

พิพิธภัณฑสถานแห่งชาติลำพูน

En face du Wat Phra That Hariphunchai, le très instructif **musée national de Hariphunchai** (☎ 0 5351 1186 ; Th Inthayongyot ; 100 B ; ⌚ 9h-16h mer-dim), géré par le département national des Beaux-Arts, abrite une collection d'art des périodes de Môn et de Lanna, ainsi que des bouddhas de la période de Dvaravati. Une de ses galeries est consacrée à des pierres gravées dans l'alphabet môn et lanna. La conservatrice du musée, passionnée pour le passsé de Lamphun organise également d'intéressantes expositions temporaires sur des thèmes plus récents comme l'installation de la communauté yong dans Lamphun. Une petite librairie propose quelques titres en anglais.

#### WAT CHAMA THEWI

วัดจามเทวี

Un *chedi* de style Hariphunchai moins courant est visible au Wat Chama Thewi (communément appelé Wat Kukut) ; il daterait du XIIIe siècle. Connu sous le nom de Chedi Suwan Chang Kot, il a été restauré à maintes reprises depuis, mêlant désormais des styles différents. Il n'en reste pas moins considéré comme l'un des exemples les plus récents de l'architecture Dvaravati. Ses contours en "escalier" présentent une nette ressemblance avec le Satmahal Prasada (XIIe siècle) de Polonnaruwa, au Sri Lanka. Chaque face de ce *chedi* présente 5 étages comportant chacun trois bouddhas dont la taille diminue à mesure qu'ils s'élèvent vers le haut de l'édifice. Les bouddhas debout, bien que de facture récente, sont de style Dvaravati.

Le temple est à environ 1,5 km du Wat Phra That Hariphunchai. Les motos-taxis qui stationnent devant le musée vous y conduiront pour 30 B.

### Fêtes

Durant la 2e semaine d'août, Lamphun accueille la **fête du Lam Yai**, en hommage au longane, sa principale production agricole. Elle comprend un défilé de chars, fabriqués uniquement avec ce fruit, et l'incontournable élection d'une Miss Lam Yai. Durant **Songkran**, le nouvel an bouddhiste qui a lieu mi-avril, Lamphun offre une fête de l'eau moins turbulente et plus traditionnelle que celle de Chiang Mai.

### Où se loger et se restaurer

Chiang Mai étant si proche, il y a peu de chances que vous passiez la nuit à Lamphun. Nous vous indiquons tout de même le **Si Lamphun Hotel** ( ☎ 0 5351 1176 ; Soi 5, Th Inthayongyot ; s/d 200/300 B), au sud du Wat Phra That, ou le **Supamit Court** ( ☎ 0 5353 4865 ; fax 0 5353 4355 ; Th Chama Thewi ; s/d 250-600 B ; ❄ ), en face du Wat Chama Thewi.

Dans la rue principale, au sud du Wat Phra That, s'égrènent des **échoppes de nouilles et de riz** (Th Inthayongyot) très convenables.

### Depuis/vers Lamphun

À Chiang Mai, les *sŏrng·tăa·ou* bleus et les bus blancs pour Lamphun (20 B) partent toutes les 30 min de Th Praisani, en face de Talat Warorot, et d'un autre arrêt sur la rive est du fleuve dans Th Chiang Mai-Lamphun, juste au sud du bureau de la Tourist Authority of Thailand (TAT). De Chiang Mai, il est aussi possible de prendre un bus du terminal Chang Pheuak. Dans les deux cas, vous pourrez descendre dans Th Inthayongyot, à l'arrêt en face du Musée national et du Wat Phra That Hariphunchai.

Pour retourner à Chiang Mai, allez à l'arrêt en face du Musée national ou jusqu'au terminal des bus de Lamphun sur Th Sanam.

## ENVIRONS DE LAMPHUN

### Pasang

ปาซาง

Principal centre de tissage du coton de la province, Pasang (à ne pas confondre avec Bo Sang, célèbre pour ses ombrelles) se trouve au sud-ouest de Lamphun sur la Route 106. On y vient davantage pour visiter les ateliers animés que pour faire du shopping.

Le **Wat Chang Khao Noi Neua**, proche de la Route 106, vers l'extrémité sud de la ville, renferme un impressionnant *chedi* doré de style Lanna.

En ville, il y a quelques **boutiques de coton tissé** près du marché principal, en face du Wat Pasang Ngam. Certains étals du marché proposent également des articles en coton et des souvenirs. La ville célèbre sa tradition du tissage en décembre à l'occasion d'une foire-exposition.

Un *sŏrng·tăa·ou* vous conduit de Lamphun à Pasang pour 15 B. Si vous partez en direction du sud vers la province de Tak à bord de votre propre véhicule, vous rencontrerez en principe moins de circulation sur la Route 106, qui dessert Thoen, que sur la Highway 11 en direction de Lampang. La Route 106 serpente sur 10 km au nord de Thoen, à travers de superbes paysages. Les deux itinéraires rejoignent la portion sud de la Highway 1, qui mène directement à la capitale de la province.

### Wat Phra Phutthabaht Tahk Phah

วัดพระพุทธบาทตากผ้า

Appartenant à la secte Mahanikai, ce célèbre temple à flanc de colline se trouve à 9 km au sud de Pasang et à 20 km au sud de Lamphun. À partir de la Route 106 qui traverse

**PRÉPARER SON SÉJOUR EN THAÏLANDE DU NORD**

Ce guide vous indique les prix de base en haute saison. Pour plus d'informations sur les différentes catégories d'hébergement, voir l'encadré p. 155.

- Bon marché (moins de 600 B)
- Catégorie moyenne (de 600 à 1 500 B)
- Catégorie supérieure (plus de 1 500 B)

Tambol Ma-Kok, il faut bifurquer vers l'est sur la Route 1133, que vous suivrez sur 1 km. Le sanctuaire, élevé à la gloire de l'un des moines du Nord les plus reconnus, Luang Pu Phromma, renferme une statue en cire, grandeur nature, du défunt assis en position de méditation.

Ce vaste ensemble agrémenté d'un parc, est adossé à une colline escarpée au sommet de laquelle se tient un *chedi*. Le *wat* (temple) doit son nom à un lieu saint de la partie basse du sanctuaire abritant une empreinte du pied du Bouddha (*prá pút·tá·bàht*), ainsi qu'à un autre lieu où le Bouddha aurait fait sécher ses tuniques (*đàhk pâh*).

De Lamphun, la course en *sŏrng·tăa·ou* revient à 30 B.

### Parc national de Doi Khun Tan

อุทยานแห่งชาติดอยขุนตาล

Bien qu'il ne mérite pas de s'y rendre spécialement, si vous êtes dans les environs, visitez tout de même ce **parc** (☎ 0 5354 6335 ; 200 B) de 225 km² qui s'étend sur une chaîne de montagnes entre Lamphun et la province de Lampang. Il couvre une zone allant de la forêt de bambous au sommet du Doi Khun Tan (1 363 m), couvert de pins. Fleurs et plantes sauvages (orchidées, gingembre et lys) poussent ici en abondance. L'administration du parc distribue des cartes qui détaillent les sentiers bien balisés, allant des petites balades autour des bureaux jusqu'à une longue randonnée reliant les quatre sommets du parc. Un chemin conduit à la chute de **Nam Tok Tat Moei** (7 km aller-retour). Traversant les flancs de la montagne, le plus long tunnel ferroviaire de Thaïlande (1 352 m) fut inauguré en 1921 après 6 années de dur labeur effectué par des milliers d'ouvriers laotiens (dont certains auraient été dévorés par les tigres).

Des **bungalows** (☎ 0 2562 0760 ; www.dnp.go.th ; 1 700-2 700 B) ont été aménagés à côté de l'administration du parc. Un restaurant est installé près des bungalows. Le parc est très fréquenté le week-end à la saison fraîche.

Pour venir au parc, il suffit de prendre un train à Chiang Mai (2e/3e classe, 33/15 B, 1 heure 30, 5 départs quotidiens) et de descendre à la gare de Khun Tan. Le dernier train pour Chiang Mai part à 13h35. À Khun Tan, de l'autre côté des voies, un sentier abrupt et balisé sur 1,3 km conduit à l'administration du parc. En voiture, prenez la Highway Chiang Mai-Lampang jusqu'à l'embranchement pour Mae Tha, puis suivez sur 18 km la route escarpée et non bitumée indiquée par les pancartes.

# PROVINCE DE LAMPANG

## LAMPANG

ลำปาง

**148 199 habitants**

Les principaux attraits de la ville sont les éléphants qui travaillent dans la forêt, les élégantes résidences des anciens barons du bois et les impressionnants temples de la période de Lanna, souvent érigés en bois. Lampang semble réunir tous les clichés de la Thaïlande du Nord, d'une bonne manière néanmoins. Encore épargnée par le tourisme de masse, elle donne, contrairement à bien d'autres destinations du Nord, l'impression d'être encore à découvrir.

### Histoire

Née au VIIe siècle (période de Dvaravati), Lampang a joué un rôle important dans l'histoire du royaume de Hariphunchai (VIIIe-XIIIe siècle). Elle fut fondée, selon la légende, par le fils de la reine Chama Thewi.

Comme Chiang Mai, Phrae et d'autres villes du Nord, Lampang ne fut d'abord qu'un rectangle ceint de murs au bord d'une rivière, la Mae Wang. Au tournant du XXe siècle, Lampang et sa voisine Phrae devinrent un centre important de négoce du teck, grâce à une grande compagnie anglaise qui envoya des maîtres d'œuvre spécialisés dans la province. Étant bien rémunérés, ils s'associèrent à des marchands de teck birmans qui commerçaient dans la ville pour financer la construction d'une bonne dizaine de grands temples. Leur marque de fabrique subsiste dans plusieurs *wat* parmi les plus impressionnants de la ville.

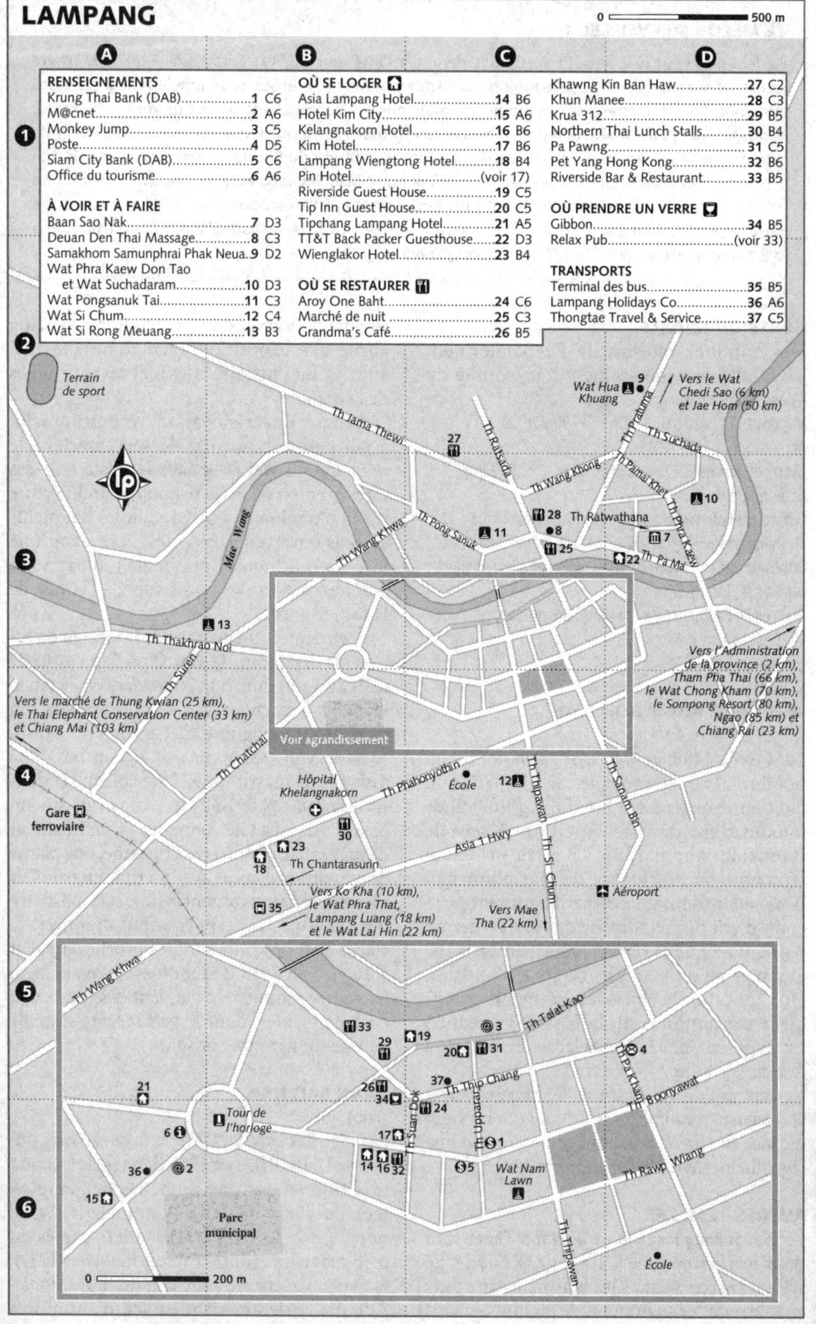
LAMPANG
0 500 m
A
B
C
D
1
2
3
4
5
6
RENSEIGNEMENTS
Krung Thai Bank (DAB) 1 C6
M@cnet 2 A6
Monkey Jump 3 C5
Poste 4 D5
Siam City Bank (DAB) 5 C6
Office du tourisme 6 A6
À VOIR ET À FAIRE
Baan Sao Nak 7 D3
Deuan Den Thai Massage 8 C3
Samakhom Samunphrai Phak Neua 9 D2
Wat Phra Kaew Don Tao et Wat Suchadaram 10 D3
Wat Pongsanuk Tai 11 C3
Wat Si Chum 12 C4
Wat Si Rong Meuang 13 B3
OÙ SE LOGER
Asia Lampang Hotel 14 B6
Hotel Kim City 15 A6
Kelangnakorn Hotel 16 B6
Kim Hotel 17 B6
Lampang Wiengtong Hotel 18 B4
Pin Hotel (voir 17)
Riverside Guest House 19 C5
Tip Inn Guest House 20 C5
Tipchang Lampang Hotel 21 A5
TT&T Back Packer Guesthouse 22 D3
Wienglakor Hotel 23 B4
OÙ SE RESTAURER
Aroy One Baht 24 C6
Marché de nuit 25 C3
Grandma's Café 26 B5
Khawng Kin Ban Haw 27 C2
Khun Manee 28 C3
Krua 312 29 B5
Northern Thai Lunch Stalls 30 B4
Pa Pawng 31 C5
Pet Yang Hong Kong 32 B6
Riverside Bar & Restaurant 33 B5
OÙ PRENDRE UN VERRE
Gibbon 34 B5
Relax Pub (voir 33)
TRANSPORTS
Terminal des bus 35 B5
Lampang Holidays Co 36 A6
Thongtae Travel & Service 37 C5
Terrain de sport
Wat Hua Khuang
Vers le Wat Chedi Sao (6 km) et Jae Hom (50 km)
Th Jama Thewi
Th Ratsada
Th Pratuma
Th Suchada
Th Wang Khong
Th Pamai Khet
Th Ratwathana
Th Phra Kaew
Th Pa Ma
Th Pong Sanuk
Th Wang Khwa
Mae Wang
Th Thakhrao Noi
Th Suren
Vers l'Administration de la province (2 km), Tham Pha Thai (66 km), le Wat Chong Kham (70 km), le Sompong Resort (80 km), Ngao (85 km) et Chiang Rai (23 km)
Vers le marché de Thung Kwian (25 km), le Thai Elephant Conservation Center (33 km) et Chiang Mai (103 km)
Voir agrandissement
Th Chatchai
Hôpital Khelangnakorn
Th Phahonyothin
École
Th Thipawan
Th Sanam Bin
Gare ferroviaire
Asia 1 Hwy
Th Si Chum
Th Chantarasurin
Aéroport
Vers Ko Kha (10 km), le Wat Phra That, Lampang Luang (18 km) et le Wat Lai Hin (22 km)
Vers Mae Tha (22 km)
Th Wang Khwa
Th Talat Kao
Th Thip Chang
Th Pa Kham
Th Boonyawat
Tour de l'horloge
Th Suan Dok
Th Upparat
Wat Nam Lawn
Th Rawp Wiang
Parc municipal
Th Thipawan
École
0 200 m

LE NORD

**LE MELON MERVEILLEUX**

La légende veut que le petit Wat Suchadaram, à l'intérieur du Wat Phra Kaew Don Tao, ait été construit sur l'ancien champ de melons (*dorn đôw*) de Mae (mère) Suchada, une femme pieuse des environs. Lors d'une famine, un moine apparaît, auquel Mae Suchada donne un melon de forme étrange. Lorsqu'il l'ouvre, le moine y trouve une grosse pierre précieuse verte qui, avec l'aide de Mae Suchada et l'intervention divine d'Indra, prend la forme du Bouddha. Mais les villageois, qui suspectent une collaboration un peu trop intime entre Mae Suchada et le moine, dans une grande colère, décapitent la femme. Réalisant plus tard leur erreur (l'exécution n'a mené qu'à une autre famine), ils décident de construire un temple en l'honneur de Mae Suchada. Aujourd'hui, le Bouddha d'Émeraude est au Wat Phra That Lampang Luang.

## Renseignements

Des banques munies de DAB jalonnent Th Boonyawat, notamment à proximité du Wat Suan Dok.

**M@cnet** (Th Chatchai ; 15 B/h ; 9h-22h). Accès Internet.

**Monkey Jump** (Th Talat Kao ; 15 B/h ; 9h-22h). Accès Internet.

**Office du tourisme** (0 5423 7237, poste 4103 ; Th Thakhrao Noi ; 8h-12h, 13h-16h30 lun-ven). Dispose d'une carte correcte de la région et d'informations sur les sites locaux.

**Poste** (Th Pa Kham ; 8h30-16h30 lun-ven, 9h-12h sam)

## À voir

### WAT PHRA KAEW DON TAO

วัดพระแก้วดอนเต้า

De 1436 à 1468, ce **wat** (20 B ; 7h-18h) fut au nombre des quatre temples de Thaïlande du Nord qui abritèrent le Bouddha d'Émeraude (aujourd'hui dans le Wat Phra Kaew de Bangkok, voir p. 130). Le *chedi* principal témoigne de l'influence de Hariphunchai. Le *mondòp* (dans un *wat*, petit bâtiment carré coiffé d'une flèche) adjacent de 1909, est décoré d'une mosaïque de verre typiquement birmane et renferme un bouddha de style Mandalay. Une collection d'objets lanna (mobilier religieux et sculptures sur bois pour l'essentiel) est exposée dans le **Musée lanna** du *wat* (don à l'entrée ; 7h-18h).

Jouxtant le monastère, le ravissant **Wat Suchadaram** remonte à 1809. Son nom lui vient de Mae Suchada, personnage au cœur d'une légende locale (voir l'encadré p. 354).

### AUTRES TEMPLES

Le **Wat Si Rong Meuang** et le **Wat Si Chum** sont deux *wat* birmans de la fin du XIXe siècle. Le style transparaît dans les bâtiments aux toits en tôle ondulée surmontés de pignons en bois finement ouvragés. Le Wat Si Rong Meuang abrite une exposition, bien commentée en anglais, sur l'histoire et les mérites artistiques de ce temple.

Malgré une rénovation récente qui lui a fait perdre beaucoup de son caractère, le *mon·dòp* du **Wat Pongsanuk Tai** reste l'un des rares exemples dans la région de l'architecture lanna d'origine, qui privilégiait les bâtiments en bois ouverts sur les côtés. Pour avoir une idée de ce à quoi il ressemblait auparavant, admirez la porte en bois sculpté à l'entrée de l'escalier nord.

À environ 6 km au nord de la ville en direction de Jae Hom, le **Wat Chedi Sao** (0 5432 0233) doit son nom aux 20 *chedi* de style lanna blanchis à la chaux qui se dressent sur son domaine (*sow* signifie "20" en thaï du Nord). Mais le vrai trésor du *wat* est un bouddha assis en or massif du XVe siècle exposé dans un **pavillon** (8h-17h) vitré, construit sur un bassin carré. Sa tête contiendrait un fragment de crâne du Bouddha et sa poitrine, une palme dorée portant d'anciennes inscriptions pali. Des pierres précieuses ornent la robe et la naissance des cheveux. Un fermier aurait découvert la statue près des ruines toutes proches du Wat Khu Kao en 1983. Les moines du Wat Chedi Sao confectionnent et vendent des remèdes à base de plantes, dont le *yah mòrng*, sorte de baume du tigre très prisé.

### BAAN SAO NAK

บ้านเสานัก

**Baan Sao Nak** (0 5422 7653 ; 85 Th Ratwat hana ; 50 B ; 10h-17h), édifiée en 1895 dans le style lanna traditionnel, est une immense demeure en teck du vieux quartier Wiang Neua ("ville nord"), supportée par 116 piliers carrés en teck. Naguère propriété d'une *kun·yĭng* (lady), la maison accueille à présent un musée local. Elle est entièrement meublée d'antiquités birmanes et thaïes, mais sa richesse réside surtout dans l'édifice lui-même et dans son jardin, particulièrement soigné.

### RUE PIÉTONNIÈRE

Les rues piétonnières de Chiang Mai ont fait des émules, et Lampang a la sienne : **Th Talat Kao** (également appelée Kat Korng Ta), une artère agréable bordée de vieux magasins à l'architecture anglaise, chinoise ou birmane. Interdite à la circulation le samedi et le dimanche, de 16h à 22h, la rue se remplit d'étals d'artisanat, de souvenirs et de nourriture.

## À faire

### CALÈCHES À CHEVAL

Surnommée Meuang Rot Mah, la "ville des calèches à cheval", Lampang est la seule agglomération du pays où l'on utilise encore ce moyen de transport public. De nos jours, les attelages décorés de guirlandes de fleurs artificielles et leurs cochers coiffés de Stetson servent plutôt à promener les touristes. Le circuit de 15 min dans la ville revient à 150 B, 200 B pour une demi-heure le long de la Mae Wang, et 300 B la balade d'une heure avec halte au Wat Phra Kaew Don Tao et au Wat Si Rong Meuang. Quand la clientèle se fait rare, les prix peuvent baisser à 120 B les 30 min ou 200 B l'heure. Les principaux arrêts se trouvent face à l'ancien office régional et à l'hôtel Tipchang Lampang. Les calèches stationnent près des plus grands hôtels et sur Th Boonyawat, un peu à l'est du marché.

### MASSAGES TRADITIONNELS

**Samakhom Samunphrai Phak Neua** (☎ 08 9758 2396 ; 149 Th Pratuma ; massage 1 heure/200 B, sauna 100 B ; 8h-19h30), voisin du Wat Hua Khuang, dans le quartier de Wiang Neua, propose des massages traditionnels dans le style du Nord et des saunas aux plantes aromatiques. Un peu plus proche du centre-ville, **Deuan Den Thai Massage** (☎ 08 7305 9838 ; 41/1 Th Phai Mai ; 10h-19h) dispense également des massages traditionnels et les soins habituels d'un spa.

## Où se loger

### PETITS BUDGETS

**Tip Inn Guest House** (☎ 0 5422 1821 ; 143 Th Talat Kao ; ch 150-350 B ; ). Bien que les chambres les moins chères ne soient guère plus qu'un lit dans une boîte, cette pension offre une alternative sympathique aux hôtels bon marché de la ville complètement dépourvus de caractère. C'est aussi le seul établissement au cœur du quartier historique, dans Th Talat Kao.

**TT&T Back Packer Guesthouse** (☎ 0 5422 1303 ; 82 Th Pa Mai ; ch 200-350 B ; ). Allez directement au nouveau bâtiment à l'arrière, qui offre des vues partielles sur la Mae Wang. Sdb communes, compensées par le joli et confortable espace de détente au rez-de-chaussée. Une bonne option pas chère.

**Kim Hotel** (☎ 0 5421 7721 ; 168 Th Boonyawat ; s/d 250/350 B ; ). Les chambres de cet hôtel manquent cruellement de caractère, mais elles sont propres, confortables et dotées de TV. Si l'établissement est complet, traversez la rue : le Kelangnakorn Hotel (☎ 0 5421 6137 ; 719-720 Th Suan Dok ; s/d 230/290 B ; ), en face, est pratiquement pareil.

**Riverside Guest House** (☎ 0 5422 7005 ; www.theriversidelampang.com ; 286 Th Talat Kao ; ch 300-800 B ; ). Bien que dans la catégorie petits budgets, cet ensemble de vieilles maisons de bois rénovées dans un joli parc paysager est de loin l'établissement le plus agréable de Lampang. Essayez d'obtenir une des deux chambres à l'étage dans le bâtiment principal, arborant de vastes balcons donnant sur la Mae Wang. De nombreuses tables sont installées à l'ombre. Location de motos et autres services pour les touristes.

**Hotel Kim City** (☎ 0 5431 0238-40 ; 274/1 Th Chatchai ; ch avec petit-déj 400-900 B, ste 1 100 B). On vous conduira sans doute aux chambres bon marché du rez-de-chaussée, mais offrez-vous plutôt une chambre à l'étage pour éviter l'humidité. Les petits groupes au budget serré seront heureux d'y trouver de nombreuses chambres triples spacieuses.

**Asia Lampang Hotel** (☎ 0 5422 7844 ; www.asia-lampang.com ; 229 Th Boonyawat ; ch 490-550 B ; ). Les chambres meilleur marché au rez-de-chaussée sont dépourvues de décoration et un peu sombres. Quelques bahts de plus vous assureront, dans les étages supérieurs, des chambres ornées de boiseries d'un bon rapport qualité/prix.

**Pin Hotel** (☎ 0 5422 1509 ; 8 Th Suan Dok ; ch 500-950 B ; ). Un excellent choix que ces chambres impeccables, spacieuses et calmes, avec TV sat, minibar et grande sdb. Agent de voyages sur place pour s'occuper de vos réservations sur des vols nationaux ou internationaux.

### CATÉGORIES MOYENNE ET SUPÉRIEURE

**Lampang Wiengtong Hotel** (☎ 0 5422 5801/2 ; www.lampangwiengthonghotel.com ; 138/109 Th Phahonyothin ; ch 600-1 200 B, ste 2 500 B ; ). Sans surprise,

## LA CUISINE DU NORD

Comme la langue, la cuisine thaïlandaise prend, chaque fois que vous franchissez une frontière provinciale, une forme légèrement différente. La cuisine des provinces du Nord n'est pas une exception et reflète le climat relativement frais qui connaît le changement de saison, sans oublier que l'on aime ici le porc, les légumes et tout ce qui est frit. Traditionnellement, les habitants du Nord ne mangeaient que du *kôw nĕe·o*, riz gluant appelé ici *kôw nĕung*, et n'utilisaient quasi jamais le lait de coco. La cuisine du Nord est sans doute l'une des moins épicées de Thaïlande, mettant plutôt l'accent sur des saveurs amères ou amères/relevées.

Cela peut sembler paradoxal, mais il est malheureusement très difficile de trouver une authentique cuisine locale en dehors de Chiang Mai et des autres grandes villes de la région. Relativement peu de restaurants servent des plats du Nord. Ce sont les étals de rue qui vendent les vraies spécialités du coin dans des "sacs à emporter". Cependant, si vous dénichez un restaurant local, voici quelques plats qu'il faut absolument goûter :

- *Gaang hang·lair* – d'origine birmane (*hang* est une déformation du birman *hin*, curry), un riche curry de porc souvent présent lors des jours de fête
- *Kâap mŏo* – couenne de porc rissolée, bien croustillante, servie en accompagnement
- *Kôw gân jîn* – petits paquets en feuille de bananier contenant du riz mélangé à du sang que l'on cuit à la vapeur et que l'on sert avec de l'huile à l'ail
- *Kôw soy* – plat de nouilles au curry très apprécié, sans doute d'origine birmane et introduit en Thaïlande du Nord par des marchands chinois
- *Kà·nŏm jin nám ngée·o* – nouilles de riz fraîches dans un bouillon à la tomate et au porc
- *Lâhp kôo·a* – ou "*lâhp* frit", ce plat n'est autre que la célèbre "salade" thaïlandaise de viande hachée, frite ici avec un mélange d'herbes aromatiques amères et d'épices séchées
- *Lôo* – sang mélangé à une pâte de curry qui vient relever des tripes frites et des nouilles craquantes (ne plaira pas à tous !)
- *Năam* – viande de porc fermentée, au goût aigre, qui s'avère cependant un délice
- *Nám prík nùm* – piments verts, échalotes et ail sont grillés puis écrasés en une pâte qui accompagne riz gluant, légumes blanchis et couennes de porc rissolées
- *Nám prík òrng* – sauce aux piments d'origine shan dans laquelle on ajoute tomates et porc haché, en quelque sorte une bolognaise du Nord
- *Sâi òo·a* – saucisse de porc grillée servie avec une profusion d'herbes fraîches
- *Ŧam sôm oh* – à la papaye verte du *sôm·đam*, on substitue dans le Nord un pamplemousse
- *Đôm yam* – version du Nord de ce classique thaïlandais, avec le même mélange d'herbes amères et d'épices séchées que dans le *lâhp kôo·a*

le plus grand hôtel de Lampang vous offre les chambres les plus spacieuses que nous ayons vues. La mauvaise nouvelle cependant est que rien n'a vraiment été fait pour les rendre agréables. De plus, les chambres bon marché sont étouffantes, avec des petites baignoires.

**Tipchang Lampang Hotel** (☎ 0 5422 6501 ; www.tipchanghotel.com ; 54/22 Th Thakhrao Noi ; ch avec petit-déj 700-1 400 B, ste 1 500-2 000 B ; ). Vaste et imposant hôtel dont les chambres très années 1970 auraient bien besoin d'être remises au goût du jour. La piscine et la vue depuis les étages supérieurs sont une raison de choisir cet hôtel, qui se veut de luxe.

**Wienglakor Hotel** (☎ 0 5431 6430-5 ; www.wienglakor.com ; 138/35 Th Phahonyothin ; ch 900-2 400 B, ste 2 500 B ; ). Pour ceux qui recherchent le luxe, voici la meilleure option de Lampang. Dès l'accueil, teck et copies de statues bouddhiques antiques composent un décor raffiné, qui se poursuit dans les chambres. Dans la catégorie deluxe, celles-ci comportent un coin salon et un vaste dressing. Autre touche agréable : le restaurant est installé dans un jardin agrémenté d'un bassin à poissons.

## Où se restaurer

Lampang, bien que relativement modeste, n'en offre pas moins un bon répertoire d'établissements de qualité. On aura le choix entre des spécialités du nord de la Thaïlande, de la cuisine occidentale et quelques autres plats entre les deux.

Les habitants de Lampang adorent les *kôw đaan*, des gâteaux de riz frits saupoudrés de sucre de palme, que l'on peut voir confectionner au **Khun Manee** (☎ 0 5431 2272 ; 35 Th Ratsada).

**Pa Pawng** (☎ 08 5706 7748 ; 125 Th Talat Kao ; plats 20-30 B ; 🕑 7h-22h sam et dim). Si vous êtes en ville le week-end, ne manquez pas de vous arrêter dans cet endroit populaire très prisé pour ses *kà·nŏm jin* (des nouilles de riz fraîches garnies de différents currys). Quand vous aurez (facilement) repéré la rangée de marmites en terre où mijotent les currys, vous n'aurez plus qu'à montrer ce qui vous fait envie. La spécialité de tante Pawng est le *kà·nŏm jin nám ngée·o*, des nouilles dans un savoureux bouillon à la mode du Nord avec porc et tomates.

**Aroy One Baht** (☎ 08 970 0944 ; angle Th Suan Dok et Th Talat Kao ; plats 20-90 B ; 🕑 16h-minuit). Certains soirs, on pourrait croire que tout Lampang s'est donné rendez-vous dans cette maison de bois branlante. On comprend pourquoi quand on déguste son excellente cuisine à des prix très bas. Le service est rapide, et le cadre, qui fait penser à un kiosque de jardin, est original.

**Pet Yang Hong Kong** (Th Boonyawat ; plats 25-60 B ; 🕑 8h-18h). Face au Kim Hotel, le meilleur endroit pour un savoureux canard laqué servi avec du riz ou des nouilles. À côté, d'autres enseignes servent aussi riz et nouilles.

**Grandma's Café** (☎ 0 5432 2792 ; 361 Th Thip Chang ; plats 30-40 B ; 🕑 10h-21h). Dans les chaises en teck patinées et les rideaux brodés aux fenêtres, on pourrait reconnaître l'influence de grand-mère ; pourtant, elle n'a sans doute rien à voir dans les tons gris ardoise et le décor minimaliste de ce café tendance. Faites-y une halte pour un bon café ou un plat de riz qui n'excédera que très rarement les 30 B.

**Krua 312** (Th Thip Chang ; plats 30-60 B ; 🕑 10h-21h). Installé dans une charmante boutique en bois, orné de photos en noir et blanc de Lampang et du roi, ce petit restaurant tout simple sert de bons currys et des plats de nouilles ou de riz.

**Riverside Bar & Restaurant** (☎ 0 5422 1861 ; 328 Th Thip Chang ; plats 45-225 B ; 🕑 11h-minuit). Cette vieille baraque en bois donne l'impression qu'elle va s'écrouler d'un moment à l'autre dans la Mae Wang. Soirées musicales, bar bien fourni et carte interminable de plats régionaux et occidentaux en font l'endroit la plus couru de la ville, attirant aussi bien les Thaïlandais que les résidents étrangers. Il ne faut pas rater les soirées pizzas (mardi, jeudi, samedi et dimanche).

**Khawng Kin Ban Haw** (72 Th Jama Thewi ; plats 50-110 B ; 🕑 déj et dîner). Juste à la limite du centre-ville, cet endroit favori des habitants mérite une visite quand, à la tombée de la nuit, la bouteille de whisky accompagne tout naturellement le repas. Ici, il faut goûter à des spécialités de la région comme le *gaang kaa gòp* (une soupe aux grenouilles avec force herbes aromatiques) ou le *lâhp kôo·a* (viande hachée sautée avec des épices locales).

Ceux qui veulent faire leurs courses ou qui s'intéressent à la cuisine locale iront arpenter le **marché de nuit** (Th Ratsada ; 🕑 16h-20h). Dans des paniers fume le riz glutineux, que l'on accompagne de douzaines de petits plats exposés sur les étals. On peut aussi trouver à bon marché une authentique cuisine du Nord dans les quelques **stands de déjeuner** (Th Phahonyothin ; plats 20-30 B ; 🕑 10h-14h) installés juste en face du Khelangnakorn Hospital.

## Où prendre un verre

La portion de Th Thip Chang près du Riverside Bar & Restaurant (ci-dessus) représente la scène nocturne de Lampang, avec quelques sympathiques restaurants/pubs de plein air tels le **Relax Pub** (Th Thip Chang ; plats 50-150 B ; 🕑 18h-minuit) et l'établissement au curieux nom de **Gibbon** (Th Thip Chang ; 🕑 19h-minuit).

## Depuis/vers Lampang

### AVION

Plusieurs agences de voyages en ville, dont **Lampang Holidays Co** (☎ 0 5431 0403 ; 260/17 Th Chatchai ; 🕑 9h-19h), peuvent réserver des billets d'avion, ce qui vous évitera un voyage à l'aéroport.

**Nok Air** (☎ centre d'appels national 1318 ; www.nokair.co.th ; aéroport de Lampang) et **PB Air** (☎ 0 5422 6238, Bangkok ☎ 0 2261 0220 ; www.pbair.com ; aéroport de Lampang) assurent 3 vols conjoints par jour entre Lampang et Bangkok (3 025 B, 1 heure).

### BUS

Le terminal des bus de Lampang est assez loin de la ville, à l'intersection de la Hightway Asia 1 et de Th Chantarasurin (15 B en *sŏrng·tăa·ou* collectif).

Des bus fréquents rallient Chiang Mai (ordinaire/2e classe clim/1re classe/VIP 56/76/97/150 B, 2 heures, toutes les 45 min de 6h à 16h) et Phrae (2e classe/1re classe/VIP 88/113/175 B, 2 heures).

Pour Chiang Rai, il y a 3 départs par jour (162 B, 4 heures, 6h30, 9h et 15h). Des bus relativement fréquents rejoignent aussi Nan (2e classe clim/1re classe/VIP 169/218/335 B, 4 heures) et Phitsanulok (2e classe clim/1re classe/VIP 176/227/265 B, 4 heures). Les bus pour les autres destinations du nord de la Thaïlande partent généralement entre 8h et 18h.

Pour Bangkok, la plupart des bus partent vers 20h (2e classe clim/1re classe/VIP 399/513/710 B, 8 à 9 heures). **Thongtae Travel & Service** (☎ 0 5432 2813 ; 250/2 Th Thip Chang ; 🕑 9h-19h) peut réserver des billets de bus pour Bangkok.

#### TRAIN

La vieille **gare ferroviaire** (☎ 0 5421 7024 ; Th Phahonyothin) de Lampang, qui date de 1916, est assez éloignée par rapport aux hôtels de la ville.

Le train est un moyen relativement lent mais confortable pour voyager entre Lampang et Chiang Mai (3e classe/2e classe 23/50 B, 2-3 heures, 6/j). De plus, chaque jour, plusieurs trains sur leur trajet de/vers Bangkok s'arrêtent à Lampang (3e classe ventil 256 B, 2e classe clim/ventil. 574/394 B, 2e classe ventil couchette sup/inf 494/544 B, 2e classe clim couchette sup/inf 754/844 B, 1re classe couchette 1 272 B, 12 heures, 6/j), la majorité d'entre eux passant à la gare entre 17h et 23h. Pour les horaires et les tarifs récents, appelez le **State Railway of Thailand** (☎ ligne gratuite 24h/24 1690) ou consultez leur site (www.railway.co.th).

## ENVIRONS DE LAMPANG

### Wat Phra That Lampang Luang

วัดพระธาตุลำปางหลวง

Cet ancien ensemble abrite plusieurs bâtiments religieux très intéressants, dont sans doute le plus beau temple en bois de style lanna dans le nord de la Thaïlande. Le **Wihan Luang**, un impressionnant *wí·hăhn* ouvert sur les côtés, qui daterait de 1476, au triple toit soutenu par d'immenses piliers de teck, est considéré comme la plus ancienne construction en bois de tout le pays. Dans le périmètre supérieur de la structure, sur les panneaux de bois intérieurs, sont peintes des fresques du début du XIXe siècle représentant des *jataka* (récits des vies antérieures du Bouddha). L'énorme *mon·dòp* doré, à l'arrière du *wí·hăhn*, renferme un bouddha réalisé en 1563.

Le petit **Wihan Ton Kaew**, tout simple, au nord du *wí·hăhn* central, date de 1476.

Derrière le *wí·hăhn* central, l'impressionnant *chedi* de style lanna, érigé en 1449 et restauré en 1496, mesure 45 m.

Au nord du *chedi*, le **Wihan Nam Taem**, construit au début du XVIe siècle, porte encore des traces des fresques d'origine, qui sont les plus anciennes du pays.

Le **Wihan Phra Phut** (20 B), au sud du *chedi* principal, remonte au XIIIe siècle et est la structure la plus ancienne de l'ensemble.

Il est dommage que seuls les hommes soient autorisés à regarder l'image du *wí·hăhn* et du *chedi* projetée dans le **Haw Phra Phutthabaht**, petit édifice blanc à l'arrière du *chedi*. L'image inversée qui s'inscrit sur un drap blanc montre clairement les couleurs des structures.

Le linteau surmontant l'entrée est orné d'un impressionnant dragon, motif jadis commun dans les temples de la région, mais qui se rencontre rarement à présent. Cette porte daterait du XVe siècle.

L'arboretum à l'extérieur de l'entrée sud abrite trois **musées**. L'un présente essentiellement des objets relatifs aux cérémonies, ainsi que quelques bouddhas. Le deuxième, appelé "maison du Bouddha d'Émeraude", abrite une collection hétéroclite : pièces de monnaie et billets, bouddhas, coffrets en argent et noix de bétel, laques, etc., ainsi que trois petits bouddhas dorés à la feuille, placés sur un autel derrière un énorme bol en argent repoussé. Le troisième, modeste et plaisant, expose bouddhas, boîtes laquées, manuscrits et céramiques.

Le Wat Phra That Lampang Luang est à 18 km au sud-ouest de Lampang. Pour vous y rendre avec les transports en commun, prenez un *sŏrng·tăa·ou* (20 B) sur Th Rawp Wiang à destination de Ko Kha. Ensuite, la course de 3 km en moto-taxi agréé depuis la station des *sŏrng·tăa·ou* jusqu'au temple revient à 40 B. Des minibus stationnés à l'extérieur vous ramèneront en ville pour 30 B.

Si vous arrivez de Lampang en voiture ou à vélo, empruntez la Highway Asia 1 vers le sud, puis prenez la sortie Ko Kha. Tournez à droite après le pont, suivez les indications sur 3 km, jusqu'au pont suivant, qu'il faut traverser. Vous apercevrez alors le temple sur votre gauche. Au cas où vous viendriez de Chiang Mai par la Highway 11, bifurquez au sud en empruntant la Route 1034 (l'embranchement est à 18 km au nord-ouest de Lampang, au Km 13). Ce raccourci vous épargne 50 km et une bonne partie du trafic urbain.

Si vous avez votre propre véhicule, vous pouvez poursuivre par la visite du magnifique **Wat Lai Hin**, également à Ko Kha. Si vous arrivez par Ko Kha, le temple est à quelque 6 km, au bas d'une route qui part sur la gauche, 1 km avant le Wat Phra That Lampang Luang. Construit par des artistes de Chiang Tung, en Birmanie, ce petit temple, l'un des plus caractéristiques des temples lanna de la région, a inspiré le dessin de l'hôtel Mandarin-Oriental Dhara Dhevi à Chiang Mai. Une superproduction du cinéma thaïlandais, *La Légende de Suriyothai* (2001), y a également été tournée.

## Thai Elephant Conservation Center et ses environs

ศูนย์อนุรักษ์ช้างไทย

Dans le district d'Amphoe Hang Chat, à 33 km de Lampang, ce **centre de protection de l'éléphant thaïlandais** (TECC ; ☎ 0 5424 7875 ; www.changthai.com ; enfant/adulte avec navette 30/70 B ; ⌚ bain des éléphants 9h45 et 13h15, représentations 10h, 11h et 13h30) promeut le rôle de l'éléphant d'Asie dans l'écotourisme. Il administre également des soins et des traitements médicaux aux pachydermes malades venant de l'ensemble du pays. Pour plus d'informations sur le triste sort des éléphants de Thaïlande, voir p. 54.

Dans ce centre de 122 ha, le spectacle avec les éléphants est moins touristique qu'ailleurs, plus pédagogique. On peut ainsi admirer l'habileté des éléphants à tirer des troncs d'arbre, apprécier leurs talents de peintres ou encore de musiciens lors de concerts sur des xylophones géants. Une exposition raconte l'histoire de cet animal dans la culture thaïe, et une galerie d'art réunit les œuvres des éléphants. On trouve aussi un cimetière et, bien sûr, des **promenades à dos d'éléphant** (15/30/60 min 100/400/800 B ⌚ 8h-15h30) dans la forêt environnante.

Des programmes avec activités autour des éléphants proposent un séjour au centre (voir l'encadré ci-dessous), avec hébergement dans les maisonnettes sommaires des mahouts, ou dans les bungalows du **Chang Thai Resort** (☎ 08 618 1545 ; bungalows 1/2 ch 1 000/1 500 B). Le centre compte 3 restaurants.

Tous les bénéfices que représentent les entrées et la vente de souvenirs vont à l'hôpital des éléphants se trouvant sur le site. Celui-ci prend soin des sujets âgés, abandonnés ou malades, venus de toute la Thaïlande, tout en travaillant à la préservation de l'espèce grâce à divers programmes de recherche et d'élevage.

À côté du TECC, mais non affilié à ce dernier, le **FAE's Elephant Hospital** (Friends of the Asian Elephant ; ☎ 08 1914 6113 ; www.elephant-soraida.com ; ⌚ visites bienvenues entre 8h et 13h) se dit être le premier hôpital de ce genre au monde. Bien que les visites soient encouragées, gardez à l'esprit que vous êtes dans une structure médicale en fonction. Ici, vous n'aurez aucune visite guidée et ne verrez certainement pas les peintures des éléphants. Les dons sont très appréciés. En juin 2008, le centre a enregistré une autre première en posant avec succès une prothèse de jambe à un éléphant.

Pour rejoindre les deux sites, prenez un bus ou un *sŏrng·tăa·ou* (25 B) pour Chiang Mai au terminal principal de Lampang. Indiquez votre destination au chauffeur et descendez au Km 37. Le centre se trouve à 1,5 km de la route.

### DEVENIR MAHOUT

Si vous vous passionnez pour les éléphants, le **stage de formation** dispensé par le Thai Elephant Conservation Center (☎ 0 5424 7875 ; www.thaielephant.org ; 1/2/3/6/10 jours 3 500/8 000/12 000/20 000/35 000 B) vous propose divers stages d'un jour à un mois, dans l'intention de faire de vous un *kwahn cháhng* ou mahout (cornac).

Au programme de la populaire session d'une journée : apprentissage des premiers gestes pour diriger l'éléphant, découverte du papier fait à partir de la bouse, balade dans la jungle à dos de pachyderme et visite de l'hôpital. Plus approfondi, le stage de 3 jours avec 2 nuits **sur place** (☎ 0 5424 7875 ; 2/3 jours 5 800/8 500 B), repas inclus, offre une première nuit dans un bungalow équipé, en bois et en bambou, et une deuxième dans un camp situé dans la jungle, ainsi qu'une introduction générale aux soins et au dressage de l'éléphant.

Les stages sont dispensés pour deux participants ou plus et comprennent tous les repas et l'hébergement. Appelez si vous désirez suivre une formation longue, car elles sont souvent réservées longtemps à l'avance.

Vous pouvez aussi louer un *sŏrng·tăa·ou* bleu pour 350 à 500 B au terminal des bus.

Si vous avez votre propre véhicule, sur le chemin, vous pourrez vous arrêter au **marché de Thung Kwian**, à 25 km de Lampang. Très prisé des Thaïlandais, ce marché représente une véritable initiation à la cuisine et à l'artisanat de cette région. On y trouve absolument tout, des *rót dòo·an* (vers en friture, grande spécialité du Nord) jusqu'aux bols à motifs de coq fabriqués par les céramistes de Lampang.

### Autres curiosités

Au nord et à l'est de Lampang, les villages de **Jae Hom** et de **Mae Tha** sont spécialisés dans le tissage du coton. Vous pouvez observer les métiers en action et faire quelques achats (des commerces longent la rue principale).

Le district de **Ngao**, à 85 km au nord de Lampang, est devenu une sorte de haut lieu touristique en raison d'un certain nombre de sites discrets mais difficiles d'accès sans son propre véhicule. La **Tham Pha Thai** (grotte de Pha Thai) et le parc national du même nom se trouvent à 20 km au sud de Ngao. La grotte abrite un grand bouddha entouré de stalactites et de stalagmites. Le **Wat Chong Kham**, à 15 km au sud de Ngao, comprend un *wí·hăhn* en bois de style birman au toit à sept niveaux. Le temple accueille également la plus grande école bouddhiste de Thaïlande du Nord ; durant la journée, on y voit étudier dans des classes ouvertes les jeunes moines et les novices. Juste au sud de la route qui tourne vers Ngao, le **Wat Mon Sai Non**, perché sur une colline, permet de contempler les environs. La ville de Ngao possède un vieux pont suspendu. Le seul hébergement dans le coin est le **Sompong Resort** (☎ 08 1746 5270 ; Hwy Asia 1 ; ch 500 B), un complexe fier de faire aussi karaoké, à quelque 3 km au sud après l'embranchement pour Ngao.

Les cascades et les chutes d'eau sont très nombreuses dans la province. Trois d'entre elles se trouvent dans le district de Wang Neua, à 120 km au nord du chef-lieu par la Route 1053 : **Wang Kaew, Wang Thong** et **Than Thong** (Jampa Thong). Wang Kaew est la plus haute. Près du sommet se trouve un village mien. Depuis 1990, cette zone appartient au **parc national de Doi Luang** (☎ 08 5316 3363 ; Tambon Mae Yen, Amphoe Phan, Chiang Rai ; 200 B) qui, sur 1 172 km², protège serows, muntjacs, pangolins et macaques à queue-de-cochon.

Dans le district de Meuang Pan, à mi-chemin de Lampang et de Wang Neua, une autre cascade, **Nam Tok Chae Son**, fait partie du **parc national de Jae Son** (☎ 0 5422 9000 ; Tambon Jae Son, Amphoe Meuang Ban, Lampang ; 200 B). Certains sommets atteignent plus de 2 000 m d'altitude. Jae Son se partage en six chutes, chacune avec son bassin. Près de la cascade, on ne trouve pas moins de neuf sources d'eau chaude. De petites huttes abritent chacune une baignoire ronde, creusée à même le sol et carrelée. Ces bassins sont en permanence alimentés par l'eau des sources chaudes. Pour 20 B, vous avez droit à une baignade d'une vingtaine de minutes, avec une douche froide vivifiante avant et après.

On peut camper dans les deux parcs nationaux de Jae Son et de Doi Luang. Jae Son dispose d'un centre d'information des visiteurs, de 12 bungalows à louer et d'un restaurant (commandez votre repas avant la visite). Vous trouverez également de quoi vous sustenter dans les nombreuses échoppes tenues par des particuliers. Pour plus d'informations et pour réserver, contactez le **Royal Forest Department** (☎ 0 2562 0760 ; www.dnp.go.th).

# PROVINCE DE CHIANG RAI

Chiang Rai, la province la plus septentrionale de Thaïlande, possède des paysages très variés. Les montagnes qui se dressent à l'extrême est de la province sont parmi les plus spectaculaires du pays, et les plaines inondables du Mékong au nord-est ressemblent à celles que l'on trouve beaucoup plus au sud dans l'Isan. La province partage des frontières avec le Myanmar et le Laos, permettant un accès aisé vers la Chine.

En termes de population, c'est également l'une des provinces qui regroupe le plus grand nombre d'ethnies, dont des ethnies des montagnes assez importantes comme les Chan et d'autres groupes tai. Depuis peu, des immigrants chinois viennent aussi s'installer ici.

## CHIANG RAI

เชียงราย

**61 188 habitants**

La province de Chiang Rai propose une telle diversité d'attractions touristiques que l'on en oublie souvent sa capitale. Chiang Rai se révèle une petite ville charmante, à l'atmosphère détendue, qui offre de plus de bonnes options d'hébergement et de délicieux restaurants. Elle constitue également une base idéale si l'on projette des excursions dans des coins assez reculés de la province.

Fondée par le roi Phaya Mengrai en 1262, Chiang Rai faisait alors partie du royaume lanna. Elle ne fut intégrée au territoire siamois qu'en 1786 et acquit son statut de province en 1910.

## Renseignements

### ACCÈS INTERNET

Les cybercafés, particulièrement nombreux autour du marché de nuit, facturent 30 B l'heure de connexion.

**Connect Café** (☎ 0 5374 0688 ; 868/10 Th Phahonyothin ; ⏰ 10h30-22h30). Ce cybercafé lumineux et branché sert des brownies maison et un

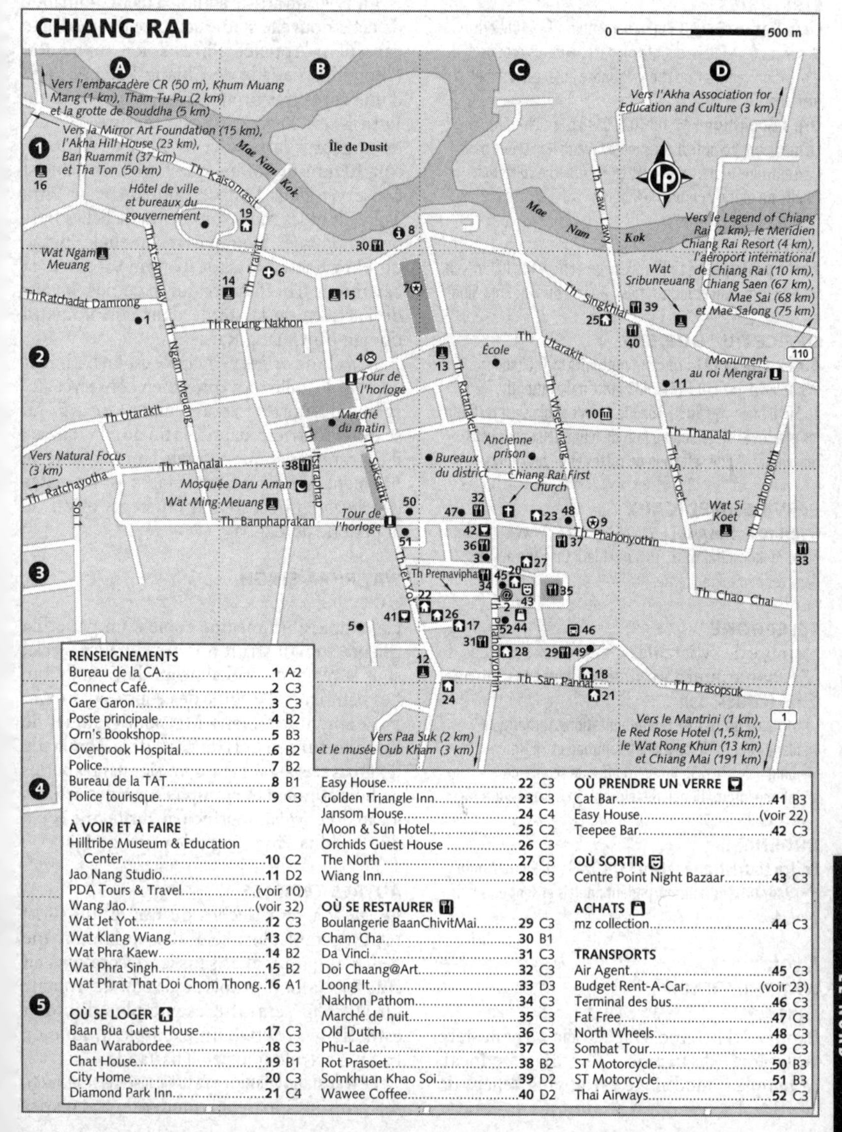

excellent café. Autres services : appels internationaux, transfert de photos numériques sur CD, vente de livres et de cartes, sur fond de musique relaxante.

### ARGENT

Banques et DAB sont nombreux sur Th Phahonyothin et Th Thanalai.

### LIBRAIRIES

**Gare Garon** (869/18 Th Phahonyothin ; 10h-22h). Des livres en anglais, pour la plupart neufs et certains d'occasion vendus trop chers. Propose aussi café, thé et artisanat.

**Orn's Bookshop** ( 08 1022 0318 ; 8h-20h). La meilleure librairie d'occasion à Chiang Rai, tenue par l'excentrique et perspicace Peter. Sa superbe collection couvre un grand nombre de langues.

### POSTE

**Poste principale** (Th Utarakit ; 8h30-16h30 lun-ven, 9h-12h sam, dim et jours fériés). Au sud du Wat Phra Singh.

### OFFICE DU TOURISME

**Bureau de la TAT** (Tourism Authority of Thailand ; 0 5374 4674, 0 5371 1433 ; tatchrai@tat.or.th ; Th Singkhlai ; 8h30-16h30). Si leur anglais est restreint, les employés de ce bureau font de leur mieux pour vous renseigner. Petite sélection de cartes et de brochures.

### SERVICES MÉDICAUX

**Overbrook Hospital** ( 0 5371 1366 ; www.overbrookhospital.com ; Th Singkhlai). On parle anglais dans cet hôpital moderne.

### TÉLÉPHONE

Nombre de cybercafés offrent des services de téléphonie internationale, comme le Connect Café (ci-dessus).

Le **bureau de la CAT** (Communications Authority of Thailand ; angle Th Ratchadat Damrong et Th Ngam Meuang ; 7h-23h lun-ven) offre un service de téléphone international, de télécopie et d'accès à Internet.

### URGENCES

**Police touristique** ( 0 5374 0249 ; Th Phahonyotin ; 24h/24). Les policiers parlent anglais et sont en service 24h/24.

## À voir

### WAT PHRA KAEW

วัดพระแก้ว

Baptisé à l'origine Wat Pa Yia ("monastère de la Forêt de bambou") en dialecte local, ce temple bouddhique est le plus vénéré de la ville. La légende raconte que la foudre frappa le *chedi* octogonal en 1434, lequel, en s'effondrant, laissa apparaître le Phra Kaew Morakot ou Bouddha d'Émeraude (de jade, en fait). Après de longues pérégrinations, dont une étape prolongée à Vientiane au Laos (voir l'encadré p. 131), cet emblème national est désormais installé dans le temple du même nom à Bangkok.

En 1990, un artiste chinois a reçu commande de cette nouvelle statue sculptée dans du jade canadien. Appelée Phra Yok Chiang Rai ("Bouddha de jade de Chiang Rai"), il s'agit d'une copie très proche, mais non exacte, du Phra Kaew Morakot – elle mesure 48,3 cm de largeur à la base et 65,9 cm de hauteur, soit 10 mm de moins que l'original. Elle est conservée dans l'impressionnant Haw Phra Yoke, dont les murs sont ornés de belles fresques modernes. Certaines racontent le voyage du Phra Kaew Morakot d'origine, d'autres la cérémonie très élaborée qui se déroula le jour de l'arrivée de la statue dans son nouveau domaine à Chiang Rai.

La salle de prière principale est un bâtiment en bois de taille moyenne, bien conservé, aux splendides portes en bois sculpté. Le *chedi*, qui se trouve derrière, date de la fin du XIVe siècle ; il est caractéristique du style lanna. À côté, le bâtiment en bois de deux étages est un **musée** ( 9h-17h) qui comprend différents objets de la période de Lanna.

### WAT PHRA SINGH

วัดพระสิงห์

Ce temple abritant une copie d'un bouddha célèbre fut construit à la fin du XIVe siècle, sous le règne de Mahaphrom de Chiang Rai. Les bâtiments d'origine de ce jumeau du Wat Phra Singh de Chiang Mai sont typiques de l'architecture en bois du nord de la Thaïlande (toits bas et évasés). Les impressionnantes portes en bois auraient été sculptées par des artistes locaux. Le *wí·hăhn* principal abrite une copie du bouddha Phra Singh de Chiang Mai.

### AUTRES TEMPLES

Le *chedi* à sept flèches du **Wat Jet Yot** (Th Jet Yot) est semblable à celui de son homonyme de Chiang Mai, mais sans les décorations en stuc. Le plafond en bois de la véranda frontale du *wí·hăhn* central présente plus d'intérêt esthétique : il offre un exemple unique de fresque astrologique en Thaïlande.

Le **Wat Klang Wiang** (angle Th Ratanaket et Th Utarakit), malgré son apparence moderne, a dans les

500 ans. Ce sont les grands travaux de restauration entrepris au début des années 1990 qui ont donné à plusieurs structures du temple ce style unique "Lanna moderne". Seul l'élégant *hŏr đrai* (dépôt des manuscrits) a gardé sa forme originale.

Le **Wat Phra That Doi Chom Thong**, qui couronne une colline, offre une vue limitée sur la rivière dont on sent parfois monter un souffle de brise. Son *chedi* de style lanna remonte probablement à la période allant du XIV^e au XVI^e siècle et recouvre peut-être un *chedi* môn antérieur. Le roi Mengrai, fondateur de Chiang Rai, observa les alentours depuis cette hauteur avant de décider de bâtir la cité.

### MUSÉE OUB KHAM

พิพิธภัณฑ์อูบคำ

Ce **musée** (☎ 0 5371 3349 ; www.oubkhammuseum.com ; 81/1 Military Front Rd ; adulte/enfant 300/100 B ; 🕑 8h-17h), privé, possède une impressionnante collection d'absolument tout ce qui touche à la culture du royaume lanna. Les pièces, dont il n'existe souvent qu'un seul exemplaire, vont d'une spatule en os de singe utilisée par la famille royale pour goûter les aliments à un imposant trône sculpté à Chiang Tung, au Myanmar. Il est obligatoire de se joindre à une visite guidée (en anglais) qui comprend une promenade dans une grotte artificielle dorée renfermant plusieurs bouddhas, éclairés de fausses torches et de flashs disco ! Le musée est tout aussi kitsch, avec un énorme *naga* scintillant d'or et une profusion de cascades et de fontaines. Bref, une expérience à la fois bizarre et instructive.

### HILLTRIBE MUSEUM & EDUCATION CENTER

พิพิธภัณฑ์และศูนย์การศึกษาชาวเขา

Ce **musée et centre d'artisanat** (☎ 0 5374 0088 ; www.pda.or.th/chiangrai ; 3^e niv., 620/1 Th Thanalai ; 50 B ; 🕑 8h30-18h lun-ven, 10h-18h sam et dim) est un endroit à découvrir avant de partir à la rencontre des ethnies montagnardes. Géré par une association à but non lucratif, la Population & Community Development Association (PDA), le centre n'est pas très stimulant dans sa présentation visuelle mais fournit des informations d'une grande richesse sur les différents groupes ethniques de Thaïlande et les sujets qui les concernent. La visite commence par un diaporama de 20 min sur les minorités montagnardes, et les expositions rassemblent des costumes typiques de six grands groupes, des articles de bambou et divers outils et objets ethnographiques. Le conservateur, un passionné, vous parlera des différentes ethnies, de leur histoire, de la situation actuelle et des projets communautaires que son musée aide à promouvoir. La PDA organise aussi d'excellentes randonnées, que nous vous conseillons (voir ci-dessous). Vous trouverez sur le site une boutique de souvenirs et une annexe du restaurant Cabbages & Condoms de Bangkok.

### THAM TU PU ET BUDDHA CAVE

ถ้ำตูปู

Après avoir franchi le pont de Th Winitchaikul pour gagner la rive nord de la Mae Nam Kok, il reste 800 m jusqu'à l'embranchement de Tham Tu Pu et de la Buddha Cave. Suivez la route sur 1 km, puis le chemin de terre qui la prolonge sur 200 m jusqu'au pied de la falaise calcaire où un escalier abrupt conduit à la grotte principale renfermant un bouddha : voilà Tham Tu Pu. Si vous continuez sur la même route pendant encore 3 km, vous atteindrez la grotte du Bouddha, creusée par la Mae Nam Kok, qui héberge un minuscule temple toujours actif, gardé par un moine solitaire et ses chats. Au début du XX^e siècle, quand le roi Rama V visitait la région, il aimait venir jusqu'à ce temple.

Ces sites ne présenteraient guère d'intérêt en eux-mêmes s'ils ne se trouvaient au milieu d'une superbe campagne, destination idéale pour une tranquille balade à bicyclette. Des vélos sont à louer chez Fat Free (p. 368).

## À faire

### TREKKING

Une trentaine d'agences de voyages, de pensions et d'hôtels proposent des randonnées, surtout dans les régions de Doi Tung, Doi Mae Salong et Chiang Khong. La plupart des agences locales se contentent de servir d'intermédiaire pour trouver des guides. Il peut donc se révéler moins coûteux de s'adresser directement à une pension. Comme ailleurs en Thaïlande du Nord, vous avez plus de chances de bénéficier d'une prestation de qualité en recourant aux services d'un guide de la TAT.

Le coût d'une randonnée dépend du nombre de jours, de participants et du type d'activités annexes. Comptez environ 950 B/j et par personne pour un groupe de 6 au minimum, 2 300 B/j chacun pour un couple. En général, tout est compris dans le prix : hébergement, transport et repas.

Pour les règles et les tabous à respecter lors d'une visite dans une communauté montagnarde, voir p. 47.

Les agences ci-dessous ont la réputation d'organiser des randonnées et des circuits culturels responsables, dont les bénéfices sont, dans certains cas, directement investis dans des projets de développement communautaire.

**Akha Hill House** (☎ 08 9997 5505 ; www.akhahill.com). Propriété des Akha, cette installation est complètement gérée par ses membres, qui vous proposent des randonnées de 1 à 7 jours. Vous remonterez la rivière en *long-tail boat,* et randonnerez dans les alentours de la maison akha, située à environ 23 km de Chiang Rai, à une altitude de 1 500 m. L'argent récolté revient à la communauté et à son école.

**Mirror Art Foundation** (☎ 0 5373 7412-3 ; www.mirrorartgroup.org ; 106 Moo 1, Ban Huay Khom, Tambon Mae Yao). Une ONG qui mène nombre de projets admirables pour les ethnies montagnardes, allant de l'éducation à la défense de leurs droits de citoyenneté thaïlandaise. Les randonnées qu'elle organise permettent un véritable échange avec la population des villages.

**Natural Focus** (☎ 0 58881 6869 ; www.naturalfocus-cbt.com ; 129/1 Mu 4, Th Pa-Ngiw, Soi 4, Rop Wiang). Anciennement géré par la Hill Area and Community Development Foundation (www.hadf.org), Natural Focus est désormais privé et propose des circuits de 1 à 15 jours consacrés à la nature et à la vie des habitants des montagnes.

**PDA Tours & Travel** (☎ 0 5374 0088 ; crpdatour@hotmail.com ; 620/1 Th Thanalai ; Hilltribe Museum & Education Center). Circuits à caractère culturel, de 1 à 3 jours, menés par les guides de la PDA, originaires des ethnies montagnardes. Les bénéfices sont investis dans des projets de développement communautaire : campagne d'information sur le sida, dispensaires mobiles, bourses scolaires et mise en place de banques autogérées par les villages.

C'est à l'embarcadère de Chiang Rai que vous trouverez des bateaux pour remonter la rivière jusqu'au Tha Ton (p. 367). À 1 heure de bateau de Chiang Rai, **Ban Ruammit** est un gros bourg karen d'où l'on peut se rendre par ses propres moyens vers d'autres villages lahu, mien, akha et lisu, tous à une journée de marche. Les randonnées individuelles sont possibles également dans la région de **Wawi**, au sud de la ville de Mae Salak.

### MASSAGES TRADITIONNELS

**Wang Jao** (☎ 08 9787 0123 ; 542 Th Ratanaket ; massage 600 B ; 9h-18h lun-sam, 13h-18h dim). Dans le même immeuble que Doi Chaang@Art, ce spa met en avant les traitements et les massages traditionnels thaïlandais, et propose des cours de massage sur 5 jours.

### PORTRAITS LANNA

Habillez-vous comme l'ancienne famille royale du Lanna et faites-vous tirer le portrait – incontournable pour les Thaïlandais qui visitent Chiang Mai et Chiang Rai. **Jao Nang Studio** (☎ 0 5371 7111 ; 645/7 Th Utarakit ; 10h-19h) propose un beau choix de costumes et de toiles de fond. La boutique voisine vend également différents costumes du Nord et autres articles de la région.

## Où se loger

Chiang Rai propose une bonne gamme d'hébergement, aujourd'hui encore plus abordable que dans d'autres grandes agglomérations, car les prix n'ont que très peu augmenté depuis la dernière édition de ce guide. Les hôtels sont concentrés dans deux zones du centre-ville : autour de Th Jet Yot et en retrait de Th Phahonyothin.

### PETITS BUDGETS

**Easy House** (☎ 0 5360 0963 ; 869/163-4 Th Premaviphat ; ch 170 B). Les chambres simples mais plaisantes représentent le meilleur choix pour ceux dont le budget est serré. Sdb communes impeccables, personnel amical et serviable, chaleureux restaurant-pub au rez-de-chaussée. Situation centrale.

**Baan Bua Guest House** (☎ 0 5371 8880 ; www.baanbuaguesthouse.com ; 879/2 Th Jet Yot ; ch 200-350 B ; ). Cette pension tranquille compte 17 chambres peintes en vert étincelant organisées autour d'un accueillant jardin. Le guide qui vous emmène en excursion travaille ici depuis 10 ans.

**City Home** (☎ 0 5360 0155 ; 868 Th Phahonyothin ; ch 250-400 B ; ). Au bout d'un minuscule *soi,* en plein centre-ville, petit hôtel tranquille de 4 étages. Parmi ses 17 chambres spacieuses, celles avec clim sont parquetées et bien meublées, avec TV sat. Au rez-de-chaussée, quelques chambres avec ventil, sentant un peu le moisi, partagent une sdb.

**Jansom House** (☎ 0 5371 4552 ; 897/2 Th Jet Yot ; ch 450 B ; ). Cet hôtel de 3 étages offre des chambres spacieuses et impeccables aménagées autour d'une petite cour fleurie. À ce prix, on est franchement étonné de trouver une TV sat dans la chambre, une jolie sdb et des sols carrelés. Excellent rapport qualité/prix.

**Orchids Guest House** (☎ 0 5371 8361 ; www.orchidsguesthouse.com ; 1012/3 Th Jet Yot ; ch 450 B ; ). Dans un ensemble résidentiel, les chambres immaculées de cette pension, ouverte depuis 2 ans, paraissent flambant neuves. Diverses commodités sur place, dont l'accès Internet et une navette pour l'aéroport (250 B).

**The North** (☎ 0 5371 9873 ; www.thenorth.co.th ; 612/100-101 marché Sirikon ; ch 450-650 B ; ). À quelques pas de l'arrêt du bus, ce nouvel hôtel a apporté un peu de couleur dans le paysage terne du marché avoisinant. Les 18 chambres allient design traditionnel thaï et modernité, les plus chères ouvrants sur un joli espace de relaxation. Une chaleureuse atmosphère familiale complète le tout.

**Baan Warabordee** (☎ 0 5375 4488 ; 59/1 Th San Pannat ; ch 500-700 B ; ). D'une villa thaïlandaise moderne de 3 étages est né ce ravissant petit hôtel. Les chambres aux boiseries foncées s'illuminent de tissus faits main. Les sympathiques propriétaires vous donneront des conseils. Presque au bout de la rue résidentielle Th San Pannat.

## CATÉGORIE MOYENNE

**Moon & Sun Hotel** (☎ 0 5371 9279 ; www.moonandsunhotel.com ; 632 Th Singkhlai ; ch 800-1 000 B, ste 1 100 B ; ). Ce petit hôtel lumineux et impeccable dispose de vastes chambres modernes. Certaines avec des lits à colonnes, toutes équipées d'un bureau, d'une TV sat et d'un frigo. Les suites comportent un grand salon.

**Golden Triangle Inn** (☎ 0 5371 1339 ; www.goldenchiangrai.com ; 590 Th Phahonyothin ; ch avec petit-déj 800 B ; ). Le charme d'une belle et vaste maison thaïlandaise (et de son désordre occasionnel). Les 39 chambres, joliment meublées en bois, ont un sol carrelé ou du parquet. L'établissement abrite un restaurant, un bureau de location de voitures Budget et une agence de voyages efficace. Réservez, car l'adresse est très courue.

**Diamond Park Inn** (☎ 0 5375 4960 ; www.diamondparkinn.com ; 74/6 Moo 18, Th San Pannat ; ch avec petit-déj 900-1 050 B, ste avec petit-déj 1 500 B ; ). Stratégie commerciale agressive mise à part ("Quand vous êtes à Chiang Rai, choisissez le Diamond Park Inn"), ce nouvel hôtel représente une fantastique option dans la catégorie moyenne. Chambres vastes et attrayantes, meublées dans le style moderne avec lits sur estrade. Les plus chères ont une baignoire, un grand balcon et sont spacieuses.

**Red Rose Hotel** (☎ 0 5375 6888 ; www.redrosehotel.com ; 14 Th Prachasanti ; ch avec petit-déj 900-1 050 B, ste avec petit-déj à partir de 1 600 B ; ). Avec ses airs de Disneyland sous acide, le Red Rose est l'hôtel le plus farfelu de Thaïlande du Nord. Le propriétaire, inspiré par les parcs d'attractions américains, a créé des chambres sur le thème des ovnis, de la jungle ou des bateaux de croisière (à quand une chambre dédiée à la boxe thaïlandaise avec lit en forme de ring et ballon de frappe ?). Les espaces de détente communs sont bien équipés : de la table de ping-pong au billard. Une option idéale pour les familles ou les adultes qui sont restés enfants.

## CATÉGORIE SUPÉRIEURE

**Mantrini** (☎ 0 5360 1555-9 ; www.mantrini.com ; 292 Moo 13, Robwiang sur la Superhighway ; ch 2 880-3 290 B, ste 9 700 B ; ). À 2 km du centre-ville, mais disposant d'une navette, cet hôtel plaira aux voyageurs privilégiant le design. Les chambres sont délicieusement chics, certaines arborant une sdb avec une magnifique baignoire encastrée dans le sol. Les deux "Sweet Rooms" se font particulièrement remarquer par leurs faux motifs victoriens intégrant avec succès des éléments disparates comme un masque africain et un cheval à bascule.

**Wiang Inn** (☎ 0 5371 1533 ; www.wianginn.com ; 893 Th Phahonyothin ; ch 3 296-3 422 B ; ). Le vaste et moderne lobby donne le ton de cet hôtel central pour hommes d'affaires. Chambres bien tenues, quelques notes thaïes. Les moins chères ne disposent que d'un lit double. Tarifs de basse saison nettement plus avantageux.

**Legend of Chiang Rai** (☎ 0 5391 0400 ; www.thelegend-chiangrai.com ; 124/15 Moo 21, Th Kohloy ; ch 3 900-5 900 B, villa 8 100 B ; ). L'un des rares établissements de la ville à tirer parti de sa situation au bord de la rivière, ce complexe luxueux ressemble à un village traditionnel lanna. Chambres romantiques et raffinées, avec tonalité crème et mobilier de rotin. Chacune dispose d'une véranda privée, au verre dépoli pour l'intimité, et d'une sdb semi-extérieure dotée d'une douche démesurée. Les villas ont une petite piscine privée. Cerise sur le gâteau : l'immense piscine et le spa, près de la rivière.

**Le Meridien Chiang Rai Resort** (☎ 0 5360 3333 ; www.lemeridien.com ; 221/2 Moo 20, Th Kwaewai ; ch 6 800-9 800 B, ste 15 500 B ; ). Le plus récent des hôtels de Chiang Rai dans la catégorie luxe, à 2 km du centre-ville, sur une superbe portion de la rivière Kok. Chambres immenses, dans des tons gris, blancs et noirs. En plus des prestations que l'on peut attendre d'un tel établissement, deux restaurants et une vaste piscine.

## Où se restaurer

Au marché de nuit, les étals proposent un bon choix d'en-cas et de plats, allant des *wonton* (raviolis) frits au poisson frais, que l'on peut déguster sur les tables attenantes. Juste à côté, vous pouvez aussi entrer dans l'un des nombreux restaurants installés dans Th Phahonyothin et les environs.

**Paa Suk** (enseigne en thaï ; ☎ 0 5375 2471 ; Th Sankhongnoi ; plats 10-25 B ; 8h-15h lun-sam). Ce restaurant familial aux mains de la troisième génération est immensément populaire pour le *kà·nŏm jin nám ngée·o*, une spécialité locale qui consiste en un clair bouillon de porc ou de bœuf aux tomates versé sur des nouilles de riz fraîches. Juste après le premier feu sur Th Sankhongnoi (cette rue prend le nom de Th Sathan Phayaban à partir de l'intersection avec Th Phahonyothin), à peu près en face de HI Saban-nga.

**Somkhuan Khao Soi** (enseigne en thaï ; Th Singkhlai ; plats 25 B ; 8h-15h lun-ven). Dans son stand sommaire installé entre deux arbres gigantesques, le sympathique M. Somkhuan vend les meilleurs *kôw soy* de Chiang Rai, une spécialité de nouilles au curry.

**Rot Prasoet** (cuisine musulmane ; Th Itsaraphap ; plats 25-50 B ; 7h-20h). Près de la mosquée, dans Th Itsaraphap, ce restaurant sert de succulentes spécialités musulmanes, dont le *kôw mòk gài*, une version thaïlandaise du poulet *biryani*.

**Loong It** (cuisine locale ; Th Wat Phranorn ; plats 30-60 B ; 8h-15h). Si vous voulez manger comme les habitants de Chiang Rai, inutile d'aller plus loin que cette cabane rustique qui sert de délicieuses spécialités du Nord. Un menu en anglais est affiché sur le mur, mais ne manquez pas le sublime *lâhp gài*, du poulet haché sauté avec des herbes et garni d'ail et d'échalotes bien dorées. Dans Th Phranor, près de l'intersection avec le Superhighway ; repérez l'enseigne "Local Food".

**Cham Cha** (Th Singkhlai ; plats 35-100 B ; 7h-16h lun-sam). Échoppe minuscule, idéale pour prendre le petit-déjeuner ou le déjeuner. Outre les plats thaïlandais et chinois classiques, on y déguste quelques spécialités isan qui ne figurent pas dans le menu en anglais, comme le *lâhp* (salade de viande hachée épicée) et le *sôm·đam* (salade de papaye verte épicée), ainsi que des glaces.

**Nakhon Pathom** (enseigne en thaï ; Th Phahonyothin ; plats 40-60 B ; 8h-15h). Autre restaurant de la région qui porte le nom d'une ville du centre de la Thaïlande et qui doit sa popularité à son *kôw man gài* (riz au poulet) et son *gŏo·ay đĕe·o Ѣèt yâhng* (canard rôti avec des nouilles de riz).

**Old Dutch** (541 Th Phahonyothin ; plats 50-1 000 B ; 8h-minuit). Ce restaurant douillet, chaleureux envers les étrangers, est un choix judicieux pour ceux qui ne sont pas encore prêts pour une authentique cuisine thaïlandaise. Grand

### LA CULTURE DES CAFÉS À CHIANG RAI

La modeste ville de Chiang Rai étonne par l'abondance de ses cafés de style occidental d'une grande qualité. En fait, il n'y a là rien de surprenant, puisque la plupart des meilleurs cafés de Thaïlande sont cultivés dans les coins les plus reculés de la province. Voici quelques adresses parmi les plus intéressantes.

- **Boulangerie BaanChivitMai** (☎ 08 1764 7020 ; www.baanchivitmai.com ; Th Prasopsuk ; 7h-21h lun-sam, 14h-21h dim). Dans cette boulangerie réputée, le café local soigneusement préparé peut se déguster avec des pâtisseries suédoises. Les bénéfices vont à l'organisation BaanChivitMai, qui gère des programmes de logement et d'éducation pour les enfants vulnérables, orphelins ou atteints du sida.
- **Doi Chaang@Art** (☎ 0 5375 2918 ; 542/2 Th Rattanakhet ; 7h-22h). Le café Doi Chaang est la marque la plus servie à Chiang Rai, et ses grains sont aujourd'hui exportés jusqu'au Canada et en Europe. Outre le sublime Doi Chaang, on vous servira de délicieux gâteaux. Juste à côté, le Doi Soong Cha est un petit salon de dégustation de thés chinois, récoltés également dans la province de Chiang Rai.
- **Wawee Coffee** (angle Th Singkhlai et Th Si Koet ; 7h-22h). Ce vaste café moderne sert un autre excellent café cultivé dans la région et toute une gamme de boissons créatives autour de ce même café. Entre deux gorgées, consultez vos e-mails sur l'un des grands écrans iMac ou lisez le journal que vous pouvez acheter au kiosque attenant.

choix d'excellents plats internationaux et bière à la pression très bon marché.

**Phu-Lae** (☎ 0 5360 0500 ; 612/6 Th Phahonyothin ; plats 60-150 B ; ⏰ déj et dîner). Les touristes thaïlandais adorent ce restaurant climatisé pour ses savoureuses spécialités du Nord qui, bizarrement, n'apparaissent pas dans le menu en anglais. Mais vous pourrez montrer ce que vous voulez dans la vitrine à l'avant. Nous vous recommandons le *gaang hang·lair*, de la poitrine de porc dans un riche curry de style birman, accompagné d'ail au vinaigre, et le *sâi òo·a*, des saucisses aux herbes.

**Da Vinci** (☎ 0 5375 2535 ; 879/4-5 Th Phahonyothin ; plats 125-300 B ; ⏰ 12h-23h). Restaurant élégant, plus cher, qui sert toute une gamme de plats italiens. Ses pizzas au feu de bois sont des plus appréciées.

## Où sortir et prendre un verre

Les bars s'alignent Th Jet Yot, la rue le plus animée. Les *go-go bars*, de réputation douteuse, sont à l'extrémité de Th Jet Yot, dans une ruelle en L, qui débouche dans Th Banphaprakan.

**Teepee Bar** (Th Phahonyothin ; ⏰ 18h30-minuit). Ici se retrouvent backpackers et hippies thaïlandais. C'est une bonne adresse pour échanger des informations.

**Cat Bar** (1013/1 Th Jet Yot ; ⏰ 17h-1h). Le service aimable, la bière très fraîche et les chansons de Bob Dylan font de ce bar l'un des plus plaisants de Th Jet Yot. Table de billard et concerts chaque soir à 22h30.

**Easy House** (☎ 0 5360 0963 ; Th Premaviphat ; ⏰ 11h-minuit). À l'angle de Th Jet Yot et de Th Premaviphat, cette auberge pour globe-trotteurs sert au rez-de-chaussée bières et plats sur des tables de bois rustiques.

**Centre Point Night Bazaar** (en retrait de Th Phahonyothin). Tous les soirs, spectacles gratuits de musique et de danse du Nord.

## Achats

Près de la gare routière, en retrait de Th Phahonyothin, se trouve le **marché de nuit** (⏰ 18h-23h) de Chiang Rai. Beaucoup plus petit que celui de Chiang Mai, il n'en offre pas moins un bon choix d'artisanat à des prix raisonnables. En entrant par Th Phahonyothin, sur le côté droit, **MZ Collection** (☎ 0 5375 0145 ; www.mzcollection.com ; 426/68 Kok Kalair) propose des articles en argent originaux, élaborés à la main, ainsi que des pierres semi-précieuses. Chaque pièce étant unique, vous ne pourrez pas trop marchander.

Si vous êtes à Chiang Rai un samedi soir, ne manquez pas le **Kaat Jiang Hai Ramleuk** (⏰ 16h-22h), un marché de rue très étendu qui vend toutes les spécialités de la province, des objets d'artisanat aux plats locaux. Il va du Hilltribe Museum dans Th Thanalai jusqu'au marché du matin.

## Depuis/vers Chiang Rai

### AVION

L'**aéroport de Chiang Rai** (☎ 0 5379 8000) se trouve à 8 km au nord de la ville. De l'aéroport, la course en taxi pour le centre-ville revient à 200 B. À l'extérieur de l'aéroport, un *túk-túk* coûte environ 250 B. Le terminal comprend des restaurants, un comptoir de change, un bureau de poste (ouvert de 7h à 19h) et des loueurs de voitures.

En ville, **Air Agent** (☎ 0 5374 0445 ; 863/3 Th Phahonyothin ; ⏰ 8h30-21h) se chargera de vos réservations sur des vols nationaux ou internationaux. Vous pouvez aussi réserver en ligne ou aller directement aux bureaux des compagnies présentes à l'aéroport :

**Air Asia** (☎ 0 5379 3545/8275 ; www.airasia.com ; aéroport de Chiang Rai). Assure des vols entre Bangkok et Chiang Rai (à partir de 1 800 B, 1 heure 15, 3/j).

**Nok Air** (☎ centre d'appels national 1318 ; www.nokair.co.th ; aéroport de Chiang Rai). Avec son partenaire **SGA Airlines** (☎ 0 5379 8244 ; www.sga.co.th), Nok Air assure 2 vols quotidiens à bord d'avions à réacteurs entre Chiang Rai et Chiang Mai (à partir de 1 690 B, 40 min).

**One-Two-Go** (☎ centre d'appels national 1126 ; www.fly12go.com ; aéroport de Chiang Rai). Un vol quotidien vers Bangkok, aéroport Dong Muang (à partir de 2 100 B, 1 heure 15).

**THAI** centre-ville (☎ 0 5371 1179 ; www.thaiair.com ; 870 Th Phahonyothin ; ⏰ 8h-17h lun-ven) ; bureau de l'aéroport (☎ 0 5379 8202/3 ; ⏰ 8h-20h). Quatre liaisons quotidiennes depuis/vers Bangkok (3 345 B, 1 heure 15).

### BATEAU

Chiang Rai est accessible en bateau sur la Mae Nam Kok au départ de Tha Ton (voir p. 340).

Pour remonter la rivière, rendez-vous au **CR Pier** (☎ 0 5375 0009), au nord-ouest de la ville. Un bateau collectif part chaque jour à 10h30. À ce même embarcadère, vous pouvez aussi affréter un bateau privé jusqu'à Ban Ruammit pour 700 B, voire jusqu'à Tha Ton pour 2 500 B.

**BUS AU DÉPART DE CHIANG RAI**

| Destination | Bus | Prix (B) | Durée (h) |
|---|---|---|---|
| Bangkok | clim | 546 | 12 |
| | 1re classe | 706 | 11 |
| | VIP | 733-1 035 | 11 |
| Ban Huay Khrai (pour Doi Tung) | ordinaire | 28 | ¾ |
| Basang | ordinaire | 20 | ¾ |
| Chiang Khong | ordinaire | 70 | 2 |
| Chiang Mai | ordinaire | 106 | 4 |
| | 1re classe | 191 | 3 |
| | VIP | 295 | 3 |
| Chiang Saen | ordinaire | 38 | 1½ |
| Fang | ordinaire | 95 | 2½ |
| Khon Kaen | clim | 462 | 12 |
| | 1re classe | 594 | 12 |
| Khorat | clim | 508 | 13 |
| | 1re classe | 653 | 12 |
| | VIP | 767 | 12 |
| Lampang | clim | 162 | 5 |
| Mae Sai | ordinaire | 39 | 1½ |
| Mae Sot | clim | 270 | 12 |
| | 1re classe | 347 | 12 |
| Nan | clim | 188 | 6 |
| Phayao | ordinaire | 49 | 2 |
| | clim | 69 | 1½ |
| | 1re classe | 88 | 1½ |
| Phitsanulok | 1re classe | 367 | 7 |
| | VIP | 428 | 7 |
| Phrae | 1re classe | 218 | 4 |

### BUS

Le terminal des bus de Chiang Rai se trouve dans le centre-ville. Les **Green Bus** (☎114, poste 8000 ; www.greenbusthailand.com) y proposent plusieurs lignes très utiles, avec des départs chaque heure pour Chiang Mai et Chiang Khong. Pour Bangkok, le bureau de **Sombat Tour** (☎0 5371 4971 ; Th Prasopsuk) est en face du terminal.

Le tableau ci-dessus vous indiquera les durées de trajet et les tarifs des bus au départ de Chiang Rai.

## Comment circuler

Une course en *săhm·lór* (cyclo-pousse) dans le centre de Chiang Rai coûte environ 40 B, le double en *túk-túk*. Pour le trajet en *sŏrng·tăa·ou* collectif, comptez 15 B par personne.

On peut louer des vélos auprès de **Fat Free** (☎ 0 5375 2532; 542/2 Th Banphaprakan ; vélo de ville/VTT 80/250 B/j ; ⌚ 9h-20h). Vous trouverez des motos auprès de **ST Motorcycle** (☎ 0 5371 3652 ; Th Banphaprakan ; Yamaha TTR moins de 115 cm³ 150-300 B/j, moins de 250 cm³ 700-1 000 B/j ; ⌚ 8h-18h), qui possède un autre point de location sur Th Wat Jet Yot. Cette enseigne prend bien soin de ses motos. De nombreuses pensions louent également vélos et motos.

Plusieurs petites agences proches du marché de nuit louent différentes voitures (800-1 200 B/j), avec ou sans chauffeur.

Les loueurs suivants ont bonne réputation mais pratiquent des tarifs un peu supérieurs à ceux des agents locaux :

**Avis Rent-A-Car** (☎ 0 5379 3827 ; www.avisthailand.com ; aéroport de Chiang Rai)

**Budget Rent-A-Car** (☎ 0 5374 0442/3 ; www.budget.co.th ; 590 Th Phahonyothin). Situé au Golden Triangle Inn.

**National Car Rental** (☎ 0 5379 3683 ; aéroport de Chiang Rai)

**North Wheels** (☎ 0 5374 0585 ; www.northwheels.com ; 591 Th Phahonyothin ; ⌚ 8h-19h)

# ENVIRONS DE CHIANG RAI

### WAT RONG KHUN

À 13 km au sud de Chiang Rai se trouve l'étonnant et réputé **Wat Rong Khun** (☎0 5367 3579), ou "Temple blanc". Alors que la plupart des temples ont des siècles d'histoire, la construction de celui-ci n'a débuté qu'en 1997, sous la direction du célèbre peintre thaï (devenu architecte) Chalermchai Kositpipat.

Vu de loin, le temple semble fait de porcelaine scintillante ; de plus près, on comprend que cet effet est dû à une combinaison de chaux et d'éclats de miroir. Un pont orné de sculptures de bras tendus (symbolisant le désir) conduit à l'intérieur du sanctuaire du *wat*. Aux traditionnelles images de la vie du Bouddha, l'artiste a ajouté des scènes contemporaines représentant le *samsara* (le cycle des vies). Le seul mur terminé de cette œuvre en cours est dominé par les images d'un avion s'écrasant sur les Twin Towers et, chose curieuse, de Keanu Reeves en Neo dans *Matrix*. Si elles vous plaisent, une galerie vend des reproductions des œuvres de Chalermchai Kositpipat, que l'on peut qualifier de New Age.

Pour vous rendre à ce temple, prenez à Chiang Rai le bus à destination de Chiang Mai, et demandez au chauffeur de vous arrêter au Wat Rong Khun (15 B).

**DE LA THAÏLANDE DU NORD AU YUNNAN, EN CHINE**

Si vous êtes dans la province de Chiang Rai avec déjà en poche un visa pour la Chine, plusieurs choix s'offrent à vous pour vous rendre de Thaïlande au Yunnan. Reliés par une route, le Triangle d'or et la préfecture autonome de Xishuangbanna (appelé Sipsongpanna en Thaïlande) dans le Yunnan, province du sud de la Chine, ne forment pour les Thaïs, les Chan et les Lao qu'une seule entité culturelle.

La voie fluviale par le Mékong est la plus directe. À Chiang Saen, il est possible de prendre un bateau de passagers qui rejoint directement Jinghong en Chine, ce qui prend environ 15 heures quand le niveau de l'eau est suffisant. Pour plus de détails, voir p. 381.

Emprunter la route du Laos est aussi relativement pratique. De Chiang Khong, traversez le Mékong pour la ville laotienne de Huay Xai, d'où l'un des 3 bus hebdomadaires vous conduira directement à la ville de Mengla au Xishuangbanna en passant par la ville-frontière laotienne de Boten. Mengla est à 4 heures de Jinghong, la capitale du Xishuangbanna, et à une nuit de bus de Kunming. Plus de détails p. 386.

De Mae Sai, également dans la province de Chiang Rai, il était jadis possible d'aller en Chine via Mong La, au Myanmar, mais cette frontière est fermée depuis 2005.

## MAE SALONG (SANTIKHIRI)

แม่สลอง(สันติคีรี)

**25 428 habitants**

Pour vous croire en Chine sans avoir à traverser de frontières, rejoignez ce pittoresque village perché sur les collines qui se dressent à l'arrière de Chiang Rai. Bien que Mae Salong soit aujourd'hui sur les itinéraires touristiques, sa situation au sommet d'une colline, ses résidents chinois, ses nombreuses ethnies montagnardes et ses plantations de thé contribuent à en faire une destination unique, où tout évoque l'atmosphère d'une petite ville de la province du Yunnan dans le sud de la Chine. C'est l'endroit idéal pour se reposer quelques jours, tout en explorant les environs.

Pour une explication sur le contexte ethnique inhabituel de cette ville, voir l'encadré p. 372.

### Renseignements

La Thai Military Bank, face au Khumnaiphol Resort, est munie d'un DAB.

### À voir

Le petit mais intéressant **marché du matin** se tient entre 6h et 8h, au carrefour en T près de la Shin Sane Guest House. Il attire des habitants de la ville et des montagnards des districts environnants. À l'extrémité sud de la ville, un **marché de l'après-midi** rassemble des stands d'objets artisanaux fabriqués par les minorités ethniques, des boutiques de thé et quelques restaurants très simples.

Pour profiter du panorama époustouflant qu'offre le **Wat Santakhiri**, dépassez le marché et grimpez les 718 marches (ou prenez la route si vous avez une voiture). Le *wat*, appartenant au courant mahayana, est de style chinois.

Après le Khumnaiphol Resort, encore plus haut, se trouve un **belvédère** où sont installées quelques boutiques de thé. Un général du GMD y a également sa **tombe**, parfois gardée par un soldat qui vous racontera (en thaï ou en yunnanais) l'histoire du Kuomintang dans la région. Dans la même veine, au sud de l'embranchement qui mène à la tombe, apparaît le **musée-mémorial des Martyrs chinois**, un bâtiment dans un style chinois élaboré qui tient plus du mémorial que du musée.

En face du Mae Salong Villa, à l'extrémité nord de la ville, l'**Agro Tourism Guide Center** est une bonne source d'informations sur la région, malheureusement ouvert que très sporadiquement, en général durant la saison touristique (novembre à janvier).

### Randonnée

La Shin Sane Guest House dispose d'une carte indiquant les itinéraires approximatifs pour atteindre les villages akha, mien, lisu, lahu et chan des environs. Les plus proches se trouvent à moins d'une demi-journée de marche.

Les plus belles randonnées se font au nord de Mae Salong, entre Ban Thoet Thai et la frontière birmane. Renseignez-vous sur la situation politique avant de vous aventurer dans les parages ; les armées chan et wa se disputent le contrôle de cette zone frontalière où plusieurs villages servent de passage à un intense trafic de métamphétamine et, dans une moindre mesure, d'héroïne.

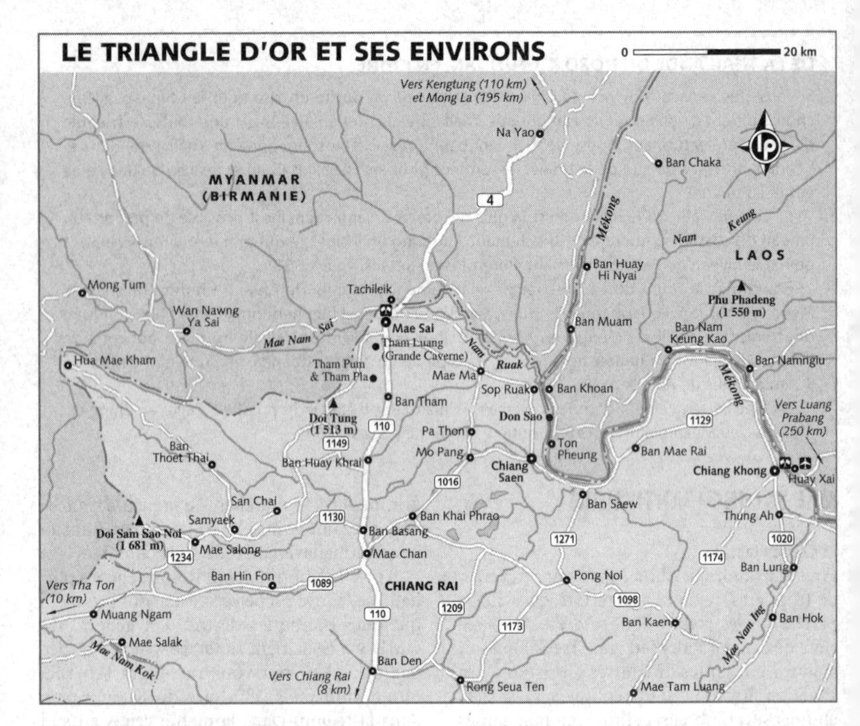


La Shin Sane Guest House (voir ci-dessous) organise des **randonnées à cheval** de 4 heures vers quatre villages moyennant 500 B environ. Vous pouvez également parcourir seul les 4 km qui vous séparent d'un village akha. Une pension rudimentaire vous assurera le gîte et le couvert.

## Où se loger

Depuis l'ouverture de la route Mae Salong-Tha Ton, de moins en moins de visiteurs passent la nuit à Mae Salong. Il est donc possible de négocier le tarif des chambres, sauf durant la haute saison (novembre à janvier).

**Shin Sane Guest House** (☎ 0 5376 5026 ; 32/3 Th Mae Salong ; s/d à partir de 50/100 B, bungalows 300 B ; 💻). Bien que le premier hôtel de Mae Salong commence à accuser ses 40 ans, il n'en reste pas moins un lieu plein de charme. Chambres simples mais spacieuses avec sdb communes. Bungalows bien plus confortables, avec sdb et TV sat. Documentation sur les randonnées avec une bonne carte et location de motos.

♡ **Little Home Guesthouse** (☎ 0 5376 5389 ; www.maesalonglittlehome.com ; 31 Moo 1, Th Mae Salong ; s/d à partir de 50/100 B, bungalows 600 B ; 💻). Voisine du Shin Sane, cette ravissante maison en bois recèle quelques chambres basiques mais douillettes et une poignée de nouveaux bungalows rutilants à l'arrière. Un restaurant y prépare de la cuisine locale. Le propriétaire, extrêmement sympathique, a dressé une carte très complète des environs.

**Saeng A Roon Hotel** (☎ 0 5376 5029 ; 25/3 Moo 1, Th Mae Salong ; ch 300-500 B ; ❄ 💻). À côté de la boutique de thé du même nom, ce nouvel hôtel au personnel aimable propose des grandes chambres carrelées avec vue fantastique sur les collines. Les moins chères ont une sdb commune avec eau chaude, d'une propreté irréprochable.

**Mae Salong Central Hills Hotel** (☎ 0 5376 5113 ; 18/1 Moo 1, Th Mae Salong ; ch 500 B). Juste en face du 7-Eleven, ce vaste hôtel offre deux niveaux de chambres sans caractère mais confortables. Restaurant à l'étage (ouvert durant la saison touristique) ; boutique de thé.

**Maesalong Mountain Home** (☎ 08 4611 9508 ; www.maesalongmountainhome.com ; bungalows 800-1 500 B). Au bout d'un chemin de terre, à 1 km à l'est du centre-ville (des panneaux annoncent "Maesalong Farmstay"), voici une excellente option si vous avez un véhicule. Plantés au milieu de la ferme, les 9 bungalows tout neufs, lumineux et aérés disposent de vastes sdb. Autre atout : la situation près d'une plantation de thé arborant 2 gigantesques statues représentant une théière et un lion – idée peut-être saugrenue, mais sympa pour une photo.

**Khumnaiphol Resort** (☎ 0 5376 5001/4 ; fax 0 5376 5004 ; 58 Mu 1 ; ch 600-900 B, bungalows 1 200-4 000 B ; ❄). À 1 km au sud de la ville, sur la route de Tha Ton, près du marché de l'après-midi, ce complexe dispose d'agréables bungalows perchés sur la colline. Les vérandas offrent une vue superbe sur les plantations de thé en contrebas. Des chambres sont également disponibles dans la partie hôtel.

**Maesalong Flower Hills Resort** (☎ 0 5376 5496 ; www.maesalongflowerhills.com ; ch 1 500 B, bungalows 2 000-2 500 B ; ❄ 🏊). À 2 km à l'est du centre-ville, vous ne pourrez manquer ce complexe entièrement consacré aux jardins paysagers. Toute une gamme de chambres modernes et fonctionnelles dans le style bungalow, avec vue superbe. Les chambres les moins chères sont plus du type appartement avec ventil. L'immense piscine et quelques bungalows plus vastes en font une bonne option pour les familles.

## Où se restaurer

Pour bien commencer la journée, dégustez au marché du matin des *ɓah·tôrng·gŏh* (beignets chinois) accompagnés de lait de soja chaud.

En fait, de nombreux touristes thaïlandais viennent tout simplement à Mae Salong pour manger des spécialités yunnanaises tels les *màn·tŏh* (petits pains cuits à la vapeur), servis avec du jarret de porc braisé et des légumes marinés, ou le poulet noir mijoté avec des herbes chinoises. Vous pourrez goûter tous ces plats au **Sue Hai** (pas d'enseigne en lettres romanes ; ☎ 08 9429 4212 ; 288 Moo 1, Th Mae Salong ; plats 60-150 B ; 🕑 7h-21h), dans un bâtiment bleu pâle à 100 m à l'ouest de Sweet Maesalong. Ce salon de thé-restaurant tenu par une famille yunnanaise dispose d'une carte en anglais qui annonce des spécialités locales parmi lesquelles des champignons poêlés à la sauce de soja ou un délicieux porc séché à l'air libre sauté avec des piments frais. **Nong Im Phochana** (☎ 0 5376 5309 ; Th Mae Salong ; plats 60-150 B ; 🕑 déj et dîner), juste en face du Khumnaiphol Resort, décline un menu similaire avec plus de plats de légumes locaux. Le restaurant du **Mae Salong Villa** (☎ 0 5376 5114 ; Th Mae Salong ; plats 60-150 B) a la réputation de préparer la plus authentique des cuisines yunnanaises de la ville, dont un succulent canard fumé aux feuilles de thé.

Les pâtes maison au froment et aux œufs sont une autre des spécialités de Mae Salong, servies dans un bouillon local à base de porc et de pâte de piment. Plusieurs endroits en ville en proposent.

Une multitude de maisons de thé vendent le produit des récoltes locales (surtout du oolong et du thé au jasmin) et organisent des dégustations gratuites. Si vous préférez le café, rendez-vous au **Sweet Maesalong** (☎ 08 1855 4000 ; 41/3 Moo 1, Th Mae Salong ; plats 45-90 B ; 🕑 8h-20h), un café moderne et douillet qui propose une belle carte des cafés produits dans la région, plus des pâtisseries et des plats simples.

## Depuis/vers Mae Salong

Mae Salong est accessible par deux routes. La plus ancienne et la plus spectaculaire, la Route 1130, serpente vers l'ouest à partir de Ban Basang. La Route 1234, plus récente, gagne Mae Salong par le sud, ce qui facilite l'accès depuis Chiang Mai.

Pour se rendre à Mae Salong, il faut prendre, de Mae Sai ou de Chiang Rai, un bus pour Ban Basang (20 B, 30 min, toutes les 15 min entre 6h et 16h), puis, un *sŏrng·tăa·ou* jusqu'à Mae Salong (60 B, 1 heure). Pour redescendre à Ban Basang, les *sŏrng·tăa·ou* stationnent près du 7-Eleven. Le service s'interrompt vers 17h. Vous pouvez alors louer un *sŏrng·tăa·ou*, dans une direction comme dans l'autre, pour 500 B environ.

On peut aussi rejoindre Mae Salong par la route depuis Tha Ton (voir les détails p. 340).

# BAN THOET THAI ET SES ENVIRONS

บ้านเทิดไทย

Ceux qui s'intéressent à l'histoire de Khun Sa (voir l'encadré p. 372) peuvent faire un détour par ce village yunnanais-chan, appelé autrefois Ban Hin Taek ("village de la Pierre brisée"), à 12 km de la route reliant Ban Basang et Mae Salong.

Parmi les 3 000 habitants de Ban Thoet Thai – des Chan, des Yunnanais, des Akha, des Lisu et des Hmong –, nombreux sont ceux qui disent garder un souvenir ému de l'homme que les services antidrogue des pays consommateurs d'héroïne n'ont jamais réussi à capturer. L'ancien quartier général de ce seigneur de guerre, à savoir quelques bâtiments en brique et en bois sur une colline dominant le village, a été

**LOIN DE CHINE**

À l'origine, Mae Salong fut créée par le 93e régiment du Kuomintang (GMD), qui se réfugia au Myanmar après la révolution de 1949. Les renégats furent obligés de quitter ce pays en 1961 quand le gouvernement birman décida qu'il ne tolérerait plus la présence du GMD dans le nord du pays. D'anciens soldats et leurs familles franchirent alors la frontière avec leurs caravanes de poneys, pour se fixer dans les villages montagnards où ils s'efforcèrent de recréer la société qu'ils avaient laissée derrière eux au Yunnan.

Le gouvernement tenta de les intégrer dans la société thaïlandaise après leur avoir accordé le statut de réfugiés dans les années 1960. Mais ces efforts demeurèrent sans grand effet jusqu'à la fin des années 1980, du fait de l'implication du GMD dans le trafic d'opium dans le Triangle d'or aux côtés du seigneur de guerre Khun Sa et de l'Armée shan unie (ASU). Cette région montagneuse enclavée, dépourvue de routes goudronnées, était relativement coupée du reste du monde, ce qui permit aux Yunnanais d'ignorer la volonté des autorités thaïlandaises d'éradiquer le trafic d'opium et de contrôler la région.

Le tristement célèbre Khun Sa a vécu dans le village voisin de Ban Hin Taek (aujourd'hui Ban Thoet Thai ; p. 371), avant d'être délogé par l'armée thaïlandaise au tout début des années 1980. Sa retraite au Myanmar a marqué un changement dans l'attitude de la population locale, et la pacification de la région de Mae Salong a pu se poursuivre.

Dans un ultime effort pour briser son image de fief de la drogue, Mae Salong a été officiellement débaptisée pour devenir Santikhiri ("colline de la Paix"). Jusqu'aux années 1980, ce sont des chevaux de trait qui convoyaient les marchandises à travers les montagnes jusqu'à Mae Salong ; désormais, une route entièrement goudronnée et fort praticable de 36 km relie Basang (près de Mae Chan) et Santikhiri. Malgré le développement des infrastructures, la ville ne ressemble à aucune autre en Thaïlande. Le dialecte chinois du Yunnan demeure la langue véhiculaire, et les habitants préfèrent regarder la télévision chinoise et, bien sûr, manger chinois.

Afin d'éradiquer le trafic d'opium et celui, plus récent, du *yah bâh* (métamphétamine), le gouvernement a introduit des cultures de substitution (thé, café, maïs et arbres fruitiers) en remplacement du pavot.

transformé en **musée**. Les horaires d'ouverture ne sont pas fixes, l'entrée est gratuite. Il suffit de demander à l'un des gardiens d'ouvrir la salle d'exposition. Cette dernière présente des cartes des États chan et du "pays" Mong Tai (nom donné par les Chan à la nation indépendante qu'ils espéraient fonder), une photo de l'ancien palais du Kengtung (État chan de l'Est) et quelques affiches politiques. Ce qui est peu, si l'on considère que Khun Sa passa 6 ans dans la région (1976-1982). Bien entendu, le musée ne fait pas la moindre allusion à l'opium.

Un **marché du matin** animé, dont une partie servait naguère à stocker l'arsenal de l'Armée shan unie (ASU), abrite le commerce de produits venant, outre de Thaïlande, du Myanmar et de Chine. On doit à Khun Sa la construction du **Wat Phra That Ka Kham**, un monastère de style chan, érigé près de son ancien camp.

Vous trouverez le gîte et le couvert à la **Rimtaan Guest House** (☎ 0 5373 0209 ; 15 Moo 1, Thoet Thai ; ch 300-800 B), qui dispose d'une série de bungalows bien entretenus dans un jardin près d'un torrent.

Si vous êtes dans la région entre mi-novembre et décembre et disposez d'un véhicule, il vaut la peine de continuer encore pendant 30 km jusqu'à la frontière du Myanmar à **Hua Mae Kham**, un pittoresque village sur une colline où fleurit en abondance la *dòrk boua torng*, une fleur locale. La route passe au fil de vallées bordées de rizières, de torrents et de villages montagnards.

## MAE SAI

แม่สาย

**21 816 habitants**

À première vue, cette ville à l'extrême nord de la Thaïlande ne semble rien d'autre qu'un grand marché à ciel ouvert. Elle peut toutefois servir de base pour explorer le Triangle d'or, le Doi Tung et Mae Salong. Sa position face au Myanmar permet aussi d'aller visiter certains des endroits les plus reculés de l'État chan du Myanmar.

En raison de combats occasionnels au Myanmar ou de disputes entre les gouvernements thaïlandais et birman, la frontière est parfois fermée temporairement. Mieux vaut se renseigner sur la situation avant d'entreprendre le voyage jusqu'à Mae Sai.

## Renseignements

**Bureau de l'immigration** (☎0 5373 3261 ; ⏲6h30-18h30). À l'entrée du pont qui marque la frontière.

**Internet Café** (40 B/h). Derrière le Wang Thong Hotel, près du parking.

**Nino House** (☎08 6911 4964 ; Soi 2, Th Phahonyothin ; ⏲9h-22h). En retrait de Soi 2, ce café-restaurant vous fait profiter d'un accès Wi-Fi gratuit si vous avez un ordinateur portable.

**Overbrook Clinic** (☎0 5373 4422 ; 20/7 Th Phahonyothin ; ⏲9h-15h). Rattachée à l'hôpital moderne de Chiang Rai, cette petite clinique sur la route principale a des médecins anglophones.

**Police touristique** (☎115). Petit bureau à la frontière, avant celui de l'immigration.

## À voir et à faire

Montez l'escalier près de la frontière jusqu'au **Wat Phra That Doi Wao**, à l'ouest de la rue principale, pour découvrir une vue superbe sur Mae Sai et le Myanmar. Ce *wat* a été érigé, dit-on, à la mémoire des 2 000 soldats birmans morts en 1965 en combattant le GMD (d'autres versions circulent en ville, dont une à la gloire du GMD).

## Où se loger

### PETITS BUDGETS ET CATÉGORIE MOYENNE

**Chad House** (☎0 5373 2054 ; en retrait de Soi 11, Th Phahonyothin ; d 80-120 B, bungalows 250 B). À l'entrée de la ville, repérez le panneau sur la gauche. Les chambres sont très rudimentaires, mais l'ambiance est sympathique, et c'est donc un bon choix si votre budget est serré. Quelques bungalows sont dotés de sdb avec eau froide.

**Bamboo Guesthouse** (☎08 6916 1895 ; 135/3 Th Sailomjoi ; ch 150-200 B). Chambres basiques mais fraîches et confortables. Les moins chères partagent une sdb, et certaines sont ornées de grandes affiches sur le Myanmar.

**Maesai Hotel** (☎0 5373 1462 ; 125/5 Th Phahonyothin ; ch avec ventil/clim 250/400 B). Dans un bâtiment vert à deux pas de Th Phahonyothin, les chambres avec ventil et lits sur un socle de ciment sont un choix correct. Les plus chères, avec clim, ont des lits affaissés et un mobilier de mauvaise qualité.

**Yeesun Hotel** (☎ 0 5373 3455 ; 816/13 Th Sailomjoi ; ch 400 B ; ). Les chambres de cet hôtel familial de 4 étages sont d'un bon rapport qualité/prix. Même si elles n'ont pas de caractère, l'espace est là, avec des meubles et des lits corrects.

**Maesai Guest House** (☎ 0 5373 2021 ; 688 Th Wiengpangkam ; bungalows s 200-300 B, d 400-600 B). Au bout d'une ruelle qui s'étire derrière le Mai Sai Riverside Resort, cet ensemble de constructions au toit pointu va de la chambre avec douche froide commune dans un sommaire bungalow à des bungalows plus luxueux sur la rivière avec terrasse et sdb privée. Le restaurant au bord de l'eau sert des plats thaïlandais et occidentaux.

**Top North Hotel** (☎ 0 5373 1955 ; 306 Th Phahonyothin ; d 400-600 B, tr 900 B ; ). À 5 min du pont vers le Myanmar, vieil hôtel où les chambres sont spacieuses et le personnel aimable. Certaines chambres ont été rénovées et sont dotées de TV sat. Optez pour celles à l'arrière de l'édifice afin d'éviter le bruit de la rue.

**S-House Hotel** (☎ 0 5373 3811 ; s_house43234@yahoo.com ; 384 Th Sailomjoi ; ch 500-600 B ; ). À l'extrémité de la partie couverte de Th Sailomjoi, en retrait du point de passage de la frontière, un hôtel aux chambres spacieuses, dotées de balcons donnant sur les collines.

♡ **Khanthongkham Hotel** (☎ 0 5373 4222 ; 7 Th Phahonyothin ; ch 950 B, ste 1 190-1 390 B ; ). Hôtel flambant neuf qui dispose de vastes chambres élégantes au mobilier de bois clair, tendues de tissus bruns. Les suites sont encore plus vastes et, comme chaque chambre, dotées d'une TV à écran plat et d'une sdb agréable. Seul inconvénient : beaucoup de chambres n'ont pas de fenêtre.

**Maekhong Delta Boutique Hotel** (☎ 0 5364 2517 ; www.maekhongtravel.com ; 230/5-6 Th Phahonyothin ; ch 900-1 500 B ; ). Un nom étrange puisque le delta du Mékong se trouve au Vietnam et, plus bizarre encore, les chambres évoquent un chalet de station de ski. Elles n'en sont pas moins douillettes et bien équipées, bien qu'un peu loin du centre-ville. Les groupes apprécient cet hôtel, voisin d'une agence de voyages.

**Piyaporn Place Hotel** (☎ 0 5373 4511-3 ; www.piyaporn-place.com ; 77/1 Th Phahonyothin ; ch 1 000 B ; ). Sur la route principale, à la hauteur de Soi 7, cet hôtel de 7 étages est une excellente option. Grandes chambres avec parquet, de style contemporain, dotées d'un petit sofa et de tout le confort inhérent à un quatre ou cinq-étoiles : baignoire, TV sat et minibar. Salle de conférence et restaurant élégant servant des plats thaïlandais et occidentaux.

**Wang Thong Hotel** (☎ 0 5373 3389-95 ; www.wangthong-maesai.com ; 299 Th Phahonyothin ; ch 1 200 B, ste 4 500 B ; ). Un hôtel de 9 étages, confortable et bien situé près du passage vers le Myanmar. Les chambres manquent de cachet mais sont spacieuses et de standing international. Piscine, pub, discothèque et restaurant appprécié. Réductions pendant la basse saison.

## Où se restaurer

Un petit marché de nuit installe chaque soir ses étals variés le long de Th Phahonyothin.

**Khao Soi Islam** (enseigne en thaï ; ☎ 0 5373 3026 ; 140 Th Phahonyothin ; plats 25-30 B ; 7h-17h). Ce chaleureux restaurant sert une version musulmane des habituelles nouilles au bœuf et au poulet. Pour quelque chose d'un peu différent, essayez parmi d'autres spécialités musulmanes ; au menu, le *ɓah·ɓah soy, kôw soy*, servi avec des nouilles épaisses à base de riz brun. Il est très divertissant d'écouter le personnel parler dans un mélange de chinois, de thaï du Nord ou du Centre et de birman.

**Khrua Bismillah** (enseigne en thaï ; ☎ 08 1530 8198 ; Soi 4, Th Phahonyothin ; plats 25-40 B ; 6h-18h). Tenu par des Birmans musulmans, ce minuscule restaurant prépare un savoureux *biryani* et toute une multitude d'autres spécialités, des *roti* aux samosas. Repérez le signe vert qui annonce un restaurant halal.

**Sukhothai Noodles** (enseigne thaïe ; ☎ 08 1530 1997 ; 399/9 Th Sailomjoi ; plats 30-40 B ; 7h-14h). Comme son nom l'indique, ce restaurant de plein air sert des nouilles de Sukhothai, ainsi que du *satay* et quelques autres classiques. Les différentes sortes de nouilles s'affichent en images sur le menu. Les murs sont agrémentés de photos de la fille du patron. Cherchez le restaurant rose animé en face du S-House Hotel.

**Kik Kok Restaurant** (Th Phahonyothin ; plats 30-120 B ; 6h-20h). Ce restaurant prépare une grande variété de plats thaïlandais annoncés sur un menu en anglais. Bonne adresse si vous n'avez pas envie de manger dans la rue.

**Mae Sai Riverside Resort** (☎ 0 5373 2630 ; Th Wiengpangkam ; plats 40-139 B). Recommandé pour ses plats thaïlandais comme le savoureux poisson frit à la citronnelle. La vue, par-delà le pont, sur le Myanmar n'est pas mal non plus.

**Ying Ping Yunnan Restaurant** (☎ 0 5373 2213 ; 132/3 Soi 6, Th Phahonyothin ; plats 100-300 B). Pour une soirée spéciale, prenez place dans cet élégant restaurant chinois qui sert de la cuisine de banquet. Le menu décline nombre de spécialités aux noms très exotiques que l'on ne retrouve pas ailleurs, ainsi qu'une modeste soupe aux nouilles yunnanaise.

## Achats

Tout le monde fait du commerce à Mae Sai, bien que les produits en vente offrent peu d'intérêt pour les voyageurs. Face au poste de police, le marché aux pierres précieuses est intéressant, fréquenté par des spécialistes qui viennent d'aussi loin que Chanthaburi. Une promenade jusqu'à Soi 6 vous fera découvrir plusieurs marchands, installés à même la rue, qui comptent attentivement des centaines de pierres semi-précieuses.

## Depuis/vers Mae Sai

Sur la route principale Th Phahonyothin, à la hauteur de Soi 8, un panneau indique "arrêt de bus" ; de là, des *sŏrng·tăa·ou* relient Mae Sai à Sop Ruak (45 B, toutes les 40 min, de 9h à 14h), terminant leur course à Chiang Saen (50 B).

Pour Doi Tung, prenez un des *sŏrng·tăa·ou* stationnés près de Soi 10 jusqu'à Ban Huay Khrai (25 B) et, de là, un autre jusqu'à Doi Tung (60 B, 1 heure).

Le **terminal des bus** (☎ 0 5364 437) publics est à 4 km au sud du bureau de l'immigration. Le trajet depuis l'angle de Th Phahonyothin et de Soi 2 coûte 15 B en *sŏrng·tăa·ou* collectif.

De nombreux bus rallient Chiang Rai (ordinaire 38 B, 1 heure 30, de 5h45 à 18h), qui vous déposeront tous à Mae Chan (30 B, 30 min).

Les bus à destination de Chiang Mai (1re classe clim/VIP 241/375 B, 4-5 heures) partent pour les trajets 1re classe à 6h45, 9h45 et 14h30 ; et en VIP, à 8h15 et 15h30. Un bus direct dessert également Fang (91 B, 2 heures, 7h), Tha Ton (51 B, 1 heure 30, 7h) et deux Mae Sot (2e classe clim/1re classe 442/569 B, 12 heures ; 6h15, 6h45).

Des bus assurent des destinations plus longues comme Nakhon Ratchasima (2e classe clim/1re classe/VIP 582/749/874 B, 15 heures, 6/j) et Bangkok (2e classe clim/1re classe/VIP 554/713/1 105 B, 13 heures, de 16h à 17h45).

**Chok-Roong Tawee Tour** (enseigne en thaï ; ☎ 0 5364 0123). Dans cette agence de voyages, vous pourrez acheter à l'avance vos billets au même prix qu'au terminal des bus. Pas d'enseigne en anglais, repérez le grand panneau rouge "International Telephone".

## Comment circuler

En ville, une course en *sŏrng·tăa·ou* collectif revient à 15 B. Comptez entre 20 et 30 B en moto-taxi.

Des Honda Dream sont à louer 150 B la journée chez **Pornchai** (☎ 0 5373 1136 ; 4/7 Th Phahonyothin).

# ENVIRONS DE MAE SAI

## Grottes

Juste au sud de Mae Sai se trouvent quelques réseaux de grottes intéressants. **Tham Luang**, à 6 km par la Route 110, s'étend sous les collines sur plus de 2 km. Après une progression assez facile durant le premier kilomètre, il faut ensuite escalader des amas rocheux. La voûte devient alors assez étrange, car la roche change de couleur selon l'orientation de la lumière, en raison de la présence de minuscules cristaux. Vous pouvez louer une lanterne à gaz à l'entrée de la grotte (40 B) ou vous faire accompagner par un guide (rémunéré au pourboire ; il n'y en a pas toujours en semaine). Prenez un *sŏrng·tăa·ou* ou louez un vélo à Mae Sai pour vous rendre à Tham Luang.

À 7 km plus au sud, à Ban Tham, **Tham Pum** et **Tham Pla** renferment des lacs souterrains. Emportez une lampe pour les explorer. À l'entrée du site se dresse un *chedi*, une construction imposante à toits multiples, unique en Thaïlande.

La police contrôle les voyageurs à Ban Tham, n'oubliez pas vos papiers d'identité. Pour vous rendre à l'une ou l'autre de ces grottes, louez une moto ou les services d'un *sŏrng·tăa·ou* jusqu'à l'intersection de Ban Tham sur la Route 110 ; les grottes sont 1 km plus bas.

## Doi Tung et ses environs

ดอยตุง

L'embranchement menant au **Doi Tung** part à mi-chemin de Mae Sai et de Mae Chan, sur la Route 110. Son nom, qui signifie "pic du Drapeau" en dialecte local, évoque le roi Achutarat de Chiang Saen, qui fit flotter un drapeau (*đung*) géant au sommet du mont pour marquer l'endroit où deux *chedi* furent construits en 911. Ces derniers attirent des pèlerins bouddhistes thaïlandais, chan et chinois.

L'accès au Doi Tung constitue le principal intérêt de la promenade ; il emprunte la Route 1149, étroite, sinueuse et abrupte, mais goudronnée pour l'essentiel (faites attention si vous êtes en voiture ou à moto).

Dans l'espoir que les populations des montagnes, honorées par la présence royale, se détournent de la production de l'opium, feu la princesse mère (la mère du roi) fit édifier un palais d'été sur les pentes du Doi Tung, la **Doi Tung Royal Villa** (☎ 0 5376 7011 ; www.doitung.org ; 70 B ; ⌚ 6h30-17h). Proche du réservoir de Pa Kluay, le palais est à présent reconverti en musée. Le projet royal a initié les paysans à de nouvelles méthodes agricoles afin qu'ils abandonnent la pratique du débroussaillage et de la terre brûlée. Le pavot a été remplacé par des cultures de café, des plantations de teck et de divers arbres fruitiers. Le **jardin Mae Fah Luang** et l'**arboretum Mae Fah Luang** (80 B ; ⌚ 7h-17h) bordent un hôtel de luxe (voir ci-dessous), un restaurant chic, un kiosque où prendre un café et une boutique d'artisant local. Près du parking, le **Doi Tung Bazaar** est un petit marché de plein air qui propose la production agricole locale, des plats cuisinés et de l'artisanat des communautés montagnardes. Ce site est une étape appréciée des circuits organisés.

Au sommet du pic (1 800 m), le **Wat Phra That Doi Tung** fut édifié autour de deux *chedi* jumeaux de style lanna, restaurés au début du XXe siècle par Khruba Siwichai, le moine de Chiang Mai célèbre pour ses fabuleux projets architecturaux. Il est d'usage que les pèlerins fassent sonner les rangées de cloches du temple afin de s'attirer les bonnes grâces. Le *wat* présente peu d'intérêt particulier, contrairement au parc qui l'entoure, agrémenté de sentiers. Du haut des murailles, vous aurez un aperçu de la route d'accès qui serpente en contrebas. Un chemin près du *wat* conduit à une source, et quelques autres sentiers s'offrent à vous dans les parages.

Un peu plus bas, le **Wat Noi Doi Tung** est entouré de petites échoppes où l'on peut se restaurer.

### OÙ SE LOGER ET SE RESTAURER

Si vous voulez passer la nuit ici, optez pour le **Ban Ton Nam 31** (☎ 0 5376 7003 www.doitung.org ; Doi Tung Development Project, Mae Fah Luang District ; ch avec petit-déj 2 500-3 000 B ; ❄ 💻), consistant en 46 chambres confortables qui servirent autrefois à loger le personnel de feu la princesse mère. Les plus chères bénéficient d'une plus jolie vue. Un **restaurant** (plats 80-250 B ; ⌚ 7h-21h) propose en self-service des repas à base de produits locaux. On y trouve aussi un café, le Doi Tung.



### DEPUIS/VERS LE DOI TUNG

Les bus de Mae Chan ou de Mae Sai jusqu'à Ban Huay Khrai, la bifurcation pour le Doi Tung, coûtent 15 B, et les *sŏrng·tăa·ou* à partir de Mae Sai 25 B. Il faut ensuite prendre un *sŏrng·tăa·ou* jusqu'au Doi Tung (60 B, 1 heure).

Vous pouvez envisager de faire le trajet Mae Sai-Doi Tung à moto, si vous vous sentez de taille à affronter les difficultés d'une route de 24 km, goudronnée mais étroite et pleine de virages. À partir de la Doi Tung Royal Villa, il suffit de suivre les panneaux jusqu'au Wat Phra That Doi Tung. La route longe la frontière du Myanmar derrière d'immenses montagnes calcaires que l'on aperçoit de la Route 110 pour déboucher dans le Soi 7 à Mae Sai. Il y a au moins 3 checkpoints avec des militaires sur le chemin : n'oubliez pas vos papiers d'identité.

Si vous voulez effectuer une boucle complète en partant de Mae Sai, commencez par regagner le Doi Tung par la Route 110, au sud, puis continuez par la Route 1149. Après avoir contemplé le panorama du sommet, regagnez la ville par l'itinéraire indiqué ci-dessus, pratiquement tout en descente.

Si vous venez de Mae Salong, la Route 1338 descend en lacets des collines abruptes vers une vallée luxuriante, avant de grimper à nouveau par la Route 1149 jusqu'au Doi Tung. La route est goudronnée tout du long et en bon état, mais parfois très raide et sinueuse.

## Voyages transfrontaliers jusqu'à Tachileik et au-delà

Les étrangers sont normalement autorisés à franchir le pont de la Nam Sai pour gagner Tachileik. La frontière est parfois fermée pour des raisons de sécurité, par exemple si les relations entre la Thaïlande et le Myanmar se détériorent.

Le bureau thaïlandais de l'immigration est ouvert de 6h30 à 18h30. Après les formalités d'usage, traversez le pont et présentez-vous au bureau de l'immigration du Myanmar. Vous devrez vous acquitter d'un droit de 10 $US ou 500 B, et vous faire photographier pour une carte d'identité temporaire qui vous autorise à un séjour de 14 jours en ville ; votre passeport restera au bureau. À votre retour en Thaïlande, en repassant le pont, le bureau thaïlandais de l'immigration vous donnera à nouveau un visa touristique de 15 jours (voir p. 768).

Il n'y a pas grand-chose à faire à **Tachileik**, hormis goûter la cuisine birmane et faire quelques emplettes. Les prix sont à peu près les mêmes qu'en Thaïlande et les bahts, acceptés. Le marché du matin se révèle intéressant, ainsi que les boutiques de thé.

Si vous désirez poursuivre au-delà de Tachileik (vous êtes limité à Kengtung et à Mong La), allez directement à l'agence de voyages Myanmar Travel & Tours, à côté du bureau de l'immigration. De même, vous devrez vous acquitter de 10 $US ou 500 B, fournir 3 photos d'identité (taille passeport) et une copie de votre passeport. Après que vous aurez déclaré jusqu'où vous voulez aller, on vous délivrera une carte d'identité temporaire, qui sera tamponnée à chaque checkpoint sur la route. L'agence vous remettra aussi gratuitement des cartes sommaires de Kengtung et de Mong La.

### KENGTUNG

À 163 km au nord, Kengtung (appelée Chiang Tung par les Thaïlandais et Kyaingtong par les Birmans) est une capitale assoupie mais historique de la culture khün dans l'État chan. Les Khün parlent un idiome nord-thaïlandais apparenté au chan et au thaï lü, et utilisent un alphabet semblable à celui du lanna ancien. L'accès direct à la Chine depuis Mae Sai sera autorisé dans le futur, mais pour le moment Kengtung demeure la limite permise. Édifiée sur le pourtour d'un petit lac, parsemée de **temples bouddhiques** et de **maisons coloniales** anglaises croulant sous le poids des années, cette ville nettement plus pittoresque que Tachileik est probablement l'une des plus intéressantes de tout l'État chan du Myanmar.

La **Harry's Trekking House** (☎ 21418 ; 132 Mai Yang Rd ; ch 5-15 $US) constitue le meilleur choix si votre budget est serré. À environ 1 km au nord du lac, dans le village de Kanaburoy, ses hôtes ont le choix entre des chambres sommaires en bois à l'arrière ou des doubles plus chics avec TV dans l'annexe. Grand choix de randonnées guidées et location de motos (10 $US/j). La **New Sam Yweat Guest House** (☎ 21643 ; 21 Airport Rd ; s/d à partir de 8/16 $US), près de l'étang, sur la route de l'aéroport, a été construite pour héberger les groupes. Le **Princess Hotel** (☎ 21319; kengtung@mail4u.com.mm ; s 20-25 $US, d 28-35 $US ; ❄) est bien situé près du marché, avec des chambres dotées de TV, clim, frigo et téléphone.

### MONG LA

À 85 km au nord de Kengtung, Mong La (ou Mengla) chevauche la frontière entre le Myanmar et la Chine. Jusqu'à récemment, cette ville était le Las Vegas du Myanmar, avec des douzaines de casinos, d'hôtels de luxe et de bars à hôtesses qui attiraient des flots de "touristes du vice" qui passaient la frontière depuis le Yunnan. La bulle a éclaté en 2005 quand le gouvernement chinois a interdit à ses citoyens de visiter Mong La pour mettre fin au blanchiment de millions de yuans par les syndicats du crime chinois. L'interdiction s'applique également dans l'autre sens et aux étrangers, puisque Mong La n'est plus un passage légal vers la Chine.

Depuis la fermeture des grands casinos, les principales curiosités de Mong La sont le grand **marché central** débordant d'animation et l'immense **pagode Shwedagon** qui offre une belle vue sur la ville et le poste-frontière chinois. À proximité se trouve le **musée de l'Éradication de la drogue** (gratuit ; 🕑 du lever au coucher de soleil).

Vous trouverez plusieurs hôtels modernes, aucun cependant habitué aux touristes parlant anglais. Essayez près du marché le **Haung Faun Hotel** (ch 60 yuans) aux allures d'hôtel d'affaires ou, au bord du fleuve, le très voyant **Powerlong Hotel** (ch 150 yuans).

La meilleure table est le marché central, qui réunit une multitude d'étals.

Vous trouverez une description complète de Kengtung et de Mong La dans le guide *Myanmar (Birmanie)* de Lonely Planet.

### DEPUIS/VERS TACHILEIK ET SES ENVIRONS

De Tachileik, chaque jour deux bus climatisés partent pour Kengtung (5 000 kyat, 4 heures, 9h et 13h). Pendant la journée, on peut aussi prendre un taxi collectif (siège avant/arrière 500/700 B, 3 heures) ou un *sŏrng·tăa·ou* (3 000 kyat, 4 heures). Le trajet en moto-taxi jusqu'à la gare routière coûte 20 B.

De Kengtung, des bus et des taxis se rendent à Mong La (bus/taxi collectif 7 000/12 000 kyat, 3-4 heures), mais rappelez-vous que vous devez obtenir à Tachileik l'autorisation de vous y rendre.

## CHIANG SAEN

เชียงแสน

**10 807 habitants**

Paisible ville assoupie au bord du Mékong, Chiang Saen fut le site d'un important royaume de Thaïlande au début du VII^e siècle. Les ruines de cet ancien empire – *chedi*, bouddhas, colonnes de *wí·hăhn* et remparts en terre – émaillent la ville moderne. Beaucoup plus

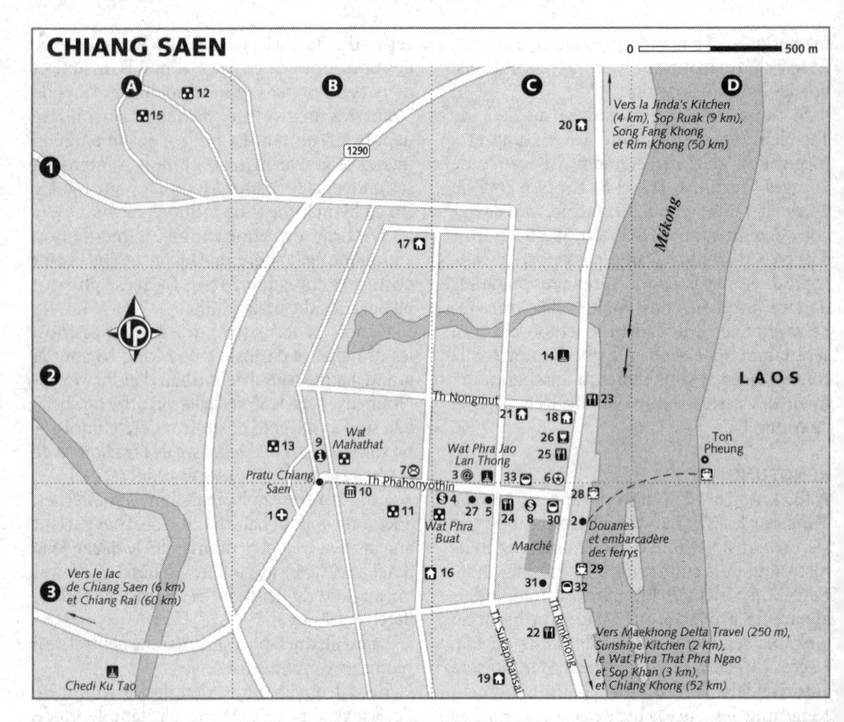


**RENSEIGNEMENTS**
Hôpital de Chiang Saen............1 B3
Bureau de l'immigration...........2 C3
Internet..................................3 C2
Krung Thai Bank (DAB).............4 C3
Bureau principal de l'immigration.5 C3
Police......................................6 C2
Poste.......................................7 B2
Siam Commercial Bank (DAB)...8 C3
Office du tourisme...................9 B2

**À VOIR ET À FAIRE**
Musée national de Chiang Saen.10 B3
Wat Chedi Luang....................11 B3
Wat Chom Chang....................12 A1
Wat Pa Sak............................13 B2
Wat Phakhaopan....................14 C2
Wat Phra That Chom Kitti.......15 A1

**OÙ SE LOGER**
Angsuna Hotel........................16 B3
Chengsan Golden Land Resort.17 B1
Chiang Saen Guest House.......18 C2
Chiang Saen River Hill Hotel...19 C3
Gin's Guest House..................20 C1
Sa Nae Charn Guest House....21 C2

**OÙ SE RESTAURER**
Ah Ying.................................22 C3
Vendeurs du soir....................23 C2
Étals de nourriture .................24 C3
Kiaw Siang Hai.......................25 C2

**OÙ PRENDRE UN VERRE**
2 be 1....................................26 C2

**TRANSPORTS**
Angpao Chiangsean Tour...............27 C3
Bateaux pour Sop Ruak et Chiang Khong...............28 C3
Bateaux pour Sop Ruak et Chiang Khong...............29 C3
Arrêt des bus.........................30 C3
Chiang Saen Tour and Travel. 31 C3
Sombat Tour........................(voir 4)
*Sŏrng·tăa·ou* pour Chiang Khong. 32 C3
*Sŏrng·tăa·ou* pour Sop Ruak et Mae Sai .........................33 C2

tard, Chiang Saen fut liée à divers royaumes de Thaïlande du Nord, ainsi qu'au Myanmar au XVIII$^e$ siècle. Elle ne fut annexée au Siam qu'en 1880.

Empruntant l'ancienne route commerciale sino-siamoise, d'énormes barges venant de Chine accostent aujourd'hui à Chiang Saen, chargées de toutes sortes de produits d'importation, des fruits aux pièces détachées de moteurs. Malgré cette activité commerciale et le développement de la ville proche de Sop Ruak, Chiang Saen a peu changé au cours des dix dernières années, ce qui la rend beaucoup plus agréable que sa voisine.

Seuls les riverains sont autorisés à traverser le Mékong vers la ville de Ton Pheung au Laos. Les étrangers qui ont un visa chinois en poche peuvent cependant embarquer à Chiang Saen pour rejoindre Jinghong dans la province chinoise du Yunnan (voir p. 381).

## Renseignements

Le **bureau de l'immigration** de Chiang Saen occupe un angle du principal carrefour de la ville. Une annexe se trouve près de l'embarcadère des bateaux pour Ton Pheung.

**Chiang Saen Hospital**( ☎ 0 5377 7017-035). Cet hôpital géré par le gouvernement est juste au sud du Wat Pa Sak. Le personnel parle un peu anglais. Le meilleur hôpital de la région se trouve à Chiang Rai (voir p. 362).

**Internet** (Th Phahonyothin ; 20 B/h ; ⌚ 10h-20h). Deux espaces Internet, l'un en face de l'autre, se trouvent à un pâté de maisons à l'est du Wat Chedi Luang.

**Office du tourisme** (Th Phahonyothin ; ☎ 8h30-16h30 lun-sam). Ce bureau d'accueil des visiteurs possède un plan en relief bien conçu, indiquant les principaux sites de vestiges et expose des photos de chedi avant, pendant et après restauration.

**Poste** (Th Phahonyothin ; ⌚ 8h30-16h30 lun-sam). Quasi en face du Wat Chedi Luang.

**Siam Commercial Bank** (Th Phahonyothin). Sur l'artère principale allant de la Highway au Mékong. Dispose d'un DAB et effectue les opérations de change.

## À voir et à faire

À l'entrée de la ville, le petit **Musée national de Chiang Saen** ( ☎ 0 5377 7102 ; 702 Th Phahonyothin ; 100 B ; ⌚ 8h30-16h30 mer-dim), en dépit de sa petite taille, est une bonne source d'informations sur la région.

Derrière le musée, à l'est, le **Wat Chedi Luang**, en ruine, abrite un *chedi* octogonal haut de 18 m, dans le plus pur style Chiang Saen ou Lanna. Les archéologues divergent quant à la date de sa construction, mais ils s'accordent à la situer entre le XIIe et le XIVe siècle.

À 200 m de la Pratu Chiang Saen (ancienne porte principale sur le flanc ouest de la ville) s'élèvent les ruines de sept bâtiments du **Wat Pa Sak**. Le grand stupa du milieu du XIVe siècle combine les styles Hariphunchai et Sukhothai à une possible influence birmane. Ces ruines font partie d'un **parc historique**, et un droit d'entrée est demandé (50 B).

À 2,5 km au nord du Wat Pa Sak, les vestiges du **Wat Phra That Chom Kitti** et du **Wat Chom Chang** trônent au sommet d'une colline. Le *chedi* rond du Wat Phra That Chom Kitti serait antérieur à la fondation du royaume ; un peu plus bas, le petit *chedi* appartenait au Wat Chom Chang. Ces bâtiments ne présentent pas un grand intérêt, contrairement aux jolies vues sur Chiang Saen et le fleuve.

En bordure du fleuve, l'enceinte du **Wat Phakhaopan**, un *wat* actif, renferme un magnifique *chedi* d'époque lanna. Les quatre faces de sa large base carrée portent chacune une niche garnie d'un bouddha marchant, de style Lanna. Celui qui est orienté à l'est représente la posture du *mudra* ("invocation de la pluie"), avec les bras tendus le long du corps, plus courante au Laos qu'en Thaïlande.

À 3 km au sud de la ville, dans le village de Sop Kham, le **Wat Phra That Phra Ngao** renferme une vaste salle de prières construite pour abriter un bouddha, partiellement exhumé, datant de l'époque de l'ancien royaume Chiang Saen. Les murs de l'édifice en brique sont en partie recouverts de fresques en stuc qui ont été peintes, donnant l'impression d'une surface de bois ou de cuivre polis. Un superbe *hŏr đrai* (dépôt de manuscrits) en teck doré est actuellement en construction. Une route abrupte mène à un temple et à une pagode au sommet de la colline, d'où s'offre une vaste vue sur les environs.

### CROISIÈRES SUR LE MÉKONG

Au départ du quai sur le Mékong, des vedettes express pouvant embarquer 6 passagers rejoignent Sop Ruak (aller/aller-retour 500/600 B, 35 min) ou continuent jusqu'à Chiang Khong (aller simple seulement 2 000 B, 1 heure 30).

Si vous avez un visa, il est également possible de prendre un bateau de passagers pour Jinghong, dans la province chinoise du Yunnan. Pour plus de détails, voir p. 768.

## Où se loger

Chiang Saen manque d'hébergements de qualité, surtout dans la catégorie supérieure. Si vous recherchez un standard de confort et de service élevé, optez plutôt pour la ville proche de Sop Ruak.

**Chiang Saen Guest House** ( ☎ 0 5365 0196 ; 45/2 Th Rimkhong ; ch 150-300 B, bungalows 200 B). Cette pension établie de longue date, idéalement située près du fleuve et des étals de nuit, possède des chambres et des bungalows triangulaires basiques mais d'un bon rapport qualité/prix. La pension peut se charger de la réservation des places sur le bateau pour la Chine et des formalités de visa (voir p. 768).

**Sa Nae Charn Guest House** ( ☎ 0 5365 1138 ; 641 Th Nongmut ; ch 200-450 B ; ❄ ). Tenue par un vieil homme facétieux et parfois confus, cette pension ne propose que des chambres sommaires, mais avec TV et clim si vous payez un peu plus.

**Angsuna Hotel** ( ☎ 0 5365 0955 ; 359 Moo 3 ; ch avec ventil/CA 250/350 B). Chambres sans caractère mais convenables si votre budget est restreint. Demandez-en tout de même une avec clim, frigo et TV.

**Gin's Guest House** (☎ 0 5365 0847 ; 71 Mu 8 ; ch 300-700 B, bungalows 200 B). À 1 km au nord du centre-ville, cette pension propose toute une gamme de chambres (toutes avec sdb) à des prix variés. La véranda à l'étage est l'endroit idéal pour observer l'activité sur le Mékong. La pension loue VTT et motos et organise de nombreux circuits.

**Sunshine Kitchen** (Khrua Ban Rot Fai ; ☎ 0 5365 0605 ; Rte 1129 ; bungalows 600-800 B, wagon 1 200 B ; ). C'est aussi le nom du restaurant au bord de l'eau à la même adresse. Trois bungalows en bambou rudimentaires et… un authentique wagon de chemin de fer ! Bien réaménagé, il paraît confortable, au moins vous n'y serez pas secoué ! Propriétaire sympathique parlant anglais.

**Chengsan Golden Land Resort** (☎ 0 5365 1100 ; www.chengsanresort.com ; 663 Moo 2 ; ch 800 B, bungalows 1 200-2 000 B ; ). Choisissez entre de vastes chambres bien équipées dans un bâtiment à 2 étages et plusieurs jolis bungalows en bois donnant sur un jardin et une piscine couverte. Ce complexe possède une autre adresse avec 10 bungalows similaires dans le village de Sop Kham, à 3 km au sud sur le Mékong.

**Chiang Saen River Hill Hotel** (☎ 0 5365 0826 ; www.chiangsaenriverhill.net ; 714 Th Sukapibansai 2 ; ch avec petit-déj 1 200 B ; ). Même si l'extérieur rose et le carrelage ne font pas honneur au décor élégant de Thaïlande du Nord, ce n'en est pas moins la meilleure adresse de la ville. Grandes chambres, avec TV, frigo et petit espace de relaxation.

## Où se restaurer et prendre un verre

Les étals de nouilles et de riz abondent sur le marché et dans ses environs, tout au long du fleuve et de la rue principale qui va de la grand-route à la ville. Près de l'arrêt du bus, le soir, des vendeurs servent leurs spécialités jusqu'aux alentours de minuit.

**Jinda's Kitchen** (enseigne en thaï ; ☎ 08 6654 3116 ; Rte 1290 ; plats 20-50 B ; 7h-20h). Ce douillet restaurant au bord de la route sert les spécialités de la région depuis plus de 50 ans. Essayez les fameux plats de nouilles du Nord comme le *kôw soy* ou le *kà·nŏm jin nám ngèe·o*, ou, dans le menu en anglais, optez pour un curry ou des saucisses maison. Jinda's Kitchen se trouve à peu près à mi-chemin de Chiang Saen et de Sop Ruak, à l'approche du Km 31 ; repérez le panneau Pepsi.

**Ah Ying** (enseigne en thaï ; ☎ 08 9655 3468 ; 778/1 Th Rimkhong ; plats 25-60 B ; 7h-22h). Les délicieuses nouilles étirées à la main sont la spécialité de ce minuscule restaurant familial. Garnies de porc haché épicé, elles font un excellent petit-déjeuner. Quand vous apercevrez les cuisiniers chinois lancer en l'air les écheveaux de pâte, vous serez à la bonne adresse.

**Vendeurs du soir** (plats 30-60 B ; 16h-23h). À la saison sèche, des vendeurs installés au bord du fleuve proposent riz gluant, salade de papaye verte épicée, poulet grillé, calamars séchés, etc. Quelle agréable façon de passer la soirée que de grignoter assis sur une natte, au bord du Mékong, devant la Chiang Saen Guest House ! Merveilles locales, le poisson ou le poulet cuits au barbecue dans des grosses tiges de bambou, qu'on accompagne de riz gluant et de *sôm·đam* (salade de papaye verte).

**Kiaw Siang Hai** (enseigne en thaï ; 44 Th Rimkhong ; plats 60-120 B ; 6h30-20h30). Un restaurant chinois on ne peut plus authentique qui nourrit les travailleurs des bateaux chinois accostant à Chiang Saen. En plus des nouilles annoncées dans l'enseigne et des *wonton* (raviolis), le menu est interminable. Goûtez le tofu frit épicé à la mode du Sichuan, ou l'une des soupes aux herbes chinoises.

**2 be 1** (18h-1h). Au bord du fleuve, un bar branché orné de lampes colorées. Espace intérieur et extérieur, musique house.

Pas loin, à Sop Ruak, **Song Fang Khong** (plats 40-100 B ; 11h-23h) et **Rim Khong** (plats 35-100 B ; 11h-23h), deux restaurants *sŏo·an ah·hăhn* (de plein air) sont installés au bord du fleuve, en retrait de la route qui la longe depuis Chiang Saen. Ils proposent un vaste choix de plats thaïlandais, chinois et isan. Utilisez vos rudiments de thaï.

## Depuis/vers Chiang Saen

Les *sŏrng·tăa·ou* bleus qui vont à Sop Ruak (20 B) et à Mae Sai (50 B) stationnent durant le jour à l'extrémité est de Th Phahonyothin. Les *sŏrng·tăa·ou* verts pour Chiang Khong (100 B) attendent dans Th Rimkhong, au sud du bureau de l'immigration, sur le bord du fleuve.

Chiang Saen n'a pas de véritable terminal du bus, seulement un abri couvert à l'extrémité est de Th Phahonyothin, où les bus prennent et déposent les passagers. De cet arrêt, des bus fréquents desservent Chiang Rai (35 B, 1 heure 30, de 5h30 à 17h30). Si vous allez à Chiang Mai (ordinaire/clim 126/227 B, 5 heures, 7h15 et 9h), assurez-vous que l'itinéraire emprunte la nouvelle route (*săi mài*).

L'ancienne route (*săi gòw*) traverse Lamphun, Lampang et Phayao, soit au final un voyage de 7 à 9 heures. Vous avez aussi la possibilité de prendre un premier bus jusqu'à Chiang Rai, puis d'en changer pour poursuivre jusqu'à Chiang Mai (environ 4 heures 30).

Pour Bangkok, **Sombat Tour** (☎ 08 1595 4616 ; Th Phahonyothin) propose une dizaine de places chaque jour dans un bus VIP (990 B, 12 heures, 17h), qui part d'un petit bureau à côté de la Krung Thai Bank. Les places étant comptées, réservez.

#### CHINE

Il était auparavant possible de voyager de Chiang Saen à Jinghong en Chine à bord d'un cargo. La seule solution aujourd'hui est de prendre le bateau de passagers de **Maekhong Delta Travel** (☎ 0 5364 2517 ; www.maekhongtravel.com ; 230/5-6 Th Phaholyothin, Mae Sai ; aller 820 yuans/4 000 B ; ⏲ 8h-17h). Cette agence, basée à Mae Sai, possède un petit bureau sommaire à Chiang Saen, à l'extrémité sud de Th Rimkhong, à 250 m au sud de l'embarcadère des grands bateaux. Pour ce voyage, vous devez être en possession d'un visa chinois (plus rapide à obtenir à Chiang Mai ou à Bangkok). La Chiang Saen Guest House (voir p. 379) peut vous réserver une place sur le bateau et vous aider pour le visa. Comptez au moins 4 jours ouvrés pour l'obtenir. Si vous avez déjà un visa, vous pouvez acheter votre billet directement auprès de Maekhong Delta, ou plus facilement auprès de **Chiang Saen Tour and Travel** (☎ 0 5377 7051 ; manthana2425@yahoo.com ; 64 Th Rimkhong ; ⏲ 10h-20h).

Le voyage de Chiang Saen à Jinghong dure 15 heures quand les conditions sont favorables. Durant la saison sèche, le bateau est ralenti par les rochers et les bancs de sable qui affleurent. Dans ce cas, une nuit, comprise dans le voyage, est prévue à Guanlei. Les bateaux partent de Chiang Saen le lundi, le mercredi et le samedi, à 5h.

#### LAOS

La liaison fluviale Chiang Saen-Laos n'est pas ouverte aux étrangers. Ils doivent passer par Chiang Khong (voir p. 386).

### Comment circuler

Motos-taxis et *săhm·lór*, rassemblés devant et aux alentours de l'arrêt des bus, assurent de courts trajets en ville pour 20 B.

Les deux-roues constituent un bon moyen de transport pour découvrir la région de Chiang Saen-Mae Sai. VTT (50 B/j) et motos (200 B/j) peuvent être loués auprès de la Gin's Guest House (p. 380) et d'**Angpao Chiangsean Tour** (☎ 0 5365 0143 ; www.angpao-r3a.com ; Th Phahonyothin ; ⏲ 9h-20h). Ce dernier propose aussi des voitures avec chauffeur et divers circuits dans la région.

## ENVIRONS DE CHIANG SAEN

### Sop Ruak

สบรวก

Sop Ruak, centre officiel du Triangle d'or, s'étend au confluent de la Nam Ruak et du Mékong, sur la frontière commune de la Thaïlande, du Myanmar et du Laos.

Historiquement, le "Triangle d'or" désigne une région géographique beaucoup plus vaste, à cheval sur les trois pays, où la production d'opium était répandue. Mais hôteliers et tour-opérateurs, en l'attribuant au minuscule village de Sop Ruak, se sont empressés d'exploiter ce nom évoquant l'aventure illicite, l'exotisme des zones frontières et les caravanes d'opium.

Mais tout cela est du passé, les caravanes d'opium ont fait place aujourd'hui à l'interminable défilé des bus de voyages organisés. La substance illicite est reléguée aux musées, et le cadre naturel, jadis superbe, est saturé de DAB, de stands de souvenirs et des annonces bruyantes des divers temples.

D'un autre côté, le meilleur, les deux musées sur l'opium (ci-dessous), la Maison de l'opium et le Hall of Opium, méritent chacun une visite. Il est aussi agréable de faire une petite croisière de 1 heure sur le fleuve. Il n'y a cependant aucune raison de s'attarder ici, à moins que vous n'ayez réservé dans l'un des impressionnants hôtels de luxe.

#### À VOIR ET À FAIRE

Le **Phra Chiang Saen Si Phaendin** (⏲ 7h-21h), un gigantesque bouddha, financé par une fondation sino-thaïlandaise, est monté sur une plate-forme en bateau, et les visiteurs sont encouragés à faire des dons en lançant des pièces depuis une autre plate-forme la surplombant par l'arrière.

La **Maison de l'opium** (Baan Phin ; ☎ 0 5378 4060 ; www.houseofopium.com ; entrée 50 B ; ⏲ 7h-20h), au sud-est de Sop Ruak, en face du Phra Chiang Saen Si Phaendin, est un petit musée consacré à l'histoire de l'opium. On peut y voir les différents outils et accessoires utilisés pour planter, récolter, consommer et vendre la résine du *Papaver somniferum* (pipes, poids, balances, photos, cartes, etc.).

Près du musée, un escalier conduit au **Wat Phra That Phu Khao**, qui offre la plus belle vue sur le Mékong, au carrefour du Laos, du Myanmar et de la Thaïlande.

Sur la rive birmane, on aperçoit le **Golden Triangle Paradise Resort** (☎ 053 652 111 ; ch 3 500-4 000 B, ste 7 000 B), un immense ensemble hôtelier nippo-thaïlandais, flanqué d'un casino, qui se dresse sur un terrain de 480 ha loué au gouvernement du Myanmar. Le casino est ouvert 24h/24, mais les visiteurs n'y sont admis qu'entre 8h et 18h, heures d'ouverture du poste d'immigration. Le baht et le dollar sont les deux seules devises acceptées par l'hôtel et le casino.

À 1 km au sud de Sop Ruak, sur un terrain de quelque 40 ha face au Baan Boran Resort & Spa, la Mah Fah Luang Foundation a bâti le **Hall of Opium** (☎ 0 5378 4444 ; www.goldentrianglepark.com ; Mu 1 Baan Sobruak ; 300 B ; 10h-15h30), une salle d'exposition de 5 600 m². Ouvert en 2003, il a pour ambition de devenir la référence en matière d'expositions et de recherches sur l'histoire de l'usage de l'opium à travers le monde. Il présente également les effets pervers de cette drogue sur l'individu et la société. Pédagogique et incontournable.

Des **excursions sur le Mékong** (circuit de 1 heure, max 5 pers/bateau, 400 B), en *long-tail boat* ou en vedette rapide, peuvent être organisées par l'intermédiaire de plusieurs agences locales ou depuis les divers pontons. L'option la plus commune est un circuit autour d'une grande île du fleuve et en amont jusqu'à l'ensemble hôtel-casino birman. Il faut débourser 700 B (500 B pour la Birmanie et 200 B pour la Thaïlande) pour passer la journée sur l'île du casino (le tampon sur le billet vaut pour l'entrée et la sortie).

Vous pouvez aussi convenir d'une escale au village lao de l'île fluviale de **Don Sao**, à mi-chemin de Sop Ruak et de Chiang Saen. Son bureau d'immigration laotien se fait un plaisir d'accueillir les visiteurs sans visa pour la journée. Chaque arrivant doit payer une taxe de 20 B. Il n'y a pas grand-chose à voir, mais le bureau de poste vous permettra d'envoyer lettres et cartes postales qui porteront le cachet de la république populaire du Laos. Les quelques magasins vendent des T-shirts et des objets artisanaux. Au Sala Beer Lao, vous pourrez boire une bière laotienne tout en grignotant des en-cas typiques.

### OÙ SE LOGER ET SE RESTAURER

Une seule raison incite à passer la nuit à Sop Ruak ou dans ses environs : profiter des meilleurs hôtels de luxe qui soient en Thaïlande du Nord. Si votre budget est restreint, mieux vaut séjourner à Chiang Saen. Plusieurs restaurants touristiques bordent le Mékong.

**Greater Mekong Lodge** (☎ 0 5378 4450 ; www.maefahluang.org ; s/d 1 600/1 800 B ; ). Cet hôtel, qui fait partie du Hall of Opium, possède 28 chambres bien équipées avec TV sat dans le bâtiment principal, austère et caverneux. Pour le même prix, préférez l'un des 13 bungalows sur pilotis.

**Imperial Golden Triangle Resort** (☎ 0 5378 4001/5 ; www.imperialhotels.com ; 222 Ban Sop Ruak ; ch 4 708-5 290 B ; ). Autre établissement de premier choix, immense, situé à une courte promenade de tous les sites d'intérêt de Sop Ruak. Les chambres ont un balcon avec une vue extraordinaire sur le fleuve.

**Anantara Golden Triangle Resort & Spa** (☎ 0 5378 4084 ; www.anantara.com ; ch/ste à partir de 10 900/15 200 B ; ). Un complexe exceptionnel au milieu d'un vaste parc paysager en face du Hall of Opium (voir ci-contre). Les chambres mêlent décor thaïlandais et contemporain, toutes avec balcon sur le Mékong. Jacuzzi, courts de tennis et de squash, salle de gym, sauna, bibliothèque, infirmerie et spa participent au luxe de l'établissement. Attraits plus spécifiques : stages de formation de mahout (2 à 3 jours) et le King's Cup Elephant Polo Tournament (tenu en mars).

**Four Seasons Tented Camp** (☎ 0 5391 0200 ; www.fourseasons.com ; séjour minimal 3 nuits 220 000 B ; ). Si vous disposez d'assez de temps (et d'argent), ce "camp de tentes" dans le style safari vous fera vivre une expérience vraiment unique en Thaïlande. Après un court trajet en bateau depuis Sop Ruak, on accède à une vaste étendue de jungle solitaire au bord du fleuve où sont plantées 15 tentes à flanc de colline. Luxueuses, elles déclinent tous les attributs de l'époque coloniale, dont une baignoire en cuivre et résine de caoutchouc qui donne tout de suite envie de l'essayer. Pas de TV, pas d'iPod, les hôtes sont encouragés à profiter du cadre naturel (de la tente 15, on a vue sur le bain des éléphants) et à participer aux activités quotidiennes qui vont de la formation de mahout à des séances de soins dans le spa. Dans le séjour de 3 nuits au minimum, tout est compris : transfert depuis l'aéroport, repas et boissons.

**DEPUIS/VERS SOP RUAK**

De nombreux *sŏrng·tăa·ou* circulent entre Chiang Saen et Sop Ruak (20 B, toutes les 20 min entre 7h et 17h). Les 9 km entre les deux villes sont faciles à parcourir à vélo.

## CHIANG KHONG

เชียงของ

**12 311 habitants**

Plus retirée et pourtant plus vivante que Chiang Saen, Chiang Khong constitue un important centre marchand pour les ethnies voisines et les échanges avec le nord du Laos. Par le passé, Chiang Khong fit partie d'un petit *meuang* (cité-État) du nom de Juon, fondé en 701 par le roi Mahathai. Au fil des siècles, Juon dut payer tribut tout d'abord à Chiang Rai, puis à Chiang Saen et enfin à Nan, avant d'être annexée par le Siam dans les années 1880. Le territoire de Chiang Khong s'étendait jusqu'au Yunnan (Chine) avant que la France ne s'empare en 1893 de la rive nord du fleuve pour l'intégrer à l'Indochine française.

Aujourd'hui, cette ville au bord du fleuve est une porte vers le Laos très empruntée par les touristes. De Huay Xai, sur la rive opposée du Mékong, des bateaux descendent lentement (2 jours) jusqu'à Luang Prabang. Et, si voulez aller encore plus loin, Huay Xai est à seulement 8 heures de bus de Boten, poste-frontière officiel avec la Chine – voir p. 386 pour de plus amples informations.

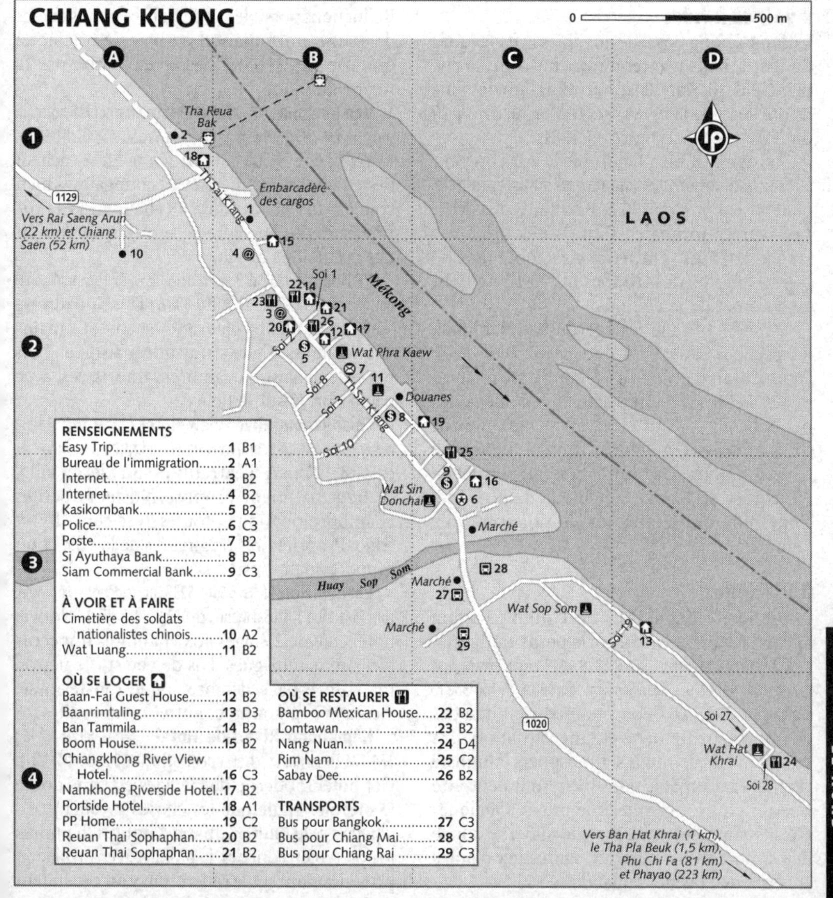

## Renseignements

La Si Ayuthaya, Kasikornbank et la Siam Commercial Bank ont des agences en ville, équipées de DAB et effectuant le change de devises.

**Easy Trip** (☎ 0 5365 5174, 0 8997 7246 ; www.discoverylaos.com ; 63/2 Moo 1, Th Sai Klang ; 8h-20h). Cet agent de voyages très professionnel organise des excursions en bateau et en bus vers le Laos (voir p. 386), et des voyages en minibus à Chiang Mai (250 B) et à Pai (450 B). Il assure également les réservations sur les vols domestiques ou vers le Laos. Services similaires dans de nombreuses pensions de Chiang Khong.

**Internet** (Th Sai Klang ; 30 B/h ; 10h-22h). Dans la rue principale, quasi en face de la Bamboo Mexican House (p. 386).

## À voir et à faire

Chiang Khong possède quelques *wat* typiques du Nord, mais d'intérêt mineur. Dans la rue principale, le **Wat Luang**, autrefois l'un des plus importants de la province, renferme un *chedi* du XIIIe siècle, restauré en 1881.

Sur une colline qui domine la ville, on peut visiter le **cimetière des soldats nationalistes chinois**, où reposent plus de 200 combattants du GMD. Les pierres tombales sont toutes orientées face à la Chine. Un reliquaire contenant de vieilles photos des troupes du GMD se tient au sommet de la colline.

Dans le proche village de **Ban Hat Khrai**, les pêcheurs attrapent encore du *ɓlah bèuk* (poisson-chat géant du Mékong). De fin avril à juin, saison où l'on pêche le *ɓlah bèuk*, les petits bateaux vont et viennent aux abords du **Tha Pla Beuk**, à environ 1,5 km au sud de Chiang Khong – la bifurcation qui permet de l'atteindre se trouve à hauteur du Km 137. Pour plus de détails sur ce poisson, voir l'encadré p. 385.

## Où se loger

La majorité des hôtels de Chiang Khong appartiennent à la catégorie petits budgets.

**Baanrimtaling** (☎ 0 5379 1613 ; maleewan_th@yahoo.com ; 99/4 Mu 3, Baan Sop Som ; dort 80 B, ch 160-350 B, bungalows 450 B ; ). Pour ce prix, rien que des chambres ordinaires et une situation pas vraiment idéale, mais l'atmosphère familiale et le service aimable vous inciteront peut-être à rester plus longtemps que prévu. Quelques attraits supplémentaires : vue superbe sur le fleuve, accès Wi-Fi gratuit, sauna aux plantes et cours de cuisine thaïlandaise.

**Baan-Fai Guest House** (☎ 0 5379 1394 ; 108 Moo 8, Th Sai Klang ; ch 100-200 B). Une belle maison de bois thaïlandaise dont les 8 chambres, malheureusement, déçoivent. Assez propres, elles représentent cependant un bon choix si votre budget est serré.

**Boom House** (☎ 0 5365 5136 ; www.boomhouseresort.com ; 406/1 Moo 1, Th Sai Klang ; ch 150-350 B ; ). Cette maison à plusieurs étages offre un choix de chambres simples mais propres, les plus chères avec clim, TV et frigo. Agréable restaurant au bord de l'eau.

**Reuan Thai Sophaphan** (☎ 0 5379 1023 ; sukatungka@gmail.com ; 83 Moo 8, Th Sai Klang ; ch 300-600 B ; ). Une belle pension dans un bâtiment en teck à plusieurs niveaux d'un joli cachet. Chambres un peu sombres toutefois, et aucune qui ne tire vraiment avantage de la vue sur la rivière. Réductions possibles, et chambres moins chères dans une autre maison en bois de bric et de broc de l'autre côté de la rue, tenue par la même famille.

**Ban Tammila** (☎ 0 5379 1234 ; baantammila@hotmail.com ; 113 Mu 8 Th Sai Klang ; bungalows 350/450 B, ch 350 B). Derrière une façade un peu défraîchie se cachent des chambres raffinées et des bungalows bien conçus, aux belles couleurs chaudes. Les propriétaires de cette adresse agréable organisent des excursions à vélo.

**PP Home** (Baan Pak Pon ; ☎ 0 5365 5092 ; baanpakpon@hotmail.com ; 177/Moo 2 ; ch 350-500 B ; ). Une adresse – et c'est de plus en plus rare – encore aux mains des habitants. Cette attrayante maison en bois possède de vastes chambres lambrissées, avec balcon privé sur le fleuve.

**Chiangkhong River View Hotel** (☎ 0 5379 1375 ; www.chiangkhong.com/riverviewhotel.htm ; 141 Moo 12 ; ch 500 B ; ). À l'extrémité sud de la ville, ce haut bâtiment propose plusieurs petites chambres identiques, toutes avec clim, TV et frigo. Propriétaires originaires de la ville ; bon rapport qualité/prix.

**Portside Hotel** (☎ 0 5365 5238 ; portsidehotel@hotmail.com ; 546 Moo 1, Th Sai Klang ; ch 600 B ; ). Nouvel hôtel chic de 2 étages aux chambres impeccables, un peu exiguës. Pas de vue sur le fleuve, mais un espace détente sur le toit-terrasse. Accès Wi-Fi gratuit et autres commodités.

**Namkhong Riverside Hotel** (☎ 0 5379 1796 ; 174-176 Th Sai Klang ; ch avec petit-déj 800-1 000 B ; ). Cet hôtel moderne de 3 étages est sans doute le premier signe que les choses évoluent peu à peu vers le haut à Chiang Khong. Chambres propres, bien conçues, la plupart avec un balcon privé donnant sur la rivière. On y est cependant incommodé par le bruit de la circulation et des soirées de karaoké. Les moins chères sont au rez-de-chaussée.

**Rai Saeng Arun** (0 5391 8255 ; www.raisaengarun.com ; 2 Moo 3, Ban Phakub ; bungalows avec petit-déj 3 000-3 750 B ; ). À 22 km de Chiang Khong, au bord d'une tranquille route de campagne qui conduit à Chiang Saen, ce complexe compte 14 bungalows au milieu d'un joli cadre naturel. Certains perchés sur une colline, d'autres plantés au bord des rizières qu'arrosent de petits ruisseaux, et trois au bord du Mékong. Tous sont élégants et confortables, avec balcon et douche en plein air. Des promenades en bois au-dessus des rizières les relient entre eux. Le restaurant, ouvert sur le Mékong, sert des plats à base de légumes et d'herbes aromatiques qui proviennent de la ferme bio. Rabais substantiels durant la basse saison.

## Où se restaurer

**Sabay Dee** (enseigne en thaï ; 08 3594 0676 ; Th Sai Klang ; plats 15-20 B ; 16h-19h). Si vous vous attardez un peu auprès de cette charrette familiale, vous verrez que l'on vient de toute la ville pour emporter à la maison qui un sac de curry, qui de la sauce aux piments. Pour les étrangers qui n'habitent pas ici, les propriétaires se font un plaisir d'installer le couvert. Ils préparent de la cuisine de Chiang Khong, avec ce qu'ils ont trouvé ce jour-là au marché. Vous aurez peut-être la chance de goûter le *gaang hŏoa Ƀli*, une soupe à la fleur de banane, ou le *lâhp*, la salade épicée à la mode du Nord à base de porc, de buffle ou de poisson (cru ou cuit, comme vous voulez). Venez assez tôt, car le choix diminue au fur et à mesure que la nuit s'installe. La charrette est garée juste à côté du *soi* qui mène à la Baan-Fai Guest House.

### LE POISSON-CHAT GÉANT DU MÉKONG

À la hauteur de Chiang Khong, le Mékong est le cadre de vie du *Ƀlah bèuk* (poisson-chat géant, *Pangasianodon gigas* pour les ichtyologistes), l'un des plus gros poissons d'eau douce du monde. Il faut de 6 à 12 ans à un *Ƀlah bèuk* pour atteindre sa taille adulte (personne n'en est vraiment sûr) et il mesure alors entre 2 et 3 m de longueur pour un poids pouvant aller jusqu'à 300 kg. Les poissons adultes ne se trouvent que dans certaines parties du Mékong, mais on pense qu'ils naissent dans la province de Qinghai (où le Mékong prend sa source), dans le nord de la Chine, et descendent le fleuve jusqu'à sa partie moyenne, où ils passent la plus grande partie de leur vie adulte.

En Thaïlande et au Laos, sa chair ferme au goût délicat est très prisée. On le pêche de fin avril à juin, quand le fleuve atteint entre 3 et 4 m et qu'il remonte le courant. Avant de lancer leurs filets, Thaïlandais et Laotiens se livrent à une cérémonie particulière, afin de s'attirer les faveurs de Chao Mae Pla Beuk, la déesse qui préside aux destinées des poissons-chats. Des poulets sont sacrifiés à bord des bateaux de pêche. Ensuite, les équipes de pêcheurs tirent au sort celui qui lancera le premier filet à l'eau. Les autres suivent à tour de rôle.

Ces dernières années, en saison, seuls quelques poissons ont été pris (parfois aucun), et la guilde des pêcheurs se limite aux natifs de Ban Hat Khrai. Ils vendent leur prise sur place, jusqu'à 500 B ou plus le kilo (à Bangkok, un seul de ces poissons peut rapporter 100 000 B). Les poissons finissent en majorité sur les grandes tables de Bangkok, car les petits restaurants locaux de Huay Xai et de Chiang Khong ne peuvent s'aligner sur de tels tarifs.

Inscrit sur la liste des espèces en voie de disparition répertoriées par la Convention sur le commerce international des espèces menacées (CITES, Convention on International Trade in Endangered Species), le *Ƀlah bèuk* est au centre d'une controverse, certains estimant la menace exagérée. Le ministère thaïlandais de la Pêche a pris des mesures de protection en 1983, en lançant un programme d'élevage de ce poisson. Chaque fois qu'un pêcheur attrape une femelle, elle est gardée en vie jusqu'à la prise d'un mâle. Les œufs de la femelle sont alors prélevés par un massage des ovaires, puis fertilisés avec du sperme extrait du mâle. Ce programme ne s'est révélé un succès qu'en 2001, quand 70 000 alevins ont survécu. Ils furent distribués dans des centres d'élevage ailleurs dans le pays, dont certains ont eu des résultats acceptables, notamment dans la province de Suphan Buri dans le centre de la Thaïlande. En raison de ce succès, le *Ƀlah bèuk* est à nouveau un peu partout au menu des restaurants.

À l'heure actuelle, la plus grande menace pour le poisson-chat est le projet de 11 barrages sur le Mékong, qui compromettra sa migration. La destruction par la Chine de rapides sur le fleuve le prive également de sites de reproduction majeurs.

**Rim Nam** (plats 30-90 B ; 11h-21h). Dans une rue étroite en surplomb du Mékong, ce restaurant sert une cuisine simple, dedans et dehors. Le menu bilingue est beaucoup plus court que celui rédigé en thaï. Les *yam* (salades épicées) constituent la spécialité maison, mais les cuisiniers prépareront tout ce que vous désirez.

**Nang Nuan** (☎ 0 5365 5567 ; Ban Hat Khrai ; plats 30-150 B ; 9h-minuit). Le menu annonce en anglais que le restaurant se trouve sur "le meilleur lieu de reproduction des poissons-chats", ce qui ne l'empêche pas de concocter quelques autres savoureux plats locaux. Les poissons d'eau douce, pêchés dans le Mékong, restent cependant la spécialité, préparés de toutes sortes de façons, comme l'explique le long menu en anglais.

**Bamboo Mexican House** (☎ 0 5379 1621 ; 1 Moo 8, Th Sai Klang ; plats 30-180 B ; 7h-20h). Le chef de ce petit restaurant-boulangerie a appris des recettes mexicaines de ses hôtes américains et mexicains quand il tenait une pension aujourd'hui fermée. Pour être honnête, nous ne les avons pas goûtées, nous étant contentés de ses délicieux pains et gâteaux. Ouvert très tôt le matin, il peut vous confectionner une boîte pique-nique à emporter sur le bateau.

**Lomtawan** (☎ 0 5365 5740 ; 354 Moo 8, Th Sai Klang ; plats 60-180 B ; déj et dîner). Si vous n'exigez pas une vue sur le fleuve, cette maison confortable, éclairée aux bougies, compose un cadre agréable pour le dîner. Le menu en anglais est bien fourni, avec des options osées comme le saumon en curry vert. Tard le soir, un orchestre remplace la musique de fond, et le lieu se transforme alors en bar intime.

## Depuis/vers Chiang Khong

Des bus desservent régulièrement Chiang Rai (70 B, 2 heures 30, toutes les heures, de 4h à 17h), ainsi que Chiang Saen.

Deux bus partent le matin pour Chiang Mai (2e classe clim/VIP 225/290 B, de 6h à 11h).

Pour le bus pour Bangkok (2e classe clim/1re classe/VIP 529/680/794 B, 12 heures, 15h30), arrivez au moins 30 min avant le départ, ou achetez votre billet à l'avance auprès d'Easy Trip (voir p. 384).

Des bateaux d'une capacité maximale de 10 personnes peuvent être affrétés pour remonter le Mékong jusqu'à Chiang Saen (2 000 B environ). On peut contacter les équipages à l'embarcadère des ferrys pour le Laos.

### TRAVERSÉE DE LA FRONTIÈRE LAOTIENNE

Les *long-tail boats* pour Huay Xai, au Laos (40 B), partent à intervalles réguliers entre 8h et 18h de Tha Reua Bak, un embarcadère situé aux confins nord de Chiang Khong.

Les étrangers peuvent se procurer un visa de 30 jours pour le Laos avant d'arriver à Huay Xai, pour 30 à 42 $US, selon leur nationalité. Comptez 1 $US ou 50 B de supplément après 16h et le week-end. Assurez-vous que votre passeport comporte le tampon de sortie du territoire apposé par les autorités thaïlandaises, si vous voulez éviter de vous retrouver dans une situation fâcheuse par la suite. À votre retour en Thaïlande, l'agent de l'immigration apposera un nouveau visa touristique de 15 jours sur votre passeport.

Une fois parvenu sur la rive laotienne, vous pourrez continuer par la route jusqu'à Luang Nam Tha et à Udomxai, ou décider de descendre le fleuve jusqu'à Luang Prabang. Si vous désirez aller à la capitale, **Lao Airlines** (☎ 211026, 211494 ; www.laoairlines.com) propose des vols Huay Xai-Vientiane 3 fois par semaine (94 $US).

Si vous en avez le temps, la descente en "bateau lent" (900 B, 10h) jusqu'à Luang Prabang prendra 2 jours, dont une nuit au village de Pak Beng. Évitez les bateaux rapides (1 450 B, 6 à 7 heures) qui font non seulement beaucoup de bruit mais ont déjà causé de graves accidents. Réserver auprès d'une agence telle Easy Trip (p. 384) coûte un peu plus, mais on viendra vous chercher à votre pension et on vous déposera sur l'autre rive du Mékong, muni d'une boîte pique-nique pour le déjeuner.

### TRAVERSÉE DE LA FRONTIÈRE CHINOISE

Si vous êtes en possession d'un visa chinois, il est aujourd'hui également possible d'aller plus ou moins directement en Chine à partir de Chiang Khong. Une fois votre visa de 30 jours pour le Laos obtenu à Huay Xai, embarquez à bord d'un des trois bus hebdomadaires qui se rendent directement à la ville de Xishuangbanna dans le district de Mengla (700 B, 8 heures, 8h lun, mer et ven) via le poste-frontière laotien de la ville de Boten. De Mengla, vous aurez le choix entre un bus pour Jinghong (5 heures), la capitale du district de Xishuangbanna, ou un bus de nuit pour Kunming.

### Comment circuler

Un *săhm·lór* de la gare routière à Tha Reua Bak, l'embarcadère pour la traversée vers le Laos, coûte 30 B.

Des VTT sont à louer auprès de Ban Tammila (p. 384) et d'Easy Trip (p. 384).

# PROVINCE DE PHAYAO

## PHAYAO

พะเยา

**19 118 habitants**

De nombreux Thaïlandais ne connaissent pas cette paisible mais attrayante ville du Nord, et c'est sans doute pour remédier à cela que l'on a poussé le zèle dans une brochure touristique à la présenter comme la "Vienne de l'Asie du Sud-Est". Même si c'est exagéré, Phayao est certainement l'une des plus agréables villes du Nord. Sa situation au bord du Kwan Phayao, le lac qui innonde la plaine environnante, lui confère cet air de ville dans la nature que l'on ne retrouve pour ainsi dire jamais dans les autres agglomérations. Ses rues bordées d'arbres, ses temples et ses vieilles maisons en bois du "centre-ville" évoquent un paysage enchanteur de la Thaïlande ancienne.

Cette petite ville à peine visitée est idéale pour faire une pause à l'aller ou au retour de Chiang Rai, ou pour terminer la balade en voiture que nous suggérons depuis Chiang Khong (voir l'encadré p. 388)

### Renseignements

**Internet@Cafe** (Th Pratu Khlong ; 20 B/h ; 10h-22h). D'autres boutiques offrant un accès Internet s'égrènent au long de Th Don Sanam.

**Krungsri Bank** (Th Phasart ; 8h30-15h30). Près du pilier de la ville, cette banque comporte un comptoir de change.

**Poste** (Th Don Sanam ; 8h30-16h30 lun-ven, 9h-12h sam et dim)

### À voir et à faire

#### KWAN PHAYAO

กว๊านพะเยา

La vaste étendue d'eau que forme le Kwan Phayao est le plus grand marais de Thaïlande du Nord et le symbole de Phayao. Le niveau d'eau est régulé artificiellement pour empêcher que les plaines humides s'assèchent en dehors de la saison des pluies. Encadré par les montagnes, ce marais est en fait un lac des plus pittoresques. Le soir, des équipages y pratiquent l'aviron avant des couchers de soleil parmi les plus beaux de Thaïlande. À l'extrémité sud de Th Chai Kwan, des **barques** (20 B) conduisent aux vestiges du **Wat Tiloke Aram**, un temple de 500 ans englouti sous les eaux. Un projet ambitieux prévoit de reconstruire ce temple, l'une des nombreuses structures religieuses submergées du Kwan Phayao, dont les vestiges bouddhiques. Au moins 50 espèces de poissons peuplent les eaux ; dans une petite **zone d'élevage**, on peut même les nourrir (5 B).

#### WAT SRI KHOM KHAM

วัดศรีโคมคำ

Le temple le plus important de Phayao remonterait à 1491, mais sa structure actuelle fut achevée en 1923. L'immense salle de prières héberge le Phra Jao Ton Luang, le plus grand bouddha du pays de la période de Chiang Saen, haut de 18 m. La légende veut que sa construction ait demandé plus de 30 ans. La salle d'ordination qui s'élève au-dessus des eaux du Kwan Phayao comporte de gracieuses fresques murales modernes. Sur le site du *wat* se trouve aussi un jardin de sculptures, qui comprend de gigantesques représentations terrifiantes des enfers bouddhiques.

À côté du temple, le **Phayao Cultural Exhibition Hall** (0 5441 0058 ; 40 B ; 8h30-17h lun-sam) est un musée sur 2 étages débordant d'objets et d'informations en anglais sur l'histoire et la culture locales. Deux pièces retiennent l'attention : un bouddha "noir" et un fossile de deux crabes accouplés.

### Autres curiosités

Face à l'embranchement de la Route 1 pour Phayao, le **Wat Li** possède un petit **musée** (don à l'entrée ; 9h-15h) qui présente divers objets des époques antérieures à celle de Chiang Saen. Le **Wat Phra That Jom Thong** est doté d'un joli *chedi* qui s'élève sur une colline boisée à 3 km du centre-ville.

### Où se loger

**Tharn Thong Hotel** (0 5443 1302 ; 56-59 Th Don Sanam ; d 150-350 B ; ). Chambres spartiates avec ventil dans le bâtiment principal, et plus confortables avec clim dans le complexe à l'arrière.

**Wat tana Hotel** (0 5443 1203 ; 69 Th Don Sanam ; ventil/clim 150/280 B ; ). Voisin du Tharn Thong, le Wat tana est quasi identique, mais ses chambres ne sont pas aussi propres.

## UN LONG DÉTOUR VERS PHAYAO

Si vous êtes à Chiang Khong et disposez d'un véhicule, nous avons une excellente suggestion de balade. Les Routes 1155 et 1093, parmi les plus spectaculaires de Thaïlande, suivent les montagnes abruptes qui dessinent la frontière thaïlando-laotienne. Passant par des parcs nationaux, elles offrent des panoramas époustouflants, dont de superbes chutes d'eau. Si vous avez besoin d'une destination précise, continuez jusqu'à Phayao, une province et une ville peu visitées où vous trouverez un bon choix d'options d'hébergement et de restauration.

De Chiang Khong, le trajet est simple : il suffit de prendre vers le sud par la Route 1020 et de suivre les panneaux indiquant Phu Chi Fa, un parc national près de la frontière laotienne. Pour une fois en Thaïlande, la signalisation est claire, mais il vaut tout de même mieux avoir avec soi la carte *Golden Triangle* du Golden Triangle Rider.

Au village de Doi Pha Tang, au sommet de la montagne, vous pourrez faire un petit détour jusqu'à Pratu Siam. À 1 653 m, c'est l'un des plus impressionnants points de vue du pays, où l'on peut même passer la nuit et se restaurer.

La Route 1093 se rétrécit et les villages se font rares au fur et à mesure que vous grimpez vers le Phu Chi Fa, d'où s'offre une vaste vue sur les hautes chaînes du Laos. Plusieurs routes conduisent au sommet du mont, la plus empruntée passant par Ban Rom Fah Thai. Au pied du Phu Chi Fa, sur ses deux faces, on trouve quelques adresses où dormir et se restaurer.

Après avoir passé Phu Chi Fa, restez sur la Route 1093 en suivant les panneaux pour Ban Huak. C'est un village pittoresque de la province de Phayao, à 2 km de la frontière laotienne. Le 10 et le 30 de chaque mois s'y tient un marché frontalier. Les habitants proposent des chambres chez eux. Pas loin, la Nam Tok Phu Sang est une cascade très particulière car son eau est chaude.

De Ban Huak, suivez la direction de Chiang Kham, puis prenez la Route 1021 jusqu'à Chun, d'où vous rejoindrez directement Phayao (via Dok Kham Tai), qui mérite elle-même une visite (p. 387).

Si vous réalisez cette balade d'une seule traite, allouez-vous au moins 6 heures, arrêts photos, café et déjeuner compris.

**Phuthong Place** (☎ 0 5441 0505 ; 335 Moo 3, Th Pratu Khlong ; ch 500 B ; ). Excellent choix que les grandes chambres impeccables et confortables du Phuthong Place. À quelques pas du marché de nuit qui se tient sur Th Rob Wiang.

**Phayao Northern Lake Hotel** (☎ 0 5441 1123 ; 15/7 Th Rob Wiang ; ch 400-600 B ; ). Ce vaste hôtel à une courte distance du terminal des bus offre des chambres un peu défraîchies, cependant confortables. Les moins chères sont plutôt petites tout en étant bien équipées.

**Gateway Hotel** (☎ 0 5441 1333 ; 7/36 Soi 2, Th Pratu Khlong ; d 800 B, ste 1 800 B ; ). L'hôtel le plus huppé de la ville propose des chambres plutôt fanées avec "vue sur la mer", c'est-à-dire un splendide panorama du Kwan Phayao.

### Où se restaurer et prendre un verre

Une petite ville comme Phayao étonne par l'abondance et l'excellence de ses mets. Pendant la journée, à l'extrémité nord de Th Chai Kwan, une myriade de vendeurs ambulants proposent plus ou moins le même répertoire de poissons grillés et de salades de papaye. Kaat Boran, le marché de nuit, aux étals bien fournis en plats cuisinés, se tient chaque soir de 18h à 22h, près du monument au roi Ngam Muang. Chaque soir également, un autre marché semble s'étirer sans fin tout au long de Th Rob Wiang, sur le côté nord.

Au bord du lac Kwan Phayao, les restaurants s'alignent à touche-touche, du début de Th Kwan jusqu'au parc public. Parmi eux, **Chuechan** (enseigne en thaï ; ☎ 0 5448 4670 ; Th Chai Kwan ; plats 60-120 B ; 10h-22h30) est une table très applaudie par les critiques culinaires de Thaïlande. Le long menu, avec photos et traduction en anglais, décline des plats que l'on ne retrouve nulle part ailleurs, tel le jarret de porc farci ou le poisson à l'aigre-douce frit aux œufs. Repérez le plus haut bâtiment sur cette portion de Th Chai Kwan.

**Khao Soi Saeng Phian** (enseigne en thaï ; Th Tha Kwan ; plats 25-40 B ; 9h-15h). Ce petit restaurant familial sert les meilleurs bols de *kôw soy* (nouilles au curry) dans cette partie du Nord. Au menu également : *kà·nŏm jin nám ngée·o* et autres spécialités de nouilles. Les amateurs de nouilles du Nord seront ravis de trouver au moins quatre autres boutiques au menu similaire aux environs de l'intersection de Th Kwan et de Th Ratchawong.

**Miracle Coffee** (☎ 08 4047 7375 ; angle Th Chai Kwan et Th Ratchawong ; plats 25-60 B ; 9h-minuit). Au bord du lac, un café décontracté pendant la journée, qui se transforme à la nuit tombée en bar animé, apprécié des gens du coin.

**Laap Kai Tawan Daeng** (enseigne en thaï ; ☎ 08 1033 2089 ; 37/2 Th Phasart ; plats 49-79 B ; 11h-minuit). La spécialité de ce restaurant est un délicieux *lâhp gài* du Nord (salade de poulet haché avec de croustillantes herbes frites). Venez le soir quand le lieu devient un chaleureux pub rustique avec musique live. Repérez le grand coq à l'avant qui sert d'enseigne.

**Tem Im** (enseigne en thaï ; angle Th Harinsut et Th Pratu Khlong ; 89 B/pers ; 18h-23h). Extrêmement populaire auprès des habitants, ce restaurant de plein air propose des barbecues à faire vous-même. Choisissez à volonté parmi les ingrédients crus, puis grillez-les sur les braises à votre table. Le *mŏo gà·tá*, barbecue thaïlandais, est à déguster entre amis avec de la bière.

### Depuis/vers Phayao

La gare routière de Phayao est animée, en raison de sa situation sur l'axe routier principal nord-sud.

Des bus desservent toutes les 40 min Chiang Rai (ordinaire/2e classe clim/1re classe/VIP 49/88/103/119 B, 2 heures, de 7h à 17h) et deux rallient Nan (2e classe clim 139 B, 4 heures, 8h et 13h30). Toutes les 40 min, des bus partent pour Chiang Mai (2e classe clim/1re classe 127/164 B, 3 heures, de 7h30 à 17h30), mais demandez bien si le trajet emprunte la nouvelle route (*săi mài*). L'itinéraire par la vieille route (*săi gòw*) est moins cher (ordinaire/2e classe clim/VIP 73/102/239 B, 5 heures) mais beaucoup plus long.

Pour Bangkok, quelques bus partent le matin et l'après-midi (2e classe clim/1re classe/VIP 461/592/920 B, 11 heures), mais il est aussi possible d'embarquer à bord d'un des quelque 40 bus qui font halte à la gare en provenance de points plus au nord.

# PROVINCE DE PHRAE

Phrae est une province rurale et montagneuse souvent associée au teck. En dépit d'une interdiction de l'abattage sur l'ensemble du territoire, il ne reste plus guère de ce bois dur, et les parcelles de forêt encore existantes sont menacées (voir l'encadré p. 390).

## PHRAE

แพร่

**17 971 habitants**

En se promenant dans la vieille cité de Phrae, le voyageur est étonné de découvrir des ressemblances avec la ville historique de Luang Prabang au Laos : beaucoup de verdure, des maisons traditionnelles en teck, de ravissants temples et de nombreux moines déambulant dans les rues. Entourée de douves au bord de la rivière Mae Nam Yom, Phrae rappelle également Chiang Mai. En dépit de tous ces attraits, la ville est délaissée des touristes et donc une destination idéale pour qui ne recherche rien d'autre que quelques sites tranquilles, de bons plats et une compagnie agréable.

### Renseignements

**Bureau de la CAT** (Th Charoen Meuang ; 8h-20h). Attenant à la poste principale. Appels internationaux et accès Internet par T-card.

**Government Savings Bank** (Th Rong Saw ; 8h30-15h30 lun-ven). DAB près du bureau de police.

**Krung Thai Bank** (Th Charoen Meuang ; 8h30-15h30 lun-ven). DAB et change de devises.

**Modern** (Th Charoen Meuang ; 20 B/h ; 10h-22h). Station de jeux vidéo avec accès Internet, près du Pratu Chai.

**Nok Bin** (☎ 08 9433 3285 ; www.nokbinphrae.th.gs ; 24 Th Wichairacha ; 10h-18h). Mme Khun Kung, une journaliste locale, a créé avec son mari deux plaisants cafés qui servent de centres d'information pour les visiteurs. Le couple a imprimé une carte touristique de Phrae, régulièrement remise à jour, et peut vous procurer vélos et motos en location. Le deuxième café, plus petit, est près du Pratu Chai, à l'entrée de la vieille ville.

**Phrae Hospital** (☎ 0 5452 2444). Juste à l'est de Thanon Chaw Hae, au sud-est de la ville.

**Poste principale** (Th Charoen Meuang ; ☎ 8h30-16h30 lun-ven, 9h-12h sam)

### À voir

**WAT LUANG**

วัดหลวง

Probablement édifié au moment de la fondation de la ville, au XIIe ou au XIIIe siècle, le *wat* est le plus ancien de Phrae. Le **Phra That Luang Chang Kham**, le grand *chedi* octogonal de style lanna, repose sur une base carrée soutenue des quatre côtés par des éléphants. Comme on le voit parfois à Phrae et à Nan, le *chedi* est de temps en temps recouvert de tissu thaï lü.

**LE TIGRE DANSANT**

Kaeng Sua Ten (les rapides du Tigre dansant) sont des formations rocheuses le long de la Mae Nam Yom, dans le district de Song de la province de Phrae. Faisant partie du parc national de Mae Yom, ces rapides d'une beauté sauvage sont également à l'origine d'un des plus longs conflits en Thaïlande concernant l'environnement.

Depuis le début des années 1980, le gouvernement réitère régulièrement son intention de construire un barrage sur la Mae Nam Yom à Kaeng Sua Ten. Les habitants du village de Tambon Sa-lab, le plus proche de Kaeng Sua Ten, ont exprimé verbalement, mais parfois par la violence, leur opposition à ce projet. Ils déclarent que le barrage altérerait irrévocablement leur mode de vie traditionnel ; 2 700 familles seraient obligées de quitter leurs maisons, et les eaux recouvriraient 3 200 ha de terres, dont les dernières forêts naturelles de teck doré.

D'un autre côté, nombre d'habitants de la province de Phrae et de Thaïlande du Nord aimeraient voir ce barrage réalisé, sous prétexte qu'il aiderait à contrôler les inondations que provoque la Mae Yom à la saison des pluies et servirait de réserve d'eau en période de sécheresse. Les politiciens de Bangkok clament que le barrage fournira de l'énergie pour le pays et de l'eau pour l'irrigation dans les provinces au sud de Phrae. Ce barrage recouvre d'autant plus d'importance qu'il fait partie du projet de développement rural mis en place par le roi depuis plusieurs décennies. En 1995, le monarque lui-même appelait publiquement à sa construction.

En réalité, les raisons avancées par le gouvernement ont fluctué avec inconsistance entre l'argument de l'énergie et celui de l'irrigation, s'appuyant toujours sur le plus populaire du moment. À un certain point, la Banque mondiale a refusé d'investir dans ce projet, arguant que l'évaluation par le gouvernement de l'impact sur l'environnement était incomplète. De nombreux opposants ont également fait remarquer que le site proposé se trouvait directement sur une faille sismique.

En 2008, Samak Sundaravej fut le dernier Premier ministre en date à reparler de la construction du barrage. À ceux qui s'inquiètent de l'impact potentiel sur l'environnement, il a répondu qu'il ne restait là-bas aucun teck doré, seulement "trois paons stupides", ajoutant que le barrage réduirait les effets du réchauffement planétaire (une déclaration émise à l'occasion de la Journée internationale de l'environnement). Les habitants du village de Sa-lab ont réagi à ses propos en brûlant son effigie et en ayant recours à une méthode de protestation unique : ils ont "ordonné" plusieurs tecks dorés près de Kaeng Sua Ten, en les revêtant de la robe monastique orange pour démontrer le caractère "sacré" de ces arbres qui deviennent, de cette façon, plus difficiles à abattre.

Pour l'instant, le projet est au point mort, plus à cause de la situation politique instable que d'une volonté de changement de cap. Une chose est certaine, ce projet de barrage à Kaeng Sua Ten a incité de nombreuses personnes à se poser des questions sur le concept du développement en Thaïlande, et il continuera à incarner la lutte entre les Thaïlandais pauvres des régions rurales, qui n'ont pas leur mot à dire sur le développement de leur propre environnement, et le gouvernement autoritaire de Bangkok, basé loin d'eux, dans le centre du pays.

La véranda du *wí·hăhn* principal est de style Luang Prabang-Lan Xang classique, mais elle a malheureusement été murée. Devant le *wí·hăhn*, le **Pratu Khong** faisait partie de la porte d'entrée de la ville. Elle ne sert plus de porte, mais renferme une statue de Chao Pu, un ancien chef lanna.

L'enceinte comprend un **musée** où sont exposés des antiquités du temple, poteries et objets d'art religieux des périodes de Lanna, de Nan, de Bago et de Môn. Le 2e étage présente un délicat bouddha assis, sculpté à Phrae au XVIe siècle, et des photos du XIXe siècle. Le musée n'est généralement ouvert que le week-end, parfois en semaine sur demande (adressez-vous aux moines).

**WAT PHRA NON**

วัดพระนอน

À l'ouest du Wat Luang, ce temple vieux de trois siècles a reçu le nom de son bouddha couché (*prá norn*), objet d'une vénération intense. Construit il y a environ 200 ans, le *bòht* (sanctuaire central) présente un toit très imposant, un portique séparé à 2 étages et une façade en bois taillé et doré représentant des scènes du *Ramayana*. Le *wí·hăhn* derrière le *bòht* (pavillon des ordinations) renferme l'image du Bouddha, enveloppée d'étoffe thaï lü rehaussée de perles et de métal.

## WAT JOM SAWAN

วัดจอมสวรรค์

À l'extérieur de la vieille ville, dans Th Ban Mai, ce temple, construit fin XIXe-début XXe siècle par des Chan de la région, témoigne d'influences chan et birmane. Lors de notre dernière visite, le temple en restauration était déjà plus beau qu'avant, bien que l'intérieur ne fût pas encore pas terminé. À côté, le *chedi* couronné de cuivre a perdu l'essentiel de son décor en stuc, mettant à nu la finesse du briquetage sous-jacent.

## AUTRES TEMPLES

Le **Wat Phra Baht Ming Meuang**, en face de la poste dans la vieille ville, réunit deux temples autrefois distincts (l'un contient un musée assez rarement ouvert), une école bouddhiste, un *chedi* ancien, un étonnant clocher de forme octagonale entièrement en teck et le très vénéré Phra Kosai, qui ressemble beaucoup au Phra Chinnarat de Phitsanulok. Érigé à l'angle extérieur nord-ouest des douves, le **Wat Sa Bo Kaew**, de style chan-birman, ressemble au Wat Jom Sawan.

## VONGBURI HOUSE

บ้านวงศ์บุรี

Cette demeure, résidence du dernier prince de Phrae, a été transformée en **musée privé**

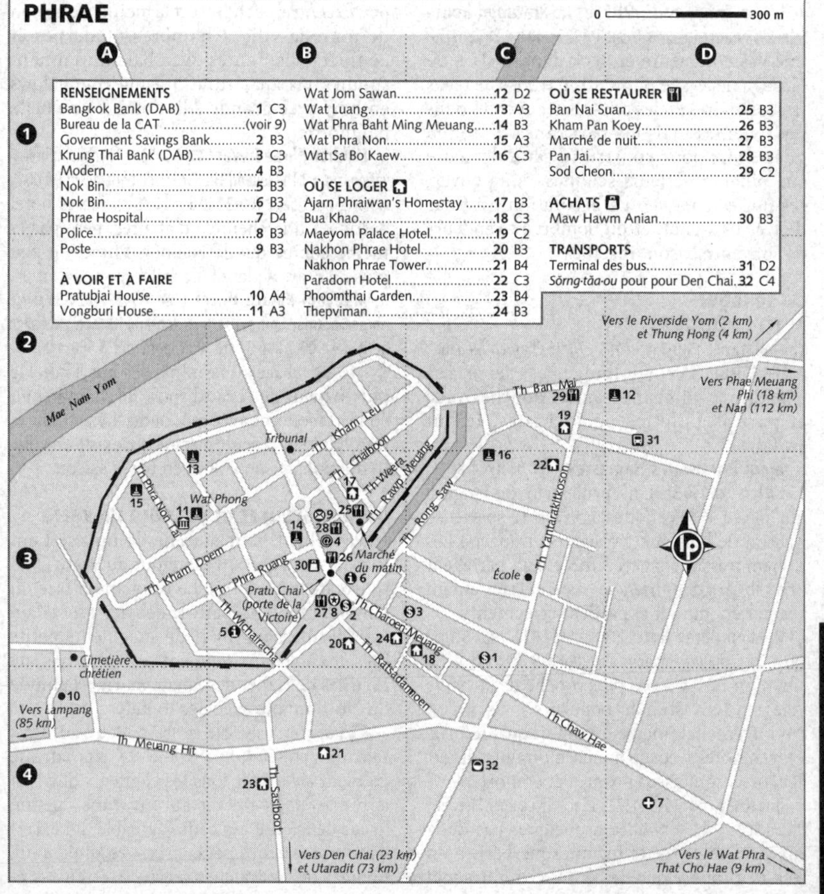

(☎ 0 5462 0153 ; 50 Th Kham Leu ; 30 B ; 🕒 8h-17h). Elle fut construite en teck sur 2 étages, entre 1897 et 1907, pour Luang Phongphibun, dernier prince de Phrae et propriétaire d'une fort rentable concession de bois de teck, et son épouse, Chao Sunantha. Les détails élaborés des pignons, des toits, des balcons et des chambranles des portes et fenêtres en bois sculpté sont restés bien préservés. Des antiquités en teck de la fin du XIXe siècle, des documents (dont des contrats de vente d'esclaves datant du début du XXe siècle), des photos et d'autres objets évoquant le règne révolu des dynasties du teck sont exposés dans les 20 pièces que compte la résidence.

### PRATUBJAI HOUSE
บ้านประทับใจ

À la périphérie de Phrae, la **Pratubjai House** (Maison imposante ; ☎ 0 5451 1282 ; 40 B ; 🕒 8h-17), une vaste demeure en teck dans le style du Nord, a nécessité plus de 130 troncs de tecks tricentenaires et des poutres récupérées dans neuf vieilles maisons paysannes. Il a fallu quatre ans pour construire cette demeure aux piliers intérieurs sculptés, qui a ouvert ses portes en 1985. La décoration n'est pas de très bon goût, et de nombreux vendeurs de souvenirs y sont installés.

## Où se loger

### PETITS BUDGETS

**Thepviman** (☎ 0 1595 0153 ; 76-78 Charoen Meuang ; ch 100-170 B). Si votre budget est serré, ces chambres rudimentaires, avec douche froide et parfois toilettes occidentales, feront l'affaire.

**Ajarn Phraiwan's Homestay** (☎ 08 1764 8447 ; 1 Th Weera ; ch 150 B). Une professeur de langues qui a le sens des affaires a ouvert sa spacieuse maison de bois aux voyageurs étrangers. Les 6 chambres aménagées simplement partagent une sdb. Aucune enseigne : repérez le restaurant végétarien, qui lui appartient également.

**Nakhon Phrae Hotel** (☎ 0 5451 1122 ; fax 0 5452 1937 ; 29 Th Ratsadamnoen ; ch 290-400 B ; ❄ 💻). Sa situation (il n'y a pas plus proche de la vieille ville) rend ce vaste hôtel populaire, mais ce n'est pas forcément le meilleur rapport qualité/prix. Les chambres avec sdb minuscule montrent leur âge, mais sont assez propres et confortables.

**Bua Khao** (☎ 0 5451 1372 ; 8 Soi 1, Th Charoen Meuang ; ch 350-600 B ; ❄). Nichée à quelques pas de la rue principale, cette gigantesque bâtisse en teck ne propose que de petites chambres, qui ne manquent cependant pas de cachet. Service impeccable et espace de détente accueillant au rez-de-chaussée (où le bois est roi là aussi).

**Paradorn Hotel** (☎ 0 5451 1177 ; www.phrae-paradorn.th.gs ; 177 Th Yantarakitkoson ; ch 360-650 B, ste 800 B ; ❄ 💻). Certainement la meilleure option économique de Phrae, qui se fait tout de suite remarquer par sa façade de style birman. Les chambres avec ventilateur ont des balcons privés. Petit-déjeuner simple inclus dans le tarif. L'hôtel occupe les deux côtés de Th Yantarakitkoson et comprend un musée dévolu au mouvement Free Thai.

### CATÉGORIES MOYENNE ET SUPÉRIEURE

♡ **Phoomthai Garden** (☎ 0 5462 7359 ; svoaph@yahoo.com ; 31 Th Sasiboot ; ch avec petit-déj 700-900 B, bungalows et ste avec petit-déj 1 200 B ; ❄ 💻). Bien qu'un peu excentré, cet hôtel est la meilleure option de toute la ville. Chambres modernes et confortables, toutes avec balcon donnant sur un ravissant jardin. Quelques bungalows en bois avec grande sdb dotée d'une belle baignoire.

**Nakhon Phrae Tower** (☎ 0 5452 1321 ; nakornphrae@yahoo.com ; 3 Th Meuang Hit ; s/d avec petit-déj 700/900 B, ste avec petit-déj 2 100-2 500 B ; ❄ 💻). Vaste hôtel destiné à une clientèle d'affaires, géré par la même équipe que le Nakhon Phrae, un peu plus à l'écart de la vieille ville.

**Maeyom Palace Hotel** (☎ 0 5452 1029-35 ; wccphrae@hotmail.com ; 181/6 Th Yantarakitkoson ; ch avec petit-déj 900-2 000 B, ste avec petit-déj 3 500-4 000 B ; ❄ 💻 🏊). Face au terminal des bus, l'hôtel le plus luxueux de Phrae dispose de chambres au confort moderne avec moquette, TV sat, sofa et minibar, plus la seule piscine qui existe en ville. Réductions jusqu'à 30% en basse saison.

## Où se restaurer et prendre un verre

Un excellent petit marché de nuit se tient tous les soirs près du carrefour du Pratu Chai (porte de la Victoire). Le vendeur en face du temple chinois prépare de délicieux *sôm·đam* (salades de papaye) et de succulents petits bols de *kà·nŏm jin nám ngée·o* (plats à base de nouilles de riz) et des *kôw sôm*, riz à la mode du Nord mijoté avec des tomates.

♡ **Pan Jai** (enseigne en thaï ; ☎ 0 5462 0727 ; 2 Th Weera ; plats 20-40 B ; 🕒 7h-16h). Cette adresse en plein air réunit tous les éléments que l'on apprécie dans un restaurant : une cuisine locale délicieuse, un cadre agréable, un excellent service et des petits prix. Les *kà·nŏm jin*, nouilles de riz fraîches servies avec currys et herbes, sont à l'honneur, ainsi que différentes soupes aux nouilles. Également, plats de riz et autres spécialités. Tout est exposé dans une vitrine : pointez ce qui vous fait envie.

**Kham Pan Koey** (enseigne en thaï ; angle Th Rawp Meuang et Th Charoen Meuang ; plats 25-40 B ; 10h-22h). En face du Pratu Chai, cette boutique, réaménagée il y a peu, sert un peu de tout, des *sôm·đam* (salades de papaye) aux plats de riz et de nouilles. Glaces et boissons en tout genre sont les bienvenues pour combattre la chaleur.

**Ban Nai Suan** (Route Beat ; Th Weera ; plats 30-40 B ; 11h-minuit). Pendant la journée, cette "maison dans un jardin" sert quelques plats régionaux. Le soir, le lieu devient le Route Beat, avec concerts et spécialités thaïlandaises.

**Sod Cheon** (Th Yantarakitkoson ; plats 30-90 B ; 11h-4h). À l'intersection, à 50 m au nord du Maeyom Palace Hotel, un modeste restaurant sino-thaïlandais très apprécié. Choisissez une soupe chinoise dans les grands pots fumants ou vos plats thaïlandais préférés. Idéal pour les soupers tardifs. Menu en thaï uniquement.

Vous trouverez plusieurs restaurants servant de la cuisine locale le long de la Route 1022, près du Wat Phra That Cho Hae (ci-contre).

## Achats

Phrae est célèbre pour ses *sêua môr hôrm,* des tuniques paysannes en coton teintes à l'indigo que l'on voit partout en Thaïlande. Le tissu est fabriqué à Ban Thung Hong, juste à la sortie de Phrae. **Maw Hawm Anian** (enseigne en thaï ; 36 Th Charoen Muang ; 7h-20h30) est une bonne boutique dans la vieille ville pour acheter une *môr hôrm*, à 60 m de la porte sud-est (Pratu Chai).

## Depuis/vers Phrae

### BUS

Contrairement à bien d'autres villes de Thaïlande, le terminal des bus de Phrae est bien situé, proche de plusieurs hôtels.

Pour rejoindre Den Chai, qui dispose d'une gare sur la ligne de train du Nord, vous pouvez prendre le bus au départ du terminal (15 B, 30 min, toutes les heures de 15h30 à 19h) ou un *sŏrng·tăa·ou* (40 B, de 6h à 18h), qui part de l'arrêt à côté du lycée technique.

Toutes les heures, des bus desservent Nan (ordinaire/2e classe clim/1re classe/VIP 65/88/112/174 B, 2 heures, de 7h à 20h30 toutes les heures). Les bus à destination de Chiang Mai (2e classe clim/1re classe/VIP 147/189/294 B, 4 heures) passent par Lampang et Lamphun. Les bus pour Chiang Rai (2e classe clim/1re classe/VIP 160/205/239 B, 4 heures, de 7h à 16h toutes les heures) poursuivent souvent jusqu'à Mae Sai (2e classe clim/1re classe/VIP 196/252/294 B, 5 heures).

Plusieurs bus partent également pour Bangkok (2e classe clim/1re classe/VIP 340/437/680 B, 8 heures) entre 9h15 et 12h puis entre 18h30 et 22h30.

### TRAIN

La **gare de Den Chai** (☎ 0 5461 3260) est à 23 km de Phrae. Des *sŏrng·tăa·ou* bleus et des bus rouges circulent régulièrement entre Phrae et la gare (30-40 B).

Huit trains par jour s'arrêtent à Den Chai sur l'itinéraire de Bangkok (3e classe ventil 256 B, 2e classe clim/ventil 574/394 B, 2e classe ventil couchette sup/inf 494/544 B, 2e classe clim couchette sup/inf 754/844 B, 1re classe couchette 1 272 B, 12 heures), passant pour la plupart entre 17h30 et 23h. Pour les horaires et les tarifs exacts, téléphonez à la **State Railway of Thailand** (☎ appel gratuit 24h/24 au 1690 ; www.railway.co.th) ou consultez leur site.

## Comment circuler

Une course en *săhm·lór* dans la vieille ville vous coûtera 30 B. Pour aller un peu plus loin, à la Pratubjai House par exemple, comptez un maximum de 60 B. Des motos-taxis sont également disponibles au terminal des bus ; une course jusqu'à la Pratu Chai revient à environ 40 B.

Des *sŏrng·tăa·ou* collectifs circulent sur plusieurs axes (surtout Th Yantarakitkoson) et demandent 10-20 B selon la distance.

# ENVIRONS DE PHRAE

## Wat Phra That Cho Hae

วัดพระธาตุช่อแฮ

Ce temple est célèbre pour son *chedi* doré haut de 33 m, qui se dresse sur une colline à 9 km au sud-est de la ville, en bordure de la Route 1022. Cho Hae est le nom du tissu que les fidèles enroulent autour du *chedi* – un type de satin qui proviendrait du Xishuangbanna (Sipsongpanna, les "12 000 rizières" en dialecte du Nord), en Chine. Un escalier divisé en plusieurs paliers, bordé d'un *naga*, conduit à l'enceinte du temple.

Le *bòth*, lourdement orné, possède un plafond en bois doré, des piliers chantournés et des murs en mosaïque à boutons de lotus. Le bouddha **Phra Jao Than Jai**, qui ressemble au Phra Chinnarat de Phitsanulok, est réputé rendre fertiles les femmes qui lui font des offrandes.

La route qui mène au *wat* offre un paysage pittoresque et est bordée de nombreux restaurants servant de la cuisine locale. Des *sŏrng·tăa·ou* fréquents assurent le trajet entre la ville et le temple (30 B).

### Phae Meuang Phi

แพะเมืองผี

Le nom de "pays fantôme" fait référence à un curieux phénomène géologique : l'érosion a sculpté des pitons de terre et de roc évoquant des champignons géants. Ce site lunaire, qui se trouve à 18 km au nord-est de Phrae par la Route 101, est classé parc provincial. De nouveaux sentiers et des points de vue ont été récemment aménagés. Vous trouverez des pavillons où pique-niquer et, près de l'entrée, des vendeurs proposent du *gài yâhng* (poulet grillé épicé), du *sôm đam* (salade de papaye verte) et du riz gluant.

Se rendre à Phae Meuang Phi par les transports publics est compliqué ; parlez-en à Mme Khun Kung, du Nok Bin (p. 389).

# PROVINCE DE NAN

Aux confins nord-est de la Thaïlande, Nan est une province à explorer pour sa beauté naturelle. Les groupes ethniques qui y vivent diffèrent grandement de ceux des autres provinces septentrionales. En dehors de la vallée de Mae Nam Nan, les groupes dominants sont les Mien et un plus faible pourcentage de Hmong. Mais quatre communautés dispersées dans la province sont bien moins connues et rarement rencontrées ailleurs : les Thaï Lü, les Mrabri, les Htin et les Khamu.

Les voyageurs en possession d'un visa pour le Laos peuvent traverser la frontière dans le village de Ban Huay Kon, à 140 km au nord de Nan. Pour plus de détails, voir p. 401.

## NAN

น่าน

**20 413 habitants**

Du fait de son isolement, Nan n'est pas une destination facile pour les touristes. De plus, son centre-ville est largement dépourvu de caractère. Cependant, si vous prenez le temps de vous y rendre, vous serez agréablement surpris par une histoire et une culture très riches. Beaucoup de ses habitants sont des Thaï Lü, les ancêtres des immigrants venus du Xishuangbanna, en Chine du Sud. Cet héritage culturel se manifeste dans l'art et l'architecture, en particulier dans ses temples d'une beauté exquise. Les remparts et plusieurs *wat* très anciens témoignent également de l'influence lanna.

### Histoire

Pendant des siècles, Nan fut un royaume indépendant et isolé, n'entretenant que très peu de relations avec le monde extérieur. La région, habitée depuis les temps préhistoriques, ne se structura que lorsque plusieurs petits *meuang* (cités-États) s'unirent, au XIVe siècle, pour former Nanthaburi, une principauté qui allait jouer un grand rôle. Vers la fin du XIVe siècle, Nan devint l'une des neuf principautés thaï-lao du Nord, dont faisait partie Lanna Thai (connue aujourd'hui sous le nom de Lanna). La cité-État, qui s'appelait alors Chiang Klang ("ville du milieu"), prospéra jusqu'au XVe siècle. Elle tirait son surnom de sa situation à mi-chemin de Chiang Mai ("ville nouvelle") et de Chiang Thong ("ville dorée", l'actuelle Luang Prabang). En 1558, les Birmans s'emparèrent du royaume et envoyèrent ses habitants servir d'esclaves en Birmanie. La ville périclita jusqu'à ce que la Thaïlande de l'Ouest leur soit arrachée en 1786. La dynastie locale retrouva dès lors sa souveraineté et conserva une semi-autonomie jusqu'en 1931, date à laquelle Nan se résigna à accepter la pleine tutelle de Bangkok.

### Renseignements

**Bangkok Bank** (Th Sumonthewarat). Près des hôtels Nan Fah et Dhevaraj. Dotée d'un DAB, elle effectue le change de devises.

**Bureau principal de la CAT** (Th Mahawong ; ☎ 7h-22h). Assure les appels longue distance.

**Centre d'information touristique** (☎ 0 5471 0216 ; Th Pha Kong ; 🕑 8h-17h). En face du Wat Phumin. Récent et doté d'un café. Fhu Travel est également une bonne source de renseignements (p. 397).

**Kan Internet** (Th Mahayot ; 15 B/h ; 🕑 9h-22h). D'autres enseignes en ville offrent un accès Internet pour 20 B/h.

**Kasikornbank** (Th Sumonthewarat). Près de la Bangkok Bank, elle propose les mê mes services.

**Poste principale** (Th Mahawong ; ☎ 8h30-16h30 lun-ven, 9h-12h sam, dim et jours fériés). Situé dans le centre-ville.

**Siam Comercial Bank** (Th Anantaworarittidet). DAB et change.

### LES FRESQUES DU WAT PHUMIN

Le Wat Phumin est en quelque sorte la chapelle Sixtine de la Thaïlande du Nord. Les images qui ornent ses murs sont maintenant partout sur les souvenirs que l'on trouve au bazar de nuit de Chiang Mai ou sur les cartes postales vendues à Bangkok. Cependant, bien que les images soient heureuses, les fresques furent exécutées à une période qui vit la fin de Nan comme royaume semi-indépendant. Des critiques politiques et sociales s'y manifestent clairement, un exemple très rare dans l'art religieux thaï.

Ces fresques, commandées par Jao Suliyaphong, le dernier roi de Nan, illustrent notamment le *Khaddhana Jataka*, une histoire assez obscure de l'une des vies du Bouddha qui, selon le remarquable livre du spécialiste de l'histoire thaïlandaise David K. Wyatt, *Reading Thai Murals*, ne fut jamais illustrée ailleurs dans le monde du bouddhisme. Cette histoire, sur la partie gauche du mur nord du temple, décrit un orphelin à la recherche de ses parents. Wyatt démontre que ce conte particulier fut choisi comme métaphore pour le royaume de Nan, qui avait aussi été abandonné par une succession de "parents" : les royaumes thaïs de Sukhothai, de Chiang Mai et d'Ayuthaya. À peu près à la même époque où les fresques étaient réalisées, Nan était incorporé au royaume du Siam par le roi Rama V, et une grande partie de son territoire attribué à la France. Le mécontentement que cela engendra apparaît dans une scène sur le mur ouest montrant deux singes mâles essayant de copuler sur un fond qui, selon Wyatt, ressemblerait comme par hasard au drapeau français.

Les fresques sont également intéressantes d'un point de vue purement esthétique, qui peut étonner si l'on considère la palette de couleurs limitée dont devait se contenter l'artiste, Thit Buaphan. Elles fascinent de même par leurs descriptions très vivantes de la vie quotidienne à Nan durant la fin du XIXe siècle. Les détails sont surprenants : parmi l'un des trois membres d'une ethnie montagnarde, sur le mur ouest, on aperçoit un homme avec un énorme goitre et un chien qui aboie, ce qui suggère que ce groupe était rejeté par la société. Un homme portant un châle de femme revient souvent, occupé à des tâches traditionnellement féminines. C'est la première représentation d'un *gà·teu·i* (travesti). L'artiste lui-même n'a pas résisté à se représenter sur le mur ouest, flirtant avec une femme. Si l'on considère que ces fresques demandèrent plus de 20 ans de sa vie à Thit Buaphan, on peut lui pardonner cet excès.

## À voir et à faire

### WAT PHUMIN

วัดภูมินทร

Le temple le plus célèbre de Nan est admiré pour ses exquises fresques murales exécutées à la fin du XIXe siècle par un artiste thaï lü appelé Thit Buaphan. Pour comprendre la valeur historique de ces fresques, lisez l'encadré p. 395.

Magnifique exemple d'architecture thaï lü, l'extérieur du temple prend la forme d'un *bòht* cruciforme datant de 1596, restauré sous le règne de Chao Anantavorapitthidet (1867-1874). L'autel ouvragé, au centre du *bòht*, possède quatre côtés, chacun orné d'un bouddha assis de style Sukhothai, représenté dans la posture du *mahn wí·chai* ("victoire sur Mara" – une main touchant le sol), et chacun orienté dans une des quatre directions.

### MUSÉE NATIONAL DE NAN

พิพิธภัณฑสถานแห่งชาติน่าน

Le splendide palais édifié en 1903 par les deux derniers seigneurs de Nan héberge depuis 1973 ce **musée** (☎ 0 5477 2777 ; Th Pha Kong ; 100 B ; 9h-16h). Ses collections en font l'un des meilleurs musées provinciaux de Thaïlande, avec la plupart des objets répertoriés en anglais.

Le rez-de-chaussée est consacré aux objets ethnographiques provenant des différents groupes ethniques de la province : orfèvrerie, textiles, ustensiles et costumes. Le 2e étage présente des expositions sur l'histoire de Nan, l'archéologie, l'architecture locale, les insignes royaux, les armes, la céramique et l'art religieux. On peut aussi voir au 2e une défense d'éléphant "noire" peu commune, offerte 300 ans auparavant, dit-on, à un seigneur de Nan par un potentat khün de Chiang Tung (Kengtung).Au dernier, une collection de bouddhas compte de rares exemples de style lanna et d'autres représentations plus locales, aux oreilles tombantes.

### WAT PHRA THAT CHAE HAENG

วัดพระธาตุแช่แห้ง

À 2 km après le pont enjambant la Mae Nam Nan à la sortie sud-est de la ville, ce *wat* très

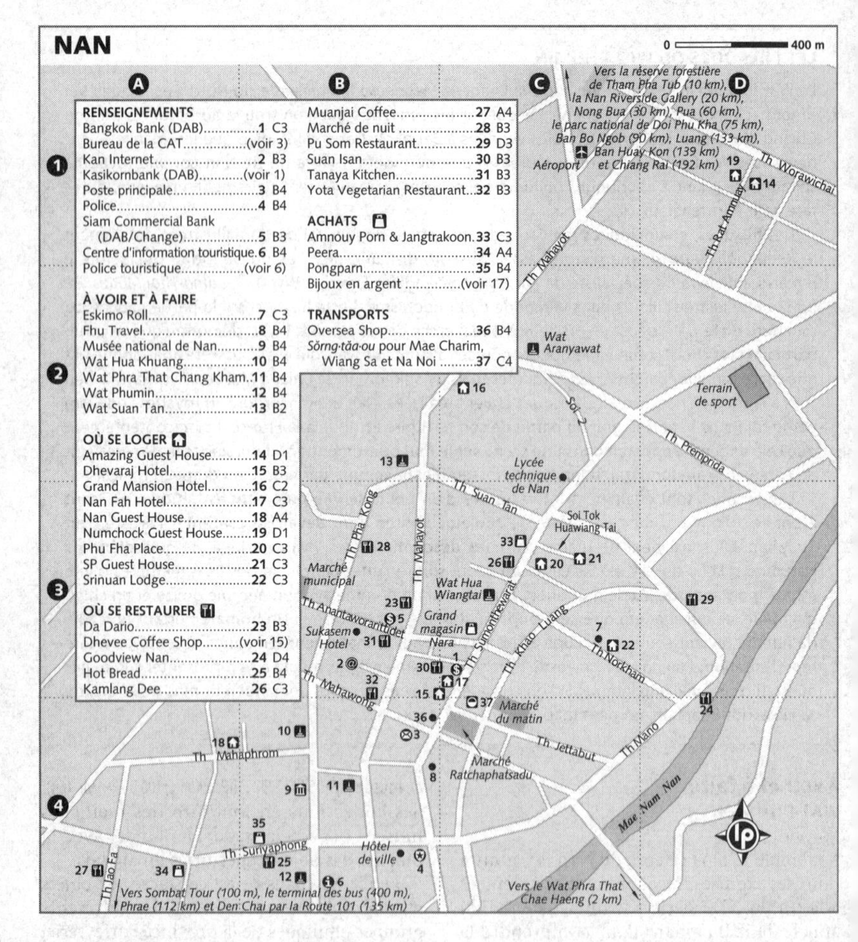


ancien (1355), le plus sacré de la province, est implanté dans un enclos carré et muré, sur une colline dominant la vallée fluviale. Le *bòht*, d'influence thaï lü, possède un toit à 3 étages aux avant-toits de bois sculpté, orné de dragons au-dessus des portes. Juste à côté, un *chedi* lanna doré repose sur un grand socle carré. Venez-y en fin de journée, pour voir rougeoyer l'ensemble sous le soleil d'après-midi.

## WAT PHRA THAT CHANG KHAM

วัดพระธาตุช้างค้ำ

Par son importance, ce **temple** (Th Pha Kong) est le second de la cité après le Wat Phra That Chae Haeng. On ignore sa date de fondation. Le *wí·hăhn* principal, reconstruit en 1458, renferme un immense bouddha assis et des fresques défraîchies, mais partiellement restaurées. (Vers le milieu du XX^e siècle, un abbé ordonna de les blanchir à la chaux, car il estimait qu'elles distrayaient les fidèles pendant ses sermons.)

Le *wí·hăhn* accueille une collection de rouleaux lanna portant les habituelles écritures bouddhiques, ainsi que des traités d'histoire, de droit et d'astrologie. Un *tam·mâht* – ou "siège *dhamma*", la chaire d'où enseignaient les supérieurs du temple – occupe l'un des côtés.

Le *chedi* derrière le *wí·hăhn* date du XIV^e siècle, époque à laquelle le temple fut vraisemblablement fondé. Il est supporté par des éléphants, semblables à ceux de Sukhothai et de Si Satchanalai.

Voisin du *chedi*, un petit *bòht* quelconque de la même époque abritait un bouddha marchant. L'abbé actuel nous a raconté l'histoire de cette statue moulée en plâtre et de facture grossière : en 1955, l'historien d'art A. B. Griswold proposa d'acheter ce bouddha, haut de 1,45 m ; la vente fut conclue pour 25 000 B, mais l'historien trébucha en emportant son acquisition, et l'incident permit de découvrir sous le plâtre un authentique bouddha sukhothai en or ! La statue fut restituée, certes à contrecœur. Elle est à présent conservée derrière une vitre dans le *hŏr đrai*, adjacent au *wí·hăhn* et le plus grand du genre en Thaïlande.

### AUTRES TEMPLES

Au nord-ouest du Wat Phra That Chang Kham, le **Wat Hua Khuang** possède un *chedi* très particulier de style Lanna-Lan Xang, avec quatre niches à bouddha, un beau *hŏr đrai* en bois et un remarquable *bòht* enrichi d'une véranda en bois sculpté de style Luang Prabang. À l'intérieur, on admire le plafond en bois sculpté et l'immense autel orné de *naga*. On ignore la date de fondation du temple, mais certains éléments stylistiques laissent penser qu'il pourrait être l'un des plus vieux *wat* de la ville.

Vraisemblablement fondé en 1456, le **Wat Suan Tan** (Th Suan Tan) est dominé par un *chedi* intéressant du XV^e siècle. Ses motifs mêlant des *prang* (tour style hindou/khmer) et des boutons de lotus témoignent d'une influence Sukhothai. Le *wí·hăhn*, très restauré, renferme un bouddha assis en bronze du début de la période de Sukhothai.

### TREKKING ET RAFTING

Nan ne possède pas une industrie du trekking aussi développée que Chiang Rai et Chiang Mai, et la plupart des visiteurs, surtout les Thaïlandais, préfèrent flotter sur l'eau que marcher. Le rafting sur la Mae Nam Wa, au nord de Nan, n'est possible que quand le niveau de l'eau est suffisamment haut (de septembre à janvier), avec une période optimale au début de la saison des pluies. La rivière glisse au fil de la jungle et de villages isolés, avec des rapides de niveaux I à IV.

**Eskimo Roll** (☎ 08 3902 6111 ; www.kayakraft.com ; 40/1 Th Norkham ; 2 jours et 1 nuit 3 900 B/pers, 3 jours et 2 nuits 4 500 B/pers). Gérée par le sympathique M. Boy, cette agence organise des excursions de rafting et/ou de kayaking de 2 à 3 jours, tout compris.

**Fhu Travel** (☎ 0 5471 0636, 08 1287 7209 ; www.fhutravel.com ; 453/4 Th Sumonthewarat ; 2 pers au minimum, par pers : 1 jour de trek facile 1 200-1 500 B la journée, 2 jours et 1 nuit 2 700 B, 3 jours et 2 nuits 3 500 B) propose des marches en montagne vers les villages mabri, hmong, mien, thaï lü et htin. Également, trekking à dos d'éléphant, excursions à vélo et circuits en ville. Cette agence exerce depuis plus de 20 ans.

## Où se loger

**Amazing Guest House** (☎ 0 5471 0893 ; 23/7 Th Rat Amnuay ; s/d 120/350 B ; ❄). Les hôtes de cette pension sont adorables, un peu comme des grands-parents qui vous recevraient. Toutes les chambres ont un parquet, des lits propres et une douche commune (eau chaude). Celles dans un bâtiment en ciment à l'arrière ont leur sdb. Location de vélos et de motos. On viendra vous chercher gracieusement à la gare routière.

**Numchock Guest House** (☎ 08 1998 1855 ; 37 Th Rat Amnuay ; ch ventil/clim 200/300 B ; ❄). Également dans Th Rat Amnuay, en face de l'Amazing Guest House, une partie d'une jolie résidence familiale a été transformée par ses propriétaires en pension accueillante. Chambres bien équipées mais à une longue promenade du centre-ville.

**Nan Guest House** (☎ 0 5477 1849 ; 57/16 Th Mahaphrom ; ch 170-250 B ; ❄ 💻). Dans un quartier résidentiel tranquille, à une courte distance de nombre des plus célèbres temples de Nan, une pension bien tenue. Chambres spacieuses et immaculées, la plupart avec sdb (eau chaude). Le propriétaire australien organise des circuits et loue des VTT. On peut aussi téléphoner à l'étranger.

**Grand Mansion Hotel** (enseigne en thaï ; ☎ 0 5475 0514 ; 71/1 Th Mahayot ; ch 230-500 B ; ❄ 💻). Ce long bâtiment sur 2 étages dispose de 71 chambres autour d'une cour intérieure. Dépourvues de caractère, elles sont néanmoins très bien équipées, certaines avec balcon. Repérez la grande porte de bois dans Th Mahayot, après le Wat Suan Tan : l'hôtel est à 100 m de la route.

**SP Guest House** (☎ 0 5477 4897 ; Soi Tok Huawiang Tai ; ch ventil/clim 300/400 B ; ❄). Une petite pension où l'on se sent comme chez soi. Les 6 chambres spacieuses, parquetées ou carrelées, sont bien équipées avec TV sat et, au choix, clim ou ventilateur. Toutes les sdb ont l'eau chaude. Lors de notre visite, 8 nouvelles chambres étaient en construction.

♡ **Phu Fha Place** (☎ 0 5471 0222 ; 237/8 Th Sumonthewarat ; ch 350 B ; ❄ 💻). Cet hôtel flambant neuf tenu par une famille est de loin la meilleure option de la ville, si ce n'est de toute cette région de Thaïlande du Nord. Les vastes chambres sont agrémentées d'un joli mobilier en teck et de lits rebondis et confortables que l'on ne trouve habituellement que dans des palaces. Les sdb sont également assez vastes pour s'y perdre et, comme les chambres, joliment carrelées. Seul inconvénient : aucune fenêtre pour laisser entrer la lumière naturelle.

**Nan Fah Hotel** (☎ 0 5471 0284 ; fax 0 5475 1087 ; 438-440 Th Sumonthewarat ; s/d/tr 350/600/700 B ; ). Un édifice en bois de 80 ans aux allures de meublé, dont les chambres sont spacieuses et propres. Toutes ont TV sat, frigo et douche chaude. Sur place, bon restaurant et location de vélos, motos et pick-up.

**Srinuan Lodge** (enseigne en thaï ; ☎ 0 5471 0174 ; 40 Th Norkham ; ch/ste 400/300 B ; ). Structure en briques hébergeant 25 chambres sur 2 étages, dans un style faux rustique, avec rondins, bambou et tissages locaux, qui n'empêche pas le confort. Vous ne pourrez pas dormir plus près de la Mae Nam Nan.

**Dhevaraj Hotel** (☎ 0 5471 0078 ; 466 Th Sumonthewarat ; ch avec petit-déj 600-1 200 B, ste avec petit-déj 3 500 B ; ). Cette boîte informe, vue de l'extérieur, recèle des chambres propres avec tout le confort que l'on attend pour ce prix. Paradoxe : les chambres les moins chères, au joli mobilier de rotin et baignées de lumière naturelle, apparaissent plus agréables.

## Où se restaurer et prendre un verre

En dépit de ses autres attraits, Nan n'est vraiment pas réputée dans le Nord pour sa scène culinaire.

**Yota Vegetarian Restaurant** (Th Mahawong ; plats 10-35 B ; 7h-15h). La sympathique patronne ne vous laissera jamais partir le ventre vide. Son restaurant est sans doute la meilleure adresse de Nan, si populaire qu'il ne reste jamais rien après l'heure du déjeuner.

**Kamlang Dee** (enseigne en thaï ; Th Sumonthewarat ; plats 15-30 B ; 11h-19h30). Ce minuscule restaurant coloré est réputé pour son *sôm·đam tôrt*, ou salade de papaye frite, un en-cas à la fois croustillant et rafraîchissant. Également, délectables *smoothies* aux fruits frais et autres plats classiques.

**Hot Bread** (☎ 08 9635 9375 ; 38/1-2 Th Suriyaphong ; plats 20-80 B ; 7h-20h). Ce chaleureux restaurant prépare petit-déjeuner et café pour les étrangers et propose un menu bien fourni en options végétariennes. Sa boutique de nouilles à côté vend des *kâo soy* et d'autres spécialités de pâtes jusqu'à 17h.

**Pu Som Restaurant** (enseigne en thaï ; ☎ 08 1675 3795 ; 203/1 Th Mano ; plats 30-70 B ; 11h-minuit). Une grange du Texas à Nan ! Chapeaux de cow-boys, crânes de vaches, étuis à pistolets et une pléthore d'images de l'homme Marlboro plantent le décor de ce restaurant qui propose bien sûr du bœuf. Il est toutefois servi à la mode locale sous forme de *lâhp* (salade de viande hachée épicée) ou de *néu·a nêung*, c'est-à-dire cuit à la vapeur sur un lit d'herbes et à déguster trempé dans une sauce parfumée au galanga (sorte de gingembre). Menu uniquement en thaï, mais les serveurs zélés se feront un plaisir de vous aider.

**Tanaya Kitchen** (☎ 0 5471 0930 ; 75/23-24 Th Anantaworarittidet ; plats 30-80 B ; 7h-21h30). Avis à ceux qui suivent un régime : ce restaurant soigné et inventif sert des recettes sans glutamate et différents plats végétariens (et non végétariens). On y croise surtout des touristes.

**Suan Isan** (☎ 0 5477 2913 ; Th Sumonthewarat ; plats 30-90 B ; 11h-23h). Cuisine de l'Isan dans ce restaurant avec terrasse, niché en haut d'une ruelle, à 200 m de Th Sumonthewarat, après la Bangkok Bank.

**Muanjai Coffee** (☎ 08 9636 3970 ; 19/3 Th Jao Fa ; plats 35-45 B ; 7h-19h30). Décor moderne et self-service dans ce café, le Starbucks de Nan. Bon café que l'on peut même déguster devant la cheminée durant les froids hivers du Nord.

**Goodview Nan** (☎ 08 1675 3795 ; 203/1 Th Mano ; plats 35-150 B ; 11h-minuit). L'une des rares adresses de la ville à tirer parti de la vue sur la Mae Nam Nan, idéale pour un dîner en amoureux ou une soirée animée dans le pub avec musique live. Carte en anglais.

**Dhevee Coffee Shop** (☎ 0 5471 0094 ; Dhevaraj Hotel, 466 Th Sumonthewarat ; plats 40-140 B ; 6h-2h). Modeste et soigné, le restaurant de l'hôtel Dhevaraj sert de bons buffets pour le déjeuner (69 B) et présente l'avantage d'ouvrir tôt et de fermer tard. Grand choix de plats à la carte également.

**Da Dario** (☎ 08 7184 5436 ; Th Mahayot ; plats 40-160 B ; 9h-17h). Cet italien prépare de fantastiques petits-déjeuners, des pizzas, des pâtes et autres spécialités, occidentales ou thaïlandaises. Les prix modérés et l'ambiance conviviale, alliés à la qualité du service et de la cuisine, attirent une clientèle d'habitués.

Le marché de nuit, dans Th Pha Kong, comprend quelques bons étals de cuisine.

## Achats

Nan est l'endroit idéal pour acheter des souvenirs et, si vous voulez faire de bonnes affaires, intéressez-vous aux textiles, surtout aux tissages de style thaï lü. Ils sont décorés de motifs floraux, géométriques et animaliers – généralement en rouge et noir sur fond blanc, ou indigo et rouge sur fond blanc. L'un des plus courants est le *lai nám lăi* ("eau qui s'écoule"), une perspective de torrents, de rivières et de cascades. Les broderies mien et hmong sont d'excellente qualité. Les paniers et nattes htin en herbe et bambou valent également le coup d'œil. Amnouy Porn et Jangtrakoon, voisines sur Th Sumonthewarat, sont deux bonnes échoppes de textiles. Plusieurs autres boutiques similaires s'alignent sur cette même portion de route. **Pongparn** (☎0 5475 7334 ; www.pongparn.com ; 10/4 Th Suriyaphong ; ⏲ 8h-19h), à quelques pas du Wat Phumin, offre une grande variété à la fois de textiles et d'objets d'artisanat de la région. Un peu plus haut sur la route, **Peera** (☎0 5475 7007 ; 26 Th Suriyaphong ; ⏲ 8h-19h) vend des textiles locaux de grande qualité, surtout des jupes et des corsages. Vous trouverez également une boutique de bijoux en argent dans le Nan Fah Hotel (voir p. 398).

## Depuis/vers Nan

### AVION

**Nok Air** (☎ centre d'appels national 1318 ; www.nokair.co.th) et **PB Air** (☎0 5477 1729 ; www.pbair.com ; aéroport de Nan) assurent des vols conjoints à destination de Bangkok, aéroport de Suvarnabhumi (3 440 B, 1 heure 20, 1 vol/j).

### BUS

Tous les bus, y compris les bus privés, partent du terminal des bus de Nan, situé à la lisière sud-ouest de la ville. La course en moto-taxi entre la gare et le centre-ville coûte 25 B.

Pour passer au Laos par le poste-frontière de Ban Huay Kon, vous devrez prendre un bus pour Ngob (85 B, 2 heures 30), au départ une fois par heure durant la journée. Pour plus de détails sur comment gagner la frontière, voir p. 401.

Si vous devez rejoindre la gare de Den Chai à Phrae, des bus partent presque toutes les heures durant la journée (ordinaire/2e classe clim 71/99 B, 3 heures).

L'itinéraire le plus pratique pour Chiang Mai passe par Phrae et Lampang (2e classe clim/1re classe/VIP 221/284/442 B, 5 heures), avec des départs à intervalles réguliers durant la journée. La liaison avec Chiang Rai est assurée par 2 bus quotidiens (2e classe clim 176 B, 5 heures, 9h et 9h30).

De nombreux bus rallient Bangkok (2e classe clim/1re classe/VIP 414/523/829 B, 10-11 heures, départs de 8h à 9h puis de 18h45 à 19h30). Les bus privés de **Sombat Tour** (☎0 5471 1078) pour Bangkok stationnent au bord de la route menant au terminal.

### SŎRNG·TĂA·OU

Les *sŏrng·tăa·ou* pour les districts du nord de la province (Tha Wang Pha, Pua, Phah Tup) partent du terminal des bus. Pour le Sud (Mae Charim, Wiang Sa, Na Noi), départ du parking face au marché Ratchaphatsadu, dans Th Jettabut.

### TRAIN

Les trains de la ligne nord s'arrêtent à Den Chai, à 3 heures de bus de Nan. Voir p. 393 pour plus de détails sur le train de Den Chai.

## Comment circuler

Comptez 20-30 B pour circuler dans la ville en *săhm·lór*.

**Oversea Shop** (☎0 5471 0258 ; 488 Th Sumonthewarat ; vélo 50-80 B/j, moto 180-200 B/j ; ⏲ 8h30-17h30) loue les meilleurs vélos et motos de la ville et effectue des réparations.

# ENVIRONS DE NAN

## Réserve forestière de Tham Phah Tup

ถ้ำผาตูบ

Cet ensemble de galeries calcaires, à 10 km au nord de Nan, fait partie d'une réserve naturelle assez récente. Dix-sept **grottes** ont été dénombrées ; neuf sont accessibles par des sentiers aménagés (mais non fléchés).

Au départ de Nan, au terminal des bus, un *sŏrng·tăa·ou* pour Pua ou Thung Chang vous déposera à la bifurcation (30 B) conduisant au site.

## Nan Riverside Gallery

À 20 km au nord de Nan, sur la Route 1080, cette **galerie d'art** privée (☎0 5479 8046 ; www.

nanartgallery.com ; Km 20, Rte 1080 ; 20 B ; 9h-17h mer-dim) expose de l'art contemporain d'influence nan dans un cadre reposant. Ouvert en 2004 par Winai Prabipoo, un artiste de Nan, le bâtiment de 2 étages accueille au rez-de-chaussée des expositions temporaires (sculptures, céramiques et dessins), plus intéressantes que les collections permanentes à l'étage – inspirées, semble-t-il, des fresques murales du Wat Phumin. L'édifice est original : un ancien grenier à riz surmonté d'une tourelle en forme de flèche, rempli d'une belle lumière. Une boutique, un café avec quelques chaises au bord de la Mae Nam Nan et des jardins superbement entretenus agrémentent la visite. De Nan, prendre le bus (20 B) ou un *sŏrng·tăa·ou* (30 B) jusqu'à la galerie.

## Nong Bua

หนองบัว

Ce coquet village thaï lü des environs de Tha Wang Pha, à quelque 30 km au nord de Nan, tire sa réputation d'un temple de style lü. Le **Wat Nong Bua** possède en effet un toit typique à 2 étages, un portique en bois sculpté et un *bòht* simple, mais frappant – remarquez les têtes de *naga* ornant les angles du toit. De remarquables fresques de *jakkatta* décorent les murs à l'intérieur du *bòht* ; elles sont attribuées à Thit Buaphan, l'auteur de celles du Wat Phumin. Pensez à laisser un don pour l'entretien du temple et sa restauration.

Dans une réplique de maison thaï lü, juste derrière le *wat*, des tisserands travaillent à de jolis ouvrages que vous pouvez acheter.

Pour vous y rendre, du terminal des bus, prenez un bus ou un *sŏrng·tăa·ou* (35 B) vers le nord à destination de Tha Wang Pha. Descendez à Samyaek Longbom – à l'intersection de 3 routes peu avant Tha Wang Pha –, puis marchez à l'ouest et franchissez le pont qui enjambe la Mae Nam Nan. Tournez à gauche et continuez jusqu'à un autre petit pont : vous apercevrez alors le Wat Nong Bua sur votre droite. Comptez 3 km entre la grand-route et le *wat*.

## Parc national de Doi Phu Kha

อุทยานแห่งชาติดอยภูคา

Ce **parc national** ( 0 5470 1000 ; 200 B) s'étend autour du Doi Phu Kha (2 000 m), le plus haut sommet de la province, dans les districts de Pua et de Bo Kleua, à 75 km au nord-est de Nan. Vous traverserez plusieurs **villages** htin, mien, hmong et thaï lü dans le parc, et découvrirez aux alentours quelques **grottes** et **chutes d'eau**. La forêt offre une infinité de **promenades**. Les bureaux de l'administration du parc distribuent une carte, et il est possible de louer les services d'un guide pour une promenade ou des excursions plus longues dans la région, dont celles de rafting sur la Nam Wa. Le climat est froid en saison fraîche et humide durant la saison des pluies.

L'administration du parc loue divers **bungalows** ( 0 2562 0760 ; www.dnp.go.th ; 2 à 7 pers, 300-2 500 B) près desquels se tiennent un restaurant et une boutique de produits de première nécessité.

Pour gagner le parc national par les transports publics, prenez d'abord un bus ou un *sŏrng·tăa·ou* au nord de Nan pour Pua (50 B). Là, traversez la grand-route : un *sŏrng·tăa·ou* part à 7h30, 9h30, 11h30 et 14h, qui vous déposera devant le bureau du parc (40 B, 30 min).

## Ban Bo Luang

บ้านบ่อหลวง

**4 000 habitants**

Ban Bo Luang (aussi appelé Ban Bo Kleua ou "village des puits de sel") est une pittoresque bourgade htin au sud-est du parc national de Doi Phu Kha, où depuis longtemps on travaille à l'extraction du sel. Les puits de sel de la communauté principale sont situés à peu près au centre du village.

Si vous avez votre propre véhicule, le village peut être une bonne base pour explorer les parcs nationaux alentour, dont Doi Phu Kha, mais aussi le **parc national de Khun Nan** ( 08 4483 7240 ; entrée libre). Ce dernier, situé à quelques kilomètres au nord de Ban Bo Kleua, comporte un chemin de 2 km à partir du centre d'information des visiteurs qui se termine par un point de vue sur les villages locaux et le Laos tout proche.

**Phu Fah** ( 0 5471 0610 ; Tambon Phu Fah), à quelque 15 km au sud de Ban Bo Luang, est un projet de développement rural instauré par la princesse Sirindhorn. Plantations de thé et diverses autres cultures occupent l'immense domaine. On y trouve une boutique de souvenirs proposant les produits locaux, un restaurant et un gîte ( 08 9557 5734 ; dort 100 B, d 600-800 B).

Il est également possible de passer la nuit à Ban Bor Luang, au **Boklua View** ( 08

1809 6392 ; www.bokluaview.com ; Ban Bo Luang ; bungalows 1 500-1 650 B), nouveau complexe attrayant et bien tenu situé dans les collines surplombant le village et la rivière Nam Mang qui le traverse. L'établissement a son propre jardin, et le chef Toun prépare une savoureuse cuisine. Ne manquez pas son poulet frit aux épices du Nord.

Quelques petits restaurants servent les plats typiques de Ban Bo Luang.

Pour gagner Ban Bo Luang depuis Nan, montez dans un bus ou un *sŏrng·tăa·ou* direction nord pour Pua (50 B), où vous traverserez la grand-route pour prendre un *sŏrng·tăa·ou* terminant sa course dans le village (80 B, 1 heure, 7h30, 9h30, 11h30 et 14h).

### Ban Huay Kon

À 140 km au nord de Nan, dans les montagnes près de la frontière laotienne, se trouve le paisible village de Ban Huay Kon. Un **marché frontalier** crée de l'animation le samedi matin. Toutefois, c'est plutôt le récent statut de poste-frontière international vers le Laos qui attire la plupart des visiteurs. Un panneau près de la frontière indique fièrement que le village est à 35 km seulement de la ville laotienne de Hongsa, à 152 km de Luang Prabang (90 km par bateau), à 295 km de Mengla en Chine et à 406 km de Dien Bien Phu au Vietnam.

Pour vous rendre à Ban Huay Kon depuis Nan, sautez dans un bus pour Ngob (85 B, 2 heures 30, toutes les heures dans la journée). De là, changez pour le *sŏrng·tăa·ou*, un le matin, un autre l'après-midi, qui poursuit par la montagne sur 30 km jusqu'à Ban Huay Kon (50 B, 1 heure).

#### TRAVERSÉE DE LA FRONTIÈRE LAOTIENNE

Pour traverser vers le Laos à Ban Huay Kon, vous devez avoir auparavant obtenu un visa. En possession de celui-ci, présentez-vous au **guichet de l'immigration thaïlandaise** (☎ 0 5469 3530 ; 🕒 8h-17h), à 3 km de Ban Huay Kon, et vous serez autorisé à traverser vers le guichet de l'immigration côté laotien. Poursuivez alors jusqu'au village de Meuang Ngoen, où vous trouverez quelques rares moyens de transport permettant de rejoindre d'autres destinations.

Entre le village et la frontière, quelques bungalows sommaires accueillent les voyageurs pour la nuit. Renseignez-vous au village.

# PROVINCE DE PHITSANULOK

## PHITSANULOK

พิษณุโลก

**80 254 habitants**

Phitsanulok voit relativement peu de voyageurs indépendants. En revanche, comme cette cité constitue un excellent point de départ pour visiter les villes historiques de Sukhothai, de Si Satchanalai et de Kamphaeng Phet, les touristes en voyage organisé affluent. Un incendie ayant ravagé une grande partie de la ville en 1957, elle offre aujourd'hui une architecture hétéroclite. Pourtant, cette ville trépidante et chaleureuse ne manque pas de musées et de sites intéressants. Le Wat Phra Si Ratana Mahathat, qui renferme l'un des bouddhas les plus vénérés de Thaïlande, en est le plus bel exemple. La cité se révélera également une base pratique pour ceux qui veulent explorer les parcs nationaux et les réserves naturelles de Thung Salaeng Luang (p. 408) et de Phu Hin Rong Kla (p. 407), l'ancien quartier général du Parti communiste de Thaïlande (CPT).

### Renseignements

Des cybercafés jalonnent les rues autour de la gare ferroviaire, près du Topland Plaza, et sur la rive ouest de la rivière, près du Saphan Ekathotsarot. Plusieurs banques (avec DAB) changent les devises. Il existe aussi un DAB dans l'enceinte du Wat Phra Si Ratana Mahathat.

**Krung Thai Bank** (35 Th Naresuan ; 🕒 jusqu'à 20h). Hors ouverture, elle offre un point de change extérieur.

**Bureau de la CAT** (Th Phuttha Bucha ; 🕒 7h-23h). Au bureau de poste. Services téléphoniques et Internet.

**Bureau de la TAT** (☎ 0 5525 2742/3 ; tatphlok@tat.or.th ; 209/7-8 Th Borom Trailokanat ; 🕒 8h30-16h30). Dans une ruelle donnant sur Th Borom Trailokanat. Le personnel serviable distribue gratuitement un plan de la ville et un itinéraire de circuit pédestre. Organise aussi un circuit découverte de la ville en tram panoramique (voir p. 407). Le bureau est également en mesure de vous informer sur les provinces de Sukhothai et de Phetchabun. Si vous projetez de faire le voyage Phitsalunok-Lom Sak, demandez la carte "Green Route" de la Highway 12, où sont signalés plusieurs parcs nationaux, cascades et hôtels-clubs.

**Police touristique** (☎ 1155 ; Th Ekathotsarot). À 300 m au nord du Topland Plaza.

**Poste principale** (Th Phuttha Bucha ; 🕒 8h30-16h30 lun-ven, 9h-12h sam et dim)

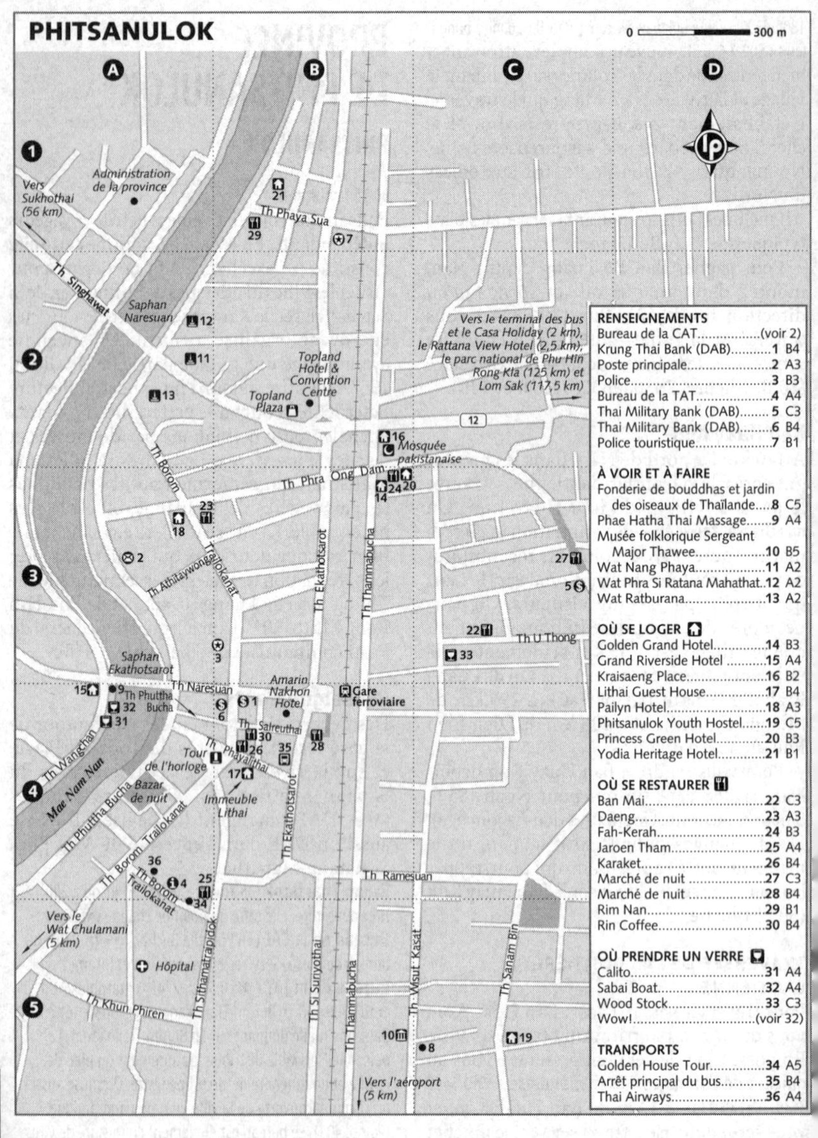




## À voir

### WAT PHRA SI RATANA MAHATHAT

วัดพระศรีรัตนมหาธาตุ

Ce temple est couramment désigné sous le nom de Wat Phra Si ou de Wat Yai. Le grand *wí·hăhn*, d'allure petite, abrite néanmoins un bouddha de bronze, le Phra Phuttha Chinnarat, statue la plus révérée (et la plus copiée) de Thaïlande après le Bouddha d'Émeraude du Wat Phra Kaew de Bangkok.

La construction de ce *wat* commença sous le règne de Li Thai en 1357. À son achèvement, Li Thai voulut l'orner de trois statues de bronze de qualité supérieure. Pour cela, il envoya quérir les meilleurs sculpteurs de Si Satchanalai, Chiang Saen, Hariphunchai (Lamphun), ainsi que cinq prêtres brahmanes. Les deux premières fontes se déroulèrent normalement, mais la troisième nécessita trois tentatives, avant d'être considérée comme la plus aboutie. D'après la légende, un sage en robe blanche, venu d'on ne sait où, apporta son aide à la fonte finale, avant de disparaître. Cette dernière statue, que l'on appela le bouddha Chinnarat ("roi victorieux"), est la pièce centrale du *wí·hăhn*. Les deux autres bouddhas, Phra Chinnasi et Phra Si Satsada, furent transférés plus tard au temple royal du Wat Bowonniwet à Bangkok.

Le bouddha fut fondu à la fin de la période de Sukhothai. Il constitue une pièce unique par son halo en forme de flamme qui entoure la tête et le torse, puis se transforme en têtes de dragon-serpent. La tête est un peu plus grande que le standard Sukhothai, ce qui rend la statue plus imposante encore.

Un autre sanctuaire, sur l'un des côtés du temple, a été transformé en **musée** (🕑 9h-17h30 mer-dim) comprenant bouddhas, céramiques et autres objets anciens.

Le temple a beau être des plus sacrés, l'ambiance alentour est celle d'une foire. À l'entrée, non exempte de plusieurs DAB, les visiteurs se pressent par centaines, dans le vacarme incessant des haut-parleurs, qui invitent à faire des donations, tandis que musiciens thaïs et vendeurs ambulants proposant herbes ou billets de loterie essaient d'attirer l'attention. Venez tôt (avant 7h si possible) si vous voulez vous livrer à la contemplation dans le calme ou simplement prendre des photos. Mais, quelle que soit l'heure de votre visite, veillez à votre tenue – ni shorts ni manches courtes.

Près du Wat Yai, sur la même rive, se dresse un autre temple de la même période : le **Wat Nang Phaya**.

### MUSÉE FOLKLORIQUE, FONDERIE DE BOUDDHAS ET JARDIN DES OISEAUX DE THAÏLANDE

พิพิธภัณฑ์พื้นบ้านนายทวี/โรงหล่อพระ/สวนนก

Le sergent-major Thawi Buranakhet, un ancien cartographe militaire, respecté dans tout le pays pour sa connaissance des traditions populaires, reconverti dans la fabrique de bouddhas et apparemment passionné d'oiseaux, a concilié tous ses intérêts pour créer à Phitsanulok ces trois sites qui méritent vraiment une visite.

Le **musée folklorique Sergeant Major Thawi** (26/43 Th Wisut Kasat ; enfant/adulte 20/50 B ; 🕑 8h30-16h30 mar-dim) présente une remarquable collection d'outils, de textiles et de photographies de la province de Phitsanulok. Ce fascinant musée occupe cinq bâtiments de style traditionnel thaï, entourés de jardins soigneusement entretenus. Chaque objet exposé est accompagné d'une notice explicative en anglais. Ceux qui s'intéressent à la cuisine s'arrêteront sur les ustensiles de cuisine anciens et les divers pièges à gibier. Les visiteurs masculins seront sans doute embarrassés quand ils découvriront la façon traditionnelle de castrer un bœuf – un procédé qui, apparemment, n'impliquait aucun instrument tranchant. Pour vous rendre au musée, prenez le bus n°8.

De l'autre côté de la rue, appartenant également au sergent-major Thawi, la petite **Buddha Casting Foundry** (🕑 8h-17h) fabrique des bouddhas de bronze de toutes tailles. Les visiteurs peuvent observer les différentes étapes de la fonte ; des photos leur expliquent le procédé de la cire perdue. Il faut parfois plus d'un an pour achever les plus grandes pièces. Des bouddhas sont en vente à la boutique.

Vous pourrez en outre voir, dans le Centre of Conservative Folk Cock, des coqs de combat, qui sont élevés puis vendus dans tout le pays.

Sur le site de la fonderie, le **jardin des oiseaux de Thaïlande** (☎ 0 5521 2540 ; enfant/adulte 20/50 B ; 🕑 8h30-17h) est le plus récent projet du sergent-major Thawi. La petite collection de volières contient des oiseaux originaires de Thaïlande et quelques espèces menacées comme la jolie tourterelle à gorge rose de l'arbre jambou (*Ptilinopus jambu*) et le calao à casque rond (*Buceros vigil*), qui ressemble à un oiseau préhistorique. Malheureusement, les cages sont plutôt petites et ne reflètent en rien l'environnement naturel de l'oiseau.

### WAT RATBURANA

วัดราชบูรณะ

En face du Wat Phra Si Ratana Mahathat, ce temple attire beaucoup moins de visiteurs, ce qui, en un sens, le rend plus intéressant que son illustre voisin. Il comporte non seulement un *wí·hăhn* renfermant un bouddha d'or vieux de 700 ans, un *ùboshòt* aux belles fresques murales peintes sans doute au milieu du XIXe siècle et deux *hŏr đrai* (structures élevées utilisées pour conserver les textes sacrés), mais aussi quelques curiosités surprenantes qui mettent en lumière les pratiques du bouddhisme thaïlandais. La plus remarquée est un grand bateau en bois décoré de guirlandes qui servait aux déplacements du roi Rama V lors de ses visites officielles à Phitsanulok. Aujourd'hui, le bateau est supposé exaucer les vœux de celui qui fait un don, puis rampe trois ou neuf fois sous toute la longueur de la coque. Près du *wí·hăhn*, un arbre sacré comporte une échelle sur chaque face de son tronc : les visiteurs y grimpent, déposent une offrande, font tinter une cloche et redescendent ; avant de recommencer, trois ou neuf fois. Enfin, juste à côté de cet arbre, un immense gong résonne d'un son unique quand on le frotte de la bonne manière. Près de ces lieux, un officiant vend des pièces, de l'encens et des fleurs pour les offrandes, et enseigne aux visiteurs la conduite à suivre et les prières à dire pour chaque rituels.

### WAT CHULAMANI
วัดจุฬามณี

À 5 km au sud de la ville (prenez le bus n°5 dans Th Borom Trailokanat, 5 B), le Wat Chulamani possède des vestiges de la période de Sukhothai. Les bâtiments devaient être impressionnants, à en juger par ce qui reste de la tour de style khmer, très décorée. Le roi Borom Trailokanat y fut ordonné moine, comme le rappelle une vieille inscription en thaï sur le *wí·hăhn* en ruine datant du règne de Narai le Grand.

La tour n'a pas gardé sa hauteur initiale, mais les linteaux ont conservé leur splendeur, notamment celui qui est orné d'un bouddha marchant (de style Sukhothai) et d'une *dhammacakka* (roue de la Loi bouddhiste) en arrière-plan.

## À faire

### MASSAGES TRADITIONNELS

Une relaxation d'un style complètement nouveau est proposée au **Phae Hatha Thai Massage** (☎0 5524 3389 ; Th Wangchan ; massage avec ventil/clim 120/150 B par heure ; 9h-22h), un centre de massage traditionnel installé sur une barge au fil de l'eau.

## Où se loger

### PETITS BUDGETS

**Phitsanulok Youth Hostel** (☎0 5524 2060 ; www.tyha.org ; 38 Th Sanam Bin ; d 120, ch 200-400 B ; ). Aucune enseigne n'annonce cette auberge de jeunesse, si ce n'est un vaste 38 imprimé sur la façade. À l'arrière, plusieurs chambres en teck, aux portes et au mobilier ancien, s'ouvrent sur une cour verdoyante. Le charme est joliment rustique, mais une rénovation des lieux s'impose.

**Lithai Guest House** (☎0 5521 9626 ; 73 Th Phayalithai ; ch 220-460 B ; ). Cette pension propre comme un sou neuf, avec 60 chambres sans grand caractère mais lumineuses, est une excellente option. La plupart, bien meublées, avec TV sat et frigo, ont de grandes sdb avec eau chaude. Petit-déjeuner et bouteille d'eau minérale inclus dans le tarif. Sur place, une agence de voyages aériens, un café et un restaurant.

**Kraisaeng Place** (☎0 5521 0509 ; 45 Th Thammabucha ; ch 350-450 B ; ). Une autre option très valable que ces chambres bien équipées, où l'on se sent plus dans un petit appartement que dans un hôtel. Demandez à voir les doubles qui, pour une différence minime, offrent beaucoup plus d'espace et sont agrémentées d'une véranda. Le bruit de la circulation, toutefois, se fait entendre.

**Casa Holiday** (☎0 5530 4340 ; www.mycasaholiday.com ; 305/2 Th Phichaisongkhram ; ch 380-650 B ; ). À 2 km du centre-ville. Si vous avez un deux-roues, vous pouvez réserver dans ce complexe de style ranch plein de caractère. Plusieurs des 42 chambres gaies et lumineuses comportent d'agréables détails, comme une douche extérieure ou un futon. Les étages supérieurs arborent un vaste balcon qui sert d'espace commun avec tables et chaises. Restaurant au rez-de-chaussée et nombreux ordinateurs équipés d'Internet.

**Rattana View Hotel** (☎0 5522 1999 ; 847 Th Mitraphap ; ch 450-790 B ; ). À un pâté de maisons à l'est de la gare routière principale, cet hôtel flambant neuf constitue un choix attrayant. Belles chambres, pimpantes et propres, toutes avec grand balcon. Restaurant au rez-de-chaussée ; spa dans l'Amway Building, juste en face de l'hôtel.

**Princess Green Hotel** (☎0 5530 4988 ; www.princessgreen.com ; 8 Th Phra Ong Dam ; ch 490 B ; ). Un hôtel de 28 chambres spacieuses et nettes bien équipées, avec TV sat et minibar. Sachez toutefois que, la mosquée de la ville étant à côté, vous serez réveillé de bon matin par l'appel à la prière.

### CATÉGORIES MOYENNE ET SUPÉRIEURE

**Golden Grand Hotel** (☎0 5521 0234 ; www.goldengrandhotel.com ; 66 Th Thammabucha ; ch 790-950 B ; ). À part le vert menthe en façade, passé de mode depuis longtemps, rien à redire sur le Golden Grand. Les chambres sont si bien tenues que l'on se demande si quelqu'un a vraiment

LE NORD

dormi dedans. Autres raisons d'y séjourner : l'amabilité du personnel et la splendide vue sur la ville depuis les étages supérieurs.

**Pailyn Hotel** (☎ 0 5525 2411 ; 38 Th Borom Trailokanat ; s/d/ste avec petit-déj 900/1 000/3 500 B ; ). Établissement de 13 étages, idéalement situé. La réception est immense, mais le pauvre poisson-chat manque d'espace dans son aquarium. Chambres spacieuses et bien décorées (malgré les panneaux de batik au-dessus du lit, trop lourds), avec TV et minibar. Certaines jouissent d'une vue superbe sur la rivière. Plusieurs restaurants et salons au rez-de-chaussée. Le personnel est aimable et professionnel.

**Grand Riverside Hotel** (☎ 0 5524 8333 ; www.tgrhotel.com ; 59 Th Phra Ruang ; ch 1 500-1 800 B, ste 3 000 B ; ). Surplombant la Mae Nam Nan depuis la rive ouest, cet hôtel en hauteur offre tout le confort inhérent à un hôtel de la catégorie supérieure, relativement nouveau sur la scène. Les chambres deluxe bénéficient d'un espace de détente et d'une vue sur la rivière. Restaurant, spa, piscine et centre de remise de forme.

**Yodia Heritage Hotel** (☎ 08 1613 8496 ; www.yodiaheritage.com ; Th Phuttha Bucha ; ch 3 750-6 000 B, ste 15 000 B ; ). Encore en construction lors de notre recherche, cet hôtel de charme, une fois fini, sera certainement l'hôtel le plus raffiné de Phitsanulok. Au bord d'une portion tranquille de la Mae Nam Nan, malgré tout proche du centre, l'établissement aura 21 chambres, déclinant divers thèmes, toutes très luxueuses.

## Où se restaurer

On ne badine pas avec la cuisine à Phitsanulok. Il n'existe pas qu'un seul de marché de nuit ici, mais trois pour bien desservir les quartiers. Le plus connu, le **bazar de nuit** (plats 40-80 B ; 17h-3h), se spécialise surtout dans l'habillement, avec quelques restaurants toutefois au bord de la rivière qui préparent une curiosité culinaire : le *pàk bûng loy fáh* (littéralement "vrille de liserons d'eau flottant dans le ciel"). C'est un vrai spectacle : le cuisinier flambe la poêlée de *pàk bûng* et la jette en l'air en direction d'un serveur qui la récupère dans une assiette… Vous aurez peut-être la chance d'être là quand un groupe essaie d'attraper ces légumes volants, en en laissant tomber un peu partout. Un autre **marché de nuit** (plats 20-40 B ; 17h-minuit) s'étire sur les deux côtés de Th Phra Ong Dam au nord de Th U Thong. Un vendeur célèbre y propose une grande variété d'insectes frits.

Un autre plat associé à Phitsanulok est le *gŏoay·đĕe·o hôy kăh* (ou "nouilles de riz jambes pendantes"), qui tirent leur nom de la façon dont les clients s'assoient pour les déguster, sur un banc au bord de la rivière. **Rim Nan** (☎ 08 1379 3172 ; 5/4 Th Phaya Sua ; plats 20-35 B ; 9h-16h), au nord du Wat Phra Si Ratana Mahathat, ainsi que quelques autres répliques dans Th Phutta Bucha, sert ce plat. Ce restaurant a un menu en anglais avec photos ; essayez les *bà·mèe nám,* nouilles jaunes aux œufs et au froment dans un bouillon de porc.

**Fah-Kerah** (786 Th Phra Ong Dam ; plats 5-20 B ; 6h-14h). Plusieurs cafés musulmans se trouvent près de la mosquée dans Th Phra Ong Dam. Le célèbre Fah-Kerah sert d'épais *roh·đi* (pains plats ronds) avec du *gaang mát·sà·màn* (curry musulman) et du yaourt frais du jour. À 20 B, l'assiette de *roh·đi gaang* (*roh·đi* servi avec un petit bol de curry) n'est pas donnée.

**Jaroen Tham** (Vegetarian Food ; Th Sithamatraipidok ; plats 15-20 B ; 8h-15h). Au coin du bureau de la TAT, ce petit restaurant sert de bons plats végétariens accompagnés de riz brun craquant. Repérez l'enseigne "Vegetarian Food".

**Rin Coffee** (☎ 0 5525 2848 ; 20 Th Salreuthai ; plats 20-85 B ; 7h30-21h lun-ven, 9h30-21h sam et dim). Une façade vitrée pour ce café inondé de lumière, où la jeunesse thaïlandaise se donne rendez-vous. Une carte interminable de thés verts, cafés et chocolats. Vous avez le choix entre les sièges aux couleurs éclatantes et les tabourets du bar pour déguster une glace ou des gaufres. Également, petits-déjeuners généreux, sandwichs et salades.

**Karaket** (☎ 0 5525 8193 ; Th Phayalithai ; plats 25-40 B ; 13h-20h). En face de la Lithai Guest House, ce restaurant sans prétention expose une variété de currys, de soupes et de plats de légumes sautés. Montrez ce qui vous fait envie. Sur les murs, des photos intéressantes de la ville, prises avant l'incendie de 1957.

**Daeng** (☎ 0 5522 5127 ; Th Borom Trailokanat ; plats 40-120 B ; déj et dîner). En face du Pailyn Hotel, cette petite boutique fait partie d'une chaîne populaire de cuisine thaïlandaise et vietnamienne, qui a démarré à Nong Khai. Ne manquez pas de commander la spécialité maison, le *năam neu·ang,* des boulettes de porc grillées servies avec herbes fraîches et feuilles de papier de riz pour confectionner soi-même ses rouleaux.

**Ban Mai** (☎ 08 6925 5018 ; 93/30 Th U Thong ; plats 70-140 B ; 11h-14h, 17h-22h). Dans cet établissement prisé des habitants, on dîne comme chez ses grands-parents. Dans la salle à manger, lourdement meublée, la conversation résonne et le chat siamois replet règne en maître. Ne vous attendez toutefois pas à de la cuisine familiale : Ban Mai est spécialisé dans des plats qui sortent de l'ordinaire, exécutés avec brio, tel le *gaang pèt Ъèt yâhng*, un curry de canard fumé, ou le *yam đà·krái*, une "salade" à la citronnelle.

Vous pourrez faire vos courses dans le gigantesque supermaché situé au sous-sol du Topland Shopping Plaza. Pour les en-cas, allez plutôt au **marché de nuit** (plats 20-60 B ; 16h-20h), très animé, qui se tient juste au sud de la gare ferroviaire, surtout spécialisé dans la nourriture à emporter. Un plat réputé, le *kôw nĕe·o hòr*, se compose de riz gluant garni de divers ingrédients ficelé dans un petit paquet en feuille de bananier ; deux vendeurs, l'un en face de l'autre, en proposent, près de l'entrée du marché dans Th Ekathotsarot.

## Où sortir et prendre un verre

Quelques pubs flottants sont ancrés le long de Th Wangchan, juste devant le Grand Riverside Hotel, parmi lesquels **Sabai Boat** (Th Wangchan ; plats 40-140 B ; 11h-23h) et **Wow!** (Th Wangchan ; plats 50-150 B ; 17h-minuit), qui offrent tous les deux plats et boissons. **Calito** (☎08 1953 2629 ; 84/1 Th Wangchan ; plats 70-100 B ; 18h-minuit), sur la terre ferme, propose une longue carte de spécialités thaïlandaises et de la bière à la pression bien fraîche.

**Wood Stock** (☎08 1785 1958 ; 148/22-23 Th Wisut Kasat ; plats 35-70 B ; 17h-minuit) combine mobilier des années 1960 et 1970, musique live et un petit choix pas cher de *gàp glâam* (amuse-gueules thaïlandais). Malgré un anglais limité, le personnel fait tout pour se rendre sympathique.

## Depuis/vers Phitsanulok

### AVION

L'**aéroport** (☎0 5530 1002) de Phitsanulok est à 5 km au sud de la ville.

**THAI** (☎0 5524 2971-2 ; 209/26-28 Th Borom Trailokanat) assure des vols 2 fois par jour entre Phitsanulok et Bangkok (3 185 B, 55 min). Réservations possibles à l'agence de voyages de la Lithai Guest House (p. 404).

**Golden House Tour** (☎0 5525 9973 ; 55/37 Th Borom Trailokanat) a un panneau à l'aéroport annonçant son service de minibus entre l'aéroport et les hôtels (150 B/pers). Depuis la ville, un *túk-túk* jusqu'à l'aéroport coûte 150 B.

### BUS

Les possibilités au départ de Phitsanulok sont nombreuses, car la ville est un carrefour de lignes en direction du Nord et du Nord-Est. La gare routière de Phitsanulok est à 2 km à l'est de la ville, sur la Highway 12.

Des bus directs pour Sukhothai partent toutes les 30 min (ordinaire 45 B, 1 heure, de 7h à 17h), mais vous pouvez aussi prendre n'importe quel bus à destination de Chiang Rai (2e classe clim/1re classe/VIP 286/367/428 B, 5 heures). Des bus fréquents desservent Lampang (2e classe clim/1re classe/VIP 176/227/265 B, 4 heures), Nan (2e classe clim/1re classe 197/254 B, 2 heures) et Phrae (2e classe clim/1re classe/VIP 130/167/195 B, 3 heures). Toutes les heures durant la journée, des bus partent pour Kamphaeng Phet (2e classe clim/1re classe 60/81 B, 3 heures) et Chiang Mai (2e classe clim/1re classe/VIP 241/310/361 B, 6 heures). Il existe également des bus pour Tak (2e classe clim 101 B, 3 heures) et plusieurs minibus pour Mae Sot (176 B, 4 heures).

Vers l'Isan, des bus rallient Nakhon Ratchasima (2e classe clim/1re classe/VIP 280/360/420 B, 6 heures) et Khon Kaen (2e classe clim/1re classe 231/297 B, 7 heures).

De nombreux bus vont également à Bangkok (2e classe clim/1re classe/VIP 246/317/490 B, 6 heures, chaque heure de 8h à 23h30), avec un départ VIP à 22h.

### TRAIN

La gare ferroviaire de Phitsanulok, équipée d'une consigne, est à une distance raisonnable à pied de nombreux hôtels. C'est une gare importante, où s'arrêtent quasi tous les trains en direction du nord ou du sud. Tout au long de la journée et de la nuit, 10 trains partent pour Bangkok (3e classe ventil 219 B, 2e classe ventil/clim 309/449 B, 2e classe ventil couchette sup/inf 409/459 B, 2e classe clim couchette sup/inf 629/699 B, 1re classe couchette 1 064 B, 6 heures). Pour les horaires et les tarifs récents, appelez le **State Railway of Thailand** ou consultez leur site (☎ ligne gratuite 24h/24 au 1690 ; www.railway.co.th).

## Comment circuler

Les courses en *săhm·lór* dans le centre-ville démarrent à 60 B. Devant la gare ferroviaire, un panneau indique les tarifs des *túk-túk* selon les différentes destinations dans la ville.

Les bus urbains ordinaires coûtent de 8 à 11 B ; grâce aux nombreuses lignes, il est facile de rallier n'importe quelle destination. L'arrêt principal pour les bus urbains est près de l'Asia Hotel, sur Th Ekathotsarot, et un tableau détaille en anglais les différentes lignes.

Géré par la TAT, le Phitsanulok Tour Tramway (PTT) vous fait découvrir la ville dans la journée. Le **tram** (enfant/adulte 20/30 B) part du Wat Yai entre 9h et 15h et vous emmène sur 15 sites. Le trajet dure en tout 45 min.

**Budget** (☎ 0 5530 1020 ; www.budget.co.th) et **Avis** (☎ 0 5524 2060 ; www.avisthailand.com) ont un bureau à l'aéroport. Louer une voiture vous reviendra au minimum à 1 350 B/j.

## PARC NATIONAL DE PHU HIN RONG KLA

อุทยานแห่งชาติภูหินร่องกล้า

De 1967 à 1982, la montagne portant le nom de Phu Hin Rong Kla fut la base stratégique du Parti communiste thaïlandais (PCT) et de son bras armé, la People's Liberation Army of Thailand (PLAT, Armée de libération populaire de Thaïlande). Cette montagne isolée était parfaite pour une armée d'insurgés. La province chinoise du Yunnan n'étant qu'à 300 km, c'est ici que les cadres du PCT recevaient leur entraînement à la guérilla révolutionnaire, jusqu'à la scission de 1979 entre communistes chinois et vietnamiens et l'adhésion du PCT à la cause vietnamienne.

Pendant près d'une vingtaine d'années, la région de Phu Hin Rong Kla fut le théâtre d'échauffourées entre l'armée thaïlandaise et les partisans communistes. En 1972, le gouvernement central lança une offensive contre la PLAT, sans succès. Le camp de Phu Hin Rong Kla devint particulièrement actif après le soulèvement estudiantin d'octobre 1976 à Bangkok. De nombreux étudiants vinrent rejoindre les communistes ; ils créèrent un hôpital, ainsi qu'une école de stratégie politique et militaire. En 1978, les contingents de l'Armée de libération comptaient 4 000 hommes. En 1980-1981, les forces gouvernementales firent une nouvelle tentative et reprirent du territoire au PCT. Mais le coup décisif fut porté en 1982, quand le gouvernement décréta une amnistie en faveur de tous les étudiants qui avaient rejoint les communistes après 1976. Le départ de la plupart d'entre eux brisa la colonne vertébrale du mouvement. Une dernière offensive fin 1982 aboutit à la capitulation de l'Armée de libération populaire de Thaïlande. En 1984, Phu Hin Rong Kla acquit son statut de parc national.

### Renseignements et orientation

Le **parc** (☎ 0 5523 3527 ; 200 B ; 🕑 8h30-17h) s'étend sur 307 km² de montagnes escarpées et de forêts. L'altitude est de 1 000 m, et le climat est frais, même pendant la saison chaude. Les principaux centres d'intérêt se situent à proximité de la route principale, dont les vestiges de la place forte communiste. De l'autre côté de la route, face à l'école, se tient une roue à eau réalisée par des élèves-ingénieurs exilés.

### À voir et à faire

Un sentier de 1 km mène au **Pha Chu Thong** ("falaise du Drapeau levé", parfois appelée "falaise du Drapeau rouge"), où les communistes hissaient l'étendard rouge pour annoncer une victoire. Dans cette zone du parc, vous découvrirez un **abri antiaérien**, un **poste de guet** et les vestiges du **quartier général du PCT**, des bâtiments de bois et de bambou qui n'avaient ni eau courante ni électricité. C'était le point le moins accessible du parc avant la construction de la route par le gouvernement thaïlandais.

Dans les bureaux du parc, un modeste **musée** réunit des souvenirs de l'époque, mais fournit peu d'explications en anglais. Au bout de la route traversant le parc apparaît un petit **village hmong**.

Si l'histoire de Phu Hin Rong Kla ne vous intéresse pas, vous pouvez vous promener le long des **sentiers**, admirer les **cascades**, les **panoramas** et les intéressantes formations rocheuses de **Lan Hin Pum**, une zone de gros rocs saillants, et de **Lan Hin Taek**, riches en crevasses où les troupes de la PLAT trouvaient refuge en cas de raid aérien. Le **centre d'information des visiteurs** (🕑 8h30-16h30) fournit des cartes.

Phu Hin Rong Kla attire une foule de gens le week-end et durant les vacances scolaires : mieux vaut s'y rendre en milieu de semaine.

### Où se loger et se restaurer

**Golden House Tour** (☎ 0 5525 9973 ; 55/37 Th Trailokanat ; 🕑 8h-18h30), près du bureau de la TAT dans Phitsanulok, peut vous aider pour vos réservations.

Le **Thailand's Royal Forest Department** (☎ 0 2562 0760 ; www.dnp.go.th ; tente personnelle 30 B, location tente 2-8/pers 150-600 B, bungalows 800-2 400 B) loue des bungalows pour 2 à 8 personnes, dans 3 zones différentes du parc. Vous pouvez aussi planter votre propre tente ou en louer une : sac de couchage (30 B), oreiller (10 B) et tapis de sol (20 B) sont à votre disposition.

Des restaurants et des échoppes de nourriture sont installés près du terrain de camping et des bungalows. Les meilleurs sont la Duang Jai Cafeteria (essayez le *sôm·đam* aux carottes) et le Rang Thong.

### Depuis/vers le parc national de Phu Hin Rong Kla

Les bureaux du parc sont à 125 km de Phitsanulok. Prenez d'abord un bus pour Nakhon Thai (ordinaire/clim 53/73 B, 2 heures, toutes les heures de 6h à 18h), puis affrétez un *sŏrng·tăa·ou* (500-800 B) au marché. Golden House Tour (voir p. 407) propose la location d'une voiture avec chauffeur pour 1 700 B la journée, essence en sus. À moto, vous aurez besoin d'un moteur puissant pour venir à bout des côtes très raides, mais la balade est agréable, car il y a peu de circulation.

## DE PHITSANULOK À LOM SAK

Entre Phitsanulok et Lom Sak, la Highway 12, qui longe la superbe Lam Nam Khek, émaillée de rapides, est appelée la "Route verte". En chemin, vous verrez plusieurs cascades, des complexes hôteliers et les parcs nationaux de Phu Hin Rong Kla (p. 407) et de Thung Salaeng Luang (ci-contre). La route est très fréquentée le week-end et durant les vacances scolaires.

Les hôtels le long de la Highway 12 organisent des sorties de **rafting** sur le tronçon de la Lam Nam Khek qui compte le plus de rapides, soit à hauteur de la section de la route comprise entre les Km 45 et 52.

L'agence de la TAT de Phitsanulok (voir p. 401) distribue une carte "Green Route" indiquant les sites qui jalonnent ces 130 km. Vous fuirez peut-être les deux premières cascades, **Nam Tok Sakhunothayan** (Km 33) et **Kaeng Song** (Km 45), parfois surfréquentées le week-end. La troisième, **Kaeng Sopha** (Km 72), occupe un secteur plus étendu, ponctué de petites chutes et de rapides reliés par des formations rocheuses qui servent de gué, selon les pluies et le niveau de l'eau. Des étals de nourriture proposent du *sôm đam* (salade de papaye verte épicée) et du *gài yâhng* (poulet grillé épicé) peu onéreux. Entre les cascades de Kaeng Song et de Kaeng Sopha, au Km 49, une route mène au **centre de méditation Dharma Abha Vipassana** (☎ 08 1646 4695 ; www.dhamma.org/en/schedules/schabha.htm), qui organise régulièrement des retraites de 10 jours de méditation.

Plus à l'est, la route arrive au **parc national de Thung Salaeng Luang** (☎ 0 5526 8019 ; 200 B ; 🕒 8h-17h). Cette zone protégée de 1 262 km², l'une des plus vastes et des plus importantes de Thaïlande, couvre d'immenses étendues de prairies, de feuillus toujours verts et de forêts de diptérocarpes, entrecoupées de formations calcaires et de nombreux cours d'eau. De novembre à décembre, les prairies, tapissées de fleurs sauvages, sont, avec les étangs et les coulées de sel alentour, le meilleur endroit pour observer la faune et la flore. Le parc compte plus de 190 espèces d'oiseaux répertoriées ; les ornithologues amateurs y viennent surtout pour admirer le magnifique faisan prélat. Le parc de Thung Salaeng Luang a aussi été occupé autrefois par la PLAT. L'entrée est au Km 80, où vous trouverez dans les bureaux du parc des informations sur les randonnées et l'hébergement.

Si vous êtes motorisé, tournez au sud au Km 100 et suivez la Route 2196 jusqu'à **Khao Kho** (Khow Khor), autre repaire perdu dans la montagne utilisé par le PCT dans les années 1970. À 1,5 km du sommet de Khao Kho, vous devez prendre la Route 2323, très pentue. Au sommet, à 30 km de la grand-route, un **obélisque** immense a été érigé à la mémoire des soldats thaïlandais tués pendant la répression de l'insurrection communiste. Le monument est entouré d'un joli jardin ; les canons et postes de vigie protégés par des sacs de sable ont été laissés en l'état comme autant de témoignages historiques. Par temps clair, la vue à 360° est magnifique.

Pour revenir de Khao Kho, vous avez le choix entre la grand-route Phitsanulok-Lom Sak et la Route 2258, qui part de la Route 2196 et aboutit à la Route 203. De là, poursuivez vers le nord, en direction de Lom Sak, ou vers le sud, jusqu'à Phetchabun. Sur la Route 2258, à 4 km de l'embranchement de la Route 2196, le **palais de Khao Kho**, l'un des palais les plus modestes du pays, ne présente guère d'intérêt. Son beau jardin planté de rosiers entoure un ensemble de constructions modernes.

### Où se loger et se restaurer

**Thung Salaeng Luang National Park** (☎ 0 2562 0760 ; www.dnp.go.th ; tente personnelle 30 B, location tente 2-8/pers 150-600 B, bungalows 1 000-5 000 B). Les 15 bungalows de bois bien équipés accueillent de 4 à 10 personnes, près des bureaux de l'administration du parc au Km 80 et dans deux autres zones. Vous pouvez aussi planter votre tente. Restaurant et échoppes de nourriture.

**Rainforest Resort** (☎ 0 5529 3085-6 ; www.rainforestthailand.com ; Km 42 ; cottage 2-6/pers 1 600-4 500 B ; ❄). Plusieurs complexes jalonnent la Highway 12, mais celui-ci est assurément le meilleur. Ses ravissants chalets s'éparpillent à flanc de coteau face à la Mae Nam Khek. Un restaurant de plein air y sert une bonne cuisine thaïlandaise.

Autre bon choix, le **Wang Thara Health Resort & Spa** (☎ 0 5529 3411-4 ; www.wanathara.com ; Km 46, Hwy 12 ; ch 1 600-3 800 B ; ❄), un établissement un peu défraîchi mais agrémenté d'un spa aux prix raisonnables. On trouvera des adresses plus économiques à Kaeng Song, aux environs du Km 45, dont **Ban Kiang Num** (☎ 0 5529 3441 ; www.bankiangnum.9nha.com ; Km 45, Hwy 12 ; ch 600-1 000 B), aux vastes chambres sommaires avec grand balcon surplombant les rapides Song.

Plusieurs restaurants s'alignent sur les rives de la Mae Nam Khek, jouissant d'une jolie vue et d'une brise rafraîchissante. **Ran Rim Kaeng** (☎ 0 5529 3370 ; Km 45, Hwy 12 ; plats 70-120 B ; 🕙 11h-22h) est réputé auprès des gens du coin pour ses plats épicés. C'est un bâtiment jaune au Km 45, près de Kaeng Song. Un peu plus haut sur la route, au Km 42, **Ran Thin Thai Lan Lanthom** (☎ 08 3219 2822 ; Km 42, Hwy 12 ; plats 30-90 B ; 🕙 7h-19h) sert un bon café avec des petits biscuits maison et une délicieuse crème glacée à la pomme, ainsi qu'un menu thaïlandais très apprécié. Repérez la publicité pour le café "Doi Tung".

### Depuis/vers Lom Sak

Pour aller de Phitsalunok à Lom Sak, vous paierez 50 B l'aller simple en bus ordinaire et 70 B en bus climatisé. Pour plus de liberté, il vaut mieux avoir son propre véhicule. En effet, si pendant la journée vous n'aurez aucun mal à arrêter un autre bus pour poursuivre votre voyage, cela devient plus difficile après 16h.

# PROVINCE DE SUKHOTHAI

## SUKHOTHAI

สุโขทัย

**17 510 habitants**

Le royaume de Sukhothai (l' "aube du bonheur") connut son apogée entre le milieu du XIII^e^ et la fin du XIV^e^ siècle. La période de Sukhothai est considérée comme l'âge d'or de la civilisation thaïlandaise. Ses œuvres religieuses et architecturales font d'ailleurs référence en matière de classicisme thaïlandais.

La *meuang gòw* (vieille ville) de Sukhothai abrite sur 45 $km^2$ les vestiges du royaume (en partie reconstruits), l'un des sites anciens les plus visités de Thaïlande.

Située à 12 km à l'est du parc historique, traversée par la Mae Nam Yom, la ville nouvelle (New Sukhothai), commerçante, n'offre pas un grand intérêt. C'est néanmoins une cité chaleureuse et décontractée, bien desservie par les transports, et dont l'hébergement est attrayant. On pourra donc y passer la nuit pour découvrir les vestiges de la vieille ville.

### Histoire

Sukhothai est considérée comme la première capitale du Siam, bien que cela ne soit pas tout à fait exact (voir l'encadré p. 413). Cette zone fut le site d'un empire khmer jusqu'en 1238 : deux souverains thaïs, Pho Khun Pha Muang et Pho Khun Bang Klang Hao, décidèrent alors de s'allier et de former le nouveau royaume de Thaïlande.

L'ère Sukhothai dura 200 ans et connut 9 souverains. Le plus célèbre fut le roi Ramkhamhaeng le Grand, qui régna de 1275 à 1317, à qui l'on doit la première écriture thaïe et dont les écrits sont considérés comme l'origine de la littérature thaïe. Il étendit sa puissance sur un territoire qui était plus vaste que la Thaïlande actuelle, avant de passer sous la domination d'Ayuthaya en 1438. Voir *Parc historique de Sukhothai* p. 410 pour plus de détails.

### Renseignements

Il existe plusieurs banques dotées de DAB dans le centre de New Sukhothai, ainsi que quelques-unes dans la cité ancienne. Les cybercafés ne manquent pas dans la ville nouvelle, et des connexions sont disponibles dans de nombreuses pensions. Les pensions, surtout celle de Ban Thai (p. 410), sont les meilleures sources d'informations sur Sukhothai.

**Bureau de la CAT** (carte p. 410 ; Th Nikhon Kasem ; 🕙 7h-22h). Attenant au bureau de poste, appels internationaux.

**Hôpital** (carte p. 410 ; ☎ 0 5561 0280 ; Th Jarot Withithong)

**Police** (carte p. 410 ; ☎ 0 5561 1010). Dans New Sukhothai.

**Police touristique** (carte p. 411 ; parc historique de Sukhothai). Appelez le 1155 en cas d'urgence ou allez au bureau de la police touristique, en face du musée national de Ramakhamhaeng.

**Poste** (carte p. 410 ; Th Nikhon Kasem ; 🕙 8h30-12h lun-ven, 13h-16h30 sam et dim, 9h-12h jours fériés)

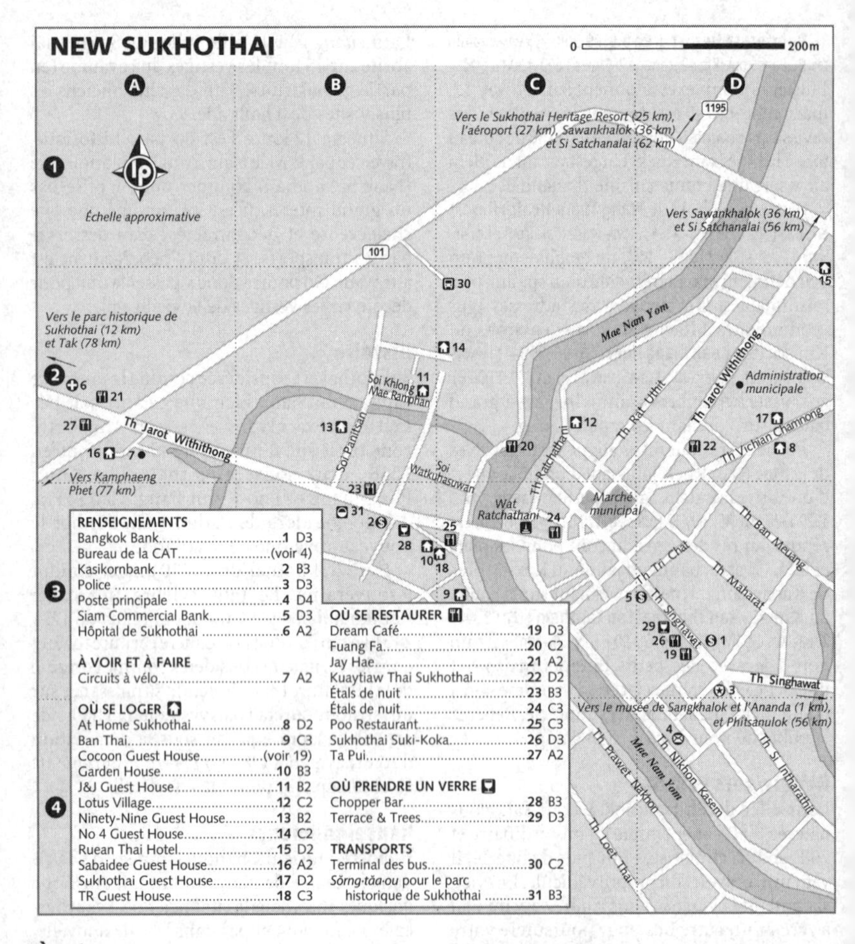


# À voir

## PARC HISTORIQUE DE SUKHOTHAI

อุทยานประวัติศาสตร์สุโขทัย

Les **ruines de Sukhothai** (carte p. 410 ; 100-350 B, supplément vélo/moto/voiture 10/20/50 B ; 6h-18h) figurent au patrimoine mondial de l'Unesco. Elles comptent 21 monuments historiques et 4 grands étangs à l'intérieur des fortifications, auxquels s'ajoutent 70 sites dans un rayon de 5 km alentour.

Le parc est divisé en 5 secteurs : centre, nord, sud, est et ouest. L'accès à chacun coûte 100 B. Un billet unique vendu 350 B permet d'accéder à tous les sites de Sukhothai, ainsi qu'aux musées nationaux de Sawanwaranayok (p. 418) et de Ramkhamhaeng (p. 411), aux vestiges de Si Satchanalai et de Chaliang (p. 416). Ce billet est valable 30 jours, mais ne permet, en théorie, qu'une seule visite par site.

L'élément le plus caractéristique de l'architecture religieuse sukhothai est le *chedi* classique en bouton de lotus, dont la flèche conique repose sur une base carrée soutenue par un soubassement pyramidal à trois gradins. Sur certains sites, vous verrez néanmoins des *chedi* en forme de cloche de type cinghalais, ou construits sur deux niveaux seulement, selon le style Srivijaya.

Le parc historique est très visité, mais, vu sa grandeur, on s'y retrouve souvent en solitaire. Certains des vestiges les plus impressionnants étant situés à l'extérieur des remparts, mieux vaut être à vélo ou à moto pour apprécier pleinement le parc. Voir p. 416 pour les informations sur la meilleure manière de visiter le parc.

### Musée national de Ramkhamhaeng

พิพิธภัณฑ์สถานแห่งชาติรามคำแหง

Le **musée** (carte p. 411 ; ☎ 0 5561 2167 ; 150 B ; ⏲ 9h-16h) fournit un bon point de départ. Parmi de nombreux objets sukhothai, il abrite une réplique de la célèbre stèle de Ramkhamhaeng, dont on pense qu'elle offre le premier exemple d'écriture thaïe.

### Wat Mahathat

วัดมหาธาตุ

Achevé au XIII^e siècle, le plus grand *wat* de la ville est entouré de murs de brique (206 m de longueur sur 200 m de largeur) et d'un fossé qui représentaient, dit-on, la limite extérieure de l'univers et de l'océan cosmique. Au sommet des *chedi* élancés figure le récurrent bouton de lotus, et quelques-uns des nobles bouddhas originels sont encore assis au milieu des colonnes en ruine du vieux *wí·hăhn*. Il y a 198 *chedi* à l'intérieur du monastère, souvent considéré comme le centre spirituel et administratif de la capitale antique.

### Wat Si Chum

วัดศรีชุม

Au nord-ouest de la vieille ville, ce *wat* renferme un *mon·dòp* qui abrite un impressionnant bouddha assis de 15 m de hauteur, reconnu par les archéologues comme étant le "Phra Achana" mentionné dans la célèbre inscription de Ramkhamhaeng. Le passage qui conduisait au sommet de cette statue de brique et de stuc a été condamné ; il n'est donc plus possible d'admirer les *jataka* (récits des vies antérieures du Bouddha) qui en ornent le plafond.

### Wat Saphan Hin

วัดสะพานหิน

Le Wat Saphan Hin est à 4 km à l'ouest de la vieille ville, au sommet d'une colline qui s'élève à 200 m. Son nom ("pont de pierres") fait référence au sentier et à l'escalier en dalles de schiste, toujours en place, conduisant au temple. Il offre une bellea vue sur le site et les montagnes.

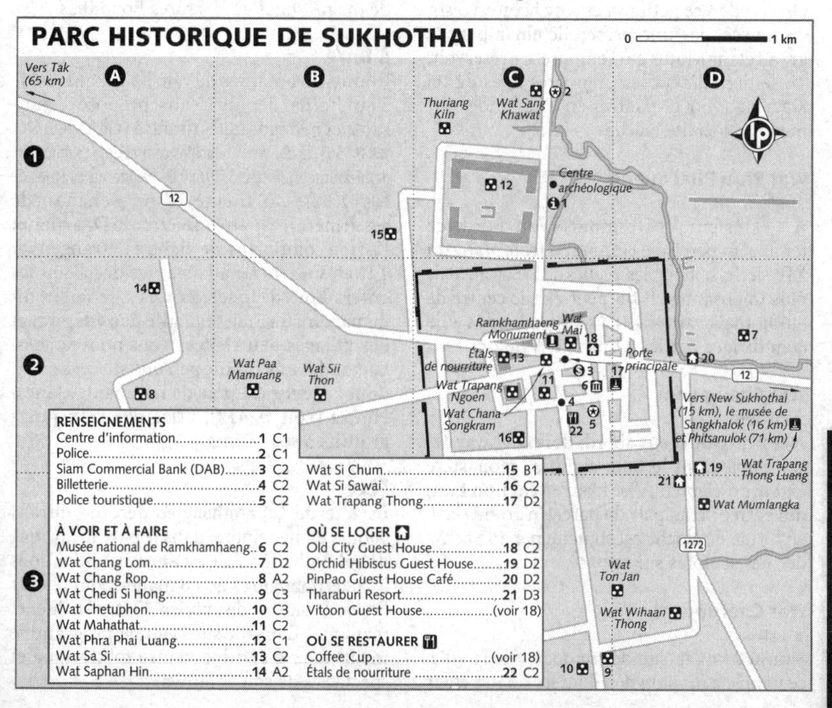

De l'édifice originel, il ne reste plus que quelques *chedi* et le *wí·hăhn* en ruine, soit deux rangées de colonnes en latérite au centre desquelles se dresse un bouddha haut de 12,5 m, debout sur une terrasse en brique.

### Wat Si Sawai
วัดศรีสวาย

Au sud du Wat Mahathat, ce sanctuaire des XII^e et XIII^e siècles, qui comprend trois tours de style khmer (*prang*) et des douves, est un ancien temple hindou construit par les Khmers.

### Wat Sa Si
วัดสระศรี

Connu également sous le nom de "monastère de l'étang sacré", le Wat Sa Si occupe une île, à l'ouest du monument en bronze élevé à la gloire du roi Ramkhamhaeng (le troisième souverain de la période de Sukhothai). Il s'agit d'un *wat* typique de l'époque ; vous y verrez un grand bouddha, un *chedi* et les colonnes du *wí·hăhn* en ruine.

### Wat Trapang Thong
วัดตระพังทอง

On accède à ce petit *wat* encore habité, voisin du musée, par une passerelle enjambant le grand étang à lotus qui l'entoure. Ce réservoir, où se déroulèrent les premières fêtes de **Loi Krathong** (voir ci-contre) en Thaïlande, alimente la localité en eau.

### Wat Phra Phai Luang
วัดพระพายหลวง

À l'extérieur des remparts, au nord, ce temple un peu isolé comprend trois *prang* du XII^e siècle, semblables à celles du Si Sawai, mais plus imposantes. Il fut peut-être le centre de Sukhothai avant le XIII^e siècle, quand la ville était dirigée par les Khmers d'Angkor.

### Wat Chang Lom
วัดช้างล้อม

À l'est du parc et aux abords de la Highway 12, ce temple dont le nom signifie "monastère entouré d'éléphants" se trouve à environ 1 km de l'entrée principale du parc. Un grand *chedi* en forme de cloche est soutenu par 36 pachydermes sculptés sur sa base.

### Wat Chetupon
วัดเชตุพน

Situé à 2 km au sud des remparts de la ville, ce temple a un *mon·dòp* dont les quatre côtés représentaient les quatre poses classiques du Bouddha (assis, couché, debout et marchant). On y distingue encore les lignes gracieuses du bouddha marchant.

### Wat Chedi Si Hong
วัดเจดีย์สี่ห้อง

Dans ce temple qui fait face au Wat Chetupon, le *chedi* principal a gardé en grande partie ses bas-reliefs en stuc, qui représentent de façon très vivante des éléphants, des lions et divers personnages.

### MUSÉE SANGKHALOK
พิพิธภัณฑ์สังคโลก

Ce petit **musée** (hors carte p. 410 ; ☎ 0 5561 4333 ; 203/2 Mu 3 Th Muangkao ; enfant/adulte 50/100 B ; ⏲ 8h-17h), néanmoins très riche, constitue une excellente introduction au produit d'exportation le plus célèbre du royaume de Sukhothai : la céramique. Il rassemble une impressionnante collection de poteries originales trouvées dans la région, vieilles de 700 ans, auxquelles s'ajoutent des pièces du Vietnam, du Myanmar et de Chine. L'étage est réservé aux poteries de type non utilaire, telles de magnifiques et très rares Bouddhas.

## À faire

Ronny, un amateur de vélo belge, qui réside à Sukhothai depuis 15 ans, propose d'amusants et pédagogiques **circuits à vélo** (carte p. 410 ; ☎ 0 5561 2519 ; www.geocities.com/cycling_sukhothai ; demi-journée/journée 550/650 B, balade au coucher de soleil 250 B). Un thème inspire chacun de ses itinéraires, ainsi,le circuit Dharma et Karma comporte une visite à l'étrange Wat Tawet, un temple aux statues décrivant les enfers bouddhiques, tandis que le circuit du parc historique fait halte dans des *wat* et des villages peu visités. Vous pouvez aussi demander une balade personnalisée. Ronny, dont l'agence est près de la Sabaidee Guest House (voir p. 413), offre des transports gratuits à ses clients.

## Fête

La fête de **Loi Krathong** se déroule durant 5 jours en novembre, dans le parc historique de Sukhothai. La ville est une des destinations les plus populaires de Thaïlande pour fêter la fin de la saison des pluies. Outre les lueurs magiques dansant sur l'eau, le programme inclut feux d'artifice, danse folklorique et spectacles de son et lumière.

## Où se loger

Même si les établissements de luxe sont en nombre croissant autour du parc historique, les adresses bon marché constituent encore l'essentiel du parc hôtelier et sont concentrées surtout dans la ville nouvelle. Les prix augmentent durant la fête de Loi Krathong.

### PETITS BUDGETS

Sukhothai offre un grand choix d'options économiques. Une multitude d'hôtels possèdent des chambres pas chères avec sdb commune, presque tous disposants aussi de quelques bungalows. Plusieurs pensions proposent d'aller vous chercher gracieusement au terminal des bus, et beaucoup louent vélos et motos.

**New Sukhothai Garden House** (☎ 0 5561 1395 ; tuigardenhouse@yahoo.com ; 11/1 Th Prawet Nakhon ; ch 150-200 B, bungalows 300-350 B ; ). Le bâtiment principal de cette pension appréciée peut être très animé ; mieux vaut opter pour l'un des bungalows relativement isolés à l'arrière. Le restaurant, qui sert aussi d'espace commun, projette des films chaque soir.

**No 4 Guest House** (☎ 0 5561 0165 ; no4guesthouse@yahoo.co.th ; 140/4 Soi Khlong Mae Ramphan ; s/d 200/300 B). De l'extérieur, la pension No 4 paraît un peu délabrée, mais on y découvre un joli jardin avec plusieurs bungalows qui ne manquent pas de charme. Un peu plus loin, la Ninety-Nine Guest House (☎ 0 5561 1315 ; 234/6 Soi Panitsan ; s/d 120/150 B), tenue par la même famille, propose des chambres dans une maison en teck de 2 étages entourée de jardins. Les deux adresses dispensent des cours de cuisine.

**Ban Thai** (☎ 0 5561 0163 ; banthai_guesthouse@yahoo.com ; 38 Th Prawet Nakhon ; ch avec sdb commune 200 B, bungalows 300-500 B ; ). Cet établissement, parmi les plus prisés de la ville, dispose de plusieurs types de chambres et de petits bungalows installés autour d'un jardin accueillant. Rien d'extraordinaire toutefois, mais l'atmosphère conviviale et les prix bon marché contribuent à son succès.

**Sabaidee Guest House** (☎ 0 5561 6303, 08 9988 3589 ; www.sabaidee-guesthouse.com ; 81/7 Mu 1 Tambol Banklouy ; ch 200-600 B ; ). Cette sympathique pension n'a d'abord offert que des chambres dans la maison familiale, mais, comme bien d'autres modestes adresses de Sukhothai, elle est aujourd'hui fière de ses pimpants bungalows. L'hébergement le moins cher est toujours dans la maison. Votre hôte met des vélos à votre disposition et va vous chercher gracieusement à la gare routière.

> **LE PREMIER ROYAUME THAÏ ?**
>
> L'établissement du royaume de Sukhothai en 1238 est souvent décrit comme le premier royaume thaï. Or, le royaume de Chiang Saen (voir p. 377) avait déjà été instauré 500 ans plus tôt et, au moment de l'avènement de Sukhothai, d'autres royaumes thaïs comme le Lanna, Phayao et Chiang Saen existaient également. L'influence indéniable du royaume de Sukhothai sur l'art, la langue, la littérature et la religion de la société thaïlandaise moderne et l'immensité du territoire de ce royaume à son apogée au début du XIIIe siècle sont certainement les raisons de la pérennité de ce point de vue sur l'histoire, bien commode mais inexact.

**TR Guest House** (☎ 0 5561 1663 ; www.sukhothaibudgetguesthouse.com ; 27/5 Th Prawet Nakhon ; ch 250-400 B, bungalows 400 B ; ). Chambres basiques mais impeccables et, pour ceux qui ont besoin de plus d'espace, 4 bungalows à l'arrière. Une terrasse agréable en fait un excellent choix dans cette catégorie.

**J&J Guest House** (☎ 0 5562 0095 ; www.jj-guesthouse.com ; 122 Soi Mae Ramphan ; ch 300-500 B, bungalows 700-800 B ; ). Soigneusement entretenue, cette pension a des airs de complexe de vacances. Elle offre une gamme de bungalows et de chambres spacieuses pour tous les budgets, et sa piscine et son pain maison la rendent irrésistible.

**Sukhothai Guest House** (☎ 0 5561 0453 ; www.sukhothaiguesthouse.net ; 68 Th Vichien Chamnong ; ch 350-750 B ; ). Pension établie de longue date, comptant 12 bungalows avec terrasse dans un jardin ombragé. Espace commun décoré d'un bric-à-brac original. Les propriétaires sont chaleureux et serviables.

**Cocoon Guest House** (☎ 0 5561 2081 ; 86/1 Th Singhawat ; ch 500 B ; ). Au bout d'une allée, derrière le Dream Café, une petite jungle abrite les 4 chambres simples de cette pension. Quand vous lirez ces lignes, plusieurs autres chambres devraient avoir vu le jour dans un joli bâtiment en bois.

**At Home Sukhothai** (☎ 0 5561 0172 ; www.athomesukhothai.com ; 184/1 Th Vichien Chamnong ;

ch 500-750 B ; ). La jolie maison natale du propriétaire, vieille de 50 ans, paraît toute neuve après de récentes rénovations. Le mobilier en bois d'origine allié au moderne compose une harmonie parfaite, et l'on ne peut que se sentir bien dans les chambres simples mais confortables. À l'arrière, un bassin aux lotus ; à l'avant, une salle de massage traditionnel, et nombre d'autres prestations. Demandez à votre hôte d'ouvrir l'album de famille montrant la maison telle qu'elle était auparavant.

### Parc historique de Sukhothai

De l'autre côté du parc historique, voici trois adresses qui louent des vélos.

**Old City Guest House** (☎ 0 5569 7515 ; 28/7 Mu 3 ; ch 150-400 B ; ). Un grand choix de chambres dans ce vaste complexe, tous styles et tous budgets. Demandez à visiter avant de vous décider. Idéalement situé à l'entrée du parc, mais sans jardin pour se relaxer.

**Vitoon Guest House** (☎ 0 5569 7045 ; 49 Mu 3 ; ch 300-500 B ; ). Des chambres confortables, mais encombrées, comparées à celle de la pension voisine Old City.

**PinPao Guest House Café** (☎ 0 5563 3284 ; orchid_hibiscus_guest_house@hotmail.com ; Hwy 12 ; ch 500 B). Rattaché à l'Orchid Hibiscus Guest House (ci-contre), ce vaste bâtiment compte 10 chambres, aux couleurs des plus gaies. Beaucoup toutefois n'ont pas de fenêtre et sont donc sombres. Sur la Highway 12, à la hauteur de l'embranchement de la Route 1272.

## CATÉGORIE MOYENNE

### New Sukhothai

**Ruean Thai Hotel** (☎ 0 5561 2444 ; www.rueanthaihotel.com ; 181/20 Soi Pracha Ruammit, Th Jarot Withithong ; ch 1 350-3 200 B ; ). À première vue, le vaste bâtiment plein de caractère fait penser à un temple ou à un musée. Les chambres à l'étage, de style traditionnel thaï et meublées à l'ancienne en teck, sont d'un ravissant cachet ; celles au niveau de la piscine sont plus modernes. À l'arrière, un édifice en ciment abrite des chambres climatisées plus simples. Service à la fois aimable et irréprochable. Appelez pour que l'on vienne vous chercher à la gare routière.

### Parc historique de Sukhothai

**Lotus Village** (☎ 0 5562 1484 ; www.lotus-village.com ; 170 Th Ratchathani ; ch 790-1 540 B ; ). Ce paisible ensemble de bungalows sur pilotis compose en effet un village au milieu des lotus. Chambres plus petites également disponibles dans un joli édifice en bois. Un thème birman et indien domine l'ensemble. Un spa offre divers soins.

**Orchid Hibiscus Guest House** (☎ 0 5563 3284 ; orchid_hibiscus_guest_house@hotmail.com ; 407/2 Rte 1272 ; ch 800 B, bungalows 1 200 B ; ). Une collection de chambres et de bungalows autour d'une piscine, dans un superbe parc où il fait bon se détendre. Chambres immaculées, au design comportant des détails amusants. Cette pension se trouve sur la Route 1272, à 600 m de l'intersection avec la Highway 12, entre les Km 48 et 49.

## CATÉGORIE SUPÉRIEURE

**Tharaburi Resort** (carte p. 411 ; ☎ 0 5569 7132 ; www.tharaburiresort.com ; 321/3 Moo 3, Rte 1272 ; ch 1 200-4 200 B, ste 5 000-6 500 B ; ). Près du parc historique, cet hôtel de charme propose dans trois édifices 20 chambres et suites, superbement conçues. Meubles antiques, soieries chatoyantes et autres motifs subtils composent un thème (Maroc, Japon, Chine) pour certaines. Les chambres les moins chères sont plus simples. Les suites ressemblent à de petites maisons, et les duplex sont parfaits pour une famille. En un mot, l'hôtel le plus élégant de Sukhothai.

**Ananda** (hors carte p. 410 ; ☎ 0 5562 2428-30 ; www.anandasukhothai.com ; 10 Moo 4, Th Muangkao ; ch 2 500-3 100 B ; ). L'enseigne "Museum Gallery Hotel" apporte une certaine confusion, mais cet édifice qui ressemble à une église aux influences sukhothai est bien un hôtel, et des plus agréables. Ses 32 chambres allient bois foncés et soies aux couleurs naturelles. Sur place, spa et boutique d'antiquités. À 2 km du centre-ville, l'Ananda se trouve juste à côté du remarquable musée de Sangkhalok (p. 412).

**Sukhothai Heritage Resort** (hors carte p. 410 ; ☎ 0 5564 7564-574 ; www.sukhothaiheritage.com ; 999 Moo 2 ; ch 3 500-4 500 B, ste 10 000 B ; ). Propriété de la Bangkok Airways, ce nouveau complexe, près de l'aéroport, est le plus huppé de la région. Continuation virtuelle du parc historique, les bâtiments bas en brique, partagés par de calmes bassins de lotus, forment avec leurs toits pointus comme des temples. Les chambres, avec vaste écran plat et mobilier moderne, vous ramènent au monde matériel.

## Où se restaurer

La spécialité de Sukhothai est le *gŏo·ay đĕe·o sù·kŏh·tai*, ou "nouilles de Sukhothai", dans un bouillon légèrement sucré agrémenté de différents ingrédients comme du porc, des cacahuètes pilées et des haricots verts émincés. Vous pourrez goûter ce plat dans plusieurs restaurants de la ville, dont **Kuaytiaw Thai Sukhothai** (carte p. 410 ; Th Jarot Withithong ; plats 20-30 B ; 9h-20h), à 200 m au sud après la rue qui va au Ruean Thai Hotel. Pour de nombreux visiteurs thaïlandais, il est impensable de quitter Sukhothai sans avoir dégusté les nouilles de **Jay Hae** (carte p. 410 ; 0 5561 1901 ; Th Jarot Withithong ; plats 25-40 B ; 7h-16h), un restaurant immensément populaire qui sert aussi du *pàt tai* (nouilles de riz sautées) et de bons cafés. De l'autre côté de la rue, **Ta Pui** (carte p. 410 ; Th Jarot Withithong ; plats 20-30 B ; 7h-15h), simple sol de brique abrité par un toit de tôle, prétend être la première enseigne de Sukhothai à avoir proposé ces fameuses nouilles.

**Poo Restaurant** (carte p. 410 ; 0 5561 1735 ; 24/3 Th Jarot Withithong ; plats 25-80 B ; petit-déj, déj et dîner). Dans un cadre simple, ce restaurant propose des petits-déjeuners variés, des sandwichs copieux et quelques bons plats thaïlandais. Une bonne adresse pour se renseigner sur la région et louer une moto.

**Sukhothai Suki-Koka** (carte p. 410 ; Th Singhawat ; plats 30-90 B ; 10h-23h). Spécialisé dans le *sukiyaki* à la thaïlandaise, ce lieu lumineux et convivial attire du monde au déjeuner. Grand choix de plats thaïlandais, sandwichs et pâtes.

**Coffee Cup** (carte p. 411 ; Mu 3, Old Sukhothai ; plats 30-150 B ; 7h-22h). Idéal pour le petit-déjeuner si vous résidez dans la vieille ville, ou si vous êtes matinal. Café corsé, pain frais, en-cas divers, hamburgers et accès Internet (30 B/h). Quelques portes plus loin, le Coffee Cup 2 abrite un bar.

**Fuang Fa** (carte p. 410 ; 08 1284 8262 ; 107/2 Th Khuhasuwan ; plats 60-120 B ; déj et dîner). Comme les connaisseurs de la ville, venez déguster dans ce restaurant du bord de la rivière les poissons variés et succulents de Sukhothai. Essayez le *Ƀlah néua òrn tôrt grà·tiam*, un petit poisson d'eau douce en friture relevé d'ail et servi avec de la carambole bien mûre, ou encore un des nombreux et délicieux *đôm yam*, une sorte de soupe.

**Dream Café** (carte p. 410 ; 0 5561 2081 ; 86/1 Th Singhawat ; plats 80-150 B ; déj et dîner). Dans ce café, vous vous croirez au musée ou chez un antiquaire. Entouré de meubles et d'objets originaux mais raffinés, chouchouté par un personnel compétent et chaleureux, vous savourerez une excellente cuisine. La carte propose les classiques de la cuisine thaïlandaise et vous explique quel plat commander et comment le déguster. Essayez l'un des superbes *yam* (salade à la thaïlandaise) ou un plat de poisson d'eau douce, spécialité locale.

Ne manquez pas les étals de nuit de la ville nouvelle. Ils possèdent même des cartes bilingues pour les touristes. Le mardi soir, des stands plus animés s'installent sur la place en face du Poo Restaurant. Des étals de nourriture et des petits restaurants de plein air vous attendent aussi près du guichet d'entrée du parc historique.

## Où prendre un verre

**Chopper Bar** (carte p. 410 ; Th Prawet Nakhon ; 17h-0h30). À quelques pas des pensions bon marché, c'est en soirée le rendez-vous des noctambules, voyageurs et habitants, venus prendre un verre, dîner, écouter les groupes de musique ou flirter.

**Terrace & Trees** (carte p. 410 ; Th Singhawat ; 17h-0h30). Derrière le Sawasdipong Hotel, ce nouveau bar-restaurant qui accueille des musiciens aux talents divers est l'endroit le plus tendance de la ville.

## Depuis/vers Sukhothai

### AVION

L'aéroport de Sukhothai se trouve à 27 km de la ville, près de la Route 1195, à 11 km de Sawankhalok. Propriété privée de Bangkok Airways, ce petit aéroport arbore une architecture tropicale très recherchée. **Bangkok Airways** (0 5564 7224 ; www.bangkokair.com) effectue une liaison quotidienne depuis Bangkok (2 870 B, 1 heure 10). Un minibus de la compagnie transporte les passagers entre l'aéroport et Sukhothai, moyennant 120 B.

### BUS

Le terminal des bus de Sukhothai est à presque 1 km au nord-ouest du centre-ville, sur la Route 101. À l'intérieur de la province de Sukhothai, de nombreux bus rallient Sawankhalok (ordinaire/2e classe clim/1re classe 21/29/38 B, 45 min, toutes les heures de 6h à 18h) et Si Satchanalai (ordinaire/2e classe clim/1re classe 37/52/67 B, 1 heure, toutes les heures de 6h à 18h). Pour Sawankhalok, vous pouvez aussi prendre le bus de 9h à destination de Chiang Rai.

En ce qui concerne les autres villes de Thaïlande du Nord, des bus desservent, de 7h à 17h, Phitsanulok (ordinaire/2e classe clim/1re classe 32/42/58 B, 1 heure, toutes les 30 min), Tak (ordinaire/2e classe clim/1re classe 43/60/77 B, 1 heure 30, toutes les 40 min) et Kamphaeng Phet (ordinaire/2e classe clim/1re classe 44/62/79 B, 1 heure 30, toutes les 40 min). Des départs ont également lieu pour Phrae (2e classe clim 132 B, 3 heures, 4/j), Nan (2e classe clim 210 B, 4 heures) et Lampang (2e classe clim/1re classe 185/238 B, 4 heures).

Des bus rallient fréquemment Chiang Mai (2e classe clim/1re classe 249/320 B, 5 heures 30, de 7h à 2h), via Tak, et plus rarement Chiang Rai (2e classe clim 284 B, 9 heures, 4/j). Huit minibus de 12 places circulent également entre Sukhothai et Mae Sot (136 B, 3 heures) entre 8h15 et 16h15.

Chaque soir, quelques bus rejoignent Khon Kaen (2e classe clim/1re classe 267/344 B, 7 heures).

De Sukhothai, on rallie aussi facilement Bangkok toutes les 30 min, de 8h à 23h (2e classe clim/1re classe /VIP 291/374/435 B, 6-7 heures).

### Comment circuler

Dans New Sukhothai, une course en *săhm·lór* ne devrait pas excéder 40 B. Entre 6h30 et 18h, vous n'aurez pas de mal à trouver un *sŏrng·tăa·ou* entre la ville nouvelle et le parc historique (20 B, 30 min), au départ de Th Jarot Withithong, près du Poo Restaurant (p. 415). L'arrêt est indiqué du côté nord, mais ils partent en fait du côté sud.

Le vélo constitue un bon moyen de transport pour découvrir le parc. Des boutiques en louent à l'entrée du site pour 30 B/jour. Ne vous laissez pas tenter par les vélos proposés à proximité de l'arrêt de bus de la vieille ville, on en trouve de bien meilleurs en se dirigeant vers l'entrée du parc. Le parc gère aussi un service de tramways qui traverse la vieille ville (20 B/pers), mais les départs sont peu fréquents.

De la gare routière jusqu'au centre de New Sukhothai, le trajet coûte 60 B en taxi ou 10 B/pers en *sŏrng·tăa·ou* collectif. Les motos-taxis demandent 40 B. Jusqu'à la vieille ville, comptez 100 B en *sŏrng·tăa·ou* et 120 B en moto-taxi.

On peut louer des motos au Poo Restaurant (p. 415) et dans de nombreuses pensions de New Sukhothai.

## ENVIRONS DE SUKHOTHAI

### Parc historique de Si Satchanalai-Chaliang

อุทยานประวัติศาสตร์ศรีสัชนาลัย/ชะเลียง

Si vous avez du temps, ne manquez pas ce site aux vestiges impressionnants, qui fait partie du patrimoine mondial de Sukhothai. Nichées dans les collines, à environ 50 km au nord de Sukhothai, les ruines des cités antiques de Si Satchanalai et de Chaliang (XIIIe-XVe) relèvent du même style classique que la cité ancienne de Sukhothai, mais l'endroit est plus paisible et semble presque intact. Le **parc** (220 B, gratuit si vous possédez le forfait à 350 B acheté à Sukhothai, valable 30 jours ; suppl 10/30/50 B vélo/moto/voiture ; 8h30-17h) couvre 720 ha et est protégé par des douves de 12 m de largeur. Plus ancienne, la cité de Chaliang, à 1 km au sud-est, date du XIe siècle, à l'exception de deux temples du XIVe siècle.

Un **centre d'information** ( 8h30-17h) vous remet des cartes gratuites et abrite une petite exposition sur l'histoire du parc et les principaux sites. À l'entrée, il est possible de louer des vélos (20 B), un peu meilleurs que ceux qui sont proposés aux arrêts de bus sur la route principale. Un tram fait le tour du parc (20 B).

Les villes voisines de Ban Hat Siaw (p. 418) et de Sawankhalok (p. 419) sont les principales sources de ravitaillement dans le secteur.

#### WAT CHANG LOM

วัดช้างล้อม

Ce magnifique temple, au cœur de l'antique cité de Si Satchanalai, est comparable au temple du même nom à Sukhothai, avec son *chedi* en forme de cloche, reposant sur un socle soutenu par des éléphants. Il est cependant mieux préservé. Une inscription nous apprend qu'il fut érigé entre 1285 et 1291 par le roi Ramkhamhaeng.

#### WAT KHAO PHANOM PHLOENG

วัดเขาพนมเพลิง

Sur la colline dominant le Wat Chang Lom sur sa droite se dressent les ruines du Wat Khao Phanom Phloeng : un grand bouddha assis, un *chedi* et des colonnes de pierre qui supportèrent jadis le toit du *wí·hăhn*. De cette hauteur, on devine le plan d'ensemble de cette ville qui eut jadis son heure de gloire. La seconde colline, légèrement plus élevée et à l'ouest de Phanom Phloeng, est couronnée d'un grand *chedi* sukhothai, unique vestige du Wat Khao Suwan Khiri.

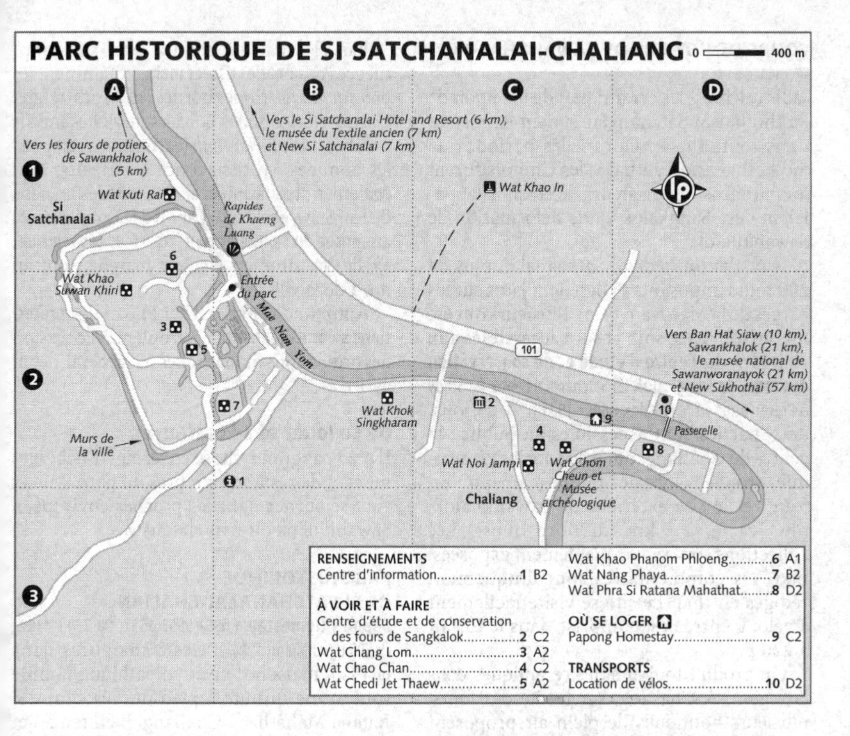


## WAT CHEDI JET THAEW

วัดเจดีย์เจ็ดแถว

En face du Wat Chang Lom, ce sanctuaire est entouré de sept rangées de *chedi*, le plus grand étant une copie d'un *chedi* du Wat Mahathat de Sukhothai. L'intéressant *wí·hăhn* en brique et stuc présente des fenêtres à barreaux imitant de traditionnelles fenêtres en bois (une technique indienne pratiquée dans tout le Sud-Est asiatique). Le toit se termine par un *prasat* (petit édifice orné au plan cruciforme et à la flèche effilée) et un *chedi*.

## WAT NANG PHAYA

วัดนางพญา

Au sud du Wat Chang Lom et du Wat Chedi Jet Thaew, ce *chedi* cinghalais fut construit au XVe ou au XVIe siècle, un peu plus tard que les autres monuments du parc. Les reliefs en stuc du grand *wí·hăhn* en latérite qui fait face au *chedi* (abrité par un toit en tôle ondulée) datent de la période d'Ayuthaya, à l'époque où Si Satchanalai s'appelait Sawankhalok. Les forgerons de la région élaborent toujours un motif appelé *nahng pá·yah*, inspiré de ces reliefs.

## WAT PHRA SI RATANA MAHATHAT

วัดพระศรีรัตนมหาธาตุ

Ces ruines de Chaliang comprennent un grand *chedi* en latérite (datant de 1448-1488) entre deux *wí·hăhn*. L'un renferme un bouddha assis sukhothai, un petit bouddha debout et un bas-relief du célèbre bouddha marchant, typique du style fluide et sans arête de Sukhothai. L'autre abrite des statues de moindre qualité.

Vous devrez payer 10 B supplémentaires pour visiter le Wat Phra Si Ratana Mahathat.

## WAT CHAO CHAN

วัดเจ้าจันทร์

À 500 m environ à l'ouest du *wat* précédent, le Wat Chao Chan a pour curiosité majeure une grande tour de style khmer (*prang*), restaurée. Sans doute construite sous le règne de Jayavarman VII (1181-1217), elle est semblable à celles, plus tardives, de Lopburi. Sur la droite, le *wí·hăhn* sans toit renferme les vestiges d'un grand bouddha debout, très endommagé par l'érosion et les intempéries.

### FOURS DE POTIERS DE SAWANKHALOK

เตาเผาสังคโลก

Jadis célèbres, les céramiques de la région de Sukhothai-Si Satchanalai étaient exportées dans toute l'Asie. Durant les périodes de Sukhothai et d'Ayuthaya, les Chinois furent les plus gros importateurs de ce qu'ils appelaient des "Sangkalok", une déformation de Sawankhalok.

Aux alentours de Si Satchanalai, plus de 200 fours imposants s'alignaient jadis sur les berges de la Mae Nam Yom. Plusieurs ont été mis au jour avec soin et sont accessibles aux visiteurs du **Centre d'étude et de conservation des fours de Sangkalok** (Si Satchanalai Centre for Study & Preservation of Sangkalok Kilns ; 100 B). À ce jour, deux parties sont accessibles au public : le centre de Chaliang, qui présente les céramiques trouvées lors des fouilles, ainsi qu'un four ; et le site extérieur de Sawankhalok, plus vaste, à 5 km au nord-ouest. Les collections sont remarquablement exposées, mais les commentaires sont uniquement rédigés en thaï. Le site se visite facilement à vélo. L'entrée est comprise dans le forfait à 220 B.

On produit toujours des céramiques dans la région. À Chaliang, sur le site des fours, plusieurs boutiques de plein air proposent leurs articles. Un céramiste continue même de cuire ses pièces dans un four souterrain chauffé au bois.

## Musée national de Sawanworanayok

พิพิธภัณฑสถานแห่งชาติสวรรควรนายก

Dans la ville de Sawankhalok, près du Wat Sawankhalam sur la rive ouest, ce **musée** (☎ 0 5564 1571 ; 69 Th Phracharat ; 50 B ; 🕑 9h-16h), subventionné par l'État, possède une impressionnante collection d'objets datant du XII^e^ au XVII^e^ siècle. Le rez-de-chaussée est consacré aux céramiques découvertes dans la région, tandis que l'étage présente plusieurs magnifiques Bouddhas, en bronze ou en pierre, de la période de Sukhothai.

## Ban Hat Siaw

บ้านหาดเสี้ยว

**7 299 habitants**

Cette bourgade, au sud de Si Satchanalai, peut servir de base pour explorer les vestiges historiques alentour. Elle est habitée par les Thai Phuan (ou Lao Phuan), un groupe thaï qui émigra de la province de Xieng Khuang, au Laos, il y a un siècle.

Ban Hat Siaw est connue pour ses somptueuses **cotonnades tissées main**, notamment les *pâh sîn đin jòk* (jupes bordées de brocart), aux rayures horizontales bordées de riches motifs brochés. Les *pâh ká·máh* (sarongs courts) pour les hommes, en tissu foncé à carreaux, sont également très appréciés. Des textiles anciens de Hat Siaw, de 80 à 200 ans d'âge, sont exposés au **musée du Textile ancien** (☎ 0 5536 0058 ; gratuit ; 🕑 7h-18h), situé en face du marché, tout au nord de la ville.

Autre tradition des Thai Phuan, les **processions à dos d'éléphant** se déroulent à l'occasion des ordinations monastiques (en général, début avril).

## Où se loger et se restaurer

Il n'y a pas grand-chose en termes d'hébergement et de restauration près du parc. Mieux vaut séjourner dans les proches environs, à Sawankhalok ou Ban Hat Siaw.

### PARC HISTORIQUE DE SI SATCHANALAI-CHALIANG

**Papong Homestay** (☎ 0 5563 1557, 08 7313 4782 ; ch 500 B ; Chaliang ; ❄). Ces 3 chambres dans la vaste maison d'une sympathique famille sont à une minute à pied du Wat Phra Si Ratana Mahathat à Chaliang. Bien tenues et confortables, toutes ont une sdb. Pas de repas toutefois, mais vous trouverez à vous restaurer jusqu'à 18h à l'entrée du parc.

**Si Satchanalai Hotel and Resort** (☎ 0 5567 2666 ; 247 Moo 2, Rte 101 ; ch 400 B, bungalow 1 200 B ; ❄). Ne ressemblant ni à un hôtel ni à un complexe, c'est toutefois la seule adresse officielle relativement près du parc historique. Chambres sans caractère mais nettes, et immenses bungalows pour les familles. À quelque 6 km au nord du parc, sur le côté ouest de la Route 101.

### BAN HAT SIAW

Un seul hébergement dans cette bourgade, mais plusieurs restaurants qui en font une base logique, relativement proche du parc historique.

**Hotel 59** (☎ 0 5567 1024 ; ch 200-500 B ; ❄). On ne s'étalera pas sur cet hôtel qui n'a pas plus de caractère que son nom. Seul avantage pour vous, sa proximité du parc historique. À l'extrémité nord de la ville, près du croisement avec la route qui va à Utaradit.

**Kulap** (enseigne thaïe ; ☎ 0 5567 1151 ; 473 Moo 2, Rte 101 ; plats 50-100 B). À l'extrémité nord de la ville, sur le côté gauche de la route, ce restaurant à l'air fatigué est réputé aussi bien auprès des habitants que des voyageurs pour sa cuisine exceptionnelle. Les amateurs de saveurs épicées adoreront le *gaang Ƀàh* ("curry de la jungle") à base de poisson local, sanglier, grenouilles ou crevettes, comme vous voulez. Pour un plat plus raffiné, essayez le *Ƀoo lŏn*, une "sauce" au crabe et porc haché avec du lait de coco parfumé aux herbes aromatiques, dans laquelle vous tremperez des légumes frais.

## Sawankhalok

สวรรคโลก

**18 840 habitants**

Cette petite ville, située à 20 km au sud du parc historique, offre quelques possibilités d'hébergement. Dans la rue principale qui la traverse, le **Saengsin Hotel** (☎ 0 5564 1259/1424 ; 2 Th Thetsaban Damri 3 ; s/d à partir de 220/360 B ; ❄), à 1 km au sud de la gare ferroviaire, offre des chambres propres et confortables, avec un café sur place. D'autres options également dans cette même rue.

Pour la restauration, vous n'aurez guère le choix qu'entre nouilles et currys. Le soir, le marché de nuit s'installe le long des rues principales.

### Depuis/vers le parc historique de Si Satchanalai-Chaliang

**BUS**

Les ruines du parc historique de Si Satchanalai-Chaliang sont accessibles par la Route 101 entre Sawankhalok et la ville nouvelle de Si Satchanalai. De New Sukhothai, il faut prendre un bus pour Si Satchanalai (38 B, 2 heures) et demander à descendre à "*meuang gòw*" (vieille ville). Autrement, le bus de 9h à destination de Chiang Rai vous conduit au même endroit pour le même prix, mais il s'arrête moins souvent. Le dernier bus pour rentrer à New Sukhothai part à 16h30.

Les deux arrêts où vous pouvez descendre vous feront traverser la Mae Nam Yom. Le premier est à la passerelle pour le Wat Phra Si Ratana Mahathat, à Chaliang. Le deuxième se trouve à 2 km plus au nord-ouest, après deux collines, et conduit directement aux ruines de Si Satchanalai.

**TRAIN**

Pour le seul plaisir d'aller voir les ruines, Rama VI fit construire 60 km de voie ferrée entre Ban Dara (petite ville située sur la principale ligne du Nord) et Sawankhalok. La gare d'origine, tout en bois, reste l'une des curiosités de la ville. Étonnant, mais il existe chaque jour un express spécial de Bangkok à Sawankhalok (482 B, 7 heures, 10h50). Dans l'autre sens, le train quitte Sawankhalok à 19h40 pour arriver à Bangkok à 3h30 ; vous pouvez aussi le prendre pour Phitsanulok (50 B). C'est un "Sprinter", qui ne comporte pas de couchettes, mais seulement des places 2e classe clim, avec dîner et petit-déjeuner inclus dans le tarif.

### Comment circuler

On peut louer des vélos (20 B/j) à l'entrée du Wat Phra Si Ratana Mahathat ou près des stands de nourriture à l'entrée du parc.

# PROVINCE DE KAMPHAENG PHET

## KAMPHAENG PHET

กำแพงเพชร

**30 114 habitants**

À mi-chemin de Bangkok et de Chiang Mai, Kamphaeng Phet, qui signifie la "muraille de Diamant", joua un rôle important dans la défense du royaume de Sukhothai, puis plus tard de celui d'Ayuthaya, contre les intrusions birmanes ou du royaume de Lanna. Une partie de ses remparts se dresse encore aujourd'hui, entourant quelques impressionnants vestiges religieux. La ville moderne, qui s'étire au bord de la paisible Mae Nam Ping, est une des capitales provinciales de Thaïlande les plus agréables.

### Renseignements

Les agences des grandes banques sont dotées de DAB ; elles se concentrent dans les rues proches de la rivière et sur Th Charoensuk. Des cybercafés se trouvent dans Th Teresa et Th Ratchadamnoen ; vous pouvez aussi vous connecter à la poste principale.

**Centre de renseignements touristiques** (🕑 8h-16h30). En face du Musée national ; quelques cartes et brochures. Un autre centre renseignant plus sur l'histoire se trouve à l'entrée d'un groupe de vestiges au nord du mur de la ville.

**Police** (☎ 0 5571 1199, urgences 1155)

**Poste principale** (Th Thesa). Juste au sud de la vieille ville. Accès Internet.

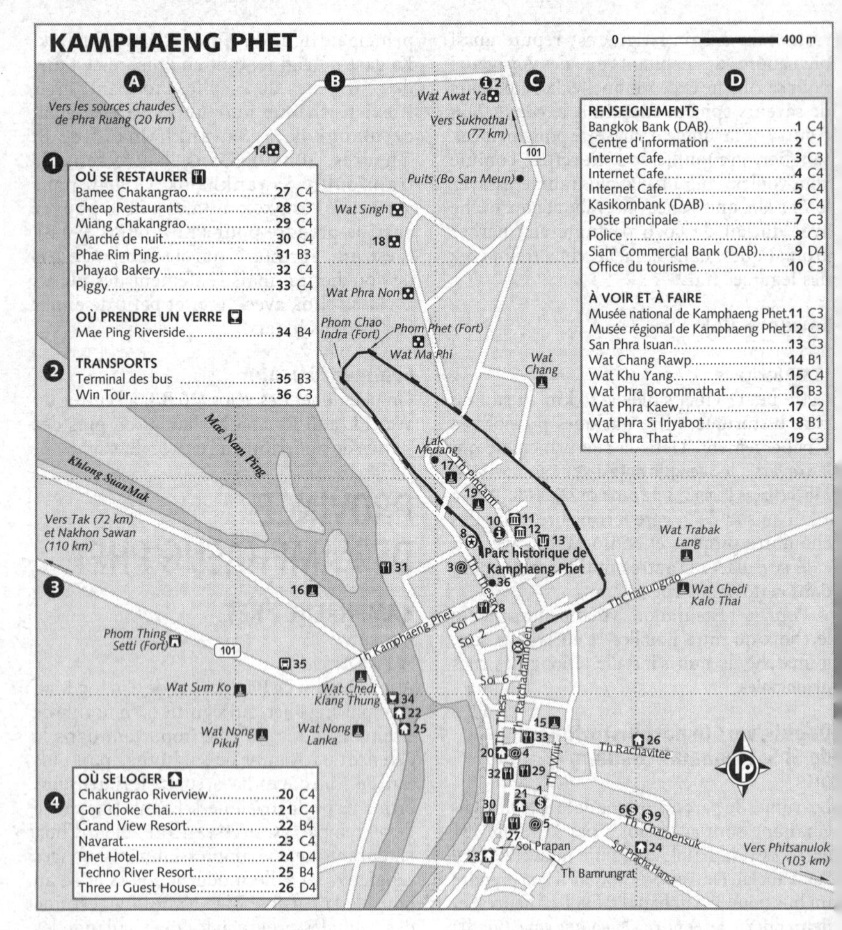


# À voir

## PARC HISTORIQUE DE KAMPHAENG PHET

อุทยานประวัติศาสตร์กำแพงเพชร

Inscrit au patrimoine mondial de l'Unesco, ce **parc** (☎ 0 5571 1921 ; billet pour l'ensemble 100-150 B, vélo/moto/săhm·lór/voiture 10/20/30/50 B ; 8h-17h) abrite les vestiges de structures datant du XIVe siècle, c'est-à-dire de la même époque que le royaume plus connu de Sukhothai. On continua d'ériger des monuments bouddhiques à Kamphaeng Phet jusqu'à la période d'Ayuthaya, pendant presque deux siècles encore, d'où des éléments à la fois de la période de Sukhothai et d'Ayuthaya qui aboutit à un art bouddhique formant une école à part, unique en Thaïlande.

Le parc est divisé en deux parties distinctes, que l'on peut visiter avec un seul billet tout compris. La **vieille ville** (100 B), entourée d'un mur (la fameuse muraille de Diamant) était jadis habitée par les moines de la communauté *gamavasi* (littéralement "vivant dans la communauté"). Dominant le site, le **Wat Phra Kaew** jouxtait autrefois le palais royal (en ruine). L'ensemble n'est pas aussi bien restauré que Sukhothai, mais est plus intime et connaît moins d'affluence. Les Bouddhas, battus par les intempéries, ont pris des formes élancées évoquant les sculptures d'Alberto Giacometti. À une centaine de mètres au sud-est de ce temple le **Wat Phra That** se distingue par un grand *chedi* à base circulaire entouré de colonnes.

La majorité des vestiges de Kamphaeng Phet s'étendent à quelques centaines de mètres au nord des remparts, dans une zone habitée jadis par les moines de la communauté *arani* ("vivant dans les forêts"). Le billet tout compris acheté dans la vieille ville comprend également l'accès à cette partie, où se trouve à l'entrée un excellent **centre d'information des visiteurs** (100 B ; 8h30-16h30). Plus de 40 ensembles de temples occupent le site, dont le **Wat Phra Si Iriyabot**, qui présente les restes épars de bouddhas de style Sukhothai classique : debout, assis, marchant, couché.

Au nord-ouest, le **Wat Chang Rawp** possède un *chedi* dont la base est soutenue par des éléphants, d'où son nom ("temple encerclé par les éléphants"). D'autres ruines alentour se réduisent à des fondations en brique affleurant le sol, ainsi qu'à quelques bouddhas érodés par le temps.

### AUTRES TEMPLES

Sur la rive opposée de la Mae Nam Ping apparaissent les ruines du **Wat Phra Borommathat** sur un site occupé bien avant l'apogée de Kamphaeng Phet, même si les vestiges actuels datent de la période de Sukhothai postclassique. Quelques petits *chedi* sont dominés par un plus grand, édifié à la fin de la période de Sukhothai, surmonté d'un toit birman ajouté au début du XX<sup>e</sup> siècle.

Le **Wat Khu Yang** renferme un superbe *hŏr đrai*, en bois sculpté, datant du XIX<sup>e</sup> siècle.

### MUSÉE REGIONAL DE KAMPHAENG PHET

พิพิธภัณฑ์เฉลิมพระเกียรติกำแพงเพชร

Le **Musée régional** (☎ 0 5572 2341 ; Th Pindramri ; 10 B ; 9h-16h) répartit ses collections dans différentes maisons sur pilotis, typiques du centre de la Thaïlande, au cœur d'un agréable jardin paysager. Les trois bâtiments principaux sont consacrés à l'histoire et à la préhistoire, ainsi qu'aux différentes ethnies de la province.

### SOURCES CHAUDES DE PHRA RUANG

บ่อน้ำร้อนพระร่วง

À 20 km de Kamphaeng Phet, sur la route de Sukhothai, ces **sources chaudes** ( 8h30-16h) constituent une petite station thermale rurale à la thaïlandaise. Ses eaux, aux vertus thérapeutiques reconnues, sont canalisées vers 7 maisons de bains privées (50 B) et un bassin de plein air où l'on peut se tremper les pieds. Plusieurs endroits pratiquent également les massages traditionnels. Aucun transport public ne rejoint ces sources chaudes, mais la Three J Guest House (voir ci-dessous) pourra vous y conduire.

## Où se loger

**Gor Choke Chai** (☎ 0 5571 1247 ; 19-43 Soi 8, Th Ratchadamnoen 1 ; ch 260-320 B ; ). Une adresse d'un bon rapport qualité/prix, appréciée des hommes d'affaires thaïlandais. Chambres plutôt petites mais impeccables. Situation idéale au centre de la nouvelle ville.

**Three J Guest House** (☎ 0 5571 3129 ; threejguest@hotmail.com ; 79 Th Rachavitee ; ch 300-600 B ; ). Un ensemble agréable au milieu d'un joli jardin, géré par un sympathique propriétaire très serviable. Des sentiers mènent à des bungalows en rondins, bien entretenus et dotés de terrasses. Les moins chers partagent une sdb impeccable, les plus onéreux ont la clim. Bonne source d'informations, location de vélos et motos. De plus, votre hôte peut organiser des excursions jusqu'à sa propriété près du parc national de Klong Wang Chao.

**Navarat** (☎ 0 5571 1211 ; 2 Soi Prapan ; ch 400-500 B, ste 950 B ; ). Comme nombre d'hôtels provinciaux en Thaïlande, le Navarat n'a quasi pas changé depuis sa construction au début des années 1970. Le principal est qu'il soit propre et confortable. Quelques chambres ont même une jolie vue.

**Phet Hotel** (☎ 0 5571 2810-5 ; www.phethotel.com ; 189 Soi Pracha Hansa ; ch 500-650 B ; ). Près du marché du matin, cet hôtel confortable dispose de chambres spacieuses et modernes, bien tenues, avec vue sur Kamphaeng Phet. Petite piscine, restaurant et bar. Repérez le panneau au sommet de l'immeuble, car dans la rue il n'est signalé qu'en thaï.

### BRIQUES ET MORTIER

Le matériau de base utilisé dans la construction des structures religieuses de Kamphaeng Phet et de Sukhothai est la latérite (*sì·lah laang* en thaï), une substance ressemblant à de la glaise que l'on trouve un peu partout en Asie du Sud-Est. Dans la terre, la latérite est molle et malléable, mais, exposée à l'air, elle durcit. Les gens des environs découvrirent cela très tôt et la façonnèrent en briques qu'ils mirent à sécher au soleil. Comme on s'en rend compte aujourd'hui, la latérite est extrêmement poreuse et doit être enduite de plâtre pour présenter une surface lisse. Les panneaux "Reconstructed" ("reconstruits") près des ruines aident à se faire une idée des structures d'origine.

**Chakungrao Riverview** ( ☎ 0 5571 4900-8 ; www.chakungraoriverview.com ; 149 Th Thesa ; ch 1 000-1 200 B, ste 5 000 B ; ). Malgré une façade quelconque, voici l'hôtel le plus huppé de Kamphaeng Phet. Ses chambres sont plaisantes, alliant avec bon goût bois foncé et vert forêt, et dotées d'un balcon avec vue sur la rivière ou la ville. Les suites, immenses, bénéficient d'un important rabais.

Sur la rive est de la Mae Nam Ping, à Nakhon Chum, vous trouverez aussi des dizaines de "complexes" de style thaï. Le **Grand View Resort** ( ☎ 0 5572 1104 ; 34/4 Moo 2, Nakhon Chum ; ch 290-390 B ; ) est le premier sur votre route à gauche, similaire à bien d'autres rapport qualité/prix. Le **Techno River Resort** ( ☎ 0 5579 9800 ; 27/27 Moo 2, Nakhon Chum ; ch 450-1 200 B ; ) est le plus chic, offrant toute une gamme de chambres impeccables, mais plutôt sans caractère.

## Où se restaurer

Kamphaeng Phet n'est certainement pas une destination gastronomique, mais voici tout de même quelques adresses à considérer.

**Miang Chakangrao** ( ☎ 0 5571 1124 ; 273 Th Ratchadamnoen) vend une profusion de douceurs et d'en-cas, notamment celui qui vaut son nom à la boutique : une salade de thé fermenté que l'on déguste avec des croustillants au riz et à la cacahuète.

**Bamee Chakangrao** (enseigne en thaï ; ☎ 0 5571 2446 ; Th Ratchadamnoen ; plats 25-30 B ; 8h30-15h). Les fines nouilles de froment aux œufs (*bà·mèe*) sont la spécialité de Kamphaeng Phet, et cet endroit est l'un des plus réputés pour les déguster, car elles sont préparées fraîches chaque jour, à l'arrière du restaurant. Au menu également : brochettes de porc sauce *satay*.

**Phayao Bakery** (Th Thesa 1 ; plats 45-120 B ; petit-déj, déj et dîner). Les vitres teintées ne laissent rien paraître, mais il règne une bonne ambiance à l'intérieur. Vrai café, délicieux gâteaux et glaces. De plus, l'air climatisé en fait un agréable refuge pour échapper à la chaleur.

**Piggy** (enseigne thaïe ; Th Ratchadamnoen ; 70 B/pers ; 17h-22h). Le *mŏo gà·tá*, du porc grillé que l'on déguste avec un bouillon, est l'un des plats les plus populaires de cette région. Choisissez vos ingrédients sur le buffet, grillez la viande, puis ajoutez légumes et autres composants dans le bouillon. Vous trouverez Piggy à l'angle de la rue, reconnaissable à ses convives attablés devant leur barbecue.

Un marché de nuit animé se tient le soir près de la rivière, juste au nord du Navarat Hotel. Quelques petits restaurants bon marché se trouvent près du rond-point, à côté du pont principal sur la Mae Nam Ping, dont le très populaire **Kamphaeng Phet Phochana** (enseigne en thaï ; ☎ 0 5571 3035 ; plats 25-50 B ; 6h-1h), qui prépare tous les plats favoris des Thaïlandais, du *pàt tai* (nouilles de riz sautées) au *kôw man gài* (riz au poulet). Goûtez aussi le *chŏw góoay*, une gelée d'herbes, autre spécialité de Kamphaeng Phet. Cherchez la façade aux couleurs arc-en-ciel.

## Où prendre un verre

Les bars karaoké à hôtesses sont nombreux à Kampaeng Phet. Les différents restaurants-pubs au bord de la rivière sont plus recommandés. Le **Mae Ping Riverside** ( ☎ 0 5572 2455 ; 050/1 Moo 2, Nakhon Chum ; plats 40-120 B ; déj et dîner) offre plats, bière à la pression, musique live et brise rafraîchissante.

## Depuis/vers Kamphaeng Phet

Le terminal des bus est à 1 km à l'ouest de la ville. Si vous venez de Sukhothai ou de Phitsanulok, descendez dans la vieille ville ou au rond-point sur Th Tesa, cela vous évitera de prendre un *sŏrng·tăa·ou* pour revenir vers le centre.

Les visiteurs arrivent en général de Sukhothai (*sŏrng·tăa·ou*/2e classe clim 50/62 B, 1 heure 30), de Phitsanulok (ordinaire/clim 60/84 B, 2 heures 30) ou de Tak (2e classe clim 48 B, 1 heure 30).

Les bus depuis/vers Bangkok (2e classe clim/1re classe clim 244/308 B, 5 heures) sont fréquents en journée. Vous pouvez réserver votre place à l'avance auprès de **Win Tour** ( ☎ 0 5571 3971 ; Th Kamphaeng Phet).

## Comment circuler

Le moyen de transport le moins onéreux pour se rendre du terminal des bus au centre-ville consiste à partager un *sŏrng·tăa·ou* (15 B/pers) jusqu'au rond-point après la rivière, puis à prendre un *săhm·lór* qui vous déposera n'importe où en ville moyennant 20 à 30 B. En moto-taxi du terminal vers les hôtels du centre, il vous en coûtera 40 B.

Pour explorer les environs de la vieille ville, rien ne vaut une moto ou un vélo ; la Three J Guest House (p. 421) vous propose les deux (vélo/moto 50/200 B/j).

# PROVINCE DE TAK

Sauvage, la province de Tak doit à sa proximité avec le Myanmar une histoire complexe et une mixité culturelle unique.

Une grande partie de la région est montagneuse et boisée et se prête à merveille aux randonnées. Des communautés hmong, musoe (Lahu), lisu, karen blancs et rouges sont établies dans tout l'ouest et le nord de la province. Dans les années 1970, nombre de ces montagnes étaient un foyer de la rébellion communiste. La décennie suivante, l'ancien chef de la cellule locale du PCT s'est reconverti dans le développement hôtelier. La région s'est ouverte aux étrangers, tout en conservant son caractère farouche.

La partie occidentale, en particulier, a toujours contrasté avec le reste de la Thaïlande en raison d'une forte influence culturelle karen et birmane. Les districts frontaliers de Mae Ramat, de Tha Son Yang et de Mae Sot sont parsemés de camps de réfugiés karen fuyant les combats entre l'Union nationale karen (UNK) et le Myanmar. À l'heure où nous rédigeons ces lignes, on compte plus de 121 000 réfugiés birmans dans la seule province de Tak.

La capitale de la province, Tak, n'offre pas un grand intérêt. Récemment, les transports vers d'autres points de la province s'étant considérablement améliorés, le voyageur peut même l'éviter complètement. Cependant, si vous êtes dans les environs, allez tout de même visiter le **Wat Phra Borommathat**, à Ban Tak, à 25 km en

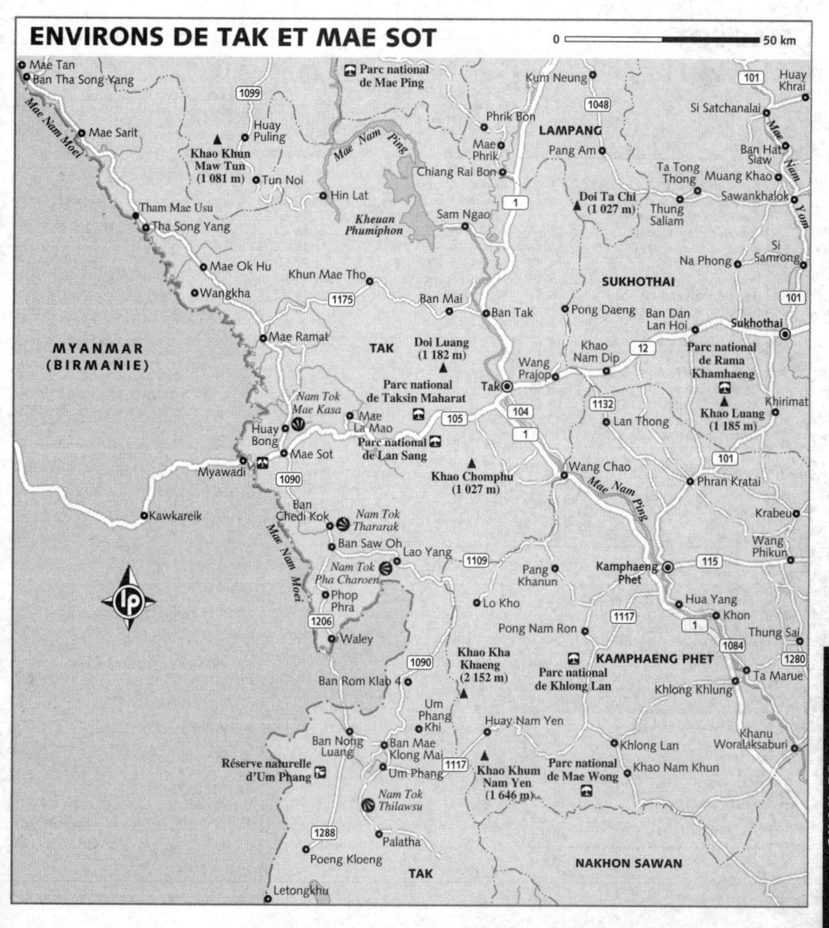

amont de la Mae Nam Tak depuis Tak. Ce *wat* appartient à la légende. Le roi Ramkhamhaeng (1275-1317) l'aurait fait bâtir en commémoration de sa victoire à dos d'éléphant sur Sam Chon, souverain du royaume indépendant de Mae Sot. L'attrait principal de ce *wat* est un *chedi* élancé de style chan entièrement doré à la feuille et entouré de plusieurs *chedi* identiques, mais plus petits. C'est un lieu de pèlerinage très fréquenté par les Thaïlandais qui viennent, entre autres vœux, chercher ici chaque semaine la combinaison gagnante du loto.

À environ 45 km au nord de Tak par la Route 1, puis à 17 km vers l'ouest (entre les Km 463 et 464), via la route de Sam Ngao, le **Kheuan Phumiphon** (barrage de Bhumibol) retient les eaux de la Mae Nam Ping. Haut de 154 m, ce barrage est le plus élevé du Sud-Est asiatique et le 8e au monde. Les habitants de la région aiment venir pique-niquer sur les rives ou sur les îles du lac.

## MAE SOT

แม่สอด

**41 158 habitants**

En dépit de son isolement et de sa taille modeste, Mae Sot présente une mixité culturelle unique : Birmans en *longyi* (sarongs), femmes hmong et karen en costume traditionnel, musulmans porteurs de barbes, soldats thaïlandais ou encore personnel étranger d'ONG. On y parle plus birman et karen que thaï. Les enseignes sur les boutiques sont en thaï, birman et chinois, et les temples sont principalement

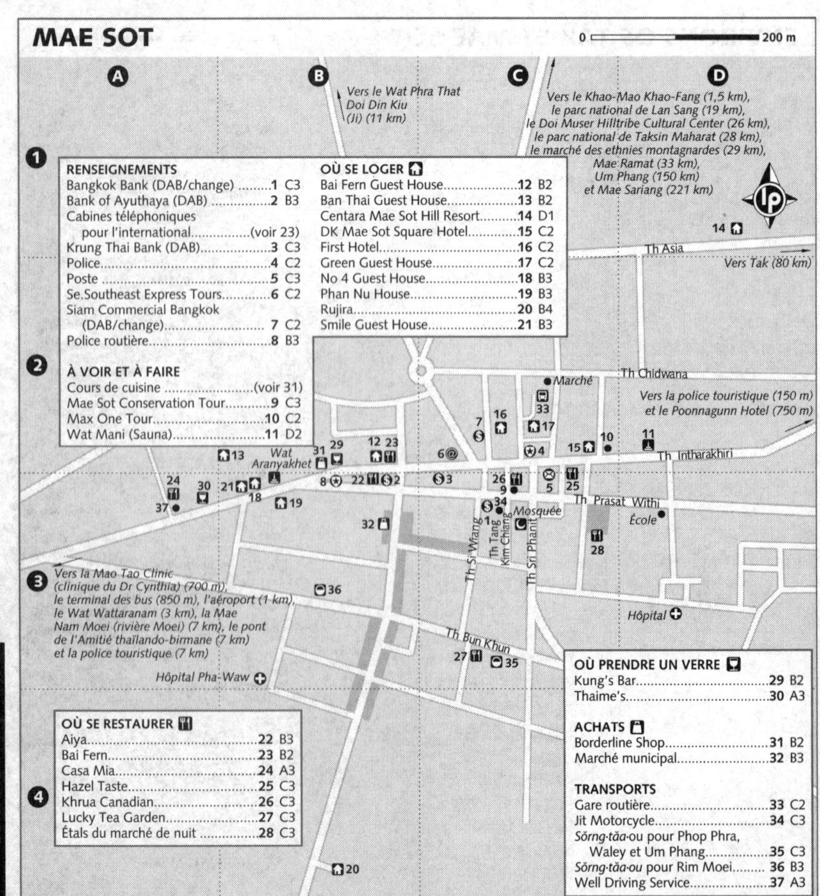

de style birman. Mae Sot est aussi devenue le plus important centre de négoce de jade et de pierres précieuses le long de la frontière – un commerce aux mains des immigrants chinois et indiens venus du Myanmar.

Aucun site renommé n'est répertorié à Mae Sot, et nombre de touristes y viennent dans le seul but de prolonger leur visa. Toutefois, la ville les retient souvent plus longtemps que prévu. Un marché effervescent, de bons restaurants et une scène nocturne joyeuse sont d'indéniables attraits.

## Renseignements

Plusieurs banques du centre-ville possèdent des DAB. Pour les appels internationaux, allez au restaurant Bai Fern (p. 428) ou chez Se. Southeast Express Tours. Il n'existe pas d'office du tourisme ni de bureau de la TAT à Mae Sot, mais la Ban Thai Guest House (p. 427) et la Khrua Canadian (p. 428) les remplacent avantageusement. La dernière publie une carte de la région et un tableau des horaires et des tarifs de bus.

**Se. Southeast Express Tours** (522/3 Th Intharakhiri ; 20 B/h). D'autres cybercafés également à l'ouest de celui-ci.

**Police touristique** ( ☎ 1155 ; 738/1 Th Intharakhiri). Un bureau à l'est du centre-ville, un autre au marché, près du pont de l'Amitié thaïlando-birmane.

## À voir et à faire

### MARCHÉ FRONTALIER ET MYAWADI

ตลาดริมเมย/เมียวดี

Un important **marché** couvert, sur la rive thaïlandaise de la Mae Nam Moei, vend légalement des produits quotidiens birmans mélangés à des produits électroniques chinois bon marché.

### RÉFUGIÉS ET IMMIGRÉS BIRMANS

Les premiers réfugiés birmans ont traversé la frontière thaïlandaise en 1984, quand l'armée birmane a pénétré dans l'État karen et établi des bases près de la frontière birmano-thaïlandaise, d'où elle a lancé sa campagne de déplacement forcé des populations indigènes. En 1988, après l'interdiction des manifestations prodémocratiques, puis à nouveau en 1990 après l'annulation des élections, un grand nombre de civils parmi les minorités ethniques, mais aussi des étudiants et des défenseurs de la démocratie, furent obligés de s'exiler en Thaïlande. Depuis, les réfugiés continuent de passer la frontière pour fuir les combats et échapper à la répression qui sévit dans l'est du Myanmar.

Aujourd'hui, selon l'Agence des Nations Unies pour les réfugiés (UNHCR), 121 383 réfugiés birmans vivent relativement en sécurité dans 9 camps dispersés le long de la frontière. Les organisations humanitaires internationales sont autorisées par le gouvernement thaïlandais à leur porter assistance, dans le domaine alimentaire, médical et scolaire.

Parmi tous les Birmans qui ont quitté leur pays, seuls ceux qui peuvent prouver avoir fui les zones de combat actif obtiennent du gouvernement thaïlandais le statut de réfugiés, mais la Thaïlande compte des dizaines de milliers de réfugiés sans papiers, et beaucoup vivent dans ces camps. Les autres, ceux que la situation économique ou la violation de leurs droits a réduits à la même décision deviennent des travailleurs émigrés, au statut légal précaire. Environ 2 millions de travailleurs birmans émigrés et leur famille vivent en Thaïlande – dans des conditions souvent au-dessous du seuil de subsistance –, travaillant dans les fermes, usines, pêcheries, chantiers de construction et aussi comme domestiques. Non seulement ils sont extrêmement vulnérables à l'exploitation par l'employeur ou à l'expulsion par les autorités, mais la grande majorité d'entre eux n'a pas accès à l'éducation ou aux soins médicaux.

Après avoir trouvé un employeur dans la région, les travailleurs émigrés peuvent se faire enregistrer officiellement et obtenir par cette démarche une carte d'identité de non-Thaïlandais et un permis de travail valable un an, renouvelable chaque année. Selon la politique du gouvernement thaïlandais, les immigrés et les travailleurs déclarés accèdent également au système de sécurité sociale et leurs enfants ont droit à l'éducation. Cependant, la majorité des émigrés birmans ne sont pas déclarés et préfèrent donc éviter tout contact avec les institutions thaïlandaises. Ce sont les organisations communautaires de la région et les ONG internationales qui s'efforcent de remédier à ce manque de prise en charge. Si vous voulez vous aussi aider, il existe diverses organisations (voir p. 50) pour lesquelles vous pourrez travailler comme volontaire en Thaïlande du Nord. Si vous voulez en savoir plus sur les réfugiés et les immigrés birmans, ainsi que sur la situation au Myanmar, consultez les sites suivants : www.burmanet.org et www.irrawaddy.org.

Cependant, la vraie raison de venir ici est de traverser la frontière pour aller à Myawadi, au Myanmar. Les formalités d'immigration se font au **guichet thaïlandais** (☎ 0 5556 3000 ; 🕑 6h30-18h30) sur le pont de l'Amitié. En cas de problème, adressez-vous au bureau implanté non loin de là, dans le Mae Moei Shopping Bazaar. Comptez quelques minutes pour remplir tous les papiers nécessaires à votre départ de Thaïlande, après quoi vous serez libre de franchir les 420 m du pont de l'Amitié à pied.

À l'autre extrémité, le **bureau de l'immigration du Myanmar** vous fera remplir une demande de permis valable 1 jour et acquitter une taxe de 10 $US ou 500 B. Vous devrez laisser votre passeport en dépôt et pourrez ensuite explorer Myawadi à votre guise, à condition de regagner le pont avant 17h30 heure birmane (soit 30 min d'avance sur l'heure thaïlandaise) pour récupérer votre passeport et accomplir les formalités inverses. À votre retour en Thaïlande, le bureau de l'immigration thaïlandais à l'entrée du pont vous délivrera un nouveau visa touristique de 15 jours (p. 768).

Avant de gagner le pont de l'Amitié, informez-vous à Mae Sot de la situation à la frontière. Les relations entre le Myanmar et la Thaïlande n'étant pas au beau fixe, elle est assez souvent impraticable pendant quelques jours. Si cela arrive quand votre visa de 30 jours vient d'expirer, le bureau de l'immigration thaïlandais vous délivrera gratuitement une extension d'un jour. Ensuite, vous devrez vous acquitter de 500 B pour chaque jour supplémentaire.

**Myawadi** est une ville birmane assez typique, jalonnée de monastères, d'écoles, de magasins, etc. Le temple le plus important, le **Shwe Muay Wan**, arbore un *chedi* traditionnel en forme de cloche, richement doré à la feuille et serti de plus de 1 600 pierres précieuses et semi-précieuses. Un autre temple bouddhique renommé, le **Myikyaungon**, appelé Wat Don Jarakhe en thaï, doit son nom à son sanctuaire en forme de crocodile. Un *chedi* creux du Myikyaungon renferme quatre bouddhas de marbre dans le style de Mandalay, disposés autour d'un pilier central. Les niches aménagées dans le mur de la coupole contiennent des bouddhas divers, dont plusieurs en bronze dans le style de Sukhothai. Les murailles millénaires de terre séchée entourant Myawadi, probablement érigées par les Môn, premiers habitants de la région, sont encore visibles du côté sud de la ville.

Des *sŏrng·tăa·ou* rejoignent fréquemment la frontière (15 B, départs de 6h30 à 17h30), à 6 km à l'ouest de Mae Sot : annoncez Rim Moei (bord de la Moei). Le dernier *sŏrng·tăa·ou* au retour vers Mae Sot quitte Rim Moei à 17h30.

### SAUNA AUX PLANTES

Le Wat Mani abrite un **sauna** (20 B ; 🕑 15h-19h) ouvert aux hommes et aux femmes. Il se trouve vers le fond du domaine du monastère, après le *gù·di* (lieu de vie) des moines.

### COURS DE CUISINE

Tenu dans la Borderline Shop (p. 437), ce **cours** (☎ 0 5554 6584 ; borderlineshop@yahoo.com ; 674/14 Th Intharakhiri ; 450 B/pers, 3 pers au minimum ; cours 🕑 8h-13h) initie à la cuisine chan, birmane et karen. Les étudiants vont au marché, préparent plats et boissons, qu'ils dégustent ensemble dans le café attenant. Chacun reçoit aussi un livre de recettes.

## Circuits organisés

Plusieurs pensions organisent des circuits dans les environs. Le personnel du restaurant Khrua Canadian (p. 428) est une excellente source d'information sur les différentes excursions. Si vous voulez visiter Um Phang, mieux vaut réserver un circuit à partir d'une agence de cette ville, car très peu sont représentées à Mae Sot. Voir p. 440 pour d'autres options de circuits aux alentours d'Um Phang.

Les agences ci-dessous, établies de longue date, sont les plus fiables.

**Mae Sot Conservation Tour** (☎ 0 5553 2818 ; maesotco@cscoms.com ; 415/17 Th Tang Kim Chiang ; excursion 1 journée 1 500 B/pers). Des circuits culturels dans les villages karen et hmong autour de Mae Sot.

**Max One Tour** (☎ 0 5554 2942 ; www.maxonetour.com ; Mae Sot Sq, Th Intharakhiri ; trek 3 jours 5 550 B/pers). Cette compagnie propose des circuits aventure, pour la plupart dans la région d'Um Phang.

**Se. Southeast Express** (☎ 0 5554 7048 ; 522/3 Th Intharakhiri ; trek 3 jours 6 550 B/pers). Circuits classiques de 3-4 jours à Um Phang et dans les environs et excursions de 1 journée autour de Mae Sot.

## Fêtes et festivals

Une grande **foire aux pierres précieuses** thaïlando-birmane se déroule en avril, à la même époque que le **championnat de boxe thaïlandaise** annuel. Les boxeurs des deux pays s'affrontent à l'extérieur de la ville selon les rites traditionnels, dans un ring circulaire et en 5 rounds.

Les quatre premiers durent trois minutes, le dernier n'a pas de limite. Les combattants continuent jusqu'au premier sang ou au KO. La rencontre se déroule dans des lieux différents d'une année sur l'autre ; renseignez-vous.

## Où se loger

### PETITS BUDGETS

L'hébergement à Mae Sot appartient surtout à cette catégorie, et la plupart des établissements logent des travailleurs humanitaires qui séjournent ici à long terme.

**Green Guest House** (☎ 0 5553 3207 ; krit.sana@hotmail.com ; 406/8 Th Intarahakhiri ; dort 100 B, ch 150-250 B). Cette pension tenue par une professeur et son mari est calme et conviviale. Chambres de bonne taille, bien meublées avec TV. Une affaire, car elle est bien située et agrémentée d'un joli jardin.

**Smile Guest House** (☎ 08 5129 9293 ; smilemaesot@gmail.com ; 738 Th Intarahakhiri ; ch 100-300 B ; ). Différentes chambres sommaires mais propres dans une grande maison en bois. Les moins chères partagent une sdb. Séjour à long terme possible.

**Bai Fern Guesthouse** (☎ 0 5553 1349 ; www.bai-fern.com ; Th Intharakhiri ; ch 150-300 B ; ). Cette vaste maison en retrait de la rue offre des chambres impeccables et simples, toutes avec sdb commune bien équipée. Service très aimable. Libre utilisation de la cuisine et du frigo ; Internet sans fil et TV dans la pièce commune.

**DK Mae Sot Square Hotel** (Duang Kamol Hotel ; ☎ 0 5554 2648 ; 298/2 Th Intharakhiri ; ch ventil/clim 250-450 B ; ). Hôtel banal de 3 étages, idéalement situé, dont les grandes chambres seraient une affaire superbe si les lits, les serviettes et les draps étaient de meilleure qualité.

**Phan Nu House** (☎ 08 1972 4467 ; 563/3 Th Intharakhiri ; ch 250-500 B ; ). Cette nouvelle adresse dispose de 19 grandes chambres dans un ensemble résidentiel, à deux pas de la rue. La plupart sont climatisées, avec TV, frigo et eau chaude. Une bonne option.

**Ban Thai Guest House** (☎ 0 5553 1590 ; ban thai_mth@hotmail.com ; 740 Th Intharakhiri ; ch 250-950 B ; ). Petit ensemble de 5 maisons thaïes reconverties, le long d'une allée d'hibiscus. Jolies chambres en bois spacieuses, meubles élégants, coussins et textiles thaïs. Les moins chères partagent des sdb (nombreuses), les plus onéreuses ont une sdb et une grande terrasse, certaines même avec un salon/bureau. Les salons communs sont équipés de la TV sat, de lecteurs DVD et de l'Internet sans fil. Location de vélos et de motos ; service de blanchisserie. Le lieu est très apprécié des membres des ONG œuvrant dans la région, aussi mieux vaut-il réserver suffisamment à l'avance.

**First Hotel** (☎ 0 5553 1233 ; fax 0 5553 1340 ; 44 Th Intharakhiri ; ch ventil/clim 270/450 B ; ). L'hôtel le plus bizarre que nous ayons rencontré. De l'extérieur, le First paraît abandonné, ou pis encore. L'intérieur cependant révèle une débauche de teck : presque toutes les surfaces sont couvertes de sculptures élaborées représentant gargouilles, sirènes, etc. Vastes chambres au sol de marbre, également débordantes de sculptures mais d'aspect confortable.

### CATÉGORIES MOYENNE ET SUPÉRIEURE

**Rujira** (☎ 0 5554 4969 ; rujira_tom@hotmail.com ; 3/18 Th Buakjoon ; ch avec petit-déj 350-1 000 B ; ). Superbe option que cet hôtel aux chambres spacieuses, avec tout ce qu'il faut pour se sentir chez soi. À l'extérieur, un agréable espace de détente à l'ombre. Également un restaurant et un ravissant coffee-shop. Seul inconvénient : il est loin du centre. Du terminal des bus, appelez pour que l'on vienne vous chercher (100 B).

**Poonnagunn Hotel** (☎ 0 5553 4732 ; www.poonnagunn.com ; 10/3 Th Intharakhiri ; ch avec petit-déj 1 200-1 500 B ; ). Voici le genre d'hôtel que l'on aimerait retrouver partout : chambres spacieuses flambant neuves, décorées avec goût de jolis meubles et prolongées d'une petite véranda. À 750 m à l'est de la ville. Rabais de 20% généralement possible.

**Centara Mae Sot Hill Resort** (☎ 0 5553 2601 ; www.centarahotelsresort.com ; 100 Th Asia ; ch avec petit-déj 1 800-2 000 B, ste avec petit-déj 3 000-3 500 B ; ). Chambres un peu fatiguées pour cet ordre de prix. S'il vous importe peu d'être en dehors du centre mais si vous aimez avoir piscine, courts de tennis, bon restaurant, discothèque et bar, ce complexe est pour vous.

## Où se restaurer

Mae Sot est un carrefour gastronomique de nombreuses influences comme il en existe peu en Thaïlande. Pour un petit-déjeuner qui sort de l'ordinaire, allez dans le quartier juste au sud de la mosquée, où plusieurs restaurants musulmans animés servent du thé sucré, des *rotis* et du *nanbya*, pain cuit sur les braises du *tandoor*. Le trépidant marché de jour est l'endroit où il faut essayer des spécialités birmanes comme le *mohinga*, le plat national non officiel, ou les currys servis sur du riz.

Le marché de nuit, de son côté, propose surtout de la cuisine sino-thaïlandaise.

**Lucky Tea Garden** (Th Bun Khun ; plats 10-50 B ; 5h30-21h). Pour avoir l'expérience d'une authentique maison de thé birmane sans avoir à passer la frontière jusqu'à Myawadi, venez dans ce charmant café prendre un thé sucré, accompagné de délicieux en-cas, sur fond d'inévitable musique pop birmane. Vous pouvez aussi vous régaler d'un des meilleurs *biryanis* de la ville.

**Hazel Taste** (Th Intharakhiri ; plats 20-60 B ; 8h-21h). Café moderne, climatisé, qui propose une vaste sélection de bons cafés et de douceurs, ainsi que l'accès Internet.

**Casa Mia** ( 08 7204 4701 ; Th Don Kaew ; plats 30-180 B ; 8h-22h). Niché dans une ruelle, ce petit restaurant italien sert des pâtes fraîches à un prix jamais vu. En plus, elles sont fabuleuses. Également, spécialités thaïlandaises et birmanes et des desserts exceptionnels, dont une irrésistible Banoffee Pie (tarte au caramel et aux bananes).

**Aiya** ( 0 5553 0102 ; 533 Th Intharakhiri ; plats 45-80B ; 10h-22h). En face de la Bai Fern Guest House, Aiya est un endroit sans prétention qui sert une succulente cuisine birmane. Les options végétariennes sont nombreuses. Essayez la salade de thé ou tout autre plat du "One Dream One World Menu", dont 20% revient à l'ONG du même nom. Des musiciens viennent jouer certains soirs.

**Khrua Canadian** ( 0 5553 4659 ; 3 Th Sri Phanit ; plats 40-280 B ; 7h-21h). Quand on veut oublier le temps d'un repas que l'on est en Asie. Dave, le Canadien, prépare son propre mélange de café et propose bagels maison, charcuterie et fromages. Les petits-déjeuners sont variés, les portions, généreuses, et la carte, bien fournie. Et quand vous vous rappelez que vous êtes en Thaïlande, tous les renseignements dont vous avez besoin sont là.

**Bai Fern** ( 0 5553 3343 ; Th Intharakhiri ; plats 50-350 B ; 8h-22h). Il règne toujours une bonne ambiance dans ce restaurant douillet au mobilier en bois, qui ne désemplit pas de la journée. Certains y viennent pour sa cuisine thaïlandaise réputée, d'autres pour ses steaks, ses salades ou ses currys birmans, ou tout simplement pour jeter un coup d'œil au journal en dégustant un café et des gâteaux.

**Khao-Mao Khao-Fang** (enseigne en thaï ; 0 5553 2483 ; 382 Mu 5, Mae Pa ; plats 80-220 B ; 11h-22h). Envie d'une soirée romantique dans une jungle civilisée ? Filez au nord de la ville entre les Km 1 et 2 sur la route de Mae Ramat. Dans ce restaurant, conçu par un botaniste thaï, orchidées et cascades de pousses vertes remplacent les chandeliers, et les ruisseaux murmurent. La cuisine thaïlandaise, également inventive, propose des spécialités que vous ne retrouverez nulle part ailleurs, à base d'ingrédients comme le poisson de la Mae Nam Moei, les herbes et les légumes du coin. Essayez l'un des délicieux *yam* (salade thaïlandaise épicée), où apparaissent le curcuma blanc ou les champignons de la forêt.

## Où sortir et prendre un verre

La vie nocturne de Mae Sot est surtout animée le week-end. La partie de Th Intharakhiri en direction de l'ouest depuis le Wat Aranyakhet rassemble le plus de bars, dont les adresses ci-dessous.

**Kung's Bar** (Th Intharakhiri). Ce bar populaire auprès du personnel des ONG est orné de fresques et affiche un curieux mélange d'ancien et de kitsch. Gigantesque carte des boissons, détaillée.

**Thaime's** ( 08 9649 9994 ; Th Intharakhiri ; 15h-minuit). Ce lieu extrêmement décontracté propose une petite carte et est surtout le seul bar solidaire que nous ayons rencontré. Une partie des bénéfices revient à une école pour les enfants d'immigrés. Le bar accepte parfois des volontaires, passez un coup de fil.

## Achats

Le **marché municipal** de Mae Sot est un des plus grands et des plus bouillonnants de Thaïlande. Aux légumes frais et à l'épicerie thaïlandaise habituelle se mêlent les produits exotiques du Myanmar : du *thanaka* (la poudre jaune que vous voyez sur les visages), d'autres cosmétiques étranges, des sacs de feuilles de thé marinées, des tongs en velours de Mandalay, des livres, etc. Contrairement à bien d'autres marchés, il fonctionne presque toute la journée, vous n'aurez donc pas à vous réveiller à 6h du matin. C'est aussi un excellent endroit pour goûter la cuisine birmane.

La ville est aussi devenue le principal centre de négoce de pierres précieuses de la zone frontalière. L'activité bat son plein le long de Th Prasat Withi, à l'est du marché, dans les boutiques et les étals regorgeant de trésors scintillants. Si vous voulez acheter, il faudra marchander ferme.

*(Suite page 437)*

# LES CHARMES DE LA THAÏLANDE

Ses célèbres bouddhas, ses splendides temples et ses plages de rêve séduisent les passionnés de culture et les amateurs de soleil. Mais ce pays qui a horreur de la monotonie possède de nombreux autres attraits, notamment une culture dynamique à découvrir sur les marchés, lors des fêtes nationales ou autour de tables bien garnies.

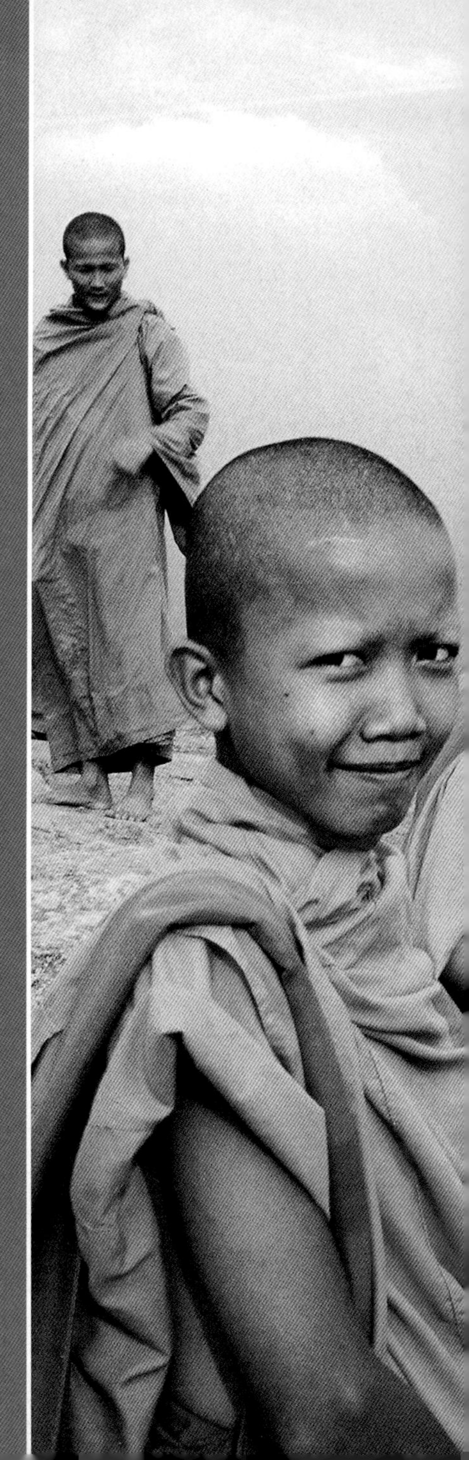

# Îles et plages

Réputée pour son ensoleillement et ses divertissements, la Thaïlande abrite deux sortes de plages : la station balnéaire de luxe et l'île rustique aux allures de "village", distinction qui devient toutefois assez floue. Quel qu'il soit, chaque lieu éveille l'imaginaire du voyageur et l'incite à découvrir les autres plages.

## ❶ Ko Phi Phi

Ko Phi Phi (p. 709) est d'une beauté saisissante avec ses filets d'eau azurée qui viennent lécher les falaises boisées des deux îles. Renommée pour ses complexes pour touristes aisés, elle compte néanmoins quelques enseignes qui conviendront aux voyageurs désargentés.

## ❷ Phuket

Ville balnéaire, Phuket (p. 665) a fait connaître la Thaïlande aux adorateurs du soleil. L'île dispose de toutes les installations modernes (un aéroport et plusieurs débarcadères) pour les visiteurs avides de repos et de distraction qui tiennent à leur confort.

## ❸ Ko Samui

Ko Samui (p. 591) la séductrice est une île couverte de complexes hôteliers pour le tourisme de masse, où l'on peut s'attarder sans se soucier d'adaptation culturelle. Mais derrière les foules de Chaweng se cachent des sites assoupis, typiques de cette "île des noix de coco".

## ❹ Ko Pha-Ngan

Installez-vous dans un hamac sur cette plage bohème (p. 610), havre idyllique à l'écart des tours modernes. Excepté lors des fêtes de la pleine lune, qui animent un coin de l'île, l'atmosphère y est paisible.

## ❺ Ko Adang

À l'extrême sud de l'Andaman, cette petite île (p. 743) est surtout connue comme spot de snorkeling. Mais ceux qui aiment la vie sauvage peuvent aussi y planter une tente ou louer une *longhouse* pour communier avec la nature.

## ❻ Ko Tao

L'île des plongeurs, Ko Tao (p. 625) est le lieu le moins cher pour explorer les profondeurs à la bouteille. Faute de plages étoilées, la petite "île tortue" possède de jolies criques rocheuses qui regorgent de poissons colorés.

## ❼ Krabi

Ce n'est ni le sable ni la mer qui fait la réputation de Krabi (p. 698), mais les pics de calcaire qui jaillissent de l'océan, attirant les grimpeurs (novices et expérimentés) en quête d'adrénaline et de vues somptueuses.

## ❽ Ko Lanta

La côte ouest de Ko Lanta (p. 714) est une longue étendue de sable jadis réputée pour son atmosphère hippie. L'ambiance est désormais à la fête, même s'il reste encore quelques recoins paisibles.

## ❾ Khao Lak

L'une des rares plages du continent, Khao Lak (p. 657) a survécu au tsunami de 2004 et reconquis les cœurs des plongeurs avertis. Les excursions phares rejoignent les célèbres sites de Surin et de Similan.

## ❿ Parcs maritimes nationaux des îles Surin et Similan

Explorez ces deux réserves naturelles de l'Andaman (p. 660 et p. 661), réputées pour leurs eaux limpides, leurs requins-baleines et leurs jardins coralliens. Des bateaux équipés partent du continent pour plusieurs jours d'excursion, ce qui laisse largement le temps d'explorer les îles éloignées.

# Aspirations célestes

La religion imprègne la Thaïlande comme un bâton d'encens qui ne s'éteindrait jamais. Les anciens empires ont érigé de magnifiques monuments et répliques des cieux au milieu des rizières. Aux temples bouddhiques scintillants, dépositaires modernes des maîtres divins, s'ajoutent les autels des maisons, humbles hommages au monde spirituel.

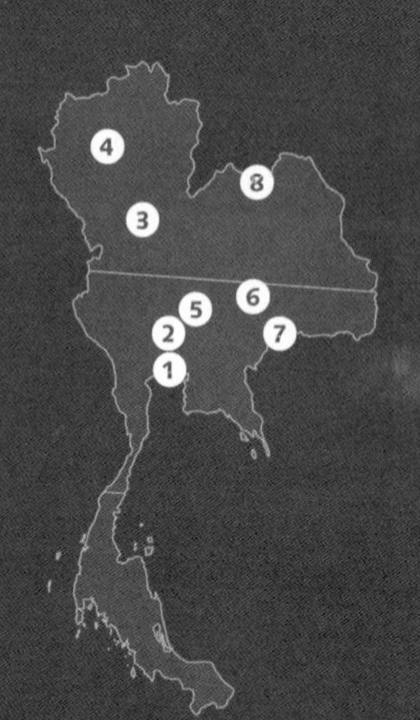

### ❶ Bangkok
Bangkok (p. 107) est le siège du gouvernement, de la monarchie et de la religion bouddhiste. La capitale possède la plus importante statue du Bouddha au Wat Phra Kaew et plusieurs temples royaux de grande beauté.

### ❷ Ayuthaya
Le légendaire royaume d'Ayuthaya (p. 201) possédait une merveilleuse capitale qui régnait sur les plaines centrales et les alentours. Aujourd'hui, il n'en reste que des vestiges de brique et de stuc, ornés ici et là de bouddhas sans tête qui continuent de méditer malgré les épreuves de l'Histoire.

### ❸ Sukhothai
Léguées par l'un des premiers royaumes thaïs, les ruines de Sukhothai (p. 409) ont été moins endommagées par les conflits qu'Ayuthaya. Elles sont regroupées dans un parc historique interdit aux voitures, composant un cadre idyllique.

### ❹ Chiang Mai
Chiang Mai (p. 283) est encore profondément imprégnée des traditions spirituelles. Elle s'étend au pied d'une montagne mythique surmontée d'une relique sacrée. Les temples anciens qui parsèment sa vieille ville sont plus représentatifs du Myanmar que des plaines centrales de Thaïlande.

### ❺ Lopburi
Les imposants monuments de l'Empire khmer reposent dans la province de Lopburi (p. 211), dont Lopburi, la capitale, est l'une des plus anciennes villes de Thaïlande. Son site le mieux préservé est renommé pour sa communauté de macaques, qui éclipse la beauté architecturale du temple.

### ❻ Phimai
Presque 100 ans plus ancien qu'Angkor Wat, le Prasat Phimai (p. 478) est un exemple remarquable de l'obsession du royaume cambodgien pour l'édification de monuments.

### ❼ Phanom Rung
Tourné vers l'est, en direction de la capitale d'Angkor, ce sanctuaire (p. 483) dressé sur une colline surveille l'ancienne frontière occidentale du royaume. Les sculptures hindoues du temple et sa chaussée jalonnée de *naga* finement ouvragés sont caractéristiques de l'art khmer.

### ❽ Nong Khai
Construit par un immigrant laotien mystique, le parc des sculptures de Sala Kaew Ku (p. 523), à Nong Khai, rompt avec la tradition architecturale des temples. Il permet une découverte de la mythologie hindo-bouddhique.

# Aventures en plein air

Des montagnes du Nord aux forêts tropicales du Sud, des expériences très diverses attendent les voyageurs désireux de découvrir la jungle thaïlandaise. Singes et oiseaux s'ébattent dans la canopée, tandis qu'éléphants et cornacs ouvrent la voie aux touristes.

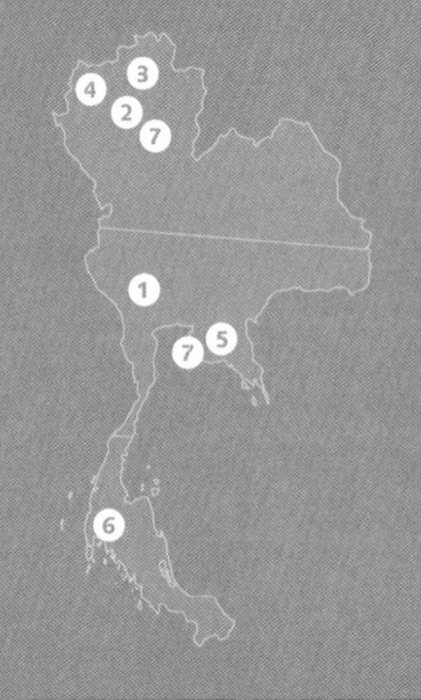

3

5

## 1 Kanchanaburi

L'ouest du pays offre un panorama pittoresque de gigantesques montagnes calcaires, parsemées de cascades argentées et de rivières bouillonnantes. Vous pouvez descendre en kayak la célèbre rivière Kwai (p. 222), explorer la forêt à dos d'éléphant ou soulager vos courbatures dans les sources chaudes.

## 2 Chiang Mai

Aucune autre ville de Thaïlande n'offre autant de possibilités d'activités en plein air que Chiang Mai (p. 306), que vous vouliez parcourir à VTT le Doi Suthep, rejoindre les villages des ethnies montagnardes, visiter une réserve d'éléphants ou descendre une chute d'eau en rappel.

## 3 Chiang Rai

De nombreuses agences de trekking vous conduiront dans les communautés montagnardes, mais rares sont celles qui se montrent autant soucieuses de leur développement économique et de la protection de leur environnement que celles de Chiang Rai (p. 363).

## 4 Province de Mae Hong Son

Nichée au fin fond du Nord-Ouest, cette province (p. 442) se situe juste à la frontière du Myanmar. Pour accéder à cette province isolée, il faut effectuer un interminable trajet en bus sur les routes en lacets des hauteurs. Des randonnées parcourent les terres sauvages vers les villages d'ethnies démunies. Les rapides se prêtent aux descentes en eau vive.

## 5 Parc national de Khao Yai

Une vaste forêt de mousson couvre le Khao Yai (littéralement "grande montagne", p. 480) et ses alentours, justifiant le classement de ce parc parmi les sites du patrimoine mondial. Si sa magnificence naturelle représente son principal attrait, les excursionnistes thaïlandais lui ravissent la vedette.

## 6 Parc national de Khao Sok

Une jungle dense et sombre enserre la partie médiane du sud de la Thaïlande. Cette forêt tropicale ancienne (p. 655) offre de longs parcours de randonnée, des points de vue magnifiques et un camping en bordure de rivière.

## 7 Centres d'éléphants et de formation des cornacs

Le pachyderme tant aimé des Thaïlandais n'est plus aujourd'hui qu'une bête de somme désœuvrée. Des centres aménagés à Lampang, à Pattaya et à Chiang Mai enseignent aux touristes le savoir-faire des cornacs. Dans le parc naturel des Éléphants (p. 307), près de Chiang Mai, les individus domestiqués peuvent rejoindre un troupeau.

# Cuisine thaïlandaise

Délicate et variée, la cuisine thaïlandaise est l'une des plus raffinées du monde. Elle est encore plus savoureuse dans son cadre d'origine, où les ingrédients frais et abondants font presque l'objet d'un culte. Les Thaïlandais vivent entourés de nourriture, des simples en-cas aux repas composés de plusieurs plats.

## ❶ Currys

Le curry thaïlandais (p. 88), délicatement relevé, parfumé et coloré, prend la forme d'une soupe qui constitue à elle seule un repas. Chaque région a sa propre recette. Beaucoup de visiteurs l'apprécient tellement qu'ils mériteraient de décrocher un diplôme d'expert.

## ❷ Spécialités isan

Le Nord-Est est réputé pour son trio de plats (p. 471) – *sôm·đam* (salade de papaye), *gài yâhng* (poulet grillé) et *kôw nĕe·o* (riz gluant) – qui constitue le carburant des ouvriers des chantiers thaïlandais.

## ❸ Fruits locaux

Des bananes qui ne sont pas farineuses, des ananas délicatement sucrés avec une pointe d'acidité, et toutes sortes de curiosités comestibles à l'aspect des plus étranges. Les fruits thaïlandais (p. 90), succulents et variés, couvrent souvent toute la table.

*(suite de la page 428)*

**Borderline Shop** ( ☎ 0 5554 6584 ; borderlinecollective.org ; 674/14 Th Intharakhiri ; 10h-18h mar-dim). Objets d'art et d'artisanat fabriqués par des réfugiées. Les bénéfices vont à un collectif de femmes et à une fondation qui vient en aide aux enfants. L'information est clairement mentionnée sur l'étiquette que portent tous les articles, sacs, vêtements ou objets pour la maison. Une galerie vend des peintures au premier étage. Sur place également, un salon de thé extérieur et des cours de cuisine (voir p. 426).

## Depuis/vers Mae Sot

Les *sŏrng·tăa·ou* orange pour Mae Sariang (200 B, 6 heures, 5/j de 6h à 12h) s'élancent de l'ancienne gare routière près du centre-ville. Toutes les heures, les *sŏrng·tăa·ou* bleus desservant Um Phang (120 B, 4 heures, de 7h30 à 15h30) partent d'un bureau situé dans Th Bun Khun. Les *sŏrng·tăa·ou* vers Rim Moei (15 B, 15 min, de 6h à 17h30) partent également d'un endroit près de Th Bun Khun.

Tous les bus sont au départ du terminal, à 850 m à l'ouest du centre-ville, sur Th Intharakhiri. Toutes les 30 min, des minibus rallient Tak (56 B, de 7h à 18h) et, 6 fois par jour, de 7h à 14h30, Sukhothai (140 B) et Phitsanulok (176 B).

Les **Green Bus** ( ☎ 114 poste 8000 ; www.greenbusthailand.com) assurent 2 départs quotidiens pour Mae Sai (2e classe clim/1re classe 388/499 B, 12 heures, 6h et 8h), avec arrêt à Lampang (2e classe clim/1re classe 181/232 B, 4 heures), à Chiang Mai (2e classe clim/1re classe 237/304 B, 6 heures) et à Chiang Rai (2e classe clim/1re classe 354/455 B, 10 heures).

Ils desservent également Mukdahan (1re classe 675 B, 12 heures, 18h) et Laem Ngob (1re classe 750 B, 15 heures, 17h) dans la province de Trat.

Les liaisons avec Bangkok sont fréquentes (2e classe clim/1re classe/VIP 328/421/655 B, 8 heures, 11 départs de 8h à 21h45).

## Comment circuler

Mae Sot se visite facilement à pied. Des *sŏrng·tăa·ou* réguliers desservent les communes des environs, notamment Moei (15 B). Motos-taxis et *săhm·lór* demandent 20 B pour une course en ville.

Plusieurs commerces en relation avec le tourisme louent des véhicules. La Ban Thai Guest House (p. 427) propose des motos, le restaurant Bai Fern (p. 428), des voitures et des camionnettes. Des vélos sont à louer à la Borderline (ci-contre), qui suggère un circuit dans les environs.

**Jit Motorcycle** ( ☎ 0 5553 2099 ; 127/4-6 Th Prasat Withi ; moto 150 B/j) loue des motos.

**Well Driving Service** ( ☎ 0 5554 4844 ; wdeacha@yahoo.com ; 764/7 Th Intharakhiri ; voiture 1 200-1 500 B/j, avec chauffeur 1 800-2 500 B/j) propose à la location toutes sortes de véhicules, avec ou sans chauffeur.

# ENVIRONS DE MAE SOT

## Doi Muser Hilltribe Cultural Center

ศูนย์พัฒนาและสงเคราะห์ชาวเขาดอยมูเซอ

Au sommet d'une colline, sur la route de Tak, se trouve un **centre culturel de recherche** ( ☎ 0 5551 2131, 0 5551 3614 ; Km 26, Th Tak-Mae Sot ; bungalows 200-700 B) où sont cultivés et vendus thé, café, fruits et fleurs. Vous pouvez le visiter en journée, voire y passer la nuit. Appelez à l'avance pour connaître le programme des manifestations culturelles. La température tombe à 4°C l'hiver. En novembre et décembre, les *bou·a torng* (sorte de tournesol sauvage) agrémentent les environs du site.

Un peu plus haut, au Km 29, se tient au bord de la route le vaste **marché des communautés montagnardes**, où l'on trouve produits agricoles et objets d'artisanat.

## Parcs nationaux de Taksin Maharat et de Lan Sang

ศูนย์พัฒนาและสงเคราะห์ชาวเขาดอยมูเซอ

Ces deux modestes parcs nationaux reçoivent un flot de visiteurs le week-end et durant les vacances, mais sont presque déserts en semaine.

Le **parc national de Taksin Maharat** ( ☎ 0 5551 1429 ; 200 B) couvre une superficie de 149 km². L'entrée du parc se trouve à 2 km du Km 26 sur la Route 105. Son principal intérêt réside dans les spectaculaires **Nam Tok Mae Ya Pa**, des cascades hautes de 30 m, étagées sur neuf niveaux. On vient aussi admirer son célèbre *đà·bàhk*, un diptérocarpe exceptionnel haut de 50 m et de 16 m de circonférence, vieux de 700 ans, lieu d'observation privilégié d'oiseaux migrateurs et résidents tels la pie-grièche tigre, la bergeronnette forestière et le héron bacchus.

Le **parc national de Lan Sang** ( ☎ 0 5551 9278 ; 200 B) s'étend sur 104 km², à 19 km de Tak. Ses pics de granit au relief déchiqueté, qui s'élèvent jusqu'à 1 000 m d'altitude, font partie de la chaîne de Tenasserim. Un réseau de

**sentiers** permet d'accéder à plusieurs **chutes d'eau**, notamment à celles qui ont donné leur nom au parc, hautes de 40 m.

Le parc de Taksin Maharat dispose de **chambres fonctionnelles** (1 000-2 400 B) pour 4 à 10 personnes et d'un **terrain de camping** (emplacement tente 100 B). Le parc de Lan Sang loue de rustiques **bungalows** (400-4 000 B) pour 2 à 32 personnes et des **tentes** (100 B) pour 2. Un service de restauration est assuré dans les deux parcs. Pour plus d'informations et faire une réservation, contactez le **Royal Forest Department** (☎ 0 2562 0760 ; www.dnp.go.th).

Le bus allant de Mae Sot à Tak vous arrêtera à une courte distance à pied de l'entrée des parcs. Si vous avez un véhicule, ce qui est la meilleure solution, empruntez la Route 105 sur 3 km en direction du sud, puis bifurquez sur la Route 1103.

## UM PHANG ET SES ENVIRONS

อุ้มผาง

La portion de la Route 1090 reliant Mae Sot et Um Phang, à 150 km au sud, portait le surnom de Death Highway (la route de la Mort) jusqu'aux années 1980, car la guérilla empêchait toute circulation. Cette voie escarpée et tortueuse traverse de somptueux paysages de montagne.

Sur le trajet, deux petites marches permettent de découvrir des cascades : **Nam Tok Thararak** (à 26 km de Mae Sot) et **Nam Tok Pha Charoen** (à 41 km). Les premières dégringolent des falaises de calcaire et de roches calcifiées dont la texture inégale facilite l'ascension. Des bancs sont disposés le long du torrent, au pied des chutes, et des toilettes assurent le confort des visiteurs. Le week-end, des marchands de nourriture disposent leurs étals.

Juste après Ban Rom Klao 4 – environ à mi-chemin de Mae Sot et de Um Phang – apparaît Um Piam, un important village de réfugiés karen et birmans, dont les 20 000 résidents furent transportés ici depuis des camps des environs de Rim Moei. La région compte aussi plusieurs villages hmong.

Au confluent des rivières Mae Nam Klong et Huay Um Phang, **Um Phang** est un bourg principalement peuplé de Karen. Beaucoup de villages karen de la région sont restés très attachés aux traditions : les paysans utilisent encore des éléphants pour les travaux agricoles, notamment à **Palatha**, village à 25 km au sud d'Um Phang. Vous verrez souvent les *yaeng* (selles) et harnais d'éléphants suspendus dans les vérandas des maisons de ce village.

Une randonnée intéressante emprunte les sentiers qui partent au nord-est du village. Ils traversent les rizières, suivent la Huay Um Phang et mènent à quelques villages karen. À la frontière du district d'Um Phang et du Myanmar, près des localités thaï-karen de Ban Nong Luang et de Ban Huay, un **village de réfugiés** abrite plus de 500 Karen originaires de Htikabler, un bourg du Myanmar.

Au sud d'Um Phang, vers Sangkhlaburi (province de Kanchanaburi), la **réserve naturelle d'Um Phang** est inscrite au patrimoine mondial de l'Unesco. On vient y admirer les très célèbres chutes de Nam Tok Thilawsu (ci-dessous), les plus grandes de Thaïlande. La réserve naturelle d'Um Phang rejoint le parc national de Thung Yai Naresuan et la réserve naturelle de Huay Kha Kaeng (également au patrimoine mondial), ainsi que les parcs nationaux de Khlong Lan et de Mae Wong, pour former le plus grand couloir de vie sauvage de Thaïlande et l'une des plus vastes forêts naturelles intactes d'Asie du Sud-Est.

### Renseignements

On trouve deux DAB à Um Phang, mais mieux vaut emporter de l'argent liquide. Un grand café, sur le chemin de Ban Palatha, dispose d'une connexion **Internet** (20 B/h). La poste permet de passer des appels internationaux. Vous trouverez aussi un poste de police et un petit bureau de la **TAT** (☎ 0 5556 1338 ; 🕑 8h30-17h) en face de l'école, sur la route de Mae Sot.

### À voir et à faire

#### NAM TOK THILAWSU

น้ำตกทีลอซู

Cette **cascade**, de 200 m de hauteur pour 400 m de largeur au moment de la saison des pluies, est la plus grande de Thaïlande. Pour les Thaïlandais, qui adorent ces grandioses phénomènes naturels, la Nam Tok Thilawsu est la plus belle. Elle cache une petite grotte à l'arrière et s'étage en plusieurs bassins où l'on peut nager. Le paysage est splendide, surtout après la saison humide (novembre-décembre) quand les falaises calcaires surplombant la Mae Nam Klong ruissellent d'eau et que le débit de la Nam Tok Thilawsu est au plus haut.

La cascade se trouve près du bureau de l'administration de la **réserve naturelle d'Um Phang** (☎ 0 5557 7318 ; 200 B), à quelque 50 km d'Um Phang. Le sentier de 2 km qui va du bureau aux chutes a été transformé en parcours éducatif, jalonné de panneaux bien conçus. Autour des chutes, des deux côtés de la rivière, s'étendent les forêts naturelles les plus denses du pays. Les environs de Nam Tok Thilawsu offrent de superbes randonnées. Il y aurait ici plus de 1 300 essences de palmiers, ainsi que des bambous géants et des *Ficus citrifolia*.

Le **camping** (50-100 B) est possible toute l'année près du bureau de la réserve naturelle d'Um Phang. Toutefois, de novembre à janvier, il est conseillé de réserver, car les chutes sont alors l'une des destinations préférées des Thaïlandais. C'est aussi la seule période où le parc assure la restauration, autrement vous devrez apporter votre nourriture.

La majorité des visiteurs viennent ici en circuit organisé, mais il est possible d'y accéder par ses propres moyens. Si vous avez une moto ou une voiture, juste au nord d'Um Phang, prenez la Route 1167. Après 12 km, tournez à gauche, à hauteur du poste de police, pour la Route 1288. Continuez sur 6 km jusqu'au guichet de la réserve naturelle, où l'on s'acquitte du droit d'entrée. Ensuite, il y a encore 30 km sur une route raboteuse jusqu'au bureau du parc.

Si vous n'avez pas de véhicule, il est facile à Um Phang de s'arranger avec n'importe quel camion (aller-retour de 1 400 à 1 600 B). Vous pouvez aussi prendre un *sŏrng·tăa·ou* pour Poeng Kloeng qui vous déposera au guichet de la réserve naturelle (30 B, toutes les heures de 6h30 à 15h30), puis vous organiser de là, bien qu'il ne soit pas sûr que des camions attendent. Autre option encore : se faire emmener en direction de Ban Palatha, au sud d'Um Phang, et descendre au Km 19, d'où un sentier dans la jungle, via le village de **Mo Phado**, mène aux chutes. Mais cette marche non balisée, qui prendrait dans les 4 heures, n'est recommandée qu'à un voyageur accompagné d'un guide qui connaît la région.

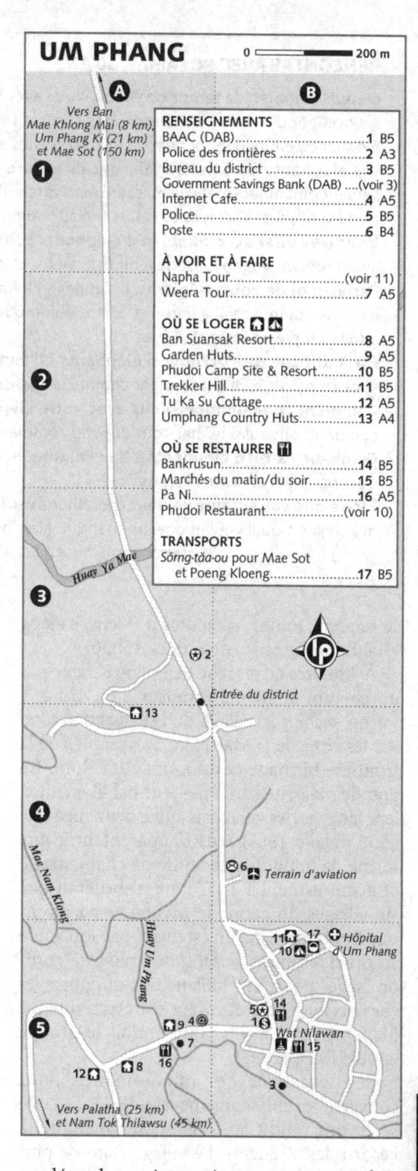


## ENVIRONS DE NAM TOK THILAWSU

De Ban Mae Klong Mai, à quelques kilomètres au nord d'Um Phang par la grand-route de Mae Sot, la Route 1167 longe la frontière du Myanmar en direction du sud-ouest. Sur le chemin, on passe le long réseau de grottes de **Tham Ta Khu Bi**, qui signifierait en karen "mangue plate". Aucun guide ne vous y attendra : n'oubliez pas d'emporter une lampe de poche.

Après 12 km, tournez à gauche sur la Route 1288, qui conduit au guichet de la réserve naturelle d'Um Phang. À partir de là, la route se dégrade, mais continuez encore pendant 70 km, jusqu'à **Poeng Kloeng** : Karen, Birmans, Indo-Birmans, Talaku et Thaïlandais habitent ce village marchand, où les chars à buffles sont plus courants que les motos. Perché au milieu des pics et des gouffres, il mérite le détour, même si vous n'allez pas plus loin. De la station des *sŏrng·tăa·ou* à Um Phang, des *sŏrng·tăa·ou*

**RENCONTRE AVEC POLAMAT, 30 ANS**

**Depuis combien de temps travaillez-vous avec les éléphants ?** J'ai commencé à 12 ans en aidant à s'occuper d'eux et à les nourrir. Puis à 15 ou 16 ans j'ai vraiment commencé à travailler avec les éléphants, emmenant par exemple les touristes en balade jusqu'aux chutes d'eau.

**Les éléphants de Ban Palatha sont-ils encore utilisés pour le travail ?** Non, les éléphants ne servent plus aujourd'hui qu'au tourisme. Parfois, ils transportent encore du bois de chauffage, mais ils ne sont plus employés aux durs travaux comme l'abattage des arbres.

**Vous travaillez avec combien d'éléphants ?** J'ai un éléphant, un mâle. Mon père s'en est occupé avant moi et, quand il est devenu trop vieux, c'est moi qui l'ai remplacé.

**Parlez-moi de votre éléphant.** Il s'appelle Plona, ce qui veut dire "oreille déchirée" en karen, car il est né comme ça. Il a dans les 23 ans aujourd'hui. Ce n'est pas vieux pour un éléphant, c'est un adulte en pleine force de l'âge.

**Est-il difficile de s'occuper d'éléphants ?** Il faut faire attention avec les mâles, surtout quand ils sont en rut. Ils sont exactement comme les gens, ils peuvent avoir mauvais caractère.

**Comment communiquez-vous avec votre éléphant ?** Je lui parle en karen. Certains éléphants comprennent aussi le thaï, tout dépend comment ils ont été éduqués.

**Combien y a-t-il d'éléphants à Ban Palatha ?** Il y en a une trentaine. Dans le district d'Um Phang, c'est nous qui en avons le plus.

**Est-ce que vos enfants veulent travailler avec les éléphants ?** Mon fils n'a que 9 ans, pourtant il m'a déjà dit qu'il voulait devenir mahout. Mais peut-être changera-t-il plus tard, qui sait ?

*Polamat est mahout à Ban Palatha, dans le district d'Um Phang, province de Tak*

se rendent toutes les heures à Poeng Kloeng (100 B, 3 heures 30, de 6h30 à 15h30).

À 4 heures de marche de Poeng Kloeng par un chemin accidenté (praticable en 4x4 à la saison sèche), le village de **Letongkhu** s'étend sur les rives de la Mae Nam Suriya, près de la frontière birmane et du mont Sam Rom. En grande majorité karen par leur habillement et leur langage, les villageois appartiennent à une secte Talaku (ou Lagu) s'apparentant à une forme de bouddhisme teinté de chamanisme et d'animisme. La Thaïlande n'abriterait que six villages du genre, le Myanmar au moins une trentaine. Chacun est dirigé par son guide spirituel temporel, le *pu chaik* (*reu·sěe*, "*rishi*" ou "sage" pour les Thaïlandais), qui porte les cheveux longs relevés en chignon et une tunique blanche, marron ou jaune, selon le groupe auquel il appartient.

Les tentatives des missionnaires pour convertir au christianisme les adeptes de cette secte ont rendu les Talaku très méfiants à l'égard des étrangers. Le village étant de plus situé dans la zone sensible de la frontière, nous avons eu écho de voyageurs étrangers refoulés à leur arrivée. Les autorités locales vous conseillent de contacter la **police des frontières d'Um Phang** (☎ 0 5556 1008) pour demander une autorisation préalable. Dans le cas contraire, ne pénétrez nulle part dans le village sans y avoir été autorisé ou invité par les habitants. Ne prenez pas de photo sans l'accord de la personne. Si vous traitez les villageois avec respect, vous ne devriez rencontrer aucune difficulté.

Il faut de 4 à 5 jours de marche pour parcourir les 90 km séparant Poeng Kloeng de Sangkhlaburi (p. 230). La route pour Sangkhlaburi se divise en plusieurs branches ; l'axe principal franchit la frontière du Myanmar avant de revenir en territoire thaïlandais.

L'instabilité de cette région frontalière, alliée au risque de s'y perdre, de tomber malade ou de se blesser, impose de recourir aux services d'un guide pour s'aventurer au sud d'Um Phang, quelle que soit la direction. Si vous parlez thaï, vous devriez pouvoir organiser quelque chose depuis Poeng Kloeng. Sinon, quelques agences spécialisées de Mae Sot (p. 426) et d'Um Phang ont déjà concocté de telles expéditions et fournissent des conseils avisés. La meilleure période pour visiter la région court d'octobre à janvier.

### RANDONNÉE ET RAFTING

Plusieurs pensions d'Um Phang organisent des sorties combinées randonnées et rafting dans la région. Le circuit classique de 3 jours/2 nuits coûte de 3 000 à 4 500 B/pers (sur la base de 4 pers ou plus), avec rafting, promenade à dos d'éléphant, repas et guide compris. La destination est le plus souvent la cascade de

Nam Tok Thilawsu et ses environs, mais vous pouvez aussi envisager un circuit plus long ou plus court, ou d'autres destinations.

Les sorties de rafting vont de l'excursion de 1 journée au fil de la Mae Klong, d'Um Phang à Nam Tok Thilawsu, jusqu'à des expéditions de 3 jours, de Palatha à Nam Tok Thi Lo Re. Le rafting n'est en général possible que de novembre à mai.

Um Phang Khi est une nouvelle zone ouverte au rafting (d'août à octobre seulement), au nord-est d'Um Phang. Elle compte officiellement 47 secteurs de rapides (67, selon certaines compagnies) de classes III (moyen) et IV (difficile) en saison humide. Une excursion de 3 jours/2 nuits coûte 3 500 B à Um Phang.

Les guides des compagnies recommandées ci-dessous parlent anglais.

**Napha Tour** (☎ 0 5556 1287 ; www.naphatour.com ; Th Pravitpaiwan ; trek 3 jours 4 500 B/pers). Programme d'excursions varié et guides parlant anglais.

**Trekker Hill** (☎ 0 5556 1090 ; 620 Th Pravitpaiwan ; trek 3 jours 3 500-4 000 B/pers). Cette pension dispose du plus grand nombre de guides anglophones, et ses excursions variées de 1 à 4 jours sont particulièrement recommandées.

**Tu Ka Su Cottage** (☎ 0 5556 1295 ; 40 Moo 6). D'excellents circuits, mais, au moment de notre recherche, ils n'étaient accompagnés que de deux guides anglophones.

**Weera Tour** (enseigne en thaï ; ☎ 0 5556 1368). Située en retrait de la rue principale, cette compagnie organise de bons circuits, avec un nombre limité de guides anglophones.

## Où se loger

La plupart des adresses d'Um Phang accueillent de grands groupes de visiteurs thaïlandais et sont plutôt embarrassées quand se présente un voyageur étranger, les chambres étant en général prévues pour 4 personnes ou plus. Si vous voyagez seul ou en couple, vous pourrez négocier les tarifs à la baisse, surtout en saison humide.

**Phudoi Camp Site & Resort** (☎ 0 5556 1049 ; www.phudoi.com ; 637 Th Pravitpaiwan ; tente 150 B, ch 400 B ; 💻). Réservé en priorité aux clients des excursions qu'il organise. Des bungalows installés dans un joli cadre au sommet d'une colline, près du centre du village. Ceux en rondins sont spacieux, prolongés par une véranda. Propose aussi un terrain de camping et un restaurant du même nom (voir ci-contre).

**Garden Huts** (Boonyaporn Garden Hut ; ☎ 0 5556 1093 ; www.boonyapornresort.com ; 8/1 Mu 6 ; ch 200-1 500 B). Dans un cadre charmant, au bord de la rivière, un gentil couple âgé loue des bungalows de taille et de confort divers. Joli jardin bien aménagé pour le repos.

**Trekker Hill** (☎ 0 5556 1090 ; 620 Th Pravitpaiwan ; ch 300 B). Perché à flanc de colline, cet ensemble de bungalows rustiques, mais avec eau chaude, offre une belle vue sur la vallée et Um Phang. Le restaurant sert trois repas par jour et dispose de la TV sat.

**Ban Suansak Resort** (☎ 0 5556 1169, 08 9839 5308 ; ch 500-1 500 B). Juste à la sortie de la ville, sur la route de Palatha, ce "complexe" propose 13 chambres dans un bâtiment neuf de 2 étages et 3 bungalows pour 3 à 10 personnes. Les matelas sont assez minces, mais la propreté règne. Sur place, un restaurant.

**Umphang Country Huts** (☎ 0 5556 1079 ; www.umphangcountryhut.com ; ch 500-1 500 B). Au bord de la grand-route, à 1,5 km avant Um Phang, ces chalets sur la colline jouissent d'un cadre boisé. Certaines chambres de la catégorie moyenne sont aménagées sur deux niveaux avec des balcons surplombant un ruisseau. Les moins chères ont des sdb avec eau froide.

♡ **Tu Ka Su Cottage** (☎ 0 5556 1295 ; www.tukasu.net ; 40 Moo 6 ; ch 600-1 800 B ; 💻). C'est l'établissement le plus propre et le mieux géré d'Um Phang. Ses ravissants cottages de plusieurs pièces, en pierre et en brique, sont entourés de fleurs et d'arbres fruitiers exotiques. Toutes les sdb sont dotées d'une douche à l'eau chaude façon plein air. Les bungalows les moins chers, également spacieux et confortables, représentent une option fantastique. Le propriétaire est une mine d'informations sur la région, et l'accès Wi-Fi est gratuit sur l'ensemble des lieux.

## Où se restaurer

Um Phang abrite quelques restaurants simples, un marché du matin et un de nuit, ainsi qu'une poignée d'échoppes.

**Bankrusun** (plats 20-35 B ; 🕑 6h30-20h30). Un musicien thaï est le propriétaire de ce café-boutique de souvenirs. Bon café, autres boissons et petits-déjeuners simples.

**Pa Ni** (enseigne e thaï ; ☎ 08 9676 3721 ; 🕑 7h-21h). Après le pont, sur la route qui mène à Ban Palatha. Ce restaurant a la réputation de servir la meilleure cuisine de la ville. Court menu en anglais avec quelques options végétariennes, mais un menu en thaï beaucoup plus fourni.

**Phudoi Restaurant** (☎ 0 5556 1049 ; plats 30-70 B ; 🕑 8h-22h). Quand il est ouvert, on y mange une bonne cuisine. Menu bilingue. Le seul endroit ouvert après 21h.

### Depuis/vers Um Phang

Des *sŏrng·tăa·ou* effectuent régulièrement la liaison Mae Sot-Um Phang (120 B, 4 heures, chaque heure de 7h30 à 15h30). Ils s'arrêtent pour le déjeuner à **Ban Rom Klao 4**, un restaurant balayé par le vent.

## DE MAE SOT À MAE SARIANG

แม่สอด/แม่สะเรียง

La Route 105 au nord longe la frontière du Myanmar entre Mae Sot et Mae Sariang (226 km), dans la province de Mae Hong Son. Cette route revêtue mais sinueuse passe par les localités de **Mae Ramat**, **Mae Sarit**, **Ban Tha Song Yang** et **Ban Sop Ngao** (Mae Ngao), et traverse des forêts denses qui renferment des bois de teck et des villages karen.

**Nam Tok Mae Kasa**, entre les Km 13 et 14, est une jolie cascade devant une grotte. Près du village de Mae Kasa jaillit aussi une source chaude.

À Mae Ramat, ne manquez pas le **Wat Don Kaew**, derrière le bâtiment de l'administration du district, qui abrite un grand bouddha en marbre de style Mandalay.

Au Km 58, après une série de barrages sur la route, vous arriverez à l'immense village de réfugiés de **Mae La**, où l'on estime que vivent 60 000 Karen qui ont fui le Myanmar. Il faut plusieurs minutes pour traverser ce village qui s'étend sur au moins 3 km. Au passage, on se rend compte de l'importance du problème auquel la Thaïlande doit faire face.

Au Km 94, près de Ban Tha Song Yang (attention, un village porte le même nom plus au nord), vous verrez les vastes grottes calcaires de **Tham Mae Usu**. Elles se trouvent à 2 km de marche de la grande route. Pendant la saison des pluies, la rivière grossie condamne l'accès au site.

À l'extrémité nord de la province de Tak, vous atteindrez **Ban Tha Song Yang**, un village karen dans un cadre pittoresque au pied des falaises calcaires qui surplombent la Mae Nam Moei. C'est la dernière localité d'importance de la province de Tak, avant que la route ne commence à grimper dans la montagne couverte de denses forêts qu'englobe le parc national de Mae Ngao, dans la province de Mae Hong Son.

**Ban Sop Ngao**, minuscule village en bord de route, qui abrite le bureau de l'administration du parc, est déjà dans la province de Mae Hong Son. De là, il y a encore 40 km jusqu'à Mae Sariang (p. 464), où vous pourrez vous restaurer et trouver une chambre.

### Où se loger et se restaurer

Le long de la route, les endroits où se restaurer ou passer la nuit sont assez rares. Avec ses quelques hôtels et restaurants, Tha Song Yang (l'agglomération près du Km 90, et non le village du même nom à l'extrémité nord de la province de Tak) est la base la plus pratique. On trouve également à Mae Sarit, un peu plus au nord, un hébergement sommaire et le couvert.

**Thasongyang Hill Resort** (☎ 0 5558 9088 ; www.thasongyanghill.9nha.com ; Km 85, Rte 105, Ban Tha Song Yang ; ch 200-800 B). Au nord de Tha Song Yang, l'hébergement consiste ici en grandes chambres modernes dans un long bâtiment ou dans de jolis bungalows entourés d'un jardin fleuri. Parmi les quelques hôtels similaires du coin, celui-ci est le plus plaisant.

**Per-Pon Resort** (☎ 08 1774 5624 ; 110 Moo 2, Mae Sarit ; bungalows 300 B). Juste au sud de Mae Salit, cet endroit possède quelques bungalows rustiques surplombant la Mae Nam Moei.

**Krua Ban Tai** (Th Si Wat tana, Ban Tha Song Yang ; plats 20-50 B ; 🕒 8h-21h). Restaurant en bois sur 2 étages dans le centre de Ban Tha Song Yang, à deux pas du marché principal.

### De Mae Sot à Mae Sariang

Les *sŏrng·tăa·ou* pour Mae Sariang (200 B, 6 heures, 5/j de 6h à 12h) partent de l'ancienne gare routière de Mae Sot, près du centre.

# PROVINCE DE MAE HONG SON

Accessible seulement par des routes de montagne incroyablement sinueuses ou par un vol peu commode jusqu'à sa capitale, la province de Mae Hong Son est la plus lointaine de Thaïlande. Bien qu'elle connaisse depuis dix ans un miniboom touristique, qui a entraîné l'ouverture de nombreux complexes autour de la capitale, peu de visiteurs s'aventurent plus loin que Pai.

## MAE HONG SON

แม่ฮ่องสอน

**6 023 habitants**

Entourée de montagnes, la lointaine Mae Hong Son répond à l'image de la ville de Thaïlande du Nord dont rêvent de nombreux voyageurs. L'influence birmane très palpable et une atmosphère louche de ville-frontière n'entament en rien cette image. Et quel soulagement de n'apercevoir quasi aucun *túk-túk* et de n'être harcelé par aucun rabatteur ! Ce qui ne signifie pas que Mae Hong Son soit un territoire vierge : les circuits organisés la fréquentent depuis des années. Cependant, elle offre un tel potentiel comme base pour des activités variées allant de la relaxation dans un spa au trekking que vous êtes assuré que votre visite ne ressemblera pas à celle des autres.

Mae Hong Son offre son meilleur visage de novembre à mars. De juin à octobre, les pluies et la rareté des routes goudronnées rendent les trajets difficiles. Durant la saison chaude, la vallée de la Mae Pai se remplit de la fumée des brûlis de cultures. La saison fraîche a toutefois un inconvénient : les nuits sont vraiment froides. Prévoyez pull, chaussettes et sac de couchage ou couvertures.

## Histoire

Mae Hong Son a été isolée géographiquement, culturellement et politiquement durant une grande partie de sa courte existence. Fondée en tant que centre de dressage d'éléphants au début du XIX^e siècle, elle ne fut guère que cela jusqu'en 1856, quand les combats en Birmanie poussèrent des milliers de Chan de son côté. Dans les années qui suivirent, Mae Hong Son prospéra grâce à l'exploitation du bois et resta un royaume indépendant jusqu'en 1900, année où elle fut incorporée au royaume de Thaïlande par le roi Rama V.

## Renseignements

La plupart des agences bancaires à l'extrémité sud de Th Khunlum Praphat ont un DAB. La Bangkok Bank, la Kasikornbank et la Bank of Ayudhya changent des devises.

Les appels internationaux se passent au bureau de la CAT, près de la poste (mêmes horaires). Un téléphone Lenso à carte internationale est également installé devant l'entrée.

Plusieurs endroits vers l'extrémité sud de Th Khunlum Praphat permettent de se connecter à Internet.

**Bureau de la TAT** (☎ 0 5361 2982 ; www.travelmaehongson.org ; Th Khumlum Praphat ; ⏲ 8h30-16h30 lun-ven). Un vieil édifice en bois de 2 étages face à la poste. On y trouve des cartes ainsi que des brochures. Le personnel est serviable.

**Mae Hong Son Internet** (88 Th Khunlum Praphat ; 30 B/h ; ⏲ 8h-22h)

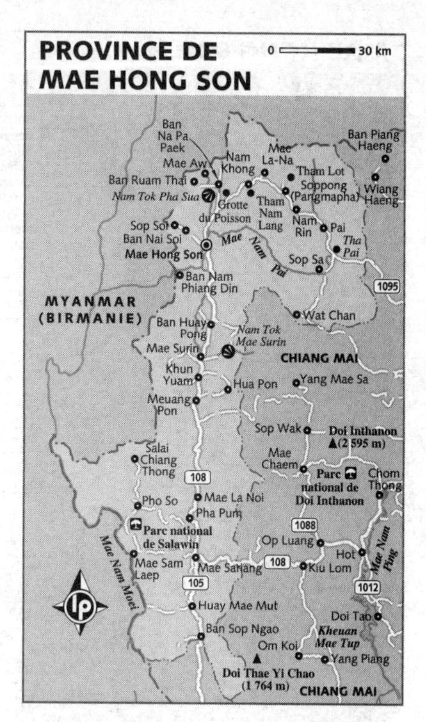


**Poste principale** (Th Khunlum Praphat ; ⏲ 8h30-16h30 lun-ven, fermé sam, dim et jours fériés). Vers l'extrémité sud de Th Khunlum Praphat.

**Srisangwal Hospital** (☎ 0 5361 1378 ; Th Singhanat Bamrung). Hôpital doté d'un service d'urgence.

**Office du tourisme** (☎ 0 5361 4010 ; Th Khunlumpraphat ; ⏲ 8h30-minuit). Renseignements touristiques de base et accès Internet (50 B/h).

**Police touristique** (☎ 0 5361 1812, urgences 1155 ; Th Singhanat Bamrung ; ⏲ 8h30-16h30)

## À voir

Les couleurs vives, les *chedi* blancs et les brillants éléments de zinc chantourné des temples de Mae Hong Son, de style birman et shan, font oublier dans quel pays on se trouve.

### WAT PHRA THAT DOI KONG MU

วัดพระธาตุดอยกองมู

Au sommet du Doi Kong Mu (1 500 m), la montagne située à l'ouest de la ville, apparaît ce *wat* bâti par les Chan (également appelé le Wat Phai Doi). Selon l'heure du jour, vous contemplerez une mer de brume (le matin) ou la ville dans son ensemble. Deux *chedi*

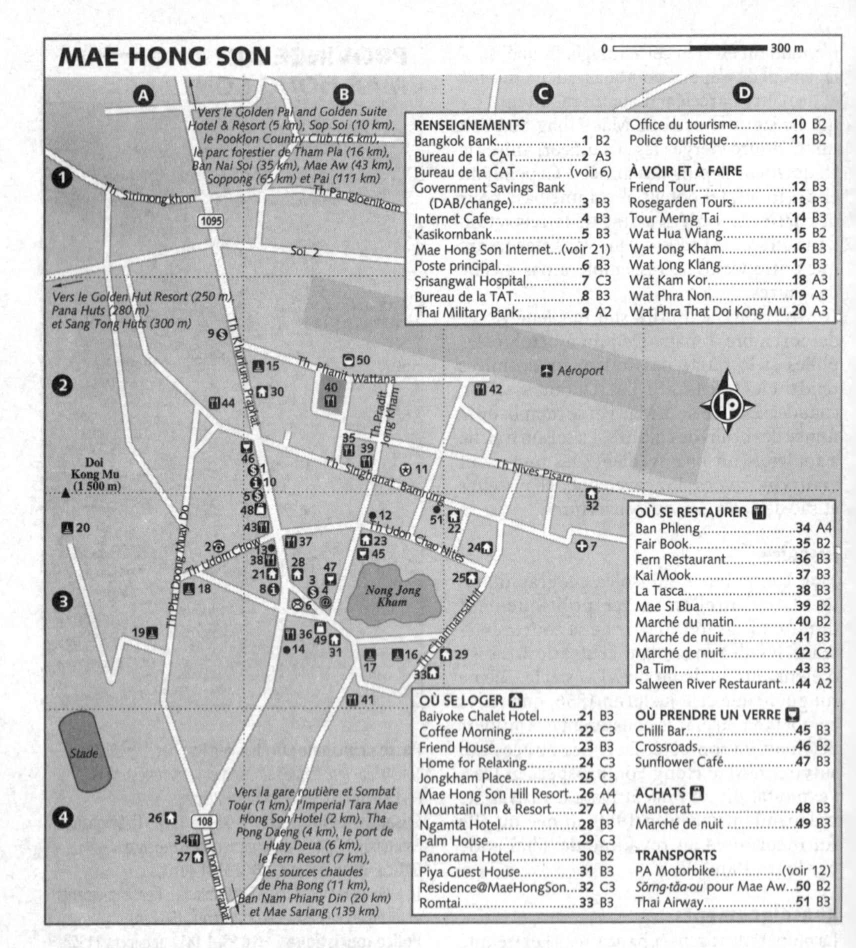


chan érigés en 1860 et 1874 renferment les cendres de moines de l'État chan du Myanmar. À l'arrière du temple se dresse un bouddha debout, très élancé.

### WAT JONG KHAM ET WAT JONG KLANG

วัดจองคำ/วัดจองกลาง

Vieux de 200 ans, le Wat Jong Kham fut construit par les Thaï Yaï (Chan), qui représentent environ 50% de la population de la province. Le Wat Jong Klang possède des peintures sur verre de *jataka*, vieilles d'un siècle, et un **musée** (entrée sur don ; 8h-18h) qui abrite des poupées en bois de Mandalay, datant d'il y a 150 ans et représentant certains aspects angoissants de la roue de la vie. Attention : certaines parties du Wat Jong Klang ne sont pas accessibles aux femmes, comme souvent dans les temples birmans-chan.

Les temples, illuminés la nuit, se reflètent dans le lac Jong Kham : image que les visiteurs aiment fixer sur la pellicule.

### WAT HUA WIANG

วัดหัวเวียง

Ce **wat** (Th Phanit Wattana), à l'est de Th Khunlum Praphat, est célèbre pour son *bòht* au toit en bois ouvragé à plusieurs étages et un vénérable bouddha en bronze de Mandalay.

### AUTRES TEMPLES

Méritent également une visite le **Wat Kam Kor**, connu pour son allée couverte de facture unique, et le **Wat Phra Non**, qui héberge le plus grand bouddha couché de la ville.

## À faire

La situation de Mae Hong Son à la limite des montagnes couvertes par la jungle en fait une excellente base pour des randonnées pédestres. Le trekking ici n'est pas une industrie aussi développée qu'ailleurs, et les visiteurs prêts à salir leurs chaussures de marche trouveront une nature presque intacte et des villages isolés. Plusieurs agences de voyages et pensions proposent des circuits.

Les excursions en *long-tail boat* sur la proche Mae Pai sont de plus en plus populaires, organisées par les mêmes agences et pensions. La plus classique part de **Tha Pong Daeng**, à 4 km au sud-ouest de Mae Hong Son, ou du **port de Huay Due**, à Ban Huay Deua, 2 km plus loin. Les bateaux descendent sur 15 km jusqu'à **Huay Pu Keng**, village des femmes "au long cou", avant un autre arrêt à la ville de **Ban Nam Phiang Din**, sur la frontière du Myanmar. Les 20 km, parcourus en 1 heure 30 environ, sont alors bouclés et l'on revient à l'embarcadère. L'excursion coûte 900 B depuis Huay Due, 800 B depuis Tha Pong Daeng.

Une autre descente très prisée des visiteurs s'effectue sur un radeau de bambou, entre **Thung Kong Moo** (à 10 km au nord-ouest de la ville) et le village de **Soppong**, plus à l'ouest (à ne pas confondre avec le bourg de commerce chan homonyme, à l'est).

Les prix indiqués ci-dessous s'entendent sur une base de 2 personnes. Comme partout ailleurs en Thaïlande, ce tarif par jour diminue de manière significative si les participants sont plus nombreux et le trek plus long.

**Friend Tour** (☎ 0 5361 1647 ; 21 Th Pradit Jong Kham ; trek 700-900 B/pers/jour). On ne peut que recommander cette agence qui a 20 ans d'expérience. Treks, circuits à dos d'éléphant et rafting, ainsi que randonnées d'une journée.

**Nature Walks** (☎ 0 5361 1040, 08 9552 6899 ; www.trekkingthailand.com ; natural_walks@yahoo.com). Les treks ici sont plus chers qu'ailleurs, mais John, né à Mae Hong Son, est le meilleur guide de la ville. Il vous propose des promenades d'une journée dans la nature (1 000 B) et des expéditions plus longues à travers la province (2 500 B/pers/jour). Il peut aussi organiser pour vous des sorties sur le thème de la nature, tel le circuit des orchidées (de mars à mai). John n'a pas de bureau, la seule façon de le contacter est par e-mail ou téléphone.

**Rosegarden Tours** (☎ 0 5361 1577 ; www.rosegarden-tours.com ; 86/4 Th Khunlum Praphat ; circuit 1 500 B/pers/jour). Des guides anglophones et francophones proposent des circuits culturels.

**Tour Merng Tai** (☎ 0 5361 1979 ; www.maehongson4u.com ; 89 Th Khunlum Praphat ; circuit 1 450 B/pers/jour). Cette compagnie met l'accent sur les circuits des villes en camionnette, mais peut aussi organiser des treks.

### BAINS DE BOUE

Le **Pooklon Country Club** (☎ 0 5328 2579 ; www.pooklon.com ; Ban Mae Sanga ; 🕒 8h-18h30) se proclame le seul spa de Thaïlande à tirer avantage de la boue. Découverte par une équipe de géologues en 1995, cette boue est pasteurisée et mélangée à des plantes avant d'être utilisée dans divers soins (visage 100 B). Bains à l'eau minérale thermale (60 B), massage (200 B/h) et bassin où se tremper les pieds gratuitement devant le spa. Dans le "country club", on trouve un practice de golf, ainsi qu'à se loger.

Pooklon est à 16 km au nord de Mae Hong Son, dans le district de Mok Champae. Si vous n'êtes pas motorisé, vous pouvez prendre le *sŏrng·tăa·ou* qui va chaque jour à Mae Aw (voir p. 399), mais il faudra trouver un moyen de revenir.

## Fêtes

**Fête de Poi Sang Long** (mars). Pendant les vacances scolaires, le Wat Jong Klang et le Wat Jong Kham accueillent les cérémonies du *boòat lôok gâaou*, qui voient de jeunes garçons chan être ordonnés novices. Comme le veut la coutume chan, ils sont vêtus de somptueux habits (et non de simples robes blanches), couronnés de fleurs et maquillés.

**Fête de Jong Para** (octobre). Autre manifestation importante qui marque la fin du carême bouddhiste (3 jours avant la pleine lune du 11e calendrier lunaire). La date change d'une année à l'autre. Les fidèles portent des offrandes aux moines des temples, lors d'une procession où l'on peut voir des maquettes d'édifices royaux fichées sur des pieux. Les temples accueillent des spectacles de théâtre et de danses populaires, souvent propres à cette région du Nord-Ouest.

**Loi Krathong** (novembre). Cette fête nationale se célèbre en général en lançant des *grà·tong* (petits bateaux en lotus) sur l'étang ou la rivière la plus proche. Mais les habitants de Mae Hong Son lâchent des ballons, les *grà·tong sà·wăn* (*grà·tong* du paradis), du haut du Doi Kong Mu.

## Où se loger

L'hébergement à Mae Hong Son n'a rien de particulièrement inspirant, à l'exception de quelques options qui sortent du lot dans la catégorie moyenne. Les prix sont très fluctuants, car la ville vit au rythme de la saison touristique ; en dehors de la haute saison (de novembre à janvier), insistez pour obtenir un rabais.

### PETITS BUDGETS

**Friend House** (☎ 0 5362 0119 ; 20 Th Pradit Jong Kham ; ch 150-400 B). Cette maison en teck et en ciment propose des chambres, toutes immaculées, de la plus sommaire, avec sdb commune (eau chaude), à la plus spacieuse, dotée de sdb. À l'étage, les chambres surplombent le lac. Petit-déjeuner possible et service de blanchisserie.

**Home For Relaxing** (☎ 0 5362 0313 ; 26/1 Th Chamnan Sathit ; ch 200 B). Un jeune couple sympathique de Chiang Mai met à votre disposition 3 chambres dans une confortable maison en bois, près de Nong Jong Kham.

**Palm House** (☎ 0 5361 4022 ; 22/1 Th Chamnan Sathit ; ch 300-600 B ; ❄). Dans une maison en béton de 2 étages, une pension aux chambres sans caractère mais propres, avec TV, eau chaude et ventil/clim. Le propriétaire, très serviable, parle anglais et peut vous servir de chauffeur quand il n'est pas en train de faire sa sieste.

**Coffee Morning** (☎ 0 5361 234 ; 78 Th Singhanat Bamrung ; ch 400-600 B). Cette vieille maison de bois réunit un agréable café-bibliothèque et quatre chambres basiques mais douillettes. Vu les sdb communes, le prix en haute saison n'est pas vraiment donné, compensé toutefois par l'accès Internet gratuit et la bonne ambiance du café.

**Panorama Hotel** (☎ 0 5361 1757 ; www.panorama.8m.com ; 51 Th Khunlum Praphat ; ch 400-1 200 B ; ❄ 💻). Ce vaste hôtel établi de longue date est aujourd'hui investi par les circuits organisés. Accueil encombré, chambres sommaires et défraîchies. Bien situé malgré tout.

**Romtai** (☎ 0 5361 2437 ; Th Chumnanatit ; ch 500-900 B, bungalows 1 200 B ; ❄). Derrière les temples au bord du lac, cette adresse propose différentes grandes chambres propres, ou des bungalows donnant sur un jardin luxuriant agrémenté de bassins à poissons.

**Mae Hong Son Hill Resort** (☎ 0 5361 2475 ; 106/2 Th Khunlum Praphat ; bungalows avec ventil/clim 500/600 B ; ❄). Un établissement familial, accueillant et paisible, à l'allure modeste. Ses 24 bungalows, bien tenus, aux murs recouverts de bambou tressé, disposent d'un mobilier léger, d'une eau chaude et d'une véranda.

### CATÉGORIE MOYENNE

**Piya Guest House** (☎ 0 5361 1260 ; piyaguesthouse@hotmail.com ; 1/1 Th Khunlum Praphat ; bungalows 600 B ; ❄). Si les bungalows et le jardin paraissent un peu fanés, les chambres sont parquetées, climatisées, avec eau chaude, bien meublées et de bonne taille. Du restaurant, vue magnifique sur le lac.

**Pana Huts** (☎ 0 5361 4331 ; www.panahuts.com ; 293/9 Moo 11 Th Makhasanti ; ch et bungalows 700-750 B). À la sortie de la ville, nichés dans la verdure, 5 bungalows de bambou (un peu chers), dotés de sdb avec eau chaude et de terrasses. Style rustique pour les espaces communs : toit coiffé de feuilles de teck, bancs de bois et foyer pour allumer un feu de camp par nuit fraîche.

**Golden Hut Resort** (☎ 0 5361 4294 ; www.goldenhut.com ; 253 Moo 11 Th Makhasanti ; ch et bungalows 700-1 800 B ; ❄). En dehors de la ville, près des Sang Tong Huts, ce complexe de style thaï a planté ses bungalows et ses chambres dans un décor de fausses colonnes romaines et de pandas en ciment. Très kitsch, mais confortable et tranquille.

♥ **Sang Tong Huts** (☎ 0 5362 0680 ; www.sangtonghuts.com ; Th Makhasanti ; ch 700 B, bungalows 800-3 000 B ; 🏊). Cet ensemble de bungalows, installés dans la verdure à la sortie de la ville, est une option très appréciée, au cachet certain. Grand choix de bungalows, tous spacieux et bien conçus. Le pain et les pâtisseries maison ainsi que la piscine font oublier que l'on est loin du centre-ville. L'établissement a beaucoup de succès auprès des habitués de Mae Hong Son, mieux vaut donc réserver.

**Jongkham Place** (☎ 0 5361 4294 ; 4/2 Th Udom Chao Nites ; bungalows 800 B, ste 2 000 B ; ❄). Nouvelle adresse familiale au bord du lac. Ravissants bungalows en bois et une belle suite dans le genre mansarde. Partout, TV, clim et frigo.

♥ **Residence@MaeHongSon** (☎ 0 5361 4100 ; www.theresidence-mhs.com ; 41/4 Th Nives Pisarn ; ch 900-1 400 B ; ❄ 💻). D'un jaune lumineux, cet établissement, parmi les tout derniers à avoir vu le jour, abrite 8 chambres accueillantes et chics. Mobilier en teck et nombreuses fenêtres laissant entrer une belle lumière, espace commun ensoleillé sur le toit-terrasse. Le chaleureux propriétaire, qui parle anglais, met des vélos à votre disposition.

**Baiyoke Chalet Hotel** (☎ 0 5361 3132 ; trv1864@hotmail.com ; 90 Th Khunlum Praphat ; ch avec petit-déj 1 280-1 600 B ; ❄ 💻). Les chambres de cet hôtel bien situé, établi de longue date, ne sont pas aussi jolies que sa charmante réception en bois. Elles n'en demeurent pas moins un bon choix, surtout certaines parmi les plus chères qui ont été rénovées. Le restaurant/salon du rez-de-chaussée peut être bruyant, demandez une chambre à l'écart de la rue ou à l'étage supérieur. Rabais de 50% en basse saison.

**CATÉGORIE SUPÉRIEURE**

Au sud-ouest de la ville, à quelques kilomètres de Ban Huay Deua et de Ban Tha Pong Daeng, sont installés au bord de la rivière plusieurs *resorts*. Sachez que, selon la définition thaïe de ce mot, il peut s'agir de n'importe quel hôtel dans un site rural ou semi-rural. Des rabais, jusqu'à 40%, sont monnaie courante en basse saison, et vous trouverez également des promotions en ligne toute l'année.

**Ngamta Hotel** (☎ 0 5361 2794 ; Th Khunlum Praphat ; ch 1 500-1 800 B ; ❄). Les chambres de ce nouvel hôtel sur 3 étages sont proposées au prix fort bien que leur confort ne dépasse pas celui de la catégorie moyenne. La situation centrale et la vue fugitive sur le lac et les temples n'en sont pas moins appréciables pour autant. Rabais hors saison.

**Golden Pai and Golden Suite Hotel & Resort** (☎ 0 5306 1114 ; www.goldenpaihotel.com ; 285 Moo 1 Ban Pang Moo ; ch et bungalows 1 500-2 500 B ; ❄ 💻 🏊). À 5 km de la ville, sur la route de Pai, à la lisière du paisible village chan de Ban Pang Moo, un ensemble éclectique de chalets et de duplex bien entretenus. Les chambres immaculées et spacieuses, décorées avec goût de textiles locaux, disposent d'espaces de repos extérieurs. Restaurant idéalement situé sur la rivière Pai.

**Mountain Inn & Resort** (☎ 0 5361 1802 ; www.mhsmountaininn.com ; 112/2 Th Khunlum Praphat ; ch avec petit-déj 2 400-2 800 B, ste avec petit-déj 4 500 B ; ❄ 💻). Des chambres impeccables et douillettes, au joli décor thaï, aménagées autour d'un plaisant patio de verdure avec petits bassins, bancs et parasols. Les chambres standard sont plus agréables que les deluxe, car elles bénéficient d'une terrasse donnant sur le jardin. Toutes ont une TV sat.

**Fern Resort** (☎ 0 5368 6110 ; www.fernresort.info ; 64 Moo 10 Tambon Pha Bong ; bungalows 2 500-3 500 B ; ❄ 💻 🏊). Ce paradis pour adeptes d'écotourisme, installé ici de longue date, compte parmi les meilleures adresses de Thaïlande du Nord. Les 40 bungalows en bois de style chan, élégamment décorés, profitent d'un paysage de rizières en terrasses et de ruisseaux. Les sentiers alentour mènent au parc national de Mae Surin tout proche. Afin d'encourager un tourisme favorable au développement de la communauté locale, la plupart des employés sont originaires des villages environnants. Le complexe est à 7 km au sud de la ville. Navette gratuite pour l'aéroport et le terminal des bus, et liaisons régulières avec le Fern Restaurant (p. 448), en ville.

**Imperial Tara Mae Hong Son Hotel** (☎ 0 5368 4444-9 ; www.imperialhotels.com/taramaehongson ; 149 Mu 8 ; ch avec petit-déj 4 472 B, ste avec petit-déj 5 885-7 768 B ; ❄ 💻 🏊). Établissement haut de gamme comptant 104 chambres parquetées, au décor raffiné. Les portes-fenêtres s'ouvrant sur une terrasse changent de la banalité des hôtels pour hommes d'affaires. Les installations

**LE MAE HONG SON LOOP : UNE BELLE BALADE À MOTO**

Le circuit en boucle, avec pour départ et arrivée Chiang Mai, qui vous fait découvrir l'entière province de Mae Hong Son (presque 1 000 km) est l'une des randonnées à moto les plus appréciées de Thaïlande du Nord.

Le Mae Hong Son Loop démarre exactement à 34 km au nord de Chiang Mai, dès que vous entrez sur la Route 1095 pour en négocier les premiers virages parmi les 1 864 qu'elle compte au total. La progression est lente et l'ascension presque immédiate, mais cette route a l'avantage d'offrir maintes haltes pour la nuit. De nombreuses villes, bien pourvues en options d'hébergement et de restauration, sont à moins de 70 km les unes des autres. Pai, à 130 km de Chiang Mai, Soppong, 40 km plus haut, et Mae Hong Son, 65 km plus loin, sont des étapes idéales.

En arrivant à Khun Yuam, à 70 km au sud de Mae Hong Son, deux choix s'offrent à vous : soit prendre la Route 1263 pour Mae Chaem et revenir vers Chiang Mai en passant par le Doi Inthanon, le plus haut sommet du pays ; ou continuer vers le sud jusqu'à Mae Sariang et suivre la Route 108 tout du long jusqu'à Chiang Mai via Hot. Sur cette dernière, sachez toutefois que les distances entre les villes sont plus grandes et qu'il vaut mieux avoir une moto plus puissante et plus confortable.

La carte *Mae Hong Son Loop Guide Map,* publiée par le Golden Triangle Rider, est un bon compagnon de route. Vous la trouverez dans la plupart des librairies de Chiang Mai. Elle indique avec précision les distances entre les localités et les détours possibles, tout en fournissant nombre d'autres informations utiles.

comprennent un sauna, une piscine et un centre de remise en forme.

## Où se restaurer

Le marché du matin de Mae Hong Son est un endroit fascinant pour un petit-déjeuner. Plusieurs étals à son extrémité nord vendent des plats inhabituels, tel le *tòo·a òon,* des nouilles birmanes accompagnées d'un épais gruau de pois chiches, de morceaux de légumes frits, de tofu et de gâteaux de farine de pois chiches. D'autres étals dans la même rangée proposent une version locale des *kà·nŏm jin nám ngée·o,* nouilles de riz souvent surmontées ici de *kahng pòrng,* des légumes en beignets qui sont un en-cas chan apprécié.

La ville a aussi deux intéressants marchés de nuit. L'un, près de l'aéroport, offre surtout des spécialités du Nord à emporter ; l'autre, le marché de Nong Jong Kham, propose une cuisine thaïlandaise plus classique que l'on peut déguster assis à des tables.

**Fair Book** (enseigne en thaï ; Th Nives Pisarn ; plats 20-30 B ; 6h-16h). Aucune ambiance dans ce lieu, mais du vrai café et de bons petits-déjeuners de style thaïlandais. La meilleure sélection de journaux en anglais de la ville permet également de rattraper les nouvelles perdues.

**Mae Si Bua** (☎ 0 5361 2471 ; 51 Th Singhanat Bamrung ; plats 20-30 B ; 8h30-18h30). Chaque jour, Tante Bua, qui pourrait être votre grand-mère chan, prépare plus d'une douzaine de currys chan, plus soupes et sauces. Essayez son délicieux *gaang hang·lair,* un très riche curry de poitrine de porc.

**Pa Tim** (Th Khunlum Praphat ; plats 25-80 B ; 9h-22h). Très apprécié pour sa grande variété de plats thaïlandais et chinois à des prix raisonnables.

**Baan Phleng** (spécialités du Nord ; ☎ 0 5361 2522 ; 108 Th Khunlum Praphat ; plats 30-60 B ; 7h-23h). À la limite sud de la ville, installé des deux côtés de la route, ce restaurant populaire vous initie d'emblée à la vraie cuisine thaïlandaise du Nord et aux spécialités chan. Venez au déjeuner, quand une douzaine de plats différents sont exposés, parmi lesquels vous n'aurez qu'à montrer ce que vous voulez, ou consultez le menu en anglais. Autre enseigne à Pai (p. 458).

**Salween River Restaurant** (☎ 0 5361 2050 ; Th Singhanat Bamrung ; plats 50-160 B ; 7h-minuit). La carte comporte ici absolument tout ce que vous pouvez désirer : un excellent café bio produit par les habitants, du pain et des pâtisseries, des spécialités chan, des plats occidentaux inventifs, ainsi que de nombreuses options végétariennes. Les propriétaires sont attentionnés et donnent des renseignements précieux.

**Fern Restaurant** (Th Khunlum Praphat ; plats 60-120 B ; 10h30-minuit). Certainement l'endroit le plus chic, affichant cependant la décontraction, car il ne faut pas oublier que nous sommes à Mae Hong Son. Le service et la cuisine sont irréprochables. Une longue carte décline classiques thaïlandais, spécialités locales et même quelques plats espagnols. Musique live certains soirs.

**Kai Mook** (☎ 0 5361 2285 ; 23 Th Udom Chao Nites ; plats 60-170 B ; 10h-14h, 17h-minuit). À deux pas de la rue principale, ce restaurant de plein air allie cuisine variée et ambiance conviviale. Essayez les spécialités maison comme le *đôm yam,* à base de poisson de la Mae Nam Pai, ou le sanglier revenu dans une pâte au curry.

**La Tasca** (☎ 0 5361 1344 ; Th Khunlum Praphat ; plats 69-189 B ; 10h-22h). Depuis des lustres, cet établissement rustique et douillet sert de bons plats de pâtes, des pizzas et des *calzone* maison. C'est aussi l'un des rares en ville à proposer des plats occidentaux assez authentiques.

## Où prendre un verre

**Crossroads** (☎ 0 5362 0221 ; 61 Th Khunlum Praphat ; 8h-minuit). Nulle part ailleurs dans Mae Hong Son votre bière ne vous sera servie par un barman thaïlandais qui parle couramment espagnol, tandis que vous bavardez avec un guide de trekking chan qui a vécu en Belgique ! Ce chaleureux bar-restaurant porte bien son nom : c'est en effet un carrefour dans tous les sens du terme, de son emplacement à l'intersection de grandes rues de Mae Hong Son à sa clientèle qui compte aussi bien des jeunes voyageurs inexpérimentés que des gars du coin bien endurcis. Et il y a du steak au menu.

**Sunflower Café** (☎ 0 5362 0549 ; Th Pradit Jong Kham ; 7h-minuit). Ce café de plein air offre bière à la pression, musique live d'ambiance et vue sur le lac. Il sert aussi des repas (de 35 à 180 B) et organise des excursions.

**Chilli Bar** (Th Pradit Jong Kham ; 7h-1h). Des airs de blues à plein régime et une table de billard dominent la scène de ce bar convivial. Le menu, inscrit à la craie sur des ardoises, annonce une cuisine de pub (de 30 à 80 B), des en-cas habituels aux sandwichs.

## Achats

D'octobre à février, la promenade le long du lac Jong Kham se transforme en un **marché de nuit** (5h-22h) animé.

Quelques boutiques bien fournies en souvenirs se trouvent vers l'extrémité sud de Th Khunlum Praphat. **Maneerat** (0 5361 2213 ; 80 Th Khunlum Praphat ; 8h-21h) propose une belle sélection de vêtements chan et birmans, ainsi que des boîtes en laque birmanes.

## Depuis/vers Mae Hong Son

### AVION

Beaucoup de voyageurs estiment que le gain de temps que permet un vol depuis Chiang Mai compense largement la différence de tarif par rapport au bus.

**Nok Air** (centre d'appels national 1318 ; www.nokair.co.th ; aéroport de Mae Hong Son) et son partenaire **SGA Airlines** (0 5379 8244 ; www.sga.co.th ; aéroport de Mae Hong Son) assurent chaque jour 1 vol conjoint depuis/vers Chiang Mai (1 800 B, 35 min).

**Thai Airways** (0 5361 2220 ; www.thaiair.com ; 71 Th Singhanat Bamrung ; 8h30-17h30 lun-ven). 2 vols quotidiens depuis/vers Chiang Mai (1 365 B, 35 min), avec connexion pour Bangkok (3 600 B).

### BUS

La gare routière de Mae Hong Son a été relocalisée à 1 km à l'extérieur de la ville. L'agence **Prempracha Tour** (0 5368 4100) assure des liaisons en bus dans la province en empruntant la route sud, par Khun Yuam (ordinaire/clim 70/110 B, 2 heures, 6h, 8h, 10h30, 20h et 21h), arrêt à Mae Sariang (ordinaire/clim 100/180 B, 4 heures) et enfin à Chiang Mai (ordinaire/clim 187/337 B, 8 heures).

Par la route nord, les bus font halte à Soppong (ordinaire/clim 60/80 B, 2 heures, 8h, 10h30 et 0h30), puis à Pai (ordinaire/clim 80/100 B, 3 heures), terminant également leur voyage à Chiang Mai (ordinaire/clim 143/210 B, 8 heures). Des minibus assez fréquents empruntent aussi cette route : Soppong (150 B, 1 heure 30, de 7h à 14h), Pai (150 B, 2 heures), Chiang Mai (250 B, 6 heures).

**Sombat Tour** (0 5361 3211), installé dans la nouvelle gare routière, propose des bus pour Bangkok (1re classe 718 B, 15 heures, 14h et 15h).

## Comment circuler

Le centre de Mae Hong Son se visite facilement à pied, et c'est l'une des rares villes de Thaïlande où les motos-taxis ne vous attendent pas à chaque coin de rue. On peut cependant en trouver à la gare routière et près de l'entrée du marché du matin. Ils demandent de 20 à 30 B pour une course à l'intérieur de la ville, 100 B jusqu'au Doi Kong Mu (aller-retour). Quelques *túk-túk* sillonnent aussi la ville : ils stationnent en général aux arrêts de bus et facturent 40 B la course et 80 B vers/depuis l'aéroport ou la nouvelle gare routière.

La plupart des sites d'intérêts de Mae Hong Son se trouvant à l'extérieur de la ville, louer un véhicule se révèle pratique.

**PA Motorbike** (0 5361 1647 ; 21 Th Pradit Jong Kham). En face de la Friend House, loue des motos (150-200 B/j), des voitures et des Jeep (1 000-2 500 B/j).

# ENVIRONS DE MAE HONG SON

## Sources chaudes de Pha Bong

บ่อน้ำร้อนผาบ่อง

À 11 km au sud de Mae Hong Son, dans le village chan de Pha Bong, un parc public abrite des **sources chaudes** (baignade/bassin 50/400 B ; 8h-coucher du soleil). Vous pourrez juste vous baigner ou louer un bassin, et également vous faire masser (150 B/h). Le site est desservi par tous les bus allant vers le sud.

### PARC NATIONAL DE THAM PLA

อุทยานแห่งชาติถ้ำปลา

Ce **parc** (entrée libre ; 6h-18h), à 16 km au nord de Mae Hong Son, est aménagé autour du site de Tham Pla, ou **grotte du Poisson**, une caverne emplie d'eau qui abrite des centaines de carpes soro des torrents. Ces poissons, pouvant atteindre 1 m de longueur, ne se trouvent que dans les provinces de Mae Hong Son, Ranong, Chiang Mai, Rayong, Chanthaburi et Kanchanaburi. Ils se nourrissent de légumes et d'insectes, mais les habitants pensent qu'ils sont végétariens et leur donnent exclusivement des fruits et légumes (en vente à l'entrée).

Un sentier de 450 m mène de l'entrée du parc à un pont suspendu qui enjambe un cours d'eau avant de parvenir à la grotte. Tout près de là, la **statue** d'un *rishi* hindou nommé Nara protège, dit-on, les poissons sacrés de tout danger. L'ensemble est un peu décevant, mais l'ombre et la tranquillité invitent à se détendre. Nourriture et tables de pique-nique disponibles.

Les bus pour Pai passent à proximité, mais mieux vaut louer une moto pour s'y rendre.

## Villages des femmes kayan au long cou

หมู่บ้านกะเหรี่ยงคอยาว

Ces villages des environs de Mae Hong Son sont devenus une attraction touristique, et des plus controversées. Les femmes kayan (appelées aussi parfois du terme chan de Padaung) ont reçu ce nom en raison des anneaux de cuivre qu'elles portent autour du cou. Cette spirale pèse sur la colonne vertébrale et la cage thoracique, ce qui donne l'impression que ces femmes ont un cou encore plus étiré. Une légende raconte que si on l'enlève, le cou atrophié se casse et cela entraîne la mort. En réalité, les femmes kayan retirent et rattachent cet anneau à leur guise sans problème. Rien ne prouve même que cet anneau nuise à leur santé.

Ce n'est peut-être finalement qu'un accessoire de mode. Jusqu'à récemment, cette coutume était en train de disparaître, mais en raison des revenus que procure le tourisme aux Kayan, et peut-être sous l'injonction des autorités locales qui en profitent elles aussi, elle reprend vie à nouveau.

Quoi qu'il en soit de l'origine de cette coutume, ces villages sont aujourd'hui sur tous les circuits organisés, participant de manière significative à l'attrait qu'exerce Mae Hong Son. Ils sont souvent décriés : on parle de zoos humains. S'il y a là du vrai, ce sont plus pour nous des marchés de village exotiques, où les femmes gagnent un revenu en vendant colifichets et boissons. Les femmes kayan avec qui nous avons parlé nous ont dit être contentes de leur situation actuelle pourtant, le sort qu'elles partagent avec les autres réfugiés birmans n'a rien d'enviable. Autrefois agriculteurs autonomes, ces gens n'ont aujourd'hui plus aucun statut (la nationalité thaïlandaise leur est refusée) et ne peuvent survivre que grâce à l'aide humanitaire ou au tourisme.

Si vous voulez visiter l'un des trois villages kayan des environs de Mae Hong Son, adressez-vous en ville à n'importe quelle agence de voyages. Le "plus vendu" est celui de **Kayan Tayar**, près du village chan de Ban Nai Soi, à 35 km au nord-ouest de Mae Hong Son. Il collecte un droit d'entrée auprès de chaque visiteur non thaïlandais de 250 B. Une autre communauté est installée à **Huay Pu Ken** où se rendent les circuits en *long-tail boat* au départ de l'embarcadère de Huay Due Pier et de Tha Pong Daeng ; voir p. 445 pour les tarifs et l'itinéraire. Il est possible de visiter Huay Pu Keng par ses propres moyens et même de passer la nuit chez les habitants. Pour plus de détails, consultez le site www.huaypukeng.com.

## Mae Aw et ses environs

แม่ออ

À 43 km au nord de Mae Hong Son, à la frontière du Myanmar, Mae Aw, sympathique avant-poste chinois, représente une agréable excursion d'une journée.

La route qui va à Mae Aw offre un panorama magnifique au fil de jolis petits villages chan au bord de la rivière, notamment **Mok Champae**. De là, elle s'élève brusquement en lacets interminables à travers un paysage de montagne spectaculaire. Après 5 km de montée, on peut faire halte à la **cascade de Pha Sua** et, quelques kilomètres après, au **palais d'été de Pang Tong**, une résidence royale rarement utilisée.

Pour un détour intéressant, à Ban Na Pa Paek, tournez à gauche et continuez pendant 6 km jusqu'au village chan de **Ban Ruam Thai**, où plusieurs adresses permettent de se restaurer ou de passer la nuit. La route se termine 500 m plus haut à **Pang Ung**, un paisible lac artificiel entouré de pins évoquant la Suisse, qu'affectionnent particulièrement les Thaïlandais pour une escapade d'un jour.

Revenez par la même route à Ban Na Pa Paek. À 6 km plus au nord, après une succession de plantations de thé et de café, on arrive à Mae Aw, dont le nouveau nom est Ban Rak Thai ("le village ami des Thaïlandais"). Ce bourg établi par des anciens combattants yunnanais du Kuomintang, ayant fui le communisme en 1949, s'étire le long d'un grand réservoir. Les visages et les enseignes ne manqueront pas de vous rappeler l'origine chinoise de ses habitants. La production principale est aujourd'hui le thé, que vous pourrez goûter dans de nombreuses boutiques ou dans les restaurants servant de la cuisine yunnanaise.

Un chemin de terre mène à la frontière, mais il est déconseillé de partir seul en excursion dans cette zone dangereuse, réputée connue pour le trafic d'opium.

### OÙ SE LOGER ET SE RESTAURER

**Ban Din Guest House** (☎08 4854 9397 ; Mae Aw/Ban Rak Thai ; ch 300-750 B). En bordure du réservoir de Mae Aw, cette pension parmi d'autres similaires offre un hébergement rudimentaire dans des bungalows de torchis.

**Guest House and Home Stay** (☎0 5307 0589, 08 3571 6668 ; Ban Ruam Thai ; ch 400-1 500 B). La première des pensions quand vous arrivez à Ban Ruam Thai

LE NORD

**RENCONTRE AVEC PUE-LEH, 78 ANS**

**Comment êtes-vous arrivé en Thaïlande ?** Nous avons marché. Il nous a fallu 10 jours, je crois. C'était il y a si longtemps… Je ne me souviens plus.

**Depuis combien de temps êtes-vous en Thaïlande ?** J'habite ici depuis 20 ans.

**Avez-vous été ailleurs en Thaïlande ?** Non, jamais. Je ne peux pas parler thaï, alors je ne peux aller nulle part !

**Est-il mieux de vivre en Thaïlande qu'en Birmanie ?** C'est mieux de vivre ici qu'au Myanmar. Les soldats birmans nous volent, ils prennent de l'argent, du riz.

**Si vous en aviez la possibilité, retourneriez-vous au Myanmar ?** La Myanmar a changé. Je ne crois pas que je pourrais y retourner.

**Que pensez-vous des touristes ?** J'aime les touristes. Ils prennent des photos, achètent des choses ; cela nous aide.

**N'en avez-vous pas assez d'être pris en photo ?** Non, ce n'est pas ennuyeux. Ça me gêne seulement parce que je suis si vieux maintenant, je ne suis plus beau, et je ne peux pas parler en anglais avec les touristes !

**Parlez-vous un peu anglais ?** Oui, un petit peu. De temps en temps.

*Pue-Leh est un Kayan du village "long cou" de Ban Kayan Tayar, dans la province de Mae Hong Son*

(de nombreux panneaux annoncent "*homestay*" pour 200 à 400 B la nuit) consiste en plusieurs bungalows sommaires en bambou accrochés à flanc de colline, au milieu de plantations de café, de thé et d'arbres fruitiers. Même si vous n'y séjournez pas, arrêtez-vous ici pour boire une tasse de café et écouter le propriétaire parler avec passion (en anglais) du café. Dans sa propriété, les visiteurs peuvent griller et moudre eux-mêmes leur café dans une salle de torréfaction.

**Riverside Guest House** ( ☎ 0 5306 1574, 08 6117 9623 ; Mok Champae ; ch 750 B). À la sortie du bourg de Mok Champae, juste avant la longue montée vers Mae Aw, 4 jolis bungalows vous attendent au bord d'un torrent. La famille tient aussi un restaurant en ville, à environ 1 km.

**Tha Law Sue Rak Thai Resort** ( ☎ 08 9557 2258 ; Mae Aw ; dort 200 B, ch 600-1 200 B). Au bord du réservoir, juste à l'entrée de Mae Aw, ce complexe plutôt luxueux dispose de vastes bungalows de bambou, parfois dotés d'une terrasse avec vue sur le réservoir. Le restaurant sert des spécialités yunnanaises.

**Jingmeay Restaurant** ( ☎ 08 9985 5794 ; Mae Aw/Ban Rak Thai ; plats 20-180 B ; 🕓 7h-19h). À 500 m dans Mae Aw, du côté du marché central, des spécialités yunnanaises, dont une excellente soupe de nouilles et une délicieuse "salade de jeunes feuilles de thé".

**Gee Lee Restaurant** ( ☎ 0 5307 2301 ; Mae Aw/Ban Rak Thai ; plats 40-250 B ; 🕓 8h-19h). Au tournant du lac, juste avant l'embranchement pour le centre du village. Ce fut l'un des premiers restaurants de Mae Aw à servir les spécialités yunnanaises du village aux visiteurs. Jarret de porc en ragoût et légumes locaux sautés sont souvent au menu.

### DEPUIS/VERS MAE AW ET SES ENVIRONS

Chaque jour, deux *sŏrng·tăa·ou* prennent la direction de Mae Aw : l'un fait halte à Ban Ruam Thai avant de rejoindre Mae Aw (80 B, 9h30) et l'autre ne va pas plus loin que Ban Ruam Thai (70 B, 15h30). Stationnés tous les deux devant le marché municipal de Mae Hong Son, ils ne partent que quand ils sont pleins, ce qui peut être quelques heures après le départ indiqué. Il est donc préférable de se grouper pour louer un véhicule avec chauffeur : n'importe quelle agence de Mae Hong Son vous arrangera ce service pour environ 1 300 B.

La route constitue aussi une superbe balade à moto : assurez-vous toutefois que vous aurez suffisamment d'essence, la seule station se trouvant à Ban Na Pa Paek, après une longue ascension.

## PAI

ปาย

**2 284 habitants**

Si vous passez assez de temps dans les environs, vous entendrez certainement dire que Pai est la Khao San Rd de la Thaïlande du Nord. C'est un rien exagéré. Cependant, si le village n'exerce pas encore autant d'attrait que la fameuse rue piétonnière de Bangkok, il n'en a pas moins commencé à ressembler à une île renommée, sans les plages bien sûr. Dans le "centre-ville", les pensions sont plus nombreuses que les résidences privées, les cyberscafés ne sont jamais à plus de quelques pas et les nuits résonnent de concerts et des échos de la fête.

Contrairement aux îles du pays, Pai (prononcez "baille") est aujourd'hui aussi populaire auprès des Thaïlandais que des étrangers. Au meilleur de la saison fraîche, des milliers de citadins quittent Bangkok pour se retrouver ici, si bien que l'on se croirait plus au marché du week-end de Chatuchak à Bangkok que dans un village perdu au fond d'une vallée de la province de Mae Hong Son. Les embouteillages ne sont alors pas rares et, la capacité d'accueil ayant atteint sa limite, certains sont obligés de se rabattre sur le camping.

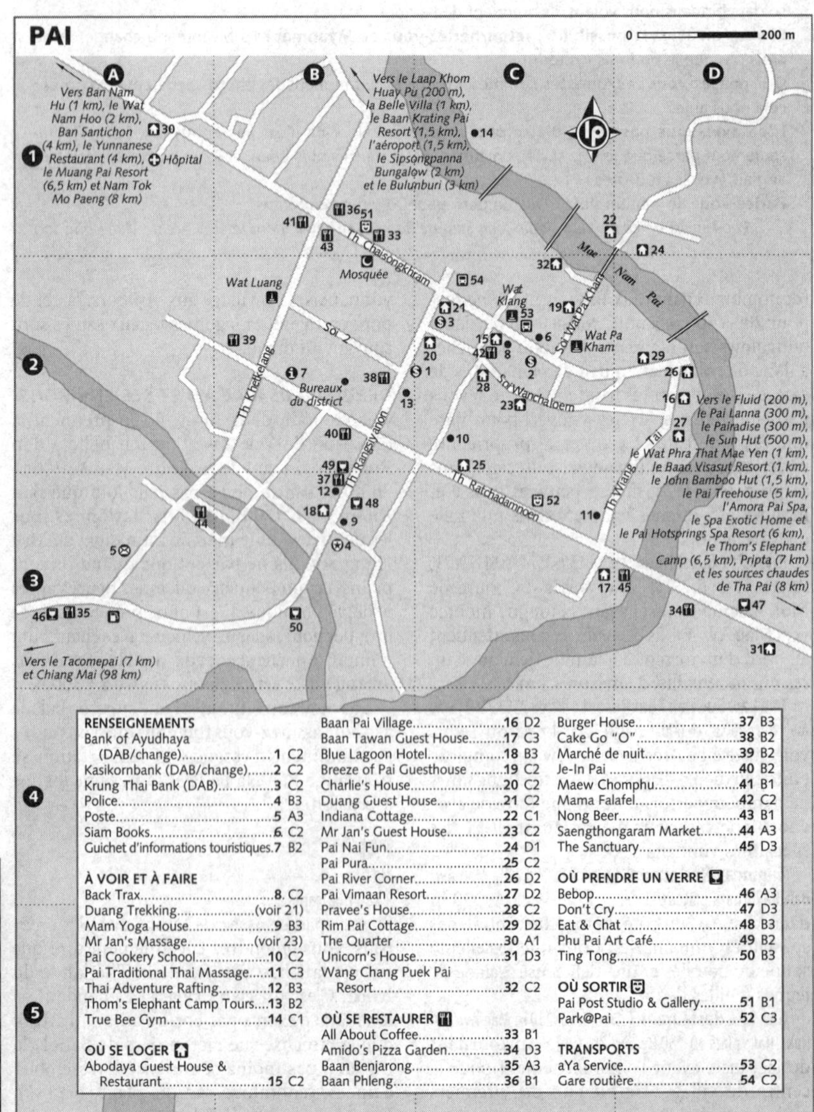

Cette popularité, cependant, n'a pas encore entamé la beauté de cette splendide vallée de montagne. En dehors de l'artère principale, les pensions calmes ne manquent pas, et nombre d'activités décontractées conduisent les visiteurs au cœur de la nature. La scène artistique et musicale est également animée. Quant au village, il révèle ses origines chan dans ses temples, ses ruelles paisibles et un sympathique marché de l'après-midi.

## Renseignements

La ville compte de nombreux points d'accès Internet, surtout à l'extrémité est de Th Chaisongkhram (20-30 B/h).

Vous trouverez un peu partout le **Pai Post** (www.paipost.com), le journal (en anglais) gratuit qui donne les infos locales : événements culturels, lieux à visiter, politique régionale, ouverture d'un nouveau restaurant ou bar, etc. Le *Pai Events Planner* (PEP) est une feuille mensuelle gratuite qui a plus ou moins le même objectif.

Outre les deux banques indiquées ci-dessous, vous trouverez d'autres établissements avec service de change et DAB le long de Th Rangsiyanon et de Th Chaisongkhram.

**Bank of Ayudhaya** (Th Rangsiyanon ; ⌚ 9h-20h). Possède un DAB et un comptoir de change.

**Krung Thai Bank** (Th Rangsiyanon). DAB et comptoir de change.

**Siam Books** (☎ 0 5369 9075 ; Th Chaisongkhram). Le plus grand choix de livres neufs et d'occasion en ville.

**Guichet d'informations touristiques** (☎ 0 5369 9935 ; ⌚ 8h30-16h30). Ce petit guichet près du bureau de l'administration du district emploie un personnel officiel qui parle anglais. Vous pourrez retirer une carte sommaire des environs.

## À voir et à faire

Beaucoup des sites d'intérêt de Pai se trouvent juste à l'extérieur du centre et un peu plus loin aux environs.

### WAT PHRA THAT MAE YEN

วัดพระธาตุแม่เย็น

Ce temple dominant la vallée offre un splendide panorama. À 1 km à l'est du carrefour principal de la ville, traversez un cours d'eau, puis un village, avant de parvenir au pied des 353 marches menant au sommet. Un chemin goudronné sur 400 m permet aussi d'y accéder.

### ENVIRONS DE PAI

Au nord-ouest de la ville, la route qui mène à l'hôpital continue sur plusieurs kilomètres vers un temple chan, un village du GMD et une chute d'eau. Le temple, le **Wat Nam Hoo**, à 2 km de Pai, abrite un bouddha révéré dont on dit que de sa tête jaillissait autrefois de l'eau sacrée. Les voyageurs thaïlandais aiment visiter cet endroit, entouré d'un petit marché. Environ 2 km plus loin, le pittoresque village du GMD de **Ban Santichon** est également fier de son petit marché. Il vous propose dans le style local un **hébergement en torchis** (☎ 08 1024 3982) et un délicieux restaurant yunnanais (voir p. 458). La chute d'eau **Nam Tok Mo Paeng** comprend des bassins naturels, parfaits pour prendre un bain. Mieux vaut s'y rendre après la saison des pluies, d'octobre à début décembre. À proximité se trouvent des villages lahu et lisu. La chute d'eau est à 8 km de Pai – une longue marche en perspective ou une balade à vélo ou à moto parfaite. Plusieurs pensions, ainsi que aYa Service (p. 460), louent vélos et motos.

Après avoir franchi la Mae Nam Pai, au sud-est de la ville, il vous reste 7 km à parcourir sur une route pavée pour arriver aux **sources chaudes de Tha Pai** (200 B ; ⌚ 7h-18h). Situé à 1 km en retrait de la route, ce parc local bien entretenu est traversé par une jolie rivière qui se mêle aux sources chaudes. L'eau chaude est aussi canalisée vers plusieurs petits bains publics et quelques spas des environs (p. 454).

### RANDONNÉE ET RAFTING

La plupart des pensions de la ville peuvent vous renseigner sur les randonnées dans la région et quelques-unes organisent des excursions guidées (700 B/j sans rafting ni promenade à dos d'éléphant). **Back Trax** (☎ 0 5369 9739 ; backtraxinpai@yahoo.com ; Th Chaisongkhram) et **Duang Trekking** (Duang Guest House ; ☎ 0 5369 9101 ; 8 Th Rangsiyanon) sont parmi les plus réputées.

Le rafting sur la Mae Nam Pai pendant la saison humide est également une activité appréciée. Back-Trax organise des expéditions de rafting ; cependant, **Thai Adventure Rafting** (☎ 0 5369 9111 ; www.thairafting.com ; Th Rangsiyanon) est généralement considérée comme l'agence la plus professionnelle. L'agence organise des descentes de 2 jours entre Pai et Mae Hong Son, sur de robustes radeaux gonflables pour 2 500 B/pers, un tarif qui comprend les repas, l'équipement de rafting, le matériel de camping, les sacs étanches et l'assurance. Au cours de l'excursion, vous découvrirez une cascade, des fossiles et des sources chaudes. Vous passerez la nuit au camp permanent de la compagnie, au bord de la rivière. Des sorties de 1 jour (1 500 B) sont possibles sur des rapides d'un niveau plus facile. La saison du rafting s'étale de mi-juin à mi-février.

### EXCURSIONS À DOS D'ÉLÉPHANT

Plusieurs camps d'éléphants sont désormais installés au bord de la route qui va aux sources chaudes de Tha Pai. Le plus établi, avec bureau en ville, est le **Thom's Pai Elephant Camp** (☎ 0 5369 9286 ; www.thomelephant.com ; Th Rangsiyanon ; promenade 500-1 200 B/pers). Vous pouvez monter à cru ou sur un siège. Certaines sorties prévoient une baignade en compagnie des pachydermes, avant de vous délasser dans les sources chaudes. Des descentes de la Mae Pai en raft de bambou ou de caoutchouc, des séjours dans les villages des ethnies et diverses formules combinant l'ensemble (1 000 B/jour/pers) sont aussi organisés.

### MASSAGES ET SPA

La ville possède de nombreux établissements de massages traditionnels thaïlandais qui facturent dans les 150 B l'heure. Reiki, cristallothéraphie, acupuncture, réflexologie et autres méthodes venues d'ailleurs y sont également dispensés. Repérez les enseignes ou consultez le *Pai Post* et le *Pai Events Planner*. Voici quelques adresses de bonne réputation :

**Pai Traditional Thai Massage** (PTTM ; ☎ 0 5369 9121 ; 68/3 Soi 1, Th Wiang Tai ; massage 1 heure/1 heure 30/2 heures 180/270/350 B, sauna 80 B, cours de massage 3 jours 2 500 B ; 🕓 9h-21h). Établi de longue date par un couple de Pai, cet établissement propose des massages traditionnels du Nord, ainsi qu'un sauna dans la vapeur des *sà·mŭn·prai* (plantes médicinales). Le cours de 3 jours commence chaque lundi et chaque vendredi à raison de 3 heures par jour. Le sympathique couple de masseurs, qui masse et dispense les cours, est diplômé de l'Old Medicine Hospital de Chiang Mai.

**Mr Jan's Massage** (Mr Jan's Bungalows ; Soi Wanchaloem 18 ; 150 B/h). Technique de massage chan-birmane nettement moins douce.

Quelques enseignes locales ont profité des vertus thérapeutiques des eaux chaudes de Tha Pai pour aller s'y installer. **Aroma Pai Spa** (☎ 08 7187 0791 ; 110 Moo 2, Ban Mae Hi ; bain thermal 50 B, soins de spa à partir de 850 B ; 🕓 7h30-21h) possède des bains dans un bassin privé ou une piscine commune, et divers soins de spa. Son voisin, **Spa Exotic** (☎ 0 5306 5722 ; www.spaexotic.com ; 86 Moo 2, Ban Mae Hi), propose encore mieux, puisqu'il a canalisé l'eau chaude jusque dans les sdb de ses bungalows. Les visiteurs peuvent également s'y baigner (100 B), puis se faire masser (300 B). **Pai Hotsprings Spa Resort** (☎ 0 1951 2784 ; www.thapaispa.com ; Ban Mae Hi ; massage 1 heure 300 B, bain thermal 50 B) est un complexe hôtelier qui offre également thermes et massages.

### ÉQUIPEMENT SPORTIF

**Fluid** (Ban Mae Yen ; 60 B ; 🕓 9h-18h) est un complexe avec piscine et salle de gym juste à la sortie de Pai, quasi en face de la Sun Hut. Bain de vapeur aux plantes (80 B/h) et leçons de yoga (10h, lun, mer et ven).

## Cours

### CUISINE

**Pai Cookery School** (☎ 08 1706 3799 ; Soi Wanchaloem ; cours 750-1 000 B/j). Cette école, qui a presque 10 ans d'expérience, propose 3 cours mettant l'accent sur des plats différents. Après une visite au marché pour acheter les ingrédients, vous apprendrez comment réaliser 5 plats que vous dégusterez ensuite entre élèves. Un livre de recettes vous sera remis gratuitement. Les cours durent de 1 à 3 jours.

De nombreuses pensions offrent aussi des cours de cuisine.

### BOXE THAÏLANDAISE

**True Bee Gym** (☎ 08 4704 4833 ; www.truebee.com ; Ban Mae Hi ; demi-journée/journée 250/400 B), sur la rive opposée de la Nam Pai, offre des bourses d'étude pour la boxe thaïlandaise. Les cours ont lieu deux fois par jour (8h-10h30/16h-18h30).

### YOGA

**Mam Yoga House** (☎ 08 9954 4981 ; Th Rangsiyanon ; cours d'une journée 200-550 B). Juste au nord du bureau de police, Mam enseigne le hatha-yoga et donne d'autres cours en petits groupes.

## Où se loger

L'hébergement à Pai était autrefois incroyablement bon marché. Nous nous souvenons du temps où un bungalow au bord de la rivière ne coûtait que 50 B. Mais les inondations de 2005 ont emporté la plupart de ces endroits économiques, remplacés depuis par des établissements des catégories supérieures et moyenne. On trouve encore quelques adresses bon marché à l'extérieur du centre, l'endroit idéal pour vous si vous imaginez un séjour idyllique à Pai, dans un milieu champêtre.

La catégorie supérieure est celle qui évolue le plus rapidement, avec nombre de nouveaux hôtels bâtis à quelques kilomètres du centre. Beaucoup sont gérés de Bangkok et destinés plus à une clientèle thaïlandaise qu'étrangère.

Gardez à l'esprit que les tarifs fluctuent énormément. Hors saison, presque tous les établissements des catégories moyenne et supérieure diminuent leurs prix, parfois jusqu'à 60%.

Pendant la haute saison touristique thaïlandaise (de décembre à janvier), des tentes sont disponibles en abondance pour environ 100 B.

## EN VILLE

### Petits budgets

**Duang Guest House** (☎ 0 5369 9101 ; 8 Th Rangsiyanon ; ch et bungalows 150-500 B). L'une des premières pensions de Pai, dont les chambres dépouillées trahissent l'âge. Toutefois, agence de trekking fiable, bon restaurant et situation centrale.

**Mr Jan's Guest House** (☎ 0 5369 9554 ; Soi Wanchaloem 18 ; ch 200-400 B). Le propriétaire, originaire de Pai, offre, au milieu d'un jardin de plantes médicinales, des chambres plutôt banales et assez sombres. Massage et sauna aux plantes à la haute saison.

**Charlie's House** (☎ 0 5369 9039 ; Th Rangsiyanon ; ch 200-600 B ; ❄). Une adresse de longue date tenue également par quelqu'un de Pai. Gamme de chambres variée dans un ensemble austère, où, malgré un récent coup

**PAI, UN PARADIS ?**

En septembre 2005, une série de glissements de terrain et d'inondations ont dévasté Pai, emportant nombre de pensions et de ponts. En quelques jours seulement, l'infrastructure touristique de la ville, qui s'était développée régulièrement depuis les années 1980, a subi un choc dont on pensait qu'elle ne se relèverait jamais.

En fait, il ne fallut pas longtemps à la ville pour reprendre pied. L'année suivante, on estima que 367 869 touristes avaient visité Pai, dont beaucoup d'étrangers, attirés par l'hébergement bon marché de la ville et sa réputation de destination paisible et champêtre. Or, en 2006, pour la première fois, la majorité des visiteurs étaient thaïlandais. Deux films d'amour, *Rak Jang* et *Happy Birthday*, tous deux tournés dans la ville, n'étaient pas étrangers à ce phénomène.

Malgré cet immense succès, Pai n'en reste pas moins un exemple positif du développement touristique en Thaïlande. Contrairement à d'autres endroits du pays, les habitants de Pai ont gardé un rôle prépondérant dans l'avenir de leur ville. La conservation des sites naturels et culturels sont depuis longtemps ici des aspects fondamentaux du secteur touristique. La ville est restée fidèle à ses racines rurales, qui sont à la base d'une scène artistique et musicale animée qui laisse une impression des plus favorables au voyageur.

Le tourisme a également apporté la prospérité à une communauté vivant de l'agriculture, auparavant isolée. La terre aux endroits les plus convoités de la ville atteint les 65 000 $US l'acre (un demi-hectare, environ), et de nombreux habitants ont un travail en relation avec le tourisme, ou complètent leur revenu en vendant de l'artisanat. Les routes et autres infrastructures se sont améliorées : en 2007, l'aéroport commercial de Pai enregistrait même ses premiers vols. Les habitants se sont entendus pour accueillir les touristes et le revenu qu'ils leur procurent.

D'un autre côté, cet afflux touristique a aussi engendré son lot de problèmes. Les ordures ménagères augmentent, les égouts ne sont plus suffisants. Les habitants se plaignent du bruit des fêtes, qui les empêche de dormir. La drogue se répand, et la brigade policière de la ville s'est taillé une réputation très négative auprès des touristes, allant de la fermeture intempestive de bars où se déroulaient des danses qu'elle jugeait "illicites" jusqu'à la mort d'un touriste canadien début 2008 (tué par un policier soi-disant en état de légitime défense).

D'une certaine façon, les inondations de 2005 ont réveillé les habitants de Pai. Aujourd'hui, les heures de fermeture des bars sont plus strictes, et le traitement des déchets est en voie de devenir obligatoire avec la création d'une nouvelle décharge. Mais si Pai continue de bénéficier d'une telle cote de popularité, la ville pourra-t-elle maintenir cet objectif de développement responsable qui l'a rendue si attrayante au départ ?

de peinture, on sent encore l'humidité. Pas de situation plus centrale toutefois.

**Breeze of Pai Guesthouse** (☎ 08 1998 4597 ; helen davis2@yahoo.co.uk ; Soi Wat Pa Kham ; ch 400-800 B). Près de la rivière, à quelques pas de l'animation mais coupé du bruit, un nouvel ensemble soigné. 9 chambres agréables et spacieuses et 6 grands bungalows de forme triangulaire aménagés dans le style contemporain thaï, avec sbd (eau chaude) et hamacs. Le sympathique propriétaire anglais dispense de bons conseils sur la région.

**Abodaya Guest House & Restaurant** (☎ 0 5369 9041 ; Th Chaisongkhram ; ch 500-600 B). Derrière le restaurant du même nom. Ces chambres modernes, propres, plutôt douillettes, avec TV sat et douche chaude, représentent un bon choix, bien situé.

**Pravee's House** (☎ 0 5369 9368 ; Soi Wanchaloem ; ch ventil/clim 500/600 B ; ). Nichée dans une petite rue ombragée, cette maison offre des chambres simples mais propres et correctement meublées, avec petites vérandas. Jardinet à l'avant.

**Baan Tawan Guest House** (☎ 0 5369 8116/7 ; www.baantawan-pai.com ; 117 Mu 4, Th Wiang Tai ; ch 500-1 500 B ; ). Les bungalows anciens de 2 étages, en teck recyclé, sont plus chers mais plus agréables et au bord de l'eau. C'est pour eux que l'on vient ici, mais les chambres spacieuses dans le vaste bâtiment de 2 étages peuvent dépanner. Location de motos et de chambres à air (pour flotter au fil de la rivière).

### Catégorie moyenne

**Pai Pura** (☎ 08 1891 1771 ; Th Ratchadamnoen ; ch 600-1 200 B ; ). Si les chambres ne sont pas sur le modèle, défraîchi, du cadre extérieur (avec pierres, briques et fontaines), elles restent une bonne option. Un plus : le sauna aux plantes avec son bassin à côté pour se baigner.

**Pai Nai Fun** (☎ 08 9123 5042 ; www.painaifun.com ; Ban Mae Hi ; bungalows avec petit-déj 800-1 800 B) et son voisin, l'Indiana Cottage (☎ 08 1952 3340 ; www.indiana-cottage.com ; Ban Mae Hi ; bungalows 1 200 B), offrent un hébergement similaire, sur la rive opposée de la rivière. Le premier est plus soigné, et ses bungalows les plus chers disposent de TV. D'autres ensembles de bungalows, plus ou moins identiques, s'alignent sur cette portion de la rivière.

**Blue Lagoon Hotel** (☎ 0 5369 9998 ; Th Rangsiyanon ; ch 900-1 500 B ; ). Hôtel sur 2 étages aux airs de motel de Las Vegas, avec piscine et plantes tropicales. Un bon choix pour qui ne veut pas forcément un bungalow mais ne peut se passer du confort d'un frigo et d'une TV. Grandes chambres familiales disponibles.

**Baan Pai Village** (☎ 0 5369 8152 ; www.baanpaivillage.com ; Th Wiang Tai ; bungalows 1 000-1 600 B ; ). Au bord des allées serpentant dans ce complexe bien entretenu, d'attrayants bungalows de bois, au design superbe. Pour chacun, portes-fenêtres coulissantes, grandes sdb plutôt luxueuses, nattes en rotin et coussins thaïs invitant à la relaxation et une spacieuse terrasse pour profiter du jardin. D'autres bungalows moins chers, plus simples, sont disponibles au Baan Pai Riverside.

**Wang Chang Puek Pai Resort** (☎ 0 5369 9796 ; www.wangchangpuek.com ; bungalows ventil/clim 1 200/2 500 B ; ). Ce complexe assez récent propose des bungalows parmi les plus attrayants de la catégorie moyenne. Les chambres sont jolies et spacieuses, avec un grand balcon qui encourage à paresser en contemplant la rivière. Les bungalows avec ventil, qui diffèrent peu de ceux avec clim, sont une excellente option.

### Catégorie supérieure

**Rim Pai Cottage** (☎ 0 5369 9133 ; www.rimpaicottage.com ; Th Chaisongkhram ; bungalows avec petit-déj 1 500-5 000 B ; ). Le charme d'un petit village du passé. Des bungalows intimes sont répartis au bord de la Nam Pai, dans un superbe paysage arboré et tranquille. Les moustiquaires et les motifs thaïs ajoutent une touche romantique aux habitations dotées de splendides sdb extérieures. D'innombrables et charmants espaces de relaxation agrémentent le bord de la rivière. Excellent choix en basse saison, quand les prix chutent.

**Pai River Corner** (☎ 0 5369 9049 ; www.pairivercorner.com ; Th Chaisongkhram ; ch avec petit-déj 3 270-6 540 B ; ). L'établissement annonce fièrement un hébergement "naturel, frais, intime" et, en effet, les 9 chambres sont exquises. Les amateurs de design seront comblés par le mobilier thaï, les couleurs magnifiques et une multitude de détails luxueux. Toutes les chambres ont un balcon donnant sur la rivière ; certaines possèdent également un salon et une piscine spa intérieure. Rabais en basse saison.

**Pai Vimaan Resort** (☎ 0 5369 9403 ; wwww.paivimaan.com ; Th Wiang Tai ; ch 3 500-4 500 B, ste 10 000 B ; ). Le complexe le plus cher du "centre-ville", bien qu'il existe des options avec plus de cachet. Les bungalows en duplex sont lumineux et aérés, les plus hauts offrants une vue splendide sur la rivière. Chambres également dans le bâtiment principal en bois.

**The Quarter** ( ☎ 0 5369 9423 ; www.thequarterhotel.com ; 245 Moo 1 Th Chaisongkhram ; ch 4 800 B ; ). Ce complexe moderne, que l'on verrait plus sur l'île de Ko Samui, est définitivement le plus chic de Pai. 36 chambres à la fois minimalistes et bien équipées, organisées autour de la piscine. À côté du Pai Hospital.

### EN DEHORS DE LA VILLE

Plusieurs établissements sont situés au sud-est de la ville, sur la route qui mène aux sources chaudes, pas très loin du Wat Phra That Mae Yen.

#### Petits budgets

**Tacomepai** ( ☎ 08 6112 3504 ; Ban Teen That ; bungalows 150-300 B). Pour une expérience unique à Pai, séjournez dans ce complexe plutôt excentrique, à 7 km au sud de la ville, sur la Route 1095. Sur une colline semi-boisée sont accrochés 8 bungalows vraiment rustiques. M. Sandot, l'enthousiaste propriétaire, encourage ses hôtes à participer aux événements locaux, telle fêtes et récoltes. Ce n'est sans doute pas le plus confortable des lieux ni le mieux organisé, mais vous en rapporterez d'intéressants souvenirs.

**Unicorn's House** ( ☎ 0 5369 8068 ; Wiang Tai ; bungalows 250-350 B). Juste après le pont permanent à l'est de la ville. Un des derniers endroits à offrir un hébergement bon marché dans 30 bungalows rudimentaires en bambou. Cet ensemble sur pilotis rappellent un lointain village des communautés montagnardes, mais se trouve à une distance à pied du centre raisonnable. Unicorn possède d'autres bungalows plus chers (mais exigus) dans Th Ratchadamnoen.

**John Bamboo Hut** ( ☎ 08 1764 4427 ; www.johnbamboohut.9ha.com ; Ban Mae Hi ; bungalows 400-2 500 B). Une gamme de bungalows sommaires mais confortables, certains à l'ombre des bambous. Les autres, dont une maison destinée aux familles, sont sur le flanc d'une colline avec vue sur la vallée.

**Baan Visasut Resort** ( ☎ 0835687979 ; Th Rangsiyanon ; bungalows 450-550 B). Voisin de John Bamboo Hut, ce complexe compte 5 bungalows sur un site ombragé, un peu sombres mais douillets.

**Sun Hut** ( ☎ 0 5369 9730 ; www.thesunhut.com ; 28/1 Ban Mae Yen ; ch 350-1 350 B). Dans un cadre boisé que traverse un ruisseau, un havre de paix, unique dans la région. Les bungalows sont agréablement espacés ; les plus chers possèdent une véranda et beaucoup de charme. Service aimable et attentionné, jardin bio, restaurant végétarien et espace commun avec hamacs où il fait bon faire la sieste.

#### Catégorie moyenne

**Pairadise** ( ☎ 0 5369 8065 ; www.pairadise.com ; 98 Mu 1, Ban Mae Hi ; bungalows 850-1 350 B). Apprécié des Occidentaux adeptes du yoga et de la méditation, ce complexe soigné regarde la vallée de Pai du sommet d'une falaise. Les bungalows sont spacieux et chics : fresques murales aux motifs de lotus dorés, élégantes sdb rustiques et terrasses où se balancent des hamacs. Tous sont installés autour d'un plan d'eau alimenté par une cascade, où l'on peut se baigner. À côté, le Pai Lanna ( ☎ 08 9691 3367 ; www.pailanna.com ; 169 Mu 1, Ban Mae Yen ; bungalows avec petit-déj 900 B) propose un hébergement similaire dans un cadre toutefois plus ordinaire.

**Sipsongpanna Bungalow** ( ☎ 0 5369 8259, 08 1881 7631 ; 60 Mu 5, Ban Juang, Wiang Neua ; bungalows 1 000-2 500 B). La décontraction qui émane de cet endroit convivial est on ne peut plus authentique. Les bungalows en torchis le long de la rivière, d'un mélange de couleurs un peu criard, sont rustiques, avec lits sur plateforme et portes vitrées coulissantes ouvrant sur un grand balcon. Profitez aussi des derniers bungalows de bois tout aussi originaux, avant qu'ils ne disparaissent à jamais. Café végétarien et leçons de cuisine végétarienne thaïlandaise.

**Pai Treehouse** ( ☎ 08 1911 3640 ; www.paitreehouse.com ; 90 Moo 2 Mae Hi ; bungalows 1 000-5 500 B ; ). À 6 km de Pai, juste avant les sources chaudes de Tha Pai. Un rêve d'enfant que ce vieil arbre gigantesque où sont perchées des cabanes ! Même si vous n'obtenez pas l'une de ces trois délicieuses habitations (très convoitées), les bungalows, souvent près de la rivière, sont également agréables. Sur le site très étendu, il y a aussi des éléphants et un ponton flottant sur la Mae Nam Pai, le tout contribuant à une atmosphère détendue et familiale.

**Spa Exotic Home** ( ☎ 0 5306 5722 ; www.spaexotic.com ; 86 Moo 2 Mae Hi ; bungalows avec petit-déj 1 400-1 800 B ; ). Tous les ravissants bungalows s'inscrivent dans un superbe jardin paysager. Détail le plus agréable : chacun a sa baignoire dans une sdb partiellement ouverte sur l'extérieur afin de profiter des sources d'eau chaude. Service consciencieux et atmosphère apaisante. Rabais de 35% de mars à septembre.

### Catégorie supérieure

**Bulunburi** (☎ 0 5336 5440 ; www.bulunburi.com ; 28 Moo 5 Ban Pong ; bungalows 1 800-2 800 B ; ). Le cadre bucolique dans une petite vallée isolée, parmi les rizières et les ruisseaux, exerce autant d'attrait que les séduisants bungalows. La structure la plus remarquée, l'accueil au toit pointu, ouvert sur les côtés, arbore de jolies fresques et une cheminée centrale. Les bungalows, sur ce même thème raffiné, sont vastes et bien équipés.

**Baan Krating Pai Resort** (☎ 0 5369 8255, www.baankrating.com ; 119 Th Wiang Nua ; bungalows 2 500-3 100 B, ste 6 000 B ; ). Dans ces bungalows sur pilotis, tout en rotin et en teck, pourvus de larges baies, vous dormirez dans des draps de lin blanc et contemplerez de votre fenêtre les rizières et les jardins bien entretenus. Du riz au jasmin cultivé sur place accompagne les délicieux plats thaïlandais servis dans le restaurant tout proche.

**Pripta** (☎ 0 5306 5750 ; www.pripta.com ; 90 Moo 3 Mae Hi ; ch 4 800-6 800 B ; ). À 7 km de Pai, entre les sources chaudes de Tha Pai Hot et la Route 1095. Récemment implanté, ce complexe dispose de 8 élégants bungalows blancs, perchés au-dessus de la vallée de Pai. Les chambres sont immenses, avec hauts plafonds et baignoires extérieures alimentées par l'eau des sources chaudes. Si le mobilier et le design intérieur sont un peu décevants par rapport à l'apparence extérieure, c'est tout de même l'un des établissements les plus raffinés de Pai.

## Où se restaurer

Cette ville minuscule offre un étonnant choix de restaurants. Toutefois les options étrangères sont assez décevantes.

Pendant la journée, on peut acheter des plats à emporter au **marché Saengthongaram** (Th Khetkelang). Pour de délicieuses spécialités locales, il faut aller au **marché du soir** (gàht láang ; Th Ratchadamnoen), qui se tient chaque après-midi d'environ 15h jusqu'au coucher du soleil. Chaque soir également, des vendeurs investissent Th Chaisongkhram et Th Rangsiyanon, proposant toutes sortes de mets et de boissons ; certains sont installés dans d'anciens Combis Volkswagen. **Maew Chomphu** (enseigne en thaï ; angle Th Khetkalang et Th Chaisongkhram ; plats 20-50 B ; 7h-21h). On vient le matin à l'angle de ces deux rues pour un bon petit-déjeuner asiatique. Commandez des *dim sum* (raviolis vapeur) ou des *kài gà·tá*, deux œufs cuits dans un miniwok avec de la saucisse vietnamienne.

**CakeGo "O"** (Th Rangsiyanon ; plats 20-70 B ; 8h-20h). Cette boulangerie, tenue par un musulman, propose pains et pâtisseries (essayez les scones aux flocons d'avoine), café et repas légers. De nombreuses affichettes énoncent les règles de la maison. Autres boulangeries musulmanes en ville.

**Je-In Pai** (Pure Vegetarian Food ; Th Ratchadamnoen ; plats 25-80 B ; 10h-20h). En face du bureau de l'administration du district, cette échoppe de plein air sert une délicieuse cuisine végétarienne thaïlandaise bon marché. Au déjeuner, choisissez parmi les plateaux de métal devant vous. Bons milk-shakes aux fruits et au soja.

**Yunnanese Restaurant** (enseigne en thaï ; ☎ 08 1024 3982 ; Ban Santichon ; plats 25-200 B ; 8h-22h). Ce restaurant de plein air dans le village chinois de Ban Santichon prépare des plats traditionnels pour les Yunnanais de Pai. Parmi ses spécialités, les *màntŏ* (petits pains vapeur), ici passés à la poêle pour les rendre croustillants et servis avec du jarret de porc en ragoût parfumé aux herbes chinoises. Plusieurs plats n'utilisent que des produits du terroir, comme l'exotique poulet noir. Les nouilles maison sont également excellentes, garnies d'un délicieux mélange de porc haché, d'ail et de sésame. Le bâtiment en torchis se trouve derrière le gros rocher dans Ban Santichon, à environ 4 km à l'ouest de Pai.

**Nong Beer** (☎ 0 5369 9103 ; angle Th Khetkalang et Th Chaisongkhram ; plats 30-60 B ; 10h-22h). Ce lieu extrêmement populaire rappelle un hall de restauration. Il faut acheter ses tickets et se servir au self, mais la cuisine thaïlandaise pas chère est authentique, du *khâw soy* (nouilles au curry) aux currys servis sur du riz. Ouvert jusqu'à ce qu'il n'y ait plus rien, en général 21h.

**Baan Phleng** (spécialités du Nord ; angle Th Khetkalang et Th Chaisongkhram ; plats 30-60 B ; 10h-22h). Enseigne à Pai de l'excellent restaurant du même nom à Mae Hong Son, très prisé pour ses plats du Nord et ses spécialités de Mae Hong Son. Pour faire comme tout le monde, commandez une "salade de fougères à la mode de Mae Hong Son", de tendres crosses blanchies et assaisonnées d'une sauce avec huile de sésame, piment séché et ail, ou encore du "porc mijoté aux tomates et à la pâte de piments", une spécialité chan appelée ici *nám prík òrng*. Si vous avez l'impression d'entrer en terrain inconnu, consultez la carte en anglais avec photos.

**Laap Khom Huay Pu** (enseigne en thaï ; ☎ 0 5369 9126 ; Ban Huay Pu ; plats 35-60 B ; 9h-22h). À 1 km environ au nord de la ville, dans la première rue après celle menant aux hôtels Belle Villa et Baan Krating. Ici, on ne sert que de la viande : la spécialité de la maison est le *lâhp kôoa*, viande hachée (de bœuf ou de porc) sautée avec des herbes aromatiques et des épices. Accompagné de son petit panier de riz gluant, d'une assiette d'herbes au goût amer et d'une Singha bien fraîche, il n'y a pas meilleur à Pai.

**All About Coffee** (☎ 0 5369 9429 ; Th Chaisongkhram ; plats 45-75 B ; 🕑 8h30-18h30). Ce petit établissement en bois fut l'un des premiers à instaurer le style "bohème", maintenant très en vogue à Pai. Venez y prendre votre café du matin, à accompagner du meilleur pain perdu de la ville, ou vous rafraîchir d'une délicieuse boisson. Les sandwichs-club sont confectionnés avec du pain maison.

**Burger House** (☎ 0 5369 9093 ; Th Rangsiyanon ; plats 50-240 B ; 🕑 9h-21h). Pour une envie de hamburger, un vrai, un énorme Barbarian Burger, avec ses deux couches de viande et fromage, nappées de sauce spéciale. On sert aussi un petit-déjeuner plantureux, le Truck Driver Special ("menu du camionneur") : vous en avez pour la matinée.

**Mama Falafel** (Soi Wanchaloem ; plats 60-90 B ; 🕑 11h-20h). Depuis 2002, la sympathique patronne, pourtant bien de Pai, concocte de délicieuses spécialités juives et israéliennes : falafels, houmous, *schnitzel* (escalope)… Venez le vendredi et le samedi pour déguster le *hamin*, ragoût juif, accompagné du *challah*, le pain traditionnel.

**Baan Benjarong** (☎ 0 5369 8010 ; Th Rangsiyanon ; plats 60-150 B ; 🕑 déj et dîner). Cette maison transformée en restaurant sert de la cuisine du Centre. Les gens du Nord y viennent donc pour un "bon" repas thaïlandais. Régalez-vous de ses ragoûts, crabes au sel au lait de coco ou d'une salade épicée de fleurs de bananier. À l'arrière, des tables ont vue sur la rizière.

**The Sanctuary** (☎ 0 5369 8150 ; 115/1 Moo 4 Th Wiang Tai ; plats 80-290 B). Ce restaurant New Age, aux trois quarts végétarien, sert des plats locaux bio, pas vraiment donnés selon les standards de Pai. Mais les gâteaux et le café sont excellents, et l'accès Wi-Fi est gratuit, tout comme le cours de yoga (10h30 mar, jeu et sam). Bonnes soirées live presque chaque jour.

**Amido's Pizza Garden** (Th Ratchadamnoen ; plats 80-320 B ; 🕑 dîner). Juste après le pont permanent sur la Mae Nam Pai. Vu la distance considérable entre Pai et Naples, on ne peut qu'applaudir le chef pour ses superbes pizzas. Si vous prévenez à l'avance, il peut organiser une petite fête pour les groupes, avec par exemple gigot de chèvre ou paella.

## Où sortir et prendre un verre

Pai s'enorgueillit d'une scène musicale live, certes modeste, mais animée.

**Bebop** (Th Rangsiyanon ; 🕑 18h-1h). Apprécié depuis longtemps des voyageurs, le Bebop accueille chaque soir, aux alentours de 21h30, des musiciens jouant du blues, du R&B et du rock.

**Park@Pai** (Th Ratchadamnoen ; 🕑 18h-minuit). Parking Toys (p. 177), pub de Bangkok des plus réputés pour ses concerts, a ouvert une boîte à Pai. On y écoute du rock ou les concerts de groupes en tournée, assis dans un mobilier à la mode, tout en grignotant d'excellents petits plats (c'est un péché de ne pas essayer la fantastique "hot & sour crispy chicken salad", une salade à l'aigre-douce de poulet croustillant et piquant).

**Ting Tong** (Th Rangsiyanon ; 🕑 19h-1h). À la lisière du centre, sur la route de Chiang Mai. Terrasses en bambou, plates-formes de ciment et tables dissimulées entre d'énormes arbres composent le décor d'un des bars les plus étendus de la ville. Reggae et dub dominent mais laissent cependant la place à d'autres styles et à d'occasionnelles soirées live.

**Phu Pai Art Café** (Th Rangsiyanon ; 🕑 17h-minuit). Cette jolie maison de bois est un autre haut lieu de la scène musicale live de Pai, avec les amplis branchés chaque soir dès 20h. Lors de notre visite, le concert de guitare acoustique était excellent.

**Pai Post Studio & Gallery** (Th Chaisongkhram ; 🕑 19h30-minuit). Le QG de la rédaction du journal anglais de Pai. Le mur blanc de la façade en bois accueille des photos. Chaque soir, quand les ordinateurs sont éteints, les musiciens s'y retrouvent pour des sessions de rock ou de jazz. Sur scène également, des artistes (comme un ventriloque).

**Don't Cry** (Th Ratchadamnoen ; 🕑 18h-tard). Juste de l'autre côté de la rivière, un bar de reggae que l'on verrait plus sur l'île de Ko Pha Ngan tant l'ambiance est à la décontraction suprême. Ouvert jusqu'à ce que le dernier client parte.

**Eat & Chat** (Th Rangsiyanon ; 🕑 18h-minuit). En face du Blue Lagoon Hotel, un bar paisible pour quelques bières ou converser entre amis sans avoir à hurler au-dessus d'un solo de guitare. La musique va du jazz à Sinatra, avec fréquentes soirées acoustiques. Comme le nom le suggère, on y mange également.

### Depuis/vers Pai

#### AVION

L'aéroport de Pai est à quelque 2 km au nord de la ville sur la Route 1095.

**SGA Airlines** (☎ centre d'appels national 0 2264 6099, 0 5369 8207 ; www.sga.co.th ; aéroport de Pai), un partenaire de Nok Air, assure 2 vols quotidiens entre Pai et Chiang Mai (à partir de 1 930 B, 30 min) à bord d'avions à réacteurs.

#### BUS

De Pai, il est facile de rallier Soppong (ordinaire/clim/minibus 40/80/100 B, 1 heure 30, de 8h30 à 14h) et Mae Hong Son (ordinaire/clim/minibus 80/100/150 B).

De la gare routière de Pai, deux bus ordinaires partent pour Chiang Mai (112 B, 4 heures, 8h30 et 10h30). Des bus et des minibus, venant de Mae Hong Son, s'y arrêtent aussi (ordinaire/clim/minibus 80/100/150 B, 3 heures).

Achetez votre billet à l'avance auprès d'**aYa Service** (☎ 0 5369 9940 ; 22/1 Moo 3 Th Chaisongkhram). Les minibus climatisés de cette compagnie desservent toutes les heures Chiang Mai (150 B, 3 heures, de 7h30 à 16h30), et moins fréquemment Chiang Rai (550 B, 5 heures), Mae Sai (700 B, 6 heures) et Chiang Khong (750 B, 10 heures).

### Comment circuler

Le centre de Pai se visite à pied. Des motos-taxis attendent à la station de taxis, en face de la gare routière. Comptez 40 B pour Ban Santichon et 70 B pour Nam Tok Mo Paeng.

Pour les petites excursions, vous pouvez louer un vélo ou une moto auprès de plusieurs agences en ville, dont **aYa Service** (☎ 0 5369 9940 ; Th Chaisongkhram ; vélo-100 cm³/au-dessus 80/100-700 B par jour). Autres adresses également dans les environs immédiats.

## SOPPONG ET SES ENVIRONS

สบป่อง

Soppong (appelé aussi Pangmapha, du nom du district) est un petit village de marché à quelques heures au nord-ouest de Pai et à environ 70 km de Mae Hong Son. Il n'y a pas grand-chose à voir dans le village même, mais les environs, caractérisés par de denses forêts, d'impétueux torrents et de spectaculaires formations de calcaire, abritent le plus grand réseau de **spéléologie** de Thaïlande du Nord. Le propriétaire de Cave Lodge (p. 462), dans le proche village de Tham Lot, qui connaît bien les grottes les plus accessibles, est la meilleure source d'informations sur la spéléologie ou le trekking.

Plusieurs **villages** chan, lisu, karen et lahu sont facilement accessibles à pied.

Les excursions en minibus pour Soppong et Tham Lot se multiplient au départ de Pai et de Mae Hong Son, créant dans ces villages une animation grandissante. Peu de touristes y passent toutefois la nuit.

Si vous vous trouvez à Soppong le mardi matin, allez faire un tour au **marché** rural.

### Renseignements

Le poste de police de Soppong est à 1,5 km à l'ouest du village. Le seul DAB s'y trouve également.

### À faire

#### RANDONNÉE ET RAFTING

Cave Lodge (p. 462), près de Tham Lot, à 9 km de Soppong, dispose de guides locaux expérimentés, dont nous recommandons les descentes en kayak, les treks et les sorties de spéléologie.

La nouvelle agence **Poodoi Namfaa Tour & Trekking** (☎ 08 9048 2886) organise également diverses activités de plein air, conduites par des guides musoe, lisu et karen. L'accent est surtout mis sur des expéditions de rafting de 2 jours sur la Nam Khong et la Nam Pai (1 500 B/pers, au minimum 4 pers). Les treks de 2 jours démarrent à 800 B/pers (2 pers au minimum). Son bureau se trouve à l'extrémité ouest de la ville.

### Où se loger et se restaurer

La plupart des hôtels de Soppong sont regroupés sur la route principale, les autres sont bien signalés. Les endroits où manger font défaut, mais chaque pension dispose d'un restaurant.

**Rim Doi** (☎ 08 9952 8870 ; ch et bungalows 200-600 B). À 2 km de Soppong, sur la route de Tham Lot, cet établissement réunit sur une colline herbeuse bungalows en bambou et chambres en dur. Celles-ci sont vastes et confortablement meublées.

**Lisu Hill Tribe Homestay** (☎ 08 9998 4886, 08 5721 1575 ; www.lisuhilltribe.com ; ch avec repas 300 B). Tenu par un Américain et son épouse lisu, ce lieu propose des séjours dans le village lisu de Nong Thon, accessible à pied depuis Soppong, avec, pour ceux qui le désirent, des activités variées. Pour un supplément de 700 B, des cours sur l'artisanat, la culture et la musique lisu, ainsi que des séances de méditation sont organisés. Consultez le site pour plus de détails ; il convient de réserver. On viendra vous chercher à la gare routière (20 B).

**Lemon Hill Guest House** (☎ 0 5361 7039, 0 5361 7213 ; ch et bungalows 300-1 500 B ; ). En raison de sa situation en face de l'arrêt du bus, cette pension est certainement la plus appréciée de la ville, bien qu'il y ait des endroits plus jolis. Vaste choix de chambres et de bungalows ; visitez avant de vous décider. Dominant la rivière, le restaurant propose une cuisine savoureuse, à base de légumes du jardin bio.

**Soppong River Inn** (☎ 0 5361 7107 ; www.soppong.com ; bungalows 300 B, ch 700-1 200 B ; ). À l'extrémité ouest de la ville, accessible à pied depuis la gare routière. Face à la rivière, cette vaste structure offrant 5 chambres et une poignée de bungalows est la plus accueillante de Soppong. Des sentiers serpentent dans un jardin luxuriant jusqu'aux chambres pleines de cachet, toutes différentes. Parmi les bungalows, le River Rim Cottage est notre préféré, car son balcon privatif surplombe directement la rivière. Tous les hôtes partagent une splendide terrasse donnant sur une petite gorge.

**Little Eden Guesthouse** (☎ 0 5361 7054 ; www.littleeden-guesthouse.com ; ch et bungalows 450-2 000 B ; ). Rien d'extraordinaire dans les 9 bungalows triangulaires répartis au bord de la piscine entourée de gazon : ils sont bien tenus et disposent d'une eau chaude. Mais ce sont les ravissantes "maisons" sur 2 niveaux, idéales en famille ou entre amis, qui font le charme du lieu. Décorées avec goût, elles possèdent un séjour, une multitude de petits espaces et des terrasses avec hamacs. Le propriétaire, polyglotte, organise de nombreuses activités dans les environs.

**Baan Café** (☎ 0 5361 7081 ; khunjui@yahoo.com ; ch 600 B, bungalows 1 200 B). À la lisière de la ville, près du pont, ce café réunit des chambres immaculées et des bungalows de style maison dans un cadre boisé au bord de l'eau. Les bungalows avec cheminée et balcon sur la Nam Lang sont une fabuleuse option. L'un des meilleurs restaurants de la ville, le Baan Café sert du café récolté dans la région.

## LES GROTTES DE PANGMAPHA

Le district de Pangmapha, qui couvre une superficie de 900 km$^2$, est célèbre pour son extraordinaire concentration de galeries souterraines, où 200 grottes ont été découvertes. Tham Lot est la plus connue, mais Tham Nam Lang, à 20 km au nord-ouest de Soppong, près de Ban Nam Khong, s'étend sur près de 8,5 km, et passe pour être l'une des plus vastes au monde.

Nombre de ces grottes ont été formées par un cours d'eau souterrain, certaines sont dotées de cascades, de lacs et de "plages". Dans deux des grottes de Pangmapha – et c'est l'unique endroit au monde –, on trouve le *Cryptotora thamicola,* un poisson dépourvu d'yeux, troglobie et monotypique, qui remonte les cascades. D'autres grottes ne présentent aucun signe de vie, ou très peu, en raison de l'abondance de gaz nocifs et du manque d'oxygène.

Parmi les 200 grottes calcaires, plus de 85 contiennent d'anciens cercueils de bois, taillés dans de solides troncs de teck. Ces cercueils, qui peuvent mesurer jusqu'à 9 m de longueur, sont suspendus dans la grotte sur des échafaudages de bois. La datation au carbone 14 a révélé qu'ils étaient vieux de 1 200 à 2 200 ans. Sur leurs extrémités souvent sculptées, les archéologues thaïlandais ont identifié quelque 50 motifs différents. Les fragments de poterie retrouvés dans les grottes-sépultures sont exposés au Nature Education Centre (p. 462) à Tham Lot.

Les Chan qui habitent la région appellent ces grottes funéraires *tâm pĕe* (grotte des esprits) ou *tâm pĕe maan* (grotte des cercueils). Qui a fabriqué ces cercueils, pourquoi ont-ils été déposés dans ces grottes ? Ces questions restent sans réponse. Cependant, comme la plupart des grottes en renferment moins de10, on est enclin à penser que seuls certains personnages avaient droit à un enterrement élaboré. On a trouvé des cercueils identiques dans les reliefs karstiques à l'ouest de Bangkok, ainsi qu'à Bornéo, en Chine et aux Philippines, mais c'est à Pangmapha qu'ils sont les plus nombreux.

La grotte juste après l'hôpital de Pangmapha, à 2 km à l'ouest de Soppong, et celle de Tham Lot, à 9 km de Soppong, sont les deux plus accessibles. Plusieurs grottes funéraires, en cours d'exploration par les scientifiques, ne sont pas ouvertes au public ; cependant, John Spies, du Cave Lodge (p. 462), pourra sans doute vous en indiquer une autre à visiter. Son ouvrage *Wild Times* constitue un excellent guide sur les grottes de la région.

**Northern Hill Guest House** (☎ 0 5361 7081 ; khunjui@yahoo.com ; ch et bungalows 600-1 500 B). À l'extrémité est de la ville, face à l'embranchement pour Tham Lot. Des bungalows étroits mais bien ordonnés accrochés à une colline dominant Soppong, ainsi que des chambres, certaines avec TV et frigo.

**Hillside Cottage** (☎ 0 5361 7107 ; www.sopponghills.com ; ch et bungalows 900-1 200 B). Face au Soppong River Inn, le Hillside propose, à un prix un peu trop élevé, des chambres impeccables et des bungalows installés sur une pelouse impeccable. Chaque soir, devant la porte, cuisine du Nord à emporter.

**Baankeawmora** (Coffee Cottage ; ☎ 0 5361 7078 ; plats 40-160 B ; 8h-18h). Sur la route de Tham Lot, cette pittoresque maison de bois sert de bons repas et du vrai café. Petits-déjeuners matinaux et dîners tardifs possibles à condition de prévenir à l'avance.

**Border** (☎ 0 5361 7102 ; 12h-minuit). Voisine de la Lemon Hill Guest House, tenue par un couple anglo-thaïlandais, cette petite cabane à bière s'est agrandie et propose café et repas. Accès Wi-Fi gratuit, plus une tonne d'informations sur ce qui se passe à Soppong et dans les environs.

## Tham Lot

ถ้ำลอด

À environ 9 km au nord de Soppong, Tham Lot (prononcez "*tâm lôrt*", aussi appelée "*tâm nám lôrt*") est un réseau de grottes calcaires s'étirant sur 1 600 m, traversées sur 600 m par un large cours d'eau. On y trouve d'impressionnantes stalagmites, et certaines ont servi de sépultures (voir l'encadré p. 461). Ces grottes constituent, avec Tham Nam Lang, plus à l'ouest, les plus longues galeries souterraines connues de Thaïlande.

Au **Nature Education Centre** (8h-17h30) qui se trouve à l'entrée, vous devrez vous assurer les services d'un guide, obligatoire pour la visite (4 pers au maximum, 150 B), et louer une lanterne à gaz. En n'employant que des guides originaires des villages chan, Tham Lot est un bon exemple d'écotourisme contribuant à l'amélioration de la vie des communautés locales.

Outre la grotte principale, trois chambres annexes sont accessibles par des échelles : les cavernes de la Colonne, de la Poupée et du Cercueil. Comptez environ 2 heures pour explorer l'ensemble du site. Selon la période de l'année, un radeau de bambou est nécessaire pour l'exploration de certaines portions ou de la totalité des grottes. Entre août et octobre, quand l'eau est à son plus haut niveau, l'accès peut être limité à certaines parties.

Les radeaux (4 adultes au maximum) coûtent 400 B aller-retour, ou 300 B aller, de l'entrée à la sortie, en passant par les grottes de la Colonne, de la Poupée et du Cercueil. Si vous n'effectuez que l'aller, vous reviendrez à pied par l'extérieur de la grotte (20 min) ; cela n'est envisageable qu'à la saison sèche. À cette même saison, il est parfois possible de remonter la rivière en pataugeant jusqu'à la caverne de la Poupée, puis de prendre un radeau jusqu'à la sortie (300 B aller-retour/200 B aller). Tâchez de sortir avant le crépuscule : des nuées de chauves-souris envahissent alors la grotte de Tham Lot, où elles passent la nuit suspendues aux stalactites.

### OÙ SE LOGER ET SE RESTAURER

**Cave Lodge** (☎ 0 5361 7203 ; www.cavelodge.com ; dort 90-120 B, ch 250 B, bungalows 300-2 000 B). Ouvert depuis 1986, cet établissement est une institution en Thaïlande du Nord et certainement la meilleure pension de la province de Mae Hong Son. Le spécialiste des grottes de la région, John Spies, gère ces 11 bungalows simples mais originaux et variés. Le cadre, une colline couverte de forêt qui descend jusqu'à la Nam Lang, est magnifique et propice à l'aventure : spéléo, descentes en kayak, randonnées avec ou sans guide (bonnes cartes à votre disposition). On peut aussi se contenter de paresser dans les superbes espaces communs. Le sauna traditionnel chan aux plantes est une expérience à ne pas manquer. Du pain et d'autres délices sortent également des fours. Le village de Tham Lot est à une courte distance à pied.

À l'entrée du parc de Tham Lot, des **restaurants de plein air** (plats 15-40 B ; 9h-18h) proposent une cuisine thaïlandaise simple.

## Mae La-Na

แม่ละนา

Ce petit village chan situé dans une vallée incroyablement pittoresque, à 6 km de la Route 1095, apparaît comme perdu aux confins du monde. Il est célèbre pour la **Tham Mae La-Na**, une grotte sur 12 km parcourue par une rivière. Les guides locaux sont prêts à vous y conduire, mais sachez que la grotte ne possède pas l'infrastructure appropriée pour recevoir le public et que, par conséquent, de telles visites risquent d'endommager sérieusement et à jamais ces friables formations rocheuses et d'affecter l'habitat sensible des poissons cavernicoles. Il vaut mieux visiter **Tham Pakarang** (la grotte de Corail) et **Tham Phet** (la grotte du Diamant), qui offrent aussi de belles formations rocheuses. Durant la journée, vous y trouverez des guides (100 B) au *săh·lah* (parfois orthographié *sala*), une salle d'assemblée ouverte sur les côtés. Sinon, adressez-vous à la boutique du village principal. Certaines des grottes ne sont pas accessibles en saison humide.

Mae La-Na constitue également une bonne base pour d'extraordinaires **balades**. Certains des plus beaux paysages de Mae Hong Son sont accessibles en moins d'une journée de marche, abritant des villages de Lahu noirs et de Lahu rouges (selon la couleur des vêtements). Il est possible de décrire une demi-boucle de 20 km, de Mae La-Na jusqu'à Tham Lot et à Soppong, en passant la nuit dans l'un des villages lahu rouges. Mme Khun Ampha, de la Maelana Garden Home (ci-dessous), peut vous conseiller et vous fournir une carte. Une robuste moto tout-terrain peut se prêter à cet itinéraire, à condition d'être un pilote aguerri. Mais, surtout, ne partez jamais seul ou durant la saison des pluies.

L'embranchement pour Mae La-Na est à 13 km à l'ouest de Soppong. De rares *sŏrng·tăa·ou* – vous aurez une meilleure chance le matin – vont de la grand-route au village (30 B/pers). Sur le chemin, vous passerez par le village lahu noir de Jabo, fier de posséder une caverne-sépulture.

#### OÙ SE LOGER ET SE RESTAURER

**Maelana Garden Home** (☎0 5304 0016, 08 706 6021 ; ch 200-500 B). À la sortie de Mae La-Na en se rapprochant de Tham Mae La-Na, cette jolie ferme comporte deux bâtiments en bois et quelques bungalows triangulaires en bambou. Chambres sommaires mais propres et confortables. Vous pourrez commander à votre hôtesse un authentique repas chan (80 B/pers). Elle parle un peu anglais et peut donc vous renseigner sur la région. Appelez avant d'arriver ou demandez Mme Khun Ampha à l'épicerie/station-service du village.

Une douzaine de foyers dans Mae La-Na ont mis en place un **programme d'hébergement** (nuit 100 B/pers), dont les profits sont réinvestis dans le fonds communautaire. On peut vous préparer un repas (70 B/pers). La maison de bois à l'entrée de Mae La-Na est là pour vous renseigner, quoique souvent désertée.

### Ban Nam Rin

บ้านน้ำริน

Dans ce village lisu situé à 9 km au sud de Soppong, sur la route de Pai, vous pourrez loger au **Lisu Lodge** (☎08 3582 4496, 08 3054 8497 ; lisulodge@gmail.com ; ch 150-600 B). Entouré de montagnes splendides, installé au milieu d'un jardin rempli d'arbres fruitiers, le lieu respire la sérénité. Trois options vous sont proposées : bungalows ordinaires en bois, avec sdb commune, bungalows en pierre plus chics de style thaï, avec jolis meubles de teck recyclé et terrasse, ou bungalow familial. Les conseils du propriétaire allemand sont précieux si vous comptez visiter les villages des ethnies alentour ; il confectionne aussi une redoutable liqueur de mûre.

### Depuis/vers Soppong

Les bus et minibus quotidiens circulant entre Pai et Mae Hong Son s'arrêtent à Soppong (6 départs dans chaque sens). Le trajet entre Pai et Soppong (ordinaire/clim/minibus 40/80/100 B) dure entre 1 heure et 2 heures. Pour des détails sur comment se rendre à Mae Hong Son, voir p. 449.

Des motos-taxis stationnent devant l'arrêt de bus à Soppong et conduisent les passagers à Tham Lot ou au Cave Lodge pour 70 B par personne. Des camionnettes privées effectuent la même course pour 300 B (6 voyageurs au maximum).

## Khun Yuam

ขุนยวม

**6 823 habitants**

Les bus allant vers le nord s'arrêtent tous à mi-chemin de Mae Sariang et de Mae Hong Son, dans la paisible ville montagnarde de Khun Yuam. Cette bourgade peu visitée constitue une halte reposante. Elle dispose d'une petite capacité d'hébergement et compte quelques sites.

À l'extrémité nord de la ville, une collection de camions militaires rouillés annonce le **mémorial de l'Amitié nippo-thaïlandaise** (Thai-Japan Friendship Memorial Hall ; 50 B ; 🕑8h-16h). Armes, équipement militaire, affaires personnelles de soldats et photos en noir et blanc illustrent la période où les Japonais occupèrent Khun Yuam, dans les derniers jours de la guerre avec la Birmanie. Quelques soldats japonais restés sur place s'y marièrent. Le dernier installé dans les environs est mort en 2000.

À 6 km à l'ouest de Khun Yuam, au bord d'un cours d'eau, le **Wat To Phae** possède un *chedi* de style môn et un *wí·hăhn* immaculé de style birman. Ce dernier abrite une grande *kalaga* (tapisserie brodée et cousue de paillettes), vieille de 150 ans, protégée par des rideaux sur l'un des côtés de l'autel principal. Elle dépeint une scène des *jataka vessantara* (*jakata* populaires dans lesquels le bodhisattva développe la perfection du don). Les fidèles pensent qu'il suffit de la regarder pour s'attirer de bonnes grâces.

À 25 km de Khun Yuam par la Route 1263, le petit village hmong de **Ban Mae U Khaw** s'étend sur les pentes du Doi Mae U Khaw. Fin novembre, les environs se couvrent de splendides tournesols du Mexique, appelés ici *dòrk boua torng*. L'événement est incroyablement populaire parmi les Thaïlandais, et les hôtels de la localité affichent alors complet. Continuez encore pendant 25 km sur la même route pour arriver aux chutes de **Nam Tok Mae Surin** (dans le parc national de Mae Surin ; 200 B), considérées comme les plus hautes du pays (100 m).

Vous trouverez des banques avec DAB dans l'artère principale de Khun Yuam, ainsi que quelques possibilités d'hébergement. À 6 km à l'ouest de Khun Yuam, Ban To Phae, un pittoresque village traditionnel chan, offre également des chambres chez l'habitant.

**Ban Farang** (☎ 0 5362 2086 ; janny5alisa@hotmail.com ; 499 Th Ratburana ; dort 100 B, bungalows 600-1 400 B ; ⌘ ). Au nord de la ville, à l'écart de la route principale (indiqué à l'arrêt du bus), des bungalows bien entretenus s'accrochent à une colline boisée. Les moins chers, rudimentaires et sombres, ne disposent que d'un ventilateur tout en bénéficiant d'une terrasse. Les plus chers ont clim, frigo, TV sat et terrasse. Massage aux plantes ; un restaurant dans les prix habituels.

Quand ils seront achevés, les deux bâtiments en duplex du **Khun Yuam Resort** (☎ 08 9432 1032 ; www.khunyuamresort.multiply.com ; 139 Moo 1 Ban To Phae ; 1 200-2 000 B ; ⌘ ), surplombant une vallée, auront la plus belle vue des environs. Pour l'instant, des chambres, grandes mais sans cachet, sont disponibles à un prix excessif.

Dans la grand-rue au centre de Khun Yuam, **Mithkhoonyoum Hotel** (☎ 0 5369 1057 ; 61 Rte 108 ; ch 150-550 B ; ⌘ ) propose des chambres simples et propres, parfois avec sdb.

De modestes échoppes de riz et de nouilles sont installées du côté est, Route 108, vers l'extrémité sud de la ville ; la plupart ferment vers 17h ou 18h.

Des bus s'arrêtent régulièrement à Khun Yuam (ordinaire/clim 67/110 B, 2 heures) sur leur trajet Mae Sariang-Mae Hong Song.

## MAE SARIANG

แม่สะเรียง

**10 012 habitants**

Jusque-là délaissée, la petite ville de Mae Sariang est en train de gagner en popularité grâce à son cadre agréable et décontracté en bordure de la rivière. Son potentiel pour le tourisme durable et le trekking n'est pas non plus négligeable. Nombre de communautés ethniques se concentrent dans les environs, notamment à Mae La Noi, à 30 km au nord de la ville. La zone au sud de Mae Sariang, montagneuse et couverte d'épaisses forêts, englobe les parcs nationaux de Salawin et de Mae Ngao.

### Renseignements

Mae Sariang compte plusieurs agences bancaires dotées de DAB et un **bureau de l'immigration** (☎ 0 5368 1339 ; Route 108) qui prolongera votre visa de quelques jours si vous êtes pressé et en route pour la frontière. Il se trouve en face de la station-service sur la route de Mae Hong Son. Vous pourrez vous connecter à **Internet** (20 B/h) à côté du River House Hotel.

### À faire

Mae Sariang offre peu à voir, si ce n'est deux temples birmans-chan accolés : le **Wat Jong Sung** et le **Wat Si Bunruang**, construits en 1896. À deux pas de la rue principale, ils méritent absolument une visite. Le Wat Jong Sung est le plus intéressant des deux, par son *chedi* élancé de style chan et ses bâtiments monastiques en bois.

La région aux alentours de Mae Sariang est probablement la plus extraordinaire du pays pour le **trekking** et les **circuits**, non seulement en raison de sa beauté naturelle et de sa diversité culturelle, mais aussi de l'apparition de compagnies d'un genre nouveau qui développent un tourisme durable et responsable, tourné vers la communauté.

**Dragon Sabaii Tours** (☎ 08 9956 9897, 08 7190 4469 ; www.thailandhilltribeholidays.com ; Th Mongkolchai ; circuit d'une journée, groupe de 4, 1 800 B) met l'accent sur l'écotourisme et le tourisme culturel, principalement dans la région de Mae La Noi, juste au nord de Mae Sariang. Cette nouvelle agence propose des circuits variés avec l'objectif d'une vraie introduction au mode de vie et à la culture

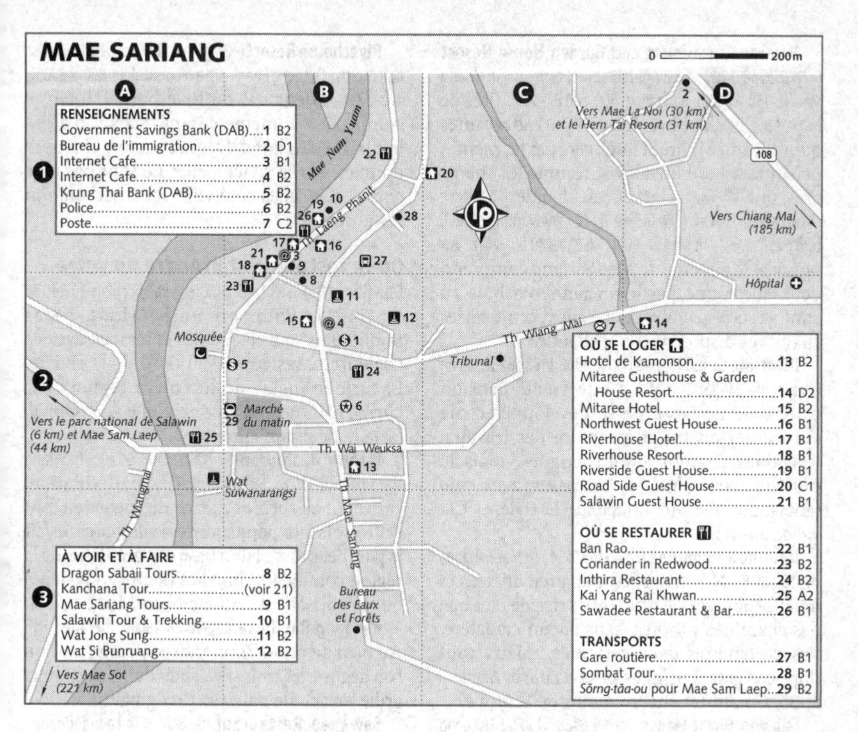


des ethnies montagnardes. Au programme des activités, dont les bénéfices reviendront directement aux communautés : visites discrètes des villages, séjours, “travail volontaire” et cours de cuisine ou d'agriculture.

**Mae Sariang Tours** (☎ 08 2032 4790 ; www.maesariangtravel.multiply.com ; Th Laeng Phanit ; trek d'une journée, 1 200 B plus dépenses). Le propriétaire, qui préfère se faire appeler Mae Sariang Man, est un guide expérimenté qui mène des treks et des expéditions de rafting dans le respect de l'environnement et pour le bénéfice des communautés ethniques. Ses destinations sont la montagne et les parcs nationaux aux alentours de sa ville natale. Pour s'assurer que les villages reçoivent bien leur dû, les participants peuvent choisir d'y régler directement les dépenses du jour (en sus des honoraires du guide).

**Kanchana Tour** (☎ 08 1952 2167 ; www.orchidhomestay.com ; circuit vélo demi-journée 600 B, journée 1 000 B). Cette ancienne professeur propose des randonnées à vélo d'une journée ou d'une demi-journée autour de Mae Sariang, ainsi que des excursions en bateau sur la Mae Nam Salawin et des visites chez les communautés ethniques. Elle reçoit également des hôtes dans sa maison, à 2 km du centre. Vous la trouverez souvent à la Salawin Guest House (p. 466).

**Salawin Tour & Trekking** (☎ 08 2181 2303 ; Th Laeng Phanit ; trek 1/3 jours 1 300/2 500 B). M. Salawin et ses frères organisent des circuits dans la région depuis 16 ans. Au programme : excursions à dos d'éléphant, rafting et randonnées. Leur “bureau” est près de la Riverside Guest House ; vous pourrez communiquer en anglais.

## Où se loger

**Road Side Guest House** (☎ 0 5368 2713 ; road-sidegh@hotmail.com ; 44 Th Mae Sariang ; ch 200 B). Sur le thème des cow-boys et des Indiens, les 6 chambres de cette nouvelle pension sont naturellement rustiques, mais propres et confortables. Le propriétaire, guide de randonnée expérimenté, conduit des treks dans les alentours.

**Northwest Guest House** (☎ 0 5368 1956 ; www.northwestgh.blogspot.com ; 81 Moo 12, Th Laeng Phanit ; ch 200-400 B). Dans cette grande maison en bois, les chambres sont rudimentaires (matelas par terre), mais claires et de bonne taille. Vaste gamme d'à-côtés compensant cette simplicité, de la location de motos au service de blanchisserie.

**Mitaree Guesthouse and Garden House Resort** (☎ 0 5368 1109 ; www.mitareehotel.com ; 24 Th Wiang Mai ; ch 150-4 000 B, bungalows 600-800 B ; ). Près de la poste, les chambres ici sont plus attrayantes que celles du Mitaree Hotel, géré par les mêmes personnes. Les bungalows, comme les chambres, ont TV sat, clim et eau chaude.

**Mitaree Hotel** (☎ 0 5368 1110 ; www.mitareehotel.com ; 256 Moo 2, Th Mae Sariang ; ch 250-480 B ; ). La plus vieille auberge de Mae Sariang comprend deux ailes : une partie ancienne en bois au confort rudimentaire et une aile récente où les chambres disposent d'eau chaude.

**Riverside Guest House** (☎ 0 5368 1188 ; 85 Th Laeng Phanit ; ch 250-550 B ; ). Cette vieille pension conviviale ne cesse de se développer et de s'améliorer au fur et à mesure des travaux. Certaines chambres sont exiguës, mais la plupart partagent des terrasses avec vue fantastique sur une boucle de la rivière et la vallée au-delà.

**Hotel de Kamonson** (☎ 0 5368 1524 ; Th Mae Sariang ; ch 350-700 B ; ). Malgré ce nom prétentieux, cet hôtel de plusieurs étages n'offre rien de plus que des chambres propres, sans aucun caractère. Pas de fenêtres dans certaines, mieux vaut donc en visiter quelques-unes d'abord. Anglais approximatif (et encore moins de français).

**Salawin Guest House** (☎ 0 5368 1490 ; 2 Th Laeng Phanit ; ch 400-480 B ; ). Dans cette pension, les lits sont durs et les serviettes élimées, mais le charmant couple âgé qui la tient est d'une telle gentillesse que l'on passe sur ces détails. Chambres propres, avec grande sdb avec eau chaude. Accès Internet et situation idéale.

**Hern Tai Resort** (☎ 0 5368 9033 ; www.herntai.com ; 420 Moo 1, Ban Mae La Noi ; ch 400-800 B, bungalows 1 000 B). À 25 km au nord de Mae Sariang, à Ban Mae La Noi, au milieu de pittoresques rizières, ce complexe allie cadre unique et hébergement de caractère. Grandes chambres dans un édifice en bois de style chan et deux immenses bungalows. Pour vous y rendre, prenez la route qui bifurque juste après le coffee-shop/belvédère, à l'extrémité sud de la ville.

**Riverhouse Hotel** (☎ 0 5362 1201 ; www.riverhousehotels.com ; 77 Th Laeng Phanit ; ch avec petit-déj 1 000-1 300 B ; ). Le mélange teck et style contemporain séduit les voyageurs. Les chambres climatisées du 2e étage sont dotées de baies vitrées et de vastes vérandas surplombant la rivière. Au rez-de-chaussée, les chambres avec ventilateur et hamacs à l'extérieur donnent aussi sur la rivière. La plus belle option de la ville, que complète un excellent restaurant.

**Riverhouse Resort** (☎ 0 5368 3066 ; www.riverhousehotels.com ; Th Laeng Phanit ; ch avec petit-déj 1 800-2 800 B ; ). À deux pas du Riverhouse Hotel, ce complexe a le même gérant, mais il n'a pas le charme de l'hôtel. Demandez une chambre donnant sur la rivière, elles ne sont pas plus chères que celles côté ville. Ici aussi, un bon restaurant.

## Où se restaurer et prendre un verre

**Ban Rao** (☎ 0 5368 1743 ; Th Laeng Phanit ; plats 30-140 B ; 17h-22h). Pour un authentique repas thaïlandais, sans le feu des épices, essayez ce chaleureux restaurant au bord de la rivière. La carte en anglais décline un vaste choix, des currys habituels au plus exotique *yam sôm oh* (salade de pamplemousse).

**Inthira Restaurant** (☎ 0 5368 1529 ; Th Wiang Mai ; plats 30-150 B ; 8h-22h). Cadre, décoration, carte fournie, prix et cuisine délicieuse en font l'adresse la plus populaire de la ville. La carte fait la part belle aux plats à base d'ingrédients de la région comme les shiitakés (lentins du chêne) ou les poissons de la Mae Nam Moei.

**Kai Yang Rai Khwan** (plats 30-180 B ; 10h-17h). Au pied du pont. Bonne adresse conviviale où l'on déguste les trois spécialités de l'Isan : poulet grillé, salade de papaye et riz gluant.

**Sawadee Restaurant & Bar** (Th Laeng Phanit ; plats 40-150 B ; 8h-minuit). Comme dans un bar de plage, l'ambiance est à paresser en savourant une bonne bière au bord de l'eau (ici la Mae Nam Yuam). Le menu bien fourni a pensé aux végétariens.

**Coriander in Redwood** (Th Laeng Phanit ; plats 40-180 B ; 12h-22h). Dans un bel édifice en bois, voici le restaurant le plus chic de la ville. On vous recommandera le steak, mais mieux vaut s'en tenir à la cuisine thaïlandaise. Les *nám prík* (sauces à base de piments pour tremper les aliments) sont variés et délicieux. L'après-midi, venez vous rafraîchir avec une glace ou un café glacé.

## Depuis/vers Mae Sariang

Chaque jour, de la gare routière, 7 *sŏrng·tăa·ou* rallient Mae Sot (200 B, 6 heures) entre 6h30 et 0h30, mais ne partent que quand ils sont pleins.

À la gare routière, **Prempracha Tour** (☎ 0 5368 1347) assure, entre 7h et 17h30, 5 liaisons par jour en bus entre Mae Sariang et Mae Hong Song (ordinaire/clim 100/180 B, 4 heures), via Khun Yuam (ordinaire/clim 70/110 B, 2 heures). Des bus desservent également

5 fois par jour Chiang Mai (ordinaire/clim 100/180 B), entre 7h et 17h.

**Sombat Tour** (☎ 0 5368 1532 ; Th Mae Sariang), qui a son bureau juste au nord de la gare routière, opère la liaison avec Bangkok (2e classe clim/1re classe 508/653 B, 14 heures) avec 4 départs par jour entre 16h et 19h.

Vous pouvez louer des motos auprès du Sawadee Restaurant & Bar (p. 466) et de la Northwest Guest House (p. 465).

En ville, la course en moto-taxi revient à 20 B, quelle que soit la destination.

## ENVIRONS DE MAE SARIANG

### Parc national de Salawin et village de Mae Sam Laep

อุทยานแห่งชาติสาละวิน/แม่สามแลบ

Ce **parc national** (☎ 0 5307 1429 ; 100 B) englobe une zone protégée de 722 km² entre les districts de Mae Sariang et de Sop Moei. Il est couvert d'une épaisse forêt mélangeant cèdres rouges asiatiques, merisiers et tecks, dont l'un est le deuxième plus grand de Thaïlande. De nombreux sentiers de randonnée le parcourent, et il est également possible de se rendre en bateau sur la Mae Nam Salawin jusqu'au poste avancé du parc à Tha Ta Fang. Les bureaux de l'administration du parc sont à 6 km de Mae Sariang ; on y trouve des bungalows (de 300 à 1 200 B), à réserver via le **Royal Forest Department** (☎ 0 2562 0760 ; www. dnp.go.th).

Le village de commerce au bord de la rivière de **Mae Sam Laep**, situé dans le parc, est presque au bout d'une route de montagne sinueuse, à 50 km de Mae Sariang. Il est peuplé de réfugiés birmans, dont beaucoup sont musulmans.C'est le point de départ pour la descente en bateau de la Mae Nam Salawin, au fil d'une jungle intacte et de formations rocheuses étranges. Parfois, le bateau fait une incursion illégale au Myanmar.

De l'embarcadère de Mae Sam Laep, il est possible de louer un bateau en direction du sud pour Huay Mae Ti (700 B), le village karen de Ban Pu Tha (1 200 B) et Sop Moei (1 300 B, 2 heures), à 25 km de Mae Sam Laep. En direction du nord, vous pouvez aller jusqu'à la station du parc national de Salawin à Tha Ta Fang (1 200 B, 1 heure 30), à 18 km au nord de Mae Sam Laep, à Ban Mae Sakeup (2 000 B) et à la réserve naturelle de Sop Ngae (2 500 B). II existe aussi des bateaux de passagers, mais les départs sont irréguliers et, à moins que vous ne parliez thaï, vous aurez du mal à négocier votre place.

Chaque jour, 10 *sŏrng·tăa·ou* circulent entre Mae Sariang et Mae Sam Laep (70 B, entre 6h30 et 17h), au départ de Th Laeng Phanit, près du marché du matin.

# Le Nord-Est

Pour la plupart des touristes, et pour bon nombre de Thaïlandais, le vaste territoire du Nord-Est est l'arrière-cour oubliée du pays. C'est pourtant dans cette région appelée Isan (ou *i·săhn*), terme qui désigne collectivement ses 19 provinces, que l'on peut redécouvrir la Thaïlande d'antan : rizières à perte de vue, buffles d'eau pataugeant dans des mares boueuses, tissage artisanal de la soie, cyclo-pousse sillonnant les rues... Ici, les habitants continuent de vivre paisiblement, selon des traditions ancestrales, dans un profond respect de leur patrimoine et de leur histoire. Et ceux qui ont dû partir en ville pour trouver du travail restent très attachés au mode de vie de leur village.

Si la région présente beaucoup de similitudes avec le reste du pays, on se rend vite compte qu'elle possède aussi sa propre identité. La langue, la gastronomie et la culture se rattachent aux traditions laotiennes plutôt que thaïlandaises, et reflètent de nombreuses influences khmères et vietnamiennes.

Prenez le temps d'en explorer les recoins. Si les expériences authentiques vous attirent, vous serez comblé à coup sûr : ruines de superbes temples khmers, parcs nationaux parmi les plus sauvages du pays, villages paisibles qui s'éveillent pour des fêtes exubérantes et colorées, rives magnifiques du Mékong. Dans cette région préservée, où peu de gens parlent anglais, vous ferez le plein de souvenirs inoubliables.

**À NE PAS MANQUER**

- Les forêts montagneuses du **parc national de Khao Yai** (p. 480) et leurs éléphants, tigres, pythons, singes et autres animaux sauvages
- Les vestiges isan de l'époque d'Angkor et les temples restaurés de **Phanom Rung** (p. 483) et de **Phimai** (p. 478)
- Le Mékong qui coule majestueusement près du paisible village de **Chiang Khan** (p. 536)
- Un voyage onirique dans le **parc de sculptures de Sala Kaew Ku** (p. 523), à Nong Khai
- L'escalade puis la détente dans le **parc national de Phu Kradung** (p. 541)

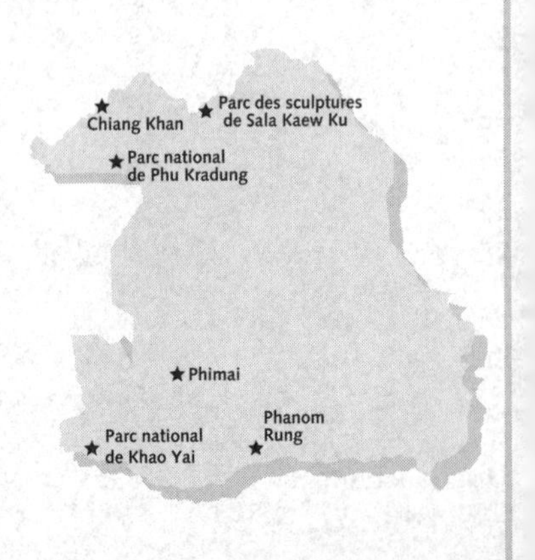


MEILLEURE PÉRIODE : DE NOVEMBRE À FÉVRIER

POPULATION : 22 MILLIONS D'HABITANTS

## Histoire

L'histoire de cette région secrète remonte à 4 000 ans ou plus, lorsque la civilisation de Ban Chiang commença à pratiquer l'agriculture à l'aide d'outils en bronze.

Les Thaïs emploient le terme *i·săhn* (Isan) pour désigner à la fois la région (*pâhk i·săhn*), la population (*kon i·săhn*) et la cuisine (*ah hăhn i·săhn*) du Nord-Est. Il vient du sanskrit "Isana", nom du royaume môn-khmer qui englobait le nord-est de la Thaïlande et le Cambodge actuels. Après le IX^e siècle, l'empire d'Angkor annexa ces régions et fit ériger nombre des fabuleux ensembles de temples qui les parsèment aujourd'hui.

Jusqu'à l'arrivée des Européens, l'Isan demeura largement autonome face aux premiers royaumes thaïs. Puis, alors que les Français délimitaient le Laos colonisé, la Thaïlande se vit contrainte de fixer ses frontières du Nord-Est. Ainsi, l'Isan tomba lentement, mais inexorablement, dans le giron de la Grande Thaïlande.

Longtemps la région la plus pauvre du pays, le Nord-Est devint un foyer pour le communisme. Les idées de Ho Chi Minh s'y propagèrent en 1928 et 1929 et, dans les années 1940, plusieurs dirigeants du Parti communiste indochinois fuirent le Laos pour se réfugier dans l'Isan et aider le Parti communiste de Thaïlande à se développer. Des années 1960 à l'amnistie de 1982, la guérilla ne cessa d'agiter l'Isan, notamment dans les provinces de Buriram, Loei, Ubon Ratchathani, Nakhon Phanom et Sakon Nakhon. Puis l'urbanisation croissante provoqua l'exode vers les villes de nombreux paysans et la rébellion s'évanouit durant les années de boom économique. Ces années de prospérité n'ont cependant pas profité à l'ensemble de la population, et le revenu par habitant de l'Isan représente moins d'un tiers de la moyenne nationale.

## Climat

Le nord-est de la Thaïlande connaît un climat de mousson avec 3 saisons. Assez doux et sec de novembre à fin février, le temps devient chaud et sec de mars à mai (les températures peuvent alors dépasser 40°C), puis pluvieux et chaud de juin à octobre. La province de Loei subit des conditions climatiques plus tranchées, avec les températures les plus élevées et les plus basses – c'est l'un des rares endroits du pays où le thermomètre descend au-dessous de 0°C.

## Parcs nationaux

Le Nord-Est comprend 24 parcs nationaux et 21 parcs forestiers. Le plus impressionnant, Khao Yai (p. 480), englobe la plus vaste forêt de mousson intacte du continent asiatique. D'autres méritent également le détour : Phu Kradung (p. 541), pour sa faune et ses randonnées en altitude ; Phu Chong Nayoi (p. 503), l'un des endroits les plus sauvages du pays ; et Phu Wiang (p. 514), qui enchantera les passionnés de dinosaures.

## Langue et culture

Un mélange d'influences khmère et laotienne marque la culture et la langue isan. Les Khmers ont laissé derrière eux plusieurs monuments de style angkorien, particulièrement dans les provinces de Buriram, Surin et Si Saket, alors que de nombreux temples de style lao jalonnent les rives du Mékong, dont le Wat Phra That Phanom. Dans cette région, où la population d'origine est plus nombreuse que dans tout le Laos, beaucoup de gens parlent le lao (très proche de la langue isan). Dans l'extrême sud de la région, le khmer reste la langue principale de nombreux villages.

Les habitants de l'Isan sont réputés dans tout le pays pour leur cordialité, leur ardeur au travail et leur sens de l'humour. Le respect et l'hospitalité font partie intégrante de la vie, et beaucoup s'enorgueillissent de faire toujours passer les autres avant eux. On réserve généralement les meilleurs aliments aux moines et aux invités et, si vous êtes convié chez quelqu'un, vos hôtes tueront certainement un poulet en votre honneur (prévenez-les à l'avance si vous êtes végétarien). Les Isan sont bien moins respectueux des traditions que la plupart de leurs concitoyens. Toutefois, les touristes étant ici plutôt rares, les shorts très courts et les débardeurs vous vaudront des regards plus appuyés que dans le reste de la Thaïlande.

Si l'Isan est, de loin, la région la plus pauvre du pays, ses habitants sont les plus heureux de la nation selon l'index de bien-être récemment mis au point par le gouvernement. Parmi les raisons citées, la solidarité et les liens familiaux viennent en premier, mais il faut ajouter que, pour les gens de l'Isan, le bonheur vient de ce qu'on est, et non de ce qu'on possède. Dans les villages, il est très difficile de distinguer les riches des pauvres, car on attache peu de prix à la taille des maisons et à l'élégance des vêtements.

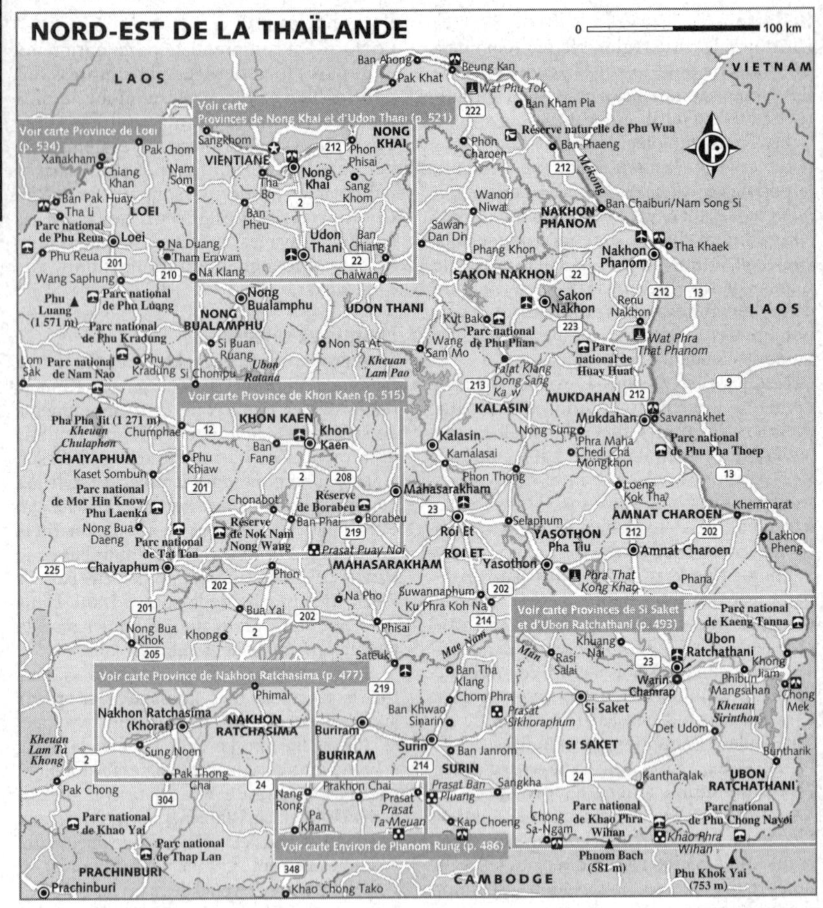


La musique du Nord-Est est issue d'une tradition folklorique qui utilise des instruments comme le *kaan*, comportant une anche, 2 longues rangées de roseaux de bambou et une caisse de résonance en bois, le *ɓohng lahng*, une sorte de xylophone, et le *pin*, un petit luth à 3 cordes pincées avec un grand plectre. Le chant le plus populaire est le *lôok tûng* ("enfants des champs"), beaucoup plus rythmé que le style de chant classique du centre de la Thaïlande.

La meilleure soie thaïlandaise provient, dit-on, du Nord-Est, en particulier de Khon Kaen, Surin, Chaiyaphum et Nakhon Ratchasima. Les cotonnades de Loei, de Nong Khai et de Nakhon Phanom sont très appréciées, en particulier celles que l'on tisse selon la technique du *mát·mèe* (voir l'encadré p. 507). La plupart des grands magasins vendent des tissus teints de façon naturelle, à l'aide de plantes, une technique ancienne en plein renouveau. Les étoffes coûtent de 20 à 30% moins cher dans les villages de tisserands qu'à Bangkok (50% pour les plus rares). Autre spécialité artisanale du Nord-Est : le *mŏrn kwăhn* ("oreiller hache"), un coussin dur de forme triangulaire utilisé pour s'accouder quand on s'assoit par terre. Les paniers à riz font également de jolis souvenirs.

## Depuis/vers le Nord-Est

Les principales lignes de train et de bus relient Bangkok à Nong Khai et à Ubon

**LA CUISINE ISAN**

La cuisine isan mêle les influences laotienne et thaïlandaise et fait appel à des ingrédients locaux. La "sainte trinité" de la cuisine du Nord-Est – le *gài yâhng* (poulet grillé), le *sôm· đam* (salade de papaye) et le *kôw nĕe·o* (riz gluant) – fait partie intégrante de la culture. Les piments occupent également une large place ; on en retrouve dans la plupart des plats, en particulier le *lâhp*, une salade de viande extrêmement épicée originaire du Laos. Le *gaang aòrm* n'a pas grand-chose à voir avec les currys thaïlandais typiques, car on le prépare avec du *ƀlah ráh* (une sauce de poisson fermentée couleur de boue) au lieu de la noix de coco et du sucre. On le sert parfois accompagné de nouilles transparentes, mais il est censé être mangé avec du riz.

Les spécialités isan sont généralement à base de poissons comme le *ƀlah dùk* (poisson-chat), le *ƀlah chôrn* (poisson à tête de serpent) et le *ƀlah boo* (gobie), qui proviennent pour la plupart du Mékong et de quelques autres grands cours d'eau. Les poissons pêchés par les familles pour leur propre consommation sont généralement petits – si minuscules parfois qu'on les mange en entier, avec les arêtes – parce qu'ils viennent de ruisseaux et de rizières ; même chose pour les crabes, les grenouilles et les anguilles. Le *ƀlah bèuk* (poisson-chat géant du Mékong) est le poisson le plus communément associé au Nord-Est, mais on n'en mange presque jamais ici, car il coûte trop cher. La pisciculture permet toutefois peu à peu de le remettre à la carte.

Pour les Occidentaux, comme pour les autres Thaïlandais, les insectes restent ce qui caractérise la cuisine isan. Ils ont pourtant perdu de leur popularité dans les années 1970, lorsque le gouvernement a promu l'élevage des poulets et des porcs, faisant baisser le prix de ces viandes aujourd'hui très appréciées. Si la jeune génération ne mange plus très souvent des insectes, ceux-ci sont toujours couramment utilisés comme en-cas ou ingrédients pour la préparation des sauces pimentées. Les lumières pourpres qu'on voit briller dans la campagne servent à attraper des nèpes géantes, vendues, ainsi que des grillons, des sauterelles, des cigales et des *nŏrn mái pài* (vers de bambou), sur la plupart des marchés de nuit. En fait, la demande reste tellement importante qu'on importe des insectes du Cambodge. Les vers à soie abondent en Thaïlande : on les plonge dans l'eau bouillante pour enlever les fils de soie du cocon avant de les mettre en bouche, où ils provoquent une véritable explosion gustative ! Essayez lorsque vous visiterez un village de tisserands.

Ratchathani ; des bus relient aussi de petites villes directement à Bangkok au moins une fois par jour. Si vous venez des provinces du Nord, vous pouvez également rejoindre l'Isan en bus depuis Phitsanulok, en passant par Khon Kaen. De Bangkok, des vols desservent plusieurs villes, mais leur fréquence est limitée.

### Comment circuler

Avec un peu de temps devant soi, voyager dans cette région ne pose aucun problème grâce aux transports publics qui relient toutes les villes, grandes et moyennes, même aux plus petits villages. Cependant, les plus reculés ne sont parfois desservis que 2 fois par jour. Pour les plus pressés, rappelez-vous que les distances parcourues sont importantes dans le Nord-Est et que les bus sont souvent lents. Le plus sûr, si l'on prévoit de visiter des sites assez éloignés, reste donc de louer une voiture ou une moto. Cela permet aussi de mieux apprécier le voyage.

## PROVINCE DE NAKHON RATCHASIMA

La province de Khorat, de son nom original le plus communément utilisé, la plus vaste du pays, reste la destination favorite des touristes. La jungle de Khao Yai, le plus vieux parc national thaïlandais, récemment classé au patrimoine mondial, attire les foules. Son immense étendue et les écosystèmes qu'elle abrite en font une destination de choix en Thaïlande et un site hors pair d'observation de la vie sauvage en Asie du Sud-Est.

Même si Khao Yai demeure le principal attrait touristique de la province, la soie et la pierre sont incontournables. Les férus de mode ne manqueront pas de visiter Pak Thong Chai, berceau national du tissage de la soie, réputé pour être toujours à la page. Les ruines de l'âge d'or d'Angkor séduiront les passionnés d'histoire. Les temples khmers malgré leur aspect d'éboulis, et le Prasat Phimai, restaurés restent très évocateurs du passé.

La ville de Khorat présente peu d'intérêt au premier abord, mais avec ses nombreux hôtels et sa concentration de restaurants sans égale dans le Nord-Est, c'est un excellent point de chute lors d'un séjour dans l'Isan.

## NAKHON RATCHASIMA (KHORAT)

นครราชสีมา(โคราช)

**215 000 habitants**

Ville bouillonnante qui ne cesse de se développer, Khorat, porte du Nord-Est, ne séduit pas au premier regard.

En fait, Khorat demande que l'on prenne le temps de la découvrir. Dotée d'une forte identité régionale, typiquement isan, cette cité animée cache ses trésors dans des quartiers plus tranquilles (côté est, à l'intérieur des douves, par exemple), où la vie traditionnelle thaïlandaise suit son cours, loin du tourisme de masse.

### Renseignements

#### ACCÈS INTERNET

La ville compte de nombreux cybercafés. Le **Net Guru** (Th Phoklang ; 15 B/h ; 8h30-minuit) ouvre plus longtemps que les autres.

#### ARGENT

**Bangkok Bank** (Th Jomsurangyat ; 10h-20h). À l'intérieur du centre commercial Klang Plaza 2. Change uniquement des espèces.

**Siam Commercial Bank** (Th Mittaphap ; 10h30-20h). Au 2e niveau du centre commercial. Change les chèques de voyage.

#### OFFICE DU TOURISME

**TAT** (Tourism Authority of Thailand ; ☎ 0 4421 3666 ; 2102-2104 Th Mittaphap ; 8h30-16h30). Couvre les provinces de Khorat, Buriram, Surin et Chaiyaphum.

#### POSTE

**Poste** (Th Jomsurangyat ; 8h30-16h30 lun-ven, 8h30-12h sam et jours fériés)

#### URGENCES ET SERVICES MÉDICAUX

**Bangkok Hospital** (☎ 0 4426 2000 ; Th Mittaphap)

**Police touristique** (☎ 0 4434 1777 ; Th Chang Pheuak). Face au terminal des bus n°2.

### À voir et à faire

#### MUSÉE NATIONAL MAHA WIRAWONG

พิพิธภัณฑ์สถานแห่งชาติมหาวีรวงศ์

Une belle collection d'objets d'art khmers et de la période d'Ayuthaya, dont des bouddhas de pierre et de bronze, des sculptures en bois provenant d'un temple ancien et divers ustensiles domestiques, vous attend dans ce petit **musée** (☎ 0 4424 2958 ; Th Ratchadamnoen ; 50 B ; 9h-16h30 mer-dim), un peu à l'écart, dans l'enceinte du Wat Sutchinda ; profitez-en, il n'y a jamais personne.

#### MÉMORIAL THAO SURANARI

อนุสาวรีย์ท้าวสุรนารี

Femme courageuse et épouse du gouverneur adjoint de la ville, Thao Suranari devint célèbre en 1826, sous le règne de Rama III, en prenant la tête de la résistance contre l'armée de Chao Anuwong venue de Vientiane. Des historiens affirment que cette légende a été créée de toutes pièces afin d'insuffler à la communauté lao un sentiment d'appartenance à son pays d'adoption. Les habitants de la région continuent néanmoins d'affluer, pétris de dévotion, vers le mémorial érigé en son honneur dans Th Ratchadamnoen. Pour obtenir la protection spirituelle de Ya Mo ("Grand-mère Mo"), comme on la surnomme, les gens font brûler de l'encens, présentent des offrandes de fleurs et de nourriture ; ceux dont les supplications ont été entendues engagent des groupes qui chantent des *pleng koh·râht*, les chansons populaires traditionnelles de Khorat, sur une scène près du sanctuaire.

Juste au nord du mémorial, un petit édifice blanc abrite le **musée Thao Suranari** (Th Chumphon ; entrée libre ; 9h-18h mar-dim), où l'on peut voir un beau diorama et un magnifique bas-relief de la célèbre bataille.

#### AUTRES CURIOSITÉS ET ACTIVITÉS

Les vestiges d'un petit tronçon des remparts de la ville se cachent juste derrière le mémorial Thao Suranari, dont la **porte de Chumphon**, dernière encore debout (les 3 autres étant de récentes reconstitutions),

#### LES HÉBERGEMENTS DU NORD-EST

Le Nord-Est compte peu de pensions. La plupart des hébergements pour petits budgets sont donc des hôtels en béton de style chinois, qui offrent à la fois des chambres bon marché et des chambres de catégorie moyenne sans charme, mais correctes. Les rares établissements haut de gamme présentent généralement un excellent rapport qualité/prix.

fut érigée en 1656 par des techniciens français sur l'ordre de Narai, roi d'Ayuthaya.

Lorsque l'abbé du **Wat Pa-Yap** (Th Phonsaen ; 8h-18h) apprit que des tirs de mines dans une carrière de la province de Saraburi ravageaient une superbe grotte, il décida d'en récupérer quelques pièces. Ainsi décora-t-il de stalactites, de stalagmites et d'autres formations rocheuses improbables toute une pièce située sous sa résidence, créant ainsi un sanctuaire sans pareille.

Thao Suranari et son époux fondèrent le **Wat Salaloi** (Th Thao Sura, Soi 1 ; en journée) en 1827. Les cendres de celle-ci sont enterrées ici et de nombreux fidèles engagent des chanteurs en son honneur. Datant de 1967, le *bòht* (salle des ordinations) en forme de jonque chinoise, comme plusieurs autres bâtiments, est orné de poteries de Dan Kwian (voir p. 476). Une statuette de l'héroïne en train de prier se dresse dans la mare en face du *bòht*.

Des **circuits en minibus** (20 B/pers ; 9h-16h30), le long des douves s'arrêtent au Wat Salaloi et au Wat Pa-Yap. Ils durent 90 min et partent du mémorial Thao Suranari lorsqu'au moins 10 personnes ont pris un billet.

Le **Wat Phra Narai Maharat** (Th Chomphon ; 8h-20h) est intéressant pour sa sculpture sacrée khmère en grès de Phra Narai (Vishnu), déterrée dans l'enceinte du temple. Suivez les panneaux avec des flèches rouges vers l'angle sud-est jusqu'à ce que vous entendiez de la musique indienne.

## Fêtes et festivals

Chaque année, du 23 mars au 3 avril, Khorat connaît une grande effervescence à l'occasion de la **fête de Thao Suranari**. La ville célèbre la victoire de Thao Suranari sur les Laotiens (voir plus haut) avec des défilés, des représentations théâtrales et des chants folkloriques.

## Où se loger

### PETITS BUDGETS

**Potong Hotel** (☎ ☎ 0 4425 1962 ; 652 Th Ratchadamnoen ; s/d 190/240-350 B). Pas aussi agréable que le Doctor's House, mais très bien situé. Chambres correctes, sans plus, mais vu les prix, comment se plaindre ?

**Doctor's House** (☎ 08 5632 3396 ; 78 Soi 4, Th Seup Siri ; ch 200-350 B ; ). Une des rares adresses où les routards sont la norme, ce gîte chez l'habitant offre 7 chambres simples avec sdb commune dans une vieille maison en bois. Vous n'aurez guère le loisir d'explorer les nombreux bars et restaurants des environs, car l'établissement ferme à 22h. Possibilité de louer des vélos (50 B) et des motos (200 B).

**Sansabai House** (☎ 0 4425 5144 ; 335 Th Suranari ; ch 270-500 B ; ). Les tarifs affichés dans l'accueillante réception de ce gîte paraissent suspects à première vue tant ils sont modiques. Et, pourtant, rien à craindre, les chambres sont claires, propres, et disposent de bons matelas, de mini-réfrigérateurs et de petits balcons.

**Srivijaya Hotel** (☎ 0 4424 2194 ; 9-11 Th Buarong ; ch 400-500 B ; ). Le Srivijaya est bien trop quelconque pour justifier l'étiquette "hôtel de charme" qu'il s'est attribuée ; néanmoins, on dort très bien dans ses chambres confortables et impeccables.

**Assadang Hotel** (☎ 0 4424 2514 ; 315 Th Assadang ; ch 400-500 B ; ). Cet hôtel se résume à un bloc de béton divisé en petites chambres, mais les peintures bicolores et les différentes touches décoratives (sans parler du monte-charge pour les bagages) rendent l'endroit original. Le propriétaire est adorable.

### CATÉGORIES MOYENNE ET SUPÉRIEURE

**Thai Inter Hotel** (☎ 0 4424 7700 ; www.thaiinterhotel.com ; 344/2 Th Yommarat ; ch 550-650 B ; ). Un petit hôtel qui a ouvert en 2008 et essaie d'être tendance en mariant différents styles, et c'est plutôt réussi. Bon emplacement, à deux pas d'une légion de bars et de restaurants de qualité.

**Chaophaya Inn** (☎ 0 4426 0555 ; www.chaophayainn.com ; 62/1 Th Jomsurangyat ; ch 500-1 000 B ; ). Échappant à l'ambiance carcérale de beaucoup d'adresses de catégorie moyenne à Khorat, cet établissement offre propreté, confort, le Wi-Fi gratuit dans les chambres et une certaine élégance, le tout à des prix raisonnables.

**Rachaphruk Grand Hotel** (☎ 0 4426 1222 ; www.rachaphruk.com ; Th Mittaphap ; ch 1 200-1 500 B ; ). Le qualifier de "prestigieux" serait exagéré, mais ce 4-étoiles vieillot, le seul de cette catégorie dans le centre-ville, vous conviendra si vous recherchez le confort d'un hôtel d'affaires ou si vous voulez une belle vue sur la ville. Salle de sport avec sauna et 3 restaurants, entre autres possibilités de divertissement. Petit plus : tenue de cow-boy de rigueur pour le personnel !

## Où se restaurer

Lors de votre séjour, ne manquez pas de goûter au *pàt mèe koh·râht*, proposé dans la plupart des restaurants. Il s'agit d'une spécialité similaire au *pát tai*, mais qui a plus de goût et que l'on prépare avec des nouilles de riz locales (*mèe*

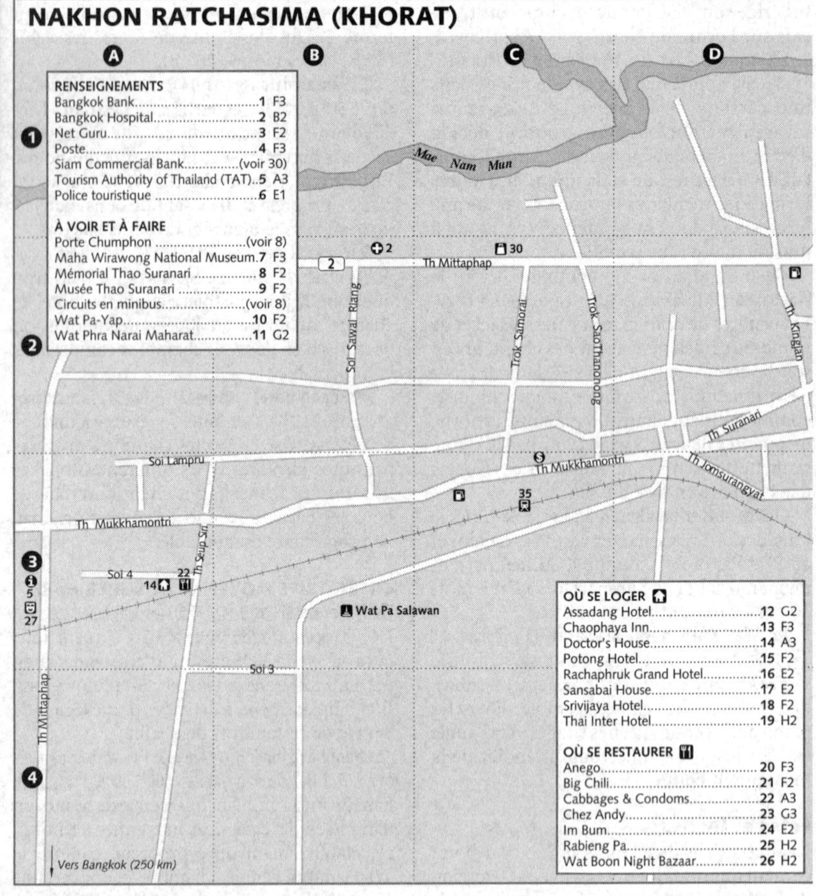


*koh·râht*). Vous pourrez également en déguster au **marché de nuit de Wat Boon** (Th Chomphon), qui propose aussi des criquets frits, des saucisses de porc et autres spécialités isan.

**Im Bum** (☎ 08 1725 6008 ; Th Buarong ; plats 25-130 B ; petit-déj et déj). Établissement sympathique, tout de bois vêtu, proposant des versions végétariennes de plats traditionnels thaïlandais et chinois. Menu en thaï uniquement.

**Cabbages & Condoms** (☎ 0 4425 3760 ; 86/1 Th Seup Siri ; plats 35-200 B ; déj et dîner). Vous y trouverez une terrasse ombragée, une carte des vins (fait rare dans cette région du pays) et de nombreuses coupures de journaux louant le travail de l'association à but non lucratif Population & Community Development, à laquelle sont reversés tous ses bénéfices.

**Rabieng-Pa** (☎ 0 4424 3137 ; 284 Th Yommarat ; plats 45-220 B ; dîner). Ce restaurant ombragé, le plus agréable sur cette partie de Th Yommarat (et certainement de tout Khorat), possède une ambiance détendue. La carte, illustrée, ne trompe pas sur la savoureuse cuisine thaïlandaise.

**Chez Andy** (☎ 0 4428 9556 ; Th Manat ; plats 80-1 250 B ; déj et dîner lun-sam). Rendez-vous des expatriés, cet établissement tenu par un Suisse occupe une villa rouge et blanche et propose une carte internationale, avec fondue, steaks et riz sauté.

Autres adresses recommandées :

**Big Chili** (☎ 0 4424 7469 ; 158/8 Th Chakkri ; plats 70-350 B ; dîner). Spécialités mexicaines plutôt réussies.

**Anego** (☎ 0 4426 0530 ; 62/1 Th Jomsurangyat ; plats 50-600 B ; dîner). Authentiques sushis et plats de nouilles japonais, plus quelques spécialités de pâtes italiennes.

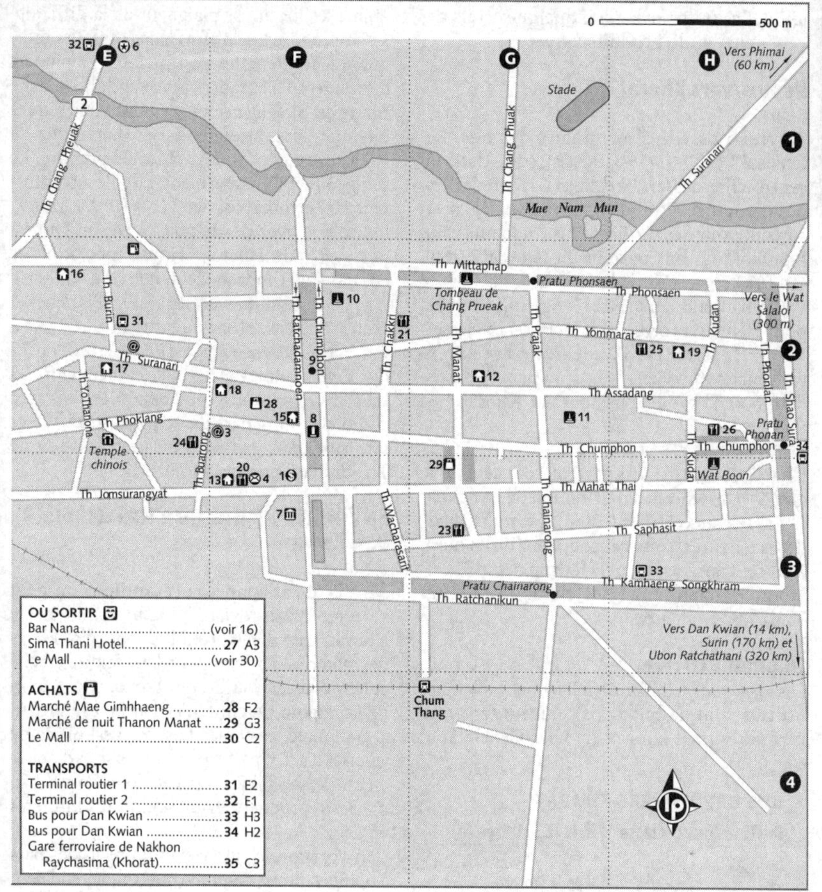


## Où prendre un verre et sortir

Khorat compte une multitude de bars sympathiques, notamment à l'intersection de Th Yommarat et de Th Kundan, sur Th Mahat Thai, à l'est de Th Manat et dans la zone de Th Seup Siri/Soi 3. Le **Bar Nana** (Th Mittaphap), dans le Rachaphruk Grand Hotel, offre la piste de danse la plus fréquentée de la ville. Il ne s'anime vraiment qu'aux alentours de minuit et ferme à 2h.

Le **Sima Thani Hotel** (☎ 0 4421 3100 ; Th Mittaphap) propose souvent des spectacles de danse et de musique isan *bohng·lahng* pour les groupes. Mais tout le monde peut y assister.

Le Mall abrite un mini-parc aquatique et le meilleur cinéma de la ville.

## Achats

Le centre-ville de Khorat accueille 2 marchés de nuit, où l'animation bat son plein entre 18h et 22h. Si celui de Chiang Mai n'a pas un grand intérêt, le **marché de nuit de Thanon Manat** (Th Manat) mérite le détour. Proposant principalement des vêtements et des accessoires (pas d'objets artisanaux), il attire une foule de jeunes. Plus modeste, le marché de nuit du Wat Boon est plus agréable pour dîner que pour y faire des achats.

Le **Mall** (Th Mittaphap ; 🕑 10h30-21h30 lun-ven, à partir de 10h sam et dim) est le plus grand et le plus clinquant des centres commerciaux de l'Isan. Le **marché Mae Gimhhaeng** (Th Suranari) est un centre commercial de la vieille école où dominent les échoppes de restauration, parmi lesquelles on trouve aussi quelques étals de vêtements et de produits variés.

## Depuis/vers Khorat

### BUS

La ville possède 2 terminaux des bus. Le **terminal 1** (☎ 0 4424 2899 ; Th Burin), situé dans le centre-ville, dessert Bangkok et d'autres villes de la province. Pour d'autres destinations, et surtout pour des services plus fréquents vers Bangkok, les bus partent du **terminal 2** (☎ 0 4425 6006) en retrait de la Hwy 2.

On n'attend jamais très longtemps les bus pour Bangkok (ordinaire/2e classe/1re classe/VIP 75/154/189/198 B, 3 heures), car ceux en provenance des villes de la province et à destination de la capitale passent par Khorat.

### TRAIN

Chaque jour, 11 trains partent de la **gare** (☎ 0 4424 2044) de Khorat à destination de Bangkok (3e/2e/1re classe 50/115/230 B). Le trajet dure de 4 à 6 heures, soit beaucoup plus qu'en bus ; 7 autres trains assurent la liaison depuis/vers Ubon Ratchathani (3e/2e classe avec clim 58/423 B, 4-6 heures).

## Comment circuler

Les *sŏrng·tăa·ou* (ou *săwngthăew*, petits pick-up utilisés comme bus/taxis) empruntent des itinéraires fixes à travers la ville. Cependant, même les locaux se plaignent de la difficulté à comprendre les chiffres et les couleurs indiquant les différentes destinations. La plupart descendent Th Suranari, à proximité du marché Mae Gimhhaeng : si vous voulez vous rendre quelque part, attendez ici et demandez de l'aide, quelqu'un vous dira lequel prendre. Le *sŏrng·tăa·ou* 17, rose et blanc, circule du centre-ville au Terminal routier 2 (*bor kŏr sŏr sŏrng*) ; le 1, blanc avec des bandes vertes et jaunes, passe près du Doctor's House (personne ne connaissant l'endroit, demandez le *tà nŏn sèup sì rì*) ; et le 1, jaune avec des bandes blanches et vertes, dessert l'office du tourisme.

La plupart des courses en *túk-túk* (prononcez *đúk đúk*) et moto-taxi en ville coûtent entre 30 et 70 B. On peut aussi opter pour les taxis avec compteur au départ du terminal 2, ou louer une moto dans plusieurs magasins côté est de Th Suranari, près du terminal 1.

**BUS DEPUIS/VERS KHORAT**

| Destination | Classe | Prix (B) | Durée (h) |
|---|---|---|---|
| Chaiyaphum | ordinaire | 56 | 2 |
| | 2e | 78 | |
| | 1re | 101 | |
| Chiang Mai | 1re | 560 | 13 |
| | VIP | 653 | |
| Khon Kaen | 2e | 129 | 3 |
| | 1re | 187 | |
| Loei | 2e | 260 | 6 |
| | 1re | 321 | |
| Nang Rong | 2e | 70 | 2 |
| | 1re | 85 | |
| Nong Khai | 2e | 225 | 6 |
| | 1re | 270 | |
| Pattaya | 1re | 290 | 5 |
| | VIP | 310-410 | |
| Surin | 2e | 120 | 4 |
| | 1re | 178 | |
| Ubon Ratchathani | 2e | 203 | 7 |
| | 1re | 269 | |

# ENVIRONS DE NAKHON RATCHASIMA

## Dan Kwian

ด่านเกวียน

Sans être passionné de céramique, on peut s'arrêter à Dan Kwian, à 15 km au sud-est de Khorat. Ce village produit depuis des siècles des poteries célèbres pour leur texture rêche et leur couleur rouille, que l'on doit au kaolin de la région. Quantité de boutiques bordent la nationale, certaines faisant aussi office de galeries d'art. On y trouve toutes sortes d'objets en argile, des bijoux aux carillons, en passant par les reproductions de sculptures khmères en grès.

À l'origine, le village était un relais de chars à bœufs pour les commerçants qui se rendaient aux marchés du vieux Khorat (*dàhn gwi an* signifie "poste de contrôle des chars à bœufs"). À l'extrémité nord de l'artère principale, le **musée de Kwian** (☎ 0 4437 5199 ; dons appréciés ; ⏰ en journée), privé et délabré, expose de vieux chars en provenance de tout l'Isan, ainsi que des outils agricoles et des poteries anciennes.

Pour venir de Khorat, prenez un bus (14 B, 30 min) près de la porte sud de la ville, la porte est ou le terminal 2.

## Ban Prasat

บ้านปราสาท

Il y a quelque 3 000 ans, une culture, fondée sur l'agriculture et la céramique se développa à Ban Prasat, près des rives de la Mae Nam Than Prasat. Durant presque 500 ans, cette communauté cultiva le riz, domestiqua des

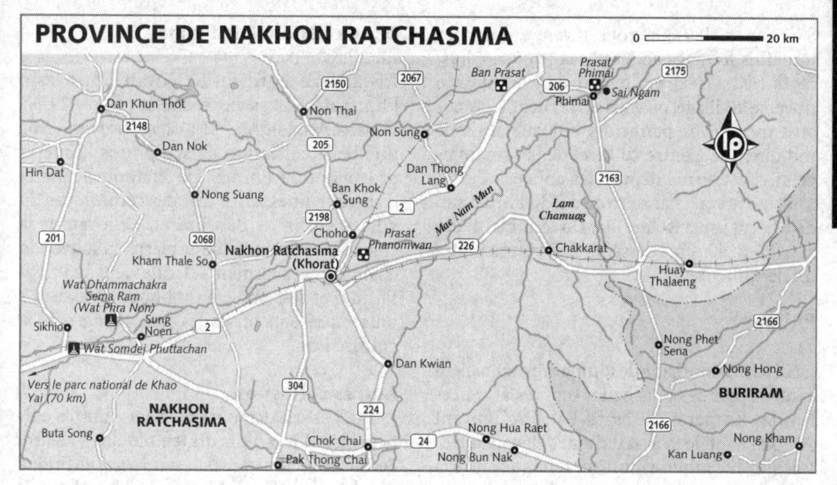


animaux, façonna des poteries colorées, tissa des vêtements et, plus tardivement, forgea des outils en bronze. Les secrets de cette civilisation antique furent révélés par des fouilles qui s'achevèrent en 1991. Dans le village, trois **sites archéologiques** (entrée libre ; 24h/24) renferment des squelettes et des poteries. Un petit **musée** (entrée libre ; 8h-16h30 mer-dim) présente les découvertes les plus intéressantes et reconstitue la vie de l'époque.

Nombre de villageois de Ban Prasat participent au **programme culturel d'hébergement chez l'habitant** ( 08 1725 0791 ; 400 B/pers/nuit et 2 repas), qui leur permet d'accueillir des visiteurs et de leur faire partager leurs tâches quotidiennes. Réservez au moins un jour à l'avance.

### DEPUIS/VERS BAN PRASAT

Ban Prasat se situe à 45 km au nord-est de Khorat, en retrait de la Hwy 2. Les bus (ordinaires/2e classe) reliant Khorat et Phimai vous déposeront sur la Hwy 2 à la hauteur de Ban Prasat (28/35 B, 45 minutes). De là, un moto-taxi vous conduira aux 3 sites pour 50 B environ, temps d'attente compris pour une petite visite.

## Bouddha couché en grès

พระพุทธไสยาสน์หินทราย

Le **Wat Dhammachakra Sema Ram** abrite le plus ancien **bouddha couché** ( en journée) du pays. Datant du VIIIe siècle, la statue de style Dvaravati, mesurant 13,5 m, est exceptionnelle car elle n'a été recouverte ni de stuc ni de chaux. Usée par le temps et conservée à l'état brut, elle s'étend derrière un autel, sous un vaste toit qui la protège des intempéries. Dans le *wat*, une roue du Dharma en pierre, également trouvée sur le site, serait plus ancienne encore que le bouddha couché.

Pour visiter le temple, à 40 km au sud-ouest de Khorat, le mieux est de faire l'excursion dans la journée à partir de cette ville. Sung Noen (6 B, 40 min) est sur la ligne de chemin de fer de Bangkok, mais seuls 3 trains locaux s'y arrêtent. Vous pouvez aussi prendre un bus dans l'un des 2 terminaux de Khorat (21 B, 30 min). Une fois à Sung Noen, vous devrez parcourir en moto-taxi les 5 derniers kilomètres jusqu'au *wat*. Prévoyez 100 B pour l'aller-retour.

## Pak Thong Chai

ปักธงชัย

Le district de Pak Thong Chai est devenu l'un des centres de tissage de la soie les plus célèbres du pays lorsque Jim Thompson a commencé à s'y approvisionner (pour plus d'informations sur Thompson, voyez p. 141). Aujourd'hui, le district abrite une dizaine de fabriques mécanisées, sans compter les centaines, voire les milliers de familles qui travaillent toujours à la main sur des métiers à tisser installés chez elles. Pak Thong Chai est connue pour lancer la mode, mais certains magasins gardent en stock des étoffes de styles traditionnels, comme le *mát·mèe*, provenant d'autres provinces.

La ville est assez importante et, de ce fait, elle n'est pas aussi agréable à visiter que d'autres centres de tissage de la soie dans l'Isan, comme Chonabot (p. 514) ou Ban Tha

Sawang (p. 489) ; si vous y venez, cherchez toutefois le magasin **Macchada** (☎ 0 4444 1684 ; ☎ 8h-17h), à l'extrémité sud de la route qui traverse le village, où vous verrez des tisserands au travail. Des panneaux sur la nationale indiquent le Centre culturel de la soie, mais celui-ci est fermé depuis des années.

Pak Thong Chai se trouve à 30 km au sud de Khorat sur la Route 304. Du terminal 1, des bus (23 B, 40 min) desservent le village toutes les demi-heures.

## Phimai

พิมาย

La discrète bourgade de Phimai abrite en plein centre l'une des plus belles œuvres architecturales khmères du Nord-Est. Préfigurant Angkor Wat, le Prasat Phimai s'élevait autrefois sur une grande route marchande entre la capitale, Angkor, et les confins septentrionaux du royaume khmer. Ponctuée de ruines et entourée des vestiges de ses anciens remparts, Phimai conserve en partie son charme d'antan. La découverte des ruines, certes modestes par rapport à Angkor Wat, constitue le seul intérêt de la visite.

Hormis les ruines à visiter, il n'y a pas grand-chose à faire ici, mais si vous recherchez le calme, vous apprécierez d'y passer une ou deux nuits. Sinon, Phimai peut être le but d'une excursion d'une journée au départ de Khorat.

### À VOIR

#### Parc historique de Phimai

อุทยานประวัติศาสตร์พิมาย

Commencé par le roi khmer Jayavarman V (968-1001) et achevé par Suriyavarman I^er^ (1002-1049), au début du XI^e^ siècle, le superbe temple hindo-bouddhique mahayana trône au milieu de l'ancienne cité. Précédant d'un siècle Angkor Wat, à qui il aurait servi de modèle, le **Prasat Phimai** (☎ 0 4447 1568 ; Th Anantajinda ; 100 B ; 🕑 7h30-18h) comporte des éléments identiques à ceux de son célèbre cousin, comme le toit du sanctuaire principal, haut de 28 m. Mais, contrairement à la plupart des temples khmers, il est orienté au sud.

Et à l'inverse de nombreux temples khmers du Nord-Est, le Prasat Phimai a été admirablement restauré par le département des Beaux-Arts et représente l'un des monuments les plus complets du circuit. Une brochure gratuite vous donne un bon aperçu du site et des guides parlant anglais proposent des visites gratuites (pourboires conseillés).

#### Musée national de Phimai

พิพิธภัณฑสถานแห่งชาติพิมาย

Installé au bord du Sa Kwan, un bassin khmer du XII^e^ siècle, ce **musée** (☎ 0 4447 1167 ; Th Tha Songkhran ; 100 B ; 🕑 9h-16h mer-dim) renferme une belle collection de sculptures khmères provenant de Phimai, de Phanom Rung et d'autres ruines, ainsi que des céramiques du village voisin de Ban Prasat. Le joyau de la collection est une statue de pierre du souverain d'Angkor Jayavarman VII. Elle vient du Prasat Phimai et ressemble à un bouddha assis. Le musée présente aussi des témoignages de la culture isan.

#### Autres curiosités

Phimai et ses alentours recèlent d'autres édifices historiques, mineurs (entrée libre). Le **Meru Boromathat** (Th Tha Songkhran) est un *chedi* en brique qui date de la fin de la période d'Ayuthaya. Il doit son nom à une légende populaire qui en fait le lieu de crémation du roi Bramathat. Si les remparts se sont en majeure partie effondrés, ce qu'il reste de la **Pratu Chai** (porte de la Victoire), qui fait face à Phimai à l'extrémité sud de Th Chomsudasadet, donne une idée de ce que fut leur apparence. Au sud de la porte, on aperçoit **Kuti Rusi** (les quartiers de l'ermite), un ancien lieu de guérison, et **Tha Nang Sa Phom** (🕑 en journée), un ancien débarcadère en latérite du XIII^e^ siècle qui fait maintenant partie du domaine appartenant aux Beaux-Arts.

Un peu à l'est de la ville se dresse le banian le plus ancien et le plus grand de Thaïlande, le **Sai Ngam** (Beau Banian ; accès libre ; ☎ 6h-18h) sur un îlot au milieu d'un vaste bassin d'irrigation. Le vaste réseau de ses racines aériennes qui tombent en cascade le fait ressembler à une petite forêt.

### FÊTE

Mi-novembre, la **Fête de Phimai** rend hommage à l'histoire de la ville par des spectacles culturels, des illuminations et des courses de bateaux-dragons. Des manifestations plus modestes sont organisées le dernier samedi du mois, d'octobre à avril.

### OÙ SE LOGER ET SE RESTAURER

**Old Phimai Guesthouse** (☎ 0 4447 1918 ; www.phimaigh.com ; 214/14 Th Chomsudasadet ; dort 90 B, s 150-350 B, d 180-450 B ; ❄ 💻). Une bonne ambiance de voyage règne dans cette historique maison de bois retirée dans une ruelle calme. Les hôtes, très sympathiques, sont une mine d'informa-

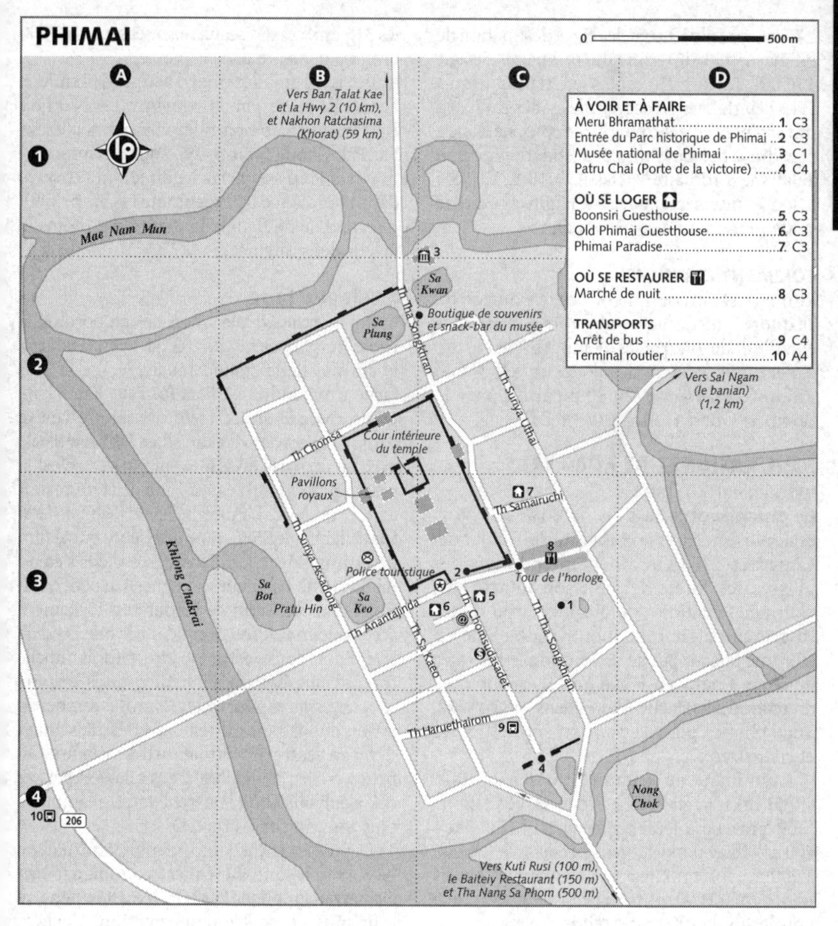


tions sur Phimai et proposent des excursions pour Phanom Rung à des prix raisonnables.

**Boonsiri Guesthouse** (☎ 08 9424 9942 ; www.boonsiri.net ; 228 Th Chomsudasadet ; dort 150 B, ch 400-500 B ; ). Malgré les apparences, cet hôtel offre des chambres à des prix raisonnables. Les dortoirs sont équipés de casiers avec cadenas et les chambres sont spacieuses. Joli petit salon à l'arrière, connexion Wi-Fi dans quelques chambres. Excursions pour Phanom Rung

**Phimai Paradise** (☎ 0 4428 7565 ; 100/2 Th Samairuchi ; ch 400-500 B ; ). Rien d'exceptionnel, mais cet établissement récent loue les meilleures chambres de la ville.

**Baiteiy Restaurant** (☎ 0 4428 7103 ; Th Phimai-Chumpuang ; plats 45-200 B ; petit-déj, déj et dîner). À 500 m au sud de la Pratu Chai, ce joli restaurant en plein air, décoré de fausses sculptures khmères, prépare des spécialités thaïlandaises, isan et chinoises, ainsi que quelques plats internationaux.

La plupart des échoppes près de Sai Ngam ouvrent le matin, le midi et le soir, et vendent les classiques thaïlandais et isan, dont le *pát phimai* (très proche du *pàt mèe koh râht*, p. 473) mais toujours servi avec des nouilles faites maison. Phimai compte aussi un petit **marché de nuit** (Th Anantajinda ; 16h-22h).

### DEPUIS/VERS PHIMAI

Nul besoin d'aller au terminal routier de Phimai pour prendre un bus. Tous, au départ et à l'arrivée, passent près de la Patru Chai, de la tour de l'horloge et du musée.

Au départ de Khorat, les bus à destination de Phimai partent du terminal 2 (ordinaire/2e classe 45/50 B, 1 heure 15) toutes les 30 min jusqu'à 19h. Peu de bus desservant les villes du Nord traversent la ville. Le plus facile consiste donc à prendre le bus de Khorat à destination de Ban Talat Kae (ordinaire/2e classe 10/13 B, 15 min) jusqu'à l'intersection avec la Highway 2 et, de là, de prendre une correspondance.

### COMMENT CIRCULER

Phimai est suffisamment petite pour qu'on l'explore à pied, mais pour voir plus de sites en ville et découvrir ses alentours (Sai Ngam, par exemple), vous pouvez louer un vélo à l'Old Phimi Guest House (20/80 B par h/j) ou à la Boonsiri Guest House (20/100 B).

## PARC NATIONAL DE KHAO YAI

อุทยานแห่งชาติเขาใหญ่

Le **parc national de Khao Yai** (☎ 08 1877 3127 ; 400 B) est le plus ancien et le plus visité de Thaïlande. Couvrant 2 168 km², il comprend l'une des plus vastes forêts de mousson intactes du continent asiatique, ce qui lui a valu d'être inscrit au patrimoine mondial de l'Unesco (comme faisant partie de l'ensemble forestier de Dong Phayayen-Khao Yai). Les employés du **centre d'inforamation des visiteurs** (🕑 8h30-20h), anglophones pour la plupart, sont efficaces et chaleureux.

Culminant au sommet du Khao Rom (1 351 m), le parc englobe 5 zones de végétation : forêt pluviale à feuillage persistant (de 100 à 400 m), forêt pluviale semi-persistante (de 400 à 900 m), forêt mixte à feuillage caduc (pentes nord de 400 à 600 m), forêt persistante d'altitude (au-dessus de 1000 m) et, enfin, savane et forêt de repousse dans les zones qui étaient utilisées pour l'agriculture et l'exploitation forestière avant la création du parc. Les nombreuses orchidées qui s'épanouissent de mi-juin à fin juillet constituent l'un des rares avantages d'une visite pendant la saison des pluies.

Le parc héberge quelque 300 éléphants sauvages, mais aussi des muntjacs, des gaurs, des ours, des tigres, des léopards, des loutres, divers gibbons et macaques, ainsi que d'assez gros pythons. On y trouve également l'une des plus importantes populations de calaos du pays, dont le grand calao (*nók gòk* ou *nók gah-hang*), roi des oiseaux, le calao couronné (*nók grahm cháhng*, littéralement "oiseau à mâchoire d'éléphant"), le calao pie des Indes (*nók kàak*) et le calao brun (*nók ngêuak sĕe nám đahn*). Par ailleurs, parmi les 315 espèces d'oiseaux recensées, plus de 200 vivent à demeure dans le parc.

Il existe 2 grandes voies d'accès. La première, au nord, passe par la province de Nakhon Ratchasima, la plupart des voyageurs passant par Pak Chong (voir p. 482 pour des informations sur les transports). L'entrée sud se trouve dans la province de Prachinburi (voir p. 279), plus proche de Bangkok, mais qui a moins la faveur des visiteurs.

### À voir et à faire

Outre les **points de vue** aménagés au bord de la route (le plus élevé étant Pha Diew Die, sur le chemin de la station radar), le site le plus facile à rejoindre est **Nam Tok Kong Kaew**, une petite cascade située juste derrière le centre d'information des visiteurs. **Nam Tok Haew Narok**, avec un dénivelé de 150 m sur 3 niveaux, est la plus grande chute d'eau, à 1 km de la route tout au sud du parc. La plus belle est **Nam Tok Haew Suwat**, haute de 25 m, rendue célèbre par le film de Danny Boyle, *La Plage*. À ses pieds s'étend un bassin où l'on peut se baigner. Ce petit bijou niché dans un écrin de verdure est facilement accessible en voiture. Cependant, le mieux est de le rejoindre par le **sentier 1** (8 km), parfois difficile (prenez une boussole, car de grands détours sont nécessaires pour éviter les arbres tombés en travers du chemin), qui relie les différentes chutes d'eau au centre d'information des visiteurs. On peut y croiser des gibbons, des calaos et parfois des éléphants (que l'on rencontre néanmoins plus souvent sur les routes).

Depuis le centre d'information, une marche de 5,4 km le long du **sentier 5** conduit à la **tour d'observation de Nong Phak Chi**. Il existe une autre tour près du centre d'information. Celle-ci, bâtie au-dessus d'un petit lac et d'une saline, constitue l'un des meilleurs points d'observation de la faune ; avec beaucoup de chance, vous y verrez peut-être un tigre. Elle est également accessible par le **sentier 9** (3 km), peu emprunté, qui offre la meilleure chance d'observer des animaux en chemin. L'itinéraire le plus court, idéal pour arriver à la tour à l'aube ou au crépuscule (moments privilégiés pour voir la faune) est un sentier de 1 km qui part près du Km 35 et longe le lit d'un ruisseau.

Les autres sentiers de randonnée, certains tracés par le passage de la faune, sont moins bien marqués et nécessitent les services d'un guide. Quel que soit le chemin emprunté, portez des chaussures montantes et un pantalon : certains sentiers sont accidentés et parfois

**VOUS AVEZ DIT PARC NATUREL ?**

La région de Khao Yai est une destination très appréciée des Bangkokiens qui, pour beaucoup, n'y vont pas pour le parc. Les routes qui mènent à Khao Yai sont en effet bordées de stands de bonbons et de tir, d'échoppes diverses et d'autres attrape-touristes qui vont occuper les familles tout le week-end sans que celles-ci pensent une minute à la pleine nature. Certaines activités, disons-le, ne manquent pas de charme.

Le **Farm Chokchai** (☎ 0 4432 8485 ; www.farmchokchai.com ; Mittaphap Hwy, Km 159 ; 🕑 8h30-20h lun-ven, 7h30-20h sam-dim), ferme laitière de 3 200 ha où le kitsch cowboy coule à flots, est de loin l'étape la plus populaire. Son empire comprend désormais un glacier, un restaurant, un magasin de souvenirs et un campement de style safari (semaine/week-end 3 735/4 270 B par adulte). **Des circuits** (2 heures 30 235/250 B ; 🕑 10h-14h mar-ven, 9h-15h40 sam-dim) permettent de visiter les étables où a lieu la traite, ainsi qu'un zoo d'animaux de compagnie, et d'assister à un spectacle de cow-boys.

La Thaïlande s'est mise à produire du vin et, si les premiers crus provenaient du Château de Loei (p. 540), la région de Khao Yai est maintenant le centre incontesté de ce secteur en pleine croissance, avec plus d'une douzaine d'établissements viticoles. Deux des plus importants, **Khao Yai Winery** (☎ 0 3622 6416 ; www.khaoyaiwinery.com ; 🕑 9h-20h dim-mar, jusqu'à 22h ven-sam), qui réalisa sa première mise en bouteille en 1998, et **GranMonte** (☎ 0 3622 7334 ; www.granmonte.com ; 🕑 11h-20h), qui lui emboîta le pas 3 ans plus tard, se trouvent sur la route Pansuk-Kudkla, que l'on rejoint par la route directe entre Bangkok et Khao Yai (sortie au Km 144). Ces 2 producteurs proposent la visite de leur domaine au cadre somptueux (réservez à l'avance), des dégustations et d'excellents restaurants où l'on ne sert que des plats occidentaux. Respectivement à 22,5 km et 16 km de l'entrée du parc.

La région compte plusieurs parcs d'attractions, dont le **Life Park** (☎ 0 4429 7668 ; Th Thanarat, Km 19,5 ; 160-500 B/attraction), tout proche de l'entrée du parc située au Greenery Resort. Au programme, entre autres, karting, escalade, paintball et balades en poney.

infestés de sangsues pendant la saison des pluies (prévoyez aussi des répulsifs antimoustiques). Le personnel du centre d'information donne de bons conseils pour les randonnées (très importants en saison des pluies). On peut aussi louer des vélos (50 B/h). Des gardes font parfois office de guides lors de randonnées. Les tarifs sont négociables.

À l'extérieur du parc, à environ 3 km de l'entrée nord, une **grotte** laisse échapper vers 17h30 des millions de chauves-souris *Centurio senex*, une espèce rare au visage ridé.

Nombre d'hôtels et de complexes des environs de Khao Yai organisent des **circuits dans le parc**, le moyen idéal de le visiter. Le Khao Yai Garden Lodge (p. 482) et la Greenleaf Guesthouse (p. 482) sont particulièrement appréciés pour leurs excursions, tout comme le **Wildlife Safari** (☎ 0 4431 2922 ; www.khaoyaiwildlife.com), malgré son emplacement à 2 km au nord de Pak Chong. Généralement, les sorties d'une journée (1 100-1 300 B) incluent des marches faciles pour admirer les animaux sauvages et la chute de Haew Suwat. Le retour se fait de nuit, avec de grandes chances de croiser des éléphants. Vous pouvez aussi vous inscrire à un **safari nocturne** (en 4x4, avec des projecteurs pour éclairer) au centre d'information des visiteurs. Le déjeuner, les en-cas, l'eau et, à la saison des pluies, les "chaussettes antisangsues" (en réalité des guêtres) sont inclus dans le forfait, mais pas l'accès au parc. Comparez donc les prix avant. Il y a aussi des sorties d'une demi-journée (300-500 B). On reste alors à l'extérieur du parc pour visiter un temple-grotte et observer les chauves-souris. D'autres sorties (ornithologie, camping, randonnées ou autres) sont aussi organisées.

## Où se loger et se restaurer

On ne compte plus les établissements qui bordent les routes menant au parc, ni même ceux de la ville voisine, et sans grand charme, de Pak Chong. Pour se loger à moindre frais, les rabatteurs dans les gares et aux arrêts de bus sont très utiles (en cas de doute, appelez vous-même l'hôtel, le personnel parle presque toujours anglais). En effet, les meilleurs hébergements pour visiter le parc se trouvent au sud de la ville, le long de la Route 2090 (Th Thanarat), et les rabatteurs vous y emmèneront gratuitement. Les établissements de catégorie supérieure offrent généralement une remise de 30% hors saison (de mai à octobre) et demandent jusqu'à 500 B pour le trajet vers/depuis Pak Chong.

♡ **Greenleaf Guesthouse** (☎ 0 4436 5024 ; www.greenleaftour.com ; Th Thanarat, Km 7,5 ; ch 200-300 B). Une fois franchies les parties communes un peu décrépites de cet établissement de longue date, les chambres d'un très bon rapport qualité/prix (toutes avec sdb privative) réservent une bonne surprise. Sans doute la seule option petits budgets en ville.

**Khao Yai Garden Lodge** (☎ 0 4436 5178 ; www.khaoyai-gardenlodge.com ; Th Thanarat, Km 7 ; ch 350-2 600 B, f 3 800-6 800 B ; ). Endroit accueillant et décalé, bien différent des grands complexes chics tout proches. Les chambres ont chacune leur style (sauf celles avec sdb commune à 350 B) et donnent sur un jardin luxuriant. Un peu vieux peut-être, mais bon rapport qualité/prix pour la région. Wi-Fi gratuit dans le salon.

**Juldis** (☎ 0 4429 7297 ; www.juldiskhaoyai.com ; Th Thanarat, Km 17 ; ch 1 760-4 800 B, bungalows 4 800-7 200 B ; ). Cet établissement luxueux, un des plus anciens de Khao Yai, a été rénové en 2008 et a plus de classe que ses concurrents à ces tarifs-là, ce qui veut dire que les accents des chanteurs de karaoké ne devraient pas perturber votre sommeil. Courts de tennis, un spa et agréables jardins.

**Kirimaya** (☎ 0 4442 6000 ; www.kirimaya.com ; Rte 3052 ; ch 7 600-14 300 B, villas avec piscine 15 400 B, villas sous tentes 22 200 B ; ). En découvrant cet hôtel-spa grand luxe, on reste bouche bée. Derrière les portes d'entrée en bois, on accède au restaurant et aux bungalows sur pilotis, mêlant architecture thaïlandaise et balinaise, construits sur un étang couvert de lotus et de roseaux, avec les montagnes en toile de fond. Les chambres, dotées de balcons, possèdent des meubles en bambou et tout le confort moderne. La présence d'un golf de 18 trous en bordure du parc laisse sceptique (même conçu par Jack Nicklaus), mais on ne peut nier que l'endroit se démarque du lot. À 7 km à l'est de l'entrée du parc.

Le parc lui-même est bien sûr le meilleur endroit où passer la nuit. Vous avez le choix entre 2 **campings** (empl 30 B, location tente 2-4 pers 150-250 B) et tout un choix de **chambres** et de **bungalows** (☎ 0 2562 0760 ; www.dnp.go.th/parkreserve ; 2-8 pers 800-3 500 B).

Tous les lodges cités ci-dessus servent des repas. De nombreux restaurants très agréables, avec jardins, jalonnent Th Thanarat. Le parc compte également des restaurants dans toutes les zones fréquentées (centre d'information des visiteurs, campings et certaines cascades). Tous ferment vers 19h, même ceux des campings, alors soyez prévoyant.

### Depuis/vers le parc national de Khao Yai

La quasi-totalité des bus reliant Bangkok (2e/1re classe 108/139 B, 2 heures) et Khorat (2e/1re classe 59/74 B, 1 heure) font halte à Pak Chong. Vous pouvez aussi prendre le train au départ de Bangkok ou de Khorat, mais il est plus lent que le bus, surtout depuis Bangkok. D'Ayuthaya, il n'existe en revanche aucune liaison directe en bus, mieux vaut prendre le train (3e/2e classe 173/203-333 B, 2 heures, 11 départs quotidiens).

Des *sŏrng·tăa·ou* (40 B, 45 minutes, toutes les 30 min entre 6h et 17h) parcourent les 30 km entre Pak Chong et l'entrée nord du parc en suivant Th Thanarat. Ils partent en face du 7-Eleven, près de la statue de cerf à 500 m à l'ouest du terminal des bus ordinaires, mais la plupart des bus s'arrêtent devant les bureaux de leur compagnie en différents points de la route principale.

Comptez encore 14 km jusqu'au centre d'information des visiteurs ; les gardes forestiers arrivent généralement à convaincre les chauffeurs d'y conduire les *fa·ràng* (étrangers d'ascendance européenne). Certains d'entre eux louent également des motos pour environ 500 B la journée. Dans la rue principale de Pak Chong, des magasins louent aussi des motos pour 300-400 B. Mais il vous faudra sans doute négocier sans compter sur l'anglais.

# PROVINCE DE BURIRAM

Les villes de cette province n'ont rien pour retenir l'attention des touristes. Malgré ses douves historiques, Meuang Buriram, le chef-lieu, n'a guère d'intérêt. On vient ici pour admirer les témoignages du passé dispersés dans la campagne, à l'instar des 50 ruines khmères qui la parsèment (sur les 259 que compte le pays).

Le joyau de la région est Phanom Rung. Dressé au sommet d'un volcan éteint, cet ensemble de temples khmers superbement restaurés est le monument angkorien le plus spectaculaire du pays. Il mérite incontestablement le déplacement et éblouira les plus blasés.

## NANG RONG

นางรอง

**20 300 habitants**

Cette ville ordinaire, située à 45 km au nord de Buriram, ne présente guère d'intérêt non plus, mais constitue, grâce à ses nombreuses infrastructures et à son grand choix d'hôtels, un point de départ idéal pour visiter Phanom Rung. La ville ambitionne de se séparer du reste de la province, et certains panneaux indiquent même "Province de Nang Rong", mais ces désirs sont loin d'être des réalités.

### Où se loger et se restaurer

**Honey Inn** (☎0 4462 2825 ; www.honeyinn.com ; 8/1 Soi Si Kun ; ch 200-400 B ; ). À 1 km du terminal des bus, cette auberge accueillante, tenue par un professeur d'anglais à la retraite, loue des chambres simples et lumineuses. À l'occasion du dîner, les clients s'échangent quantité de conseils. La maison propose aussi location de motos, excursions guidées et repas (prévenez à l'avance), le tout à des prix raisonnables. Depuis le terminal des bus, prenez au nord et traversez la route principale, puis tournez à l'est et continuez jusqu'à l'auberge ; sinon, prenez un *túk-túk* (30 B).

**P California Inter Hostel** (☎0 4462 2214 ; www.nangronghomestay.com ; 59/9 Th Sangkakrit ; ch 250-700 B ; ). Dans la partie est de la ville, une autre adresse accueillante et chaleureuse où l'on parle aussi anglais. Le California est légèrement plus élégant que le Honey Inn, bien que certaines chambres soient plus exiguës. Khun Wicha, qui connaît la région comme sa poche, loue des vélos et des motos, et organise des excursions.

**Cabbages & Condoms** (☎0 4465 7145 ; Hwy 24 ; ch 240-1 500 B ; ). Géré par la Population & Community Development Association, cet établissement situé à 6,5 km de la ville est niché dans un jardin et entouré de plusieurs petits lacs. Les chambres les moins chères (avec sdb commune) sont défraîchies, mais dans la gamme au-dessus, on apprécie l'espace et le sol en pierre. La cuisine du restaurant est excellente. À côté, l'ouverture d'une fabrique de chaussures (dont des Nike) et de vêtements a donné aux villageois des emplois qu'on ne trouve généralement qu'en ville.

**Phob Suk** (enseigne en thaï ; ☎0 4463 1619 ; Hwy 24 ; plats 50-360 B ; petit-déj, déj et dîner). Comme toute ville thaïlandaise qui se respecte, Nang Rong abrite son lot de marchands de rue et de petits restaurants, servant pour la plupart le fameux *kăh mŏo* (rôti de porc), la spécialité locale. Pour un cran au-dessus, rendez-vous au Phob Suk, à côté du terminal des bus. La carte affiche un mélange de plats typiques thaïlandais, isan et chinois que vous pourrez déguster à l'intérieur ou dans le jardin (bruyant). Accès Wi-Fi gratuit et aire de jeux pour les enfants.

Phanom Rung compte aussi quelques restaurants et petits stands.

### Depuis/vers Nang Rong

Le **terminal des bus** (☎0 4463 1517) de Nang Rong se trouve dans la partie ouest de la ville. Voir l'encadré sur le parc historique de Phanom Rung (plus bas) pour des détails sur les transports.

## PARC HISTORIQUE DE PHANOM RUNG

อุทยานประวัติศาสตร์เขาพนมรุ้ง

Majestueusement situé au sommet d'un volcan éteint, à 396 m d'altitude, le temple de **Phanom Rung** (Big Mountain ; ☎0 4478 2715 ; 100 B ; 6h-18h), la "Grande Montagne", domine la plaine alentour, quadrillée de rizières. Au sud-est, on voit nettement les monts Dangrek, au Cambodge, derrière lesquels se situait la capitale de l'empire d'Angkor. Le Phanom Rung est le plus vaste et le mieux restauré des monuments khmers de Thaïlande (les travaux ont duré 17 ans).

L'ensemble de Phanom Rung fut construit entre le X^e^ et le XIII^e^ siècle, mais la plus grande part des travaux date du règne de Suriyavarman II (1113-1150), qui marque incontestablement l'apogée de l'architecture d'Angkor. Le site est orienté vers l'est, en direction de l'ancienne capitale khmère. Si vous le pouvez, prévoyez de venir à l'un des quatre moments de l'année où les rayons du soleil franchissent les 15 portes du sanctuaire. Cet alignement se produit au lever du soleil du 3 au 5 avril et du 8 au 10 septembre, et à son coucher du 5 au 7 mars et du 5 au 7 octobre. Les années bissextiles, il commence un jour plus tôt. Le parc rallonge ses heures d'ouverture à l'occasion de cet événement. La **fête de l'ascension du Khao Phanom Rung** a lieu vers avril, pour coïncider avec les spectacles de son et lumière et les pièces de théâtre dansé qui ont lieu dans l'enceinte du temple. Le camping est autorisé à cette période.

En contrebas du sanctuaire principal, au bout d'une longue rangée de boutiques de souvenirs, le **centre d'information** (entrée libre ; 9h-16h30) renferme des objets trouvés aux alentours et des expositions sur l'architecture et la restauration

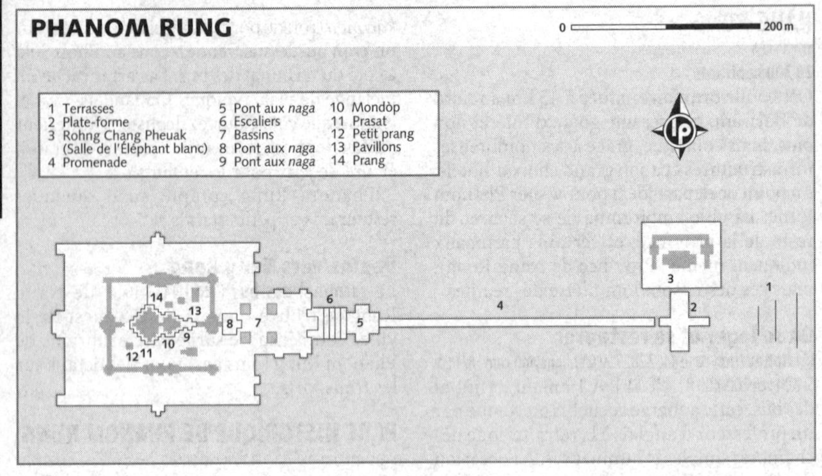


des temples. Des brochures gratuites sont à disposition et des guides proposent leurs services (tarifs négociables).

## Architecture

L'un des aspects les plus remarquables du plan de Phanom Rung est la grande chaussée dallée conduisant à la porte principale, exemple le mieux conservé en Thaïlande. Elle commence sur une pente, à 400 m à l'est de la tour principale, par une succession de 3 **terrasses** en terre. Vient ensuite un soubassement cruciforme sur lequel devait s'élever un pavillon en bois. À droite se trouve une salle en pierre, appelée **Rohng Chang Pheuak** (pavillon de l'Éléphant blanc), où les membres de la famille royale faisaient leurs ablutions et changeaient de vêtements. C'est probablement ici que l'on se procurait les guirlandes de fleurs, déposées ensuite en offrandes. Une fois descendu de la zone du pavillon, on arrive devant une **promenade** de 160 m de longueur, pavée de blocs de latérite et de grès et flanquée de piliers en grès couronnés de boutons de lotus, de style primitif d'Angkor (1100-1180). La promenade se termine devant le premier et le plus grand des 3 ponts décorés de *naga* (serpents mythiques) de style classique d'Angkor, similaire à ceux d'Angkor Wat.

Après ce pont, en haut de l'**escalier**, on rejoint la magnifique galerie orientale qui mène au sanctuaire principal. Le **ɓrah·sàht** central est lui-même entouré de quatre galeries dont chaque entrée est une version réduite de la tour principale. Les **galeries** possèdent un toit curviligne et des fenêtres à fausse balustrade. Une fois à l'intérieur du temple, observez chacune des galeries, leur **gopura** (pavillon d'entrée) et les linteaux qui surmontent les portiques. La conception de Phanom Rung représente le sommet de l'art khmer au même titre que les bas-reliefs d'Angkor Wat.

## Sculpture

L'ensemble de Phanom Rung était à l'origine un monument hindou, comme en témoigne son imagerie liée au culte de Vishnu et de Shiva. De superbes sculptures de divinités vishnouïtes et shivaïtes ornent les linteaux et les frontons des portes des édifices centraux, ainsi que d'autres endroits-clés de l'extérieur du sanctuaire. Sur le portique oriental du **mon·dòp** (édifice carré à flèche), remarquez le Nataraja (Shiva dansant) de style Baphuon tardif ou Angkor primitif. À l'entrée sud, on découvre les vestiges de Shiva et d'Uma juchés sur leur taureau, Nandi. La pièce centrale du *ɓrah·sàht* renferme un lingam (symbole phallique) de Shiva.

Plusieurs sculptures de Vishnu et de ses incarnations, Rama et Krishna, ornent d'autres corniches et linteaux. Le plus remarquable est sans doute le **linteau de Phra Narai**, un bas-relief représentant un Vishnu couché (Narayana) selon le mythe hindou de la création, avec un lotus sortant de son nombril et garni de plusieurs fleurs. Brahma, le dieu créateur, est assis sur l'une d'elles. Vishnu est entouré de

**BUS À DESTINATION DE BAN TAKO**

| Provenance | Prix (B) | Durée (h) | Départs |
|---|---|---|---|
| Bangkok (Gitjagaan Tours) | 1re classe 275 B | 5 | ttes les heures jusqu'à 17h30 |
| Pak Chong | 1re classe 140 B | 2½ | ttes les heures de 10h à 20h30 depuis la station-service Shell à l'est de la ville |
| Khorat | 2e classe 70 B<br>1re classe 85 B | 2 | ttes les heures |
| Surin | 1re classe 65 B | 2 | ttes les 30 min |

têtes de Kala, le dieu du Temps et de la Mort. Il est endormi sur la mer de lait de l'Éternité, symbolisée par un *naga*. Ce linteau surmonte la **porte orientale** (l'entrée principale), sous le bas-relief de Shiva Nataraja.

## Depuis/vers Phanom Rung

Pour atteindre les ruines depuis Nang Rong, le plus simple consiste à prendre une moto depuis l'hôtel (800 B). Sinon, des *sŏrng·tăa·ou* (20 B, 45 min) partent toutes les 30 min de l'ancien marché à l'est de la ville et s'arrêtent à Laan Jod Rod Kheun Khao Phanom Rung, un parking pour bus touristiques au pied de la montagne. Et, de là, d'autres *sŏrng·tăa·ou* font la navette pour assurer la fin du parcours (40 B/pers). En semaine, vous risquez d'attendre, car ils ne partent qu'après avoir embarqué 15 passagers au minimum. Un moto-taxi au départ du parking coûte dans les 100 B, temps d'attente compris pendant que vous visitez les ruines. Sinon, le bus Nang Rong-Chanthaburi (20 B, 30 min) passe par Ban Ta Pek toutes les heures. Et, de là, un moto-taxi vous coûtera 150 B, à moins que vous ne préfériez prendre un autre *sŏrng·tăa·ou* moyennant 500 B.

Pour ceux qui viennent d'encore plus loin, mieux vaut prendre un bus (voir le tableau ci-dessus) pour Ban Tako, à 14 km à l'est de Nang Rong. De là, vous pourrez attendre un bus, ou un *sŏrng·tăa·ou* (10 B) en provenance de Nang Rong, puis continuer votre route comme indiqué précédemment, ou alors opter pour un moto-taxi (300 B aller-retour) jusqu'à Phanom Rung.

# ENVIRONS DE PHANOM RUNG

## Prasat Meuang Tam

ปราสาทเมืองต่ำ

Dans le petit village de Khok Meuang, le **Prasat Meuang Tam** (Lower City ; 100 B ; 🕑 6h-18h), un temple khmer restauré, la "Cité basse", complète à merveille la visite de Phanom Rung, à 8 km seulement au nord-ouest. Construit par Jayavarman V à la fin du Xe siècle ou au début du XIe, cet ensemble de temples est le plus intéressant de l'Isan, après Phanom Rung, le Prasat Phimai et Khao Phra Wihan, pour ses dimensions, son atmosphère et la réussite de sa restauration. L'ensemble (un ancien sanctuaire dédié à Shiva) est entouré d'un rempart de latérite, dans lequel 4 bassins couverts de lotus comportent chacun un *naga* à 5 têtes.

Des galeries en grès et un gopura finement sculpté entourent 5 *prang* (tour de style Khmer surmontant les temples) en brique. Le *prang* principal n'a pu être reconstruit, et les tours restantes ne sont pas aussi imposantes que celles de Phanom Rung. Elles comportent cependant des linteaux magnifiques, notamment l'un figurant Shiva et son épouse Uma chevauchant leur taureau sacré, Nandi. Le temple est conçu selon le même plan que celui d'Angkor Wat ; le *prang* symbolise les 5 sommets du mont Meru, demeure mythique des dieux hindous, et le Barai Meuang Tam, un réservoir de 510 m par 1 090 m, situé au nord, représente l'océan.

Commencez par vous rendre au **centre d'information** (entrée libre ; 🕑 8h-16h30). Renseignez-vous sur le programme de **séjour chez l'habitant** (☎ 08 1068 6898 ; 150 B/pers, avec repas 300 B) du village.

Pour 100 B de plus, n'importe quel moto-taxi fera un détour par Meuang Tam sur le trajet pour Phanom Rung.

## Autres ruines khmères

De nombreux sites, moins connus, parsèment les environs de Phanom Rung, témoignant du rôle crucial que jouait autrefois la région dans l'Empire khmer. Même s'ils ne revêtent qu'un intérêt mineur, ils permettent de parcourir des paysages de rizières et de découvrir la vie rurale sous son aspect le plus authentique. Notez cependant que les routes sont souvent en très mauvais état et que la signalisation laisse à désirer.

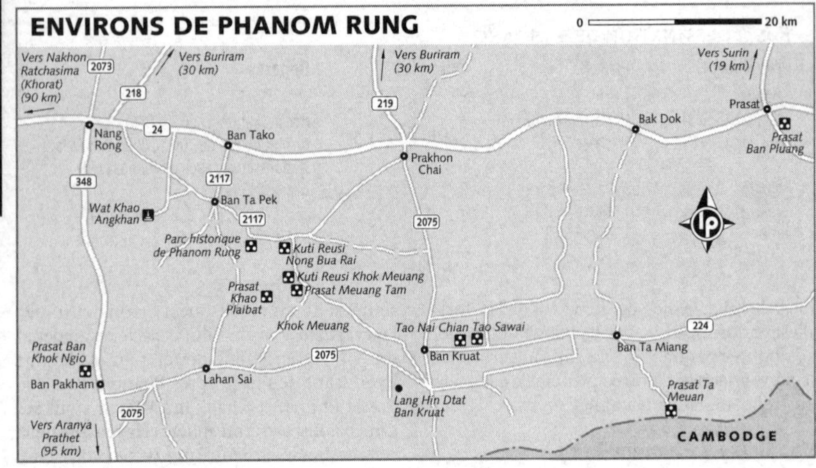


Tous les sites indiqués ci-dessous, restaurés ou consolidés par le département des Beaux-Arts, sont gratuits et ouverts en journée.

Le **Kuti Reusi Nong Bua Rai** se trouve entre Phanom Rung et Meuang Tam, et le **Kuti Reusi Khok Meuang** juste au nord-ouest du Prasat Meuang Tam, en face du Barai Meuang Tam. Profitez-en pour faire une halte si vous allez dans cette direction.

Une infime partie du **Prasat Khao Plaibat** est encore debout. Mais c'est plus l'aventure consistant à le trouver, ainsi que la superbe vue sur les monts Phanom Rung et Dangrek, sur la frontière cambodgienne, qui valent le détour. Le chemin, peu emprunté, part du Wat Khao Plaibat, à environ 4 km du Prasat Meuang Tam. Contournez la porte à côté du bouddha géant, puis prenez à droite au niveau du *gù·dì* (quartier des moines), avant de passer à travers la clôture de barbelé. Suivez ensuite les bandelettes de tissu orange accrochées aux arbres. Si vous réussissez à ne pas vous perdre en chemin, la marche pour arriver en haut de la colline dure environ 30 min.

Le **Prasat Ban Khok Ngio**, à 3 km avant Ban Pakham, est le seul de ces sites facilement accessible par les transports publics. N'importe quel *sŏrng·tăa·ou* en route pour le sud depuis Nang Rong vous y déposera.

Selon les archéologues, les pierres utilisées pour la construction de ces temples proviennent pour la plupart de l'immense **Lang Hin Dtat Ban Kruat** (carrière de Ban Kruat). L'intérêt réside plus dans la beauté et la sérénité du lieu que dans son histoire. Mettez-vous à côté du grand rocher en face de l'entrée pour écouter le son étrange de l'écho de la petite cascade.

Près de Ban Kruat se trouvent aussi **Tao Sawai** et **Tao Nai Chian**, 2 fours dans lesquels on cuisait la plupart des poteries de l'Empire khmer entre le X^e^ et le XII^e^ siècle. Il n'en reste aujourd'hui que des tas de débris recouverts de toits.

Bien que situé dans la province de Surin, le **Prasat Ta Meuan** (p. 490), un ensemble de ruines khmères isolées, à la frontière cambodgienne, est plus facilement accessible à partir de la province de Buriram. Il se trouve à 55 km de Phanom Rung.

## Wat Khao Angkhan

วัดเขาอังคาร

Ce temple, empreint de sérénité, qui se dresse au sommet d'un volcan éteint, possède une histoire ancienne, comme en témoignent les pierres en grès Dvaravati des VIII^e^ et IX^e^ siècles qui le bordent. Cependant, ce sont les constructions modernes qui font tout l'intérêt du **Wat Khao Angkhan** (🕑 en journée). Le *bòht* et plusieurs autres bâtiments flamboyants ont été érigés en 1982 dans un style "nouveau khmer" inhabituel qui rappelle celui de l'ancien Empire khmer. À l'intérieur du *bòht*, les peintures murales retraçant les *jataka* (des vies antérieures du Bouddha), exécutés par des artistes birmans, sont légendées en anglais. Le *wat* renferme également une pagode de style chinois et un bouddha couché de 29 m. Il offre une vue magnifique sur les montagnes et les forêts environnantes.

Aucun transport public ne dessert ce temple situé à 20 km de Nang Rong ou de Phanom Rung. Le trajet est assez bien indiqué, mais il faut demander son chemin à certains carrefours. En moto-taxi, la course revient à 200/300 B depuis Ban Ta Pek/Nang Rong.

# PROVINCES DE SURIN ET DE SI SAKET

Les provinces de Surin et de Si Saket sont parsemées de ruines khmères de l'époque d'Angkor. La plupart sont en piteux état, mais méritent le détour pour qui s'intéresse à l'histoire. Le Prasat Ta Meuan, par exemple, est très évocateur, et Khao Phra Wihan compte parmi les plus beaux vestiges du Nord-Est, malgré le refus du gouvernement cambodgien de le rénover. L'influence khmère vient non seulement du passé mais aussi du présent. Plus d'un tiers de la population de ces 2 provinces très proches est khmer, et cette langue reste la plus parlée dans beaucoup de villages.

En plus des temples, la province de Surin abrite Ban Tha Klang, le village des éléphants, et quelques centres artisanaux, et celle de Si Saket deux des temples les plus originaux du pays. Si les villes de la région n'offrent guère d'intérêt, Surin constitue une base agréable pour explorer les temples des environs et accueille, en novembre, la fête du Rassemblement des éléphants.

## SURIN

สุรินทร์

**41 200 habitants**

Surin n'a rien d'exceptionnel, jusqu'au mois de novembre, durant lequel la capitale provinciale renaît avec exubérance à l'occasion du **Rassemblement des éléphants.** De nombreux pachydermes magnifiquement parés envahissent alors la ville en fête pendant 10 jours. Les visiteurs affluent surtout le dernier week-end pour assister au clou de la manifestation : la participation de 300 éléphants à la reconstitution d'une bataille. Les billets démarrent à 40 B, mais comptez 500 B pour une place VIP, située plus près, avec commentaires en anglais et emplacement à l'ombre. Le point fort de la fête reste à notre avis le buffet pour les pachydermes organisé le vendredi précédant le grand spectacle.

### Renseignements

La plupart des grandes banques thaïlandaises sont représentées sur Th Thesaban, au sud de la gare ferroviaire, où vous trouverez également un bureau de poste.

**Microsys** (Th Sirirat ; Internet 15 B/h ; 24h/24). En face du Thong Tarin Hotel.

**OTOP** ( 0 4451 4447 ; Th Jit Bamrung ; 9h-19h30). En face de l'hôtel de ville. On y trouve le plus grand choix d'artisanat, ainsi qu'un bureau d'information touristique sur la ville.

**Ruampaet Hospital** ( 0 4451 3192 ; Th Thesaban 1)

**TAT** (Tourism Authority of Thailand ; 0 4451 4447 ; tatsurin@tat.or.Th ; 355/3-6 Th Thesaban 1 ; 8h30-16h30)

### À voir et à faire

Depuis sa construction en 2000, le **Musée national de Surin** ( 4451 3358) est censé ouvrir "l'année prochaine". Ses collections présenteront les ruines khmères et les groupes ethniques de la province, notamment les Suai, célèbres éleveurs d'éléphants. Il se trouve à 5 km au sud de la ville sur la Route 214, et, si vous passez par là, on vous laissera certainement entrer.

Le **Surin Agriculture Service Centre** ( 0 4451 1393 ; Hwy 226 ; entrée libre ; 8h-16h30 lun-ven) est un centre de recherche sur la sériculture situé à 4 km à l'ouest de la ville, idéal pour observer le processus de fabrication de la soie, des larves aux métiers à tisser.

Surin propose un grand nombre de projets bénévoles. **Starfish Ventures** ( 08 1723 1403 ; www.starfishvolunteers.com) en gère une douzaine, allant des soins infirmiers à l'enseignement de l'anglais, en passant par la construction de maisons. Les bénévoles travaillent dans les villages des environs, mais sont logés en ville. June Niampan, une ancienne employée de Starfish, a récemment lancé le projet **LemonGrass** ( 08 1977 5300 ; www.lemongrass-volunteering.com), qui offre des postes de professeur d'anglais bénévole à Surin.

### Circuits organisés

Pirom, de la Pirom-Aree's House (p. 488), propose un large éventail de circuits allant d'une demi-journée à Ban Tha Klang et dans les villages d'artisans (1 400 B/pers pour 4 pers) à une immersion de 3 jours en pays isan (2 400 B/pers/jour pour 4 pers). Des circuits conduisent également dans tous les temples khmers, connus ou moins connus. Les prix sont très élevés, mais la qualité est au rendez-vous.

**Saren Travel** ( 0 4452 0174 ; 202/1-4 Th Thesaban 2 ; 8h-18h lun-sam) offre des excursions d'une journée sur mesure dans la province de Surin à partir de 1 600 B.

## Où se loger

Réservez longtemps à l'avance si vous venez lors du Rassemblement des éléphants, car les hôtels sont alors pris d'assaut et les prix grimpent en flèche.

**Pirom-Aree's House** ( 0 4451 5140 ; Soi Arunee, Th Thungpo, Surin ; ch 120-200 B). L'emplacement (à 1 km à l'ouest de la ville) de cette adresse prisée de longue date par les petits budgets n'est pas pratique, mais très calme. Les chambres en bois simples avec sdb communes sont réparties dans 2 nouvelles maisons, et le jardin ombragé donne sur une rizière. Aree fait très bien la cuisine et Pirom est une mine d'informations sur la région.

**New Hotel** ( 0 4451 1341 ; 6-8 Th Tanasan ; s 160-330 B, d 180-440 B ; ). Cet établissement situé juste devant la gare est si ancien que son nom en devient presque ironique ! Prenez une chambre à l'avant pour éviter les toilettes à la turque.

**Kritsada Grand Palace** ( 0 4471 3997 ; Th Suriyarat ; ch 400-450 B ; ). Cette nouvelle adresse un peu difficile à trouver, dans une petite rue paisible derrière l'hôtel de ville, bénéficie d'une grande tranquillité. Les chambres sont simples mais présentent un bon rapport qualité/prix. Wi-Fi dans le hall uniquement.

**Treehouse Resort** ( 08 9948 4181 ; sboonyoi@gmail.com ; Hwy 226 ; ch 350-1 000 B ; ). Un hôtel original, à 3 km du centre, juste à l'extérieur de Surin, en construction depuis 1998. Son décor tient de l'île déserte de Koh-Lanta et du sous-sol encombré de souvenirs. Khun Boonyai, son charmant propriétaire et créateur, préfère que l'on réserve un jour à l'avance. En échange, il viendra vous chercher en ville gracieusement.

**Maneerote Hotel** ( 0 4453 9477 ; www.maneerotehotel.com ; 11/1 Soi Poytango Th Krung Si Nai ; ch 650-750 B ; ). Ce 3-étoiles récent et lumineux, à l'ouest des marchés, est toutefois un peu excentré. Jolis éléments de décoration et accès Wi-Fi dans tout le bâtiment (gratuit dans le hall).

Le **Surin Majestic Hotel** ( 0 4471 3980 ; 99 Th Jit Bamrung ; ch 900-1 200 B, ste 1 800-4 500 B ; ), juste derrière le terminal des bus, en plein centre, est l'établissement le plus huppé de la ville. Il propose de nombreuses prestations, dont un centre de remise en forme. Les chambres, sans être extraordinaires, offrent un bon rapport qualité/prix (en particulier les suites junior). Accès Wi-Fi dans le hall uniquement.

## Où se restaurer et prendre un verre

**Petmanee 2** (enseigne en thaï ; 08 4451 6024 ; Th Murasart ; plats 20-60 B ; déj). Cet endroit tout simple, au sud du Ruamphet Hospital et près du Wat Salaloi, prépare les *sôm-tam* et les *kài yâang* les plus courus de la ville. Les *súb nòr mái* (salades de pousses de bambou) sont également excellents. Ici, carte et service sont en thaï, mais la cuisine y est si bonne que les efforts pour commander valent la peine. Le restaurant original, plus petit, se trouve à deux pas.

**Surin Chai Kit** (enseigne en thaï ; 297-299 Th Tanasan ; plats 25-60 B ; petit-déj et déj). Cette adresse modeste à quelques pas au sud de la gare ferroviaire (après la fontaine) concocte un savoureux petit-déjeuner : goûtez les œufs accompagnés de saucisses isan. Le chaleureux propriétaire offre à ses hôtes *fa·ràng* un plan de la ville très pratique.

**Larn Chang** ( 0 4451 2869 ; 199 Th Siphathai Saman ; plats 35-200 B ; dîner). Dans une vieille maison en bois dominant une portion intacte des douves, baptisée Sŭan Rak (parc de l'amour) car les amoureux s'y retrouvent le soir, on vous servira des plats thaïlandais et isan à petits prix. La cuisine et le décor sont charmants, ce qui n'est malheureusement pas toujours le cas du service. Depuis le centre-ville, la marche, un peu longue, longe la lisière est du parc.

**Sumrub Tornkruang** ( 0 4451 5015 ; près de Th Jit Bamrung ; plats 65-250 B ; déj et dîner). Cet endroit inattendu, derrière le terminal des bus, a tout du chic thaïlandais. Bonne cuisine thaïlandaise (et isan) et prix raisonnables.

**Farang Connection** ( 0 4451 1509 ; près de Th Jit Bamrung ; plats 50-750 B ; petit-déj, déj et dîner). Également niché derrière le terminal des bus, ce restaurant britannique propose une longue liste de spécialités étrangères, comme le poulet *tikka masala*, les *wiener schnitzel* (escalopes viennoises) et les sandwichs bacon-laitue-tomate, mais aussi de savoureux mets thaïlandais. La liste des boissons alcoolisées est encore plus internationale. Cybercafé à l'étage et échange de livres dans le pub en face. Accès Wi-Fi gratuit.

**Coffee More** (Th Tanasan ; cappuccino 25 B ; petit-déj, déj et dîner). Cet endroit moderne et lumineux juste au sud du terminal des bus sert l'un des meilleurs cafés de la ville, ainsi que des en-cas et des crèmes glacées.

Le principal **marché de nuit** de Surin (Th Krung Si Nai ; 17h-22h) se trouve une rue au sud de la fontaine. À l'ouest, près de la tour de l'horloge, des marchands installés devant le marché municipal servent jusqu'à 2h du matin. Ces 2 marchés proposent un excellent choix de plats thaïlandais et isan, dont les habituels insectes grillés.

Contre toute attente, Surin compte une vie nocturne animée, concentrée sur Soi Kola et Th Sirirat, à proximité du Thong Tarin Hotel.

## Depuis/vers Surin

### BUS

Du **terminal des bus** (☎ 0 4451 1756 ; Th Jit Bamrung) de Surin, des bus desservent Si Saket (ordinaire 60 B, 1 heure 30, départs toutes les heures), Ubon Ratchathani (2e/1re classe 144/212 B, 3 heures, toutes les heures), Roi Et (2e classe 98 B, 3 heures, toutes les heures), Khorat (2e/1re classe 120/178 B, 4 heures, toutes les demi-heures), Chiang Mai (2e classe/32 sièges VIP 698/893 B, 14 heures, 6/j) et Pattaya (2e classe/32 sièges VIP 412/584 B, 8 heures, toutes les heures). La plupart des nombreux bus pour Bangkok (2e/1re classe 345/399 B, 7 heures) partent du terminal des bus de Surin, notamment le **999 VIP** (☎ 0 4451 5344), qui comporte 24 sièges VIP (530 B, départ à 9h30).

Du fait du casino côté Cambodge, de nombreux minibus (65 B, 1 heure 30, toutes les 30 min) font la navette entre le terminal des bus et le poste-frontière de Chong Chom (ouvert de 7h à 20h), où l'on obtient facilement un visa (voir p. 768). Il y a peu de circulation côté Cambodge. Pour rejoindre Siem Reap en voiture, comptez 4 heures de trajet et 500 B la place. Si vous êtes en retard, vous aurez peut-être à payer 2 500 B pour tout le véhicule.

### TRAIN

Dix trains partent quotidiennement de Surin, située sur la ligne Bangkok-Ubon, et desservent ces 2 destinations. Une place en 2e ou 3e classe pour Ubon (3 heures) coûte entre 81 et 150 B. Pour Bangkok, les couchettes en 3e/2e/1re classe coûtent 183/389/1 149 B. Pour plus d'informations, appelez la **gare de Surin** (☎ 0 4451 1295).

## Comment circuler

Surin est une ville facile à visiter, car tout se trouve à quelques rues des gares ferroviaire ou routière. Si vous ne voulez pas marcher, les *túk-túk* demandent de 20 à 30 B pour une course dans le centre-ville.

Pour louer une voiture, adressez-vous à la Pirom-Aree's House, à Saren Travel ou au restaurant Farang Connection (ce dernier propose également des motos).

# ENVIRONS DE SURIN

## Ban Tha Klang

บ้านตากลาง

Pour voir des éléphants hors saison, rendez-vous au **Centre d'étude des éléphants** (☎ 0 4414 5050 ; entrée libre ; 9h30-16h30) de Ban Tha Klang, à 50 km au nord de la ville. Un petit musée présente les pachydermes et vous fera découvrir les techniques de dressage. Quelques protagonistes de la fête annuelle habitent ici, dans des maisons traditionnelles suai où ils cohabitent avec les animaux.

Des **spectacles** (dons appréciés ; 10h et 14h, hors festival) quotidiens d'une heure sont organisés, durant lesquels les animaux font la démonstration de leurs nombreux talents, en peinture ou au basket par exemple, et se baignent dans la rivière après le deuxième spectacle. Pour profiter pleinement des pachydermes, vous pouvez aider les cornacs, moyennant 1 000 B par personne. Réservez à l'avance. À l'occasion de la cérémonie d'ordination des nouveaux moines, au moment de la pleine lune du mois de mai, le village accueille un **défilé d'éléphants** peints de couleurs vives.

Le programme de **séjour chez l'habitant** (☎ 08 1879 5026 ; 350 B /pers) de Ban Tha Klang inclut 3 repas et du temps avec les éléphants.

Les *sŏrng·tăa·ou* partent du terminal des bus de Surin (45 B, 2 heures, toutes les heures), le dernier revenant à 16h. Si vous êtes en voiture, prenez la Route 214 vers le nord sur 40 km et suivez les panneaux indiquant le "village des éléphants" sur la Route 3027.

## Villages d'artisans

Plusieurs villages proches de Surin sont connus pour leur travail de la soie. Les tissus de la province, principalement le *pâh hoh,* sorte de *mát mèe* très serré, sont d'inspiration khmère. Les artisans n'utilisent que des teintures naturelles et les tissent avec les fils de soie les plus fins, provenant de l'intérieur des cocons. On trouve d'ailleurs assez difficilement les soieries de Surin dans le reste du pays (sauf à Bangkok), et leur prix peut être inférieur de moitié, voire plus.

Le plus célèbre des centres de tissage est de loin Ban Tha Sawang, où la boutique **Chansoma** (☎ 08 1726 0397 ; 8h-14h) fabrique de splendides brocarts (*pâh yók torng*) aux fils gainés d'or ou d'argent. Le processus de fabrication est particulièrement impressionnant : 4 femmes, dont une en contrebas des autres, travaillent simultanément sur un même métier pour avancer de 4 cm par jour ! Beaucoup de ces étoffes sont destinées à la cour royale, mais vous pouvez passer une commande, moyennant 30 000 B le mètre au bas mot. Des cars entiers de touristes thaïlandais se ruent sur les boutiques voisines vendant des soieries plus classiques. Le village, à 8 km à l'ouest de la ville par la Route 4026, peut s'avérer difficile d'accès par vos propres moyens, car la signalisation, en anglais, est épisodique. Des *sŏrng·tăa·ou* (17 B, 20 min) partent régulièrement du marché de Surin, et la course en *túk-túk* coûte environ 100 B.

Connus respectivement pour la soie et l'argent, les villages de **Ban Khwao Sinarin** et de **Ban Chok** sont situés à 18 km au nord de Surin par les Routes 214 et 3036. Mais on peut aujourd'hui acheter les deux dans l'un comme dans l'autre. L'une des spécialités en matière de soie est le *yók dòrk,* sorte de brocart moins sophistiqué que celui de *Ban Tha Swang*, mais qui nécessite tout de même des métiers à 35 pédales. Khun Manee, qui tient la boutique **Phra Dab Suk** (☎ 08 9865 8720), dans la rue principale, ouvre ses ateliers de tissage à la visite (100 B/pers) ; appelez à l'avance. En matière d'argent, le produit phare reste les *Ɓrà keuam, des perles de style cambodgien introduites en Thaïlande par les ancêtres de Ban Chok il y a des siècles. La* **Coopérative de l'argent de Ban Chok** (Glùm Krêung Ngeum Bâhn Chôhk ; ☎ 08 1309 4352), au sud de la rue principale, fabrique des bijoux uniques. De Surin, des *sŏrng·tăa·ou* partent toutes les heures à destination de Ban Khwao Sinarin (25 B, 1 heure 30).

Les habitants de **Ban Buthom**, à 14 km de Surin sur la Route 226 en allant vers Sikhoraphum, fabriquent de solides paniers en rotin brut, dont certains, assez plats, ne sont pas encombrants à rapporter.

## Prasat Ta Meuan

ปราสาทตาเมือน

À Tambon Ta Miang, à la frontière cambodgienne, les 3 temples qui forment le **Prasat Ta Meuan** (entrée libre ; 🕑 en journée) sont les vestiges khmers les plus spectaculaires et les plus difficiles d'accès de la province. Le site borde l'ancienne route royale reliant Angkor Wat et Phimai.

Le premier, le **Prasat Ta Meuan** proprement dit, construit sous le règne de Jayavarman VII (1181-1210), servait de pavillon de repos aux pèlerins. Il s'agit d'un petit sanctuaire de latérite, doté de 2 portes et de 10 fenêtres ; seul subsiste un linteau de grès sculpté.

À 300 m au sud, le **Prasat Ta Meuan Toht**, plus imposant, aurait été le sanctuaire d'un “lieu de guérison”, à l'instar de Prang Ku, près de Chaiyaphum. Également bâti par Jayavarman VII, il comprend un gopura, un *mondòp* et un *prang* principal, entourés d'un mur de latérite.

À environ 1 km plus au sud, à côté de la base militaire construite au bout de la route, le **Prasat Ta Meuan Thom**, le plus grand des 3 sites, est antérieur aux deux autres de 200 ans. Malgré une reconstitution maladroite, il mérite qu'on s'y arrête. Il se compose de 3 *prang* et d'une grande salle en blocs de grès sur un socle en latérite. Plusieurs bâtiments plus petits se dressent encore à l'intérieur de l'enceinte. Le *prang* principal est orné de nombreuses sculptures, mais les Khmers rouges qui occupaient le site dans les années 1980 ont détruit ou vendu les plus belles à des trafiquants thaïlandais. À l'extrémité sud du temple, un escalier descend vers le Cambodge. L'épaisse forêt environnante est truffée de mines et de grenades non désamorcées : faites attention aux panneaux “danger”.

Ces 3 sites s'étendent à 10,3 km au sud de Ban Ta Miang (situé sur la Route 224, à 23 km à l'est de Ban Kruat) et sont accessibles par une route sinueuse qui voit passer plus de vaches que de voitures. Vous devrez disposer de votre propre véhicule, et l'accès est généralement plus facile à partir du parc national de Phanom Rung (p. 483) que de Surin.

## Autres ruines khmères

Le long de la frontière cambodgienne, plusieurs ruines mineures de la période d'Angkor jalonnent les confins méridionaux de la province. À 33 km au sud de Surin, le **Prasat Hin Ban Phluang** (30 B ; 🕑 7h30-18h), datant du XIe siècle, n'est qu'un *prang* de grès solitaire, mais il compte de magnifiques sculptures, notamment, au-dessus de l'entrée, un linteau orné d'un bas-relief représentant le dieu hindou Indra monté sur son éléphant Airavata. Le *prang* est entouré de douves en forme de U. Le site se trouve à 600 m de la Route 214, par un embranchement situé à 1,5 km au sud de la Hwy 24. Tout véhicule à destination de Kap Choeng ou de la frontière vous y déposera (25 B, 30 min).

À 30 km au nord-est de Surin, le **Prasat Sikhoraphum** (50 B ; 8h-17h) est un temple khmer plus imposant, bâti dans la ville du même nom. Datant du XII^e^ siècle, il comporte 5 *prang* de briques, dont le plus grand mesure 32 m de hauteur. Deux d'entre eux ont conservé leur partie supérieure, notamment celui du centre, dont les portes sont ornées de sculptures de divinités hindoues dans le style d'Angkor Wat. Un spectacle son et lumière y est organisé pendant le Rassemblement des éléphants. Le site est accessible de Surin en bus (25 B, 1 heure) ou en train (7 B, 30 min).

Si vous êtes en voiture, faites un détour de 400 m à partir de la Route 226 pour jeter un œil au **Prasat Muang Thi** (entrée libre ; en journée), à 15 km de Surin. Ses 3 *prang* en brique sont en mauvais état (l'un d'eux paraît sur le point de s'effondrer), mais leur petite taille leur confère un certain charme.

Datant du VII^e^ ou du VIII^e^ siècle, le **Prasat Phumpon** (entrée libre ; en journée), dans le district de Sangkha, est le sanctuaire khmer le plus ancien de Thaïlande. Mais c'est bien là son seul intérêt, et ce simple *prang* en brique risque de vous décevoir si vous vous attendiez à quelque chose de grandiose. Sangkha se trouve à 9 km au sud de la Hwy 24 par la Route 2124, en prenant à droite à la fourche.

## SI SAKET

ศรีสะเกษ

**42 800 habitants**

Il n'y a pas grand-chose à faire à Si Saket, mais vous traverserez peut-être la ville en allant voir les temples de Khao Phra Wihan, qui datent d'Angkor.

La ville s'articule autour de la gare ferroviaire et le terminal des bus est situé à 2 km au sud de Th Kuang Heng. Banques et cybercafés sont très dispersés, les premières étant plutôt installées au sud, dans la partie plus commerçante de la ville. Le personnel du **Centre de coordination du tourisme de Si Saket** ( 0 4561 1283 ; angle Th Làk Muang et Th Thepa ; 8h30-16h30 lun-ven) promeut la province avec enthousiasme, dommage que celle-ci n'ait pas plus d'intérêt.

Principale curiosité de la ville, **Tak Khun Ampai Panich** ( 0 4561 2637 ; angle Th Ubon et Th Wijitnakorn ; 9h-20h) est une très belle maison de bois et de stuc datant de 1925. Elle abrite aujourd'hui un OTOP Center qui vend des soieries et des produits artisanaux locaux. À l'étage, un petit musée en cours d'aménagement expose quelques objets d'époque. À 10 min à pied au sud-ouest de la gare ferroviaire.

### Où se loger et se restaurer

**Si Saket Hotel** ( 0 4561 2582 ; 384/85 Th Si Saket ; ch 150-250 B ; ). Juste au nord de la gare ferroviaire, une adresse un peu rude mais correcte vu ses prix. TV sat, même dans les chambres les moins chères, mais on aurait préféré de bons matelas à la place.

**Phrompiman Hotel** ( 0 4561 2677 ; 849/1 Th Làk Meuang ; ch 400-990 B ; ). Cet hôtel situé juste à l'ouest de la gare ferroviaire offre un excellent rapport qualité/prix, surtout pour les chambres plus chères (650 B), ce qui explique pourquoi il affiche parfois complet. Les services offerts sur place comprennent une agence de voyages, un bar, un club de snooker, un mini-marché et 2 restaurants.

Des restaurants tout simples sont installés au nord de la gare ferroviaire, mais *le* centre culinaire de la ville reste le grand **marché de nuit** ( 16h-23h), au sud. Pour changer de l'ordinaire, allez au **Sisaket** ( 08 1593 2330 ; Th Thepa 1 ; plats 20-100 B ; dîner) et dégustez la spécialité (poisson cuit à la vapeur avec sauce au piment) assis à une table sous un petit toit en chaume, dans un joli jardin. La carte est en thaï, mais le personnel parle un peu anglais. Depuis le centre, un *túk-túk* coûte entre 40 et 50 B. Si votre chauffeur ne connaît pas le restaurant, indiquez-lui le "Nŏrng Utai".

### Depuis/vers Si Saket

De nombreux bus relient Bangkok et Si Saket (2^e^/1^re^ classe 329/434 B, 8 heures 30) et s'arrêtent soit au **terminal des bus** ( 0 4561 2523), soit sur Th Si Saket juste au nord de la gare ferroviaire. D'autres bus relient Si Saket et Ubon Ratchathani (ordinaire/2^e^ classe 40/59 B, 1 heure 15) ou Surin (ordinaire 60 B, 1 heure 30, toutes les heures). **999 VIP** ( 0 4561 2523) a un service de bus de 24 places VIP à destination de Bangkok (685 B) à 19h40.

Dix trains partent tous les jours de la **gare ferroviaire de Si Saket** ( 0 4561 1525) à destination de Bangkok (3^e^/2^e^ classe 197/311 B, 8 à 11 heures), dont un express de nuit (couchette 1^re^ classe avec clim 1 236 B, 11 heures), à 19h30 ; de Bangkok, l'express de nuit pour Si Saket part à 20h30. Un billet de train 3^e^/2^e^ classe pour Ubon Ratchathani coûte 13/19 B.

La frontière entre la Thaïlande et le Cambodge est ouverte à Chong Sa-Ngam. On y délivre des visas (voir p. 768), mais il n'y a pas de transports publics.

## ENVIRONS DE SI SAKET

### Parc national de Khao Phra Wihan

อุทยานแห่งชาติเขาพระวิหาร

#### KHAO PHRA WIHAN

เขาพระวิหาร

De l'autre côté de la frontière cambodgienne, dans un paysage grandiose, le Khao Phra Wihan (Preah Vihear en khmer) est l'une des plus belles réalisations de style khmer de la région. Au sommet d'une colline de 600 m, sur les bords du massif des Dangrek (Dong Rek), ce vaste ensemble religieux offre une vue de toute beauté sur la plaine cambodgienne. On y accède par une succession d'escaliers ornés de *naga*.

Revendiqués par les 2 pays en raison d'une carte erronée établie par les Français, les temples furent finalement attribués au Cambodge en 1962 par la Cour de justice internationale. La Thaïlande ne s'est jamais remise de cette humiliation. Ainsi, en juin 2008, alors que le gouvernement cambodgien demandait que le site soit classé au patrimoine mondial de l'unesco, un conflit frontalier a éclaté, menant à des affrontements mortels entre les armées des 2 pays. La situation n'étant toujours pas résolue, les temples sont interdits au public jusqu'à nouvel ordre.

Il est question depuis longtemps de construire un téléphérique qui partirait du côté cambodgien (potentiellement associé à un casino) ; en attendant, le seul accès pratique (quand les temples seront ouverts) se fait par le **parc national** ( ☎ 0 4581 8021 ; 200 B, parking 30 B). Un **centre d'information des visiteurs** marque le début d'un sentier qui mène au Cambodge, puis jusqu'aux temples (dernière entrée à 16h), à environ 1 km. Du côté thaïlandais, vous devrez payer 5 B pour passer la frontière (les passeports ne sont pas nécessaires, mais emportez quand même le vôtre au cas où) et, juste après, un droit de 200 B aux autorités cambodgiennes (soit un coût total de 405 B).

La construction du Khao Phra Wihan dura 3 siècles sous le règne de rois khmers. Commencée sous Rajendravarman II, au milieu du X^e^ siècle, elle s'acheva au début du XII^e^ siècle sous Suryavarman II, le souverain qui ordonna la construction d'Angkor Wat. La colline était sacrée pour les hindous au moins 500 ans avant l'achèvement des temples, et de petits monuments en brique se dressaient sur le site bien avant.

Les Cambodgiens ne semblent guère pressés de finir les travaux de restauration, et on regretterait presque que le site n'ait pas été attribué à la Thaïlande. Jusqu'à la mort de Pol Pot en 1998, de nombreuses œuvres d'art furent pillées par les Khmers rouges, notamment des linteaux et des sculptures. Certaines pièces dérobées furent toutefois interceptées et devraient à terme retrouver leur emplacement d'origine. Une balustrade de 30 m de longueur décorée de *naga* est restée intacte. Les 2 premiers gopuras se sont effondrés, et maintes constructions ont perdu leur toit, mais on découvre de nombreuses sculptures en bon état. Les portes du troisième gopura ont été préservées et l'une d'elles (la porte intérieure face au sud) est surmontée d'un beau linteau en pierre représentant Shiva et son épouse Uma chevauchant Nandi (le taureau de Shiva) à l'ombre d'un arbre symétrique. Sur le second gopura, un linteau montre Vishnu grimpant l'axe qui sert au barattage de la Mer de lait.

La principale tour du *Ɓrah·sàht*, dans la dernière cour au sommet du site, a cruellement besoin d'une restauration. Nombre des bas-reliefs du *Ɓrah·sàht* ont disparu ou sont enfouis sous les gravats alentour. Les galeries qui y mènent ont mieux résisté et ont conservé leurs toits arqués.

Les alentours du temple furent le théâtre de combats entre les Khmers rouges et les troupes de Phnom Penh ; de nombreuses mines et pièces d'artillerie jonchent la forêt environnante. Soyez attentif aux panneaux tout autour du temple et ne quittez pas les sentiers balisés qui mènent aux ruines, même si les locaux le font.

#### AUTRES SITES

Le parc national de Khao Phra Wihan (toujours ouvert aux visiteurs), qui s'étend sur 130 $km^2$, comprend plusieurs sites qui méritent le détour. Près du **centre d'information des visiteurs** ( 🕒 7h-17h), où sont présentées des pièces intéressantes sur l'histoire du temple, la falaise de **Pha Maw I Daeng** jouit d'une vue fabuleuse et abrite le bas-relief le plus ancien du pays. Celui-ci représente 3 personnages, assis devant un porc sculpté grossièrement (qui pourrait figurer Vishnu), dont l'identité demeure une énigme pour les archéologues et les historiens. Bien que les personnages évoquent en apparence des divinités, des anges ou des rois, l'iconographie ne correspond à aucune figure connue de la mythologie thaïe, khmère ou môn. D'un point de vue stylistique, le bas-relief semble dater de la

période de Koh Ker (921-945) de l'art khmer, lorsque Jayavarman IV régnait depuis Koh Ker. De l'autre côté du parking, les chutes d'eau de **Nam Tok Khun Si** tombent au-dessus d'une grotte immense. L'eau ne coule que de fin juin à octobre. La visite ne peut se faire qu'en compagnie d'un garde forestier, car il resterait des mines non désamorcées dans ce secteur.

## OÙ SE LOGER ET SE RESTAURER

Le parc abrite 4 **bungalows** (☎ 0 2562 0760 ; www.dnp.go.th/parkreserve ; 4-6 pers 600-2 000 B) assez éloignés du centre d'information des visiteurs, et un **camping** (empl 30 B ; location tente 2-10 places 150-600 B). Il y avait naguère beaucoup de restaurants et des vendeurs dans les ruines qui proposaient snacks et boissons.

Kantharalak est la ville la plus proche où se loger. Elle fera un bon point de chute si votre visite des ruines s'achève en fin de journée ou si vous prévoyez de la commencer tôt le lendemain matin. Malgré ses chambres un peu ternes, le **SB Hotel** (☎ 0 4566 3103 ; 136 Th Anan Ta Pak Dee ; ch 250-550 B ; ❄ 💻) est propre et accueillant. Qui plus est, il y a une cafétéria/cybercafé juste en face. L'hôtel est situé en plein centre-ville ; la course en *túk-túk* depuis le terminal des bus revient à 20 B.

## DEPUIS/VERS LE PARC DE KHAO PHRA WIHAN

De Si Saket, la Rte 221 part au sud via Kantharalak jusqu'à Phum Saron, à 95 km de distance (et à 10 km du temple). Prenez d'abord un bus depuis Surin jusqu'à Kantharalak (45 B, 1 heure 30), puis un *sŏrng·tăa·ou* jusqu'à Phum Saron (35 B, 40 min) ; sur ces 2 trajets, les bus circulent toutes les demi-heures jusqu'à 15h. À Phum Saron, vous devrez louer un moto-taxi pour rejoindre le parc ; prévoyez 200 B l'aller-retour, avec 2 heures pour la visite. Une camionnette vous coûtera peut-être dans les 400 B. Négocier sera très difficile, car les chauffeurs savent que les touristes qui ont fait tout ce trajet sont très désireux de visiter les ruines. Il est possible de faire du stop, mais les véhicules sont rares, surtout en semaine.

Vous pouvez aussi prendre un bus d'Ubon Ratchathani à Kantharalak (50 B, 1 heure 30, toutes les 30 min).

### Autres ruines khmères

À 30 km à l'ouest de Si Saket par la Route 226, dans le district d'Uthumphon Phisai, le **Prasat Wat Sa Kamphaeng Yai** (entrée libre ; en journée), un sanctuaire dédié à Shiva, comprend 4 *prang* du XI^e siècle et 2 *wíh·h hn* (grande salle dans un temple thaï, généralement ouverte aux laïcs). Les *prang*, y compris le principal, construit à l'origine en grès mais restauré à l'aide de briques, ont perdu leur partie supérieure mais conservent de nombreux linteaux et sculptures. Les ruines se trouvent dans l'enceinte du successeur moderne du Wat Sa Kamphaeng Yai. Les bus en provenance de Si Saket (20 B, 30 min) et de Surin (55 B, 1 heure 30) vous déposeront tout près. Le train est plus rapide et moins cher, mais la gare se situe à quelques kilomètres.

À 8 km à l'ouest de Si Saket en allant vers Kamphaeng Yai, du côté nord de la nationale, aucun panneau ne signale le **Prasat Sa Kamphaeng Noi** (entrée libre ; en journée), un simple empilement de blocs de latérite. Comme beaucoup d'autres ruines khmères de la région, il fut transformé en lieu de guérison par le roi d'Angkor Jayavarman VII. Longtemps laissé à l'état d'éboulis, le site bénéficie enfin de travaux de reconstruction, encore très modestes cela dit.

### Temples

Le Wat Pa Maha Chedi Kaeo est appelé communément **Wat Lan Khuad** ( en journée), le "temple aux millions de bouteilles". En 1982, un moine supérieur vit en songe un *ɓrah·sàht* entièrement fait de verre. Voyant que le verre symbolisait le besoin d'avoir un objectif clair dans la vie, il décida de traduire son idée de son mieux en recouvrant presque toute la surface de son temple de bouteilles de verre. Il pensait aussi faire économiser les frais de peintures à la communauté. Et plus on examine les lieux, moins le terme de monastère paraît exagéré. Voulant exploiter le thème jusqu'au bout, il réalisa aussi une grande partie des ornements avec les capsules. Ce temple original se trouve à Khun Han, à 11 km au sud de la Hwy 24 par la Route 2111. Tournez à l'ouest au rond-point dans le centre-ville.

Le **Wat Phra That Rueang Rong** ( en journée) est tout aussi insolite. Un moine supérieur, nostalgique du passé, éleva un *bòht* en forme de char tiré par 2 bœufs géants et créa un **musée** (dons appréciés ; 7h30-17h), qui abrite de vieux outils, des instruments de musique et d'autres objets provenant des 4 groupes culturels de la province : les Lao, les Khmers, les Suai et les Yer. Le temple est ponctué de statues en béton représentant des gens vêtus de costumes traditionnels et des animaux démesurés évoquent la réincarnation. Le *wat* se trouve à 7 km au nord de la ville ; prenez le *sŏrng·tăa·ou* 2 (12 B, 20 min) devant la gare ferroviaire.

# PROVINCE D'UBON RATCHATHANI

Cette province aux paysages variés, célèbre dans tout le pays pour ses temples en pleine forêt, s'étend jusqu'au point de rencontre des frontières laotienne, thaïlandaise et cambodgienne. Pour en redorer le blason touristique, la TAT a surnommé sa partie méridionale le "Triangle d'émeraude" en raison de ses paysages verdoyants et aussi pour faire le parallèle avec le "Triangle d'or" dans le nord du pays. Mais, malgré tous ces efforts, les visiteurs n'affluent toujours pas.

Les parcs nationaux de Phu Chong Nayoi et de Pha Taem sont parmi les plus reculés de Thaïlande, mais Ubon reste l'une des villes les plus agréables de la région.

### Histoire

Il y a des siècles, les bassins de la Mae Nam Mun et de la Mae Nam Chi furent des foyers des cultures dvaravati et khmère. Après le déclin de l'Empire khmer, la région fut occupée à la fin du XVIII^e siècle par des Lao qui y fondèrent la capitale. Au début de l'ère de Ratanakosin, elle fut rattachée au *monthon* Ubon, un État satellite isan du Sud-Est qui englobait les provinces actuelles de Surin, de Si Saket et d'Ubon, ainsi qu'une partie du Laos méridional, avec Champasak (Laos) pour capitale. Aujourd'hui, l'influence laotienne est plus sensible que celle des Khmers.

## UBON RATCHATHANI

อุบลราชธานี

**115 000 habitants**

Une fois passé le cap des embouteillages, Ubon se dévoile sous des aspects plus engageants. Bordant la Mae Nam Mun, deuxième cours d'eau du pays, le quartier sud, piétonnier, possède une nonchalance rarement observée dans les grandes villes de la région. Malgré une modernisation galopante, la cité reste ancrée dans son identité isan. La ville est parsemée de temples, et on échappe facilement à l'agitation urbaine en explorant les alentours. Peu de villes de Thaïlande sont aussi propices à la flânerie qu'Ubon.

Base aérienne américaine durant la guerre du Vietnam, Ubon est avant tout un centre financier, éducatif et agricole de l'est de l'Isan. Le poste-frontière voisin de Chong Mek, entre la Thaïlande et le Laos, attire un flux modeste mais régulier de voyageurs.

## Orientation et renseignements

L'activité se concentre essentiellement au nord de la Mae Nam Mun et à l'est de Th Chayangkun-Th Uparat, le principal axe nord-sud. Le centre historique d'Ubon se

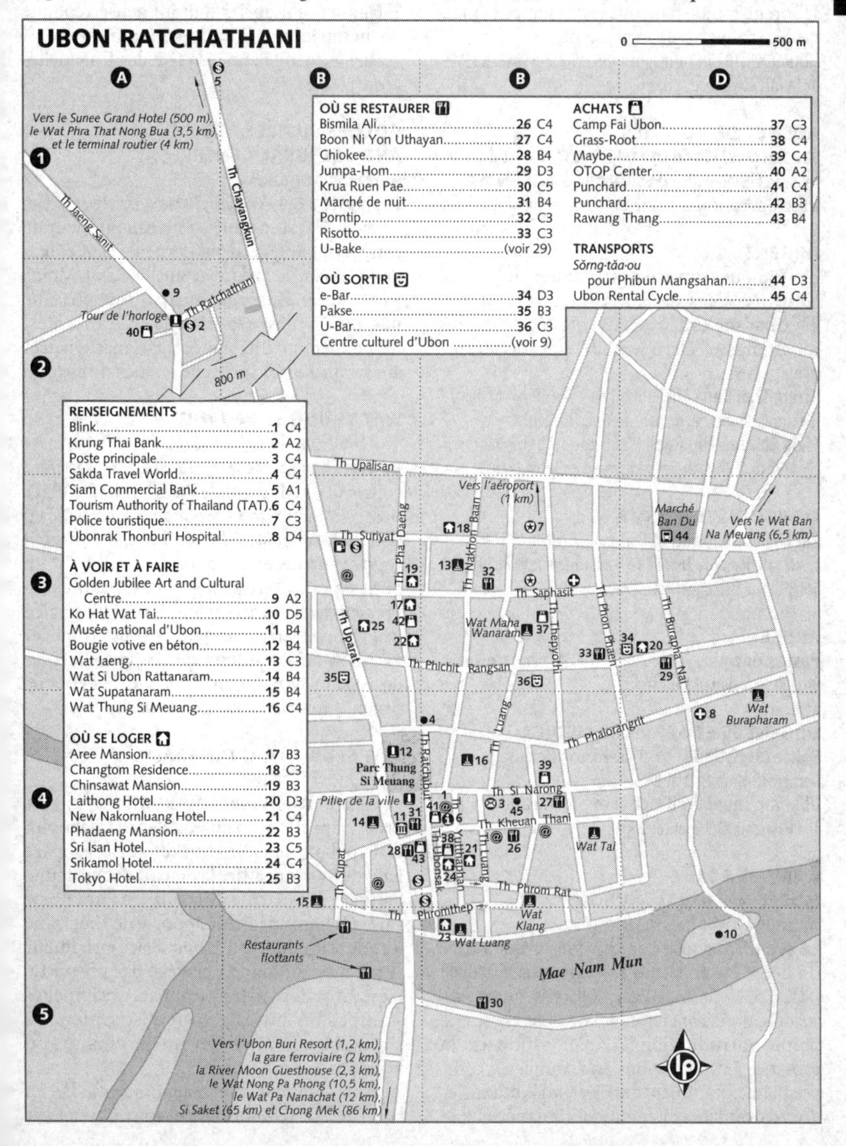

situe près de la rivière, en contrebas de Th Si Narong. S'il ne reste plus beaucoup de maisons de commerce, vous en verrez toutefois quelques beaux exemples dans Th Yutthaphan. La gare ferroviaire est située au sud de la rivière, dans Warin Chamrap.

### ACCÈS INTERNET

Ubon ne croule pas sous les cybercafés, mais on les trouve assez facilement.

**Blink** (105-107 Th Yutthaphan ; 15 B/h ; 9h-22h). Près de la TAT, au coin de la rue.

### AGENCE DE VOYAGES

**Sakda Travel World** (0 4525 4333 ; www.sakdatour.com ; Th Phalorangrit ; 9h-18h lun-sam). Vend des billets d'avion, loue des voitures et organise des excursions.

### ARGENT

Les banques ouvertes aux heures de bureau sont installées dans le centre-ville ou sur Th Chayangkun. Les suivantes ouvrent plus longtemps et changent chèques de voyage et espèces.

**Krung Thai Bank** (Th Ratchathani ; 10h-19h). Dans le centre commercial du parc de Ying Charoen.

**Siam Commercial Bank** (Tesco-Lotus, Th Chayangkun ; 10h30-20h). Dans le grand magasin Tesco-Lotus.

### OFFICE DU TOURISME

**TAT** (Tourism Authority of Thailand ; 0 4524 3770 ; www.tatubon.org ; 264/1 Th Kheuan Thani ; 8h30-16h30). Son personnel est efficace.

### POSTE

**Poste principale** (Th Luang ; 8h30-16h30 lun-ven, 9h-12h sam, dim et jours fériés)

### URGENCES ET SERVICES MÉDICAUX

**Police touristique** (0 4524 5505 ; Th Suriyat). Derrière le commissariat de police.

**Ubonrak Thonburi Hospital** (0 4526 0285 ; Th Phalorangrit). Urgences 24h/24.

## À voir et à faire

### MUSÉE NATIONAL D'UBON

พิพิธภัณฑสถานแห่งชาติอุบลราชธานี

La première chose à faire, après avoir trouvé un hôtel, est de visiter le **Musée national d'Ubon** (0 4525 5071 ; Th Kheuan Thani ; 100 B ; 9h-16h mer-dim). Installé dans l'ancien hôtel de ville, il est une bonne introduction à l'exploration de la province. Les collections, très complètes, comprennent notamment des pierres délimitant les lieux d'ordination bouddhiques de la période de Dvaravati, un tambour en bronze de Dong Son vieux de 2 500 ans, des textiles d'Ubon et des boîtes à noix de bétel. L'objet le plus précieux est un *ardhanarisvara* du IXe siècle ; cette statue représentant Shiva et son épouse Uma sous la forme d'un être unique est l'une des 2 seules à avoir été retrouvées en Thaïlande.

Le musée se trouve en lisière du **parc de Thung Si Meuang**, qui abrite une immense réplique en béton d'une bougie votive élaborée et accueille chaque année la fête des Chandelles (voir p. 498).

### GOLDEN JUBILEE ART AND CULTURAL CENTRE

ศูนย์วัฒนธรรมอุบลฯ

Un **musée** (0 4535 2000 ; Th Jaeng Sanit ; entrée libre ; 8h30-16h) est installé au niveau inférieur de cette étonnante tour moderne de sept étages de style isan, dans l'université Rajabhat. Moins riche que le Musée national, il n'en présente pas moins des expositions intéressantes, notamment sur l'habitat et l'artisanat. On peut aussi voir toutes sortes de statues de cire.

### WAT THUNG SI MEUANG

วัดทุ่งศรีเมือง

Le **Wat Thung Si Meuang** (Th Luang ; en journée), construit sous le règne de Rama III (1824-1851), possède un *hŏr đrai* (dépôt de manuscrits) en bon état. À l'instar de nombreux *hŏr đrai*, il repose sur de hauts pilotis au milieu d'un petit bassin pour protéger des termites les précieuses écritures sur feuilles de palmier. Le *wat* reste ouvert, vous pouvez vous promener à l'intérieur. Non loin, des fresques vieilles de 200 ans témoignant de la vie de l'époque ornent l'intérieur du petit *bòht*.

### WAT SI UBON RATTANARAM

วัดศรีอุบลรัตนาราม

Le *bòht* du **Wat Si Ubon Rattanaram** (Th Uparat ; en journée) rappelle celui du Wat Benchamabophit de Bangkok, mais c'est son bouddha de topaze haut de 7 cm qui attire la plupart des visiteurs. Statue la plus sacrée de la ville, le Phra Kaew Busarakham aurait été apporté de Vientiane lors de la fondation d'Ubon. Placé en hauteur sur le mur du fond et protégé par une vitre, il est difficile à distinguer, mais des jumelles sont parfois mises à votre disposition. La statue située juste devant le plus grand bouddha est une copie.

Dans le temple, une magnifique *săh·lah* en bois (salle de réunion, ou de repos, ouverte sur les côtés, souvent épelée *sala*) a été transformée en **musée** (entrée libre ; 9h-16h) d'objets religieux. La pièce maîtresse est sans conteste la collection de *đoô prá đrai Ъìdòk* (superbes boîtes où étaient conservés les textes sacrés écrits sur des feuilles de palmier) du XVIIIe siècle. On vous expliquera, en thaï, comment peindre les décorations à l'or.

### WAT PHRA THAT NONG BUA

วัดพระธาตุหนองบัว

Richement décoré, le *chedi* du **Wat Phra That Nong Bua** (Th Thammawithi ; en journée), qui s'élève à 55 m, est une réplique presque parfaite du stupa Mahabodhi de Bodhgaya, en Inde. Sur chacun de ses 4 côtés, 2 groupes de 4 niches contiennent des bouddhas debout, de style gupta ou dvaravati stylisé. Il s'agit du seul stupa carré de la province d'Ubon, si l'on excepte le plus ancien sur lequel il a été construit et les 4 plus petits se trouvant aux angles. Lors de notre dernier passage, les bas-reliefs extérieurs illustrant les *jataka* étaient en rénovation. Pour vous rendre au temple, situé en périphérie de la ville, prenez le *sŏrng·tăa·ou* 10.

### WAT BAN NA MEUANG

วัดบ้านนาเมือง

Le Wat Sa Prasan Suk ou **Wat Ban Na Muang** ( en journée) diffère des autres temples à de nombreux égards. Son *bòht* est une réplique incrustée de céramiques de la barge royale de Rama IX, le *Suphannahong*, assortie de figures de tout son équipage. Le *wíh·hăhn* repose également sur une copie du bateau personnel du prince au milieu d'un bassin. Une métaphore autant qu'une œuvre artistique : l'eau représente nos désirs et les bateaux, notre capacité à nous élever au-dessus d'eux. Pour atteindre toutes ces curiosités, il faut passer sous une immense statue d'Airavata, l'éléphant à 3 têtes du dieu hindou Indra. Le commanditaire de ces ouvrages, Luang Pu Boon Mi, mort en 2001, dont le corps (à ne pas confondre avec la statue de cire qui paraît vivante) repose dans le *săh·lah* situé à côté du *bòht*. Le temple se trouve à 4 km au nord-ouest de la ville, à 1 km de la rocade ; le *sŏrng·tăa·ou* 8 passe devant.

### WAT JAENG

วัดแจ้ง

Le **Wat Jaeng** (Th Nakhon Baan ; en journée), érigé à la même période que la ville, possède un très joli *bòht* de style Lan Xang. De grands auvents prennent les côtés du temple et sur la façade en bois sculptée sont représentés Airavata et 2 lions mythiques.

### WAT SUPATANARAM

วัดสุปัฏนาราม

Couramment appelé **Wat Supat** (Th Supat ; en journée), ce temple comprend un *bòht* exceptionnel construit entre 1920 et 1936, mêlant les styles : le toit est thaï, les arches européennes et la base khmères. Contrairement aux autres structures de la région, il est entièrement en pierre, comme les premiers *Ъrah·sàht* khmers. La cloche en bois qui se dresse devant l'édifice est la plus grande du pays.

### KO HAT WAT TAI

เกาะหาดวัดใต้

Les familles affluent pour pique-niquer sur cette petite île de la Mae Nam Mun à la saison sèche et chaude, de février à mai, lorsque des plages apparaissent sur ses côtes. Un pont de fortune en bambou la relie à la rive nord, et des restaurants flottants s'installent au bord.

### TEMPLES DU DISTRICT DE WARIN CHAMRAP

Luang Pu Cha, célèbre moine et maître de méditation, ancien disciple de Luang Pu Man, lui-même réputé pour son enseignement simple et direct, était une véritable figure dans la région. Au cours de sa vie, il a fondé ces 2 monastères en forêt et bien d'autres à travers le monde.

#### Wat Nong Pa Phong

วัดหนองป่าพง

Le paisible **Wat Nong Pa Phong** ( en journée) est réputé pour la modération de sa discipline et son programme quotidien de travail et de méditation. Au cours des dernières décennies, de nombreux Occidentaux y ont séjourné, et plusieurs y vivent encore. Le temple comprend un *chedi* d'or, où reposent les restes de Luang Pu Cha, et un **musée** (entrée libre ; 8h-16h30) sur 3 niveaux, qui possède une collection éclectique d'effets personnels du maître et d'objets bizarres. L'endroit se situe à 10 km environ de la ville après le fleuve. Le *sŏrng·tăa·ou* 3 vous conduit à 2 km du site ; de là, un moto-taxi, si vous en trouvez un, vous coûtera 20 B.

#### Wat Pa Nanachat

วัดป่านานาชาติบุ่งหวาย

Le **Wat Pa Nanachat** (www.watpahnanachat.org ; Ban Bung Wai ; en journée) est un temple datant de 1975 destiné aux non-Thaïlandais, où l'anglais est la langue principale. Les personnes qui ont déjà une expérience de la méditation peuvent demander à y résider (écrire au Guest Monk, Wat Pa Nanachat, BanBung Wai, Amphoe Warin Chamrap, Ubon Ratchathani 34310). Les hôtes sont tenus de respecter toutes les règles (notamment ne manger qu'un repas par jour, se lever à 3h et se raser la tête et les sourcils après le troisième jour).

Il n'y a pas grand-chose à voir, mais rien ne vous empêche de passer. Un moine est disponible presque tous les jours après le repas de 8h pour répondre aux questions et il y aura certainement quelqu'un jusqu'à 11h pour vous recevoir. Prenez un *sŏrng·tăa·ou* au marché Warin ou n'importe quel bus à destination de Si Saket, qui vous déposeront sur la Hwy 226, à environ 500 m de l'entrée. Le *wat* se trouve dans la forêt, derrière les rizières.

## Fêtes et festivals

La célèbre **fête des Chandelles** (Hae Tian) est née sous le règne du roi Rama V, lorsque le gouverneur de la ville décréta que la fête des fusées était trop dangereuse. Relativement simples au départ, les bougies sont devenues de gigantesques structures de cire sculptées de manière élaborée. La fête fait partie du Khao Phansaa, une fête bouddhiste qui marque le début du *wan òrk pan·săh*, la retraite des pluies (le carême bouddhiste), en juillet. Le reste de l'année, on peut voir les bougies sur la plupart des temples (où elles sont conservées avant d'être fondues pour la fête suivante), ainsi qu'à l'OTOP Centre (p. 500). Cet événement est très apprécié des touristes thaïlandais et les hôtels de la ville sont réservés longtemps à l'avance.

## Où se loger

### PETITS BUDGETS

**River Moon Guesthouse** (☎ 0 4528 6093 ; 21 Th Sisaket 2 ; s 120 B, d 150-180 B). Il est chaque année plus difficile de recommander cette vieille auberge décrépite où descendent pourtant encore les voyageurs en quête d'originalité. Les chambres rustiques, à 300 m de la gare ferroviaire, occupent les anciens quartiers des cheminots et les sanitaires sont communs.

**New Nakornluang Hotel** (☎ 0 4525 4768 ; 84-88 Th Yutthaphan ; ch 170-320 B ; ❄). À la différence de l'auberge précédente, certes délabrée mais qui a un certain charme, ce vieil hôtel est sinistre. Assez propre tout de même pour convenir à ceux qui veulent dépenser un minimum tout en logeant dans le centre-ville.

**Tokyo Hotel** (☎ 0 4524 1262 ; 360 Th Uparat ; ch 200-600 B ; ❄ 💻). Hôtel de catégorie moyenne, peu engageant mais populaire, le Tokyo est apprécié de longue date par les petits budgets. Les chambres les plus chères sont dans une nouvelle tour, et les plus abordables, avec clim ou ventil, mais toutes avec des douches froides, se trouvent dans l'ancienne. Le Wi-Fi (gratuit) arrive parfois jusqu'aux chambres du vieux bâtiment.

**Aree Mansion** (☎ 0 4526 5518 ; 208-212 Th Pha Daeng ; ch 250-350 B ; ❄ 💻). Idéal pour les mini-budgets, cet établissement cache mal son âge, malgré de louables efforts. Chambres fraîchement repeintes de couleurs claires, grandes et propres. Même les moins chères avec ventil ont l'eau chaude, un réfrigérateur et le Wi-Fi gratuit.

**Changtom Residence** (☎ 0 4526 5525 ; 216 Th Suriyat ; ch 400 B ; ❄ 💻). Dans cet établissement de taille moyenne, en plus de proposer des chambres propres et confortables, le patron, qui parle anglais, vient vous chercher gratuitement à votre arrivée en ville.

**Phadaeng Mansion** (☎ 0 4525 4600 ; 126 Th Pha Daeng ; ch 400-500 B ; ❄ 💻). Cette adresse qui a ouvert en 2008 loue des chambres petites mais agréables, avec balcon et Wi-Fi gratuit.

**Chinsawat Mansion** (☎ 0 4524 1179 ; 164/4 Th Saphasit ; ch 450 B ; ❄ 💻). Très semblable à l'établissement précédent, mais avec un côté chaleureux, "comme à la maison", qui n'est pas courant dans ce genre d'hôtel. Les chambres possèdent de petits balcons, mais la vue n'a rien d'extraordinaire.

**Srikamol Hotel** (☎ 0 4524 6088 ; 26 Th Ubonsak ; ch 450-600 B ; ❄). Dans cet hôtel établi de longue date, les chandeliers de l'entrée et le carrelage rappellent des heures glorieuses où le Srikamol comptait parmi les meilleures adresses d'Ubon. Las ! ces temps sont révolus et l'hôtel n'est pas mieux que ses concurrents, mais il plaira aux amateurs d'ambiance passéiste.

### CATÉGORIE MOYENNE

♡ **Sri Isan Hotel** (☎ 0 4526 1011 ; www.sriisanhotel.com ; 62 Th Ratchabut ; ch 650-1 400 B ; ❄ 💻). Dans sa catégorie, le Sri Isan est l'exception qui confirme la règle : l'endroit est clair et gai. L'atrium laisse passer la lumière naturelle, qui inonde et agrandit l'entrée. Les chambres sont petites et la déco un peu tarte, mais le service est excellent, et vous trouverez une orchidée posée sur l'oreiller. On viendra vous chercher à la gare ferroviaire ou à l'aéroport gratuitement, mais au terminal des bus moyennant 100 B.

**Ubon Buri Resort** (☎ 0 4526 6777 ; www.ubonburihotel.com ; Th Srimongkol ; ch 1 140-1 330 B, bungalows 1 500 B, ste 3 000 B ; ). Dans ce complexe hôtelier, vous aurez l'impression de loger en ville sans vraiment y être. Les chambres et les bungalows disséminés dans un grand jardin le long d'un bras de la Mun, la décoration folklorique isan et le personnel irréprochable en font un établissement de même qualité que les plus chers d'Ubon. Mais le Wi-Fi n'atteint pas la plupart des chambres.

### CATÉGORIE SUPÉRIEURE

**Laithong Hotel** (☎ 0 4526 4271 ; www.laithonghotel.net ; 50 Th Phichit Rangsan ; ch 1 300-1 900 B, ste 3 300 B ; ). Les chambres pourraient être un peu plus luxueuses pour ces prix-là, mais le personnel atteint la perfection. On trouve ici les services habituels de "classe affaires", un restaurant japonais, et le petit clin d'œil à la décoration isan traditionnelle. Piscine extérieure au 3e étage.

**Sunee Grand Hotel** (☎ 0 4535 2900 ; www.suneegrandhotel.com ; Th Chayangkun ; ch 2 800-3 600 B, ste 4 800-25 000 B ; ). Un des rares hôtels de l'Isan qui aurait sa place à Bangkok. Tout simplement magnifique, et beaucoup moins cher que ses homologues de la capitale. Les propriétaires, qui ont ouvert en 2008, ont réussi sur toute la ligne, des appliques stylisées au service impeccable. L'hôtel abrite un grand centre d'affaires, un pianiste dans le hall et un centre commercial. Lors de la rédaction de ce guide, un parc aquatique sur les toits et un bowling étaient en construction.

## Où se restaurer

**Marché de nuit** (16-1h). Encore plutôt modeste, mais la municipalité l'a nettement amélioré ces dernières années.

**Boon Ni Yon Uthayan** (☎ 0 4524 0950 ; Th Si Narong ; 10-15 B/assiette ; petit-déj et déj mar-dim). Le groupe ascétique Sisa Asoka gère ce restaurant proposant un impressionnant buffet végétarien sous un toit géant. Les ingrédients utilisés sont en majorité des produits bio cultivés à l'extérieur de la ville.

**Porntip** (☎ 08 9720 8101 ; Th Saphasit ; plats 20-100 B, ½ poulet 60-80 B ; 9h-18h). Ce restaurant sans fioritures anciennement baptisé Gai Yang Wat Jaeng est pour de nombreux locaux, et malgré son côté un peu désordre, le meilleur endroit où déguster *gài yâhng, sôm·đam*, saucisses et autres spécialités isan.

**Chiokee** (☎ 0 4525 4017 ; 307-317 Th Kheuan Thani ; plats 25-160 B ; 6h-19h). Dans un cadre un peu incongru qui mêle Orient (bois sombre et autel chinois) et Occident (ketchup et nappes blanches), ce restaurant apprécié (surtout pour ses petits-déj) concocte un grand choix de plats allant de la soupe d'anguille aigre et épicée aux hamburgers.

**Bismila Ali** (☎ 08 6871 5852 ; 177 Th Kheuan Thani ; plats 30-100 B ; 7h-21h). Ce tout petit restaurant propose des plats indiens et musulmo-thaïlandais (goûtez au "poisson trois saveurs" : du tilapia rouge avec une sauce au piment). Il faut s'armer de patience avant d'être servi, mais les plats sont bien préparés.

**Krua Ruen Pae** (enseigne en thaï ; ☎ 0 4532 4342 ; plats 40-300 B ; déj et dîner). L'un des restaurants flottants sur la Mun, le Krua Ruen Pae propose des spécialités thaïlandaises et isan dans un cadre décontracté. Le *đôm kàh gài* (curry de poulet épicé servi avec du galangal dans du lait de coco) est franchement délicieux. Si vous êtes en voiture, sortez en direction de l'ouest, puis passez sous le pont.

**U-Bake** (☎ 0 4526 5671 ; 49/3 Th Phichit Rangsan ; gâteau au chocolat 60 B ; déj et dîner). Les bonnes boulangeries ne manquent pas en ville, mais seule l'U-Bake a le privilège de partager des locaux avec le superbe Jumpa-Hom.

**Risotto** (☎ 08 1879 1869 ; Th Phichit Rangsan ; plats 80-300 B ; déj et dîner). La salle n'a pas grand-chose d'italien, mais la cuisine rappelle vaguement la dolce vita. Au menu, une grande variété de pâtes, du steak de saumon et une des meilleures pizzas de l'Isan.

**Jumpa-Hom** (☎ 0 4526 0398 ; 49/3 Th Phichit Rangsan ; plats 55-1 500 B ; dîner). L'un des restaurants les plus chics de la ville, le Jumpa-Hom sert des plats thaïlandais, isan, chinois et occidentaux, chers mais excellents, sur une magnifique terrasse en bois remplie de plantes et d'eau. Très belle salle à manger pourvue de chaises et de coussins pour s'asseoir par terre.

## Où sortir et prendre un verre

Il n'y a pas un quartier de sortie à proprement parler, mais différents endroits dans la ville.

**U-Bar** (☎ 0 4526 5141 ; 97/8-10 Th Phichit Rangsan ; 19h-1h). Ce bar est depuis longtemps le rendez-vous nocturne étudiant le plus en vogue du fait des DJ qui viennent parfois de Bangkok. Si vous y allez, prenez un "blue kamikaze" tiré d'une machine à slush derrière le bar.

**e-Bar** (Th Phichit Rangsan ; 19h-1h). Nouveau bar plus festif juste en face du U-Bar. Les promotions spéciales et les concerts de groupes venant de Bangkok en ont fait un lieu très prisé.

**Pakse** (enseigne en thaï ; Th Uparat ; 18h-0h30). Plus proche du pub que de la boîte de nuit, malgré la musique très forte, ce grand bar offre une ambiance cosy, une table de billard et une carte complète. Un lieu sans clinquant, détendu.

**Golden Jubilee Art & Cultural Centre** (0 4535 2000 ; Th Jaeng Sanit). Des spectacles de danse et de musique isan ont parfois lieu.

## Achats

La province d'Ubon est spécialisée dans les cotonnades tissées à la main, teintes naturellement, et vous trouverez ici un extraordinaire assortiment de sacs, de vêtements et de tissus. Première escale recommandée, **Camp Fai Ubon** (0 4524 1821 ; 189 Th Thepyothi ; 8h-17h) signe ses produits de la marque Peaceland. La boutique **Grass-Root** (0 4524 1272 ; 87 Th Yutthaphan ; 9h-17h), plus petite, offre aussi choix et qualité. Enfin, **Maybe** (0 4525 4452 ; 124 Th Si Narong ; 8h-19h), qui propose moins de tissus teints naturellement, reste un bon magasin de vêtements à des prix raisonnables.

**Punchard** (0 4526 5751 ; 156 Th Pha Daeng ; 9h-20h), un grand magasin offrant un large choix d'objets artisanaux, vend aussi du coton d'Ubon, mais attention à la facture. **Punchard branch** (0 4524 3433), sur Th Ratchabut, est plus axé sur la décoration intérieure. L'**OTOP Center** (Th Jaeng Sanit ; 8h30-17h), encore tout neuf et à moitié vide, propose un choix de produits varié.

Très différent des boutiques précédentes, **Rawang Thang** (08 1700 7013 ; 301 Th Kheuan Thani ; 9h-21h lun-sam) vend des T-shirts, des cartes postales, des cadres et divers objets, fabriqués en majeure partie par les propriétaires. Ce couple vous indiquera tout ce qu'Ubon peut vous offrir et caresse le projet d'ouvrir une pension au bord de la rivière.

## Depuis/vers Ubon

### AVION

**THAI** (www. thaiairways.com) propose 2 vols quotidiens depuis/vers Bangkok (aller simple 2 020 B), et **Air Asia** (www.airasia.com) une liaison par jour (1 400 B).

### BUS

Le **terminal des bus** (0 4531 6085) d'Ubon est au nord de la ville ; prenez les *sŏrng·tăa·ou* 2, 3 ou 10 en direction du centre.

**BUS DEPUIS/VERS UBON**

| Destination | Prix (B) | Durée (h) |
|---|---|---|
| Khon Kaen | ordinaire 137<br>2e classe 212<br>1re classe 247 | 5 |
| Khorat | 2e classe 203<br>1re classe 269 | 7 |
| Mukdahan | ordinaire 85<br>2e classe 119<br>1re classe 144 | 3½ |
| Roi Et | ordinaire 82<br>2e classe 113<br>1re classe 148 | 3 |
| Sakon Nakhon | ordinaire 125<br>2e classe 175<br>1re classe 225 | 5 |
| Si Saket | ordinaire 40<br>2e classe 59 | 1¼ |
| Surin | 2e classe 144<br>1re classe 212 | 3 |
| Yasothon | ordinaire 50<br>2e classe 70<br>1re classe 90 | 1½ |

Des bus relient régulièrement Ubon et Bangkok (2e/1re classe 396/473 B, 8 heures) le matin et le soir, et quelques autres le midi. **999 VIP** (0 4531 4299 ; 24 sièges VIP 724 B ; 18h30 et 19h30) offre le meilleur service, et assure aussi une ligne directe pour Pakse, au Laos (1re classe 200 B, 9h30 et 14h, 3 heures). **Nakhonchai Air** (0 4526 9777 ; 32 sièges VIP 595 B ; 10/j) offre également une bonne desserte de Bangkok et propose un bus direct pour Rayong (2e classe/32 sièges VIP 427/641 B, 14 heures, 11/j) et pour Chiang Mai (2e classe/32 sièges VIP 595/893 B, 17 heures, 6/j). Concernant les autres lignes de bus depuis/vers Ubon, voir le tableau ci-dessus.

Les bus pour Phibun (35 B, 1 heure 30, toutes les 20 min) et Khong Jiam (80 B, 3 heures, départ 10h) marquent un court arrêt au marché Warin, de l'autre côté de la rivière, après avoir quitté le terminal des bus, mais vous risquez de ne plus trouver de place si vous montez là.

### TRAIN

La **gare ferroviaire** (0 4532 1588) se trouve à Warin Chamrap. Pour y aller, prenez le *sŏrng·tăa·ou* 2 en provenance d'Ubon. L'express de nuit quitte Bangkok à 20h30 et arrive à Ubon le lendemain matin à 7h25. En sens inverse, le train quitte Ubon à 18h30 et arrive à Bangkok à 5h50 (siège 3e classe 245 B ; siège 2e classe avec clim 551 B ; couchette 2e classe avec ventil 471 B ; couchette 1re classe avec clim 1 180 B). Six autres trains font aussi le trajet dans la journée, et mettent également longtemps, sauf les express de 5h45 (depuis Bangkok) et de 14h50 (depuis Ubon) qui prennent 8 heures 30. Les trains s'arrêtent aussi à Si Saket, à Surin et à Khorat (3e/2e classe avec clim 58/423 B, 4-6 heures).

### Comment circuler

Des *sŏrng·tăa·ou* (10 B) numérotés sillonnent la ville. La TAT vous fournira un plan gratuit indiquant les différentes lignes, la plupart passant à proximité de leur bureau. Un trajet normal en *túk-túk* coûte au moins 40 B.

**Ubon Rental Cycle** (☎ 0 4524 4708 ; 115 Th Si Narong ; 🕑 8h30-18h lun-sam) loue des vélos pour 100 B la journée.

## AILLEURS DANS LA PROVINCE

### Ban Pa-Ao

บ้านผาอ่าว

Au nord-ouest d'Ubon sur la Highway 23, Ban Pa-Ao, village de tisserands de soieries, est surtout réputé pour ses objets en cuivre et en bronze fabriqués selon la technique du moulage à la cire perdue. C'est le seul endroit du pays ou tout est encore fait à la main. On peut voir les artisans fabriquer des cloches, des bols et d'autres objets à la coopérative **Soon Thorng Leuang Ban Pa-Ao** (🕑 8h-17h), à l'extrémité du village. Il y existe aussi une coopérative de tissage de soieries avant d'entrer dans la ville.

Grâce au **programme de séjour chez l'habitant** (☎ 08 1076 1249 ; 300 B/pers, 2 repas inclus) de Ban Pa-Ao, vous pourrez vous essayer à ces 2 métiers, même si les artisans parlent peu anglais.

Ban Pa-Ao est à 3,5 km de la Hwy 23. Les bus en provenance et à destination de Yasothon s'arrêtent à l'embranchement sur la Hwy 23, et, de là, un moto-taxi prendra environ 20 B.

### Phibun Mangsahan

อำเภอพิบูลมังสาหาร

La ville poussiéreuse de Phibun Mangsahan mérite qu'on s'y arrête pour admirer la série de chutes d'eau de **Kaeng Sapheu**, juste en aval du pont sur la Mae Nam Mun. Ces "rapides du Python", dus à la présence d'îlots rocheux, apparaissent entre janvier et juin, mais le parc ombragé qui s'étend alentour est agréable toute l'année. Il renferme un temple chinois, plusieurs petits restaurants, la plupart servant des *tòrt năng gòp* (peaux de grenouille frites), et une multitude de boutiques de souvenirs. Beaucoup de pêcheurs travaillent ici et proposent de petites excursions en pirogues (200 B/h) pour visiter les temples sur les îles. Renseignez-vous au restaurant *đăaw* si vous désirez une embarcation plus grande (500 B/h ou 2 000 B/j) pouvant accueillir 20 personnes.

Phibun Mangsahan compte un **bureau de l'immigration** (☎ 0 4544 1108 ; 🕑 8h30-16h30 lun-ven) qui délivre les prorogations de visa ; il se trouve à 1 km au sud du pont, sur la route de Chong Mek.

Les villages situés de l'autre côté du pont, en allant à l'est vers Khong Jiam, sur la Route 2222, sont réputés pour leurs **gongs** forgés en fer et en bronze, destinés aux temples et aux orchestres de musique classique thaïlandaise. Vous pourrez regarder les artisans marteler les disques de métal avant de les passer dans des fours rustiques, dans de nombreux ateliers installés au bord de la route. Les prix varient de 500 B pour un petit gong à 200 000 B pour un gong de 2 m de diamètre. On fabrique ici également des tambours et des cymbales.

#### OÙ SE LOGER ET SE RESTAURER

Dans le centre-ville, à mi-chemin de l'arrêt de bus et du pont, se trouve le **Phiboonkit Hotel** (☎ 0 4520 4872 ; 65/1-3 Th Phiboon ; ch 200-350 B ; ❄), un brin désordonné, typique des établissements économiques.

**Tom Reung Ruang** (enseigne en thaï ; 135 Th Luang ; 🕑 petit-déj et déj). Petit magasin délabré, juste au niveau du pont, réputé pour ses *sah·lah·bow* (brioches chinoises) et ses *năng jip* (petites crêpes farcies au porc). Les Thaïlandais qui visitent le parc national de Pha Taem et Khong Jiam s'arrêtent généralement pour en faire provision (5 B pièce). De nombreux magasins en ville et le long de la route profitent de leur succès.

#### DEPUIS/VERS PHIBUN MANGSAHAN

Le parking des bus de Phibun se trouve derrière le marché. Des bus ordinaires desservent le terminal des bus d'Ubon (35 B, 1 heure 30) toutes les 20 min, et des *sŏrng·tăa·ou* se rendent toutes les demi-heures à Talat Ban Du (Ban Du Market), près du centre-ville. D'autres *sŏrng·tăa·ou* partent pour Chong Mek (35 B, 1 heure) toutes les 20 minutes.

### Parc national de Kaeng Tana

อุทยานแห่งชาติแก่งตะนะ

À 5 km avant Khong Jiam, on peut traverser la Pak Mun Dam pour rejoindre le petit **parc national de Kaeng Tana** (☎ 0 4540 6887 ; 200 B).

Après avoir contourné l'île de Don Tana, couverte d'une forêt dense et reliée à la terre par une passerelle, la Mae Nam Mun forme de magnifiques rapides, qui disparaissent sous l'eau pendant la saison des pluies. Un sentier serein de 1,5 km le long des falaises mène au point de vue de **Lan Pha Phueng**. Des vélos sont à louer (100 B/h), À 5 km au sud du **centre d'information des visiteurs** (8h-16h30), **Nam Tok Tad Ton** est une large chute d'eau située à 300 m à pied de la route. Le parc abrite aussi un **camping** (empl 30 B, location tente 3/8 places 150/225 B) et 4 **bungalows** (☎ 0 2562 0760 ; www.dnp.go.th/park reserve ; 5/10 pers 1 000/2 000 B). Le petit restaurant ouvre uniquement en journée.

Par la route, le parc est à 14 km de Khong Jiam. Il n'y a pas de transports publics, mais des bateaux en ville remontent la rivière jusqu'au parc (800 B) si elle le permet. Ils attendront même que vous ayez fini votre visite pour vous ramener.

## Khong Jiam

โขงเจียม

Khong Jiam se trouve sur une jolie péninsule, au confluent du Mékong et de la Mum, que les Thaïlandais appellent Mae Nam Song Si (rivière aux 2 couleurs) en raison des courants de couleurs contrastés qui s'y forment. Pendant la saison des pluies, ces multiples couleurs qui confluent sont visibles depuis la rive, mais le reste de l'année, il faut aller les voir en bateau ; ou à pied, en avril, juste avant l'arrivée des eaux. Un grand bateau équipé d'un taud pouvant accueillir 10 passagers vous coûtera 350 B, alors qu'un plus petit, pour 2 personnes, revient à 200 B. Les plus grands peuvent aussi vous conduire au parc national de Kaeng Tana (800 B) ou de Pha Taem (1 200 B).

Les pêcheurs se servent d'immenses nasses coniques, semblables à celles qui sont représentées sur les peintures rupestres vieilles de 3 000 ans à Pha Taem. Les boules de feu *naga* (voir l'encadré p. 528) sont apparues ici en 2005.

Les Thaïlandais peuvent traverser ici le Mékong pour rejoindre le Laos, mais pas les étrangers. Le **bureau de l'immigration** (☎ 0 4535 1084 ; 12/1 Th Kaewpradit ; 8h30-16h30) délivre toutefois des prorogations de visa.

### OÙ SE LOGER ET SE RESTAURER

Peu de *fa·ràng* visitent Khong Jiam ; en revanche, la ville est appréciée des Thaïlandais, ce qui explique les très nombreux hébergements.

**Apple Guesthouse** (☎ 0 4535 1160 ; 267 Th Kaewpradit ; ch 150-300 B ; ). Dans une petite rue, cette pension fatiguée se compose de bâtiments en bois avec des chambres en béton. Très simple mais propre. Le moins cher en ville.

**Bon Pak Mongkhon Resort** (☎ 0 4535 1352 ; www.mongkhon.com ; 595 Th Kaewpradit ; ch 200-800 B ; ). Chambres simples avec ventil ou 4 jolis chalets de bois, entre autres options, cette adresse proche de la nationale est pleine de charme et ses propriétaires sont accueillants. Très bon choix pour tous budgets.

**Khong Jiam Homestay** (☎ 08 1977 2825 ; ch 300 B). Ces 6 petits chalets de bois et de chaume sont installés dans un bosquet juste à côté du Tohsang Resort. Matelas par terre et sdb privatives sans toit. Il n'y a pas de restaurant, mais on peut cuisiner sur un feu de bois ou aller manger au Tohsang Resort voisin. L'établissement affiche parfois complet à cause de groupes venant de Bangkok ; il est préférable d'appeler avant de venir. La course en *túk-túk* depuis le centre-ville coûte 50 B.

**Baansuanrimnam Resort** (☎ 08 7460 0100 ; www.baansuan.th.gs ; 505 Th Rimmoon ; ch 700-1 000 B ; ). Ombragé et tranquille, le Baansuanrimnam est le dernier d'une petite rangée de complexes situés le long de la Mun. Bungalows confortables équipés de superbes terrasses face à l'eau derrière une rangée d'arbres. Pour s'y rendre, prendre à droite à l'école juste avant le temple.

**Tohsang Khong Jiam Resort** (☎ 0 4535 1174 ; www.tohsang.com ; ch 2 350-3 890 B, villas 3 500-14 800 B ; ). Ce complexe tout en splendeur et éclat, à 3,5 km de la ville, sur la rive sud, paraît incongru dans cette région rurale, mais le luxe est bien au rendez-vous et les prix des chambres valent les prestations. Prenez une chambre au 3e étage pour la plus belle vue.

Il y a plusieurs petits restaurants près de Mae Nam Song Si, dont 2 assez chers, flottant sur le Mékong.

### DEPUIS/VERS KHONG JIAM

Tous les transports urbains s'arrêtent à l'intersection avec la highway. D'Ubon, il n'y a qu'un seul bus quotidien (80 B, 3 heures, 10h), qui revient à 13h. Si vous le ratez, allez à Phibun Mangsahan (p. 501), puis prenez un *sǒrng·tǎa·ou* (35 B, 1 heure, toutes les 30 min) sur l'aire de stationnement à côté du pont, qui se trouve à environ 1 km (20 B en *túk-tuk*) du parking des bus de Phibun.

L'Apple Guesthouse et le Bon Pak Mongkhon Resort louent des vélos (100 B/j) et des motos (200 B/j).

## Parc national de Pha Taem

อุทยานแห่งชาติผาแต้ม

En amont du Mékong par rapport à Khong Jiam, la longue falaise de pierre appelée Pha Taem constitue le cœur du **parc national de Pha Taem** (☎ 0 4531 8026 ; 200 B). Au sommet, où la vue s'étend jusqu'au Laos, on peut voir le soleil se coucher avant le reste de la Thaïlande. Un sentier descend le long de la falaise et mène à des peintures rupestres datant d'il y a au moins 3 000 ans représentant des nasses à poissons, des *ƀlah bèuk* (poissons-chats géants du Mékong), des éléphants, des mains et des motifs géométriques. Les plus impressionnantes sont visibles depuis la seconde plate-forme d'observation. En haut de la falaise, un **centre d'information des visiteurs** (🕑 8h-17h) expose des pièces ayant trait aux peintures et à la géologie locale.

**Nam Tok Soi Sawan**, une chute d'eau qui tombe de 25 m de juin à octobre, est à 19 km en voiture du centre d'information des visiteurs ; reste ensuite à marcher sur 500 m. On peut aussi y aller à pied (accompagné d'un garde forestier) par un sentier de 9 km qui longe la falaise. Juste derrière la chute s'étend le "**plus grand champ de fleurs de Thaïlande**" (floraison la plus chatoyante en décembre). L'extrémité nord du parc, où les routes sont vraiment mauvaises, abrite plusieurs cascades et de sublimes points de vue. La falaise de **Pa Cha Na Dai** voit le premier lever de soleil du pays et la **Nam Tok Saeng Chan** jaillit par une brèche dans le rocher qui la surplombe. Les 340 km² du parc sont jalonnés de formations rocheuses en forme de champignons, appelées **Sao Chaliang**, similaires à celles de Phu Pha Thoep, dans le parc national de Mukdahan.

Pha Taem possède un **camping** (empl 30 B/pers, location tente 150-225 B), des **cabanes** (4 pers 300 B) et 5 **bungalows** (☎ 0 2562 0760 ; www.dnp.go.th/parkreserve ; 6 pers avec ventil 1 200 B, 5 pers avec clim 2 000 B). Des vendeurs ambulants proposent en-cas et boissons près du centre d'information des visiteurs.

Pha Taem se trouve à 18 km de Khong Jiam par la Rte 2112, mais il n'est pas desservi par les transports publics. La meilleure façon d'y accéder est de louer une moto à Khong Jiam (150-200 B).

## Chong Mek

ช่องเม็ก

Au sud de Khong Jiam, au bout de la Route 217, la petite ville commerçante de **Chong Mek**, à la frontière thaïlando-laotienne, est le seul endroit où les *fa·ràng* peuvent entrer au Laos par voie de terre (sans franchir de fleuve). Pakse, capitale du sud du Laos, se trouve à 45 minutes de route de Vangtao, le village situé du côté laotien, où l'on peut acheter un visa de 30 jours (voir p. 768 pour des détails). Le passage de la frontière n'occasionne généralement pas de tracas – les bus qui franchissent la frontière attendent que les passagers aient terminé les formalités –, mais certains fonctionnaires laotiens essaieront de vous soutirer des "frais de tampon" de 50 B.

L'ouverture du pont à Mukdahan a réduit la circulation sur cette route et fortement diminué l'activité du marché de Chong Mek, naguère très fréquenté par les touristes thaïlandais.

Si vous arrivez tard dans la nuit, la **Nonthaveth & Ounchith Guest House** (☎ 0 4547 6144 ; ch 200-400 B ; ❄) est propre et accueillante, mais un peu chère.

Les bus en provenance d'Ubon (2e/1re classe 80/100 B, 1 heure 30) ne sont pas fréquents. Mieux vaut aller d'abord à Phibun Mangsahan, et, de là, prendre un *sŏrng·tăa·ou* (35 B, 1 heure, toutes les 20 min jusqu'à 17h). Si vous êtes pressé, des bus directs, 3 tôt le matin et 2 en fin d'après-midi, assurent la liaison avec Bangkok (2e classe/32 sièges VIP 421/632 B). Il n'existe pas de transports en commun entre Cong Mek et Khong Jiam : il faut passer par Philbub ou louer un *túk-túk* (350 B).

Pour continuer vers Pakse, on peut facilement se faire prendre en voiture côté Laos.

## Parc national de Phu Chong Nayoi

อุทยานแห่งชาติภูจองนายอย

Niché au cœur du Triangle d'émeraude, le **parc national de Phu Chong Nayoi** (☎ 0 4541 1515 ; 200 B), peu connu, est l'un des parcs les plus sauvages du pays, et sa forêt l'une des mieux préservées. Il abrite des ours malais, des muntjacs, des gibbons, des calaos charbonniers et des canards musqués à ailes blanches, une espèce menacée. Les éléphants et les tigres passent la plupart de leur temps au Laos, mais traversent souvent la frontière pour venir dans le parc.

La principale curiosité est **Nam Tok Huay Luang**, des chutes qui plongent d'une falaise haute de 40 m en 2 cascades parallèles. Un petit sentier conduit au sommet, d'où l'on peut redescendre par un escalier de 274 marches. À 170 m en aval, la petite cascade de **Nam Tok Jum Jim** offre également un beau spectacle. On peut se baigner au pied des cascades, mais elles sont à sec aux alentours du mois de mars. Les gardes forestiers proposent des excursions sur un radeau en bambou (prix négociable) au-dessus des chutes, où, selon eux, on peut parfois voir des pythons. Malheureusement, le niveau de l'eau est souvent trop haut ou trop bas pour permettre la balade, surtout entre février et avril. À l'extrémité la plus éloignée de ce parc de 687 km$^2$, le sommet de **Pha Hin Dang**, falaise aussi spectaculaire que celle de Pha Taem (p. 503), réserve une belle vue, non plus sur le Mékong mais sur la jungle au fond de la vallée. L'endroit se trouve à 50 km en voiture de l'entrée principale du parc, puis à 2 km à pied.

Le ciel étoilé est splendide ici, aussi nous vous conseillons de passer la nuit sur place. Les hébergements comprennent 3 **bungalows** (☎ 0 2562 0760 ; www.dnp.go.th/parkreserve ; 4/6 pers 600/1 200 B) et un **camping** (empl 30 B/pers, location tente 150/300 B). Il existe 2 restaurants qui ne fonctionnent que le week-end et pendant les vacances scolaires ; le reste du temps, les gardes forestiers vous cuisineront un repas si vous les prévenez à l'avance. Des en-cas et des boissons sont en vente tous les jours.

#### DEPUIS/VERS LE PARC NATIONAL DE PHU CHONG NAYOI

D'Ubon, prenez l'un des 3 bus du matin jusqu'à la ville de Najaluay (60 B, 3 heures). Là, l'aller-retour (20 km) en *túk-túk* jusqu'à Nam Tok Huai Luang avec un petit temps d'attente pour la visite vous coûtera 300 B environ.

# PROVINCE DE CHAIYAPHUM

En dépit de sa situation centrale, la province de Chaiyaphum est une région isolée, rarement visitée, qui conserve une part de mystère, même pour les Thaïlandais. Essentiellement réputé pour ses champs de fleurs et ses soieries, le Chaiyaphum possède plusieurs sites sans intérêt majeur et offre essentiellement une atmosphère paisible hors des sentiers battus.

### Histoire

À la fin du XVIII$^e$ siècle, un notable de la cour laotienne fit venir de Vientiane 200 Lao pour repeupler cette région, abandonnée par les Khmers quelque 500 ans plus tôt. La communauté, tributaire de la capitale laotienne, entretenait de bonnes relations avec Bangkok et Champasak. Lorsque Anou, prince-régent de Vientiane, déclara la guerre au Siam au début du XIX$^e$ siècle, le gouverneur laotien de Chaiyaphum, Jao Pho Phraya Lae, procéda sagement à un renversement d'allégeance au profit de Bangkok. Il savait pertinemment que les armées d'Anou n'avaient pas l'ombre d'une chance face aux puissantes forces siamoises. Jao Pho Phraya Lae mourut au cours d'une bataille en 1806. Les Siamois finirent par mettre Vientiane à sac et contrôlèrent la majeure partie du Laos occidental jusqu'à l'arrivée des Français, à la fin du XIX$^e$ siècle. Aujourd'hui, une statue de Jao Pho Phraya Lae (rebaptisé Phraya Phakdi Chumphon par les Thaïlandais) domine Th Bannakan, à l'entrée de la capitale.

## CHAIYAPHUM

ชัยภูมิ

**55 500 habitants**

Chaiyaphum est une ville sans intérêt qui sert essentiellement de base pour découvrir les sites environnants. Les amateurs de soie se rendront au village de Ban Khwao, à l'ouest, les passionnés d'histoire visiteront la tour angkorienne de Prang Ku et les plus sportifs préféreront s'élancer dans les hauteurs. Plusieurs parcs nationaux s'étendent à proximité, dont celui de Tat Ton, le plus célèbre de la région.

### Renseignements

**Bangkok Bank** (1$^{er}$ ét., Tesco-Lotus, Th Sanambin ; ⌚ 10h-20h). Seule banque de la ville à ouvrir tard, elle ne change que les espèces.

**Pat Pat** (☎ 0 4483 0037 ; Th Tantawan ; accès Internet 15 B/h ; ⌚ 11h-22h). Cafétéria-cybercafé accueillant. Pan, le propriétaire, vous dira tout sur Chaiyaphum.

### À voir

#### PRANG KU

ปรางค์กู่

Ce *prang*, situé dans Th Bannakan, dans l'est de la ville, fut édifié sous le règne du dernier souverain d'Angkor, Jayavarman VII (1181-1219), comme lieu de culte d'une "étape de guérison", sur la route des temples, d'Angkor au Prasat Singh, dans la province de Kanchanaburi.

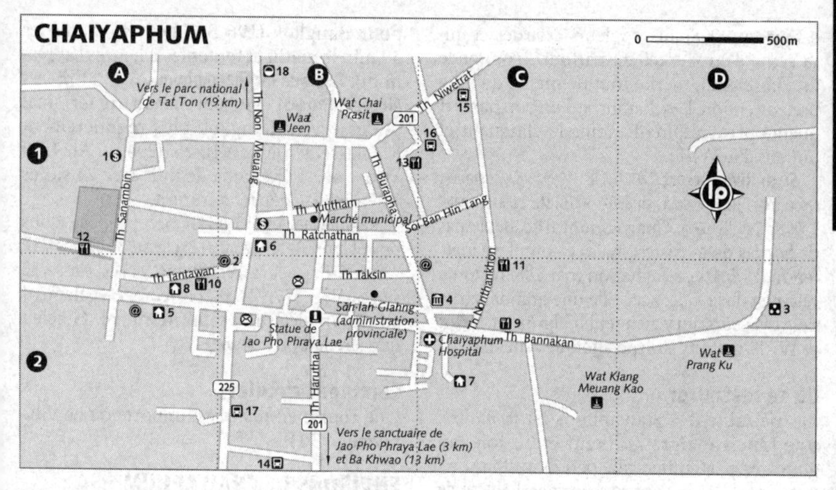


**RENSEIGNEMENTS**
Bangkok Bank....................1 A1
Pat Pat....................2 B2

**À VOIR ET À FAIRE**
Prang Ku....................3 D2
Tamnak Keow....................4 C2

**OÙ SE LOGER**
Deeprom Hotel....................5 A2
Ratanasiri Hotel....................6 B1
Siam River Resort....................7 C2
Tonkoon Hotel....................8 A2

**OÙ SE RESTAURER**
Chor Ra Gah Lahb Gory....................9 C2
Jae Hai Tek....................10 A2
Lady Restaurant....................11 C2
Bazar de nuit....................12 A1
Marché de nuit....................13 B1

**TRANSPORTS**
Air Chaiyaphum....................14 B2
Air Loei....................15 C1
Bus Terminal....................16 C1
Nakhonchai Air....................17 B2
*Sŏrng·tăa·ou* pour Ban Khwao....................(voir 2)
*Sŏrng·tăa·ou* pour le parc national de Tat Ton....................18 B1

L'effigie du Bouddha, à l'intérieur du *ku* (petit *chedi*), date probablement de la période de Dvaravati (VIe-Xe siècle). Mais le *prang* est mal préservé et n'a pas un grand intérêt. Comme c'est le plus significatif des sites antiques de la province, on comprend pourquoi Chaiyaphum n'attire donc pas les foules.

### TAMNAK KEOW

ตำหนักเขียว

Résidence du gouverneur construite en 1950 et aujourd'hui convertie en musée, **Tamnak Keow** (Green Hall ; ☎0 4481 1574 ; Th Burapha ; entrée libre) expose de vieux tissus en *mát·mèe* et des photos de la visite du roi Rama IX en 1955. Ouvert sur rendez-vous uniquement, il ne vaut pas vraiment le détour.

## Fêtes et festivals

Tous les ans, les habitants de Chaiyaphum rendent hommage à Jao Pho Phraya Lae (voir p. 504) à l'occasion de 2 fêtes de 9 jours. La première, la fête de Jao Pho Phraya Lae, qui commence le 12 janvier, date de sa mort, a lieu au *săh·lah glahng* (équivalent du conseil général), près de sa statue. La seconde, la cérémonie d'offrandes aux éléphants de Jao Pho Phraya Lae, se tient de fin avril à début mai. Les festivités se déroulent près d'un sanctuaire érigé au bord du lac, à l'endroit où le gouverneur laotien fut tué, à 3 km au sud-ouest du centre-ville, près de la route de Ban Khwao. Ces 2 événements donnent lieu à des concerts et à un défilé d'éléphants.

## Où se loger

**Ratanasiri Hotel** (enseigne en thaï ; ☎0 4482 1258 ; 667/19 Th Non Meuang ; ch 200-500 B ; ). Grand hôtel sans charme idéal pour petits budgets. Si vous pensiez dépenser dans les 500 B, mieux vaut aller au Tonkoon, car, au Ratanasiri, les chambres plus chères sont plus grandes, mais pas meilleures. Le personnel souriant compense l'ambiance monotone.

**Tonkoon Hotel** (☎0 4481 7881 ; 379 Th Bannakan ; ch 500 B ; ). Malgré des chambres aux allures de dortoir d'internat, cet hôtel offre un excellent rapport qualité/prix. Wi-Fi gratuit.

**Deeprom Hotel** (☎0 4482 2222 ; 339/9 Th Bannakan ; ch 800-900 B, ste 1 800 B ; ). Cet établissement ouvert en 2008, aux couleurs criardes et qui se vante d'être "excellent partout" (comme le dit l'enseigne), mérite tout de même qu'on y prête attention. Les chambres, d'un bon rapport qualité/prix, respirent moins le clinquant et ont aussi le Wi-Fi.

**Siam River Resort** (☎ 0 4481 1999 ; www.siamriverresort.com ; Th Bannakan ; ch 890-1 500 B, ste 2 000 B, chalet 3 500 B ; ). Chaiyaphum n'accueille pas de hordes de touristes, mais ce complexe inattendu, à l'écart de l'agitation (par ailleurs toute relative) de la ville, accueille une grande partie des voyageurs qui y viennent malgré tout. Vélos et Wi-Fi gratuits à disposition des clients.

## Où se restaurer

La spécialité de Chaiyaphum est le *mahm*, une saucisse aigre au bœuf et au foie, au goût très particulier, que peu de restaurants proposent. Pour s'approvisionner, le **bazar de nuit** (16h-23h), à l'ouest du centre-ville, est plus pratique que le **marché de nuit** (17h-1h), proche du terminal des bus.

**Chor Ra Gah Lahb Gory** (enseigne en thaï ; ☎ 08 7246 7951 ; 299/21 Th Bannakan ; plats 25-60 B ; petit-déj, déj et dîner). Sol en béton, toit métallique et cuisine à l'ancienne (le *gôry* notamment, bœuf cru au citron, piment et sauce de poisson avec un peu de sang). Ce restaurant livre ses plats isan dans le village. Menu en thaï, mais les photos vous aideront.

**Jae Hai Tek** (enseigne en thaï ; ☎ 08 6914 0439 ; Th Tantawan ; plats 30-40 B ; petit-déj, déj et dîner). Restaurant simple, accueillant et 100% végétarien, qui prépare des plats thaïlandais et chinois courants à base de poulet, seiche (*Ƀlah mèuk*). On passe commande en désignant les photos affichées sur le côté de la vitrine.

**Lady Restaurant** (☎ 0 4482 1404 ; Th Nonthankhon ; plats 30-180 B ; dîner). Autre jardin-restaurant dans ce quartier de la ville, le Lady propose de succulents plats thaïlandais. Pas de carte en anglais, mais quelques valeurs sûres, notamment le *đôm yam gài bâhn* (soupe douce et épicée au poulet fermier, façon isan), le *Ƀlah tábtim râht prík* (tilapia rouge frit avec sauce aux piments douce et amère) ou les *pàt gà rèe gûng* (crevettes au curry indien).

## Depuis/vers Chaiyaphum

Les bus pour Khon Kaen (ordinaire/2e classe 58/90 B, 2 heures 30, toutes les heures) et Khorat (ordinaire/1re classe 56/101 B, 2 heures, toutes les 30 min) partent du **terminal des bus** (☎ 0 4481 1344), ainsi que certains bus 2e classe pour Bangkok (196 B, 5 heures, toutes les 30 min le matin et toutes les 2 heures l'après-midi). Les bus **Air Chaiyaphum** (☎ 0 4481 1556) et **Air Loei** (☎ 0 4481 1446) ont chacun leur terminal et desservent Bangkok plus régulièrement (1re classe/32 sièges VIP 252/294 B). Air Loei assure aussi une ligne de nuit avec 24 sièges VIP (392 B), départ à minuit.

**Nakhonchai Air** (☎ 0 4481 2522) propose 6 bus pour Ubon Ratchathani (2e classe/32 sièges VIP 234/347 B, 7 heures) et Chiang Mai (2e classe/32 sièges VIP 377/716 B, 11 heures), également au départ de leur propre terminal. Guichet derrière la porte orange.

## Comment circuler

Une course en *túk-túk* n'importe où en ville revient à 30 B.

# ENVIRONS DE CHAIYAPHUM

## Ban Khwao

บ้านเขว้า

Les voyageurs qui viennent à Chaiyaphum se rendent presque tous à Ban Khwao, village de tissage de soie à 13 km au sud-ouest de la ville, sur la Route 225, qui compte quelque 50 boutiques vendant tissus et vêtements. La localité est réputée pour ses *mát·mèe* (et pour ses prix bas du fait de la finesse des tissus). Mais, aujourd'hui, la broderie est à la mode et beaucoup de familles de Ban Khwao ont remplacé le métier par la machine à coudre.

Le **Centre de développement de la soie** (enseigne en thaï ; ☎ 0 4489 1409 ; entrée libre ; 8h30-16h30), près du marché, présente la fabrication de la soie et organise des visites gratuites pour en découvrir les diverses étapes – culture des mûriers, élevage des vers à soie, teinture et tissage des fils de soie. Réservation à l'avance nécessaire.

Les *sŏrng·tăa·ou* pour Ban Khwao (17 B, 30 min, toutes les 20 min) stationnent devant le cybercafé Pat Pat à Chaiyaphum.

## Parc national de Tat Ton

อุทยานแห่งชาติตาดโตน

Le **parc national de Tat Ton** (☎ 0 4485 3333 ; 200 B) s'étend au bord de la chaîne de montagne Laenkha, à 23 km au nord de la ville. Couvrant 218 km², Tat Ton est plus connu pour ses chutes d'eau hautes de 6 m et larges 50 m à la saison des pluies, de mai à octobre. Certains les trouvent encore plus belles entre janvier et avril, car l'eau est alors plus claire. Les jours d'école, vous pourrez sans doute admirer les plus petites chutes du parc dans

**MÁT-MÈE**

L'intérêt croissant manifesté par les Thaïlandais et les étrangers a donné un nouvel essor à la tradition isan du *mát-mèe*, devenu le style de tissage le plus connu de Thaïlande. Semblable à *l'ikat* indonésien, le *mát-mèe* consiste à nouer les fils avant de les teindre (*mát* signifie "nœuds" et *mèe* "fils") afin d'obtenir un motif géométrique qui se répète sur toute la longueur du tissu. Quel que soit le motif, le dessin est toujours très légèrement flou et donne au tissu son aspect si caractéristique.

Les tisserands commencent par tendre leurs fils (de soie ou de coton) sur un cadre en bois mesurant exactement la largeur du tissu fini. Travaillant presque toujours de mémoire, ils entourent des groupes de fils avec du plastique selon le dessin souhaité (on utilisait autrefois la peau des tiges de bananier). Le cadre est alors plongé dans la teinture (généralement chimique, même si les pigments naturels tirés des fleurs ou des écorces commencent à retrouver une certaine popularité), qui imprègne les fils laissés à nu sans altérer ceux qui ont été protégés. L'opération est renouvelée à de multiples reprises pour donner des motifs délicats et complexes qui prennent vie sur le métier à tisser. Plus on observe ce processus, plus on s'émerveille de le voir produire de si belles étoffes.

Transmis de mère en fille, les motifs sont généralement des représentations abstraites d'objets naturels comme les arbres et les oiseaux. Cependant, on voit de plus en plus souvent des stylistes s'associer aux tisserands pour créer des motifs modernes, ce qui fait grimper les prix. En revanche, une fine étoffe de soie aux motifs simples et assez rapides à exécuter ne coûtera peut-être que 100 B le mètre.

la plus grande solitude. Celle de **Tat Fah**, l'une des plus belles, forme un fabuleux toboggan à la saison des pluies.

Le parc abrite des **campings** (empl 30 B/pers, location tente 3-5 places 320/525 B) et 15 **bungalows** (☎ 0 2562 0760 ; www.dnp.go.th/parkreserve ; 2-14 pers 600-3 500 B), la plupart installés le long de la rivière près des chutes Nam Tok Tat Ton, de même qu'un restaurant et une boutique qui vend des en-cas.

Des *sŏrng·tăa·ou* (30 B, 1 heure, toutes les 30 min) depuis Chaiyaphum passent devant la route d'accès au parc, mais circulent rarement en sens inverse après 9h30. De là, il faut parcourir 1,5 km sur cette route accidentée pour arriver aux chutes (les gardiens du parc vous y conduiront en voiture si vous patientez un peu). Vous pouvez continuer vers le nord en direction de Ban Tah Hin Ngin, très proche, mais il est plus rapide, et très facile, de faire du stop pour retourner en ville.

### Mor Hin Khow

มอหินขาว

Surnommé le Stonehenge thaïlandais, **Mor Hin Khao** (petite colline aux rochers blancs ; ☎ 04481 0902 ; entrée libre) est la partie la plus populaire du **parc national de Phu Laenkha**. Il s'agit des **Grun Sao Hin**, 5 pinacles en pierre naturelle hauts de 15 m et fuselés à la base. Entre eux et **Pha Hua Nak** (la falaise à tête de *naga*), à 2,5 km en amont, trois autres champs s'étendent, couverts de formations moins surprenantes mais de formes tout aussi étranges.

Le site, bien indiqué, à 21 km au nord-ouest du parc national de Tat Ton, est accessible par une route en bon état, puis une piste sur les 5,5 derniers kilomètres. Vous trouverez des toilettes et des douches au petit centre d'information des visiteurs, mais rien pour vous restaurer, et aucun transport public.

# PROVINCE DE KHON KAEN

La province de Khon Kaen, aux portes de l'Isan en venant de Chiang Mai ou du nord de la Thaïlande, est un savoureux mélange d'ancien et de moderne. Activités agricoles et textiles dominent toujours à la campagne, tandis que la bouillonnante Khon Kaen est très agréable pour une petite pause urbaine.

## KHON KAEN

ขอนแก่น

**145 300 habitants**

Khon Kaen est le bon élève de la croissance économique de l'Isan. Ses gratte-ciel, ses lumières et sa myriade de bars et de restaurants sont là pour séduire une classe moyenne en plein essor. Ville jeune, cultivée et en pleine mutation, Khon Kaen est aussi un centre important en matière de commerce, de finances et d'enseignement – elle abrite la plus grande université du Nord-Est.

Son taux de croissance supérieur à celui des autres villes isan a engendré une circulation énorme, et le béton a envahi une grande partie de son centre-ville. Parfois, quelques éléphants se frayant un chemin dans les rues bondées rappellent que l'on est en Thaïlande. Khon Kaen a cependant gardé son charme particulier : le découvrir aujourd'hui demande simplement un peu plus d'effort.

## Histoire

Plusieurs théories affirment que la ville doit son nom au Phra That Kham Kaen (reliquaire au cœur du tamarinier), un *chedi* vénéré du village de Ban Kham situé à 30 km au nord-est. Selon la légende, au début du IIe millénaire, des moines transportant des reliques du Bouddha à Phra That Phanom (dans l'actuelle province de Nakhon Phanom) campèrent près d'un tamarinier mort qui reprit miraculeusement vie après que les moines eurent passé la nuit là. Arrivés à That Phanom, les reliques ne pouvant être accueillies, faute de place, les moines furent obligés de rebrousser chemin. Voyant l'arbre plein de vie, ils décidèrent d'y ériger leur propre *tâht* (reliquaire bouddhique curviligne à 4 côtés). Une ville se développa à proximité, pour être abandonnée à plusieurs reprises. En 1789, un souverain suwannaphum fonda sur le site actuel une cité appelée Kham Kaen, du nom du *chedi*. Avec le temps, Kham Kaen est devenu Khon Kaen ("cœur de bois").

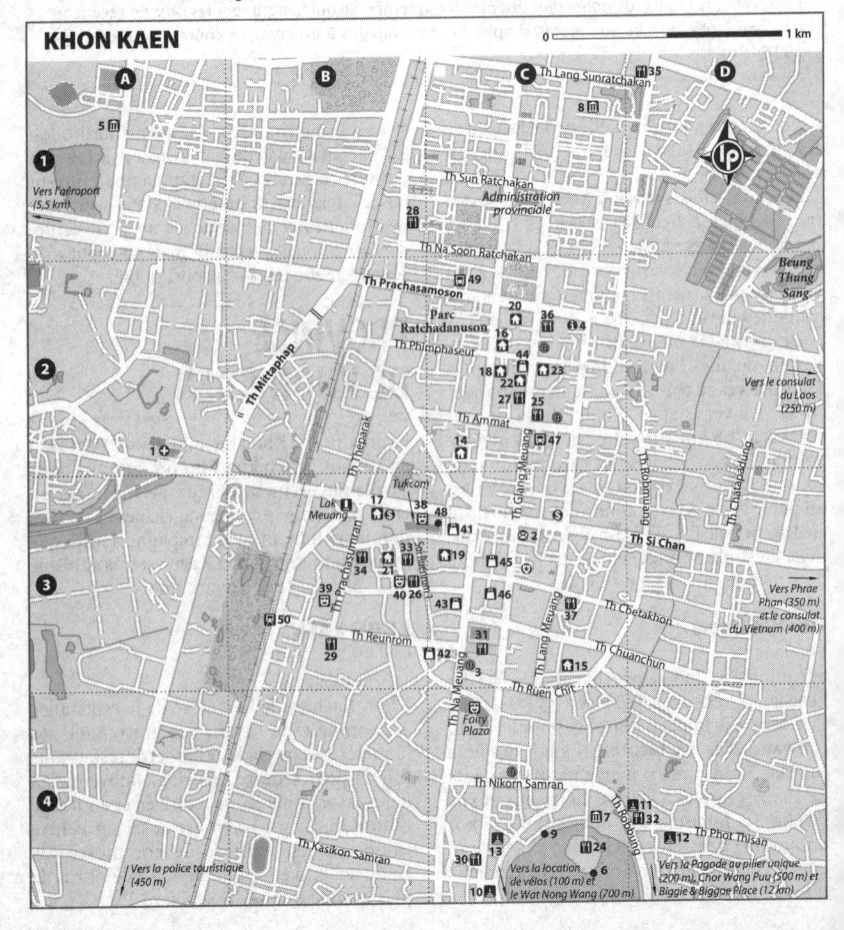

## Orientation et renseignements

Khon Kaen compte 2 zones touristiques. La plus ancienne s'étend le long de Th Glang Meuang, entre les gares routières, et accueille de nombreux hôtels petits et moyens budgets. Les établissements haut de gamme et le quartier des noctambules, qui forment la deuxième zone, se trouvent non loin, au sud-ouest. Il y a de bonnes tables dans les 2 secteurs. Plus au sud, les bords du lac Beung Kaen Nakhon, riches en restaurants, sont devenus une destination prisée le soir, mais restent agréables à n'importe quel moment de la journée.

### ACCÈS INTERNET

Il est facile de trouver un cybercafé dans Khon Kaen. Plusieurs sont installés par ailleurs près des hôtels dans Th Glang Meuang. Sinon, il y a le **S-Force** (Th Na Meuang ; 17 B/h ; 🕒 9h-22h).

### AGENCE DE VOYAGES

**KK Stawan** (☎ 08 9715 6137 ; kkstawan@yahoo.com ; 18/8 Th Phimphaseut ; 🕒 9h-20h lun-ven). Dans les locaux de la pension First Choice.

### ARGENT

Nombre de banques dans toute la ville possèdent DAB et service de change.

**Siam Commercial Bank** (Th Si Chan ; 🕒 10h30-20h). L'une des nombreuses banques de ce quartier.

### CONSULATS

**Laos** (☎ 0 4324 2857 ; 171/102-103 Th Prachasamoson ; 🕒 8h-12h et 13h-16h lun-ven). Le délai normal d'obtention d'un visa est de 3 jours, mais on vous le délivrera immédiatement moyennant 200 B de plus. Le consulat n'accepte que les bahts, à un taux de change peu intéressant.

**Vietnam** (☎ 0 4324 1586 ; Th Chatapadung ; 🕒 8h30-11h30 et 14h-16h lun-ven). Visas délivrés en 24 heures.

### OFFICE DU TOURISME

**TAT** (Tourism Authority of Thailand ; ☎ 0 4324 4498 ; 15/5 Th Prachasamoson ; 🕒 8h30-16h30). Plans de la ville et informations sur Khon Kaen et les provinces voisines.

### POSTE

**Poste principale** (Th Klang Meuang ; 🕒 8h30-16h30 lun-ven, 9h-12h sam, dim, jours fériés)

### URGENCES

**Khon Kaen Ram Hospital** (☎ 0 4333 3800 ; Th Si Chan). Service d'urgences 24h/24.

**Police touristique** (☎ 0 4322 6195 ; Th Mittaphap). À côté de HomePro.

## À voir

Les apparences sont trompeuses et Khon Kaen a plus à offrir au voyageur que sa vie nocturne et ses boutiques de souvenirs.

### BEUNG KAEN NAKHON

บึงแก่นนคร

Bordé de restaurants et de promenades, ce lac de 100 ha est le lieu le plus plaisant en ville. Ses rives offrent des sites intéressants à visiter. On peut aussi louer des vélos (20 B/h/place) au marché sur le bord du lac ou, sur la rive ouest où l'on trouve des tandems et vélos à 3 places.

**RENSEIGNEMENTS**

Khon Kaen Ram Hospital ... 1 A2
KK Stawan ... (voir 16)
Poste principale ... 2 C3
S-Force ... 3 C3
Siam Commercial Bank ... (voir 38)
Tourism Authority of Thailand (TAT) ... 4 C2

**À VOIR ET À FAIRE**

Musée universitaire de l'art et de la culture ... 5 A1
Beung Kaen Nakhon ... 6 C4
Musée municipal de Khon Kaen ... 7 C4
Musée national de Khon Kaen ... 8 C1
Marché au bord du lac ... 9 C4
Maison de l'esprit Mhesak ... 10 C4
Wat Jeen Beung Kaen Nakhon ... 11 D4
Wat Pho Ban Nontan ... 12 D4
Wat That ... 13 C4

**OÙ SE LOGER**

Chaipat Hotel ... 14 C2
Charoenchit House ... 15 C3
First Choice ... 16 C2
Grand Leo Hotel ... 17 B3
Khon Kaen Hotel ... 18 C2
Kosa Hotel ... 19 C3
Piman Garden ... 20 C2
Pullman Raja Orchid ... 21 B3
Roma Hotel ... 22 C2
Saen Samran Hotel ... 23 C2

**OÙ SE RESTAURER**

Bualuang Restaurant ... 24 C4
Chokdee ... 25 C2
Dee Dee ... 26 B3
First Choice ... (voir 16)
Étals de nourriture ... 27 C2
Gai Yang Rabeab ... 28 B1
Hom Krun ... 29 B3
Kosa Coffee Shop ... (voir 19)
Marché au bord du lac ... (voir 9)
Mud ... 30 C4
Marché de nuit ... 31 C3
Plapanoy ... 32 D4
Pomodoro ... 33 B3
Restaurant Didine ... 34 B3
Tawantong ... 35 D1
Trajit ... 36 C2
Turm-Rom ... 37 C3

**OÙ SORTIR**

Kosa Bowl ... 38 B3
Rad Complex ... 39 B3
U-Bar ... 40 B3

**ACHATS**

Khon Kaen OTOP Center ... 41 C3
Naem Laplae ... (voir 22)
Prathamakhan ... 42 C3
Rin Thai Silk ... 43 C3
Sueb San ... 44 C2
Talat Banglamphu ... 45 C3
Talat Bobae ... 46 C3

**TRANSPORTS**

Terminal des bus climatisés ... 47 C2
Narujee ... 48 C3
Terminal des bus ordinaires ... 49 C2
THAI ... (voir 21)
Gare ferroviaire ... 50 B3

À l'extrémité sud du lac s'élève le **Phra Mahathat Kaen Nakhon** (⌚ 6h-17h), un superbe *chedi* de 9 niveaux, en plein cœur du **Wat Nong Wang** (Th Robbung ; ⌚ en journée). À l'intérieur, des peintures murales et des expositions historiques retracent l'histoire de la ville, et un escalier conduit au sommet du temple.

En longeant la rive vers le nord, on passe devant la **maison de l'esprit Mhesak** (Th Robbung), un *prang* dédié au dieu indien Indra, et le **Wat That** (Th Robbung ; ⌚ en journée), avec son *bòht* et son *chedi* élancé.

En face du Wat That, sur la rive nord, se tient un **marché au bord du lac** avec ses échoppes de nourriture et d'articles divers. La plupart n'ouvrent qu'en fin d'après-midi. Mais dans la journée, on peut louer des vélos, des pédalos et des canoës (30 B/30 min) ou chiner sur les stands de poteries à peindre soi-même. Le musée municipal de Khon Kaen se trouve juste à l'est du marché, et de l'autre côté de la rue se dresse le plus beau temple de la ville, l'imposant **Wat Jeen Beung Kaen Nakhon** (Th Robbung ; ⌚ en journée).

Juste à côté, un peu en retrait du lac, le **Wat Pho Ban Nontan** (Th Phot Thisan ; ⌚ en journée), aux abords arborés et tranquilles, possède un *săh·lah* sans pareil en Thaïlande. Sa construction est antérieure à la celle de la ville. Le rez-de-chaussée est couvert d'arbres et d'animaux ingénieusement sculptés, ainsi que de petites maquettes de village où les personnages illustrent des proverbes isan. Plus proche du lac et un peu plus loin sur la rive, une réplique de la **pagode au pilier unique** de Hanoï, a été érigée par la communauté vietnamienne de Khon Kaen.

### MUSÉES

Le **Musée national de Khon Kaen** (☎ 0 4324 6170 ; Th Lang Sunratchakan ; 100 B ; ⌚ 9h-16h mer-dim) regroupe une intéressante collection d'objets datant de l'époque préhistorique jusqu'à nos jours, dont des poteries peintes de Ban Chiang et un *săir·mah* dvaravati (pierre marquant les limites d'un temple) provenant de Kalasin et représentant la princesse Pimpa lavant les pieds du Bouddha avec sa chevelure.

Pour une découverte plus approfondie de l'Isan, ne manquez pas l'excellent **musée municipal de Khon Kaen** (Hong Moon Mung ; 0 4327 1173 ; Th Robbung ; 90 B ; ⌚ 9h-17h lun-sam), avec ses dioramas et ses collections remontant au jurassique.

Le **musée universitaire de l'Art et de la Culture** (☎ 0 4333 2780 ; entrée libre ; ⌚ 10h-19h) de Khon Kaen abrite une galerie d'art où sont exposées les œuvres d'étudiants amateurs et de professionnels. Le musée éducatif présente des pièces à but informatif sur l'histoire et la culture isan, mais, hormis quelques commentaires en anglais sur des écrans tactiles, tout est en thaïlandais.

## Fêtes et festivals

La **foire de la Soie** et la **fête de Phuk Siaw** ont lieu simultanément pendant 12 jours à partir de fin novembre. La fête de Phuk Siaw, qui se déroule dans le *săh·lah glahng*, célèbre et entretient la tradition des *pòok sèe·o* (liens amicaux), cérémonie de réaffirmation des liens de l'amitié pendant laquelle on s'attache mutuellement des *fâi pòok kăan* (fils sacrés) autour du poignet. Bien plus qu'un simple acte symbolique, cette fête met tout le monde, ami et parent, sur un pied d'égalité. C'est aussi l'occasion d'assister à des défilés, d'écouter de la musique isan et de faire des emplettes.

## Où se loger

### PETITS BUDGETS

**First Choice** (☎ 08 1546 2085 ; firstchoicekhonkaen@lycos.com ; 18/8 Th Phimphaseut ; ch 150-200 B ; 💻). Ce petit établissement accueillant qui fait office d'auberge de jeunesse loue des chambres sans fioritures à l'étage (sdb commune) et possède un restaurant au rdc. Il propose également billets d'avion, massages et conseils aux voyageurs.

**Saen Samran Hotel** (☎ 0 4323 9611 ; 55-59 Th Glang Meuang ; s 170-200 B, d 250 B ; 💻). Doté d'une devanture en bois qui rappelle son prestige d'antan, cet hôtel, le plus ancien de la ville, est aussi celui qui a le plus de charme. Ses chambres, impeccables, sont idéales pour passer une nuit ou deux. Accès Wi-Fi.

**Roma Hotel** (☎ 0 4333 4444 ; 50/2 Th Glang Meuang ; s 230-500 B, d 250-500 B, ste 800 B ; ❄ 💻). Les chambres avec clim sont d'un bon rapport qualité/prix, propres et confortables, tout comme celles avec ventil d'ailleurs. Quant aux suites, elles possèdent une élégance inattendue. Malheureusement, le voisinage est bruyant : n'espérez pas trop pouvoir faire la grasse matinée.

**Grand Leo Hotel** (☎ 0 4332 7745 ; 62-62/1 Th Si Chan ; ch 380-480 B ; ❄). Cet établissement ordinaire à deux pas du quartier des noctambules est fonctionnel malgré son agencement étrange. Les chambres promettent une bonne nuit de sommeil, quelle que soit l'heure à laquelle vous rentrez !

**Charoenchit House** (☎ 0 4322 7300 ; www.chousekhonkaen.com ; 20/11 Th Chuanchun ; ch 400-500 B ; ❄ 💻). Si, de l'extérieur, ces 2 tours blanches dépouillées n'inspirent guère, le sol carrelé en damier, les têtes de lit décoratives et le Wi-Fi gratuit confèrent aux chambres un bon rapport qualité/prix. Malgré un emplacement peu pratique, cet établissement reste à une distance raisonnable à pied du lac et du quartier des noctambules.

**Chaipat Hotel** ( 0 4333 3055 ; 106/3 Soi Na Meuang ; ch 400-600 B ; ). En retrait de Th Na Meuang, cet hôtel vieillot mais correct, au sol en marbre, a équipé toutes ses petites chambres remplies d'objets mobiliers d'un accès Wi-Fi.

### CATÉGORIE MOYENNE

**Biggie & Biggoe Place** ( 0 4332 2999 ; Th Robbung ; ch 650-850 B ; ). Si vous êtes venu à Khon Kaen pour vous détendre et non pour faire la fête, cet hôtel au bord du lac vous conviendra. On peut lui reprocher ses chambres banales et sans fioritures, mais, de facture récente (2005), il ne présente pas les petits défauts irritants si courants dans les hôtels plus anciens. Wi-Fi gratuit et excellent restaurant.

**Piman Garden** ( 0 4333 4111 ; www.pimangarden.com ; 6/110 Th Glang Meuang ; ch 650-950 B, ste 1 200 B ; ). Situé en retrait de la route autour d'un joli jardin, le Piman offre sérénité et intimité malgré sa situation en plein centre-ville. Les chambres sympathiques possèdent toutes un coffre, un réfrigérateur et le Wi-Fi. Certaines sont également dotées d'un balcon ou d'une loggia.

**Khon Kaen Hotel** ( 0 4333 3222 ; 43/2 Th Phimphaseut ; s 650 B, d 700-1 200 B ; ). La façade et les couloirs de cet ancien établissement fonctionnel de 7 niveaux mériteraient certes un rafraîchissement. Les touches décoratives traditionnelles et originales dans les chambres récemment rénovées (avec balcon et Wi-Fi gratuit) lui donnent toutefois une ambiance agréable et le placent incontestablement au-dessus de la moyenne dans cette catégorie de prix.

### CATÉGORIE SUPÉRIEURE

**Kosa Hotel** ( 0 4332 0320 ; www.kosahotel.com ; 250-252 Th Si Chan ; s 1 900-2 300 B, d 2 100-2 500 B, ste s/d 3 300/5 500 B ; ). Un peu moins glamour que son voisin le Pullman, le Kosa offre un très bon rapport qualité/prix (25% de rabais pratiquement toute l'année), avec d'excellentes prestations et un service irréprochable.

**Pullman Raja Orchid** ( 0 4332 2155 ; www.pullmanhotels.com ; 9/9 Th Prachasumran ; ch 3 180-3 950 B, ste 6 300 B ; ). Le hall somptueux donne le ton dans cet établissement de niveau international géré par la chaîne Accor, l'un des meilleurs hôtels de l'Isan. Au cœur de la ville, il propose des chambres luxueuses et bien équipées, une salle de sport, un spa et même une bière maison. Des réductions sont très souvent consenties.

## Où se restaurer et prendre un verre

Pour se restaurer à petits prix, même tard dans la nuit, dirigez-vous vers le **marché de nuit** (Th Reunrom ; 17h-minuit) et les nombreux **étals de nourriture** (Th Glang Meuang ; déj et dîner) situés entre Th Ammat et le Roma Hotel. Des marchands sont également installés sur le **marché** situé dans le parc qui domine le lac Beung Kaen Nakhon ( dîner), où les gens viennent toutefois plus pour l'ambiance que pour la cuisine.

**Gai Yang Rabeab** (enseigne en thaï ; 0 4324 3413 ; 391/5 Th Theparak ; plats 20-150 B, poulet entier 110-130 B ; déj). Les gens du coin soutiennent que la province de Khon Kaen, et notamment ce modeste établissement, spécialisé dans la cuisine isan, prépare le meilleur *gài yâhng* (poulet grillé) du pays.

**Dee Dee** ( 08 5006 3922 ; 348/25 Soi Reunrom 1 ; plats 30-60 B ; petit-déj, déj et dîner). Ce petit restaurant sans prétention concocte de merveilleuses spécialités au wok et, dans l'ensemble, l'une des meilleures cuisines de toute la Thaïlande. Khun Jaang, la cuisinière, a participé à la création d'un nouveau plat thaïlandais : le *pàt tim* (pâtes aux œufs sautées à la pâte de curry rouge).

**Tawantong** ( 0 4333 0389 ; 227/129 Th Lang Sunratchakan ; plats 40 B ; petit-déj et déj). Ce grand restaurant végétarien et diététique, en face du Musée national, sert une cuisine si délicieuse qu'il attire même les amateurs de viande.

**Turm-Rom** ( 0 4322 1752 ; 4/5 Th Chetakhon ; plats 35-129 B ; dîner). Ce superbe endroit sert l'un des meilleurs poulets de la ville dans un jardin paisible et couvert, ce qui lui donne des allures de café gourmet, où les gens ont tendance à rester jusque tard dans la nuit. Parmi les spécialités : currys, fruits de mer épicés et salades (*yam*), dont un *hòr mòk tá·lair* (curry de fruits de mer servi dans une noix de coco), particulièrement exquis.

**Plapanoy** (enseigne en thaï ; 0 4322 4694 ; Th Robbung ; plats 40-200 B ; déj et dîner). C'est là que les locaux amènent leurs amis qui ne vivent pas en ville pour déguster des plats authentiquement isan. La spécialité de ce grand restaurant en plein air est le poisson et les cartes sont traduites en anglais.

**First Choice** (☎ 08 1546 2085 ; 18/8 Th Phimphaseut ; plats 40-250 B ; ⌚ petit-déj, déj et dîner). Fait plutôt rare en Thaïlande, cette pension pour voyageurs à petit budget sert des plats suffisamment savoureux pour attirer des gens du cru. On mange à l'intérieur ou sur une petite terrasse bordée de plantes en pots.

**Restaurant Didine** (☎ 08 7189 3864 ; Th Prachasumran ; plats 45-250 B ; ⌚ dîner). Bar autant que restaurant, comme en témoignent une carte des boissons de 3 pages et un billard. Le chef et propriétaire français concocte une délicieuse cuisine *fa·ràng* (un vivaneau rouge au safran, par exemple) qui fait oublier le cadre modeste. Il s'essaie aussi aux spécialités indiennes et italiennes, avec moins de succès. Le Didine sert également des plats de pub et des classiques thaïlandais.

**Bualuang Restaurant** (☎ 0 4322 2504 ; Th Rop Buengkaen Nakhon ; plats 55-800 B ; ⌚ déj et dîner). Plébiscité par les locaux, ce restaurant en plein air, perché sur un ponton au-dessus du lac Beung Kaen Nakhon, propose un large choix de mets thaïlandais, isan et chinois. Prix élevés, mais la cuisine est savoureuse.

**Chor Wang Puu** (enseigne en thaï ; ☎ 0 4332 1178 ; Th Robbung ; plats 80-350 B ; ⌚ déj et dîner). Tout de chaume et de bois, ce restaurant rappelle un village de pêcheurs. De fait, poissons et grenouilles sont élevés dans des mares au-dessus desquelles on dîne. Le poisson prédomine sur la carte qui affiche des plats thaïlandais, chinois et isan. L'endroit est très beau la nuit, et vous apercevrez peut-être un petit bout de soleil couchant derrière le lac. La petite aire de jeu séduira les familles.

La population jeune est importante à Khon Kaen et de nombreux bars ont ouvert de ce fait. Nos préférés sont le **Hom Krun** (☎ 0 4327 0547 ; Th Reunrom ; plats 35-129 B ; ⌚ 9h-minuit, plus de café après 19h), avec son patio ombragé et sa cuisine ultra bien équipée, et le très chic **Mud** (☎ 0 4332 2131 ; 280/5 Th Glang Meuang ; cappuccino 50 B, plats 60-140 B ; ⌚ 10h-22h), où la plupart des cafés, thés, jus, sandwichs et salades sont bio. Les deux proposent le Wi-Fi gratuit.

Autres possibilités :

**Chokdee** (☎ 0 4324 ; 2252 ; Th Glang Meuang ; plats 16-22 B ; ⌚ 24h/24). Appartenant à une chaîne nationale, ce restaurant de *dim-sum* est situé à côté du terminal des bus climatisés.

**Trajit** (enseigne en thaï ; ☎ 0 4324 3610 ; 1/2 Th Glang Meuang ; plats 25-40 B ; ⌚ petit-déj et déj). Dans cette jolie maison de commerce historique et délabrée, on sert des *kăa mŏo* (sorte de jambon rôti) à la mode de Nang Rong.

**Kosa Coffee Shop** (☎ 0 4332 0320 ; 250-252 Th Si Chan ; plats 60-400 B ; ⌚ petit-déj, déj et dîner). Excellent buffet au déjeuner (229 B) et le *beer garden* installé devant est agréable le soir.

**Pomodoro** (☎ 0 4327 0464 ; en retrait de Th Prachasumran ; plats 130-280 B ; ⌚ dîner). Le meilleur restaurant italien de la ville.

## Où sortir

La vie nocturne exubérante de Khon Kaen se concentre sur Th Prachasumran, où se trouvent les discothèques et les bars de tous genres. La plupart ouvrent vers 22h. Le **Rad Complex** (☎ 0 4322 5987 ; Th Prachasumran ; ⌚ 21h-2h) attire le plus de monde avec sa musique live, ses DJ, son karaoké, ses danseurs "coyote" et son restaurant en plein air. Tout proche, le **U-Bar** (☎ 0 4332 0434 ; en retrait de Th Prachasumran ; ⌚ 20h-2h), fief des étudiants de l'université de Khon Kaen, est plus chic mais tout aussi bruyant. Les deux accueillent parfois de bons groupes de Bangkok.

**Kosa Bowl** (Th Si Chan ; 50-65 B la partie ; ⌚ 12h-minuit). Bowling de 30 pistes au-dessus du centre commercial Tukcom.

## Achats

Khon Kaen, grâce à ses nombreux magasins de qualité, est le meilleur endroit pour acheter des objets artisanaux isan.

**Prathamakhan** (☎ 0 4322 4080 ; 79/2-3 Th Reunrom ; ⌚ 9h-20h). De loin le plus grand en ville, très connu et pratiquant des prix raisonnables, ce magasin vend textiles et objets artisanaux. N'oubliez pas de jeter un œil aux bibelots et à l'artisanat dans l'arrière-boutique.

**Phrae Phan** (☎ 0 4333 7216 ; 131/193 Th Chatapadung ; ⌚ 8h-18h). Géré par le Handicraft Centre for Northeastern Women's Development, ce magasin un peu excentré propose un superbe choix de soieries et de cotonnades fabriquées à la main dans les villages des environs et teintes à l'aide de substances naturelles. Très petits prix.

**Sueb San** (enseigne en thaï ; ☎ 0 4334 4072 ; 16 Th Glang Meuang ; ⌚ 8h-18h30). Plus facile d'accès que Phrae Phan, ce magasin vend également des tissus teints naturellement et quelques souvenirs isan atypiques.

**Rin Thai Silk** (☎ 0 4322 0705 ; 412 Th Na Meuang ; ⌚ 8h-18h30). Les gens du coin, en particulier les futures mariées, viennent ici faire le plein de soieries de qualité supérieure.

**Khon Kaen OTOP Center** (☎ 0 4332 0320 ; en retrait de Th Si Chan ; ⌚ 9h30-20h30). Vaste magasin d'artisanat proche des hôtels haut de gamme et très fréquentée par les touristes, donc assez cher.

**Naem Laplae** (enseigne en thaï ; ☎ 0 4323 6537 ; 32 Th Glang Meuang ; 6h-21h30 lun-jeu, 6h-22h ven-sam). On trouve cette boutique d'alimentation isan à l'ancienne en remontant la trace des parfums qui s'en dégagent (en cas de rhume, cherchez la devanture jaune et rouge). Vous y trouverez un peu de tout, des bonbons aux saucisses, et plus particulièrement des *gun chi·ang* (saucisses rouges au porc). Le quartier compte d'autres boutiques du même type.

Pour les souvenirs, le plus agréable est de débusquer les gens qui vendent des paniers traditionnels et des objets en bois, cachés dans les stands de nourriture, de vêtements et d'ustensiles ménagers du marché **Talat Bobae** (Th Klang Meuang). Le **Talat Banglamphu** (Th Glang Meuang), juste au nord, compte encore de la nourriture et des vêtements d'occasion bon marché.

## Depuis/vers Khon Kaen

### AVION

La **THAI** (☎ 0 4322 7701 ; www.thaiairways.com ; Pullman Raja Orchid, 9/9 Th Prachasumran ; 8h-17h lun-ven) propose 3 liaisons quotidiennes avec Bangkok (aller simple 2 805 B, 55 min).

L'**aéroport de Khon Kaen** (☎ 0 4324 6345) se trouve juste à l'ouest de la ville, près de la Hwy 12. Les hôtels Pullman et Kosa envoient des navettes gratuites pour leurs clients à tous les vols. Pour les autres, ce service est facturé 80 et 70 B, respectivement.

### BUS

Tous les transports convergent à Khon Kaen, d'où l'on peut rejoindre presque toutes les villes de l'Isan, ainsi que d'autre, plus éloignées. Le **terminal des bus ordinaires** (☎ 0 4333 3388 ; Th Prachasamoson) et le **terminal des bus climatisés** (☎ 0 4323 9910 ; Th Glang Meuang) sont idéalement situés au centre. Le deuxième pourrait être rebaptisé "terminal routier VIP et 1re classe", puisque les bus de 2e classe avec clim (certains comportent même des sièges de 1re classe) partent du terminal des bus ordinaires.

Pour presque toutes les villes autres que Bangkok, les départs sont plus fréquents depuis le terminal des bus ordinaires (voir ci-dessous). Pour les bus à destination de Vientiane, il faut officiellement avoir déjà un visa pour le Laos, mais il arrive qu'on vous vende un billet si vous promettez de descendre au niveau du pont et de continuer par vos propres moyens.

**BUS EN PROVENANCE DE KHON KAEN**

| Destination | Prix (B) | Durée (h) | Fréquence |
|---|---|---|---|
| **Du terminal des bus ordinaires** | | | |
| Chaiyaphum | ordinaire 58<br>2e classe 90 | 2½ | ttes les heures |
| Khorat | 2e classe 129<br>1re classe 187 | 3 | ttes les 30 min |
| Loei | 2e classe 141 | 2½ | ttes les 30 min |
| Mukdahan | 2e classe 155 | 4½ | ttes les 30 min |
| Nakhon Phanom | 2e classe 227 | 5 | 6/jour |
| Nong Khai | 2e classe 120 | 3½ | ttes les heures |
| Phitsanulok | 2e classe 223<br>1re classe 280 | 5 | ttes les heures |
| Roi Et | 2e classe 80 | 2 | ttes les 20 min |
| Udon Thani | 2e classe 83 | 2 | ttes les 20 min |
| **Du terminal des bus climatisés** | | | |
| Bangkok | 1re classe 383<br>32 sièges VIP 414<br>24 sièges VIP 585 | 6½ | au moins ttes les heures entre 8h et minuit |
| Chiang Mai | 1re classe 570 | 12 | 20h et 21h |
| Khorat | 1re classe 187 | 3 | ttes les heures |
| Nong Khai | 1re classe 157 | 3½ | 3/jour |
| Aéroport de Suvarnabhumi | 1re classe 335 | 6½ | 22h30 |
| Ubon Ratchathani | 1re classe 247 | 5 | 4/jour |
| Udon Thani | 1re classe 104 | 2½ | ttes les heures |
| Vientiane | 1re classe 180 | 4 | 7h45, 13h30 et 15h15 |

#### TRAIN

Khon Kaen se trouve sur la ligne Bangkok-Nong Khai. Les trains express quittent Bangkok à 8h20, 18h30 et 20h pour arriver à la **gare ferroviaire de Khon Kaen** (☎ 0 4322 1112) environ 8 heures plus tard. En sens inverse, les départs ont lieu à 8h39, 20h11 et 21h05 (227/399/1 168 B en 3e/2e/couchette de 1re classe).

### Comment circuler

Plusieurs lignes de *sŏrng·tăa·ou*, ayant chacune sa couleur, parcourent régulièrement la ville (8 B la course). Les plus pratiques sont les *sŏrng·tăa·ou* 8 (bleu clair), qui passent par Th Glang Meuang, après le Wat Nong Wang, et aussi à l'ouest de l'université ; le n°10 (bleu clair) passe devant les consulats laotien et vietnamien ; le n°11 (blanc) relie la gare ferroviaire au terminal des bus climatisés, à deux pas des hôtels petits budgets ; enfin, le n°21 (orange) rejoint le Musée national depuis Th Glang Meuang.

En ville, une course moyenne en *túk-túk* coûte généralement entre 40 et 60 B.

On peut aussi louer une voiture très facilement aux alentours des hôtels Pullman et Kosa. Sinon, **Narujee** (☎ 0 4322 4220 ; en retrait de Th Si Chan ; 🕑 7h-17h) propose des voitures avec chauffeur pour 1 500 B.

## ENVIRONS DE KHON KAEN

### Chonabot

ชนบท

À 55 km au sud-ouest de Khon Kaen, cette petite ville est réputée pour ses soieries, notamment ses *màt·mèe* de très bonne qualité. Au **Sala Mai Thai** (pavillon de la Soie thaïlandaise ; enseigne en thaï ; ☎ 0 4328 6160 ; entrée libre ; 🕑 8h-17h lun-ven, 9h-17h sam-dim), un musée du tissage de la soie situé sur le campus du Khon Kaen Industrial & Community Education College, on peut découvrir l'intégralité du processus de fabrication de la soie et même essayer un métier. En plus d'exposer les différents objets servant à tourner, à attacher, à coudre, et à sécher la soie, une galerie à l'étage présente les motifs *màt·mèe* traditionnels, ainsi que deux petites maisons de bois typiques du Nord-Est. Le musée se trouve à 1 km à l'ouest de la ville sur la Route 229 et vend aussi de la soie, même si les gens préfèrent plutôt l'acheter dans l'un des nombreux magasins situés dans la rue de la soie, alias **Th Sribunreung**.

Des bus pour Nakhon Sawan partent du terminal des bus ordinaires de Khon Kaen et vous déposent à Chonabot (2e/1re classe 44/55 B, 1 heure, 6/j). Sinon, prenez n'importe quel bus (2e/1re classe 34/43 B, 1 heure) ou train (9 B, 30 min, 7h50, 13h50 et 15h50) à destination de Ban Phai, et de là un *sŏrng·tăa·ou* pour rejoindre Chonabot (10 B, 20 min, toutes les 30 min).

### Prasat Peuay Noi

ปราสาทเปือยน้อย

Même s'il ne peut être comparé aux vestiges khmers situés plus au sud, le **Prasat Peuay Noi** (entrée libre ; ☎ lever-coucher du soleil), un temple khmer du XIIe siècle, est néanmoins le site le plus imposant et le plus intéressant du nord de l'Isan. Presque aussi vaste que le Prasat Meuang Tam de Buriram, mais bien moins préservé, le monument, orienté vers l'est, comprend un vaste sanctuaire en grès surmonté d'un *prang* en partie effondré et entouré de murs en latérite percés de deux grandes portes. Le site renferme encore de beaux linteaux.

#### DEPUIS/VERS LE PRASAT PEUAY NOI

Par les transports publics, prenez un bus (2e/1re classe 34/43 B, 1 heure) ou le train de 7h50 (9 B, 30 min) de Khon Kaen à Ban Phai, puis un *sŏrng·tăa·ou* jusqu'à Puay Noi (30 B, 30 min). Le dernier *sŏrng·tăa·ou* quitte Puay Noi pour Ban Phai à 14h.

Si vous êtes motorisé, suivez la Hwy 2 vers le sud à partir de Khon Kaen sur 40 km jusqu'à Ban Phai, puis prenez à l'est la Hwy 23 (en direction de Borabeu) jusqu'à la Rte 2301, à 11 km. Empruntez cette route, puis la Rte 2297 vers le sud-est, et parcourez 24 km à travers un beau paysage de rizières jusqu'à la bourgade de Puay Noi.

### Parc national de Phu Wiang

อุทยานแห่งชาติภูเวียง

Lorsqu'en 1976, des ouvriers d'une mine d'uranium découvrirent une gigantesque rotule, des paléontologues exhumèrent un herbivore fossilisé long de 15 m appelé par la suite *Phuwianggosaurus sirindhornae* (en hommage à Sa Majesté la princesse Sirindhorn). Il s'ensuivit un engouement pour les dinosaures (comme en témoignent les innombrables mascottes préhistoriques dans les rues de Khon Kaen). La mise au jour d'autres squelettes entraîna la création du **parc national de Phu Wiang** (☎ 0 4335 8073 ; 400 B).

Des **sites archéologiques** (🕑 8h30-16h30) protégés, dont l'un renferme le squelette partiel d'un lointain ancêtre du *Tyrannosaurus rex*, *Siamotyrannus isanensis,* sont accessibles par

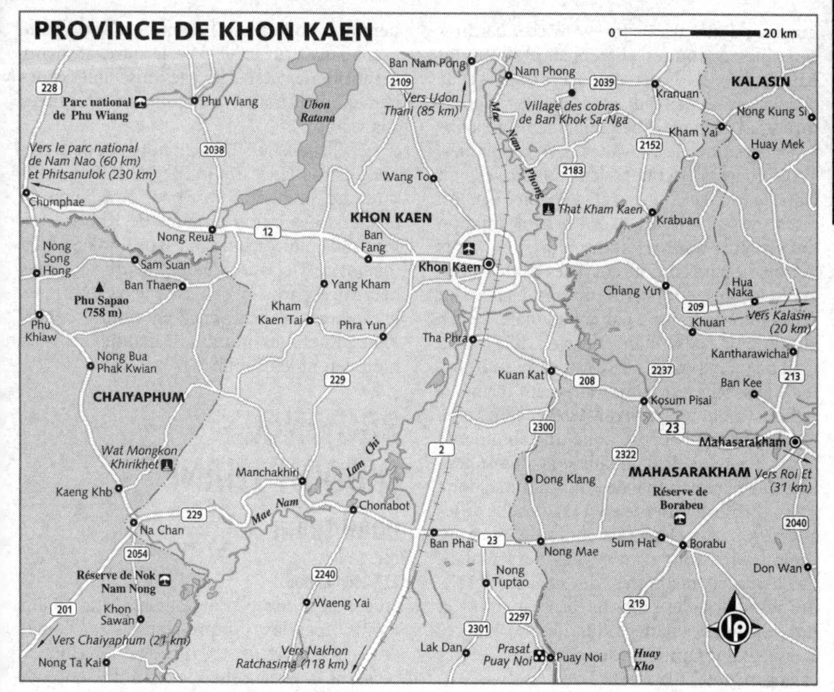


un sentier partant du centre d'information des visiteurs ou des parkings situés non loin. Les guides du parc (certains parlent un peu anglais) offrent des visites guidées gratuites à condition d'appeler à l'avance. En explorant les lieux de façon plus approfondie (préférez alors la voiture ou le VTT), vous découvrirez des empreintes de dinosaures, des chutes d'eau et des peintures rupestres.

Le **musée de Phu Wiang** (☎ 0 4343 8204 ; entrée libre ; 🕑 9h-17h), 5 km avant le parc, présente des expositions sur la géologie et la paléontologie, notamment des reproductions grandeur nature des différentes espèces de dinosaures découvertes dans la région.

Le parc abrite un **bungalow** (☎ 0 2562 0760 ; www.dnp.go.th/parkreserve ; 1 200 B) pouvant accueillir 6 personnes, et un **camping** (empl 30 B/pers, location tente 3/6 places 225/450 B). Restauration simple sur place.

### DEPUIS/VERS LE PARC NATIONAL DE PHU WIANG

L'entrée du parc se trouve à 90 km à l'ouest de Khon Kaen. Des bus partant de la gare des bus ordinaires de Khon Kaen s'arrêtent à Phu Wiang (ordinaire/2e classe 35/47 B, 1 heure 30, toutes les 30 min). Descendez au centre-ville plutôt qu'au terminal des bus et louez un *túk-túk* (aller simple/aller-retour 200/400 B) ou un moto-taxi (150/350 B) pour parcourir les 19 km restants jusqu'à l'entrée du parc. Si vous ne prenez qu'un aller simple, vous risquez de ne pas pouvoir rentrer, et il n'est pas facile de faire du stop.

## Parc national de Nam Nao

อุทยานแห่งชาติน้ำหนาว

Le **parc national de Nam Nao** (0 5681 0724 ; réservation 0 2562 0760 ; 400 B) s'étend sur près de 1 000 km², à une altitude moyenne de 800 m, à la limite entre les provinces de Chaiyaphum et de Phetchabun, juste au-delà de la province de Khon Kaen. Bien qu'il couvre un territoire isolé (ce fut un bastion de l'Armée populaire de libération de la Thaïlande jusqu'au début des années 1980), il est aisément accessible par la Hwy 12. Les températures restent fraîches tout au long de l'année, en particulier la nuit et le matin. Il gèle parfois en décembre et en janvier.

Dominé par les falaises de grès de la chaîne des Phetchabun, le parc abrite une végétation luxuriante et variée : forêts mixtes d'arbres à feuilles caduques et persistantes sur les hauteurs, forêts diptérocarpacées de pins et de chênes sur les plateaux et les collines, denses forêts de bambous et bananiers sauvages dans les vallées fluviales, savanes dans les plaines. Trois rivières prennent leur source à Nam Nao : la Chi, la Saphung et la Phrom. Un bon réseau de sentiers part du centre d'information des visiteurs pour rejoindre plusieurs points de vue. Le parc compte aussi des chutes d'eau et des grottes, dont certaines sont facilement accessibles en voiture par la nationale. Le **Phu Pha Jit**, point culminant, s'élève à 1 271 m. Il était naguère possible de camper au sommet, mais le sentier est temporairement fermé.

Le parc jouxte la **réserve naturelle de Phu Khiaw** (1 560 km$^2$) et héberge donc une abondante faune. Toutefois, les animaux sont plus timides ici qu'au parc national de Phu Kradung, donc moins faciles à observer. S'il est difficile de les apercevoir, des éléphants et des tigres vivent toujours ici, tout comme des ours malais, des léopards, des tigres, des chacals d'Asie, des muntjacs, des gibbons, des pangolins et des écureuils volants. Plus de 200 espèces d'oiseaux, notamment des perroquets et des calaos, peuplent la forêt.

Vous trouverez tout un choix de **bungalows** (☎ 0 2562 0760 ; www.dnp.go.th/parkreserve ; 1 000-5 000 B) pouvant accueillir jusqu'à 30 personnes, un **camping** (empl 30 B/pers, location tente 2-6 places 100-300 B) et quelques petits restaurants à côté du centre des visiteurs.

Les bus reliant Khon Kaen (90 B, 2 heures 30) à Phitsanulok traversent fréquemment le parc. Le centre d'information des visiteurs se trouve à 1,5 km à pied de la nationale.

### Village des cobras de Ban Khok Sa-Nga

โครงการอนุรักษ์งูจงอาง

Les habitants de **Ban Khok Sa-Nga**, "village du Cobra royal", sont de vrais passionnés des serpents, qu'ils élèvent par centaines dans des cages sous la plupart des maisons. Cette étrange coutume remonte à l'époque où un cultivateur spécialisé dans les herbes médicinales, Ken Yongla, eut l'idée d'attirer les clients au village en présentant des spectacles de serpents.

Aujourd'hui, deux groupes (s'appelant tous deux le King Cobra Club de Thaïlande) proposent des **spectacles de serpents** (dons appréciés ; ⏲ 8h-17h) pendant lesquels les dresseurs défient les serpents et... le destin, comme on peut le voir aux doigts qu'ils ont perdus. Un groupe se tient près du Wat Si Thamma, et l'autre, juste avant dans la rue principale. D'autres animaux se morfondent dans de cages misérables et des herbes médicinales sont toujours proposées à la vente.

Le village est à 50 km au nord-est de Khon Kaen par la Hwy 2 et la Rte 2039. Pour vous y rendre, prenez un bus pour Kra Nuan au terminal des bus ordinaires de Khon Kaen jusqu'à la bifurcation pour Ban Khok Sa-Nga (ordinaire/2$^e$ classe 28/35 B, 1 heure, toutes les heures), et parcourez en *túk-túk* les 2 derniers kilomètres. Si vous venez en voiture depuis Khon Kaen, les nombreux panneaux vous indiqueront le chemin.

# PROVINCE D'UDON THANI

## UDON THANI

อุดรธานี

**227 200 habitants**

Située au bord de la nationale, Udon Thani donne cependant l'impression d'être à l'écart des sentiers battus. La ville s'est développée pendant la guerre du Vietnam, lorsque des bases aériennes américaines se sont installées à proximité. Devenue le principal nœud routier et le centre commerçant de la région, elle offre aujourd'hui un visage prospère et bétonné qui dissimule les traces de son passé. N'ayant ni l'animation urbaine de Khon Kaen ni le charme de Nong Khai, 2 points de départ pratiques pour visiter les sites des environs, Udon Thani est relativement boudée par les voyageurs, à l'exception, hélas, d'adeptes du tourisme sexuel.

### Renseignements

**Aek Udon International Hospital** (☎ 0 4234 2555 ; 555/5 Th Pho Si). Service d'urgences 24h/24.

**Fuzzy Ken's** (☎ 08 6011 4627 ; Th Prajak Silpakorn ; ⏲ 9h-minuit lun-sam). Abrite une des meilleures librairies d'occasion de l'Isan.

**MT Coffee** (300/4 Th Prajak Silpakorn ; 30 B/h ; ⏲ 9h-21h). Connexion Internet chère mais rapide et cadre agréable.

**On Time** (☎ 0 4224 7792 ; 539/72 Th Sai Uthit ; ⏲ 8h-17h lun-sam, 8h-14h dim). Une des nombreuses agences de voyages de ce secteur.

**Police touristique** (☎ 0 4221 1291 ; Th Naresuan)

**Poste** (Th Wattananuwong ; ⏲ 8h30-16h30 lun-ven, 9h-12h sam, dim et jours fériés)

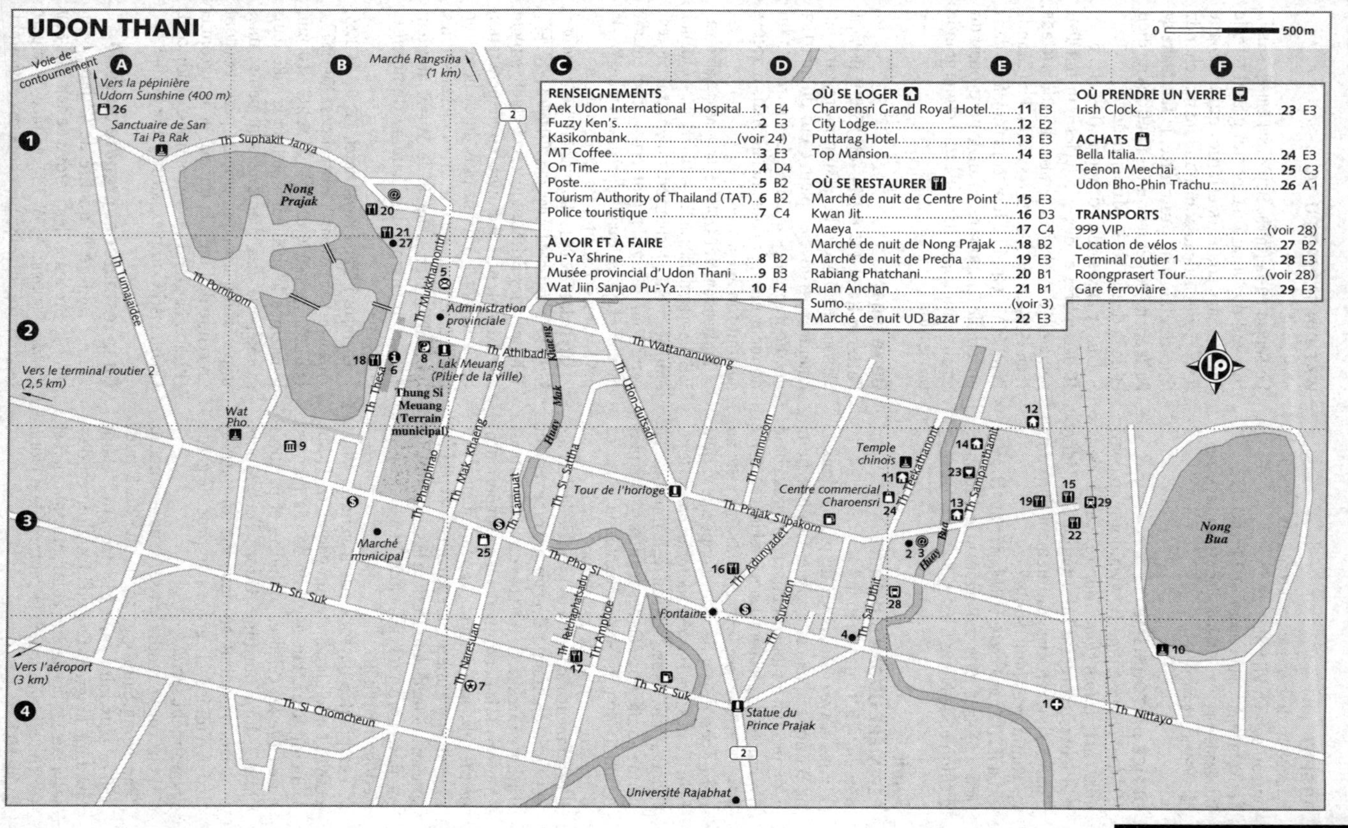
UDON THANI
0 500 m
A B C D E F
1 2 3 4
RENSEIGNEMENTS
Aek Udon International Hospital.....1 E4
Fuzzy Ken's.....2 E3
Kasikornbank.....(voir 24)
MT Coffee.....3 E3
On Time.....4 D4
Poste.....5 B2
Tourism Authority of Thailand (TAT)..6 B2
Police touristique.....7 C4
À VOIR ET À FAIRE
Pu-Ya Shrine.....8 B2
Musée provincial d'Udon Thani.....9 B3
Wat Jiin Sanjao Pu-Ya.....10 F4
OÙ SE LOGER
Charoensri Grand Royal Hotel.....11 E3
City Lodge.....12 E2
Puttarag Hotel.....13 E3
Top Mansion.....14 E3
OÙ SE RESTAURER
Marché de nuit de Centre Point.....15 E3
Kwan Jit.....16 D3
Maeya.....17 C4
Marché de nuit de Nong Prajak.....18 B2
Marché de nuit de Precha.....19 E3
Rabiang Phatchani.....20 B1
Ruan Anchan.....21 B1
Sumo.....(voir 3)
Marché de nuit UD Bazar.....22 E3
OÙ PRENDRE UN VERRE
Irish Clock.....23 E3
ACHATS
Bella Italia.....24 E3
Teenon Meechai.....25 C3
Udon Bho-Phin Trachu.....26 A1
TRANSPORTS
999 VIP.....(voir 28)
Location de vélos.....27 B2
Terminal routier 1.....28 E3
Roongprasert Tour.....(voir 28)
Gare ferroviaire.....29 E3
Voie de contournement
Vers la pépinière Udorn Sunshine (400 m)
Marché Rangsina (1 km)
Sanctuaire de San Tai Pa Rak
Th Suphakit Janya
Nong Prajak
Th Tumajaidee
Th Porniyom
Th Mukkhamontri
Administration provinciale
Th Athibadi
Lak Meuang (Pilier de la ville)
Th Thesa
Thung Si Meuang (Terrain municipal)
Vers le terminal routier 2 (2,5 km)
Wat Pho
Huay Mak Khaeng
Th Wattananuwong
Th Udon-dutsadi
Th Jamnusorn
Temple chinois
Th Teekathanont
Th Sampanthamit
Centre commercial Charoensri
Tour de l'horloge
Th Phanphrao
Th Mak Khaeng
Th Tamruat
Th Si Sattha
Th Prajak Silpakorn
Marché municipal
Th Pho Si
Th Adunyadet
Huay Bua
Th Sai Uthit
Th Suvakon
Fontaine
Th Sri Suk
Th Ratchaphatsadu
Th Amphoe
Th Naresuan
Vers l'aéroport (3 km)
Th Si Chomcheun
Statue du Prince Prajak
Université Rajabhat
Th Nittayo
Nong Bua

### ARGENT

Beaucoup de banques ouvrent aux heures de bureau sur Th Pho Si.

**Kasikornbank** (centre commercial Charoensri, Th Teekathanont ; 11h-20h). Une des banques situées dans le centre commercial.

### OFFICE DU TOURISME

L'*Udon Thani Guide* (www.udonmap.com) et la carte *Udon Thani Map* restent les deux meilleures sources d'information sur Udon Thani. On les trouve gratuitement dans tous les commerces pour *fa·ràng*.

La **TAT** (Tourism Authority of Thailand ; ☎ 0 4232 5406 ; Th Thesa ; 8h30-16h30) renseigne sur les provinces d'Udon et de Nong Khai.

## À voir

### PÉPINIÈRE UDORN SUNSHINE

สวนกล้วยไม้หอมอุดรซันไฌน์

Si vous n'avez jamais vu de plante danser, ne manquez pas cette visite. Connue pour avoir produit les tout premiers parfums à base d'orchidée, la **pépinière Udorn Sunshine** (☎ 08 5747 4144 ; 127 Th Udorn-Nong Samrong ; 8h-17h), juste au nord-ouest de la ville, a développé une variété hybride de *Codariocalyx motorius ohashi leguminosae* qui "danse" au son de la musique. La plante adulte possède des feuilles ovales plus ou moins longues. Si vous chantez ou lui parlez d'une voix aiguë (le saxophone ou le violon fonctionnent encore mieux), les feuilles les plus petites se mettent à décrire un mouvement d'avant en arrière. Ce n'est pas un canular ; nous en avons fait personnellement l'expérience, même si les mouvements s'apparentent plus à une valse qu'à une gigue endiablée. Les plantes sont au mieux de leur forme à la saison fraîche (de novembre à février) et de 7h à 9h30, puis de 16h30 à 18h30.

Les plantes ne sont pas à vendre. Vous pouvez toutefois acheter un paquet d' "Udon Dancing Tea", fait à partir de ces plantes, ou encore les célèbres orchidées et parfums "Miss Udorn Sunshine". Udorn Toob Moob, le dernier produit en date, est un parfum dérivé d'un insecte grâce à un procédé gardé jalousement secret.

Pour vous y rendre, passez sous le panneau "Ban Nong Samrong" sur la Rte 2024, puis, 150 m plus loin, suivez la pancarte "Udon Sunshine Fragrant Orchid". L'endroit est desservi par le "bus jaune" et les *sŏrng·tăa·ou* 5 et 16. Un *túk-túk* depuis le centre-ville d'Udon coûte 80 B.

### WAT JIIN SANJAO PU-YA

ศาลเจ้าปู่ย่า

Le **Sanjao Pu-Ya** (Th Pho Si ; en journée), sur la rive sud du Nong Bua, est un grand temple chinois aux couleurs criardes qui témoigne de la richesse de la communauté marchande sino-thaïlandaise. Au centre, le **sanctuaire de Pu-Ya** abrite de petites représentations du dieu et de la déesse de la Miséricorde.

Des danses du dragon (les 1, 5 et 10 décembre) et des spectacles isan ont lieu pendant 10 jours en décembre, lors de la **fête de Thung Si Meuang**. À cette occasion, Pu (Grand-Père) et Ya (Grand-Mère) sont transférés dans un temple temporaire, à l'angle nord-ouest du terrain municipal, dans le cadre d'une grande procession.

## Où se loger

**Puttarag Hotel** (☎ 0 4224 7032 ; 380/15 Th Prajak Silpakorn ; ch 160 B). Cet hôtel sommaire, sans eau chaude, se trouve en plein cœur du quartier des noctambules à Udon. Les parquets lui donnent un petit côté ancien, mais il accuse surtout son âge avancé.

**Top Mansion** (☎ 0 4234 5015 ; topmansion@yahoo.com ; 35/3 Th Sampanthamit ; ch 350-490 B ; ). Qualité, emplacement et chambres bien aménagées : cette tour nouvellement érigée présente le meilleur rapport qualité/prix de la ville. Wi-Fi payant, mais dans toutes les chambres.

**City Lodge** (☎ 0 4222 4439 ; thecitylodge@yahoo.com ; 83/14-15 Th Wattananuwong ; ch 600-1 000 B ; ). Tenu par des Britanniques, cet établissement est l'exemple parfait d'une nouvelle génération de petits hôtels offrant plus de cachet et un meilleur rapport qualité/prix que leurs aînés. Le mobilier en osier et le Wi-Fi ajoutent encore au charme des chambres lumineuses et colorées.

**Charoensri Grand Royal Hotel** (☎ 0 4234 3555 ; www.charoensrigrand.com ; Th Teekathanont ; s 1 300-1 900 B, d 1 400-2 000 B, ste 2 400-36 000 B ; ). C'est depuis longtemps le meilleur hôtel de la ville dans sa catégorie. Les chambres sont petites mais impeccables, les équipements parfaits (dont un centre de fitness et un spa) et le personnel efficace. Le grand centre commercial adjacent, Charoensri Complex, attire toute la ville.

## Où se restaurer et prendre un verre

On est loin de la qualité de Chiang Mai, mais le Precha et les **marchés de nuit UD Bazar** (Th Prajak Silpakorn ; 16h-23h), en face de la gare ferroviaire, offrent un choix exceptionnel.

On peut y manger, acheter des vêtements, regarder des matchs de foot sur grand écran ou écouter de la musique live.

Le **marché de nuit de Nong Prajak** (Th Thesa ; 5h30-22h), qui s'étend du côté du parc Nong Prajak, où l'on peut voir le coucher du soleil, compte un nombre impressionnant de stands de massage et de poterie à peindre soi-même et de petites échoppes pour se restaurer. Ce marché a tant de succès qu'il est ouvert toute la journée, tout en restant plus fréquenté le soir.

**Kwan Jit** (enseigne en thaï ; ☎ 08 6367 7565 ; Th Adunyadet ; plats 39-89 B ; dîner). Ce pub décoré à la mode des années 1960 est parfait si l'on recherche une ambiance tranquille. On y passe des classiques du folklore thaïlandais, suffisamment bas pour pouvoir discuter, et les plats servis sont majoritairement isan. Carte uniquement en thaï.

**Maeya** (enseigne en thaï ; ☎ 0 4222 3889 ; 79/81 Th Ratchaphatsadu ; plats 40-260 B ; déj et dîner). Moitié restaurant thaï, moitié salon de thé anglais, ce labyrinthe où se pressent des serveurs en cravate noire prépare aussi bien des sandwichs que des currys de sanglier. La traduction des plats est parfois fantaisiste.

**Rabiang Phatchanee** (☎ 0 4224 1515 ; 53/1 Th Suphakit Janya ; plats 40-350 B ; déj et dîner). Sur la rive est du lac, cet élégant restaurant concocte un fabuleux éventail de spécialités locales très originales à déguster sur la terrasse ombragée ou dans une salle climatisée.

**Irish Clock** (☎ 0 4224 7450 ; 19/5-6 Th Sampanthamit ; plats 60-350 B ; petit-déj, déj et dîner). Lambris et Guinness sont les maîtres mots de ce pub plus chic et plus discret que ses voisins. Au menu, plats thaï et *fa·ràng*. Quelques chambres à l'étage et Wi-Fi gratuit.

Autres possibilités :

**Ruan Anchan** (enseigne en thaï ; 10 B/bouteille ; dîner). Ce petit stand au bord du lac sert des jus de fruits tout simplement exceptionnels.

**Bella Italia** (☎ 0 4234 3134 ; centre commercial Charoensri, Th Teekathanont ; plats 80-700 B ; déj et dîner). Le plus italien et le plus tendance des restaurants d'Udon.

**Sumo** (☎ 0 4222 4542 ; 300/6-8 Th Prajak Silpakorn ; plats 39-1 800 B ; déj et dîner). Excellent restaurant japonais.

## Achats

**Teenon Meechai** (☎ 0 4222 2838 ; 206-208 Th Pho Si ; 14h-17h lun-sam). Cette boutique de souvenirs vend toutes sortes d'objets originaux.

**Udon Bho-Phin Tracha** (enseigne en thaï ; ☎ 0 4224 5618 ; Th Porniyom ; 7h-18h30). Belle sélection d'articles en soie et en coton teints à l'aide de substances naturelles dans ce magasin situé au nord-ouest du lac de Nong Prajak. Guettez l'enseigne ornée d'un toit en bois.

## Depuis/vers Udon Thani

### AVION

La **THAI** (www.thaiairways.com), **Nok Air** (www.nokair.com) et **Air Asia** (www.airasia.com) assurent des liaisons quotidiennes vers Bangkok (1 heure). L'aller simple coûte en moyenne 2 200 B, mais souvent moins grâce aux offres promotionnelles. **Lao Airlines** (www.laoairlines.com) dessert Luang Prabang le vendredi et le dimanche (2 600 B l'aller simple).

Le Charoensri Grand Royal Hotel propose un service de navette (30 B/pers).

### BUS

Pour la plupart des destinations, dont Bangkok (2e/1re classe 321/412 B, 8 heures, toutes les 30 min), les bus transitent par le **terminal des bus 1** (☎ 0 4222 2916 ; Th Sai Uthit) ou par la rue juste en face. Ils desservent d'autres destinations, notamment Khorat (2e/1re classe 207/248 B, 4 heures 30, toutes les 30 min), Sakon Nakhon (ordinaire/1re classe 73/148 B, 3 heures 30, toutes les 30 min), Khon Kaen (2e/1re classe 83/104 B, 2 heures 30, toutes les 15 min), Pattaya (2e/1re classe 419/470 B, 10 heures, 10/j), l'aéroport international de Suvarnabhumi (418 B, 8 heures, 21h) et Vientiane (80 B, 2 heures, 6/j ; il faut déjà être muni de son visa pour le Laos). **999 VIP** (☎ 0 4222 1489) et **Roongprasert Tour** (☎ 0 4234 3616) proposent des bus de 24 sièges VIP (641 B) pour Bangkok (départ vers 21h) et pour Roongprasert (départ vers 22h).

Le **terminal des bus 2** (☎ 0 4224 7788), sur le périphérique ouest de la ville (prendre les *sŏrng·tăa·ou* 6, 7 ou 15, ou le bus jaune), dessert les villes de l'Ouest, notamment Loei (ordinaire/1re classe 70/113 B, 3 heures, toutes les 30 min) et Chiang Mai (2e classe/32 sièges VIP 438/657 B, 12 heures, 5/j).

Pour Nong Khai (ordinaire/1re classe 25/47 B, 1 heure, toutes les 45 minutes), vous pouvez partir de n'importe quel terminal, mais les départs les plus fréquents se font du marché Rangsima, desservi par le bus blanc ou par le *sŏrng·tăa·ou* 6.

### TRAIN

Udon Thani se trouve sur la ligne Bangkok-Nong Khai. Les trains express quittent Bangkok à 8h20, 18h30 et 20h pour arriver à la **gare ferroviaire d'Udon** (☎0 4222 2061) 10 ou 11 heures plus tard. En sens inverse, les départs ont lieu à 6h54, 18h40 et 19h20. Pour Bangkok, prévoyez 245/369/1 177 B en 3e/2e/couchette de 1re classe.

## Comment circuler

Des *sŏrng·tăa·ou* (8 B) sillonnent régulièrement la ville. Il y a aussi 2 bus municipaux (8 B), le jaune et le blanc. Le premier circule le long de Th Pho Si-Nittayo et le deuxième sur la Hwy 2. Les trajets sont indiqués sur les plans gratuits d'Udon Thani. Les petits trajets en *túk-túk* vont de 40 à 200 B pour l'aéroport.

Les loueurs de voitures ne manquent pas aux alentours du complexe hôtelier de Charoensri. Vous pourrez louer des vélos 2 ou 3 places dans le parc Nong Prajak (20-50 B/j).

# ENVIRONS D'UDON THANI

## Ban Chiang

บ้านเชียง

À 50 km à l'est d'Udon, cette ville fut jadis un centre important de la civilisation Ban Chiang, société agricole qui prospéra dans le nord-est de la Thaïlande pendant des millénaires. Des fouilles ont permis d'exhumer des trésors remontant à 3600 av. J.-C., bouleversant ainsi la théorie selon laquelle l'Asie du Sud-Est était moins avancée que la Chine ou l'Inde à cette époque.

En 1966, la découverte fortuite de poteries anciennes par Stephen Young, un étudiant en anthropologie à Harvard qui se promenait dans la région, remit en question la thèse qui plaçait l'origine de l'âge du bronze en Mésopotamie. Les premières fouilles sérieuses, effectuées en 1974-1975, mirent au jour plus d'un million de fragments de poteries et 126 squelettes. Par la suite, les archéologues découvrirent les preuves les plus anciennes d'activités agricoles et d'utilisation de métaux (le bronze fut travaillé dès 2000 av. J.-C.). Sept niveaux de cultures différentes ont été mis en évidence ; les fameuses poteries ocre rouge décorées de volutes proviennent des troisième et quatrième strates. Le site a été inscrit au patrimoine mondial en 1992.

L'excellent **Musée national de Ban Chiang** (☎0 4220 8340 ; 150 B ; ⌚8h30-16h30), récemment agrandi, présente une profusion de poteries Ban Chiang de toutes les époques, ainsi qu'une multitude d'objets en bronze retrouvés dans différents sites de fouilles, comme des fers de lance, des faucilles, des hameçons, des louches, des colliers et des bracelets. À 1 km à l'est du Wat Pho Si Nai, un **site funéraire** (entrée comprise dans celle du musée ; ⌚8h30-18h) comporte 52 emplacements individuels datant de 300 av. J.-C. On voit comment les corps étaient enterrés avec des poteries (les nourrissons étant placés à l'intérieur).

Le site Internet du **musée d'Archéologie et d'Anthropologie de l'université de Pennsylvanie** (www.museum.upenn.edu) possède une bonne page (en anglais) sur les découvertes archéologiques faites à Ban Chiang.

La ville vit principalement de la culture du riz et, aujourd'hui, de la vente de souvenirs. Dans beaucoup de villages alentour, on confectionne de manière artisanale des paniers et des vêtements cousus dans un coton épais appelé *fâi sên yài* (coton à gros fils). Vous en trouverez, ainsi que d'autres articles, dans les magasins en face du musée. Prenez la route face au musée et marchez jusqu'à l'atelier de poterie ; vous passerez devant la coopérative de tissage de coton en entrant dans la ville. Les locaux essaient aussi de vendre des antiquités provenant de Ban Chiang, fausses ou authentiques. On ne vous laissera pas passer la frontière en possession des vraies, et les fausses vous poseront problème à l'aéroport. Mieux vaut donc ne pas en acheter.

Le **centre d'information des visiteurs** (⌚8h-16h lun-ven), proche du musée, loue des vélos (20 B/j) et organise des **séjours chez l'habitant**.

### OÙ SE LOGER ET SE RESTAURER

**Lakeside Sunrise Guest House** (☎0 4220 8167 ; ch 200 B ; 💻). Sur la rive ouest du lac, aisément accessible à pied du musée, cette petite pension au joli cadre paysager est une raison plus que suffisante de passer la nuit sur place. Sanitaires communs impeccables au rez-de-chaussée et, au dernier étage, une spacieuse véranda en bois. Le jovial propriétaire parle anglais et a une connaissance encyclopédique de Ban Chiang ; il loue aussi des vélos et des motos.

Plusieurs restaurants sans prétention font face à l'entrée du Musée national.

### DEPUIS/VERS BAN CHIANG

L'augmentation du prix de l'essence a conduit à l'arrêt de la liaison directe en *sŏrng·tăa·ou* depuis Udon. Vérifiez toutefois si celle-ci a repris. Sinon, prenez un bus à destination de Sakon Nakhon ou de Nakhon Phanom et descendez à Ban Nong Mek (35 B, 1 heure), et,

de là, un *túk-túk* vous conduira à Ban Chiang (60 B/pers, 10 min).

## Parc historique de Phu Phrabat

อุทยานประวัติศาสตร์ภูพระบาท

Imprégné de légendes, ponctué d'étranges formations rocheuses, le **parc historique de Park Phu** (☎0 4225 1350 ; 100 B ; ☎8h30-16h30) est l'un des plus beaux sites de la province. Les formations se composent de roches en équilibre, de flèches, d'énormes rochers, quelques sanctuaires et *wat* ayant été érigés au milieu et autour. Plusieurs grottes sont ornées de peintures préhistoriques représentant des animaux sauvages, des hommes et des symboles. Quelques petits bouddhas finement sculptés dans la roche datent de l'époque môn, puis khmère. En grimpant à **Pha Sa Dej**, au bout de l'escarpement, derrière les formations rocheuses, vous aurez une vue spectaculaire sur la vallée en contrebas et les montagnes du Laos tout au fond. Les sentiers bien balisés qui sillonnent le parc permettent de voir tous les sites en 1 heure environ, mais il vaut la peine de leur en consacrer plusieurs.

Une légende locale raconte qu'un roi (Phaya Kong Phan) enferma sa fille, la belle Nang Usua, dans la formation rocheuse la plus surprenante, **Hoh Nang-Usa**, une sorte de botte à l'envers qui abrite un sanctuaire, pour la séparer de son amoureux, un prince venu d'un autre royaume (Tao Baros). Si vous résidez à la Mutmee Guest House à Nong Khai (p. 526), vous pourrez lire l'histoire intégrale, sinon, il faudra vous contenter du résumé présenté au musée.

Si vous voulez camper, l'emplacement coûte 20/50 B pour une petite/grande tente, et la location d'une tente va de 50 à 200 B. Le parc abrite aussi 3 bungalows pouvant accueillir jusqu'à 5/12 personnes (600/1 200 B).

Près de l'entrée du parc se dresse le plus grand temple du site, le **Wat Phra That Phra Phutthabaht Bua Bok**, qui comprend un *chedi* de style lao (du même nom) bâti sur une empreinte du Bouddha, et quelques bâtiments rappelant les formations rocheuses.

### DEPUIS/VERS LE PARC HISTORIQUE DE PHU PHRABAT

Le parc se trouve à 70 km d'Udon Thani et de Nong Khai, près de la petite bourgade de

Ban Pheu, et peut se visiter dans la journée à partir de l'une ou l'autre ville. Du marché Rungsina, à Udon, le trajet en bus jusqu'à Ban Pheu coûte 30 B (1 heure 30) ; du terminal des bus de Nong Khai, comptez 45 B (2 heures). À Ban Pheu, un moto-taxi jusqu'au parc coûte entre 80 et 100 B. Il y a aussi des *túk-túk*, mais ils peinent vraiment dans les montées.

Les véhicules en provenance d'Udon continuent vers Ban Tiu, le village situé au pied de la colline, d'où les 4 derniers kilomètres en moto-taxi (il y a en a très peu ici) vous reviendront à 40 B.

Si vous empruntez les transports publics, prévoyez de partir à 15h30 au plus tard.

### Ban Na Kha

Ce village de tisserands, à 16 km au nord d'Udon sur la Hwy 2, est réputé pour ses étoffes *kít*. Le *kít* est un brocart à trame simple et aux motifs géométriques en forme de diamants, qui ornait traditionnellement les oreillers et d'autres articles décoratifs, mais qui est aujourd'hui plus communément utilisé pour la confection des vêtements. C'est une tradition qui se perd, car les femmes gagnent plus en travaillant dans les champs pendant une journée qu'en tissant des motifs très complexes. Des dizaines de boutiques bordent la nationale et la grand-rue de la ville. **Maa Bah Pah Fahi** (☎ 0 4220 6104 ; 🕑 7h-17h30), en face de l'entrée du temple, a accroché au mur des *kít* centenaires.

Avant de partir, jetez un coup d'œil au **Wat Na Ka Taewee** (🕑 en journée), fondé avant le village par un moine errant qui découvrit un trou d'où sortaient le sifflement et la fumée d'un *naga*. Il boucha le trou avec une pierre et construisit un petit *bòht* par-dessus. Des poteries, des bouddhas en or et des squelettes humains, mis au jour lors de plusieurs chantiers de construction au sein du temple, sont exposés dans un espace en plein air. Le bus jaune d'Udon dessert le village ; prenez-le en n'importe quel point de la Hwy 2.

### Wat Pa Ban Tad

วัดป่าบ้านตาด

Ancien disciple de Luang Pu Man et aujourd'hui nonagénaire, Luang Ta Maha Bua est l'un des moines les plus vénérés de Thaïlande. Connu comme un maître de méditation, il acquit une célébrité internationale après la crise économique de 1997 en recueillant plus de 10 000 kg d'or sous forme de bijoux et l'équivalent de 10 millions de dollars en bahts pour aider à éponger la dette extérieure de son pays. Il s'investit fortement dans d'autres œuvres caritatives et, en 2005, critiqua vertement le Premier ministre, Thaksin, aujourd'hui destitué. Plus de 250 moines et *mâa chi* (nonnes) – qui ont fait vœu d'ascèse en plus des 227 préceptes habituels – vivent et méditent au **Wat Pa Ban Tad** (🕑 en journée), un vaste et modeste monastère dans la forêt, à 16 km au sud d'Udon, parmi lesquels une douzaine d'Occidentaux.

Des centaines de personnes viennent tous les matins écouter Luang Ta Maha Bua parler du bouddhisme, de manière simple et directe, et des milliers d'autres à travers le pays suivent ses causeries à la radio (103.25 FM à Udon) ou sur www.luangta.com.

# PROVINCE DE NONG KHAI

Étroite bande de terre qui longe le Mékong sur 320 km, la province de Nong Khai est une région fascinante. Sa capitale, Nong Khai, est située près du fameux pont de l'Amitié qui relie la Thaïlande et le Laos (deuxième pont à enjamber le Mékong, après un premier en Chine), grâce auquel la ville est devenue l'une des destinations les plus appréciées dans le nord-est du pays. Mais bien avant la construction du pont, Sala Kaew Ku, le jardin de sculptures surréalistes, attirait déjà les foules.

Villes fluviales et temples intrigants jalonnent les rives du Mékong depuis Nong Khai – autant d'occasions, pour ceux qui prendront le temps de s'y rendre, de plonger au cœur de la culture isan.

## NONG KHAI

หนองคาย

**61 500 habitants**

La ville de Nong Khai, qui s'étire sur les berges ombragées du Mékong, constitue une étape obligée sur le circuit touristique du Nord et bénéficie donc d'un flux continu de visiteurs. Avec son excellent choix d'hébergements et de restaurants, elle est la seule ville de l'Isan capable d'accueillir un grand nombre de voyageurs indépendants. Toutefois, son succès ne tient pas seulement à la proximité du Laos ou à la générosité de sa cuisine. Beaucoup y séjournent plus longtemps que prévu, séduits par ses couchers du soleil d'un rose merveilleux, son rythme de vie paisible et les sites alentour.

Si les promoteurs immobiliers ont bétonné l'un des plus beaux quartiers historiques, Nong Khai a néanmoins su préserver, contrairement à la plupart des capitales provinciales, une part de son héritage d'antan. Avec ses villas coloniales françaises et ses temples, la ville donne l'impression que le temps s'écoule ici un peu plus lentement.

## Histoire

À la frontière de la Thaïlande et du Laos, Nong Khai a toujours fait office de trait d'union, historique et géographique, entre les 2 nations. La ville appartint jadis au royaume de Vientiane (Wiang Chan), qui lui-même oscilla entre autonomie et soumission envers le Lan Xang (1353-1694), puis le Siam (de la fin du XVIIIe siècle à 1893). En 1827, Rama III accorda au prince thaïlandais Thao Suwothamma le droit de fonder Meuang Nong Khai à l'emplacement de la ville actuelle, un site choisi à cause des marais (*nong*) protégeant la ville en cas d'attaque. En 1891, sous Rama V, Nong Khai devint la capitale du *monthon* Lao Phuan, l'un des premiers États satellites isan qui englobait les actuelles provinces d'Udon, de Loei, de Khon Kaen, de Sakon Nakhon, de Nakhon Phanom et de Nong Khai, ainsi que Vientiane.

À la fin du XIXe siècle, la région fut plusieurs fois mise à sac par les brigands *jin hor* (Yunnanais). Le monument de Prap Haw (*Ƀràhp hor* signifie "écrasement des Haw"), érigé en 1886 face à l'ancienne administration provinciale (devenue un centre universitaire), commémore les victoires thaïlando-laotiennes de 1886 sur les envahisseurs haw. Lorsque, en 1893, les Français détachèrent le Laos occidental de la Thaïlande, la capitale du *monthon* fut transférée à Udon, et Nong Khai sombra peu à peu dans l'oubli.

L'ouverture, le 8 avril 1994, du Saphan Mittaphap Thai-Lao (pont de l'Amitié thaïlando-laotienne), d'une longueur de 1 174 m, et dont le coût s'éleva à 30 millions de dollars US, a inauguré une nouvelle ère de développement pour la cité, aussi bien dans le domaine du commerce régional que dans celui des communications. Depuis, les gratte-ciel poussent comme des champignons.

## Orientation et renseignements

Nong Khai s'étire comme un étroit ruban le long du Mékong. La plupart des hôtels et des restaurants sont installés près de l'eau, ou sur le fleuve, dans la moitié ouest du centre-ville. Le terminal des bus se trouve à une bonne distance à pied à l'est, alors que la gare ferroviaire et le pont de l'Amitié sont à environ 3 km à l'ouest.

### ACCÈS INTERNET

**Coffee Net** (Soi Thepbunterng ; 30 B/h ; ⌚ 10h-minuit). Café offert pendant que vous surfez sur la Toile.

**Oxy.Net** (569/2 Th Meechai ; 20 B/h ; ⌚ 9h-22h)

### AGENCE DE VOYAGES

**Go Thasadej** (☎ 08 1592 0164 ; www.gothasadej.com ; promenade du Mékong ; ⌚ 10h-19h). L'une des meilleures agences de voyages en Thaïlande.

### ARGENT

**Siam Commercial Bank** (Hwy 2, Big Jieng Mall ; ⌚ 10h30-20h). Change possible après les heures de bureau.

### IMMIGRATION

**Bureau de l'immigration** (Immigration Office ; ☎ 0 4242 3963 ; ⌚ 8h30-12h et 13h-16h30 lun-ven). Au sud du pont de l'Amitié. Délivre des prorogations de visa.

### LIBRAIRIE

**Hornbill Bookshop** (☎ 0 4246 0272 ; en retrait de Th Kaew Worawut ; ⌚ 10h-19h lun-sam). Vend et achète des livres en anglais. C'est la meilleure librairie de livres anglais de l'Isan.

### OFFICE DU TOURISME

**TAT** (Tourism Authority of Thailand ; ☎ 0 4242 1326 ; Hwy 2 ; ⌚ 8h30-16h30 lun-ven). Situé malheureusement en dehors de la ville.

### POSTE

**Bureau principal** (Th Meechai ; ⌚ 8h30-16h30 lun-ven, 9h-12h sam, dim et jours fériés)

### Urgences et services médicaux

**Nong Khai Hospital** (☎ 0 4241 1504 ; Th Meechai)

**Police touristique** (☎ 0 4246 0186 ; Th Prajak). À côté de la fontaine au *naga*.

## À voir et à faire

### PARC DES SCULPTURES DE SALA KAEW KU

ศาลาแก้วกู่

L'un des sites les plus étranges de Thaïlande, le **parc des sculptures de Sala Kaew Ku** (20 B ; ⌚ 8h-18h)

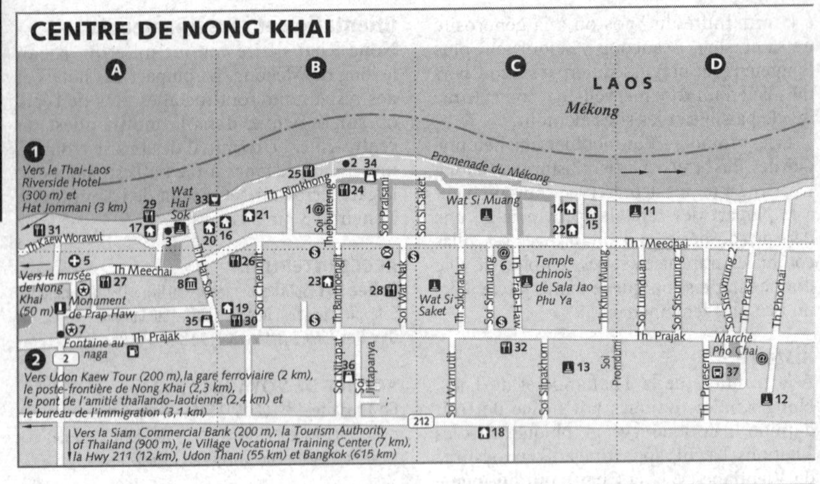


**RENSEIGNEMENTS**
Coffee Net....................1 B1
Go Thasadej....................2 B1
Hornbill Bookshop....................3 A1
Poste principale....................4 B2
Nong Khai Hospital....................5 A2
Oxy.Net....................6 C2
Police touristique....................7 A2

**À VOIR ET À FAIRE**
Governor's Mansion Museum...8 A2
Phra That La Nong....................9 H1
Phra That Nong Khai....................10 H1
Wat Lam Duan....................11 D1
Wat Pho Chai....................12 D2
Wat Tung Sawang....................13 C2

**OÙ SE LOGER**
E-San Guesthouse....................14 C1
Jumemalee Guesthouse....................15 C1
Khiang Khong Guesthouse....................16 B1
Mut Mee Garden Guesthouse....................17 A1
Nong Khai Grand....................18 C2
Pantawee Hotel....................19 B2
Rimkhong Guesthouse....................20 A1
Ruan Thai Guesthouse....................21 B1
Sawasdee Guesthouse....................22 C1
Thai Nongkhai Guesthouse....................23 B2

**OÙ SE RESTAURER**
Bird's Eye View Terrace.......(voir 18)
Café Thasadej....................24 B1
Daeng Namnuang....................25 B1
Darika Bakery....................26 B2
Hospital Food Court....................27 A2
Khrua Sukapap Kwan Im....................28 B2
Mut Mee Garden Guesthouse....................(voir 17)
Nagarina....................29 A1
Marché de nuit....................30 B2
Nung-Len Coffee Bar....................31 A1
Restaurants au bord du fleuve..(voir 34)
Rom Luang....................32 C2

**OÙ PRENDRE UN VERRE**
Gaia....................(voir 29)
Warm Up....................33 A1

**ACHATS**
Marché Tha Sadet....................34 B1
Village Weaver Handicrafts....................35 A2
Village Weaver Workshop....................36 B2

**TRANSPORTS**
999 VIP....................(voir 37)
Terminal routier....................37 D2
Roongprasert Tour....................(voir 37)

symbolise un voyage surréel dans l'esprit d'un chaman. On le doit à Luang Poo Boun Leua Sourirat, un Laotien (mort en 1996) qui mit 20 ans à l'aménager.

Selon ses dires, Luang Poo serait tombé dans un trou lorsqu'il était enfant et y aurait rencontré un ascète du nom de Kaewkoo qui l'initia aux mystères des Enfers et fit de lui un yogi-prêtre-chaman brahmanique. Luang Poo développa alors sa propre doctrine, mêlant philosophies, mythologies et iconographies hindoue et bouddhiste. Après l'arrivée au pouvoir des communistes laotiens en 1975, il continua ses travaux dans le nord-est de la Thaïlande où il s'était établi et avait travaillé sur un projet semblable.

Le parc comprend une multitude de gigantesques statues en ciment surréalistes, représentant Shiva, Vishnu, le Bouddha et d'innombrables autres divinités hindoues et bouddhistes, ainsi que de nombreuses figures profanes, toutes façonnées selon les directives de Luang Poo par des artistes inexpérimentés. Certaines sont amusantes, surtout pour les enfants, qui aimeront l'imposant éléphant et sa horde de chiens anthropomorphes. La plus grande, un bouddha assis sur un *naga* enroulé dressant un impressionnant capuchon à plusieurs têtes, atteint 25 m de hauteur. Ne manquez pas la Roue de la Vie, dans laquelle on pénètre par une bouche gigantesque. Celle-ci résume toute la philosophie de Luang Poo, dont vous trouverez une explication sur le site de la Mut Mee Garden Guesthouse (www.mutmee.com).

Le sanctuaire principal, aussi insolite que le parc, contient de nombreux portraits de

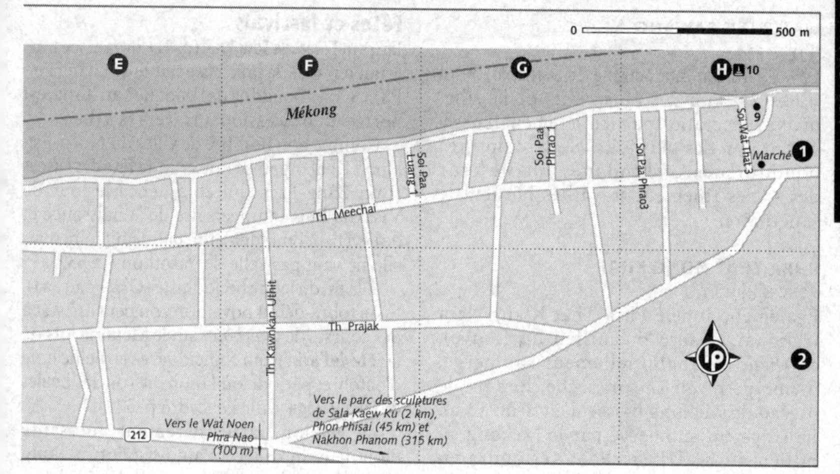


divinités hindoues et bouddhistes, de donateurs, de Luang Poo à des âges divers, ainsi que des statuettes en bronze et en bois de toutes formes et de toutes provenances. La dépouille de Luang Pu repose sous un dôme en verre, à l'étage.

Pour rejoindre le Sala Kaew Ku, prenez un bus en direction de Phon Phisai ou d'une autre ville située à l'est, et demandez à descendre au Wat Khaek (10 B), l'autre nom du parc ; comptez ensuite 5 min à pied depuis la nationale. Louer un *túk-túk* revient à 150 B l'aller-retour, avec 1 heure pour la visite (ne payez qu'au retour pour éviter de rester en rade). Vous pouvez aussi faire le trajet à vélo en une trentaine de minutes : la Mut Mee Garden Guesthouse distribue des cartes indiquant l'itinéraire.

### WAT PHO CHAI

วัดโพธิชัย

Luang Pho Phra Sai, un grand bouddha assis d'époque Lan Xang, scintillant d'or, de bronze et de pierres précieuses, trône au centre du **Wat Pho Chai** (Th Phochai ; 6h-17h), près de Th Prajak, dans la partie sud-est de la ville. Sa tête est en or massif, son corps en bronze et l'*ùt·sà·nít* (ornement en forme de flamme placé sur la tête du bouddha) est serti de rubis. Des sculptures en bois doré et des mosaïques délicatement ouvragées rehaussent l'autel sur lequel repose la statue. Des rosettes de bois de la fin de la période d'Ayuthaya décorent le plafond.

Le bouddha faisait partie d'un groupe de 3 statues similaires : les fresques du *bòht* décrivent leur périple de l'intérieur du Laos aux rives du Mékong, où elles furent chargées sur des radeaux. À la suite d'un orage, l'une des statues fut emportée au fond du fleuve. On ne la retrouva jamais, car, selon l'un des moines du temple, le *naga* aime sa compagnie. La troisième, Phra Soem, se trouve dans le Wat Patum Wanaram, à Bangkok.

### WAT NOEN PHRA NAO

วัดเนินพระเนาว์

Dans une forêt au sud de la ville, le **Wat Noen Phra Nao** ( en journée) possède un centre de méditation vipassana entouré d'un beau parc ombragé. Il fait office de retraite spirituelle pour ceux qui affrontent une crise personnelle (y compris des Occidentaux, s'ils veulent pratiquer sérieusement la méditation).

L'architecture très ornementée du temple, qui comprend la tourelle la plus rococo qui soit, tranche avec les structures habituellement austères des monastères de forêt. Le parc abrite également un cimetière chinois et des sculptures qui trouveraient leur place au Sala Kaew Ku.

### WAT LAM DUAN

วัดลำดวน

Le **Wat Lam Duan** (Th Rimkhong ; en journée) se reconnaît aisément à son *bòht* surmonté d'un immense bouddha. On peut grimper tout en haut (en enlevant ses chaussures) pour contempler le Mékong.

#### WAT TUNG SAWANG

วัดทุ่งสว่าง

Le *bòht* du **Wat Tung Sawang** (Soi Silpakhom ; ⏲ en journée) est l'un des plus petits de la ville, mais sa décoration particulièrement réussie en fait l'un des plus jolis. Neuf sculptures bouddhiques et hindoues placées sur des socles finement travaillés bordent le sanctuaire.

#### PHRA THAT NONG KHAI

พระธาตุหนองคาย

Également appelé Phra That Klang Nam (reliquaire sacré du milieu du fleuve), ce *chedi* lao, habituellement submergé, n'émerge qu'en saison sèche, lorsque le niveau du Mékong baisse d'environ 13 m. Le stupa fut submergé par le Mékong au milieu du XVIIIe siècle et s'effondra en 1847. Lorsque les eaux sont assez basses, à la saison sèche, on vient y attacher des fanions colorés. Le **Phra That La Nong**, une réplique érigée sur la rive, brille de tous ses feux la nuit.

#### MUSÉES

Le **Governor's Mansion Museum** (Th Meechai ; entrée libre ; ⏲ 8h30-18h), édifice colonial français construit en 1926, récemment rénové et transformé en musée, brille plus par son extérieur que par son contenu. Il est magnifique, illuminé au crépuscule.

Le **Nong Khai Museum** (☎ 0 4241 3658 ; Th Meechai ; entrée libre ; ⏲ 9h-16 lun-ven), petit musée situé dans le vieil hôtel de ville datant de 1929, expose essentiellement des photographies.

#### BÉNÉVOLAT

Le bénévolat demande généralement un engagement assez long. Cependant, vous pouvez faire une bonne action en passant quelques heures dans l'un des orphelinats de la **Sarnelli House** (www.sarnelliorphanage.org), gérée par le père Mike Shea, qui accueillent les enfants séropositifs. On peut venir jouer avec les petits pensionnaires les samedi et dimanche matin. Si vous êtes intéressé, contactez la Mut Mee Garden Guesthouse, qui vous renseignera aussi sur les postes de professeur d'anglais bénévoles.

Deux organisations d'envergure nationale sont basées à Nong Khai, qui offrent de multiples possibilités ici : Open Mind Projects (p. 50) et Travel to Teach (p. 50).

## Fêtes et festivals

Durant la **fête de Songkran** (p. 21), organisée tous les ans en avril, la précieuse statue de Luang Poo Phra Sai, un bouddha de l'époque Lan Xang, est portée en procession à travers la ville.

Comme bon nombre de villes du Nord-Est, Nong Khai organise une grande **fête des Fusées** (Bun Bâng Fai), qui commence le jour de Visakha Puja (anniversaire de la naissance et de l'éveil du Bouddha), fin mai-début juin, mais elle ne vaut pas celle de Yasothon (p. 557).

À la fin du jeûne bouddhiste (Okk Paan Saa), fin octobre-début novembre, on peut assister à des courses de *long boats* sur le Mékong lors de la **Fête de l'Aviron** qui coïncide avec la pleine lune d'octobre, période où l'on peut voir les **boules de feu du Naga** (voir l'encadré p. 528).

La version particulièrement amusante de la fête du dragon chinois qu'offre Nong Khai dure 10 jours entre fin octobre et début novembre. Au programme, danses du dragon, acrobaties, opéras chinois et beaucoup de pétards. C'est peut-être la fête la plus bruyante du monde.

Le 5 mars, la **fête d'Anou Savari** commémore la fin des rébellions haw et donne lieu à une grande foire.

## Où se loger

#### PETITS BUDGETS

Le flux régulier de voyageurs indépendants en route pour le Laos a fait de l'hébergement bon marché de Nong Khai l'un des meilleurs du pays. De fait, les chambres les plus chères dans ces pensions n'ont rien à envier à certaines des meilleures chambres de catégorie moyenne.

♥ **Mut Mee Garden Guesthouse** (☎ 0 4246 0717 ; www.mutmee.com ; en retrait de Th Kaew Worawut ; dort 100 B, ch 140-750 B ; ❄). Sur un bras endormi du Mékong, cette pension pour petits budgets, établie de longue date, jouit d'un jardin trop relaxant peut-être, et, le soir venu, elle est envahie par les voyageurs. Les chambres, et le choix ne manque certainement pas, sont regroupées autour d'un restaurant au toit de chaume, où le propriétaire, Julian, tient sa cour en haleine avec sa connaissance des légendes locales et sa passion pour tout ce qui est isan. Les hôtes séjournent souvent plus longtemps que prévu (et personne ne leur demandera jamais de libérer leur chambre), et, de ce fait, la pension prend un nombre limité de réservations chaque jour. Assez logiquement, l'allée qui mène au Mut Mee s'est transformée en un minuscule village de voyageurs, où l'on trouve une librairie et des informations sur le yoga.

**Rimkhong Guesthouse** (☎ 0 4246 0625 ; 815/1-4 Th Rimkhong ; s/d 140/200 B). Quelques chambres, certaines dans une maison de bois un peu branlante, sdb communes et une paix royale dans cette pension sans prétention. Le sympathique chien de la maison se promène d'un pas tranquille dans la cour verdoyante, tandis que les propriétaires vous accueillent chaleureusement.

**Sawasdee Guesthouse** (☎ 0 4241 2502 ; 402 Th Meechai ; s 140 B, d 200-450 B ; ). Dans une ancienne maison de négoce franco-chinoise, cette charmante pension chargée d'histoire loue des chambres bien tenues, mais qui n'ont toutefois pas le charme ancien de la façade et de la réception. Celles avec ventilateur se partagent les sdb. Wi-Fi gratuit dans les chambres.

**E-San Guesthouse** (☎ 08 6242 1860 ; 538 Th Khun Muang ; ch 150-450 B ; ). Un peu à l'écart du fleuve, cette jolie maison en bois restaurée, agrémentée d'une longue véranda, offre un cadre très reposant. Les chambres climatisées (les seules avec sdb privative) se trouvent dans un bâtiment séparé, plus moderne.

**Ruan Thai Guesthouse** (☎ 0 4241 2519 ; 1126/2 Th Rimkhong ; ch 200-400 B, famille 1 000 B ; ). Profitant de l'essor de la ville, cette petite demeure privée est devenue une adresse agréable. Elle propose un grand nombre de chambres de bonne qualité, avec sdb commune, et une chambre familiale dans un petit chalet en bois. Très bonne adresse, perdu dans un jardin verdoyant et fleuri, avec le Wi-Fi gratuit en prime.

**Jumemalee Guesthouse** (☎ 08 5010 2540 ; 419/1 Th Khun Muang ; ch 250 B). Autre pension dans une maison en bois, un peu moins jolie, donc plus authentique, que la pension E-San, tenue par une famille qui honore ainsi la promesse faite à leurs parents de ne jamais vendre la maison. Les chambres disposent de sdb privatives et l'enregistrement se fait dans la maison moderne à l'arrière.

**Khiang Khong Guesthouse** (☎ 0 4242 2870 ; 541 Th Rimkhong ; ch 300-400 B ; ). Ce bâtiment en béton récemment construit renferme des chambres rutilantes. Les murs ne sont pas chargés d'histoire, certes, mais on s'en console facilement en contemplant le fleuve, depuis la terrasse du 3e étage ou du balcon de sa chambre. Wi-Fi gratuit dans les chambres (mais le signal est faible à l'arrière de l'édifice).

**Thai Nongkhai Guesthouse** (☎ 0 4241 3155 ; www.thainongkhai.com ; 1 169 Th Banthoengjit ; ch 400-500 B, ). Ce petit établissement avec jardin dispose de 7 chambres impeccables mais assez ordinaires (les tarifs les plus élevés correspondent à des bungalows séparés). Cela dit, les propriétaires font que l'on s'y sent comme chez soi. Wi-Fi gratuit.

**Thai-Laos Riverside Hotel** (☎ 0 4246 0263 ; 51 Th Kaew Worawut ; ch 500-700 B ; ). Mal entretenu, cet établissement sans charme privilégiant les groupes offre tout de même une belle vue. Les chambres (700 B) situées côté fleuve disposent de leur propre petit balcon. Et si vous aimez les discothèques ringardes, l'hôtel en compte 3.

### CATÉGORIES MOYENNE ET SUPÉRIEURE

**Pantawee Hotel** (☎ 0 4241 1568 ; www.pantawee.com ; 1049 Th Hai Sok ; s 600-900 B, d 700-1 000 B, qua 1 400-2 200 B ; ). Géré avec efficacité, le Patawee constitue un vrai petit village avec ses différents pavillons, son spa, son agence de voyages et son restaurant ouvert 24h/24. Le prix des chambres est peut-être un peu cher pour Nong Khai, mais toutes ont un lecteur DVD et un ordinateur connecté à Internet. Le Wi-Fi gratuit atteint même les salons extérieurs remplis de fleurs.

**Nong Khai Grand** (☎ 0 4242 0033 ; www.nongkhaigrand.com ; Hwy 212 ; ch 1 290-1 700 B, ste 2 700-3 700 B ; ). Cet établissement moderne et élégant brille encore de mille feux malgré quelques rides naissantes. Très apprécié d'une clientèle d'affaires, il propose toutes les prestations que celle-ci peut espérer avec ses suites, somptueuses (généralement offertes avec 40% de réduction). Cela dit, les chambres plus modestes sont elles aussi vastes et bien équipées.

## Où se restaurer

Pour des spécialités à prendre sur le pouce, rendez-vous au **Hospital Food Court** (enseigne en thaï ; Th Meechai ; petit-déj, déj et dîner), avec sa troupe de cuisiniers, ou au **marché de nuit** (Th Prajak ; 16h-23h) entre Soi Cheunjit et Th Hai Sok. En journée, le poisson grillé reste incontournable dans les **restaurants au bord du fleuve** (Th Rimkhong), uniquement ouverts le midi, derrière le marché Tha Sadet.

**Khrua Sukapap Kwan Im** (☎ 0 4246 0184 ; Soi Wat Nak ; plats 30 B ; petit-déj et déj). Ce petit restaurant végétarien se met en quatre pour ses clients *fa·ràng* et prépare des classiques thaïlandais et chinois (à choisir au comptoir-buffet ou sur la carte rédigée en anglais) et d'excellents jus de fruits.

### MYSTÉRIEUSES BOULES DE FEU

Hystérie collective, émanations de méthane, soldats laotiens en goguette ? Peut-être ne s'agit-il que du souffle brûlant du *naga* sacré, ce serpent mythique qui peuple les cours d'eau dans le folklore du bouddhisme theravada. Pour de nombreux Lao et Thaïs qui vivent au bord du Mékong, aucun doute ne subsiste. Depuis 1983 (ou bien avant, selon à qui vous vous adressez), les *bâng fai pá yah nâhk* (que l'on peut traduire par "boules de feu") apparaissent chaque année. Des boules de feu rouges ou rosées surgissent du fleuve à la tombée de la nuit, s'élèvent dans les airs à plus de 100 m, puis disparaissent sans laisser de traces. Certains affirment que tout se déroule sans bruit, et d'autres prétendent que l'on peut entendre un sifflement près de l'endroit où naissent les boules de feu. De chaque côté du Mékong, on a longtemps affirmé que le *naga* du fleuve célébrait ainsi la fin de la retraite bouddhiste des pluies (octobre), qui a lieu à la 15e lune montante du 11e mois lunaire.

Le phénomène a longtemps été ignoré du reste de la Thaïlande, même si les journaux télévisés le relataient depuis de longues années. Les Thaïlandais ne s'y sont intéressés qu'en 2002, lorsque le film *Sìp Hâh Kâm Deuan Sìp èt* ("La quinzième lune montante du onzième mois lunaire") a été diffusé peu de temps avant l'événement. Des milliers de Thaïlandais ont alors convergé de tout le pays pour assister au spectacle et, malgré la pluie, les boules de feu ont surgi du Mékong, comme prévu.

Plusieurs théories ont été avancées pour expliquer l'origine de ces étranges lueurs. Une émission de télévision émit l'hypothèse de soldats laotiens qui festoyaient sur l'autre rive et tiraient en l'air

**Darika Bakery** (☎ 0 4242 0079 ; 668-669 Th Meechai ; plats 30-60 B ; ⏰ petit-déj et déj). Ici, on parle anglais et on vous accueille, dans un cadre spartiate, dès 5h du matin, pour des petits-déj roboratifs avec œufs et toasts, des crêpes à la banane, du vrai café thaïlandais ou des sandwichs baguette à la vietnamienne, etc.

**Nung-Len Coffee Bar** (☎ 08 3662 7686 ; 1801/2 Th Kaew Worawut ; plats 35-180 B ; ⏰ petit-déj, déj et dîner). Sans doute l'un des bars les plus accueillants de Nong Khai. La carte éclectique affiche des spécialités thaïes et *fa·ràng*, et des plats s'essayant à la fusion, comme les spaghettis sautés au piment et au poulet. Bons café et jus de fruits.

**Daeng Namnuang** (☎ 0 4241 1961 ; 526 Th Rimkhong ; plats 35-180 B ; ⏰ petit-déj, déj et dîner). Cet établissement vietnamien est devenu une véritable institution et les clients viennent de partout pour faire le plein de *năam neu·ang* (rouleaux de printemps au porc). Les plats, préparés à la chaîne dans une cuisine effervescente, sont succulents. Le restaurant possède une annexe à l'aéroport d'Udon Thani.

**Mut Mee Garden Guesthouse** (☎ 0 4246 0717 ; en retrait de Th Kaew Worawut ; plats 40-130 B ; ⏰ petit-déj, déj et dîner). La cuisine de la Mut Mee remporte un vif succès, en particulier les petits-déj, mais sachez que les plats thaïlandais sont adoucis pour convenir aux papilles européennes. Difficile de faire mieux côté emplacement, au bord du Mékong, et la pension prépare aussi de nombreux plats végétariens, comme les *lâhp* de champignons (salades de "viande" très épicées, originaires du Laos).

**Nagarina** (☎ 0 4241 2211 ; plats 40-250 B ; ⏰ déj et dîner). Dans ce restaurant flottant appartenant à la Mut Mee, amarré devant la pension, les piments sont à l'honneur. Spécialités de fruits de mer et de poissons, souvent même des espèces inhabituelles provenant du Mékong. Croisière au coucher du soleil presque tous les soirs (100 B, vers 17h).

**Rom Luang** (☎ 08 7853 7136 ; 45/10 Th Prajak ; plats 40-150 B ; ⏰ dîner). Bien que la carte soit essentiellement thaïlandaise, les plats les plus réputés du "Parapluie jaune", comme les saucisses et le *kor mŏo yâhng* (cou de porc grillé), sont des spécialités isan. Les tables et les chaises faites main ajoutent au charme de l'endroit, et le grill fonctionne jusqu'à 5h du matin.

**Café Thasadej** (☎ 0 4242 3921 ; 387/3 Soi Thepbunterng ; plats 60-375 B ; ⏰ petit-déj, déj et dîner). Un petit établissement raffiné, comme on en voit peu à Nong Khai. La carte et la liste des boissons (parmi les meilleures de la ville) sont internationales : *doner kebab*, escalopes viennoises, *fish and chips*, lasagnes et saumon fumé figurent parmi les plats les plus appréciés.

**Bird's Eye View Terrace** (☎ 0 4242 0033 ; Hwy 212 ; plats 70-260 B ; ⏰ dîner). Ce restaurant en plein air, sur le toit du Nong Khai Grand Hotel, est parfait pour goûter la cuisine isan tout en admirant la vue sur la ville.

## Où prendre un verre

**Gaia** (☎ 0 4246 0717 ; en contrebas du Mut Mee Garden Guesthouse ; ⏰ 19h-tard mer-lun). Ce bar-salon détendu sur le Mékong accueille beaucoup de clients de avec leurs fusils ; ce qui provoqua la colère des téléspectateurs des 2 côtés du fleuve. Une autre théorie suggère qu'elles proviennent d'un mélange de méthane et de phosphane, emprisonné dans le limon du fleuve et relâché lorsqu'il atteint une température propice à cette période de l'année. Beaucoup pensent que des moines ont trouvé là le moyen de faire un "miracle". Quelle que soit l'explication, rares sont les Thaïlandais à même d'envisager l'idée qu'il puisse s'agir d'un canular.

Les boules de feu sont devenues l'objet d'un commerce important dans la province de Nong Khai. Chaque année, quelque 40 000 personnes affluent à Phon Phisai, principal point d'observation de cet étrange phénomène, et des milliers d'autres se rassemblent en d'autres endroits du fleuve, entre Sangkhom et Nakhom Phanom, dans l'espoir de le voir. Des bus spéciaux (28 B) effectuent le retour dans la nuit. Ne partez pas trop tard, car vous pourriez ne pas rentrer du tout. Plusieurs hôtels ont leur propre bus et vous garantissent un siège. Enfin, la pension Mut Mee Garden Guesthouse propose un bateau qui fait l'aller-retour (2 500 B, déjeuner et petit-déjeuner compris).

Il faut savoir à quoi s'attendre pour ne pas être déçu. Toute cette histoire va bien au-delà du fait de regarder des boules de feu s'élever au-dessus du fleuve. Il s'agit surtout de regarder les Thaïlandais qui regardent des boules de feu s'élever au-dessus du fleuve. Et même si le *naga* n'est pas au rendez-vous le jour prévu (en raison des aléas du calcul des dates précises de pleine lune), l'expérience reste inoubliable.

la Mut Mee et de *fa·ràng*. Carte des boissons bien fournie, très bonne musique et parfois des concerts. On y voit souvent des collecteurs de fonds pour différents projets caritatifs.

**Warm Up** (☎ 08 1965 7565 ; 476/4 Th Rimkhong ; 🕑 19h-2h). Petit établissement au-dessus (au propre comme au figuré) des autres bars de ce côté de Th Rimkhong. Dominant la rivière, il est prisé aussi bien des Thaïlandais que des voyageurs. Billard gratuit.

Pour un peu plus d'authenticité locale, suivez la rue Th Rimkhong en longeant le Mékong vers l'est, au-delà du marché Tha Sadet. Une enfilade de bars et de restaurants éclairés au néon servent à manger et à boire à des Thaïlandais de tous âges.

## Achats

**Marché Tha Sadet** (Th Rimkhong). Ce gigantesque marché se tient presque toute la journée et vend l'assortiment habituel de produits d'épicerie, de matériel électronique, de souvenirs et d'articles divers, pour la plupart importés du Laos et de Chine.

**Village Weaver Handicrafts** (☎ 0 4242 2652 ; 1 020 Th Prajak ; 🕑 8h-18h). Cette boutique vend des étoffes et des vêtements tissés main d'excellente qualité (en rayon ou sur commande). Les cotons *mát·mèe* sont particulièrement beaux. Les recettes servent à financer des projets de développement locaux.

**Village Weaver Workshop** (☎ 0 4241 1236 ; 1 151 Soi Jittapanya ; 🕑 8h-17h lun-sam). Certains produits du Village Weaver Handicrafts sont fabriqués ici, mais l'atelier propose un choix de tissus différent, avec beaucoup d'autres motifs laotiens.

**Village Vocational Training Centre** (☎ 0 4299 0613 ; 🕑 8h-17h lun-sam). Sans rapport avec le Village Weaver, cette école professionnelle située à 7 km au sud de la ville (prenez la Hwy 2 et suivez les panneaux vers l'est) poursuit cependant des objectifs similaires. On peut y découvrir tout le processus de fabrication des tissus *mát·mèe*, ainsi qu'un atelier de poterie et une champignonnière.

## Depuis/vers Nong Khai

### AVION

L'aéroport le plus proche est celui d'Udon Thani, à 55 km au sud, d'où partent des vols réguliers pour Bangkok et quelques-uns pour Luang Prabang, au Laos. Pour plus de détails, voir p. 519.

L'agence de voyages **Udon Kaew Tour** (☎ 0 4241 1530 ; Th Pranang Cholpratan ; 🕑 8h30-17h30) propose un service de navette (150 B/pers) vers/depuis l'aéroport qui vous dépose à votre hôtel, ou au niveau du pont, lors de votre arrivée. Mais le jour du départ, vous devrez vous rendre à l'agence. Mieux vaut acheter un billet à l'avance. Sinon, la plupart des agences en ville peuvent vous proposer les services d'un chauffeur pour rejoindre l'aéroport. Comptez alors 700 B.

### BUS

Le **terminal des bus** de Nong Khai (☎ 0 4241 1612) se trouve un peu en retrait de Th Prajak, à environ 1,5 km des pensions au bord du fleuve.

La destination la plus fréquente reste Udon Thani (ordinaire/1re classe 25/47 B, 1 heure, toutes les 45 minutes). Il y a aussi des bus pour Khon Kaen (2e/1re classe 120/157 B, 3 heures 30, toutes les heures) et Nakhon Phanom (ordinaire/2e classe 175/220 B, 6 heures, 6/j).

Pour ceux qui longent le Mékong vers l'ouest, on compte généralement 5 bus pour Pak Chom, qui pourront vous déposer à Sangkhom (55 B, 3 heures, jusqu'à 15h), ou n'importe où en chemin. Normalement, seul le bus de 7h30 va jusqu'à Loei (130 B, 7 heures), sauf s'il y a suffisamment de passagers aux départs suivants.

Des bus circulent fréquemment pour Bangkok (2e/1re classe 350/450 B, 11 heures) en fin d'après-midi et en début de soirée, moins en journée. **Roongprasert Tour** (☎ 0 4241 1447 ; 🕑 19h45) et **999 VIP** (☎ 0 4241 2679 ; 🕑 19h30 et 20h), dont les bureaux sont situés de part et d'autre du terminal, assurent une desserte quotidienne de Bangkok (24 sièges VIP, 700 B, 10 heures). Un bus direct se rend à l'aéroport international de Suvarnabhumi (454 B, 9 heures, 20h).

#### Laos

Prenez un *túk-túk* jusqu'au poste-frontière (50 B à partir du terminal des bus), où les services d'immigration thaïlandais tamponneront votre passeport. Là, des minibus se rendent de l'autre côté du pont (15 B, ou 20 B de 6h à 8h30 et de 16h à 21h30) jusqu'au point de contrôle laotien, lequel délivre des visas de 30 jours (voir 768 pour plus de détails). Vientiane se trouve à 22 km et de nombreux bus, *túk-túk* et taxis attendent à cet endroit. Si vous êtes déjà en possession d'un visa laotien, vous pouvez prendre l'un des 6 bus directs qui relient le terminal des bus de Nong Khai à Vientiane (60 B, 1 heure).

À moins de voyager en groupe important, il n'y a pas de raison de passer par une agence à Nong Khai pour obtenir un visa.

### TRAIN

Des trains express partent de Bangkok tous les jours à 18h30 et 20h pour arriver à Nong Khai à 5h05 et 8h25. En sens inverse, les trains express partent à 6h et 18h20 pour rejoindre la capitale à 17h10 et 6h25. Vous débourserez 1 317 B pour une couchette de 1re classe et 253/388 B pour une place assise en 2e/3e classe. Il existe également un train rapide (2e/3e classe 213/348 B) qui quitte Bangkok à 18h40 (arrivée à 7h35) et repart pour la capitale à 19h15 (arrivée à 8h).

Pour toute information, appelez la **gare ferroviaire de Nong Khai** (☎ 0 4241 1592), à 2 km à l'ouest de la ville.

### Comment circuler

Si votre pension ne loue pas de vélos (à partir de 30 B) ou de motos (à partir de 150 B), vous en trouverez facilement ailleurs. Mais vérifiez bien que le véhicule proposé possède des freins, car ce n'est pas toujours le cas.

Le trajet en *túk-túk* du terminal des bus jusqu'au quartier de la Mut Mee Guesthouse devrait vous revenir à 30 B.

## EST DE NONG KHAI

La majorité des voyageurs qui suivent le Mékong prennent la direction de l'ouest plutôt que de passer sur la rive laotienne du fleuve. Pourtant, il vaut vraiment la peine d'aller vers l'est, où vous attendent certains des temples les plus intéressants de Thaïlande et l'un des meilleurs programmes de séjour chez l'habitant.

### Ban Ahong
บ้านอาฮง

Ban Ahong est un charmant petit village en bordure du Mékong, au Km 115 sur la Rte 212. Le **Wat Ahong Silawat** (🕑 en journée), dans la partie ouest du village, est construit au milieu de gros rochers sur un méandre du fleuve qui doit son surnom de Sàdeu Námkong (Nombril du Mékong) à la présence, à cet endroit, d'un fort tourbillon qui se produit de juin à septembre. À côté du petit *bòht* tout simple, une copie du bouddha Chinnarat de Phitsanulok contemple le Mékong du haut de ses 7 m. L'endroit est particulièrement prisé pour la soirée du *wan òrk pan·săh*, qui clôt la retraite des pluies (jeûne bouddhiste), car, selon la légende, c'est ici que l'on aurait vu les premières *bâng fai pá yah nâhk* (boules de feu, voir l'encadré p. 528). Ce serait aussi l'endroit le plus profond du fleuve et de nombreuses légendes font état de grottes sous-marines.

L'**Ahong Mekong View Hotel** (☎ 08 6227 0565 ; ch 500/800 B ; ❄), situé sur la berge du fleuve dans l'enceinte du temple (tous les bénéfices de l'hôtel sont versés au temple), accueille essentiellement des groupes en voyage organisé : s'il n'affiche pas complet, vous avez toutes les chances d'être le seul client. Il est un peu cher, mais les 14 chambres sont bien aménagées et dotées chacune d'un balcon. Pour préserver une atmosphère sereine, les moines ont souhaité que les chambres ne disposent pas de TV.

Sinon, une alternative reste le **séjour chez l'habitant** (☎ 08 7223 1544 ; 250 B/pers repas inclus), même si l'on parle très peu anglais. Une bonne vingtaine de familles offrent des chambres dans leur maison, et vous pouvez participer autant que vous voulez à la vie du village, par exemple en aidant votre hôte à pêcher ou à travailler dans les plantations de caoutchouc.

Les bus entre Nong Khai (ordinaire/2e classe 80/100 B, 2 heures 30, toutes les heures jusqu'à 16 heures) et Beung Kan passent ici.

## Beung Kan

บึงกาฬ

À 136 km à l'est de Nong Khai, cette petite bourgade tranquille et poussiéreuse au bord du Mékong constitue une bonne étape entre Nong Khai et Nakhon Phanom. On trouve des banques, un cybercafé, la plupart des services dont on peut avoir besoin et une jolie promenade le long du fleuve.

À la saison sèche, le Mékong se retire et s'éloigne de Beung Kan pour atteindre son point le plus étroit le long de la frontière entre la Thaïlande et le Laos. On vient alors pique-niquer sur les bancs de sable. Toutefois, la plupart des voyageurs ne s'y arrêtent que pour prendre la correspondance pour le Wat Phu Tok.

On trouve moins cher en ville, plus loin du fleuve, mais le **Maenam Hotel** (☎ 0 4249 1051 ; www.maenammhotel.com ; 107/1 Th Chansin ; ch 350-400 B ; ❄), tourné vers le Mékong, est l'hôtel le mieux situé de Beung Kan. Les chambres sont impeccables et agrémentées de détails charmants. Presque tous les restaurants sur Th Chansin servent à l'intérieur ou sur la rive (antimoustique conseillé !).

### DEPUIS/VERS BEUNG KAN

Les bus à destination de Nong Khai (ordinaire/2e classe 80/110 B, 3 heures, toutes les heures jusqu'à 15h30) stationnent devant la boutique Thai Beauty, près de l'ancienne tour de l'horloge.

Bien que très peu de visiteurs le fassent, vous pouvez passer la frontière ici, pour aller ou revenir de Pakson, au Laos, à condition que vous possédiez déjà votre visa. La traversée en bateau coûte 400 B.

## Wat Phu Tok

วัดภูทอก

Perché sur un promontoire en grès, le **Wat Phu Tok** (temple de montagne isolé ; 🕒 en journée, fermé du 10 au 16 avril), intégré dans le rocher, est une des merveilles de la région. Des escaliers s'étageant sur 7 paliers ouvrent la voie entre les tombeaux et les *gù·đì* parsemés dans la montagne, dans les grottes et sur les falaises. Le 7e palier, mélange de rochers et de racines, culmine au sommet dans la forêt, offrant des vues imprenables sur la campagne environnante dans une atmosphère enivrante. Séduits par la fraîcheur et l'isolement du *wat*, des moines et des *mâa chi* viennent de toute la Thaïlande pour y méditer – beaucoup le font au sommet. Le trajet pour gravir la montagne symbolise l'effort personnel que requiert le cheminement vers la vertu.

Ce temple était autrefois le domaine du célèbre maître de méditation Luang Pu Juan – un disciple de Luang Pu Man (p. 548), qui trouva la mort en 1949 dans un accident d'avion avec plusieurs autres moines, alors qu'ils se rendaient à Bangkok pour l'anniversaire de la reine Sirikit. Les affaires personnelles de Luang Pu Juan et quelques ossements sont placés dans un *chedi* au pied de la montagne.

On peut dormir sur place, dans des dortoirs hommes et femmes séparés, à condition d'avoir une tenue vestimentaire et un comportement corrects.

### DEPUIS/VERS LE WAT PHU TOK

Devant la tour de l'horloge de Beung Kan, des *túk-túk* proposent l'aller-retour jusqu'au Wat Phu Tok pour 600 B environ, avec 2 heures d'attente pour la visite. Mieux encore, prenez le bus 225 qui part de l'ancienne tour de l'horloge pour rejoindre Ban Siwilai (20 B, 45 minutes), au sud, où des *túk-túk* vous conduiront au *wat* moyennant 200 B. En prenant un bus tôt le matin à destination de Beung Kan, le Wat Phu Tok peut se visiter dans la journée au départ de Nong Khai. Si vous êtes en voiture ou à vélo, un itinéraire plus direct mène au monastère : en sortant de Beung Kan, empruntez la Rte 212 vers le sud-est sur 27 km jusqu'à Chaiyaporn, puis tournez à droite sur la Rte 3024, où sont indiqués Chet Si et les chutes de Tham Phra. Ces chutes, situées dans la réserve naturelle de Phu Wua, valent le détour tant pour les cascades elles-mêmes que pour les étranges formations rocheuses. Après 17,5 km, prenez à droite et continuez sur 4 km.

### Ban Kham Pia

บ้านขามเปี้ย

Les programmes de séjour chez l'habitant sont très nombreux dans l'Isan, et bien qu'ils offrent l'occasion de se plonger dans la vie rurale, la plupart sont destinés aux groupes de touristes thaïlandais. Mais, grâce à Open Mind Projects (p. 50) et à Khun Bunleud, qui parle anglais, **Kham Pia** (☎0 4241 3578, 08 7861 0601 ; www.thailandwildelephanttrekking.com ; 200 B/pers, repas 50-90 B) est passé maître dans l'accueil des *fa·ràng*.

On peut atteindre le village à pied depuis la **réserve naturelle de Phu Wua**. C'est l'occasion d'ajouter de superbes randonnées aux activités culturelles classiques du village, ce qui explique en partie pourquoi ce programme de séjour chez l'habitant est l'un des meilleurs du pays. La forêt regorge de chutes d'eau et une vingtaine d'éléphants y vivent. On les croise parfois en promenade la journée (les meilleurs mois restent mars et avril) ou la nuit si on la passe perché dans la maison dans les arbres (à déconseiller aux personnes sensibles).

Kham Pia est à 190 km à l'est de Nong Khai et à 3 km de la Hwy 212. Les bus entre Nong Khai (180 B, 3 heures 30) et Nakhon Phanom (160 B, 2 heures 30) vous déposeront à Ban Don Chik, à 3 km de là.

## OUEST DE NONG KHAI

Les gens qui vivent à l'ouest de Nong Khai sont des passionnés de topiaires et, le long de la Route 211, d'ambitieux jardiniers métamorphosent haies et buissons en éléphants ou en boxeurs. On peut aussi prendre la route du fleuve (Th Kaew Worawut), qui débouche sur les plaines inondables où l'on cultive le tabac, les tomates et les piments, avant d'entamer son chemin vers l'ouest. Cyclistes, attention : il n'y a pas d'accotement.

Le bureau de la TAT à Nong Khai vous renseignera sur les différents villages offrant des programmes de séjour chez l'habitant que vous croiserez (la plupart pour 300 B repas inclus) et appellera sans doute pour les prévenir de votre passage.

### Wat Phra That Bang Phuan

วัดพระธาตุบังเผือน

Avec son magnifique stupa antique de style indien, le **Wat Phra That Bang Phuan** (🕑 en journée) est l'un des sites les plus sacrés du Nord-Est. Sa structure est identique au *chedi* original enfoui sous le sanctuaire de Phra Pathom, à Nakhon Pathom, qui aurait été érigé aux premiers siècles de notre ère ; en réalité, on ne connaît pas les dates de construction de ces stupas.

En 1559, le roi Jayachettha de Chanthaburi (Wiang Chan, l'actuelle Vientiane, au Laos) étendit sa capitale sur l'autre rive du Mékong et fit construire sur un ancien sanctuaire un nouveau *chedi* plus élevé, de style laotien, en témoignage de sa foi (comme le roi Mongkut à Nakhon Pathom). La pluie fit dangereusement pencher le *chedi* qui finit par s'effondrer en 1970. Restauré par le département des Beaux-Arts en 1976-1977, l'actuel édifice s'élève à 34,25 m de hauteur sur une base de 17,20 m². Il est entouré de plusieurs *chedi* non rénovés qui donnent au temple un charme suranné.

#### DEPUIS/VERS LE WAT PHRA THAT BANG PHUAN

Le temple se trouve à 11 km de Nong Khai sur la Hwy 211. Prenez un bus à destination de Sangkhom et descendez à Ban Bang Phuan (20 B, 40 min).

### Tha Bo

ท่าบ่อ

**16 000 habitants**

La prospère Tha Bo (carte p. 521) est le centre commerçant le plus important entre Nong Khai et Loei. Le marché couvert, qui déborde dans les rues adjacentes, regorge de produits locaux. La communauté vietnamienne, très importante ici, contrôle la production de nouilles. Des tonnes de *sên lék* (nouilles de riz plates) sèchent ainsi au soleil dans l'ouest de la ville près de l'hôpital. Entre 5h et 10h, on peut regarder les ouvriers fabriquer les nouilles dans les usines, puis vers 14h commencer à les couper, à la main bien sûr.

Naguère, on y vendait principalement des feuilles de riz (pour envelopper les rouleaux de printemps) sur des étals en bambou, mais, les nouilles s'exportant mieux, elles ont vite pris le dessus. Ban Hua Sai, en amont, juste avant Si Chiangmai et face à Vientiane de l'autre côté du Mekong, a rattrapé son retard en devenant la capitale régionale des feuilles de riz pour les rouleaux de printemps.

On ne s'arrête guère plus d'un jour à Tha Bo, mais si vous voulez y passer la nuit, plusieurs pensions bon marché vous attendent.

#### DEPUIS/VERS THA BO

Le "bus jaune" circule régulièrement entre Nong Khai et Tha Bo (25 B, 1 heure, toutes les 30 min) en longeant les berges du fleuve. Prenez-le au terminal des bus de Nong Khai ou près de l'espace de restauration (Hospital Food Court) dans Th Meechai. Sinon, vous pouvez emprunter le bus à destination de Sangkhom (25 B, 40 min).

### Wat Hin Mak Peng

วัดหินหมากเป้ง

Au cœur d'une forêt fraîche remplie de bosquets de bambous qui dominent le Mékong, ce vaste **temple** (carte p. 521 ; ⏲ en journée) est très calme et reposant. En bord de rivière, c'est là que les montagnes commencent à s'élever dans un paysage lui aussi magnifique. Le temple a été construit sur 3 énormes rochers formant une falaise qui sort de la rivière. De là, on aperçoit un temple laotien dans la forêt, de l'autre côté de la rivière, et parfois quelques pêcheurs dans leur maison sur radeau.

Ces moines *tú·dong* ont fait vœu d'ascétisme en plus de suivre les 227 préceptes de base, ne mangeant qu'une fois par jour et portant des toges composées de morceaux d'étoffe déchirés cousus à la main. Plusieurs monuments honorent la mémoire du très vénéré Luang Pu Thet, fondateur du *wat*, notamment un *chedi* abritant ses quelques effets personnels.

Une tenue correcte (ni short ni débardeur) est exigée pour la visite.

#### DEPUIS/VERS LE WAT HIN MAK PENG

Le temple se trouve à mi-chemin de Si Chiangmai et de Sangkhom. Les bus circulant de Nong Khai (50 B, 2 heures 15) passent près du *wat* ; de là, il faut encore parcourir un bout de chemin à pied.

### Sangkhom

สังคม

La petite ville de Sangkhom, en face de l'île laotienne de Don Klang Khong, est une étape agréable si vous allez de Nong Khai à Loei par la route qui longe le Mékong (Rte 211). La bourgade vit au rythme du fleuve, et de belles cascades vous attendent dans les environs. Les plus grandes, **Nam Tok Than Thip** (entrée libre ; ⏲ en journée), qui s'étagent sur 3 niveaux, se situent à 13 km à l'ouest de Sangkhom (à 2 km de la Rte 211). La partie supérieure des chutes, haute de 70 m, est à peine visible à travers l'épaisse végétation de la forêt. La hauteur de la partie médiane, facilement accessible par un escalier, atteint 100 m, et celle du niveau inférieur, 30 m. **Nam Tok Than Thong** (entrée libre ; ⏲ en journée), à 11 km à l'est de Sangkhom, est une cascade plus large mais plus courte, qui se déverse dans un bassin où l'on peut se baigner, mais qui s'assèche vers avril. Un petit sentier permet de descendre au bord du Mékong. Plus facile d'accès que Than Thip, Than Thong est très fréquentée les week-ends et jours fériés.

Un monastère de forêt, le **Wat Pa Tak Sua** (⏲ en journée), est perché dans les collines à l'est de la ville. Les gens du coin vous indiqueront le sentier qui mène au sommet, emprunté par les moines tous les matins. En voiture, comptez 19 km, les 3 derniers s'effectuant sur une piste : prenez l'embranchement en face de Nam Tok Than Thong. Ce trajet offre une vue époustouflante du Mékong et de somptueux couchers du soleil en été.

La **Bouy Guesthouse** (☎ 0 4244 1065 ; Rte 211 ; ch 190-200 B ; 💻), lodge des vétérans de Sangkhom, comme vous le dira Bouy, toujours souriant, ne dispose que de simples huttes (les moins chères avec sdb commune), mais leur popularité tient à 3 choses : les hamacs, les terrasses en bois et l'emplacement en bordure de fleuve à l'ouest de la ville, très reposant. Motos à louer pour 200 B.

**Poopae Ruenmaithai** (☎ 0 4244 1088 ; Rte 211 ; ch 500-1 500 B ; ❄ 💻). Cet établissement à l'est de la ville est beaucoup plus élégant. Le décor magnifique, avec allées en bois et pierres décoratives, n'exploite pas assez la vue sur le fleuve mais offre tout de même un très bon niveau de confort. Les chambres les moins chères sont basses sous plafond, mais on y tient quand même debout. Bon restaurant et Jacuzzi de 4 places (200 B/h).

#### DEPUIS/VERS SANGKHOM

Cinq bus quotidiens partent généralement de Nong Khai (60 B, 3 heures), le premier allant jusqu'à Loei (70 B, 3 heures 30).

## PROVINCE DE LOEI

Superbe et variée, la province de Loei ("jusqu'à l'extrême") est miraculeusement épargnée par le tourisme de masse malgré tout ce qu'elle offre. Elle s'étend de la courbe somnolente du Mékong, près de Chiang

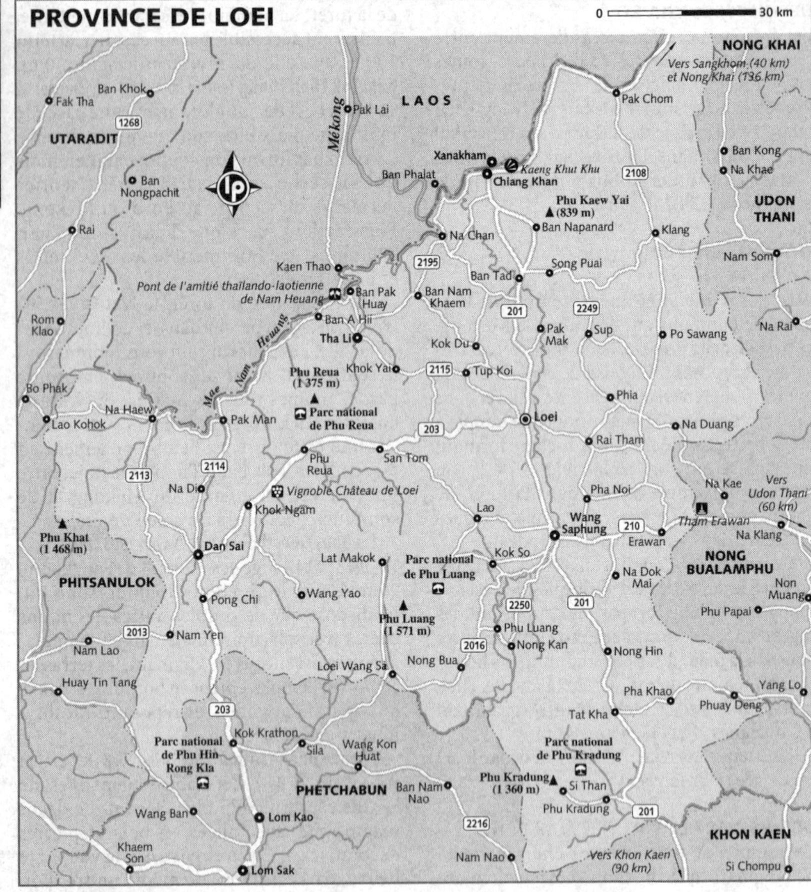


Khan, jusqu'au vaste haut plateau du parc national de Phu Kradung, au sud. Ce n'est pas la région la plus sauvage du pays, mais la piste qui conduit des paisibles réserves naturelles (nombreuses et que nous ne pouvons toutes mentionner ici) à Dan Sai, où l'animation bat son plein lors de la fête de Phi Ta Khon, est truffée de nids-de-poule. Chiang Khan attirerait certainement de nombreux voyageurs si elle ne se trouvait pas nichée au fin fond du pays.

Le relief est montagneux et la température varie d'un extrême à l'autre : il y fait plus chaud et plus froid qu'ailleurs en Thaïlande et c'est la seule province où le thermomètre descend jusqu'à 0°C, un fait que les brochures touristiques ne manquent pas de mentionner. Avec la fraîcheur des mois de décembre et de janvier, les feuilles prennent des teintes jaunes et rouges en altitude, comme à Phu Kradung et à Phu Reua.

## LOEI

เลย

**33 000 habitants**

Après un séjour dans la sublime campagne environnante, Loei, la capitale de la province, ne peut que décevoir avec ses immeubles en béton et ses embouteillages. Les efforts entrepris pour redynamiser la ville, comme l'aménagement d'un vaste lac dans le centre-ville, lui ont redonné le sourire. Malgré tout, comme l'admet la TAT, Loei présente peu d'intérêt pour les voyageurs.

## Renseignements

Quelques cybercafés sont installés ça et là dans le centre-ville, alors que la plupart des banques se trouvent dans Th Charoenrat, ou à proximité, notamment la **Krung Thai Bank** (Th Ua Ari ; 8h30-16h30), qui offre un service de change et ouvre les week-ends.

La **TAT** (Tourism Authority of Thailand ; 0 4281 2812 ; Th Charoenrat ; 8h30-16h30) distribue de bonnes cartes de la province et son personnel vous aidera volontiers.

## À voir

Le petit **centre culturel de Loei** ( 0 4283 5224 ; Rte 210 ; entrée libre ; 8h30-16h), dans l'université Rajabhat, à 5 km au nord de la ville, ne présente guère d'intérêt. Il expose cependant des masques et des photos de la fête de Phi Ta Khon, à voir si vous n'envisagez pas de vous arrêter à Dan Sai. Demandez au bureau du dessous et on viendra vous ouvrir.

## Fêtes et festivals

Bien que les paysans de Loei s'intéressent aujourd'hui à d'autres cultures, la province de Loei est la deuxième productrice de coton du pays, d'où la **fête des Fleurs de coton et du Tamarinier doux** (1-9 février) et ses chars décorés de coton.

## Où se loger

**Sugar Guesthouse** ( 0 4281 2982 ; www.sugarguesthouse.blog.com ; 4/1 Th Wisut Titep/Soi 2 ; ch 180-380 B ; ). C'est la pension la moins chère de la ville (les chambres avec ventil partagent une sdb avec eau chaude) et aussi la plus accueillante. Le propriétaire, qui parle anglais, organise des excursions dans la province à des prix raisonnables, mais vous pouvez aussi louer des vélos (50 B) ou des motos (250 B). Un *túk túk* depuis le terminal des bus coûtera dans les 60 B.

**Thuang Sap Guesthouse** ( 0 4281 5576 ; 22 Th Sathon Chiang Khan ; ch 350 B ; ). Niché au cœur du quartier, cet établissement tranquille propose des chambres d'un bon rapport qualité/prix avec réfrigérateur et matelas de qualité. Elles possèdent de petits balcons, d'où l'on ne voit hélas rien. Les lieux sont impeccablement propres.

**King Hotel** ( 0 4281 1701 ; 11/8-12 Th Chumsai ; ch 500-1 000 B ; ). Pas vraiment le palais d'un roi, mais sa récente rénovation a fait de cet hôtel un lieu agréable pour qui ne recherche pas les activités qu'offrent les grands complexes. Les chambres sont simples mais plaisantes. La cour intérieure devrait être réaménagée sous peu.

**Loei Palace Hotel** ( 0 4281 5668 ; 167/4 Th Charoenrat ; ch 1 000-3 000 B, ste 5 000 B ; ). L'hôtel phare de Loei ressemble un peu à une pièce montée. Outre un service attentionné et tout le confort moderne, il offre des réductions en période creuse, ce qui explique alors les prix si petits pour des chambres aussi grandes. Le Wi-Fi ne couvre que les 2 premiers niveaux. Les photos affichées à côté de la réception et la marque indiquant le niveau des eaux témoignent de l'ampleur de la crue de septembre 2002.

## Où se restaurer

Le **marché de nuit** ( 16h-22h) principal de Loei est modeste mais intéressant.

**Gwan Yin Jai** ( 0 4281 4863 ; 34/25-26 Soi PR House ; plats 30-35 B ; petit-déj et déj dim-ven). Ce sympathique restaurant végétarien prépare des versions avec un ersatz de viande des classiques thaïlandais, comme le *kôw man gài* (riz au poulet vapeur). Il existe une carte en anglais, parfois difficile à trouver car peu demandée.

**Krua Nid** (enseigne en thaï ; 0 4281 3013 ; 58 Th Charoenrat ; plats 20-45 B ; petit-déj, déj et dîner). Avec son présentoir en devanture, ce restaurant sans chichis sert des *hòr mòk* (sorte de soufflés de curry cuits vapeur dans des feuilles de banane) et d'autres plats du centre du pays. Repérez l'auvent rouge et blanc.

**Baan Yai** (enseigne en thaï ; 0 4283 3361 ; Th Sert-Si ; plats 20-150 B ; déj et dîner). Restaurant typiquement isan, spacieux et ombragé, avec des tables et des chaises en bois étonnantes. La carte (en thaï) propose insectes, œufs de fourmis, grenouilles et *dtòhng mŏo* (porc avec une sauce aigre et épicée), une spécialité de Loei que l'on ne trouve sans doute nulle part ailleurs en Thaïlande. Le soir, la musique live, les films ou la retransmission de matchs de foot attirent beaucoup de gens qui viennent prendre un verre.

**Ban Thai** ( 0 4283 3472 ; 22/58-60 Th Chumsai ; plats 50-350 B ; déj et dîner). Dans ce restaurant agréable, où l'on vient déguster de la cuisine *fa·ràng*, la carte affiche surtout des plats allemands et italiens, mais les spécialités thaïlandaises sont également savoureuses.

## Depuis/vers Loei

Il n'y a plus de vols pour Loei, mais cela pourrait changer.

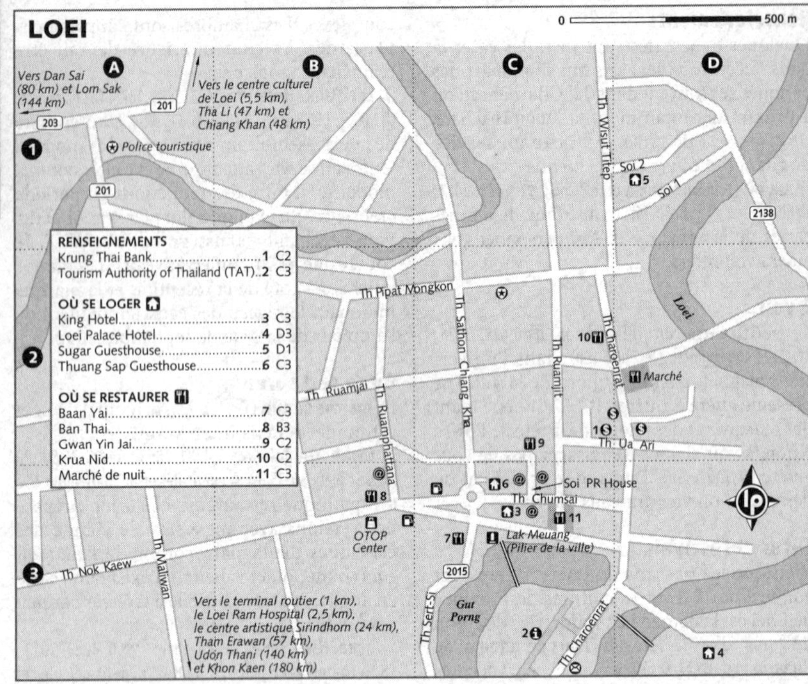


### BUS

La ligne la plus fréquente au départ du **terminal des bus** (☎ 0 4283 3586) de Loei dessert Udon Thani (ordinaire/1re classe 70/113 B, 3 heures, toutes les 30 min). Il y a aussi des bus pour Khon Kaen (2e/1re classe 141/160 B, 2 heures 30, toutes les 30 min), Khorat (2e/1re classe 260/321 B, 6 heures, toutes les heures), Phitsanulok (2e/1re classe 139/178 B, 4 heures, toutes les heures) et Chiang Mai (2e classe/32 sièges VIP 410/613 B, 10 heures, 6/j). Généralement, le seul bus pour Nong Khai (130 B, 7 heures) part à 6h et emprunte un magnifique itinéraire le long du Mékong. Il est toutefois plus rapide de passer par Udon Thani.

Les bus pour Bangkok (2e classe/32 sièges VIP 321/481 B, 11 heures) partent surtout en fin de journée et moins en début de journée. Sinon, restent les bus de 24 sièges VIP (640 B) d'**Air Muang Loei** (☎ 0 4283 2042 ; 🕑 20h30) et de **999 VIP** (☎ 0 4281 1706 ; 🕑 20h40).

### LAOS

Les étrangers peuvent à présent effectuer toutes les formalités administratives au niveau du pont de l'Amitié de Thai-Lao Nam Heuang, rarement emprunté, dans le district de Tha Li, mais il n'y a pas de transports publics et la route qui rejoint Luang Prabang en passant par le nord et par le Laos n'est pas très bonne. La frontière est ouverte tous les jours de 8h à 18h.

## Comment circuler

Des *sŏrng·tăa·ou* (10 B) partent du terminal des bus toutes les 5 min à destination du centre. Sinon, prenez un *túk-túk* (environ 30 B).

# CHIANG KHAN

เชียงคาน

Des maisons de bois traditionnelles qui bordent les rues, des vieilles dames qui bavardent à l'ombre, et le Mékong qui coule paisiblement – ainsi va la vie à Chiang Khan, petite ville tranquille où il ne se passe pas grand-chose et où personne ne s'en plaint. Vous n'y trouverez même pas de 7-Eleven, à la plus grande joie des habitants.

Belle et sereine, offrant une vue magnifique sur le fleuve et les montagnes du Laos, cette petite ville offre un bon choix d'hébergements à petits prix et constitue une étape idéale pour quelques jours de farniente.

## Renseignements

**BAAC** (Rte 201 ; 🕒 8h30-15h30 lun-ven). Agent de la Western Union disposant d'un DAB. Pas de bureau de change en ville.

**Baan Dok Faii Guesthouse** (333/11 Soi 11 ; Internet 15 B/h ; 🕒 9h30-21h30). L'endroit préféré des voyageurs pour vérifier leurs courriels.

**Bureau de l'immigration** ( ☎ 0 4282 1911 ; Soi 26 🕒 8h30-16h30 lun-ven). Les étrangers n'ont pas le droit de passer la frontière à Chiang Khan, mais peuvent faire proroger leur visa.

**Centre d'information touristique** (Kaeng Khut Khu ; 🕒 8h-16h30). Vous obtiendrez plus de renseignements auprès de votre pension.

## À voir et à faire

### TEMPLES

Bien que modestes, les *wat* de Chiang Khan comportent des particularités architecturales peu courantes en Thaïlande, comme les façades à colonnades. Beaucoup possèdent des toits de style laotien et certains éléments dénotent souvent une influence française. Le **Wat Si Khun Meuang** (Th Chai Khong ; 🕒 en journée) en est un bon exemple, avec son *chedi* et son *bòht* de style laotien et sa façade ornée de fresques. On retrouve les mêmes structures au **Wat Thakhok** (Th Chai Khong ; 🕒 en journée) et au **Wat Pa Klang** (Th Chiang Khan ; 🕒 en journée), les nombreuses topiaires en moins.

Situé dans le centre-ville, le **Wat Mahathat** (Th Chiang Khan ; 🕒 en journée) est le temple le plus ancien de Chiang Khan. La toiture neuve du *bòht*, construit en 1654, repose sur d'anciens murs où les fresques originales commencent à s'effacer.

Le **Wat Tha Khaek** ( 🕒 en journée), temple de forêt vieux de 700 ans, en piteux état, abrite 3 bouddhas en pierre datant d'il y a 300 ans placés sur un rebord au-dessus d'une statue plus grande et plus récente, à l'intérieur du *bòht* non achevé. Le temple est à 2 km avant Kaeng Khut Khu.

### KAENG KHUT KHU

แก่งคุดคู้

Rares sont les habitants de Bangkok qui ont entendu parler de Chiang Khan, mais presque tous connaissent les rapides de **Kaeng Khut Khu** (entrée libre ; 🕒 24h/24), à 5 km en aval. Superbes pendant la saison sèche et chaude, ils méritent néanmoins la visite à n'importe

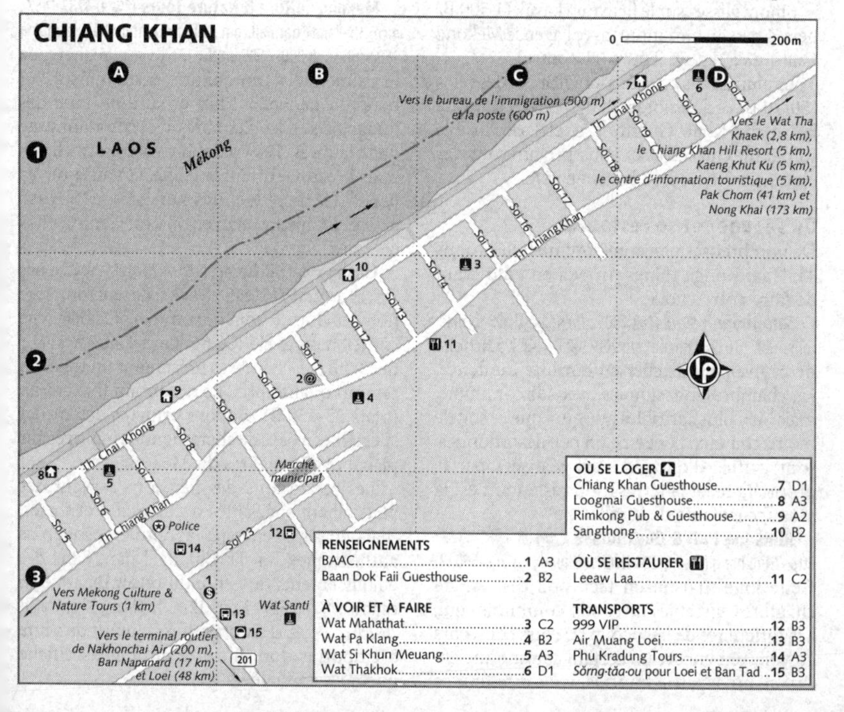

quel moment. Dans le parc environnant, des vendeurs ambulants proposent des plats isan en début de soirée. La spécialité locale est le bonbon à la noix de coco (*má prów gàaw*), mais vous pouvez aussi essayer les *gûng den* ("crevettes dansantes"), des petits bols de crevettes vivantes à manger telles quelles. Les *sŏrng·tăa·ou* viennent rarement jusqu'ici. Prenez un *túk-túk* (50 B) ou, encore mieux, louez un vélo.

### PROMENADES EN BATEAU ET CIRCUITS ORGANISÉS

La plupart des pensions proposent des promenades en bateau jusqu'à Kaeng Khut Khu et au-delà, idéales pour admirer le paysage montagneux. On peut atteindre les rapides lors d'une sortie d'une heure, mais il faut alors rebrousser chemin à peine arrivé. Mieux vaut donc prévoir une balade de 2 heures. Les prix suivent le cours du pétrole, mais, en général, 2 heures sur un bateau pouvant accueillir 3 ou 4 personnes reviennent à 1 000 B. Autre option, louer un bateau de 15 places pour aller vous-même aux rapides ; comptez 700 B l'heure.

Sinon, glissez sur le fleuve en kayak (1 500 B/pers, 4 pers au minimum) avec l'agence Mekong Culture & Nature Tours (ci-contre).

La plupart des pensions louent aussi des vélos (50-70 B) et des motos (200-250 B). Huub, de la Chiang Khan Guesthouse, et Pascal, de la Rimkong Guesthouse, vous procureront des cartes si vous voulez partir en solo.

## Où se loger et se restaurer

De nombreuses pensions sont installées dans Th Chai Kong : flânez un peu en ville avant de faire votre choix.

**Sangthong** (☎ 0 4282 1305 ; thepbluesthai@hotmail.com ; 162/1 Th Chai Khong ; s/d 200/300 B ; 💻). Difficile de trouver moins cher en bordure du fleuve. Les chambres sont simples, avec sdb commune, mais bien plus agréables que quoi que ce soit de moins coûteux. Les lieux, un peu désordonnés, sont truffés d'œuvres d'art réalisées par le propriétaire, et la terrasse du restaurant est la plus accueillante de la ville.

**Rimkong Pub & Guesthouse** (☎ 08 7951 3172 ; http://rimkhong.free.fr ; 294 Th Chai Khong ; ch 200-500 B). Cette jolie maison en teck poli dispose de chambres agréables (avec sdb commune) qui, à la différence de beaucoup de leurs consœurs en ville, ont encore un certain charme ancien. Pascal, un expatrié français, vous dira tout ce que vous voulez savoir sur la région devant une bière ou au petit-déjeuner.

♡ **Chiang Khan Guesthouse** (☎ 0 4282 1691 ; www.thailandunplugged.com ; 282 Th Chai Khong ; ch 300-400 B ; 💻). Tenu par un guide touristique néerlandais (vous ne manquerez jamais d'infos) et son affable épouse thaïlandaise (très amusante), cet établissement de style traditionnel avec sdb commune est tout de bois qui craque, avec un toit de taule. De nombreuses plantes en pots ainsi que la belle vue bucolique depuis la terrasse améliorent le tout. On peut prendre ses repas avec la famille et voir des spectacles *Ɓohng·lahng* (3 000 B) joués par des étudiants locaux qui financent ainsi leurs études.

♡ **Loogmai Guesthouse** (☎ 0 4282 2334 ; 112/1 Th Chai Khong ; ch 300-450 B). Mélange de minimalisme moderne et d'élégance coloniale, cette villa à l'ancienne offre quelques chambres dépouillées mais pleines de caractère, une terrasse aérée donnant sur le fleuve et une atmosphère chargée d'histoire. Le propriétaire quitte les lieux à 17h30 en vous laissant la clé, et vous avez toutes les chances de pouvoir profiter seul de l'endroit. Sdb communes pour toutes les chambres sauf une.

**Mekong Culture & Nature Tours** (☎ 0 4282 1457 ; mcn_thailand@hotmail.com ; 407 Th Chiang Khan ; camping 150 B/pers ; ch 800-2 500 B ; 💻). Si vous recherchez le calme et la tranquillité, cette maison au bord du fleuve, à 1 km en amont, loue des bungalows et des chambres avec sdb commune dans la forêt. Les chambres sont assez chères mais le cadre en vaut la peine, et vous pouvez bénéficier de réductions hors saison. Si vous arrivez à Chiang Khan en bus, on viendra vous chercher en ville.

**Chiang Khan Hill Resort** (☎ 0 4282 1285 ; www.chiangkhanhill.com ; ch 800-3 000 B ; ❄ 🏊). Le seul complexe hôtelier chic du coin qui offre la plus belle vue sur les rapides de Kaeng Khut Khu. À partir de 800 B, les chambres présentent un très bon rapport qualité/prix. Le restaurant thaï et isan (plats 25-250 B) propose principalement des spécialités à base de champignons (cultivés sur place) et de poissons du Mékong.

Les restaurants des pensions servent des plats alliant spécialités occidentales et thaïes, mais, en règle générale, ces dernières sont plus authentiques sur Th Chiang Khan, dans des établissements du genre du **Leeaw Laa** (enseigne en thaï ; ☎ 08 6240 2350 ; 127/5 Th Chiang Khan ; plats 30-200 B ; 🕑 déj et dîner), petit restaurant de vente à emporter dont la carte en anglais affiche quelques spécialités.

### Depuis/vers Chiang Khan

Des *sŏrng·tăa·ou* pour Loei (35 B, 1 heures 15) partent toutes les 20 min d'un carrefour sur la Rte 201, et 8 bus (45 B, 45 minutes) quittent le terminal des bus de Nakhonchai Air situé 250 m plus au sud. Ils continuent à destination de Khorat (2e/1re classe 231/297 B, 7 heures) via Chaiyaphum (2e/1re classe 165/212 B, 5 heures).

Trois compagnies, qui partent de leurs bureaux, relient directement Bangkok (10 heures) : **Air Muang Loei** (☎ 0 4282 1317 ; Rte 211), dont les bureaux sont dans la station-service Shell, propose un bus 1re classe (479 B, départs à 8h et 18h30) ; **999 VIP** (☎ 0 4281 1706 ; Soi 9), un bus 24 sièges VIP (694 B, 18h30) et un bus 2e classe (374 B, 18h30) ; et **Phu Kradung Tours** (☎ 08 7856 5149 ; Rte 201) un bus 2e classe au même prix qui part à 18h40.

Il n'y a pas de transport direct pour Nong Khai. Le plus rapide pour y aller consiste à passer par Loei et Udon Thani, mais la route qui longe la rivière est nettement plus belle. Il faut alors prendre un *sŏrng·tăa·ou* à destination de Loei en direction du sud pour rejoindre Ban Tad (20 B, 30 min), puis monter dans le bus à destination de Nong Khai et en provenance de Loei. La situation changeant sans cesse sur ce trajet, renseignez-vous auprès de votre pension.

Si vous partez vers l'ouest et disposez de votre propre véhicule, nous vous conseillons de suivre les petites routes pittoresques qui conduisent à Dan Sai le long de la Mae Nam Heuang.

## PARC NATIONAL DE PHU REUA

อุทยานแห่งชาติภูเรือ

Phu Rua ("mont-bateau") doit son nom à une falaise en forme de jonque chinoise qui se détache du pic. Avec une superficie de 121 km² seulement, le **parc national de Phu Reua** (☎ 0 4280 1716 ; 200 B) n'est pas le plus impressionnant du pays, mais il offre une belle vue du haut de la montagne qu'il entoure. Les touristes se contentent en général de faire la promenade facile qui part du centre d'information des visiteurs supérieur, traverse une pinède et rejoint en 30 min le sommet (1 365 m), où les températures tombent parfois au-dessous de 0°C la nuit en décembre et en janvier. Si vous êtes en quête de solitude, partez plutôt du centre d'information inférieur, d'où vous pourrez rejoindre les chutes de **Huai Phai** après une marche de 2,5 km, ou monter jusqu'au sommet par une route qui part de là.

Outre un **camping** (empl 30 B/pers, location tente 3-4 places 405/540 B), le parc compte quelques **bungalows** (☎ 0 2562 0760 ; www.dnp.go.th/parkreserve ; 4-6 pers 2 000/3 000 B) confortables. Les complexes hôteliers situés dans le parc offrent un meilleur rapport qualité/prix, mais ne jouissent pas d'un aussi beau cadre.

Vous trouverez des restaurants dans les 2 centres d'information des visiteurs.

Le parc se trouve à 50 km à l'ouest de Loei, sur la Rte 203. Les bus qui quittent Loei vers l'ouest peuvent vous déposer dans la ville de Phu Reua (ordinaire/clim 40/55 B, 1 heure 30), où vous devrez louer un camion jusqu'au parc (environ 600 B, avec quelques heures pour la visite).

## DAN SAI

ด่านซ้าย

Dans la petite bourgade reculée de Dan Sai, la vie s'écoule tranquillement 362 jours par an, autour d'un petit marché et d'une grand-rue poussiéreuse. Puis, 3 jours durant, la torpeur laisse la place à des festivités qui comptent parmi les plus animées du pays.

Au cours du 4e mois lunaire (généralement en juin), la **fête de Phi Ta Khon** (également appelée Bun Phra Wet) associe la fête de Phra Wet – durant laquelle les récits du *Mahavessantara Jataka* (récits des vies antérieures du Bouddha) devraient permettre à l'auditeur d'augmenter ses chances de renaître au cours de l'existence du futur Bouddha – à la fête des Fusées, ou Bun Bang Fai. Ne manquez pas cet événement, sorte de croisement entre un carnaval bien arrosé et une fête de Halloween.

L'ambiguïté entoure les origines du Phi Ta Khon, mais l'un des aspects des réjouissances se rapporte aux cultes tribaux des esprits, probablement ceux des Thai Dam. Ainsi, les dates de la fête sont déterminées par Jao Phaw Kuan, un médium local, qui reçoit les directives de la divinité protectrice de Dan Sai.

Le premier jour, Jao Phaw Kuan procède à un sacrifice pour inviter Phra Upakud (un moine éclairé aux pouvoirs surnaturels ayant décidé de se transformer en un bloc de marbre blanc pour connaître la vie éternelle sur le lit de la Man) à venir en ville. Portant les masques et les costumes les plus fous, les habitants s'abreuvent alors 2 jours durant de *lôw kŏw* (whisky blanc) et se livrent à des chorégraphies lascives avant de lancer des fusées et de se diriger vers le temple pour écouter des sermons jusqu'au jour suivant.

## Renseignements

Th Kaew Asa est l'axe principal qui traverse la ville. À l'extrémité nord, dans la mairie (*têt·sà·bahn*), le **centre d'information** (☎ 0 4289 1231 ; www.tessabandansai.com ; Th Kaew Asa ; 🕑 8h30-16h30), dont le personnel parle anglais, propose un accès Internet gratuit. La poste, la librairie (Internet gratuit également, et photos du festival) et le marché municipal se trouvent non loin. Plus au sud, à l'intersection avec la Rte 2013, vous pourrez changer des euros, et en principe des dollars, à la **Krung Thai Bank** (Rte 2013 ; 🕑 8h30-16h30 lun-ven).

## À voir et à faire

Derrière la grande porte blanche, le **Wat Phon Chai** (Th Kaew Asa ; 🕑 en journée) joue un rôle important lors de la fête de Phi Ta Khon. Le **musée du Folklore de Dan Sai** (entrée libre ; 🕑 8h30-16h30), dans l'enceinte du *wat*, est bondé de gens déguisés lors des célébrations. On y voit comment les masques sont fabriqués et on peut y acheter une vidéo de la fête (20 min).

Le **Phra That Si Songrak** (Rte 2113 ; 🕑 en journée) est le stupa le plus révéré de la province de Loei. Ce *chedi* de style laotien, haut de 30 m et blanchi à la chaux, fut construit entre 1560 et 1563 pour sceller l'union entre le royaume laotien de Wiang Chan (Vientiane) et le royaume thaïlandais d'Ayuthaya dans la résistance contre les Birmans. Dans un pavillon situé en face, un coffre très ancien renfermerait un bouddha de pierre encore plus vieux long de 76 cm. Les chaussures, les chapeaux, les vêtements de couleur rouge, la nourriture et les parapluies ouverts sont interdits dans l'enceinte du temple. À l'étage inférieur, un modeste **musée** (entrée libre ; 🕑 8h30-16h) expose des objets de toutes sortes offerts par les habitants.

Perché sur une colline boisée dominant le Phra That Si Songrak, le **Wat Neramit Wiphatsana** (🕑 en journée) est un magnifique temple de méditation (on dirait presque un parc à thème bouddhique) où la plupart des édifices sont faits de blocs de latérite non plâtrés. Pramote Sriphrom, célèbre muraliste thaïlandais, a peint pendant des années les images des contes des *jataka* sur les murs intérieurs de l'immense *bòht*, où l'on trouve aussi une copie du Bouddha Chinnarat de Phitsanulok (p. 402). Le *wat* est dédié à la mémoire de Luang Pu Mahaphan (alias Khruba Phawana), un moine local vénéré.

Amusez-vous à chiner dans le magasin **Kawinthip Hattakham** (☎ 0 4289 2339 ; 70/1 Th Kaew Asa ; 🕑 6h30-20h), qui vend de véritables masques de Phi Ta Khon et de nombreux autres souvenirs de la fête. On peut aussi louer des vélos (100 B/j).

À 23 km de la ville sur la Rte 203 (au Km 60), le **vignoble du Château de Loei** (☎ 0 4280 9521 ; www.chateaudeloei.com ; 🕑 8h-17h), le domaine viticole le plus prestigieux du pays, a produit en 1995 le premier cru commercialisé du pays et a obtenu en 2004 une médaille d'argent pour son vin doux (Chenin blanc), lors de l'International Wine & Spirits Competition. Les visiteurs sont les bienvenus et peuvent déguster vins, jus de raisin et liqueurs dans le bâtiment principal. Vous trouverez un restaurant et une boutique de cadeaux-épicerie fine au bord de la route.

## Où se loger et se restaurer

En dehors des festivités, les voyageurs sont rares à Dan Sai, et les hébergements sont donc limités.

**Homestay** (☎ 08 9077 2080 ; phitakhon@yahoo.com ; 150-200 B/pers, 50 B/repas). Quelques villages en périphérie de la ville ont suivi avec succès le programme de séjour chez l'habitant depuis plusieurs années et les familles sont aux petits soins avec leurs hôtes *fa·ràng*. Lorsqu'ils ne travaillent pas (la plupart des clients anglophones sont des enseignants), ils vous inviteront à partager des activités typiques. Tout cela peut s'organiser au magasin d'artisanat Kawinthip Hattakham.

**Dansai Resort Hotel** (☎ 0 4289 2281 ; Rte 2013 ; ch 300-450 B ; ❄ 💻). L'hôtel le plus ancien de Dan Sai dispose de chambres ordinaires mais tout à fait acceptables (celles à l'arrière sont mieux) ; celles à 300 B n'ont pas l'eau chaude.

**SB Resort Hotel** (☎ 0 4289 1918 ; www.sbresort.net ; Rte 2013 ; ch 450-600 B ; ❄ 💻). Malgré un nom qui évoque un certain standing, il s'agit d'un hôtel ordinaire, comme le Dansai, en plus récent et plus agréable.

**Phunacome** (☎ 0 4289 2005 ; www.phunacomeresort.com ; Rte 2013 ; ch 3 800-5 500 B ; ❄ 💻 🏊). Ce nouveau complexe haut de gamme doit énormément à son emplacement dans la campagne, et sa cuisine fait appel au riz et aux légumes bio cultivés sur place. 2 types de chambres longent une enfilade d'étangs : les unes classiques, les autres aux allures de petits chalets isan au toit de chaume – toutes cossues et adorables. Dans le hall, une librairie, un service de massage et un restaurant servant plats thaïlandais et occidentaux vous attendent. Le buffle est la mascotte de l'établissement : ne vous étonnez pas d'en voir deux bien vivants dans l'enceinte du complexe, qui accueille par ailleurs des expositions d'art.

**Im Un** (enseigne en thaï ; ☎ 0 4289 1586 ; Rte 2013 ; plats 30-150 B ; 🕑 petit-déj, déj et dîner). Sous un abri de chaume dans un jardin, on sert ici des recettes thaïlandaises et isan très épicées, comme les *gaang Ƀàh* (curry de la jungle). À la limite de la ville, à 900 m à l'est du carrefour principal.

Un mini **marché de nuit** (Th Kaew Asa ; 🕑 16h30-21h30) s'installe de l'autre côté du marché municipal.

### Depuis/vers Dan Sai

Les bus entre Loei (2e classe 60 B, 1 heure 30) et Phitsanulok (ordinaire/2e classe 67/94 B, 3 heures) s'arrêtent à Dan Sai environ toutes les heures ; ces villes sont desservies par quelques bus au départ de Dan Sai. Tous s'arrêtent près du carrefour entre Th Kaew Asa et la Rte 2013.

## CENTRE ARTISTIQUE SIRINDHORN

ศูนย์ศิลปสิรินทร

C'est à Wang Saphung, lieu inattendu, à 23 km au sud de Loei, qu'est installé le **centre artistique Sirindhorn** (☎ 0 4284 1410 ; Rte 210 ; entrée libre ; 🕑 8h-18h), construit en l'honneur de Sangkom Thongmee, un enseignant célèbre de l'école voisine (à la retraite depuis), dont les élèves, pour la plupart des enfants d'agriculteurs, ont gagné des milliers de prix en récompense de leurs travaux. Ces œuvres (et parfois celles de professionnels) sont exposées, et de temps à autre proposées à la vente, dans cette galerie vitrée. Un beau jardin de sculptures s'étend devant le centre.

## PARC NATIONAL DE PHU KRADUNG

อุทยานแห่งชาติภูกระดึง

Dominé par un picdu même nom, le **parc national de Phu Kradung** (☎ 0 4287 1333 ; 400 B ; 🕑 sentier jusqu'au sommet 7h-14h oct-mai) s'étend sur un haut plateau sillonné de chemins et ponctué de falaises et de chutes d'eau. Culminant à 1 316 m, le deuxième parc national de Thaïlande reste toujours frais dans les hauteurs (avec une température moyenne de 20°C), où la flore s'apparente à celle des climats tempérés. Des forêts de mousson mêlent les essences à feuilles caduques et persistantes, et çà et là surgissent des forêts d'altitude.

Au pied de la montagne, un petit centre d'information des visiteurs distribue des plans détaillés et perçoit le droit d'entrée, mais presque tout le reste se trouve en altitude. Long de 5,5 km, le **sentier principal** qui monte au sommet du Phu Kradung se parcourt en 3 ou 4 heures. Il est ardu, mais les passages délicats sont facilités par des marches. Des aires de repos et des stands de restauration vous attendent tous les kilomètres le long de cette belle promenade. Une fois au sommet, continuez sur 3,5 km pour atteindre le principal **centre d'information des visiteurs** (🕑 24h/24). Des porteurs transporteront votre équipement au bout de perches en bambou moyennant 15 B le kg.

Les 348 km² du parc hébergent une faune forestière variée : éléphants, chacals d'Asie, ours noirs asiatiques, sambars, serows (sortes de chèvres-antilopes), gibbons à pattes blanches et quelques tigres. Pour les observer, le meilleur endroit est la **zone sauvage**, ouverte uniquement de janvier à mars. De nombreuses chutes d'eau, notamment **Tham Yai**, qui s'écoule devant une grotte, ainsi que des points de vue (dont certains offrent des levers et des couchers du soleil fabuleux) parsèment le parc.

Passer la nuit au sommet du Phu Kradung est un rite de passage pour beaucoup d'étudiants de la région. Aussi l'endroit est-il incroyablement fréquenté durant les vacances scolaires (surtout de mars à mai). Le parc est fermé aux visiteurs pendant la saison humide (de juin à septembre), le sentier étant alors considéré comme trop risqué.

### Où se loger et se restaurer

Au sommet de la montagne, vous trouverez un **camping** (empl 30 B/pers, location tente 3-6 places 225-450 B) pouvant accueillir 5 000 personnes, des **bungalows** (☎ 0 2562 0760 ; www.dnp.go.th/parkreserve ; 6-12 pers 900-3 600 B) et plusieurs petits restaurants en plein air proposant les sautés habituels. Si vous arrivez en fin d'après-midi, il y a un camping et un bungalow en bas, de même que quelques hôtels avant l'entrée.

### Depuis/vers le parc national de Phu Kradung

Au départ de Loei, prenez un bus jusqu'à Phu Kradung (50 B, 1 heure 30, toutes les 30 min). De là, un *sŏrng·tăa·ou* (20 B) vous conduira jusqu'au centre d'information des visiteurs installé au pied de la montagne, à 10 km de distance. Le dernier *sŏrng·tăa·ou* part de la montagne vers 20h.

## THAM ERAWAN

ถ้ำเอราวัณ

Haut perchée sur le versant d'une belle montagne calcaire, **Tham Erawan** ( 6h-19h) est une vaste grotte-sanctuaire, où trône un grand bouddha assis. Dominant les plaines hérissées de montagnes, la statue est visible de plusieurs kilomètres à la ronde. On y accède par un escalier en colimaçon de quelque 600 marches. Une vue magnifique vous y attend, surtout au coucher du soleil. D'autres escaliers et un marquage lumineux mènent à une immense cavité avant de ressortir de l'autre côté de la montagne. Pensez à prendre une lampe électrique en cas de coupure de courant.

Le temple se trouve le long de la Rte 210, de l'autre côté de la limite de la province de Nong Bualamphu. Les bus en provenance de Loei (ordinaire/2[e] classe 25/40 B, 11/4 heures, toutes les 20 min) à destination de Nong Bualamphu vous déposent à 2,5 km de là. Avec un peu de chance, vous trouverez un *túk-túk* ou un mototaxi pour vous amener au temple (25 B).

# PROVINCE DE NAKHON PHANOM

Les influences laotiennes et vietnamiennes prédominent dans la province de Nakhon Phanom, bordée par le Mékong et parsemée de temples magnifiques et vénérés. La quasi-totalité des gens que l'on voit travailler dans les rizières ou conduire des buffles sont thaïlandais, bien que la plupart portent des chapeaux coniques en paille de style vietnamien. Pauvre en sites touristiques, la région offre une vue superbe sur le fleuve et abrite le gigantesque Wat Phra That Phanom, emblème enchanteur de la culture isan.

Un troisième pont de l'Amitié thaï-lao est en construction à 15 km, qui pourrait être ouvert en 2011. Il a toutefois peu de chance de changer profondément la nature tranquille de la ville.

## NAKHON PHANOM

นครพนม

**31 700 habitants**

Nakhon Phanom signifie la "ville des montagnes", mais les pains de sucre ondoyants se trouvent tous de l'autre côté du fleuve, au Laos : vous pourrez les admirer, mais pas en faire l'ascension. La vue est splendide, surtout lorsque le soleil se lève dans la brume. Les rangées de collines au loin sont d'une beauté sans pareille, même si la région offre bien d'autres spectacles. La plupart des visiteurs thaïlandais viennent acheter de l'argent dans les boutiques près du quai.

### Renseignements

**Bangkok Bank** (Tesco-Lotus, Th Nittayo ; 10h-20h). Les banques sont regroupées au carrefour des rues Th Nittayo et Th Aphiban Bancha, mais on propose ici un service de change (espèces uniquement) en dehors des heures de bureau.

**Bureau de l'immigration** ( 0 4251 1235 ; Th Sunthon Wijit ; 8h30-12h et 13h-16h30 lun-ven). Délivre des prorogations de visa.

**Crab Technology** (Th Si Thep ; accès Internet 15 B/h ; 8h-22h)

**North By North-East Tours** ( 0 4251 3572 ; www.north-by-northeast.com ; 746/1 Th Sunthon Wijit ; 9h-17h lun-sam) ; Organise des circuits culturels et écotouristiques dans l'Isan et du côté laotien du fleuve. Peut également vous aider à trouver un travail bénévole dans la région.

**TAT** (Tourism Authority of Thailand ; 0 4251 3490 ; Th Sunthon Wijit ; 8h30-16h30). Couvre les provinces de Nakhon Phanom, de Sakon Nakhon et de Mukdahan.

### À voir et à faire

**TEMPLES**

Les temples de Nakhon Phanom sont d'un style bien particulier. Ville importante de l'empire Lan Xang, elle accueillit ensuite les meilleurs artisans des rois thaïs venus y ériger de nouveaux édifices. Plus tard, les influences française et vietnamienne traversèrent le Mékong pour apporter leur pierre à l'ensemble.

Un bon exemple de ce style bigarré est le **Wat Maha That** (Th Sunthon Wijit ; en journée). Son *chedi* blanc et or, le Phra That Nakhon, haut de 24 m, ressemble au second *chedi* érigé à That Phanom.

Le **Wat Okat Si Bua Ban** (Th Sunthon Wijit ; en journée), le plus ancien que la ville, présente quelques influences chinoises. Le *wí·hăhn* abrite 2 bouddhas en bois, Phra Taew et Phra Tiam. Les impressionnantes peintures murales, parmi nos préférées en Thaïlande, illustrent leur traversée du Mékong, depuis le Laos, en flottant sur ses eaux.

À l'intérieur du *bòht* du **Wat Si Thep** (Th Si Thep ; en journée), des fresques représentent les *jataka* dans la partie haute et des rois de la dynastie Chakri dans la partie basse. Au fond du *bòht*, vous verrez un triptyque coloré de

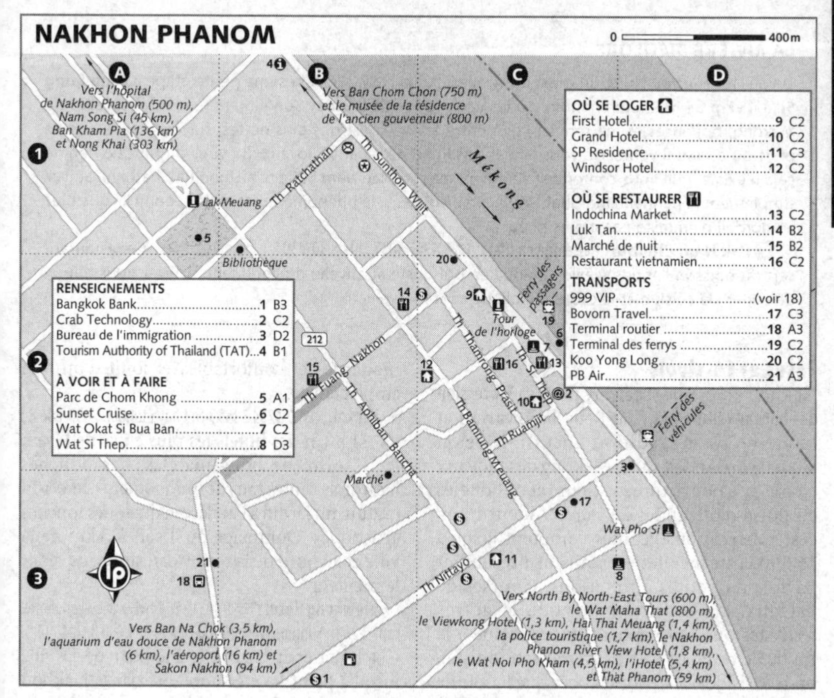


style moderne. Le prix de la conservation a été décerné à la résidence de l'abbé, construite en 1921.

## BAN NA CHOK

บ้านนาจอก

La communauté vietnamienne de Ban Na Chok, installée à 3 km à l'ouest de la ville, a restauré la **maison de l'Oncle Ho** (entrée libre ; en journée), petite maison de bois où Ho Chi Minh vécut (1928-1929) et organisa son mouvement de résistance. Une exposition lui est également consacrée (avec certains commentaires en anglais) au centre socioculturel du **village de l'Amitié** (☎ 08 0315 4630 ; entrée libre ; 8h-16h) un peu plus au nord-ouest. On fête l'anniversaire de sa naissance le 19 mai.

## AUTRES CURIOSITÉS ET ACTIVITÉS

Le **musée de la Résidence de l'ancien gouverneur** (☎ 08 5853 8503 ; Th Sunthon Wijit ; entrée libre ; 10h-19h30 mer-dim), installé dans une demeure datant de 1925 environ, récemment restaurée, est la dernière attraction en date à Nakhon Phanom. Vous y verrez des photos de la ville d'hier et d'aujourd'hui et, au fond, des pièces se rapportant à la Procession des bateaux illuminés (p. 544).

L'ancienne prison de la ville est devenue le **parc Chom Khong** (Th Ratchathan ; entrée libre ; 5h-20h). Des mannequins de prisonniers sont installés dans les vieilles cellules et on peut grimper dans les miradors.

Passionnés de poissons, l'**aquarium d'eau douce de Nakhon Phanom** (☎ 0 4251 5312 ; Hwy 2033 ; 30 B ; 9h-16h) vous plaira, avec ses espèces endémiques du fleuve, comme le silure géant du Mékong (*ɓlah bèuk*). Il se trouve à 5 km à l'ouest de la ville et à 1 km au sud de la Highway 22. Les *sŏrng·tăa·ou* à destination de Nakae (20 B, 15 min) passent par là.

La ville propose une **croisière au coucher du soleil** (☎ 08 6230 5560 ; 50 B/pers) d'une heure sur le Mékong à bord du *Thesaban 1*, amarré en face de l'Indochina market. Vous aurez droit à des en-cas thaïlandais et occidentaux, et à l'inévitable karaoké. Le départ est à 17h, et on peut réserver le bateau pour 1 000 B.

De février à avril, le **Hat Thai Meuang** (alias Hat Sai Thong, la “plage au sable d'or”, dans les brochures touristiques) émerge juste au sud du Viewkong Hotel.

**LA RIVIÈRE BICOLORE**

Si vous revenez du Nord, ou que vous y allez, par la Hwy 212, faites une petite étape à **Nam Song Si**, à 45 km de Nakhom Phanom, où les eaux vertes de la Huay Songkhram rencontrent celles du Mékong, boueuses et marron. La ligne entre les deux est des plus nettes, surtout par temps de pluie ou quand il vente. Ne vous laissez pas influencer par les locaux qui vous diront que rien de cela n'existe, que vous confondez sûrement avec la Mae Nam Song Si à Ubon Ratchathani. Suivez simplement le panneau indiquant la rivière bicolore. Si le phénomène est moins connu ici que plus au nord, il n'en reste pas moins beau.

**Pak Nam Chaiburi** (enseigne en thaï ; ☎ 0 4257 3037 ; plats 30-230 B ; déj et dîner). Ce restaurant sert du poisson sur une vieille véranda en bois juste au niveau du confluent. Arrêtez-vous pour y déjeuner : la cuisine et le cadre bucolique sont merveilleux.

## Fêtes et festivals

Nakhon Phanom est célèbre pour sa **Procession des bateaux illuminés** (Lái Reua Fai), variation moderne de la tradition ancestrale selon laquelle on lançait sur le Mékong des radeaux chargés de nourriture, de fleurs et de bougies en guise d'offrandes au *naga*. Aujourd'hui, ces embarcations géantes comptent jusqu'à 16 000 lanternes faites main et présentent parfois de petites animations. Courses de bateaux, concours de musique et autres festivités ont lieu pendant une semaine à la fin de l'Ork Phansaa (le carême bouddhiste), mais les radeaux ne sont lancés que le soir de la pleine lune. Le lendemain matin, les Phu Thai exécutent leur "danse du paon" face au *wat* de That Phanom (p. 546).

## Où se loger

**First Hotel** (☎ 0 4251 1253 ; 16 Th Si Thep ; ch 160-300 B ; ). Propose les lits les moins chers de la ville, et on comprend pourquoi.

**Grand Hotel** (☎ 0 4251 1281 ; 210 Th Si Thep ; ch 190-320 B ; ). "Grand" est le terme qu'affectionnent beaucoup d'hôtels petits budgets en Thaïlande pour dire "modeste". L'intérieur, certes un peu spartiate, est toutefois égayé par des plantes en pot et des sculptures d'animaux. Les chambres sont tout à fait confortables, et certaines parmi les moins chères ont même l'eau chaude.

**Windsor Hotel** (☎ 0 4251 1946 ; 272 Th Bamrung Meuang ; ch 250-400 B ; ). Installé dans un immeuble en béton peu avenant, le Windsor est pourtant l'un des hôtels les plus accueillants de la ville. Les chambres avec ventil sont un peu bruyantes mais d'un bon rapport qualité/prix et possèdent un réfrigérateur.

**SP Residence** (☎ 0 4251 3505 ; 193/1 Th Nittayo ; ch 450-800 B ; ). Très bien tenu, cet établissement dispose de chambres toutes simples, modernes et confortables et jouit d'un bon emplacement.

**iHotel** (☎ 0 4254 3355 ; Th Chayanghoon ; 450-800 B ; ). Un des hôtels les plus chics de l'Isan, le "i" offre de bons matelas, des douches hydromassantes (au rdc uniquement), le Wi-Fi gratuit, un jardin à l'arrière et quelques touches artistiques. Dommage qu'il soit à 5 km de la ville et au bord de la route, car, sinon, ce serait le meilleur.

**Viewkong Hotel** (☎ 0 4251 3564 ; www.viewkonghotel.com ; 527 Th Sunthon Wijit ; ch 700-900 B, ste 2 600 B ; ). Cet hôtel était encore le meilleur de la ville jusqu'à peu (il a été supplanté par le Nakhon Phanom River View, à 500 m en aval), mais ses tarifs sont plus intéressants et il est moins froid. Une terrasse domine le fleuve et le Viewkong offre toutes les prestations dont les hommes d'affaires thaïlandais ne sauraient se passer, auxquelles s'ajoutent notamment karaoké et massages. Demandez une chambre donnant sur le fleuve, elles ne sont pas plus chères.

## Où se restaurer

Le centre abrite quelques bars et restaurants sympathiques, surtout dans Th Fuang Nakhon et ses alentours, dont certains ne servent qu'à dîner, sur une terrasse au bord du Mékong. Le balcon au premier étage de la galerie de petits restaurants de l'**Indochina Market** (Th Sunthon Wijit ; petit-déj, déj et dîner) jouit d'une vue imprenable sur la montagne. L'excellent **marché de nuit** (Th Fuang Nakhon ; 16h-21h) de la ville propose un grand choix de nourriture, mais comme il y a très peu de places pour s'asseoir, attendez-vous à dîner debout d'un en-cas.

**Vietnamese Restaurant** (enseigne en thaï ; ☎ 0 4251 2087 ; 165 Th Thamrong Prasit ; plats 30-120 B ; petit-déj, déj et dîner). Avec ses lampes colorées et ses posters de Ronaldinho, ce petit restaurant de quartier veut se donner un air branché.

Côté cuisine, il reste néanmoins classique et sert depuis plus de 50 ans les mêmes recettes familiales, notamment des *năam neu·ang* (rouleaux de printemps au porc à composer soi-même) et des salades thaïlandaises épicées.

**Luk Tan** (☎ 0 4251 1456 ; 83 Th Bamrung Meuang ; buffet 89 B ; ⌚ dîner). Un petit endroit pittoresque et plein de charme, avec ses vieilles tables de machines à coudre et une belle maquette de train sur le mur. Vous pourrez profiter ici d'un bar à salades et d'un buffet américain avec purée de pommes de terre. Des steaks et des pizzas sont également servis.

**Ban Chom Chon** (enseigne en thaï ; ☎ 0 4252 0399 ; 124 Th Sunthon Wijit ; plats 59-249 B ; ⌚ dîner). Un établissement haut de gamme aux prix toutefois modérés, à deux pas du musée, réputé pour ses différentes recettes de poissons du Mékong, notamment le *Ɓlah chôrn lui sŏo·an* (poisson à tête de serpent strié frit, servi avec force légumes et sauce au citron et au piment). Plats et service sont irréprochables et la terrasse de bois invite à faire durer la soirée.

## Depuis/vers Nakhon Phanom

### AVION

**PB Air** (☎ à Bangkok 0 4251 6300, 0 2261 0222 ; www.pbair.com ; 327/12 Th Fuang Nakhon ; ⌚ 8h30-17h30 lun, mer et sam, 8h30-14h mar, jeu, ven et dim) propose au moins un vol quotidien pour Bangkok (aller simple 3 180 B, 1 heure 15). On peut aussi acheter un billet à l'agence **Bovorn Travel** (☎ 0 4251 2494 ; Th Nittayo ; ⌚ 8h-17h lun-ven, 13h sam-dim), mieux située. La **navette pour l'aéroport** (☎ 08 1872 1215) coûte 500 B.

### BATEAU

De 8h30 à 18h, des bateaux (aller 60 B, toutes les 30 min) traversent le Mékong depuis le **terminal des ferrys** (Th Sunthon Wijit) et vont à Tha Khaek, au Laos. On peut désormais se procurer des visas laotiens de 30 jours (voir p. 768 pour plus de détails) à la frontière.

### BUS

Le **terminal des bus** (☎ 0 4251 3444 ; Th Fuang Nakhon) se trouve à l'est du centre-ville. Il dessert Nong Khai (ordinaire/2e classe 175/220 B, 6 heures, toutes les heures de 6h à 11h), Udon Thani (2e/1re classe 165/211 B, 5 heures, toutes les 45 minutes jusqu'à 15h) via Sakon Nakhon (2e/1re classe 65/85 B, 1 heure 30) et Mukdahan (ordinaire/1re classe 52/92 B, 2 heures, toutes les heures) via That Phanom (ordinaire/1re classe 27/49 B, 1 heure, 5/j). La plupart des bus pour Bangkok (2e/1re classe 442/569 B, 12 heures) partent entre 7h et 8h et entre 16h30 et 18h30. Un bus **999 VIP** (☎ 0 4251 1403) de 24 sièges VIP (885 B) part à 18h.

## Comment circuler

Les chauffeurs de *túk-túk* prennent 30 B par personne du terminal des bus au centre-ville, et 200 B l'heure, à peu de chose près le temps nécessaire pour visiter Ban Na Chok.

Du fait de sa faible circulation Nakhon Phanom est très agréable à parcourir à vélo. On peut en louer chez **Koo Yong Long** (☎ 0 4251 1118 ; 363 Th Sunthon Wijit ; 10 B/h ; ⌚ 8h-18h).

# RENU NAKHON

เรณูนคร

Renu Nakhon est réputée pour le tissage du coton, bien que peu de gens ici utilisent encore leurs métiers. Il faut visiter un village voisin pour voir le procédé de tissage. C'est ici que les Phu Thai, qui représentent la majorité des habitants, fabriquent et vendent leur production. Les tissus s'achètent sur le grand **marché de l'artisanat** qui se tient dans l'enceinte du **Wat Phra That Renu Nakhon** (⌚ en journée), ainsi que dans une série de boutiques alentour. Objet d'une vénération particulière, le *tâht* du temple (reliquaire), haut de 35 m, est une réplique de l'ancien *chedi* érigé à That Phanom.

Les circuits organisés comprennent parfois des spectacles de danses folkloriques phu thai sur une scène montée de l'autre côté du marché. Pour louer les services de la troupe ou avoir des renseignements sur la culture phu thai, adressez-vous à **Khun Gobgab** (☎ 08 6339 1600 ; gobgab1234@yahoo.co.th), qui habite juste derrière le marché et parle anglais.

## Depuis/vers Renu Nakhon

La bifurcation pour Renu Nakhon est à 8 km au nord de That Phanom ; de là, il vous reste 7 km à parcourir vers l'ouest sur la Rte 2031. Il n'y a pas de transport public. Les chauffeurs de *túk-túk* de That Phanom demandent 200 B par personne pour un aller-retour et vous laissent le temps d'admirer le *tâht* et de faire des emplettes ; cela dit, le prix final dépend de vos capacités à marchander. Mais ça ne vaut plus trop la peine si vous discutez le prix de la course une fois arrivé à la bifurcation.

# THAT PHANOM

ธาตุพนม

Dominant la bourgade, la flèche de l'immense *chedi* de style laotien du Wat Phra That Phanom est le symbole le plus emblématique de la région et de l'identité isan. La localité elle-même n'offre guère d'intérêt. Divisée en deux, avec la partie la plus ancienne à l'est, près du fleuve, That Phanom constitue néanmoins une base assez paisible pour explorer les environs.

## À voir

### WAT PHRA THAT PHANOM

วัดพระธาตุพนม

Magnifique et imposant, le **Wat Phra That Phanom** (Th Chayangkun ; 4h-20h) ne vous laissera pas de marbre, même si vous êtes un peu lassé des temples. En son centre se dresse un *tâht*, le plus impressionnant du Laos actuel, vénéré des bouddhistes thaïlandais et vietnamiens. Il est très visité lors des pleines lunes, car un pèlerinage effectué à ce moment précis est censé apporter le bonheur. Le *tâht* s'élève à 53 m, surmonté par un parasol en or de 16 kg à 5 étages, décoré de pierres précieuses, qui lui ajoute 4 m. De nombreux Thaïlandais pensent que, de passage en Thaïlande, le Bouddha aurait demandé que l'on construise un *chedi* ici-même pour y conserver un fragment de son sternum – ce qui fut fait 8 ans après sa mort, en 535 av. J.-C. Les historiens font remonter à la période de Dvaravati (VIe-XIe siècle) la structure la plus ancienne, un petit **satoob** (dont une réplique se dresse dans un bassin devant le temple). Le monument a été régulièrement modifié, mais 4 grandes étapes ont marqué son histoire. Le premier *tâht*, haut de 24 m, fut édifié au Ier siècle, puis surélevé en 1690 pour atteindre 47 m – il a servi de modèle à de nombreux autres à travers l'Isan. La structure actuelle, construite en 1941, s'est effondrée durant les fortes pluies de 1975 et a été restaurée en 1978.

Derrière le cloître, un petit parc ombragé abrite un gigantesque tambour et, plus au nord, une pirogue longue de 30 m, sculptée dans un seul et même arbre. Un **musée** (entrée libre ; 8h30-16h) retrace la légende et l'histoire du *tâht*, et expose une collection éclectique de poteries, gongs, statues, pièces de monnaie et autres.

### AUTRES CURIOSITÉS

La courte rue qui relie le Wat Phra That Phanom et la vieille ville, au bord du Mékong, passe sous un grand **arc de triomphe laotien** (Th Kuson Ratchadamnoen), réplique miniature assez grossière de celui de Vientiane, dans Th Lan Xang (qui mène au Wat That Luang). Dans la partie de Th Kuson Ratchadamnoen qui court entre l'arc et le fleuve, l'architecture franco-chinoise rappelle la Vientiane ou le Saigon d'antan, et les nombreuses boutiques de produits d'alimentation vietnamiens donnent parfois l'impression que le temps s'est arrêté.

Des centaines de commerçants laotiens traversent le fleuve les jours de **marché** ( 8h30-12h lun et jeu) pour venir vendre notamment des herbes médicinales, des racines sauvages et des crabes. Le marchandage s'intensifie juste avant la fin du marché, les acheteurs thaïlandais sachant que les Laotiens n'aiment pas rapporter les invendus.

## Fêtes et festivals

Durant la **fête de That Phanom**, fin janvier ou début février, des visiteurs affluent de toute la Thaïlande et du Laos pour rendre hommage au *tâht*. Des stands en tout genre envahissent les rues, de nombreuses troupes de *mŏr lam* se produisent, et la ville ne ferme pratiquement pas l'œil pendant 10 jours.

## Où se loger

Rares sont les touristes qui restent longtemps en ville, ce qui explique le peu d'hébergements et leur état d'ancienneté en général. Lors des festivités de That Phanom en janvier-février, les chambres sont réservées bien à l'avance et les prix explosent.

**Niyana Guesthouse** ( 0 4254 0880 ; 65 Soi 33 ; ch 120-160 B) Cette pension pour voyageurs indépendants, la toute première de la ville, était fermée lors de notre dernier passage, car Niyana prenait part à une manifestation à l'aéroport (p. 46), mais elle a rouvert depuis. Cette demeure privée abrite une école d'anglais au rdc, avec les avantages et inconvénients que cela comporte. Les chambres sont spartiates et avec sdb communes, mais le propriétaire vous renseignera en détail sur la région. Vélos à louer (40 B/j).

**Chaivon Hotel** ( 0 4254 1391 ; 38 Th Phanom Phanarak ; ch 200-300 B ; ). Cet hôtel en bois, de couleur verte, est presque l'exemple même de la vétusté. Ne convient certainement pas à tout le monde, mais d'aucuns apprécieront peut-être de passer une nuit dans un lieu délabré mais authentiquement chargé d'histoire.

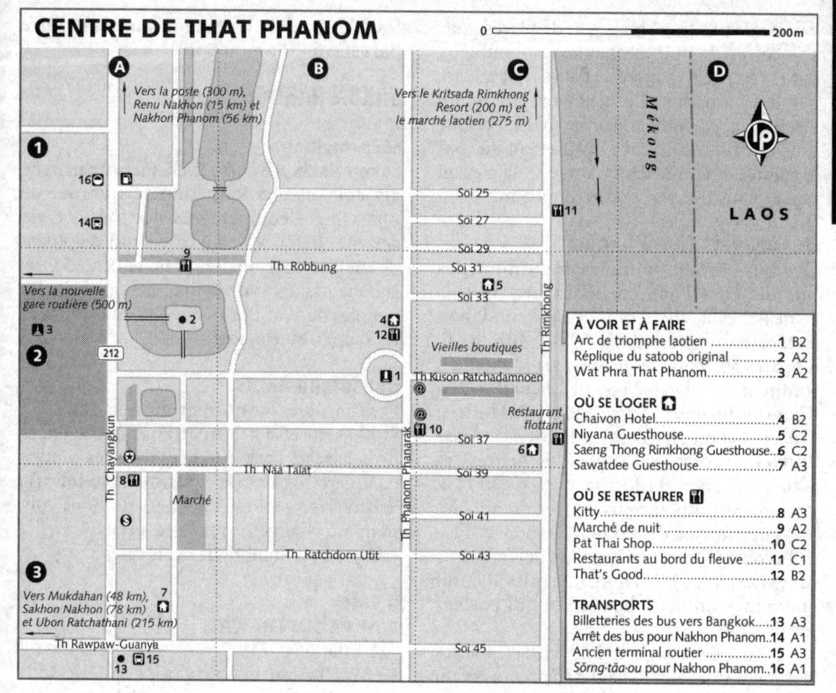


**Saeng Thong Rimkhong Guesthouse** (enseigne en thaï ; ☎ 0 4254 1397 ; 507 Th Rimkhong ; ch 250-400 B ; ❄). Cette pension moyenne, tout près du fleuve, a moins de classe que le Kritsada et le Sawatdee, et moins de charme que le Niyana et le Chaivon. Toutes les chambres ne sont pas identiques ; prenez le temps de choisir la vôtre. De nouvelles chambres sont prévues.

**Sawatdee Guesthouse** (enseigne en thaï ; ☎ 08 1671 9717 ; ch 400-500 B ; ❄). Toute nouvelle, près de Th Ratchadorn Utit, dans la partie moderne de la ville, cette pension propose des chambres bien aménagées de style motel. Les 2 chambres à 400 B se trouvent de l'autre côté de la rue.

**Kritsada Rimkhong Resort** (☎ 0 4254 0088 ; 90-93 Th Rimkhong ; 400-600 B ; ❄ 💻). Hôtel éclectique plutôt que complexe hôtelier. Les chambres, simples ou plus sophistiquées, sont toutes confortables et pleines de petits plus comme le Wi-Fi gratuit. Si le propriétaire, qui parle anglais, est là quand vous appelez, on viendra vous chercher gratuitement au terminal des bus, sinon, vous débourserez 30 B pour un *túk-túk*.

## Où se restaurer

**Pat Thai Shop** (☎ 0 4254 0366 ; 39 Th Phanom Phanarak ; plats 30 B ; 🕑 petit-déj, déj et dîner). Petits restaurants proposant quelques sautés très simples comme le *râht nâh* (nouilles avec sauce au jus de viande) ou le *pàt prík bai gà prow* (sauté épicé aux feuilles de basilic). Rien d'exceptionnel, mais, au moins, la carte est en anglais et les cuisiniers ont l'habitude des végétariens.

**That's Good** (☎ 08 6230 6068 ; 37 Th Phanom Phanarak ; plats 25-80 B ; 🕑 dîner). Nous ne saurions dire combien de temps un endroit aussi branché (tout est relatif) tiendra dans la petite ville de That Phanom, mais, en attendant, l'endroit est agréable pour prendre un verre ou un café après le repas.

**Kitty** (☎ 0 4254 0148 ; 419 Th Naa Talat ; plats 35-420 B ; 🕑 déj et dîner). Établissement presque élégant, qui s'ouvre sur l'extérieur, fréquenté par l'élite locale. Des couvertures d'albums célèbres ornent les murs, et la carte affiche un grand choix de plats thaïlandais (certains en anglais). Le poisson est une valeur sûre, et seul le Kitty sert des steaks en ville.

Tous les soirs, un **marché de nuit** (🕑 16h-22h) envahit Th Robbung. On y trouve une grande variété de produits, mais peu de places pour s'asseoir. À la nuit tombante, les nombreux petits **restaurants au bord du fleuve** (Th Rimkhong), perchés sur pilotis, allument leurs guirlandes électriques, au nord de la promenade. Presque tous identiques, ils ne se distinguent que par le volume de leur machine karaoké. Flânez un peu et vous trouverez votre bonheur.

### Depuis/vers That Phanom

Des bus partent du nouveau terminal des bus de That Phanom, assez mal situé à l'ouest de la ville, qui desservent Ubon Ratchathani (ordinaire/1re classe 102/184 B, 4 heures 30, toutes les heures) via Mukdahan (ordinaire/1re classe 28/50 B, 1 heure), Udon Thani (ordinaire/1re classe 109/196 B, 4 heures, 5/j) via Sakon Nakhon (ordinaire/1re classe 38/68 B, 1 heure 15, toutes les heures) et Nakhon Phanom (ordinaire/1re classe 27/49 B, 1 heure, 5/j). Sinon, vous pouvez prendre les bus à destination de Nakhon Phanom en face de l'école sur la Hwy 212, ou l'un des fréquents *sŏrng·tăa·ou* (35 B, 90 min, toutes les 10 min) stationnés un peu plus loin et qui partent jusqu'à 15h.

Les bus pour Bangkok (2e/1re classe/24 sièges VIP 430/515/855 B, 10 heures) partent aussi du terminal des bus, mais pour l'instant (cela peut changer) il faut acheter son billet à l'ancienne gare (dans la partie sud de la ville), ou dans un des magasins tout proches. Certains bus partent d'ici avant de rejoindre la nouvelle gare et de prendre d'autres passagers. Quelques bus partent le matin, mais la plupart démarrent entre 17h et 19h.

Le bureau de l'immigration qui se trouve à That Phanom est réservé aux marchands laotiens les jours de marché. Personne d'autre n'est autorisé à traverser le fleuve ici.

# PROVINCE DE SAKON NAKHON

De nombreux monastères de forêt sont blottis dans les replis de la chaîne montagneuse de Phu Pan, qui traverse la province de Sakon Nakhon. Deux des moines les plus révérés de Thaïlande, Luang Pu (Ajahn) Man Bhuridatto et son élève Luang Pu (Ajahn) Fan Ajaro, ont vécu ici. Tous deux *tú·dong* (ascètes), ils devinrent maîtres en méditation vipassana et sont considérés par les Thaïlandais comme des *arahant* (être parvenu à l'Illumination).

## SAKON NAKHON

สกลนคร

**68 000 habitants**

Sakon Nakhon est essentiellement un marché agricole, et Tha Ratpattana est bordée de magasins d'équipements destinés à cette activité. Entouré de quartiers qui regorgent de vieilles maisons en bois, le centre-ville évoque une forêt de béton, mais il abrite les temples de Wat Phra That Choeng Chum et de Wat Pa Sutthawat.

### Renseignements

Les banques sont regroupées dans Th Sukkasem et Th Ratpattana. Les agences de la **Bangkok Bank** installées dans les centres commerciaux **Big C** (Th Jai Phasuk) et **Tesco-Lotus** (Th Makkhalai) ouvrent tous les jours de 10h à 20h, mais ne changent que les espèces. La ville compte bon nombre de cybercafés.

### À voir

#### WAT PA SUTTHAWAT

วัดป่าสุทธาวาส

Le Wat Pa Sutthawat, à la périphérie sud-ouest de la ville, est essentiellement un sanctuaire dédié à la mémoire de 2 moines parmi les plus connus de Thaïlande. Les effets personnels du plus célèbre des deux, Luang Pu (Ajahn) Man Bhuridatto, mort ici en 1949, sont conservés au **musée Ajahn Man**, qui ressemble bizarrement à une église moderne, avec ses arches et ses vitraux. Dans le fond, une statue en bronze d'Ajahn Man se tient sur un piedestal, et une boîte en verre, devant, contient ses cendres.

Le roi Rama IX a dessiné le *chedi* qui abrite le **musée Ajahn Lui.** On peut y voir une statue de cire grandeur nature de Luang Pu (Ajahn) Lui Chanthasaro, mort en 1989, l'un des disciples les plus célèbres d'Ajahn Man.

Ces 2 musées présentent des objets ayant appartenu aux 2 moines, ainsi que des photos et des documents sur leur vie. L'exposition consacrée à Ajahn Man, légendée en anglais, permet de se faire une idée de la vie d'un moine thaïlandais.

#### WAT PHRA THAT CHOENG CHUM

วัดพระธาตุเชิงชุม

Le **Wat Phra That Choeng Chum** (stupa des Empreintes de pied ; Th Reuang Sawat ; ⌚ en journée) possède un impressionnant *chedi* de style laotien haut de 24 m, érigé durant la période d'Ayuthaya au-dessus d'un *prang* du XI<sup>e</sup> siècle. Il fut construit sur quatre empreintes de pied du Bouddha qui, selon les Thaïlandais, provenaient de quatre incarnations différentes du maître. Entrez par le *wí·hăhn* adjacent pour voir le *prang*. Si la porte du *chedi* est fermée, demandez à l'un des moines de l'ouvrir – ils ont l'habitude des visiteurs. Des *lôok ní·mít* (pierres sphériques délimitant les lieux d'ordination, enterrées sous celles qui entourent traditionnellement la plupart des *bòht*) sont alignés au fond.

L'enceinte comprend aussi un *bòht* de l'époque Lan Xang et un *hŏr đrai* (dépôt de manuscrits) octogonal qui accueille aujourd'hui un petit musée très intéressant. Les moines seront ravis de vous laisser le visiter. La partie supérieure de la porte ouest du monastère rappelle les châteaux de cire sculptés durant la retraite des pluies (le jeûne bouddhiste ; voir p. 550). Généralement, on peut voir le char du temple destiné aux défilés garé dans l'angle nord-est de l'enceinte, derrière un écran vert.

## WAT PHRA THAT NARAI CHENG WENG

วัดพระธาตุนารายณ์แจงแวง

À 5 km à l'ouest de la ville, à Ban That, ce *wat*, appelé Phra That Nawaeng (une contraction de Narai Cheng Weng), possède un *prang* du X<sup>e</sup> ou XI<sup>e</sup> siècle, de style Baphuon. Faisant partie à l'origine d'un temple khmer hindou, ce *prang* en grès de 5 étages, en partie décapité, comprend encore plusieurs linteaux, dont un Vishnu couché, sur le portique nord, et un Shiva dansant, sur le portique est. Si le lieu n'est pas très évocateur ni impressionnant, il s'agit du temple khmer le plus complet de la province.

Pour le rejoindre en transport public, prenez le *sŏrng·tăa·ou* 3 (10 B) près du marché ou dans Th Ratpattana en direction du nord. Descendez au marché de Talat Ban That Nawaeng et marchez 500 m vers le sud.

## AUTRES CURIOSITÉS

Évoquant un peu le Patuxai de Vientiane, le **monument municipal** (Th Ratpattana), érigé dans un champ au nord-ouest du centre, se compose

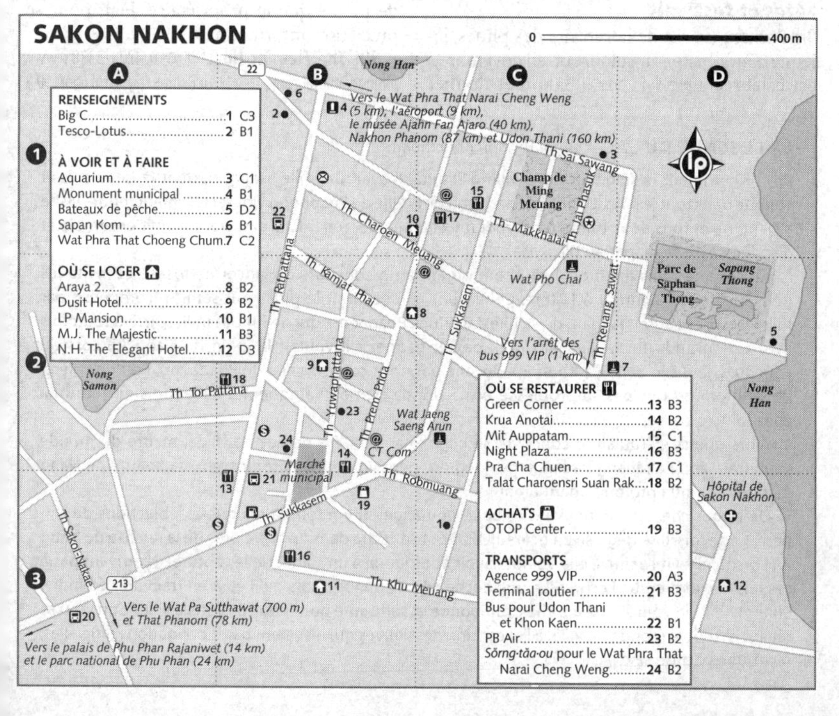

de quatre grands piliers ouvragés en ciment qui s'élèvent au-dessus d'une coupe remplie de *naga*.

En face du monument, de l'autre côté du parc, la réplique du **Sa Pan Kom** (pont khmer ; Th Sai Sawang) se trouve au bord de la route khmère qui menait au Wat Phra That Narai Cheng Weng.

Aux lisières nord et est de la ville, le **Nong Han** est le plus grand lac naturel du pays (123 km²). Il doit sa réputation à une légende bien connue des Thaïlandais (voir l'encadré ci-dessous). Derrière le parc de Saphang Thong, vous pourrez partir en bateau avec les pêcheurs, et faire une halte à **Ko Don Sawan** (île du Paradis), la plus grande île du lac, pour rendre visite aux moines. Comptez 500 B pour l'excursion ; le Dusit Hotel peut vous aider à organiser la sortie (ci-contre). Ne vous baignez pas dans le lac : il est infesté de vers minuscules qui peuvent provoquer une grave infection du foie, l'opisthorchiase.

L'**aquarium** (☎ 0 4271 1447; Th Sai Sawang ; entrée libre ; 🕑 8h30-16h30) d'eau douce du poste de pêche de Sakon Nakhon héberge des poissons du Nong Han, du Mékong et du Songkhram.

## Fêtes et festivals

**Ork Phansaa** (la fin de la retraite des pluies, le jeûne bouddhiste), en octobre ou en novembre, est célébrée avec ferveur à Sakon et donne notamment lieu à la fabrication et à l'exposition de châteaux de cire sur le champ de Ming Meuang. Les festivités s'accompagnent aussi de démonstrations de *mou·ay bo·rahn*, l'ancien style de boxe thaïlandaise, plus dangereux que l'actuel.

## Où se loger

**Araya 2** (☎ 0 4271 1054 ; 354 Th Prem Prida ; ch 150-250 B). Ce bloc de béton rudimentaire commence à vieillir, mais au moins il ne vous ruinera pas.

**LP Mansion** (enseigne en thaï ; ☎ 0 04271 5356 ; Th Charoen Meuang ; ch 230-320 B ; ❄). Un établissement qui n'a rien d'extraordinaire, mais pour quelques baths de plus que l'Araya, il loue des chambres simples, grandes, lumineuses, qui disposent de mini-réfrigérateurs.

**Dusit Hotel** (☎ 0 4271 1198 ; www.dusitsakhon.com ; 1784 Th Yuwaphattana ; ch 350-900 B, ste 3 500 B ; ❄ 💻). Cet hôtel établi de longue date possède le personnel le plus souriant de toute la ville et le hall de réception le plus charmant. Les différentes catégories de chambres présentent toutes un bon rapport qualité/prix et disposent du Wi-Fi gratuit. On apprécie le restaurant, de même que le propriétaire, Fiat, pour ses précieuses informations.

**NH The Elegant Hotel** (☎ 0 4271 3338 ; www.nhonghanhotel.com ; 163/32 Th Robmuang ; ch/d 600/650 B ;

**LA LÉGENDE DU LAC** *Amaralak (Pim) Khamhong*

Phya Khom était le seigneur de la ville d'Ekthita. Il avait une fille, Nang Ai, dont la beauté était connue dans tout le pays. Le prince Phadaeng de la ville de Phaphong vint secrètement rendre visite à Nang Ai, et tous deux tombèrent amoureux au premier regard. Ils passèrent la nuit ensemble et décidèrent de se marier au plus vite.

Au sixième mois lunaire, Phya Khom organisa un concours de lancer de fusées et invita les gens des terres alentour à la fête. Celui dont la fusée irait le plus haut serait récompensé par mille trésors et aurait la main de sa fille. Le prince Phadaeng, qui ne fut pas invité, arriva toutefois avec une grande fusée, sachant qu'il devait gagner s'il voulait la main de Nang Ai. Lors du concours, la fusée de Phya Khom ne décolla pas, tout comme celle de Phadaeng. Fou de colère, Phya Khom ne tint pas sa promesse et ne donna rien au vainqueur. Phadaeng s'en retourna chez lui très peiné.

Alors que se déroulait le concours, le *naga* Phangkhi, fils de Suttho Naga, maître du monde souterrain appelé Muang Badan, arriva déguisé pour voir de ses propres yeux la beauté de Nang Ai, dont il tomba profondément amoureux.

De retour chez lui, ne pouvant ni boire ni manger, il y retourna malgré les objections de son père. Cette fois, il se déguisa en écureuil blanc et se cacha dans un arbre près de la fenêtre de Nang Ai. Lorsqu'elle vit l'animal, elle voulut l'avoir et ordonna à un soldat de le capturer. N'arrivant pas à ses fins, ce dernier tua l'écureuil d'une flèche empoisonnée. Alors qu'il était en train de s'éteindre, Phangkhi fit un vœu : "Que ma chair soit bonne et suffisante pour nourrir toute la ville." Son vœu se réalisa et tout le monde en ville, à l'exception des veuves qui n'avaient pas d'obligations officielles, reçut une part de sa chair.

). Hôtel plutôt chic, construit récemment et offrant des chambres très bien équipées pour les prix pratiqués, qui comprennent le petit-déj et le dîner. Gros inconvénient : il est excentré, ce que compense un peu la sympathique cafétéria en face.

**MJ The Majestic** (☎ 0 4273 3771 ; 399/2 Th Khu Meuang ; ch 440-1 440 B, ste 2 400-3 440 B ; ). Cet hôtel de classe affaires est le plus onéreux de la ville et, pourtant, les chambres les moins chères, plus grandes qu'au Dusit ou qu'à l'Elegant, ne sont pas meilleures. En revanche, il offre toute la panoplie que des établissements plus modestes ne peuvent proposer : bar à cocktails, massages, snooker et karaoké.

## Où se restaurer

Vous trouverez une excellente variété de plats, généralement à emporter, sur le plus grand marché de nuit de Sakhon Nakhon, le **Night Plaza** (Th Khu Meuang). L'animation diminue à partir de 20h. Pour vous asseoir et profiter longtemps de la soirée, allez au **Talat Charoensri Suan Rak** (marché du parc de l'amour Charoensri ; Th Tor Pattana ; 17h-2h), situé en plein quartier des noctambules.

**Krua Anotai** (enseigne en thaï ; ☎ 0 4271 1542 ; 1709/16-17 Th Prem Prida ; plats 25-60 B ; déj et dîner). Établissement plutôt chic de restauration rapide thaïe et chinoise, servant sautés et *dim sum*, etc.

**Green Corner** (☎ 0 4271 1073 ; 1773 Th Ratpattana ; plats 35-325 B ; petit-déj, déj et dîner). Premier choix en matière de cuisine *fa·ràng*, cet endroit se distingue aussi par ses spécialités thaïlandaises et isan (jus de bignay, *lâhp* de poisson et omelette aux œufs de fourmis), qui figurent très rarement sur la carte en anglais.

**Mit Auppatam** (enseigne en thaï ; ☎ 0 4271 1633 ; 37 Th Sukkasem ; plats 40-160 B ; petit-déj, déj et dîner). Traditionnel et populaire, idéal pour les petits-déjeuners (succulente omelette), on y sert en journée des currys, des steaks et d'autres plats qu'on ne s'attend pas à trouver dans un endroit si simple. La cuisine est si savoureuse que la princesse Sirindhorn est venue y dîner à l'improviste en 2008. Personne ne parle anglais.

**Pra Cha Chuen** (enseigne en thaï ; ☎ 0 4271 1818 ; 382 Th Makkhalai ; plats 69-229 B ; dîner). Ce restaurant charmant et gai, le plus couru de Sakon, est installé dans une vieille maison de bois. Qu'il s'agisse de riz frit ou de *Ƀlah chôrn sá·mŭn·prai* (poisson à tête de serpent aux herbes avec sauce au piment et à la mangue), les plats sont tout simplement divins.

## Achats

Dans l'**OTOP Center** (☎ 0 4271 1533 ; Th Sukkasem ; 8h30-17h) de Sakon Nakhon, vous pourrez

Lorsque les disciples de Phangkhi, ayant été témoins de sa mort, revinrent à Muang Badan avec la triste nouvelle, la colère de Suttho Naga fut telle qu'il envoya des soldats par dizaines de milliers détruire la ville de Phya Khom. Ceux-ci partirent sur le champ pour Ekthita.

Pendant ce temps, Phadaeng, languissant d'amour, ne pouvait se résoudre à rester plus longtemps dans sa ville. Il prit son cheval et s'en alla retrouver Nang Ai, qui l'accueillit chaleureusement et lui offrit à manger de la viande d'écureuil. Mais Phadaeng refusa d'y toucher, expliquant à Nang Ai qu'il s'agissait là de Phangkhi déguisé en écureuil et que quiconque mangerait de sa chair mourrait et verrait sa ville réduite à néant.

L'armée de Suttho Naga arriva à Ekthita à la tombée de la nuit. Sa vengeance fut telle que même les fondations de la ville commencèrent à s'écrouler. Phadaeng dit à Nang Ai de prendre les anneaux, le gong et le tambour du royaume et tous deux s'enfuirent à cheval. Lorsque Suttho Naga apprit que Nang Ai s'échappait, il se lança à sa poursuite ; le sol s'effondrait derrière lui. Pensant que Suttho Naga suivait les anneaux, le gong et le tambour, Nang Ai les jeta, mais le *naga* continua sa poursuite. Lorsque le cheval, épuisé, ralentit, Suttho Naga le rattrapa, le saisit par la queue et ramena Nang Ai à Muang Badan.

La bataille provoqua l'effondrement de toute la ville et se créa ainsi un immense lac que l'on appelle Nong Han. Les veuves qui n'avaient pas mangé d'écureuil furent épargnées et leurs maisons préservées sur une petite île nommée Don Hang Mai (l'île des veuves) depuis ce jour.

Phadaeng retourna à Phaphong, accablé de chagrin par la perte de Nang Ai. Il choisit de mourir afin de pouvoir continuer à se battre pour elle. Après sa mort, il devint un fantôme et ses armées combattirent le *naga* à Muang Badan. Les combats durèrent si longtemps que le dieu Indra dut intervenir pour y mettre fin. Depuis ce jour, Nang Ai attend qu'Indra décide de qui sera son mari.

vous procurer de belles soieries et cotonnades cousues main, ainsi que des vêtements teints avec de l'indigo et d'autres colorants naturels. On peut aussi y acheter des vins de bignay ou de gingembre noir.

### Depuis/vers Sakon Nakhon

**PB Air** (☎ 0 4271 5179 ; ☎ à Bangkok 0 2261 0222 ; www.pbair.com ; 1438 Th Yuwaphattana ; 8h30-17h30 dim-ven, 8h30-15h sam) assure 1 ou 2 vols quotidiens depuis/vers Bangkok (aller simple 3 015 B, 70 min).

Le **terminal des bus** (Th Ratpattana) de Sakon, très centrale, dessert Ubon Ratchathani (ordinaire/1re classe 125/225 B, 5 heures, 9/j), That Phanom (ordinaire/clim 38/68 B, 1 heure 15, toutes les heures), Nakhon Phanom (2e/1re classe 65/85 B, 1 heure 30, toutes les 45 minutes), Udon Thani (ordinaire/1re classe 73/148 B, 3 heures 30, toutes les 30 min), Khon Kaen (ordinaire/1re classe 129/188 B, 4 heures, 5/j) et Bangkok (2e/1re classe 386/497 B, 11 heures, départs le matin et en fin d'après-midi uniquement).

Des bus 2e classe pour Udon Thani (109 B, toutes les 30 min) et Khon Kaen (155 B, 5/j) partent aussi de la station-service Esso au nord du terminal des bus. Des bus 24 sièges de **999 VIP** (☎ 0 4271 2860) pour Bangkok (773 B, 8h30, 19h30 et 19h45) partent d'un arrêt dans Th Reuang Sawat (en face de l'école Supsa de Sakon Nakhon Pattana), dans le sud de la ville, mais si vous voulez réserver une place, il faut acheter votre billet à l'agence de la compagnie située dans Th Sukkasem.

## ENVIRONS DE SAKON NAKHON

### Musée Ajahn Fan Ajaro

พิพิธภัณฑ์พระอาจารย์ฝั้นอาจาโร

Célèbre disciple d'Ajahn Man, Luang Pu (Ajahn) Fan Ajaro vécut au Wat Pa Udom Somphon, dans son district natal de Phanna Nikhom, de 1964 à sa mort, en 1977. Le **musée** (dons appréciés ; 8h-17h) qui lui est consacré, aménagé à l'intérieur d'un *chedi* à 3 niveaux en forme de lotus, expose l'habituel assortiment de reliques, photos et objets personnels. Seuls ceux qui s'intéressent vraiment au bouddhisme pénétreront dans le *wat* adjacent qui, contrairement au Wat Pa Sutthawat (p. 548), devenu un *wat têe·o* (*wat* touristique), reste un monastère de forêt strictement réservé à la méditation. Le musée se trouve à 40 km de Sakon Nakhon en direction d'Udon Thani par la Hwy 22, puis à 2 km au nord de Ban Phanna, dans Th Srisawadwilai.

### Palais Phu Phan Rajaniwet

พระตำหนักภูพานราชนิเวศน์

L'enceinte de la **résidence isan de la famille royale** (☎ 0 4271 1550 ; entrée libre ; 8h-16h) est ouverte au public lorsque ses hôtes n'y séjournent pas. Elle est plutôt modeste comparée à certains autres palais de la famille, mais ses jardins sont magnifiques et reposants. En voiture, on ne peut pas circuler dans l'enceinte, mais on peut aller jusqu'à l'enclos des éléphants. Les tenues courtes (laissant paraître jambes, bras ou épaules) sont interdites.

Le palais se trouve à 14 km au sud de Sakon Nakhon, juste en retrait de la Rte 213. Pour s'y rendre, prendre un bus pour Kalasin (18-20 B, 20 min, toutes les heures).

### Parc national de Phu Phan

อุทยานแห่งชาติภูพาน

Perché sur les jolis monts Phu Phan, au milieu de la forêt, le **parc national de Phu Phan** (☎ 08 1263 5029 ; entrée libre) est encore sauvage et isolé – il servit de refuge aux résistants thaïlandais durant la Seconde Guerre mondiale et aux guérilleros du PLAT (People's Liberation Army of Thailand, Armée de libération du peuple thaïlandais) dans les années 1970. La **Tham Seri Thai** (grotte de Seri Thai) fit office d'arsenal et de mess pour la Thai Seri (résistance clandestine thaïlandaise) durant la Seconde Guerre mondiale. Sur ses 645 km² de forêt tropicale, le parc abrite des muntjacs, des varans aquatiques, des loris lents, des singes et quelques éléphants.

Situé à 700 m du centre d'information des visiteurs, le site d'observation **Pha Nang Moen** permet d'atteindre le plateau de **Lan Sao E**, à 1,5 km de là, d'où le coucher du soleil est merveilleux. Quatre petites cascades, parmi lesquelles **Nam Tok Kam Hom**, se succèdent sur 600 m le long d'une rivière (alimentée en eau uniquement d'août à octobre), à 8,5 km au nord. Peu visité, le pont de pierre de **Tang Pee Parn** est accessible en 4x4. Pour randonner dans les splendides montagnes qui se dressent à l'extrémité sud du parc, mieux vaut faire appel à un guide.

Le parc compte un **camping** (empl 30 B/pers, location tente 3-6 places 150-225 B) et 5 **bungalows** (☎ 0 2562 0760 ; www.dnp.go.th/parkreserve ; 500-600 B) pour 4 personnes.

Les principales curiosités se trouvent tout près de la Rte 213. De Sakon Nakhon, n'importe quel bus à destination de Kalasin (ordinaire/clim 20/25 B, 45 minutes, toutes les heures) vous y déposera.

### Talat Klang Dong Sang Kaw

ตลาดกลางดงสร้างค้อ

À 25 km du parc national de Phu Phan sur la Rte 213, le **Talat Klang Dong Sang Kaw** (marché de la forêt de Sang Kaw) vend des anones et d'autres produits cultivés dans de petites exploitations villageoises, mais il est surtout connu pour les produits récoltés dans la forêt, comme les fruits, les racines, le miel, les insectes, les nids d'oiseaux (censés porter chance) et les champignons. On trouve aussi du whisky et du vin de bignay de fabrication locale.

# PROVINCE DE MUKDAHAN

## MUKDAHAN

มุกดาหาร

**34 300 habitants**

Sur la rive du Mékong, juste en face de Savannakhet (Laos), Mukdahan est une ville plutôt quelconque. En décembre 2006, l'ouverture du pont de l'Amitié thaïlando-laotienne 2 a officialisé le statut de centre de négoce de Mukdahan. Mais la ville n'a pas connu l'essor qui a été celui de Nong Khai après la construction du premier pont de l'Amitié : c'est Savannakhet qui a récolté l'essentiel des bénéfices économiques.

Mukdahan est surtout réputée pour son **Talat Indojin** (marché indochinois), qui s'étend le long de la berge, où les groupes de touristes thaïlandais se rendant au Laos ou au Vietnam s'arrêtent pour acheter nourriture, vêtements et babioles en tout genre.

### Renseignements

**Bangkok Bank** (Hwy 212, Tesco-Lotus ; 🕑 10h-20h). Ne change que les espèces. De nombreuses banques dans le centre-ville ouvrent aux heures normales de bureau et acceptent les chèques de voyage.

**Bureau de l'immigration** (☎ 0 4261 1074 ; Th Song Nang Sathit ; 🕑 8h30-16h30 lun-ven). Prorogations de visa.

**Centre d'information touristique** (☎ 0 4263 2700 ; Th Phitak Phanomkhet ; 🕑 8h30-16h30 lun-ven). L'office du tourisme de la ville occupe un complexe avec accès Internet, massages traditionnels thaïlandais et artisanat.

**Huanam Hotel** (☎ 0 4261 1137 ; 36 Th Samut Sakdarak ; accès Internet 20 B/h ; 🕑 6h-minuit). Connexion rapide et location de vélos (100 B/j).

### À voir

Monuments incongrus, **Ho Kaeo Mukdahan** (☎ 0 4263 3211 ; Th Samut Sakdarak ; 20 B ; 🕑 8h-18h) est une tour haute de 65 m de haut bâtie pour le 50e anniversaire de l'accession au trône du roi Rama IX. La base à 9 côtés renferme un musée dont les expositions légendées en anglais racontent l'histoire de Mukdahan. Une belle vue et des collections historiques vous attendent dans la salle des "360° de plaisir à Mukdahan au bord du Mékong", située à 50 m de hauteur. La boule qui coiffe la tour contient une statue du Bouddha très vénérée, apparemment en argent massif.

Depuis le sommet du **Phu Manorom** (🕑 6h-19h), plus au sud, vous aurez une vue plus globale du Laos et du Mékong. Vous trouverez un joli petit jardin et un modeste temple. Malgré les efforts des professionnels du tourisme pour promouvoir le lieu au lever du soleil, il reste peu visité.

Selon l'une des nombreuses légendes qui l'entourent, la statue de 2 m de Phra Chao Ong Luang Buddha du **Wat Si Mongkhon Tai** (Th Samron Chaikhongthi ; 🕑 en journée) est antérieure à la ville et aurait été déterrée lors de sa fondation. La belle porte nord couverte de mosaïques fut érigée en signe d'amitié par la communauté vietnamienne de la ville en 1954. Plus bas dans la même rue, le **Wat Yod Kaeo Sivichai** (Th Samron Chaikhongthi ; 🕑 en journée) se distingue par son *wí·hăhn* aux parois de verre contenant un gigantesque bouddha et par ses 2 petites répliques du Phra That Phanom.

### Fêtes et festivals

La **fête de Mukdahan**, qui se tient en décembre ou en janvier sur le champ en face du *săh·lah glahng*, est l'occasion de découvrir les danses et les costumes des 8 groupes ethniques du Mukdahan.

### Où se loger

**Bantomkasen Hotel** (enseigne en thaï ; ☎ 0 4261 1235 ; 25/2 Th Samut Sakdarak ; ch 150-300 B ; ❄). De l'extérieur, on dirait un simple bloc de béton, mais ses portes à claire-voie et ses parquets lui confèrent un charme un peu suranné. Chambres avec toilettes et eau chaude à partir de 170 B et avec clim à partir de 250 B.

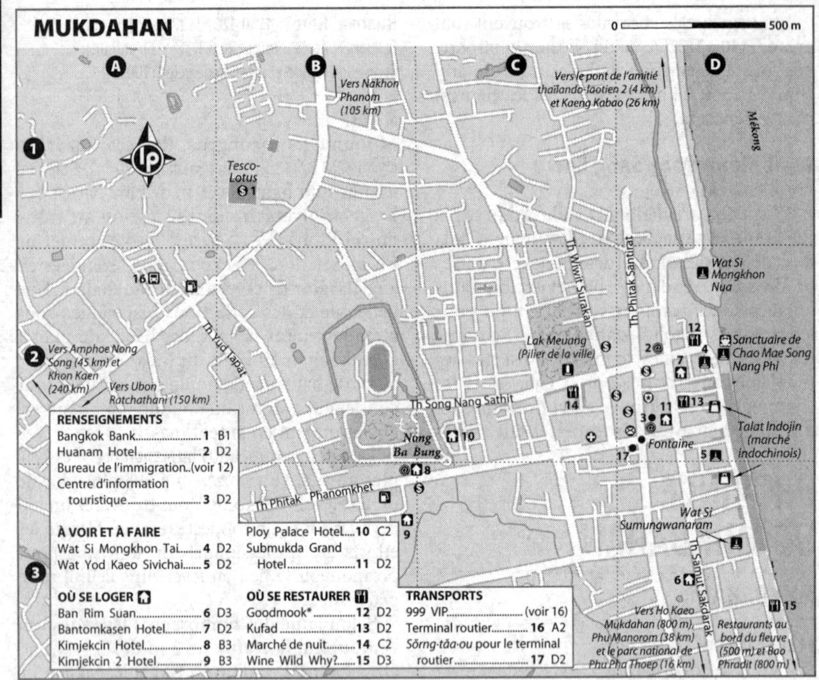


**Kimjekcin 2 Hotel** (☎ 0 4263 1310 ; 95/1 Th Phitak Phanomkhet ; ch 280-380 B ; ❄). Cet établissement pour VRP ne se distingue que par ses prix peu élevés, raison pour laquelle il affiche souvent complet. Les chambres du Kimjekcin 1, de l'autre côté de la rue, coûtent 30 B de moins (et sont aussi un brin moins propres), et celles avec clim situées à l'arrière donnent sur un petit lac.

**Ban Rim Suan** (☎ 0 4263 2980 ; Th Samut Sakdarak ; ch 330 B ; ❄ 💻). C'est la meilleure option petits budgets de la ville. Les chambres ne sont pas d'une grande élégance, mais les propriétaires ont essayé de les égayer un peu. Légèrement au sud du centre, l'établissement est bien situé pour aller dîner ou prendre un verre au bord de l'eau. Wi-Fi gratuit.

**Submukda Grand Hotel** (☎ 0 4263 3444 ; 72 Th Samut Sakdarak ; ch 400-500 B ; ❄ 💻). Cette tour flambant neuve a été bâtie en 2006 pour accueillir l'afflux de touristes que la construction du pont laissait espérer. Les chambres et le service sont semblables à ceux du Ban Rim Suan. Depuis les balcons du dernier étage, on aperçoit la rivière.

**Ploy Palace Hotel** (☎ 0 4263 1111 ; www.ploypalace.com ; 40 Th Phitak Phanomkhet ; ch 1 050-1 800 B, ste 5 500 B ; ❄ 💻 🏊). Les chambres de cet hôtel pour une clientèle d'affaires datent un peu mais offrent un bon rapport qualité/prix. Marbre et bois donnent une élégance certaine, en plus des différentes prestations (Wi-Fi dans les chambres, sauna, piscine et restaurant sur le toit) et du personnel très accueillant. La poésie n'est pas en reste : des ruches naturelles, signe de bonheur et de prospérité en Thaïlande, sont accrochées aux loggias des chambres des 8e et 9e étages.

## Où se restaurer

Rares sont les endroits où l'on peut manger assis dans le centre-ville. Ce n'est pas le cas le long de la rivière, où les restaurants proposent surtout du poisson.

**Marché de nuit** (Th Song Nang Sathit ; 🕑 16h-22h). Parfait pour goûter des spécialités isan, telles que le *gài yâhng, sôm·đam* et les insectes frits. On y déguste aussi beaucoup de plats vietnamiens, dont les *Ƀòr Ƀéea* (rouleaux de printemps) qu'ils soient *sòht* (frais) ou *tôrt* (frits).

**Kufad** (enseigne en thaï ; ☎ 0 4261 2252 ; 36-37 Th Samut Sakdarak ; plats 25-100 B ; 🕑 petit-déj, déj et dîner). Café vietnamien tout simple mais populaire, idéal pour un petit-déjeuner. Le menu-photo permet de savoir ce qu'on mange, mais pas ce qu'on paie.

**Wine Wild Why?** (☎ 0 4263 3122 ; 11 Th Samron Chaikhongthi ; plats 40-150 B ; déj et dîner). Dans une belle demeure en bois au bord du Mékong, ce petit établissement à l'ambiance détendue prépare de délicieux plats thaïlandais et isan, mais sa carte des vins est de l'histoire ancienne. Les affables propriétaires, originaires de Bangkok, ajoutent au charme.

**Bao Phradit** (enseigne en thaï ; ☎ 0 4263 2335 ; 123/4 Th Samron Chaikhongthi ; plats 40-200 B ; déj et dîner). Au sud du centre-ville, voici un restaurant isan authentique où de nombreux ingrédients proviennent de la forêt. Sur une paisible terrasse en bois au bord de l'eau, on déguste aussi bien du *hŭa Ƀèt yâhng* (tête de canard grillée) et du *gaang aòrm wăi* (curry aux pousses de rotin) que du poisson vapeur ou du riz sauté au porc. Mieux vaut venir ici avec un ami thaïlandais (il n'y a pas d'anglophones dans les parages) pour profiter pleinement des plats proposés.

**Riverside Restaurant** (☎ 0 4261 1705 ; 103/4 Th Samron Chaikhongthi ; plats 45-150 B ; déj et dîner). Environ 200 m avant le Bao Phradit, cet endroit prisé offre une vue superbe depuis le jardin en terrasse. Des aquariums vous laissent apprécier les poissons du Mékong proposés au menu, et même si vous n'en mangez pas, ce cours de biologie vaut le détour. La carte affiche les différentes manières dont le chef s'offre d'accommoder votre plat, ainsi que des mets sans poisson comme du sanglier. Petit plus : Wi-Fi gratuit.

**Goodmook*** (☎ 0 4261 2091 ; 414/1 Th Song Nang Sathit ; plats 70-380 B ; petit-déj, déj et dîner). Cet endroit sympathique a tout du repaire de voyageurs : mélange de spécialités thaïlandaises et occidentales (*đôm yam* et steak américain), Wi-Fi gratuit, œuvres d'art au mur ; il manque juste les voyageurs. Toutefois, qui séjourne à Mukdahan plus longtemps que prévu lors d'une correspondance finit presque toujours par venir ici. Vélos à louer (100 B/j). La direction envisage d'organiser des excursions.

## Depuis/vers Mukdahan

Le **terminal des bus** (☎ 0 4261 1421), qui comporte une agréable cafétéria, se trouve sur la Rte 212, à l'ouest de la ville. Pour la rejoindre depuis le centre, prenez un *sŏrng·tăa·ou* jaune (10B, de 6h à 18h) dans Th Phitak Phanomkhet, près de la fontaine. Des bus partent régulièrement pour Nakhon Phanom (ordinaire/1re classe 52/92 B, 2 heures, toutes les heures) via That Phanom (ordinaire/clim 28/50 B, 1 heure), ainsi que pour Khon Kaen (2e classe 155 B, 4 heures 30, toutes les 30 min), Ubon Ratchathani (ordinaire/1re classe 80/144 B, 3 heures 30, toutes les heures) et Yasothon (1re/2e classe 81/104 B, 2 heures, 10/j).

Trois bus à destination de Bangkok (1re/2e classe 502/390 B, 10 heures) partent entre 8h et 9h et beaucoup d'autres entre 16h30 et 20h45, dont un de la compagnie **999 VIP** (☎ 0 4261 1478) de 24 sièges VIP (818 B, 8h30, 20h et 20h15).

Il faut environ 3 heures par la Hwy 212 pour gagner Ubon Ratchatahni en voiture. Mais si vous disposez de la journée, prenez les petites routes qui longent le Mékong pour apprécier la beauté de la campagne thaïlandaise dans cette région peu visitée.

Des bateaux relient toujours Mukdahan et Savannakhet, au Laos, bien que réservés dernièrement aux seuls Thaïlandais et Laotiens. Pour aller à Savannakhet en bus (semaine/week-end 45/50 B, 45 minutes, toutes les heures de 7h30 à 19h), les formalités pour les étrangers s'effectuent lors du passage de la frontière : le bureau de douane du terminal des bus est réservé aux Thaïlandais.

# ENVIRONS DE MUKDAHAN

## Parc national de Phu Pha Thoep

อุทยานแห่งชาติภูผาเทิบ

D'une superficie de 48 km², le **parc national de Phu Pha Thoep** (☎ 0 4260 1753 ; 400 B), appelé aussi parc national de Mukdahan, offre de superbes paysages parsemés de collines, de falaises et d'étonnantes formations rocheuses en forme de champignons. Le groupe de rochers le plus important se situe juste derrière le centre d'information des visiteurs. Entre octobre et décembre, le lieu est tapissé de fleurs sauvages.

Près des rochers insolites, du haut de certaines falaises, la vue s'étend sur un paysage composé presque uniquement de forêts. La pittoresque cascade de **Nam Tok Phu Tham Phra** (mai à août seulement) est surmontée d'une grotte qui contient des centaines de petites **statues du Bouddha**. Des sentiers bien balisés permettent de voir les sites en 2 heures, mais vous devrez gravir plusieurs échelles pour y accéder. **Than Fa Mue Daeng**, une grotte ornée de gravures vieilles de 5 000 ans, se trouve à 8 km à pied à travers la forêt. Si vous préférez marcher dans la forêt, il vous faudra un guide du parc.

Pour vous loger, vous avez le choix entre un **camping** (empl 30 B/pers, location tente 3-5 places 300/600 B) ou un **bungalow** (☎ 0 2562 0760 ; www.dnp.go.th/parkreserve ; 1 800 B) de 3 chambres où l'on tient facilement à 6.

Le parc se situe à 15 km au sud de Mukdahan, près de la Rte 2034. Du terminal des bus de Mukdahan, les *sŏrng·tăa·ou* (20 B, 30 min) qui partent toutes les demi-heures pour le district de Don Tan passent devant l'embranchement menant à l'entrée. De là, on rejoint facilement le centre d'information des visiteurs en stop (1,3 km) ; sinon, essayez de marchander (tentez 30 B) avec les chauffeurs de *sŏrng·tăa·ou* pour qu'ils fassent un détour et vous y déposent. Moins fréquents, les bus pour Kham Marat passent également devant l'embranchement ; dernier retour en ville à 17h.

## Ancienne Highway 212

Pour découvrir le visage traditionnel de la Thaïlande, l'ancienne Hwy 12, qui ne s'éloigne jamais du Mékong, se prête merveilleusement à une randonnée à vélo. Le Goodmook* (p. 555) et le Huanam Hotel (p. 553), à Mukdahan, louent des vélos. Plusieurs itinéraires sont possibles, le tout étant de ne pas s'éloigner du fleuve. En quittant la ville sur la route de Non Ak-Na Po Yai, vous longerez de nombreuses fermes piscicoles avant de passer sous le **pont de l'Amitié thaïlando-laotienne 2**, d'une longueur de 1,6 km. Enjambant le Mékong dans sa partie la plus large le long de la frontière, il mesure 400 m de plus que le pont de l'Amitié 1, à Nong Khai.

À 10 km de là (tournez à la grande flèche orange), où les eaux vertes de la Chanode rencontrent le flot boueux du Mékong – avec un peu de chance, vous verrez des pêcheurs vider leurs nasses –, se dresse le **Wat Manophirom** (🕑 en journée), l'un des plus anciens temples de la province de Mukdahan. Le *bòht* d'origine, transformé en *wí·hăhn*, fut érigé en 1756 dans le style de Lan Xang, avec une façade en bois finement sculptée et de grands avant-toits peints. Il renferme de nombreux bouddhas anciens, dont 8 sont sculptés dans des défenses d'éléphant.

Le **Wat Srimahapo** (🕑 en journée), parfois appelé Wat Pho Si, s'élève à Ban Wan Yai, 4,5 km plus au nord. Son minuscule *bòht*, construit en 1916, comporte des poutres en bois délicatement sculptées soutenant un toit de tôle, et ses murs sont couverts de fresques naïves. Les bouddhas avaient jadis un trou creusé au-dessus du cœur pour recevoir les offrandes, mais celui-ci a été rebouché. La résidence des moines est de style classique français et quelques *long-tail boats* sont entreposés ici entre 2 courses.

Quelque 7 km plus loin, vous verrez un édifice moderne aux parois de verre, **Notre-Dame-des-Martyrs-de-Thaïlande** (🕑 8h30-16h30, messe à 7h le dim), appelée aussi Wat Song Khon et souvent considérée à tort comme la plus grande église catholique d'Asie du Sud-Est. Elle fut édifiée en 1995 à la mémoire de sept chrétiens thaïlandais tués par la police en 1940 pour avoir refusé d'abjurer leur foi. Au fond de l'église, des vitrines renferment des figures en cire des martyrs ainsi que leurs cendres.

Juste après l'église, **Kaeng Kabao** est une étendue de rivage rocheux et d'îlots qui se transforme en rapides durant la saison des pluies. Plusieurs restaurants se sont installés au bord du fleuve, ce qui en fait une étape idéale avant de repartir à Mukdahan ou de parcourir encore 20 km pour gagner That Phanom. À la fin de la saison sèche, entre mars et mai, les plages apparaissent et les gens viennent se baigner et jouer avec des chambres à air.

## District de Nong Sung

อำเภอหนองสูง

Que vous vouliez découvrir une culture différente ou simplement plonger au cœur de la Thaïlande rurale, le district de Nong Sung, à l'extrême ouest de Mukdahan, est l'endroit rêvé.

Une grande partie de la population de la province de Mukdahan est Phu Thai. De toutes les minorités ethniques de l'Isan, les Phu Thai (dont les racines remontent en Chine du Sud, près de la frontière laotienne et vietnamienne) sont ceux qui sont restés les plus fidèles à leur culture. La plupart des villageois revêtent toujours les parures traditionnelles lors des fêtes ou des enterrements, et leurs enfants font de même à l'école le jeudi. Le dialecte thaï dominant ici, peu importe que vous parliez bien le thaï ou l'isan, attendez-vous à quelques incompréhensions.

La région compte de nombreux villages de tisserands de soie et de coton. La plupart des femmes tissent les motifs *mát·mèe* habituels pour répondre à la demande du marché, mais vous trouverez aussi des vêtements et des tissus typiquement phu thai si vous le demandez.

### THAI HOUSE-ISAAN
เรือนไทยอีสาน

Cette sympathique **pension** (☎08 7065 4635 ; www.thaihouse-isaan.com ; ch 700-1 500 B ; ) tenue par des Australiens est idéale pour goûter à la vie de village sans vivre pour autant à la dure. Le prix d'une nuit comprend une visite de la ferme familiale, une excursion en forêt pour faire le plein de provisions et un spectacle de danse donné par les enfants (dont les recettes vont directement à l'école locale). Les circuits d'une journée dans la région coûtent entre 800 et 900 B par personne (minimum 2 pers). Sinon, on peut louer un vélo (120 B/j) ou une moto (500 B la journée) et visiter par soi-même. Les chambres sont confortables et bien équipées, notamment le "chalet" de style thaï (1 500 B), et la carte fait la part belle aux plats thaïlandais et aux classiques occidentaux préparés avec des produits bio (70-295 B). Vous pourrez aussi aider Noi en cuisine pour apprendre. Les clients sont toujours bienvenus, même s'ils ne restent qu'une journée.

Thai House-Isaan est à 60 km de Mukdahan par la Hwy 2042. Les bus entre Mukdahan et Khon Kaen vous déposeront à Ban Kham Pok (depuis Mukdahan 50 B, 70 min, toutes les 30 min jusqu'à 16h30).

### BAN PHU
บ้านภู

Ban Phu, à 6 km au sud de la ville de Nong Sung par la Rte 2370, est un village pittoresque au pied du Phu Jaw Kor Puttakiri. Le programme de **séjour chez l'habitant** (☎08 9276 8961 ; 500 B/pers repas compris) vous permet de goûter au quotidien du village en prenant part à la cuisine, au tissage et aux activités dans les champs, par exemple. Si vous voulez allier nature et culture, on peut vous emmener sur la montagne visiter une grotte. Rares sont ceux qui parlent anglais dans le village, mais c'est le cas de Khun Puyai Pairit, qui organise des visites pour les *fa·ràng*.

On trouve un métier sous la plupart des 300 maisons, et le petit magasin du temple vend des étoffes traditionnelles.

Des *sŏrng·tăa·ou* pour Nong Sung (40 B, 1 heure 15) partent toutes les 10 min en journée du quai 16 du terminal des bus de Mukdahan. Environ 6 d'entre eux continuent sur Ban Phu (50 B), mais cela dépend du chauffeur. Les bus en direction de Khon Kaen s'arrêtent aussi à Nong Sung (2e classe 43 B, 1 heure, toutes les 30 min jusqu'à 16h30), où l'on peut prendre un moto-taxi (50-60 B) ou un *sŏrng·tăa·ou* (environ 100 B) pour parcourir le dernier tronçon.

# PROVINCES DE YASOTHON ET ROI ET

Yasothon et Roi Et, 2 des provinces les plus rurales de Thaïlande, n'intéressent pas les voyageurs pressés, mais elles offrent pourtant une facette du pays inconnue de la plupart des visiteurs (y compris des Thaïlandais).

Si vous souhaitez explorer la culture isan, allez voir le Phra That Kong Khao Noi et achetez des oreillers à Ban Si Than, dans la province de Yasothon. La ville de Yasothon garde précieusement tous ses feux d'artifice pour la fête annuelle des Fusées. La province de Roi Et possède quelques sites étonnants, dont un bouddha debout 68 m, et sa capitale est de loin la plus agréable des deux.

## YASOTHON
ยโสธร

**23 000 habitants**

En dehors de la période festive qui se situe mi-mai, Yasothon n'a pas grand-chose à offrir. En fait, elle n'a rien d'une capitale provinciale, et ressemble même à peine à une ville.

### À voir

Le clou du **Wat Mahathat** (Th Wariratchadet ; en journée) est bien le Phra That Anon (alias le Phra That Yasothon), un *chedi* de style lao très vénéré. On dit qu'il date de 695 av. J.-C. et qu'il abrite les reliques sacrées de Phra Anan (Ananda), le moine et aide de camp du Bouddha. Plus intéressant toutefois, l magnifique petit *hŏr đrai*, construit dans les années 1830 et restaurée en 2008, se dresse sur des pilotis au milieu d'un étang. Si vous demandez à un moine, on vous laissera jeter un coup d'œil à l'intérieur.

Le **Wat Singh Ta** (Th Uthai Rammarith ; en journée) est assez banal, mais la rue qui fait face à son angle sud-est abrite d'anciennes maisons de commerce chinoises – véritable trésor. À 300 m de la rue principale, à l'ouest de la Kasikornbank.

### Fêtes et festivals

Associée à un rite de pluie et de fertilité, la **fête des Fusées** (Bun Bâng Fai) a lieu le deuxième week-end de mai. Cette fête qui annonce la saison humide est célébrée dans tout l'Isan, mais suscite une ferveur particulière à Yasothon, où elle s'accompagne de spectacles de danse, de défilés et de concours de lancers de fusées confectionnées par les habitants. Les plus grandes, appelées *bâng fai săan*, contiennent 120 kg de nitrate. Celles qui ne parviennent pas à décoller sont jetées dans la boue.

## Où se loger et se restaurer

**In Town Hotel** (enseigne en thaï ; ☎ 0 4571 3007 ; 614 Th Jangsanit ; ch 220-380 B ; ❄). Cet hôtel, situé dans la rue principale, est si loin au sud qu'il devrait presque changer de nom, mais il reste de loin le meilleur établissement petits budgets de Yasothon. Le Warotohn Hotel, à côté, est encore meilleur marché, mais moins agréable.

**Yasothon Orchid Garden** (enseigne en thaï ; ☎ 0 4572 1000 ; 219 Th Prachasamphan ; ch 400-450 B ; ❄ 💻). Près du terminal des bus, cet établissement simple mais raisonnable pour sa catégorie dispose de grandes chambres. Wi-Fi au rdc et restaurant ouvert jusqu'à minuit.

**Green Park** (☎ 0 4571 4700 ; Th Wariratchadet ; 500-800 B ; ❄ 💻). À 1 km à l'est du marché de nuit, sur la route de Mukdahan. De même catégorie que l'Orchid Garden mais un peu plus chic. Wi-Fi gratuit dans toutes les chambres et accès au club voisin de remise en forme moyennant 60 B par jour. Un inconvénient : il n'existe pas de restaurant alentour.

**JP Emerald Hotel** (☎ 0 4572 4848 ; 36 Th Prapa ; ch 800-1 000 B, ste 1 600 B ; ❄ 💻). Jolie réception et chambres confortables, mais l'entretien laisse un peu à désirer par ailleurs. Cet hôtel reste pourtant le meilleur en ville et sa discothèque vous distraira peut-être. Il se trouve à l'extrémité de la ville, direction Roi Et.

**Rim Chi** (enseigne en thaï ; ☎ 0 4571 4597 ; plats 50-270 B ; 🕒 petit-déj, déj et dîner). Dans un paysage bucolique, une délicieuse cuisine isan et thaïlandaise à déguster sur une terrasse ombragée ou sur un radeau individuel au taud de chaume, sur la rivière Chi. Les photos qui illustrent la carte vous aideront à passer votre commande. À 900 m à l'ouest de la Krung Thai Bank.

Pour plus d'authenticité, essayez le **Night Barza** (Th Jangsanit ; 🕒 petit-déj, déj et dîner), au nord du centre-ville, qui ne s'anime vraiment qu'au déjeuner contrairement à ce que l'enseigne laisse entendre, ou le **marché de nuit** (Th Wariratchadet ; 🕒 16h-minuit), une rue au nord-est.

## Depuis/vers Yasothon

Le **terminal des bus** (☎ 0 4571 2965) de Yasothon se trouve au cœur de la ville, sur Th Rattanakhet. Il n'est utilisé que par les bus pour Khorat (2e classe 170 B, 4 heures 30, toutes les 30 min jusqu'à 13h30) et les bus **999 VIP** (☎ 0 4571 2965) pour Bangkok (32/24 sièges 483/644 B, 20h/20h30). La plupart des lignes régulières pour Bangkok (2e/1re classe 322/425 B, 9 heures) partent de différents arrêts situés sur la Hwy 23 dans la moitié nord de la ville. Les bus les plus fréquents pour Ubon Ratchathani (2e/1re classe 70/90 B, 1 heure 30, toutes les heures) et Khon Kaen (2e/1re classe 122/157 B, 3 heures 30, toutes les heures) via Roi Et (2e/1re classe 50/65 B, 1 heure) s'arrêtent à 100 m du terminal des bus, à côté de TT&T, tandis que d'autres bus pour Ubon (2e classe) partent aussi le matin d'un arrêt non loin, sur la Hwy 23, en face de Mitsubishi.

# ENVIRONS DE YASOTHON

## Phra That Kong Khao Noi

พระธาตุก่องข้าวน้อย

Une bien triste légende entoure le **Phra That Kong Khao Noi** (stupa du petit panier à riz ; 🕒 en journée), un *chedi* de brique et de stuc datant de la fin de la période d'Ayuthaya, découvert le long de la Hwy 23, à 5 km environ de la ville en direction d'Ubon. La légende (enseignée aux écoliers du pays pour leur apprendre à maîtriser leurs émotions), raconte qu'un jeune fermier, après une matinée de dur labeur dans les champs sous un soleil de plomb, tua sa mère dans un accès de rage, car elle avait tardé à lui apporter son déjeuner et avait choisi le plus petit panier à riz. Le fermier avala son repas près du corps de sa mère et réalisa que le panier contenait plus de riz qu'il ne pouvait en manger. Pour expier son crime, il construisit ce *chedi*.

Une autre version affirme qu'il fut bâti par des fidèles qui se rendaient au Phra That Phanom pour y déposer de l'or et des pierres précieuses. Arrivés à Ban Tat Thong, ils apprirent qu'il était trop tard et édifièrent donc ce *chedi* à la place. Certains locaux mélangent parfois les mythes et affirment que le fils repenti ne pouvant bâtir seul un *chedi*, il se joignit aux pèlerins et ils l'édifièrent ensemble.

Pour compliquer encore les choses, les habitants de Yasothon affirment en majorité que le stupa se dresse un peu plus au nord, à l'arrière du **Wat Ban Sadoa**, à 7 km à l'est de Yasothon sur la Rte 202. Il n'en reste que la base, car l'original s'effondra peu après la mort du fils matricide : les habitants de la région érigèrent un autre petit *chedi* à côté. Nous avons demandé à un moine pourquoi les touristes thaïlandais visitaient l'autre *chedi* et il nous a simplement répondu : *'Gahn meuang'* (c'est la politique).

### Ban Si Than

บ้านศรีฐาน

Les oreillers sont la spécialité de **Ban Si Than**. Partout où vous irez dans le village, vous verrez des gens occupés à coudre, à rembourrer ou à vendre des *mŏrn kít* (oreillers décorés de *kít*, des motifs en forme de diamants), en particulier les célèbres *mŏrn kwăhn* ("oreillers haches"). Pour répondre à la demande, les habitants sont contraints d'utiliser des étoffes de fabrication industrielle, mais le rembourrage et une partie de la couture sont encore réalisés à la main. Les prix sont bien inférieurs à ceux qui sont pratiqués dans le reste de la Thaïlande, et Ban Si Than est l'un des rares endroits où l'on peut acheter des oreillers non rembourrés (*yang mâi sài nûn*, ou "sans kapok") qui constituent des souvenirs pratiques à rapporter.

Si vous voulez voir des singes, demandez qu'on vous indique la direction de **Don Ling**, à 4 km du village, à Ban Tao Hi.

Ban Si Than a un **programme de séjour chez l'habitant** (☎ 08 7258 1991 ; 300 B/pers avec 2 repas). Le village se trouve à 20 km de Yasothon, puis à 2,5 km au sud de Ban Nikom sur la Rte 202. Les bus à destination d'Amnat Charoen vous déposeront à l'embranchement (25 B, 45 minutes), où un moto-taxi vous fera faire le reste du trajet pour 20 B environ.

## ROI ET

ร้อยเอ็ด

**36 000 habitants**

Roi Et est l'une des plus vieilles villes de l'Isan, les premières traces d'un village remontant à plus de 2 800 ans. La légende raconte que la cité a eu jusqu'à 11 portes. Or, en écriture ancienne, ce chiffre s'écrivait "10 plus 1", ce qui a donné le nom de la ville, qui veut dire "cent un".

La ville possède une longue histoire, mais seules ses douves ont traversé le temps. Roi Et n'en a pas moins gardé un certain charme et une identité bien à elle. Sans être assoupie, la cité semble vivre à un rythme tranquille, à l'image de la statue du Bouddha marchant, dressée sur une île au milieu du lac de Beung Phlan Chai.

La province de Roi Et est renommée pour la fabrication de l'instrument de musique typique du pays isan, le *kaan*, une sorte de flûte de Pan. Beaucoup disent que les meilleurs *kaan* sont fabriqués dans le village de Si Kaew (à 15 km au nord-ouest de Roi Et), même si on les trouve (ainsi que d'autres instruments de musique traditionnels) dans plusieurs magasins de la ville sur Th Phadung Phanit.

### Renseignements

Les banques sont disséminées dans le centre, plusieurs d'entre elles étant installées à l'extrémité nord de Th Suriyadet Bamrung, où se trouvent aussi la poste principale et le poste de police. Les cybercafés ne courent pas les rues, mais il y en a quelques-uns près du grand magasin Plaza.

### À voir

Le **Phra Phuttha Ratana Mongkon Mahamuni** (Luang Po Yai, en abrégé), énorme bouddha debout, domine les toits bas de Roi Et depuis le **Wat Burapha** (Th Phadung Phanit ; ⏲ en journée). Sans grand intérêt artistique, il est cependant difficile de l'ignorer. Du sol à la pointe de l'*ùt·sà·nít* (ornement en forme de flamme sur la tête), il mesure 67,8 m, et 59,2 m de la tête aux pieds.

Dans le quart nord de la ville, le **Wat Neua** (Th Phadung Phanit ; ⏲ en journée) mérite le détour pour son *chedi* de la période de Dvaravati, de Phra Satup Jedi. Vieux de 1 200 ans, il est en forme de cloche quadrangulaire, une structure rare en Thaïlande. Quelques *săir·mah* (pierres de clôture) Dvaravati entourent le *bòht*. À l'extérieur de l'enceinte principale, un pilier couvert d'inscriptions fut érigé par les Khmers quand ils dominaient la région aux XIe et XIIe siècles.

Des sentiers ombragés sillonnent la charmante île du lac de **Beung Phlan Chai**, fréquentée par les amoureux, les joggeurs et les pique-niqueurs. Le célèbre **bouddha marchant** se tient du côté nord et le **làk meuang** (pilier de la ville) du côté sud ; entre les deux, on peut voir de nombreux autres monuments et statues.

Le **Musée national de Roi Et** (☎ 0 4351 4456 ; Th Ploenchit ; 100 B ; ⏲ 9h-16h mer-dim), très intéressant, se partage à égalité entre les objets anciens découverts dans la région et les expositions sur la culture isan. Au 3e étage, des morceaux de tissus teints naturellement couvrent toutes les couleurs de l'arc-en-ciel.

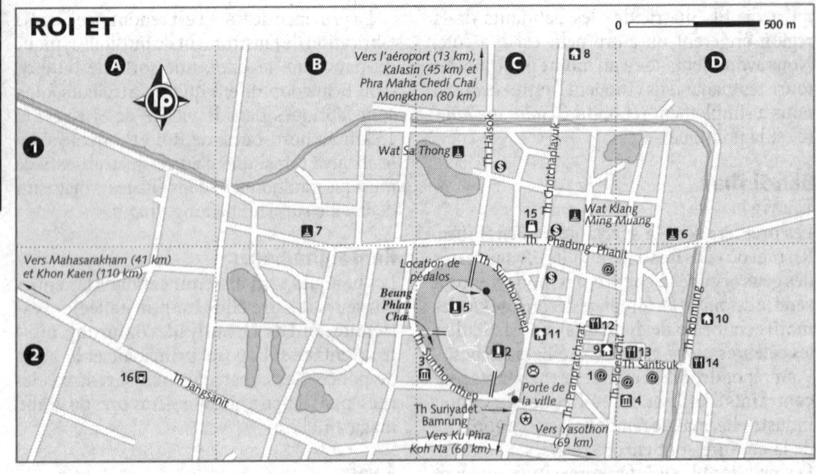


**RENSEIGNEMENTS**
Grand magasin Plaza ................1 C2

**À VOIR ET À FAIRE**
Lak Meuang................................2 C2
Aquarium de Roi Et ....................3 C2
Musée national de Roi Et ...........4 D2
Statue du Bouddha marchant ...5 C2
Wat Burapha...............................6 D1
Wat Neua....................................7 B1

**OÙ SE LOGER**
Phetcharat Garden Hotel........................8 C1
Phrae Thong Hotel....................9 C2
Poon Petch Sportclub..............10 D2
Saithip Hotel...........................11 C2

**OÙ SE RESTAURER**
Marché de nuit .......................12 C2
Richi India Food.......................13 D2
White Elephant.............................14 D2

**ACHATS**
Boutiques d'artisanat ..............15 C1

**TRANSPORTS**
999 VIP.................................(voir 16)
Terminal routier ...............................16 A2

Un tunnel permet de traverser le petit **aquarium de Roi Et** (☎ 0 4351 1286 ; Th Sunthornthep ; entrée libre ; 🕒 8h30-16h30 mer-dim) et d'admirer les drôles de poissons qu'il héberge. Une jolie balade.

## Où se loger et se restaurer

**Phrae Thong Hotel** (☎ 0 4351 1127 ; 45-47 Th Ploenchit ; ch 180-350 B). Les insomniaques maudiront le bruit de la rue, et peut-être aussi celui des autres clients (on peut louer une chambre pour 3 heures). Cet hôtel propre et simple propose cependant de petites chambres très lumineuses.

**Saithip Hotel** (☎ 0 4351 1742 ; 133 Th Suriyadet Bamrung ; ch 240-320 B ; ❄). L'architecte a tenté d'ajouter une touche de glamour à cet hôtel simple, sans grand succès. Les chambres sont néanmoins correctes et il y a de vraies toilettes.

**Poon Petch Sportclub** (☎ 0 4351 6391 ; 52 Th Robmung ; ch 370-438 B ; ❄). Établissement récent sans grand caractère qui loue des chambres impeccables avec réfrigérateur et balcons.

**Phetcharat Garden Hotel** (☎ 0 4351 9000 ; www.petcharatgardenhotel.com ; Th Chotchaplayuk ; ch 540-700 B, ste 1 740 B ; ❄ 💻 🏊). Palme d'or pour cette adresse à l'élégance authentique. Dans le hall, un décor serein marie des styles d'Orient et d'Occident, avec volets en bois et hauts plafonds. Les employés très stylés (pantalons tendance pour les hommes) sont aux petits soins. Cette ambiance ne passe pas la porte des chambres, qui commencent à vieillir mais présentent encore un bon rapport qualité/prix. Immense piscine et Wi-Fi gratuit.

**White Elephant** (☎ 0 4351 4778 ; Th Robmung ; plats 40-240 B ; 🕒 dîner). Cet élégant restaurant au bord des anciennes douves propose une carte de recettes thaïlandaises impressionnante, mais ses spécialités sont allemandes, comme le propriétaire. La terrasse extérieure est entourée de verdure.

**Richi India Food** (☎ 0 4352 0413 ; 37/1 Th Santisuk ; plats 50-250 B ; 🕒 déj et dîner). Établissement bigarré plus proche du salon de coiffure que du restaurant et la cuisine n'est pas renversante, mais c'est une des rares tables de l'Isan à proposer des plats indiens. Wi-Fi gratuit pour les clients.

Sur le **marché de nuit** (17h-minuit) principal, couvert, il y a toujours un marchand ambulant (au moins) qui prépare des sautés toute la journée.

### Où prendre un verre

Le quartier de Roi Et qui vit la nuit (concerts, *beer gardens* et les incontournables danseurs coyotes) s'étend dans Th Chotchaplayuk, entre le canal et l'hôtel Phetcharat Garden. Quelques bars moins chics sont installés sur la rive ouest du lac.

### Depuis/vers Roi Et

**PB Air** (☎ 0 4351 8572, à Bangkok 0 2261 0222 ; www.pbair.com) assure un vol depuis/vers Bangkok (aller simple 2 740 B, 1 heure) 4 jours par semaine. La compagnie possède un guichet à l'aéroport, situé à 13 km au nord du centre-ville.

Du **terminal des bus** (☎ 0 4351 1466 ; Th Jangsanit) de Roi Et, des bus partent pour Yasothon (2e/1re classe 50/65 B, 1 heure, toutes les heures), Khon Kaen (2e/1re classe 80/99 B, 2 heures, toutes les 20 min), Surin (2e classe 98 B, 3 heures, toutes les heures) et Ubon Ratchathani (ordinaire/1re classe 82/148 B, 3 heures). Des bus fréquents relient Roi Et et Bangkok (2e/1re classe 314/403 B, 8 heures), dont ceux de **999 VIP** (☎ 0 4351 1466) de 24 sièges VIP (627 B, 7 heures 30, 10h45 et 21h30).

Le terminal des bus est à 1 km du centre-ville et un *túk-túk* jusqu'au Phetcharat Garden vous coûtera 45 B.

## ENVIRONS DE ROI ET

### Ku Phra Koh Na

กู่พระคูนา

À 60 km au sud-est de Roi Et se dressent les modestes ruines de **Ku Phra Koh Na** (entrée libre ; en journée), un sanctuaire khmer du XIe siècle. L'édifice comprend 3 *prang* en brique, dont les frontons de grès sont orientés à l'est. Le mur d'enceinte, en blocs de grès, est percé de 4 portes. Le *prang* central a été restauré en 1928 et complété par des niches destinées aux statues du Bouddha. Un sanctuaire abritant une empreinte de pied du Bouddha a été ajouté en façade, orné des *naga* de style Baphuon qui agrémentaient le monument khmer d'origine. Les deux autres *prang*, également restaurés, ont conservé leur structure d'origine. Celui du nord possède un linteau représentant Narai (Vishnu) sur une porte et un bas-relief inspiré du *Ramayana* sur le pignon intérieur.

Les ruines ne sont pas particulièrement impressionnantes ni bien restaurées, mais il est intéressant de voir la façon dont on les a intégrées au temple moderne. Et si cela ne vous passionne pas, vous pourrez observer les centaines de singes qui vivent ici.

#### DEPUIS/VERS KU PHRA KOH NA

N'importe quel bus partant de Roi Et à destination de Surin vous déposera au Wat Ku (45 B, 1 heure 30), appellation locale du temple, situé à 6 km au sud de Suwannaphum sur la Rte 214.

### Phra Maha Chedi Chai Mongkhon

พระมหาเจดีย์ชัยมงคล

Ce monument largement inachevé et toujours en construction, qu'on appelle aussi le **Parc bouddhiste isan** (entrée libre ; 7h-18h), est déjà incontournable. Un *chedi* blanc de 101 m (hauteur symbolique), encerclé d'un bâtiment de 101 m de largeur se dresse au cœur d'un ensemble d'une surface de 101 *râi* (16 ha). L'intérieur, tout en dorures et en miroirs, apparaît comme magnifique ou horrible, selon les goûts, mais ne laisse personne indifférent. Le *chedi* repose au sommet de Khao Keeo (la Montagne blanche) et le parc forestier de Pha Nam Yoi qui l'entoure abrite toujours, semble-t-il, quelques tigres.

Le *chedi* s'élève à 80 km au nord-ouest de Roi Et près de Nong Phok, mais reste difficile d'accès sans son propre véhicule. Depuis Roi Et, il faut prendre un *sŏrng·tăa·ou* pour Phon Thong (40 B, 1 heure, toutes les 45 minutes), puis un des bus de la ligne Khon Kaen-Amnat Charoen pour rejoindre *Ɓrà·đoo* Kong (la porte de Kong), à Ban Tha Saat (20 B, 20 min, 10/j). Pour finir, il reste 5 km en montée à parcourir à pied.

Le stop est généralement facile, sinon vous pouvez demander dans un magasin de vous y faire conduire ; comptez 300 B pour l'aller-retour.

# Nord-ouest du golfe de Thaïlande

La plupart des voyageurs ne font que traverser la région nord-ouest du golfe de Thaïlande, souvent de nuit, en direction des plages et des îles plus au sud. Si les sites d'intérêt particulier ne sont pas aussi impressionnants que dans d'autres destinations plus prisées, cette petite partie de la Thaïlande possède des villes détendues en bord de mer, des complexes hôteliers raffinés, le plus vaste parc national du pays et nombre de vestiges historiques.

Les touristes locaux affluent dans la région, et vous aurez peut-être l'occasion de faire connaissance avec des Thaïlandais en week-end dans la ville de Cha-am, résolument désertée par les *fa·ràng*. Pour des hôtels au confort haut de gamme, des terrains de golf de luxe et des buffets de plats internationaux, direction Hua Hin, qui, bien que moderne et cosmopolite, attire les touristes thaïlandais depuis que Rama VII y a fait construire un palais en 1922.

Pour les férus d'histoire, la région ne manque pas de temples installés dans des grottes, qui semblent éclairés de l'intérieur par des bouddhas éclaboussés de lumière, et l'horizon de Phetchaburi hérissé de *wat* et de palais est à découvrir lors d'une promenade en ville.

Les amateurs de nature emprunteront les chemins de randonnée escarpés croisant des cascades, traversant d'épaisses forêts ou savanes, et accédant à des points de vue panoramiques sur la mer.

Faites-vous de nouveaux amis thaïlandais en prenant les transports locaux entre les petites villes. Ce n'est pas aussi simple qu'un train de nuit, mais plus intéressant.

### À NE PAS MANQUER

- Le spectacle d'un varan de 2,5 m évoluant dans la rivière, tout en dégustant de la fleur de banane à **Phetchaburi** (p. 564)
- Une partie de golf et un dîner gastronomique dans l'élégante ville touristique de **Hua Hin** (p. 570)
- Une journée à paresser sur une plage perdue dans la jungle, sur la paisible **Bang Saphan** (p. 582)
- Une promenade en bord de mer parmi les pics calcaires de **Prachuap Khiri Khan** (p. 579)
- Un tour de bateau gonflable en compagnie de Thaïlandais en vacances à la **plage de Cha-am** (p. 568)

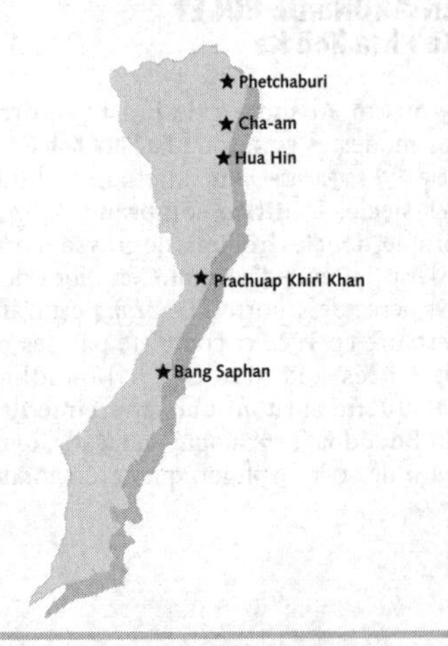


- MEILLEURE PÉRIODE : DE FÉVRIER À JUIN
- POPULATION : 1,4 MILLION D'HABITANTS

## Histoire

Si la région doit en grande partie sa popularité auprès des Thaïlandais à l'engouement récent de plusieurs rois, certains témoignages archéologiques indiquent que le nord-ouest du golfe attire des visiteurs depuis la période de Dvaravati. Phetchaburi sert en particulier de repère chronologique des périodes historiques, présentant les différentes influences exercées sur la région.

Au XI^e siècle, l'Empire khmer s'établit ici, même si son emprise fut de courte durée. À mesure que le pouvoir khmer déclinait, Phetchaburi devint un fort royal stratégique sous les royaumes de Sukhothai et d'Ayuthaya. En réalité, le règne de Sukhothai marque le premier véritable royaume thaï sur la péninsule.

Après l'absorption du royaume de Sukhothai par celui d'Ayuthaya aux XIII^e et XIV^e siècles, la partie supérieure de la péninsule connaît la prospérité. L'actuelle province de Prachuap Khiri Khan commença alors à croître, et Phetchaburi se développa en tant que comptoir entre Burma et Ayuthaya. La ville est souvent appelée "Ayuthaya vivante", car elle possède encore de nombreuses reliques, détruites dans les anciennes capitales du royaume.

Lorsque la cité d'Ayuthaya fut prise en 1767, Prachuap Khiri Khan fut abandonnée. Elle ne fut pas reconstruite avant 1845, lorsque le roi Rama IV fonda à nouveau la ville et lui donna son nom actuel.

Prachuap Khiri Khan, et particulièrement Ao Manao, est l'un des sept points de la côte où les troupes japonaises ont débarqué le 8 décembre 1941 lors de l'invasion de la Thaïlande.

## Climat

La meilleure période s'étend de février à fin juin, pendant la saison chaude et sèche. Entre juillet et octobre (mousson du sud-ouest) et d'octobre à janvier (mousson du nord-est), attendez-vous à des averses et à des vents parfois violents. Toutefois, la région se trouvant entre la zone à trois moussons (nord, nord-est et centre du pays) et celle à deux moussons (sud), elle est moins humide que le reste de la Thaïlande, même en saison de pluie. Durant la mousson, le ciel est souvent gris dans les stations balnéaires, comme Hua Hin et Cha-am, mais le climat reste moins humide et pluvieux qu'à Ko Samui, à Phuket ou dans d'autres destinations méridionales.

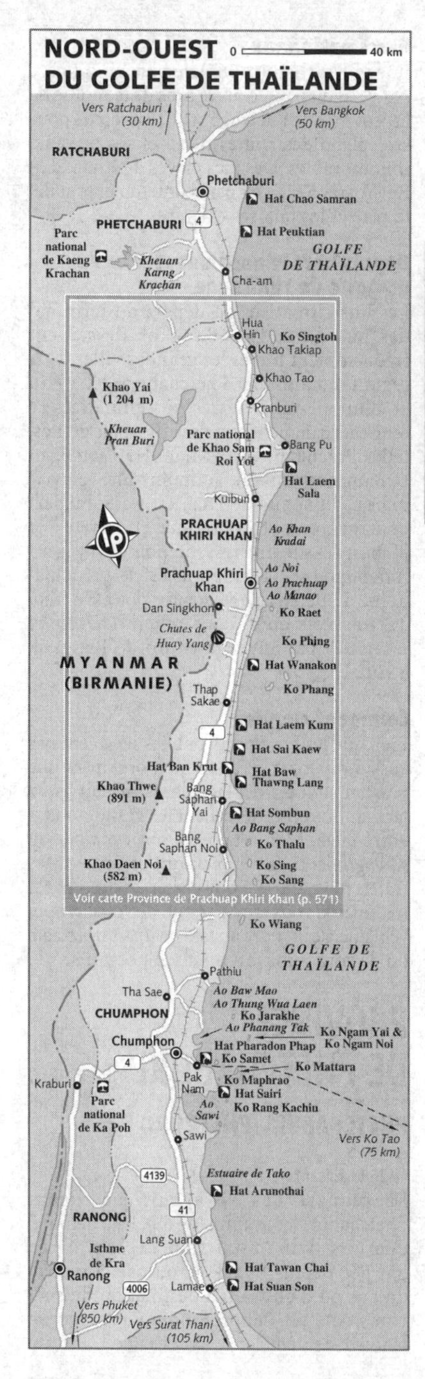

### Parcs nationaux

Kaeng Krachan (p. 567), le plus grand parc national du pays, couvre près de la moitié de la province de Phetchaburi ; il est réputé pour ses splendides chutes d'eau et ses oiseaux, innombrables. Des pics élevés de Khao Sam Roi Yot (p. 577), l'on peut contempler le golfe, la côte et les falaises calcaires.

### Depuis/vers le nord-ouest du golfe de Thaïlande

Les bus climatisés au départ du terminal des bus du Sud de Bangkok desservent fréquemment toutes les grandes villes de la région, notamment Phetchaburi, Hua Hin et Chumphon. D'autres bus climatisés se rendent également vers des villes plus petites, telles Prachuap Khiri Khan, Hat Ban Krut et Bang Saphan Yai, au moins une fois par jour. La ligne sud de Thai Railways qui part de Bangkok est très pratique et s'arrête à la plupart des sites intéressants pour le voyageur indépendant. Chumphon est le principal point de départ des bateaux pour Ko Tao, et trois vols quotidiens relient l'aéroport international Suvarnabhumi de Bangkok à Hua Hin.

### Comment circuler

Bien que les transports publics ne soient pas aussi nombreux ni aussi bien organisés que plus au sud, les déplacements restent assez faciles. Bus et trains relient les grandes villes entre elles. Motos-taxis et *sŏrng·tăa·ou* (ou *săwngthăew* ; petits pick-up) effectuent les trajets plus courts. Pour visiter les deux parcs nationaux, vous aurez besoin de votre propre véhicule, de prendre un taxi ou un *sŏrng·tăa·ou*, ou de vous joindre à un circuit organisé.

# PROVINCE DE PHETCHABURI

## PHETCHABURI (PHETBURI)

เพชรบุรี

**40 259 habitants**

La plupart des voyageurs ne voient Phetchaburi (couramment appelée Phetburi) que lors d'une excursion express d'une journée depuis Bangkok, ou par la fenêtre du bus ou d'un train à destination du sud. Une visite plus approfondie vous laissera le loisir de démêler le canevas de l'histoire thaïlandaise. Les traditions du royaume de Siam transparaissent encore dans certaines maisons séculaires en teck, ou dans l'héritage culinaire de Phetchaburi. Lorsque vous serez rassasié des délicieux desserts, spécialités de la ville, grimpez au sommet de la colline jusqu'aux palais royaux de ce qu'on appelle l'"Ayuthaya vivante" ou allez admirer le sanctuaire bouddhique souterrain des grottes de Khao Luang.

### Orientation

Si vous arrivez à la gare ferroviaire, suivez la rue qui longe les voies vers le sud-est, tournez à droite dans Th Ratchadamnoen et, à la seconde grande intersection, prenez à gauche pour rejoindre le centre-ville. Un *săhm·lór* (ou *săamláw* ; cyclo-pousse) de la gare ferroviaire au Saphan Chomrut (pont Chomrut) revient à 20 B. Si vous venez en bus climatisé, vous serez déposé près du marché de nuit, à la limite nord du centre.

### Renseignements

La ville ne compte aucun point d'information officiel, mais la Rabieng Rim Nam Guest House (p. 566) est une excellente source de renseignements concernant Phetchaburi et le parc national de Kaeng Krachan (p. 567). Le Sun Hotel (p. 566) dispose d'un accès Internet sans fil et d'un ordinateur (100 B/h).

**Centre téléphonique** (angle Th Ratwithi et Th Damnoen Kasem ; 7h-22h). À l'étage de la poste.

**Police** ( 0 3242 5500 ; Th Ratwithi). Près du croisement avec Th Ratchadamnoen.

**Poste principale** (angle Th Ratwithi et Th Damnoen Kasem)

**Siam Commercial Bank** (2 Th Damnoen Kasem). Les banques des alentours disposent également d'un service de change et de DAB.

### À voir et à faire

Phetchaburi compte d'innombrables *wat* (temples) et différents circuits pour les voir. Visitez la ville à pied : la plupart des hôtels distribuent des cartes rudimentaires, tandis que le *Phetchaburi Attractions and Travelling Guide* (70 B), publié par l'université Phetchaburi Rajabhat, offre des cartes et des descriptions plus détaillées. Il est également possible de louer un *săhm·lór* ou un moto-taxi à partir de 300 B. La Rabieng Rim Guest House (p. 566) loue des motos et propose une excursion d'une journée pour visiter les *wat* et les palais de Phetchaburi (400-600 B/pers).

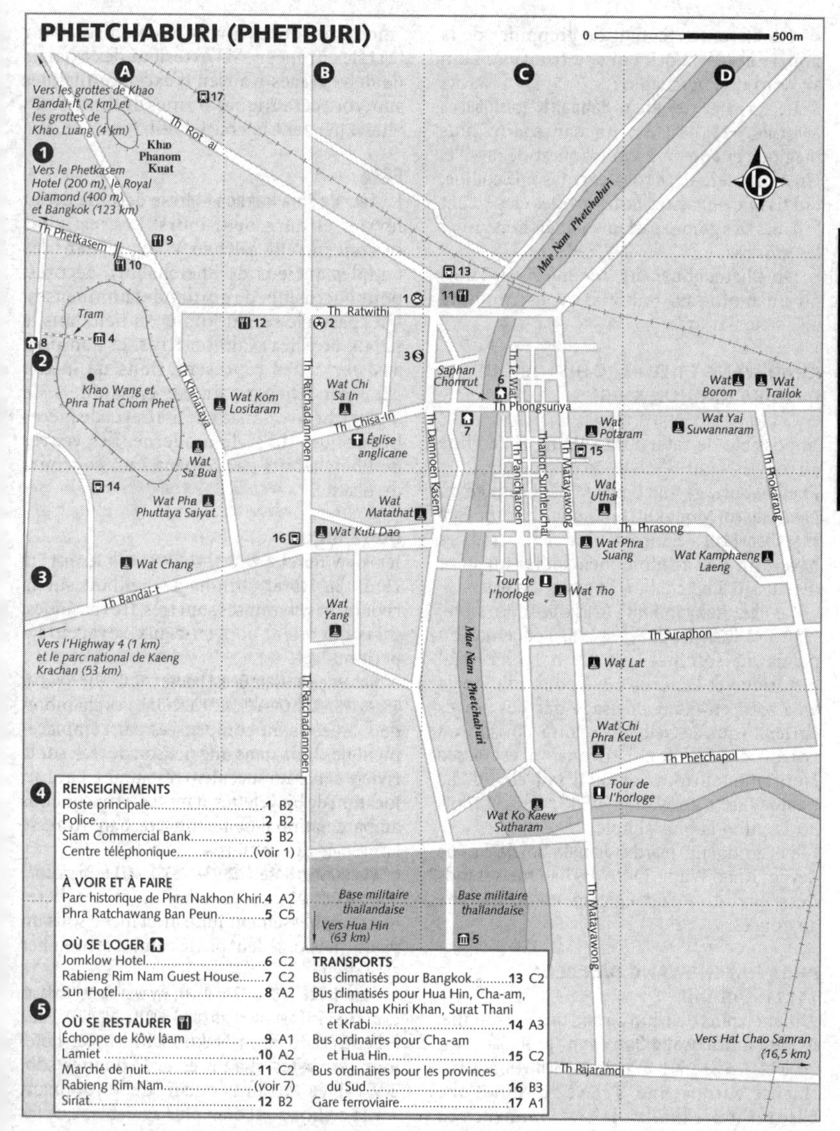


## GROTTES DE KHAO LUANG ET DE KHAO BANDAI-IT

ถ้ำเขาหลวง

Dans la caverne principale du sanctuaire troglodytique de **Khao Luang** (contribution volontaire ; 8h-18h), de longues stalactites surplombent des rangées de bouddhas anciens, pour la plupart installés par Rama IV. Un trou dans le plafond laisse filtrer la lumière du soleil sur les statues. Au fond de cette caverne, une entrée mène à une autre petite salle. À droite de l'entrée, le Wat Bunthawi comprend un *săh·lah* (ou *sala* ; salle de réunion), conçu par le supérieur du *wat*, et un *bòht* (salle des ordinations) aux portes de bois superbement sculptées. Aux alentours de la grotte, des singes effrontés tentent de grappiller de la nourriture. Khao Luang se trouve à 4 km au nord de Phetchaburi.

La grotte de **Khao Bandai-It** (contribution volontaire ; 9h-16h) est un sanctuaire plus magique encore, à 2 km à l'ouest de la ville. Un monastère siège royalement sur la colline, tandis que plusieurs vastes grottes en percent le flanc. Des guides parlants anglais font visiter les grottes.

De Phetchaburi, un *săhm·lór* (60-70 B) ou un moto-taxi (40-50 B) vous conduira aux sanctuaires.

### KHAO WANG ET LE PARC HISTORIQUE DE PHRA NAKHON KHIRI

เขาวัง/อุทยานประวัติศาสตร์พระนครคีรี

Impossible de rater Khao Wang (la colline au palais) qui s'élève au nord-ouest de Phetchaburi, garnie de *wat* et couronnée du palais du roi Mongkut, tandis que le blanc **Phra That Chom Phet** s'élance dans le ciel. Des allées pavées mènent au monument, puis à un point de vue sur Phetchaburi et ses mille *wat*.

Le **Phra Nakhon Khiri** (colline de la ville sainte ; 0 3240 1006 ; 150 B ; 9h-16h), l'enceinte du palais au sommet, est un parc national historique et l'endroit rêvé pour admirer la ville tout en étant dévisagé par des singes curieux (qui en veulent à votre boisson ou votre portefeuille). L'ascension est assez épuisante, surtout lorsqu'il fait chaud. Le **tramway** (aller adulte/enfant 70/30 B ; 8h30-17h30) est l'option la plus simple.

Le lundi, un **marché de nuit** borde la rue devant Khao Wang. Outre les habituels stands de nourriture, c'est également un marché aux puces.

### PHRA RATCHAWANG BAN PEUN

พระราชวังบ้านปืน

À un peu plus de 1 km au sud du centre-ville, le **Phra Ratchawang Ban Peun** (palais Ban Peun ; 0 3242 8083 ; 50 B ; 8h-16h lun-ven), d'influence européenne, s'élève au sein d'une base militaire thaïlandaise. Commencé en 1910 sur l'ordre de Rama V (qui mourut peu après), il fut achevé en 1916. Les architectes allemands qui le réalisèrent profitèrent de l'occasion pour utiliser les dernières innovations en matière de construction et d'aménagement intérieur. La structure, typique du début du XX^e siècle, témoigne l'engouement des Thaïlandais, alors soucieux de rivaliser avec l'architecture "moderne" de leurs voisins colonisés, pour le style européen. Si l'extérieur de ce palais de deux étages n'a rien d'exceptionnel, les superbes céramiques vernies de l'intérieur, elles, méritent le coup d'œil.

## Fête

La **fête de Phra Nakhon Khiri** se déroule début février et dure neuf jours. Les festivités se concentrent à Khao Wang et dans les temples anciens de Phetchaburi, décorés, pour l'occasion, de guirlandes lumineuses. Un spectacle son et lumière a lieu dans le palais de Phra Nakhon Khiri et l'on peut assister à des représentations de *lá·kon chah·đri* (théâtre dansé classique), de *lí·gair* (théâtre dansé populaire) et de pièces historiques de style moderne. Les veuves de Phetchaburi participent à un concours de beauté.

## Où se loger

**Jomklow Hotel** (0 3242 5398 ; 1 Th Te Wiat ; ch 130-170 B). Hôtel chinois accueillant sur la rivière. Les chambres sont très, très basiques, mais devraient convenir aux voyageurs à petit budget.

**Rabieng Rim Nam Guest House** (08 9919 7446 ; fax 0 3240 1983 ; 1 Th Chisa-In ; s/d 120/240 B). Les chambres dépouillées sont compensées par l'emplacement de choix dans une maison de teck sur la rivière et par un succulent restaurant. Laverie, location de bicyclettes et motos, et excursions au parc national de Kaeng Krachan. Adresse appréciée des routards.

**Phetkasem Hotel** (0 3242 5581 ; 86/1 Th Phetkasem ; ch 250-400 B). Les chambres les moins chères de cet établissement industriel niché sous un viaduc ne possèdent pas la clim, et le mobilier est fatigué.

**Sun Hotel** (0 3240 0100 ; www.sunhotelthailand.com ; 43/33 Soi Phetkasem ; ch 800-1 500 B). Face à l'entrée du Phra Nakhon Khiri, cet hôtel loue de vastes chambres avec bonnes sdb, TV câblée et réfrigérateur. Celles donnant sur la colline sont bien plus agréables que les autres, avec vue sur un mur. Meilleure adresse de catégorie moyenne de la ville ; l'agréable café du rez-de-chaussée dispose d'un accès Internet sans fil.

**Royal Diamond** (0 3241 1061 ; www.royaldiamondhotel.com ; Mu 1, Th Phetkasem ; ch 1 200-1 800 B). Malgré le hall clinquant, les chambres sont un peu défraîchies, mais très correctes, avec TV et réfrigérateur.

### Où se restaurer

Parmi les plats locaux, le *kà·nŏm jin tôrt man* (fines nouilles accompagnées de croquettes de poisson épicées), le *kôw châa pét·bù·ri* (riz moelleux froid servi avec des friandises), la spécialité de la saison chaude, et le *kà·nŏm môr gaang* (crème aux œufs) sont servis dans plusieurs bons restaurants des environs de Khao Wang, de même qu'un large choix de plats thaïlandais et chinois classiques. Sur le marché de nuit, près de l'extrémité nord du centre-ville, vous trouverez plats et en-cas bon marché en abondance.

La rue principale, Th Panichjaroen, en direction du clocher, abrite d'autres bonnes adresses. Au nord de Khao Wang, Lamiet (pas d'insigne en alphabet latin) vend de délicieux *kà·nŏm môr gaang* et *fŏy torng* (jaunes d'œuf râpés et sucrés). En face de Khao Wang, une échoppe sans nom concocte un succulent *kôw lăam* (riz gluant à la noix de coco cuit à la vapeur dans un bambou).

**Sirirat** (☎ 0 3242 6305 ; 85 Ratwithi ; plats 10-50 B ; ⏲ petit-déj, déj et dîner). De gros bols fumants de nouilles au juste prix. Cherchez les nappes à carreaux noirs et blancs.

♥ **Rabieng Rim Nam** (☎ 0 3242 5707 ; 1 Th Chisa-In ; plats 40-180 B ; ⏲ petit-déj, déj et dîner). Au bord de la rivière, ce restaurant en teck prépare une cuisine sensationnelle et étonnamment raffinée. Avec de la chance, vous apercevrez un varan malais en contrebas dans la rivière. La carte est très fournie, prenez le temps de la parcourir et goûtez notre plat favori : la délicate salade à la fleur de banane.

### Depuis/vers Phetchaburi

Les bus circulent toutes les heures depuis/vers le terminal Sud des bus de Bangkok (1re/2e classe 133/119 B, 2 heures). Le terminal des bus climatisés depuis/vers Bangkok se trouve près du marché de nuit. D'autres destinations sont desservies par bus depuis/vers Phetchaburi, notamment Cha-am (35-100 B, 40 min), Hua Hin (50-120 B, 1 heure 30), Prachuap Khiri Khan (80-115 B, 3 heures) et Surat Thani (300 B, 8 heures). Pour ces villes, le départ se fait du terminal des bus à l'est de Khao Wang. Si vous arrivez du sud, il se peut qu'on vous dépose sur la nationale. De là, des motos-taxis vous emmènent en ville pour 40 B environ.

Des bus ordinaires à destination des provinces du Sud partent de l'angle de Th Banda-It et de Th Ratchadamnoen. Des bus locaux pour Hua Hin et Cha-am partent du centre-ville, sur Th Matayawong.

Depuis/vers la gare de Hualamphong à Bangkok, les trains sont fréquents. Les tarifs dépendent du train et de la classe (3e classe 74-115 B, 2e classe 143-358 B, 3 heures).

### Comment circuler

En ville, une course en *săhm·lór* ou en moto-taxi coûte 40 B ; vous pouvez également en louer pour la journée (à partir de 300 B). La course en *sŏrng·tăa·ou* revient à 10 B. La gare ferroviaire se trouve à 20 min à pied (1 km) du centre-ville.

La Rabieng Rim Nam Guest House (p. 566) loue des vélos (120 B/j) et des motos (250 B/j).

NORD-OUEST DU GOLFE DE THAÏLANDE

## PARC NATIONAL DE KAENG KRACHAN

อุทยานแห่งชาติแก่งกระจาน

Ce **parc** (☎ 0 3245 9293 ; www.dnp.go.th ; 200 B ; centre d'information des visiteurs ⏲ 8h30-16h30), le plus grand du pays avec ses 3 000 km², est célèbre pour ses magnifiques chutes de Pa La-U. Il est sillonné de sentiers de longue randonnée qui serpentent à travers les forêts et la savane, longent des falaises, des grottes et des montagnes. Arrosé par deux rivières, la Mae Nam Phetchaburi et la Mae Nam Pranburi, il compte aussi un grand lac. Des pluies abondantes contribuent à la luxuriance de la flore, en toute saison. Le parc abrite des éléphants, des cervidés, des tigres, des ours, des gibbons, des sangliers, des calaos, des semnopithèques obscurs, des gaurs, des bovidés sauvages et 400 espèces d'oiseaux.

Un véhicule est indispensable pour visiter Kaeng Krachan, mais vos efforts seront récompensés par ce lieu splendide, peu fréquenté par les touristes. La meilleure période pour l'explorer s'étend de novembre à avril.

### À voir

La marche constitue le meilleur moyen de découvrir le parc. Les chutes de **Nam Tok Tho Thip**, composées de 18 cascades, se trouvent à 4 km (3 heures) du Km 36 sur la route qui traverse le parc. Une randonnée de 6 km mène au sommet de **Phanoen Thung**, point culminant du parc, qui offre une superbe vue sur la forêt environnante ; la vue est particulièrement belle à la fin de l'automne, quand les brouillards matinaux envahissent les vallées alentour. Ce chemin part du Km 27. Attention, certains sentiers, notamment celui de Phanoen Thung, sont fermés durant la saison humide (août à octobre).

Au sud, près du lac de La-U, les impressionnantes chutes jumelles de **Pa La-U Yai** et de **Pa La-U Noi** s'étagent sur 15 niveaux. On peut les rejoindre en 4x4 à partir du sud (plus près de Hua Hin) par la Hwy 3219.

À proximité du centre d'information des visiteurs s'étend un lac de retenue où l'on peut louer des bateaux (400 B/h).



### Où se loger et se restaurer

Dans le parc, on trouve différents **bungalows** (☎ 0 2562 0760 ; reserve@dnp.go.th ; bungalows à partir de 1 200 B), essentiellement près du lac. Très simples, avec ventil et réfrigérateur, ils accueillent entre 4 et 6 personnes. Il y a également des **campings** (60-90 B/pers), dont un, agréable et verdoyant, près du lac et du centre d'information des visiteurs (assorti d'un modeste restaurant). Le centre d'information loue des tentes (225-300 B).

Sur la route menant à l'entrée du parc s'alignent plusieurs complexes hôteliers et bungalows sans prétention. **A&B Bungalows** (☎ 08 9891 2328 ; ch/bungalows 650/1 500 B), à 3,5 km environ avant d'atteindre le centre d'information des visiteurs, est un établissement touristique apprécié des ornithologues. Le bon restaurant peut vous fournir de quoi pique-niquer.

### Depuis/vers Kaeng Krachan

Kaeng Krachan se trouve à 52 km au sud-ouest de Phetchaburi ; la lisière sud du parc se situe à 35 km de Hua Hin. De Phetchaburi, suivez la Hwy 4 sur 20 km vers le sud jusqu'à la ville de Tha Yang. Tournez à droite (ouest) et parcourez 38 km jusqu'au centre d'information des visiteurs.

Aucun transport public ne dessert directement le parc. Vous pouvez prendre un *sŏrng·tăa·ou* (75 B, 1 heure 30) de Phetchaburi (près de la tour de l'horloge) à Ban Kaeng Krachan, un village à 4 km du parc. Attention, le dernier *sŏrng·tăa·ou* part à 14h. Vous pouvez également louer un *sŏrng·tăa·ou* moyennant 600 B l'aller, une solution intéressante si vous êtes à plusieurs. De Ban Kaeng Krachan, un moto-taxi (40 B) vous conduira au centre d'information des visiteurs. Il est également possible de s'y rendre dans le cadre d'un circuit organisé depuis Phetchaburi, Hua Hin ou Cha-am. À Phetchaburi, la **Rabieng Rim Nam Guesthouse** (☎ 08 9919 746 ; fax 0 3240 1983 ; 1 Th Chisa-In) organise des excursions d'une ou deux journées (2 600-4 000 B) comprenant l'observation des oiseaux et des animaux, et des randonnées. La plupart des agences de Hua Hin et de Cha-am proposent des sorties d'une journée (1 200-2200 B).

## CHA-AM

อำเภอชะอำ

**46 000 habitants**

Le week-end et en période de vacances, cette cité balnéaire est le point de ralliement des familles de province et des étudiants de Bangkok, qui débarquent par bus entiers, bien déterminés à faire la fête sur fond de musique populaire et à se détendre quelques jours. Mêlez-vous à des parties de plage, ou installez-vous à l'ombre des filaos et commandez des fruits de mer et une bière en regardant aller et venir les bateaux gonflables, et vous commencerez à vous sentir vraiment en vacances. L'ambiance n'a rien de sophistiqué, mais elle est authentique – on s'y amuse à la mode thaïe.

Si vous cherchez le calme, venez plutôt en semaine, lorsque Cha-am redevient paisible. Vous bénéficierez en outre de meilleurs tarifs dans les bonnes pensions et les hôtels de catégorie moyenne. Hormis les vendeuses de crevettes frites et de calamar grillé, vous serez probablement les seuls en ville. Quel bonheur !

### Orientation

La Phetkasem Hwy traverse le centre animé de Cha-am, où sont regroupées les banques, la poste principale, un marché et la gare ferroviaire. La longue plage se trouve à 1 km à l'est, au bout de Th Narathip, la grand-rue. La majeure partie des hôtels et des services touristiques sont installés dans Th Ruamjit, l'artère qui longe la plage. Les bus climatisés venant de Bangkok s'arrêtent à une rue de la plage, sur Th Chao Lai.

### Renseignements

Dans Th Ruamjit, les banques proposant DAB et service de change sont légion.

**Bureau de poste** (Th Ruamjit). Le long de la plage principale.

**Communications Authority of Thailand** (CAT ; Th Narathip). Pour les appels à l'étranger.

**CV Net** (Th Ruamjit ; 40 B/h ; 🕑 9h-23h). Accès Internet ; sur la route de la plage, juste avant Soi North 7.

**Tourism Authority of Thailand** (TAT ; ☎ 0 3247 1005 ; tatphet@tat.or.th ; 500/51 Th Phetkasem ;

8h30-16h30). Sur Phetkasem Hwy, à 500 m au sud de la ville. Le personnel parle bien anglais.

## Festival

Le **festival des bancs de poisson et des fruits de mer de Cha-am** est une débauche d'étals de cuisine thaïlandaise et de musique populaire. Tout se passe dans un *beer garden* en bord de mer, à l'extrémité est de Th Narathipand, et c'est à ne pas manquer si vous êtes dans les environs fin septembre-début octobre.

## Où se loger

Cha-am dispose de deux types d'hébergements : des hôtels de qualité inférieure, de style appartements, le long de Th Ruamjit, et des "condotels" plus coûteux, qui louent des appartements avec cuisine. Les bungalows, autrefois courants, se font rares. En semaine, vous bénéficierez d'une réduction de 20 à 40% sur les tarifs affichés. Par rapport à Hua Hin, plus haut de gamme, vous bénéficierez de meilleurs tarifs à Cha-am.

### PETITS BUDGETS

**Cha-am Villa Beach** ( 0 3247 1241 ; www.chaamvillahotel.com ; 241/2 Th Ruamjit ; ch à partir de 500 B ; ). Piscine, Wi-Fi et clim : une bonne adresse, même si elle a perdu de son charme. Les chambres avec ventil à 500 B sont une excellente affaire.

**Nirundorn 3** ( 0 3247 0300 ; 26/171 Th Ruamjit ; ch/bungalows 600/1 000 B ; ). Cet établissement fait mieux que ses cousins avec ses bons matelas et ses transats dans les vérandas jouissant d'une superbe vue sur la mer. Les bungalows sont vastes mais se font face. Préférez les moins chères des chambres de type hôtel avec vue sur la mer.

**Charlie House** ( 0 3243 3799 ; Soi 1 North, 241/60-61 Th Ruamjit ; ch 650-800 B ; ). Avec ses banquettes de cuir pastel et ses éclairages vifs (même dans les sdb au superbe design), cet établissement accueillant et coloré peut être confondu avec Charlie Place ou Charlie TV, tous deux dans le même *soi* (allée).

### CATÉGORIE MOYENNE

**Nana Guesthouse** ( 0 3243 3632 ; www.nanahouse.net ; 208/3-4 Th Ruamjit ; ch à partir de 900 B ; ). Chambres sans fioritures, mais propres et gaies. Petit-déj compris. Cherchez un établissement violet et pêche à l'extrémité nord de la plage.

**Cha_Inn@Cha-am** ( 0 3247 1879 ; www.cha-inn.com ; 274/34 Th Ruamjit ; ch 900-1 500 B, bungalows 900-1 200 B ; ). Moderne et minimaliste, l'établissement le plus récent et le plus élégant de Cha-am propose des chambres avec matelas de bambou, sol de ciment poli, tableaux aux murs et une banquette dans l'embrasure de la fenêtre ou une véranda.

**Dee Lek** ( 0 3247 0145 ; www.deelek.com ; 225/30-33 Th Ruamjit ; ch 1 200-1 500 B ; ). Chambres claires aux draps frais, sdb spacieuses et mobilier à l'européenne. L'enseigne compte deux établissements : Dee Lek 1 (sur Soi Long Beach, dans le nord de la ville) est plus sympathique que Dee Lek 2 (dans Th Ruamjit).

**Sweet Home** ( 0 3241 1039 ; 279/1 Ruamjit ; bungalows 1 500 B ; ). Les bungalows traditionnels de bois sont installés dans un jardin tropical. L'intérieur est un peu étroit, mais on apprécie son charme rustique au juste prix.

**Kaenchan Beach Hotel** ( 0 3247 0777 ; 241/4 Th Ruamjit ; ch 2 150-3 300 B, bungalows 1 550-3 260 B ; ). Les bâtiments de bois couleur cerise sont vieillissants, mais la piscine résonne des rires des enfants et l'endroit jouit d'une belle vue.

### CATÉGORIE SUPÉRIEURE

**Baan Pantai Resort** ( 0 3243 3111 ; www.baanpantai.com ; 247/58 Th Ruamjit ; ch à partir de 2 200 B ; ). Établissement familial possédant une immense piscine et un petit centre de fitness. Nous sommes ici au cœur de l'action (on entend rire les passagers des bateaux gonflables près de la plage). Le personnel ne parle pas bien anglais mais est très accueillant.

**Casa Papaya** ( 0 3247 0678 ; www.casapapayathai.com ; 810/4 Th Phetkasem ; ch 3 000-5 000 B ; ). Un endroit formidable sur la plage, à 6 km en direction de Hua Hin, où règne le style design mexicain. Les bungalows en bord de plage et ceux avec vue sur la mer possèdent des terrasses sur le toit pour profiter du soleil (ou du clair de lune), des lits king-size et des sdb colorées.

## Où se restaurer

Sur la plage, des marchands ambulants vendent toutes sortes de poissons et fruits de mer, grillés ou frits et, à l'extrémité nord, sur le petit port de pêche, des restaurants de produits de la mer affichent des tarifs raisonnables. La route de la plage est bordée de restaurants thaïlandais tout simples, où l'ambiance et les prix se valent. Ceux qui sont cités ci-dessous sont un peu différents.

**Rang Yen Garden** (☎ 0 3247 1267 ; 259/40 Th Ruamjit ; plats 50-180 B ; ⏰ déj et dîner nov-avr). Cet adorable restaurant de style patio, niché dans un jardin verdoyant, sert des spécialités thaïlandaises près d'un étang à poissons. Ouvert uniquement en haute saison.

**Sea_Rocco** (☎ 0 3247 1879 ; 274/34 Th Ruamjit ; plats 80-190 B ; ⏰ petit-déj, déj et dîner). Restaurant de l'hôtel Cha_Inn@Cha-am (voir p. 569), le Sea_Rocco veille à l'ambiance branchée du lieu, mais le curry est heureusement suffisamment épicé et les prix restent raisonnables.

**German Food House** (☎ 08 7082 6252 ; 234/28-30 Soi Bus Station ; plats 90-375 B ; ⏰ petit-déj, déj et dîner). Tenu par un boucher et un boulanger, un établissement prisé des expatriés. Les carnivores apprécieront les saucisses maison et le pain artisanal.

**Poom Restaurant** (☎ 0 3247 1036 ; 274/1 Th Ruamjit ; plats 120-250 B ; ⏰ déj et dîner). Plus cher que d'autres restaurants près de la plage, cet établissement sert des fruits de mer frais sous de grands palmiers à sucre. C'est le restaurant favori des Thaïlandais en week-end (toujours bon signe).

### Depuis/vers Cha-am

La plupart des hôtels disposent de navettes pour Hua Hin (150/300 B aller/aller-retour), et un taxi privé vous reviendra à 2 500 B.

Les bus ordinaires et climatisés s'arrêtent dans le centre-ville, sur la Phetkasem Hwy. Certains bus privés climatisés depuis/vers Bangkok vont jusqu'à la plage, marquant un arrêt sur Th Chao Lai, à quelques centaines de mètres au sud du croisement de Th Narathip.

Des bus fréquents circulent entre Cha-am et Bangkok (clim/ordinaire 150/130 B, 3 heures), Phetchaburi (100 B, 40 min) et Hua Hin (30 B, 30 min).

La gare ferroviaire se trouve dans Th Narathip, à l'ouest de la Phetkasem Hwy (30 B en moto-taxi depuis/vers la plage). À Bangkok, deux gares ferroviaires desservent quotidiennement Cha-am : Hualamphong (9h20 et 15h35) et Thonburi (7h25, 13h05 et 19h15). Le billet coûte 60-150 B et le trajet prend environ 4 heures. Cha-am ne figure pas sur l'horaire des trains en anglais.

### Comment circuler

La plage se situe à une courte distance du centre-ville en moto-taxi (30 B) ou en *sŏrng·tăa·ou* (20 B). Comptez 30 B pour une course en ville en moto-taxi. Si le conducteur prétend ne pas savoir où se situe votre hôtel et tente de vous emmener ailleurs, ne vous laissez pas faire ; il essaie de toucher une commission.

Il est possible de louer une moto (300 B/j) dans Th Ruamjit, et l'on trouve partout en ville des vélos (20 B/h ou 100 B/j). Des agences de location proposent voitures et Jeep pour 1 500-2 000 B/jour.

## ENVIRONS DE CHA-AM

À mi-chemin de Cha-am et de Hua Hin, le **Phra Ratchaniwet Marukhathayawan** (☎ 0 3247 2482 ; contribution volontaire ; ⏰ 9h-16h30) est un palais d'été construit sous le règne de Rama VI. Il se compose de plusieurs bâtiments en teck, à un ou deux étages, reliés par des passerelles couvertes, le tout perché sur pilotis. Les hauts toits couverts de tuiles et les grandes fenêtres à persiennes permettent à l'air de circuler.

Contrairement au palais d'été actuel situé à Hua Hin, plus au sud, celui-ci est ouvert au public. Les terrains militaires du camp Rama VI l'entourent et il faut se faire contrôler à l'entrée. Si vous venez ici en bus (ligne Cha-am-Hua Hin), demandez au chauffeur de vous déposer sur la route qui mène au palais. Des motos-taxis stationnent souvent à cet endroit. Sinon, vous devrez parcourir 2 km à pied.

# PROVINCE DE PRACHUAP KHIRI KHAN

## HUA HIN

อำเภอหัวหิน

**42 000 habitants**

Autrefois un simple village de pêcheurs, Hua Hin doit sa notoriété au roi Rama VII qui en fit le premier lieu de villégiature prestigieux du pays. En 1922, le roi Rama VII ordonna à son architecte italien d'ériger le Phra Ratchawang Klai Kangwon ("Palais loin des soucis"). Aujourd'hui encore, la famille royale vient régulièrement s'y reposer de la rude tâche consistant à contrôler l'armée et les politiciens de Bangkok. Forte de l'appui de Rama VII, la ville devint la station balnéaire de référence pour la haute société thaïe, puis le domaine réservé des vacanciers du pays (comme Cha-am).

Dans les années 1980, lorsque le groupe français Sofitel rénova le Hua Hin Railway Beach Hotel, les étrangers commencèrent à s'intéresser à la ville, qui fut alors dotée d'équipements pour les accueillir. Désormais, toutes les grandes chaînes hôtelières sont présentes à Hua Hin et, ces dernières années, un nombre croissant d'expatriés a choisi d'y vivre, faisant de la ville l'une des plus cosmopolites de Thaïlande. Gratte-ciel et lotissements envahissent l'arrière-pays, et les restaurants français, italiens, allemands et scandinaves offrent un décor familier aux touristes européens en mal de soleil.

Cet essor fulgurant n'a pas que des avantages. Hua Hin a aussi vu l'apparition d'une petite industrie du sexe, et l'ambiance de village de pêche qui régnait sur les vieux pontons a quasi disparu avec l'arrivée des hôtels, restaurants et boutiques de tailleurs, qui empiètent sans vergogne sur le domaine foncier public et obstruent la vue sur la mer depuis la route côtière.

Toutefois, la station balnéaire a su garder son atmosphère des débuts. Comparée à Pattaya, l'autre grande station balnéaire proche de Bangkok, Hua Hin est (relativement) paisible, et très prisée par les familles et par les personnes âgées. Ne pensez pas trouver ici une scène festive débridée. Les loisirs auxquels vous pourrez vous adonner sont plutôt une partie de golfe au Royal Hua Hin Golf Course ou une balade à cheval sur la plage. Le soir, explorez la jungle cosmopolite des restaurants, visitez le port et ses restaurants rustiques de fruits de mer, ou goûtez aux charmes culinaires simples de l'un des meilleurs marchés de nuit de Thaïlande. Les 5 km de plages de la ville sont plus propres que jamais, la baignade est sûre, et Hua Hin bénéficie du climat le plus sec de la péninsule.

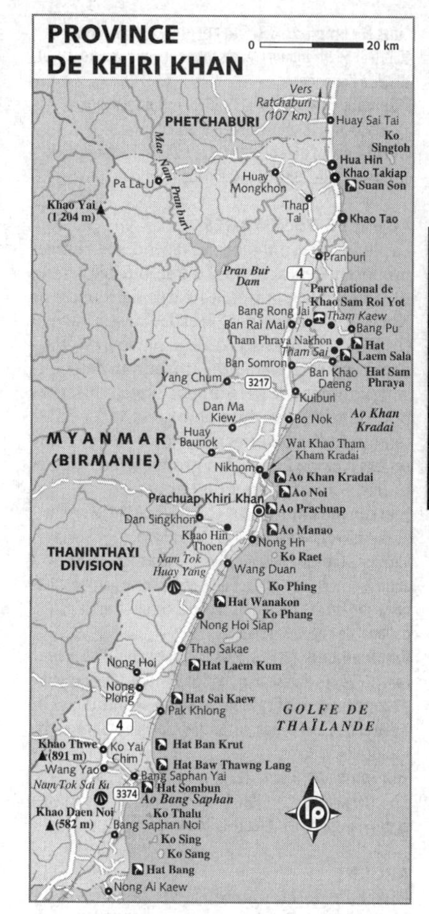


## Orientation

De loin, les grands hôtels de Hua Hin pourraient faire penser que la ville balnéaire se résume à une succession de gratte-ciel. Toutefois, de petites pensions et des restaurants en plein air jalonnent le front de mer, et de petits *soi* mènent à d'autres pensions, bars animés et agences de voyages. L'épine dorsale du centre touristique, Th Naresdamri, est bordée d'étals de souvenirs, de tailleurs et de restaurants chics. Si vous êtes perdu, cherchez l'hôtel Hilton, c'est un bon point de repère qui dépasse habituellement les petits bâtiments du centre. Th Naresdamri est une artère animée : si vous recherchez le calme, installez-vous plutôt ailleurs.

La plus belle plage s'étend le long et au sud du complexe Sofitel. Cette superbe étendue de sable parsemée de gros rochers, ronds et lisses (Hua Hin signifie "tête de pierre") est idéale pour la baignade, toute l'année. La gare ferroviaire se trouve à la limite ouest de la ville ; sa salle d'attente royale a été magnifiquement restaurée. L'**aéroport** (www.huahinairport.com) est à 6 km au nord de la ville.

## Renseignement

### ACCÈS INTERNET

Vous trouverez des cybercafés un peu partout en ville, dans les pensions et les cafés.

**Cups & Comp** ( ☎ 0 3253 1119 ; 144/2 Th Chomsin ; 40 B/h ; 🕑 9h-minuit). Accès Internet, imprimante, fax et appels à l'étranger.
**Sidewalk Café** ( ☎ 0 8438 5518-7 ; Soi Selakam ; 🕑 8h30-1h). Connexion Wi-Fi gratuite.
**World News Coffee** ( ☎ 0 3253 2475 ; Th Naresdamri ; 40 B/h ; 🕑 8h-23h). Connexion rapide et clim.

### AGENCES DE VOYAGES

La plupart des innombrables agences de voyages proposent des excursions d'une journée vers les sites proches, comme les parcs nationaux de Khao Sam Roi Yot (p. 577) et de Kaeng Krachan (p. 567). À moins d'être à plusieurs, vous devrez peut-être attendre un jour ou deux que suffisamment de personnes se soient inscrites pour la sortie de votre choix. Gardez cela en tête quand vous effectuez votre réservation, ou essayez de former un groupe avec d'autres touristes pour gagner du temps.
**Hua Hin Adventure Tour** ( ☎ 0 3253 0314 ; www.huahinadventuretour.com ; Th Naep Khehat ; 🕑 9h-18h lun-sam). Organise plus d'excursions sportives que les autres agences, notamment du kayak dans le parc national de Khao Sam Roi Yot (2 100 B) et des circuits dans le parc national de Kaeng Krachan.
**Ken Diamond** ( ☎ 0 3253 2271 ; www.travel-huahin.com ; 162/6 Th Naresdamri ; 🕑 8h30-19h). Offre quantité d'excursions dans les environs, y compris vers les chutes d'eau et les parcs nationaux. Sorties plongée et snorkeling. Location de voitures.
**Tuk Tours** ( ☎ 0 3251 4281 ; www.tuktours.com ; 33/5 Th Phunsuk ; 🕑 10h-19h). Peut réserver des activités et des transports dans toute la Thaïlande.

### ARGENT

Bureaux de change et DAB jalonnent Th Naresdamri. Des banques sont installées près des gares routières, dans Th Phetkasem.
**Bank of Ayudhya** (Th Naresdamri). La plus proche de la plage, près de l'angle avec Th Damnoen Kasem.

### LIBRAIRIES

**Bookazine** ( ☎ 0 3251 3060 ; 122 Th Naresdamri ; 🕑 9h-22h). Adjacent à la boutique Kodak, vend quelques magazines et livres en anglais.
**Megabooks** ( ☎ 0 3253 2071 ; 166 Th Naresdamri ; 🕑 9h-22h). Les nouveautés en anglais ne manquent pas, y compris les guides Lonely Planet.

### OFFICES DU TOURISME

**Bureau de la TAT** ( ☎ 0 3251 3885 ; 39/4 Th Phetkasem ; 🕑 8h30-16h30). Au nord de l'office du tourisme, cette antenne gouvernementale où l'on parle anglais est très utile.
**Office du tourisme** ( ☎ 0 3251 1047 ; angle Th Phetkasem et Th Damnoen Kasem ; 🕑 8h30-16h30). Fournit des informations sur Hua Hin et ses environs et vend des billets de bus. Dispose d'un autre bureau ( ☎ 0 3252 2797) au pied de la tour de l'horloge, à l'angle de Th Phetkasem et de Th Naep Khehat.

### POSTE ET TÉLÉPHONE

**Poste principale** (Th Damnoen Kasem). Héberge le centre téléphonique de la CAT, pour les appels internationaux.

### SERVICES MÉDICAUX

**Hôpital San Paolo** ( ☎ 0 3253 2576 ; 222 Th Phetkasem). Au sud de la ville, dispose d'un service d'urgences.

### URGENCES

**Police touristique** ( ☎ 0 3251 5995, urgence ☎ 1155 ; Th Damnoen Kasem). À l'extrémité est de la rue.

## À faire

Appréciée de longue date par les golfeurs thaïlandais, Hua Hin commence à séduire les joueurs étrangers. Le **Hua Hin Golf Centre** ( ☎ 0 3253 0476 ; www.huahingolf.com ; 2/136 Nabkahards ; 🕑 12h-22h) loue l'équipement et organise des excursions de golf. **Bernie's** ( ☎ 0 3253 2601 ; Hua Hin Bazaar, Th Damnoen Kasem) est également une bonne source de renseignements en la matière.

Le **Royal Hua Hin Golf Course** ( ☎ 0 3251 2475 ; droit de jeu 2 000 B) est vraiment le meilleur terrain de golf des environs. Près de la gare ferroviaire, ce terrain élégant a vue sur l'océan et sur un temple.

Sur la plage, à l'extrémité de Th Damnoen Kasem, on peut faire du **cheval** (600 B/40 min). Les cours sont dispensés avec sérieux.

Des matches de *mou·ay tai* (ou *muay thai* ; boxe thaïlandaise) ont lieu tous les mardi et samedi à 21h au **Thai Boxing Garden** ( ☎ 0 3251 5269 ; 20/23 Th Phunsuk ; 350 B). Les mercredi et vendredi, à 21h, l'action se tient au **Grand Plaza** ( ☎ 08 9754 7801 ; Th Phetkasem ; 500 B). Le **gymnase** (www.huahingrandsport.com ; 180 B, cours de mou·ay tai 300 B ; 🕑 9h-21h) du Grand Plaza propose un sauna, un cours de yoga et un café/bar à protéines. C'est l'endroit parfait pour éliminer les bières Singha de la veille de façon authentiquement thaïlandaise. Consultez leur site Internet pour connaître les autres activités sportives proposées.

La **Buchabun Art & Crafts Collection** ( ☎ 08 1572 3805 ; www.thai- cookingcourse.com ; 22 Th Dechanuchit) propose des cours de cuisine thaïlandaise d'une

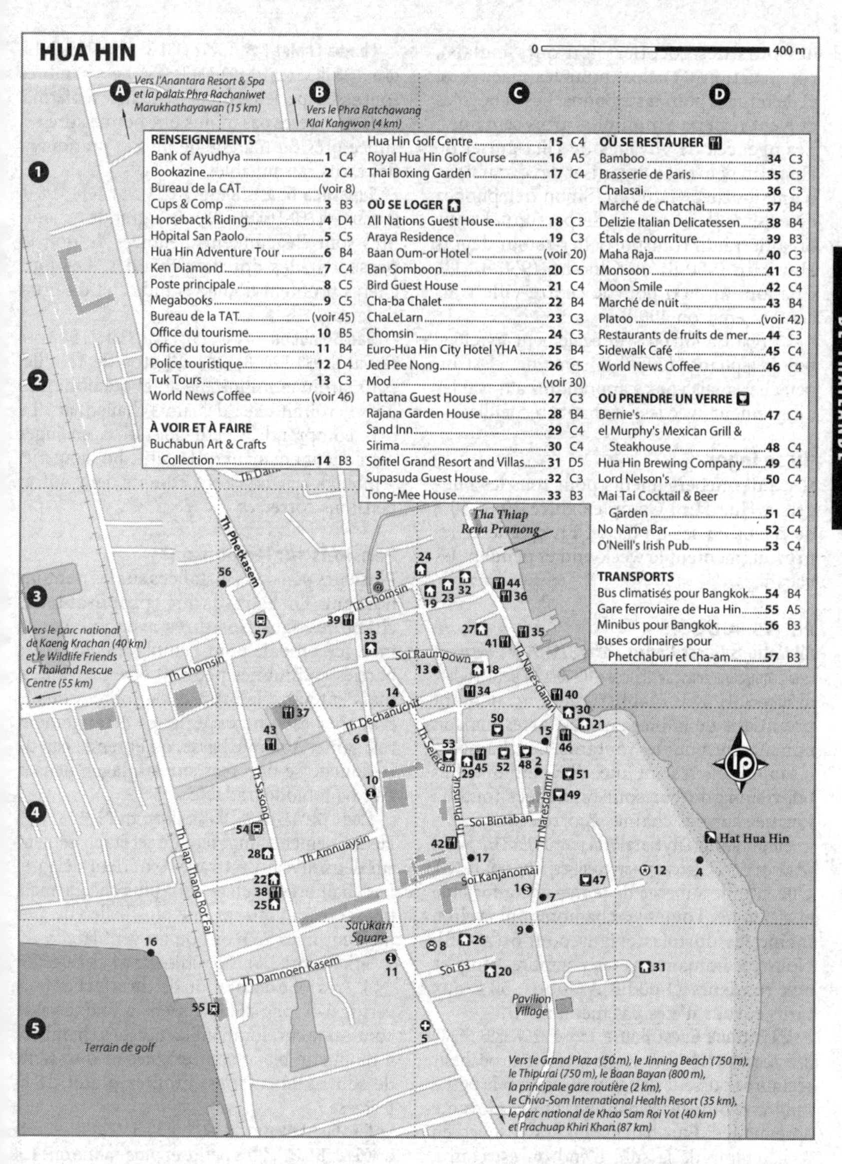


demi-journée (1 500 B), visite du marché et livre de recettes inclus. Les cours n'ont lieu que si plusieurs personnes sont inscrites.

## Bénévolat

Si vous aimez les animaux et que le travail physique ne vous fait pas peur, apporter votre soutien au **Wildlife Friends of Thailand Rescue Centre** (☎0 3245 8135 ; centre de secours www.wfft.org, bénévolat www.wildlifevolunteer.org) peut être une expérience amusante et enrichissante au cours de votre voyage. À 35 km au nord-ouest de Cha-am, le centre accueille toute une ménagerie d'animaux de spectacle sauvés des mains de propriétaires peu scrupuleux. Au programme de la journée de travail : repas des ours des cocotiers (ou ours malais), construction d'enclos, pour les macaques, et de refuges pour les gibbons. Les bénévoles doivent rester au minimum trois semaines. Les agences de voyages de Cha-am et de Hua Hin peuvent y organiser des excursions d'une journée (1 200 B). Sinon, téléphonez directement au centre, le personnel vous organisera un transport aller-retour depuis Hua Hin (650 B) ou Cha-am (950 B). De Cha-am, un taxi pour le centre-ville vous coûtera environ 400 B.

L'organisation possède également un refuge pour éléphants (325 € la semaine, c'est un peu cher, mais vous y apprendrez à travailler directement avec les éléphants recueillis).

## Où se loger

Il y a des hébergements pour tous les budgets à Hua Hin. Comptez entre 20 et 40% de rabais en saison basse. En revanche, les prix augmentent le week-end et pendant les vacances.

### PETITS BUDGETS

**All Nations Guest House** (☎ 0 3251 2747 ; www.geocities.com/allnationsguesthouse ; 10-10/1 Th Dechanuchit ; ch 200-550 B ; ❄). Établissement accueillant proposant de la bière et des tartes maison bon marché pour les routards. Les chambres les moins chères ont une sdb commune. Les télévisions du bar sont branchées toute la journée sur des chaînes sportives.

**Euro-Hua Hin City Hotel YHA** (☎ 0 3251 3130 ; www.tyha.org ; 15/15 Th Sasong ; ch avec petit-déj 250-1 000 B ; ❄). Une grande auberge de jeunesse confortable et classique. Toutes les chambres ont la clim, même les dortoirs exigus pour 6 (250 B). Nous recommandons les chambres simples aux ronfleurs (1 000 B). Ajoutez 50 B aux tarifs si vous n'êtes pas membre HI.

**Pattana Guest House** (☎ 0 3251 3393 ; 52 Th Naresdamri ; ch 350-550 B). Cette maison de pêcheur restaurée possède des chambres dont la petite taille est compensée par une cour verdoyante agrémentée d'un bar. Notez les vasques en teck sculpté de la sdb. L'endroit est couru, réservez à l'avance.

**Tong-Mee House** (☎ 0 3253 0725 ; tongmeehuahin@hotmail.com ; 1 Soi Raumpown ; ch 450-550 B ; ❄ 💻). Perdu dans un *soi* résidentiel, cet hôtel de charme présente le meilleur rapport qualité/prix de la ville. Chambres petites mais bien tenues et avec balcon, et le jovial propriétaire est des plus accueillants.

**Cha-ba Chalet** (☎ 0 3252 1181-3 ; www.chabachalet.com ; 1/18 Th Sasong ; ch 600-700 B ; ❄). Les chambres sont assez spacieuses, mais sentent le renfermé. Cela n'en reste pas moins une bonne adresse, située près du marché de nuit et pratiquant des tarifs raisonnables.

**Supasuda Guest House** (☎ 0 3251 3618 ; 1/8 Th Chomsin ; ch 800-1 000 B ; ❄). Les grandes chambres sont élégamment meublées de noir et possèdent des douches chaudes. Les plus chères profitent d'une véranda... et du bruit de la rue.

**Ban Somboon** (☎ 0 3251 1538 ; 13/4 Soi Damnoen Kasem ; ch 950-1 200 B ; ❄). Photos de famille, petit jardin et minuscule autel bouddhique : on se croirait chez des amis thaïlandais. Le prix comprend le petit-déj qui, à en juger par l'odeur émanant de la petite boulangerie, semble délicieux. Ce *soi* compte deux autres pensions correctes.

#### Pensions sur les pontons

Plusieurs pensions installées sur les pontons bordent Th Naresdamri, proposant des chambres sans fioritures avec vue sur la mer. Ici, on paie pour l'emplacement, et les parties communes peuvent être bruyantes, mais entendre le bruit de la marée sous le plancher est une expérience étrangement relaxante. À marée basse, on entend l'eau de la douche se déverser sur la plage : pensez au savon biodégradable.

**Mod** (☎ 0 3251 2296 ; Th Naresdamri ; ch 200-450 B ; ❄). Heureusement, l'intérieur de cet établissement sur deux niveaux rattrape l'extérieur délabré. Les chambres à l'étage sont plus chères, mais plus aérées et offrant une plus belle vue. Les meilleur marché n'ont qu'un ventilateur.

**Sirima** (☎ 0 3251 1060 ; Th Naresdamri ; ch 250-650 B ; ❄). Très jolie décoration de vitraux et de bois vernis. Un long couloir mène à une terrasse commune surplombant la mer. Les chambres à moquette bleue sont exiguës et disposent de sdb rudimentaires. Profitez plutôt de la terrasse.

**Bird Guest House** (☎ 0 3251 1630 ; 31/2 Th Naresdamri ; ch 400-600 B ; ❄). Plus petite et plus calme que les autres pensions sur les pontons, bien qu'assez délabrée. La famille propriétaire est toutefois très accueillante.

### CATÉGORIE MOYENNE

À Hua Hin, les établissements de catégorie moyenne sont de petits hôtels modernes et tranquilles avec clim, réfrigérateur et TV câblée. L'ouverture de nouvelles adresses oblige tout le monde à rehausser les prestations. Th Chomsin compte plusieurs pensions de caractère à une courte balade à pied de certains des meilleurs restaurants de la ville.

**Rajana Garden House** ( 0 3251 1729 ; www.rajana-house.com ; 3/9 Th Sasong ; ch 1 000 B ; ). Si les chambres sont un peu moins élégantes qu'ailleurs en ville, elles sont aussi meilleur marché, et les bus avec clim en provenance de Bangkok s'arrêtent non loin. Demandez une chambre donnant sur l'arrière, car Th Sasong est bruyante, ou louez un bungalow (1500 B) dans le jardin luxuriant.

**Sand Inn** ( 0 3253 2060 ; www.sandinn-huahin.com ; 38/1-4 Th Phunsuk ; ch 1 000-1 600 B ; ). La déco intérieure, très artistique, tranche sur un extérieur banal, et l'hôtel peut sans doute se prévaloir de l'éclairage le plus original de sa catégorie dans son hall d'entrée. Certaines chambres sont dotées d'immenses balcons. La nouvelle piscine semblait peu fréquentée lors de notre passage.

**Baan Oum-or Hotel** ( 0 3251 5151 ; 77/18-19 Th Phetkasem, Soi 63 ; ch à partir de 1 200 B ; ). Sept chambres vastes et claires. Réservez.

**ChaLeLarn** ( 0 3253 1288 ; www.chalelarn.com ; 11 Th Chomsin ; ch 1 200-1 300 B ; ). Superbe hall au parquet de bois et vastes chambres équipées de grands lits, mais aussi vérandas, petit-déj et accès Wi-Fi gratuit.

**Chomsin** ( 0 3251 5348 ; www.chomsinhuahin.com ; 130/4 Th Chomsin ; ch 1 300 B ; ). Près de la plage et du marché de nuit, cet hôtel propose des chambres très confortables, quoiqu'un peu ternes, au parquet de bois, avec sdb propre et TV câblée. Certaines chambres bon marché donnent sur un mur voisin.

**Jed Pee Nong** ( 0 3251 2381 ; www.jedpeenonghotel-huahin.com ; 17 Th Damnoen Kasem ; ch 1 500-1 800 B ; ). Établissement familial comptant une piscine qui plaira aux enfants (avec toboggans) et de grandes chambres à trois lits. Emplacement central, d'où la plage est accessible à pied.

**Araya Residence** ( 0 3253 1130 ; www.araya-residence.com ; 15/1 Th Chomsin ; ch 1 500-2 000 B ; ). Dans ce nouvel hôtel, bois et béton se marient pour donner une sensation à la fois rustique et moderne. Dans les chambres, auxquelles secrétaires et canapés confèrent une touche originale, les doubles portes s'ouvrent sur de vastes sdb carrelées. Chaudement recommandé !

À environ 1 km au sud de Hua Hin se trouve une petite enclave de pensions de catégorie moyenne. Les prix (ch 600-900 B de juillet à septembre, 1 000-1 350 B d'octobre à juin) et les équipements (propres, confortables, modernes) sont pratiquement les mêmes partout. Nous vous recommandons les suivantes (toutes deux possèdent une piscine, mais la plage est à quelques pas) :

**Jinning Beach** ( 0 3251 3950 ; www.jinningbeachguesthouse.com ; ch 800-1 700 B ; )
**Thipurai** ( 0 3251 2210 ; www.thirupai.com ; ch 1 350 B ; )

### CATÉGORIE SUPÉRIEURE

Hua Hin possède une quantité impressionnante d'hôtels de luxe. D'autres palaces se situent juste au nord ou au sud du centre-ville.

**Baan Bayan** ( 0 3253 3544 ; www.beachfronthotelhuahin.com ; 119 Th Phetkasem ; ch 6 000-11 000 B ; ). Une maison coloniale en bord de mer construite au début du XX^e siècle, idéale pour les voyageurs désirant goûter au luxe sans les inconvénients d'un grand complexe. Chambres spacieuses, hautes sous plafond et d'un jaune pâle relaxant, personnel attentif, et vous ne sauriez être plus près de la plage.

**Sofitel Grand Resort and Villas** ( 0 3251 2021, depuis Bangkok 0 2541 1125 ; www.sofitel.com ; 1 Th Damnoen Kasem ; ch à partir de 7 000 B ; ). Ancien Railway Hotel, ce splendide établissement de style colonial, sur deux niveaux, possède trois piscines, un vaste parc longeant la plage, un spa et des équipements sportifs. Les chambres, du bâtiment colonial d'origine ou de la nouvelle annexe, sont luxueuses et rehaussées de quelques touches rétro. Réductions possibles jusqu'à 40% pendant la semaine et la saison basse, ou si vous réservez via le bureau de Bangkok. Le café dans le hall d'entrée sert aussi de musée en retraçant la fascinante histoire de l'hôtel, qui apparaît dans le film *La Déchirure* de Roland Joffé.

**Anantara Resort & Spa** ( 0 3252 0205 ; www.anantara.com ; ch à partir de 7 500 B ; ). À environ 4,5 km de la ville, d'adorables villas et suites de style thaïlandais s'étendent sur 5,5 ha paysagés. Ce complexe réussit sans effort à être luxueux et décontracté en même temps. Les somptueux bungalows en teck renferment des spas, et les plus sportifs choisiront entre le tennis, le golf et un large choix de sports nautiques.

**Chiva-Som International Health Resort** ( 0 3253 6536 ; www.chivasom.com ; 74/4 Th Phetkasem ; 3 nuit à partir de 2 070 $US ; ). Situé près d'un lac privé à 3,5 km au sud de la ville, Chiva-Som est la retraite ultime des hommes d'affaires et célébrités stressés et surbookés. Son nom signifie "havre de vie" en thaï-sanskrit. Les 200 employés allient les conceptions orientales et occidentales de la santé en proposant programme de nutrition, stepping, aérobic aquatique et massages thaïlandais, suédois ou subaquatiques. Le tarif comprend la pension complète ainsi que les consultations de santé et de remise en forme, les massages et toutes les autres activités. Des forfaits 1 semaine, 10 jours ou 2 semaines sont possibles, qui comprennent des programmes de détoxification et de remise en forme aux mains de spécialistes.

## Où se restaurer

Dans le centre-ville, le marché de Chatchai, pittoresque et peu coûteux, constitue depuis toujours l'un des attraits majeurs de Hua Hin. Des marchands s'installent en soirée et cuisinent des produits de la mer que dévorent les touristes affamés. Idéal également pour un petit-déjeuner thaïlandais. On y sert de délicieux *jóhk* et *kôw đôm* (soupes de riz) et des *Ƀah·tôrng·gŏh* (3 B les 3), de petits beignets chinois à la mode de Hua Hin, croustillants et pas trop gras. Quelques stands proposent du lait de soja chaud (5 B le bol) pour accompagner les beignets. Le marché débute à 17h le long de Th Dechanuchit et dure toute la nuit. Les stands de DVD et de T-shirts dépassent en nombre les étals de nourriture, mais la scène mérite toujours le coup d'œil. Pour une cuisine 100% authentique, allez faire un tour du côté des stands en retrait de Th Chomsin.

Le *Ƀlah·săm·li* (poisson castor), le *Ƀlah grà·pong* (perche), le *Ƀlah mèuk* (calamar), les *hŏy mà·laang pôo* (moules) et le *Ƀoo* (crabe) comptent parmi les délices de Hua Hin. Vous en trouverez partout en ville, mais les restaurants de poisson en plein air se concentrent surtout côté quais, dans Th Naresdamri. Sur la plage, vous pourrez aussi commander une Singha fraîche ou un crabe sans bouger de votre transat.

**Chalasai** (7 Th Naletmanley ; plats 50-120 B ; ⌚ 9h-21h). Le Chalasai (pas de panneau en alphabet latin, c'est en face de Monsoon) sert une délicieuse cuisine thaïlandaise de produits de la mer à petits prix, sur une terrasse face à la mer.

**Sidewalk Café** (☎ 0 8438 5518-7 ; Soi Selakam ; café 50 B, petit-déj 70-130 B ; ⌚ 8h30-1h). Tim, le sympathique propriétaire, se vante de servir "probablement le meilleur café en ville", et il a raison. Au menu, délicieux œufs brouillés et jus de fruits frais. Lors de notre visite, le café allait être transformé en un bar ouvert le soir, où l'ambiance devrait être sympathique et détendue.

**World News Coffee** (☎ 0 3253 2475 ; 130/2 Th Naresdamri ; plats 70-130 B ; ⌚ petit-déj, déj et dîner). Ce café à l'occidentale sert bagels, croissants et un grand choix de cafés au petit-déjeuner. Accès Internet pour 40 B/h. À disposition, magazines et journaux.

**Moon Smile** (Th Phunsuk ; plats 80-200 B ; ⌚ déj et dîner). Le meilleur d'un groupe de restaurants thaïlandais pratiquant des prix doux dans Th Phunsuk. Si vous le demandez, votre plat sera vraiment épicé à la mode thaïlandaise. Goûtez à la salade de bœuf grillé et d'aubergine. À quelques pas, le Platoo est également une bonne adresse.

**Bamboo** (☎ 08 9164 3526 ; 27/1 Th Dechanuchit ; plats 80-210 B ; ⌚ 9h-1h). Malgré le changement de nom, le Bamboo poursuit dans la voie qui avait fait la réputation de l'Elmar's (l'ancienne enseigne était toujours là lors de notre passage) depuis 15 ans et continue à servir d'excellents plats européens tels que le goulasch (125 B) ou le schnitzel viennois (210 B).

**Maha Raja** (☎ 0 3253 0347 ; 25 Th Naresdamri ; plats 90-200 B ; ⌚ déj et dîner). Une bonne cuisine indienne à prix raisonnable, servie dans un décor bollywoodien.

**Monsoon** (☎ 0 3253 1062 ; 62 Th Naresdamri ; plats 120-300 B, thé dans l'après-midi 120 B ; ⌚ 14h-minuit). Une excellente carte des vins et un éclairage tamisé font de ce restaurant vietnamien installé dans une charmante maison en teck restaurée l'adresse la plus romantique (et la plus chère) de Hua Hin. Cuisines thaïlandaise et européenne également au menu. Thé servi à partir de 15h.

**Delizie Italian Delicatessen** (☎ 0 3253 0192 ; 1/13 Th Sasong ; plats 160-380 B ; ⌚ 9h-21h). Faites vos emplettes d'olives et de salami, de pesto et de pain, et vous voilà parti pour un pique-nique italien. Vous pouvez aussi vous attabler dans la petite salle de bistrot authentiquement italienne à l'intérieur.

**Brasserie de Paris** (☎ 08 1826 6814 ; 3 Th Naresdamri ; plats 350-500 B). Ici, un véritable chef français mitonne des petits plats authentiques, servis dans une salle lumineuse et aérée à l'étage, donnant sur la mer. Le crabe local sort de l'ordinaire. Les plats sont chers mais de qualité.

## Où prendre un verre

Le bazar de Hua Hin abrite plusieurs bars pour *fa·ràng* tenus par des Européens. Certains ressemblent aux bars à entraîneuses thaïlandais, d'autres se proclament "bar des sports" car ils sont dotés d'un écran TV géant. Soi Bintaban est bordé de bars à entraîneuses qui s'efforcent d'appâter le client. L'endroit n'a rien de dangereux, mais révèle l'aspect sordide du tourisme sexuel. Il y a quelques bars un peu plus chics non loin, dans Th Naresdamri.

**O'Neill's Irish Pub** (☎ 0 3251 1517 ; 5 Th Phunsuk ; 🕑 8h30-minuit). Plutôt authentique compte tenu de la distance qui le sépare de l'île d'Émeraude, l'O'Neill's (anciennement le Crawford's) affiche sa bonne humeur sur deux étages de boiseries, avec de nombreux recoins intimistes. Sport en direct à la TV et *fish and chips* à la carte. Les bières pression sont moins chères du lundi au jeudi. *Slainte !*

**Mai Tai Cocktail & Beer Garden** (☎ 0 3253 3344 ; 33/12 Th Naresdamri ; 🕑 12h-1h). Une clientèle décontractée se presse sur une terrasse bien située pour observer le ballet des passants. La Chang pression n'est qu'à 45 B.

**Bernie's** (☎ 0 3253 2601 ; Hua Hin Bazaar, Th Damnoen Kasem). Le propriétaire est un fan de golf qui pourra vous indiquer où jouer dans la région. D'omniprésentes télévisions passent du sport sans discontinuer, surtout du golf.

**Hua Hin Brewing Company** (☎ 0 3251 2888 ; 33 Th Naresdamri ; 🕑 ouverture à 17h). Concerts presque tous les soirs, après quoi un DJ plutôt bon s'installe aux platines. L'intérieur étant sombre, préférez la grande terrasse et regardez les passants sur Th Naresdamri.

**El Murphy's Mexican Grill & Steakhouse** (☎ 0 3251 1525 ; 25 Soi Selakam). Sert un mélange improbable de pintes et de cuisine mexicaine. Venez y siroter une bonne bière en regardant un match, mais évitez de rester pour le dîner : la cuisine est à la hauteur de ce que l'on peut attendre d'un cuisinier thaïlandais dans un bar irlandais essayant de préparer des plats mexicains.

Dans Soi Selakam, entre Sidewalk Café et El Murphy's, s'alignent les bars à hôtesses. Certains cependant ne pratiquent pas cette activité, notamment le No Name et le Lord Nelson's.

## Depuis/vers Hua Hin

**SGA** (☎ 0 3252 2300, à Bangkok 0 2134 3233 ; www.sga.co.th) assure des liaisons en avion à 12 places deux fois par jour (3 700 B aller, 40 min, 12h30 et 17h30) de l'aéroport international Suvarnabhumi (Bangkok) à Hua Hin.

Des bus climatisés circulent fréquemment depuis/vers le terminus Sud des bus de Bangkok (140-165 B, 3 heures 30). À Hua Hin, ils partent d'un arrêt situé à 70 m au nord de la Rajana Garden House (devant le Siripetchkasem Hotel) toutes les heures de 4h à 22h.

De la principale gare routière, nouvelle, au sud de la ville, dans Th Phetkasem, des bus climatisés desservent de nombreuses destinations dans le pays. Au moins un bus par jour rallie les villes suivantes : Phetchaburi (85 B, 1 heure 30), Cha-am (45 B, 30 min), Prachuap Khiri Khan (60-80 B, 1 heure 30), Chumphon (160 B, 4 heures) et Surat Thani (270 B, 7 heures). Une desserte directe de Chiang Mai est prévue au départ de cette gare routière.

Des bus ordinaires partent fréquemment pour Phetchaburi (50 B, 1 heure 30) et Cha-am (25 B, 30 min) depuis un arrêt proche du croisement entre Th Chomsin et Th Phetkasem.

Des minibus rallient régulièrement le monument de la Victoire de Bangkok à Th Phetkasem (200 B).

De nombreux trains relient Hua Hin et la gare de Hualamphong à Bangkok (2e classe 292-382 B, 3e classe 100-234 B, 4 heures), ainsi que d'autres gares sur la ligne ferroviaire sud.

## Comment circuler

Bien que les tarifs des trajets en *sǎhm·lór* aient été fixés par les autorités municipales, il est généralement nécessaire de marchander. Quelques exemples de prix : 50 B de la gare ferroviaire à la plage, 40-50 B du terminal des bus climatisés (Th Sasong) à Th Naresdamri (selon la taille de vos bagages). La plupart des conducteurs vous demanderont au moins le double.

Des motos (250-500 B/j) et des vélos (100 B/j) peuvent être loués à plusieurs endroits sur Th Damnoen Kasem, près du Jed Pee Nong Hotel. La majorité des agences de voyages, dont Ken Diamond (p. 572), se chargent de la location de voitures. Comptez quelque 1 500 B/j pour un 4x4 Suzuki et 2 000 B pour une petite berline.

# PARC NATIONAL DE KHAO SAM ROI YOT

อุทยานแห่งชาติเขาสามร้อยยอด

Hautes falaises calcaires, grottes et plages composent le paysage de ce **parc** (☎ 0 3282 ; adulte/

enfant 200/100 B) de 98 km$^2$ dont le nom signifie "montagne aux 300 pics". Jalonné de lagunes et de marais côtiers, parfaits pour observer les oiseaux, il offre aussi une vue superbe sur le golfe à partir des hauteurs.

N'oubliez pas d'emporter un antimoustique, surtout à la saison des pluies (juin-novembre). Le 18 août 1868, Rama IV, accompagné de nombreux invités thaïlandais et européens, vint y assister à une éclipse totale de soleil – annoncée, selon la légende, par le monarque en personne – et déguster un banquet préparé par un chef français. Piqué par des moustiques lors des festivités, le roi mourut du paludisme 2 mois plus tard. Aujourd'hui, le risque de contamination est relativement faible, mais les insectes n'en sont pas moins agressifs.

## Orientation et renseignements

Le parc comprend trois bureaux administratifs (Hat Laem Sala, Ban Rong Jai et Ban Khao Daeng) et trois centres d'information des visiteurs (Hat Laem Sala, Hat Sam Phraya et Ban Khao Daeng). Un centre d'étude de l'environnement se situe à 1 km de Ban Rong Jai, au bout d'une route qui part vers le nord. Il existe deux postes de contrôle : l'un sur la route qui, de Pranburi, va vers le sud, et l'autre sur la route à l'est de la Hwy 4. Vous devrez payer l'entrée ou montrer votre billet.

## À voir et à faire

### PLAGES

Les deux plages du parc possèdent de multiples infrastructures, des stands de restauration aux aires de pique-nique et aux toilettes.

À **Hat Laem Sala**, plage de sable encadrée sur trois côtés de collines calcaires et de filaos, vous trouverez un petit centre d'information des visiteurs, un restaurant, des bungalows et des emplacements de camping. De Bang Pu, on peut rejoindre la plage en bateau (250 B aller-retour, 15 min, 10 pers au maximum) ou par un sentier escarpé (20 min de marche).

**Hat Sam Phraya**, une autre plage de sable longue de 1 km, avec un restaurant et des toilettes, s'étend à 5 km au sud de Hat Laem Sala.

### GROTTES

Il y a trois grottes à Khao Sam Roi Yot, qui méritent toutes le détour. **Tham Phraya Nakhon** est la plus populaire, non sans raison : un *săh·lah* royal aménagé pour Rama V en 1890 y est baigné par les rayons du soleil. Le sentier de 430 m, qui part de Hat Laem Sala, est raide, rocheux et parfois glissant : chaussez-vous correctement. Lorsque vous arrivez au niveau de deux grandes grottes avec des dolines, la salle de réunion est la seconde.

**Tham Kaew**, à 2 km de l'embranchement qui mène à Bang Pu, comporte une série de cavernes reliées par d'étroits boyaux. On entre dans la première au moyen d'une échelle scellée dans la roche. Stalactites et autres formations calcaires piquetées de cristaux de calcite abondent (d'où le nom du site, "grotte aux bijoux"). On peut louer des lampes torches, mais mieux vaut visiter Tham Kaew avec un guide du parc, car le parcours est dangereux.

**Tham Sai** s'ouvre à flanc de colline près de Ban Khung Tanot, à 2,5 km de la route qui relie les plages de Laem Sala et de Sam Phraya. Les villageois louent des lampes de poche (40 B) dans un abri proche de l'entrée de la grotte. Un sentier long de 280 m grimpe à flanc de colline jusqu'à Tham Sai, constituée d'une seule vaste caverne, hérissée de stalactites et de stalagmites. À l'intérieur, prenez garde aux brusques dénivellations.

### RANDONNÉE

Pour admirer les falaises calcaires qui se découpent sur le littoral accidenté, suivez le sentier qui part non loin des bureaux du parc à Ban Khao Daeng et mène en 30 min au sommet du **Khao Daeng** ; au crépuscule, vous aurez peut-être la chance de croiser un serow (capricorne de Sumatra). Si vous en avez le temps et l'énergie, grimpez en haut du **Khao Krachom** (605 m) pour un panorama encore plus spectaculaire.

### KAYAK

Dans le village de pêcheurs de Ban Khao Daeng, **Horizon Adventure** (☎ 08 1820 9091) loue des kayaks (400 B/j), vous permettant ainsi d'explorer à loisir les mangroves.

### OBSERVATION DE LA FAUNE

Parmi les animaux qui peuplent le parc, citons le muntjac (ou cerf aboyeur), le macaque mangeur de crabe, le loris lent, le pangolin malais, le chat pêcheur, la civette palmiste, la loutre, le serow, la mangouste de Java, le varan du Nil et le semnopithèque obscur. On les rencontre toutefois rarement, sans doute en raison du nombre croissant des visiteurs.

Le parc se trouvant à la confluence des voies migratoires est-asiatique et australienne, on a pu répertorier jusqu'à 300 espèces d'oiseaux, migrateurs ou résidents, dont le blongios à cou jaune, le blongios cannelle, la poule sultane, le râle d'eau, la marouette à poitrine rouge, la jakana à ailes bronze, le héron cendré, le tantale indien, le canard siffleur, l'aigle criard et l'ibis à tête noire. Khao Sam Roi Yot recèle en outre le plus grand marais d'eau douce du pays, sans compter les mangroves et les bancs de vase. C'est l'un des trois sites en Thaïlande où se reproduit le héron pourpré.

Les élevages de crevettes des alentours ont malheureusement détruit de larges portions de mangroves et de marécages, privant l'avifaune d'une partie de son habitat. Les oiseaux aquatiques s'observent plus facilement à la saison fraîche (de novembre à mars). Certains arrivent de régions aussi lointaines que la Sibérie, la Chine et l'Europe du Nord. Vous pouvez louer un bateau au village de Khao Daeng pour faire une **croisière** (400 B, 45 min) sur le canal, le matin ou l'après-midi, pour les observer. Certains guides pourront vous indiquer le nom anglais des oiseaux aquatiques les plus courants et vous les montrer.

## Où se loger et se restaurer

Outre le camping et les bungalows, il existe aussi quelques possibilités d'hébergement de style hôtel.

**Royal Forestry Department** (☎ 0 2562 0760 ; www.dnp.go.th ; camping/pers 30 B, bungalows 5-6 pers 1 200-1 400 B, 6-9 pers 1 600-2 200 B). Le ministère des Forêts loue des bungalows à Hat Laem Sala et au centre d'information des visiteurs près du belvédère de Khao Daeng. Vous pouvez planter votre tente près du belvédère de Khao Daeng, à Hat Laem Sala ou à Hat Sam Phraya. Les trois sites comportent des restaurants rudimentaires.

**Dolphin Bay Resort** (☎ 0 3255 9333 ; www.dolphinbayresort.com ; 227 Mu 4, Phu Noi ; ch et bungalows à partir de 1 490 B ; ). Choisissez entre les chambres d'hôtel où les bungalows bien équipés que propose cette adresse où les familles sont les bienvenues. Deux grandes piscines et un excellent restaurant sur place. Grand choix d'excursions vers les îles des environs et le parc national. De février à mai, il est parfois possible de voir des dauphins roses depuis la plage.

**Long Beach Inn** (☎ 0 3255 9068 ; www.longbeachthailand.com ; 223/4 Mu 4, Phu Noi ; ch 1 950 B ; ). À quelques pas de la plage du même nom, une adresse confortable offrant des chambres climatisées dans de petites maisons neuves autour d'une jolie piscine.

**Brassiere Beach** (☎ 08 1734 4343 ; www.brassierebeach.com ; 210 Mu 5, Cosy Beach ; villas 4 200-9 425 B ; ). Neuf étonnantes petites villas de style mexicain posées au bord d'une crique privée. Chacune porte un nom particulier tel que La Perla ou Wacoal, et toutes sont équipées de mobilier rétro et de lecteurs CD. Cette adresse unique mérite qu'on s'y arrête.

## Depuis/vers le parc national de Khao Sam Roi Yot

Situé à 40 km au sud de Hua Hin, le parc se visite plus facilement en voiture. À Hua Hin, prenez la Hwy 4 (Th Phetkasem) jusqu'à Pranburi. Là, tournez à gauche au principal carrefour, continuez sur 2 km, obliquez à droite à l'embranchement et parcourez encore 2 km. Au poste de police, tournez à droite : l'entrée du parc se trouve à 19 km et les bureaux de Hat Laem Sala, 14 km plus loin. Vous pouvez rejoindre le parc par le sud, en empruntant l'entrée proche de la Hwy 4 : tournez à droite au Km 286,5, où un panneau indique le parc, puis poursuivez sur 13 km pour atteindre les bureaux de Ban Khao Daeng.

Si vous n'êtes pas motorisé, prenez un bus ou un train jusqu'à Pranburi, puis un *sŏrng·tăa·ou* (50 B, toutes les 30 min 8h-16h) jusqu'à Bang Pu, le village situé à l'intérieur du parc. De Bang Pu, vous pouvez rejoindre Hat Laem Sala à pied ou louer un bateau (250 B aller-retour, 15 min).

On peut aussi louer un *sŏrng·tăa·ou* (350-500 B) ou un moto-taxi (250 B) de Pranburi jusqu'au parc. Précisez bien que vous souhaitez aller au *ù·tá·yahn hàang châht* (parc national) et non à Ban Khao Sam Roi Yot. Les agences de voyages de Hua Hin (p. 572), qui proposent des circuits dans le parc, peuvent aussi organiser votre transport. **Hua Hin Adventure Tour** (☎ 0 3253 0314 ; www.huahinadventuretour.com) offre la meilleure sélection d'activités à sensations fortes.

# PRACHUAP KHIRI KHAN

ประจวบคีรีขันธ์

**27 700 habitants**

Prachuap Khiri Khan forme un tableau aux couleurs pastel : une corniche d'un jaune tendre (la promenade longeant la plage) suit une large plage en pente douce de sable

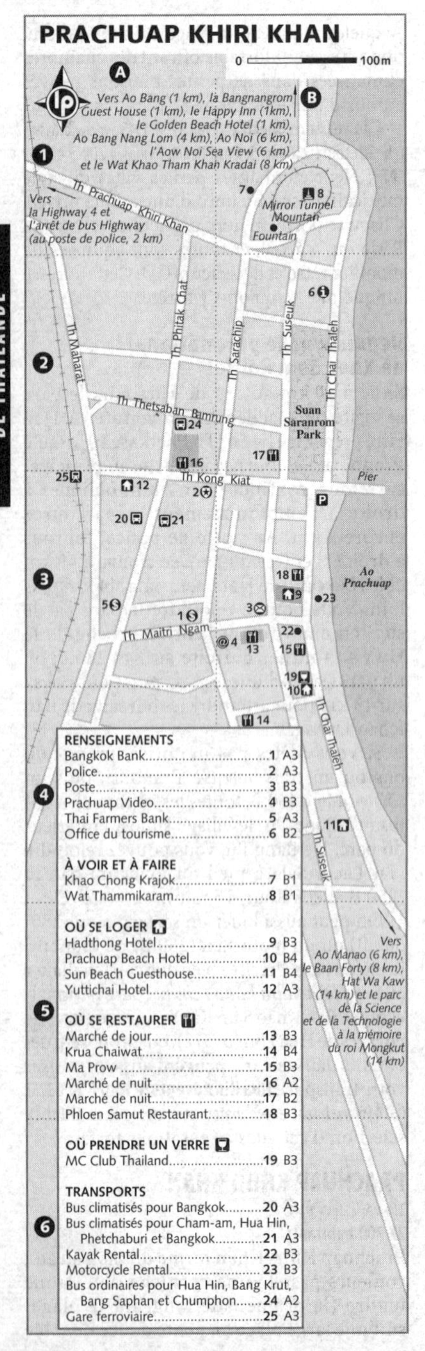


fin, l'eau d'un bleu soyeux est ponctuée de bateaux de pêche colorés, sur fond de falaises de calcaire et de petites îles. Cette ville balnéaire assoupie est la capitale de la province, mais son ambiance agréable est en fait celle d'une bourgade décontractée. Les principales distractions consistent à grimper jusqu'à un *wat* au sommet d'une colline en étant suivi par une troupe de singes, à rallier à moto les superbes plages au nord et au sud de la ville et à se régaler de fruits de mer.

Plusieurs noms de rue commémorent les combats qui suivirent le débarquement à Prachuap Khiri Khan des troupes d'invasion japonaises le 8 décembre 1941 : Phitak Chat ("défense du pays"), Salachip ("sacrifice de soi") et Suseuk ("combat").

## Renseignements

**Bangkok Bank** (angle Th Maitri Ngam et Th Sarachip)

**Office du tourisme** (☎ 0 3261 1491 ; Th Chai Thaleh ; 🕑 8h30-16h30). À l'extrémité nord de la ville. Le personnel parle anglais.

**Poste** (angle Th Maitri Ngam et Suseuk). À côté du centre téléphonique.

**Poste de police** (Th Kong Kiat). À l'ouest de Th Sarachip.

**Prachuap Video** (Th Sarachip ; 30 B/h ; 🕑 9h-21h). Accès Internet, près de Th Maitri Ngam.

**Thai Farmers Bank** (Th Phitak Chat). Au nord de Th Maitri Ngam.

## À voir et à faire

Au nord de la ville, le **Khao Chong Krajok** (mont du Tunnel Miroir) doit son nom au trou dans la montagne qui semble refléter le ciel. Un grand escalier mène au **Wat Thammikaram**, construit au sommet par Rama VI, d'où la vue s'étend sur la ville et la baie – et même jusqu'à la frontière du Myanmar, à 11 km. En chemin, vous serez diverti par des hordes de singes. Les plus délicats d'entre eux se baignent dans une petite mare, au pied de la montagne.

Continuez la route de la plage vers le nord sur 4 km pour rejoindre **Ao Bang Nang Lom**, village où l'on construit des bateaux de pêche en bois selon les méthodes traditionnelles. Les habitants pêchent un poisson nommé *Blah ching chang*, qu'ils font sécher et stockent pour les marchands srilankais. À quelques kilomètres plus au nord, un autre village de pêcheurs se blottit dans la baie d'**Ao Noi**, qui abrite un hôtel confortable, l'Ao Noi Sea View (p. 581).

À 6 km au sud de Prachuap Khiri Khan, de petites îles parsèment la belle baie d'**Ao Manao**, frangée d'une plage de sable blanc. Une base aérienne thaïlandaise garde l'accès à la baie, et, toutes les semaines, la plage est nettoyée par les militaires. Il y a là plusieurs *săh·lah* (salles de réunion), ainsi qu'un hôtel et un restaurant. Vous pourrez louer des transats, des parasols et des bouées, et acheter de la nourriture et des boissons, ou bien vous détendre sur le parcours de golf. La plage elle-même (fermeture à 20h) se situe à 2 ou 3 km après l'entrée de la base aérienne, où il vous faudra certainement montrer votre passeport.

À 9 km environ au sud d'Ao Manao, **Hat Wa Kaw**, jolie plage bordée de filaos, est encore plus paisible et plus propre qu'Ao Manao. Le **parc de la Science et de la Technologie à la mémoire du roi Mongkut** (☎ 0 3266 1098 ; entrée libre ; 🕑 8h30-16h30) commémore l'éclipse solaire de 1868 que le roi vint observer en compagnie de son fils, le prince Chulalongkorn, alors âgé de 15 ans. Malheureusement, tout ou presque est écrit en thaï. Admirez toutefois le bel aquarium.

## Où se loger

Le développement suit lentement son cours à Prachuap, et quelques nouvelles pensions ont récemment rehaussé le niveau des hébergements. En déboursant un peu plus pour passer des petits budgets à la catégorie moyenne, vous aurez une chambre lumineuse avec vue sur la mer. Pour trouver des adresses intéressantes sur des plages calmes, éloignez-vous vers le nord ou le sud de la ville.

**Yuttichai Hotel** (☎ 0 3261 1055 ; 115 Th Kong Kiat ; ch 150-200 B). Une adresse simple pour petits budgets, avec douches froides, près de la gare ferroviaire. Les chambres les moins chères ont une sdb commune. Il y a une chambre climatisée à 400 B. Le café du rez-de-chaussée sert un café correct et sent bon l'encens.

**Hadthong Hotel** (☎ 0 3260 1050 ; www.hadthong.com ; 21 Th Suseuk ; ch 700-1 100 B ; ❄ 💻 🏊). Certaines chambres ont été rénovées et arborent un nouveau parquet, mais d'autres conservent leur sol fatigué. Le personnel sympathique et averti vous aidera à organiser votre journée en ville. Chambres moins chères au sous-sol (500 B).

**Sun Beach Guesthouse** (☎ 0 3260 4770 ; www.sunbeach-guesthouse.com ; 160 Th Chai Thaleh ; ch 800-1 000 B ; ❄ 🏊). Le style néoclassique et la peinture jaune vif apportent de la gaieté à l'édifice. Chambres immaculées dotées de grandes vérandas. Prélassez-vous dans la piscine ou le Jacuzzi en admirant la mer.

**Prachuap Beach Hotel** (☎ 0 3260 1288 ; 123 Th Suseuk ; ch 900-1 000 B ; ❄ 💻). Le dernier né des hôtels de la ville vous propose des draps d'un blanc immaculé et d'élégantes touches de couleurs aux murs des chambres. Une façade bénéficie d'une vue sublime sur la mer tandis que l'autre se contente d'une vue plus quelconque sur la montagne.

### NORD DE LA VILLE

À 1 km au nord de la ville (juste après le pont) s'étend une plage paisible très fréquentée par les Thaïlandais le week-end.

**Happy Inn** (☎ 0 3260 2082 ; 149-151 Th Suanson ; bungalows 500 B). Des bungalows simples (pas de douche chaude) se font face le long d'une allée pavée de briques. Les deux derniers, en bois, sont charmants et donnent sur le canal. Point fort de l'adresse, outre le personnel réservé et sympathique : l'espace salon qui surplombe l'eau bordée par la mangrove.

**Golden Beach Hotel** (☎ 0 3260 1626 ; 113-115 Th Suanson ; ch 500-1 200 B ; ❄). L'hôtel propose des chambres pour toutes les bourses. Pour 750 B, vous aurez une baie vitrée donnant sur la mer et sur le canal, mais, pour 500 B, vous ne verrez que le parking. Toutes les chambres sont dotées de douches carrelées et de meubles en rotin.

**Bangnangrom Guest House** (☎ 0 3260 4841 ; 137 Th Suanson ; ch 700-1 000 B ; ❄). Mobilier clair et briques colorées dans les douches spacieuses décorent les 7 chambres de cette pension. Toutes possèdent clim et TV.

### PLAGE D'AO NOI

À 5 km au nord de la ville, la plage d'Ao Noi abrite un petit marché et des bateaux de pêche bleus à son extrémité sud.

**Aow Noi Sea View** (☎ 0 3260 4440 ; www.aownoiseaview.com ; 202/3 Mu 2 ; ch 800 B ; ❄). Brise marine, grandes sdb et linge étendu dans la cour vous attendent dans cet hôtel de bord de plage.

### AO KHLONG WAN

Ao Khlong Wan se trouve au sud de la ville.

**Baan Forty** (☎ 0 3266 1437 ; www.baanfortyresort.com ; 555 Th Prachuap-Khlong Wan ; bungalows 800-1 200 B ; ❄). Votre programme : la nuit dans un bungalow en dur sur une plage privée, et le jour à vous détendre sur le sable ou dans le jardin ombragé, en attendant que vous soit servi un copieux repas. Le sympathique propriétaire organise des circuits et loue des bicyclettes ou des motos.

### Où se restaurer et prendre un verre

Réputée pour ses délicieux produits de la mer, Prachuap Khiri Khan compte quantité de restaurants. Ne manquez pas la spécialité locale, le *ɓlah·săm·li dàat di·o*, un poisson-castor coupé dans le sens de la longueur et séché une demi-journée au soleil, puis grillé et servi avec une salade de mangue : un vrai régal. Tôt le matin, un marché s'installe pour la journée le long de Th Maitri Ngam. Deux très bons marchés de nuit proposent un grand choix d'étals ; le plus animé fait face à la jetée.

**Phloen Samut Restaurant** (☎ 0 3261 1115 ; 44 Th Chai Thaleh ; plats 50-120 B ; 🕑 petit-déj, déj et dîner). L'un des rares restaurants de fruits de mer le long de la promenade, avec vue sur l'océan. Bonne adresse. Le service pourrait être meilleur si le personnel cessait de regarder des feuilletons à la télé.

**Ma Prow** (☎ 08 5293 7278 ; 48 Th Chai Thaleh ; plats 80-160 B ; 🕑 déj et dîner). Ce spacieux pavillon de bois face à la plage prépare un excellent *ɓlah săm·li dàat di·o*. Le fond musical est un mélange étonnant de morceaux occidentaux et thaïlandais, tout comme la clientèle qui se presse ici le week-end.

**Krua Chaiwat** (☎ 0 3260 4534 ; 143/1 Th Sarachip ; plats 80-220 B ; 🕑 petit-déj, déj et dîner). Hauts plafonds et sols patinés plairont à ceux qui recherchent une ambiance authentique pour accompagner des recettes thaïlandaises. Bon café également.

**MC Club Thailand** (Th Chai Thaleh ; 🕑 12h-tard). Décoré sur le thème de la moto, ce bar est idéal pour commencer une longue soirée de fête à Prachuap Khiri Khan. En haute saison, ce club s'installe sur la promenade en bord de plage.

### Depuis/vers Prachuap Khiri Khan

Des bus climatisés circulent fréquemment depuis/vers Bangkok (190-256 B, 5 heures), Hua Hin (80 B, 1 heure 30), Cha-am (90 B, 2 heures 30) et Phetchaburi (95-105 B, 3 heures). Ils partent de Th Phitak Chat, près du centre-ville. Pour les villes du Sud, comme Phuket ou Krabi, attendez devant le poste de police, sur la nationale à 2 km au nord-ouest de Prachuap, pour attraper les bus de passage (les motos-taxis vous y emmèneront pour 40-50 B). Des bus ordinaires (lents) partent de l'angle sud-est de Th Thetsaban Bamrung et de Phitak Chat pour Hua Hin (60 B), Bang Krut (50 B), Bang Saphan Yai (60 B) et Chumphon (155 B, 3 heures 30).

De nombreux trains circulent depuis/vers Bangkok (2e classe 210-357 B, 3e classe 168 B, 6 heures). Un express 1re classe part de Hualamphong à 7h30 (1 100 B, 5 heures 15). D'autres trains rallient Ban Krut (1 heure), Bang Saphan Yai (1 heure 30) et Chumphon (2 heures).

### Comment circuler

Prachuap est suffisamment petite pour s'y déplacer à pied. Une course en ville en moto-taxi revient à 20-30 B. Pour Ao Noi et Ao Manao, comptez 50 B. Les motos ne peuvent pénétrer dans Ao Manao que si le conducteur et le passager portent un casque.

Devant le Hadthong Hotel, on loue des motos (250 B/j), excellent mode de transport pour explorer les plages des environs, les routes étant en très bon état.

À côté de l'hôtel, l'animalerie loue des kayaks (100 B/h pour un kayak 2 places). Une excursion jusqu'aux îles voisines prend environ 3 heures.

## ENVIRONS DE PRACHUAP KHIRI KHAN

### Wat Khao Tham Khan Kradai

วัดเขาถ้ำคานกระได

À 8 km au nord de la ville, au-delà d'Ao Noi, ce petit *wat* troglodytique se dresse à l'une des extrémités d'**Ao Khan Kradai**, longue et magnifique baie qu'on appelle aussi Ao Khan Bandai. Du pied de la colline de calcaire, un chemin grimpe jusqu'à une petite caverne avant d'en rejoindre une plus grande, qui renferme un bouddha couché. Muni d'une lampe de poche, vous pourrez entrer dans une seconde salle contenant aussi des statues du Bouddha. Le chemin offre de belles vues sur Ao Khan Kradai. La plage, propice à la baignade, est pratiquement déserte. La course en moto-taxi revient à 50 B.

## HAT BAN KRUT ET BANG SAPHAN YAI

หาดบ้านกรูด/บางสะพานใหญ่

Ces deux destinations peu connues, situées respectivement à 80 et 100 km, au sud de Prachuap Khiri Khan, attirent surtout des touristes thaïlandais. À part le week-end et pendant les vacances scolaires, les plages sont pratiquement désertes, et on n'y voit que quelques *long-tail boats*.

**EN PASSANT PAR LE MARCHÉ FRONTALIER DE DAN SINGKHON**

C'est au sud-ouest de Prachuap Khiri Khan, près de la plus étroite bande de terre thaïlandaise (12 km entre la côte et la frontière), que se niche la ville de Dan Singkhon, frontalière avec le Myanmar. Autrefois avant-poste militaire stratégique, Dan Singkhon est aujourd'hui connue pour un commerce bien pacifique : celui des orchidées.

Le samedi matin dès l'aube, les Birmans apparaissent, presque mystérieusement, au détour d'un virage, juste derrière le poste-frontière. Ils poussent devant eux des chariots remplis de produits, courants ou moins courants, comme les orchidées. Accrochées à des structures de bois, débordant de pots ou étendues sur du tissu à même le sol, des orchidées à toutes leurs étapes de croissance emplissent la petite vallée du côté thaïlandais de la frontière.

Les orchidées voyageant généralement assez mal, la plupart des touristes se contentent de regarder. Cela dit, le marché vaut vraiment le détour pour son ambiance festive, sa musique, ses ombrelles alignées au bord de la route et ses "guichets de vente" au toit de chaume cachés sous les palmiers. Arrivez avant midi, car les vendeurs remballent à la mi-journée.

Pour rejoindre Dan Singkhon de Prachuap Khiri Khan, prenez la Hwy 4 vers le sud. Après plusieurs kilomètres, vous verrez un panneau indiquant Dan Singkhon ; de là, poursuivez vers l'ouest sur 15 km jusqu'à la frontière.



La route qui longe **Hat Ban Krut**, principale plage de la ville, facilite l'accès aux 10 km de plage mais trouble la tranquillité des lieux. Au nord du promontoire, surmonté des flèches du **Wat Tan Sai**, **Hat Sai Kaew** est plus calme et plus isolée.

Idéale pour la baignade, **Bo Thong Lang** est une petite crique dont les eaux calmes sont limpides toute l'année. Elle compte un petit *wat* et quelques stands de nourriture, mais il est difficile d'ignorer l'odeur de la poissonnerie, toute proche.

**Bang Saphan Yai**, à 20 km au sud de Ban Krut, est en plein développement et offre désormais de bons hébergements petits budgets. Des îles jalonnent le littoral sud, notamment **Ko Thalu** et **Ko Sing**, où l'on peut pratiquer le snorkeling et la plongée sous-marine de fin janvier à mi-mai. Le Coral Hotel et le Suan Luang Resort (p. 584), à Bang Saphan Yai, organisent des sorties plongée d'une demi-journée vers ces îles.

Plusieurs chutes d'eau émaillent la région ; celles de **Nam Tok Sai Ku** se jettent dans une vallée parsemée de plantations d'ananas.

En réservant votre transport, ne confondez pas Bang Saphan Yai et Bang Saphan Noi, un village de pêcheurs à 15 km au sud.

## Où se loger

### HAT BAN KRUT

Il n'existe guère d'adresses petits budgets ici, mais, si vous venez en semaine, vous devriez obtenir une réduction de 20% à 30%. Il est possible de louer des vélos (100 B/j) et des motos (300 B/j) dans les environs, et la plupart des hébergements organisent des sorties de snorkeling (350-450 B) vers les îles voisines.

Sur la route de la plage, au sud du monticule surmonté d'un *wat*, le **Ban Klang Aow Beach Resort** (☎ 0 3269 5086 ; www.baanklangaowresort.com ; bungalows avec petit-déj 2 300-3 800 B ; ) loue 79 bungalows de 1 ou 2 chambres dotés de grandes vérandas et cachés dans des clairières. Location de vélos et de kayaks. Deux piscines et un restaurant sur place.

Les adresses suivantes sont situées sur Hat Sai Kaew, au nord du monticule. Vous devrez mettre la main au portefeuille pour qu'un moto-taxi vous emmène jusqu'aux restaurants qui bordent la plage principale, mais il est également possible de louer son propre deux-roues.

**Ban Kruit Youth Hostel** (☎ 0 3261 9103 ; www.thailandbeach.com ; dort 350-400 B, bungalows 600-2 600 B ; ). Plus proche d'un complexe hôtelier que d'un hôtel, cette auberge de jeunesse loue des bungalows de toutes tailles. Les moins chers sont des huttes de bois avec sdb communes, tandis que les plus luxueux, sur la plage, possèdent TV, clim et eau chaude. Bon marché, les dortoirs sont situés dans le bâtiment principal. La longue plage déserte est bordée de verdure. Piscine minuscule et nombreuses activités proposées sur place. Petit-déjeuner compris. Réduction sur présentation de la carte YHA.

**Bayview Beach Resort** (☎ 0 3269 5566 ; www.bayviewbeachresort.com ; bungalows 1 700-4 800 B ; ). Sur la même plage que l'auberge de jeunesse, le Bayview propose de beaux bungalows entourés de verdure, et une piscine en bord de plage. Les bungalows impeccables vont de la cabane en bois au pavillon en béton avec baies vitrées.

### BANG SAPHAN YAI

Des hôtels bordent les plages au nord de la ville (essentiellement de catégorie moyenne) et au sud (un grand complexe et quelques bungalows pour petits budgets). Le site www.bangsaphanguide.com donne de nombreuses informations locales, consultez-le avant de partir.



#### Nord de la ville

**Van Veena Hotel** (☎ 0 3269 1251 ; www.vanveena.com ; ch 400-800 B ; ). Chambres banales mais spacieuses ; on regrettera, cela dit, l'odeur bizarre qui flotte dans celles qui sont pourvues de moquette. Petit supermarché au rez-de-chaussée et restaurant de plage juste en face.

**Sailom Resort** (☎ 0 3269 1003 ; www.sailombangsaphan.com ; ch 1 900 B ; ). Éclairage tamisé, plantes vertes et grandes vérandas, sans oublier piscine incurvée, décoration élégante et terrain impeccable font de cette adresse l'une des plus agréables de la plage.

#### Sud de la ville

Les adresses suivantes sont à environ 5 km au sud de la ville. Il y a plus d'hébergements petits budgets que sur la plage du nord ou à Hat Ban Krut.

**Patty Hut** (☎ 08 6171 1907 ; bungalows 300-700 B ; ). Cette adresse sympathique se trouve juste derrière le Coral Hotel. Si les chambres les plus chères sont une bonne affaire, celles à 300 B n'offrent qu'un matelas sur le sol. Ici, vous pouvez aussi bien dîner en famille que vous faire tatouer. Possibilité de se faire prendre et déposer à l'arrêt de bus.

**Suan Luang Resort** (☎ 0 3281 7031 ; www.suanluang.com ; bungalows 480-680 B ; ). Tenu par une famille jeune et branchée, le Suan Luang loue des bungalows simples en bois avec ventil, et d'autres en béton avec clim, TV et eau chaude ; 700 m d'une route agréable à travers la jungle vous séparent de la plage. L'excellent restaurant sert une cuisine thaïlandaise et française. Excursions à la journée vers les chutes d'eau et les parcs.

**Coral Hotel** (☎ 0 3281 7121 ; www.coral-hotel.com ; 171 Mu 9 ; ch 1 525 B, bungalows 2 700-5 400 B ; ). Installé dans une plantation de cocotiers, cet hôtel haut de gamme tenu par un Français donne sur la plage. Immense piscine, trois restaurants. TV, réfrigérateur et eau chaude dans toutes les chambres. Sports nautiques et circuits organisés dans la région rempliront vos journées. Des bungalows pour 4 personnes sont proposés aux familles.

Plusieurs adresses louent des bungalows simples le long de la plage au nord du Coral Hotel, où une hutte au toit en tôle ondulée vous coûtera environ 300 B.

### Comment s'y rendre et circuler

Des bus partent quotidiennement du terminal Sud de Bangkok pour Ban Krut (315 B, 5 heures) et Bang Saphan Yai (315 B, 6 heures). Prenez un bus direct, ou vous risquez d'être débarqué sur la Hwy 4 (Th Phetkasem) et de devoir emprunter un moto-taxi jusqu'aux plages (70 B). Des bus relient fréquemment Prachuap Khiri Khan à Ban Krut (50 B) et à Bang Saphan Yai (60 B), et un bus local (20 B) circule entre Ban Krut et Bang Saphan Yai.

Ban Krut et Bang Saphan Yai se trouvent sur la ligne de chemin de fer sud du pays, et des trains quotidiens circulent depuis/vers Chumphon, Prachuap Khiri Khan, Hua Hin et Bangkok. La gare ferroviaire de Ban Krut se trouve à 4 km de la plage ; à Bang Saphan Yai, vous arriverez en ville. Dans les deux endroits, vous devrez prendre un moto-taxi (environ 70 B) jusqu'aux plages.

Circuler dans les environs n'a rien d'aisé, car peu de transports en commun relient les plages entre elles. Sur place, la plupart des complexes louent des motos (environ 300 B/j) et les routes sont en bon état.

# PROVINCE DE CHUMPHON

## CHUMPHON

ชุมพร

**48 571 habitants**

Carrefour de communications, Chumphon figure sur l'itinéraire de nombreux voyageurs, qui y passent pour rallier Ko Tao, en bateau, ou Ranong et Phuket, par la route, à l'ouest. La ville, située à 500 km au sud de Bangkok, marque l'endroit où commence véritablement le sud de la Thaïlande, tant du

### UN PROJET HISTORIQUE : LE CANAL DE THAÏLANDE

L'Égypte a le canal de Suez, le canal de Panama relie l'Atlantique au Pacifique, et cela fait plus de 350 ans que la création d'une voie navigable entre le golfe de Thaïlande et la mer d'Andaman est en pourparlers.

À son point le plus étroit, au sud de Chumphon, l'isthme de Kra (la bande de terre reliant le continent asiatique à la péninsule malaise) ne mesure que 44 km de largeur. En 1677 et en 1793, les rois thaïlandais se penchèrent sur la question, mais la technologie de l'époque ne permettait pas cette réalisation. Lorsque la Birmanie (l'actuel Myanmar) devint une colonie britannique en 1863, l'idée refit surface. Ferdinand de Lesseps, le brillant ingénieur qui réalisa le canal de Suez, visita même la région en 1882. En 1897, Singapour étant devenue un important carrefour commercial dans la région, la Thaïlande et la Grande-Bretagne décidèrent d'abandonner toute idée de canal.

Au XX^e siècle, le projet fut à nouveau d'actualité, mais le site choisi fut déplacé au sud, afin de relier Nakhon Si Thammarat à Trang. En 1985, un projet japonais prévoyait l'utilisation de plus de 20 dispositifs nucléaires pour creuser le canal. Plus récemment, la Chine a prévu de dépenser 25 milliards de dollars US pour un canal thaïlandais qui lui assurerait un avantage stratégique et commercial dans la région. Les États-Unis suivent les choses de très près.



point de vue religieux que linguistique : on commence à voir des mosquées et à entendre des dialectes différents.

La ville en soi est sans grand intérêt touristique, mais les plages environnantes sont idéales pour se reposer quelques jours. Connue des véliplanchistes et des kitesurfeurs, **Hat Tha Wua Laen** (à 12 km au nord) s'est équipée d'agréables bungalows et bars de plage. **Hat Sairi** (21 km à l'est) est une cité balnéaire plus traditionnelle, et l'endroit idéal pour organiser des excursions vers les îles.

Dès que vous serez prêt à repartir, l'armée d'agences de voyages de Chumphon (voir plus bas) vous aidera à réserver votre transport pour Ko Tao, mais aussi les correspondances en bus et train vers le sud, à destination de Krabi et de Surat Thani.

## Renseignements

Plusieurs banques sur Th Sala Daeng disposent d'un service de change et de DAB.

**Bangkok Bank** (Th Sala Daeng). Possède un DAB.

**Bureau de la CAT** (Th Poramin Mankha). 1 km à l'est de la poste. Vend des cartes de téléphone internationales à bon prix.

**CS Leisure Travel** (☎ 7750 3001 ; www.cslchumphon.com ; 68/10 Th Tha Taphao ; ⌚ 8h-22h). Nourriture, boissons, renseignements et accès Internet. Très bon site Internet sur Chumphon et ses environs.

**DK Book Store** (☎ 0 7750 3876 ; Soi Sala Daeng ; ⌚ 8h-21h). Vend quelques livres en anglais, dont des guides Lonely Planet.

**Hôpital Wiratsin** (☎ 0 7750 3238 ; Th Poramin Mankha). Clinique privée. Traite les urgences.

**New Infinity Travel** (☎ 0 7750 1937 ; new_infinity@hotmail.com ; 68/2 Th Tha Taphao ; ⌚ 8h-22h). Personnel averti et sympathique. Vente de livres de poche et réservations de voyages. Quatre chambres à louer. Wi-fi et accès Internet.

**Office du tourisme** (☎ 0 7750 4833 ; angle Th Sala Daeng et Th Krom Luang Chumphon ; ⌚ 8h30-16h30). Fournit de précieux renseignements en anglais, surtout sur les transports depuis/vers Chumphon.

**Poste principale** (Th Poramin Mankha). Dans la partie sud-est de la ville.

**Songserm** (☎ 0 7750 6205 ; en retrait de Th Tha Taphao). Réservez vos billets de Songserm Express directement ici.

## Fêtes

De mi-mars à fin avril, la **fête maritime de Chumphon** s'accompagne d'expositions artistiques, d'une compétition de planche à voile à Hat Thung Wua Laen et d'un marathon. En octobre, la **fête du bouddha de Lang Suan** dure 5 jours ; elle comprend une procession de bateaux-temples et une course nautique sur la Mae Nam Lang Suan, à 60 km au sud du chef-lieu.

## Où se loger

Au lieu de sauter dans le premier bateau pour Ko Tao ou le train de nuit vers Bangkok, pourquoi ne pas faire une halte sur les plages de Hat Thung Wua Laen ou Hat Sairi ?

La plupart des voyageurs qui passent la nuit à Chumphon étant des randonneurs en route pour Ko Tao, les hébergements sont bon marché et généralement corrects. La plupart des pensions (et des restaurants) peuvent réserver des billets pour Ko Tao, c'est pourquoi vous serez partout accueilli par la question "Bonjour, où allez-vous ?".

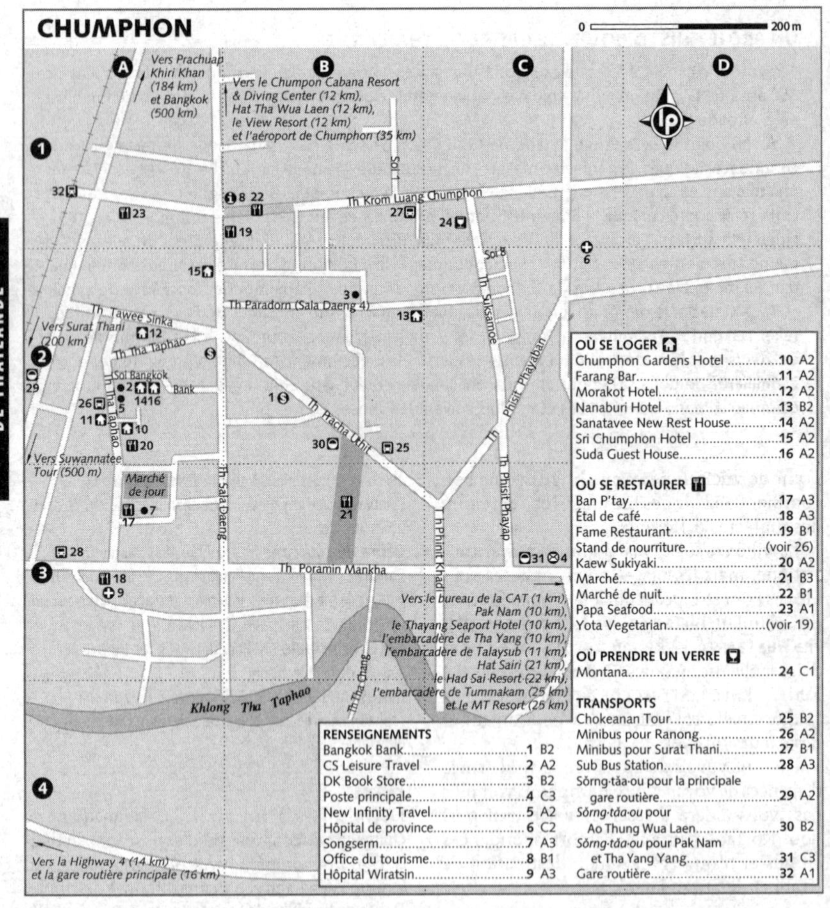


## PETITS BUDGETS

**Sanatavee New Rest House** (☎ 0 7750 2147 ; 4 Soi Bangkok Bank ; ch 150-250 B). Si le Suda, un peu plus bas, est complet, cette adresse propose 4 chambres. Petites mais propres, elles disposent de ventil et d'une sdb commune. Parfois, les propriétaires torréfient du café dans l'arrière-cour, ce qui embaume tout le bâtiment.

**Farang Bar** (☎ 0 7750 1003 ; farngbar@yahoo.com ; 69/36 Th Tha Taphao ; ch 150-300 B ; 💻). Un classique pour routards. Beaucoup de voyageurs s'y reposent une heure ou deux après avoir passé la nuit dans un bus venant de Khao San Rd et avant de poursuivre vers Ko Tao. Les chambres sont délabrées, mais les douches en pierre (20 B pour les personnes extérieures) évoquent un spa (ce qui ne devait pas être intentionnel). Le restaurant n'est pas extraordinaire.

♡ **Suda Guest House** (☎ 0 7750 4366 ; 8 Soi Bangkok Bank ; ch 200-500 B ; ❄). Suda, la sympathique propriétaire, qui parle anglais, annonce fièrement qu'elle tient "probablement la meilleure pension de la ville", citation tirée d'une ancienne édition de ce guide. Impeccablement tenues, les 6 chambres ont un parquet de bois et offrent quelques attentions que l'on n'attendrait pas pour le prix, comme du savon dans les douches. L'adresse est prisée, téléphonez pour réserver.

**Sri Chumphon Hotel** (☎ 0 7751 1280 ; Th Sala Daeng ; ch 280-600 B ; ❄). Couloirs sombres et chambres un peu négligées. Certaines sont plus gaies que d'autres, avec plancher et mobilier de bois. Demandez à en voir plusieurs.

**Morakot Hotel** (☎ 0 7750 3629 ; fax 0 7757 0196 ; 102-112 Th Tawee Sinka ; ch 420-540 B ; ). Malgré un emplacement incongru derrière un revendeur de motos, le personnel jeune et sympathique rend l'adresse accueillante. Chambres vieillottes, mais lumineuses. Celles des étages supérieurs ont une belle vue sur Chumphon et les montagnes.

**Chumphon Gardens Hotel** (☎ 0 7750 6888 ; 66/1 Th Tha Taphao ; ch 490 B ; ). Chambres spacieuses récemment rénovées, avec TV câblée, présentant un bon rapport qualité/prix, tout comme le petit-déj à 80 B.

**View Resort** (Hat Thung Wua Laen, ch 500-700 B ; ). La plus charmante des quelques adresses de bungalows sur Hat Thung Wua Laen. Belles chambres avec ventil ou clim, et bon restaurant.

**CATÉGORIE MOYENNE**

**Nanaburi Hotel** (☎ 0 7750 3888 ; 355/9 Th Paradorn ; ch/ste 700/1 500 B ; ). Dernier-né des hôtels de Chumphon, c'est une excellente affaire. Chambres élégantes et soignées ; petit-déj compris. Décorées de gris, noir et blanc, les chambres supérieures donnent sur les collines verdoyantes.

**Had Sai Resort** (☎ 0 7755 8028 ; www.hadsairesort.com ; Hat Sairi ; bungalows 800-2 000 B ; ). Les chambres en béton sont exiguës, mais les quelques bungalows à flanc de colline ont un air de maisons dans les arbres. Situé à l'extrémité la plus calme de Hat Sairi. Bonne base pour partir en excursions d'une journée vers les îles voisines.

**MT Resort** (☎ 0 7755 8153 ; www.mtresort-chumphon.com ; Hat Tummakam Noi ; bungalows avec petit-déj 950-1 250 B ; ). Adresse agréable sur une plage calme, près de l'embarcadère de Lomprayah. Idéal pour faire une pause avant de poursuivre vers Ko Tao, ou en revenant. Des kayaks sont mis à disposition gratuitement pour explorer îles et mangroves du parc national de Mu Ko Chumphon. Pas de transport public : un taxi depuis Chumphon coûte environ 350 B. Téléphonez pour organiser votre transport.

**Chumphon Cabana Resort & Diving Centre** (☎ 0 7756 0245 ; www.cabana.co.th ; Hat Thung Wua Laen ; ch et bungalows 1 500-2 300 B ; ). Au milieu d'un jardin anarchique, des bâtiments plutôt conventionnels abritent des chambres étonnamment originales et immaculées. Piscine géante (cours PADI proposés), et bassin enfants. Sur les 20 bungalows, 2 sont accessibles aux fauteuils roulants. Une navette privée (150 B) dessert Chumphon.

## Où se restaurer et prendre un verre

Sur le grand **marché de nuit** (Th Krom Luang Chumphon), vous trouverez toutes sortes de plats délicieux et peu onéreux, et pourrez prendre de belles photo, car il est bien éclairé. Il existe aussi 2 marchés de jour.

À côté du Farang Bar, sur Th Tha Taphao, un stand de nourriture sans enseigne s'installe à 16h pour la nuit (2 currys avec du riz coûtent 30 B). Cherchez les tables en plastique blanc. À l'angle de Th Tha Taphao et de Th Poramin Mankha, un étal de café vend des beignets chinois (10 B) dès l'aube.

**Yota Vegetarian** (Th Sala Daeng ; plats 20-90 B ; 7h-17h). À côté du Fame Restaurant, cette adresse qui sert des plats à emporter propose de délicieuses assiettes végétariennes à composer soi-même. Agrémentez votre composition de menthe vietnamienne, de basilic sacré et de tranches de concombre.

**Ban P'Tay** (☎ 0 7757 0580 ; 45/9 Th Tha Taphao ; café 40 B ; petit-déj et déj ; ). Petit café-boulangerie climatisé proposant des douceurs et des cafés glacés, servis par des jeunes dynamiques. Accès Internet et réseau Wi-Fi.

**Kaew Sukiyaki** (☎ 0 7750 6366 ; Th Tha Taphao ; plats 40-240 B ; petit-déj, déj et dîner). Spécialité de la maison : les nouilles *sukiyaki* de toutes sortes, cuisinées à votre table et à déguster dans la salle fraîche ou sous la tonnelle extérieure. Le bar est apprécié des locaux comme des voyageurs.

**Papa Seafood** (☎ 0 7750 4504 ; 2-2/1 Th Krom Luang Chumphon ; plats 70-150 B ; déj et dîner). Sans être exceptionnelle, la cuisine (surtout à base de fruits de mer) est bonne. Restaurant très apprécié des locaux. Après votre repas, allez vous déhancher sur la piste du Papa 2000, la discothèque voisine.

**Fame Restaurant** (☎ 0 7757 1077 ; 188/20 Th Sala Daeng ; plats 80-220 B ; petit-déj, déj et dîner). Excellents petits-déj occidentaux, bons sandwichs de pain frais et véritables mozzarella et gorgonzola. Agence de voyages attenante.

**Montana** (☎ 0 7750 2864 ; 116 Th Suksamoe ; 18h-1h). Ce bar possède un décor western plutôt authentique, avec (fausses) têtes d'animaux empaillées, néon Budweiser et concert du Big Boss Blues Band à partir de 21h30. Côté cuisine, la carte est excellente, mais exclusivement thaïlandaise.

## Depuis/vers Chumphon

### BATEAU

Les moyens de transports ne manquent pas pour rallier la petite île de Ko Tao (p. 564) : différents types de bateaux partent de plusieurs embarcadères. La plupart des agences de voyages proposent des navettes gratuites vers tous les embarcadères, sauf ceux des ferrys les plus lents et les moins chers. Voici certaines des nombreuses possibilités.

L'embarcadère de Tha Yang est à 10 km de Chumphon, celui de Talaysub 1 km plus loin. Talaysub et Tha Yang sont souvent considérés comme un seul et même embarcadère. Depuis Tha Yang, un bateau lent de nuit (200 B, 6 heures) part à minuit. Si vous rêvez de dormir sur le pont d'un bateau lent et qu'une douce pleine lune brille dans le ciel, la traversée peut être inoubliable. En revanche, s'il pleut et que la mer est démontée, la nuit sera longue.

Un ferry embarquant les voitures quitte Tha Yang à 23h (avec cabine 300 B, 6 heures). Il est possible de réserver une couchette ou un matelas sur ce bateau, ce qui en fait un choix plus confortable (et distrayant) que l'autre ferry de nuit.

De Talaysub, le Songsrem Express (450 B, 2 heures 30) part à 7h.

Le **catamaran express Lomprayah** (www.lomprayah.com) part de l'embarcadère de Tummakam (à 25 km de la ville) à 7h et 13h (550 B, 1 heure 30).

Seatran Discovery affrète un catamaran au départ de l'embarcadère de Pak Nam (ou Seatran Jetty), à 10 km de Chumphon, à 7h (550 B, 2 heures).

Un taxi collectif pour l'embarcadère de Tha Yang coûte 50 B. Les *sŏrng·tăa·ou* desservant les embarcadères de Tha Yang et de Pak Nam prennent 30 B.

Si vous ratez votre bateau à Tha Yang et que vous ne voulez pas retourner à Chumphon, essayez le **Thayang Seaport Hotel** (☎ 0 7755 3052 ; ch 200-450 B ; ❄).

### BUS

La gare routière principale se trouve sur la Highway 4, à 16 km de Chumphon. Pour vous y rendre, prenez un bus local ou un *sŏrng·tăa·ou* (25 B) depuis Th Nawaminruamjai. Une petite gare routière secondaire se trouve sur Th Poramin Mankha, bien qu'il soit question de la déplacer vers la gare ferroviaire voisine. Ses bus s'arrêtent aussi à la gare routière principale.

Beaucoup plus pratique, **Chokeanan Tour** (☎ 0 7751 1757 ; Th Pracha Uthit), dans le centre-ville, affrète 6 bus par jour pour Bangkok (clim/VIP 373/419-550 B) et **Suwannatee Tour** (☎ 0 7750 4901), à 700 m au sud-est de la gare ferroviaire, propose 12 départs par jour (2e classe/clim/VIP 310/398/464 B). La plupart des bus en provenance de Bangkok s'arrêtent en ville. Descendez là pour économiser le prix du *sŏrng·tăa·ou* depuis la gare routière. Demandez au chauffeur ou aux passagers où descendre.

Autres destinations desservies au départ de Chumphon : Hua Hin (165-230 B, 5 heures), Bang Saphan Yai (100 B, 2 heures), Prachuap Khiri Khan (120-160 B, 3 heures 30), Ranong (100-110 B, 3 heures), Surat Thani (170 B, 3 heures 30), Krabi (270 B, 8 heures), Phuket (320 B, 7 heures) et Hat Yai (310-350 B, 7 heures). Vous pouvez acheter votre billet dans les agences de voyages.

### TRAIN

Des trains circulent fréquemment entre Chumphon et Bangkok (2e classe 292-382 B, 3e classe 235 B, 7 heures 30). Comptez 440-770 B en train-couchette.

Les trains rapides et express en direction du Sud, les seuls comportant des 1re et 2e classes, sont beaucoup moins fréquents, et réserver une place à partir de Chumphon peut être difficile en haute saison (novembre-février).

## Comment circuler

Une course en ville revient à 20 B en *sŏrng·tăa·ou* et à 30 B en moto-taxi. Jusqu'à Hat Sairi et à Hat Thung Wua Laen, comptez 30 B en *sŏrng·tăa·ou.*

Nombre d'agences de voyages et de pensions louent des motos (200-250 B/j). Louer une voiture revient à quelque 1 500 B/j auprès des agences de voyages ou de la Suda Guesthouse (p. 586).

# Sud-ouest du golfe de Thaïlande

Des étendues de sable blanc qui ondulent le long d'une côte fine comme du papier, bordées de parcelles de jungle avançant sur la mer… Les plages de Thaïlande sont partout. Comment faire un choix parmi tant de merveilles ?

C'est très simple. Si l'indécision vous accable, venez ici – dans le sud-ouest du golfe de Thaïlande –, et suivez trois étapes simples pour atteindre votre paradis balnéaire.

1. Avant d'attaquer les vagues, regardez dessous. Ko Tao est le terrain de jeu rêvé des plongeurs, avec ses récifs grouillant de requins à pointes noires, de pastenagues furtives et de coraux éclatants.

2. Faites la fête. Ko Pha-Ngan est depuis longtemps synonyme de nuit blanche. À la veille de chaque pleine lune, les pèlerins vénèrent le dieu de la fête, entrent en transe le corps peint de couleurs scintillantes, et l'alcool coule à flot.

3. Purifiez-vous, étape nécessaire après de folles agapes lunaires. Ko Samui est l'endroit idéal pour prendre soin de vous dans le confort d'un hôtel de luxe.

Si les paradis des îles du golfe de Thaïlande ne vous suffisent pas, ajoutez-y un îlot parmi la quarantaine que compte le parc national marin d'Ang Thong. Chaque petite tache escarpée qui ponctue l'océan azur regorge de baies dont le sable blanc n'attend que vos pas. Un royaume éthéré, immortalisé dans le folklore des baroudeurs, dernière frontière fantasmatique des naufragés.



### À NE PAS MANQUER

- Némo et ses amis dans leur royaume en Technicolor au large de **Ko Tao** (p. 625)
- Le sable virginal des plages blondes et secrètes du **parc national marin d'Ang Thong** (p. 639)
- Les folies et les transes de la fête de la pleine lune à **Ko Pha-Ngan** (p. 610)
- L'occasion de ronronner de bonheur lors d'un massage 5-étoiles à **Ko Samui** (p. 597)
- L'apparition magique et éphémère d'un dauphin rose glissant près de la rive d'**Ao Khanom** (p. 643)

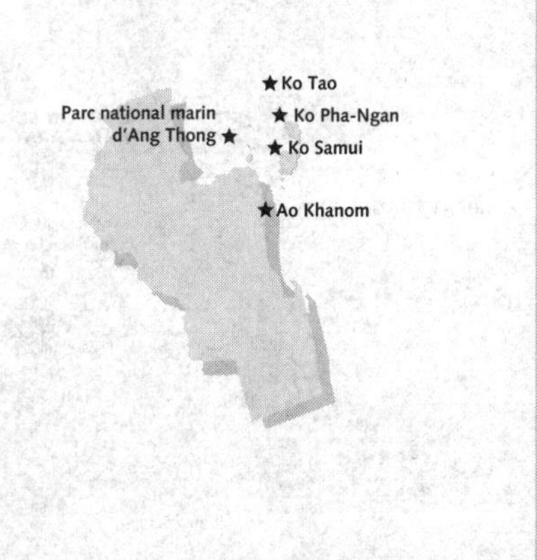


- MEILLEURE PÉRIODE : DE DÉCEMBRE À AVRIL
- POPULATION : 2,46 MILLIONS D'HABITANTS

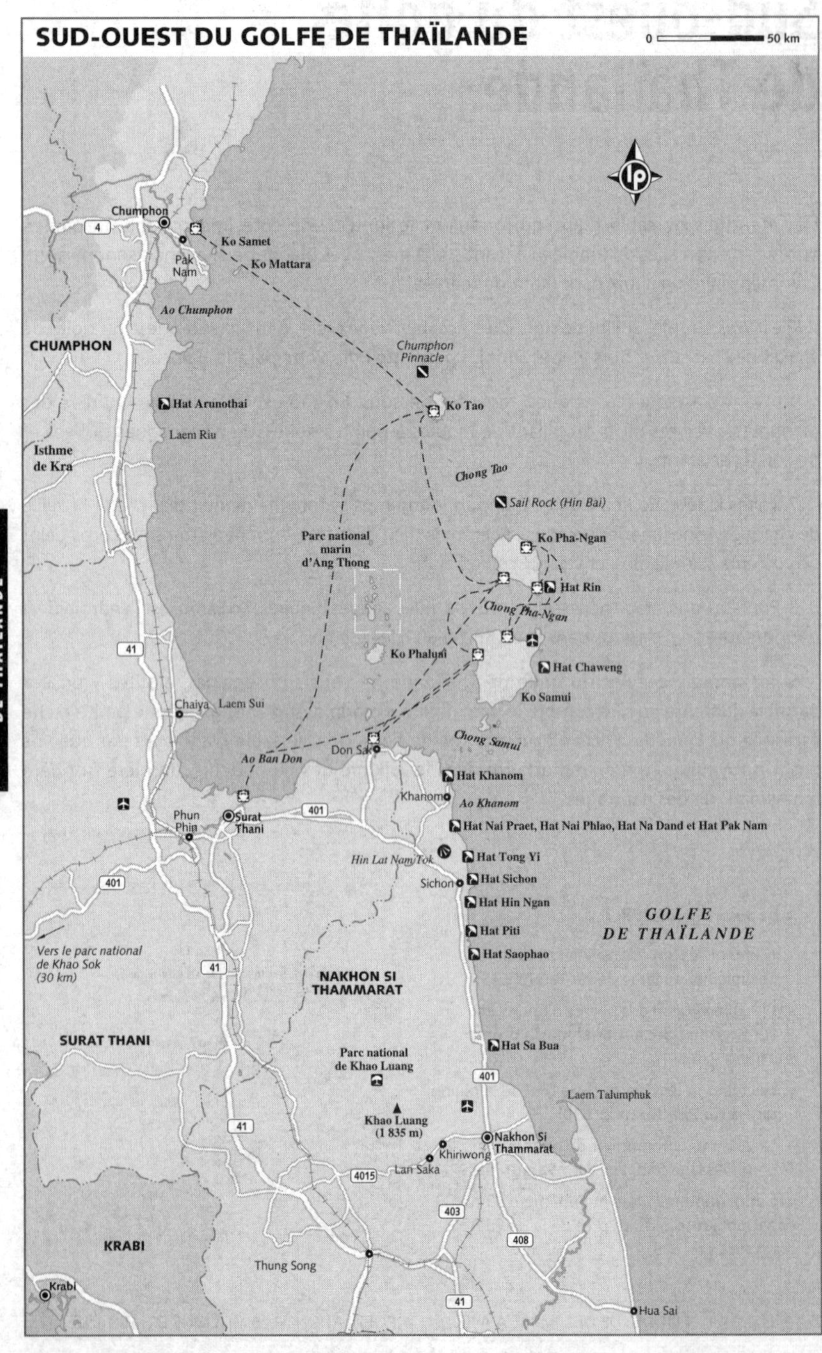
SUD-OUEST DU GOLFE DE THAÏLANDE
0
50 km
Chumphon
Ko Samet
Ko Mattara
Pak Nam
Ao Chumphon
CHUMPHON
Chumphon Pinnacle
Hat Arunothai
Ko Tao
Laem Riu
Isthme de Kra
Chong Tao
Sail Rock (Hin Bai)
Parc national marin d'Ang Thong
Ko Pha-Ngan
Hat Rin
Chong Pha-Ngan
Ko Phaluai
Hat Chaweng
Ko Samui
Chaiya
Laem Sui
Chong Samui
Don Sak
Ao Ban Don
Hat Khanom
Khanom
Ao Khanom
Phun Phin
Surat Thani
Hat Nai Praet, Hat Nai Phlao, Hat Na Dand et Hat Pak Nam
Hin Lat Nam Tok
Hat Tong Yi
Sichon
Hat Sichon
Hat Hin Ngan
Hat Piti
Hat Saophao
GOLFE DE THAÏLANDE
Vers le parc national de Khao Sok (30 km)
NAKHON SI THAMMARAT
SURAT THANI
Hat Sa Bua
Parc national de Khao Luang
Laem Talumphuk
Khao Luang (1 835 m)
Nakhon Si Thammarat
Khiriwong
Lan Saka
KRABI
Thung Song
Krabi
Hua Sai
4
41
401
4015
403
408

### Climat

La meilleure période pour visiter les îles Samui est pendant la saison chaude et sèche, de février à avril. De mai à octobre, pendant la mousson du sud-ouest, il peut pleuvoir par intermittence, et d'octobre à janvier, pendant la mousson du nord-est, les vents sont parfois violents. De nombreux voyageurs ont pourtant connu un temps ensoleillé (et moins de monde) en septembre et octobre. En novembre tombe un peu de la pluie qui touche la côte est de la Malaisie.

La fréquentation touristique réduite au sud de l'archipel de Samui s'explique par le fait que la meilleure saison dans cette région (du point de vue du climat) s'étend d'avril à octobre – soit exactement l'opposé de la saison touristique typique de la Thaïlande (qui coïncide avec l'hiver européen et nord-américain).

### Parcs nationaux

La région compte deux parcs notables.

Le parc national marin d'Ang Thong (p. 639), cadre paradisiaque du film *La Plage* (bien que la plus grande partie du film ait été tournée à Ko Phi Phi Leh ; voir p. 709), est un bel archipel de 40 îles de calcaire déchiqueté.

Le parc national de Khao Luang (p. 647) est réputé pour ses magnifiques randonnées dans la forêt et la montagne, ses cascades et ses vergers. Il abrite aussi des animaux insaisissables, comme les panthères nébuleuses et les tigres.

### Depuis/vers le sud-ouest du golfe de Thaïlande

Le sud-ouest du golfe de Thaïlande est assez facilement accessible. Prenez un bus ou un train à Bangkok, puis un ferry jusqu'aux îles. Plusieurs vols quotidiens relient Bangkok, Phuket et Pattaya à Ko Samui. Voyager en bus et en train de Bangkok est généralement bon marché, assez efficace et se fait souvent de nuit.

### Comment circuler

De nombreux bateaux font la navette entre Ko Samui, Ko Pha-Ngan, Ko Tao et Surat Thani. Des bus et des trains relient Surat Thani et des destinations plus au sud. Envisagez de passer par le port de Chumphon (p. 584) pour accéder aux îles du golfe depuis le continent.

# PROVINCE DE SURAT THANI

La province de Surat Thani compte : Ko Samui, Ko Pha-Ngan et Ko Tao – trois îles idylliques cachées derrière des dizaines d'îlots irréguliers disséminés dans le magnifique parc national marin d'Ang Thong.

## KO SAMUI

เกาะสมุย

**45 800 habitants**

À première vue, on pourrait prendre Ko Samui pour un parcours de golf géant flottant sur la mer. Les greens sont parfaitement entretenus, les bunkers nombreux, plus un ou deux obstacles d'eau pour faire bonne mesure. Des hommes d'âge mûr se pavanent, vêtus de polos blancs qui contrastent avec leurs visages rouges, suivis d'employés portant leurs affaires. Mais Samui n'est pas du tout un country-club – en y regardant d'un peu plus près, on découvre les étals de nourriture de rue, les fêtes de jet-setter, des temples bouddhiques discrets et des huttes de baroudeurs installées sur un petit bout de plage tranquille.

Ko Samui vous permet de choisir le style d'aventure qui vous convient. Vue sur la mer, massage quotidien, valet personnel ? Voici les clés de votre villa avec piscine. Vous voulez nettoyer votre aura ? Prenez place pour une séance de yoga avant votre session nettoyage du côlon de l'après-midi. Vous êtes venu faire la fête ? Défoulez-vous sur la plage au milieu des touristes vidant des seaux entiers de whisky.

Derrière la machine à divertissement, l'île offre aussi aux visiteurs intéressés un aperçu de la vie locale. Les marchands chinois de l'île de Hainan habitaient Samui à l'origine et, aujourd'hui, ces racines uniques se sont épanouies dans une petite communauté qui se dissimule derrière le vernis touristique.

### Orientation

Ko Samui est assez grande – la route qui fait le tour de l'île mesure presque 100 km. Des îles pittoresques ornent ses 4 côtés. Les plus fréquentées sont Hat Chaweng (carte p. 598) et Hat Lamai (carte p. 600), à l'est.

Les plages de la côte nord de l'île, Choeng Mon, Mae Nam, Bo Phut (carte p. 602), Bang Po et Big Buddha Beach (Bang Rak), commencent à être assez fréquentées, mais les prix restent corrects et il est toujours possible d'y dénicher des coins tranquilles. Si vous cherchez plus de calme, essayez les plages isolées de la côte sud, et la côte ouest au sud de Na Thon.

## Renseignements

### ACCÈS INTERNET

Les accès Internet abondent dans l'île, même aux plages les moins populaires. Les prix varient de 1 à 2 B/min. Ouvrez l'œil, certains restaurants offrent le Wi-Fi gratuit.

### AGENCES DE VOYAGES

Presque tous les *resorts* et complexes de bungalows proposent des services d'agence de voyages et peuvent vous inscrire dans des circuits ou vous fournir des billets. Réserver directement auprès d'un tour-opérateur vous permet d'économiser quelques bahts.

### ARGENT

Changer de l'argent n'est pas un problème sur les côtes est et nord, ni à Na Thon. De nombreuses banques et des kiosques de change sont ouverts tous les jours et un DAB est installé tous les 100 m.

### BUREAU DE L'IMMIGRATION

En pleine saison, le Bangkok Samui Hospital ouvre un kiosque d'immigration et peut accorder de courtes extensions de visas touristiques.

**Bureau de l'immigration** (carte p. 593 ; ☎ 0 7742 1069 ; 🕑 8h30-12h et 13h-16h30 lun-ven). Extension de visa de 7 jours. À environ 2 km au sud de Na Thon.

### LIBRAIRIES

Il est facile de se procurer des livres de poche à lire dans son hamac dans toute l'île. Beaucoup d'hôtels proposent aussi des bibliothèques ou des échanges de livres.

**Bookazine** (carte p. 598 ; ☎ 0 7741 3616 ; Hat Chaweng ; 🕑 10h-23h). Chaîne proposant des livres neufs, des magazines et de nombreux guides Lonely Planet.

### MÉDIAS ET CARTES

La Siam Map Company publie des brochures trimestrielles, notamment le *Spa Guide*, le *Dining Guide* et un annuaire annuel citant des milliers de compagnies et d'hôtels sur l'île. Son *Siam Map Company Samui Guide Map* est fantastique, gratuit, et disponible dans toute l'île. *Essential* (www.essential-samui.com) est une brochure de poche faisant la promotion des multiples activités de Samui. Le *Samui Guide* ressemble davantage à un magazine et présente principalement des restaurants et des attractions.

### OFFICE DU TOURISME

**Tourist Authority of Thailand** (TAT ; ☎ 07742 0504 ; Na Thon). Au nord de Na Thon ; amical, serviable et proposant des brochures et des cartes pratiques.

### POSTE

Dans de nombreuses parties de l'île sont installées des postes privées facturant une petite commission. On peut presque toujours laisser son courrier timbré à son hôtel.

**Poste centrale** (Na Thon). Près du bureau de la TAT ; pas toujours fiable.

### RESSOURCES INTERNET

Les sites suivants évoquent les centres de plongée, les hébergements et les circuits. Ils proposent aussi les horaires des transports.

**Sawadee.com** (www.samui.sawadee.com)

**Tourism Association of Koh Samui** (www.samuitourism.com)

### SERVICES MÉDICAUX

Ko Samui compte 4 hôpitaux privés, tous près du supermarché Tesco-Lotus sur la côte est, fréquentés par la plupart des touristes. L'hôpital public de Na Thon s'est beaucoup amélioré ces dernières années, mais le service est un peu sinistre, car le financement est fondé sur le nombre d'habitants légaux de Samui (qui ne prend pas en compte le grand nombre de travailleurs birmans illégaux).

**Bangkok Samui Hospital** (carte p. 598 ; ☎ 0 7742 9500, urgences 0 7742 9555). La meilleure adresse en cas de souci médical.

**Hyperbaric Chamber** (carte p. 593 ; ☎ 0 7742 7427 ; Big Buddha Beach). Spécialistes de l'île en médecine de plongée.

**Samui International Hospital** (carte p. 598 ; ☎ 0 7742 2272 ; www.sih.co.th ; Hat Chaweng). Service d'ambulance d'urgences, 24h/24, cartes de crédit acceptées. Près de l'Amari Resort à Chaweng.

### URGENCES

**Police touristique** (carte p. 593 ; ☎ 0 7742 1281, urgences 1155). Au sud de Na Thon.

## Dangers et désagréments

Comme à Phuket, le taux d'accidents routiers mortels à Samui est assez élevé, car un grand

SUD-OUEST DU GOLFE DE THAÏLANDE

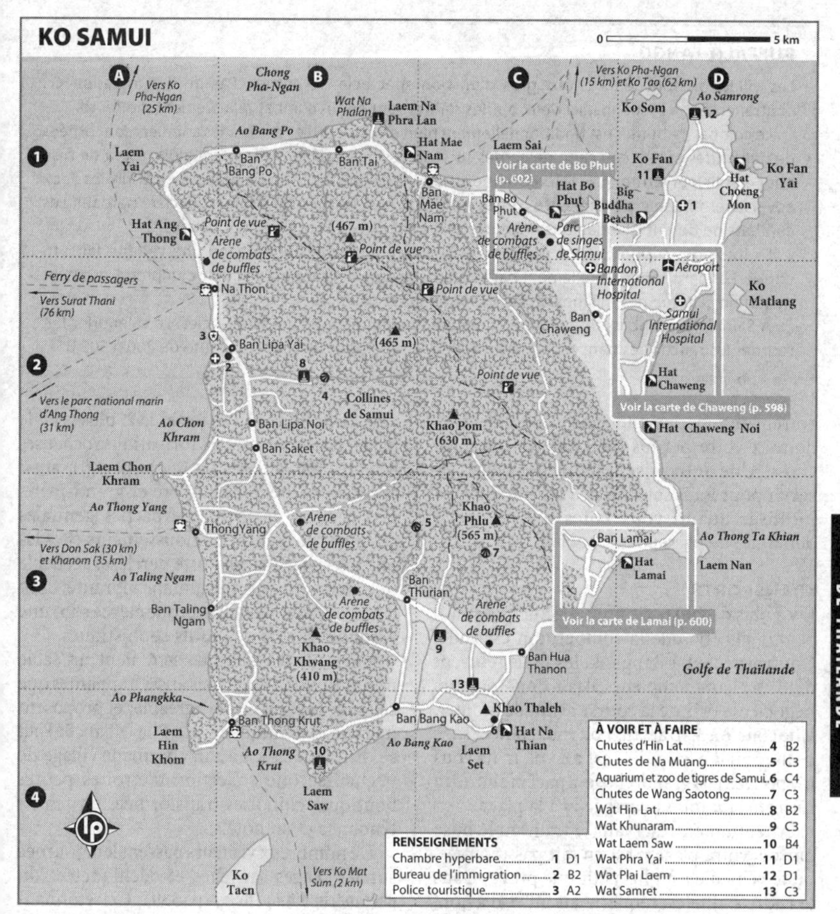


nombre de touristes louent des motos avant de se rendre compte que les routes sinueuses, les averses tropicales et la circulation frénétique peuvent être mortelles. Si vous louez une moto, portez un casque et exigez qu'il ait une visière en plastique. Des chaussures et des vêtements adaptés à la conduite sont impératifs – un jean peut littéralement vous sauver la peau. Vous pouvez aussi louer une voiture sur l'île – mieux vaut s'adresser à une marque réputée et internationalement reconnue.

Récemment, la location de Jet-Ski est le nouvel avatar des escroqueries à la moto. Les blessures sont fréquentes et les agents peuvent prétendre que vous avez abîmé le matériel pour gagner un peu plus d'argent.

Autre escroquerie qui gagne en popularité : les locations partagées. Mieux vaut éviter quiconque vous propose un marché trop beau pour être vrai.

Les vendeurs de plage sont immatriculés et doivent porter une veste affichant leur numéro. Aucun vendeur ne doit devenir une gêne – demandez de l'aide si c'est le cas.

Le vol est un problème permanent, surtout dans les zones les plus peuplées de l'île comme Chaweng et Lamai. Si vous séjournez dans un bungalow de plage, prévoyez de laisser vos objets de valeur à la réception quand vous partez en excursion ou si vous allez nager. Demandez un reçu détaillant la liste des objets déposés.

Enfin, ne laissez jamais votre passeport à quiconque pour servir de garantie – si une

**BUFFALO TANGO**

Les villageois font leurs choux gras d'un bon spectacle de buffles. Pas de fier matador ici : contrairement à l'Espagne, ici deux buffles s'affrontent en un combat relativement inoffensif.

Le combat de buffles est traditionnellement haut en couleur. Les cornes des animaux sont ornées de guirlandes et leur cou ceint de cordes sacrées. Les deux mâles s'affrontent alors, usant de ruse pour établir leur territoire avec force démonstrations de puissance et trépignements. Enfin, les deux adversaires finissent par une lutte cornes contre cornes – le premier à fuir est déclaré perdant. Les combats ne durent que quelques minutes et les animaux y sont rarement blessés.

La foule des supporters est rapidement chauffée à bloc et hurle quand une vedette fait son entrée. Les paris sont naturellement partie prenante dans l'excitation, ce qui se comprend aisément quand on sait que des millions de bahts sont dans la balance.

À Samui, les combats de buffles se tiennent lors des fêtes et des jours fériés. Le calendrier fait tourner les rencontres dans les arènes de l'île. L'entrée pour les touristes coûte de 200 à 500 B.

entreprise vous demande une pièce d'identité, donnez votre permis de conduire ou autre chose. Une entreprise frauduleuse peut s'en servir pour vous soutirer de l'argent, ou vous localiser quand vous faites une nouvelle demande de passeport.



### TRANSPORTS

Il y a plus de 400 taxis immatriculés à Samui, ce qui signifie que la compétition est rude. Contrairement à Bangkok, les taxis refusent d'utiliser leurs compteurs, il faut donc toujours négocier le prix de la course avant de monter. Une course à 35 B à Bangkok vous coûtera sans doute 350 B à Samui. C'est du vol, mais vous n'y pouvez pas grand-chose, à part prendre un *sŏrng·tăa·ou* (ou *săwngthăew*) à la place.

Attention en réservant le train ou le bus : parfois votre place n'est en fait pas réservée, ou le véhicule est plus petit que prévu. Dans le cadre d'une escroquerie au billet d'avion, des agents prétendent que la classe éco est complète et forcent les touristes à réserver des billets en classe affaires. En embarquant, le passager découvre qu'il est assis en seconde.

## À voir

Même si l'île compte plus de 500 *resorts*, il reste quelques sites intéressants dissimulés sous les 3 millions de cocotiers de l'île.

Ko Samui est l'une des principales destinations touristiques de Thaïlande, et **Chaweng**, le site le plus populaire, est la plus longue et la plus belle plage de l'île. Le sable est doux et les eaux étonnamment claires, au vu du nombre de bateaux et de baigneurs. Les amateurs de photo préfèrent la partie sud de la plage, aux magnifiques vues sur les collines du nord.

À l'extrémité sud de **Lamai**, la 2e plus grande plage, vous trouverez les formations rocheuses célèbres **Hin Ta** et **Hin Yai** (carte p. 600), aussi appelées rochers grand-père et grand-mère. Ces rochers en forme de parties génitales suscitent de nombreux gloussements chez les touristes. **Hua Thanon**, juste derrière, accueille une communauté musulmane vibrante, dont les bateaux de pêche à la proue élevée sont une véritable galerie de motifs sophistiqués.

Bien que les **plages du nord** aient un sable moins fin et ne soient pas aussi frappantes que celles de l'est, elles sont agréables et proposent une vue magnifique sur Ko Pha-Ngan. **Bo Phut** se distingue grâce à son charmant village de pêcheurs : une collection d'étroites petites boutiques chinoises transformées en *resorts* tendance et en hôtels.

De nombreux visiteurs passent leur journée sur les plages sauvages et déchiquetées du **parc marin d'Ang Thong** (p. 639). Cet étonnant archipel possède sans doute les plus belles îles de toute la Thaïlande.

### CASCADES

**Nam Tok Na Muang** (carte p. 593) est la plus haute cascade de Samui (30 m), au centre de l'île, à environ 12 km de Na Thon. L'eau dévale de sublimes roches violettes, et le bassin se prête parfaitement à la baignade. C'est la cascade la plus panoramique et la moins fréquentée de Samui. Deux autres chutes l'avoisinent : une plus petite appelée Na Muang 2, et la haute **Nam Tok Wang Saotong**, accessible depuis l'amélioration récente de l'état de la route. Ces chutes sont juste au nord de la rocade près de Hua Thanon.

**Nam Tok Hin Lat** (carte p. 593), près de Na Thon, vaut une visite si vous avez un après-midi à tuer avant de reprendre un bateau pour le continent. Après une randonnée assez vigoureuse par des ruisseaux et des rochers, récompensez-vous avec une baignade dans le bassin en bas des chutes. Ne manquez pas le temple bouddhique parsemé de panneaux où sont inscrites des formules édifiantes. Prévoyez de bonnes chaussures.

#### WAT

Pour les amateurs de temples, le **Wat Laem Sor** (carte p. 593), à l'extrémité sud de Samui près de Ban Phang Ka, possède un vieux stupa intéressant, très vénéré, de style Srivijaya. À l'extrémité nord de Samui, sur une petite île rocheuse reliée par une chaussée, se dresse le **Wat Phra Yai** (temple du Grand Bouddha ; carte p. 593). Érigé en 1972, le Bouddha moderne (dans la position Mara) culmine à 15 m devant le ciel et la mer. Non loin, un nouveau temple, le **Wat Plai Laem** (carte p. 593), arbore un énorme bouddha à 18 bras.

À l'est de Samui, près des chutes du même nom, le **Wat Hin Lat** (carte p. 593 ; ☎ 0 7742 3146) est un temple de méditation qui propose des cours de vipassana (méditation bouddhiste) quotidiens. Plusieurs temples conservent les restes momifiés de moines pieux, notamment le **Wat Khunaram** (carte p. 593), au sud de la Route 4169 entre Th Ban Thurian et Th Ban Hua. Le moine, Luang Phaw Daeng, est mort depuis plus de 20 ans, mais son cadavre est préservé dans une position méditative et porte une paire de lunettes de soleil.

Au **Wat Samret** (carte p. 593), près de Th Ban Hua, vous verrez un bouddha assis typique de Mandalay sculpté dans le marbre – vision commune en Inde et dans le nord de la Thaïlande, moins dans le Sud.

## À faire

#### PLONGÉE

Si la plongée est pour vous une affaire sérieuse, allez à Ko Tao et restez-y le temps de vivre votre aventure sous-marine. Si vous ne disposez que de peu de temps et ne voulez pas quitter Samui, de nombreux opérateurs vous emmèneront jusqu'aux sites de plongée (pour plus cher, bien sûr). Essayez de réserver auprès d'une compagnie disposant de son propre bateau (ou qui en loue), même si c'est un peu plus onéreux. Les compagnies sans bateau emmènent souvent les plongeurs sur le catamaran de passagers pour Ko Tao, où ils prennent un 2e bateau jusqu'au site de plongée. Ces trajets sont ardus, impersonnels et sans repas.

Les cours de certification sont généralement deux fois plus chers sur Ko Samui que sur Ko Tao, ce qui est en grande partie dû à l'utilisation de plus d'essence, car la minuscule Tao est bien plus proche des sites de plongée les plus prisés. Comptez entre 16 000 et 22 000 B pour un certificat Open Water, et entre 3 200 et 6 200 B pour une journée de plongée, selon l'endroit.

La chambre hyperbare de l'île se trouve à Big Buddha Beach (Hat Bang Rak). Nous recommandons les agences de plongée suivantes :

**100 Degrees East** (☎ 0 7742 5936 ; www.100degreeseast.com ; Hat Bang Rak). Très recommandée.

**Calypso Diving** (carte p. 598 ; ☎ 0 7742 2437 ; www.calypso-diving.com ; Chaweng)

**Discovery Dive Centre** (carte p. 598 ; ☎ 0 7741 3196 ; www.discoverydivers.com ; Hat Chaweng). À l'Amari Resort.

**Samui Planet Scuba** (SIDS ; carte p. 598 ; ☎ 0 7723 1606 ; samuiplanetscuba@planetscuba.net ; Chaweng)

#### AUTRES ACTIVITÉS NAUTIQUES

Les amateurs de snorkeling et de kayak réserveront une excursion d'une journée à l'étonnant **parc marin national d'Ang Thong** (p. 639). **Blue Stars Kayaking** (carte p. 598 ; ☎ 0 7741 3231 ; www.bluestars.info), basé à Chaweng, sur Ko Samui, propose des excursions guidées en kayak de mer (2 000 B) dans le parc.

À Chaweng, vous pouvez louer des bateaux à voiles, des catamarans, du matériel de snorkeling, des bateaux pour le ski nautique, etc. Attention aux escroqueries lors de la location de Jet-Ski, voyez p. 593 pour des détails.

#### SPA ET YOGA

La compétition est féroce dans le domaine des 5-étoiles, à Samui, ce qui signifie que leurs spas sont de très bonne qualité. Prenez la brochure gratuite de la Siam Map Company *Spa Guide* (www.siamspaguide.com), qui propose une énumération détaillée des meilleurs centres de l'île. Notre liste de retraites affiliées à des *resorts* comprend certaines des meilleures adresses de Samui (voire du monde) pour se faire dorloter.

Pour des soins de luxe, essayez le spa d'Anantara (p. 603), le Hideaway Spa de Sila Evason Hideaway (p. 601) ou le centre de bien-être à Tamarind Retreat (p. 600).

Le tout nouveau **Absolute Sanctuary** (☎ 0 7760 1190 ; www.absoluteyogasamui.com) est un complexe de bien-être près de l'aéroport proposant des programmes de détoxification et tous les genres de yoga sous le soleil.

Le Spa Resort (p. 599), à Lamai, est le centre de soin d'origine de l'île, encore connu pour son régime "nettoyant" fondé sur le jeûne.

## Cours

Le **Samui Institute of Thai Culinary Arts** (SITCA ; carte p. 598 ; ☎ 0 7741 3434 ; www.sitca.net ; Hat Chaweng) dispense des cours de cuisine quotidiens, et des cours de l'art thaïlandais aristocratique de sculpture sur fruits et légumes. Les cours du midi débutent à 11h, ceux du dîner à 16h (les 2 coûtent 1 850 B les 3 heures avec 3 plats ou plus). Naturellement, vous mangez votre travail, et invitez même un convive à le partager. Des DVD sont en vente pour vous permettre de vous entraîner chez vous.

Le Health Oasis Resort (p. 603) propose des cours de 1 à 8 jours, ainsi que des certifications en massage, aromathérapie, reiki, méditation et yoga thaïlandais et suédois entre 5 500 et 9 000 B. Durée et prix adaptables.

## Bénévolat

Votre temps et votre argent sont les bienvenus au centre de sauvetage pour chiens **Dog Rescue Centre Samui** (☎ 0 7741 3490 ; www.samuidog.org). Cette organisation participe au contrôle de la population canine de l'île grâce à un programme de stérilisation. Le centre vaccine aussi les chiens contre la rage. Les volontaires sont toujours nécessaires pour prendre soin des animaux au chenil ou dans les cliniques (à Chaweng et à Taling Ngam). Appelez le centre pour en savoir plus ou passez à Wave Samui (ci-contre).

Lisez p. 50 et p. 54 pour plus de détails sur le bénévolat en Thaïlande.

## Où se loger

"Superior", "standard", "deluxe", "standard deluxe", "deluxe superior", "superior standard" – que signifie tout cela ? La terminologie hôtelière de Samui est absconse. Les offres d'hébergement sur l'île sont pléthoriques : nous citons nos préférées, sans prétention à l'exhaustivité.

Il est tout à fait possible de faire des folies grâce aux nombreux complexes de luxe dotés de bungalows extravagants, de charmants spas, de piscines privées et de restaurants de classe. Bo Phut, sur la côte nord de l'île, possède une séduisante collection d'établissements de charme – idéal pour les budgets de catégorie moyenne. Les moins argentés devront effectuer des recherches plus poussées, mais il reste possible de dénicher des établissements bon marché de temps à autre près des plages.

Les villas privées ont gagné en popularité ces dernières années. Des publicités pour des compagnies de location paraissent dans les brochures qui circulent sur l'île.

Cette longue section est organisée de la façon suivante : la côte est, populaire, est d'abord traitée avec Chaweng et Lamai, puis les plus petites plages sont abordées dans le sens inverse des aiguilles d'une montre. Ces zones plus restreintes sont regroupées par situation géographique – Bo Phut et Choeng Mon, par exemple, sont des sous-catégories de *Plages du nord*.

### CHAWENG

Couverte d'hôtels et de bungalows, cette plage est l'œil du cyclone touristique. La rue principale du centre de Chaweng ressemble à un *soi* (allée) quelconque du cœur de Bangkok. Malgré le chaos ambiant, la plage est remarquable, et la plupart des complexes sont bien à l'abri du bruit de la rue. La plage a connu une certaine renaissance ces dernières années – de nouvelles adresses petits budgets ouvrent leurs portes (même si les prix restent relativement élevés par rapport au reste de l'île), et certaines zones à l'abandon sont en train d'être rénovées. Au sud de la plage, un promontoire sépare une petite étendue de sable (appelée Chaweng Noi) du reste de la cohue.

#### Petits budgets

**Green Guest House** (carte p. 598 ; ☎ 0 7742 2611 ; www.greenguestsamui.com ; ch 400-1 000 B ; ❄ 💻). Impossible de trouver moins cher que Green, qui n'a pas grand-chose à offrir en termes d'ambiance…

**Wave Samui** (carte p. 598 ; ☎ 0 7723 0803 ; www.thewavesamui.com ; ch à partir de 400 B ; ❄). Seule adresse de Chaweng vibrant d'une réelle ambiance de baroudeurs, le Wave est chaleureux et propose sa bibliothèque-restaurant et plusieurs chambres bien tenues à l'étage. Réservez, il est très populaire !

**Lucky Mother** (carte p. 598 ; ☎ 0 7723 0931 ; ch et bungalows 500-1 500 B ; ❄). De vieilles huttes fonctionnelles, une espèce en voie de disparition à Chaweng. Si vous voulez des douches chaudes et la clim, des chambres d'hôtel modernes sont

SUD-OUEST DU GOLFE DE THAÏLANDE

aussi disponibles, mais la plupart donnent sur un parking.

**P Chaweng** (carte p. 598 ; ☎ 0 7723 0684 ; ch 700 B ; ❄). Adresse peu chère éloignée de la plage, mais disposant de chambres roses carrelées, vastes et impeccables (à l'exception de quelques accrocs sur les meubles en bois). Choisissez une chambre ne donnant pas sur la rue – il paraît un peu trop simple de se glisser dans la chambre par la fenêtre et de se servir.

**Queen Boutique Resort** (carte p. 598 ; ☎ 0 7741 3148 ; queensamui@yahoo.com ; Soi Colibri ; s/d à partir de 600/800 B ; ❄ 💻). Hé oui, des chambres à moins de 1 000 B (ce qui ne devrait pas durer) ! Un établissement nouveau qui attire les voyageurs grâce à une qualité à un prix modique.

**Jungle Club** (hors carte p. 598 ; ☎ 0 1894 2327 ; bungalows 600-2 900 B, villas 3 500 B ; ❄ 💻 🏊). La route périlleuse et glissante vaut la peine d'être gravie, car la vue d'en haut est magnifique. Ce refuge isolé dans la montagne se taille un franc succès parmi les touristes et les Thaïlandais. L'ambiance naturelle est détendue – les clients flânent autour de la belle piscine ou se reposent sous les toits des *săh·lah* (ou *sala*, salle de réunion/repos). Appelez avant pour qu'on vienne vous chercher ; inutile de risquer de finir vos vacances dans le plâtre.

## Catégorie moyenne

**Chaweng Center Hotel** (carte p. 598 ; ☎ 0 7741 3747 ; chawengcenter@hotmail.com ; ch 1 200 B ; ❄ 🏊). Bien que la vue sur le McDonald's ne soit pas des plus charmantes, cet hôtel central propose des chambres refaites à bon prix qui misent sur leur côté minimaliste chic.

**Akwa** (carte p. 598 ; ☎ 08 4660 0551 ; www.akwaguesthouse.com ; ch 999-2 599 B ; ❄ 💻). Charmant établissement de style B&B, Akwa loue quelques chambres à la page, décorées de couleurs vives.

♡ **Ark Bar** (carte p. 598 ; ☎ 0 7742 2047 ; www.ark-bar.com ; bungalows 1 600-2 500 B ; ❄ 🏊). Une faune éclectique fréquente l'Ark Bar – des fêtards hardcore, des babas cool, des ados, des quadras… Des blocs-motels bleu ciel ponctuent l'étendue verdoyante reliant les rues animées de Chaweng au restaurant-bar populaire de la plage.

**Chaweng Garden Beach** (carte p. 598 ; ☎ 0 7796 0394 ; www.chawenggardnessamui.com ; ch à partir de 1 600 B ; ❄ 💻 🏊). Choix prisé par les routards plus fortunés, une grande variété de chambres entretenues par un personnel très souriant.

**Nora Chaweng** (carte p. 598 ; ☎ 0 7791 3666 ; www.norachawenghotel.com ; ch à partir de 2 500 B ; ❄ 💻 🏊).

### 5 HÔTELS DE RÊVE

Samui est l'endroit idéal pour faire des folies, et les hôtels 5 étoiles qui vous traiteront royalement sont légion. Voici nos préférés :

- **Sila Evason Hideaway** (p. 601)
- **Library** (p. 599)
- **Anantara** (p. 603)
- **Baan Taling Ngam** (p. 604)
- **Zazen** (p. 603)

En retrait de la plage, cette nouvelle adresse offre un très bon rapport qualité/prix.

**Corto Maltese** (carte p. 598 ; ☎ 0 7723 0041 ; www.corto-samui.com ; ch 2 000-4 000 B, tr 3 000 B ; ❄ 🏊). Établissement tenu par un Français, qui semble sorti d'une BD. Les chambres sont ornées de pastels, de boiseries et parfois de décorations en pierre. Pas la meilleure adresse de Chaweng, mais inoubliable tout de même.

**Tango Beach Resort** (carte p. 598 ; ☎ 0 7742 2470 ; www.tangobeachsamui.com ; ch avec petit-déj 2 650-6 250 B ; ❄ 💻 🏊). Un sans-faute dans sa catégorie, ce complexe refait à neuf propose un chapelet de bungalows le long d'une passerelle en teck qui part de la plage.

## Catégorie supérieure

**Baan Chaweng Beach Resort** (carte p. 598 ; ☎ 0 7742 2403 ; www.baanchawengbeachresort.com ; bungalows 4 000-7 000 B ; ❄ 💻 🏊). Adresse agréable, le luxe sans la douloureuse, ce nouvel hôtel pratique des prix relativement abordables. Les chambres immaculées déclinent toutes les teintes de pêche et de poire, et sont ornées de meubles en teck à la fois modernes et traditionnels.

**Muang Kulay Pan Hotel** (carte p. 598 ; ☎ 0 7723 0849-51 ; www.kulaypan.com ; ch avec petit-déj 4 725-13 540 B ; ❄ 💻 🏊). Non, le papier peint n'est pas abîmé – c'est un concept décoratif. L'architecte évoque une fusion entre zen et thaï, mais pour nous la déco paraît totalement aléatoire. Les jardins au bord de l'eau sont savamment négligés pour compléter l'aspect chaotique de ce complexe unique.

**Baan Haad Ngam** (carte p. 598 ; ☎ 0 7723 1500, 0 7723 1520 ; www.baanhaadngam.com ; bungalows 6 400-14 000 B ; ❄ 💻 🏊). Le dynamique Baan Haad Ngam évite l'ordinaire assortiment de teck pour préférer une peinture extérieure verte, genre céleri radioactif. Insolent, chic, une excellente adresse pour qui a les moyens.

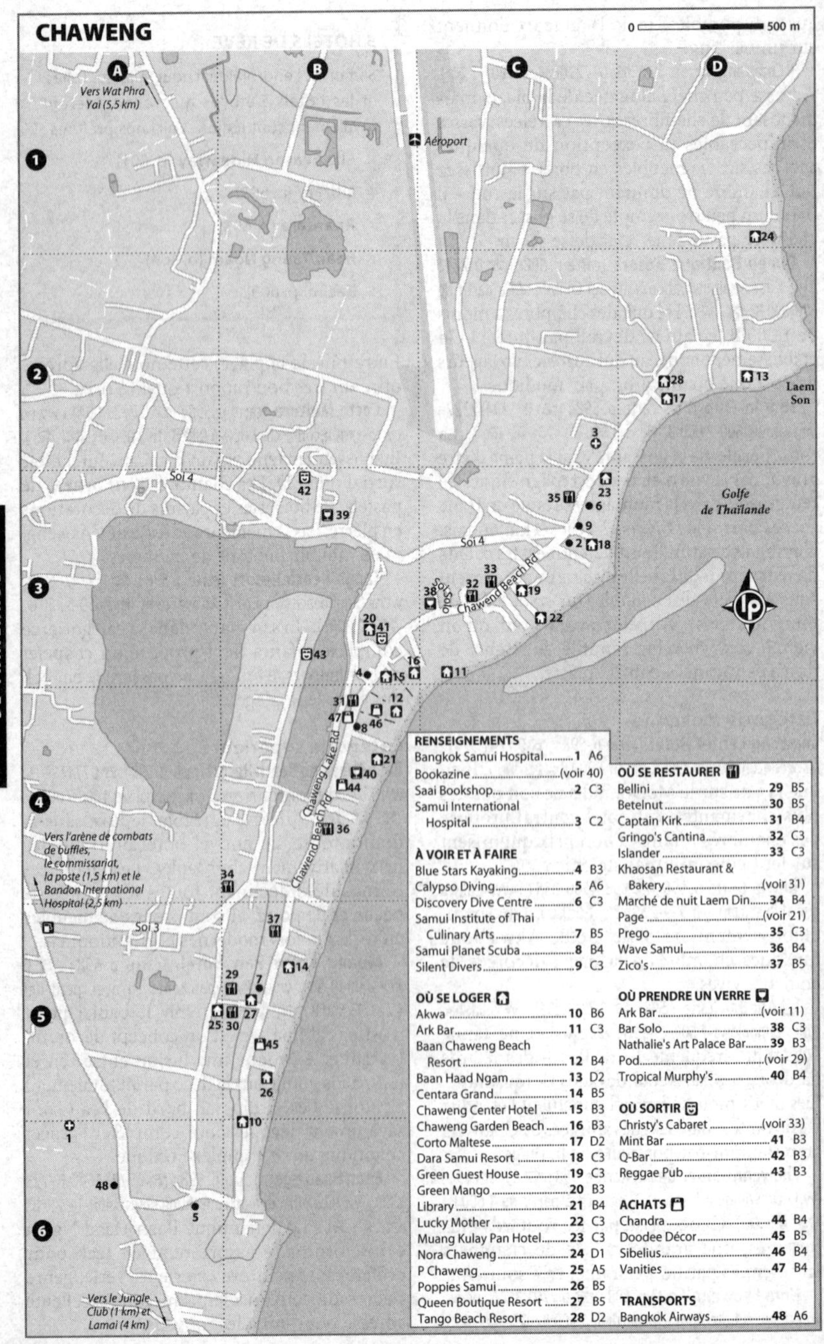
CHAWENG
0 500 m
A
B
C
D
1
2
3
4
5
6
Vers Wat Phra Yai (5,5 km)
Aéroport
Laem Son
Golfe de Thaïlande
Soi 4
Soi 4
Soi Solo
Chawend Beach Rd
Chaweng Lake Rd
Chaweng Beach Rd
Chawend Beach Rd
Soi 3
Vers l'arène de combats de buffles, le commissariat, la poste (1,5 km) et le Bandon International Hospital (2,5 km)
Vers le Jungle Club (1 km) et Lamai (4 km)
RENSEIGNEMENTS
Bangkok Samui Hospital 1 A6
Bookazine (voir 40)
Saai Bookshop 2 C3
Samui International Hospital 3 C2
À VOIR ET À FAIRE
Blue Stars Kayaking 4 B3
Calypso Diving 5 A6
Discovery Dive Centre 6 C3
Samui Institute of Thai Culinary Arts 7 B5
Samui Planet Scuba 8 B4
Silent Divers 9 C3
OÙ SE LOGER
Akwa 10 B6
Ark Bar 11 C3
Baan Chaweng Beach Resort 12 B4
Baan Haad Ngam 13 D2
Centara Grand 14 B5
Chaweng Center Hotel 15 B3
Chaweng Garden Beach 16 B3
Corto Maltese 17 D2
Dara Samui Resort 18 C3
Green Guest House 19 C3
Green Mango 20 B3
Library 21 B4
Lucky Mother 22 C3
Muang Kulay Pan Hotel 23 C3
Nora Chaweng 24 D1
P Chaweng 25 A5
Poppies Samui 26 B5
Queen Boutique Resort 27 B5
Tango Beach Resort 28 D2
OÙ SE RESTAURER
Bellini 29 B5
Betelnut 30 B5
Captain Kirk 31 B4
Gringo's Cantina 32 C3
Islander 33 C3
Khaosan Restaurant & Bakery (voir 31)
Marché de nuit Laem Din 34 B4
Page (voir 21)
Prego 35 C3
Wave Samui 36 B4
Zico's 37 B5
OÙ PRENDRE UN VERRE
Ark Bar (voir 11)
Bar Solo 38 C3
Nathalie's Art Palace Bar 39 B3
Pod (voir 29)
Tropical Murphy's 40 B4
OÙ SORTIR
Christy's Cabaret (voir 33)
Mint Bar 41 B3
Q-Bar 42 B3
Reggae Pub 43 B3
ACHATS
Chandra 44 B4
Doodee Décor 45 B5
Sibelius 46 B4
Vanities 47 B4
TRANSPORTS
Bangkok Airways 48 A6

**Poppies Samui** (carte p. 598 ; ☎ 0 7742 2419 ; www.poppiessamui.com ; ch 7 000-11 000 B). Après le lobby de marbre, un petit escalier s'ouvre soudain sur un paradis tropical à des lieues de l'agitation de Chaweng. Les charmants bungalows se cachent dans les broussailles – seuls les somptueux toits voûtés dépassent du patchwork de fougères grimpantes. De petits présents, comme des savons chics, vous attendent sur l'oreiller.

**Dara Samui** (carte p. 598 ; ☎ 0 7723 1323 ; www.darasamui.com ; ch et bungalows à partir de 8 160 B). Au milieu des nombreux hôtels homogènes de Chaweng, Dara paraît un peu exigu, mais ses chambres sont élégantes et le site de la piscine semble sorti d'un roman de Kipling.

**Centara Grand** (carte p. 598 ; ☎ 0 7723 0500 ; www.centralhotelsresorts.com ; ch 8 900-19 500 B). Centara est un complexe massif et impeccable au cœur de Chaweng. La propriété remplie de palmiers est si vaste qu'on échappe facilement à l'agitation de la rue. Les chambres sont aménagées dans un bâtiment très occidental. Les adultes peuvent tester le spa ou l'un des 4 restaurants, tandis que les enfants jouent dans le labyrinthe de piscines sous l'œil d'une baby-sitter de l'établissement.

**Library** (carte p. 598 ; ☎ 0 7742 2407 ; www.thelibrary.name ; bungalows 9 000-12 000 B). Ce complexe est un mirage blanc étincelant, rehaussé de parements noirs et de rideaux à lattes. Outre l'iMac futuriste dans chaque "page" (les chambres sont appelées "pages", ici), notre caractéristique préférée est le grand mur artistique monochrome – il luit le soir et vous pouvez en ajuster la couleur selon votre humeur. Des statues grandeur nature s'adonnent à la lecture, et, si vous voulez les imiter, la bibliothèque vous propose un assortiment impressionnant de livres d'art et de design. La grande piscine, carrelée de rouge, est incontournable.

## LAMAI

Il y a 10 ans, les connaisseurs disaient "évitez Chaweng et allez à Lamai", mais, aujourd'hui, Lamai n'est plus branchée du tout. Au sud de Lamai, Hua Thanon est une plage plus petite et plus tranquille dotée de complexes exceptionnels.

### Petits budgets et catégorie moyenne

**New Hut** (carte p. 600 ; ☎ 0 7723 0437 ; newhut@hotmail.com ; Lamai North ; huttes 200-500 B). Une adresse bon marché rare, en bord de mer, aux huttes en forme de A minuscules mais charmantes. Les structures en bois, notamment l'accueillant restaurant, sont recouvertes de plusieurs couches de peinture noire.

**Beer's House** (carte p. 600 ; ☎ 0 7723 0467 ; Lamai North ; bungalows 200-550 B). De petits bungalows ombragés alignés sur la plage. Certaines huttes partagent des toilettes, mais toutes ont la place de suspendre un hamac pour paresser. Celles qui disposent d'une sdb privée sont carrelées de neuf.

**Sunrise Bungalow** (carte p. 600 ; ☎ 0 7742 4433 ; www.sunrisebungalow.com ; Lamai South ; bungalows 400-1 300 B). À quelques pas des drôles de rochers Hin Ta et Hin Yai (en forme d'organes génitaux), Sunrise propose aux petits budgets un lieu agréable. Le propriétaire est un natif de Samui de la 6e génération.

**Amity** (carte p. 600 ; ☎ 0 7742 4084 ; bungalows 350-1 500 B). Des bungalows modernes et attrayants et quelques chambres délabrées avec sdb partagée – pas de thème, juste un méli-mélo de chambres qui changent de style en fonction du prix (les huttes à 700 B nous ont plu). Les cottages avec clim sont une addition bienvenue.

**Spa Resort** (carte p. 600 ; ☎ 0 7723 0855 ; www.spasamui.com ; Lamai North ; bungalows 900-3 500 B). Ce centre de spa propose une foule de programmes thérapeutiques, avec un hébergement un peu cher pour Lamai. Les programmes comprennent des lavements, une détoxification par l'eau, de l'hypnothérapie et du yoga, etc. Les toilettes laissent un peu à désirer, mais, après tout, on ne s'en sert pas souvent quand on jeûne une semaine… Réservez longtemps à l'avance (par e-mail), car il est vite complet. Non-résidents bienvenus.

**Lamai Wanta** (carte p. 600 ; ☎ 0 7742 4550, 0 7742 4218 ; www.lamaiwanta.com ; ch et bungalows 1 600-3 400 B). L'espace piscine est un peu rétro, avec ses carreaux beiges et bleus, mais, à l'arrière, des chambres de motel modernes et des bungalows repeints de blanc vous attendent. À l'intérieur, les chambres hésitent entre minimalisme et dépouillement.

### Catégorie supérieure

**Samui Jasmine Resort** (carte p. 600 ; ☎ 0 7723 2446 ; www.samuijasmineresort.com ; ch et bungalows 3 800-5 000 B). Une adresse agréable sur le sable blanchi par le soleil de Lamai. Choisissez les chambres les moins chères – la plupart ont une vue magnifique sur la mer et la piscine cristalline. Du teck verni à profusion et des accessoires coquets comme des coussins lavande.

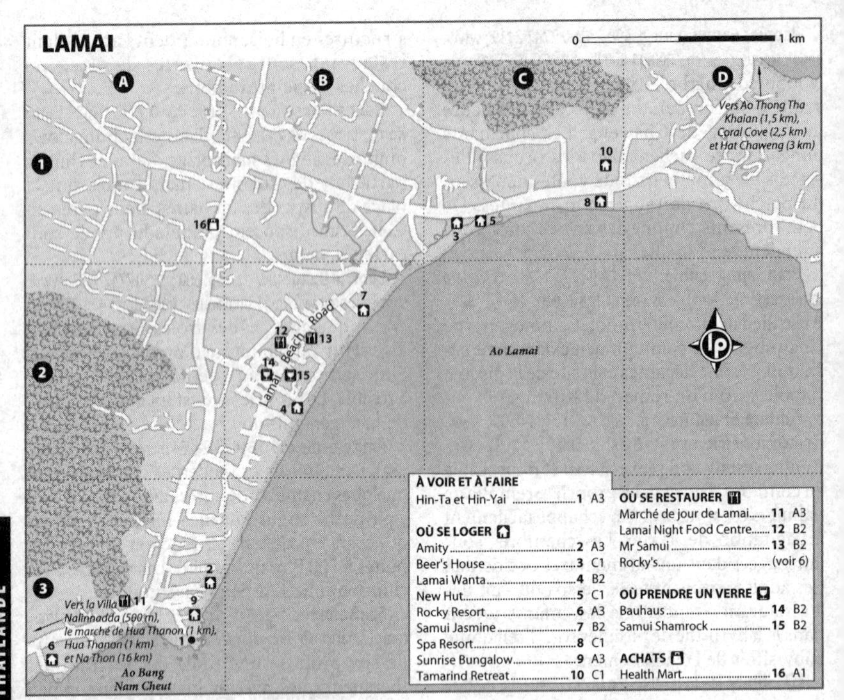




**Tamarind Retreat** (carte ci-dessus ; ☎ 0 7723 0571 ; www.tamarindretreat.com ; villas 3 500-11 600 B ; ). Nichées loin de la plage dans une palmeraie silencieuse, une petite collection de villas, chacune dans un style particulier. Certaines ont des roches de granit intégrées aux murs et aux sols, d'autres proposent des bassins privés ou des baignoires extérieures originales. Séjour minimal de 7 jours (3 nuits hors saison) et on vient vous chercher gratuitement à l'aéroport. Réservez absolument.

**Rocky Resort** (carte ci-dessus ; ☎ 0 7741 8367 ; www.rockyresort.com ; Hua Thanon ; ch 4 200-14 000 B ; ). Notre adresse préférée à Lamai (enfin, juste au sud de Lamai), le juste équilibre entre ambiance haut de gamme et milieu sociable et sans prétention. Pendant les mois les plus calmes, les prix sont très intéressants. Vue sur la mer, et les chambres sont meublées d'objets d'inspiration thaïe mâtinée d'une touche de modernité. La piscine est creusée au milieu de rochers imitant la plage non loin.

**Villa Nalinnadda** (hors carte ci-dessus ; ☎ 0 7723 3131 ; www.nalinnadda.com ; Hua Thanon ; bungalows 6 000-6 500 B ; ). Les murs extérieurs de cet établissement sont recouverts de vagues d'adobe blanc qui imitent les bulles de la piscine. Sept suites de tailles et de formes différentes font face à la mer et offrent une solitude romantique et une ambiance conviviale entre clients.

## PLAGES DU NORD

Les plages du nord de Ko Samui offrent le plus grand éventail d'hôtels. Choeng Mon propose certains des complexes les plus somptueux du monde, tandis que Mae Nam et Bang Po restent fidèles à leurs racines baroudeuses. Bo Phut, entre les deux, est l'étoile qui brille le plus fort dans la constellation de plages de Samui.

### Choeng Mon

Théoriquement connu sous le nom de Plai Lam, cet affleurement accidenté est souvent appelé Choeng Mon d'après la plus grande plage de la région. Si l'argent n'est pas un problème, c'est là que vous séjournerez. Ces complexes rivalisent de chic.

**Imperial Boat House Hotel** (☎ 0 7742 5041-52 ; www.imperialhotels.com ; Hat Choeng Mon ; ch 4 000-5 500 B, ste bateau 6 000-6 700 B ; ). Retraite sophistiquée comprenant un hôtel de 3 étages et de nombreux bungalows indépendants faits à partir de barges de rizière en teck, dont les proues ont été transformées en étonnants patios. Des canons en cuivre lancent des jets d'eau dans la piscine en forme de bateau.

**White House** (☎ 0 7724 7921, 0 7724 5318 ; www.hotelthewhitehouse.com ; ch 5 000-6 600 B ; ). On se croirait dans le siège d'un ancien empire niché au cœur d'une jungle épaisse. Des fougères tropicales se déversent de toutes les crevasses des temples de grès, et des statues de divinités se cachent au milieu de la végétation entrelacée.

**Sala Samui** (☎ 0 7724 5888 ; www.salasamui.com ; bungalows 360-1 100 $US ; ). Les tarifs élevés sont-ils justifiés ? Sans doute. Les motifs sont indéniablement exquis – des blancs royaux et des tecks laqués sont généreusement distribués et des accents turquoise subtils rappellent la piscine privée de chaque villa.

**Tongsai Bay** (☎ 0 7724 5480-5500 ; www.tongsaibay.co.th ; Hat Choeng Mon ; ste 11 000-30 000 B ; ). Étendu et parfaitement entretenu, ce domaine vallonné donne aux bungalows l'apparence d'un petit village. Des voiturettes de golf sillonnent le paysage pour transporter les clients d'une activité à l'autre, des massages au dîner. Toutes les suites à plusieurs niveaux ont des espaces de détente, de magnifiques décors romantiques, une vue époustouflante, de grandes terrasses et des baignoires originalement disposées. Piscines d'eau douce et d'eau salée, court de tennis, spa évidemment, pâtisserie et plusieurs restaurants.

**Sila Evason Hideaway** (☎ 0 7724 5678 ; www.sixsenses.com/six-senses-hideaway-samui/index.php ; bungalows à partir de 17 000 B ; ). Aménagé sur un promontoire accidenté, Sila Evason atteint un parfait équilibre entre opulence et charme rustique, incarnation de l'expression "élégance pieds nus". La majorité des villas ont d'étonnantes piscines et une vue magnifique sur la baie silencieuse en contrebas. Les sdb sont royales et partiellement ouvertes. Des voiturettes de golf beiges véhiculent les clients entre leurs cottages bien cachés et les équipements remarquables qui ponctuent la propriété – notamment un spa de classe mondiale et 2 excellents restaurants.

### Big Buddha Beach (Bang Rak)

Cette zone doit son surnom à l'énorme bouddha doré qui la surveille depuis la presqu'île proche de Ko Fan. Sa proximité avec l'aéroport garantit des prix moins élevés dans les complexes hôteliers.

**Shambala** (☎ 0 7742 5330 ; www.samui-shambala.com ; bungalows 600-1 000 B ; ). Si les établissements des environs sont haut de gamme, celui-ci, tenu par des Anglais, est un rendez-vous de baroudeurs un peu hippie. Plein de coussins pour s'asseoir, une fantastique terrasse en bois et des bungalows clairs et vastes. Le personnel dispense des tuyaux utiles et des sourires à volonté.

**Samui Mermaid** (☎ 0 7742 7547 ; www.samui-mermaid.info ; ch 400-2 500 B ; ). Une bonne adresse dans la catégorie petits budgets,car on se croirait dans un véritable *resort*. Deux grandes piscines, plein de transats, 2 restaurants animés et la TV câblée dans toutes les chambres. La piste d'atterrissage de l'aéroport de Samui n'est qu'à quelques kilomètres, ce qui s'entend parfois, mais les navettes gratuites pour l'aéroport font passer la pilule.

**Maya Buri** (☎ 0 7748 4656, 08 1539 4194 ; www.mayaburi.com ; ch avec petit-déj 1 200-1 600 B ; ). Le fait que Maya Buri soit près de l'aéroport signifie que ces bungalows coûteraient 4 fois plus cher s'ils étaient situés près de Chaweng. Un complexe moderne et bien conçu – de grandes chambres, des meubles en teck autour d'une piscine rafraîchissante qui se confond avec la mer.

**Ocean 11** (☎ 0 7741 7118 ; www.o11s.com ; bungalows 1 900-3 200 B ; ). Petite tranche de luxe à un prix très raisonnable, les "résidences" d'Ocean 11 sont une aubaine. Cet endroit serein aux détails de designers modernes est un havre très agréable sur une plage relativement tranquille. Wi-Fi gratuit.

**Prana** (☎ 0 7724 6362 ; www.pranaresorts.com ; ch 5 600-8 000 B ; ). Refuge de végétariens, cet établissement branché est un havre pour les allergiques aux protéines animales. De belles chambres donnant sur l'océan s'étendent sur la plage, derrière la piscine panoramique.

### Bo Phut

La plage n'est pas époustouflante, mais c'est à Bo Phut que l'on trouve l'hébergement le plus dynamique de tout Samui. Un chapelet de cottages de charme débute à l'intérieur de Fisherman's Village et s'étend jusque sur le sable.

**Khuntai** (carte p. 602 ; ☎ 0 7724 5118, 08 6686 2960 ; ch 600-850 B ; ). Cette pension orange vieillotte est aussi peu chère que possible. À quelques rues de la plage, à la lisière de Fisherman's Village, les chambres du 2e étage sont baignées de soleil l'après-midi et permettent de lézarder à l'extérieur.

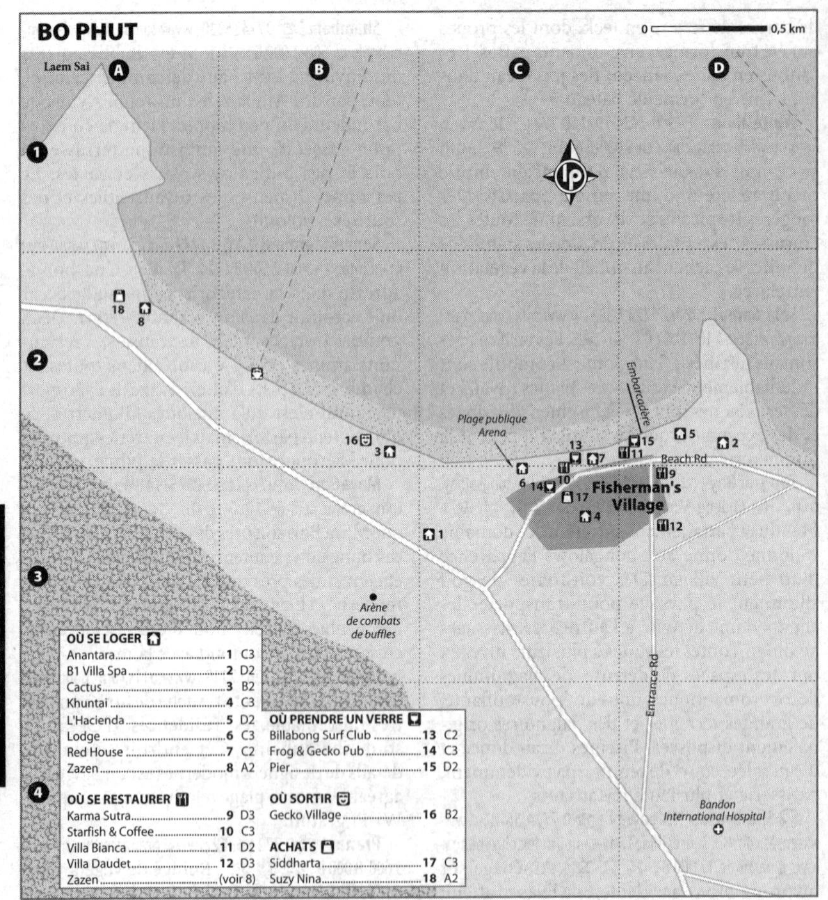




**Cactus** (carte p. 602 ; ☎ 0 7724 5565 ; cactusbung@hotmail.com ; bungalows 700-1 590 B ; ). Cactus rivalise avec les complexes hôteliers de Bo Phut, avec ses curiosités à l'aspect de grottes aux teintes rouges et orange enflammées. L'ambiance baroudeuse signale des chambres plutôt sobres, mais elles sont propres, confortables et pleines de charme (les sdb avec ventil gagneraient à être désodorisées). Les huttes avec ventil coûtent moitié moins cher hors saison.

**Lodge** (carte p. 602 ; ☎ 0 7742 5337 ; www.apartmentsamui.com ; ch 1 350-1 900 B ; ). Autre très bon choix à Bo Phut, le Lodge ressemble à un pavillon de chasse colonial aux murs pâles et aux poutres sombres au plafond. Chaque chambre est ornée de tapisseries et d'un balcon privé donnant sur la plage. Les “pent-huts” de l'étage supérieur sont très spacieuses. Réservez absolument, l'endroit semble toujours complet.

**L'Hacienda** (carte p. 602 ; ☎ 0 7724 5943 ; www.samui-hacienda.com ; ch 1 400-3 000 B ; ). L'arche et la couleur ocre donnent à l'entrée un petit air de mission espagnole. Le même genre de décor orne les 8 adorables chambres, aux touches personnalisées comme des murs de sdb en galet et des lampes en bambou translucides. Une charmante surprise vous attend sur le toit.

**Red House** (carte p. 602 ; ☎ 0 7742 5686 ; www.design-visio.com ; ch 2 000 B ; ). Pour atteindre la petite zone de réception à l'arrière, les clients doivent traverser une boutique de chaussures aux airs de maison de passe chinoise. Les 4 chambres sont décorées avec autant de piquant. Des motifs orientaux sophistiqués enjolivent les murs et les lits surmontés de dais sont ornés de draperies. Sur le toit, fauteuils de plage et plantes en pot fournissent un parfait refuge.

**B1 Villa Spa** (carte p. 602 ; ☎ 0 7742 7268 ; www.b1villa.com ; ste 3 500-5 000 B ; ). Cette adresse aux allures d'auberge sur la plage de Fisherman's Village ne manque pas de caractère. Chaque chambre abrite des œuvres d'art sur les murs et possède un surnom. Au 2e étage, ce sont les étoiles de la ceinture d'Orion.

**Zazen** (carte p. 602 ; ☎ 0 7742 5085 ; www.samuizazen.com ; ch 5 300-12 800 B ; ). Zazen est le complexe de charme le plus adorable de Samui – chaque cm² en a été pensé avec goût et créativité. Le minimalisme asiatique y rencontre le rococo moderne dans un mélange de murs écarlates, déesses en terre cuite, une touche de feng shui et une mesure de bon goût. Les clients se détendent au bord de la piscine sur des fauteuils ombragés par des parasols en toile. Mieux vaut réserver, les tarifs sans réservation étant épouvantables.

**Anantara** (carte p. 602 ; ☎ 0 7742 8300 ; www.anantara.com ; ch 7 000-15 000 B ; ). L'impressionnante entrée en palanquin évoque les merveilles d'un lointain royaume oriental. Des torches lancent des jets de flammes dont la fumée crée une légère brume autour des palmiers. Des statues de terre et de cuivre figurant des créatures grimaçantes abondent dans cette immense propriété, où les clients prennent le thé dans des pagodes en plein air, nagent dans la piscine aux allures de lagon ou s'offrent des traitements relaxants au spa.

## Mae Nam

Mae Nam ne compte pas la plus belle plage, mais l'hébergement y est relativement plus abordable qu'ailleurs.

**Shangrilah** (☎ 0 7742 5189 ; bungalows 300-2 000 B ; ). Paradis des baroudeurs, ces huttes, dans un état correct, figurent parmi les moins chères de la région.

**Coco Palm Resort** (☎ 0 7742 5095 ; bungalows 1 200 B ; ). Les bungalows de Coco Palm ont été fabriqués avec des tonnes de rotin. La piscine rectangulaire joue la vedette le long de la plage – et les tarifs sont corrects.

**Maenam Resort** (☎ 0 7742 5116 ; www.maenamresort.com ; bungalows 1 200-2 700 B ; ). Des cottages en écorce de palmier, disposés en rangées dans un jardin privé aux allures de jungle. Meublés de bois et d'osier, ils déclinent des tarifs en fonction de leur proximité avec la plage. Les suites sont une aubaine pour les familles.

**Harry's** (☎ 0 7742 5447 ; www.harrys-samui.com ; bungalows 1 200-3 000 B ; ). On se croirait sur le domaine d'un temple sacré. Le teck poli est très présent dans le lobby et le toit en pente classique s'élance vers le ciel. Les bungalows en béton, nichés dans un jardin verdoyant, ne s'inspirent pas du thème flamboyant de la façade mais sont quand même charmants et confortables.

**Sea Fan** (☎ 0 7742 5204 ; www.seafanresort.com ; ch 2 200-2 700 B ; ). Des bungalows de chaume et de bois reliés par des passerelles en bois, au milieu d'une abondance de fleurs, constituent un cadre très agréable. La belle piscine près de la plage dispose d'un petit espace enfants.

## Bang Po

Cette petite enclave cache quelques bungalows bon marché.

**Sunbeam** (☎ 0 7742 0600 ; bungalows 500-1 000 B). Une dizaine de cabanes rustiques et tranquilles près de la mer. Spacieuses, confortables, elles donnent sur la plage. Des chemins en brique sinuent dans un jardin luxuriant, et le bar est traversé par une fraîche brise.

**Moon** (☎ 0 7724 7740 ; bungalows 600-1 800 B). Moon vous renvoie à l'époque où Samui regorgeait de cabanons de plage. Plusieurs cottages en béton sont récemment apparus sur la propriété – ils sont confortables et propres, et ne détonnent pas dans l'ambiance "jungle les pieds dans l'eau". Le grand restaurant aux poutres de bois est au cœur de l'action.

**Health Oasis Resort** (☎ 0 7742 0124 ; www.healthoasisresort.com ; bungalows 800-4 500 B ; ). Si vous cherchez à être purifié, que ce soit de l'aura ou du côlon, vous êtes au bon endroit. Faites votre choix parmi un bon nombre de formules de cure, de la méditation au jeûne. Les bungalows modernes sont très ensoleillés. Restaurant végétarien sur place.

**Four Seasons Koh Samui** (☎ 0 7724 3000 ; www.fourseasons.com/kohsamui ; villas 30 000 B). On se croirait plus dans un petit village que dans un complexe hôtelier. Cette chaîne de luxe internationale a acheté une péninsule entière dans l'angle ouest de Bang Po, pour la transformer en enclave vallonnée. La pléthore d'activités proposées signifie que vous n'en quitterez sans doute jamais le terrain. Chaque villa dispose d'une piscine privée et de vastes espaces détente. Si vous décidez de rencontrer vos congénères, la plage, ses fauteuils et ses activités nautiques vous tendent les bras.

### CÔTE OUEST

Prisée par les touristes thaïlandais, la côte ouest de Samui ne dispose pas des plages les plus pittoresques, mais c'est un refuge agréable à l'abri de l'agitation de la côte est.

#### Na Thon

La principale ville de l'île est dominée par la jetée des ferrys et ne paie pas de mine. Pas vraiment de raison d'y séjourner, mais si vous y tenez, essayez les adresses suivantes.

**Jinta Hotel** (☎ 0 7742 0630, 0 7723 6369 ; www.jintasamui.com ; ch 500-650 B ; ). Les murs blancs et les sols en lino sont un peu impersonnels, mais l'efficacité est au rendez-vous. TV sat dans toutes les chambres.

**Grand Sea View Hotel** (☎ 0 7742 0441 ; www.grandseaviewbeachhotel.com ; ch 1 000-2 000 B ; ). La meilleure adresse de la ville, sur 5 étages, fréquentée par les hommes d'affaires de passage. Les vastes chambres offrent des sols carrelés rutilants, la clim et la TV câblée. Les plus élevées ont une vue magnifique sur la ville et la mer.



#### Taling Ngam

Halte tranquille au sud de Nathon Thon, Taling Ngam est un charmant refuge jouxtant un petit village pittoresque.

**Wiesenthal** (☎ 0 7723 5165 ; fax 0 7741 5480 ; bungalows avec petit-déj 1 500-2 500 B ; ). Malgré son nom de bière allemande, cet établissement thaïlandais est un paradis balnéaire. Ouvrez grand vos rideaux et laissez entrer le soleil et la mer. L'ameublement du porche contribue à l'ambiance douillette et détendue du restaurant d'extérieur et de la piscine.

**Ban Sabai** (☎ 0 7742 8200 ; www.bansabaisunset.com ; bungalows 6 800-25 000 B ; ). Un bel hôtel louant 20 chambres sur une étendue de sable isolée, ponctuée de palmiers. Les villas le long de la plage possèdent des toits de chaume sous un ciel étoilé. Les chambres ont une petite cascade privée qui tombe dans la baignoire. Les espaces communs et la disposition des cottages en font un endroit privilégié pour se détendre entre amis.

**Baan Taling Ngam Resort** (☎ 0 7742 9100 ; www.baan-taling-ngam.com ; bungalows 8 500-16 000 B ; ). Contrairement à la plupart des 5 étoiles de Samui, Baan Taling Ngam décline un thème classiquement thaïlandais que l'on retrouve dans l'ameublement. Le service est irréprochable. Une navette transporte les clients jusqu'à la plage, ainsi qu'à l'aéroport ou au ferry.

### CÔTE SUD

L'extrémité sud de Ko Samui est ponctuée de promontoires rocheux et de plus petites baies de sable. L'hébergement relève principalement des catégories moyenne et supérieure.

**Laem Set Inn** (☎ 0 7723 3299 ; www.laemset.com ; bungalows 1 200-20 000 B ; ). Ce paradis isolé propose un hébergement qui convient à tous les budgets. Les huttes les moins chères sont couvertes de bambou, et la catégorie moyenne est organisée dans des blocs à l'ambiance chaleureuse. Les chambres les plus chères rivalisent d'élégance : ce sont d'authentiques foyers sud-thaïlandais, démontés et reconstruits à l'identique.

**Centara Villas Samui** (village central de Samui ; ☎ 0 7742 4020 ; www.centralhotelsresorts.com ; bungalows 4 500-5 500 B ; ). Ces villas se dressent à l'endroit où les fourrés sauvages rencontrent une étendue déserte de sable ponctuée de rochers. Des pavillons et des passerelles en terrasse, qui escaladent le relief rocheux, relient les élégants cottages de bois.

## Où se restaurer

S'il n'est pas facile de faire un choix parmi les hôtels de l'île, il est encore plus ardu de sélectionner un restaurant. Des grillons rôtis au caviar bélouga, Samui a tout à offrir.

Influencée par le continent, Samui est parsemée de boutiques *kôw gaang* (riz et curry), en général un étal en bois arborant de grandes marmites de currys du sud du pays. Les clients arrêtent leur moto, soulèvent les couvercles et font leur choix parmi les mets aux couleurs vives. Les boutiques *kôw gaang* sont nombreuses sur la rocade (Rte 4169) et sont à sec dès 13h. Toute concentration de motos locales est généralement un signe de bon repas en cours.

Les adresses haut de gamme sont encore plus nombreuses et, si les restaurants italiens sont légion, les visiteurs n'ont aucun mal à trouver des saveurs venues du monde entier. Attirés par les salaires élevés et le climat spectaculaire, des chefs de classe mondiale font régulièrement leur apparition sur l'île.

**CHAWENG**

Des dizaines de restaurants du secteur servent cuisine locale, internationale et de fast-food bien grasse. Pour la meilleure ambiance, quittez la route et allez vers la plage, où de nombreux bungalows ont dressé des tables sur le sable et diffusent une lumière féerique le soir venu.

**Marché den Laem Din et marché de nuit** (carte p. 598 ; plats à partir de 30 B ; 4h-18h, marché de nuit 18h-2h). Marché de jour animé, Laem Din regorge d'étals proposant des fruits, des légumes frais et de la viande. Achetez un kilo d'oranges vertes sucrées ou flânez au milieu des étals pour tenter de reconnaître les ingrédients du curry de la veille. Pour le dîner, allez au marché de nuit d'à côté et goûtez les poulets frits du Sud et les currys.

**Khaosan Restaurant & Bakery** (carte p. 598 ; plats à partir de 60 B ; petit-déj, déj et dîner). Du filet mignon à la crêpe en passant par tout le reste, on trouve ici des repas bon marché. En vous attardant après avoir mangé, vous verrez un film récent sur le grand téléviseur. Tout ce qu'on attend d'un endroit baptisé "Khaosan".

**Wave Samui** (carte p. 598 ; 0 7723 0803 ; plats à partir de 60 B ; petit-déj, déj et dîner). Tout le monde dit que Samui monte en gamme, mais les restaurants les plus peuplés à l'heure du dîner restent les établissements bon marché à l'ancienne comme celui-ci. Cette adresse polyvalente (pension-bar-restaurant) prépare de la cuisine honnête à des prix corrects, et entretient une ambiance de voyage avec sa bibliothèque et une *happy-hour* prisée (15h-19h).

**Islander** (carte p. 598 ; 08 1788 6239 ; plats 100-250 B ; 8h-2h). Cabane populaire de style pub, proposant de la cuisine occidentale et thaïlandaise, un menu enfant, des tables extérieures, une table de billard et du sport à la TV. Le petit-déj est une célébration de la saucisse, et on y mange des montagnes de viande bien grasse.

**Gringo's Cantina** (carte p. 598 ; 0 7741 3267 ; plats 140-280 B ; 14h-minuit). Arrosez un classique plat tex-mex d'un pichet de sangria ou d'une margarita bien froide. Nous avons aimé les chimichangas. Vend des burgers, des pizzas et des plats végétariens.

**Captain Kirk** (carte p. 598 ; 08 1270 5376 ; plats 140-480 B ; dîner). Profitez de ce magnifique jardin sur le toit pour savourer des plats internationaux. Les clients s'attardent souvent dans les sièges en bambou et s'offrent un petit cocktail digestif.

**Sibelius** (carte p. 598 ; 08 7466 6967 ; plats à partir de 180 B ; dîner lun-sam). Baptisé d'après un compositeur finlandais, Sibelius recherche la simplicité dans un océan de sophistication. Fidèle à sa réputation scandinave, le menu est dépouillé mais indique directement les points forts de la cuisine, notamment en termes de poisson frais rehaussés de sauces aux herbes.

**Prego** (carte p. 598 ; 0 7742 2015 ; www.prego-samui.com ; plats 200-700 B ; dîner). Établissement huppé, proposant des plats italiens raffinés dans une salle à manger au marbre frais déclinant une géométrie moderne. Réservations acceptées pour des repas à 19h et 21h.

**Bellini** (carte p. 598 ; 0 7741 3831 ; www.bellini-samui.com ; plats à partir de 200 B ; dîner). Incontournable de Soi Colibri, Bellini grésille sous une lumière d'ambiance de créateur. La cuisine est italienne mais évite les pizzas-pâtes pour privilégier le veau, le homard et un délicat assortiment de tapas.

**Page** (carte p. 598 ; 0 7742 2767 ; plats 180-850 B ; petit-déj, déj et dîner). Si vous ne pouvez vous permettre le luxe de Library (p. 599), prenez un repas dans son restaurant près de la plage. La cuisine est naturellement surévaluée, mais les baigneurs de la plage vous dévisageront pour reconnaître en vous une vedette ou un jet-setter. Le déjeuner est un peu plus informel et abordable, mais vous manquez les effets de lumière du soir.

**Zico's** (carte p. 598 ; 0 7723 1560 ; menu 750B ; dîner). Cette splendide *churrascaria* met la viande à l'honneur. Les végétariens n'y sont pas à la noce, car Zico est un restaurant brésilien proposant de la viande à volonté, où des danseurs grivois arborent des costumes de paon.

**Betelnut** (carte p. 598 ; 0 7741 3370 ; plats 600-800 B ; dîner). Si la fusion peut être troublante, souvent décevante, Betelnut vous réconciliera avec elle. Le chef Jeffrey Lords est un Américain formé en Europe, mais il a surtout passé du temps à San Francisco, lieu de naissance de toute bonne cuisine fusion. Le menu est un mélange de currys et chowder, de papaye et de pancetta.

**LAMAI**

Deuxième plage la plus fréquentée de Samui, Lamai propose un assortiment étonnamment limité de restaurants corrects comparé à Chaweng. La plupart des voyageurs dînent à leur hôtel.

**Marché de jour de Lamai** (carte p. 600 ; plats à partir de 30 B ; 6h-20h). Genre d'épicerie thaïlandaise, le marché de Lamai bourdonne d'activité et vend nourriture, ingrédients et plats à emporter. Visitez l'espace couvert pour choisir vos fruits frais ou voir les vendeurs qui épluchent les noix de coco pour en recueillir le lait. Ou recherchez le marchand de glace pour une glace coco maison. À côté de la station-service.

**Hua Thanon Market** (carte p. 600 ; 0 7742 4630 ; plats à partir de 30 B ; 6h-18h). Glissez-vous dans le rythme de ce marché de village un peu au sud de Lamai pour découvrir la cuisine du sud de la Thaïlande. Les vendeurs chassent les mouches de la viande fraîche et les bottes de légumes côtoient les bébés dans les paniers de moto des ménagères. Suivez la route du marché jusqu'à la rangée de boutiques d'alimentation proposant un échantillon de la culture alimentaire du Sud : poulet biryani, currys épicés ou riz grillé assorti de noix de coco, de germes de soja, citronnelle et crevettes séchées.

**Lamai Night Food Centre** (carte p. 600 ; 0 7742 4630 ; plats à partir de 30 B ; dîner). Se restaurer devient un spectacle de cirque dans ce *food center* extérieur de Lamai, à côté d'un 7-Eleven. Les étals proposent les classiques thaïlandais. Les hôtesses des bars d'à côté montent le volume pour leur représentation de *pole dancing* ou quelques rounds de *mou·ay tai* (boxe thaïlandaise).

**Mr Samui** (carte p. 600 ; 0 7742 4630 ; plats 100-180 B ; déj et dîner). Entrez dans Baan Soi Gemstones (cherchez le panneau "illy" devant) et passez devant le véritable bazar oriental pour parvenir à un petit regroupement de tables et de coussins. Savourez votre curry massaman au milieu d'œuvres d'art chinoises flamboyantes, de lustres et de coussins géométriques aux couleurs éclatantes (tout est à vendre).

**Rocky's** (carte p. 600 ; 0 7741 8367 ; plats 300-800 B ; déj et dîner). Sans doute le meilleur restaurant de Lamai, les plats de gourmets Rocky sont une aubaine. Essayez son filet de bœuf au bleu – on se croirait à Paris. Le mardi s'organise une soirée thaïlandaise spéciale, proposant une série de mets locaux délicats.

## PLAGES DU NORD

Certains des établissements les plus fins de Samui sont situés sur la côte nord. Boho Bo Phut compte plusieurs restaurants branchés rivalisant avec les nombreux complexes hôteliers de charme.

### Choeng Mon et Big Buddha Beach (Bang Rak)

**BBC** ( 0 7742 5264 plats 60-200 B ; petit-déj, déj et dîner). Les initiales signifient Big Buddha Café. Les expatriés apprécient son menu international et ses vues exquises sur l'océan depuis le patio.

**Elephant & Castle** ( 0 7743 0394 ; plats 80-250 B ; déj et dîner). Refuge ultime des Britanniques nostalgiques, Elephant & Castle est la parfaite réplique d'un pub de Londres, pintes de bière et tourte à la viande à l'appui.

**Dining on the Rocks** ( 0 7724 5678 ; reservations-samui@sixsenses.com ; menus à partir de 1 500 B ; dîner). Sila Evason (p. 601) offre son expérience culinaire suprême sur 9 vérandas en porte-à-faux, en teck et bambou, donnant sur le golfe. Après le coucher du soleil (et un verre de vin), les clients se sentent embarqués sur un bateau de bois dérivant sur la mer étoilée. Chaque plat est concocté par les cuisiniers expérimentaux qui explorent régulièrement les goûts, les textures et les températures. Pour une occasion spéciale, réservez longtemps à l'avance pour vous asseoir à la "table 99", celle des jeunes mariés, sur une terrasse privée.

### Bo Phut

**Starfish & Coffee** (carte p. 602 ; 0 7742 7201 ; plats 130-180 B ; petit-déj, déj et dîner). Ce restaurant orné de banderoles tient sans doute son nom de la chanson de Prince, car nulle étoile de mer (*starfish*) au menu (beaucoup de café en revanche). Le soir, les plats thaïlandais sont mis en avant et on peut contempler Ko Pha-Ngan au soleil couchant.

**Karma Sutra** (carte p. 602 ; plats 130-260 B ; petit-déj, déj et dîner). Nuage de coussins et de nuances violettes, ce charmant établissement au cœur du Fisherman's Village de Bo Phut sert des plats internationaux et thaïlandais inscrits sur des tableaux colorés. C'est aussi une boutique de vêtements.

**Villa Bianca** (carte p. 602 ; 0 7724 5041, 08 9873 5867 ; plats à partir de 200 B ; déj et dîner). Autre fantastique adresse italienne de Samui, Villa Bianca est une mer de nappes blanches et de chaises longues tissées. Le charme de l'osier...

**Villa Daudet** (carte p. 602 ; plats à partir de 130-380 B ; déj et dîner lun-sam). Ce restaurant, dont les propriétaires sont français, est aménagé dans un jardin pittoresque, orné d'un treillis fleuri et de peinture déclinant le thème de l'éléphant.

**Zazen** (carte p. 602 ; ☎ 0 7742 5085 ; plats 550-850 B, menus à partir de 300 B ; déj et dîner). Le chef définit la cuisine de "biologique et orgasmique", et la satisfaction ambiante à l'heure du dîner confirme ses dires. Ce lieu romantique promet une vue sur la mer, une lumière tamisée et de la musique douce. Réservation recommandée.

### Mae Nam et Bang Po

**Angela's Bakery** (☎ 0 7742 7396 ; plats 80-200 B ; petit-déj et déj). Traversez le rideau de plantes suspendues pour entrer dans cette boulangerie prisée, qui sent bon le pain frais et l'hospitalité. Les sandwichs et les gâteaux remontent le moral de nombreux expatriés.

**Ko-Seng** (☎ 0 7742 5365 ; plats 100-300 B ; dîner). Caché dans une petite rue étroite près du temple chinois de Mae Nam, le secret le mieux gardé de Ko Samui est à des lieues des restaurants de l'île qui privilégient le décor au détriment de la cuisine. On y déguste de savoureux crabes et des crevettes frites relevées d'une sauce au poivre.

**Bang Po Seafood** (☎ 0 7742 0010 ; plats à partir de 100 B ; dîner). Un repas à Bang Po Seafood est un test pour les papilles. L'un des seuls restaurants qui servent des mets traditionnels de Ko Samui : les recettes comprennent des ingrédients comme de la laitance d'oursin crue, des bébés poulpes, de l'eau de mer, des noix de coco et du curcuma local.

### CÔTE OUEST

La tranquille côte ouest offre une cuisine parmi les meilleures de Samui. Un marché géant se tient à Nathon, sur Th Thawi Ratchaphakdi – il vaut la peine de s'y arrêter pour un en-cas avant de prendre votre ferry.

**About Art & Craft Café** (☎ 08 9724 9673 ; Na Thon ; plats 80-180 B ; petit-déj et déj). Oasis artistique au milieu de l'agitation de Na Thon, ce café sert un assortiment éclectique de nourriture saine et solide, un délicieux café et propose de l'art et de l'artisanat fabriqués par la propriétaire et ses amis. Détendu et accueillant, c'est aussi le lieu de rendez-vous de la population artiste et bohème de Samui, en voie de disparition.

**Wiesenthal** (☎ 0 7723 5165 ; Taling Ngam ; plats 90-250 B ; petit-déj, déj et dîner). Restaurant informel en plein air, donnant sur une plage tranquille. Dégustez un excellent assortiment de cuisine internationale à l'ombre d'un parasol de bambou.

**Big John Seafood** (☎ 0 7742 3025 ; www.bigjohnsamui.com ; Thong Yang ; plats 60-300 B ; petit-déj, déj et dîner). Le menu ressemble à une encyclopédie de la vie marine. Les poissons sont pêchés quotidiennement au large de la côte de Samui. Le dîner est particulièrement remarquable, l'animation débute vers 18h, au moment où le soleil plonge dans l'océan.

**Five Islands** (☎ 0 7741 5359, 08 1447 5371 ; www.thefiveislands.com ; Taling Ngam ; plats 150-500 B, visite 5 000-6 500 B ; déj et dîner). Five Islands propose une expérience gastronomique unique. Avant le repas, un bateau traditionnel vous emmène sur les eaux turquoise pour visiter les Five Sister Islands, où vous découvrirez l'art ancien et peu connu de la récolte des nids pour fabriquer de la soupe, une spécialité chinoise. Cette tâche périlleuse est récompensée grassement, puisqu'un kilo de nids d'oiseaux se vend en général 100 000 B aux restaurants de Hong Kong. Le circuit déjeuner part à 10h, celui du dîner à 15h. Les clients peuvent dîner sans participer à la visite.

## Où sortir et prendre un verre

Le principal lieu festif de Samui est sans aucun doute le bruyant Chaweng. Lamai et Bo Phut sont respectivement 2e et 3e, tandis que le reste de l'île est généralement tranquille, car les vacanciers aiment rester dans leurs complexes hôteliers pour prendre un verre.

### CHAWENG

Rien de plus simple que de faire la fête à Chaweng. La plupart des établissements ouvrent jusqu'à 2h du matin et quelques-uns ne ferment pas. Soi Green Mango regorge de bars à hôtesses. Soi Colibri et Soi Reggae Pub sont aussi tapageurs.

**Ark Bar** (carte p. 598 ; ☎ 0 7742 2047 ; www.ark-bar.com). Destination incontournable pour un mercredi soir de folie à Samui. Les boissons sont distribuées au bar multicolore orné de lanternes en papier, et les clients se relaxent sur des coussins pyramidaux éparpillés sur la plage. La fête commence en général vers 16h.

**Pod** (carte p. 598 ; ☎ 08 3692 7911, 08 4744 9207). Cet établissement branché ressemble à un salon métropolitain dont seuls les "Jet-setteurs" connaissent l'adresse.

**Bar Solo** (carte p. 598 ; ☎ 0 7741 4012). Signe des temps à venir, Bar Solo installe le bar à bières de Chaweng dans un cadre urbain au décor cubiste, et propose une carte de cocktails digne de ce nom. Les offres du soir attirent les clients qui se préparent pour une longue nuit dans les clubs de Soi Solo et de Soi Green Mango.

**Tropical Murphy's** (carte p. 598 ; ☎ 0 7741 3614 ; plats 50-300 B). Établissement *fa·ràng* populaire, Tropical Murphy's propose des tourtes à la viande, des *fish and chips*, des côtes d'agneau et de l'Irish stew. Le soir, la musique live prend le dessus et il devient le pub irlandais le plus populaire de Samui (oui, il y en a plusieurs).

**Nathalie's Art Palace Bar** (carte p. 598 ; ☎ 0 7723 1485). Faites confiance à l'ancienne vedette de la TV allemande Nathalie Gutermann pour faire sa propre publicité. Elle a transformé un appartement à flanc de coteau en hôtel et bar de charme, dont l'objectif premier est de faire la promotion de Nathalie et de son "fabuleux" style de vie. Vous voulez connaître la vie d'une expatriée qui revendique des origines aristocratiques ? Venez prendre un cocktail au crépuscule, participer au barbecue le vendredi soir ou faire la fête.

**Green Mango** (carte p. 598 ; ☎ 0 7742 2661). L'endroit est si populaire qu'il a donné son nom à tout un *soi*. Le lieu de divertissement préféré de Samui est très grand, très bruyant et très *fa·ràng*. Green Mango conjugue lumières crues, boissons chères et des masses de corps transpirant qui se meuvent au son de la dance.

**Q-Bar** (carte p. 598 ; ☎ 08 1956 2742 ; www.qbarsamui.com), qui donne sur le lac de Chaweng, est un aperçu de la vie nocturne de Bangkok au milieu des cocotiers. Le salon du haut ouvre juste avant le coucher du soleil et propose aux connaisseurs une variété de cocktails et une belle vue sur le sud de Chaweng – les montagnes, la mer et le ciel. Après 22h, les oiseaux de nuit descendent dans le club où des DJ font vibrer la techno. Comptez entre 200 et 300 B pour vous y rendre en taxi.

**Reggae Pub** (carte p. 598 ; ☎ 0 7742 2331). Cette forteresse du divertissement possède une piste de danse extérieure animée par des DJ étrangers. C'est un édifice de 2 étages pourvu de longs bars, de tables de billard et d'une scène. Le tout fait aussi office de sanctuaire dédié à Bob Marley.

**Mint Bar** (carte p. 598 ; ☎ 08 7089 8726). Ce qui se passe dans la rue est trop intéressant pour contenir la clientèle à l'intérieur de ce club chic les soirs ordinaires. Mais le Mint est capable d'attirer quelques DJ poids lourds certaines soirées exceptionnelles. Guettez les programmes.

**Christy's Cabaret** (carte p. 598 ; ☎ 0 1894 0356). Cet établissement voyant propose un cabaret *gà·teu·i* (transsexuels masculins, également *kàthoey*) gratuit tous les soirs à 23h et attire une clientèle éclectique des 2 sexes. D'autres trans drainent les clients à l'entrée.

### LAMAI

Plus petite que Chaweng, Lamai a pourtant bien plus de bars à hôtesses.

**Bauhaus** (carte p. 600 ; ☎ 0 7741 8387/8). Ancien dance-club de Lamai, alternant DJ, spectacles de drag-queens, démonstration de boxe thaïlandaise et, parfois, soirées mousse.

**Samui Shamrock** (carte p. 600 ; ☎ 08 1597 8572). Plus classique que chic, Samui Shamrock est un pub où des groupes maison jouent des chansons incitant les clients à pousser la chansonnette. *Hotel California* obligatoire.

### PLAGES DU NORD

Les adresses suivantes se trouvent à Bo Phut.

**Billabong Surf Club** (carte p. 602 ; ☎ 0 7743 0144). Le royaume du football australien – à la TV comme sur les murs. Une très belle vue sur Ko Pha-Ngan, et des portions copieuses de côtelettes et travers pour accompagner votre pression.

**Frog & Gecko Pub** (carte p. 602 ; ☎ 0 7742 5248). Établissement tropical britannique célèbre pour son "Quiz du mercredi soir" et sa sélection musicale variée. Des événements sportifs sont retransmis sur grand écran.

**Pier** (carte p. 602 ; ☎ 0 7743 0681 ; plats 200-390 B ; déj et dîner). Cette boîte noire aux lignes pures se distingue au milieu des étroits immeubles chinois de Bo Phut. L'adresse la plus branchée de Fisherman's Village, avec des terrasses sur plusieurs niveaux, un bar animé et de quoi se relaxer et contempler l'arrivée des bateaux de pêche dans le port.

**Gecko Village** (carte p. 602 ; ☎ 0 7724 5554). Pour les fans d'électronique, Gecko Village est le franc-tireur original. C'est un complexe et un bar de front de mer qui a utilisé ses connexions londoniennes pour attirer des DJ internationaux dans son paradis de Samui. Les fêtes du Nouvel An et les sessions du dimanche sont légendaires grâce aux grands noms qui viennent y mixer.

## Achats

**Chandra** (carte p. 598 ; ☎ 08 6606 3639 ; Chaweng ; ⏲ midi-minuit). La tendance ethno-chic a fait du chemin depuis les premiers sacs brodés d'antan. Chandra fouille l'Asie, notamment Bali, pour dénicher les robes légères qui dévoilent votre bronzage tout neuf.

**Doodee Décor** (carte p. 598 ; ☎ 08 1633 9160 ; Chaweng ; ⏲ 11h-23h). Cette boutique vend bien plus que de la déco pour sdb. Admirez la qualité des objets locaux, comme les vases *dhana*, les couverts martelés à la main d'Ayuthaya et les sacs à main brodés.

**Vanities** (carte p. 598 ; Chaweng ; ⏲ 11h-22h). Deux *fashionistas* de Bangkok ont ouvert cette boutique de vêtements pour urbains en vacances. Les articles viennent de Bangkok, de Hong Kong et d'Inde, et reposent des revendeurs faussement hippies du reste de la plage.

**Health Mart** (carte p. 600 ; ☎ 0 7741 9157 ; Lamai ; ⏲ 8h-17h). Vu le nombre de personnes en plein jeûne sur l'île, les boutiques de bien-être sont relativement rares. Affiliée à Spa Samui, Health Mart, à seulement 100 m du Wat Lamai, propose de nombreuses lignes de beauté naturelles issues de projets de développement économique. Cherchez les gels douche et shampooings aux herbes fabriqués par Khao Kho Talay Pu, les exfoliants pour le visage Supaporn, les shampooings à la noix de coco Tropicana et le thé Power of Brown.

**Siddharta** (carte p. 602 ; ☎ 0 7724 5014 ; Bo Phut ; ⏲ 10h-21h). Une compagnie d'importation française rapporte des trésors de Bali et du Népal jusqu'à Samui. Jupes à fleurs et paréos de plage remplaceront le contenu de votre valise.

**Suzy Nina** (carte p. 602 ; ☎ 0 7724 5221 ; Bo Phut ; ⏲ 11h-21h). Boutique de décoration intérieure vendant des couvre-lits en soie et en coton et des tentures sur mesure. Ne manquez pas la salle des tissus, remplie d'élégantes soies birmanes et thaïlandaises.

## Depuis/vers Samui

### AVION

L'aéroport de Samui (carte p. 598) se situe au nord-est de l'île près de Big Buddha Beach. Le monopole de Bangkok Airways sur les vols desservant Samui a cessé début 2008, et Thai Airways International a lancé un service Samui-Bangkok. D'autres compagnies aériennes ne devraient pas tarder à suivre.

**Bangkok Airways** (www.bangkokair.com) propose un vol environ toutes les 30 min entre Samui et Bangkok (2 000-4 000 B, 1 heure à 1 heure 30). **Thai Airways** (à Bangkok ☎ 0 2134 5403 ; www.thaiair.com) vole entre Samui et Bangkok (5 600 B, 2/j). Les 2 compagnies atterrissent à l'aéroport Suvarnabhumi de Bangkok.

Une **agence Bangkok Airways** (carte p. 598 ; ☎ 0 7742 0512-9) est ouverte à Chaweng et une autre à l'**aéroport** (☎ 0 7742 5011). Le premier vol (à 6h) et le dernier (21h) sont toujours les moins chers.

Bangkok Air relie aussi Samui et Phuket (2 000-3 000 B, 1 heure, 3/j), Pattaya (3 000 B, 1 heure, 3/j), Krabi (1 600 B, 1 heure, 3/sem) et Chiang Mai (4 500-6 500 B, 2 heures 30, 2/sem). Les vols internationaux vont directement de Samui à Singapour (4 200-5 400 B, 3 heures, tlj) et à Hong Kong (12 000-6 000 B, 4 heures, 5/sem).

En pleine saison, réservez votre vol longtemps à l'avance, car les sièges partent vite. Si les vols pour Samui sont complets, essayez d'aller en avion jusqu'à Surat Thani depuis Bangkok, puis en ferry jusqu'à Samui. Les vols pour Surat Thani sont souvent moins chers qu'un vol direct jusqu'à l'île.

### BATEAU

La situation des ferrys est plutôt alambiquée : les horaires et les tarifs varient sans cesse, et il y a une foule de points d'entrée et de sortie à Samui et sur le continent. Les vôtres dépendront des disponibilités lors de votre arrivée à Surat Thani (vous ne voudrez sans doute pas vous attarder en ville). Les 4 principales jetées du continent sont Ao Ban Don, Tha Thong, Don Sak et Khanom. À Samui, les 3 ports souvent utilisés sont Na Thon, Mae Nam et Big Buddha. La qualité du service peut aussi beaucoup varier à l'intérieur de la même compagnie de ferrys – certains bateaux sont rouillés et usés, d'autres plus modernes et souvent équipés de TV.

Des bateaux relient fréquemment Samui et Surat Thani. Le ferry Seatran, toutes les heures, est une option souvent choisie. Les ferrys coûtent entre 110 et 190 B, et mettent entre 1 et 2 heures selon le bateau. Certains de ces départs correspondent avec la gare de Phun Phin (pour 100 ou 140 B de plus). Le lent bateau de nuit pour Samui (150 B) part du centre de Surat Thani tous les soirs à 23h, arrivant à Na Thon vers 5h. Il repart de Na Thon à 21h, pour arriver vers 3h. Attention à vos bagages sur ce bateau.

Une dizaine de bateaux relient tlj Samui et Ko Pha-Ngan. Ils partent soit de la jetée de Na Thon, Mae Nam, soit de Big Buddha et mettent entre 20 min et 1 heure (130-250 B). Ko Pha-Ngan compte 2 jetées (Hat Rin et Thong Sala). Les bateaux partant de Big Buddha desservent Hat Rin, et les autres bateaux abordent à Thong Sala. Les ferrys de Mae Nam desservent la côte est isolée de Ko Pha-Ngan. Des mêmes jetées, 6 bateaux circulent chaque jour entre Samui et Ko Tao. Ils mettent entre 1 heure 15 et 2 heures 30 et coûtent entre 350 et 600 B.

Les car ferrys de Don Sak et de Khanom abordent à Thong Yang, à environ 10 km au sud de Na Thon. Pas de car ferrys entre Samui et Ko Pha-Ngan ou Ko Tao.

#### BUS ET TRAIN

Une association bus-ferry est plus pratique qu'une formule train-ferry car vous n'avez pas besoin de changer de moyen de transport à Phun Phin (toute petite ville près de Surat Thani). Cependant, les trains sont bien plus spacieux et confortables – surtout de nuit. Si vous préférez le train, vous pouvez descendre à Chumphon et prendre le service de catamaran de Lomprayah pour le reste du voyage.

Les tarifs des bus publics du terminal Sud des bus de Bangkok comprennent le coût du trajet en ferry. Comptez 500 B pour les 2e classe. La plupart des bus privés de Bangkok facturent environ 450 B pour le même trajet et comprennent le ferry. À Th Khao San, à Bangkok, il est possible d'acheter des billets combinés bus-ferry pour 350 B, mais le service est médiocre et le vol très courant. Si une agence de Th Khao San prétend vous transporter à Samui pour moins que ça, c'est sûrement une escroquerie, car il n'est pas possible de faire des bénéfices à moins.

### Comment circuler

Voyez p. 594 pour des renseignements sur les possibles escroqueries dans les transports lorsque vous vous déplacez sur l'île. Vous pouvez louer des motos (et des vélos) dans presque tous les complexes hôteliers. Comptez entre 200 et 300 B/j, mais, pour des périodes plus longues, essayez de négocier un meilleur tarif.

Les conducteurs de *sŏrng·tăa·ou* adorent vous surfacturer, mieux vaut toujours se renseigner ailleurs sur les tarifs en vigueur, qui peuvent varier selon la saison. Ces véhicules circulent régulièrement uniquement la journée. Il en coûte environ 30 B pour circuler le long d'une côte, et pas plus de 75 B pour traverser la moitié de l'île. Comptez environ 20 B le trajet de 5 min en moto-taxi.

#### DEPUIS/VERS L'AÉROPORT

Les services de taxis sur Samui sont assez chaotiques et les tarifs connaissent de fortes variations en fonction de l'humeur de votre chauffeur. Renseignez-vous auprès de votre hôtel qui propose peut-être une navette gratuite, ou essayez la **Samui Shuttle** (www.samuishuttle.com). Les taxis demandent généralement entre 300 et 500 B pour les transferts d'aéroport. Certaines agences de voyages de Chaweng peuvent fournir des taxis-minibus moins chers.

## KO PHA-NGAN

เกาะพงัน

**12 100 habitants**

Dans la famille des îles du sud du golfe de Thaïlande, Ko Pha-Ngan s'étend dans les eaux cristallines entre Ko Samui, sa grande sœur commerciale, et la petite Ko Tao, la petite sœur pleine de cran, véritable aimant à plongeurs. Ko Pha-Ngan est plus tranquille, et mêle plage, décontraction, sérénité et un penchant pour les nuits blanches et les bikini-parties au bord de la piscine.

Le promontoire panoramique de Hat Rin est depuis longtemps la destination la plus prisée de ce paradis. Sunrise Beach a commencé à accueillir les fêtes de la pleine lune de renommée mondiale bien avant que *La Plage* d'Alex Garland ne fasse flamber les ventes de sacs à dos. Aujourd'hui, des milliers de personnes viennent sur le sable saturé de pétrole pour une nuit de transe, d'adrénaline et de quelques autres substances.

En bonne adolescente, cette île furieuse ne sait pas ce qu'elle fera quand elle sera grande. La fête doit-elle continuer sans jamais cesser, ou bien les incroyables plages du nord, encore isolées, vont-elles surgir de l'ombre de Hat Rin ?

Si la réputation et l'ambiance décontractées de Ko Pha-Ngan resteront ses traits dominants pendant encore quelques années, l'île est discrètement en train de monter en gamme. Chaque année, de vieilles cabanes fatiguées sont remplacées par des demeures modernes. À Hat Rin, vous aurez du mal à trouver une chambre sur Sunrise Beach à moins de 1 000 B. Bientôt, les piscines privées et les valets personnels deviendront incontournables dans le vocabulaire de l'île. Mais ne vous alarmez pas, la vaste jungle intérieure continue de paraître vierge et il reste une foule de baies isolées où accrocher son hamac pour contempler les vagues.

## Orientation

Ko Pha-Ngan, la 5e plus grande île de Thaïlande, est à environ 20 km de Ko Samui et à 100 km de Surat Thai.

La plupart des visiteurs restent sur la fine péninsule appelée Hat Rin. Ce cap montagneux est flanqué de magnifiques plages de chaque côté, et abrite les célèbres fêtes de la pleine lune chaque mois (voir l'encadré p. 614). Vous trouverez un plan de cette zone p. 612. Le reste de l'île est bien plus tranquille, bien que des développements progressifs aient provoqué une augmentation de la population sur les côtes ouest et sud. La côte nord possède quelques bonnes plages aux équipements modernes, mais assez isolées et décontractées. À l'est, la côte, tranquille, est pratiquement déserte.

Environ la moitié de la population de Ko Pha-Ngan vit dans et autour du petit port de Thong Sala, où abordent les ferrys de et vers Ko Tao, Surat Thani et Ko Samui.

## Renseignements

### ACCÈS INTERNET

Hat Rin et Thong Sala sont des centres d'activité Internet, mais toutes les plages un peu exploitées offrent un accès. Les tarifs tournent autour de 2 B/min (3 B à Hat Rin), avec un minimum de 20 B (30 B à Hat Rin) et des réductions si vous restez 1 heure. Les établissements proposant 1 B/min ont généralement des connexions d'escargot.

### AGENCES DE VOYAGES

Pas d'office TAT géré par le gouvernement à Ko Pha-Ngan ; la plupart des voyageurs prennent leurs renseignements auprès des agences de voyages locales et dans les brochures. Hat Rin compte un nombre incroyable d'agences de voyages et quelques autres sont regroupées non loin du terminus de la jetée de Thong Sala. La compétition assure une relative stabilité des tarifs (les billets à Thong Sala sont souvent un peu moins chers), mais les escroqueries et les fausses réservations sont monnaie courante.

De nombreux mini-magazines proposent des renseignements complets sur l'hébergement de l'île, les activités et les festivités de la pleine lune. Notre préféré est *Phangan Info* (www.phangan.info).

**Backpackers Information Centre** (carte p. 617 ; ☎ 0 7737 5535 ; www.backpackersthailand.com ; Hat Rin). Un must pour les voyageurs recherchant des transports et des circuits de grande qualité (plongée, croisière, safaris, etc.), le Backpackers Information Centre ne se destine pas uniquement aux baroudeurs. C'est une agence de voyages qui offre la paix de l'esprit avec tout achat. Le couple de chaleureux propriétaires a voyagé dans toute la Thaïlande et consacre son temps à faire découvrir l'île et le reste du pays aux autres. Ils gèrent le Crystal Dive à côté (voir p. 629) et proposent un salon Internet confortable.

### ARGENT

Thong Sala, "capitale" financière de Ko Pha-Ngan, compte de nombreuses banques, bureaux de change et plusieurs agences Western Union. Hat Rin possède de nombreux DAB et quelques banques au niveau de la jetée. Des DAB sont aussi installés à Hat Yao, Chaloklum et Thong Nai Pan.

### LAVERIES

Si pendant la fête de la pleine lune vos vêtements sont tachés de peinture corporelle fluo, ne vous embêtez pas à les envoyer au nettoyage, ça ne partira pas. Nous l'avons testé pour vous. Pour le reste, une foule de laveries seront heureuses de vous servir. Les tarifs tournent autour de 40 B/kg, et le nettoyage express ne devrait pas dépasser 60 B/kg.

### LIBRAIRIES

**D's Books & Café** (carte p. 617 ; ☎ 08 4667 7730). Copie conforme de la librairie-café populaire de Ko Phi Phi, un lieu sympathique où déguster un café glacé en lisant.

### POSTE

**Poste centrale** (carte p. 617 ; 🕒 8h30-16h30 lun-ven, 9h-12h sam). À Thong Sala ; une plus petite poste est installée juste à côté de la jetée à Hat Rin.

### RESSOURCES INTERNET

**Backpackers Thailand** (www.backpackersthailand.com). Site pratique, géré par le Backpackers Information Centre de l'île. Des informations locales sur les transports et la fête de la pleine lune.

**Phangan Info** (www.phangan.info). Version en ligne de la commode brochure informative de l'île disponible dans la plupart des bungalows et à la jetée de Thong Sala.

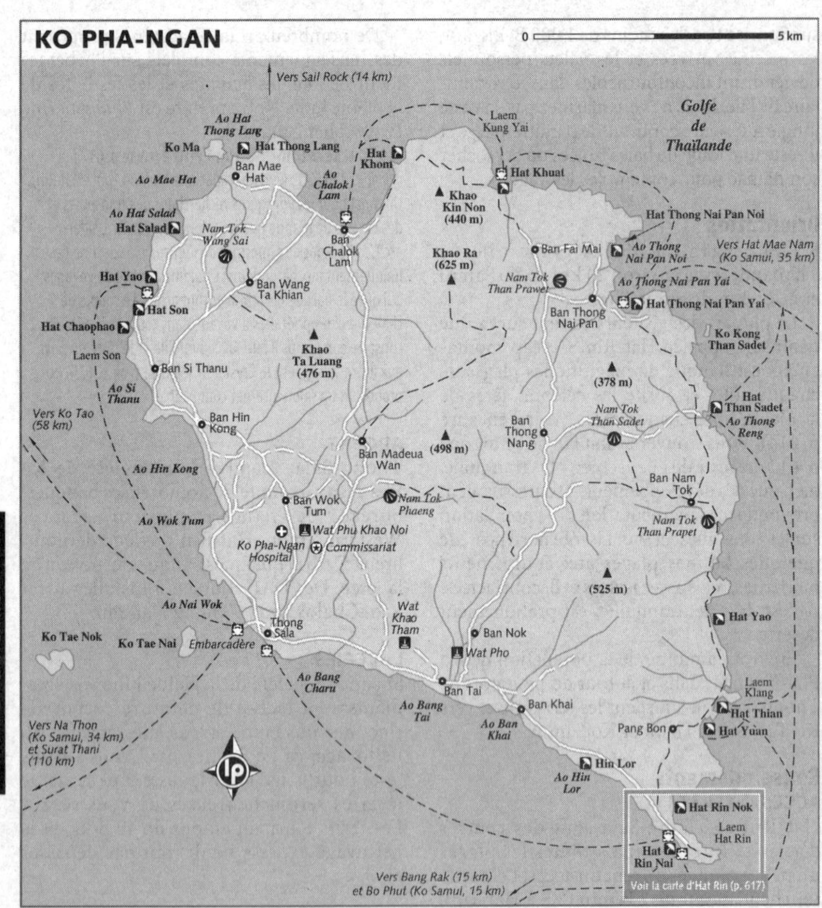




### SERVICES MÉDICAUX

Les services médicaux sont parfois un peu véreux à Ko Pha-Ngan – attendez-vous à des tarifs instables et à des médecins sous-qualifiés. De nombreuses cliniques demandent un droit d'entrée de 3 000 B avant tout traitement. Mieux vaut aller à Ko Samui pour les problèmes médicaux graves, ainsi que pour tous les problèmes dentaires.

**Ko Pha-Ngan Hospital** (carte p. 612 ; ☎ 0 7737 7034 ; Thong Sala ; 🕑 24h/24). À environ 2,5 km au nord de Thong Sala ; service d'urgence 24h/24.

### URGENCES

**Commissariat** (carte p. 612 ; ☎ 0 7737 7114). À environ 2 km au nord de Thong Sala. Le commissariat de Hat Rin (près de Hat Rin School) ne vous permet pas de porter plainte, il faut aller à Thong Sala.

## Dangers et désagréments

Ko Pha-Ngan vous offrira certains de vos meilleurs souvenirs de vacances. Soyez sur vos gardes lors des situations suivantes pour qu'il n'y ait aucune ombre au tableau.

### DROGUE

Vous paressez sur la plage, quand soudain un Thaïlandais vous propose une herbe locale à un prix ridiculement bas. "Non merci", répondez-vous, conscient que les sanctions pour usage de drogue sont très sévères ici. Mais le vendeur baisse encore le prix et vous offre presque son herbe gratuitement. Trop beau pour être vrai ? Évidemment. À la première bouffée, le vendeur vous dénonce à la police et vous vous retrouverez à la prison du coin où il vous faudra payer une amende ruineuse. Ce type de scénario se produit tout le temps à Ko Pha-Ngan, mieux vaut donc résister.

Autre élément dont il convient de se souvenir : votre assurance ne couvre pas les blessures ou traitements liés à l'usage de drogue. Les accidents arrivent ; on nous a raconté des épisodes de délire prolongé, occasionnés par l'usage de drogue. L'hôpital psychiatrique Suan Saranrom (Garden of Joys) de Surat Thani doit renforcer ses effectifs lors des festivités de la pleine lune pour gérer le nombre de *fa·ràng* qui partent en vrille après avoir consommé des champignons, de l'acide ou d'autres hallucinogènes facilement accessibles.

### ESCROQUERIES

Ko Pha-Ngan est dépourvue de police touristique, ce qui signifie que les touristes sont les cibles de diverses arnaques. Un exemple : vous réservez un billet de 1re et vous retrouvez dans un bus bringuebalant où vos compagnons de voyage ont payé beaucoup moins cher que vous. Parfois, le voyageur est victime d'une réservation fantôme, où l'agent n'a rien réservé du tout. Beaucoup de voyageurs ont signalé des problèmes entre Bangkok et Ko Pha-Ngan – les opérateurs pillent souvent les sacs placés dans les compartiments à bagage des bus.

### FEMMES SEULES

Les voyageuses doivent être particulièrement prudentes lors des fêtes sur l'île. Les viols liés à la consommation d'alcool et de drogue sont fréquents (et ces situations ne se limitent pas aux fêtes de la pleine lune). Autre problème ennuyeux, le comportement peu scrupuleux de certains chauffeurs de moto-taxi. Beaucoup en profitent pour tripoter leurs passagères ; des agressions sexuelles plus graves ont même été reportées.

### MOTO

Ko Pha-Ngan compte plus d'accidents de moto que de blessures dues aux bêtises de la fête de la pleine lune. Aujourd'hui il existe un système de rues goudronnées mais la plupart forment un labyrinthe de terre et de boue. L'île est aussi très vallonnée, et même si la route est revêtue, la plupart d'entre elles restent quasi impraticables. La route *très* raide de Hat Rin en est une parfaite illustration. L'île est pourvue d'une ambulance spéciale qui vient en aide aux motards blessés.

## À voir

À ceux qui en ont assez de lézarder au bord de l'eau, cette grande île couverte de jungle a beaucoup à offrir : montagnes, cascades et plages spectaculaires.

### PLAGES ET CASCADES

De nombreuses **cascades** (carte p. 612) parsèment l'île, dont 4 coulent toute l'année. À **Nam Tok Than Sadet**, des rochers sont gravés des insignes royaux de Rama V, Rama VII et Rama IX. Le roi Rama V aimait tant ce site caché qu'il y revint une douzaine de fois entre 1888 et 1909. Les eaux de la rivière de Khlong Than Sadet sont maintenant considérées comme sacrées et utilisées lors des cérémonies royales. Également près de la côte est, **Nam Tok Than Prawet** est une série de chutes qui serpentent à l'intérieur des terres sur environ 2 km.

Au centre de l'île, **Nam Tok Phaeng** est protégé par un parc national et constitue une agréable récompense après une marche courte mais ardue. Poursuivez l'aventure et gravissez **Khao Ra**, la plus haute **montagne** de l'île culminant à 625 m. Les yeux de lynx apercevront des crocodiles, des singes, des serpents, des cerfs et des sangliers au passage, et le **point de vue** du sommet est spectaculaire – par temps clair, on voit Ko Tao. Si la randonnée n'est pas ardue, il est très facile de se perdre, et nous recommandons *chaudement* de louer une escorte à Ban Madeua Wan (près des chutes). Les guides locaux ont des panneaux grossiers apposés à leurs maisons, et, s'ils sont là, ils vous emmèneront au sommet pour 500 B. La plupart ne parlent que le thaï.

Les étonnantes **plages** de Pha-Ngan valent définitivement le détour, mais soyez particulièrement prudent si vous êtes à pied. Le sentier "point vert" de Hat Rin à Hat Yuan est totalement envahi par la végétation, comme la plus grande partie du parcours entre Chalok Lam et Hat Khuat (Bottle Beach). Épargnez-vous cette épreuve et prenez un bateau-taxi.

**Hat Khuat**, aussi appelée Bottle Beach, est une plage prisée. Les visiteurs y viennent pour une journée de baignade et de snorkeling – certains séjournent dans l'un des nombreux complexes de bungalows sur la plage. Pour plus de solitude, essayez les plages isolées

### LES DIX COMMANDEMENTS DE LA FÊTE DE LA PLEINE LUNE

Personne ne sait exactement quand ni comment ces fêtes folles ont commencé – beaucoup pensent que la première a eu lieu en 1987 ou 1988, sous la forme d'une fête d'adieu. Aujourd'hui, des milliers de personnes se rassemblent chaque mois sur le sable fin de Hat Rin Nok pour danser, onduler, transpirer et boire sous la lune au rythme des musiques mixées par les DJ. En pleine saison, les participants peuvent atteindre 30 000 fêtards, et hors saison le chiffre respectable de 5 000 âmes.

Si vos dates de vacances ne coïncident pas avec la pleine lune mais que vous tenez à vous badigeonner de peinture fluo, pas de souci – les Thaïlandais ont le sens des affaires et organisent des fêtes de la lune noire (à Ban Khai), de la demi-lune (à Ban Tai), du coucher de lune (à Hat Chaophao) et des fêtes de la piscine (à Coral Bungalows ; p. 616) qui n'ont rien à voir avec la position de la lune.

Les critiques déplorent la perte du caractère spontané de la fête, surtout depuis que le gouvernement de l'île tente de demander un droit d'entrée de 100 B à chaque participant. Malgré les scénarios démoralisants échafaudés par des habitants âpres au gain, la nuit de la pleine lune reste une expérience unique tant que l'on respecte ses dix commandements officieux :

- Au moins 3 jours à l'avance à Hat Rin tu arriveras, pour dégoter un hôtel au milieu de la ruée des baroudeurs qui précède la fête de la pleine lune (voir p. 616 des renseignements sur l'hébergement à Hat Rin).
- La date de la fête par deux fois tu vérifieras, car elle peut coïncider avec les fêtes bouddhistes et être reportée.
- Tous tes objets de valeur à l'abri tu mettras, surtout si tu loges dans des bungalows modestes.
- De délicieuses fritures au Chicken Corner tu dégusteras (p. 622) avant le début des festivités.
- Des chaussures protectrices tu porteras si tu veux éviter de te blesser les pieds.
- De motifs fluo le corps tu te couvriras.
- La Magic Mountain ou The Rock tu graviras pour contempler la foule qui se démène en bas.
- De consommer des drogues tu t'abstiendras ; sous l'influence de l'alcool dans l'océan tu ne nageras pas.
- En groupe de 2 ou plus tu resteras, surtout si tu es une femme, et particulièrement en rentrant à l'hôtel à la fin de la fête.
- Jusqu'à l'aube tu t'éclateras et cette fête jamais tu n'oublieras.



de la côte est : **Than Sadet**, **Hat Yuan**, **Hat Thian** et la minuscule **Ao Thong Reng**. Des plages plus charmantes vous attendent au **parc marin national d'Ang** (p. 639).

#### WAT

N'oubliez pas de vous changer en rentrant de la plage avant de visiter l'un des 20 **wat** de Ko Pha-Ngan. La plupart des temples sont ouverts pendant la journée.

Le plus ancien temple de l'île est le **Wat Phu Khao Noi**, près de l'hôpital de Thong Sala. Si le site est ouvert aux visiteurs toute la journée, les moines n'y sont que le matin. Le **Wat Pho**, près de Ban Tai, a un **sauna aux plantes** (50 B) parfumé à la citronnelle. Le bain de vapeur est ouvert de 15h à 18h. Le **temple chinois** porte chance aux visiteurs. Il a été érigé il y a une vingtaine d'années après la vision d'une touriste : le bouddha chinois lui aurait dit de construire un phare pour l'île. Le **Wat Khao Tham**, près de Ban Tai également, est juché sur une colline et abrite des nonnes. Au temple, un tableau détaille la retraite méditative dirigée par un couple américano-australien. Pour plus de renseignements, écrivez à l'avance à Wat Khao Tham, PO Box 8, Ko Pha-Ngan, Surat Thani 84280.

## À faire

#### PLONGÉE ET SNORKELING

Avec Ko Tao, plate-forme de la plongée à seulement quelques kilomètres, la plongée à Ko Pha-Ngan est plus tranquille et plus concentrée sur le plaisir que sur la certification. Les prix sont environ 2 000-2 500 B moins élevés à Ko Tao pour un certificat Open Water, mais les groupes peuvent être plus réduits sur Ko Pha-Ngan, puisqu'il y a moins de plongeurs en général. Comme les autres îles de l'archipel de Samui, Ko Pha-Ngan compte de nombreux petits récifs dispersés autour de l'île. Le site de snorkeling privilégié est **Ko Ma**, petite île au nord-ouest reliée à Ko Pha-Ngan par un charmant banc de sable. Quelques récifs rocheux intéressants sont à noter à l'est de l'île.

Avantage de taille à plonger depuis Ko Pha-Ngan, la proximité avec **Sail Rock** (Hin Bai), peut-être le meilleur site de plongée du golfe de Thaïlande. Ce grand pic s'étend à environ 14 km au nord de l'île. On y voit une abondance de coraux et de gros poissons tropicaux à des profondeurs de 10 m à 30 m, et un passage vertical surnommé "la cheminée".

Les centres de plongée de Ko Tao vont parfois à Sail Rock, bien que la majorité aille dans des récifs peu profonds (pour les débutants) et les eaux infestées de requins de Chumphon Pinnacle. Les expéditions les plus populaires partant de Ko Pha-Ngan parcourent trois sites en une journée : Chumphon Pinnacle, Sail Rock et l'un des excellents sites de la région (voir l'encadré p. 630). Ces expéditions coûtent environ 3 800 B et comprennent le déjeuner. Les expéditions incluant 2 plongées à Sail Rock reviennent à 2 500 B.

Nous recommandons les agences suivantes :

**Haad Yao Divers** (☎ 08 6279 3085 ; www.haadyaodivers.com). Établie en 1997, cette agence de plongée a acquis une solide réputation grâce à son niveau de sécurité et à son service de qualité.

**Lotus Diving** (☎ 0 7737 4142 ; www.lotusdiving.net). Ce centre de plongée très réputé emploie d'excellents instructeurs et possède 2 magnifiques bateaux (soit 2 de plus que la plupart de ses homologues de Ko Pha-Ngan). Il est possible de réserver sa place à l'agence de Chalok Lam ou au Backpackers Information Centre (p. 611).

**Sail Rock Divers** (☎ 0 7737 4321 ; www.sailrockdiversresort.com). Le personnel aimable et responsable de Sail Rock propose des salles de classe climatisées et une petite piscine. L'école de plongée la plus proche de Sail Rock, le meilleur site de plongée du golfe.

### AUTRES SPORTS NAUTIQUES

Jamie transmet son infinie sagesse dans le domaine du wakeboard aux adeptes à **Wake Up** (☎ 08 7283 6755 ; www.wakeupwakeboarding.com ; 🕑 jan-oct), sa petite école de sports nautiques de Chalok Lam. Une leçon de 15 min vous coûtera 1 500 B (2 500 B pour 30 min), ce qui est une affaire pour un cours particulier. Des séances de kitesurf, de wake-skate et de ski nautique sont proposées, ainsi que des excursions d'une journée autour de l'île (2 000 B/pers ; 6 pers au minimum).

Coral Bungalows (p. 616) loue du matériel nautique tels Jet-Ski et kayaks. Le personnel affable du Backpackers Information Centre (p. 611) dirigera vos autres demandes de sport nautique.

### YOGA ET MASSAGE

Les complexes hôteliers haut de gamme proposent en général l'accès à un spa. Les salons de massage bon marché abondent à Hat Rin et à Thong Sala. On en trouve d'autres sur la route principale reliant les deux villes (attention aux établissements louches proposant des "*happy endings*").

L'Ananda Yoga Resort de Hat Chaophao, géré par **Agama Yoga** (☎ 08 1397 6280, 08 9233 0217 ; www.agamayoga.com ; Hin Kong, ch 500 B, bungalows 1 200 B, 4 nuits au min) s'est attiré des louanges de nos lecteurs pouimumr son approche holistique de l'étude du yoga tantrique. Le centre ferme souvent de septembre à décembre, lorsque ses professeurs sillonnent le monde pour diffuser l'*ohm* cosmique. Sur la côte est, le Sanctuary (p. 622) est une autre retraite populaire pour les enthousiastes du yoga.

### AUTRES ACTIVITÉS

Le très populaire **Eco Nature Tour** (☎ 08 4850 6273) propose une expédition "best of" de l'île, qui comprend de la randonnée à dos d'éléphant, du snorkeling et des visites au temple chinois, à un admirable point de vue et à la cascade de Phang. L'expédition pour la journée, qui coûte 1 500 B, part à 9h et revient vers 15h. On peut réserver à son agence de Thong Sala ou au Backpackers Information Centre (p. 611). **Pha-Ngan Safari** (☎ 0 7737 4159, 08 1895 3783) organise le même genre d'expédition pour 1 900 B.

Les expéditions de randonnée et de snorkeling d'une journée au **parc national marin d'Ang Thong** (p. 639) partent généralement de Ko Samui, mais les tour-opérateurs commencent à prendre les touristes aussi à Ko Pha-Ngan. Demandez à votre hôtel des renseignements sur les expéditions en bateau, car les compagnies vont et viennent en fonction du cours du pétrole.

## Où se loger

La légende attachée aux festivités qui se déroulent à Ko Pha-Ngan a conforté sa réputation d'étape incontournable pour les baroudeurs. Ces dernières années, l'île a commencé à s'adresser à une clientèle plus haut de gamme. Nombre d'établissements locaux ont abandonné les huttes en bambou et construit des locaux destinés aux légions de touristes plus fortunés mais recherchant la simplicité.

Dans d'autres parties de l'île, de nouvelles portions de terrain ont été défrichées pour faire place à des complexes 5 étoiles du style de ceux de Samui. Que les vrais baroudeurs ne s'alarment pas, il faudra des années avant que leur style de vie ne s'y éteigne. Pour l'instant, Ko Pha-Ngan propose 3 types d'hébergement : des huttes pour les fauchés, des hébergements branchés pour les budgets moyens et du luxe hors de prix.

Hat Rin reçoit un nombre démesuré de visiteurs comparé au reste de l'île. Les fêtards se rendent dans cette péninsule pittoresque pour ses légendaires festivités, et si la plupart d'entre eux dorment la journée, le cadre reste assez charmant malgré les bouteilles de bière échouées sur le sable. La partie sud de Sunrise Beach commence à empester le kérosène à la suite du chahut nocturne et incendiaire du Drop-In Bar – évidemment, mieux vaut prendre le soleil côté nord, plus tranquille.

Ko Pha-Ngan accueille aussi des amateurs de solitude à la recherche d'un bout de sable déserté. C'est justement ce qu'offrent les côtes nord et est – un refuge.

Nous avons classé les modes d'hébergement en 5 sections : nous commençons à Hat Rin, longeons la côte sud, remontons par l'ouest, traversons les plages du nord et redescendons le long de la plus tranquille côte est.

### HAT RIN

La mince péninsule de Hat Rin compte 3 lages distinctes. Hat Rin Nok (Sunrise Beach) est l'épicentre de la fête de pleine lune, Hat Rin Nai (Sunset Beach) est la bande de sable moins impressionnante au bout du petit promontoire, et Hat Seekantang (aussi appelée Hat Leela), juste au sud de Hat Rin Nai, est une plage plus petite et intime. Les 3 plages sont reliées par Ban Hat Rin (Hat Rin Town), série de restaurants et de bars en retrait de la plage.

Les prix cités ici ne sont naturellement plus applicables pendant les périodes de pleine lune. À cette époque, les complexes de bungalows imposent une durée minimale de séjour. Si vous envisagez d'arriver le jour de la fête (ou même la veille), réservez bien avant, ou vous devrez sans doute dormir sur la plage (ce qui finira peut-être par arriver quoi qu'il en soit).

#### Petits budgets

**Sea Garden** (carte p. 617 ; ☎ 0 7737 5281 ; www.seagarden_resort.com ; Ban Hat Rin ; ch 200-1 500 B ; ❄). Campus de bungalows et d'hébergement de style motel, Sea Garden propose toute une variété de chambres pour tous les budgets (regardez plusieurs types de chambres avant de choisir). Prenez les minuscules chambres bon marché si vous cherchez juste un endroit pour poser vos sacs pendant la fête de la pleine lune.

**Seaside Bungalow** (carte p. 617 ; ☎ 08 6940 3410, 0 87 266 7567 ; Hat Rin Nai ; bungalows 300-600 B ; ❄). Sa fidèle clientèle revient pour profiter de l'ambiance détendue, des boissons bon marché, du billard gratuit et des confortables bungalows sur Sunset Beach. À 500 B, ces huttes climatisées doivent être les moins chères de l'île.

**Paradise Bungalows** (carte p. 617 ; ☎ 0 7737 5244 ; Hat Rin Nok ; bungalows 250-1 200 B ; ❄). C'est dans ce complexe de bungalows peu reluisant qu'est née la mondialement célèbre fête de la pleine lune, et il vit sur cette réputation depuis. Les baroudeurs reviennent ranimer leur nostalgie mais l'endroit commence à ressembler davantage à un entrepôt de ferrailleurs qu'à un paradis.

**Lighthouse Bungalow** (carte p. 617 ; ☎ 0 7737 5075 ; Hat Seekantang ; bungalows 350-800 B). Caché tout au bout de Hat Rin, ce discret ensemble de huttes modestes est installé sur un terrain en pente, ponctué par de hauts palmiers. Pour accéder à ce complexe isolé, traversez à pied Leela Beach Bungalows (sans vous arrêter) et suivez la passerelle en bois qui tourne vers la gauche (sud-est) autour des rochers léchés par la mer.

**Coral Bungalows** (carte p. 617 ; ☎ 0 7737 5023 ; www.coralhaadrin.com ; Hat Rin Nai ; bungalows 500-800 B ; ❄ 💻 🏊). Ce paradis s'est acquis une réputation de lieu incontournable auprès des baroudeurs fêtards au budget restreint. Le jour, les adorateurs du soleil alternent chaise longue et Jet-Ski. La nuit, Coral devient le théâtre d'une fête au bord de la piscine, animée par des employés affables et quelques seaux de vodka-Red Bull (voir l'encadré p. 624).

SUD-OUEST DU GOLFE DE THAÏLANDE

**Same Same** (carte p. 617 ; ☎ 0 7737 5200 ; www.same-same.com ; Ban Hat Rin ; ch 500-800 B ; ). S'adresse avant tout aux baroudeurs scandinaves. Dans le restaurant festif, l'aimable personnel travaille jour et nuit pour dispenser sourires et boissons. À l'étage, les chambres de motel sans prétention sont très lumineuses mais auraient besoin d'un coup de neuf.

**Delight** (carte p. 617 ; ☎ 0 7737 5527 ; www.delightresort.com ; Ban Hat Rin ; ch 700-2 000 B ; ). Niché derrière le panneau Kodak jaune au centre de Hat Rin, Delight propose certaines des meilleures chambres des environs. Des chambres d'hôtel impeccables, ornées de détails subtils (comme des fresques de paons), entre une piscine attrayante et un lagon paresseux ponctué de nénuphars.

Voir aussi :

**Seaview Haadrin Resort** (carte p. 617 ; ☎ 0 7737 5160 ; Hat Rin Nok ; bungalows à partir de 500 B ; ). Des bungalows éparpillés au nord de Sunrise Beach ; les huttes les moins chères ont des murs en tatami.

**Blue Marine** (carte p. 617 ; ☎ 0 7737 5079 ; Hat Rin Nai ; bungalows 600-1 200 B ; ). Des bungalows en béton très convenables, surplombés de tuiles bleues étincelantes.

**Sun Cliff** (carte p. 617 ; ☎ 0 7737 5134 ; bungalows 250-2 000 B ; ). Une grande variété de bungalows perchés sur un monticule planté de palmiers.

### Catégories moyenne et supérieure

**Sea Breeze Bungalow** (carte p. 617 ; ☎ 0 7737 5162 ; bungalows 500-8 000 B ; ). Sea Breeze est apprécié par nos lecteurs, et par nous aussi ;

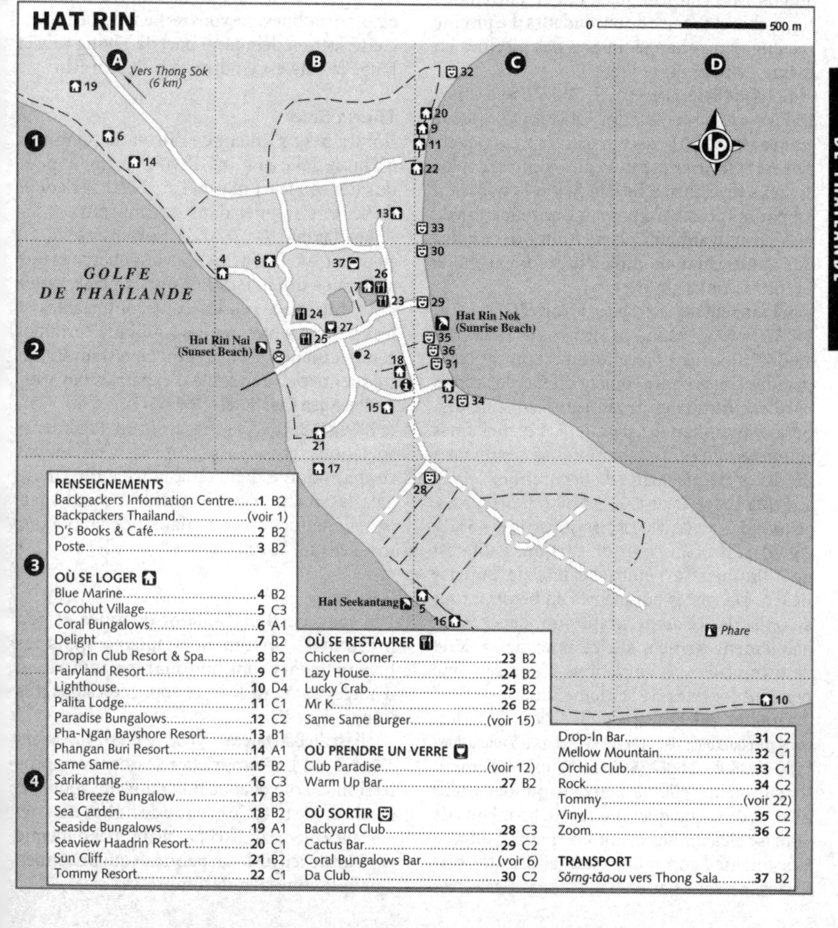

ce labyrinthe de cottages isolés à flanc de coteau est une retraite idéale pour tous les types de voyageurs. De nombreux bungalows, perchés sur pilotis, offrent une vue merveilleuse sur Hat Rin et la mer.

**Pha-Ngan Bayshore Resort** (carte p. 617 ; ☎ 0 7737 5227, 0 7737 5224 ; www.phanganbayshore.com ; Hat Rin Nok ; ch 800-5 000 B ; ). Après une remise en état nécessaire, cet établissement est prêt à recevoir le flot de voyageurs qui ne fait que croître à Hat Rin. La vue dégagée sur la plage et une immense piscine font de Pha-Ngan Bayshore l'une des meilleures adresses de Sunrise Beach.

**Tommy Resort** (carte p. 617 ; ☎ 0 7737 5215 ; www.phangantommyresort.com ; Hat Rin Nok ; ch 1 800-2 200 B ; ). Tommy est une adresse tendance au cœur de Hat Rin, juste milieu entre boutique chic et repaire de baroudeurs. La piscine rectangulaire change un peu des piscines en forme de haricot de l'île.

**Fairyland Resort** (carte p. 617 ; ☎ 0 7737 5076, 08 5057 1709 ; www.haadrinfairyland.com ; Hat Rin Nok ; bungalows à partir de 1 400 B ; ). Ces bungalows très coquets rivalisent sérieusement avec les complexes plus anciens de Sunrise Beach. Selon l'époque, il est parfois possible d'obtenir une réduction de 60% en arrivant sans réservation – demandez aux autres clients combien ils paient avant de prendre une chambre.

**Sarikantang** (carte p. 617 ; ☎ 0 7737 5055, 0 81 444 1322 ; www.sarikantang.com ; Hat Seekantang ; bungalows 500-3 500 B ; ). Cet endroit est un véritable paradis. Des cabanes couleur crème, encadrées par des poteaux et des linteaux en teck, disposées au milieu des palmiers et d'anciennes statuettes ailées. Les chambres ressemblent à un décor de magazine de décoration.

**Palita Lodge** (carte p. 617 ; ☎ 0 7737 5172 ; www.palitalodge.com ; Hat Rin Nok ; bungalows 1 500-4 500 B ; ). En plein cœur de l'action, Palita est un hommage à l'éternelle fête de Sunrise Beach. De vastes bungalows en béton, ornés de boiseries et de décoration moderne, sont habilement agencés sur ce bout de sable et de broussailles. Réservations d'une semaine pendant les fêtes de la pleine lune.

**Cocohut Village** (carte p. 617 ; ☎ 0 7737 5368 ; www.cocohut.com ; Hat Seekantang ; ch 600 B, bungalows 1 900-10 000 B ; ). Lieu extrêmement social, où les clients peuvent oublier qu'ils ne sont qu'à quelques mètres du brouhaha de Sunrise Beach. Les chambres petits budgets, aux toilettes communes aux allures de vestiaires, ne sont pas brillantes, mais les offres plus chères, comme les villas sur la falaise et les bungalows en front de mer, figurent parmi les meilleures de Hat Rin.

Voir aussi :

**Drop In Club Resort & Spa** (carte p. 617 ; ☎ 0 7737 5444 ; www.dropinclubresortandspa.com ; Bat Hat Rin ; ch 1 500-12 000 B ; ). Complexe qui ne cesse de s'agrandir au cœur de Hat Rin.

**Phangan Buri Resort** (carte p. 617 ; ☎ 0 7737 5481 ; www.phanganburiresort.com ; Hat Rin Nai ; bungalows à partir de 2 700 B ; ). Haut de gamme mais un peu coincé.

## PLAGES DU SUD

Les offres d'hébergement de la côte sud sont les plus intéressantes de Ko Pha-Ngan. On aperçoit les îles du parc marin national d'Ang Thong ; mais les plages du sud n'ont pas les eaux cristallines que vous recherchez peut-être. Cette section débute au port de Thong Sala et longe la côte est en direction de Hat Rin.

### Thong Sala

Il n'y a pas vraiment de raison de séjourner à Thong Sala, à moins d'avoir vraiment peur de rater son ferry matinal ou d'être malade et de se faire soigner dans les environs.

**Bua Kao Inn** (☎ 0 7723 7226 ; buakao@samart.co.th ; s et d à partir de 450-850 B ; ). Si vous cherchez une ambiance urbaine plutôt que la plage, optez pour Bua Kao. Les lits sont confortables et les chambres bien tenues (quoique certaines sentent un peu la cigarette). Le restaurant est fréquenté par une foule d'expatriés bavards.

**Pha-Ngan Chai Hotel** (☎ 0 7737 7068, 0 7737 7286 ; ch 700-1 200 B ; ). En croisant logements soviétiques et vacances tropicales, on obtient ce mastodonte démodé à la jetée de Thong Sala. Sa situation est son meilleur atout, mais il vous faudra investir dans des taxis pour trouver une bonne plage.

### Ban Tai

Les eaux de Ban Tai sont opaques et peu profondes, surtout hors saison, mais les hébergements sont bon marché comparé à d'autres zones de l'île, et vous n'êtes pas très loin de Hat Rin.

**Lifestyle Bungalows** (☎ 08 5916 3852 ; bungalows 250-600 B ; ). Le propriétaire, tatoueur de profession, a doté chaque bungalow de ventil de son propre style. Ce groupe de huttes incarne l'essence même de Ko Pha-Ngan ; pas d'ineptie capitaliste ici, juste un panneau qui ordonne : "mangez, buvez et décompressez".

**Chokana** (☎ 0 7723 8085 ; bungalows 400-1 200 B ; ). Chokana est un immense ensemble de bungalows près de la plage. La pétillante propriétaire se préoccupe sincèrement de sa clientèle – les huttes fourmillent de touches personnelles comme des sculptures et des mosaïques, et il semble que tous les clients y reviennent.

**Coco Garden** (☎ 0 7737 7721, 08 6073 1147 ; www.cocogardens.com ; bungalows 500-1 000 B ; ). Meilleure adresse petits budgets de la côte sud, Coco Garden fait mieux que les autres grâce à sa propriété très bien tenue et à des bungalows d'une propreté d'un autre monde. Wi-Fi gratuit.

**Phangan Great Bay Resort** (☎ 0 7723 8659 ; fax 0 7723 8697 ; bungalows 1 250-2 000 B ; ). Choisissez une des chambres de motel aménagées dans une structure mauve, ou des bungalows confortables et plus éloignés aux couleurs criardes. La piscine a une forme improbable et la TV du restaurant projette des films.

**Milky Bay Resort** (☎ 0 7723 8566 ; www.milkybay.com ; bungalows 1 400-5 000 B ; ). Des murs blancs incrustés de pierres noires qui font penser à des vaches sillonnent le complexe et relient des bungalows spacieux, aux toits de chaume, à la mer. Très prisé par les familles, pourvu d'employés particulièrement professionnels, Milky Bay mériterait 10 sur 10 s'il n'y avait le prix exorbitant du menu du restaurant – qui sert cependant de la bonne cuisine…

### Ban Khai

Comme à Ban Tai, les plages ne sont pas les plus ravissantes, mais l'hébergement est bon marché et la vue du parc marin national d'Ang Thong, au loin, est superbe.

**Lee's Garden** (☎ 08 5916 3852 ; bungalows 250-600 B). Si Lee's Garden était une musique, ce serait sans doute une chanson de Bob Marley. Le massif de confortables huttes en bois renvoie au temps où Ko Pha-Ngan attirait des baroudeurs plus bruts qui ne se souciaient pas de la clim ou des douches.

**Boom's Cafe Bungalows** (☎ 0 7723 8318 ; www.boomscafe.com ; bungalows 300-1 000 B ; ). Séjourner à Boom's est comme visiter votre famille thaïlandaise cachée. Les chaleureux propriétaires prennent tendrement soin de leur propriété et raffolent de leur clientèle ravie. Personne ne semble se soucier de l'absence de piscine, puisque les vagues viennent jusqu'à votre seuil. Boom's est situé tout à l'est de Ban Kai, près de Hat Rin.

**Mac Bay** (☎ 0 7723 8443 ; bungalows 500-1 500 B ; ). Foyer de la fête Black Moon Party (autre prétexte lunaire pour se déchaîner à Ko Pha-Ngan), à Mac Bay même les bungalows les moins chers sont impeccables. À l'heure de la bière, repérez un coin ombragé sur la plage et regardez le soleil jeter des ombres dansantes sur les îles lointaines du parc marin national d'Ang Thong.

**Morning Star** (☎ 0 7737 7756 ; morningstarkpn@yahoo.com ; bungalows 1 190-2 490 B ; ). Cette collection de maisons de jungle en bois et en béton propose des intérieurs impeccables : certaines chambres ont des meubles très sophistiqués, d'autres exploitent plus subtilement le bois sombre. Une dizaine de sièges de plage en bois entourent l'adorable piscine en forme de haricot.

## PLAGES DE LA CÔTE OUEST

Depuis l'aménagement de 2 bonnes routes entre Thong Sala et Chalok Lam, la côte ouest s'est beaucoup développée. L'ambiance est un plaisant mélange entre l'isolement tranquille de la côte est et le côté social de Hat Rin, bien que les plages le long des rives ouest manquent du charme des autres zones de l'île.

### De Nai Wok à Srithanu

Près de Thong Sala, les complexes ponctuant cette zone se mêlent à des palétuviers noueux. Si les plages manquent d'attrait, les prix sont bas et les couchers du soleil mémorables.

**Cookies Bungalows** (☎ 0 7737 7499 ; cookies_bungalow@hotmail.com ; bungalows 300-1 000 B ; ). C'est la qualité du service qui distingue ce complexe de bungalows, bien qu'il s'agisse d'un assemblage basique de bambou, de chaume et de lattes en bois.

**Sea Scene** (☎ 0 7737 7516 ; www.seascene.com ; bungalows 500-1 700 B ; ). Des bungalows familiaux étalés au milieu de vieux palétuviers, places de choix pour contempler les couchers du soleil flamboyants sur le parc marin national d'Ang Thong.

**Grand Sea Resort** (☎ 0 7737 7777 ; www.grandsearesort.com ; bungalows 1 200-3 000 B ; ). Adresse idéale pour ceux qui cherchent un peu de sable près de Thong Sala, Grand Sea ressemble à un ensemble de "maisons des esprits" thaïlandaises.

### Hat Chaophao

Comme Hat Ya, cette plage incurvée est bordée de divers complexes de bungalows. Un lac s'étend à l'intérieur des terres au sud, et un 7-Eleven permet de satisfaire les fringales nocturnes.

**Sunset Cove** (☎ 0 7734 9211 ; www.thaisunsetcove.com ; bungalows 1 500-3 350 B ; ). Il règne comme une sensation de symétrie zen parmi l'assortiment de bungalows de charme ; les hauts bambous sont placés à intervalles réguliers le long des sentiers de galets qui serpentent au milieu des buissons et des rochers. Ceux du front de mer, aux fenêtres rectangulaires, sont particulièrement élégants.

**Pha-Ngan Paragon** (☎ 08 4728 6064 ; www.phanganparagon.com ; bungalows 2 500-13 000 B ; ). Minuscule refuge louant 7 chambres, Paragon propose une déco qui intègre des éléments anciens de styles khmer, indien et thaïlandais, sans abandonner les équipements modernes. Mention spéciale pour la "chambre royale" – apparemment, le lit à baldaquin vient du Caachemire.

### Hat Yao et Hat Son

L'une des plages les plus animées de la côte ouest, Hat Yao se prête à la baignade, et offre de nombreux complexes hôteliers et quelques aménagements bien commodes comme des DAB et des épiceries.

**Ibiza** (☎ 0 7734 9121 ; www.ibizabungalows.com ; bungalows 150-1 300 B ; ). Ibiza importe l'ambiance jeunes baroudeurs de Hat Rin jusqu'à Hat Yao. Les bungalows sans prétention sont moyens, mais le personnel accueillant, le joli jardin central et la modestie des prix séduisent les petits budgets.

**Tantawan Bungalow** (☎ 0 7734 9108 ; www.tantawanbungalow.com ; bungalows 450-550 B ; ). Le petit Tantawan est perché dans la jungle comme une maison dans un arbre, ce qui lui permet d'offrir une vue exceptionnelle depuis ses bungalows rudimentaires. Les clients peuvent plonger dans la piscine trapézoïdale ou profiter du lever du soleil depuis leur petit porche en bambou. N'oubliez pas de goûter les bons plats français et thaïlandais au restaurant.

**High Life** (☎ 077349114 ; www.highlifebungalow.com ; bungalows 500-2 000 B ; ). La vue sur l'océan depuis la piscine est absolument spectaculaire. Vingt-cinq bungalows de tailles et de formes variées se dressent sur un affleurement de granit planté de palmiers au-dessus de la mer bleue. La réservation coûte 200 B supplémentaires.

**Haad Son Resort** (☎ 0 7734 9104 ; www.haadson.info ; bungalows 1 000-8 000 B ; ). Le mot "complexe" a ici un double sens ; envisagez sérieusement d'imiter le Petit Poucet si vous voulez retrouver le chemin de votre chambre. Les plus chics ne valent pas leur prix, choisissez les moins chères ; elles sont simples mais permettent d'accéder à tous les équipements de ce vaste complexe.

**Haad Yao Bay View** (☎ 0 7734 9193 ; www.haadyao-bayviewresort.com ; ch et bungalows 2 000-5 000 B ; ). Rénové de frais, cet ensemble de bungalows et de chambres ressemble à un mirage tropical sur le promontoire nord de Hat Yao. Les vacanciers flânent autour de la grande piscine. D'autres profitent de leurs suites privées, dotées de parquets et de lits de repos en osier.

### Hat Salad

L'une des meilleures plages de l'île, Hat Salad propose un chapelet d'établissements de qualité à même le sable.

**Cookies Salad** (☎ 0 7734 9125, 08 3181 7125 ; www.cookies-phangan.com ; bungalows 1 500-3 000 B). Ce complexe au nom délicieux propose des bungalows de style balinais autour d'une grande piscine sur 2 niveaux, déclinant plusieurs nuances de bleu. Le chaume hirsute et le feuillage tropical dense lui donnent un caractère rustique, sans négliger pour autant le confort.

**Green Papaya** (☎ 0 7737 4182 ; www.greenpapayaresort.com ; bungalows 4 000-7 500 B ; ). Les bungalows de bois poli de Green Papaya se distinguent nettement sur l'adorable plage de Hat Salad, mais attendez-vous à une note salée.

### Ao Mae Hat

L'extrémité nord-ouest de l'île offre une vue superbe sur l'océan, et la petite Ko Ma est reliée à Ko Pha-Ngan par un étonnant banc de sable.

**Royal Orchid** (☎ 0 7737 4182 ; royal_orchid_maehaad@hotmail.com ; bungalows 300-800 B ; ). De beaux bungalows pour baroudeurs sont alignés le long d'un mince bassin – la plupart ont vue sur la plage sereine et l'idyllique banc de sable qui s'étend vers la pittoresque Ko Ma.

**Pha-Ngan Utopia Resort** (☎ 0 7737 4093 ; www.phanganutopia.com ; bungalows 1 500-3 000 B ; ). Les propriétaires ont réussi à créer une retraite dans la jungle, perchée au-dessus de la mer. Nos chambres préférées – les villas de 2 étages – sont à flanc de coteau et consacrent un étage entier à un très grand Jacuzzi.

SUD-OUEST DU GOLFE DE THAÏLANDE

### PLAGES DU NORD

De Chalok Lam à Thong Nai Pan, la spectaculaire côte nord est une jungle sauvage dotée de plusieurs belles plages isolées – c'est la rive la plus pittoresque de l'île.

#### Chalok Lam (Chaloklum) et Hat Khom

Le petit village de pêcheurs de Chalok Lam est unique en son genre à Ko Pha-Ngan. Cet ensemble de cabanes et de huttes en teck rappelle qu'il reste des lieux encore intouchés par la mondialisation. Des *sŏrng·tăa·ou* parcourent la route jusqu'à Thong Sala pour environ 100 B/personne. Un chemin de terre relie Chalok Lam et Hat Khom, et des bateaux-taxis sont aussi disponibles (50-100 B).

**Sarisa Place** (bungalows à partir de 250 B). Des coquillages psychédéliques pendent sur les porches de Sarisa, qui loue des bungalows peu chers (mais ternes) et mitoyens. Motos à la disposition des clients (essence non comprise).

**Fanta** (☎ 0 7737 4132 ; fantaphangan@yahoo.com ; bungalows 300-700 B). Ne pas confondre avec sa voisine Fantasea à côté. Fanta et ses bungalows à l'ancienne (chaume et bois) s'étendent tout à l'est de Chaloklum sur une grande étendue de sable.

**Coral Bay** (☎ 0 7737 4245 ; bungalows 150-600 B). Perchées sur un petit promontoire séparant Chaloklum de Hat Khom, des chambres tranquilles et assez classiques pour les baroudeurs, facilement accessibles par la route ou en bateau-taxi depuis le centre de Chaloklum.

**Mandalai** (☎ 0 7737 4316 ; www.mymandalai.com ; ch 2 750-5 600 B ; ). Semblable à un riad blanc d'une lointaine terre arabe, ce petit hôtel de charme surplombe tranquillement le bidonville de cabanes de pêcheurs alentour. Des portes-fenêtres donnent sur les bateaux couleur mandarine de la baie, et une petite piscine permet de barboter dans l'intimité du cloître.

#### Bottle Beach (Hat Khuat)

Cette dune isolée, à la réputation de discret refuge, est devenue assez populaire. En pleine saison, les hôtels font vite le plein, mieux vaut essayez d'arriver tôt. Prenez un bateau-taxi à Chalok Lam pour 50-120 B (selon le nombre de passagers).

**Bottle Beach II** (☎ 0 7744 5156 ; bungalows 350-400 B). À l'angle est de la plage, c'est là que les petits budgets réalisent leurs rêves de naufragés.

**Smile** (☎ 08 1956 3133 ; smilebeach@hotmail.com ; bungalows 400-700 B). À l'extrémité ouest de la plage, un assortiment de huttes en bois escaladent une colline boisée. Les bungalows sur 2 niveaux (700 B) sont nos préférés.

**Haad Khuad Resort** (☎ 0 7744 5153 ; www.geocities.com/haadkhuad_resort ; ch 1 800-2 200 B ; ). Bien plus cher que les autres établissements de Bottle Beach, ce petit hôtel pratique des tarifs pourtant justifiés. Les chambres sont incroyablement propres et dotées de portes-fenêtres donnant sur la baie azur.

#### Thong Nai Pan

Les baies de Thong Nai Pan sont tout incurvées ; Ao Thong Nai Pan Yai (*yai* signifie "grand") forme la moitié nord, et Ao Thong Nai Pan Noi (*noi* signifie "petit") une courbe juste au-dessous. Ces plages connaissent une popularité croissante depuis quelques années et constituent une alternative agréable au tapage de Hat Rin. Lisez p. 624 pour des informations sur les transports vers Thong Nai Pan.

**Dolphin** (bungalows 500-1 300 B ; ). La meilleure adresse de toute l'île. Cette retraite cachée permet aux yuppies de vivre à la dure en restant branchés, tout en profitant de son charme décontracté. Les tranquilles après-midi se passent au fond des confortables coussins, installés dans les petites pagodes disséminées dans la jungle. Pas de réservation.

**Havana** (☎ 0 7744 5162 ; www.phanganhavana.com ; ch 3 000-4 500 B, ste 7 000-8 000 B ; ). Les chambres de cet établissement, le plus récent de Thong Nai Pan, arborent des fresques inspirées par l'océan et sont aménagées en appartements autour d'une jolie piscine.

**Santhiya** (☎ 0 7723 8333 ; www.santhiya.com ; bungalows à partir de 10 000 B ; ). Un bel établissement, qui semble un peu déplacé sur cette petite sœur plutôt modeste de Ko Samui. Ko Pha-Ngan est plus coutumière des huttes en bambou que du service des femmes de chambre et de la décoration flamboyante d'inspiration siamoise.

### PLAGES DE L'EST

Cette côte est un paradis pour les Robinson Crusoé en herbe. La plupart du temps, il faut louer un bateau pour accéder à ces plages, mais des bateaux-taxis sont disponibles à Thong Sala et à Hat Rin. Il est même possible d'accéder à certaines de ces plages isolées en prenant le ferry reliant Thong Nai Pan et Mae Nam à Ko Samui (voir p. 624).

### Than Sadet et Thong Reng

Accessibles en 4x4 et en bateau-taxi coloré, les tranquilles Than Sadet et Thong Reng sont les secrets les mieux gardés de l'île pour les amoureux de la solitude.

**Treehouse** (treehouse.kp@googlemail.com ; bungalows à partir de 200 B). Le légendaire repaire de baroudeurs de Ko Chang (la grande Ko Chang) vient d'ouvrir une boutique le long des eaux tranquilles de Thong Reng. Suivez les plaisantes fleurs artificielles sur la colline de Than Sadet jusqu'à ces chambres très basiques aux peintures éclatantes.

**Plaa's** (☎ 0 7744 5191 ; bungalows 600 B ; 💻). Un village de bungalows bariolés sur le promontoire nord de Than Sadet, avec vue sur la baie. Le parfait endroit pour déguster une bière dans un cadre digne d'une publicité.

**Mai Pen Rai** (☎ 0 7744 5090 ; www.thansadet.com ; bungalows 600 B ; 💻). *Mai pen rai* est l'équivalent en thaï de "*don't worry, be happy*", ce qui n'a rien de surprenant vu que l'endroit n'arrache que des sourires de contentement. Les bungalows se mêlent à ceux de Plaa's sur le promontoire et arborent panneaux de paille et toits à pignons.

### Hat Thian

Géographiquement, Hat Thian est assez proche de Hat Rin ; cependant, il n'y a pas de routes et le chemin de randonnée rudimentaire est assez long et déroutant. Des taxis-ferrys partent d'Hat Rin pour environ 150 B.

**Beam Bungalows** (☎ 0 7927 2854, 08 6947 3205 ; bungalows 300-500 B). Beam est en retrait de la plage, niché derrière une palmeraie. Des hamacs pendent devant de charmantes huttes de bois, et les grandes baies laissent apercevoir l'océan derrière le rideau de palmiers.

**Sanctuary** (☎ 08 1271 3614 ; www.thesanctuarythailand.com ; dort 120 B, bungalows 400-3 800 B). Cette enclave chaleureuse invitant à la détente loue des logements luxueux et fait aussi office de retraite holistique, proposant cours de yoga, sessions détox et autres. Les chambres, éparpillées dans le complexe, épousent le cadre naturel.

### Hat Yuan

Hat Yuan n'est pas riche en bungalows et reste assez isolée, car aucune route ne relie cette petite plage à Hat Rin.

**Barcelona** (☎ 0 7737 5113 ; bungalows 200-600 B). De solides huttes de bois déclinant 2 teintes : bois naturel ou blanc crème. Juchées sur la colline et sur pilotis, derrière un jardin de palmiers, elles offrent une jolie vue et un personnel enjoué.

## Où se restaurer

Ko Pha-Ngan n'est pas une capitale gastronomique, d'autant que la plupart des touristes choisissent de se restaurer à leur hôtel. Les aventuriers peuvent essayer Thong Sala et la côte sud de l'île.

#### HAT RIN

On y trouve la plus grande concentration de bars et de restaurants de l'île, assez peu reluisants pour la plupart. Le célèbre Chicken Corner (carte p. 617) est un carrefour populaire où de nombreux revendeurs de volaille comblent vos petits creux à toute heure du jour et de la nuit.

**Mr K** (carte p. 617 ; ☎ 0 7737 5470 ; plats 50-80 B ; 🕑 24h/24). Notre adresse préférée du "Chicken Corner", Mr K reste ouvert toute la nuit. Des sitcoms niais sont diffusés à fond, et la bière est bon marché.

**Same Same Burger** (carte p. 617 ; ☎ 0 7737 5200 ; www.same-same.com ; burgers 180-230 B ; 🕑 déj et dîner). Les propriétaires sont les mêmes que ceux de l'hôtel du même nom, un établissement rouge vif qui ressemble étrangement au McDonald's.

**Lazy House** (carte p. 617 ; ☎ 0 7737 5432 ; plats 90-270 B ; 🕑 déj et dîner). La cuisine du propriétaire était si appréciée qu'il a décidé de transformer son appartement en restaurant et lieu de détente. Aujourd'hui, Lazy House est sans doute l'une des meilleures adresses de Hat Rin pour s'avachir devant un film en dégustant un hachis parmentier.

**Lucky Crab** (carte p. 617 ; plats 100-400 B ; 🕑 déj et dîner). La meilleure adresse de fruits de mer de Hat Rin. Des rangées de créatures fraîchement pêchées sont présentées tous les soirs sur des bateaux miniatures chargés de glace. Une fois votre proie choisie, prenez place au milieu des plantes et des jolis meubles de pierre.

#### PLAGES DU SUD

### Thong Sala

♥ **Marché de nuit** (plats 25-180 B ; 🕑 18h30-22h30). Mélange grisant de vapeur et d'habitants s'adonnant au grignotage, le marché de nuit de Thong Sala est un must pour les amateurs de culture locale et d'en-cas bon marché. L'étal le plus intéressant est dans l'angle complètement à droite, orné d'une grande bannière blanche. Adressez-vous au vendeur d'à côté qui vous proposera de savoureux produits de la mer, comme du vivaneau campèche sur un épais lit de nouilles. Crêpes à la banane et *smoothies* à profusion en dessert.

**Vantana Restaurant** (☎ 0 7723 8813 ; plats 80-150 B ; ⏲ petit-déj, déj et dîner). Étalé sur Soi Krung Thai Bank, Vantana propose une solide sélection de plats anglais. Le copieux Sunday Brunch (260 B) ravit les amateurs.

**Kaito** (☎ 0 7737 7738 ; plats à partir de 130 B ; ⏲ 15h-21h jeu-lun). Spécialisé en importations japonaises (pas de sushis, désolé !). Dégustez une Asahi pour accompagner votre salade d'algues piquantes et votre *tonkatsu* (côte de porc). À l'étage, des coussins moelleux vous attendent, et le principal espace de détente est pourvu de mangas et de romans de poche japonais.

**A's Coffee Shop & Restaurant** (☎ 0 7737 7226 ; plats 80-260 B ; ⏲ petit-déj, déj et dîner lun-sam). Sur Soi Krung Thai Bank, l'endroit idéal pour goûter de la cuisine de pub si vous êtes coincé en ville en attendant votre ferry.

**Pizza Chiara** (☎ 0 7737 7626 ; pizzas 180-320 B ; ⏲ déj et dîner). Nappes à carreaux à l'appui, Pizza Chiara ne propose que de la cuisine italienne. Choisissez la Pizza Cecco recouverte de prosciutto, salami, champignon et *cotto*.

**John's Bar & Bistro** (☎ 08 7345 5417 ; plats à partir de 195 B ; ⏲ déj et dîner). John, chef professionnel et expatrié anglais, sert de délicieux dîners au barbecue et des plats européens raffinés. Le mardi, c'est soirée quiz.

### Ban Tai et Ban Khai

Comme à Thong Sala, les restaurants de qualité ne manquent pas dans les petits villages de Ban Tai et de Ban Khai.

**Ando Loco** (☎ 08 6780 7200 ; plats à partir de 59 B ; ⏲ dîner). Ce restaurant mexicain extérieur ressemble à un vieux dessin animé d'Hanna Barbera, avec ses cactus en papier mâché. Après une gigantesque margarita, montrez vos talents sur le court de beach-volley.

**Somtum Inter** (☎ 0 7737 7334 ; plats 40-80 B ; ⏲ petit-déj, déj et dîner). Dans un grand pavillon ouvert à côté de Boat Ahoy (ce sont les mêmes propriétaires, voir ci-contre), Somtum annonce sa spécialité dans le nom du restaurant : salade de papaye épicée (*sôm·đam*). Le bœuf frit et croustillant est aussi un grand succès.

**Maew Hot Pan BBQ** (☎ 08 1970 4077 ; buffet 110 B ; ⏲ dîner). Cet établissement propose des plats à volonté et vous laisse les cuisiner vous-même : légumes et œufs de caille par exemple (très appréciés localement) au-dessus d'une marmite bouillonnante. Il est facile de rater Maew ; vous le trouverez côté océan sur la principale route de Ban Tai, près du 7-Eleven.

**Boat Ahoy** (☎ 0 7723 8759, 0 7737 7334 ; plats 100-180 B ; ⏲ petit-déj, déj et dîner). Complexe composé de pavillons en plein air enchâssés dans des lattes en acajou, Boat Ahoy vous propose une nuit entière de plaisir. Après avoir savouré moult plats asiatiques (la salade de bœuf et le poulet aux noix de cajou sont particulièrement délicieux), choisissez une boisson au bar en forme de bateau ou reformez les Spice Girls dans votre suite-karaoké privée.

### PLAGES DE LA CÔTE OUEST

**Tantawan** (☎ 0 7734 9108 ; Hat Son ; plats 60-200 B ; ⏲ déj et dîner). Cette charmante hutte en teck, nichée au milieu des feuilles, est ornée de lustres de coraux couleur pêche et de coquillages kaki. Les convives prennent place au milieu d'une mer de coussins géométriques pour savourer des plats d'inspiration française et thaïlandaise parmi les meilleurs de l'île.

**Absolute Island** (☎ 0 7734 9109 ; Hat Yao ; plats 60-250 B ; ⏲ petit-déj, déj et dîner). Certes son nom ressemble à une publicité pour une vodka suédoise, mais si le menu propose quelques classiques scandinaves, c'est une pure coïncidence. En fait, chaque voyageur y trouve un plat de son pays – le menu est si long qu'il faudrait un index.

## Où prendre un verre

Chaque mois, lorsque la lune est pleine, les pèlerins rendent hommage aux dieux de la fête en entrant en transe, en hurlant sauvagement, en dansant et à grand renfort de peinture phosphorescente. Les boissons se boivent par seaux, les jongleurs de feu illuminent la plage, et des foules de fêtards se réunissent sur la célèbre Sunrise Beach (Hat Rin Nok) pour s'éclater jusqu'à ce que le soleil chasse la lune.

D'autres lieux intéressants sont ouverts dans l'île pour les amateurs de fêtes plus tranquilles.

### HAT RIN

Hat Rin est au cœur de la légendaire fête de la pleine lune, et la région peut devenir assez tendue même sans l'influence de la lune. Les sites suivants flanquent la célèbre Sunrise Beach de Hat Rin du sud au nord :

**Rock** (carte p. 617 ; ☎ 0 7737 5244). Une très bonne vue de la fête.

**Club Paradise** (carte p. 617 ; ☎ 0 7737 5244). Paradise savoure son statut de créateur de la folie lunaire.

**Drop-In Bar** (carte p. 617 ; ☎ 0 7737 5374). Cette hutte consacrée à la danse joue les tubes que nous adorons tous secrètement. Toutes les soirées y sont tumultueuses.

**Zoom** (carte p. 617). Lieu de transe assourdissant.

**Vinyl** (carte p. 617). Plus grand que Zoom, Vinyl fait battre le rythme sur son épique sound system.

**Cactus Bar** (carte p. 617 ; ☎ 0 7737 5308). En plein centre de Hat Rin Nok, Cactus diffuse un sain mélange de vieux tubes, de hip-hop et de R&B.

**Da Club** (carte p. 617). Club tout nouveau où des rythmes trance font trembler les graffitis des murs.

**Orchid Club** (carte p. 617). Des basses et des percussions plutôt que la trance habituelle.

**Tommy** (carte p. 617 ; ☎ 0 7737 5215). L'un des plus grands clubs de Hat Rin attire les masses grâce à ses lumières noires et à sa musique trance à fond. Les boissons sont fournies au grand bar en forme d'arche.

**Mellow Mountain** (carte p. 617 ; ☎ 0 7737 5347). Aussi appelé "Mushy Mountain", ce lieu psychédélique se situe à l'extrémité nord de Hat Rin Nok et offre une excellente vue sur le chahut d'en bas.

Quelques repaires situés ailleurs à Hat Rin :

**Coral Bungalows Bar** (carte p. 617 ; ☎ 0 7737 5023). De retour sur Hat Rin Nai (Sunset Beach), les festivités autour de la piscine de Coral sont si bruyantes qu'elles pourraient bien éclipser les fêtes de la pleine lune.

**Backyard Club** (carte p. 617). Le Backyard Club sépare les faibles des forts – seuls les plus résistants participent à leurs after-Full Moon (fête de la pleine lune). Quand Hat Rin Nok ferme au milieu de la matinée, les "Mooners" survivants repartent pour un tour. Et chacun sait qu'il n'y a rien de mieux qu'une bière pour guérir une gueule de bois.

**Warm Up Bar** (carte p. 617 ; ☎ 08 9652 1778). Dansez au son des musiques des DJ ou faites une partie de billard – cet établissement où l'on peut s'asseoir, au cœur de Hat Rin, est l'endroit parfait pour… s'échauffer avant une longue nuit de folie.

### AUTRES PLAGES

**Eagle Pub** (☎ 08 4839 7143 ; Hat Yao). À l'extrémité sud de Hat Yao, cette cabane de vente de boissons aménagée en plein dans la roche est marquée par l'empreinte fluo de presque tous ceux qui sont tombés dans les pommes sur les fauteuils verts du patio après trop de caipirinhas.

### SOTS SEAUX

Vous aimez vous enivrer vite et bien ? Ko Pha-Ngan a inventé la mère de toutes les mixtures alcoolisées : le seau de Red Bull, qui contient du coca, du Red Bull (made in Thaïlande) et une pinte de vodka ou de Saeng Som (un whisky local). Cette concoction est mélangée sans cérémonie dans un seau en plastique et hérissée de paille pour que vous puissiez la partager avec vos amis. Ce mélange descend très, très facilement et, au bout de la nuit, transporte les buveurs dans un état second où tout mot de plus de 2 syllabes devient une épreuve de force.

**Amsterdam** (☎ 0 7723 8447 ; Ao Plaay Laem). Près de Hat Chaophao sur la côte ouest, Amsterdam attire touristes et habitants de toute l'île venus se détendre et regarder le coucher du soleil.

**Pirates Bar** (☎ 08 4728 6064 ; Hat Chaophao). Ce bar populaire et loufoque est une copie d'un bateau de pirates bâtie dans la falaise. Sur le pont, à marée haute (et après quelques verres), on se croirait presque en mer. Ce lieu accueille les fêtes bien organisées du Moon Set, 3 jours avant celles de la pleine lune.

**Sheesha Bar** (☎ 0 7737 4161 ; Chalok Lam). Antithèse de la crudité de Hat Rin, Sheesha Bar troque les seaux d'alcool contre des boissons de créateurs. Le séduisant patchwork de grès beige et de lames d'acajou horizontales va parfaitement bien avec le Mandalai Hotel en face (propriété de la même famille).

**Mason's Arms** (☎ 08 5884 7271 ; Thong Sala ; 🕑 10h30-23h30). Soudain, une structure branlante émerge des palmiers oscillants. C'est un cottage de style Tudor, arrivé directement de chez Shakespeare et atterri dans la jungle. Ce repaire n'est pas loin d'être une colonie britannique officielle.

## Depuis/vers Ko Pha-Ngan

Comme toujours, les tarifs et les horaires varient. Une mer agitée cause parfois l'annulation des ferrys entre octobre et décembre. Attention aux agences de voyages de Bangkok et de Surat Thani vendant de faux billets combinant bateau et train.

### BANGKOK, HUA HIN ET CHUMPHON

**Lomprayah** (www.lomprayah.com) et **Seatran Discovery** (www.seatrandiscovery.com) proposent des formules bus-bateau au départ de Bangkok en passant par Chumphon. Il est aussi assez simple de prendre le train de Bangkok à Chumphon et de prendre un ferry (pour le même genre de tarifs, au final). Pour des informations détaillées sur les trajets passant par Chumphon, voyez p. 588 ou p. 638. Les passagers à destination de Bangkok peuvent débarquer à Hua Hin.

#### KO SAMUI

On compte environ 10 départs quotidiens entre Ko Pha-Ngan et Ko Samui (200-350 B). Ces bateaux partent toute la journée de 7h à 16h et mettent entre 30 min et 1 heure. Tous partent soit de Thong Sala, soit de Hat Rin sur Ko Pha-Ngan et arrivent soit à Na Thon, Mae Nam, soit à la jetée de Bang Rak à Ko Samui. Si vous souhaitez un point d'arrivée particulier, indiquez-le en achetant votre billet.

Le *Haad Rin Queen* (200 B) fait la navette entre Hat Rin et Big Buddha Beach. Le ferry partant de la jetée de Mae Nam à Samui part à 12h et remonte la côte est de Ko Pha-Ngan, en s'arrêtant à Hat Thian, Than Sadet et Thong Nai Pan. Les bateaux dans l'autre sens quittent Thong Nai Pan à 9h.

Pas de car-ferrys entre Ko Pha-Ngan et Ko Samui, il faut revenir sur le continent et prendre un autre bateau.

#### KO TAO

Les ferrys Lomprayah et Seatran Discovery pour Ko Tao quittent Ko Pha-Ngan à 8h30 et 13h et arrivent à 9h45 et 14h15. Celui de Songserm quitte Ko Pha-Ngan à midi et arrive à 13h45. Notez que les horaires du ferry catamaran varient sans cesse et qu'il vaut mieux les vérifier auprès d'une agence de voyages.

#### SURAT THANI ET LA CÔTE D'ANDAMAN

Des billets combinant bateau et bus sont disponibles dans toutes les agences de voyages ; indiquez simplement votre destination et elles vous vendront les maillons manquants de la chaîne de vos transports. La plupart des voyageurs passent par Surat Thani en allant d'une côte à l'autre. On compte environ 6 départs quotidiens entre Ko Pha-Ngan et Surat Thani (220-350 B, 2 heures 30) avec Raja Car Ferry, Songserm ou Seatran. Ces bateaux partent de Thong Sala toute la journée de 7h à 20h. Tous les soirs, en fonction du temps, un bateau de nuit part de Surat à 23h. Les bateaux dans l'autre sens partent de Ko Pha-Ngan à 22h. Voyez le site du Backpackers Information Centre (p. 611) pour les horaires détaillés à destination d'Andaman.

### Comment circuler

Voyez p. 613 pour des informations importantes sur les dangers à moto dans l'île. Des motos sont à louer sur toute l'île, entre 150 et 250 B/j. Portez toujours un casque – c'est la loi sur Ko Pha-Ngan, et les policiers locaux commencent à la faire appliquer. Nous ne recommandons pas la location de vélo à moins d'être assez en forme pour défier Lance Armstrong. Comptez 1 000 B/j pour louer une voiture.

On ne peut accéder à certains sites, comme Bottle Beach et certaines parties de la côte est, qu'en bateau. Si vous trouvez des sentiers, sachez qu'ils sont souvent recouverts de végétation et qu'il ne vaut mieux pas les emprunter seul.

Les *sŏrng·tăa·ou* cheminent sur les principales routes de l'île et doublent leurs tarifs après le coucher du soleil. Renseignez-vous auprès de votre hôtel sur les transferts gratuits ou à tarif réduit en quittant l'île. Le trajet de Thong Sala à Hat Rin coûte 50 B ; les îles plus lointaines vous coûteront environ 100 B.

Des bateaux quittent Thong Sala, Chalok Lam et Hat Rin, vers toute une variété de destinations comme Hat Khuat (Bottle Beach) et Ao Thong Nai Pan. Attendez-vous à payer entre 50 B, pour un trajet court, et 300 B pour un voyage plus long. Vous pouvez louer un bateau privé de plage à plage pour environ 150 B le trajet de 15 minutes.



## KO TAO

เกาะเต่า

**5 000 habitants**

D'abord, il y eut Ko Samui, puis Ko Pha-Ngan. Maintenant, le culte de Ko Tao a émergé le long des eaux cristallines du golfe de Thaïlande. Aujourd'hui, des milliers de visiteurs viennent adorer les eaux turquoise du large, et souvent beaucoup choisissent de rester. Le secret de l'attrait de Ko Tao ? C'est très simple : malgré sa petite taille (21 km$^2$), Ko Tao propose de tout, pour tout le monde, sans jamais pratiquer la modération. Les enthousiastes de la plongée s'ébattent avec les requins et les raies au milieu des enchevêtrements de coraux luisants. Les randonneurs et les ermites peuvent rejouer un épisode de *Lost*

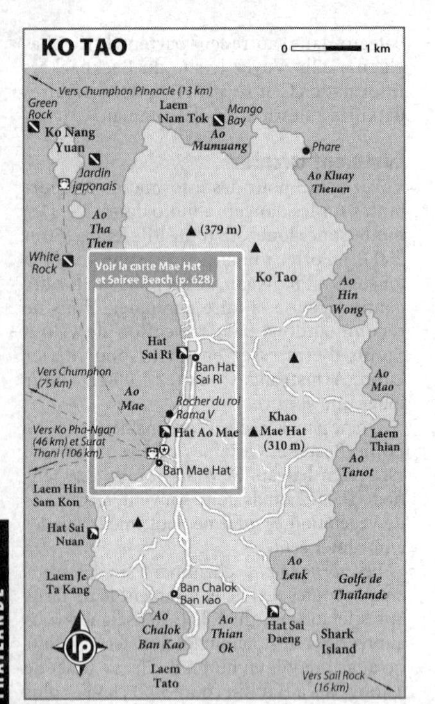


au cœur des jungles de la côte. Si la solitude vous pèse, vous pourrez vous réconforter grâce à l'animation bruyante des bars qui restent ouverts jusqu'à l'aube.

De nombreuses années se sont écoulées depuis que le premier baroudeur a posé son sac à dos dans cette île broussailleuse, mais ne vous en faites pas, l'espèce n'est pas éteinte. Ko Tao a de belles années devant elle avant de voir arriver les bulldozers qui en détruiront les cottages rustiques, et que les visiteurs ne discutent des cours de la Bourse plutôt que des créatures marines aperçues lors de leur dernière plongée.

## Orientation

Les ferrys accostent à Mae Hat, dans l'ouest de l'île. Cette ville balnéaire dispose de tous les équipements touristiques que l'on pourrait souhaiter : agences de voyages, hôtels, boutiques de plongée, restaurants, cybercafés et location de motos. Le plus grand village de l'île est Sairee Beach (aussi appelé Hat Sai Ri), à environ 2 km en amont de la côte. Les voyageurs y trouvent le même genre d'installations mais en plus grande quantité. Chalok Ban Kao, sur la côte sud boueuse, est le troisième centre de peuplement de l'île.

Les côtes est et nord de l'île sont assez peu développées par rapport à la vibrante côte ouest, avec seulement quelques complexes de bungalows dans chaque petite baie. Une route goudronnée relie la côte ouest à Tanote Bay ; mieux vaut utiliser un 4x4 pour parcourir tout autre route de la région.

Le seul site d'intérêt historique de l'île est un grand rocher portant les initiales du roi Rama V, et qui commémore sa visite royale en 1899.

## Renseignements

### ACCÈS INTERNET

Les prix tournent autour de 2 B/min, avec un minimum de 20 B, et des réductions pour les internautes connectés 1 heure ou plus. Vous constaterez que certains sites Internet touristiques utiles sont bloqués dans des cybercafés affiliés à des agences de voyages.

### AGENCES DE VOYAGES

Pas de bureau gouvernemental TAT sur Ko Tao. La réservation de transports et d'hébergement peut être effectuée auprès de l'une des nombreuses agences de voyages, qui prennent toutes une commission.

### ARGENT

En règle générale, chaque 7-Eleven de l'île dispose d'un DAB. Nous avons trouvé 5 DAB dans les docks des ferrys à Mae Hat. Un guichet de change opère à la jetée de Mae Hat et un autre près de Choppers à Sairee. Plusieurs banques sont installées près de la poste à Mae Hat, au bout de la ville sur la principale route intérieure de l'île.

### INTERNET (ACCÈS)

**Koh Tao Community** (www.kohtao-community.com). Forum proposant des renseignements d'ordre général sur les diverses activités de l'île.

**Koh Tao Online** (www.kohtaoonline.com). Version en ligne de la pratique brochure *Koh Tao Info*.

**Just Koh Tao** (www.justkohtao.com). Blog sur la plongée locale et la protection de l'environnement.

### LAVERIES

Après plusieurs plongées, vous voudrez sans doute laver votre maillot de bain. Presque tous les complexes de bungalows (et même quelques restaurants) proposent des services de laverie. Un kilo de linge devrait vous coûter autour de 30 B, parfois 40 B plus près de la plage. Demandez à votre professeur de plongée où il lave son linge, car certains articles se perdent, curieusement. Un service express est proposé pour 60 B/kg.

### MÉDIAS

L'omniprésente brochure *Koh Tao Info* décline la liste des entreprises et détaille l'histoire, la culture et la société de l'île. Le petit *Sabai Jai* est une nouvelle publication, consacrée aux voyages écologiques.

### POSTE

**Poste** (☎ 0 7745 6170 ; 🕑 9h-17h lun-ven, 9h-12h sam). À 10-15 min à pied de la jetée ; à l'angle de la principale route intérieure de Ko Tao et de Mae Hat Boulevard.

### SERVICES MÉDICAUX

Tous les plongeurs doivent signer une décharge avant d'explorer la grande bleue. Si une quelconque maladie est susceptible de gêner votre capacité à plonger (y compris un asthme léger), on vous demandera une autorisation médicale d'un médecin de Ko Tao. Prévoyez de voir un médecin avant de partir, car l'île n'a pas d'hôpital officiel et le nombre de médecins qualifiés est limité. Assurez-vous que votre assurance de voyage couvre la plongée.

**Bangkok Samui Hospital** (carte p. 628 ; ☎ 0 7742 9500 ; Hat Sai Ri ; 🕑 24h/24). Un service médical compétent derrière une vaste devanture vitrée.

**Diver Safety Support** (SSS Recompression Chamber Network ; carte p. 628 ; ☎ 0 7745 6572, 08 1083 0533 ; kohtao@sssnetwork.com ; Mae Hat ; 🕑 24h/24). Chambre hyperbare temporaire, service d'évacuation d'urgence.

### URGENCES

**Commissariat** (☎ 0 7745 6631). À l'extrémité nord de Mae Hat, près de la plage.

## Dangers et désagréments

Rien de plus ennuyeux que de renoncer à une expédition de plongée à cause d'une blessure au genou à la suite d'un accident de moto. Les routes de Ko Tao sont abominables, excepté l'artère principale reliant Sairee Beach à Chalok Ban Kao. S'il est fort pratique de louer une mobylette, ce n'est pas le bon endroit pour apprendre à conduire. L'île regorge de collines abruptes et de trous de sable sur des chemins de gravier. Même si vous échappez indemne à une expérience à deux roues, certaines boutiques de location de moto prétendront que vous avez abîmé le matériel pour tenter de vous extorquer une somme rondelette.

## À faire

### PLONGÉE

C'est votre première fois ? Ko Tao est le meilleur endroit pour cela. L'île émet plus de brevets que tout autre endroit au monde, ce qui signifie que les prix sont bas et la qualité élevée, car des dizaines de boutiques de plongée sont en compétition. Les baies peu profondes qui bordent l'île se prêtent parfaitement à un premier essai. À terre, plus de 40 centres de plongée attendent de vous équiper et de vous enseigner les ficelles de ce sport dans le cadre d'un cours Open Water de 3,5 jours. Certes, les devoirs de vacances, ce n'est pas très exaltant, mais la compétition farouche entre écoles de plongée signifie que les prix de la certification sont imbattables, tout comme la qualité.

Pas étonnant que ce terrain de jeux aquatique soit devenu exceptionnellement populaire auprès des débutants : les eaux sont transparentes, les récifs chatoyants et la température proche de celle de l'eau du bain. Les meilleurs sites de plongée sont autour des pics du large dans un rayon de 20 km autour de l'île (voir l'encadré p. 630), mais les plongeurs endurcis préféreront sans doute les magnifiques sites le long de la côte d'Andaman. La faune marine locale comprend mérous, murènes, cochers, barracudas, balistes, scalaires, poissons-clowns (Némo), raies mantas, requins et parfois un requin-baleine.

Les armées de rabatteurs qui attendent au débarcadère sur la jetée de Mae Hat tentent de vous amener à séjourner dans le centre qui les commissionne en vous promettant un tarif spécial. Comme il y a des dizaines de centres de plongée sur l'île, mieux vaut arriver avec les adresses de quelques bonnes écoles en tête. Si vous avez le temps, passez un ou deux jours à vous détendre sur l'île avant de vous décider – vous rencontrerez sûrement des foules d'instructeurs et de plongeurs qui vous conseilleront. Souvenez-vous que le succès de votre expérience (surtout si c'est la première fois) dépendra en grande partie de la confiance que vous accorderez à votre instructeur. Considérez aussi la taille du groupe, l'état de l'équipement et celui des sites où vous irez, etc.

En général, les tarifs de plongée sont standardisés dans toute l'île, il est donc inutile de passer son temps à la chasse aux meilleurs prix. Le brevet Open Water **PADI** (www.padi.com)

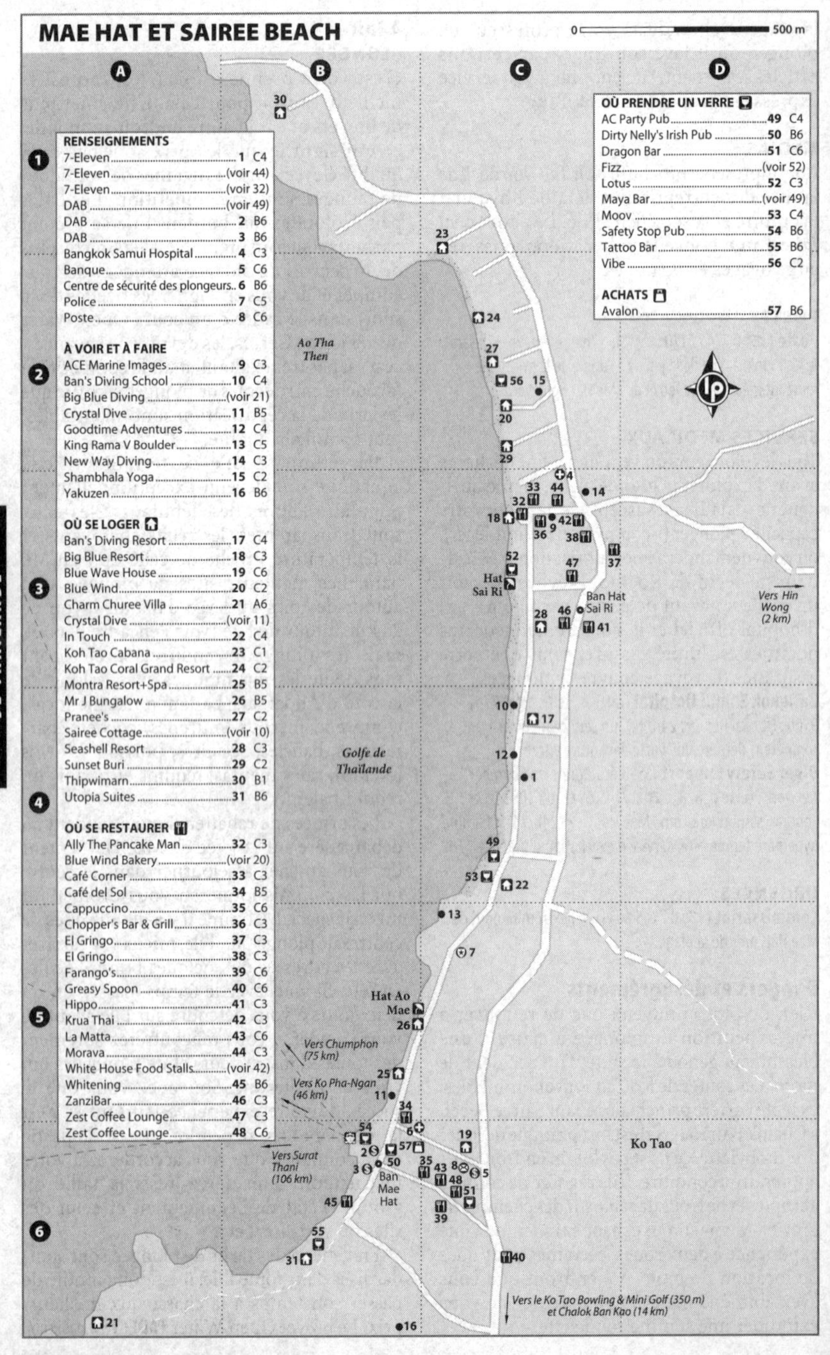


SUD-OUEST DU GOLFE DE THAÏLANDE

coûte 9 800 B ; celui de **SSI** (www.ssithailand.com) un peu moins, à 9 000 B, car vous ne payez pas l'équipement pédagogique. Un brevet Advanced vous coûtera 8 500 B, un brevet de sauvetage 9 500 B et le programme Divemaster la coquette somme de 25 000 B. Les plongées de loisir sont à 1 000 B la descente, ou 7 000 B les 10. Ces tarifs incluent le matériel, le bateau, les instructeurs et des en-cas. Apporter son propre équipement assure souvent une réduction. Attention aux centres de plongée proposant trop de rabais – la sécurité passe avant tout, et des centres offrant des tarifs trop alléchants font souvent des économies indues.

La plupart des écoles de plongée proposent des hébergements peu chers (voire gratuits). La fréquentation est au plus haut entre décembre et avril, ainsi qu'après chaque fête la pleine lune de Ko Pha-Ngan.

Les écoles de plongée suivantes figurent parmi les meilleurs opérateurs de l'île et soutiennent toutes l'initiative Save Koh Tao (voir p. 631).

**Ban's Diving School** (carte p. 628 ; ☎ 0 7745 6466 ; www.amazingkohtao.com ; Hat Sai Ri). Centre bien huilé en constante croissance, Ban's certifie plus de plongeurs chaque année que tout autre école au monde. Les cours sont dispensés en grands groupes, mais dans l'eau l'attention donnée à titre individuel est suffisante. Les instructeurs internationaux permettent à chacun d'apprendre dans sa langue. Le complexe qui y est rattaché (p. 632) est assez prisé des fêtards.

**Big Blue Diving** (carte p. 628 ; ☎ 0 7745 6415 ; 0 7745 6772 ; www.bigbluediving.com ; Hat Sai Ri). Ce centre de taille moyenne, ni trop petit ni trop grand, s'attire des louanges grâce à son ambiance sympathique et à sa qualité élevée. Les plongeurs de tout acabit peuvent se loger dans son complexe bon marché (p. 632).

**Buddha View** (☎ 0 7745 6074 ; www.buddhaview-diving.com ; Chalok Ban Kao). Autre grand centre de plongée de Ko Tao, Buddha View propose le programme habituel de certification, et des programmes spéciaux de plongée technique (au-delà de l'exploration de loisir). Hébergement à tarif réduit dans leur agréable complexe (p. 633).

**Crystal Dive** (☎ 0 7745 6107 ; www.crystaldive.com ; Mae Hat). Crystal remporte la palme de la qualité. C'est l'une des plus grandes écoles de l'île (et du monde), mais ses excellents instructeurs et ses cours à l'ambiance intime lui donnent une vraie personnalité. Personnel polyglotte, classes climatisées et piscine sur site couronnent le tout. Crystal propose des hébergements à Mae Hat et à Sairee (voir p. 633).

**New Heaven** (☎ 0 7745 6587 ; www.newheavendiveschool.com ; Chalok Ban Kao). Les propriétaires de ce petit centre de plongée consacrent beaucoup de temps à la protection des beautés naturelles des sites sous-marins de Ko Tao en contrôlant régulièrement les récifs et en contribuant aux efforts de restauration. Ils dirigent les initiatives écologiques Save Koh Tao Group. Un programme spécial de formation CPAD de plongeurs habilités à la recherche scientifique est proposé en sus des activités habituelles.

**New Way Diving** (carte p. 628 ; ☎ 0 7745 6527, 08 60440 0822 ; www.newwaydiving.com, www.scubadivingkohtao.com ; Hat Sai Ri). Cette minuscule école s'est fait une réputation en organisant de petits groupes de plongée dans une ambiance professionnelle. Leurs excursions de plongée matinale partent avant les plus grandes écoles, ce qui garantit des eaux plus tranquilles. Il n'est pas rare de participer à un dîner avec toute l'école le soir venu. Le gérant (né à Ko Tao) peut vous trouver une adresse d'hébergement à prix réduit non loin, et l'accès Internet gratuit sur l'ordinateur préhistorique de la boutique est en bonus.

### SNORKELING

Le snorkeling est une alternative populaire à la plongée, même s'il est dédaigné par les puristes. Vous trouverez aisément le moyen d'organiser votre propre aventure, car les baies de la côte comptent toutes des bungalows louant du matériel entre 100 et 200 B.

Presque tous les centres de plongée proposent des expéditions de snorkeling d'une journée sur mesure. Les prix varient entre 500 et 700 B (ce qui comprend en général le matériel, le déj et un guide/capitaine de bateau) et s'arrêtent dans divers bons sites autour de l'île. Laem Thian est prisé pour ses petits requins, à Shark Island les poissons grouillent (mais pas les requins, curieusement) ; Hin Wong est réputé pour la transparence de ses eaux et Light House Point, au nord, offre une multitude d'anémones aux couleurs vives.

### PLONGÉE TECHNIQUE

Les plongeurs endurcis peuvent contacter **Trident** (www.techthailand.com) s'ils veulent mener leurs explorations sous-marines au niveau supérieur et tenter une plongée technique. Selon la PADI, il s'agit de "plongée autre que la plongée commerciale ou de loisir conventionnelle, qui emmène le plongeur au-delà des limites de la plongée de divertissement". La plongée technique dépasse souvent les 40 m de fond, demande des paliers de décompression, et un mélange de gaz est souvent utilisé pour une seule plongée.

Au cours des dernières années, Trident s'est fait un nom dans la communauté des

**TOUR D'HORIZON DES SITES DE PLONGÉE**

- **Sail Rock** (profondeur maximale 34 m), près de Ko Pha-Ngan, se caractérise par une imposante cheminée de pierre dotée d'un passage vertical. Barracudas, thazards et parfois un requin-baleine font des apparitions.
- **Chumphon Pinnacle** (profondeur maximale 36 m), à 13 km à l'ouest de Ko Tao, offre une variété d'anémones colorées le long de ses 4 pics. Des bancs de carangues géantes, de thons et de gros requins des récifs fréquentent les parages. On note parfois l'apparition d'un requin-baleine.
- **Southwest Pinnacle** (profondeur maximale 33 m) offre aux plongeurs une petite collection de pics servant d'habitat à des mérous géants et à des barracudas. Requins-baleines et requins-léopards apparaissent parfois.
- **Green Rock** (profondeur maximale 25 m) est une jungle sous-marine pourvue de cavernes, de grottes et de petits passages, fréquentée par des raies, des mérous et des balistes. Fabuleux pour la plongée nocturne.
- **White Rock** (profondeur maximale 29 m) arbore des coraux bariolés, des scalaires, des poissons-clowns et des balistes. Encore un spot apprécié pour la plongée de nuit.
- **Japanese Gardens** (profondeur maximale 12 m), entre Ko Tao et Ko Nang Yuan, est un spot tranquille, idéal pour les débutants. Les coraux colorés abondent, et tortues, pastenagues et poissons-globes passent souvent par là.
- **Mango Bay** (profondeur maximale 16 m) pourrait être votre premier site si c'est votre première fois. Des poissons de récifs nagent paresseusement pendant que les débutants s'entraînent sur le sol sablonneux.



plongeurs après avoir localisé des dizaines d'épaves perdues dans le golfe de Thaïlande. Sa découverte la plus célèbre est celle du *Lagarto,* vaisseau américain qui sombra pendant la Seconde Guerre mondiale. Les eaux du golfe ont longtemps été une route maritime commerciale et des épaves ne cessent d'être découvertes, des vieux vestiges de poteries chinoises aux *marus* (bateaux marchands) japonais.

Faites une halte à Buddha View (p. 633) le samedi pour bénéficier d'une introduction à la plongée technique, ou bien plongez avec l'équipe du Trident le "mercredi des épaves".

**PHOTO ET VIDÉO SOUS-MARINES**

Si votre portefeuille est déjà plein de brevets PADI, arrêtez-vous à **ACE Marine Images** (carte p. 628 ; ☎ 0 7745 7054 ; www.acemarineimages.com ; Sairee Beach), l'un des principaux studios de prises de vue sous-marines thaïlandais. De nombreuses écoles de plongée louent les services de professionnels pour filmer les certifications Open Water, et si vous êtes intéressé vous pouvez vous inscrire au cours de photo ou vidéo sous-marine. Le cours interactif de 8 descentes (30 000 B) comprend un brevet de plongée indépendante et un cours particulier dans la salle de montage. Des stages y sont également proposés. Le personnel lance toute une variété de nouveaux projets, comme la recherche et le marquage des requins-baleines et un programme unique de photographie sur un an. Visitez leur site Internet pour en savoir plus ou rejoignez leur groupe sur Facebook.

**SPA**

Après l'effort, le réconfort (attention, un massage immédiatement après la plongée peut être dangereux, car cela fait circuler l'azote résiduel dans votre corps.) Si votre bungalow vous coûte plus de 2 500 B, vous avez sans doute accès à un spa sur place. Les voyageurs au budget restreint qui veulent se faire dorloter trouveront moult bonnes adresses.

**Jamahkiri Resort & Spa** (☎ 0 7745 6400/1 ; www.jamahkiri.com). Enveloppements à l'aloe vera (excellent pour les coups de soleil), massages et traitements du visage en haut d'un pic. Appelez pour qu'on vienne vous chercher gratuitement, ou passez à leur vitrine près de la jetée de Mae Hat.

**Charm Churee Villa** (carte p. 628 ; ☎ 0 7745 6393 ; www.charmchureevilla.com ; Mae Hat). Les suites de rajeunissement éclatent de mille décorations balinaises près du bord de l'eau, le long de rochers escarpés.

**Yakuzen** (☎ 0 7745 6229, 08 4837 3385 ; Mae Hat ; 🕐 17h-22h, fermé mer). Ces bains publics de style japonais à Mae Hat vous changeront, tout en offrant une forme unique de relaxation. La trempette de 60 min coûte 700 B.

### YOGA

**Shambhala** (carte p. 628 ; ☎ 08 4440 6755), le seul centre de yoga à plein-temps de Ko Tao, est logé dans de magnifiques *săh·lah* de bois dans le domaine boisé de Blue Wind (voir p. 632) à Sairee Beach. Le cours de 2 heures, dirigé par Kester, yogi énergique, est facturé 300 B.

### AUTRES ACTIVITÉS

Si la plupart des activités de Ko Tao tournent autour de la mer, l'équipe amicale de **Goodtime Adventures** (carte p. 628 ; ☎ 08 7275 3604 ; www.gtadventures.com ; Sairee Beach ; 🕐 midi-minuit) propose de nombreuses activités à pratiquer à terre. Découvrez à pied la jungle insulaire, balancez-vous de pierre en pierre lors d'une séance d'escalade et de rappel, ou déchaînez-vous en sautant de la falaise.

**Ko Tao Bowling & Mini Golf** (hors carte p. 628 ; ☎ 0 7745 6316 ; 🕐 midi-minuit), sur la route principale reliant Mae Hat à Chalok Ban Kao, compte plusieurs pistes artisanales où les employés remettent les quilles en place après chaque tir (300 B/h). Le minigolf de 18 trous décline le thème des grands monuments, et vous fait passer par Stonehenge ou le Golden Gate.

## Bénévolat

Le **Save Koh Tao Group** (☎ 0 7745 7045 ; www.marineconservationkohtao.com), dirigé par l'école de plongée New Heaven (p. 629), tente de préserver l'île au maximum en encourageant un tourisme responsable. Pas de programme de bénévolat structuré, mais il est facile de trouver des projets nécessitant un coup de main, à terre et en mer. Le plus grand projet de Save Koh Tao est le Biorock, récif artificiel construit derrière le promontoire à l'extrémité nord de Sairee Beach. Lisez l'encadré ci-contre pour en savoir plus.

**Secret Garden** (www.secretgarden-kohtao.com) propose des postes aux voyageurs intéressés par les programmes de protection et pédagogiques. Il s'agit de nettoyer les plages, de prévenir l'érosion et de protéger le milieu marin. Les anglophones peuvent aider en donnant des cours d'anglais aux enfants du coin, ou en donnant un coup de main dans le camp de vacances annuel. Contactez directement Secret Garden par leur site Internet pour en savoir plus sur le bénévolat.

### BIOROCK

Après le succès d'un petit projet pilote au large de la côte est de l'île, le Save Koh Tao Group (ci-dessous) a implanté le plus gros Biorock (récif artificiel) du golfe de Thaïlande dans la voie navigable entre Ko Tao et la petite île de Ko Nangyuan. Cet imposant treillis de fer que fait bourdonner le courant électrique attirant poissons et coraux mesure presque 1 km² et sert de site d'entraînement aux plongeurs néophytes.

Les nettoyages réguliers de la plage attirent un grand nombre de volontaires. Contactez Crystal Dive (p. 629) à Mae Hat, Big Blue (p. 629) à Sairee Beach, New Heaven (p. 629) à Chalok Ban Kao et Black Tip (p. 634) à Tanote Bay.

Voyez p. 50 et p. 54 pour plus de renseignements sur le bénévolat en Thaïlande.

## Où se loger

Si vous envisagez de plonger à Ko Tao, votre centre de plongée vous proposera sans doute une offre d'hébergement à prix réduit. Certaines écoles permettent de se loger sur place, d'autres ont passé des accords avec les bungalows voisins. Sachez que vous ne bénéficierez de cette réduction que les jours où vous plongerez. Si vous payez une formule de 10 descentes et que vous faites une pause au milieu, la réduction ne sera pas valable le soir. Examinez de près ces "super affaires" avant de signer, certaines ne tiennent pas debout. Une bonne nuit de sommeil est primordiale avant d'aller plonger.

Les hôtels n'ayant aucun rapport avec la plongée abondent aussi sur l'île. Les baies isolées de l'est de Ko Tao sont ponctuées de retraites remarquables qui offrent encore une vraie tranquillité, mais parfois difficilement accessibles vu l'état lamentable du réseau routier de l'île. Il est souvent possible d'appeler avant pour qu'on vienne vous chercher à la jetée.

### SAIREE BEACH (HAT SAI RI)

L'immense Sairee Beach, la plus longue plage de l'île et la plus développée, compte moult centres de plongée, bungalows, agences de voyages, supérettes et cybercafés. L'étroite route pavée de jaune s'étire tout le long de la plage (attention aux motos).

### Petits budgets

**Blue Wind** (carte p. 628 ; ☎ 0 7745 6116, 0 7745 6015 ; bluewind_wa@yahoo.com ; bungalows 300-900 B ; ❄). Caché au milieu d'une grappe de fabuleux hôtels, Blue Wind offre une bouffée d'air frais après les complexes de plongée à l'activité intense égrenés le long de Sairee Beach. De solides huttes en bambou ponctuent un chemin de terre derrière la boulangerie de la plage. De vastes cabanes carrelées et climatisées sont aussi proposées, avec douches chaudes et TV.

**Big Blue Resort** (carte p. 628 ; ☎ 0 7745 6050 ; www.bigbluediving.com ; ch 200-1 000 B ; ❄ 💻). Ce complexe centré sur la plongée a une ambiance de camp de vacances – les cours de plongée dominent la journée, et les soirées sont passées en groupe autour d'une table ou à regarder les jongleurs de feu. Les bungalows de base, avec ventil, et les chambres de style motel avec clim ont peu à offrir en matière de vue, mais qu'importe puisque l'océan n'attend que vous.

**In Touch** (carte p. 628 ; ☎ 0 7745 6514 ; bungalows 500-1 200 B). Les bungalows les plus anciens sont un assortiment de bambou et de bois sombre, tandis que les chambres avec clim déclinent le thème de la grotte. Bienvenue chez les Pierrafeu.

**Sairee Cottage** (carte p. 628 ; ☎ 0 7745 6126, 0 7745 6374 ; saireecottage@hotmail.com ; bungalows 400-1 500 B ; ❄). Difficile de manquer les bungalows climatisés déclinant un camaïeu de fuchsia. Les prix sont bas et les chambres libres assez rares – venez tôt pour obtenir l'une des huttes de brique devant la pelouse.

### Catégorie moyenne

**Pranee's** (carte p. 628 ; ☎ 0 7745 6080 ; bungalows 500-2 000 B). Des bungalows nets et peu chers, en bois et mur en rotin, ombragés par des cocotiers. Les nouveaux bungalows climatisés sont banalement bleus et blancs, mais certains sentent encore le neuf.

**Ban's Diving Resort** (carte p. 628 ; ☎ 0 7745 6466, 0 7745 6061 ; www.amazingkohtao.com ; ch 400-3 000 B ; ❄ 💻 🏊). Ce palais des plongeurs propose une gamme étendue de chambres de qualité, depuis les hébergements de routard de base jusqu'aux villas de luxe à flanc de colline. Les fêtes postplongée se déroulent sur sa superbe plage, ou au bord de l'une des 2 piscines aménagées dans l'étendue de jungle entre les deux structures à l'allure de motel. Les soirées se passent au bar, à goûter la cuisine internationale et à boire à "seaux".

**Seashell Resort** (carte p. 628 ; ☎ 0 7745 6299 ; www.seashell-resort.com ; bungalows 450-3 800 B ; ❄). Plusieurs bungalows ont des porches donnant sur la mer (rare à Sairee), d'autres sont aménagés dans un jardin bien entretenu à la végétation colorée et aux palmiers élancés. Plongeurs et non-plongeurs également bienvenus.

**Sunset Buri Resort** (carte p. 628 ; ☎ 0 7745 6266 ; bungalows 700-2 500 B ; ❄ 💻 🏊). Le long sentier vers la plage est parsemé de magnifiques bungalows blancs aux immenses fenêtres et aux toits flamboyants dignes de temples. La piscine a beaucoup de succès, ainsi que les fauteuils disséminés dans tout le complexe.

### Catégorie supérieure

**Ko Tao Cabana** (carte p. 628 ; ☎ 0 7745 6250 ; www.kohtaocabana.com ; bungalows 3 000-6 300 B ; ❄). Cette propriété de premier ordre en bord de plage propose ses villas en bois et des huttes d'adobe blanc. Un bric-à-brac original égaie les bungalows colorés – des gnomes de pierre vous toisent avec un sourire narquois pendant que vous prenez votre douche dans les sdb sans toit.

**Koh Tao Coral Grand Resort** (carte p. 628 ; ☎ 0 7745 6431 ; www.kohtaocoral.com ; bungalows 3 200-4 500 B ; ❄ 🏊). La pléthore de façades roses de cette adresse accueillant chaleureusement les familles évoque la maison de Barbie en Thaïlande. Les couleurs gaies rehaussées de poutres blanches dominent l'intérieur, et les chambres plus chères sont plus distinctement thaïlandaises, avec leurs moulures sombres laquées et leurs objets d'art dorés. Les clients sont invités à participer à une foule d'activités variées : pêche, randonnée, kayak, bateau, bien qu'il leur soit difficile de s'arracher au confort du complexe et de sa grande piscine près de la plage.

**Thipwimarn** (carte p. 628 ; ☎ 0 7745 6409 ; www.thipwimarnresort.com ; bungalows 3 100-4 900 B ; ❄ 🏊). Au nord de Sairee, Thipwimarn occupe une bande de terre isolée donnant sur la mer transparente. Un restaurant circulaire offrant une vue incroyable propose ses tables intimes au niveau du sol. Des bungalows attrayants parsèment le coteau au milieu des rochers et de la verdure. Les nombreuses marches vous permettront de rester en forme !

### MAE HAT (HAT AO MAE)

Tous les ferrys accostent à la jetée du village de Mae Hat, plein de vie. Les hébergements animés ne manquent pas dans le village, mais les adresses les plus charmantes s'étendent dans les deux directions le long de la plage de sable.

### Au nord de la jetée

**Mr J Bungalow** (☎ 0 7745 6066, 0 7745 6349 ; bungalows 250-1 000 B). Même si Mr J a essayé de nous facturer 50 B sa carte de visite, nous pensons qu'il vaut quand même la peine de séjourner chez lui. Le propriétaire excentrique embrouille le client dans un imbroglio philosophique tout en s'occupant de ses bungalows corrects. Parlez-lui de réincarnation si vous voulez entendre de bien curieuses conjectures.

**Crystal Dive** (☎ 0 7745 6107 ; www.crystaldive.com ; bungalows 800-1 500 B ; ). Les bungalows et l'hébergement de style motel sont réservés à ses plongeurs, et les prix baissent de façon significative si vous suivez leurs cours. Les résidents peuvent se rafraîchir dans la piscine lorsqu'elle ne déborde pas de plongeurs amateurs. Lors de notre passage, des chambres plus chics étaient en cours de construction.

**Blue Wave House** (☎ 0 7745 6287 ; ch 1 000/10 000 B nuit/mois ; ). Vous n'arrivez plus à vous arracher de l'ambiance plongée de Ko Tao ? Ces chambres très convenables au cœur de Mae Hat sont un bon choix pour une location au mois.

**Montra Resort & Spa** (☎ 0 7745 7057 ; www.kohtaomontra.com ; ch à partir de 3 500 B ; ). L'adresse la plus récente de Mae Hat est un établissement haut de gamme très moderne. Sa structure est assez imposante comparée aux humbles bungalows des complexes voisins.

### Au sud de la jetée

**Utopia Suites** (☎ 0 7745 6729, 0 7745 6672 ; ch/ste à partir de 600/200 B, à partir de 20 000 B/mois). Des appartements près du charmant village de pêche, à quelques pas de la jetée. À proximité de la plage, elles sont parfaites pour les familles et les petits groupes. Renseignez-vous sur les réductions long séjour.

**Charm Churee Villa** (☎ 0 7745 6393 ; www.charmchureevilla.com ; bungalows 3 200-12 200 B ; ). Tranquillement nichées sous de hauts palmiers, les luxuriantes villas de Charm Churee cultivent le thème de l'Extrême-Orient. Des demi-dieux dorés prennent la pose, leurs yeux incrustés de pierreries figés dans une transe zen. Des escaliers sculptés dans la façade rocheuse dévalent une pente semée de palmiers révélant des huttes en teck au milieu des rochers. Des villas, on peut admirer l'indigo de la mer.

Les adresses suivantes sont situées plus au sud et sont rapidement accessibles en bateau-taxi.

**Sai Thong Resort** (☎ 0 7745 6868 ; www.saithong-resort.com ; bungalows 300-2 500 B ; ). Alors que l'agitation de Mae Hat décroît le long de la rive sud-ouest de l'île, Sai Thong émerge sur le sable de Hat Sai Nuan. Des bungalows déclinant tissage et bois arborent des hamacs bariolés sur leurs porches, avec vue sur les palmiers. Les clients fréquentent la terrasse décontractée du restaurant, qu'apprécient aussi beaucoup les habitants.

**Tao Thong Villa** (☎ 0 7745 6078 ; bungalows à partir de 500 B). Très appréciés par les vacanciers longue durée recherchant paix et tranquillité, ces agréables bungalows sans prétention ont une vue magnifique. Tao Thong chevauche 2 minuscules plages sur un cap escarpé à mi-chemin de Mae Hat et de Chalok Ban Kao. Les lieux de baignade voisins sont parfaits pour un après-midi en ermite.

## CHALOK BAN KAO

Ao Chalok Ban Kao, à 1,7 km au sud de Mae Hat par la route, est la troisième plus grande concentration d'hôtels sur Ko Tao. Sa plage, bien plus petite qu'à Sairee et à Mae Hat, peut paraître plus bondée et s'avère boueuse à marée basse.

### Petits budgets

**Buddha View Dive Resort** (☎ 0 7745 6074 ; www.buddhaview-diving.com ; ch 300-1 500 B ; ). À l'image des autres grands centres de plongée de l'île, Buddha View loue à ses plongeurs des chambres à prix réduit dans une ambiance très sympathique. Si vous comptez rester un peu, renseignez-vous sur le "Village de plongeurs" en face, qui propose un hébergement rudimentaire pour environ 4 000 B/mois.

**Tropicana** (☎ 0 7745 6167 ; www.koh-tao-tropicana-resort.com ; ch à partir de 400 B). Des chambres petits budgets de qualité, disséminées dans un jardin où l'océan apparaît parfois entre les palmiers.

**JP Resort** (☎ 0 7745 6099 ; bungalows 400-700 B). Cette adresse bon marché promet un assortiment coloré de chambres très correctes posées sur un petit morceau de jungle en face de la mer. Les chambres ensoleillées ont des linos pastel, et beaucoup des sdb carrelées ont été rénovées récemment.

**Freedom Beach** (☎ 0 7745 6596 ; bungalows 400-1 500 B). Placé sur sa petite plage isolée à l'extrémité est d'Ao Chalok Ban Kao, Freedom est un repaire classique de baroudeurs, proposant des chambres pour toutes sortes de petits budgets. Le chapelet de bungalows (des cabanes en bois aux huttes plus solides avec clim) relie le bar au bord de l'eau au restaurant juché sur la falaise.

### Catégories moyenne et supérieure

**New Heaven Resort** (☎ 0 7745 6422 ; newheavenresort@yahoo.co.th ; ch et bungalows 1 200-3 900 B). Juste après le fouillis d'Ao Chalok Ban Kao, New Heaven loue des huttes colorées perchées au-dessus d'une eau incroyablement transparente. Un sentier abrupt de pierres ciselées dévale la façade rocheuse, révélant une vue splendide.

**Ko Tao Resort** (☎ 0 7745 6133 ; www.kotaoresort.com ; ch et bungalows 1 600-3 000 B ; ). L'entrée renvoie à une époque où goût et architecture ne se rencontraient pas forcément (les années 1970 peut-être ?), ce qui ne nuit en rien à la qualité du complexe. Les chambres sont bien équipées, on vous y propose du matériel pour les sports nautiques, et plusieurs bars rivalisent d'imagination pour offrir des cocktails de fruits.

**Chintakiri Resort** (☎ 0 7745 6133 ; www.chintakiri.com ; ch et bungalows 2 900-4 000 B ; ). Haut perché au-dessus des eaux du golfe donnant sur Chalok Ban Kao, Chintakiri (au nom curieusement semblable à celui de la très bonne adresse Jamahkiri) est la dernière adresse de luxe de Ko Tao. Les chambres sont disséminées dans la jungle de l'île et arborent des murs blancs aux ornements de laque.

SUD-OUEST DU GOLFE DE THAÏLANDE

## PLAGES DE LA CÔTE EST

Sereine, la côte est constitue sans aucun doute le meilleur endroit de la région pour vivre vos fantasmes d'île paradisiaque. La vue est époustouflante, les plages silencieuses, et tous les équipements modernes ne sont qu'à 10 min de là. Nous détaillons les hébergements du nord au sud.

### Hin Wong

Pas de plage de sable mais une côte parsemée de rochers, à l'eau parfaitement transparente. La route de Hin Wong est en partie goudronnée, mais nids-de-poule et côtes raides peuvent vous faire tomber de votre moto.

**Hin Wong Bungalows** (☎ 0 7745 6006, 08 1229 4810 ; bungalows à partir de 300 B). D'agréables huttes en bois sont disséminées dans de grandes étendues de terrain tropical sauvage. Le dock branlant qui fait saillie derrière le restaurant aéré est l'endroit idéal pour s'asseoir au bord de l'eau et regarder les bancs de sardines glisser dans les eaux bleues.

**View Rock** (☎ 0 7745 6548/9 ; viewrock@hotmail.com ; bungalows 300-400 B). En descendant la route de terre jusqu'à Hin Wong, suivez les panneaux qui vous mènent au nord (à gauche) de Hin Wong Bungalows. Le fatras de huttes en bois, qui ressemble à un village de pêcheurs isolé, est bâti sur des rochers escarpés et offre une vue époustouflante sur la baie.

### Laem Thian

Laem Thian est un cap panoramique pourvu d'une petite étendue de sable.

**Laem Thian** (☎ 0 7745 6477 ; ch et bungalows 400-1 500 B ; ). Niché loin de la civilisation sur une luxuriante étendue de jungle, ce petit complexe ponctué de rochers est le seul de Laem Thian. Les chambres modernes sont généralement mieux que les bungalows, tant que les vilaines façades ne vous gênent pas. La route est très mauvaise, demandez qu'on vienne vous chercher.

### Tanote Bay (Ao Tanot)

Bien qu'un peu plus peuplée que certaines autres criques de l'est, Tanote Bay est tranquille et pittoresque. C'est la seule baie de la côte accessible par une route goudronnée. Des taxis à prix réduits (80-100 B) font l'aller-retour entre Tanote Bay et Mae Hat ; renseignez-vous à votre hôtel pour connaître les horaires et les prix.

**Poseidon** (☎ 0 7745 6735 ; poseidonkohtao@hotmail.com ; bungalows à partir de 300 B). Poseidon préserve la tradition du bungalow de bambou pas cher, avec sa dizaine de huttes rudimentaires mais correctes éparpillées sur le sable.

**Bamboo Huts** (☎ 0 7745 6531 ; bungalows 300-500 B). Perchées sur des rochers difformes au centre de Tanote Bay, des huttes destinées aux petits budgets. Le restaurant à l'ambiance sympathique propose des plats thaïlandais et occidentaux.

**Diamond Beach** (☎ 0 7745 6591 ; bungalows 300-1 100 B ; ). Les huttes de Diamond sont directement placées sur le sable de Tanote. Plusieurs types de bungalows, notamment en forme de A pour les budgets les plus serrés.

**Black Tip Dive Resort** (☎ 0 7745 6488 ; www.blacktip-kohtao.com ; bungalows 600-2 800 B ; ). Boutique de plongée et centre de sports nautiques, Black Tip propose aussi une poignée d'adorables bungalows de bois au toit de chaume. Le centre de plongée est abrité dans une structure loufoque faite d'adobe blanc et de saillies géométriques bizarres. Les résidents bénéficient d'une réduction de 50% quand ils prennent un cours de plongée et les "plongeurs de loisir" d'une réduction de 25%.

### Ao Leuk et Ao Thian Ok

Les routes de terre menant à Ao Leuk et à Ao Thian Ok sont raides, cahoteuses et pleines d'ornières, surtout sur la fin ; ne l'empruntez pas à moto si vous n'êtes pas un expert. Les deux baies sont superbes et sereines.

**Ao Leuk Bungalows** (☎ 0 7745 6692 ; bungalows 400-1 500 B). Des chambres de formes et de tailles différentes, des huttes pour baroudeurs fauchés jusqu'aux options familiales modernes. Torches tremblotantes et curieuses cigales créent l'ambiance des soirées d'un noir d'encre.

**Jamahkiri Resort & Spa** (☎ 0 7745 6400 ; www.jamahkiri.com ; bungalows 6 900-13 900 B). Le décor flamboyant de ce domaine blanchi à la chaux est concentré sur une imagerie ethnique. Des masques de bois et des déesses de la fertilité abondent au milieu des jolies mosaïques et des statues à plusieurs bras. Les cris sauvages de singes dans le lointain confirment le thème de la jungle, tout comme les toits de chaume et les soirées à la torche. Le nombre apparemment infini d'escaliers de pierre peut être douloureux, mais, heureusement, le plus luxueux spa de Ko Tao est aménagé sur place (p. 630).

### CÔTE NORD

Cette baie rocheuse isolée dispose d'un hôtel dans un cadre spectaculaire de lianes entrelacées et de rochers.

**Mango Bay Grand Resort** (☎ 0 7745 6097 ; www.mangobaygrandresortkohtaothailand.com ; bungalows 1 400-3 000 B ; ❄). De vastes bungalows d'acajou haut perchés sur pilotis, au-dessus des rochers cendreux qui bordent la baie. Un fin entrelacs de sentiers bordés de mosaïques sinue dans la broussaille tropicale et relie chaque villa isolée.

### KO NANG YUAN

Très photogénique, Ko Nang Yuan, juste au large de la côte de Ko Tao, est facilement accessible avec le catamaran de Lomprayah, et en bateau-taxi au départ de Mae Hat et de Sairee.

**Ko Nangyuan Dive Resort** (☎ 0 7745 6088, 0 7745 6093 ; www.nangyuan.com ; bungalows 1 500-7 000 B ; ❄). Bien que la taxe obligatoire de 1 000 B pour accéder à l'île fasse un peu reculer (tout comme les 100 B de bateau-taxi dans chaque sens), Nangyuan Dive Resort est néanmoins un lieu charmant. Les bungalows de bois et d'aluminium sont disposés dans 3 îles coniques reliées par un banc de sable idyllique. Le complexe possède aussi le meilleur restaurant de l'île, rien d'étonnant puisque c'est le seul…

## Où se restaurer

Avec l'immense Samui à l'horizon, difficile de croire que la pittoresque et petite Ko Tao soit une rivale valable en termes de gastronomie. La plupart des complexes proposent un restaurant, et les établissements indépendants se multiplient à grande vitesse à Sairee Beach et à Mae Hat. La population variée de plongeurs a suscité l'émergence d'une grande variété de cuisine internationale, notamment mexicaine, française, italienne et japonaise. En recherchant la meilleure cuisine thaïlandaise de l'île, nous avons découvert que nos plats préférés étaient concoctés dans de petits restaurants sans nom sur le bord de la route.

### SAIREE BEACH (HAT SAI RI)

Sairee Beach est la capitale gastronomique officieuse de Tao, qui décline un assortiment impressionnant de saveurs internationales. Ouvrez l'œil pour repérer les chariots de nourriture qui vendent dans tout le village du thé et des douceurs. Arrêtez-vous au 7-Eleven à côté de Big Blue Resort pour regarder danser Ally the Pancake Man (carte p. 628), tel un chef italien élaborant ses pizzas, en préparant votre délicieux dessert. Il est devenu une légende locale et apparaît même sur YouTube.

**White House Food Stalls** (carte p. 628 ; plats 30-70 B ; 🕓 déj et dîner). En face d'une humble maison blanche au milieu de l'agitation de Sairee, ces étals métalliques proposent d'incroyables *sôm·đam* et des mets au barbecue à une foule d'habitants affamés.

**Café Corner** (carte p. 628 ; plats 30-100 B ; 🕓 petit-déj et déj). Des pains au chocolat comme dans l'Hexagone. Les clients savourent leurs desserts à des comptoirs en inox en regardant des films sur un écran plasma. Venez à 17h pour faire le plein pour le petit-déj du lendemain ; deux délicieux pains pour le prix d'un avant le coucher du soleil.

**Blue Wind Bakery** (carte p. 628 ; ☎ 0 7745 6116 ; plats 50-120 B ; 🕓 petit-déj, déj et dîner). Cette cabane près de la plage prépare des spécialités thaïlandaises, des plats occidentaux et des jus de fruits frais. Dégustez votre *smoothie* et une pâtisserie installé sur des coussins triangulaires.

**Krua Thai** (carte p. 628 ; ☎ 08 7892 9970 ; plats 50-120 B ; déj et dîner). Apprécié des touristes qui veulent leurs plats "épicés *fa·ràng*" plutôt qu'épicés à la thaïlandaise, Krua Thai mitonne un vaste assortiment de classiques servis dans un local bien tenu.

**El Gringo** (carte p. 628 ; ☎ 0 7745 6323 ; plats 80-150 B ; petit-déj, déj et dîner). Ce restaurant mexicain autoproclamé "funky" sert des burritos d'une authenticité douteuse à deux endroits de Sairee Beach et à Mae Hat.

**Chopper's Bar & Grill** (carte p. 628 ; ☎ 0 7745 6641 ; plats 60-200 B ; petit-déj, déj et dîner). L'endroit idéal pour faire le plein de bière, Chopper's propose musique live, sport sur grand écran, billard et une salle de TV plus chic à l'étage. Le vendredi soir est particulièrement populaire ; 2 boissons pour le prix d'une et les plats à moitié prix. Les cris de joie lors des buts se mêlent aux conversations sur les créatures aperçues lors des plongées de la journée.

**ZanziBar** (carte p. 628 ; ☎ 0 7745 6452 ; sandwichs 90-140 B ; petit-déj, déj et dîner). L'avant-poste des sandwichs branchés de l'île étale un mélange de condiments imprononçables entre 2 tranches de pain complet.

**Hippo** (carte p. 628 ; ☎ 0 7745 6021 ; plats 80-300 B ; petit-déj, déj et dîner). Établissement recommandé qui propose des steaks grillés, des *fish and chips* (les meilleurs de l'île !), des burgers et des omelettes.

**Morava** (carte p. 628 ; ☎ 0 7745 6270 ; plats 200-350 B ; petit-déj, déj et dîner). Cette folie de Sairee dépasse ses rivaux avec son décor lisse et ses plats élégants. Le menu récemment perfectionné offre de délicieux plats comme de l'agneau tendre et des sashimis tout juste sortis de la mer.

### MAE HAT (HAT AO MAE)

**Cappuccino** (carte p. 628 ; ☎ 08 7896 8838 ; plats 30-90 B ; petit-déj et déj). Le décor de Cappuccino hésite entre traiteur new-yorkais et brasserie à la française – parfait pour un café-croissant avant votre ferry.

**Zest Coffee Lounge** (carte p. 628 ; ☎ 0 7745 6178 ; plats 70-190 B ; petit-déj et déj). Café de rue pour grignoter ou siroter jusqu'au crépuscule. Un autre est ouvert à Sairee.

**Whitening** (carte p. 628 ; ☎ 0 7745 6199 ; plats 90-160 B ; dîner). Ce lieu sur le sable est entre le restaurant et le bar – les gastronomes apprécieront la touche de modernisme apportée aux plats autochtones et les amateurs de bière aimeront l'ambiance plage et la musique douce. Le menu est multiculturel, mais vous feriez bien de vous en tenir au phénoménal assortiment de plats thaïlandais comme les crevettes à l'ail ou le curry rouge au canard.

**Greasy Spoon** (carte p. 628 ; ☎ 08 6272 1499 ; english breakfast 120 B ; 7h-18h). Bien que complètement dénué de personnalité, cet établissement propose des petits-déj copieux – œufs, saucisses, frites et légumes.

**La Matta** (carte p. 628 ; ☎ 0 7745 6517 ; plats 80-230 B ; déj et dîner). Une rivalité ancienne oppose La Matta et Farango (voir ci-dessous). Les deux servent une cuisine italienne "authentique" et sont quasi installés l'un sur l'autre. Nous sommes des fans de Farango, mais il faut admettre qu'il est dur de les distinguer.

**Farango's** (☎ 0 7745 6205 ; plats 80-230 B ; déj et dîner). Le premier restaurant *fa·ràng* de Ko Tao sert de savoureux plats italiens, au grand dam de La Matta (voir ci-dessus). L'ambiance enjouée est rehaussée par le jaune ambiant et les affiches d'inspiration espagnole de matadors flamboyants.

**Café del Sol** (☎ 0 7745 6578 ; plats 70-250 B ; petit-déj, déj et dîner). Même les plus difficiles trouveront leur bonheur dans cette immense sélection des "cuisines du monde". Le thème est surtout européen (français et italien) avec des spécialités comme le pâté maison, des bruschettas et des steaks tendres importés de Nouvelle-Zélande. Wi-Fi gratuit.

### CHALOK BAN KAO

**Tukta Thai Food** (☎ 0 7745 6109 ; plats 40-180 B ; petit-déj, déj et dîner). Sur la route principale qui entre dans Chalok Ban Kao, une adresse solide de spécialités thaïlandaises.

**New Heaven Restaurant** (☎ 0 7745 6462 ; plats 60-350 B ; déj et dîner). Le meilleur atout de New Heaven Restaurant est l'incroyable vue de Shark Bay (Ao Thian Ok) sous la lune paresseuse de l'après-midi. Les eaux turquoise sont si translucides que la courbe du récif est visible de votre siège. Le menu est très international et des coussins moelleux attendent sous chaque table basse.

## Où prendre un verre

Après la plongée, le passe-temps favori à Ko Tao est la boisson, et les lieux où s'y adonner ne manquent pas. Des prospectus détaillant les fêtes à venir sont affichés sur divers arbres et murs de la côte ouest (voyez les deux 7-Eleven de Sairee). Guettez les affiches annonçant des "*jungle parties*" qui se tiennent dans des zones de jungle quelconques au centre de l'île. Les marées jouent aussi un rôle dans la vie nocturne de l'île. À marée haute, les soirées sont moins déchaînées sur Sairee Beach par manque de place. Si vous recherchez quelque chose de plus structuré, rejoignez Goodtime Adventures (p. 631) pour une soirée pub ou bière.

Souvenez-vous de ne jamais mélanger alcool et plongée.

### SAIREE BEACH (HAT SAI RI)

**Fizz** (carte p. 628 ; ☎ 08 7887 9495). Étendez-vous sur des coussins blancs et verts et savourez des cocktails créatifs tout en écoutant Moby ou Enya, mêlés au son hypnotique de la marée. Restez dîner – le steak de thon (200 B) est remarquable.

**Lotus** (carte p. 628 ; ☎ 0 7745 6358). Bar à côté de Fizz, lieu de réjouissances nocturnes côté nord de Sairee. Des jongleurs de feu pratiquent leur art, et les boissons sont démesurément grandes.

**Vibe** (carte p. 628). Lieu privilégié pour un verre au coucher du soleil à Sairee, Vibe compte la plus grande (et la meilleure) carte de tous les bars de l'île.

Regroupés au sud de Sairee Beach, ces lieux de divertissement nocturne prennent leur tour pour distraire les fêtards tout au long de la semaine :

**Moov** (carte p. 628 ; ☎ 08 4849 6648 ; www.moov-kohtao.com). Le plus récent, et actuellement le plus populaire. Regardez leur site pour le détail des fêtes.

**AC Party Pub** (carte p. 628 ; ☎ 0 7745 6197). La fête bat son plein le mardi et le jeudi.

**Maya Bar** (carte p. 628 ; ☎ 0 7745 6195). S'anime le lundi et le vendredi.

### MAE HAT (AO HAT MAE)

**Dirty Nelly's Irish Pub** (carte p. 628 ; ☎ 0 7745 6569). Comme son nom l'indique, c'est un pub irlandais ; la bière, le gérant – tout vient directement de là-bas (sauf le climat).

**Tattoo Bar** (carte p. 628 ; ☎ 08 9291 9416). Établissement informel au cœur du petit village de pêcheurs de Mae Hat, sympathique pour une bière et un burger (150 B).

**Dragon Bar** (carte p. 628 ; ☎ 0 7745 6423). Ce bar satisfait ceux qui cherchent un cadre qui en jette. Le style est "communiste-chic" et tout est tamisé, tranquille et détendu. On dit que le Dragon Bar propose les meilleurs cocktails de l'île – essayez l'espresso martini, le dernier cri.

**Safety Stop Pub** (☎ 0 7745 6209). Paradis des Britanniques nostalgiques, ce pub près de la jetée ressemble à un *beer garden* tropical. Arrêtez-vous le dimanche pour le délicieux barbecue. Wi-Fi.

> **JARGON AQUATIQUE**
>
> Vu le nombre constant de visiteurs de tous les pays, l'anglais est parlé à peu près partout. Cependant, les habitants de cette île de plongeurs incorporent régulièrement des signes de plongée dans la conversation – surtout dans les bars.
>
> Voici quelques gestes de base :
>
> - **Je suis OK** – Serrez le poing et tapez-vous deux fois sur la tête.
> - **Cool** – Formez un O avec l'index et le pouce.
> - **J'ai fini/je suis prêt à partir** – Raidissez votre main comme pour faire du karaté et faites-la bouger rapidement d'avant en arrière à la perpendiculaire de votre cou.

## Achats

Si vous avez du mal à enlever le sel de vos cheveux, faites une halte à **Avalon** (Mae Hat ; 10h-19h lun-sam) afin d'acheter des produits faits localement (et préservant l'environnement) pour les cheveux et le corps.

## Depuis/vers Ko Tao

Les tarifs et les horaires sont variables ici comme partout. D'octobre à décembre, une mer agitée peut faire annuler les départs de ferrys. Attention aux agences de voyages de Bangkok et de Surat Thani vendant de faux billets combinant bateau et train.

### BANGKOK, HUA HIN ET CHUMPHON

Les billets bus-bateau de Bangkok coûtent entre 900 et 1 000 B et s'achètent dans les agences de voyages sur Th Khao San. Des billets promotionnels bus-bateau dans l'autre sens sont parfois offerts pour seulement 700 B (attention aux escroqueries !). Du bus, on passe au bateau à Chumphon, et les passagers à destination de Bangkok peuvent choisir de débarquer à Hua Hin.

Le train est une option plus confortable que le bus, et les touristes peuvent programmer leur propre trajet en prenant un bateau pour Chumphon, puis le train jusqu'à Bangkok (ou n'importe quelle ville dans la partie sud du golfe) ; de même dans l'autre sens.

Depuis Ko Tao, le catamaran rapide part à destination de Chumphon à 10h15 et 14h45 (550 B, 1 heure 30), le Seatran quitte l'île à 16h (550 B, 2 heures), et un rapide de Songserm effectue le même trajet à 14h30 (450 B, 3 heures). Les départs peuvent être plus rares en cas de mer agitée.

Un bateau part à minuit de Chumphon (600 B) et arrive tôt le matin. Il revient de Ko Tao à 23h. Ne le prenez pas s'il risque de pleuvoir, certains fuient et vous aurez froid, vous serez mouillé et malheureux. Apprenez-en davantage p. 588.



### KO PHA-NGAN

Le catamaran de Lomprayah assure 2 services/j, départ de Ko Tao à 9h30 et 15h, arrivée à Ko Pha-Ngan vers 10h50 et 16h10. Le ferry Seatran Discovery propose un service similaire. Le Songserm Express Boat part tous les jours à 10h et arrive à Samui à 11h30. Le ramassage par les hôtels est inclus dans le prix.

Les ferrys Lomprayah et Seatran à destination de Ko Tao quittent Ko Pha-Ngan à 8h30 et 13h et arrivent à 9h45 et 14h15. Songserm quitte Ko Pha-Ngan à midi et arrive à 13h45.

### KO SAMUI

Le catamaran Lomprayah propose 2 services/j, au départ de Ko Tao à 9h30 et 15h, arrivée à Samui autour de 11h30 et 16h40. Le ferry Seatran Discovery offre le même genre de service. Le **Songserm Express Boat** (www.songserm-expressboat.com) part tous les jours à 10h et arrive à Samui à 12h45. Les ramassages d'hôtels sont compris dans les tarifs.

Les ferrys Lomprayah et Seatran à destination de Ko Tao quittent Samui à 8h et 12h30 et arrivent à 9h45 et 14h15. Songserm quitte Samui à 11h pour arriver à 13h45.

### SURAT THANI ET CÔTE D'ANDAMAN

Des billets combinés bateau-bus s'achètent dans toutes les agences de voyages ; indiquez simplement votre destination et ils vous vendront les billets dont vous avez besoin. La plupart des voyageurs traversent Surat Thani en changeant de côte. Les bus quotidiens pour le Songserm Express Boat partent de Surat Thani (6 heures 30) à 8h et arrivent à 14h30. Les passagers au retour quittent Ko Tao à 10h et arrivent à Surat Thani à 16h30. Tous les soirs, en fonction du climat, un bateau fait la navette entre Surat Thani (Tha Thong) et Ko Tao (9 heures). De Surat, ces bateaux de nuit partent à 23h. De Ko Tao, l'heure de départ est 20h30.

## Comment circuler

Des *sŏrng·tăa·ou* se rassemblent autour de la jetée de Mae Hat à mesure que les passagers descendent. Si vous voyagez seul, vous paierez 100 B pour aller à Sai Ri et à Chalok Ban Kao. Les groupes à partir de 2 personnes paient 50 B par personne. Les trajets de Sai Ri à Chalok Ban Kao coûtent 80 B/personne, ou 150 B pour les touristes en solo. Ce sont des tarifs non négociables, et les passagers doivent attendre que chaque taxi soit plein avant de partir. Si les taxis sont vides, on vous demandera de payer pour tout le véhicule (entre 300 et 500 B). Les prix doublent pour des trajets vers la côte est, et les conducteurs augmentent la note quand la pluie rend la négociation de la route plus difficile. Si vous savez où vous allez séjourner, appelez pour qu'on vienne vous chercher.

Si vous êtes du genre aventurier téméraire, vous pouvez louer une moto pour explorer la jungle de l'île. Les agences de location ne manquent pas, mais les escroqueries non plus (voir p. 627). Choisissez **Lederhosenbikes** (☎ 08 1752 8994 ; www.kohtaomotorbikes.com ; Mae Hat ; 🕓 8h30-18h lun-sam), agence d'expatriés proposant une vaste sélection d'équipements de qualité et promettant un service honnête. Les tarifs de location à la journée commencent à 150 B pour les scooters ; 200 B pour une automatique, les plus grandes motos débutent à 350 B, les 4 roues 500 B, et les quads 4 places vous coûteront 1 800 B. Comptez environ 45 B pour remplir le réservoir d'une mobylette.

Les bateaux-taxis partent de Mae Hat, de Chalok Ban Kao et de la partie nord de Hat Sai Ri (près des bungalows de Pranee, p. 632). Les trajets en bateau pour Ko Nang Yuan vous soulageront au moins de 100 B. On peut louer un *long-tail boat* environ 1 500 B/j, selon le nombre de passagers transportés.

## PARC NATIONAL MARIN D'ANG THONG

อุทยานแห่งชาติหมู่เกาะอ่างทอง

La quarantaine d'îles aux rives irrégulières et couvertes de jungle du parc national marin d'Ang Thong s'étendent sur la mer bleue, tel un collier d'émeraudes cassé – chaque joyau arborant de pures falaises calcaires, des lagons cachés et des sables couleur pêche. Ces îlots de rêve ont inspiré le classique d'Alex Garland *La Plage*.

Février, mars et avril sont les meilleurs mois pour visiter cette réserve éthérée déclinant le bleu et le vert ; les énormes vagues de la mousson obligent le parc à rester presque toujours fermé en novembre et décembre.

### À voir

Tous les circuits s'arrêtent au bureau du parc à **Ko Wua Talap**, la plus grande île de l'archipel. Le **point de vue** de l'île doit être le plus étonnant de toute la Thaïlande. Le sommet offre une vue dégagée sur les îles proches qui jaillissent des eaux turquoise, formant des motifs anthropomorphes. La promenade jusqu'au point de vue s'effectue sur un sentier abrupt de 450 m, qui prend environ 1 heure. Prévoyez de solides chaussures et marchez lentement sur les affleurements anguleux de calcaire. Un deuxième sentier mène à **Tham Bua Bok**, une grotte aux stalagmites et aux stalactites en forme de lotus.

La **mer d'Émeraude** (également appelée mer intérieure) de **Ko Mae Ko** est aussi une destination populaire. Ce grand lac au milieu de l'île s'étend sur 250 m par 350 m et arbore des teintes vertes éthérées. On peut regarder mais pas toucher, car le lagon est interdit aux corps humains impurs. Un autre **point de vue** impressionnant culmine au sommet d'une série d'escaliers non loin.

Les marches de pierre naturelles de **Ko Samsao** et de **Ko Tai Plao** sont visibles selon les marées et les conditions météo. Étant donné que la mer est assez peu profonde autour de cet archipel, à 10 m au maximum, les récifs de corail ne sont pas très développés, excepté dans quelques poches protégées au sud-ouest et au nord-est. Un récif corallien peu profond près de Ko Tai Plao et de Ko Samsao permet de pratiquer un snorkeling correct mais pas extraordinaire. Les plongeurs novices peuvent explorer des grottes peu profondes et des jardins de coraux colorés, et admirer des serpents de mer et des tortues. Des plages de sable doux bordent **Ko Tai Plao**, **Ko Wuakantang** et **Ko Hintap**.

### Circuits organisés

La meilleure manière d'expérimenter Ang Thong consiste à participer à l'un des nombreux circuits organisés au départ de Ko Samui et de Ko Pha-Ngan. Ils comprennent généralement le déjeuner, le matériel de snorkeling, les transferts d'hôtel et (croisez les doigts) un guide qui s'y connaît. Si vous séjournez dans un hôtel de luxe, il y a de fortes chances pour qu'il possède un bateau privé pour les circuits en groupe. Certains complexes de catégorie moyenne et petits budgets ont aussi leurs propres bateaux et, dans le cas contraire, ils vous orienteront vers un tour-opérateur. Les centres de plongée de Ko Samui et de Ko Pha-Ngan proposent des expéditions de plongée au parc, mais Ang Thong n'offre pas l'expérience de plongée de classe mondiale que l'on peut trouver aux environs de Ko Tao.

Vu les cours inégaux du pétrole, les agences de circuits organisés apparaissent et disparaissent comme un rien. Renseignez-vous à votre hôtel pour obtenir une liste à jour des agences ; voyez aussi p. 595.

### Où se loger

Ang Thong ne possède pas de complexe hôtelier, mais sur Ko Wua Talap le parc national a mis en place 5 bungalows accueillant chacun entre 2 et 8 personnes. Le parc national marin permet aussi aux campeurs de planter leur tente dans certaines zones désignées. Les réservations peuvent se faire à l'avance auprès des **services des parcs nationaux** (☎0 7728 6025, 0 7728 0222 ; www.dnp.go.th ; bungalows 500-1 400 B). Il est possible de réserver en ligne, mais les clients doivent envoyer une garantie bancaire dans les 2 jours suivant la réservation. Faites un tour sur le site Internet pour des renseignements plus précis.

### Comment s'y rendre et circuler

La meilleure manière d'atteindre le parc consiste à participer à un circuit privé d'une journée à partir de Ko Samui ou de Ko Pha-Ngan (à 28 km et 32 km, respectivement). Les îles s'étendent entre Samui et la principale jetée de Don Sak ; mais aucun ferry ne s'arrête au passage. Le parc demande officiellement un droit d'entrée (adulte/enfant 400/200 B), qui devrait cependant être inclus dans le prix de chaque circuit. Il est aussi possible de louer un bateau privé, mais le prix élevé de l'essence en fait une option assez onéreuse.

## SURAT THANI

อ.เมืองสุราษฎร์ธานี

**111 900 habitants**

Ce carrefour animé est devenu une plate-forme de transports qui envoie indifféremment personnes et marchandises dans tout le pays. Les voyageurs s'y attardent rarement en chemin vers les populaires îles de Ko Samui, de Ko Pha-Ngan et de Ko Tao. Ceux qui recherchent une expérience culturelle thaïlandaise hors des sentiers battus seront bien inspirés de choisir une autre ville.

### Renseignements

Des centaines de touristes traversent la ville chaque jour, incitant de nombreuses agences de voyages peu scrupuleuses à mettre en place des filouteries impliquant des bus sous-classés, des réservations fantômes et des frais supplémentaires "surprises". Tous ne sont pas malhonnêtes, naturellement, mais posez beaucoup de questions et suivez votre instinct. À Surat Thani, en croisant des touristes voyageant dans la direction opposée, demandez-leur des détails sur leur randonnée.

Th Na Meuang comporte une banque à pratiquement chaque coin de rue au cœur du centre-ville. Si vous séjournez près de la "banlieue", sachez que le Tesco-Lotus dispose de DAB.

**Bureau de la Tourist Authority of Thailand** (TAT ; ☎ 0 7728 8817-9 ; tatsurat@samart.co.th ; 5 Th Talat Mai ; ⏲ dim-ven). Office du tourisme accueillant au sud-ouest de la ville. Distribue des brochures et des cartes pratiques, et le personnel est anglophone.

**Poste** (☎ 0 7727 2013, 0 7728 1966 ; Th Talat Mai). Face au Wat Thammabucha.

**Siam City Bank** (Th Chonkasem). Possède un bureau Western Union.

**Taksin Hospital** (☎ 0 7727 3239 ; Th Talat Mai). Le plus professionnel des trois hôpitaux de Surat. Juste derrière le marché Talat Mai au nord-est du centre-ville.

### Où se loger

Pour une nuit confortable à Surat, échappez-vous de la saleté du centre-ville et grimpez à bord d'un *sŏrng·tăa·ou* à destination du quartier de Phang-Nga. Dites au conducteur "Tesco-Lotus", pour qu'il vous emmène à 2 ou 3 km de la ville à un grand centre commercial en forme de boîte. Au moins 4 hôtels sont installés alentour, proposant des tarifs abordables et des équipements d'une modernité rafraîchissante.

Les établissements du centre-ville sont moins chers, mais ont tendance à proposer un service "à l'heure", ce qui peut provoquer une réelle animation avec le va-et-vient des clients. Si votre budget est très serré, traversez la ville et prenez le ferry de nuit (voir p. 641). S'il fait beau, vous dormirez peut-être mieux à bord que dans un hôtel bruyant. S'il pleut, attention, vous risquez de vous retrouver mouillé et fourbu au matin.

Si vous vous retrouvez bloqué à Phun Phin ou, si vous voulez prendre un train très matinal avant le début des services de bus à Surat, pas de panique, il existe quelques adresses correctes.

**Queen Hotel** (☎ 0 7731 1003 ; 916/10-13 Th Sri Sawat, Phun Phin ; ch 200-400 B ; ❄). À quelques rues de la gare ferroviaire de Phun Phin. Rien de luxueux, mais au moins vous ne dormirez pas dehors. Jetez un œil sur plusieurs chambres avant de poser votre sac – certaines sont plus grandes et plus reluisantes que d'autres.

**100 Islands Resort & Spa** (☎ 0 7720 1150 ; www.roikoh.com ; 19/6 Moo 3, Bypass Rd ; ch 590-1 200 B ; ❄ 💻 🏊). En face du Tesco-Lotus suburbain, pour 600 B un confort maximum selon les critères thaïlandais. Ce palais du teck paraît déplacé sur l'autoroute, mais ses chambres immaculées entourent un jardin luxuriant et une piscine aux allures de lagon.

**Wangtai Hotel** (☎ 0 7728 3020 ; www.wangtaisurat.com ; 1 Th Talad Mai ; ch 790-2 000 B ; ❄ 💻 🏊). En face de la TAT de l'autre côté de la rivière, Wangtai fait de son mieux pour créer une ambiance d'hôtel d'affaires. Des réceptionnistes polis et des chasseurs en smoking ornent le grand lobby et, à l'étage, les chambres sont dotées de meubles quelconques, mais elles offrent une jolie vue sur la ville.

### Où se restaurer et prendre un verre

On ne peut pas dire que les restaurants abondent à Surat Thani. Allez au marché nocturne de Th Ton Pho pour déguster des mets frits, vapeur, grillés ou sautés. N'oubliez pas d'essayer les insectes croustillants, il paraît que c'est plein de protéines. En journée, de nombreux étals de nourriture près de la gare routière vendent du savoureux *kôw gài òp* (poulet mariné et cuit sur du riz).

**Crossroads Restaurant** (☎ 0 7722 1525 ; Bypass Rd ; plats 50-200 B ; ⏲ 11h-1h). Au sud-ouest de Surat en face du centre commercial Tesco-Lotus, Crossroads a une ambiance vieillotte et bluesy rehaussée par un éclairage tamisé et de la musique live. Essayez les huîtres – Surat Thani est célèbre pour ses mollusques géants, et les prix sont imbattables.

**GM Pub** (30/16 Th Karunrach ; plats 40-140 B ; déj et dîner). Attire habitants et professeurs d'anglais *fa·ràng* qui reviennent pour profiter de la sympathique ambiance, du savoureux menu international et du grand choix de bières et de cocktails.

## Depuis/vers Surat Thani

En général, si vous quittez Bangkok ou Hua Hin à destination de Ko Samui, de Ko Pha-Ngan ou de Ko Tao, optez pour une formule bateau-bus traversant Chumphon plutôt que Surat. Vous gagnerez du temps et le trajet sera plus confortable. Les voyageurs peuvent aussi prendre un train vers le sud pour Chumphon, puis une correspondance par catamaran. Ceux qui voyagent entre les côtes d'Andaman et du golfe prendront sans doute des billets combinés, et ne devraient pas avoir à acheter de billet supplémentaire à Surat Thani.

### AVION

Deux vols quotidiens pour Bangkok sont proposés par **Thai Airways International** (☎ 0 7727 2610 ; 3/27-28 Th Karunarat) pour environ 3 000 B (70 min).

### BATEAU

En pleine saison, des services bus-bateau pour Ko Samui et Ko Pha-Ngan partent directement de la gare ferroviaire. Ces

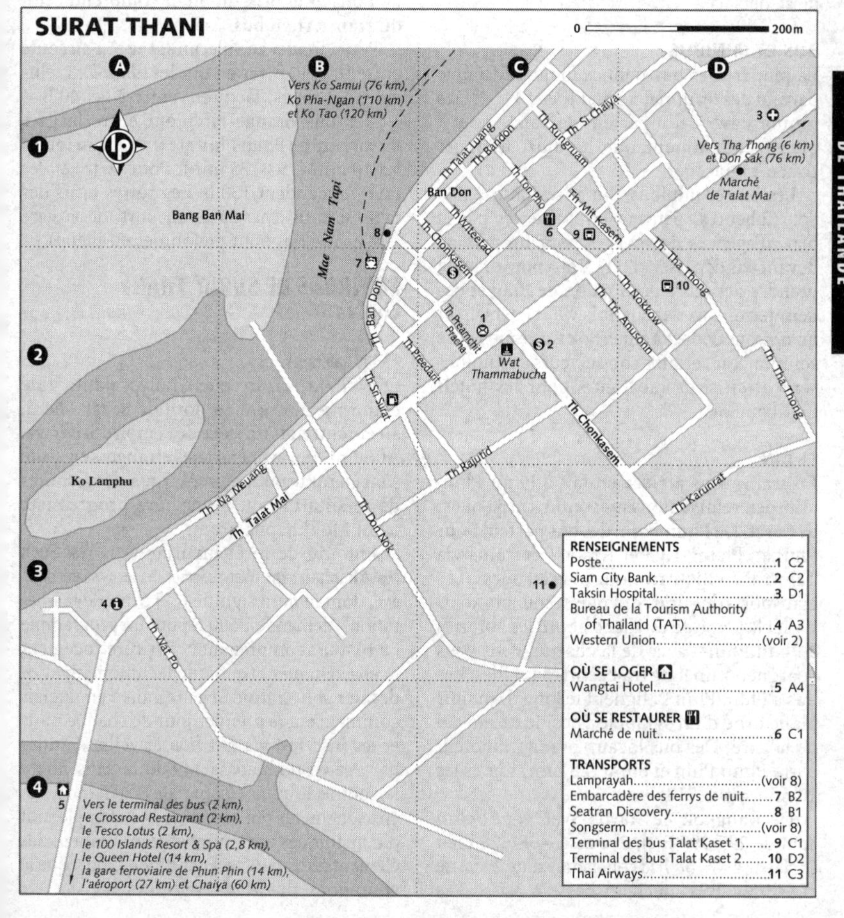

services ne coûtent pas plus cher que ceux qui sont réservés à Surat Thani et peuvent vous éviter de longues attentes. De nombreux ferrys et vedettes relient Surat Thani et Ko Tao, Ko Pha-Ngan et Ko Samui. Voyez la section *Transport* de votre destination pour des détails.

De Surat, des ferrys de nuit partent à Ko Tao (500 B, 8 heures), à Ko Pha-Ngan (200 B, 7 heures) et à Ko Samui (150 B, 6 heures). Tous partent de la jetée centrale des ferrys nocturnes de la ville à 23h. Ce sont des bateaux de marchandise, pas des embarcations de luxe, apportez de l'eau et de la nourriture et surveillez vos affaires. Si des passagers thaïlandais occupent votre couchette, mieux vaut en prendre une autre que leur demander de se déplacer.

#### BUS ET MINIBUS

La plupart des bus publics longue distance partent des terminaux Talat Kaset 1 et 2. Des minibus avec clim partent de Talat Kaset 2 plus fréquemment que les bus, mais ils coûtent plus cher.

Les bus et minibus climatisés pour Khao Sok (2 heures) peuvent être réservés par le biais d'agences de voyages pour un prix ne devant pas dépasser 100 B. Vous pouvez aussi prendre des bus à destination de Phuket des deux terminaux des bus de la ville et demander qu'on vous dépose à Khao Sok – une meilleure solution, car certains conducteurs de minibus servent aussi de rabatteurs pour les hôtels de Khao Sok.

#### TRAIN

En train, vous arrivez en fait à Phun Phin, ville peu reluisante à environ 14 km à l'ouest de Surat. De Phun Phin, des bus partent pour Phuket, Phang-Nga et Krabi – certains via Takua Pa, ville-carrefour plus à l'ouest. Les transports de Surat sont plus fréquents, mais il vaut la peine de vérifier d'abord les horaires à Phun Phin – avec de la chance, vous vous épargnerez un long trajet entre les villes. Les bus à Phun Phin s'alignent le long d'un mur blanc orné d'un symbole Pepsi juste au sud de la gare. Des bus locaux orange cahotent entre Phun Phin et Surat (25 min) toutes les 10 min, pour 15 B.

De Bangkok, les tarifs avec ventil/clim sont de 297/397 B en 3e classe, 438/578 B en 2e classe, 498/758 B la couchette haute 2e classe et 548/848 B la couchette basse 2e classe. Les couchettes 1re classe coûtent 1 279 B. En prenant un train en début de soirée de Bangkok, vous arriverez au matin.

La gare ferroviaire dispose d'une salle de consigne 24h/24 facturant 20 B/j. Le guichet de prévente est ouvert tous les jours de 6h à 18h (avec une pause-déjeuner vague quelque part entre 11h et 13h30).

### Comment circuler

Des bus climatisés desservant l'aéroport de Surat Thani demandent environ 70 B/personne et vous déposent à votre hôtel. Achetez votre billet auprès d'une agence de voyages ou au **bureau Thai Airways** (☎ 0 7727 2610 ; 3/27-28 Th Karunarat). Tous les bateaux à direction de Samui partent de Don Sak (sauf le ferry de nuit) et le prix du billet comprend celui du transfert en bus.

Pour circuler en ville, un *sŏrng·tăa·ou* coûte entre 10 et 30 B, tandis que les *săhm·lór* (véhicules à 3 roues) facturent entre 30 et 40 B.

Des bus orange circulent entre la gare ferroviaire de Phun Phin et Surat Thani toutes les 10 min (15 B, 25 min). Pour ce trajet, les taxis demandent 150 B. Les autres tarifs des taxis sont affichés juste au nord de la gare ferroviaire (au pont piétonnier en métal).

## ENVIRONS DE SURAT THANI

### Chaiya

ไชยา

**12 500 habitants**

Difficile de croire que Chaiya, petite ville endormie à 60 km au nord de Surat Thani, ait été autrefois un siège de l'empire Srivijaya. Aujourd'hui, la plupart des étrangers en visite sont en route pour les remarquables retraites de méditation du monastère progressiste Suan Mokkhaphalaram.

Entouré de forêt luxuriante, le **Wat Suan Mokkhaphalaram** (Wat Suanmokkh ; www.suanmokkh.org), dont le nom signifie le "jardin de la libération", demande 1 500 B pour un programme de 10 jours comprenant nourriture, logement et enseignement (quoique techniquement ce dernier soit gratuit.) Les retraites en anglais commencent le premier jour de chaque mois et les inscriptions ont lieu la veille. Fondés par Ajan Buddhadasa Bhikkhu, sans doute le moine le plus célèbre de Thaïlande, les enseignements philosophiques du temple sont œcuméniques par nature et comprennent des éléments zen, taoïstes et chrétiens, ainsi que la conception theravada traditionnelle.

Pour accéder au temple, situé à 7 km à l'extérieur de Chaiya, vous pouvez prendre un train local de 3e classe de Phun Phin (10-20 B, 1 heure) ou prendre un *sŏrng·tăa·ou* (40-50 B, 45 min) de la gare routière Talat Kaset 2 de Surat. Si vous allez à Surat Thani en train depuis Bangkok, vous pouvez descendre avant Surat Thani à la petite gare ferroviaire de Chaiya. Prenez un moto-taxi de la gare pour 40 B de plus.

# PROVINCE DE NAKHON SI THAMMARAT

Si Surat Thani vole la vedette en offrant aux touristes un paradis tropical, Nakhon Si Thammarat a plus de succès auprès des voyageurs thaïlandais qui se détendent sur les rives libres de tout *fa·ràng* et visitent des *wat* importants dans la capitale provinciale. La province possède aussi le parc national de Khao Luang, réserve de silence connue pour sa belle montagne et ses sentiers forestiers.

## AO KHANOM

อ่าวขนอม

Le petit Khanom, à mi-chemin du Surat Thani et du Nakhon Si Thammarat, s'étend tranquillement le long des eaux bleues du golfe. Dédaignée par les touristes qui affluent sur les îles couvertes de jungle non loin, cette région virginale, tout simplement appelée Khanom, est un choix valable pour ceux qui recherchent un cadre de plage serein intouché par les grosses entreprises.

### Renseignements

Le commissariat et l'hôpital sont situés juste au sud de Ban Khanom, au carrefour qui mène à Kho Khao Beach. Un 7-Eleven (pourvu d'un DAB) est au cœur de Ban Khanom.

### À voir

Uniques à Khanom, les **dauphins roses** sont une espèce rare de dauphins albinos à la remarquable teinte rosée. On les aperçoit régulièrement depuis la vieille jetée des ferrys et de la jetée de la centrale électrique, à l'aube et au crépuscule.

La zone renferme aussi toute une variété de sites géologiques, notamment des **cascades** et des **grottes**. Les plus grandes chutes, appelées **Samet Chun**, ont des bassins tièdes pour se détendre et une vue magnifique sur la côte. Pour y accéder, partez au sud de Ban Khanom et tournez à gauche au panneau bleu de Samet Chun. Suivez la route sur environ 2 km et, après avoir traversé un petit cours d'eau, prenez la suivante à droite et gravissez la montagne en suivant le sentier de terre. Au bout de 15 min de marche, écoutez le bruit de la cascade et cherchez le petit sentier à droite. Panoramique **Nam Tok Hin Lat** est la plus petite cascade, mais c'est aussi la plus facile à atteindre. On y trouve des bassins de baignade et plusieurs huttes donnant de l'ombre. Au sud de Nai Phlao.

Deux belles **grottes** jalonnent la grande route (Hwy 4014) entre Khanom et Don Sak. **Khao Wang Thong** dispose d'un chapelet de lumières qui guident les visiteurs dans le réseau de cavernes et d'étroits passages. Une porte en métal ferme l'entrée ; arrêtez-vous à la maison au pied de la colline pour en prendre la clé (et laissez une petite donation). Bifurquez à droite de la grande route à la Rte 4142 pour trouver la **grotte Khao Krot**, constituée de deux grandes cavernes ; apportez une torche.

Admirez les magnifiques ondulations de la côte à la **montagne Dat Fa**, à environ 5 km à l'ouest de la côte sur la Hwy 4014. Le coteau est généralement désert, ce qui permet de prendre de jolies photos.

### Où se loger et se restaurer

La zone commence à être un peu plus construite ces dernières années. L'urbanisation est loin d'être impressionnante, mais un développement de grande ampleur est définitivement prévisible. L'intensification de la production pétrolière du golfe signifie que les développeurs envisagent de faire de Khanom une destination de vacances potentielle pour les employés de ces exploitations.

Kho Khao Beach, au bout de la Rte 4232, vous réserve des repas bon marché. Diverses installations de barbecues proposent de savoureuses spécialités comme le *mŏo nám đòk* (salade de porc épicée) et le *sôm·đam*. Le mercredi et dimanche, des marchés se tiennent vers l'intérieur des terres près du commissariat.

**Talkoo Beach Resort** (☎ 0 7552 8397, 08 3692 2711 ; bungalows 800-1 500 B ; ❄ 🅿). Ce charmant établissement dispose de dizaines de cottages blancs ornés d'équipements originaux, comme des vasques fabriquées à partir de troncs évidés.

**Khanom Hill Resort** (☎ 0 7552 9403 ; bungalows 800-1 800 B ; ). Les 7 petits bungalows aux toits rouges de cette propriété vallonnée donnent sur la mer depuis divers angles. Les adorables meubles en osier abondent, et lors de notre passage la piscine était en cours de construction.

**Racha Kiri** (☎ 0 7552 7847 ; www.rachakiri.com ; bungalows 3 500-12 500 B ; ). Cette retraite haut de gamme de Khanom est un bel ensemble de villas qui poussent en tous sens. Les tarifs élevés garantissent la tranquillité, au point qu'on soupçonne le complexe de se transformer en gouffre financier hors saison.

**One More Beer** (☎ 08 1396 4447 ; www.1morebeer.net ; bungalows 800-1 000 B ; ). Établissement sympathique servant une délicieuse cuisine internationale. Les bungalows bien nets et le personnel *fa·ràng* et accueillant en font une adresse valable même si elle n'est pas directement sur la plage.

### Depuis/vers Ao Nakhon

De Surat Thani, vous pouvez prendre n'importe quel bus en direction de Nakhon et demander qu'on vous dépose à l'embranchement pour Khanom. Prenez un moto-taxi (70 B) pour parcourir le reste du chemin. Vous pouvez opter pour un taxi partagé de leur terminal de Nakhon Si Thammarat pour vous rendre à la ville de Khanom pour 85 B. De la ville de Khanom, il est possible de prendre un moto-taxi pour les plages pour environ 60 B. Trois arrêts de bus distincts sont installés dans les parages. Demandez à votre chauffeur de s'arrêter près du marché aux fruits ou de l'hôpital, qui sont plus près de la plage. One More Beer loue des motos pour 300 B/j.

## NAKHON SI THAMMARAT

อ.เมือง นครศรีธรรมราช

**118 100 habitants**

La ville animée de Nakhon Si Thammarat (plus brièvement appelée "Nakhon") ne remportera jamais de concours de beauté. Pourtant, les voyageurs s'arrêtant dans cette cité historique seront récompensés par sa richesse culturelle, car elle abrite certains des plus importants *wat* du royaume. Il y a des siècles, la voie de communication qui reliait le port de Trang sur la côte est et celui de Nakhon Si Thammarat sur la côte ouest constituait un axe commercial majeur entre la Thaïlande et le reste du monde. Cette influence cosmopolite continue de s'exercer, tant dans la cuisine locale que dans les temples et les musées de la ville.

### Orientation

L'essentiel de l'activité commerciale de Nakhon (hôtels, banques et restaurants) est concentré dans la partie nord du centre-ville. Au sud du clocher s'étend le quartier historique de la ville et le célèbre Wat Mahatat. L'artère principale, Th Ratchadamnoen, est sillonnée par de nombreux *sŏrng·tăa·ou* dans les deux sens.

### Renseignements

Plusieurs banques et DAB parsèment Th Ratchadamnoen au nord du centre-ville. Une bibliothèque anglophone est aménagée au 3e étage du centre commercial Robinson Ocean.

**Bovorn Bazaar** (Th Ratchadamnoen). Centre commercial doté de quelques cybercafés.

**Bureau de la TAT** (☎ 0 7534 6515). Dans un bâtiment datant de 1926 tout au nord du Sanam Na Meuang (parc municipal). Quelques brochures utiles en anglais. Le One Tambon One Product (OTOP) local n'est qu'à quelques rues, côté ouest du parc Sanam Na Meuang.

**Commissariat** (☎ 1155 ; Th Ratchadamnoen). Face à la poste.

**Poste** (Th Ratchadamnoen ; 8h30-16h30)

### À voir

L'enceinte du plus important *wat* du sud de la Thaïlande, le **Wat Phra Mahathat Woramahawihaan** (appelé simplement Mahathat), rassemble 77 *chedi* (stupa) dont un imposant *chedi* haut de 77 m couronné par une flèche en or. La légende raconte qu'il y a plus de 1 000 ans la reine Hem Chala et le prince Thanakuman apportèrent des reliques à Nakhon et érigèrent une petite pagode pour les abriter. Le temple s'est étendu depuis en un complexe impressionnant, et aujourd'hui les visiteurs se pressent gaiement pour acheter les populaires amulettes Jatukham (voir l'encadré page suivante). Les moines vivent en face, au **Wat Na Phra Boromathat**.

À l'époque où le royaume Tampaling (aussi appelé Tambralinga) commerçait avec les marchands des États indiens, arabes, dvaravati et champa, la région entourant Nakhon devint un centre éclectique d'art

**JATUKHAM RAMMATHEP**

Quiconque a passé plus de 24 heures en Thaïlande a vu une amulette à l'effigie de Jatukham Rammathep portée en pendentif. Ces objets sont partout.

Ces porte-bonheur sont supposés protéger de tous les malheurs. L'origine du nom de cette amulette est inconnue, mais, selon une théorie courante, Jatukham et Rammathep sont les représentations de deux princes de Srivajaya qui enterrèrent des reliques sous le Wat Phra Mahathat Woramahawihaan de Nakhon (voir page précédente) il y a quelque 1 000 ans.

Un célèbre policier thaïlandais fut le premier à la porter. Il croyait fermement que ses esprits protecteurs l'avaient aidé à résoudre un crime particulièrement complexe. Il essaya de populariser l'amulette, entreprise qui ne fut couronnée de succès qu'à sa mort en 2006. Des milliers de personnes assistèrent à ses funérailles, notamment le prince héritier, et ce fut le début de la gloire pour le Jatukham Rammathep.

Ces talismans sont vendus au temple Mahathat, et au cours des dernières années, le sud de la Thaïlande a connu un boom économique sans précédent. La première amulette fut vendue en 1987 pour 39 B, et aujourd'hui, plus de 100 millions de bahts sont consacrés à l'achat de ces amulettes chaque… semaine. L'attrait exercé par ces symboles est si fort qu'une femme est morte écrasée par la foule un jour de promotion très médiatisée (elle ne portait pas son talisman).

Chaque jour, des camions chargés de talismans sillonnent en musique les routes de Nakhon. La puissance des basses fait trembler le sol du temple, et, quelle ironie, ce martèlement répété fait s'incliner la principale flèche du Mahathat.

et d'artisanat. Aujourd'hui, nombre de ces reliques sont exposées derrière la façade délabrée du **Musée national** (Th Ratchadamnoen ; 30 B ; 9h-16h mer-dim).

Les marionnettes des **théâtres d'ombres** sont traditionnellement de deux types : *năng đà·lung* et *năng yài*. Les premières, hautes de presque 1 m, comportent des appendices mobiles articulés (dont le sexe), comme leurs consœurs malaises et indonésiennes. Les secondes, typiquement thaïlandaises, sont presque de taille humaine mais n'ont pas d'éléments mobiles. Toutes sont découpées avec art dans des peaux de buffle. Les représentations sont rares et généralement limitées aux fêtes.

## Fêtes et festivals

Chaque année à la mi-octobre se tient la fête sud-thaïlandaise **Chak Phra Pak Tai**, à Nakhon Si Thammarat (ainsi qu'à Songkhla et Surat Thani). À Nakhon Si, elle se concentre autour du Wat Phra Mahathat et comprend des représentations de *năng đà·lung* et de *lá·kon lék*, ainsi que le défilé d'images du Bouddha dans la ville afin de collecter des donations destinées aux temples locaux.

Lors du 3e mois lunaire (février à mars), la ville tient le **Hae Phaa Khun That** coloré, lors duquel un long drap peint *jataka* est enroulé autour du principal *chedi* de Wat Phra Mahathat.

## Où se loger

Les hôtels de qualité sont assez limités.

**Thai Hotel** (☎ 0 7534 1509 ; fax 0 7534 4858 ; 1375 Th Ratchadamnoen ; ch avec ventil 220-270 B, ch avec clim 340-450 B, ste 750 B ; ). L'établissement le plus central de la ville – cherchez le petit panneau (indiquant en fait "Thai Hotet" en thaï) dirigé vers une petite rue animée. Les cloisons sont minces, mais la clim est une aubaine à ce prix. Chaque chambre dispose d'une TV et celles du haut ont une vue intéressante sur l'animation urbaine.

**Nakorn Garden Inn** (☎ 0 7532 3777 ; 1/4 Th Pak Nakhon ; ch 445 B ; ). Sorte de motel, le Nakorn Garden Inn offre une agréable alternative au cube de ciment habituel. Les chambres sont aménagées dans des structures de briques écarlates autour d'un jardin couvert de sable. Les chambres sont toutes pareilles, équipées d'une TV et d'un réfrigérateur ; essayez d'en obtenir une ensoleillée.

**Grand Park Hotel** (☎ 0 7531 7666-73 ; fax 0 7531 7674 ; 1204/79 Th Pak Nakhon ; ch 700-1 700 B ; ). Des chambres agréables et modernes avec TV et réfrigérateurs – rien de trop fantaisiste ou luxueux. Sur 7 étages, certaines chambres ont une vue très dégagée de la ville. Les clients peuvent s'attarder dans le vaste lobby et profiter du restaurant.

**Twin Lotus Hotel** (☎ 0 7532 3777 ; www.twinlotushotel.net ; 97/8 Th Phattanakan Khukhwang ; ch 1 100-3 000 B ; ). Il commence à faire son âge, mais le Twin Lotus reste un endroit agréable pour

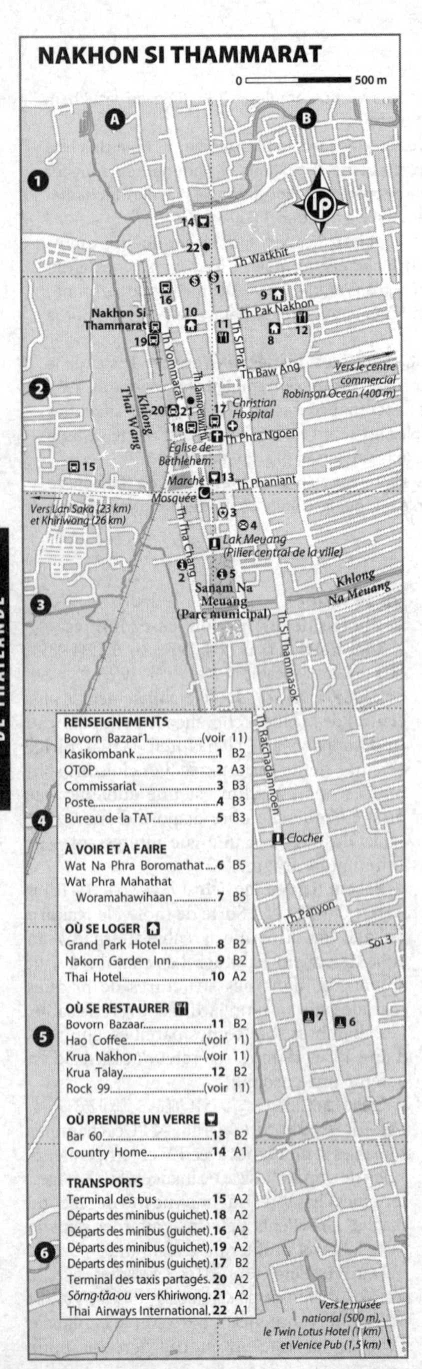


se faire dorloter tout en visitant Nakhon. Le gymnase bien équipé de l'hôtel est très populaire auprès des professeurs d'anglais locaux. Ce géant de 16 étages se dresse à plusieurs kilomètres du centre-ville.

## Où se restaurer et prendre un verre

Nakhon est l'endroit idéal pour goûter une cuisine distinctement influencée par les saveurs du Sud. Le soir, des stands de cuisine musulmane vendent de délicieux *kôw mòk gài* (poulet biryani), *má·đà·bà* (*murdabag* ; crêpe indienne farcie au poulet ou aux légumes) et des *roti*. Plusieurs bonnes adresses sont regroupées autour de Bovorn Bazaar sur Th Ratchadamnoen.

Si vous avez envie de danser toute la nuit, allez au sud vers le Twin Lotus Hotel et vous tomberez sur le populaire Venice Pub. Une soirée plus tranquille autour d'une bière ? Choisissez le Bar 60 (aussi appelé Bar Hok Sip), près de l'angle de Th Ratchadamnoen et de Th Phra Ngoen.

**Hao Coffee** (☎ 0 7534 6563 ; Bovorn Bazaar ; plats 30-60 B ; ⏲ petit-déj et déj). Des petits-déj rapides et pratiques, accompagnés d'un très bon café.

**Rock 99** (☎ 0 7531 7999 ; 1180/807, Bavorn Bazaar ; plats 40-100 B ; ⏲ dîner). Adresse *fa·ràng* de Nakhon, Rock 99 propose une bonne sélection de plats internationaux – de la salade de tacos et des sandwichs à la viande, en passant par les pizzas et les pommes de terre sautées. Musique live le mercredi, vendredi et samedi soir, mais de sympathiques expatriés le fréquentent tous les jours.

**Khrua Nakhon** (☎ 0 7531 7197 ; Bovorn Bazaar ; plats 60-200 B ; ⏲ petit-déj et déj). Cet établissement, près de Hao Coffee, propose une grande variété de cuisine traditionnelle de Nakhon. Commandez un plat à partager composé de 5 types de currys (dont une sauce au poisson épicée difficile à avaler), ou essayez le *kôw yam* (salade de riz du sud). Un autre est ouvert au Robinson Ocean Mall.

**Krua Talay** (Th Pak Nakhon ; plats 40-300 B ; ⏲ déj et dîner). Près du Kukwang Market, la meilleure adresse de la ville pour les fruits de mer. Un peu onéreux comparé aux autres restaurants non touristiques de la ville, mais les habitants conviennent que la qualité en vaut la peine.

**Country Home** (☎ 08 1968 0762 ; 119/7 Th Ratchadamnoen). Ce grand bar en plein air évoque le Far West avec ses sièges de saloon et ses chapeaux de paille. Musique live tous les soirs. Bondé de Thaïlandais sirotant des bières.

### Depuis/vers Nakhon

Étant donné la popularité croissante de l'amulette de Jatukham (voir l'encadré p. 645), les transports vers Nakhon sont en plein essor.

Plusieurs petits transporteurs (plus Thai Airways) volent de Bangkok à Nakhon chaque jour. On compte environ 6 vols quotidiens (1 heure) autour de 3 500 B.

Deux trains partent chaque jour de Bangkok pour Nakhon (arrêts à Hua Hin, Chumphon et Surat Thani). Ce sont des trains de nuit de 12 heures partant à 17h35 et 19h15. Les tarifs de 2e classe varient de 590 à 890 B. Ces trains continuent vers Hat Yai et Sungai Kolok.

Les bus de Bangkok partent soit entre 6h et 8h, soit entre 17h30 et 22h, avec environ 7 départs/jour (1re/2e classe environ 700/600 B, 12 à 13 heures). Les bus ordinaires pour Bangkok partent de la gare routière, mais quelques bus privés partent des agences de réservation de Th Jamroenwithi, où vous pouvez aussi acheter vos billets.

Si vous cherchez les arrêts de minibus pour quitter Nakhon, guettez les petits bureaux sur les côtés des routes du centre-ville (il se peut qu'il y ait des minibus et des passagers en attente – ou pas). Mieux vaut se renseigner, car chaque destination a son propre point de départ. Les minibus Krabi et Don Sak sont regroupés – attention à monter dans le bon. Les arrêts sont disséminés autour de Th Jamroenwithi, Th Wakhit et Th Yommarat. Des minibus fréquents (qui partent une fois pleins) desservent Krabi (180-240 B, 2 heures 30) et Phuket (175-275 B, 5 heures), Surat Thani (100 B, 1 heure), Khanom (85 B, 1 heure) et Hat Yai (environ 120 B, 3 heures).

### Comment circuler

Des *sŏrng·tăa·ou* sillonnent Th Ratchadamnoen et Th Si Thammasok du sud au nord pour 10 B (un peu plus la nuit). Pour une course en moto-taxi, comptez au minimum 20 B et jusqu'à 50 B pour de plus longues distances.

## ENVIRONS DE NAKHON SI THAMMARAT

### Parc national de Khao Luang

อุทยานแห่งชาติเขาหลวง

Connu pour ses magnifiques montagnes et ses promenades en forêt, ses cours d'eau fraîche, ses cascades et ses vergers, le **parc national de Khao Luang** (☎ 0 7530 9644-7 ; adulte/enfant 400/200 B) entoure les 1 835 m du pic de Khao Luang. Cette haute chaîne de montagnes atteint jusqu'à 1 800 m et est recouverte de forêt vierge. Sources idéales pour les cours d'eau et les rivières, les montagnes arborent d'impressionnantes cascades et fournissent un habitat à une pléthore d'oiseaux. Les fans de la flore ne seront pas déçus non plus ; plus de 300 espèces d'orchidées poussent dans le parc, certaines inconnues partout ailleurs dans le monde.

Les bungalows du parc coûtent entre 600 et 1 000 B la nuit, et accueillent entre 6 et 12 personnes. Le camping est autorisé le long du sentier qui mène au sommet. Pour accéder au parc, prenez un *sŏrng·tăa·ou* (25 B) de Nakhon Si Thammarat jusqu'au village de Khiriwong, à la base de Khao Luang. L'entrée du parc et les bureaux du Royal Forest Department sont situés à 33 km du centre de Nakhon sur la Rte 4015, une route asphaltée qui gravit presque 400 m en 2,5 km jusqu'au bureau et 450 m de plus jusqu'au parking.

# Côte d'Andaman

La hausse des tarifs aériens et la diminution de la durée des vacances nous incitent à rechercher *le* voyage idéal. Si vous vous lancez dans cette quête aux superlatifs, la côte d'Andaman sera votre Saint-Graal : c'est ici en effet que vous trouverez les formations karstiques les plus élevées, les plages les plus étendues, le sable le plus fin, les eaux les plus transparentes, etc.

Le long des côtes, les bateaux croisent entre Khao Lak et les îles Similan et Surin avec à leur bord des passionnés de plongée qui descendent explorer les plus beaux fonds marins de la région. Plus au sud, Phuket, la plus grande île du pays, offre un bel aperçu de ce qui vous attend.

Typiques de l'Andaman, les pics d'ardoise déchiquetés, aux flancs couverts de jungle, offrent un paysage spectaculaire à Krabi. Chacune de ces forteresses figées dans l'eau est protégée par des récifs formant un halo lumineux. L'incroyable beauté de Ko Phi Phi Don dépassera toutes vos attentes. Des hauteurs, vous embrasserez une vue étonnante, dont celle, unique, de l'idyllique banc de sable de l'île en forme de sablier. À Railay, les grimpeurs ajoutent au charme du paysage, suspendus aux parois rocheuses comme des décorations sur un arbre de Noël géant.

En bas, à Trang, le gigantesque massif calcaire plonge droit dans la mer en laissant dans son sillage quelques îlots anthropomorphiques. Ce lieu à l'écart, peut-être le secret le mieux gardé de toute la côte, est le repaire sacré des pêcheurs chow lair qui jettent leurs filets près des plus beaux récifs coralliens. Réservez ces îles pour la fin de votre voyage, elles ne manqueront pas de vous impressionner.

### À NE PAS MANQUER

- Une rencontre avec d'amusants poissons-ballons dans les récifs coralliens des **îles de Trang** (p. 726)
- Une balade à moto à la découverte des marchés locaux et des plages désertiques de **Ko Lanta** (p. 714)
- Un festin enivrant à **Phuket** (p. 688) mêlant les mets gastronomiques et les en-cas servis dans la rue
- Une croisière au lever du jour vers les plus beaux spots de plongée à **Khao Lak** (p. 657)
- Le spectacle des calaos et des singes, vu d'un canoë, entre les pics du **parc national de Khao Sok** (p. 655)
- La baignade dans une mer azur en contemplant les falaises calcaires de **Ko Phi Phi** (p. 709)

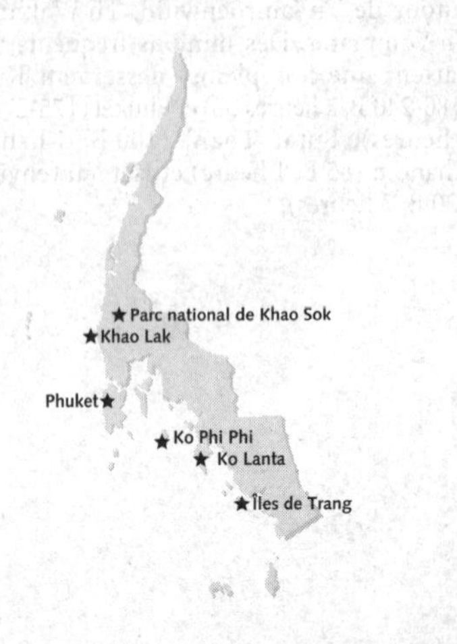


- MEILLEURE PÉRIODE : DE DÉCEMBRE À AVRIL
- POPULATION : 1,13 MILLION D'HABITANTS

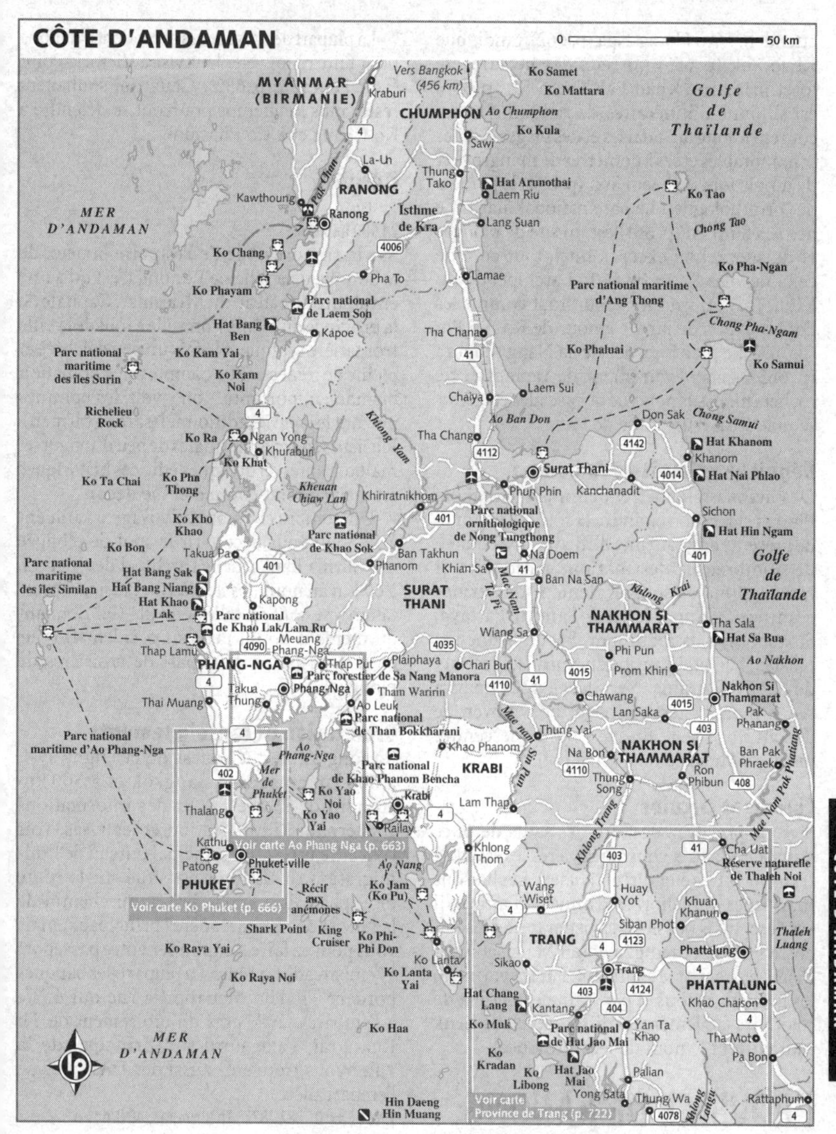


## Climat

Il est indispensable de se renseigner sur le climat avant d'entreprendre un voyage dans le sud de la Thaïlande. La côte d'Andaman reçoit plus de précipitations que le sud du golfe de Thaïlande, les pluies étant particulièrement abondantes entre mai et octobre. Durant cette période, la desserte en bateau de certaines îles, comme Ko Tarutao et les archipels des Surin et des Similan, ralentit, quand elle n'est pas interrompue (surtout dans l'extrême sud).

## Parcs nationaux

La région compte un grand nombre de parcs nationaux. Falaises calcaires, îles et grottes, à explorer en kayak ou lors d'une plongée, vous attendent à Ao Phang-Nga (p. 662), tandis que Khao Sok (p. 655) possède des hectares de forêt primaire. Khao Lak/Laem Ru (p. 657) est sillonné d'itinéraires de randonnées qui courent le long des falaises et des plages. Ses îles innombrables et ses kilomètres de mangrove et de jungle font de Laem Son (p. 654) le paradis des ornithologues. Le parc national maritime des îles Similan (p. 661) est un site de plongée et de snorkeling exceptionnel, tout comme celui des îles Surin (p. 660). L'archipel de Ko Lanta (p. 714) vaut le détour, tout comme les îlots couverts de jungle autour de Ko Phi Phi (p. 709). Le parc forestier de Sa Nang Manora (p. 665) – enchevêtrement de racines et de rochers moussus ponctué de cascades étagées – semble sorti d'un conte de fées.

### Depuis/vers la côte d'Andaman

Des avions relient fréquemment Bangkok, Phuket et Krabi : rejoindre la côte d'Andaman ne présente donc aucune difficulté. De Phuket, de nombreuses destinations nationales et internationales sont également desservies comme Chiang Mai, Ko Samui, Pattaya, Singapour, Kuala Lumpur, Séoul, Sydney et plusieurs villes d'Europe du Nord. Les réseaux de bus et de trains, bien développés (mais à peine moins chers), sont un bon moyen de découvrir le reste du pays ou de descendre jusqu'en Malaisie ou à Singapour.

### Comment circuler

Si vous prévoyez de faire des sauts de puce d'une île à l'autre, vous apprécierez le réseau de transports très étendu (mais cher). Les liaisons maritimes s'améliorant d'année en année, il est désormais possible de visiter toutes les îles entre Phuket et Langkawi (en Malaisie) sans même passer par le continent. Sur le continent, les liaisons par bus et par train permettent de rejoindre facilement les différents chefs-lieux (qui portent le nom de leur province).



# PROVINCE DE RANONG

Première pièce du puzzle que forment les provinces côtières d'Andaman, celle de Ranong est la plus faiblement peuplée de Thaïlande. Montagneuse et couverte de forêts, c'est aussi la région la plus humide du pays, avec 8 mois de pluie par an. La végétation y est très luxuriante, et la côte assez marécageuse et pauvre en plages.

La plupart des voyageurs se rendent à Ranong pour faire renouveler leur visa à Victoria Point (voir l'encadré p. 652). Ceux qui souhaitent rester plus longtemps pourront se détendre à Ko Chang et à Ko Phayam.

## RANONG

ระนอง

**24 500 habitants**

Sur la rive orientale de l'estuaire boueux de la Sompaen, la ville de Ranong n'est qu'à une encablure de bateau du Myanmar. Capitale de la province du même nom, elle a tout de la ville frontalière typique, à la fois un peu délabrée et pleine de frénésie. Elle compte une population birmane importante – on y voit des hommes portant le *longyi* traditionnel (sarong birman). Plusieurs sources thermales de peu d'intérêt (et malodorantes) et quelques édifices historiques en mauvais état complètent le décor.

Un nombre croissant de voyageurs affluent à Ranong pour découvrir le spot de plongée des Burma Banks, dans l'archipel des Mergui, à 60 km au nord des îles Surin. Plusieurs prestataires se sont installés en ville (lui donnant du même coup un petit air occidental) pour en faire le point de départ de croisières de plongée.

### Orientation et renseignements

Ranong s'étend à l'ouest de la Highway 4, à 600 km au sud de Bangkok et à 300 km au nord de Phuket. Pour des informations concernant l'immigration et les visas, voir l'encadré p. 652. Le principal bureau de l'immigration thaïlandais est situé sur la route de Saphan Plaa, à peu près à mi-chemin de la ville et des embarcadères principaux, mais vous pouvez faire tamponner votre passeport à l'embarcadère même. La plupart des banques bordent Th Tha Meuang (la rue qui mène à l'embarcadère), près du croisement de Th Ruangrat, l'axe nord-sud principal de la ville. Vous trouverez aussi des DAB près de l'embarcadère.

**J Net** (☎ 0 7882 2877 ; Th Ruangrat ; 40 B/h ; 🕑 9h-21h)

**Poste principale** (Th Chonrau ; 🕑 9h-16h lun-ven, 9h-12h sam)

### À voir et à faire

**SOURCES THERMALES**

Ranong est la version rurale des villes thermales thaïlandaises : nauséabonde et sans charme. Vous pouvez essayer les **sources**

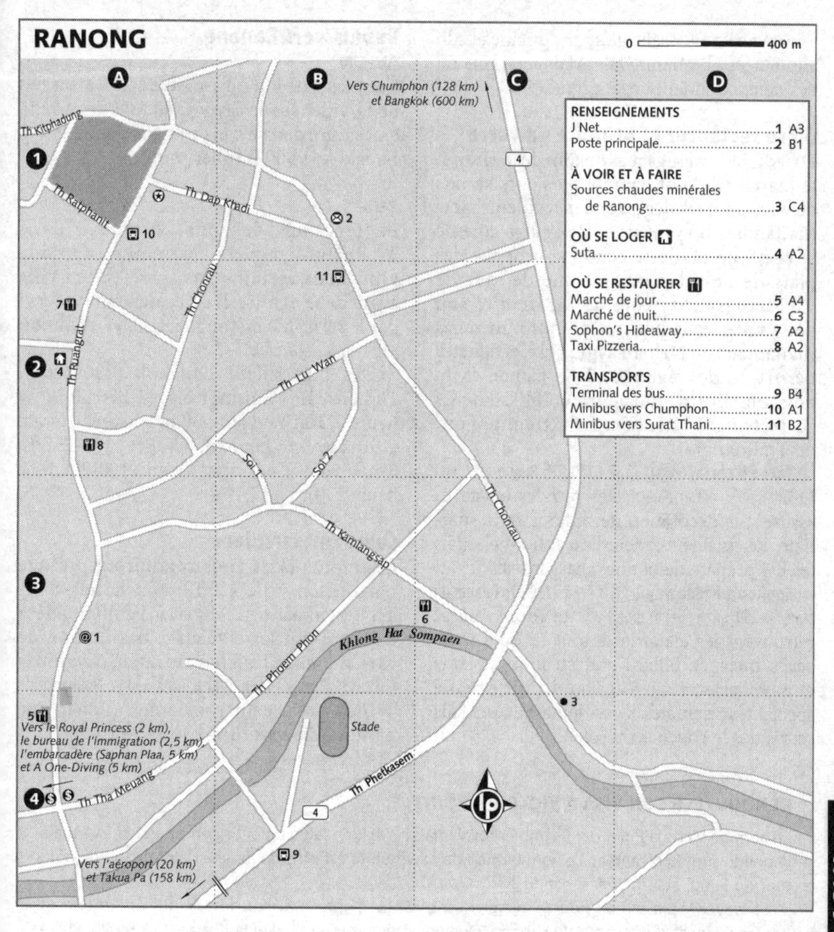


**d'eau chaude minérale de Ranong** (Th Kamlangsap ; 10 B ; 8h-17h), dans le Wat Tapotaram, qui alimentent des piscines dont la température atteint 65°C. Les trois sources portent en thaï le nom de Source Père, Source Mère et Bébé Source, et chacune d'elles possède un goût caractéristique (et peu savoureux). Leur eau serait sacrée et aurait de miraculeux pouvoirs curatifs.

### PLONGÉE

Les croisières de plongée partent de Ranong pour rallier des sites remarquables, réputés dans le monde entier, notamment les Burma Banks (archipel des Mergui), ainsi que les îles Surin et Similan. Les tarifs commencent à 16 000 B pour un forfait de 4 jours. Essayez **A-One-Diving** (☎ 0 7783 2984 ; www.a-one-diving.com ; 77 Saphan Plaa). À Khao Lak (p. 657), plusieurs opérateurs proposent désormais des croisières plongée jusqu'aux Burma Banks.

## Où se loger

Si vous faites proroger votre visa par une agence de voyages, celle-ci assurera votre aller-retour dans la ville dans la journée.

**Suta** (☎ 0 7783 2707 ; Th Ruangrat ; ch 350 B ; ). L'une des adresses les plus confortables de Ranong, où viennent de nombreux expatriés en attente d'un nouveau visa. Plusieurs bungalows tout simples donnent sur un petit jardin-parking.

**Royal Princess** (☎ 0 7783 5240 ; www.royalprincess.com ; ch 990-2 900 B ; ). Le meilleur hôtel de sa catégorie, avec salle de sport, piscine et sdb alimentées à l'eau minérale. Mais l'état général des lieux commence à se dégrader.

## Où se restaurer et prendre un verre

Dans Th Kamlangsap, non loin de la Hwy 4, le marché de nuit compte plusieurs stands où vous pourrez déguster de succulents mets thaïlandais bon marché. De l'autre côté de la rue, une modeste échoppe propose des plats de nouilles. Au marché de jour de Th Ruangrat, du côté de l'extrémité sud de la ville, vous pourrez prendre un repas thaïlandais ou birman à bon prix, et acheter des fruits, des légumes, de la viande et du poisson. Enfin, plusieurs établissements corrects vous attendent à l'extrémité nord de Th Ruangrat.

**Taxi Pizzeria** (☎ 0 7782 5730 ; Th Ruangrat ; plats 60-180 B ; 🕑 déj et dîner). Des puzzles encadrés assurent la décoration de cette pizzeria spartiate. La cuisine n'a rien d'exceptionnel, mais le chef prépare de bonnes margaritas.

**Sophon's Hideaway** (☎ 0 7783 2730 ; Th Ruangrat ; plats 60-200 B ; 🕑 déj et dîner). Cette adresse où se retrouvent les expatriés a tout ce qu'il faut : accès Internet, billard gratuit, four à pizzas et mobilier en rotin à foison. La carte marie spécialités orientales et occidentales. Cocktails servis dès le coucher du soleil.

## Depuis/vers Ranong

### AVION

L'aéroport de Ranong se situe à 20 km au sud de la ville, sur la Hwy 4. **Air Asia** (www.airasia.com) assure deux à trois vols par semaine vers Bangkok (1 900 B l'aller simple).

### BUS

Le terminal des bus se trouve dans Th Phetkasem, vers l'extrémité sud de la ville, mais certains bus s'arrêtent en ville avant de s'y rendre. Il est également desservi par le *sŏrng·tăa·ou* (ou *săwngthăew* ; camion *pick-up) 2 (bleu).*

Des bus relient Bangkok (220-700 B, 10 heures), Chumphon (120-150 B, 3 heures), Hat Yai (410-430 B, 5 heures), Krabi (190-220 B, 6 heures), Phuket (180-250 B, 5 heures 30) et Surat Thani (100-200 B, 4 heures 30).

## Comment circuler

Les motos-taxis vous conduiront presque partout en ville (20 B), aux hôtels dans Th Petchkasim (25 B) et à l'embarcadère d'où partent les bateaux à destination de Ko Chang, de Ko Phayam ou du Myanmar (50 B). **Pon's Place** (☎ 0 7782 3344 ; Th Ruangrat ; 🕑 7h30-minuit) peut vous aider à louer une moto ou une voiture.

### RENOUVELER SON VISA À VICTORIA POINT

Le nom de Victoria Point peut sembler royal, mais il s'agit en fait d'un petit port poussiéreux situé à la pointe sud du Myanmar. Le nom birman de Kawthoung est sans doute une déformation du nom thaï, Ko Song, qui signifie "seconde île".

Le moyen le plus simple pour renouveler votre visa est d'opter pour l'un des "circuits visa" proposés par les agences de voyages de Ranong. Que vous séjourniez à Phuket, à Khao Lak, à Ko Phi Phi, à Ko Samui ou à Ko Pha-Ngan, renseignez-vous sur les visas spéciaux avant de monter à bord du bus pour Ranong. Si vous êtes déjà sur place, vous pouvez aussi vous débrouiller seul. Cette solution peut s'avérer plus rapide et moins coûteuse, mais attendez-vous à être harcelé par les hordes de fumeurs birmans qui essaieront de vous vendre viagra ou valium. Le voyage à lui seul s'apparente à un tour sur des montagnes russes.

Les voyageurs doivent présenter leur passeport (l'original et une photocopie) et payer 10 $US. Les circuits organisés peuvent s'en charger pour vous. Les bateaux partent de l'embarcadère (bien indiqué à Ranong), près du petit **bureau de l'immigration** (🕑 8h30-18h), qui tamponnera votre passeport à l'aller comme au retour. La traversée en *long-tail boat* jusqu'au point de contrôle birman dure une heure et coûte 200 B l'aller. Si vous voyagez en circuit organisé, vous serez dirigé sur un ferry en bois. Les voyageurs indépendants peuvent également l'emprunter à condition de payer 70 B l'aller. Avant d'arriver à Victoria Point, le bateau doit traverser deux points de contrôle où le capitaine présentera votre passeport aux autorités.

Si vous venez simplement pour renouveler votre visa, comptez entre 1 heure 30 et 4 heures 30 selon votre mode de transport. N'oubliez pas que l'heure retarde de 30 min au Myanmar. Et pensez à prendre une ombrelle et de l'eau, vous ne trouverez guère d'ombre durant le voyage.

## KO CHANG

เกาะช้าง

Ne cherchez pas l'agitation d'une grande ville à Ko Chang, mais si vous avez emporté des livres et aimeriez les lire sur une plage de sable tranquille, alors bienvenu ! Contrairement à de nombreuses îles thaïlandaises, Ko Chang apprécie et protège son style de vie à l'ancienne, loin des banques et d'Internet.

Une fois rassasié de lecture, explorez la "capitale" de l'île – un minuscule village – ou faites le tour de l'île sur une des routes de terre. Avec un peu de chance, vous apercevrez au-dessus des mangroves des aigles de mer, des milans d'Andaman et même des calaos, trois espèces qui nichent ici.

Les propriétaires de bungalows proposent des circuits en bateau vers Ko Phayam et les autres îles voisines pour environ 200 B/pers (déjeuner compris, 6 pers au minimum). Pour des excursions de plongée, contactez **Aladdin Dive Cruise** (☎ 0 7782 0472 ; www.aladdindivecruise.de), sur Ko Chang, qui propose des cours de préparation au brevet PADI et différentes croisières de plongée de plusieurs jours.

### OÙ SE LOGER ET SE RESTAURER

Le bambou et le chaume sont la norme à Ko Chang, où la plupart des établissements n'ouvrent que de novembre à avril. L'accès à l'électricité reste limité, mais quelques adresses utilisent l'énergie solaire.

**Ko Chang Resort** (☎ 0 7782 8177 ; Ao Yai ; bungalows 200-300 B). Lattes en bambou et couleurs vives caractérisent ces bungalows perchés sur des rochers, au-dessus d'une petite plage de sable pêche. Les bungalows les plus chers comportent une véranda sur 2 niveaux, et les sdb sont parmi les meilleures de la région.

**Cashew Resort** (☎ 0 7782 4741 ; Ao Yai ; bungalows 200-600 B). Le plus ancien complexe de l'île. Vous avez le choix entre des huttes bon marché et des bungalows plus solides et plus grands.

**Sawadee** (☎ 0 7782 0177 ; Ao Yai ; bungalows 300-400 B). L'hôtel le plus luxueux de la ville. L'intérieur en bois sombre contraste avec des sdb très colorées. Le restaurant sert des plats typiques à la belle étoile.

### Depuis/vers Ko Chang

Du centre-ville de Ranong, prenez un *sŏrng·tăa·ou* (15 B) ou un taxi (50 B) pour Saphan Plaa. Deux bateaux (150 B) partent chaque matin de mi-octobre à mai ; soyez au débarcadère vers 9h pour connaître leur horaire exact (ils ne partent généralement pas avant). En haute saison (novembre à avril), un bateau part tous les jours à 12h. Les bateaux regagnent Ranong à 8h le jour suivant. On peut louer un *long-tail boat* au départ de Ko Phayam (1 000-1 200 B).

## KO PHAYAM

เกาะพยาม

Bien qu'elle fasse partie du Parc national de Laem Son (p. 654), la petite île de Ko Phayam flotte sur la mer aux côtés d'îlots de sable et de végétation. L'île est habitée par une population accueillante composée de Thaïlandais et de Birmans, d'expatriés et de quelques dizaines de *chow lair* (ou *chao leh*, pêcheurs) qui vivent de la pêche aux crevettes et de la culture des noix de cajou. Tout le village se retrouve le long des deux principales baies ourlées de sable fin, où se mêlent délicieusement le clapotis des vagues et le hululement des calaos.

L'île possède un "village" regroupant l'embarcadère principal, quelques petits restaurants, des stands d'épicerie et un bar. Depuis l'embarcadère, des motos-taxis vous conduiront à votre bungalow rudimentaire, par la "highway" des motos qui traverse l'île.

### Où se loger et se restaurer

Les bungalows sont rustiques, mais équipés de ventilateurs. L'électricité ne fonctionne généralement que du coucher du soleil jusqu'à 22h ou 23h. La plupart des ensembles de bungalows restent ouverts toute l'année, mais ils ferment si les affaires tournent au ralenti. Les établissements possèdent souvent leur propre restaurant, qui sert une cuisine sans prétention.

**Vijit** (☎ 0 7783 4082 ; www.kohpayam-vijit.com ; Ao Khao Fai ; 200-500 B ; 💻). Du côté de l'extrémité sud de la baie, une douzaine de bungalows rudimentaires, chacun d'un style légèrement différent, sont installés sur un terrain sablonneux planté de jeunes arbres. Tous les bungalows sont dotés d'une sdb intérieure/extérieure. À marée haute, la plage rétrécit. Contactez la réception pour que l'on vienne vous chercher (gratuitement) à Ranong.

**Bamboo Bungalows** (☎ 0 7782 0012 ; Ao Yai ; 300-500 B). Ces bungalows en béton, plus onéreux mais plus solides (c'est-à-dire résistants à la mousson) et décorés de carrelage, possèdent beaucoup de charme. Tenus par un couple israélo-thaïlandais, ils attirent quantité de routards. On y trouve un bon restaurant et un agréable jardin ombragé. Location de Bodyboards pour les amateurs de glisse sur les vagues.

**Mountain Resort** (☎ 0 7782 0098 ; Ao Khao Fai ; 350 B). Situé dans une palmeraie ombragée à la pointe nord de la baie, cet ensemble ne dispose que de quelques bungalows, parmi les plus chics et les plus agréables de l'île. Intimité et tranquillité garanties.

Essayez également :

**Mr Gao** (☎ 0 7787 0222 ; www.mr-gao-phayam.com ; Ao Khao Kwai ; bungalows à partir de 350 B). Habitations classiques en bambou pour couples. Sourires en supplément.

**Coconuts** (☎ 0 7782 0011 ; Ao Yai ; bungalows 350-500 B). Hébergement sans prétention si le Bamboo affiche complet.

### Où prendre un verre

Les bars de plage bordent les deux côtés de l'île, mais ressemblent pour la plupart à des amas de choses rejetées par la mer.

**Oscar's** (☎ 0 7782 4236 ; Ao Khao Fai ; 🕑 10h-23h). Ce bar moderne détonne dans le cadre paisible du village principal où il est établi. C'est *le* lieu qu'il vous faut si vous êtes à la recherche d'un peu d'animation nocturne (autant qu'il peut y en avoir dans une île isolée). Vous avez en tout cas une chance d'y trouver de la bière fraîche.

### Depuis/vers Ko Phayam

Des bateaux partent tous les jours de Saphan Plaa pour Ko Phayan vers 9h et 14h (150 B, 1 heure 30 à 2 heures). Pour retourner à Ranong, les bateaux quittent Ko Phayan à 8h et à 13h. En haute saison, un troisième bateau peut faire la traversée. La location d'un *long-tail boat* pour les îles coûte entre 1 500 et 2 000 B ; comptez 1 250 B pour Ko Chang.

Il n'y a pas (encore) de voitures ou de camions sur l'île. Le transport est assuré par les motos-taxis, qui circulent sur des routes adaptées à leur petit gabarit. Comptez de 50 à 100 B pour rejoindre votre bungalow. Il est possible de se déplacer à pied, mais les distances sont assez grandes : prévoyez 45 min entre l'embarcadère et Ao Khao Fai, la baie la plus proche.

**Oscar's** (☎ 0 7782 4236 ; env 250 B/j), l'unique bar du village, loue des motos. Certains propriétaires de bungalows pourront aussi vous trouver une moto de location.



## PARC NATIONAL DE LAEM SON

อุทยานแห่งชาติแหลมสน

Le **parc national de Laem Son** (☎ 0 7782 4224 ; www.dnp.go.th ; adulte/enfant 400/200 B), qui couvre 315 km² entre les provinces de Ranong et de Phang-Nga, comprend plus de 20 îles et près de 100 km de côtes le long de la mer d'Andaman : il s'agit du littoral protégé le plus long du pays. La majeure partie de ce littoral est couverte de mangroves qui abritent de nombreuses espèces d'oiseaux, de poissons, de cervidés et de singes (notamment des macaques crabiers), que l'on aperçoit souvent depuis la route menant au bureau du parc.

La plage la plus accessible est **Hat Bang Ben**, en bas de la rue une fois passées les grandes portes rouillées de l'entrée du parc. (Notez que vous n'acquitterez que le droit d'entrée des parcs nationaux si vous accédez au parc par ces portes.) Cette longue plage sablonneuse, bordée de luxuriants casuarinas, est un lieu très agréable pour se baigner. De Hat Bang Ben, vous pourrez voir plusieurs îles protégées du parc, toutes proches, dont Ko Kam Yai, Ko Kam Noi, Mu Ko Yipun, Ko Khang Khao et, au nord, Ko Phayam. Le personnel du parc peut organiser des circuits en bateau jusqu'à ces îles, moyennant 1 500 B par bateau et par jour ; cela dit, vous trouverez des excursions privées bien moins chères (voir le Wasana Resort, plus loin).

**Ko Khang Khao** est connue pour sa plage de galets colorés, à son extrémité nord. Plus éloignée de l'embouchure de la Sompaen que Ko Chang, elle offre visibilité sous-marine légèrement meilleure. L'eau de la plage de **Ko Kam Noi**, fraîche toute l'année et relativement claire, est propice à la baignade et au snorkeling (avril étant le meilleur mois de l'année pour en profiter). On trouve également ici de nombreuses étendues herbeuses, idéales pour planter sa tente. **Ko Kam Tok** (appelée également Ko Ao Khao Khwai), une île située de l'autre côté de Ko Kam Yai, n'est pas visible depuis la plage de Hat Bang Ben. Elle n'est qu'à quelque 200 m de Ko Kam Yai et, à l'instar de Ko Kam Noi, possède une belle plage, des coraux, de l'eau fraîche et un terrain de camping. **Ko Kam Yai** se tient à 14 km au sud-ouest de Hat Bang Ben. C'est une grande île dotée de quelques hébergements (camping et bungalows), d'une jolie plage et de sites superbes pour le snorkeling.

À environ 3 km au nord de Hat Bang Ben, de l'autre côté du canal, **Hat Laem Son** est presque toujours déserte. Cette plage n'est en effet accessible qu'à pied depuis Hat Bang Ben. Dans la direction opposée, à environ 60 km au sud de Hat Bang Ben, **Hat Praphat** est une longue plage bordée de casuarinas, semblable à Bang Ben. Des tortues de mer viennent y déposer leurs œufs. On y trouve par ailleurs un deuxième bureau du parc, accessible par la route via la Hwy 4 (Phetkasem Hwy).

### Où se loger et se restaurer

**Wasana Resort** (☎ 07786 1434 ; bungalows 450-600 B ; ). Situé près de l'entrée du parc à la sortie de la Hwy 4, le Wasana est un meilleur choix que les bungalows sommaires (et bien trop chers) du parc national, point de chute apprécié des voyageurs intrépides. Ses bungalows chaleureux forment un cercle autour d'un restaurant coloré. Les propriétaires, un couple néerlando-thaïlandais, fourmillent d'idées pour explorer Laem Son (renseignez-vous sur la randonnée de 10 km vers le promontoire) et peuvent vous emmener une journée sur les îles (550 B/pers, très bon repas inclus, 4 pers au minimum).

### Depuis/vers le parc national de Laem Son

L'embranchement pour le parc national de Laem Son se trouve à 58 km environ de Ranong, sur la Hwy 4 (Phetkasem Hwy), entre les bornes des Km 657 et 658. Les bus en direction du Sud, au départ de Ranong, peuvent vous déposer à cet endroit (demandez Hat Bang Ben). Une fois que vous aurez quitté la Hwy 4, vous devrez toutefois héler un pick-up qui se dirige vers le parc. Si vous ne croisez aucun véhicule, sachez que l'entrée du parc se trouve à 10 km de la Hwy 4. Il est parfois possible de prendre un moto-taxi (50 B) au niveau de la guérite de la police, au carrefour. La route est goudronnée ; vous n'aurez pas de difficulté à circuler si vous conduisez votre propre véhicule. Louer un véhicule est sans aucun doute la meilleure solution pour visiter cette région ; les tarifs tournent autour de 1 000 B.

Pour plus d'informations sur la partie continentale du parc, rendez-vous sur le site www.vwvagabonds.com/Bike/CycleTouringRouteBangkokPhuket.html. Vous pourrez louer un bateau pour vous rendre dans différentes îles auprès du centre d'information des visiteurs du parc ; comptez en général 1 500 B par jour.

# PROVINCE DE PHANG-NGA

Les blessures mettent longtemps à se refermer, mais la province de Phang-Nga est enfin en voie de guérison. Cinq ans après la catastrophe, le tsunami est encore dans tous les esprits, mais certains hauts lieux comme Khao Lak retrouvent leur place dans l'itinéraire favori des routards.

Entre novembre et avril, la côte attire les voyageurs avec ses eaux très claires, son soleil éblouissant et ses plages de sable blanc. Durant la saison des pluies, en revanche, la plupart des établissements ferment leurs portes et la région peut prendre un air lugubre. Au large de la côte, les parcs nationaux maritimes des îles Surin et Similan abritent des sites de plongée mondialement renommés.

## PARC NATIONAL DE KHAO SOK

อุทยานแห่งชาติเขาสก

Bienvenue à Jurassik Park ! La plus grande zone protégée de Thaïlande vous donnera véritablement la sensation de pénétrer dans le parc préhistorique imaginé par Michael Crichton. Dans cette jungle tropicale primaire, qui fait partie des plus anciennes forêts du monde, serpents, singes et tigres se mêlent à l'enchevêtrement des lianes.

Bien qu'il fasse partie de la province de Surat Thani, le **parc national de Khao Sok** (☎ 07739 5025 ; www.khaosok.com ; 400 B) se trouve tout près de la mer d'Andaman et possède les caractéristiques typographiques de la région : des falaises recouvertes de fougères qui transpercent le ciel comme des dents de crocodile.

### Orientation et renseignements

Le **bureau du parc** (☎ 0 7739 5025) et le centre d'information des visiteurs se trouvent à 1,8 km de la Route 401, près du Km 109. De nombreux tour-opérateurs proposent des excursions d'une journée depuis Phuket ou Khao Lak, mais vous pouvez aussi vous y aventurer seul, la route est bien indiquée.

La meilleure période va de décembre à mai, pendant la saison sèche. Durant la saison des pluies, entre juin et novembre, les sentiers peuvent être très glissants et détrempés. Les inondations sont fréquentes et peuvent faire des victimes. En revanche, vous aurez toutefois plus de chance de tomber nez à nez avec des animaux exotiques durant cette période.

## À voir et à faire

La superficie de Khao Sok en fait l'un des derniers habitats des **grands mammifères**, qui ont besoin d'un espace vital important. Durant les mois les plus humides, ours, sangliers, tapirs, gibbons, rennes, éléphants sauvages et même les tigres sortent de leur tanière. Plus de 180 espèces d'oiseaux se partagent les cieux, tandis que la plus grande fleur du monde, la *Rafflesia kerrii*, domine la flore ; présente uniquement à Khao Sok, cette **fleur géante** peut atteindre 80 cm de diamètre. Sans feuille ni racine, la *Rafflesia* parasite les racines des lianes.

À une heure de voiture du centre d'information des visiteurs, l'immense **lac Chiaw Lan** a été créé en 1982 par le barrage de schiste argileux de Ratchaprapha (Kheuan Ratchaprapha ou Kheuan Chiaw Lan). Les affleurements calcaires qui émergent du lac peuvent atteindre 960 m de hauteur, soit plus du triple des formations géologiques de Phang-Nga.

La grotte de **Tham Nam Thalu** contient d'étonnantes concrétions calcaires et un réseau de cours d'eau souterrains. Dans la grotte de **Tham Si Ru** convergent quatre galeries souterraines qui servaient d'abri secret aux insurgés communistes entre 1975 et 1982. Ces grottes sont accessibles à pied depuis la rive sud-ouest du lac. Vous pouvez louer un bateau aux pêcheurs pour explorer les criques, les canaux, les grottes et les anfractuosités le long des berges.

Promenades à dos d'éléphant, kayak et rafting sont des activités très prisées dans le parc. Vous pouvez également organiser une visite à pied du parc depuis n'importe quelle pension. Assurez-vous d'avoir un guide certifié (ils portent un badge officiel). Plusieurs sentiers de randonnée partant du centre d'information des visiteurs conduisent, notamment, aux cascades de **Sip-Et Chan** (4 km), de **Than Sawan** (9 km) ou encore de **Than Kloy** (9 km).

## Où se loger et se restaurer

La route qui mène au parc est bordée de charmants bungalows, confortables et ventilés, situés en pleine nature. Essayez d'arriver en journée afin de vous balader sur cette petite route et de choisir votre bungalow.

**Art's Riverview Jungle Lodge** (☎ 0 7739 5009 ; bungalows 350-550 B). Chambres bien conçues, sans prétention et dotées de moustiquaires, dans un cadre superbe, tranquille et luxuriant. Les plus chères sont agrémentées d'une véranda et d'un hamac. Du restaurant au bord de la rivière, on peut observer des macaques sauvages.

**Khao Sok Rainforest Resort** (☎ 0 7739 5006 ; www.krabidir.com/khaosokrainforest ; bungalows 400-600 B). Ces huttes perchées sur pilotis longent les méandres de la rivière. Un programme de protection de la nature organisé en interne inclut des randonnées à faible impact et des projets de reboisement.

**Morning Mist Resort** (☎ 0 7885 6185 ; bungalows 600 B). Des brindilles et du chaume en abondance, et une très belle vue sur les formations rocheuses. Les réservations doivent être faites auprès du bureau du parc national.

**Cliff & River Jungle Resort** (☎ 08 7271 8787 ; www.thecliffandriver.com ; bungalows 1 800 B). Jolie propriété juste au pied des falaises dentelées. La piscine et le bain de vapeur sont en supplément.

## Comment s'y rendre et circuler

Khao Sok se situe à 100 km de Surat Thani. La plupart des agences de voyages peuvent organiser le transport en minibus (80 B, 1 heure, 2 départs/j au minimum), mais sachez que certaines compagnies de minibus travaillent en association avec des complexes de bungalows et essaieront de vous persuader d'y loger. Sinon, prenez un bus en direction de Takua Pa ; vous devrez descendre bien avant d'atteindre cette destination (demandez "Khao Sok" au chauffeur). Vous pouvez également venir en bus de la côte ouest, mais vous devrez alors d'abord rejoindre Takua Pa. De là, le trajet en bus coûte 25 B (1 heure, 9 départs/j). Tous les bus vous déposent sur le bord de la nationale, à 1,8 km du centre des visiteurs. Si vous n'êtes pas accueilli par les rabatteurs des pensions, vous devrez marcher jusqu'à l'hébergement choisi (de 50 m à 2 km). Les routes traversant les secteurs les plus importants du parc sont pavées, aucun problème donc pour y circuler avec son véhicule.

Pour atteindre le lac de Chiaw Lan, suivez la Rte 401 vers l'est à partir du centre d'information, puis prenez la bifurcation située entre les Km 52 et 53, à Ban Takum. Le lac se trouve à 14 km de là. Si vous n'êtes pas motorisé, vous pouvez prendre un bus jusqu'à Ban Takum, puis essayer de vous faire prendre en stop jusqu'au lac ; la meilleure solution est toutefois celle du circuit organisé, que n'importe quelle pension peut arranger moyennant 1 000 B (2 000-2 500 B avec une nuit sur place).

## KHAO LAK ET SES ENVIRONS

เขาหลัก/บางเนียง/นางทอง

L'économie de Khao Lak repose toute entière sur la seule plongée. La plage est certes agréable, mais les récifs le sont plus encore. La mode est aux croisières de plusieurs jours jusqu'aux magnifiques îles Similan et Surin.

### Orientation et renseignements

Khao Lak s'étend sur une côte parsemée de magnifiques plages. La Hwy 4 longe les plages, en retrait d'environ 1,5 km, et relie plusieurs petits centres d'activités et d'hébergement. Ce secteur englobe quatre grandes plages (du sud au nord) : Khao Lak, Nang Thong, Bang Niang et Bang Sak. L'activité se concentre principalement autour de Nang Thong. Le parc national de Khao Lak/Lam Ru se trouve juste au sud de la plage de Khao Lak.

En cas de problème lors d'une plongée, le service d'urgence **SSS Ambulance** (☎ 08 1081 9444) rapatrie les blessés jusqu'à Phuket. Il peut également intervenir en cas d'accidents de la route. À Bang Niang, une infirmière se charge aussi des victimes d'accidents de plongée.

De nombreuses agences de voyages sont disséminées dans les environs, la plupart ne possédant qu'un simple stand sur le bord de la route. Souvent, elles font aussi laverie et location de motos (à partir de 250 B/j). Le bureau de poste se trouve à Tabla Mu, près du Khao Lak Merlin.

### À voir

Khao Lak est probablement la région du littoral thaïlandais qui a été la plus touchée par la catastrophe, comme l'illustre le **bateau de police** que la vague géante a transporté un peu au nord du centre-ville, à 2 km de la mer.

Au sud de Hat Khao Lak, le **parc national de Khao Lak/Lamru** (☎ 0 7642 0243 ; www.dnp.go.th ; adulte/enfant 200/100 B ; 8h-16h30), d'une superficie de 125 km², déploie un magnifique paysage de falaises surplombant la mer, de collines atteignant les 1 000 m, de plages, d'estuaires, de vallées boisées et de mangroves. Calaos, drongos, tapirs, ours noirs d'Asie, gibbons et autres singes composent la faune locale. Le centre d'information des visiteurs, non loin de la Hwy 4, entre les Km 56 et 57, possède peu de cartes ou de brochures. Il dispose d'un ravissant restaurant en plein air perché sur un versant ombragé au-dessus de la mer.

Poseidon Bungalows (p. 659) organise des randonnées guidées le long de la côte ou à l'intérieur des terres, ainsi que des excursions en *long-tail boat* jusqu'au bel estuaire du **Khlong Thap Liang**, où vous pourrez apercevoir des macaques crabiers dans la mangrove. Entre Khao Lak et Bang Sak, le réseau de chemins de sable, dont certains mènent à des plages désertes, est très agréable à parcourir à pied ou à moto. La plupart des hôtels de la ville louent des motos (250 B/j).

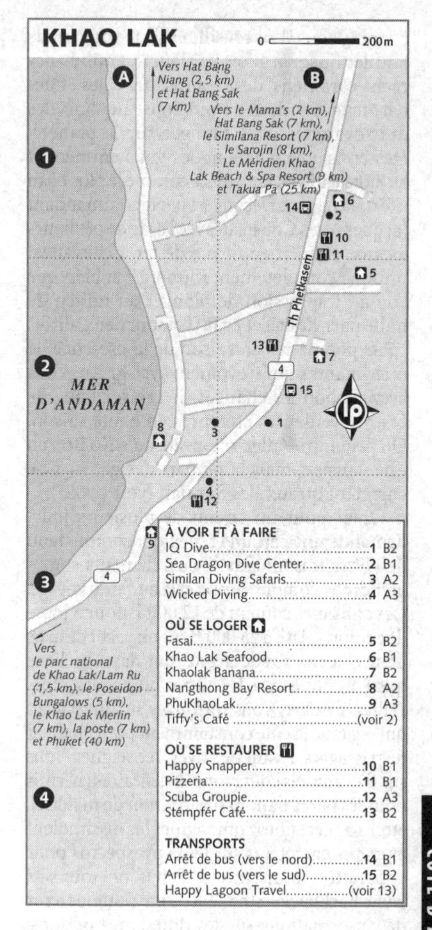


### À faire

#### PLONGÉE

Khao Lak est la porte officielle du paradis sous-marin des îles Surin et Similan. Les sorties de snorkeling et de plongée d'une journée sont recherchées, mais que dire des croisières de plusieurs jours ! Lors de ces sorties (2 à

5 jours), vous vous réveillez à l'aube pour vous faufiler (jusqu'à 4 fois par jour) au milieu des récifs coralliens, des requins, des raies et des barracudas – dans ce qui constitue l'un des dix royaumes de la plongée sur la planète. Des croisières plus longues vous emmènent au **Richelieu Rock**, considéré comme le plus beau site de la région. Découvert par le commandant Jacques-Yves Cousteau avec l'aide de pêcheurs locaux, ce récif en forme de fer à cheval est presque complètement immergé, si bien que l'on a l'impression de plonger au milieu de nulle part. **Ko Bon** et **Ko Ta Chai** sont deux autres spots populaires en raison de la présence de raies mantas qui y évoluent avec grâce. Vous avez de bonnes chances de croiser l'une de ces merveilleuses créatures en haute saison. On peut faire l'aller-retour jusqu'à Ko Bon en une journée, mais la plupart des bateaux ne s'arrêtent qu'aux îles Similan (voir p. 661).

Opter pour un circuit de plusieurs jours demande une certaine réflexion, compte tenu de l'offre foisonnante. Deux éléments sont à prendre en compte : le prix et la durée du voyage. Ces croisières coûtent de 12 000 B pour 3 jours de confort relatif à 25 000 B sur un yacht de luxe. Leur charme réside avant tout dans les liens que l'on noue avec les autres plongeurs, alors veillez à ne pas vous retrouver sur un bateau qui regagne la côte constamment pour changer de passagers. Avant de payer, renseignez-vous sur d'éventuels coûts supplémentaires (permis pour les parcs nationaux, location de matériel, etc.), car certaines compagnies les dissimulent en petits caractères sur leurs prospectus pour apparaître compétitives. Faites un tour sur www.backpackersthailand.com pour obtenir des informations sur les différentes options. Si vous le pouvez, préférez une croisière en fin de saison : votre guide aura une meilleure connaissance des récifs s'il s'agit de sa première saison dans la région. Les guides changent en effet régulièrement, car il s'agit d'une activité saisonnière qui débute fin octobre et s'achève en mai (les dates peuvent varier selon la réglementation changeante du parc).

Les plongeurs débutants peuvent suivre une formation PADI, mais Ko Tao (p. 627), dans le golfe, propose des solutions moins chères et plus proches de la côte. Un cours PADI Open Water vous coûtera environ 16 000 B. Khao Lak convient mieux à la plongée de loisir et aux formations.

Si vous préférez le snorkeling, certaines sorties et croisières bénéficient d'une réduction de 40%. Plusieurs agences en ville proposent des sorties de snorkeling à partir de 2 500 B, mais celles-ci embarquent généralement trop de monde et sont de médiocre qualité.

Il existe plusieurs dizaines d'écoles de plongée à Khao Lak. Les adresses suivantes sont chaudement recommandées :

**IQ Dive** (☎ 0 7648 5614 ; www.iq-dive.com ; Th Phetkasem). Un club de qualité qui se concentre sur des sorties d'une journée. Les excursions commencent à 5 100 B (tout compris). Le site Internet donne de bonnes informations sur les croisières de plongée dans la région.

**Sea Dragon Diver Center** (☎ 0 7648 5420 ; www.seadragondivecenter.com ; Th Phetkasem). L'un des plus vieux centres de plongée de Khao Lak, le "Dragon de mer" a gardé des normes de qualité élevées au fil des années et offre toujours d'excellentes sorties d'un ou plusieurs jours. L'excursion de 3 jours coûte 11 800 B (accès au parc et matériel en sus).

**Similan Diving Safaris** (☎ 0 7648 5470 ; www.similan-diving-safaris.com). Joe, le propriétaire, est d'origine jamaïquaine, chinoise et britannique et voit la vie comme un Lao-Tseu rasta. Sa spécialité : la croisière de 4 jours (17 800 B tout compris), qui attire des visiteurs réguliers. Le personnel est incollable et les plats sont excellents. Probablement la meilleure option pour vos excursions en mer, même d'une seule journée. Le bureau est situé au bout de la rue qui mène au Happy Lagoon.

**Wicked Diving** (☎ 0 7648 5868 ; www.wickeddiving.com ; Highway 4). Prestataire relativement récent à Khao, Wicked Diving est déjà plébiscité pour le professionnalisme de son équipe, la qualité de ses excursions et son approche de l'écotourisme. Renseignez-vous sur le projet du club concernant les requins-baleines. L'excursion de 3 jours (15 900 B, plus 300 B/j pour l'équipement ; accès au parc en sus) est très demandée. Un club sympathique et détendu pour une formation PADI. Sorties d'une journée également proposées.

## Bénévolat

Quelques programmes de bénévolat peu organisés s'orientent autour du tsunami, mais si vous souhaitez vraiment agir, contactez **Grassroots HRED** (☎ 0 7642 0351 ; www.ghre.org), à Takua Pa, à 25 km au nord de Khao Lak. Cette organisation humanitaire vient en aide aux Birmans de Thaïlande, en particulier dans les régions touchées par le tsunami. Ses camps d'été, qui ont fait leur preuve, sont un excellent moyen de prêter main-forte à ceux qui en ont besoin.

## Où se loger

Khao Lak propose beaucoup d'hébergements aux deux extrêmes, du simple toit pour les routards au complexe de luxe, mais peu de choix entre les deux.

### PETITS BUDGETS

Le Tiffy's Café offre les options les moins chères (à partir de 180 B/pers en dortoir) ; renseignez-vous auprès du Sea Dragon Diver Center (voir page précédente).

**Fasai** (☎ 0 7648 5867 ; ch 500-700 B ; ). Le meilleur choix pour les petits budgets à Khao Lak. Chambres propres de style motel et un personnel tout sourire.

**Khaolak Banana** (☎ 0 7648 5889 ; www.khaolakbanana.com ; ch 500-1 200 B). Ces jolis petits bungalows ont des sols peints et des sdb extérieures baignées de soleil. Piscine et transats complètent le tableau. Avant de passer à la réception, demandez à d'autres voyageurs combien coûte leur chambre, les prix ont tendance à varier selon les clients.

**Khao Lak Seafood** (☎ 0 7642 0318 ; ch 600 B). Affiliés au restaurant du même nom, ces bungalows récents constituent un bon choix pour les petits budgets.

**Poseidon Bungalows** (☎ 0 7644 3258 ; www.similantour.com ; bungalows à partir de 900 B). De l'autre côté du promontoire, près du parc national de Khao Lak/Lam Ru, à 5 km au sud de Hat Khao Lak, cet endroit paisible propose quelques huttes éparpillées dans la forêt côtière.

Également recommandé :

**PhuKhaoLak** (☎ 0 7648 5141 ; bungalows 600-1 800 B ; ). Nombreux services, huttes confortables et bonne cuisine. À 5 min de marche au sud du centre de Khao Lak.

### CATÉGORIES MOYENNE ET SUPÉRIEURE

**Nangthong Bay Resort** (☎ 0 7648 5088 ; bungalows 2 000-3 000 B ; ). Excellente adresse, cet hôtel affiche vite complet. Sobre décoration en noir et blanc dans les chambres, qui leur donne un côté chic. Toutes sont d'un excellent rapport qualité/prix. Des sculptures en terre cuite déversent leur eau dans la piscine céruléenne.

**Similana Resort** (☎ 0 7648 7166 ; www.similanaresort.com ; ch à partir de 3 000 B ; ). Chaque bungalow est une petite œuvre d'art : mobilier artisanal, parquet de bois sombre, dessus de lit en patchwork, grandes fenêtres et véranda privative avec vue panoramique. Essayez les chambres nichées dans les arbres de la forêt face à la mer.

**Khao Lak Merlin** (☎ 0 7642 8300 ; www.merlinphuket.com ; Hwy 4 ; ch à partir de 6 800 B ; ). Ce complexe géant, à 7 km du centre, comporte plusieurs piscines et des chambres coloniales disséminées dans 6 ha de jardins tropicaux.

**Le Méridien Khao Lak Beach & Spa Resort** (☎ 0 7642 7500 ; www.khaolak.lemeridien.com ; Hwy 4 ; ch/bungalows à partir de 7 000 B ; ). Complètement détruit après le tsunami, le Méridien revient plus grand que jamais avec différentes piscines et des centaines de chambres le long des plages de Bang Sak, entre les jardins tropicaux et les villas privées.

**Sarojin** (☎ 0 7642 7900 ; www.sarojin.com ; ch à partir de 12 500 B ; ). Austérité japonaise et décor thaïlandais sont de mise dans ce complexe élégant et calme, situé à Bang Sak. Ne manquez pas la piscine, avec ses jolies huttes-salons qui flottent comme des îles au-dessus de son eau bleue.

## Où se restaurer et prendre un verre

La gastronomie n'est pas le fort de Khao Lak, mais les touristes se retrouvent dans plusieurs petits restaurants pour échanger leurs exploits sous-marins. Les plongeurs matinaux auront du mal à trouver un lieu où petit-déjeuner avant 8h30.

**Marché de Takua Pa** (5h-18h). Ce marché coloré à 25 km au nord de la ville est parfait pour prendre un en-cas. La plupart des circuits au départ de Khao Lak s'y arrêtent avant de s'enfoncer dans la jungle tropicale.

**Stémpfer Café** (Th Phetkasem ; plats 90-150 B ; 9h-22h). Le café est bon, les sandwichs savoureux et la connexion Internet rapide, que demander de plus ?

**Happy Snapper** (☎ 0 7642 3540 ; Th Phetkasem ; plats 90-290 B ; petit-déj, déj et dîner). Les clients apprécient la musique live en soirée. La petite cantine thaïlandaise attachée au bar sert de bons plats typiques.

**Pizzeria** (☎ 0 7648 5271 ; plats 200-300 B ; déj et dîner). Des gnocchis faits main aux pizzas à pâte fine, les plats italiens sont divins.

Également recommandés :

**Mama's** (plats 40-120 B ; petit-déj, déj et dîner). Près du 7-Eleven à Bang Niang. Mama prépare une bonne cuisine familiale.

**Scuba Groupie** (16h30-1h). Tenu par un sympathique barman, ce bar se trouve au rez-de-chaussée du grand bâtiment jaune, vous ne pourrez pas le manquer.

## Depuis/vers Khao Lak

Les bus qui circulent sur la Hwy 4 entre Takua Pa (50 B, 45 min) et Phuket (80 B, 2 heures) s'arrêteront à Hat Khao Lak si vous le demandez. Ne descendez pas à Kokloi (à 40 km au sud de Khao Lak) ; de nombreux voyageurs font en effet l'erreur. Les bus VIP partent pour ces deux destinations tôt le matin (entre 6h et 8h), les autres bus passent toutes les heures. Des bus de nuit partent pour Bangkok à 17h, 19h, 20h et 21h tous les jours (750-1 100 B). Des bus peuvent aussi s'arrêter près du Merlin Resort et du bureau du parc national de Khao Lak/Lam Ru. En matière de transports, n'hésitez pas à vous renseigner auprès du Happy Lagoon Travel, sur la Hwy 4, dans le centre-ville (deux portes après le Stémpfer Café).

## PARC NATIONAL MARITIME DES ÎLES SURIN

อุทยานแห่งชาติหมู่เกาะสุรินทร์

À 60 km de la côte thaïlandaise, et à 5 km de la frontière maritime entre la Thaïlande et le Myanmar, ce **parc national** (www.dnp.go.th ; 400 B ; mi-nov à mi-mai) est formé de cinq superbes îles granitiques couvertes d'épaisses forêts tropicales, de plages de sable blanc s'étirant le long de baies abritées et de promontoires rocheux se jetant dans l'océan. Les eaux très pures du parc abritent une faune marine fantastique, et la visibilité sous-marine porte souvent à 35 m. Elles attirent également des *chow lair*, gitans de la mer, qui vivent dans un village sur le rivage durant la saison de la mousson, entre mai et novembre. Dans la région, ils sont connus sous le nom de Moken, terme dérivé du mot *oken*, qui signifie "eau de mer".

Ko Surin Nuea (au nord) et Ko Surin Tai (au sud) sont les îles les plus grandes. Le bureau du parc et les infrastructures destinées aux visiteurs se situent à Ao Chong Khad, sur Ko Surin Nuea, près de la jetée. Point de départ vers le parc, l'embarcadère de Khuraburi se situe à 9 km environ au nord de la ville, de même que le **bureau du parc** (☎ 0 7649 1378 ; ☎ 8h-17h) sur le continent, où vous trouverez de nombreux renseignements, des cartes et un personnel efficace.

### À voir et à faire

#### VILLAGE MOKEN

Les visiteurs sont les bienvenus dans le **village moken**, situé à Ao Bon, sur Ko Surin Tai. Empruntez un *long-tail boat* au départ du bureau du parc (100 B). Après le tsunami, les Moken se sont installés dans cette baie abritée où une importante cérémonie en hommage aux ancêtres (Loi Reua) a lieu en avril. Des *law bong* (totems protecteurs) peints flanquent l'entrée du parc.

#### PLONGÉE ET SNORKELING

**Ko Surin Tai** et **HQ Channel**, entre les deux îles principales, figurent parmi les sites de plongée les plus remarquables du parc. Dans les environs se trouve également **Richelieu Rock** (un mont sous-marin à 14 km au sud-est), où l'on observe souvent des requins-baleines en mars et en avril. À 60 km au nord-ouest des îles Surin se dressent les célèbres **Burma Banks**, une chaîne de monts sous-marins dans l'archipel des Mergui. Des croisières plongée spéciales visitent leurs eaux cristallines. Les trois principaux plateaux, **Silvertip**, **Roe** et **Rainbow**, vous réservent des plongées inoubliables : dans les champs de coraux qui recouvrent ces hauts plateaux sous-marin, évoluent de multiples espèces marines. Pour explorer ces sites extraordinaires, le mieux est de se joindre à une croisière de plongée de plusieurs jours au départ de Khao Lak (voir p. 657).

La faible profondeur des récifs (5-6 m), qui ont peu souffert du tsunami, favorise également le snorkeling. Chaque jour, deux excursions de snorkeling de 2 heures (80 B/pers ; équipement 150 B/j ; départs à 9h et 14h) partent du bureau de l'île.

#### FAUNE ET RANDONNÉE

En explorant la lisière de la forêt autour du bureau du parc, vous pourrez observer des macaques crabiers ainsi que quelque 57 espèces d'oiseaux résidentes, dont le fantastique nicobar à camail, endémique des îles d'Andaman. Le long de la côte, vous apercevrez sans doute des milans sacrés dans le ciel et des aigrettes sacrées sur les récifs. Douze espèces de chauves-souris peuplent le parc, notamment la roussette de Malaisie, appelée aussi grand renard volant.

Un **sentier de randonnée** cahoteux, réservé aux sportifs, serpente sur 2 km le long de la côte et dans la forêt jusqu'à la plage d'**Ao Mai Ngam**, où se trouve un beau spot de snorkeling. À marée basse, il est facile de se promener entre les baies proches du bureau du parc.

### Où se loger et se restaurer

Les hébergements des îles Surin sont largement plus confortables que ceux des îles Similan. Les hébergements du parc sont simples et corrects, mais ils sont très rapprochés les uns des autres, ce qui devient gênant lorsqu'ils affichent complet (300 pers).

Pour réserver dans le parc, rendez-vous sur le site www.dnp.go.th ou au **bureau du parc national**

(☎ 0 7649 1378) à Khuraburi. Location de **bungalows** (avec ventil, sdb et balcon 2 000 B) et de **tentes** (1/2 pers 300/450 B) à Ao Mai Ngam. Vous pouvez également planter votre **tente** (80 B). Un générateur fournit de l'électricité jusqu'à 22h environ. Le **restaurant** du parc (plats à partir de 60 B) sert de la cuisine thaïlandaise authentique.

Si vous devez passer la nuit à Khuraburi, le **Tararin Resort** (☎ 0 7649 1789 ; ch à partir de 300-500 B ; ), le **Boon Piya Resort** (☎ 08 1752 5457 ; bungalows 600 B ; ) ou le Tom & Am Tour peuvent vous dépanner. Plus confortable, le **Kuraburi Greenview Resort** (☎ 0 7640 1400 ; www.kuraburigreenview.co.th ; d à partir de 1 900 B ; ) est situé à 15 km au sud de la ville, entre la forêt et la rivière. Les bungalows qui allient ardoise et pavés sont confortables.

### Depuis/vers le parc national maritime des îles Surin

Un "grand bateau" (aller-retour 1 200 B, 2 heures 30 l'aller) part tous les jours de l'embarcadère de Khuraburi à 9h et rentre à 13h (mais il n'était pas en service le jour de notre passage). Les vedettes des tour-opérateurs (aller-retour 1 700 B, 1 heure l'aller) acceptent les voyageurs indépendants lors de leurs traversées quotidiennes.

Plusieurs tour-opérateurs, tous situés près de l'embarcadère, organisent des circuits d'une journée/deux jours (environ 2 800/3 800 B) dans le parc. Des agences de Khao Lak (p. 658) et de Phuket (p. 675) peuvent réserver ces circuits ainsi que des sorties de plongée. Des croisières de plongée de plusieurs jours partent de Khao Lak et s'arrêtent sur différentes îles de l'archipel. À Khuraburi, essayez la sympathique **Tom & Am Tour** (☎ 08 6272 0588 ; www.surinislandtour.com) pour vos réservations. Les tour-opérateurs incluent les transferts depuis Khao Lak dans leurs tarifs.

De 3 à 6 bus circulent chaque jour entre Phuket et Khuraburi (160 B, 3 heures 30) et entre Khuraburi et Ranong (60 B, 1 heure 30).

## PARC NATIONAL MARITIME DES ÎLES SIMILAN

อุทยานแห่งชาติหมู่เกาะสิมิลัน

Fleuron d'une activité en plein essor à Khao Lak, le magnifique **parc national maritime des îles Similan** (www.dnp.go.th ; 400 B ; nov-mai), à 70 km au large des côtes, offre certains des plus beaux sites de plongée de Thaïlande, voire du monde. Couvertes de forêts tropicales, bordées de plages de sable blanc et entourées de récifs de corail, ces neuf îles de granit sont aussi impressionnantes du dessus l'eau que d'en dessous.

Deux de ces îles, Ko Miang (île 4) et Ko Similan (île 8), abritent des postes de gardes forestiers et des lieux d'hébergement. C'est sur Ko Miang que se trouve le bureau du parc et que se concentre l'activité touristique. Le nom "Similan" vient du malais *sembilan*, qui signifie "9", et bien que chaque île porte un nom, elles sont souvent désignées par leur numéro.

L'embarcadère de Thap Lamu (ou Tabla Mu), à environ 10 km au sud de Khao Lak, est le point de départ pour le parc. Le **bureau du parc** (☎ 0 7659 5045 ; 8h-16h) sur le continent se trouve à 500 m de l'embarcadère, mais ne fournit des informations qu'en thaï. Mieux vaut se rendre à Khao Lak (p. 657) pour obtenir des renseignements sur ces neuf îlots magiques et leurs récifs coralliens.

### À voir et à faire

#### PLONGÉE ET SNORKELING

Les îles Similan offrent des plongées exceptionnelles, quel que soit votre niveau, à des profondeurs allant de 2 à 30 m. Préparez-vous à découvrir des monts sous-marins (à **Fantasy Rocks**), des récifs (à **Ko Payu**) et des tunnels (à **Hin Pousar** ou "tête d'éléphant"), ainsi qu'une vie sous-marine variée, allant des minuscules serpules aux coraux mous, en passant par les requins-baleines et les bancs de poissons. Parmi les autres sites recherchés, citons East of Eden, West of Eden, Hide Away et Breakfast Bend. Les très populaires **Ko Bon** et **Ko Ta Chai**, au nord des neuf îles Similan, sont des stations de nettoyage fréquentées par les raies mantas. Chacune des six îles situées au nord de Ko Miang dispose de spots de plongée. La partie sud du parc est interdite aux plongeurs. Le parc ne dispose d'aucun équipement de plongée ; pour atteindre ces sites, vous devrez vous inscrire à un circuit (3 jours à partir de 15 000 B) auprès des agences de Khao Lak (p. 658) et de Phuket (p. 675).

Plusieurs spots dans les environs de **Ko Miang** se prêtent bien au snorkeling, notamment dans la passe principale. Vous pouvez louer l'équipement auprès du parc (100 B/j) ou vous adresser aux agences, qui proposent généralement des circuits d'une journée avec visite de trois ou quatre spots différents. De très nombreuses agences de voyages à Khao Lak peuvent vous organiser des sorties de snorkeling uniquement (environ 2 500-3 000 B la journée).

### FAUNE ET RANDONNÉE

La forêt qui s'étend aux abords du bureau du parc, sur Ko Miang, est parcourue par quelques sentiers et abrite une faune exceptionnelle. Le merveilleux nicobar à camail, doté d'un plumage gris-vert, y est commun. Endémique des îles de la mer d'Andaman, il figure parmi les 39 espèces d'oiseaux recensées par le parc. Dans la forêt, il est aussi courant d'apercevoir des crabes aux pattes poilues et des écureuils volants.

Le **Small Beach Track**, petit sentier long de 400 m jalonné de panneaux d'information, mène à une jolie petite baie propice au snorkeling. Quittez-le pour emprunter le **Viewpoint Trail**, un raidillon de 500 m, en haut duquel se déploie un beau panorama. Une marche de 500 m à travers la forêt vous conduira au **Sunset Point**, un cap de granit lisse orienté plein ouest.

Sur Ko Similan, vous pourrez faire la randonnée de 2,5 km dans la forêt menant à un **point de vue**, ou vous lancer dans une ascension, plus courte mais raide, qui part de la plage principale pour rejoindre le sommet du **Sail Rock**.

## Où se loger et se restaurer

Le parc dispose d'hébergements pour tous les budgets, mais qui n'ont rien d'exceptionnel. Réservez sur le site www.dnp.go.th ou par l'intermédiaire du **bureau du parc** (☎ 076 595045) sur le continent, au sud de Khao Lak.

À Ko Miang, vous avez le choix entre des **bungalows** (ch 2 000 B ; ❄) avec balcon, donnant sur la mer, deux *longhouses* (ch 1 000 B) en bois et bambou comprenant 5 chambres dotées de ventilateurs, et des **tentes** (2 pers 570 B) très fréquentées. Électricité de 18h à 6h.

Des tentes sont aussi disponibles sur Ko Similan.

Un **restaurant** (plats 100 B) proche du bureau du parc propose une cuisine thaïlandaise sans prétention.

## Depuis/vers le parc national maritime des îles Similan

Aucun transport public ne dessert le parc, et si vous réservez un hôtel via le parc national, il vous faudra trouver un moyen de transport. Des agences à Khao Lak (p. 657) et à Phuket (p. 675) organisent des circuits d'un ou deux jours (2 500-3 500 B) et des sorties de plongée de plusieurs jours (croisière de 3 jours à partir de 15 000 B). Il vous en coûtera sensiblement la même somme pour rejoindre les îles par vos propres moyens. Essayez de prendre en excursion simple un bateau effectuant une croisière de plongée, sans payer la location du matériel, mais les tour-opérateurs n'acceptent que lorsque leurs bateaux sont relativement vides.

# PHANG-NGA ET AO PHANG-NGA

**9 700 habitants**

อ่าวพังงา/พังงา

À Phang-Nga, les impressionnantes montagnes calcaires fendent les nuages et il est difficile de ne pas s'arrêter tout net devant ces rochers escarpés et de les contempler des heures durant. Le contraste entre le sable blanc et les gigantesques roches dentelées est saisissant.

Une scène de *L'Homme au pistolet d'or* tournée dans ce paysage spectaculaire a attiré des légions de fans et d'espions amateurs. Le gouvernement a d'ailleurs dû intervenir pour protéger la région, désormais classée parc national. Le secteur manquant d'hébergements de qualité, il peut être préférable de le visiter à la faveur d'une excursion d'une journée : quantité de circuits s'y rendent au départ de Phuket (p. 679) et de Khao Lak ; renseignez-vous auprès de n'importe quelle agence de voyages de l'île. La plupart de ces circuits sont présentés sur des tableaux ou des affiches sous le nom de "circuits vers l'île de James Bond". Les tarifs débutent aux alentours de 550 B en fonction de la saison et de la demande.

## Renseignements

Phang-Nga ne possède pas d'office du tourisme, mais le **bureau de la TAT** (Tourism Authority of Thailand ; ☎ 0 7621 2213 ; www.tat.or.th ; 73-65 Th Phuket ; 🕑 8h30-16h30), à Phuket, fournit des cartes et de bonnes informations sur la région. La poste et les services téléphoniques se trouvent à 2 km environ au sud du centre. De nombreux cybercafés sont installés en ville.

**Bureau de l'immigration** (☎ 0 7641 2011 ; 🕑 8h30-16h30 lun-ven). À quelques kilomètres au sud de la ville. Prenez un moto-taxi, car il est difficile à trouver.

**Siam Commercial Bank** (Hwy 4 ; 🕑 9h-16h lun-ven). Dans la rue principale de la ville. DAB et bureau de change.

## À voir et à faire

Phang-Nga est une ville de contrastes : misérable et délabrée, elle jouit d'un cadre sublime. Triste et décrépite, la rue principale n'en a pas moins pour toile de fond un panorama saisissant de falaises calcaires.

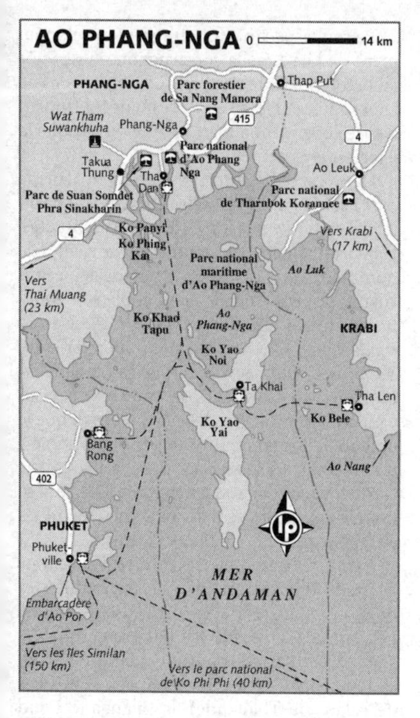


À l'embarcadère de **Tha Dan**, à 8,5 km au sud du centre-ville, vous pouvez louer un bateau pour partir à la découverte de grottes à moitié immergées, d'îles aux formes étranges et de Ko Panyi, un village musulman construit sur pilotis. Des excursions pour **Ko Phing Kan** (l' "île de James Bond", où Roger Moore a tourné plusieurs scènes de *L'Homme au pistolet d'or*) sont également organisées, qui passent par le parc national d'Ao Phang-Nga (comptez 400-500 B/pers pour une balade de 2 à 3 heures). À **Takua Thung**, un autre embarcadère situé 10 km à l'ouest de Tha Dan, vous pourrez louer des bateaux privés à des prix similaires ; renseignez-vous auprès des restaurants. Le bureau du parc national maritime qui se trouve à Ao Phang-Nga organise également des circuits en bateau.

À moins d'aimer marchander avec les propriétaires des bateaux, il est plus simple et guère plus cher de participer à un circuit organisé par l'une des agences de la ville. **Sayan Tours** (☎ 0 7643 0348) propose depuis des années des excursions à Ao Phang-Nga, toujours très appréciées par les voyageurs. Les circuits d'une demi-journée/journée reviennent à 500/800 B par personne. Ils comprennent, notamment, la visite de Tham Lawt (une vaste grotte immergée), de Ko Phing Kan et de Ko Panyi. Repas et hébergement très sommaire à Ko Panyi sont compris dans les formules plus longues. Les formules de deux jours (2 500 B) sont préférables à celles d'une demi-journée ou d'une journée (200/500 B), car elles permettent de voir beaucoup plus de choses, mais des visiteurs nous ont fait part de leur déception quant à leur séjour chez l'habitant dans le village musulman. Sayan Tours organise également des sorties en canoë et d'autres excursions dans les environs, notamment dans le parc forestier de Sa Nang Manora et dans les diverses grottes proches de la ville.

## Où se loger

Phang-Nga n'est pas riche en établissements de qualité. La majorité des voyageurs préfèrent visiter la ville en une seule journée.

**Phang-Nga Inn** (☎ 0 7641 1963 ; 2/2 Soi Lohakit ; ch 400-1 600 B ; ✱). Cette ancienne villa résidentielle réserve un cadre plaisant et un accueil chaleureux. Joliment meublée, elle propose des lits confortables et des options allant des chambres simples avec ventil aux élégantes suites avec clim. Petit restaurant devant.

**Old Lukmuang Hotel** (☎ 0 7641 2125 ; fax 0 7641 1512 ; 1/2 Mou 1, Th Phetkasem ; ch 450 B). Une adresse un peu délabrée, mais c'est ici que logeait une partie de l'équipe de *L'Homme au pistolet d'or* lors du tournage.

## Où se restaurer

La rue principale de Phang-Nga est bordée d'étals qui vendent des *kà nŏm jin* (nouilles fines de blé) avec du poulet au curry, du *nám yah* (curry de poisson épicé) ou du *nám prík* (sauce curry). Le marché nocturne se tient les mardi, mercredi et jeudi juste au sud de Soi Lohakit.

**Cha-Leang** (☎ 0 7641 3831 ; Th Phetkasem ; plats 40-90 B ; ⌚ déj et dîner). Le meilleur restaurant, et souvent le plus fréquenté, sert toute une variété de produits de la mer à bon prix. Essayez les palourdes au basilic et piment ou la "salade d'inflorescences comestibles de bananier". Agréable véranda à l'arrière.

**Bismilla** (☎ 0811256440 ; Th Phetkasem ; plats 60-120 B ; ⌚ déj et dîner). Comment résister aux recettes proposées par cette table thaïlando-musulmane sans prétention, comme les "délicieux œufs de poisson" ? Cuisine savoureuse, prix modérés et clientèle bruyante.

### Comment s'y rendre et circuler

Si vous arrivez de Krabi par la Hwy 4, vous aurez le choix entre deux itinéraires : à 2 km avant Thap Put, vous pourrez soit continuer tout droit sur la Hwy 4 (alias l'Old Road), soit prendre la Hwy 415 à gauche. Par cette dernière, le trajet est plus court et rectiligne, alors que la Hwy 4 se transforme en une jolie route étroite et très sinueuse, qui ne vous rallonge que de 5 km.

Le terminal des bus de Phang-Nga se trouve à deux pas de la rue principale, dans Soi Bamrung Rat. Entre Bangkok et Phang-Nga (380-740 B, 12 heures), 7 bus circulent habituellement tous les jours.

## ENVIRONS DE PHANG-NGA

### Parc national maritime d'Ao Phang-Nga

อุทยานแห่งชาติอ่าวพังงา

Créé en 1981 et couvrant 400 km², le **parc national maritime d'Ao Phang-Nga** ( ☎ 0 7641 2188 ; 80 Moo 1, Ban Tha Dan ; 200 B) possède de remarquables paysages karstiques classiques : des mouvements provoqués par une faille continentale ont déplacé d'énormes blocs de calcaire et les ont disposés de manière géométrique ; s'étendant au sud d'Ao Phang-Nga, ces blocs forment plus de 40 îles aux falaises vertigineuses. La baie se compose de chenaux de largeur variable, reliés à l'origine au réseau fluvial continental. Les principaux chenaux – Khlong Ko Phanyi, Khlong Phang-Nga, Khlong Bang Toi et Khlong Bo Saen – traversent dans le sens nord-sud la plus importante forêt de mangrove primaire du pays et servent de voies navigables aux pêcheurs et aux habitants des îles. La mer d'Andaman couvre plus de 80% de la surface de ce parc.

Site le plus touristique, **Ko Phing Kan** (île penchée) est surnommée l'"île de James Bond" depuis le tournage de *L'Homme au pistolet d'or*. Elle est aujourd'hui envahie par des marchands écoulant des coraux et des coquillages, ainsi que des papillons, des scorpions et des araignées encastrés dans du plastique.

L'île doit son nom à deux de ses grandes falaises, l'une, en partie aplatie, paraissant se pencher vers l'autre. Sur un côté, plantée dans une baie peu profonde, une imposante aiguille calcaire semble tombée du ciel. Ko Phin Kan compte quelques grottes qu'il est possible d'explorer, ainsi que plusieurs petites plages de sable, souvent jonchées de détritus provenant des bateaux transportant les touristes. N'hésitez pas à en ramasser en passant.

Le seul aspect positif du récent développement de l'île a été la construction d'une jetée en béton qui évite aux bateaux de touristes de jeter l'ancre sur les plages – ce qu'ils continuent à faire cependant à marée haute ou lorsque la jetée est encombrée.

Deux types de forêts prédominent dans le parc : la forêt de broussailles, caractéristique du relief karstique, et la forêt à feuilles persistantes. L'environnement calcaire marin convient à de nombreux reptiles : varan du Bengale, lézard volant, serpent à queue plate, couleuvre aquatique, crotale des mangroves et *Calloselasma rhodostoma*. Ouvrez l'œil pour apercevoir un *Varanus salvator* (appelé *hîa* par les Thaïlandais, qui souvent le craignent), ou varan malais, pouvant atteindre 2,20 m. À peine plus petit que le dragon de Komodo, son cousin, il ressemble à un crocodile lorsqu'il nage dans la mangrove. Carnivore comme son parent d'Indonésie, il se nourrit essentiellement de charognes, même s'il attrape parfois des animaux vivants.

Parmi les amphibiens de la région, citons la grenouille des marais, la grenouille des buissons et la grenouille mangeuse de crabes. Les espèces d'oiseaux les plus remarquables sont le calao casqué (pouvant atteindre 127 cm de longueur, c'est le plus grand des 12 espèces de calaos de Thaïlande), la salangane à nid blanc (*Aerodramus fuciphagus*), l'orfraie, le pygargue à ventre blanc et le grand héron du Pacifique.

Plus de 200 espèces de mammifères résident dans les forêts de mangrove et dans les îles les plus importantes, dont des gibbons à main blanche, des capricornes de Sumatra, des semnopithèques obscurs et des macaques mangeurs de crabes.

Pour des renseignements sur Ko Yao, qui fait partie du parc national maritime d'Ao Phang-Nga, reportez-vous p. 695.

#### OÙ SE LOGER ET SE RESTAURER

**Bungalows du parc national** ( ☎ 0 2562 0760 ; reserve@dnp.go.th ; 700-900 B ; ❄ ). Les moins chers, avec ventil, peuvent loger 4 personnes. Les plus onéreux, avec clim, accueillent 2 personnes. Au moment de nos recherches, le camping était autorisé dans certaines zones, mais demandez l'autorisation au bureau des bungalows, car plusieurs parcs dans la région l'ont récemment interdit.

En face du bureau des bungalows, vous trouverez un petit restaurant très propre avec vue sur les mangroves.

### COMMENT S'Y RENDRE ET CIRCULER

Du centre de Phan-Nga, suivez la Hwy 4 vers le sud sur 6 km, puis empruntez la Rte 4144 sur la gauche. Le bureau du parc se situe à 2,6 km et le centre d'information des visiteurs, 400 m après l'"entrée". Pour les tour-opérateurs à Phuket qui organisent des circuits d'une journée au parc, voir p. 679.

### Parc forestier de Sa Nang Manora

สวนป่าสระนางมโนราห์

Les paysages fériques de ce **parc** (entrée libre) peu visité sont d'une incroyable beauté : épaisse forêt tropicale, pieds de rotin, racines et rochers incrustés de mousse, chutes d'eau étagées et bassins naturels propices à la baignade. Le parc doit son nom à une légende locale selon laquelle la mythique princesse Manora se baignerait dans les bassins lorsqu'il n'y a personne alentour.

Des sentiers mènent aux différents niveaux des cascades, les traversent parfois et semblent se prolonger indéfiniment. Vous pouvez marcher une journée entière dans le parc sans jamais emprunter le même chemin. Emportez suffisamment d'eau potable. Même si l'ombre et les chutes adoucissent la température, l'humidité reste élevée. Le parc comprend quelques tables de pique-nique et un petit restaurant.

Pour le rejoindre, prenez un moto-taxi à Phang-Nga (50 B). Si vous êtes motorisé, suivez la Hwy 4 en direction du nord jusqu'à la station Shell, continuez sur 3,2 km, puis tournez à gauche et descendez une route sinueuse sur 4 km.

# PROVINCE DE PHUKET

Première destination de Thaïlande pour des vacances à la plage, la province de Phuket est constituée d'une grande île, point de départ pour tous les loisirs tropicaux.

## PHUKET

ภูเก็ต

**83 800 habitants**

L'île de Phuket, la plus grande du pays, est si étendue que l'on a rarement l'impression d'être entouré d'eau. C'est peut-être pour cela que le préfixe "*ko*" ("île" en thaï) a été abandonné. Surnommée la "Perle d'Andaman" par les tour-opérateurs, Phuket est *la* destination thaïlandaise pour des vacances au soleil.

Le cœur de Phuket se trouve à Patong : au centre de l'île sur la côte occidentale, la station balnéaire thaïlandaise est le rendez-vous ultime de tous les vacanciers qui viennent rôtir sous un soleil de plomb entre les bars à bière et les *gogo-bars*.

Mais Phuket est aussi une destination de luxe très à la mode : la jet-set, plus présente que jamais, se rassemble pour des sessions de massages thaïlandais de grand luxe avant de boire des apéritifs à grands traits lors de soirées très *fashion*. Toutefois, nul besoin d'être héritier ou acteur pour venir à Phuket : la plongée en haute mer, les restaurants de qualité et les plages de sable fin sont de nature à satisfaire tout un chacun.

### Histoire

Fondée au I^er^ av. J.-C. par des marchands indiens, Phuket s'est toujours montrée accueillante. Au III^e^ siècle, Ptolémée, le précurseur de la géographie, se rendit sur l'île qu'il nommait "Jang Si Lang", qui devint par la suite "Jung Ceylon", un nom revenant régulièrement sur les anciennes cartes de Thaïlande (et au centre commercial de Patong, voir p. 690).

Phuket était autrefois habitée par des groupes de chasseurs-cueilleurs, aujourd'hui disparus, comparables aux pygmées Semang de Malaisie, qui vivaient au cœur de la forêt vierge tropicale. Les peuples gitans *chow lair* ont par la suite occupé le littoral, vivant de la mer.

Au XVI^e^ siècle, les filons d'étain ont attiré des marchands portugais, français et britanniques qui improvisèrent des colonies sur l'île. Un siècle plus tard, les Britanniques décidèrent d'utiliser Phuket comme avant ; base pour contrôler le détroit de Malacca. Le capitaine Francis Light, parti en éclaireur, fut à l'origine de ce qui serait l'événement le plus important dans l'histoire de l'île.

An de grâce 1785. La guerre fait rage entre la Birmanie et la Thaïlande. Un an plus tôt, les soldats thaïlandais avaient bouté les forces birmanes hors de Phuket, mais les Birmans repartaient à l'assaut avec une flotte gigantesque. Le capitaine Light aperçut les navires birmans et alerta le bureau du gouverneur, qui venait de décéder. La femme du gouverneur, Kunying Jan, et sa sœur, Mouk, prirent les choses en main : selon la légende, toutes les femmes de l'île se déguisèrent en soldats, ce qui ne manqua pas d'alerter les éclaireurs birmans, inquiétés par la taille de l'armée ennemie. Les

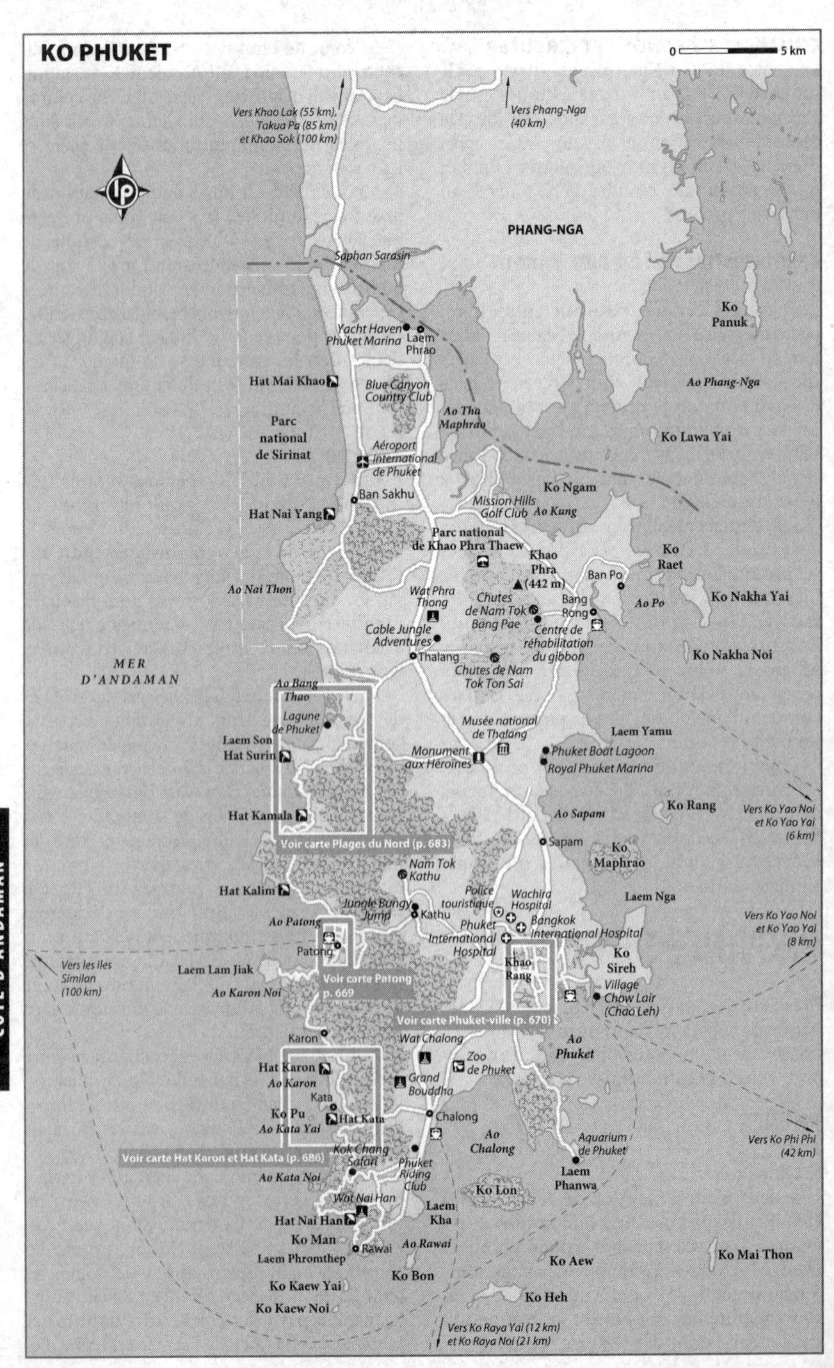
KO PHUKET
0
5 km
Vers Khao Lak (55 km), Takua Pa (85 km) et Khao Sok (100 km)
Vers Phang-Nga (40 km)
PHANG-NGA
Saphan Sarasin
Ko Panuk
Yacht Haven Phuket Marina
Laem Phrao
Hat Mai Khao
Blue Canyon Country Club
Ao Phang-Nga
Ao Tha Maphrao
Parc national de Sirinat
Ko Lawa Yai
Aéroport international de Phuket
Ko Ngam
Ban Sakhu
Mission Hills Golf Club
Ao Kung
Hat Nai Yang
Parc national de Khao Phra Thaew
Ko Raet
Khao Phra (442 m)
Ban Po
Ao Nai Thon
Wat Phra Thong
Chutes de Nam Tok Bang Pae
Bang Rong
Ao Po
Ko Nakha Yai
Cable Jungle Adventures
Centre de réhabilitation du gibbon
Thalang
Ko Nakha Noi
MER D'ANDAMAN
Chutes de Nam Tok Ton Sai
Ao Bang Thao
Lagune de Phuket
Musée national de Thalang
Laem Yamu
Laem Son
Hat Surin
Monument aux Héroïnes
Phuket Boat Lagoon
Royal Phuket Marina
Hat Kamala
Ko Rang
Ao Sapam
Vers Ko Yao Noi et Ko Yao Yai (6 km)
Voir carte Plages du Nord (p. 683)
Sapam
Ko Maphrao
Nam Tok Kathu
Hat Kalim
Police touristique
Wachira Hospital
Laem Nga
Jungle Bungy Jump
Kathu
Bangkok International Hospital
Vers Ko Yao Noi et Ko Yao Yai (8 km)
Ao Patong
Phuket International Hospital
Patong
Ko Sireh
Vers les îles Similan (100 km)
Laem Lam Jiak
Khao Rang
Voir carte Patong p. 669
Village Chow Lair (Chao Leh)
Ao Karon Noi
Voir carte Phuket-ville (p. 670)
Karon
Wat Chalong
Ao Phuket
Hat Karon
Zoo de Phuket
Ao Karon
Grand Bouddha
Kata
Ko Pu
Hat Kata
Chalong
Ao Kata Yai
Ao Chalong
Vers Ko Phi Phi (42 km)
Kok Chang Safari
Aquarium de Phuket
Voir carte Hat Karon et Hat Kata (p. 686)
Phuket Riding Club
Laem Phanwa
Ao Kata Noi
Ko Lon
Wat Nai Han
Laem Kha
Hat Nai Han
Ko Man
Rawai
Ao Rawai
Laem Phromthep
Ko Aew
Ko Mai Thon
Ko Bon
Ko Kaew Yai
Ko Heh
Ko Kaew Noi
Vers Ko Raya Yai (12 km) et Ko Raya Noi (21 km)
CÔTE D'ANDAMAN

forces birmanes donnèrent l'assaut, mais furent contraintes de battre en retraite après un court siège. Le roi Rama Ier accorda à Kunying Jan le titre royal de "Thao Thep Kasattri" et le **monument aux Héroïnes**, aujourd'hui sur le rond-point de Thalang, fut érigé en son honneur et en celui de sa sœur.

Au début du XIXe siècle, les mines d'étain de Phuket attirèrent des milliers de paysans venus de Chine. Les Chinois apportèrent leur cuisine et leurs traditions spirituelles, et, fruit de leur union avec les Thaïlandais, une nouvelle culture fit son apparition. Ces premières générations d'ethnies sino-thaïlandaises furent aussi connues sous le nom de Baba. Bien qu'ayant prospéré grâce aux mines, de nombreux descendants de Baba devinrent marchands. Ils construisirent Phuket-ville (p. 668) et ses gigantesques demeures d'inspiration portugaise et chinoise. L'étain et le caoutchouc dominèrent l'industrie jusque dans les années 1970. Avec la construction du Club Med à Hat Kata et les vols quotidiens de Thai Airways au départ de Bangkok, le tourisme devint la première activité économique de l'île.

Le tourisme a continué à se développer jusqu'au tsunami du 26 décembre 2004, qui a causé la mort de 250 personnes à Phuket et des dégâts considérables à Patong, Kamala, Kata, Karon, Nai Thon et Nai Yang. L'économie de l'île fut durement touchée, mais, depuis 2006, le tourisme a repris ses droits.

## Orientation

L'étonnante côte ouest de Phuket, ourlée de baies de sable fin, fait face à la mer turquoise d'Andaman. La côte orientale est plus calme et les mangroves remplacent le sable fin.

Patong, vers le centre de l'île sur la côte occidentale, est l'œil du cyclone touristique. Phuket-ville, au sud-est, est la capitale de la province.

L'aéroport international de Phuket se trouve au nord de l'île. La plupart des bus longue distance arrivent et partent de Phuket-ville. Reportez-vous à la rubrique *Comment circuler* p. 694 pour plus d'informations sur les transports dans l'île.

Les rubriques *Où se loger* et *Où se restaurer* sont organisées selon la géographie de l'île : nous partons des plages du nord (du sud de Hat Nai Thon jusqu'à Hat Kamala), passons par Patong et les plages du sud (Karon, Kata, Nai Han et Rawai), pour finir par Phuket-ville, à l'intérieur des terres.

## Renseignements

### ACCÈS INTERNET

Le Wi-Fi est très répandu à Phuket. La majorité des hôtels et des pensions proposent un accès gratuit pour leurs clients, tout comme les bars et les cafés (y compris les innombrables Starbucks). Si vous voyagez sans ordinateur, il est aisé de trouver des cybercafés (40-150 B/h).

**Bureau de la CAT de Phuket** (carte p. 670 ; Th Phang-Nga, Phuket-ville ; 30 B/h ; 8h-minuit).

**TA Internet** (carte p. 669 ; 0 7634 9014 ; Th Bangla, Patong ; 2 B/min ; 9h-15h)

### ARGENT

Des banques et des DAB sont répartis sur toute l'île, vous n'aurez aucun problème à en trouver, surtout à Patong et à Phuket-ville. Les magasins 7-Eleven sont généralement équipés d'un distributeur.

### LIBRAIRIES

**Bookazine Karon** (carte p. 686 ; 0 7633 3273 ; 23/7 Th Karon, Karon ; 10h-23h). Dans cette chaîne, vous trouverez cartes, guides, magazines et journaux en anglais.

**Bookazine Patong** (carte p. 669 ; 0 7634 5833 ; 18 Th Bangla, Patong ; 9h30-23h30). Si vous êtes à court de lecture, vous trouverez ici un grand choix de livres en anglais.

**Books** (carte p. 670 ; 0 7621 1115 ; www.thebooksphuket.com ; 53-55 Th Phuket, Phuket-ville ; 8h30-21h30). Magazines, guides et romans en anglais.

**Kata Bookshop** (carte p. 686 ; 0 7633 0109 ; 82 Th Kata, Kata ; 10h-21h). Grand choix de livres neufs et d'occasion et service efficace.

### OFFICE DU TOURISME

L'hebdo en anglais *Phuket Gazette* (20 B) publie de nombreuses informations sur les sorties, les événements, les restaurants et les loisirs sur l'île.

**Bureau de l'immigration** (carte p. 669 ; 0 7634 0477 ; Th Hat Kalim, Patong ; 10h-12h et 13h-15h lun-ven). Proroge les visas.

**TAT** (Tourism Authority of Thailand ; carte p. 670 ; 0 7621 2213 ; www.tat.or.th ; 73-65 Th Phuket, Phuket-ville ; 8h30-16h30). Plans, brochures, tarifs des taxis vers les différentes plages et prix indicatifs pour la location de véhicules.

### POSTE

**DHL World Wide Express** (carte p. 670 ; 0 7625 8500 ; 61/4 Th Thepkasatri, Phuket-ville). Service postal rapide et fiable (livraison en 2 jours), environ 25% plus cher qu'à la poste.

**Poste principale** (carte p. 670 ; Th Montri, Phuket-ville ; 8h30-16h lun-ven, 9h-12h sam)
**Bureau de poste** (carte p. 686 ; Rte 4028, Kata ; 9h-16h30 lun-ven, 9h-12h sam)

### SERVICES MÉDICAUX

Ces deux hôpitaux sont dotés d'équipements modernes, d'un service d'urgences et de services de consultation externe. Reportez-vous p. 675 pour les interventions médicales liées à la plongée.
**Bangkok Phuket Hospital** (hors carte p. 670 ; ☎ 0 7625 4425 ; Th Yongyok Uthit, Phuket-ville). Celui, dit-on, qui a la préférence de la population locale.
**Phuket International Hospital** (carte p. 666 ; ☎ 0 7624 9400, urgences 7621 0935 ; Airport Bypass Rd, Phuket-ville). Considéré comme le meilleur de l'île par les médecins étrangers.

### SITES INTERNET

Quelques sites utiles :
**1 Stop Phuket** (www.1stopphuket.com). Un miniguide en ligne de voyage sur Phuket.
**Jamie's Phuket** (www.jamie-monk.blogspot.com). Un blog pratique avec des informations sur les hôtels et les activités sur l'île.
**Phuket.com** (www.phuket.com). Renseignements de toutes sortes, notamment sur l'hébergement.
**Phuket-Info.com** (www.phuket-info.com). D'autres informations sur la province de Phuket.
**Phuket.Net** (www.phuket.net). Des forums sur les échanges touristiques et commerciaux. Quelques bonnes adresses également.
**Phuket Gazette** (www.phuketgazette.net). Le journal local sur Internet.
**Saltwater Dreaming** (www.saltwater-dreaming.com). La référence en ligne pour pratiquer le surf à Phuket.

### URGENCES

**Police** (carte p. 670 ; ☎ 191, 0 7622 3555 ; angle Th Phang-Nga et Th Phuket, Phuket-ville)
**Police touristique** (carte p. 669 ; ☎ 0 7634 0244 ; Th Thawiwong, Patong)



## Désagréments et dangers

Les noyades au large des plages de Phuket sont courantes, notamment le long de la côte ouest (Karon, Surin, Laem Singh et Kamala). Des drapeaux rouges avertissent les baigneurs des courants et autres dangers. Si vous en voyez un flotter sur une plage, n'allez pas vous baigner sans accompagnement. Pendant la mousson, de mai à octobre, les vagues rendent parfois la baignade sur cette côte particulièrement dangereuse. Hat Rawai, à la lisière sud-est de l'île, est habituellement sûre toute l'année.

Méfiez-vous des Jet-Ski quand vous êtes dans l'eau. Bien que le gouverneur de Phuket ait proclamé leur utilisation illégale en 1997, l'application de cette interdiction est cyclique.

Réfléchissez sérieusement avant de louer une moto. Chaque année, des milliers de personnes sont blessées ou tuées sur les routes de Phuket, et des voyageurs inexpérimentés font partie des victimes. Si vous choisissez ce mode de transport, vous devez savoir conduire une moto, être habitué à la circulation et porter un casque. Par ailleurs, les agressions nocturnes à moto sont de plus en plus fréquentes, gardez l'œil ouvert.

## À voir

Si vos jambes vous brûlent après quelques heures de trop au soleil, pourquoi ne pas faire un petit détour culture (et nature) et vous rendre dans un temple thaïlandais ou dans l'un des parcs nationaux de l'île ?

### PATONG

ป่าตอง

Ville ou attraction ? Certains adorent Patong (carte p. 669) et sa frénésie de néons : ils trouveront un choix d'hébergements p. 683. Mais la capitale de l'hédonisme est loin de plaire à tout le monde. À Patong, la mondialisation se mesure au nombre de Starbucks. Il y a de fortes chances pour que le poster aperçu dans votre agence de voyages soit une plage située à l'autre bout de l'île. Mais, bien que le littoral de Patong soit une ode au tourisme de masse, la ville n'en demeure pas moins incontournable, car elle a bien plus à offrir : cabarets colorés (p. 693), shopping, rings de boxe, sports nautiques et innombrables restaurants, de simple échoppe à la table la plus élaborée (p. 690).

### PHUKET-VILLE

Bien avant l'arrivée des planches de surf et des tongs, Phuket était une île de forêts d'hévéas et de mines d'étain, peuplée uniquement de marchands. Ayant attiré des entrepreneurs venus de la péninsule arabe, de Chine, d'Inde et du Portugal, Phuket-ville (carte p. 683) s'est transformée en un véritable melting-pot, et votre visite y prendra un tour culturel. Si vous souhaitez y passer la nuit, les établissements de qualité ne manquent pas (p. 687), sans parler du grand choix de bonnes adresses

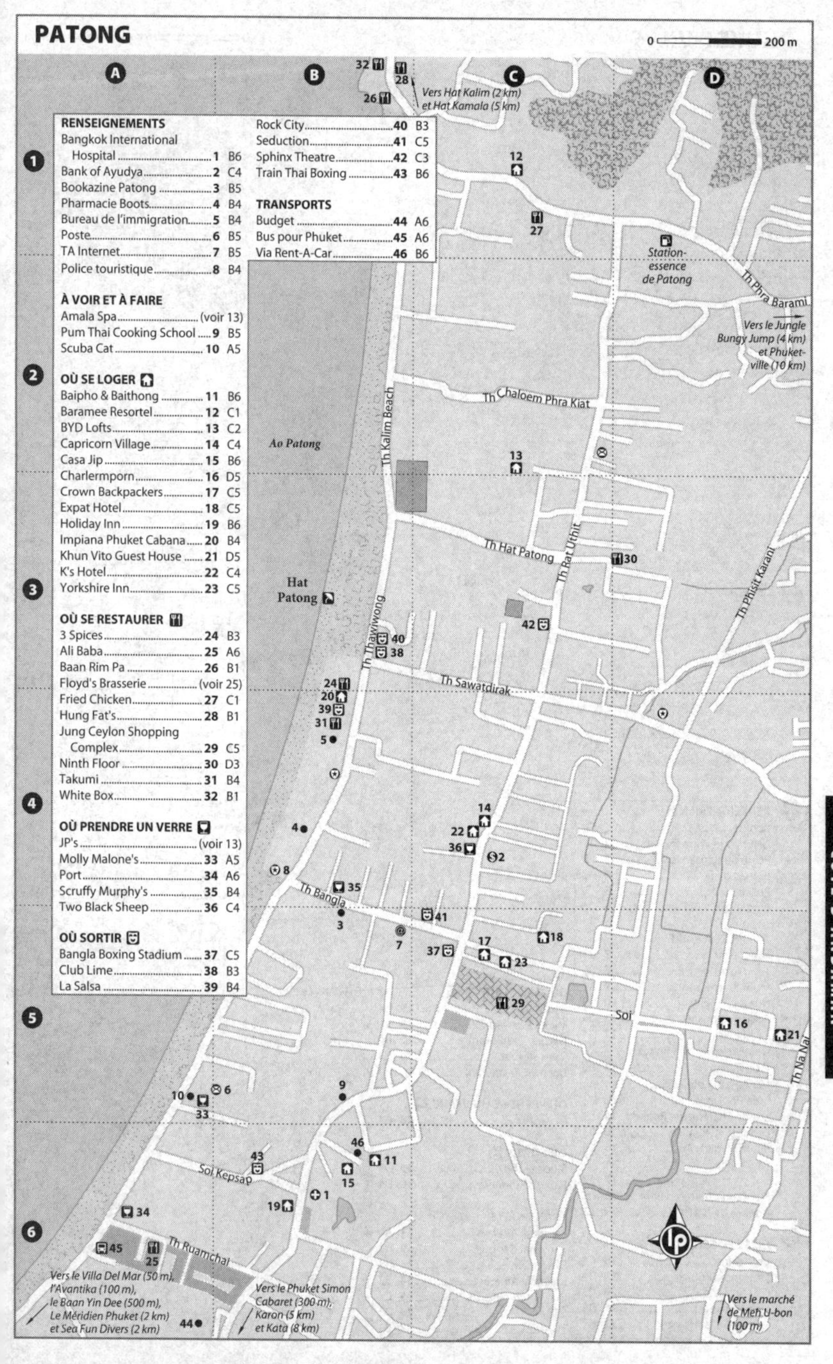
PATONG
0 200 m
RENSEIGNEMENTS
Bangkok International Hospital 1 B6
Bank of Ayudya 2 C4
Bookazine Patong 3 B5
Pharmacie Boots 4 B4
Bureau de l'immigration 5 B4
Poste 6 B5
TA Internet 7 B5
Police touristique 8 B4
À VOIR ET À FAIRE
Amala Spa (voir 13)
Pum Thai Cooking School 9 B5
Scuba Cat 10 A5
OÙ SE LOGER
Baipho & Baithong 11 B6
Baramee Resortel 12 C1
BYD Lofts 13 C2
Capricorn Village 14 C4
Casa Jip 15 B6
Charlermporn 16 D5
Crown Backpackers 17 C5
Expat Hotel 18 C5
Holiday Inn 19 B6
Impiana Phuket Cabana 20 B4
Khun Vito Guest House 21 D5
K's Hotel 22 C4
Yorkshire Inn 23 C5
OÙ SE RESTAURER
3 Spices 24 B3
Ali Baba 25 A6
Baan Rim Pa 26 B1
Floyd's Brasserie (voir 25)
Fried Chicken 27 C1
Hung Fat's 28 B1
Jung Ceylon Shopping Complex 29 C5
Ninth Floor 30 D3
Takumi 31 B4
White Box 32 B1
OÙ PRENDRE UN VERRE
JP's (voir 13)
Molly Malone's 33 A5
Port 34 A6
Scruffy Murphy's 35 B4
Two Black Sheep 36 C4
OÙ SORTIR
Bangla Boxing Stadium 37 C5
Club Lime 38 B3
La Salsa 39 B4
Rock City 40 B3
Seduction 41 C5
Sphinx Theatre 42 C3
Train Thai Boxing 43 B6
TRANSPORTS
Budget 44 A6
Bus pour Phuket 45 A6
Via Rent-A-Car 46 B6
Vers Hat Kalim (2 km) et Hat Kamala (5 km)
Station-essence de Patong
Th Phra Barami
Vers le Jungle Bungy Jump (4 km) et Phuket-ville (10 km)
Th Chaloem Phra Kiat
Ao Patong
Th Kalim Beach
Th Hat Patong
Th Rat Uthit
Th Phisit Karani
Hat Patong
Th Thawiwong
Th Sawatdirak
Th Bangla
Soi
Th Na Nai
Soi Kepsap
Th Ruamchai
Vers le Villa Del Mar (50 m), l'Avantika (100 m), le Baan Yin Dee (500 m), Le Méridien Phuket (2 km) et Sea Fun Divers (2 km)
Vers le Phuket Simon Cabaret (300 m), Karon (5 km) et Kata (8 km)
Vers le marché de Meh U-bon (100 m)
CÔTE D'ANDAMAN

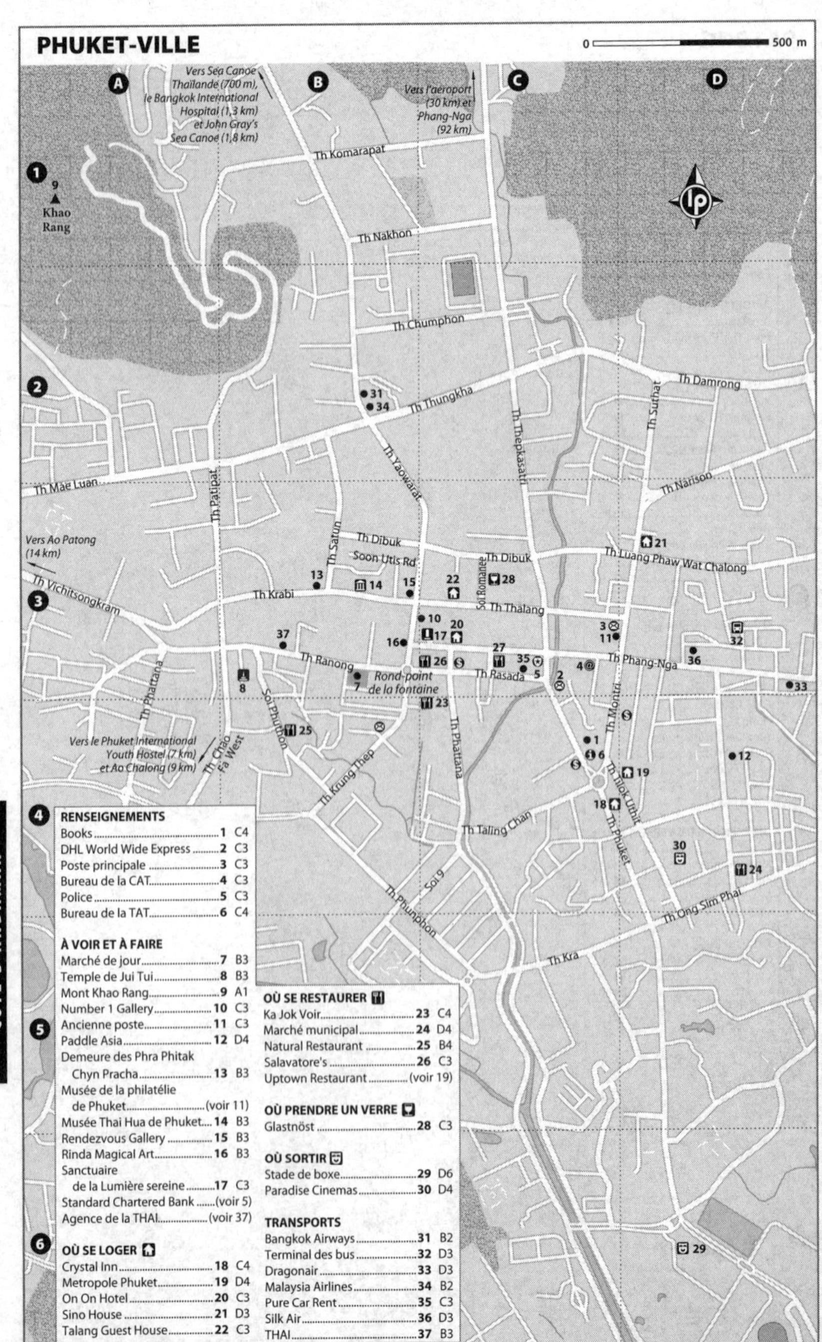
PHUKET-VILLE
0
500 m
Vers Sea Canoe Thaïlande (700 m), le Bangkok International Hospital (1,3 km) et John Gray's Sea Canoe (1,8 km)
Vers l'aeroport (30 km) et Phang-Nga (92 km)
Khao Rang
Vers Ao Patong (14 km)
Vers le Phuket International Youth Hostel (7 km) et Ao Chalong (9 km)
Rond-point de la fontaine
Th Komarapat
Th Nakhon
Th Chumphon
Th Damrong
Th Thungkha
Th Mae Luan
Th Patipat
Th Yaowarat
Th Thepkasatri
Th Suthat
Th Narison
Th Satun
Th Dibuk
Soon Utis Rd
Soi Romanee
Th Luang Phaw Wat Chalong
Th Vichitsongkram
Th Krabi
Th Thalang
Th Ranong
Th Rasada
Th Phang-Nga
Th Phattana
Soi Phuthon
Th Chao Fa West
Th Krung Thep
Th Montri
Th Tilok Uthit
Th Taling Chan
Th Phuket
Soi 9
Th Phunphon
Th Ong Sim Phai
Th Kra
RENSEIGNEMENTS
Books 1 C4
DHL World Wide Express 2 C3
Poste principale 3 C3
Bureau de la CAT 4 C3
Police 5 C3
Bureau de la TAT 6 C4
À VOIR ET À FAIRE
Marché de jour 7 B3
Temple de Jui Tui 8 B3
Mont Khao Rang 9 A1
Number 1 Gallery 10 C3
Ancienne poste 11 C3
Paddle Asia 12 D4
Demeure des Phra Phitak Chyn Pracha 13 B3
Musée de la philatélie de Phuket (voir 11)
Musée Thai Hua de Phuket 14 B3
Rendezvous Gallery 15 B3
Rinda Magical Art 16 B3
Sanctuaire de la Lumière sereine 17 C3
Standard Chartered Bank (voir 5)
Agence de la THAI (voir 37)
OÙ SE LOGER
Crystal Inn 18 C4
Metropole Phuket 19 D4
On On Hotel 20 C3
Sino House 21 D3
Talang Guest House 22 C3
OÙ SE RESTAURER
Ka Jok Voir 23 C4
Marché municipal 24 D4
Natural Restaurant 25 B4
Salavatore's 26 C3
Uptown Restaurant (voir 19)
OÙ PRENDRE UN VERRE
Glastnöst 28 C3
OÙ SORTIR
Stade de boxe 29 D6
Paradise Cinemas 30 D4
TRANSPORTS
Bangkok Airways 31 B2
Terminal des bus 32 D3
Dragonair 33 D3
Malaysia Airlines 34 B2
Pure Car Rent 35 C3
Silk Air 36 D3
THAI 37 B3

où vous restaurer (p. 692) si vous n'y restez qu'une journée.

Découvrez les édifices les plus évocateurs du passé de la ville, les vestiges de son **architecture sino-portugaise**, en flânant dans les rues Thalang, Dibuk, Yaowarat, Ranong, Phang-Nga, Rasada et Krabi. Les plus beaux spécimens en sont la **Standard Chartered Bank** (carte p. 670 ; Th Phang-Nga), la banque étrangère la plus ancienne de Thaïlande, l'**agence de la THAI** (carte p. 670 ; Th Ranong) et l'**ancienne poste**, qui abrite aujourd'hui le **musée de la Philatélie de Phuket** (carte p. 670 ; Th Montri ; entrée libre ; ☎ 9h30-17h30). Quant aux simples résidences, les mieux restaurées bordent Th Dibuk et Th Thalang.

Allez faire un tour sur le principal **marché de jour** (carte p. 670 ; Th Ranong). Vous y trouverez des sarongs thaïlandais et malais, ainsi que de larges pantalons de pêcheurs *chan*.

Le nouveau **musée Thai Hua de Phuket** (carte p. 670 ; www.thaihua.net ; Th Krabi ; entrée libre ; 🕑 13h-20h mar-dim), installé dans une vieille demeure sino-portugaise, célèbre l'héritage chinois de la ville. Il rassemble principalement des photos en noir et blanc, anciennes ou plus récentes, et n'est financé que par dons.

Quelques temples chinois, ordinaires pour la plupart, ajoutent des notes de couleurs au décor. Le **sanctuaire de la Lumière sereine** (carte p. 670 ; Saan Jao Sang Tham ; 🕑 8h30-12h et 13h30-17h30), caché au fond d'une ruelle de 50 m, non loin de la Bangkok Bank of Commerce, dans Th Phang-Nga, est le plus remarquable, avec ses gravures murales taoïstes, son plafond voûté taché par les volutes d'encens et son autel décoré de fleurs coupées et parsemé de bougies. Ce sanctuaire, qui a été restauré, aurait été construit par une famille des environs dans les années 1880.

La **demeure des Phra Phitak Chyn Pracha** (plan p. 670 ; 9 Th Krabi) appartenait à une famille qui possédait plusieurs mines d'étain jusqu'au début du XXe siècle. Le portail de ce bâtiment ocre est ouvert, vous pouvez y entrer à vos risques et périls. N'ayez pas peur si vous entendez des chiens aboyer, ils ne font que chasser les mauvais esprits.

Phuket-ville est également connue pour ses galeries fantasques cachées derrière les devantures chinoises. Chez **Rinda Magical Art** (carte p. 670 ; ☎ 08 9289 8852 ; www.rindamagicalart.com ; 27 Th Yaowarat ; entrée libre ; 🕑 10h-19h), vous pénétrez dans un royaume fantastique tenu par une artiste très en verve. Des interprétations modernes de thèmes traditionnels sont affichées dans la **Number 1 Gallery** (carte p. 670 ; ☎ 08 7281 5279 ; www.number1gallery.com ; 32 Th Yaowarat ; entrée libre ; 🕑 10h30-19h30), succursale des célèbres galeries d'art de Bangkok. Au moment de notre visite, les peintures à l'acrylique et les feuilles d'or évoquaient des images de lotus en fleur et d'éléphants d'Asie. La **Rendezvous Gallery** (carte p. 670 ; ☎ 0 7621 9095 ; 69 Th Yaowarat ; 🕑 10h-19h) expose de l'art bouddhique psychédélique sur toile, batik, papier et bois.

Pour voir la ville de haut, rendez-vous au sommet du mont **Khao Rang** (colline de Phuket ; carte p. 670), au nord-ouest du centre-ville. Allez-y en semaine, lorsque la foule est moins dense, mais gardez un œil sur les meutes de chiens. Si Phuket est bien une déformation du mot malais *bukit* ("colline"), c'est probablement de ce mont que la ville tire son nom.

### LE GRAND BOUDDHA

Visible depuis la moitié de l'île, le Grand Bouddha (carte p. 666) est installé au sommet d'une colline au nord-ouest de Chalong. Pour vous y rendre, suivez la signalisation en rouge depuis la route principale (Hwy 402) et prenez la route de campagne qui longe une bananeraie et la jungle. Une fois parvenu au sommet, admirez le sanctuaire doré et montez sur le glorieux plateau du Grand Bouddha, d'où vous pourrez contempler la magnifique baie de Kata, la côte de Karon et, de l'autre côté, le paisible port de Chalong qui fait face aux petites îles du chenal.

Vous pouvez également observer les artisans mettre la dernière touche au bouddha d'albâtre de Birmanie. Phuket est en construction permanente depuis plus de 20 ans. Alors, quand les autorités parlent du Grand Bouddha comme du plus grand projet des 100 dernières années, il y a de quoi être admiratif.

Les visiteurs peuvent contribuer à financer la construction du Grand Bouddha en achetant de petites tablettes de pierre blanche pour 200 B. Vous pourrez alors signer la tablette qui sera ensuite cimentée sur la façade.

### WAT

Il existe de nombreux centres spirituels bouddhistes à Phuket. Faites simplement attention à votre tenue avant de pénétrer dans l'un des temples. Les dons sont bienvenus dans tous les *wat*.

L'un de nos monastères préférés à Phuket est le **Wat Chalong** (carte p. 666 ; Hwy 4021, Chalong ; 🕑 6h-18h). Ce temple animé, comportant trois niveaux, est orné de 36 bouddhas assis, allongés

**POP, 45 ANS, TRAVESTI**

Pop, 45 ans, est un *gà·teu·i* (ou *kàthoey*), autrement dit un travesti (appelé "ladyboy" en anglais). Les *gà·teu·i* de Thaïlande ont toujours été sujet à débat, plus encore parmi les touristes. Bien que la tolérance soit de mise dans la Thaïlande bouddhiste, l'homophobie est encore très répandue. Les *gà·teu·i* ont donc parfois la vie dure et la seule carrière lucrative qui s'ouvre à eux se trouve dans l'industrie du sexe et du divertissement. Nous avons passé une journée avec Pop et avons découvert à quoi ressemble la vie du fameux "troisième sexe" thaïlandais.

**Commençons par une question que se posent de nombreux touristes : pourquoi les *gà·teu·i* sont-ils si nombreux en Thaïlande ?** Cela revient à me demander pourquoi je suis un travesti ! Je n'en ai aucune idée, je me sens comme cela, c'est tout. Il serait plus pertinent de se demander pourquoi les travestis sont si nombreux dans les cabarets et l'industrie du sexe. Tout d'abord, je dois préciser que le mot gà·teu·i est un terme peu élégant qui signifie "personne avec deux sexes". Le terme phuying kham pet est plus correct, d'autant que les gà·teu·i ont conservé tous leurs attributs masculins et ne font que se déguiser en femme. Donc techniquement, je ne suis plus un *gà·teu·i*.

Les touristes croient qu'il y a énormément de travestis en Thaïlande parce que c'est une destination touristique. Certes, certains travestis veulent danser dans des cabarets, comme des femmes veulent le faire, mais ce n'est pas le cas de la plupart d'entre eux. Ces types d'emplois sont les seuls qui nous soient accessibles, et les salaires sont ridicules. La vie d'un travesti n'a rien à voir avec les paillettes de la scène : la plupart d'entre nous n'exercent pas un métier respecté de la communauté. On nous empêche de devenir médecin ou psychologue, et la majorité des entreprises ne veulent pas compromettre leur image s'associant à des *gà·teu·i*. Et puisque nous ne pouvons pas exercer de métier digne de ce nom, beaucoup de gà·teu·i ne vont même pas à l'école, au point qu'il existe une véritable fracture au niveau de l'éducation. Ils abandonnent l'école, car ils savent qu'ils n'ont aucune chance à l'avenir d'obtenir un travail respectable. L'industrie du sexe est la seule à nous permettre de gagner un peu notre vie. J'ai l'impression d'être un citoyen de seconde zone, on nous interdit même d'utiliser les toilettes pour hommes et pour femmes. Dans mon dernier emploi, je devais monter 14 étages uniquement pour utiliser les toilettes réservées aux travestis. De plus, la loi thaïlandaise stipule que notre passeport doit porter la mention "homme", car la loi définit la femme comme quelqu'un pouvant porter un enfant. Je peux donc difficilement quitter le pays, puisque mon passeport indique que je suis un homme, mais que je ressemble à une femme. Les autorités croient que ce sont de faux papiers.

**Quand avez-vous réalisé que vous étiez différente ?** Dès l'âge de 6 ans. J'ai toujours voulu être habillée comme ma sœur, et j'étais vexée lorsque mes parents m'habillaient comme un petit garçon. Je me sentais bien dans les vêtements de ma sœur.

**Comment distinguer un travesti d'une femme dans la rue ?** C'est parfois très difficile, et les travestis peuvent même être plus beaux que certaines femmes ! Aucun moyen de faire la différence, sinon de leur demander leurs papiers d'identité. Les médecins utilisent des techniques très pointues aujourd'hui et les opérations peuvent coûter très cher. La mienne a coûté 150 000 B ! J'ai été opérée, on m'a mis des implants mammaires et enlevé la pomme d'adam et j'ai le nez refait (je n'aimais pas l'ancien). On peut également se faire poser des implants de silicone dans les hanches, se faire refaire la mâchoire, le menton et les pommettes pour adoucir le visage. Mais il faut passer par des évaluations psychologiques avant toutes ces opérations, qui sont souvent très douloureuses. J'ai passé 7 jours



ou en méditation sur les deux premiers étages. Des serpents en ciment longent les rampes d'escalier et la mare aux lotus à l'extérieur. Le temple n'est pas ancien, mais il en émane une ferveur spirituelle communicative, surtout lorsque les fidèles viennent s'y recueillir.

Près de Thalang-ville, le **Wat Phra Thong** (carte p. 666 ; 🕑 6h-18h) est connu sous le nom du "temple du Bouddha doré". La représentation du maître est à demi enterrée, seules la tête et les épaules restant visibles. La légende veut que ceux qui ont tenté d'exhumer le reste de la statue soient tombés gravement malades peu après. Le temple est très apprécié des Sino-Thaïlandais qui croient que le Bouddha les salue depuis la Chine. Au Nouvel An chinois, le temple est un lieu de rassemblement important entre les provinces de Phang-Nga et de Krabi. Outre le Phra Thong, d'autres bouddhas sont exposés ici : sept représentants les jours de la semaine, et un Phra Praket (une posture inhabituelle où le Bouddha se touche la tête).

à l'hôpital et il m'a fallu près de deux mois pour me remettre vraiment sur pied. Les plus jeunes guérissent plus vite, moi, j'ai attendu d'avoir 40 ans pour me faire opérer.

**Pourquoi ne pas avoir subi l'opération plus tôt ?** Je n'ai pas "changé" plus tôt, car je voulais conserver mon travail et l'opération m'aurait obligée à démissionner. Je travaillais comme professeur d'informatique à l'université, et les travestis ne sont pas autorisés à exercer ce genre de métier. J'ai également attendu le décès de mon père, pour que mon opération soit mieux acceptée par ma famille.

**Comment votre famille a-t-elle réagi à cette transformation ?** Contrairement à ce que pensent certains touristes, aucune famille ne souhaite que l'un de ses fils soit un transsexuel, même si les parents ont toujours voulu des filles. Certains de mes proches amis n'adressent plus la parole à leur famille. Ma mère s'est toujours montrée compréhensive. Un mois avant mon opération, elle m'a dit : "Tu seras toujours mon enfant, mais tu ne dois jamais mentir sur ta personnalité. Accepte qui tu es." J'ai adopté deux fils, aujourd'hui adultes. Après l'opération, ils ne m'offraient plus de cadeaux pour la Fête des pères, mais pour la Fête des mères. C'est un geste adorable. Mon père, en revanche, ne s'est jamais montré très ouvert. Lorsqu'il a découvert que j'étais homosexuel, il a, comme qui dirait, appliqué sur moi ses talents de boxeur *mou·ay tai*.

**Quelle a été votre première pensée après l'opération ? Comment vivez-vous depuis ?** Je me suis réveillée avec un grand sourire. La vie était belle, j'étais heureuse que mon apparence reflète enfin mon état d'esprit, je n'étais plus triste lorsque je baissais les yeux. Ce fut difficile de retrouver un travail après l'opération. Sur mon CV, j'avais indiqué "transsexuel récemment opéré" pour être totalement honnête avant l'entretien, mais je n'ai jamais reçu une seule réponse. En fait si, une entreprise m'a proposé un entretien, mais ils ne m'ont posé que des questions complètement inappropriées sur ma vie personnelle. C'était très décourageant. J'ai fini par trouver une entreprise qui accepte les transsexuels et qui m'a offert un poste en informatique d'hôtellerie. En pratique, je me rends dans les différents hôtels de Thaïlande pour apprendre aux réceptionnistes à utiliser le logiciel de l'hôtel. J'adore mon travail.

L'opération est loin derrière moi, mais il faut que je prenne des hormones féminines jusqu'à la fin de ma vie ; une pilule deux fois par semaine. D'autres transsexuels préfèrent une piqûre par mois, mais j'ai horreur des aiguilles. Certaines personnes réagissent mal aux médicaments : des amis se sont retrouvés couverts de boutons et en surpoids. Il faut parfois un certain temps avant de trouver la bonne dose d'hormones. Et puis il faut également "entretenir" certains des nouveaux attributs, qui fonctionnent un peu comme les oreilles percées : si on ne met pas de régulièrement de boucles… Bref. Ma tante, qui est partie aux États-Unis, m'a proposé de la rejoindre, mais je me sens bien en Thaïlande. Même si nous autres, transsexuels, n'avons pas beaucoup de droits, je ne suis pas sûre que ma situation serait meilleure ailleurs.

**Pour finir, quelle est selon vous la plus grande idée reçue sur les *gà·teu·i* en Thaïlande ?** C'est simple : nous sommes toutes des prostituées et des menteuses. Mais nous ne faisons que chercher l'amour, comme tout le monde. Il est vrai que certains travestis essaient de tromper les autres, mais c'est parce qu'ils ont peur de se sentir rejetés. D'autres mentent parce qu'ils auraient voulu être une vraie femme, ce qui leur est impossible. Moi, j'en suis consciente, et c'est pour cela que je ne mens pas. Je m'aime telle que je suis. J'aimerais que tout le monde puisse en dire autant.

Bien que l'architecture ne soit pas des plus harmonieuses, le **Wat Nai Han** (carte p. 666 ; Hat Nai Han ; 🕑 6h-18h) est un monastère en activité. Si vous arrivez à l'aube, vous aurez peut-être la chance d'assister et même de participer aux chants des moines. Demandez toutefois l'autorisation à un moine la veille.

À l'écart de la route, le **Wat Karon** (carte p. 686 ; Th Patak East, Karon ; 🕑 6h-18h) est un ensemble relativement récent doté d'un petit sanctuaire où trône un bouddha de pierre noire. Derrière se dresse l'impressionnant crématorium et son toit à trois niveaux, ouvert seulement pour les cérémonies. Bananiers, palmiers et manguiers agrémentent les jardins luxuriants.

### LAEM PROMTHEP

แหลมพรหมเทพ

Vous ne serez pas seul à Laem Promthep, mais peu importe : la vue à 270 degrés sur la mer d'Andaman, qui ourle délicatement le cap où les pêcheurs jettent leurs filets, vous captivera. Après le Grand Bouddha, **Laem Phromthep** (carte p. 666 ; Hwy 4233) est sans aucun doute le meilleur endroit pour admirer le coucher du soleil. Croyez-en la foule, composée essentiellement de touristes thaïlandais. Se pressant sur la plate-forme bétonnée, ceux-ci font des offrandes au fantastique sanctuaire de l'éléphant avant de grimper en haut du phare en forme de crabe.

Si vous recherchez un peu d'intimité, suivez les habitants sur le chemin des pêcheurs qui longe la côte jusqu'aux rochers, à quelques mètres au-dessus de la mer. Cette bande de sable – la péninsule, le point le plus méridional de l'île –, qui paraît bien étroite vue du dessus, réserve quand même un bel espace, et vous n'aurez aucun mal à trouver une place juste pour vous.

### DISTRICT DE THALANG

อำเภอถลาง

Si vous souhaitez en savoir plus sur l'histoire coloniale de l'île, rendez-vous au **Musée national de Thalang** (carte p. 666 ; ☎ 0 7631 1426 ; 40 B ; 8h30-16h). Cinq salles d'exposition abordent différents thèmes relatifs au sud de la Thaïlande tels que l'histoire de Thalang-Phuket ou la colonisation de la côte d'Andaman. La curiosité principale du musée est le Vishnu haut de 2,30 m datant du IX^e^ siècle, qui fut retrouvé près de Takua Pa au début du XIX^e^ siècle.

Sur la route du musée, vous passerez probablement près du **monument aux Héroïnes** (carte p. 666). Pour en savoir plus sur ce site, reportez-vous p. 667. Le Wat Phra Thong (p. 672) se trouve également dans le district de Thalang.

### RÉSERVE NATURELLE ROYALE DE KHAO PHRA THAEW

อุทยานสัตว์ป่าเขาพระแทว

Il n'y a pas que le sable et la mer à Phuket. Au nord de l'île se dresse Khao Phra Thaew (carte p. 666), une réserve de 23 km² de forêt tropicale primaire. De belles randonnées vous mèneront à travers la jungle jusqu'aux pittoresques cascades de **Ton Sai** et de **Bang Pae**. La saison des pluies, entre juin et novembre, est la plus belle pour admirer les cascades, qui se résument à de simples filets d'eau le reste de l'année. Le point culminant, **Khao Phra**, s'élève à 442 m. Le statut royal de la réserve lui vaut une meilleure protection que la plupart des autres parcs nationaux du pays.

Un botaniste allemand a découvert à Khao Phra Thaew une espère rare et unique de palmier. Cet arbre en éventail de 3 à 5 m de hauteur, appelé palmier *langkow*, ne se trouve que dans le parc national de Khao Sok (p. 655) et nulle part ailleurs.

Autrefois peuplée de tigres, d'ours, de rhinocéros et d'éléphants, la forêt abrite aujourd'hui une faune plus limitée où l'homme côtoie gibbons, singes, paresseux, entelles, civettes, roussettes, écureuils, chevrotains et autres petits mammifères. Attention aux cobras et aux sangliers.

Près de Bang Pae, le **Gibbon Rehabilitation Centre** (carte p. 666 ; ☎ 0 7626 0492 ; www.gibbonproject.org ; dons bienvenus ; 9h-16h) est incontournable. Financé uniquement par les dons (1 500 B permettent de prendre soin d'un gibbon pendant un an), ce centre tenu par des volontaires "adopte" des gibbons qui étaient en captivité et les réintroduit dans la forêt lorsqu'ils sont prêts à s'accoupler. Un gibbon peut se balancer d'arbre en arbre à 25 km/h et se nourrit de fruits, de noix, d'insectes et de lézards.

### PARC NATIONAL DE SIRINAT

อุทยานแห่งชาติสิรินาถ

Le **parc national de Sirinat** (carte p. 666 ; ☎ 0 7632 8226 ; www.dnp.go.th ; 200-400 B ; 8h-17h), qui couvre 22 km² de côte et 68 km² de mer, regroupe les plages de Nai Thon, Nai Yang et Mai Khao, ainsi que l'ancien parc naturel de Nai Yang et la réserve de Mai Khao. Il s'étend de la limite occidentale de la province de Phang-Nga vers le sud jusqu'au promontoire qui sépare Nai Yang et Nai Thon.

Le centre d'information des visiteurs, équipé de toilettes, de douches et de tables de pique-nique, se trouve sur Hat Mai Khao, la plus longue plage de Phuket. Du centre, de petits sentiers de randonnée à travers la mangrove mènent vers une plage en pente. Entre novembre et février, les tortues de mer y pondent leurs œufs.

La zone entre Nai Yang et Mai Khao est largement réservée à la **crevetticulture**. Ici, par chance, les éleveurs de crevettes ne creusent pas de lagunes artificielles dans la plage ou les mangroves (comme à Ko Chang ou à Khao Sam Roi Yot), mais utilisent des bassins en ciment, une méthode qui nuit beaucoup moins à l'environnement.

Le parc est facilement accessible depuis l'aéroport international de Phuket.

**AQUARIUM DE PHUKET**

À l'extrémité de Laem Phanwa, l'**aquarium de Phuket** (carte p. 666 ; ☎ 0 7639 1126 ; adulte/enfant 100/50 B ; ⏰ 8h30-16h) permet de découvrir toute une variété de poissons tropicaux et d'autres créatures marines. Vous vivrez une véritable aventure sous-marine en flânant dans le tunnel et en observant les 32 aquariums de l'établissement. Suivez la Route 4021 vers le sud et prenez la Route 4023 à la sortie de Phuket-ville.

## À faire

**PLONGÉE**

Phuket bénéficie d'une situation relativement centrale par rapport à tous les sites de plongée de la côte d'Andaman. Les îles Similan, très recherchées, sont situées au nord, tandis que des dizaines de sites de plongée vous attendent au sud, autour de Ko Phi Phi (p. 709) et de Ko Lanta (p. 714). Naturellement, vous paierez un peu plus cher le trajet de Phuket jusqu'à ces sites impressionnants, plus éloignés. Les centres de plongée de Phuket emmènent généralement les plongeurs sur les neuf sites situés autour de l'île, comme Ko Raya Noi (ou Ko Racha Noi) et Ko Raya Yai (ou Ko Racha Yai) ; mais ceux-ci sont moins saisissants. Le récif au large de la pointe sud de Raya Noi est particulièrement adapté aux plongeurs expérimentés. Sur ce site profond, les coraux s'accrochent aux rochers tandis qu'évoluent barracudas, comères saumon, carangues et autres poissons pélagiques. Les raies mantas et marbrées sont également fréquentes dans ces zones. Avec un peu de chance, on peut même apercevoir un requin-baleine.

Une sortie d'une journée avec deux plongées, matériel compris, avoisine les 3 000-4 000 B. Une réduction importante est proposée aux non-plongeurs (et aux snorkelers) qui souhaitent se joindre à la sortie. Une formation PADI de 4 jours coûte entre 12 500 et 15 000 B. La période la plus agréable pour plonger se situe entre décembre et mai, lorsque la météo est clémente et la mer au mieux de sa transparence.

À première vue, on pourrait croire que des centaines de centres de plongée sont installés sur l'île. En réalité, une grande partie de ces "centres" ne sont que des agences de réservation qui prennent une coquette commission pour vous trouver une place sur le premier bateau venu. Les clients sont rarement satisfaits de ces opérateurs peu scrupuleux qui ne cherchent qu'à faire de l'argent. À Phuket, il vaut toujours mieux s'adresser directement à une école de plongée qui possède ses propres bateaux et une accréditation. Choisir la bonne école peut être une tâche délicate et conditionne la réussite de votre expérience sous-marine. Reportez-vous à la rubrique *Plongée* de la section Ko Tao (p. 627) pour quelques conseils à cet égard.

Les centres recommandés ci-dessous proposent différentes formules de sorties à la journée vers les sites environnants. Pour plus d'informations sur les croisières de plongée aux îles Surin et Similan, reportez-vous p. 661. Pour plonger à Hin Daeng/Hin Muang (et si vous avez le temps d'aller jusqu'à Ko Lanta), voir p. 717.

**Dive Asia** (carte p. 686 ; ☎ 0 7633 0598 ; www.diveasia.com ; 24 Th Karon, Kata). Ce centre possède une autre branche 623 Th Karon, près de la plage de Karon.

**Scuba Cat** (carte p. 669 ; ☎ 0 7629 3120 ; www.scubacat.com ; 94 Th Thawiwong, Patong)

**Sea Bees** (☎ 0 7638 1765 ; www.sea-bees.com ; 69 1/3 Mou 9 Viset, Ao Chalong). Également présent à Khao Lak.

**Sea Fun Divers** (hors carte p. 669 ; ☎ 0 7634 0480 ; www.seafundivers.com ; 29 Soi Karon Nui, Patong). Un excellent centre, très professionnel. Les critères sont très élevés et le service impeccable. Un premier bureau se trouve dans le Méridien de Patong et un autre au Katathani Resort (p. 686), à Kata Noi.

Il existe 3 caissons de décompression à Phuket.

**Bangkok International Hospital** (carte p. 669 ; ☎ 0 7634 2518 ; 231-233 Th Rat Uthit, Patong)

**Phuket International Hospital** (carte p. 666 ; ☎ 0 7624 9400, urgences 0 7621 0935). À la sortie de Phuket-ville.

**Wachira Hospital** (carte p. 666 ; ☎ 0 7621 1114). En dehors de Phuket-ville.

**SNORKELING**

La côte ouest de Phuket, et plus particulièrement les promontoires rocheux entre les plages, convient le mieux au snorkeling. On peut louer masque, tuba et palmes pour quelque 250 B par jour. Comme pour la plongée avec bouteille, les abords des petites îles telles que Ko Raya Yai et Ko Raya No offrent une meilleure visibilité et une faune plus variée.

Prestataires de snorkeling recommandés :

**Offspray Leisure** (☎ 08 1894 1274 ; www.offsprayleisure.com ; 43/87 Chalong Plaza ; sorties à partir de 2 950 B). Ce club est spécialisé dans les sorties à Ko Phi Phi. Ses bateaux rapides vous y emmènent en 45 min, soit deux fois plus vite (au moins) que les bateaux traditionnels. Les sorties se font généralement en petit comité, ce qui change des autres prestataires de Phuket.

**Oi's Longtail** (☎ 08 1978 5728 ; 66 Mou 3, Hat Nai Yang ; circuits 1 600 B, matériel inclus). Spécialisé dans les sorties de snorkeling de 2 heures autour de Ko Waeo. Près du restaurant Bank, face au port de *long-tail boats*.

### SURF

Phuket est un paradis secret pour le surf. Avec la houle des moussons, la mer forme d'impressionnants rouleaux, notamment entre juin et septembre. Hat Kata devient alors la capitale officieuse du surf. Une compétition à lieu tous les ans fin août-début septembre. Les plus belles vagues, qui atteignent les 2 m, déferlent à la pointe sud de Kata. À Nai Han, elles peuvent mesurer 3 m sur la plage du yacht-club. Attention toutefois, les courants sous-marins peuvent être très forts sur ces deux spots.

Hat Kalim, un peu au nord de Paton, est protégé, et le break peut également atteindre 3 m. Un concours y est organisé en août par le **Phuket Boardriders Club** (www.phuketboardriders.com). La plage la plus septentrionale de Hat Kamala offre également de bons breaks de 3 m. À Laem Sing, sur la côte face à l'Amanpuri Resort, les vagues sont très fortes et rapides, et la plage est par ailleurs protégée du vent par un grand promontoire.

Les meilleures vagues de Phuket sont peut-être celles qui déferlent à Hat Nai Yang. Il vous faudra nager quelque 200 m avant d'y arriver, mais le récif fournit un break constant, les vagues montent jusqu'à 3 m et les courants sont faibles.

Le surf n'est pas vraiment en vogue à Phuket, et vous ne trouverez pas beaucoup de magasins ou de clubs de surf sur l'île. Mais si vous venez avec votre équipement et que le vent vous accompagne, vous profiterez de belles vagues sur toute la côte ouest.

Prestataires recommandés :

**Blujelly** (carte p. 683 ; ☎ 08 5880 7954 ; www.blujelly.com ; Bang Thao). Cours pour enfants et bonne source de renseignements sur le surf à Bang Thao.

**Phuket Surf** (carte p. 686 ; ☎ 08 1002 2496 ; www.phuketsurf.com ; Kata). Leçons de surf à partir de 1 500 B et location de planches. Dans la crique sud de Kata Yai.

**Saltwater Dreaming** (carte p. 683 ; ☎ 0 7627 1050 ; www.saltwater-dreaming.com ; Surin). Le meilleur magasin de l'île. Renseignez-vous sur les cours de surf et visitez son site Internet pour trouver des réponses à vos questions.

### KITESURF

Si vous n'avez jamais pratiqué ce sport qui monte, prenez des cours auprès de **Kiteboarding Asia** (hors carte p. 683 ; ☎ 08 1591 4593 ; www.kiteboardingasia.com ; 74/10 Mou 3, Th Hat Nai Yang ; à partir de 4 000 B). Les cours ont lieu dans une baie abritée, et les tarifs incluent tout le matériel nécessaire. Si vous disposez d'un peu de temps et d'argent, vous pouvez obtenir une certification de l'Organisation internationale de kitesurf, passage obligé avant de pouvoir louer du matériel, où que ce soit dans le monde. Bob, le propriétaire et professeur, propose également des cours de surf (et loue des planches) à l'arrivée de la houle (entre juin et septembre). Les vagues sont aussi belles qu'à Kata ou à Nai Han, sans le courant très dangereux.

### CANOË ET KAYAK DE MER

Plusieurs prestataires installés à Phuket organisent des balades en canoë dans la magnifique Ao Phang-Nga (p. 662). Les kayaks peuvent pénétrer dans les grottes semi-submergées (*hong*, "chambres" en thaï), inaccessibles aux *long-tail boats*. Une journée à ramer vous coûtera 3 000 B par personne ; le matériel, les repas et le transfert de l'hôtel sont compris. De nombreux opérateurs proposent également des circuits de 3 jours tout compris (à partir de 13 000 B).

Prestataires à Phuket-ville et environs :

**John Gray's Sea Canoe** (hors carte p. 670 ; ☎ 0 7625 4505 ; www.johngray-seacanoe.com ; 124 Soi 1, Th Yaowarat, Phuket-ville ; excursions 3 950-57 800 B). Premier prestataire de Phuket. John Gray et son équipe de guides organisent des circuits écologiques à Ao Phang-Nga et autour de ses îles secrètes, ses lagunes et ses *hong* (grottes submergées) en sensibilisant les participants à la fragilité des écosystèmes. Inoubliable, le circuit de nuit "Hong By Starlight" vous emmène dans des lagunes luminescentes en passant par des grottes peuplées de chauves-souris. Camping possible. Départs depuis Ao Por.

**Paddle Asia** (carte p. 670 ; ☎ 0 7624 0952 ; www.paddleasia.com ; 19/3 Th Rasdanusorn, Phuket-ville). Pour les débutants et ceux qui n'aiment pas la foule. Petits groupes de 2 à 6 personnes et circuits de plusieurs jours.

**Sea Canoe Thailand** (hors carte p. 670 ; ☎ 0 7621 2172 ; www.seacanoe.net ; 367/4 Th Yaowarat, Phuket-ville). Très bonne réputation.

### NAVIGATION DE PLAISANCE

Phuket est l'une des principales destinations des plaisanciers en Asie du Sud-Est. Vous verrez toutes sortes d'embarcations ancrées le long du littoral, depuis les sloops en bois vieux de 80 ans, qui ont l'air de pouvoir à peine flotter, jusqu'aux yachts les plus modernes. L'île compte quelques installations de style marina, avec amarrage à l'année. Les autorisations sont compliquées à obtenir : la marina s'occupera des démarches (contre rémunération) si vous vous y prenez à l'avance.

**Phuket Boat Lagoon** (carte p. 666 ; ☎ 0 7623 9055 ; fax 0 7623 9056). À Ao Sapam, à 10 km au nord de Phuket-ville, sur la côte est. Marina abritée avec darses, postes de mouillage flottants, monte-charge de 60 à 120 tonnes, aire en dur, complexe hôtelier, laverie, café, pompe à essence, service de réparation et d'entretien.

**Rolly Tasker Sailmakers** ( ☎ 0 7628 0347 ; www.rollytasker.com ; 26/2 Th Chaofa, Ao Chalong). Vente de voiles, gréements, espars et autres équipements de navigation.

**Royal Phuket Marina** (carte p. 666 ; ☎ 0 7623 9762 ; www.royalphuketmarina.com). Un peu au sud du Phuket Boat Laggon, cette marina a coûté 25 millions de dollars US. Elle comprend 190 points d'amarrage, des villas et des résidences de luxe, un spa et un hôtel.

**Yacht Haven Phuket Marina** (carte p. 666 ; ☎ 0 7620 6705 ; www.yacht-haven-phuket.com). À Lam Phrao, à l'extrémité nord-est de l'île. La marina dispose de 130 points d'amarrage, d'un restaurant panoramique et d'un service d'entretien.

La **TAT** (Tourism Authority of Thailand ; carte p. 670 ; ☎ 0 7621 2213 ; www.tat.or.th ; 73-65 Th Phuket, Phuket-ville ; 🕑 8h30-16h30), à Phuket-ville, vous fournira une liste complète des loueurs et vendeurs de yachts. En ce qui concerne l'assurance, vérifiez si le bateau de votre choix est enregistré en Thaïlande. Prévoyez 20 000 B par jour en haute saison pour une location coque nue. Pour des informations sur la location (avec ou sans équipage), la vente et la livraison de yachts, contactez les adresses suivantes :

**Dream Yacht Charter** ( ☎ 0 7620 6492 ; www.dreamyachtcharter.com ; Yacht Haven Phuket Marina). Tenue par un Français, cette société affrète des catamarans coques nues avec ou sans équipage. Les tarifs sont élevés, mais naviguer entre les formations karstiques à Ao Phang-Nga mérite sans doute la dépense.

**Faraway Sail & Dive Expeditions** ( ☎ 0 7628 0701 ; www.far-away.net ; 112/8 Mou 4, Th Taina, Hat Karon)

**Sunsail Yacht Charters** ( ☎ 0 7623 9057 ; www.sunsailthailand.com ; Phuket Boat Lagoon)

**Thai Marine Leisure** ( ☎ 0 7623 9111 ; www.thaimarine.com ; Phuket Boat Lagoon)

**Yachtpro International** ( ☎ 0 7623 2960 ; www.sailing-thailand.com ; Yacht Haven Phuket Marina)

### GOLF

**Blue Canyon Country Club** (carte p. 666 ; ☎ 0 7632 8088 ; www.bluecanyonclub.com ; 165 Mou 1, Th Thepkasatri ; 18 trous 5 300 B). Country-club de luxe avec 2 terrains de championnats qui ont accueilli Tiger Woods lors de 2 tournois spectaculaires (et l'établissement d'un record). Un spa, deux restaurants et des appartements de luxe sont également disponibles. Les bâtiments sont un peu défraîchis, mais les greens sont parfaits. Location de clubs et cours de golf.

**Dino Park** (carte p. 686 ; ☎ 0 7633 0625 ; www.dinopark.com ; Th Patak West, Karon ; adulte/enfant 240/180 B ; 🕑 10h-minuit). Quand le minigolf se donne des airs de Jurassik Park. Au sud de Hat Karon, un insolite dédale de grottes, de lagunes, de jardins luxuriants, de statues de dinosaures et, bien sûr, de greens. Les enfants seront aux anges.

**Mission Hills Golf Club** (carte p. 666 ; ☎ 0 7631 0888 ; www.missionhillsphuket.com ; 195 Mou 4, Pla Khlok ; 18 trous 3 800 B). Les 27 trous de ce golf aménagé pour des championnats ont été imaginés par Jack Nicklaus. Sur la côte est. On y trouve en outre un spa, un hôtel et deux piscines.

**Thailand Tours & Paradise Golf** ( ☎ 084 8433677 ; www.golfinphuket.com ; Centara Mall, Th Patak East). Géré par des Suédois, cet opérateur propose des circuits de golf et de pêche en haute mer pour les voyageurs indépendants. Si vous aimez le golf, cette adresse est une référence à Phuket.

### ÉQUITATION

**Bangthao Beach Riding Club** (carte p. 683 ; ☎ 0 7632 4199 ; 394 Mou 1, Th Hat Bang Thao ; promenades à cheval/à dos d'éléphant à partir de 1 000/350 B).Ce club propose différentes formules, de la balade à cheval d'une demi-journée à travers forêts, marais et plages aux cours d'équitation, en passant par la balade de 10 minutes à dos d'éléphant. Près de l'entrée de Laguna Phuket.

**Phuket Riding Club** (carte p. 666 ; ☎ 0 7628 8213 ; www.phuketridingclub.com ; 95 Th Vises ; balades à partir de 650 B ; 🕑 7h-18h30). Explorez la jungle et les plages de la côte sud sur des chevaux australiens. Les étables et le matériel sont de bonne qualité, les chevaux bien traités. Possibilité de suivre des cours.

### BALADES À DOS D'ÉLÉPHANT

**Arawan Bukit Elephant Trekking** ( ☎ 08 6809 4780 ; Th Patong-Karon ; promenades 400-1 200 B ; 🕑 9h-18h). Gulong, Peter et ses congénères ont échappé à la déforestation. Ils dorment 5 heures par jour, mangent 6 heures par jour, et vous promèneront jusqu'au spectaculaire panorama d'Ao Patong.

**Kok Chang Safari** (carte p. 666 ; ☎ 08 4841 9794 ; www.kokchangsafari.com287 Moo 2, Th Kata Sai Yuan ; balades à partir de 600 B ; 🕑 8h30-17h30).

Ce camp d'éléphants, peut-être le meilleur de l'île, est sympathique et bien tenu. Les animaux sont en bonne santé. Les excursions durent de 20 min à 1 heure (1 000 B) jusqu'au sommet de la montagne et son paysage magique. Si vous préférez rester à terre, prenez un verre avec Charlie, un beau singe ténébreux qui vous attend au bar.

**Phuket Elephant Ride** (☎ 08 4058 3276 ; 25/19 Mou 1, Hwy 4233 ; balades à partir de 800 B, démonstration de serpents ou de singes 400 B ; 9h-17h). À quelques kilomètres de l'adresse précédente, vous pourrez faire des circuits de 20, 30 ou 60 min. Ce camp propose également un spectacle avec un cobra royal et un autre, passablement déprimant, avec un singe dressé.

**Phuket Zoo** (carte p. 666 ; ☎ 0 7638 1227 ; www.phuketzoo.com ; 23/2 Mou 3 Soi, Th Phalai Chaofa, près de Chalong ; entrée 200 B ; 8h30-18h). Les plus jeunes apprécieront les spectacles d'éléphants.

## BOXE THAÏLANDAISE (MOU·AY TAI)

Rawai compte plusieurs écoles célèbres de *mou·ay tai* (ou *muay thai*). Vous trouverez un centre de formation prisé (mais un peu trop touristique) à Patong (p. 693).

**Rawai Muay Thai** (☎ 08 1078 8067 ; www.rawaimuaythai.com ; 43/42 Mou 7, Th Sai Yuan, Rawai ; 7h30-9h30 et 16h-18h ; cours en groupe/individuels 500/800 B). Ouvert par un ancien champion de *mou·ay tai*, ce club attire des touristes du monde entier qui viennent apprendre à se battre auprès de boxeurs professionnels. La plupart des clients sont des jeunes qui séjournent dans le club, mais vous pouvez également essayer. Attention, sport immédiatement addictif.

**Sinbi Muay Thai** (☎ 08 3391 5535 ; www.sinbi-muaythai.com ; 100/15 Mou 7, Th Sai Yuan, Rawai ; 500/3 000/10 000 B par j/sem/mois 7h30-9h30 et 16h-18h ; ). Autre centre d'entraînement de bonne réputation à Raway. Accueille une clientèle mixte.

## SPORTS EXTRÊMES

**Cable Jungle Adventures** (☎ 08 1977 4904 ; 232/17 Mou 8, Th Bansuanneramit ; 1 600 B/pers ; 9h-18h). Idéalement situé entre des plantations d'ananas, d'hévéas et de manguiers, ce dédale de 8 tyroliennes relie les falaises à des ficus centenaires. Les lignes se trouvent entre 6 et 23 m au-dessus du sol et la plus longue court sur 100 m. Chaussures fermées obligatoires.

**Jungle Bungy Jump** (carte p. 666 ; ☎ 0 7632 1351 ; www.phuketbungy.com ; 61/3 Mou 6, Kathu ; saut 1 600 B). Ouvert depuis 1992 et géré par des Néo-Zélandais, ce centre équipé d'une tour métallique de la hauteur d'un immeuble de 20 étages permet de sauter à l'élastique dans l'eau, en couple, ou même de jouer à l'homme fusée : vous serez alors propulsé à 50 m dans les airs avant de retomber accroché à votre élastique.

## SPAS

Pour plus d'informations sur les massages thaïlandais, reportez-vous à l'encadré page suivante.

**Amala Spa** (carte p. 669 ; ☎ 0 7634 3024 ; www.bydlofts.com ; 5/28 Th Rat Uthit, Patong ; soins à partir de 600 B ; 9h-20h). Rattaché au BYD (p. 684), ce spa à la décoration luxueuse et sophistiquée propose des massages thaïlandais ou aux huiles essentielles, de la réflexologie, des masques d'argile blanche et des soins détoxifiants au thé vert.

**Amanpuri Spa** (carte p. 683 ; ☎ 0 7632 4333 ; www.amanresorts.com ; 118/1 Mou 3, Th Srisoonthorn, Surin ; soins à partir de 3 500 B ; 9h-21h). Cadre somptueux pour cet établissement situé au bord d'une falaise et au pied de cocotiers. Les salles sont entièrement en bois et en verre, avec bains de vapeur privés et jardins de méditation. Le spa utilise ses propres produits naturels de beauté. Les clients de l'hôtel peuvent suivre des cours de yoga le matin.

**Aspasia** (carte p. 686 ; ☎ 0 7633 3033 ; www.aspasiaphuket.com ; 1/3 Th Laem Sai ; soins à partir de 1 000 B ; 9h-21h). Ce superbe spa se cache sur le promontoire entre Kata et Karon. Intérieur cosy et très zen, avec des portes coulissantes en papier de riz qui séparent les salles de massage. Essayez le gommage rouge pour le corps, un mélange de sésame, miel et jus d'orange frais, ou l'exfoliant à base de noix de coco et de fruits de la passion. Salon de beauté complet et différents styles de massages.

**Atsumi Healing** (☎ 08 1272 0571 ; www.atsumihealing.com ; 34/18 Soi Pattana, Rawai ; soins spa à partir de 1 000 B). Plus qu'un spa, il s'agit d'un centre où l'on se remet en forme en jeûnant et en se détoxifiant. Les visiteurs y passent en général plusieurs jours à se nourrir d'eau, de jus ou de plantes aromatiques. Les massages font partie du programme, notamment pour les clients du restaurant. Outre les massages thaïlandais et les soins en profondeur aux huiles essentielles, vous pourrez essayer le fameux massage thaï atsu (mélange de massage thaïlandais et de shiatsu) ou les cours de yoga empreints de tai-chi – que le personnel appelle le rituel matinal.

**Indigo Spa** (☎ 0 7632 7006 ; www.indigo-pearl.com ; Hat Nai Yang ; soins à partir de 1 500 B ; 9h-21h). Au cœur du gigantesque complexe Indigo Pearl (p. 681), qui est également un monument au passé minier de Phuket, ce fantastique spa propose des gommages au chocolat (ne pas avaler !) et un enveloppement aux extraits de perles cultivées dans la région.

**Spa Royale** (carte p. 686 ; ☎ 0 7633 3568 ; www.villaroyalephuket.com ; 12 Th Kata Noi ; soins à partir de 1 200 B ; 9h-20h). L'un des meilleurs spas du sud de l'île, avec ses produits biologiques, ses salles de massage en bord de mer et son personnel très compétent. L'aromathérapie de 90 min est un must.

**MASSAGE À DEUX OU À QUATRE MAINS ?**

Tous les *soi* de Phuket, ou presque, abritent une salle de massage et un rabatteur qui tente bruyamment d'appâter le passant. La plupart sont des entreprises familiales sans prétention, où le massage traditionnel thaïlandais revient à 250 B, et où un simple soin de pédicure et de manucure coûte la modique somme de 100 B. La qualité du service dans ces établissements varie et évolue rapidement, le taux de rotation du personnel étant élevé. Essayez de vous renseigner auprès de clients récents, mais, pour ces prix-là, ne vous attendez pas à des miracles.

Si vous souhaitez des soins plus à l'occidentale, rendez-vous dans l'un des nombreux complexes de thalassothérapie de Phuket. Ils sont généralement affiliés à un hôtel de luxe, mais presque tous sont ouverts aux non-résidents. Ce sont en général des établissements haut de gamme, au splendide design zen et offrant une vaste gamme de soins. Les tarifs varient en fonction de l'emplacement, mais il faut compter 1 000 B le soin au minimum.

Voici la liste de nos trois spas favoris à Phuket.

- Le **Banyan Tree Spa** (carte p. 683 ; www.banyantree.com), au Banyan Tree Phuket (p. 682), est clairement le meilleur. Le spa gère une école de massage de renommée mondiale et tous les spécialistes exerçant dans ce centre en ont suivi le cursus. Un soin énergétique indien est récemment venu s'ajouter à la longue liste des thérapies. Laissez-vous tenter par le Royal Banyan, une séance de 3 heures (195 $US) comprenant un bain de pieds à la menthe, un gommage au concombre et à la citronnelle, un massage thaïlandais aux herbes et un bain dans une baignoire remplie de pétales de fleurs.
- Le **Six Senses Spa** (www.sixsenses.com) de l'Evason Phuket Resort (p. 687) est un endroit très "retour à la nature" où les soins prodigués sont fantastiques. Tentez le Sensory Spa Journey (90 min, 8 000 B), qui comprend un massage à quatre mains et un bain de pieds voluptueux ; vous repartirez avec un sac d'échantillons des produits utilisés au cours de la séance.
- L'un des premiers spas de Phuket, le **Hideaway Day Spa** (☎ 0 7627 1549 ; 🕒 11h-21h), jouit encore d'une très bonne réputation. Affichant des tarifs plus raisonnables que la plupart de ses concurrents hôteliers, le Hideaway propose des massages traditionnels thaïlandais, des séances de sauna et des bains de boue, le tout dans un cadre boisé paisible, sur la rive d'une lagune. Les soins commencent à 1 500 B.

Pour d'autres adresses de spa, reportez-vous page précédente.

## Cours

**Beach House Cooking School** (carte p. 683 ; ☎ 089 6511064 ; Hat Surin ; cours 1 900 B/pers ; 🕒 9-22h). Lisez attentivement le menu, entourez le plat qui vous intéresse et apprenez à le cuisiner en 3 heures avec le chef de cet élégant restaurant de plage. Des arbres traversent le plafond de la salle à manger et la cuisine donne sur l'océan.

**Mom Tri's Cooking Class** (carte p. 686 ; ☎ 0 7633 0015 ; www.boathousephuket.com ; Th Patak West, Kata ; 2 cours repas compris 3 200 B ; 🕒 10h-13h sam et dim). Le chef Tummanoon Punchun, qui a été primé, prend sur son temps pour enseigner les rudiments de la cuisine thaïlandaise. Les cours se tiennent près de la salle à manger du Boathouse : vous aurez la vue en prime.

**Pum Thai Cooking School** (carte p. 669 ; ☎ 0 7634 6269 ; www.pumthaifoodchain.com ; 204/32 Tha Rat Uthit, Patong). Cette école gère des restaurants thaïlandais à Phuket, à Ko Phi Phi et en France. À Phuket, vous apprendrez la gastronomie façon thaïlandaise en préparant un plat (450 B), 2 plats (900 B) et jusqu'à 5 plats (4 650 B, plus de 6 heures).

## Circuits organisés

Les amateurs de 4x4 apprécieront les adresses suivantes :

**Bang Pae Safari** (☎ 0 7631 1163 ; 12/3 Mou 5, Th Srisoonthorn ; circuits à partir de 800 B ; 🕒 7h30-17h). À la lisière de la réserve naturelle royale de Khao Phra Thaew, cette adresse propose des randonnées à dos d'éléphant, en 4x4 ou en canoë jusqu'aux canaux et aux plantations d'hévéas. Les circuits sont assez calmes et plus agréables en saison humide.

**Phuket Paradise 4WD Tour** (☎ 0 7628 8501 ; 24/1 Mou 1, Hwy 4233 ; à partir de 1 500 B ; 🕒 8h30-18h). Vous pouvez conduire un 4x4 en pleine jungle (ou être un simple passager) pendant 1 heure ou 2.

## Bénévolat

La **Soi Dog Foundation** (☎ 08 7050 8688 ; www.soidog.org) est une organisation bien gérée qui s'efforce de stériliser et de prendre soin des chiens errants. Des bénévoles sont nécessaires pour

**AAAH ! ET LES BLESSURES GUÉRISSENT BIEN ?**

Avez-vous déjà vu une photo de la fête végétarienne qui se tient tous les ans à Phuket ? Oui ? Alors vous n'avez pas pu l'oublier : des dagues qui percent les joues, des lames de rasoir qui coupent des langues – en bref, le pire cauchemar d'un enfant. Cette fête célèbre le début du "carême taoïste" qui veut que les religieux chinois s'abstiennent de manger tout aliment à base de viande. À Phuket-ville, les célébrations se concentrent autour de 5 temples chinois, le plus important étant celui de Jui Tui, dans Th Ranong.

Après le jeûne, la fête se poursuit par des processions qui donnent lieu à d'incroyables actes d'automutilation, comme le fait de marcher sur des charbons ardents et de se percer la peau de toutes sortes d'objets tranchants. Les commerçants des rues principales installent de petits autels au pied de leur devanture et offrent de minuscules tasses de thé, de l'encens, des fruits, des bougies et des fleurs aux 9 dieux empereurs invoqués pour l'occasion. Les médiums appellent les dieux à descendre sur terre en entrant en transe et en se perçant les joues avec des branches d'arbre, des lances et des coulisses de trombones. Certains se coupent même la langue à coup de scie ou de hache.

Durant les processions, les médiums s'arrêtent devant les autels, prennent les fruits et les ajoutent aux objets qui transpercent leurs joues, ou bien les donnent aux passants en signe de bénédiction. Ils boivent aussi l'une des 9 tasses de thé et prennent des fleurs qu'ils fourrent dans leur ceinture.

L'ambiance est à la frénésie religieuse, avec force pétards assourdissants, danses rituelles et T-shirts ensanglantés. Bizarrement, on n'a jamais rien vu de pareil lors du carême taoiste en Chine…

nourrir les chiens, mais on peut également financer le projet par des dons. Plus de détails sur son site Internet.

**Starfish Volunteers** (☎ 08 1723 1403 ; www.starfishvolunteers.com) gère trois projets différents à Phuket : l'aide aux enfants, la protection des chiens et la réhabilitation du gibbon. Les enfants de moins de 5 ans dont les familles vivent sous le seuil de pauvreté sont accueillis dans une crèche. Le centre chargé des chiens a déjà stérilisé 14 000 animaux, mais il reste encore beaucoup à faire pour contrôler la population canine. Des bénévoles œuvrent également pour réhabiliter les gibbons sauvés de l'industrie touristique et les réintroduire dans la nature.



## Fêtes

La **fête végétarienne** (www.phuketvegetarian.com), l'événement le plus important de Phuket, se déroule habituellement fin septembre ou début octobre. La TAT (p. 667) de Phuket-ville publie le programme des festivités. Visitez le site Internet et reportez-vous à l'encadré ci-dessus pour plus d'informations.

## Où se loger

Quel que soit votre budget, vous n'éprouverez aucune difficulté à trouver un hébergement à Phuket, que ce soit en hôtel cinq étoiles ou en dortoir. Trouver le point de chute idéal parmi plus d'un millier d'hôtels sur l'île peut ainsi sembler fastidieux, mais c'est en réalité relativement aisé.

Commencez tout d'abord par choisir la zone dans laquelle vous souhaitez résider. Hat Patong (p. 683) est la région touristique la plus densément peuplée. Les nuits y sont très chaudes, et on y trouve d'excellents restaurants et des plages surpeuplées en permanence (300 B pour un transat et un parasol !). Au sud, Hat Rawai et Hat Nai Han (p. 687) sont assez calmes et parsemées de petits stands qui vous vendent de la nourriture locale en pleine rue. Hat Kata (p. 685) et Hat Karon (p. 685) accueillent de nombreux groupes scandinaves, mais la foule est en général assez jeune et détendue. Les plages de Kata sont magnifiques et vous pourrez loger dans de superbes hôtels de charme.

Au nord de Patong, Hat Kamala (p. 683) affiche des prix raisonnables qui feront le bonheur des voyageurs longue durée. Hat Surin (p. 682) est sans conteste très chic avec ses cinq-étoiles entourés de jardins et ses restaurants en bord de mer ; sans doute la meilleure destination si vous en avez les moyens. La plage d'Ao Bang Thao, de l'autre côté de l'île, est merveilleuse, et le contraste est amusant entre un paradis touristique et un petit village de pêcheurs. Il est courant de voir des vaches paître sur le green des golfs.

Plus au nord, les plages deviennent encore plus calmes et agréables. Si vous recherchez un hébergement isolé et sans contraintes, essayez Hat Nai (page suivante).

Après avoir déterminé votre lieu de séjour et votre budget, vous pouvez commencer à étudier la kyrielle d'options qui s'offrent à vous. De très nombreux sites Internet d'information ou de réservation pourront vous aiguiller sur les hôtels à Phuket.

S'il vaut mieux réserver à l'avance en haute saison, la surcapacité hôtelière fait qu'il est toujours possible de trouver une chambre à la dernière minute. Cette offre en excès s'est traduite par une légère baisse des prix, mais l'île reste l'une des destinations les plus onéreuses de Thaïlande.

Pendant la basse saison, légèrement plus tranquille, négocier le prix des chambres sans réservation est pratique courante. N'hésitez pas à demander une réduction, et si le prix reste trop élevé, demandez la chambre sans le petit-déjeuner, vous économiserez 200 B supplémentaires.

## PLAGES DU NORD

Les magnifiques plages du nord de l'île rassemblent quelques-uns des complexes les plus luxueux du monde. Mais les moins fortunés pourront également y trouver leur compte.

### Hat Nai Yang et Hat Mai Khao

Hat Nai Yang et Hat Mai Khao font toutes deux partie du parc national de Sirinat (p. 674), merveilleusement serein. On peut camper sur les deux plages sans autorisation. Pour les restaurants de la région, voir p. 688.

**Nai Yang Beach Resort** (☎ 0 7632 8300 ; www.naiyangbeachresort.com ; bungalows 1 000-7 000 B ; ❄). Un complexe propre, tranquille et proche des plages, propose une piscine et Wi-Fi. Les chambres bon marché sont ventilées, les plus chères arborent une déco thaïlandaise très chic.

**Golddigger's Resort** (☎ 08 1892 1178 ; www.airport-phuket.com ; ch 1 200-1 500 B ; ❄ 💻 🏊). Malgré un nom peu avenant, le "Chercheur d'or" est l'un des meilleurs hôtels de catégorie moyenne sur cette plage. Tenu par des Suisses, il comporte 16 chambres qui sortent du lot grâce à leur décoration, à l'espace qu'elles offrent et à leur mobilier choisi.

**♡ Indigo Pearl** (☎ 0 7632 7006 ; www.indigo-pearl.com ; ch/bungalows 5 600-26 000 B ; ❄ 💻 🏊). Le plus authentique des établissements de catégorie supérieure s'inspire de l'histoire minière de l'île. Ce contraste entre thème industriel et luxe tropical en fait l'un des plus beaux hôtels. Du matériel provenant de la mine a été subtilement intégré au décor ; même le papier toilette rappelle un énorme boulon. Le brunch du dimanche (p. 689) est mémorable.

**JW Marriott Phuket Resort & Spa** (☎ 0 7633 8000 ; www.marriott.com ; ch à partir de 8 100 B ; ❄ 💻 🏊). Élu l'un des meilleurs hôtels du monde par le *Condé Nast Traveler*, ce Marriott est très apprécié pour ses immenses chambres jouissant de très belles vues sur la mer, ses pavillons à ciel ouvert, ses coussins triangulaires pour le dos, ses tapis de massage et son parquet ciré. Il possède aussi une école de cuisine et un pub où sont organisés des concerts. Ne ratez pas les massages au spa.

### Hat Nai Thon

L'amélioration des routes menant à Hat Nai Thon n'a entraîné qu'une faible urbanisation le long de cette large étendue de sable blanc, ombragée de filaos et de pandanus. Sur la plage, des commerçants louent parasols et chaises longues. En dehors des périodes de mousson, la baignade est très agréable et des coraux bordent les promontoires de chaque côté de la baie. Reportez-vous p. 688 pour des informations sur les restaurants de la région.

**Naithon Beach Resort** (☎ 0 7620 5379 ; cottages 1 000-1 500 B ; 🕐 nov-mai ; ❄). Le Naithon Beach loue de grands cottages en bois joliment conçus, de l'autre côté de la route qui mène à la plage. Le complexe ferme pendant la saison des pluies.

**Trisara** (☎ 0 7361 0100 ; www.trisara.com ; villas à partir de 700 $US ; ❄ 💻 🏊). Si vous en avez les moyens, optez pour cette adresse. Oasis de tranquillité bien loin du chaos de Patong, les villas ultra chics du Trisara, nichées entre la jungle et la mer turquoise, offrent les plus belles vues de Phuket. Idéal pour un voyage de noces.

### Bang Thao

À choisir, Bang Thao est probablement notre plage préférée, avec ses 8 km de dunes ensablées qui scintillent sous le soleil des tropiques. Les hôtels les plus luxueux de Bang Thao sont regroupés sous l'enseigne Laguna Phuket. Si votre budget vous le permet et que vous ne cherchez pas le dépaysement, la Laguna est faite pour vous. Pour les restaurants de la région, voir p. 688.

**Sheraton Grande Laguna Phuket** (carte p. 683 ; ☎ 0 7632 4101 ; www.starwoodhôtels.com ; ch à partir de 4 000 B ; ❄ 💻 🏊). Avec ses 400 chambres, cette "ville dans la ville" s'adresse avant tout aux familles et aux sportifs. L'hôtel propose de

| | | |
|---|---|---|
| **RENSEIGNEMENTS** | Banyan Tree Phuket ........ 10 B1 | Rain-Hail ........ 24 B1 |
| DAB ........ 1 B2 | Benjamin Resort ........ 11 A3 | Rockfish ........ 25 A3 |
| DAB ........ 2 B3 | Benyada Lodge ........ (voir 12) | Silk ........ 26 B2 |
| | Capri Beach Resort ........ 12 B2 | Tatonka ........ 27 B1 |
| **À VOIR ET À FAIRE** | Chedi ........ 13 A2 | Tawai ........ (voir 28) |
| Amanpuri Spa ........ (voir 8) | Kamala Dreams ........ 14 A3 | Tre ........ (voir 10) |
| Bangthao Beach Riding Club ........ 3 B1 | Layalina Hotel ........ 15 A3 | |
| Banyan Tree Spa ........ (voir 10) | Orchid House ........ 16 A3 | **OÙ PRENDRE UN VERRE** |
| Beach House Cooking School ........ 4 B3 | Sheraton Grande Laguna Phuket ........ 17 B1 | English Pub ........ 28 B1 |
| Blujelly ........ 5 B2 | Surin Bay Inn ........ (voir 12) | Liquid Lounge ........ 29 B3 |
| Hideaway Day Spa ........ 6 B1 | Twin Palms ........ 18 B2 | |
| Saltwater Dreaming ........ 7 B2 | | **OÙ SORTIR** |
| | **OÙ SE RESTAURER** | Jackie O ........ 30 B2 |
| **OÙ SE LOGER** | Basilico ........ 19 A3 | Liquid Lounge ........ (voir 29) |
| Amanpuri Resort ........ 8 A2 | Catch ........ 20 B2 | Phuket Fantasea ........ 31 A3 |
| Andaman Bangtao Bay Resort ........ 9 A2 | La Plage ........ 21 B3 | |
| | Lotus Restaurant ........ 22 B1 | **TRANSPORTS** |
| | Patcharin ........ 23 B3 | Andaman Car Rent ........ 32 B2 |
| | | Via Rent-a-Car ........ 33 A3 |

nombreuses activités nautiques, un grand front de mer et la plus grande piscine de toute l'Asie, plus proche d'un lac que d'une piscine.

**Andaman Bangtao Bay Resort** (carte p. 683 ; ☎ 0 7627 0246 ; www.andamanbangtaobayresort.com ; bungalows avec petit-déj 5 000-7 000 B ; ). Tous les bungalows donnent sur la mer, et ce petit complexe propose même un camp d'été. Décor thaïlandais typique de bois gravé et de noix de coco qui pendent du plafond. Pour le prix, nous nous attendions à plus luxueux.

**Banyan Tree Phuket** (carte p. 683 ; ☎ 0 7632 4374 ; www.banyantree.com ; villas 550-2 500 $US ; ). L'un des hôtels les plus chics d'Asie, et le premier à proposer des villas avec piscines particulières, voire deux piscines pour les plus belles d'entre elles. Situé dans la Laguna Phuket, le Banyan Tree est une oasis de luxe conventionnel et discret. Ne manquez le spa sous aucun prétexte, c'est l'un des meilleurs du continent (voir p. 678). Si vous en avez les moyens, réservez vite, l'hôtel affiche souvent complet.

## Surin

Tout en étant haut de gamme, les plages de Surin n'ont absolument rien de prétentieux. Un esprit typiquement thaïlandais flotte dans cette région où paressent des voyageurs comblés, et c'est sans doute pourquoi celle-ci attire autant les expatriés. La jolie côte est bordée d'arbres qui abritent des dizaines de petits cabanons vendant de la nourriture à bon prix (voir p. 689 pour les bonnes adresses à Surin et alentour). L'endroit est idéal pour un hébergement cinq étoiles.

**Capri Beach Resort** (carte p. 683 ; ☎ 0 7627 0597 ; ch 1 500-2 900 B ; ). Le temple du kitsch à l'italienne offre une bonne cuisine, des chambres douillettes et plus d'Italie qu'en Italie. À deux pas de la plage, attendez-vous à de l'opéra, à des moulins à poivre géants et à des prestations haut de gamme.

**Surin Bay Inn** (carte p. 683 ; ☎ 0 7627 1601 ; www.surinbayinn.com ; ch 2 000 B ; ). Juste après le Capri Beach, voici une autre pension accueillante de catégorie moyenne. Au rez-de-chaussée, le restaurant sert de succulents petits-déjeuners. Les chambres à l'étage sont propres et spacieuses (la vue sur la mer est en supplément). Service d'échanges de livres pratique.

**Benyada Lodge** (carte p. 683 ; ☎ 0 7627 1261 ; www.benyadalodge-phuket.com ; ch 2 500-5 000 B ; ). Chambres chics avec persiennes, carrelage en terre cuite et coussins en soie pastel éparpillés dans un coin lounge. Le service est irréprochable jusque dans ses moindres détails, comme l'eau fraîche que l'on vous propose à chaque fois que vous vous asseyez dans le hall.

**Twin Palms** (carte p. 683 ; ☎ 0 7631 6500 ; www.twinpalms-phuket.com ; ch à partir de 6 800 B ; ). Une adresse à la fois classique et contemporaine, qui rayonne de classe. L'impression d'espace est omniprésente, notamment dans les piscines minimalistes bordées de frangipaniers blancs. Même les chambres les plus simples sont spacieuses, dotées de vastes sdb et de lits de rêve, et l'on y ressent une formidable sensation de calme.

**Chedi** (carte p. 683 ; ☎ 0 7632 4017 ; www.ghmhôtels.com ; ch/bungalows à partir de 17 000 B ; ). Situé sur l'une des plus belles plages privées, le Chedi offre la sensation de vivre dans le jardin d'Éden avec ses bungalows en bois qui se fondent dans la jungle, sur le versant d'une colline. Mieux vaut être en forme pour arpenter ce complexe : vous devrez peut-être effectuer

CÔTE D'ANDAMAN

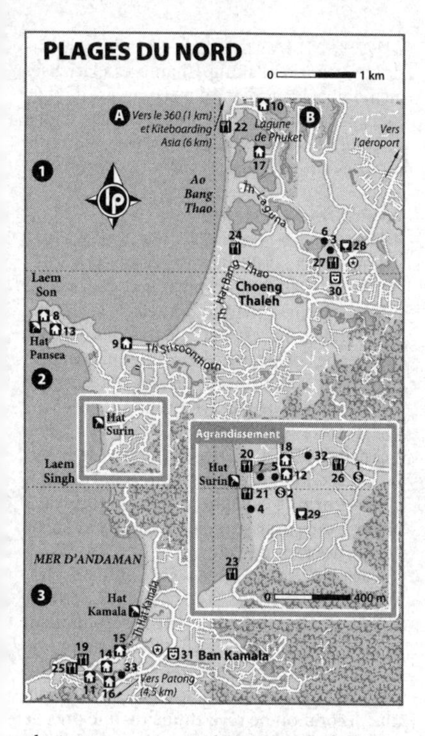


plusieurs montées et cheminer sur des allées de bois pour gagner votre bungalow.

**Amanpuri Resort** (carte p. 683 ; ☎ 0 7632 4333 ; www.amanresorts.com ; villas 750-10 000 $US ; ). L'adresse préférée des personnalités de passage sur l'île. L'Amanpuri affiche un luxe et une beauté dignes d'un palais (qu'attendre d'autre de l'architecte du palais d'hiver de l'ancien Chah d'Iran ?). Avec 3 employés et demi pour chaque hôte, on s'y sent comme des princes. Hébergement en villas individuelles. Vous pourrez même demander un cuisinier privé.

### Kamala

Magnifiquement située entre Patong et les paisibles baies du nord, Hat Kamala est un bon point de chute si vous voulez vous reposer tout en profitant de la fureur de Patong. Reportez-vous p. 689 pour les restaurants de la région.

**Benjamin Resort** (carte p. 683 ; ☎ 0 7638 5145 ; www.phuketdir.com ; ch avec petit-déj 1 000-1 500 B ; ). Construit dans les années 1970 sur la plage, le Benjamin accuse le poids des années malgré un coup de peinture récent. Toutes les chambres sont équipées de la TV et d'un réfrigérateur, mais il faudra dépenser quelques bahts de plus pour profiter d'une vue.

**Orchid House** (carte p. 683 ; ☎ 0 7638 5445 ; treepoppanat_kwan@yahoo.com ; ch 1 000-1 500 B ; ). Une adresse propre et mignonne avec ses carrelages à motifs et ses rideaux personnalisés. Des plantes en pot décorent tout l'hôtel. Le bar-café du rez-de-chaussée est agréable. Supérieur au Benjamin et à 20 m seulement des plages.

**Kamala Dreams** (carte p. 683 ; ☎ 0 7629 1131 ; www.kamala-beach.net ; ch 2 500-3 000 B ; ). À quelques mètres de la plage, les chambres sont impeccables (quoique parfois ternes), avec sols carrelés et murs d'un blanc étincelant. Petite adresse très bien tenue, décorée de nombreuses fleurs et de bouddhas.

**Layalina Hotel** (carte p. 683 ; ☎ 0 7638 5942 ; www.layalinahôtel.com ; ch avec petit-déj 5 500-7 700 B ; ). Rien à redire sur ce petit hôtel de charme en bord de mer, avec ses suites sur plusieurs niveaux et ses toits-terrasses isolés, parfaits pour admirer le coucher du soleil. Décor très thaïlandais avec un mobilier en bois dans les tons miel. La piscine est ridiculement petite, mais quelques pas suffisent pour lui préférer les eaux turquoise de l'océan.

## PATONG

D'innombrables hôtels se serrent entre les promontoires montagneux de cette station balnéaire frénétique. Vous trouverez un choix de très bons restaurants p. 690. La nuit, quand les néons remplacent le soleil, la plage se transforme en discothèque géante (voir p. 693 pour les sorties).

### Petits budgets

Les chambres bon marché sont en voie de disparition à Patong. Mais si vous vous dirigez du côté du *soi* derrière le centre commercial Jung Ceylon, vous pourrez trouver une chambre à moins de 1 000 B.

**Crown Backpackers** (carte p. 669 ; ☎ 0 7634 2297 ; crown_hostel@yahoo.com ; 169/3 Soi Sansabai ; dort femmes uniquement 250 B, ch à partir de 500 B ; ). Au cœur du quartier des bars, les chambres sont rudimentaires et exposées au bruit nocturne.

**Capricorn Village** (carte p. 669 ; ☎ 0 7634 0390 ; 2/29 Th Rat Uthit ; bungalows à partir de 700 B ; ). L'une des rares adresses à être encore abordable à Patong. De petits bungalows avec terrasse donnent sur un jardin calme. Les hôtes peuvent profiter de la piscine du K's Hotel, juste à côté.

**Casa Jip** (carte p. 669 ; ☎ 0 7634 3019 ; www.casajip.com ; 207/10 Th Rat Uthit ; ch 1 000 B ; ). Tenu par des

Italiens, cet établissement propose de grandes chambres (pour le prix) avec des lits douillets et une déco thaïlandaise. TV câblée et petit-déjeuner servi dans les chambres.

Quelques chambres bon marché se trouvent près de Th Nanai. Nous vous recommandons les adresses suivantes :

**Khun Vito Guest House** (carte p. 669 ; ☎ 0 7629 7061 ; www.khunvito.com ; 74/7 Soi Nanai ; s/d à partir de 600/1 000 B ; ). L'accueillant Vito propose une douzaine de chambres impeccables.

**Chalermporn** (carte p. 669 ; ☎ 0 7629 6994 ; chalermporn9@hotmail.com ; 74/32 Soi Nanai ; ch 1 000 B ; ). Chambres classiques et très propres.

### Catégorie moyenne

**Expat Hotel** (carte p. 669 ; ☎ 0 7634 0300 ; expat@loxinfo.co.th ; ch 890-3 000 B ; ). Au fond d'une ruelle remplie de bars, cet hôtel est apprécié par les étrangers peu exigeants pour son ambiance amicale. Tarifs au mois également possibles.

**K's Hotel** (carte p. 669 ; ☎ 0 7634 0832 ; www.k-hôtel.com ; 180 Th Rat Uthit ; ch à partir de 1 500 B ; ). Tout le monde est bienvenu au K's, et plus particulièrement les Allemands. Les amateurs de bières adoreront le *Biergarten*. Les chambres à l'étage sont équipées d'une TV plasma et d'une sdb carrelée. L'établissement est apprécié des familles.

**Villa Del Mar** (hors carte p. 669 ; ☎ 0 7634 5698 ; www.villa-delmar.com ; ch 1 600-2 800 B, ste 3 600-6 300 B ; ). À l'image d'un navire méditerranéen qui a bien bourlingué, cet établissement à la fois chic et fatigué a beaucoup de charme, mais il sent parfois un peu le moisi.

**Yorkshire Inn** (carte p. 669 ; ☎ 0 7634 0904 ; www.yorkshireinn.com ; 169/16 Soi Saen Sabai ; ch à partir de 1 800 B ; ). Pension à l'ambiance complètement britannique pour les voyageurs ayant le mal du pays, le Yorkshire a le charme cosy des B&B. On y prépare des petits-déjeuners anglais délicieux, mais le pudding n'est pas aussi réussi. Les chambres, avec TV câblée, sont impeccables.

**Baipho & Baithong** (carte p. 669 ; ☎ 0 7629 2074 ; www.baipho.com ; 205/12 et 205/14 Th Rat Uthit ; ch avec petit-déj 1 800-3 300 B ; ). Il est rare de trouver autant d'élégance dans cette catégorie de prix, surtout à Patong, où le goût ne court pas les rues. Dans les chambres à la lumière tamisée de ce double hôtel, la décoration zen flirte avec des éléments modernes, et l'on a l'impression d'être dans un nid. Les hôtes peuvent profiter de la piscine du Montana Grand Phuket, juste à côté.

**Baramee Resortel** (carte p. 669 ; ☎ 0 7634 0010 ; info@barameeresortel.com ; 266 Th Phra Barami ; ch 2 700-3 300 B, ste 5 700 B ; ). L'un des meilleurs établissements de sa catégorie à Patong. Chambres spacieuses au mobilier blanc digne d'un complexe de luxe. Bien qu'il ne soit pas tout près de la plage, l'hôtel dispose de plusieurs chambres avec vue sur la mer (les autres donnent sur un parking).

### Catégorie supérieure

**Holiday Inn** (carte p. 669 ; ☎ 0 7634 0608 ; www.phuket.holiday-inn.com ; Th Rat Uthit ; ch à partir de 4 500 B ; ). Nettement plus haut de gamme que les établissements habituels de la chaîne, cet Holiday Inn est doté de tous les équipements que l'on peut attendre dans une station balnéaire, sans compter un très beau spa qui vous reposera de vos aventures à Patong.

**BYD Lofts** (carte p. 669 ; ☎ 0 7634 3024 ; www.bydlofts.com ; 5/28 Th Hat Patong ; app à partir de 5 000 B ; ). Élégance et confort règnent dans ces appartements très clairs (sols, murs et rideaux blancs), qui paraissent paradisiaques à côté de l'enfer des rues de Patong.

**Baan Yin Dee** (hors carte p. 669 ; ☎ 0 7629 4104 ; www.baanyindee.com ; 7/5 Th Muean Ngen ; ch à partir de 6 000 B ; ). Sur une colline surplombant la ville, c'est le premier hôtel de charme de Patong. Petit, mais parfaitement aménagé, il propose des chambres spacieuses avec balcon, une décoration de rêve et une piscine près de laquelle il fait bon lézarder. Si vous avez fait la fête toute la nuit, venez vous reposer ici et goûter aux mets délicieux servis dans son fabuleux restaurant.

**Le Méridien Phuket** (hors carte p. 669 ; ☎ 0 7634 0480 ; www.lemeridien.com ; ch à partir de 8 000 B ; ). Proche du chaos de la ville, cet établissement possède toutefois une spectaculaire plage privée. Dans un cadre paysager verdoyant inspiré des années 1970, le Méridien dispose de tout ce dont un globe-trotter peut rêver, courts de tennis et piscines compris. Apprécié des familles, c'est l'hôtel de luxe le plus prisé de l'île.

**Avantika** (hors carte p. 669 ; ☎ 0 7629 2802 ; www.avantika-phuket.com ; 4/1 Th Thawiwong ; ch 8 900 B ; ). Situé au sud dans un quartier plus calme de la ville, face à la mer, ce complexe est un nouveau venu dans le tourisme de luxe à Phuket. Prestations satisfaisantes, mais rien d'extraordinaire. C'est en basse saison que l'Avantika est le plus intéressant, lorsque les prix tombent à 3 800 B.

**Impiana Phuket Cabana** (carte p. 669 ; ☎ 0 7634 0138 ; www.impiana.com ; Th Thawiwong ; ch à partir de 8 900 B ; ). La palme du meilleur emplacement sur le front de mer revient à ce complexe aux

CÔTE D'ANDAMAN

chambres confortables, pratiquement en plein cœur de l'animation.

## PLAGES DU SUD

Les plages situées au sud de Patong ne sont pas aussi impressionnantes qu'au nord, mais il est possible de trouver des hébergements sympathiques le long de ces bandes de sable.

### Karon

Entre Patong et Kata, Karon est un savant mélange de ses deux voisines. Selon votre état d'esprit, les plages de Karon vous sembleront apaisantes ou déprimantes. Les adresses les moins chères sont généralement plus éloignées de la plage. Voir p. 691 pour les restaurants à Karon.

**Karon Café** (carte p. 686 ; ☎ 0 7639 6217 ; www.karon-phuket-hôtels.com ; 526/17 Soi Islandia Park Resort ; ch 800-1 000 B ; ). Le Karon Café n'est pas aussi séduisant que ses voisins, mais il est propre, sans prétention, et installé au-dessus d'un petit restaurant sympathique.

**Karon Living Room** (carte p. 686 ; ☎ 0 7628 6618 ; www.karonlivingroom.com ; 481 Th Patak ; ch avec petit-déj 900-2 000 B ; ). Chambres impeccables et réfrigérées par une clim glaciale. Ce ne sont pas les plus belles, mais l'établissement est une valeur sûre dans la catégorie moyenne. Essayez de contacter la direction en avance pour obtenir une remise sur les prix affichés.

**Casa Brazil** (carte p. 686 ; ☎ 0 7639 6317 ; www.phukethomestay.com ; 9 Th Luang Pho Chuan ; ch 1 100-1 600 B ; ). La Casa propose une vingtaine de chambres à la fois simples, spacieuses et joliment décorées façon *Carnivale do Brasil*. L'ambiance du café au rez-de-chaussée est très conviviale. À deux pas des plages de Kata et de Karon.

**Baan Suay** (carte p. 686 ; ☎ 08 9594 4633 ; www.baansuayphuket.com ; 381 Th Patak ; ch 1 300-1 900 B, ste 3 200-4 300 B ; ). Apprécié par les plongeurs, l'établissement offre un cadre moderne et confortable, que rehausse la note thaïlandaise de sa décoration. Ce n'est pas l'adresse la moins chère, mais le service est excellent et la piscine remplace allègrement la plage lorsque celle-ci est surpeuplée. Wi-Fi gratuit.

**Mövenpick** (carte p. 686 ; ☎ 0 7639 6139 ; www.moevenpick-hôtels.com ; 509 Th Patak West ; ch à partir de 8 000 B ; ). Vous choisirez une villa isolée, avec piscine particulière ou douche extérieure dans la forêt, à moins que vous ne préfériez une chambre ultramoderne avec baies vitrées du sol au plafond (parfois sur deux murs entiers). Outre son emplacement idéal face à une jolie plage, le Mövenpick séduit par sa déco artistique, son immense piscine avec bar et son spa de luxe.

### Kata

Les voyageurs de tous âges apprécient Kata pour sa plage, le surf et le shopping, loin de l'agitation de Patong. S'il reste délicat de trouver un coin de plage isolé, vous n'aurez en revanche aucun mal à trouver des activités et à rencontrer des gens autour d'un verre. De nombreux expatriés scandinaves vivent dans la région, d'où les innombrables logos comportant des casques à cornes.

La plage est divisée en deux parties distinctes par un grand promontoire : Hat Kata Yai au nord et Hat Kata Noi au sud. Les deux plages possèdent un abondant sable blond qui invite nombre de visiteurs à paresser. Comme Patong, Kata voit le prix de ses hébergements augmenter et il devient difficile de trouver une chambre à moins de 1 000 B.

Reportez-vous p. 691 pour les restaurants à Kata.

**Lucky Guesthouse** (carte p. 686 ; ☎ 0 7633 0572 ; luckyguesthousekata@hotmail.com ; 110/44 Mou 4 Th Taina ; ch 450 B). Adresse bien connue des petits budgets, cette pension propose ce qu'il faut pour des vacances réussies quand il faut regarder à la dépense : un lit et une sdb. Très sympathique, le personnel se met en quatre pour vous aider et vous fera part de sa connaissance intime de l'île.

**Kata On Sea** (carte p. 686 ; ☎ 0 7633 0594 ; bungalows 450-1 000 B ; ). Sur la mer, comme le dit l'enseigne ? Pas vraiment. Il faut longer une allée escarpée sur 100 m pour rejoindre un ensemble de bungalows modestes au sommet de la colline. Mais c'est une bonne affaire. Les bungalows spacieux possèdent de grandes baies permettant de profiter de la vue. Chambres avec clim à partir de 800 B.

**Sugar Palm Resort** (carte p. 686 ; ☎ 0 7628 4404 ; www.sugarpalmphuket.com ; 20/10 Th Kata ; ch 1 800-6 000 B ; ). Cet établissement chic et détendu, sorte de point de rencontre entre Miami et la Thaïlande, arbore d'élégantes chambres couleur sable, décorées de photos en noir et blanc. À l'extérieur, piscine en forme de U à fond noir.

**CC Bloom's** (carte p. 686 ; ☎ 0 7633 3322 ; www.ccbloomshotel.com ; 84/21 Th Patak ; ch 3 500-3 900 B ; ). Tenu par des Américains, cet hôtel de charme (qui tient son nom du personnage campé par Bette Midler dans *Au fil de la vie*)

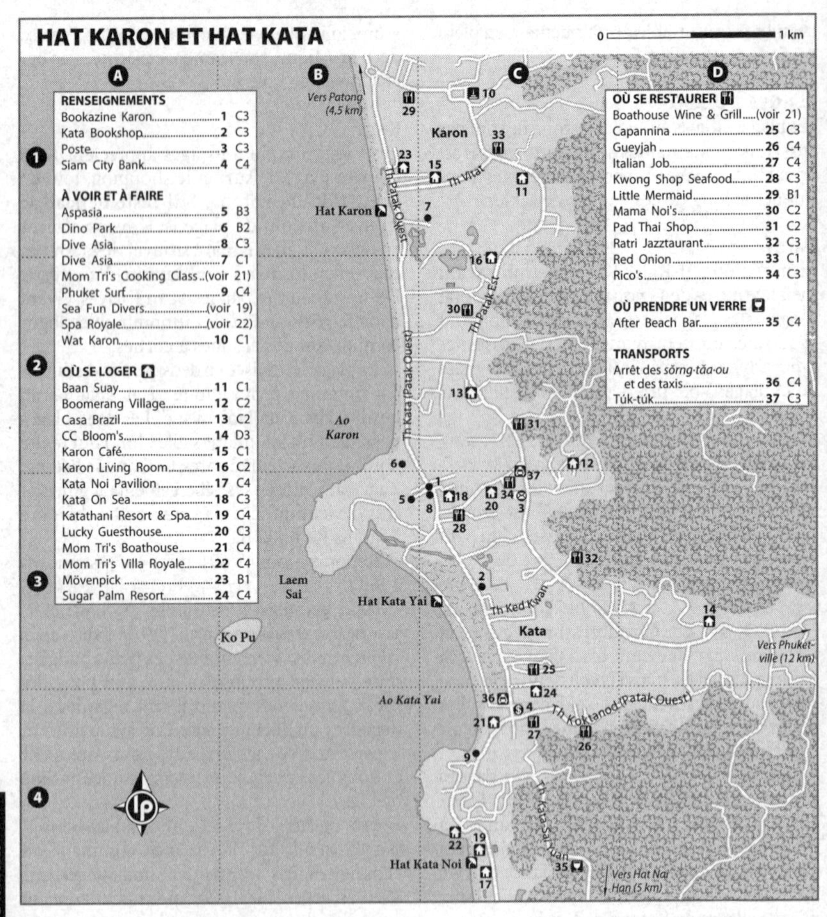


où les gays sont les bienvenus, surplombe Kata depuis son superbe emplacement. Les tons jaunes dominent dans les chambres. Si la plage vous paraît trop loin pour y aller à pied, une navette gratuite effectue de multiples allers-retours.

**Katathani Resort** (carte p. 686 ; ☎ 0 7633 0124 ; www.katathani.com ; 14 Th Kata Noi ; ch à partir de 7 000 B ; ). Sur la plage plus calme de Hat Kata Noi, ce complexe-spa offre les prestations classiques de sa catégorie haut de gamme : outre le spa, plusieurs piscines, un salon de beauté et de vastes espaces. On peut obtenir de très bons prix en basse saison.

**Mom Tri's Boathouse** (carte p. 686 ; ☎ 0 7633 0015 ; www.theboathousephuket.com ; 2/2 Th Patak West ; ch 8 000-20 000 B ; ). Cet hôtel intime reste la seule adresse à Phuket où descendent pop stars, politiciens, auteurs et autres célébrités thaïlandaises. Rénovées après le tsunami, les chambres spacieuses jouissent de grandes vérandas aérées. On reproche parfois au Boathouse d'être guindé et désuet, mais personne ne niera que la cuisine est son atout principal : ses trois restaurants sont les meilleurs de l'île.

**Mom Tri's Villa Royale** (carte p. 686 ; ☎ 0 7633 3568 ; www.villaroyalephuket.com ; ste avec petit-déj à partir de 10 000 B ; ). La Villa royale, nichée dans un lieu retiré à Kata Noi qui bénéficie d'une vue somptueuse, a connu un succès immédiat dès son ouverture en 2006. Cet établissement romantique offre un fabuleux restaurant et des chambres qu'on dirait sorties d'un magazine d'architecture d'intérieur. Un spa et une piscine d'eau de mer complètent le cadre, à deux pas de la plage.

Adresses également recommandées :

**Kata Noi Pavilion** (carte p. 686 ; ☎ 0 7628 4346 ; www.katanoi-pavilion.com ; bungalows 1 150-1 500 B ; ❄). Un peu ordinaire, mais les chambres sont impeccables.

**Boomerang Village** (carte p. 686 ; ☎ 0 7628 4480 ; www.phuket-boomerang.com ; 9/11 Soi 10 Th Patak ; ch à partir de 2 000 B ; ❄ 💻 🏊). Adresse très courue accrochée à flanc de colline au-dessus de Kata, à 750 m de la plage.

### Nai Han et Rawai

Rawai a connu un développement touristique précoce, principalement en raison de sa proximité avec Phuket-ville. La station est devenue plus tranquille depuis qu'elle a été supplantée par des plages plus séduisantes. On parle souvent du village de *chow lair*, mais vous pouvez passer outre, à moins d'aimer les chiens qui aboient et les pièces détachées (la plupart des gitans sont partis).

Nai Han, en revanche, se trouve à l'écart de l'agitation touristique et possède une plage où s'alignent les échoppes d'en-cas. Hormis le yacht-club, peu d'hébergements donnent sur la mer. Voir p. 692 pour les restaurants à Nai Han et à Rawai.

Si vous souhaitez vous isoler, embarquez sur un *long-tail boat* à Ko Heh en direction de **Coral Island** (☎ 0 7628 1060 ; www.coralislandresort.com ; bungalows à partir de 2 000 B ; ❄ 🏊). En journée, l'île est très fréquentée par les snorkelers, mais un calme absolu y règne la nuit venue.

**Nai Harn Garden Resort** (☎ 0 7628 8319 ; www.naiharngardenresort.com ; 15/12 Mou 1, Th Viset ; ch 2 000-8 000 B ; ❄ 💻 🏊). En retrait de la plage, de l'autre côté du réservoir, ce complexe dispose de bungalows et de villas éparpillés dans un vaste jardin. L'atmosphère est un peu banale, mais les prestations sont de qualité et, les massages étant en quelque sorte la spécialité de l'hôtel, de nombreuses masseuses proposent leurs mains expertes. Les prix sont plutôt raisonnables.

**Sabana** (☎ 0 7628 9327 ; www.sabana-resort.com ; 14/53 Mou 1, Th Viset ; ch 3 500-8 000 B ; ❄ 💻 🏊). À l'entrée du yacht-club, le Sabana est une merveilleuse option de repli à moindre coût. Le décor allie couleurs primaires et motifs thaïlandais, et si les chambres les moins chères sont ordinaires, les "Thai Sala", plus onéreuses, sont superbes. L'établissement abrite également un spa.

**Royal Phuket Yacht Club** (☎ 0 7638 0200 ; www.phuket.com/yacht-club ; 23/3 Mou 1, Th Viset ; ch à partir de 7 500 B ; ❄ 💻 🏊). Cet établissement qui appartenait au Méridien a changé de mains, mais il n'y a toujours pas un seul yacht en vue. Le complexe n'en est pas moins imposant dans un style très country-club. Si vous pouvez bénéficier d'une remise hors saison, c'est une excellente adresse.

**Evason Phuket Resort** (☎ 0 7638 1010 ; www.sixsenses.com ; 100 Th Viset ; ch 7 500-38 000 B ; ❄ 💻 🏊). Cet extraordinaire hôtel-spa croule sous le luxe. Tendance et élégamment conçu, l'Evason s'adresse avant tout aux rock stars et autres richissimes personnalités des médias. Attendez-vous à croiser des célébrités pendues à leurs gadgets high-tech près de la piscine à débordement, et un personnel plus que tiré à quatre épingles. Les prix vont de très cher à complètement inabordable pour les plus belles villas.

## PHUKET-VILLE

Phuket-ville offre de nombreuses possibilités de logements à prix raisonnables. Bien que la plage ne soit pas toute proche, les gourmands apprécieront les bons restaurants (p. 692) installés au cœur de la ville dont l'architecture rappelle son passé multiculturel. Pour sortir à Phuket, reportez-vous p. 694.

**On On Hotel** (carte p. 670 ; ☎ 0 7621 1154 ; 19 Th Phang-Nga ; ch à partir de 200 B ; ❄). Ce vieil hôtel délabré continue à tirer parti de son apparition dans *La Plage* (2000). Dix ans après la sortie du film, il reste apprécié des voyageurs venus retrouver le souvenir de Di Caprio dans ses lits défoncés, ses ventilateurs qui grincent et ses toilettes spartiates. Un petit air de la Thaïlande des premiers routards.

**Phuket International Youth Hostel** (hors carte p. 670 ; ☎ 0 7628 1325 ; www.phukethostel.com ; 73/11 Th Chao Fa, Ao Chalong ; dort 250 B, ch à partir de 600 B ; ❄). Située à 7 km au sud de la ville, cette auberge de jeunesse, membre de l'association internationale, dispose de chambres confortables, mais dans un cadre parfaitement aseptisé. L'auberge est fiable et vous ne serez pas embêté par les insectes et autres acariens.

**Talang Guest House** (carte p. 670 ; ☎ 0 7621 4225 ; talanggh@phuket.ksc.co.th ; 37 Th Thalang ; ch 250-420 B ; ❄). Cette ancienne maison de commerce à l'architecture classique est quelque peu décrépite, mais garde un certain charme malgré un confort relatif. Pour mieux vous imprégner de l'atmosphère, demandez la chambre au

**L'APÉRITIF DU SOLEIL COUCHANT**

Demandez à n'importe quel expatrié, l'apéritif que l'on prend devant le coucher du soleil est un sport national à Phuket. N'importe quel endroit situé face à l'ouest pourrait faire l'affaire, mais nous avons déniché les cinq adresses les plus agréables pour siroter un cocktail face au soleil couchant.

- **Rockfish** (p. 689)
- **White Box** (p. 690)
- **After Beach Bar** (p. 692)
- **Watermark** (p. 693)
- **360** (p. 689)

3e étage qui donne sur la rue : elle est dotée d'un ventilateur et d'une grande véranda qui plaira aux plus nostalgiques.

**Crystal Inn** (carte p. 670 ; ☎ 0 7625 6789 ; www.phuketcrystalinn.com ; 2/1-10 Soi Surin, Th Phuket ; ch à partir de 1 000 B ; ). Si l'établissement vieillit mal, il reste une bonne option de catégorie moyenne, avec ses peintures murales à la Rothko et sa décoration élégante.

**Sino House** (carte p. 670 ; ☎ 0 7622 1398 ; www.sinohousephuket.com ; 1 Th Montri ; ch 2 000-2 500 B ; ). Les grandes chambres tamisées du Sino House rappellent les maisons closes de Shanghai, avec ses vasques en céramique et ses baignoires en quart de lune. Le personnel est sympathique et parle anglais.

**Metropole Phuket** (carte p. 670 ; ☎ 0 7621 5050 ; www.metropolephuket.com ; 1 Soi Surin, Th Montri ; ch à partir de 3 000 B ; ). La fontaine à l'hippocampe est un peu kitsch et les chambres d'un goût douteux. Néanmoins, c'est un choix correct en plein centre-ville, et la vue est superbe des étages supérieurs.

## Où se restaurer et prendre un verre

Choisir un restaurant à Phuket peut s'avérer étourdissant. Au sommet de la liste figure la haute cuisine, très appréciée sur l'île, préparée par une légion de chefs de trempe internationale. Patong (p. 690) et les grands complexes hôteliers de Bang Thao (ci-contre) et de Surin (page suivante) abritent quelques-uns des plus grands restaurants.

Les multiples restaurants thaïlandais de fruits de mer sont des valeurs sûres. Vous en trouverez au moins un sur chaque plage (mais évitez ceux de Patong et de Karon, aux prix excessifs), où vous pourrez déguster crabes, poissons et crevettes fraîchement pêchés, et, souvent, choisir une créature qui nage encore dans un aquarium.

Et puis il y a la rue. De nombreux stands vendent de quoi se restaurer sur les marchés de nuit, dans les *soi* sombres et sur les plages. Oubliez vos craintes quant à votre estomac et optez pour le poulet frit ou le *sôm đàm* (salade de papaye épicée) d'Isan, qui sont des valeurs sûres, ou même cette soupe aux yeux avec laquelle vous avez échangé des regards langoureux.

La plupart des restaurants de Phuket se doublent d'un bar. Il n'est pas rare d'y voir un groupe de touristes armés de bières à côté d'une famille attablée autour d'un grand plat de nouilles *pát tai*. Si vous recherchez un peu plus d'animation nocturne, reportez-vous p. 693 pour les meilleurs bars et discothèques de l'île.

### PLAGES DU NORD

Il existe des dizaines de très bons restaurants à portée de fourchette si vous résidez au nord de l'île.

#### Hat Nai Yang, Hat Mai Khao et Hat Nai Thon

**Chao Lay Bistro** (☎ 0 7620 5500 ; 9 Mou 4, Tambon Sakhu ; plats à partir de 100 B ; 12h-22h30). Un bon restaurant thaïlandais à ciel ouvert. Goûtez au pá·nang tá·lair, aux crevettes ou encore aux encornets au curry rouge, feuilles de citronnier et lait de coco.

**Indigo Pearl** (☎ 0 7632 7006 ; brunch 1 300-1 600 B ; petit-déj, déj et dîner). Le week-end, ne passez pas à côté de l'Indigo Pearl et de son sublime brunch dominical. Les meilleurs mets du monde – sushis, foie gras, mouton rôti, curry vert, pinces de crabe, poulet frit, pâtes, fondue, gâteau au chocolat, glace – vous attendent au buffet de ce labyrinthe culinaire. Vous n'oublierez pas ce repas de sitôt.

#### Bang Thao

Malgré ce que vous diront certains hôteliers, il n'y a pas que les adresses de luxe qui servent de la bonne cuisine à Bang Thao.

**Lotus Restaurant** (carte p. 683 ; plats 50-120 B ; déj et dîner). À 500 m à l'ouest de l'entrée du Banyan Tree Phuket, cet établissement en partie ouvert sur l'extérieur est le premier d'une longue série de restaurants de spécialités thaïlandaises et de fruits de mer qui se succèdent en bord de plage. Propre, aéré et accueillant. Crabes, crevettes, homards et autres poissons évoluent dans des aquariums bien entretenus.

**Tawai** (carte p. 683 ; ☎ 0 7632 5381 ; Mou 1, entrée de la lagune de Phuket ; plats à partir de 150 B ; dîner). Cet excellent restaurant thaïlandais installé dans une belle maison décorée d'art traditionnel concocte de grands classiques comme le canard rôti au curry et les *larb* de porc (salade de porc émincé, piment, menthe et coriandre), ainsi que des produits de la mer à la vapeur, grillés ou frits.

**Rain-Hail** (carte p. 683 ; ☎ 08 1979 1967 ; 21 Mou 2, Choeng Thaleh ; plats à partir de 180 B ; 11h30-2h). Les amateurs de déco moderne seront comblés par la fontaine à fond noir à l'entrée et la salle en marbre blanc et calcaire d'un côté, et style lounge de l'autre. Cuisine d'inspiration Pacifique avec des *tamago* de miso, mangue et crabe ou un tartare de thon rouge.

**Tatonka** (carte p. 683 ; ☎ 0 7632 4349 ; Th Srisoonthorn ; plats 250-350 B ; dîner jeu-mar). Ce restaurant propose une cuisine "globe-trotter", directement sortie de l'imagination du chef et propriétaire Harold Schwarz. Ce dernier combine des produits frais locaux à un savoir-faire culinaire appris en Europe, aux États-Unis et à Hawaii. Très éclectique, l'assortiment de style tapas comprend mets végétariens et plats de poisson originaux : essayez la pizza au canard Peking (230 B). Le menu dégustation (750 B/pers, 2 pers au minimum) permet de goûter un peu de tout. Réservation recommandée en haute saison. Le Tatonka offre un transport gratuit aux clients du complexe.

**Tre** (carte p. 683 ; ☎ 0 7632 4374 ; plats 550-3 000 B ; dîner). Ce restaurant franco-vietnamien est installé au bord d'une lagune paisible, au cœur du Banyan Tree Phuket (p. 683). Vous dégusterez de succulentes recettes à base de steaks et de homards au son des lyres. Après le coucher du soleil, vous aurez besoin d'une torche (le Tre vous en fournira une) pour lire la carte, sous un ciel magnifiquement étoilé. Si vous devez célébrer une occasion spéciale pendant votre séjour, venez la fêter ici.

**360** (hors carte p. 683 ; ☎ 0 7631 7600 ; Phuket Pavilions Resort). Le patio à ciel ouvert, parsemé d'immenses fauteuils en rotin, domine la jungle. Le Bellini au litchi se boit tout seul en admirant un panoramique coucher du soleil sur les beaux jardins de la lagune.

**English Pub** (carte p. 683 ; ☎ 0 8987 21398 ; Th Srisoonthorn). Ce bar en bois et au toit de chaume est le pub anglais le plus authentique de l'île, et ce jusque dans les toilettes. Terrasse ensoleillée, intérieur douillet, bon choix de bières et bons petits plats de pub.

### Surin

**Patacharin** (carte p. 683 ; ☎ 08 1892 8587 ; plats à partir de 60 B ; déj et dîner). Un grill bâti dans le promontoire à la pointe sud de Hat Surin. D'autres grills de poisson et des cafés s'alignent vers le nord.

**La Plage** (carte p. 683 ; ☎ 08 1184 7719 ; plats à partir de 150 B ; 11h-22h). Les deux Laotiens qui tiennent ce restaurant ayant grandi à Paris, ils vous serviront une bonne salade niçoise ou un délicieux curry vert.

**Silk** (carte p. 683 ; ☎ 0 7627 1705 ; Hwy 4025 ; plats à partir de 200 B ; 11h-23h). Cette adresse branchée et chère de Surin Plaza attire de nombreux expatriés dans ses filets. Le décor offre un mélange de peinture bordeaux, de bois et de fleurs tropicales. La carte met à l'honneur des spécialités thaïlandaises parfaitement réalisées.

**Catch** (carte p. 683 ; ☎ 0 7631 6500 ; plats à partir de 250 B ; 11h-23h). Ce restaurant les pieds dans le sable fait partie du Twin Palms Resort (p. 683) : l'ambiance et la cuisine sont aussi classe que l'hôtel. D'excellents concerts ont lieu dans le lounge-bar.

**Liquid Lounge** (carte p. 683 ; ☎ 08 1537 2018 ; 16h-1h). Un lounge très design, aux allures de loft, qui sert de bons cocktails, accueille des concerts de jazz et dispose du Wi-Fi.

### Kamala

**Basilico** (carte p. 683 ; ☎ 0 7638 5856 ; 125 Mou 3, Th Hat Kamala ; plats à partir de 180 B ; dîner). Cette nouvelle adresse vient grossir les rangs des restaurants italiens à Phuket. Les pizzas cuites au feu de bois sont bonnes, mais essayez les crevettes géantes tigrées marinées au persil et à l'ail, servies sur une purée de pois chiches et de romarin.

**Rockfish** (carte p. 683 ; ☎ 0 7627 9732 ; 33/6 Th Hat Kamala ; plats à partir de 240 B ; dîner). La meilleure table de Kamala, le favori de Mariah Carey dit-on, surplombe les *long-tail boats* et jouit d'une magnifique vue sur la baie et les montagnes. Sa cuisine éclectique lui a valu le titre de meilleur restaurant de Phuket en 2005, notamment grâce à son crabe rouge frit et à ses *wonton* de fruits de mer enroulés dans une galette de riz avec une compote de pommes, goyave et cannelle.

## PATONG

Patong est réputé pour sa gastronomie et offre l'un des plus grands choix de restaurants gastronomiques de toute l'île. Nous avons séparé les bars et les restaurants, bien que de nombreuses adresses soient entre les deux. Voir p. 693 pour les discothèques à Patong.

### Restaurants

Du simple en-cas pris à un stand au dîner à sept plats, vous trouverez à Patong un choix extraordinaire d'options pour vous restaurer, quels que soient vos goûts et votre budget. Pour de succulents fruits de mer, faites un tour au marché Meh U-Bon, dans Th Nanai.

**Fried Chicken** (carte p. 669 ; 63/5 Th Phra Barami ; plats à partir de 45 B ; 10h-19h). L'enseigne ne trompe pas : les friteuses tournent à plein régime pour vous servir du poulet à toutes les sauces. Tenu par des musulmans, l'établissement est impeccable. Le poulet est servi avec une sauce piquante et du riz. À ne manquer sous aucun prétexte si vous aimez le poulet frit.

**Jung Ceylon Shopping Complex** (carte p. 669 ; Th Rat Uthit ; plats 60-160 B ; déj et dîner). Si le soleil commence à taper un peu trop fort, réfugiez-vous dans ce havre climatisé où vous trouverez de bons plats classiques.

**Ali Baba** (carte p. 669 ; 0 7634 5024 ; 38 Th Ruamchai ; plats à partir de 70 B ; déj et dîner). Apprécié des Indiens de Patong, l'Ali Baba sert les meilleures spécialités indiennes de l'île dans les volutes de fumée des narghilés.

**Takumi** (carte p. 669 ; 0 7634 1654 ; Th Thawiwong ; plats à partir de 160 B ; déj et dîner). Les *yakiniku* (barbecue japonais) sont les spécialités de cet excellent restaurant. Asseyez-vous aux tables en granit où crabes, crevettes, anguilles, encornets et filets finement tranchés grillent devant vous, et finissez en beauté par un des nombreux sakés bien frais. Takumi prépare aussi des sushis, mais les grillades sont vraiment sa spécialité.

**3 Spices** (carte p. 669 ; 0 7634 2100 ; Impiana Phuket Cabana ; plats 175-600 B ; déj et dîner). Excellent établissement asiatique, le 3 Spices propose du miso, de la soupe au crabe et du poisson au curry de coco cuit au wok, parmi d'autres plats tous plus succulents les uns que les autres.

**Hung Fat's** (carte p. 669 ; 0 7629 0313 ; 314 Th Phra Barami ; plats 200-380 B ; 18h30-minuit mar-dim). L'un des derniers venus derrière le Baan Rim Pa, ce restaurant sert des *dim sum* et autres spécialités chinoises du sud du Sichuan sur fond de jazz. Le Hung Fat's venait d'ouvrir lors de notre passage et faisait déjà beaucoup parler de lui.

**Baan Rim Pa** (carte p. 669 ; 0 7634 4079 ; plats 215-475 B ; déj et dîner). Ambiance romantique et douces mélodies de piano dans ce restaurant haut de gamme installé au-dessus d'un bosquet de palétuviers, spécialisé dans la cuisine thaïlandaise à peine adoucie pour ménager les palais délicats. Les tables jouissent d'une magnifique vue sur l'océan. Réservation et tenue correcte recommandées.

**Floyd's Brasserie** (carte p. 669 ; 0 7637 0000 ; 18/110 Th Ruamchai ; plats 220-410 B ; dîner). Le célèbre chef britannique Keith Floyd est aux commandes du restaurant du Burasari Resort. Pour du magret de canard braisé au champagne, des œufs pochés au vin rouge ou du homard thermidor de Phuket, c'est ici.

**White Box** (carte p. 669 ; 0 7634 6271 ; 247/5 Th Phra Barami ; plats 280-480 B ; déj et dîner). La qualité de la cuisine (excellente, au passage) n'est pas la préoccupation principale des clients : un dîner au White Box évoque une soirée dans un vaisseau spatial d'un blanc immaculé, posé sur une côte rocheuse.

**Ninth Floor** (carte p. 669 ; 0 7634 4311 ; 47 Th Rat Uthit ; plats à partir de 300 B ; dîner). Pour saisir l'étendue de Patong, grimpez au 9e étage du Sky Inn Condotel d'où vous pourrez admirer la mer de lumières à travers les grandes baies vitrées. L'étoile montante de Phuket est le restaurant le plus élevé de toute l'île, mais sa renommée est due avant tout à ses steaks et côtelettes parfaitement préparés.

### Bars

Malgré la réputation sulfureuse de la ville, Patong ne compte pas que des bars de strip-tease.

**Port** (carte p. 669 ; Th Thawiwong, Baan Thai Resort). Un bar en plein air et en plein cœur de l'action. Les fauteuils lumineux bleus et verts, se mariant à des cocktails très design, clignotent tout au long de la nuit. Le bar propose aussi des en-cas.

**Two Black Sheep** (carte p. 669 ; 08 9872 2645 ; 172 Th Rat Uthit). Tenu par un charmant couple australien, ce pub à l'ancienne est fabuleux. Bons plats et concert acoustique de 20h à 22h avant l'arrivée du groupe local, Chilli Jam, qui joue jusqu'au bout de la nuit. Au petit matin, des musiciens locaux se joignent à eux pour des "jam-sessions". Les hôtesses de bar sont interdites, les lieux donc accessibles à tous.

**Molly Malone's** (carte p. 669 ; 0 7629 2771 ; Th Thawiwong). Très prisé par les touristes, ce pub est animé par des groupes irlandais tous les soirs à partir de 21h45. L'ambiance y est sympathique, la cuisine de pub correcte, et on peut s'installer en terrasse en regardant passer la foule. La pinte de Guinness ne coûte que 349 B.

**Scruffy Murphy's** (carte p. 669 ; ☎ 0 7629 2590 ; 5 Th Bangla). Une copie du Molly Malone avec concerts et matchs diffusés sur l'écran géant. Une très bonne adresse si vous voulez échapper aux *gogos-bars* des environs.

**JP's** (carte p. 669 ; ☎ 0 7634 3024 ; 5/28 Th Rat Uthit). Un lounge branché avec espaces extérieur et intérieur, qui apporte une touche d'élégance à Patong. Dans le BYD Lofts, le JP's propose un bar surbaissé, des recoins avec sofa en extérieur, une *happy-hour* (avec tapas gratuites) à partir de 22h et des soirées avec DJ.

### PLAGES DU SUD

De Karon à Rawai, vous trouverez votre bonheur quel que soit votre budget, dans un restaurant thaïlandais ou tenu par des expatriés.

#### Karon

Dans la course aux bons petits plats, Karon est loin derrière ses voisines Patong ou Kata. Bien sûr, vous réussirez à vous sustenter, mais les adresses mémorables sont bien cachées.

**Pad Thai Shop** (carte p. 686 ; Th Patak East ; nouilles à partir de 40 B ; ⏲ déj). Sur la route principale derrière Karon, juste au nord du Ping Pong Bar. Cette petite échoppe, où les plats sont préparés directement dans la cuisine du propriétaire, n'ouvre qu'au déjeuner. On y sert des ragoûts de poulet, de la soupe à la côte de bœuf et les meilleurs *pàt tai* de la planète. Les plats sont à la fois épicés et doux, avec tout ce qu'il faut de crevettes, tofu, œufs et noix, enveloppés dans des feuilles de bananier. Vous y reviendrez.

**Mama Noi's** (carte p. 686 ; ☎ 0 7628 6272 ; Karon Plaza, 291/1-2 Mou 3, Th Patak East ; plats 50-190 B ; ⏲ petit-déj, déj et dîner). Les clients sont des réguliers de cette cuisine italo-thaïlandaise. Excellent *gaeng son* (curry de poisson et de crevettes du sud de la Thaïlande). Baguettes cuites sur place et les meilleurs milk-shakes à la banane de l'île.

**Red Onion** (carte p. 686 ; ☎ 0 7639 6827 ; plats 80-160 B ; ⏲ 16h-23h). Aménagé dans un garage, ce lieu est prisé des expats pour sa cuisine plus que pour son ambiance. Sur la carte, une sélection de cocktails complète les plats occidentaux et compense la mauvaise musique de fond. À 300 m à l'est du rond-point, il est reconnaissable à ses lumières colorées.

**Little Mermaid** (carte p. 686 ; ☎ 0 7639 6580 ; 643 Th Patak East ; plats 80-300 B ; ⏲ petit-déj, déj et dîner). Ce restaurant très international affiche une carte en 6 langues, l'accès Wi-Fi gratuit, un petit-déj occidental revigorant et des barbecues en soirée. Si vous logez à Karon, n'hésitez pas à venir manger à la "Petite Sirène". Côtes d'agneau le lundi, entrecôte le mercredi et homard de Phuket le samedi soir.

#### Kata

La scène culinaire est bien plus dynamique ici qu'à Karon. Vous dénicherez de nombreuses adresses qui satisferont votre palais, allez-y les yeux fermés.

**Kwong Shop Seafood** (carte p. 686 ; ☎ 08 1273 3707 ; Th Thai Na ; plats 40-130 B ; ⏲ déj et dîner). Kwong, le propriétaire, vous confirme votre commande par un puissant "OK" (probablement le seul mot d'anglais qu'il connaisse), et vous voilà devant d'excellentes spécialités locales. Ce petit restaurant modeste ne brille pas par son élégance, mais on n'y est pas avare de sourires.

**Gueyjah** (carte p. 686 ; plats à partir de 40 B ; ⏲ déj et dîner). Caché sur une petite route à l'écart de la Rte 4028, le Gueyjah, fréquenté uniquement par les connaisseurs, est parfait pour un repas rapide et bon marché.

**Italian Job** (carte p. 686 ; 179/1 Th Koktanod ; plats à partir de 75 B ; ⏲ 7h-21h). Ce café-lounge branché dispose du Wi-Fi et sert de bonnes pâtisseries, d'excellents expressos et des plats à toute heure de la journée.

**Rico's** (carte p. 686 ; Th Thai Na ; plats 120-350 B ; ⏲ déj et dîner). L'adresse la plus chic du quartier propose de bons steaks de Nouvelle-Zélande et des pizzas. Au mur, belle collection de photos d'acteurs en noir et blanc (très années 1980).

**Ratri Jazztaurant** (carte p. 686 ; ☎ 0 7633 3538 ; Th Chalong-Karon ; plats à partir de 140 B ; ⏲ déj et dîner). Si vous aimez le jazz, faites un tour sur cette terrasse à flanc de colline pour écouter un peu de musique locale et internationale. Très agréable au coucher du soleil, et la cuisine y est excellente.

**Capannina** (carte p. 686 ; plats 150-350 B ; ⏲ déj et dîner). Le chef de ce bistrot branché à ciel ouvert se met au travail dès les premières heures de la journée. Tout ici est fait maison, pâtes et sauces comprises. Assez fréquenté en pleine saison : pensez à réserver.

♥ **Boathouse Wine & Grill** (carte p. 686 ; ☎ 0 7633 0015 ; Th Patak West ; plats 450-850 B ; ⏲ déj et dîner). L'endroit idéal pour un tête-à-tête, le Boathouse est la meilleure table du secteur depuis un bon moment. La cuisine méditerranéenne est succulente (imaginez un homard mariné à la vodka ou du foie gras à l'huile de truffe), la liste des vins sans fin et la vue sur la mer sublime. Le lieu est chic et vieille école : laissez shorts et débardeurs à l'hôtel.

**After Beach Bar** (carte p. 686 ; ☎ 08 1894 3750 ; Hwy 4233 ; 11h-minuit). Impossible de ne pas apprécier la vue depuis ce bar-patio au toit de chaume et sur pilotis, accroché à une falaise au-dessus de Kata. Ajoutez un peu de Bob Marley, et vous obtenez le meilleur bar reggae de Phuket. Spécialités thaïlandaises à la carte, et le soleil couchant offre un véritable spectacle. La nuit, les lumières des bateaux de pêche dansent sur l'horizon.

### Nai Han et Rawai

Outre les restaurants des hôtels de Rawai, quantité d'échoppes proposant fruits de mer et nouilles le long de la route près de Hat Rawai. Les adresses suivantes vous permettront de vous poser un moment.

**Rawai Seafood** (Hat Rawai ; plats 60-340 B). Près de la mairie locale à l'extrémité ouest de la plage, cet assortiment chaotique de bancs et de tables est *la* référence pour des produits de la mer de toute fraîcheur à Rawai. Essayez les spécialités de Phuket, comme la soupe de tofu ou le chou à la vapeur.

**Freedom Pub** (☎ 0 7628 7402 ; Hat Rawai ; plats 80-200 B ; déj et dîner). Plus bar que restaurant, le Pub propose des tables en extérieur, un billard, des concerts le week-end, un barbecue gratuit le vendredi soir et, bizarrement, un salon de tatouage.

**Don's Mall & Cafe** (☎ 0 7638 3100 ; 48-5 Soi Sai Yuan ; plats 100-650 B). Tenu par un Texan, ce lieu fait la part belle aux divertissements et aux plats américains comme le steak ou les côtes de porc grillés au feu de bois. On y sert également des plats cuisinés et la liste des vins est intéressante. À 3 km de la plage de Rawai.

**Los Amigos** (☎ 08 9472 9128 ; Nai Han ; plats 130-230 B). C'est ce qui s'approche le plus d'un vrai tex-mex en Thaïlande. À déguster sur place ou à emporter.

**Rum Jungle** (☎ 0 7638 8153 ; 69/8 Th Sai Yuan ; plats à partir de 180 B ; 17h-23h lun-sam). Sous un toit de chaume, une sympathique équipe de Thaïlandais s'occupe de vous. La nourriture est également excellente : qui aurait pu croire que des pâtes aux boulettes de viande ou des *fish and chips* pouvaient être aussi raffinés ? Le steak argentin est divin, tout comme le fond sonore d'inspiration internationale.

### PHUKET-VILLE

Un repas à Phuket-ville peut coûter jusqu'à deux fois moins cher que sur la plage. Au sud-est du centre, sur Th Ong Sim Phai, le marché municipal vend des fruits et légumes frais.

**Uptown Restaurant** (carte p. 670 ; ☎ 0 7621 5359 ; Th Tilok Uthit ; plats 30-60 B ; 10h-21h). Elle n'en a peut-être pas l'air, mais cette adresse est courue par la haute société. La serveuse prend votre commande sur un PalmPilot de dernière génération, et les murs sont couverts de photos des célébrités thaïlandaises venues goûter aux fantastiques nouilles de l'Uptown.

**Natural Restaurant** (carte p. 670 ; ☎ 0 7622 4287 ; 62/5 Soi Phuthon ; plats 80-200 B ; déj et dîner). Le tour du monde en 80 plats dans un décor végétal. Si vous avez l'âme d'un Robinson, vous aimerez forcément.

**Salavatore's** (carte p. 670 ; ☎ 08 9871 1184 ; 15 Th Rasada ; plats 140-620 B ; déj et dîner mar-dim). Tous les ingrédients du restaurant italien sont réunis : nappes à carreaux, poivriers géants, opéra en fond sonore et propriétaire corpulent. On y sert tous les plats traditionnels italiens, de la pizza au filet de bœuf grillé.

**Ka Jok See** (carte p. 670 ; ☎ 0 7621 7903 ; kajoksee@hotmail.com ; 26 Th Takua Pa ; plats 180-480 B ; dîner mar-dim). Retrouvez le charme de la Phuket d'antan dans ce petit restaurant plein de caractère, qui croule sous le poids des fabuleuses babioles collectionnées par le propriétaire. Profitez d'une cuisine exquise, d'une belle musique et, avec un peu de chance, d'un spectacle de cabaret très kitsch. Après le dîner et un peu de vin, vous pourrez danser toute la nuit. Réservation conseillée.

**Glastnöst** (carte p. 670 ; ☎ 08 4058 0288 ; 14 Soi Rommani). Doublé d'un cabinet d'avocats, ce restaurant n'en demeure pas moins intimiste et décontracté, et accueille régulièrement des concerts de jazz.

### CÔTE ORIENTALE

Souvent ignorée des touristes, la côte est de Phuket révèle quelques tables à ne pas manquer.

**Kachang Floating Restaurant** (plats 90-320 B ; déj et dîner). Au large d'Ao Phuket, le vieux Kachang n'est qu'à quelques minutes à l'est de Phuket-ville, mais sort largement des sentiers battus. Des *long-tail boats* gratuits vous amènent jusqu'à ce restaurant flottant entouré de poissons-corail. Dégustez les crabes à carapace molle alors que le soleil jette ses derniers feux derrière les collines.

**Chalong Night Market** (Hwy 402 près de Chalong Circle ; plats à partir de 35 B ; 18h-23h mer). L'un des marchés de nuit les plus populaires de l'île rassemble commerçants, agriculteurs et cuisiniers locaux sous les lampes à gaz. Si vous avez de l'appétit, goûtez au curry de citrouille. Prenez un sac, vous apprécierez de déguster une mangue au petit-déjeuner.

**Kan Eang** ( 0 7638 1212 ; Chalong Pier ; plats 100-300 B ; déj et dîner). À quelques pas de l'embarcadère de Chalong, cet établissement est réputé depuis plus de 30 ans. Ambiance moderne et élégante, mais la cuisine demeure très authentique.

**Watermark** ( 0 7623 9730 ; 22/1 Th Thepkrassartri, Phuket Boat Lagoon). Malgré son emplacement sur la marina de la côte est, voici l'une des meilleures adresses de l'île pour prendre un apéritif (lire l'encadré p. 688 pour d'autres suggestions). L'"espresso martini" et les margaritas aux fruits de la passion sont les spécialités de la maison. Quant à la carte des vins, elle présente un choix embarrassant. Table préférée de la jet-set dans l'île, le Watermark est classé parmi les meilleurs restaurants du pays par le *Thailand Tatler* depuis 6 ans.

## Où sortir

Phuket n'est pas une île couverte de jungle et assoupie, mais un lieu où la fête bat son plein jusqu'au petit matin.

### PLAGES DU NORD

**Phuket Fantasea** (carte p. 683 ; 0 7638 5000 ; www.phuket-fantasea.com ; entrée avec/sans dîner 1 900/1 500 B ; 17h30-23h30 mer-lun). La plus grande attraction de l'île est un "parc à thème culturel" situé un peu au nord de Hat Kamala. Pas de grands-huit, mais un spectacle vraiment magique qui respire la Thaïlande traditionnelle avec ses danses et ses costumes et fait appel à des techniques en matière de son et lumière qui n'ont rien à envier à celles de Las Vegas. Jusqu'à 30 éléphants s'ébattent sur une scène dominée par une réplique grandeur nature d'un temple khmer inspiré d'Angkor. Le spectacle s'adresse avant tout aux enfants. De nombreux magasins de souvenirs vendant de l'artisanat thaïlandais parsèment le parc. Le dîner a plutôt mauvaise réputation, préférez donc le spectacle sans repas. Réservation auprès des hôtels et des tour-opérateurs.

Si vous voulez un peu plus d'animation sans descendre pour cela jusqu'à Patong, essayez **Jackie O** (carte p. 683 ; 08 9474 0431 ; 18h-1h), à l'entrée de la lagune de Phuket, qui propose des concerts de rock trois soirs par semaine, ou allez siroter un Martini au **Liquid Lounge** (carte p. 683 ; 08 1537 2018 ; 16h-1h), le jazz-bar de Surin.

### PATONG

Le seul fait de parcourir Patong à pied la nuit est une expérience en soi. Le cœur de l'animation se trouve dans Th Bangla, où de la techno à plein volume s'échappe des discothèques, tandis que call-girls et travestis s'affairent autour de tables où la bière coule à flots. Les combats de boxe thaïlandaise et les cabarets de transsexuels attirent de nombreux touristes. Pour en savoir plus sur les transsexuels, voir l'encadré p. 672.

**Club Lime** (carte p. 669 ; 08 5798 1850 ; www.clublime.info ; 22h-2h). Le dernier lieu à la mode attire les *beautiful people* et les meilleurs DJ thaïlandais et internationaux.

**La Salsa** (carte p. 669 ; 0 7634 0138 ; 500 B ; 22h-4h). À côté de l'Impiana Resort, voici un autre lieu à la mode à Patong. Essayez les cocktails design et les savoureuses tapas.

**Seduction** (carte p. 669 ; 39/1 Th Bangla ; 500 B ; 22h-4h). La discothèque la plus récente et la plus populaire de Patong est tenue par un imprésario finlandais. Propriétaire des meilleurs clubs de Helsinki, il a ouvert le Seduction en 2006 et attire depuis une clientèle internationale et des DJ célèbres dans le monde entier.

**Rock City** (carte p. 669 ; Th Kalim Beach Rd). La guitare géante à l'entrée accueille les vieilles gloires du rock dans son antre sombre.

**Phuket Simon Cabaret** (hors carte p. 669 ; 0 7634 2011 ; www.phuket-simoncabaret.com ; 550 B). À environ 300 m au sud de la ville, dans Th Sirirach, ce cabaret propose des spectacles de travestis divertissants dans une superbe salle de 600 places. Les costumes sont magnifiques et les acteurs excellents. Les spectacles, à 19h30 et 21h30 tous les soirs, affichent souvent complet.

**Sphinx Theatre** (carte p. 669 ; 0 7634 1500 ; 120 Th Rat Uthit ; 350 B). D'autres spectacles de cabaret à 21h et 22h30 tous les jours.

**Bangla Boxing Stadium** (carte p. 669 ; 0 7275 6364 ; Th Bangla ; 1 000 B). Les combats de boxe ont lieu tous les soirs à 20h.

**Train Thai Boxing** (carte p. 669 ; 0 7629 2890 ; Soi Kepsap ; 8h-21h). Observez un round de boxe ou apprenez quelques mouvements pendant 1 heure 30 (300 B) qui vous vaudront quelques bleus.

**PHUKET-VILLE**

Les meilleures adresses pour se détendre à Phuket-ville se trouvent dans le petit *soi* Rommani.

**Paradise Cinemas** (carte p. 670 ; ☎ 0 7622 0174 ; Th Tilok Uthit ; place 80 B). Pour les accros du grand écran, les derniers succès sont diffusés en anglais.

**Stade de boxe** (carte p. 670 ; billets 500-1 000 B). Combats de boxe thaïlandaise les mardi et vendredi à 20h. Le prix du billet dépend de l'emplacement et inclut le transport aller. Le stade se trouve à l'extrémité sud de la ville, près de l'embarcadère. Billets en vente à l'On On Hotel (p. 687). La course en *túk-túk* coûte 70 B.

## Depuis/vers Phuket

**AVION**

L'aéroport international de Phuket se trouve à l'extrémité nord-ouest de l'île, à 30 km de Phuket-ville. Comptez de 45 min à 1 heure pour rejoindre les plages du sud. Les taxis à compteur sont très rares et vous pourriez en attendre un plus d'une heure. Le mieux est de louer son propre véhicule. Sinon, montez dans un minibus à destination de la vieille ville de Phuket (120 B), de Patong, Karon ou Kata (180 B). Les minibus ne partent que lorsque les 10 places sont occupées.

La compagnie aérienne **Thai Airways International** (THAI ; carte p. 670 ; ☎ 0 7621 1195 ; www.thaiairways.com ; 78/1 Th Ranong, Phuket-ville) assure une dizaine de vols par jour pour Bangkok (2 800 B l'aller) et dessert régulièrement 11 autres villes en Thaïlande et à l'étranger, notamment Penang, Langkawi, Kuala Lumpur, Singapour, Hong Kong, Taipei et Tokyo.

**Bangkok Airways** (carte p. 670 ; ☎ 0 7622 5033 ; www.bangkokair.com ; 58/2-3 Th Yaowarat, Phuket-ville) assure des vols quotidiens vers Ko Samui (2 600 B l'aller), Bangkok (2 800 B l'aller) et Utapau pour Pattaya (3 100 B l'aller).

**Nok Air** (☎ 1318 ; www.nokair.co.th ; aéroport international de Phuket) relie Phuket et Bangkok, tout comme **One-Two-Go** (☎ 1141, poste 1126 ; www.fly12go.com ; aéroport international de Phuket) et la compagnie *low-cost* **Air Asia** (www.airasia.com), à partir de 2 000 B l'aller. **Air Asia** vole aussi vers Kuala Lumpur (25 000 B l'aller) et Singapour (2 500 B l'aller).

D'autres compagnies aériennes ont une agence dans la vieille ville de Phuket :

**Dragonair** (carte p. 670 ; ☎ 0 7621 5734 ; Th Phang-Nga)

**Malaysia Airlines** (carte p. 670 ; ☎ 0 7621 6675 ; 1/8-9 Th Thungkha)

**Silk Air** (carte p. 670 ; ☎ 0 7621 3891 ; www.silkair.com ; 183/103 Th Phang-Nga)

**BATEAU**

Des ferrys relient Phuket-ville et Ko Phi Phi 3 fois par jour à 8h30, 13h30 et 14h30 (400 B). En sens inverse, les départs ont lieu à 9h, 14h30 et 15h. Renseignez-vous à l'aéroport pour les bus les moins chers entre l'aéroport international de Phuket et l'embarcadère.

**MINIBUS**

Des services de minibus (combinés au ferry) relient Phuket à Ko Samui, Ko Pha-Ngan et Ko Tao, dans le golfe. Des minibus climatisés circulent jusqu'à Krabi, Ranong et Trang. Les lieux de départ peuvent varier, renseignez-vous auprès du bureau de la TAT (p. 667) à Phuket-ville. Les prix sont légèrement supérieurs à ceux des bus (voir plus bas).

## Comment circuler

L'île de Phuket est assez grande, et les transports publics laissent à désirer. La majorité des touristes préfère louer une voiture (1 200-1 500 B/j) ou une moto (250-500 B/j). Les tarifs de location sont raisonnables et vous trouverez facilement votre bonheur muni de votre permis de conduire. Veillez à l'avoir toujours à portée de main, les contrôles sont fréquents, surtout à Patong. Le port du casque est obligatoire : outre un accident, vous risquez une amende si vous ne le portez pas.

Des *sŏrng·tăa·ou* (ou *săwngthăew*), version thaïlandaises des bus, circulent régulièrement entre les différentes zones touristiques et Phuket-ville. Ils ne coûtent pas cher, mais sont souvent bondés et plutôt lents. Comptez deux bonnes heures entre Kata et la vieille ville de Phuket, alors que 20 min suffisent en transport privé.

Les taxis et *túk-túk* sont une bonne alternative, mais sont étonnamment onéreux. Ils ne possèdent pas de compteur : mieux vaut négocier le tarif avant de monter. Comptez au minimum 300 B pour rejoindre les complexes hôteliers, mais sachez qu'un simple aller peut coûter jusqu'à 500 B. En termes de tarif, il n'y a aucun avantage à préférer le *túk-túk* à une voiture, plus sûre, si ce n'est le goût de l'aventure.

### BATEAU
On peut facilement emprunter un *long-tail boat* pour gagner les plages les plus éloignées. un transport maritime public est également assuré tous les jours depuis les ports de Bang Rong et de Phuket-ville jusqu'à Ko Yao.

### VOITURE
Conduire sur Phuket peut sembler difficile après plusieurs heures d'avion, mais les routes principales sont larges, les ronds-points faciles à négocier et le trafic généralement fluide. Vous pouvez obtenir de bons prix dans l'agence à côté de Pure Car Rent, sur Th Rasada, dans la vieille ville de Phuket. Les Jeep Suzuki ou les berlines Toyota coûtent entre 1 000 et 1 500 B par jour, assurance comprise. En baisse saison, les prix peuvent tomber à 750 B. Les tarifs sont dégressifs selon la durée de location.

Certaines agences se réclament de grands loueurs, comme Budget, mais si vous passez par un intermédiaire (plutôt que de vous adresser directement à la société), vous devrez payer cash avant de disposer du véhicule, que l'on vous livrera généralement. Quel que soit votre choix, il est préférable de réserver à l'avance.

**Andaman Car Rent** (☎ 0 7632 4422 ; www.andamancarrent.com ; Mou 2, Cheangtalay, Thalang)

**Budget** (☎ 0 7620 5396 ; www.budget.co.th ; aéroport international de Phuket). Présent également à Patong (carte p. 669).

**Phuket New Car Rent** (☎ 0 7637 9571 ; www.phuketnewcarrent.com ; 111/85 Mou 8, Th Tharua-Muang mai, Thalang)

**Pure Car Rent** (carte p. 670 ; ☎ 0 7621 1002 ; www.purecarrent.com ; 75 Th Rasada, Phuket-ville)

**Via Rent-A-Car** (carte p. 669 ; ☎ 0 7638 5718 ; www.via-phuket.com ; 189/6 Th Rat Uthit, Patong). Possède aussi une agence à Kamala (carte p. 683).

De nombreuses stations-essence jalonnent l'île, mais il n'y en a qu'une (très fréquentée) à Patong.

### SŎRNG•TĂA•OU ET TÚK-TÚK
À Phuket-ville, de grands *sŏrng·tăa·ou* circulent régulièrement de 7h à 17h entre Th Ranong, près du marché, et les diverses plages (40-70 B/pers). En dehors de ces heures-là, vous devrez prendre un *túk-túk* pour rejoindre les plages de Patong (250 B), Karon et Kata (280 B), ainsi que Nai Han et Kamala (340 B). Une course dans Phuket-ville devrait vous coûter 30 B l'heure et pas plus de 25 B à Patong. On peut également louer un *túk túk* pour circuler entre les complexes hôteliers (300-500 B).

**BUS AU DÉPART DE PHUKET-VILLE**

| Destination | Type de bus | Prix (B) | Durée (h) |
|---|---|---|---|
| Bangkok | climatisé | 630 | 13-14 |
| | VIP | 970 | 13 |
| Chumphon | climatisé | 320 | 6½ |
| Hat Yai | ordinaire | 250 | 8 |
| | climatisé | 370 | 6-7 |
| Ko Samui | climatisé | 500 | 8 (bus et bateau) |
| Krabi | climatisé | 150 | 3½ |
| Nakhon Si Thammarat | climatisé | 300 | 7 |
| Phang-Nga | climatisé | 100 | 2½ |
| Ranong | climatisé | 240 | 5 |
| Surat Thani | climatisé | 200 | 5 |
| Takua Pa | climatisé | 120 | 3 |
| Trang | climatisé | 240 | 5 |

### TAXI
Malheureusement, les taxis à Phuket ne disposent pas de compteur. Ce sont la plupart du temps des véhicules privés qui demandent plus pour 10 minutes de trajet entre Rawai et Kata que pour 20 min entre Rawai et Phuket-ville. N'essayez pas de comprendre, mais négociez avant de monter. Les tarifs avoisinent les 300-500 B l'aller. Les motos-taxis sont bien moins coûteux, à peine 30 B par course, mais ne circulent que dans le centre de Phuket-ville.

## KO YAO
เกาะยาว

Ko Yao Yai (grande île longue) et Ko Yao Noi (petite île longue) font partie du parc national maritime d'Ao Phang-Nga (p. 664), mais sont plus facilement accessibles depuis Phuket. D'une superficie totale de 137 km², elles se composent de forêts, de plages et de promontoires rocheux et donnent sur les formations karstiques d'Ao Phang-Nga.

**Ko Yao Noi** est la plus peuplée des deux îles. **Hat Pa Sai** et **Hat Tha Khao** sont ses plus belles plages. Vous pourrez vous ravitailler à **Ta Khai**, siège du sous-district et principale localité.

**Ko Yao Yai** est plus isolée et plus rustique que sa voisine. Veillez à vous vêtir décemment afin de respecter les coutumes de la population musulmane qui vit sur ces deux îles.

Des excursions en bateau mènent aux îles environnantes, aux grottes où nichent des oiseaux et aux grottes funéraires *chow nám*. **Ko Bele**, une petite île à l'est, compte une vaste lagune, trois plages de sable blanc, ainsi que des grottes et des récifs coralliens facilement accessibles. **Ko Bele**, une petite île à l'est, possède une vaste lagune, 3 plages de sable blanc ainsi que des grottes et des récifs coralliens facilement accessibles. Prévoyez suffisamment de liquide lors de votre visite à Ko Yao, car il n'y a qu'un seul DAB, souvent hors service.

## Où se loger

### KO YAO NOI

**Koh Yao Noi Eco-Tourism Club** (☎0 7659 7409, 0 1089 5413 ; www.koh-yao-noi-eco-tourism-club.com). Ce remarquable projet d'écotourisme, développé en partenariat avec le REST (Responsible Ecological Social Tours Project), une ONG basée à Bangkok, vous propose de loger dans une famille et de découvrir la pêche et l'écologie locale. L'île, qui jouit d'une vue superbe sur les formations calcaires d'Ao Phang-Nga, possède à la fois un mode de vie traditionnel et un secteur touristique en plein boom. Grâce à ce projet, les visiteurs participent au développement économique de la région tout en préservant la vie du village. Une nuit coûte 400 B par personne, repas inclus.

**Sabai Corner Bungalow** (☎08 1892 7827 ; www.sabaicornerbungalows.com ; bungalows 500-2 000 B). De solides bungalows en bois et en chaume, dotés de petites vérandas, le tout géré par un expat britannique installé ici depuis des lustres. Bon restaurant d'où l'on profite d'une vue à couper le souffle.

**Tha Khao Bungalow** (☎08 1676 7726 ; www.kohyaobungalow.com ; bungalows 550-1 200 B). Sur Hat Tha Khao, ce petit complexe propose 5 robustes bungalows en bois et en chaume, dont 2 destinés aux familles (avec 3 chambres). Le petit restaurant sert une cuisine savoureuse. On y loue aussi vélos et kayaks, parfaits pour explorer la région.

**Lom Lea** (☎08 9868 8642 ; www.lomlae.com ; bungalows 2 100-5 000 B). Les bungalows de Lom Lea se fondent parfaitement dans l'environnement. L'ensemble borde une partie de plage isolée offrant une vue de rêve sur les formations karstiques d'Ao Phang-Nga.

**Koyao Island Resort** (☎0 1606 1517 ; www.koyao.com ; villas à partir de 8 000 B ; ⊠ ⊡ ⊡). Les villas luxueuses de ce complexe abritent des chambres parmi les plus chics de l'île. Service impeccable et bon choix de cocktails au bar. Si vous êtes fatigué de la vue (sait-on jamais), vous pourrez regarder la TV satellite et mettre la climatisation.

### KO YAO YAI

**Halavee Bungalows** (☎08 7881 1238 ; bungalows 500-1 000 B). Bien tenu, cet ensemble de bungalows à prix raisonnable est perché sur une colline qui jouit d'une magnifique vue panoramique.

**Yao Yai Island Resort** (☎08 9471 9110 ; www.yaoyairesort.com ; bungalows à partir de 1 200 B). Du côté oriental de l'île, les bungalows du Yao Yai, face à la mer, offrent de magnifiques couchers du soleil.

## Comment s'y rendre et circuler

Bien que ces îles fassent partie de la province de Phang-Nga, on trouve plus facilement des bateaux dans les provinces de Phuket et de Krabi pour s'y rendre. À Phuket-ville, prenez un *sŏrng·tăa·ou* en face du marché municipal pour Bang Rong, sur Ao Po (50 B). De l'embarcadère public, 6 bateaux partent tous les jours entre 8h et 17h (50 B, 1 heure). En dehors de ces horaires, vous pouvez louer un *long-tail boat* moyennant environ 1 500 B l'aller simple. Une fois parvenu à Ko Yao Noi, comptez encore 70-100 B pour rejoindre votre hébergement.

Pour aller de Ko Yao Noi à Ko Yao Yai, prenez un bateau à Tha Manaw (20 B, 15 min). Sur les îles, des *túk-túk* facturent la course 80 B environ.

# PROVINCE DE KRABI

Lorsque les voyageurs évoquent la beauté de la côte d'Andaman, ils songent probablement à Krabi, où les formations karstiques enveloppent la côte telle une immense forteresse calcaire. Les grimpeurs trouveront leur bonheur à Railay, alors que les apprentis Robinson choisiront l'une des 150 îles qui flottent au large du littoral sablonneux, comme Ko Lanta et Ko Phi Phi.

## KRABI

กระบี่

**27 500 habitants**

La majorité des voyageurs ne font que traverser la ville et son maillage d'agences de voyages, d'opticiens et d'échoppes de colifichets pour rejoindre des destinations paradisiaques : Ko Lanta au sud, Ko Phi Phi au sud-ouest, ou Railay à l'ouest.

La ville s'étend sur la rive occidentale de la Mae Nam Krabi, à près de 1 000 km de Bangkok et à 180 km de Phuket. D'épaisses mangroves couvrent la rive orientale. Au nord de la cité, les deux massifs calcaires du Khao Khanap Nam émergent de l'eau comme deux baleines. Important carrefour des transports maritimes à destination des îles du littoral, Krabi compte une majorité de taoïstes confucéens et de musulmans.

## Orientation et renseignements

La plupart des services se trouvent dans les *soi* qui partent de Th Utarakit, l'artère principale de Krabi. Du nouvel embarcadère de passagers, à Khlong Chailat, à 5 km au nord de la ville, des bateaux rallient Ko Phi Phi et Ko Lanta. Le terminal des bus est au nord du centre-ville, à Talat Kao, près de l'embranchement de Th Utarakit. L'aéroport est situé à 17 km au sud. Beaucoup de pensions et de restaurants proposent l'accès Internet (40-60 B/h). Banques et distributeurs automatiques ne manquent pas.

**Bureau de l'immigration** (☎ 0 7561 1350 ; Th Chamai Anuson ; 🕑 8h30-16h lun-ven). Délivre des prorogations de visa.

**Krabi Hospital** (☎ 0 7561 1210 ; Th Utarakit). À 1 km au nord de la ville.

**Pakaran** (☎ 0 7561 1164 ; 151 Th Utarakit ; 🕑 9h-20h). Bonne adresse pour refaire votre stock de livres d'occasion avant de partir pour les îles.

## À voir et à faire

La Thaïlande compte d'innombrables temples, mais le **Wat Tham Seua** (le temple de la grotte du tigre), dans la forêt, à 8 km au nord-est de Krabi, est unique en son genre. La salle principale occupe une grotte calcaire longue et étroite. De part et d'autre, des dizaines de *gùđì* (cellules monastiques) sont creusées dans des falaises ou des cavernes. La grotte principale arbore des portraits d'Ajahn Jamnien Silasettho (le supérieur du temple, qui avait fait de nombreux adeptes) et des photos en gros plan d'entrailles et d'organes d'êtres humains, censés rappeler aux visiteurs le caractère éphémère du corps. Les crânes et les squelettes qui jonchent le sol sont supposés avoir le même rôle éducatif. Des bandes de singes affamés brisent parfois le lourd silence. Depuis Krabi, comptez 250 B l'aller en taxi et 200 B en *túk-túk*.

**Sea Kayak Krabi** (☎ 0 7563 0270 ; www.seakayak-krabi.com ; 40 Th Ruen Rudee), qui propose divers circuits en kayak de mer, notamment à Ao Thalane (demi-journée/journée 800/1 400 B), site surmonté de falaises vertigineuses, Ko Hong (journée 1 500 B), célèbre pour sa lagune émeraude, et Ban Bho Tho (journée 1 500 B), où des grottes immergées abritent des peintures rupestres datant d'il y a 2 000 à 3 000 ans. Les tarifs incluent le déjeuner, des fruits, de l'eau potable et les services d'un guide.

## Circuits

**Chen Phen Tour** (☎ 0 7561 2004 ; Th Utarakit) et d'autres agences vous proposent de partir observer les oiseaux dans les mangroves des alentours de Krabi pour 600 B environ par bateau et par heure (mieux vaut partir tôt le matin). Sinon, il est possible de louer un bateau à l'embarcadère principal moyennant quelque 350 B/h. Essayez de repérer des crabes violonistes et des périophthalmes dans la vase.

Diverses agences organisent des excursions d'une journée à Khlong Thom, à 45 km au sud-est de Krabi sur la Hwy 4, en passant par des sources thermales et des bassins d'eau douce. Comptez 950-1 100 B avec le transport, le déjeuner et les boissons ; emportez un maillot de bain et de bonnes chaussures de marche. D'autres excursions sur le thème du "circuit dans la jungle" sont organisées.

## Où se loger

Les nouvelles pensions fleurissent dans Krabi. Elles disposent, pour la plupart, de grandes chambres propres et carrelées, avec fenêtres et sdb communes.

**KR Mansion** (☎ 0 7561 2761 ; krmansion@yahoo.com ; 52/1 Th Chao Fah ; ch 300-600 B ; ✇ 💻). Le superbe *beer garden* sur le toit bénéficie d'une vue splendide sur Krabi, idéal pour prendre un verre au crépuscule. Les chambres de ce bâtiment rose vif sont assez confortables.

**Chan Cha Lay** (☎ 0 7562 0952 ; www.geocities.com/chan_cha_lay ; 55 Th Utarakit ; ch 300-650 B ; ✇ 💻). Le décor bleu et blanc, très relaxant, dégage une atmosphère méditerranéenne. Les chambres carrelées sont parfaitement propres et le personnel est très prévenant. Des photos et d'autres œuvres d'art ornent les murs du café. Une excellente option.

## Où se restaurer et prendre un verre

Si certains voyageurs ne trouvent pas la ville à leur goût, ils apprécient en revanche ses nombreuses bonnes tables.

**Marché de nuit** (Th Khong Kha ; repas 20-50 B ; 🕑 dîner). Près de l'embarcadère de Khong Kha,

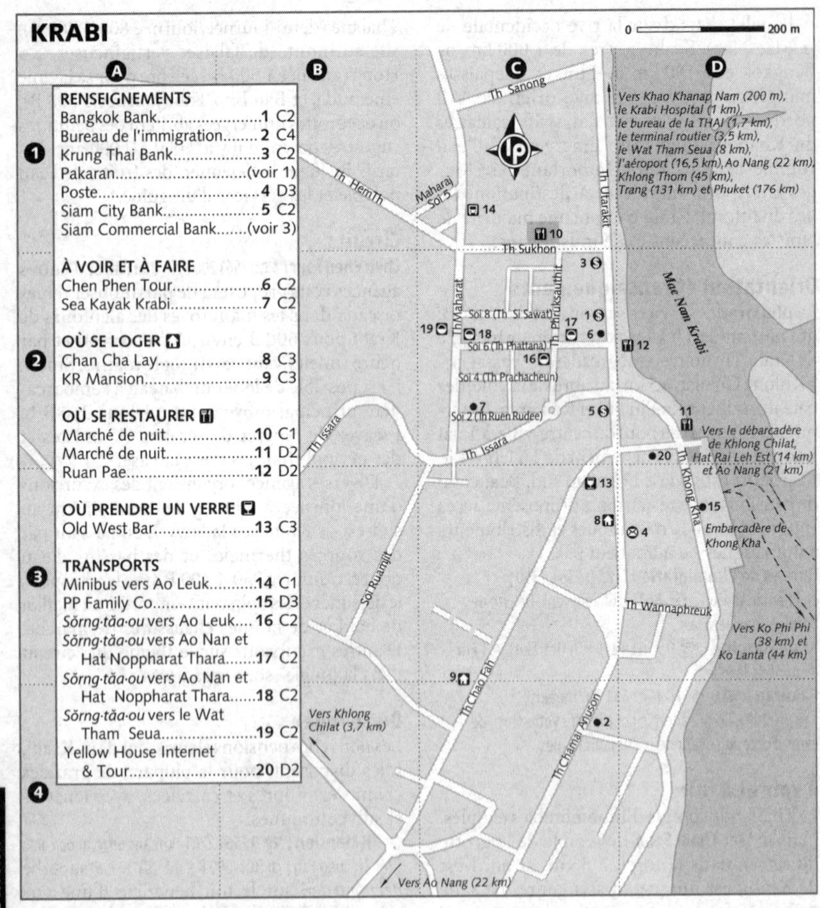


voici l'un des meilleurs endroits où dîner. Les cartes sont en anglais, mais ne vous y trompez pas, la cuisine est authentique et excellente. Salade de papaye, nouilles frites, *đôm yam gûng* (soupe de crevettes à la citronnelle et aux champignons), fruits de mer frais, toutes sortes de brochettes *satay* et desserts lactés thaïlandais vous attendent sur les stands. Un marché de nuit similaire se tient au nord, dans Th Sukhon, près du carrefour avec Th Phruksauthit.

**Ruan Pae** (☎ 0 7561 1956 ; Th Utarakit ; plats 60-150 B ; ⏰ déj et dîner). Ce restaurant flottant traditionnel est idéal pour observer la brume tomber sur les mangroves le soir, mais, malheureusement, l'atmosphère y est parfois meilleure que la cuisine. Les moustiques peuvent en outre vous gâcher la soirée.

**Old West Bar** (Th Chao Fah ; ⏰ 13h-2h). Bambou et bois à l'intérieur comme à l'extérieur, et décoration sur le thème du Far West dans ce bar très apprécié. La musique diffusée à plein volume garantit l'animation presque toutes les nuits. La carte des cocktails vous occupera un bon moment.

## Depuis/vers Krabi

### AVION

La plupart des compagnies aériennes du pays relient Bangkok et l'aéroport international de Krabi (2 400-3 100 B l'aller simple, 1 heure 15). **Bangkok Air** (www.bangkokair.com) dessert Ko Samui tous les jours pour le même prix. On peut obtenir des réductions auprès des agences de voyages locales et sur Internet. Consultez le site www.domesticflightsthailand.com pour plus d'informations.

### BATEAU

Les bateaux pour Ko Lanta et Ko Phi Phi partent de l'embarcadère de Khlong Chilat, à 5 km au nord de Krabi. Les agences de voyages organisent un transfert gratuit quand on leur achète un billet.

La principale compagnie, **PP Family Co** (☎ 0 7561 2463 ; Th Khong Kha), possède une billetterie à côté de l'embarcadère. En haute saison, des bateaux rallient Ko Phi Phi (450-490 B, 1 heure 30) à 9h, 10h30 et 14h30. En basse saison, ils partent à 9h et 14h30.

De septembre à mai, des bateaux pour Ko Lanta (450 B, 1 heure 30) quittent Krabi à 10h30 et 13h30. Ils peuvent aussi s'arrêter à hauteur de Ko Jam (1 heure) ; des *long-tail boats* vous accompagneront alors jusqu'au rivage (mais le prix reste le même : 450 B). En basse saison, les bateaux pour Ko Lanta sont remplacés par des minibus climatisés (250 B, 2 heures 30), qui partent à 9h, 11h, 13h et 16h.

Si vous voulez vous rendre à Railay, prenez un taxi jusqu'à Ao Nang (100 b) ou un *long-tail boat* à l'embarcadère de Khong Kha, à Krabi, à destination de Hat Rai Leh Est (200 B, 45 min, de 7h45 à 18h) ; de là, la plage plus séduisante de Hat Rai Leh Ouest n'est qu'à 5 min de marche par un sentier pavé. Les conducteurs attendent jusqu'à ce qu'il y ait 10 personnes dans le bateau avant de partir. Si vous voulez partir avant, vous pouvez louer tout le bateau (2 000 B).

### BUS

Moins de rabatteurs, des horaires de départ plus fiables : il est moins stressant de prendre un bus public au départ du **terminal des bus de Krabi** (☎ 0 7561 1804 ; angle Th Utarakit et Hwy 4), à Talat Kao, à 4 km de Krabi, qu'un bus privé. Des bus publics climatisés partent pour Bangkok (700 B, 12 heures) à 7h, 16h et 17h30. Un bus VIP de 24 places, très chic, pour Bangkok (1 100 B) part à 17h30 tous les jours. Au départ du terminal sud des bus de Bangkok, les bus démarrent à 7h30, puis entre 19h et 20h. Des bus publics climatisés desservent également Hat Yai (170-210 B, 3 heures), Phang-Nga (70-80 B, 2 heures), Phuket (120-140 B, 3 heures 30), Surat Thani (130-150 B, 2 heures 30) et Trang (100 B, 2 heures).

À Krabi, des dizaines d'agences de voyages gèrent des minibus climatisés et des bus VIP vers des destinations touristiques dans tout le sud du pays. Mais leurs employés n'hésitent pas parfois à entasser autoritairement les passagers dans les minibus.

### MINIBUS

On peut réserver son minibus auprès des agences de voyages en ville. Les prix sont très variables, faites un tour d'horizon. Quelques exemples de tarifs : Ao Leuk (50 B, 1 heure), Hat Yai (280 B, 3 heures), Ko Lanta (250 B, 1 heure 30), Trang (280 B, 2 heures) et Satun (400 B, 4 heures). Les minibus ne démarrent que lorsqu'ils sont complets.

### SŎRNG·TĂA·OU

Des *sŏrng·tăa·ou* bien utiles relient le terminal des bus au centre de Krabi avant de continuer vers Hat Noppharat Thara (40 B), Ao Nang (40 B) et le cimetière de coquillages à Nam Mao (50 B). Le service est assuré de 6h à 18h30. En haute saison, les *sŏrng·tăa·ou* circulent jusqu'à 22h, moins fréquemment et moyennant 70 B. Des *sŏrng·tăa·ou* partent fréquemment pour Ao Leuk (50 B, 1 heure) de l'angle de Th Phattana et de Th Phruksauthit ; le dernier démarre vers 15h. D'autres desservent occasionnellement le Wat Tham Seua (25 B) ; ils stationnent en face du 7-Eleven (dans Th Maharat).

## Comment circuler

Le centre de Krabi est facile à découvrir à pied, mais le terminal des bus et l'aéroport sont assez éloignés. La course en taxi depuis l'aéroport coûte 350-500 B. Dans le sens inverse, taxis et *túk túk* demandent 400 B. Les agences en ville peuvent aussi réserver des minibus pour l'aéroport, moyennant 150 B. Du terminal des bus au centre de Krabi en *sŏrng·tăa·ou*, comptez 20 B.

### VOITURE ET MOTO

La plupart des agences de voyages et des pensions louent des motos Honda Dream pour 150 B/jour. **Yellow House Internet & Tour** (☎ 0 7562 2809 ; 5 Th Chao Fa) loue des motos fiables et fournit des casques. Quelques agences de voyages dans Th Utarakit louent de petits 4x4 pour 1 200-2 000 B/jour.

# PARC NATIONAL DE KHAO PHANOM BENCHA

อุทยานแห่งชาติเขาพนมเบ็ญจา

À 20 km au nord de Krabi, ce **parc national** (400 B) de 50 km² couvre une superbe forêt vierge humide le long de la crête du Khao Phanom

Bencha (1 350 m). De profil, cette montagne ressemble à un homme qui se prosterne, dont les mains, les genoux et la tête touchent le sol. Son nom signifie “le mont qui se prosterne en cinq points”.

Parmi les belles cascades du parc, **Nam Tok Huay To**, une chute étagée comptant 11 niveaux, se trouve à 500 m seulement du bureau du parc. À proximité, vous découvrirez **Nam Tok Huay Sadeh** et **Nam Tok Khlong Haeng**, presque aussi spectaculaires. En chemin, vous pouvez visiter **Tham Khao Pheung**, une grotte splendide aux chatoyantes stalactites et stalagmites. De multiples sentiers propices à la randonnée serpentent à travers le parc, longeant des cours d'eau et des chutes moins connues.

Le parc abrite des panthères nébuleuses, des panthères noires, des tigres, des ours noirs asiatiques, des muntjacs, des capricornes de Sumatra, des tapirs de Malaisie, des colobes, des gibbons et diverses espèces d'oiseaux tropicaux – dont le calao à casque, l'argus et la brève de Gurney, extrêmement rare.

Aucun transport public ne dessert le parc, qui n'offre ni hébergement ni restauration. On y accède toutefois facilement à moto depuis Krabi : suivez la Hwy 4 et tournez à l'embranchement signalisé. La course aller-retour en *túk-túk* revient à 300 B environ.

## AO NANG

อ่าวนาง

**12 400 habitants**

N'écoutez pas les dires des complexes hôteliers et des agences de voyages : Ao Nang n'est pas une destination touristique, c'est une étape sans grand intérêt entre deux transports (comme le prouve le nombre d'agences de voyages au mètre carré). La rue principale, qui forme un L en épousant la côte, ressemble à un immense centre commercial où s'arrachent souvenirs et vêtements. Chaque jour, à la tombée de la nuit, les néons font concurrence au soleil (qui finit généralement par l'emporter), tandis que les touristes sirotent des cocktails faits dans la rue et s'arrachent des billets pour des combats de *mou·ay tai.*

Ao Nang est surtout un point de départ pratique pour Railay, à 20 min de là en bateau, où il est plus agréable de séjourner, sans se ruiner. Toutefois, Ao Nang présente un avantage pour qui veut participer à des circuits d'exploration des îles ou à des sorties en kayak de mer : la plupart des prestataires sont installés sur place. Et aussi pour qui aime accompagner son repas d'un verre de vin ou d'une bière : de nombreux complexes de Railay sont tenus par des musulmans qui ne servent pas d'alcool (on peut toutefois s'acheter une bière à l'épicerie et la boire au restaurant).

### Orientation et renseignements

Le McDonald et le Burger King servent de points de repère pour les habitants de la région. Vous ne serez donc pas trop dépaysé à Ao Nang : accès Internet, DAB, bureaux de change, etc. sont disponibles partout en ville. Pour la police et les soins médicaux, mieux vaut se rendre à Krabi. La concurrence féroce entre agences de voyages fait que l'on vous réserve généralement un bon accueil et une aide efficace. N'hésitez pas à flâner pour voir l'offre et à marchander, en sachant que des réductions sont rarement consenties sur les tarifs des bateaux.

La Highway 4203 entre dans Ao Nang en se dirigeant vers l'ouest, longe la plage en direction du nord sur 500 m, puis bifurque vers l'intérieur des terres avant de redescendre en direction du littoral au niveau de Hat Noppharat Thara.

### À voir

À environ 9 km à l'est d'Ao Nang, à l'extrémité ouest d'Ao Nam Mao, s'étend le **cimetière des Coquillages** (50 B ; 8h30-16h30), connu aussi sous le nom de Fossiles gastéropodes ou Su-San Hoi. Vous pourrez voir d'immenses strates formées de millions de minuscules fossiles datant d'il y a 75 millions d'années. Le petit centre d'information des visiteurs expose quelques pièces géologiques et divers stands vendent des en-cas. Le trajet par les transports publics coûte 30 B depuis Ao Nang.

### À faire

De multiples activités s'offrent à vous à Ao Nang, et les enfants de moins de 12 ans bénéficient d'une réduction de 50%. La **randonnée à dos d'éléphant** est une activité très appréciée ici, et un bon nombre de tour-opérateurs organisent des promenades dans la jungle. Avant de vous inscrire, assurez-vous que les éléphants n'ont pas l'air d'être maltraités.

#### KAYAK

Au moins sept compagnies proposent des circuits en kayak de mer dans les mangroves et jusqu'aux îles environnantes. Parmi les destinations les plus appréciées figurent Ao Thalane (demi-journée/journée 1 000/1 500 B), dotée de hautes falaises plongeant dans la mer et de mangroves abritant une faune variée, et Ban Bho Tho (1 500 B), qui possède des grottes maritimes ornées de peintures rupestres vieilles de 2 000 à 3 000 ans, et dont certaines strates retiennent des fossiles. Déjeuner, fruits, eau potable, kayaks de mer et services d'un guide sont inclus dans tous les tarifs. Nous vous recommandons particulièrement de vous adresser à **Sea Canoe Thailand** (☎ 0 7569 5387) ou à **Ao Nang Group** (☎ 0 7563 7660/1).

### PLONGÉE ET SNORKELING

De nombreux centres de plongée organisent des sorties vers les spots de Laem Phra Nang, près de Railay. Comptez 2 200 B les deux plongées. Avec deux tunnels sous-marins, frangés de coraux tendres et durs, Ko Mae Urai est l'un des sites de plongée les plus exceptionnels de la région. Des croisières plus longues mènent à Ko Phi Phi ou à Hin Daeng et Hin Muang, au sud-ouest de Ko Lanta (4 000 B les 2 plongées). Un cours PADI Open Water coûte entre 15 000 et 18 000 B. **Phra Nang Divers** (☎ 0 7563 7064 ; www.pndivers.com) et l'**Aqua Vision Dive Center** (☎ 0 7563 7415 ; www.aqua-vision.net) sont des écoles de plongée fiables. Les clubs de plongée peuvent aussi organiser des sorties de snorkeling dans la région.

## Cours

À 10 km environ d'Ao Nang, entre le Wat Sai Thai et Ao Nam Mao, la **Krabi Thai Cookery School** (☎ 0 7569 5133 ; www.thaicookeryschool.net ; 269 Moo 2, Ao Nang, Rte 4204) propose des cours de cuisine thaïlandaise d'une journée (1 000 B transport inclus).

## Circuits

N'importe quelle agence digne de ce nom peut vous inscrire à l'un des circuits populaires comprenant l'exploration de 4 ou 5 îles (400-500 B pour une journée ; voir l'encadré p. 702). Plusieurs agences organisent des excursions à **Khlong Thom**, qui comprennent la visite de bassins d'eau douce, de sources thermales et du **musée du Wat Khlong Thom** (adulte/enfant 750/400 B). Les "circuits mystère" (adulte/enfant 900/450 B) permettent de découvrir des vivariums, des villages locaux, des bassins cristallins et des plantations d'hévéas, d'ananas, de bananiers et de papayers. Les tour-opérateurs proposent aussi de partir à

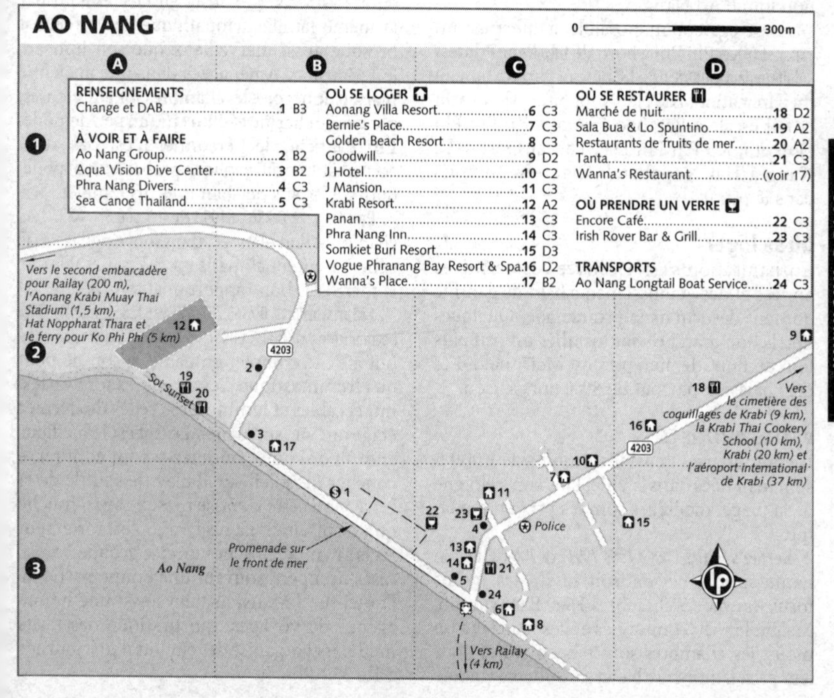

**D'ÎLE EN ÎLE**

Surtout, ne manquez pas de vous réserver une journée ou une demi-journée pour sauter d'île en île. À bord d'un *long-tail boat*, vous pourrez naviguer vers plusieurs îles luxuriantes ourlées de plages splendides, plonger avec masque et tuba au milieu des coraux et explorer des grottes et des falaises.

Les circuits explorent **Ko Hua Khwan** (l'Île aux poules), où vous trouverez de magnifiques récifs coralliens et des formations rocheuses ressemblant à des poules ; **Ko Poda** et sa splendide étendue de sable fin, et **Ko Taloo**, une grande formation rocheuse que l'on peut traverser en passant sous l'eau ; **Tham Phra Nang** (la grotte de la princesse) où loge l'esprit sacré d'une princesse ; **Ko Hong** et sa lagune cachée par les falaises ; **Ko Lading**, doté de belles plages et poste d'observation des oiseaux ; **Ko Daeng**, autre bon spot de snorkeling. **Ko Rai** et **Ko Pakiba**, deux autres destinations de rêve, sont aussi souvent au programme de ces excursions.

Depuis Ao Nang, vous pouvez louer un *long-tail boat* auprès de l'**Ao Nang Longtail Boat Service** (☎ 0 7569 5474 ; www.aonanglongtailboatservice.com) pour vous rendre à Ko Hong, Ko Lading et Ko Daeng (2 500 B), ou à Ko Poda, l'Île aux poules et Tam Phra Nang (2 000 B). Les tarifs sont indiqués sur la vitrine du bureau du "Boat Service" et les bateaux peuvent embarquer un maximum de 6 personnes. Vous devrez apporter votre propre équipement. Une autre solution consiste à embarquer pour un circuit tout compris à travers cinq îles que vous pourrez réserver auprès des agences d'Ao Nang, de Railay et de Krabi (environ 850 B/pers). Pour 200 à 400 B de plus, vous pourrez même embarquer sur une vedette, ce qui vous laissera plus de temps pour profiter des îles.

la découverte des attractions des environs d'Ao Phang-Nga et d'assister à un certain nombre de spectacles animaliers douteux, non loin d'Ao Nang.

Il est également possible d'effectuer un circuit à Ko Phi Phi à bord de l'**Ao Nang Princess** (adulte/enfant 1 100/850 B). Le bateau part du bureau du parc national de Hat Noppharat Thara à 9h et fait escale à Bamboo Island, à Ko Phi Phi Don et à Ko Phi Phi Leh. Le transport d'Ao Nang à Hat Noppharat Thara est compris dans le prix.

## Où se loger

L'urbanisation s'est accélérée ces dernières années et des établissements haut de gamme bordent désormais la promenade. Quelques hôtels bon marché sont installés un peu plus loin du bord de mer, près du McDonald. Les prix baissent partout de 50% hors saison.

### PETITS BUDGETS

De nombreuses pensions à moins de 1 000 B sont installées dans la ville. Plus l'on s'éloigne de la plage, meilleurs sont les prix et la qualité.

**Bernie's Place** (☎ 0 7563 7093 ; ch 200-600 B). En haute saison, cet endroit ravira les moins fortunés avec ses chambres à 600 B maximum. Malgré les sdb communes et des matelas trop mous, les chambres sont très correctes pour leur prix. L'immense bar et ses buffets à volonté et à petit prix (250 B) attirent de plus en plus de voyageurs.

**J Hotel** (☎ 0 7563 7878 ; j_hotelo@hotmail.com ; ch 350-1 800 B ; ❄ 💻). Juste en face et tenu par la même famille sympathique, le J Hotel est presque aussi merveilleux que son jumeau, le J Mansion. Aménagées dans une ancienne maison de négoce, les chambres sont immenses, pleines de charme et d'un chic un peu démodé. En revanche, le personnel n'est pas aussi accueillant, ce qui explique probablement pourquoi il y a plus de chambres disponibles.

**Panan** (☎ 0 7563 8105 ; ch 400-500 B ; ❄). Les chambres d'un blanc éclatant sont exiguës, mais généreusement climatisées. TV sat et vue sur la mer. Très bon rapport qualité/prix.

**J Mansion** (☎ 0 7563 7876, 7569 5128 ; j_mansion10@hotmail.com ; ch 800-1 000 B ; ❄ 💻). Une adresse qui affiche complet en basse saison ne peut qu'être fantastique. Les chambres sont vastes, impeccables et lumineuses ; celles du dernier étage ont vue sur la mer. Le toit est le meilleur endroit de l'hôtel : montez-y pour admirer le coucher du soleil sur Railay (le souffle de la brise rend cette terrasse presque aussi fraîche qu'une piscine). La réservation est fortement recommandée, de nombreux groupes organisés occupent souvent une bonne partie de l'hôtel. Le J Mansion tient aussi une bonne agence de voyages, qui pratique des tarifs modérés et organise des circuits d'une journée à Ko Phi Phi.

**CATÉGORIES MOYENNE ET SUPÉRIEURE**

Au nord du McDonald (en s'éloignant de la plage), les voyageurs trouveront quantité de bâtiments récents abritant des chambres de très bonne qualité. Ces adresses sont toutes équivalentes, avec chambres impeccables, TV, clim et Wi-Fi. **Goodwill** (www.aonanggoodwill ; ch 1 550 B) est une valeur sûre si vous êtes indécis. Les complexes de ces catégories ont désormais tendance à être de meilleure qualité en dehors d'Ao Nang (entre 1 et 4 km de distance). Reportez-vous p. 704 pour quelques adresses, mais une recherche sur Internet vous donnera de meilleurs résultats compte tenu de la vitesse à laquelle les constructions sortent de terre.

**Somkiet Buri Resort** (☎ 0 7563 7320 ; www.somkietburi.com ; ch 2 000-3 000 B ; ). Ce complexe aménagé sur un terrain luxuriant parsemé de fougères et d'orchidées, traversé par des lagunes et des cours d'eau, inciterait presque à prendre une pose de yoga. Des allées en bois sinueuses mènent à 26 chambres spacieuses, au décor imaginatif, dont les balcons donnent sur une superbe piscine ou sur un étang paisible. Service irréprochable.

**Vogue Phranang Bay Resort & Spa** (☎ 0 7563 7635 ; www.vogueresort.com ; ch 2 100-6 800 B ; ). Avec leurs grandes baies (préférez celles avec vue sur la mer) et leur sol alliant bois et carrelage, les chambres dégagent une ambiance zen. Les sdb sont équipées d'une baignoire et d'une douche (avec porte, détail rare) séparées. Un seul défaut : les matelas trop mous. Nous avons vraiment aimé le jardin, luxuriant et paisible. Grande piscine circulaire qui offre de belles vues sur la mer, en particulier au coucher du soleil.

**Phra Nang Inn** (☎ 0 7563 7130 ; phranang@sun.phuket.ksc.co.th ; ch avec petit-déj 2 300-5 500 B ; ). La superbe déco en bambou, coquillages et carreaux de faïence est le point fort de cette auberge, par ailleurs dotée de 2 piscines, et d'un établissement jumeau situé de l'autre côté de la route.

**Krabi Resort** (☎ 0 7563 7030, à Bangkok 0 2208 9165 ; www.krabiresort.com ; ch/bungalows 4 200-8 900 B ; ). Premier complexe de luxe d'Ao Nang, le Krabi vieillit avec grâce. Ses chambres bien équipées et ses bungalows luxueux sont disséminés dans un paisible jardin paysager, proche de la plage. École de plongée, restaurant et bar sur place.

**Golden Beach Resort** (☎ 0 7563 7870-4 ; www.krabigoldenbeach.com ; ch 4 500-6 000 B, bungalows 6 000-10 000 B ; ). Cet établissement moderne et haut de gamme se compose de longs bâtiments et d'élégants bungalows aménagés autour d'une grande piscine dans un jardin bien entretenu. Des concerts de musique un peu démodée (titres des années 1980 et clavier électrique) ont lieu dans le restaurant en plein air, illuminé comme un arbre de Noël la nuit venue.

Également recommandés :

**Wanna's Place** (☎ 0 7563 7322 ; www.wannasplace.com ; ch 1 875-1 975B, bungalows 2 290-2 390 B ; ). Prisé, mais pas la meilleure option.

**Aonang Villa Resort** (☎ 0 7563 7270 ; www.aonangvillaresort.com ; ch 3 400-7 500 B ; ) Une adresse chic en bord de mer.

## Où se restaurer

À l'extrémité ouest de la plage, une rue étroite, Soi Sunset, est bordée d'un grand nombre de restaurants de poissons qui se ressemblent tous, avec leurs maquettes de bateaux servant de présentoirs pour la pêche du jour, que l'on déguste assis sur des sièges en bambou, en bord de mer.

**Wanna's Restaurant** (plats 60-190 B ; petit-déj, déj et dîner). Sans prétention et bon marché, il mérite une visite pour sa carte variée, où figurent aussi bien hamburgers et fromages que spécialités suisses, plats thaïlandais et petits-déjeuners.

**Sala Bua & Lo Spuntino** (☎ 0 7563 7110 ; plats 80-520 B ; 10h-23h). Au fin fond de la "rue des fruits de mer", cet excellent restaurant face à la mer propose le meilleur de l'Orient et de l'Occident, agrémenté d'une belle carte des vins. Les chefs italien et thaïlandais mitonnent des chefs-d'œuvre culinaires pendant que les clients sirotent leur chardonnais face au coucher du soleil. Des plaisirs simples, comme le riz végétarien, sont préparés à la perfection, tout comme les plats les plus prisés : les paniers de la mer et les faux-filets à la florentine.

**Tanta** (☎ 0 7563 7118 ; plats 180-350 B ; déj et dîner). Décor en bois et terrasse couverte pour cet établissement moderne et fréquenté qui confectionne des pizzas à pâte fine aussi délicieuses que légères, et tout un choix de savoureux plats thaïlandais et internationaux. Le service est discret (les employés n'incitent pas à la commande).

## Où prendre un verre et sortir

Les bars ne manquent pas dans Ao Nang.

**Irish Rover Bar & Grill** (☎ 0 7563 7607). Nos lecteurs apprécient ce pub irlandais typique. Guinness et Kilkenny à la pression ou bières en bouteille, telles que la Tiger de Singapour et la Chang, forte en alcool (attention aux maux de tête), brassée en Thaïlande. Les amateurs de sport apprécieront la TV qui diffuse des matchs de foot anglais et de cricket sud-africain. Concerts, cocktails tropicaux et billards sont les autres atouts de cet établissement.

**Encore Café** (16h-2h en haute saison). Très apprécié des vacanciers thaïlandais, ce club moderne et sympathique organise des concerts. Il est doté de billards et propose des soirées à thème : "*ladies night*", speed billard... Nos lecteurs aiment sa cuisine tex-mex.

**Aonang Krabi Muay Thai Stadium** (☎ 0 7562 1042 ; entrée 500 B, 1er rang avec 1 bière 1 200 B). Pour changer des bars de plage et des films piratés qui passent sur la promenade, c'est le bon endroit pour une soirée originale. Des combats de *mou·ay tai* y sont organisés plusieurs soirs par semaine à partir de 20h45. Un *sŏrng·tăa·ou* gratuit circule sur la promenade avant le début des combats pour assurer le transport des spectateurs.

## Comment s'y rendre et circuler

Un bateau relie toute l'année l'embarcadère de Hat Noppharat Thara et Ko Phi Phi (450-490 B, 2 heures) à 9h ; le billet comprend le transport depuis/vers l'embarcadère.

Par beau temps, des *long-tail boats* rallient Hat Rai Leh tous les jours (80 B, 120 B après 18h). Par mauvais temps, allez jusqu'à Ao Nam Mao et prenez un *long-tail boat* (90 B), qui circule quelle que soit la météo.

Les *sŏrng·tăa·ou* constituent un bon moyen pour circuler dans le secteur. Vous les trouverez dans l'artère principale. Parmi les destinations desservies, citons Krabi (40 B), Hat Noppharat Thara (10 B) et Ao Nam Mao (20 B). La course en taxi d'Ao Nang à l'aéroport de Krabi coûte 600 B (mais vous pouvez marchander). En sens inverse, le tarif peut grimper jusqu'à 900 B.

CÔTE D'ANDAMAN

# ENVIRONS D'AO NANG

## Hat Noppharat Thara

หาดนพรัตน์ธารา

À 4 km environ d'Ao Nang, au bout de la Rte 4203, Hat Noppharat Thara constituait autrefois un havre de tranquillité comparée à Ao Nang, où se pressent les touristes. Aujourd'hui, cette plage bordée de casuarinas fait figure de petite banlieue d'Ao Nang, absorbée par l'activité touristique de sa voisine. Si vous souhaitez vous rendre dans les îles, vous vous y arrêterez sans doute, car c'est sur cette plage qu'est installé le bureau du parc national maritime de Ko Phi Phi. Certains complexes mettent en avant leur "position centrale à Ao Nang", et si vous ne faites pas bien attention aux petits caractères, vous risquez de vous retrouver à Hat Noppharat Thara (cela dit, de nombreux voyageurs préféreraient dormir ici qu'à côté du McDonald).

### OÙ SE LOGER

**Laughing Gecko** (☎ 0 7569 5115 ; bungalows 100-500 B). L'un des ensembles de bungalows rudimentaires situés au bout d'une allée, juste avant le bureau du parc national. Bungalows en bord de plage et restaurant animé, décoré de manière artistique, fréquentés par les routards (buffet à volonté à moins de 200 B).

**Government Bungalows** (☎ 0 7563 7200 ; tentes 2-6 pers 300 B, bungalows 2/6-8 pers 600/1 200 B ou 200 B/pers). Les bungalows avec ventil, sdb et moustiquaires aux fenêtres sont bien tenus. Tentes également disponibles. Une petite cantine sert des repas en soirée.

Le **Red Ginger** (☎ 0 7563 7999 ; www.redgingerkrabi.com ; ch 5 450-9 450 B ; ) et le **Pakasai Resort** (☎ 0 7563 7777 ; www.pakasai.com ; ch 6 700-8 000 B ; ) sont d'excellentes options haut de gamme, offrant tous les services qu'on peut attendre de cette catégorie.

Aux alentours des bureaux du parc national, plusieurs restaurants servent des en-cas et des plats légers comme du poulet frit ou des salades de papaye.

### DEPUIS/VERS HAT NOPPHARAT THARA

Les *sŏrng·tăa·ou* reliant Krabi à Ao Nang s'arrêtent à Hat Noppharat Thara ; la course coûte 40 B de Krabi et 10 B d'Ao Nang. D'octobre à mai, l'*Ao Nang Princess* assure la liaison entre le bureau du parc national maritime de Ko Phi Phi et Ko Phi Phi (450-490 B, 2 heures). Le bateau part de l'embarcadère du parc national à 9h, et repart de Ko Phi Phi à 15h30. Il s'arrête aussi à Hat Rai Leh Ouest, à Railay. Ce bateau est aussi utilisé pour des circuits d'une journée à Ko Phi Phi. En haute saison, un bateau direct pour Phuket quitte le même embarcadère à 15h30 (450 B), et pour Ko Lanta à 10h30 (450 B).

# RAILAY

ไร่เล

Les magnifiques formations karstiques de Krabi atteignent leur paroxysme à Railay (ou Rai Leh), terrain de jeu ultime pour tous les amateurs d'escalade. De belles plages sablonneuses viennent compléter ce petit coin de paradis. Malgré la proximité avec l'agitation touristique d'Ao Nang, l'atmosphère est très détendue. Des hôtels cinq étoiles ont récemment été construits dans la région, mais il reste encore une marge confortable avant que Railay ne se transforme en complexe hôtelier géant.

## Renseignements

Railay possède maintenant deux ou trois DAB, dont l'un se trouve sur le chemin entre Hat Rai Leh Ouest et Hat Rai Leh Est. Plusieurs grands complexes changent espèces et chèques de voyage. Plusieurs boutiques proposent un accès Internet au tarif de 3 B/min, mais les connexions n'étant pas très bonnes, mieux vaut consulter vos e-mails à Ao Nang ou à Krabi. Les blessures légères peuvent être soignées dans la petite clinique du Railay Bay Resort, à Hat Rai Leh Ouest. Le site Internet www.railay.com fournit beaucoup d'informations sur Railay.

## À voir

### PLAGES

La plage la plus agréable est **Hat Rai Leh Ouest**. C'est aussi le meilleur endroit pour admirer les couchers du soleil. Des hôtels de catégorie moyenne, décorés avec goût, longent une longue étendue de sable doré où des dizaines de *long-tail boats* assurent la liaison avec Ao Nang. La mer est assez profonde pour nager, même à marée basse.

À l'extrémité sud de la plage, l'impressionnant Thaiwand Wall, une falaise calcaire abrupte, offre certains des itinéraires de varappe les plus sportifs de Railay (p. 706).

Les bateaux en provenance de Krabi accostent à **Hat Rai Leh Est**, une plage peu profonde et boueuse, bordée de mangroves. Elle ne convient pas vraiment à la baignade, mais abrite de nombreux bungalows, bars et infrastructures. Vous ne risquez pas d'être bloqué sur cette plage en arrivant de Krabi, car elle se trouve à moins de 5 min à pied de Hat Rai Leh Ouest, de l'autre côté de Laem Phra Nang.

**Hat Ton Sai** est le refuge des routards. On y accède soit en *long-tail boat* (directement d'Ao Nang ou bien de Hat Rai Leh Ouest), soit à pied, par une difficile marche de 20 min à travers les falaises. C'est une plage assez médiocre mais qui reste très appréciée en raison de ses dizaines de bungalows bon

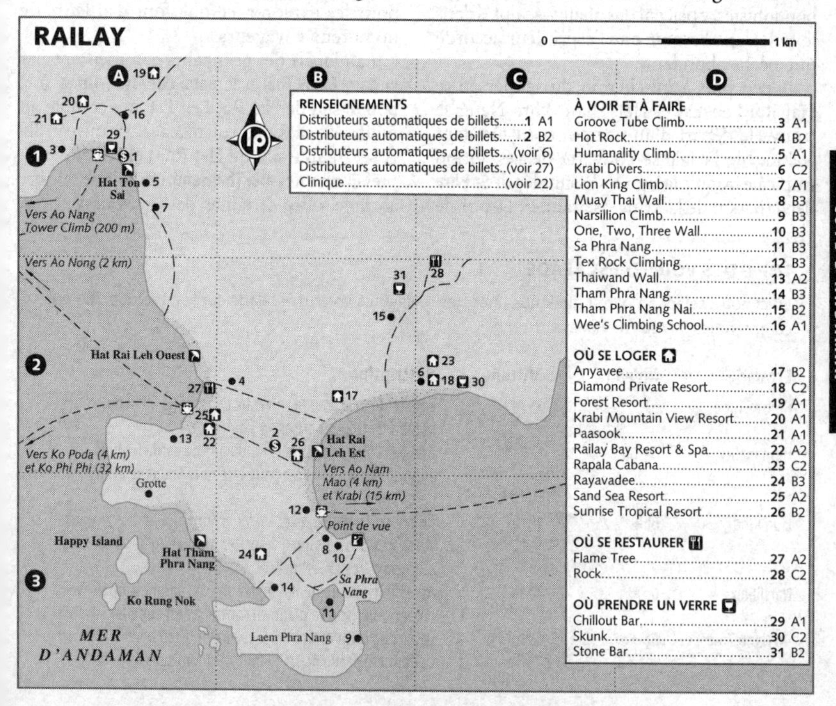

marché et des excellentes voies d'escalade situées aux alentours. En haute saison, des fêtes de la pleine lune sont parfois organisées.

Près de l'extrémité de la péninsule, **Hat Phra Nang**, une splendide langue de sable blanc, est encadrée de falaises vertigineuses. Si vous souhaitez vous prélasser au soleil, ce tendroit est fait pour vous : c'est la plage la plus belle des environs, à seulement quelques minutes de marche de Hat Rai Leh Est. En dehors du somptueux Rayavadee, qui occupe l'extrémité orientale de Hat Phra Nang, aucun établissement hôtelier n'est installé ici. Du côté ouest de la plage, une immense caverne est creusée dans les falaises. Non loin de là, Happy Island et Ko Rung Nok (île des Nids d'oiseaux) offrent de bons sites de snorkeling.

À l'extrémité orientale de Hat Phra Nang, **Tham Phra Nang** (grotte de la Princesse) est un sanctuaire important pour les pêcheurs locaux. Une légende raconte qu'au IIIe siècle av. J.-C., une barque royale transportant une princesse indienne sombra lors d'une tempête. L'esprit de la princesse se réfugia dans la grotte, réalisant les vœux de ceux qui venaient lui rendre hommage. Les pêcheurs locaux, aussi bien musulmans que bouddhistes, y placent des phallus sculptés dans le bois dans l'espoir que l'esprit leur accorde une pêche abondante.

À peu près à mi-chemin du sentier entre Hat Rai Leh Est et Hat Tham Phra Nang se trouve le départ d'un chemin ardu montant le long de la falaise couverte de végétation tropicale jusqu'à la lagune dissimulée de **Sa Phra Nang** (bassin de la Princesse sainte). Depuis le sommet de la falaise, tout proche, se déploie une vue spectaculaire sur la péninsule. Cette courte randonnée est difficile et déconseillée aux personnes sujettes au vertige.

Une autre vaste grotte appelée **Tham Phra Nang Nai** (grotte intérieure de la Princesse ; adulte/enfant 20/10 B ; 5h-20h), également baptisée grotte du Diamant, surplombe Hat Rai Leh Est. Un passage en bois traverse une série de cavernes éclairées regorgeant de magnifiques formations calcaires, dont une "cascade de pierre" dorée, en quartz étincelant.

## À faire

### ESCALADE

Il n'est pas surprenant qu'avec quelque 700 voies pitonnées les parois de ces incroyables falaises, d'où l'on bénéficie d'incomparables panoramas, figurent parmi les lieux d'escalade les plus prisés du monde. Certains couloirs permettent de se hisser jusqu'aux plafonds d'immenses grottes, d'autres, d'escalader des cascades de stalactites à 300 m d'altitude. Les parcours, tous niveaux, sont innombrables (et de nouveaux sont constamment "découverts"), et l'on peut passer plusieurs mois sur place pour les explorer, ce que font d'ailleurs de nombreux voyageurs.

La plupart des grimpeurs commencent par la **paroi Muay Thai** et la **paroi One, Two, Three**, à la pointe sud de Hat Rai Leh Est, qui compte au moins 40 voies allant du niveau 4b au niveau 8b. À l'extrémité sud de Hat Rai Leh Ouest, l'impressionnante **paroi Thaiwand**, une falaise calcaire abrupte, offre certaines des voies de varappe



**TOP 5 DES VOIES D'ESCALADE**

Voici notre sélection parmi quelques-unes des meilleures voies d'escalade sur les quelque 700 que comptent les falaises de Railay.

| Escalade | Niveau | Altitude | Description |
|---|---|---|---|
| Groove Tube | 6a | 25 m | Excellente voie pour les niveaux débutant à moyen ; nombreux trous et prises où s'agripper. |
| Humanality | 6a-6b | 120 m | Une des voies de plusieurs longueurs de corde les plus appréciées ; vous devrez peut-être faire la queue avant de grimper. |
| Lion King | 6b+ | 18 m | Une bonne varappe, avec un léger surplomb et des zigzags au-dessus d'une fissure. Nécessite force et agilité. Réservée aux grimpeurs expérimentés. |
| Narsillion | 6c+ | 30 m | Accessible uniquement à marée basse ; paroi escarpée avec de petites prises. La plage en contrebas est superbe. |
| Ao Nang Tower | 6b-6c | 68 m | Départ de cette varappe depuis un long-tail boat ! La dernière partie 6c est longue, économisez vos forces. |

les plus sportives. Le tableau page précédente indique quelques-unes des meilleures voies.

Les tarifs s'élèvent à 800-1 200 B pour une demi-journée d'escalade accompagnée d'un moniteur, et à 1 500-2 200 B pour une journée entière. Les forfaits de 3 jours d'escalade (5 000-6 000 B) incluent de l'escalade en tête (le premier grimpeur attache le matériel aux pitons de la paroi) et des voies de plusieurs longueurs de corde. Les varappeurs expérimentés peuvent louer l'équipement pour l'escalade en tête dans n'importe quelle école d'escalade moyennant 600/1 000 B la demi-journée/journée. Le matériel comprend une corde de 60 m, deux harnais d'escalade, deux paires de chaussons, un assureur et 12 dégaines. Vous pouvez emporter vos propres chaussons et un certain nombre d'anneaux de sangle, de coinceurs et de coinceurs à came qui vous fourniront une protection supplémentaire sur les voies peu pitonnées. Si vous avez oublié quelque chose, toutes les écoles d'escalade vendent du matériel importé.

Plusieurs livres publiés ici détaillent les voies de la région, mais le *Thailand Rock Climbing Guidebook* (1 000 B) est l'un des guides les plus appréciés.

Écoles d'escalade recommandées :

**Hot Rock** (☎ 0 7562 1771 ; www.railayadventure.com ; Hat Rai Leh Ouest). Sans doute l'école la plus chère de Railay, mais sa réputation n'est plus à faire. Luang, le propriétaire, est une légende locale.

**Tex Rock Climbing** (☎ 0 7563 1509 ; Rai Leh Est). Une petite école respectable dont le propriétaire continue à s'occuper de sa boutique et à grimper.

**Wee's Climbing School** (Hat Ton Sai). Une adresse sympathique et professionnelle.

### SPORTS NAUTIQUES

Plusieurs centres de **plongée** de Railay organisent des excursions à Ko Poda et vers d'autres spots des environs. **Krabi Divers** (☎ 0 7562 1686/7 ; www.viewpointresort66.com ; Hat Rai Leh Est), installé au Railay Viewpoint Resort, demande 6 000 B pour des plongées autour d'îles éloignées.

Des sorties de **snorkeling** à Ko Poda et à Ko Hua Khwan (Île aux poules) peuvent être organisées par l'intermédiaire de n'importe quel complexe hôtelier pour 900 B environ en *long-tail boat* ou pour 1 200 B en navette. Comptez 1 000/1 900 B par demi-journée/journée pour des circuits plus longs qui vous emmèneront autour de plusieurs îles. Si vous voulez simplement faire du snorkeling au large de Railay, la plupart des complexes louent masques et palmes (150 B chacun).

Le Flame Tree Restaurant (ci-dessous), à Hat Rai Leh Ouest, loue des **kayaks de mer** (200 B/h), tout comme beaucoup de complexes de catégories moyenne et supérieure à Railay. Des circuits de 2 jours vers des îles désertes peuvent être effectués avec l'aide de propriétaires de bateaux, mais vous devrez prévoir votre propre matériel de camping et vos repas.

## Où se loger et se restaurer

### HAT RAI LEH OUEST

Rai Leh Ouest est magnifique, et les promoteurs le savent bien, vous ne trouverez que des hébergements de catégorie moyenne ou supérieure dans cette région. Les prix chutent de 30% en basse saison. Tous les complexes disposent de restaurants corrects.

**Sand Sea Resort** (☎ 0 7562 2170 ; www.krabisandsea.com ; bungalows 1 800-6 000 B ; ). Ces bungalows en béton bien équipés, avec véranda, longent un sentier sinueux et arboré. Le tarif comprend le buffet du petit-déj, servi au restaurant de l'hôtel, où les non-résidents peuvent également venir goûter à une très bonne cuisine à déjeuner ou à dîner. C'est l'une des adresses les moins chères de ce secteur. Le Sand Sea ne sert pas d'alcool.

**Railay Bay Resort & Spa** (☎ 0 7581 9401 ; www.krabi-railaybay.com ; bungalows 3 500-19 000 B ; ). La piscine mérite à elle seule que l'on séjourne ici : en forme de huit, elle donne sur la meilleure partie de la plage et permet de passer rapidement de l'eau douce à l'eau de mer. Composé de charmants bungalows en bois, le complexe s'étire jusqu'à Rai Leh Est le long d'un jardin bien entretenu. Le restaurant et le spa ne devraient pas vous décevoir non plus.

**Flame Tree** (plats 150 B). C'est le seul vrai bar nocturne de Hat Rai Leh Ouest, un monopole qui lui permet de gonfler les prix et de servir une nourriture au mieux médiocre. Mais on peut s'y détendre avec des compagnons de route après une bonne journée d'escalade.

### HAT RAI LEH EST

Connue aussi sous le nom de Sunrise Beach, cette plage est en fait un marais de mangrove assez boueux. Mais ce n'est pas la fin du monde, car Hat Rai Leh Ouest se trouve à 10 min à pied seulement. Les hôtels installés sur la colline profitent de la brise marine, mais la chaleur peut être étouffante près de la mer.

**Rapala Cabana** (☎ 08 6957 8096 ; bungalows 200 B). Cette adresse très rustique tenue par des rastas est magnifiquement située au sommet d'une colline, en pleine jungle entre des falaises karstiques. C'est l'hébergement le moins cher de Railay.

**Anyavee** (☎ 08 1537 5517 ; www.anyavee.com ; ch/bungalows 1 500-3 000 B). Anyavee est à mi-chemin du refuge pour routard et de l'hôtel de luxe. Les chambres, carrelées, modernes et confortables, se situent aussi quelque part entre les deux.

**Diamond Private Resort** (☎ 0 7562 1729 ; www.diamondprivate-railay.com ; ch 1 800-3 500 B ; ). Situé en haut d'une colline, cet établissement familial possède une piscine et une terrasse d'où la vue sur la baie en contrebas est magnifique. Les chambres et les bungalows, installés dans un beau jardin paysager, disposent de la TV, de douches avec eau chaude et d'un minibar.

**Sunrise Tropical Resort** (☎ 0 7562 2599 ; www.sunrisetropical.com ; bungalows 3 500-5 500 B ; ) C'est probablement le premier hôtel que vous verrez en descendant du bateau venant de Krabi (il se trouve de l'autre côté de la zone d'amarrage). Il loue d'élégantes villas de style thaïlandais joliment décorées et dotées de sdb très chics. Petit-déj inclus. Le restaurant ne sert pas d'alcool.

**Rock** (plats 120 B ; petit-déj, déj et dîner). Notre adresse favorite pour avaler un morceau à Railay, située dans une clairière au milieu de la jungle, sur une formation karstique. La vue sur la mer est sublime et le grand choix de mets thaïlandais devrait satisfaire tous les goûts. Par forte chaleur, goûtez au *smoothie* au basilic, très rafraîchissant. Pour 99 B, on peut préparer son propre barbecue, n'hésitez pas à demander plus d'informations.

### HAT THAM PHRA NANG

**Rayavadee** (☎ 0 7562 0740 ; www.rayavadee.com ; ch 30 000-55 000 B ; ). Si jamais vous vouliez faire une folie, le lieu est trouvé : ce somptueux cinq-étoiles de style colonial occupe plus de 10 ha d'un domaine superbe en bord de plage, où sont disséminés 7 types de bungalows luxueux, tous en duplex et décorés dans le style thaïlandais traditionnel. Le tarif comprend petit-déj au champagne, thé l'après-midi sur fond de musique classique et dîner romantique face au coucher du soleil.

### HAT TON SAI

Fréquenté par les grimpeurs, Ton Sai est un lieu assez amusant. La plage n'est pas spectaculaire, mais il règne une très bonne ambiance de routard. En basse saison, le tarif des bungalows peut descendre jusqu'à 150 B.

**Forest Resort** (☎ 08 9290 0262 ; bungalows 300-500 B). Abrités dans la jungle, loin des falaises d'escalade, ces bungalows rudimentaires sont installés sur une petite colline. Le restaurant indien est une agréable surprise.

**Paasook** (☎ 08 9645 3013 ; bungalows 500 B). À l'extrémité ouest de la plage, Paasook offre quelques bungalows basiques pourvus de baies vitrées.

**Krabi Mountain View Resort** (☎ 0 7562 2610 ; bungalows 1 100-1 900 B ; ). Le meilleur hébergement avec clim de Ton Sai. Bungalows aux murs couleur menthe, au sol carrelé et au linge impeccable.

## Où prendre un verre

La plupart des complexes ne servent pas d'alcool. Vous trouverez cependant sur la plage quelques bars.

**Skunk** (Hat Rai Leh Est). Fréquenté par une population locale détendue, amatrice de reggae.

**Chillout Bar** (Hat Ton Sai). Les sportifs aiment se relaxer ici après une longue journée passée à escalader les falaises. La bière coule à flots dans cet établissement aux couleurs rastas.

**Stone Bar** (Rai Leh Est). Dégustez votre Tiger sur un belvédère, au pied d'une paroi d'escalade. La fête dure jusqu'au bout de la nuit sur fond de musique électronique.

## Comment s'y rendre et circuler

Si vous n'arrivez pas par le ferry qui relie Ao Nang et Ko Phi Phi Don, seuls les *long-tail boats* desservent Railay au départ d'Ao Nang ou de Kong Ka (Chao Fa), à Krabi. Les bateaux qui relient Krabi et Hat Rai Leh Est partent toutes les 90 min (ou lorsqu'ils ont embarqué 10 passagers) entre 7h45 et 18h (200 B, 45 min).

Des bateaux quittent l'extrémité orientale de la promenade d'Ao Nang pour Hat Rai Leh Ouest ou Ton Sai (80/120 B jour/nuit, 15 min). Ils peuvent aussi vous déposer à Hat Phra Nang pour le même prix. Si la mer est mauvaise, ils partent d'une crique abritée à l'ouest du Krabi Resort, à Ao Nang.

En cas de gros temps, les traversées au départ d'Ao Nang et de Krabi sont annulées, mais, depuis Hat Rai Leh, vous pourrez peut-être vous rendre quand même à Ao Nam Mao (90 B, 15 min) et gagner ensuite Krabi ou Ao Nang.

## KO PHI PHI DON

เกาะพีพีดอน

Ko Phi Phi est troublante. Un seul coup d'œil sur les falaises de l'île peut changer toute une vie.

Lieu de rendez-vous des routards du monde entier, cet ensemble de rochers escarpés repose au milieu d'un lit émeraude et de jade qui invite à se détendre dans des baies peu profondes ou à escalader les falaises à pic. Les points de vue dominant cet isthme sablonneux, qui accueille des légions de vacanciers, révèlent une vision bouleversante.

Mais, en fin de compte, même si Ko Phi Phi vous paraît un peu cher par rapport au reste du pays, si vous comparez ce petit coin de paradis à d'autres îles superbes de la planète, vous réaliserez qu'il n'a rien d'excessif.

### Orientation et renseignements

Ko Phi Phi Don (souvent appelée simplement Ko Phi Phi) fait partie du parc national maritime de Ko Phi Phi, qui comprend aussi l'île déserte, toute proche, de Ko Phi Phi Leh (p. 714).

Ko Phi Phi Don se compose en réalité de deux îles (Ko Nai et Ko Nok) reliées par un isthme étroit, le long duquel s'étirent deux belles plages, **Ao Ton Sai** et **Ao Lo Dalam**. Les bateaux accostent au grand embarcadère en béton d'Ao Ton Sai. Un étroit sentier, bordé d'une multitude de tour-opérateurs, bungalows, restaurants, bars et boutiques de souvenirs, longe la plage vers **Hat Hin Khom**. Le dédale de ruelles qui sillonnent le centre de l'isthme, tout aussi saturé d'activité, est appelé **Tonsai Village** (village touristique). **Hat Yao** (Long Beach) fait face au sud et possède certains des plus beaux récifs coralliens de Ko Phi Phi Don, ainsi que les plus belles plages se prêtant à la baignade. À l'est s'étirent les longues baies paisibles de **Hat Laem Thong** et d'**Ao Lo Bakao**, qui n'abritent que quelques complexes de catégorie supérieure, tandis que les baies plus petites de **Hat Phak Nam** et de **Hat Ranti** comptent quelques ensembles de bungalows simples et discrets.

Tonsai Village consiste en un enchaînement d'agences de voyages, de supérettes, de restaurants, de cybercafés et de pensions. Un guichet Western Union et un DAB sont installés à la pointe sud d'Ao Ton Sai.

### À voir et à faire

La courte ascension jusqu'au **point de vue** de Ko Phi Phi est une randonnée difficile mais gratifiante. Le sentier part près de Phi Phi Casita (p. 711) et monte en serpentant sur le flanc d'un pic escarpé. N'hésitez pas à faire une pause et à boire beaucoup d'eau. Une fois en haut, vous ne regretterez pas vos efforts : la vue donne sur les deux plages, les formations karstiques et Ko Phi Phi Leh au loin. La photo accrochée sur le vieil arbre représente cette même vue quelques heures après le tsunami, une tragédie qui n'a pas fini de peser sur les habitants de l'île.

#### PLONGÉE

Avec ses eaux cristallines et son abondante vie aquatique, Ko Phi Phi est un endroit rêvé pour la plongée. Parmi les sites les plus visités, citons l'**épave du King Cruiser** qui gît à 12 m de profondeur, le **récif aux anémones** et ses coraux et poissons-clowns, le sommet sous-marin de **Hin Bida** et ses tortues et poissons pélagiques, et les massifs karstiques uniques de **Ko Bida Nok**, entourés de requins-léopards. Hin Daeng et Hin Muang (p. 717), au sud, sont des destinations plus coûteuses depuis Ko Phi Phi, mieux vaut s'y rendre à partir de Ko Lanta.

Les centres de plongée de Tonsai Village pratiquent tous les mêmes tarifs. Le certificat Open Water revient à 12 500 B, tandis qu'une sortie classique avec deux plongées coûte 2 200 B. Les plongées à Hin Daeng et à Hin Muang sont à 5 500 B.

Centres de plongée recommandés :

**Adventure Club** (☎ 08 1970 0314, 08 1895 1334 ; www.divingphi.com). Ce club, l'une de nos adresses préférées sur l'île, propose un bel assortiment d'excursions, de plongées et de snorkeling éducatifs et axés sur l'environnement. Vous ne serez pas déçu de votre réveil matinal à 6h pour plonger avec un tuba et observer les requins qui viendront faire des cabrioles autour de vous. Renseignez-vous sur le fameux circuit 007.

**Phi Phi Scuba** (☎ 0 7561 2665 ; www.ppscuba.com). L'un des plus grands centres de l'île, qui délivre des certificats par cartons entiers. Ambiance conviviale et professionnelle, bien que les débutants apprécieraient plus d'encadrement.

#### SNORKELING

Faire du snorkeling autour de Ko Phi Phi est tout aussi impressionnant, surtout au large de Ko Phi Phi Leh. Comptez entre 600 et 2 000 B (selon le type de bateau choisi et la durée du circuit) pour une sortie d'une journée dans les récifs. La plupart des excursions incluent le déjeuner et vous conduisent à un certain nombre de spots dans le parc maritime. Toutes les agences de voyages de l'île peuvent organiser des circuits snorkeling d'une journée.

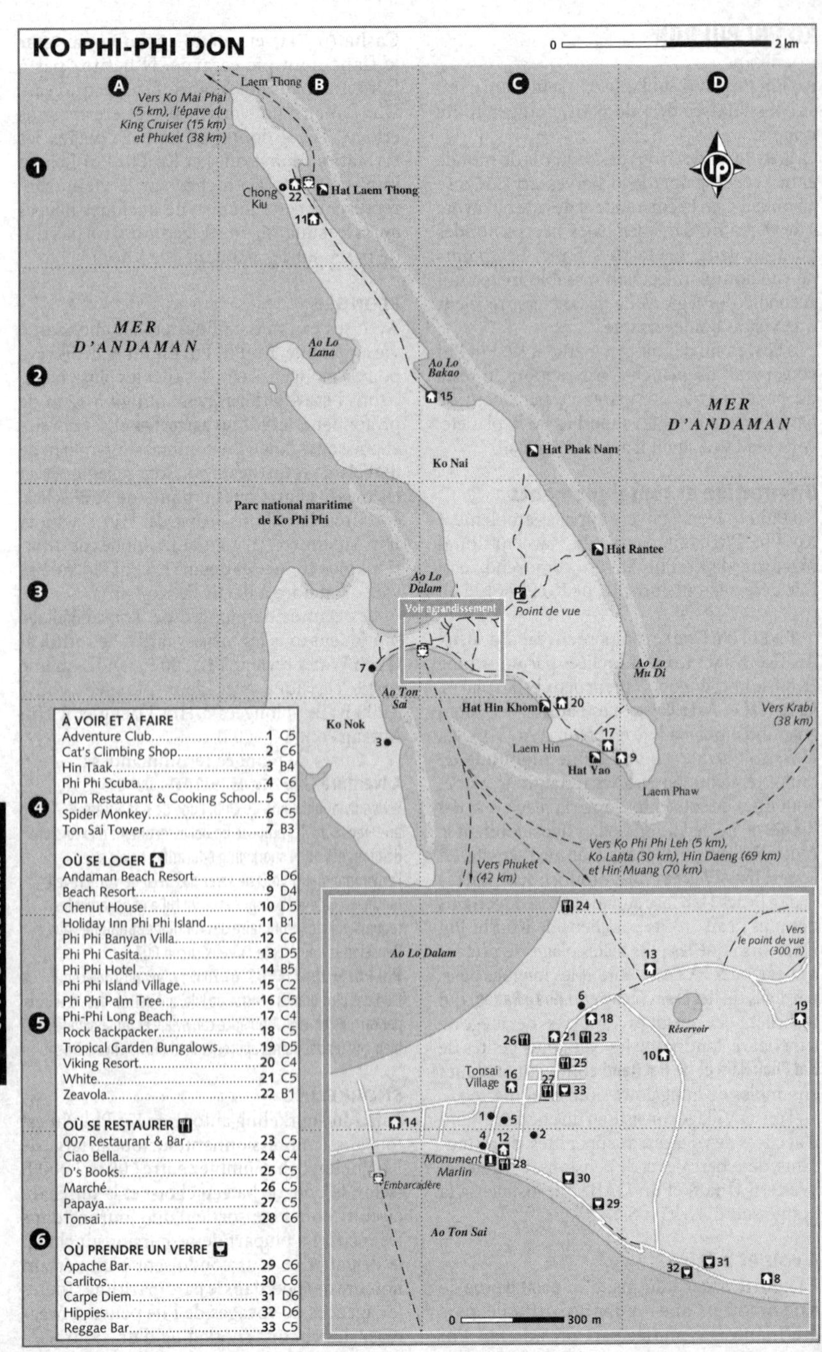
KO PHI-PHI DON
0 2 km
A B C D
1 2 3 4 5 6
Laem Thong
Vers Ko Mai Phai (5 km), l'épave du King Cruiser (15 km) et Phuket (38 km)
Chong Kiu
Hat Laem Thong
MER D'ANDAMAN
Ao Lo Lana
Ao Lo Bakao
MER D'ANDAMAN
Hat Phak Nam
Ko Nai
Parc national maritime de Ko Phi Phi
Hat Rantee
Ao Lo Dalam
Voir agrandissement
Point de vue
Ao Lo Mu Di
Ao Ton Sai
Ko Nok
Hat Hin Khom
Vers Krabi (38 km)
Laem Hin
Hat Yao
Laem Phaw
Vers Ko Phi Phi Leh (5 km), Ko Lanta (30 km), Hin Daeng (69 km) et Hin Muang (70 km)
Vers Phuket (42 km)
Ao Lo Dalam
Vers le point de vue (300 m)
Réservoir
Tonsai Village
Monument Marlin
Embarcadère
Ao Ton Sai
0 300 m
À VOIR ET À FAIRE
Adventure Club....1 C5
Cat's Climbing Shop....2 C6
Hin Taak....3 B4
Phi Phi Scuba....4 C6
Pum Restaurant & Cooking School....5 C5
Spider Monkey....6 C5
Ton Sai Tower....7 B3
OÙ SE LOGER
Andaman Beach Resort....8 D6
Beach Resort....9 D4
Chenut House....10 D5
Holiday Inn Phi Phi Island....11 B1
Phi Phi Banyan Villa....12 C6
Phi Phi Casita....13 D5
Phi Phi Hotel....14 B5
Phi Phi Island Village....15 C2
Phi Phi Palm Tree....16 C5
Phi-Phi Long Beach....17 C4
Rock Backpacker....18 C5
Tropical Garden Bungalows....19 D5
Viking Resort....20 C4
White....21 C5
Zeavola....22 B1
OÙ SE RESTAURER
007 Restaurant & Bar....23 C5
Ciao Bella....24 C4
D's Books....25 C5
Marché....26 C5
Papaya....27 C5
Tonsai....28 C6
OÙ PRENDRE UN VERRE
Apache Bar....29 C6
Carlitos....30 C6
Carpe Diem....31 D6
Hippies....32 D6
Reggae Bar....33 C5

Si vous préférez vous débrouiller seul, sachez que la plupart des complexes louent masques, tubas et palmes pour 150-200 B/jour. Il existe de bons spots de snorkeling le long de la côte est de **Ko Nok**, près d'Ao Ton Sai, et le long de la côte est de **Ko Nai**.

### ESCALADE

Ko Phi Phi compte quelques belles falaises calcaires à escalader, avec des vues spectaculaires depuis les sommets. Les principaux sites sont **Ton Sai Tower**, à la pointe ouest d'Ao Ton Sai, et **Hin Taak**, de l'autre côté de la baie, à une courte distance en *long-tail boat*. Plusieurs bonnes boutiques d'escalade sont installées sur l'île, la plupart prenant environ 900/1 600 B la demi-journée/journée, moniteur et équipement compris. Tenu par un Français, **Cat's Climbing Shop** (☎ 08 1787 5101 ; www.catsclimbingshop.com), dans Tonsai Village, est très apprécié des touristes. **Spider Monkey** (☎ 08 9728 1608), également dans Tonsai Village, a bonne réputation. Les alpinistes les plus chevronnés se rendront à Railay (p. 706).

## Cours

Les amateurs de cuisine thaïlandaise pourront suivre des cours dans une école nouvellement restaurée, la **Pum Restaurant & Cooking School** (☎ 0 1521 8904 ; www.pumthaifoodchain.com ; journée 2 500 B), dans Tonsai Village. On y apprend à préparer quelques-uns des excellents plats servis dans son restaurant et l'on repart avec un précieux livre de recettes.

## Circuits

Depuis le tournage du film *La Plage*, Ko Phi Phi Leh (p. 714) est devenu un lieu de pèlerinage pour tous les routards du monde. N'importe quelle agence de Ko Phi Phi Don peut vous y emmener pour une demi-journée, une journée ou simplement au coucher du soleil. Les circuits vers Ko Mai Phai (Île aux bambous), la Monkey Bay et la plage de Wang Long sont également populaires. Les prix varient entre 500 et 650 B.

Nous recommandons chaudement les circuits uniques en leur genre organisés par Adventure Club (p. 709).

## Où se loger

Si vous venez à Ko Phi Phi en haute saison, la réservation est obligatoire. Il n'est pas rare de voir des voyageurs arriver par le premier bateau et repartir le soir faute de place dans les hôtels (il est strictement interdit de dormir sur la plage). Des rabatteurs vous attendent à la descente des bateaux. Si vous décidez de les suivre, faites bien attention à ne pas atterrir dans un hôtel miteux. À l'embarcadère, des affiches indiquent la liste des hôtels de l'île et leurs tarifs, bien pratiques si vous cherchez votre hébergement par vous-même.

### TONSAI VILLAGE

En forme de sablier, l'isthme qui s'étire entre Ao Ton Sai et Ao Lo Dalam offre quantité d'hébergements de toutes sortes.

**Rock Backpacker** (☎ 0 7561 2402 ; therockbackpacker@hotmail.com ; dort/ch 350/800 B). Les voyageurs en solo se plairont ici. Le restaurant branché est aménagé dans un bateau échoué à flanc de colline, propice aux rencontres. Le dortoir de 16 lits est une perle rare sur Ko Phi Phi, et les chambres sont propres, mais un peu exiguës. Le Rock Backpacker est situé à l'intérieur des terres, mais non loin d'Ao Lo Dalam.

**Tropical Garden Bungalows** (☎ 08 9729 1436 ; ch à partir de 800 B ; 🏊). Si vous n'êtes pas contre 10 min de marche pour aller déjeuner, prendre un verre ou vous allonger sur la plage, le Tropical Garden est une très bonne adresse. Au bout du principal sentier qui part d'Ao Ton Sai, il est quelque peu isolé dans sa parcelle de jungle luxuriante, à flanc de colline. Les bungalows en rondins sont fantastiques, et la grande piscine au-dessus, à mi-hauteur de la colline, est entourée de fleurs.

**White** (☎ 0 7560 1300 ; www.whitephiphi.com ; ch 1 600-1 900 B ; ❄ 💻). Plutôt destiné aux routards raffinés, le White a deux adresses à Tonsai Village. Les chambres sont très propres et très blanches.

**Phi Phi Casita** (☎ 0 7560 1214 ; www.phiphi-hotel.com ; bungalows 2 000-3 000 B ; ❄ 🏊). Un peu en retrait de la plage d'Ao Lo Dalam, cet établissement évoque un coquet village de pêcheurs, avec ses petits bungalows en bois qui surplombent des allées de planches et des vasières fleuries. Si les chambres ne sont pas très intimes, la piscine à débordement et la proximité de la plage sont des atouts de poids.

**Phi Phi Banyan Villa** (☎ 0 7561 1233 ; www.phiphi-hotel.com ; ch 2 500-2 800 B ; ❄ 🏊). Des chambres dotées de tout le confort moderne. Certaines ont un balcon donnant sur un jardin traversé par un sentier. Le restaurant est installé en bord de mer, et le banian noueux qui a donné son nom à l'hôtel se dresse devant.

**COQUILLAGES MENACÉS**

De nombreuses boutiques de souvenirs de Ko Phi Phi Don vendent des coquillages, qui ont été pêchés illégalement dans les parcs nationaux maritimes des environs. Ces espèces locales sont désormais en voie de disparition. C'est pourquoi nous vous remercions par avance de ne pas acheter de souvenirs faits à partir de coquillages tropicaux.

**Phi Phi Palm Tree** (☎ 0 7561 1233 ; www.phiphi-hotel.com ; ch 3 100-5 400 B ; ). Dans Tonsai Village, le Palm Tree a tiré parti de sa situation à l'intérieur des terres en disposant ses chambres autour d'une cour intérieure paisible et d'une belle piscine. Les chambres sont somptueuses et le confort moderne se marie parfaitement avec les tableaux de l'un des plus grands peintres classiques thaïlandais.

Également recommandés :

**Chenut** (☎ 08 1894 1026 ; bungalows à partir de 1 000 B). Adresse accueillante et familiale proposant des bungalows en rondins.

**Phi Phi Hotel** (☎ 0 7561 1233 ; www.phiphi-hotel.com ; ch à partir de 1 700 B ; ). Hôtel apprécié pour sa vue splendide et son confort digne d'un complexe de luxe.

## HAT HIN KHOM

Entre Hat Yao et Tonsai Village, cette plage est un bon compromis pour passer la nuit au calme tout en restant près de l'animation.

**Viking Resort** (☎ 0 7581 9399 ; tak_blobk@hotmail.com ; bungalows 800-2 000 B ; ). Un établissement plein de charme sur une plage idéale pour piquer une tête ou bronzer.

**Andaman Beach Resort** (☎ 0 7562 1427 ; www.andamanbeachresort.com ; bungalows 1 650-4 350 B ; ). Les bungalows couleur pistache sont disposés en U autour d'une vaste pelouse. Premier atout de l'établissement : sa piscine en forme de huit qui bénéficie d'une vue splendide sur Ko Phi Phi Leh.

## HAT YAO

Hat Yao (ou Long Beach) est accessible par un court trajet en bateau (80 B) ou par une longue randonnée de 45 min depuis Ao Ton Sai ; la plage est fantastique et moins fréquentée que les baies de Tonsai Village.

**Phi Phi Long Beach** (☎ 08 6281 4349 ; bungalows 500-1 000 B). Les bungalows n'ont rien d'extraordinaire, mais ils sont bon marché et l'atmosphère est conviviale.

**Beach Resort** (☎ 07561 8267 ; bungalows 3 950-5 900 B ; ). L'établissement accueille beaucoup de groupes qui en apprécient le confort, la belle piscine et le bar agréable. La qualité du service est assez irrégulière, mais la direction semble bien décidée à l'améliorer.

## AO LO BAKAO

Ao Lo Bakao possède une belle plage isolée sur la côte nord-est de Ko Phi Phi, accessible par la mer. Le complexe qui y est installé prend en charge le transport de ses clients. Un petit chemin de randonnée y mène également. On peut louer un *long-tail boat* à Ao Ton Sai pour 500 B l'aller.

**Phi Phi Island Village** (☎ Phuket 0 7621 5014, Bangkok 0 2276 6056 ; www.ppisland.com ; bungalows à partir de 6 500 B ; ). Cet établissement est bien un village à lui seul : ses 104 bungalows occupent la majeure partie du front de mer, séparés les uns des autres par quelques rares palmiers. Il propose toutes les prestations imaginables – ce qui lui vaut l'engouement de la jet-set japonaise.

## HAT LAEM THONG

Le *Who's Who* des complexes cinq étoiles borde cette jolie plage située à la pointe nord de Ko Nai. À l'extrémité de la plage, des baraques en tôle ondulée abritent une petite communauté de *chow lair* (gitans de la mer). Pour venir ici d'Ao Ton Sai, vous pouvez louer un *long-tail boat* (600 B). Les complexes suivants se chargent des transferts de leurs clients.

**Holiday Inn Phi Phi Island** (☎ 0 7521 1334 ; www.phiphi-palmbeach.com ; bungalows 7 500-9 000 B ; ). Au milieu des cocotiers, à l'extrême sud de l'île, ce complexe décoré avec goût dispose de bungalows de style thaï-malais perchés sur des pilotis hauts de 2 m. Vous trouverez sur place courts de tennis, spa, centre de plongée, restaurant et bar.

**Zeavola** (☎ 07562 7024 ; www.zeavola.com ; bungalows 15 000-37 000 B ; ). Envie de faire une folie ? Les splendides bungalows en teck du Zeavola allient le style thaï traditionnel à un design moderne sobre et élégant : trois murs entièrement vitrés, volets électriques en bambou pour plus d'intimité, déco style années 1940, mobilier ancien et patio. Certains disposent même d'une piscine privée. Service irréprochable.

## Où se restaurer

Si vous aimez la cuisine thaïlandaise ou italienne, vous serez servis à Ko Phi Phi. Le bord de mer fait la part belle aux restaurants (et aux agences de voyages). Le marché, dans Tonsai Village, vend des produits frais qui composeront un repas bon marché à emporter.

**D's Books** (☎ 08 4667 7730 ; café 50-110 B ; ⏰ petit-déj, déj et dîner). Au cœur de l'animation de Tonsai Village, cet élégant café sert d'étonnantes boissons à base de café à déguster avec l'un des nombreux livres mis à disposition, ou en profitant du Wi-Fi gratuit pour consulter ses e-mails. Il est souvent dur de trouver une place.

**Papaya** (plats 80-180 B ; ⏰ déj et dîner). À côté du Reggae Bar, le Papaya sert d'excellents classiques de la cuisine thaïlandaise.

**Tonsai** (☎ 0 7561 1233 ; plats 80-300 B ; ⏰ déj et dîner). Le meilleur restaurant de fruits de mer à Ao Ton Sai propose un délicieux assortiment de la pêche du jour.

**007 Restaurant & Bar** (plats 120-200 B ; ⏰ petit-déj, déj et dîner). Avec ses tables en chrome ultramodernes, ses alcôves dotées de coussins rouges et, bien sûr, quantité d'objets ayant trait à James Bond, cet établissement est tenu par James, un Écossais volubile. Grand choix de bières britanniques à la pression et de mets nourrissants préparés dans une cuisine impeccable.

**Ciao Bella** (☎ 08 1894 1246 ; plats 150-300 B ; ⏰ petit-déj, déj et dîner). Tenu par des Italiens, le Ciao Bella est un favori de longue date des expatriés et des voyageurs qui viennent y déguster pizzas, pâtes et fruits de mer succulents dans un cadre romantique, au bord de l'eau. Si vous avez l'âme aventureuse, essayez les pâtes mystère du chef. Le soir, les chandelles et les étoiles invitent à dîner en plein air, sur fond de clapotis des vagues. Le Ciao Bella se trouve à Ao Lo Dalam et dispose de quelques bungalows si vous cherchez un hébergement.

## Où prendre un verre et sortir

Ko Phi Phi est un sérieux concurrent de Ko Pha-Ngan en ce qui concerne les divertissements nocturnes.

**Reggae Bar** (Tonsai Village). Ce bar, le plus fréquenté de Phi Phi la nuit, agite haut dans le ciel ses drapeaux rastas. Concours de boissons, combats de *mou·ay tai* et spectacles occasionnels de *gà·teu·i* (travestis) sont très appréciés des clients.

**Carpe Diem** (☎ 08 4840 1219 ; Hat Hin Khom). D'après les résidents, c'est le meilleur endroit pour admirer le coucher du soleil, installé sur les coussins de la salle à l'étage. Très animé, le Carpe Diem propose des spectacles pyrotechniques, des soirées dance et des concerts sur la plage. Cet endroit très fréquenté est parfait pour rencontrer des gens si vous voyagez seul.

**Hippies** (☎ 08 1970 5483 ; Hat Hin Khom). Avec ses tables installées sur la plage et éclairées à la bougie, et une musique relaxante en fond sonore, le Hippies est un bon endroit pour finir la soirée. Des "fêtes de la lune" sont organisées tout au long du mois.

**Apache Bar** (Ao Ton Sai). Décoré sur le thème des Amérindiens (mais on pense plutôt aux Village People) et éclairé par des néons, ce bar complètement kitsch est toujours aussi prisé. Les décibels retentissent à toute heure de la journée (au grand dam de ceux qui logent dans les environs). L'Apache a ouvert une nouvelle adresse dans Tonsai Village.

**Carlitos** (☎ 08 9927 3772 ; Ao Ton Sai). Éclairé par des guirlandes électriques, ce bar du bord de mer, où ont lieu d'incroyables spectacles pyrotechniques, attire les *faràng* qui viennent y boire quelques verres les pieds dans le sable. Il est bondé lors des soirées dance. Un petit plus : le Carlitos participe à la préservation de l'environnement en recyclant ses déchets.

## Depuis/vers Ko Phi Phi

Ko Phi Phi est accessible par bateau depuis Krabi, Phuket, Ao Nang, Ko Lanta, les îles Trang et Ko Lipe. La plupart des bateaux accostent à Ao Ton Sai, mais quelques-uns en provenance de Phuket utilisent l'embarcadère isolé de Laem Thong, au nord. Les bateaux de Phuket et de Krabi circulent toute l'année, tandis que ceux qui viennent de Ko Lanta, d'Ao Nang, des îles Trang et de Ko Lipe ne naviguent qu'en haute saison, de novembre à mai.

Les bateaux quittent Krabi pour Ko Phi Phi (via Railay) à 9h, 10h30 et 14h30 (450-490 B, 1 heure 30). De Phuket, les départs ont lieu à 8h30, 13h30 et 14h30, avec retour de Ko Phi Phi à 9h, 14h30 et 15h (400 B, 1 heure 45-2 heures). Des bus rapides font la navette avec l'aéroport international de Phuket. Un bateau part du quai du parc national maritime de Ko Phi Phi (près d'Ao Nang) à 9h, pour revenir de Ko Phi Phi (via Railay) à 15h30 (450-490 B, 2 heures). Hors saison, les prix peuvent baisser de 50 B. Pour Ko Lanta (ainsi que pour Ko Lipe et les îles Trang), les bateaux partent de Ko Phi Phi à 11h30 et 14h (450 B, 1 heure 30) ; en sens inverse, les départs sont à 8h et 13h. Il est question qu'un ferry relie bientôt Ko Phi Phi à Ko Yao, renseignez-vous.

### Comment circuler

Ko Phi Phi Don ne compte aucune route ; on s'y déplace essentiellement à pied. Pour vous rendre sur une plage isolée, vous pouvez louer un *long-tail boat* à Ao Ton Sai (100-500 B selon votre destination). La location d'un *long-tail boat* coûte 1 200 B les 3 heures et 3 000 B la journée.

## KO PHI PHI LEH

เกาะพีพีเล

La splendide Ko Phi Phi Leh se dresse hors de l'océan telle une couronne rocheuse. La plus petite et la plus escarpée des deux îles sœurs, elle arbore d'impressionnantes falaises qui s'élèvent des eaux transparentes et de magnifiques récifs coralliens. Elle abrite deux splendides lagunes, **Pilah**, sur la côte est, et **Ao Maya**, sur la côte ouest. Cette dernière a acquis sa célébrité en 1999 après avoir servi de décor idyllique au film *La Plage,* adapté du célèbre roman d'Alex Garland. Elle est toujours très fréquentée.

À la pointe nord-ouest de l'île, la **grotte des Vikings** (Tham Phaya Naak ; 20 B) est un important lieu de récolte de nids de salanganes. Ces oiseaux, de la famille des hirondelles, aiment construire leurs nids en haut des grottes, et les ramasseurs, très agiles, bâtissent des échafaudages de bambou pour les atteindre. Avant d'entamer l'ascension, ils prient et offrent tabac, encens et alcool aux esprits de la grotte. La grotte doit son surnom trompeur aux dessins représentant des jonques chinoises, laissés par des pêcheurs il y a quelque 400 ans.

Ko Phi Phi Leh ne possède pas de lieux d'hébergement. La plupart des visiteurs s'y rendent depuis Ko Phi Phi Don dans le cadre de circuits d'une journée incroyablement demandés (p. 711). Les circuits durent de 3 à 8 heures ; ils comportent des arrêts snorkeling dans différents spots de l'île et une incursion jusqu'à la grotte des Vikings et à Ao Maya. Comptez 800 B en *long-tail boat* et 2 000-2 500 B en vedette.

## KO JAM ET KO SI BOYA

เกาะจำ(ปู) /เกาะศรีบอยา

Les deux petites îles de Ko Jam (ou Ko Pu) et de Ko Si Boya invitent le voyageur à se reposer sur leurs belles plages de sable blanc. L'atmosphère y est sereine, et l'on peut se promener dans les accueillants villages de pêcheurs musulmans ou simplement se prélasser au soleil.

### Où se loger et se restaurer

Les moyens de transport limités obligent la plupart des complexes à fermer leurs portes entre juin et octobre. La majorité des hôtels font également restaurant.

**Siboya Bungalows** (☎ 0 7561 8026 ; www.siboyabungalows.com ; bungalows 200-1 200 B). Bien conçues, les huttes sont installées sur une pelouse luxuriante, ombragées par d'immenses palmiers et hévéas. Toutes sont agrémentées de vérandas et de hamacs. Quelques maisons tout équipées sont également à louer, idéales pour les longs séjours.

**Oon Lee Lodge** (☎ 08 7200 8053 ; www.koh-jum-resort.com ; bungalows 700-3 800 B). Les bungalows en rondins de ce complexe à la Robinson (tenu par une famille franco-thaïlandaise) s'étendent sur les dunes tranquilles de Ko Jam, du côté de Ko Pu. Le restaurant sert une excellente cuisine fusion.

**Koh Jum Lodge** (☎ 0 7561 8275 ; www.kohjumlodge.com ; bungalows 4 000-5 000 B). Un lodge écologique et très élégant, où la décoration fait appel au bois et au bambou, avec des moustiquaires vaporeuses, des jardins parfaitement entretenus et une plage de sable fin toute proche où se balancent des hamacs. Un petit paradis.

### Depuis/vers Ko Jam et Ko Si Boya

De décembre à avril, les bateaux reliant Krabi à Ko Lanta peuvent vous laisser à Ko Jam, mais vous devrez payer plein tarif (450 B, 1 heure). En novembre et en mai, seul le bateau qui part tôt le matin s'y arrête. On peut également rejoindre les îles par bateau à partir de Ban Laem Kruat, un village à 30 km de Krabi, au bout de la Rte 4036, près de la Hwy 4. Comptez 80 B pour Ko Si Boya et 100 B pour Ko Jam.

## KO LANTA

เกาะลันตา

**20 000 habitants**

Longue et étroite, bordée de sable blond, l'île de Ko Lanta est la plus séduisante de la province de Krabi. Ce paradis de la détente convient aisément à tous les budgets, et les plages de la côte ouest sont toutes plus belles les unes que les autres.

Le relief de Ko Lanta étant relativement plat comparé à celui de ses voisines hérissées de formations karstiques, on peut facilement

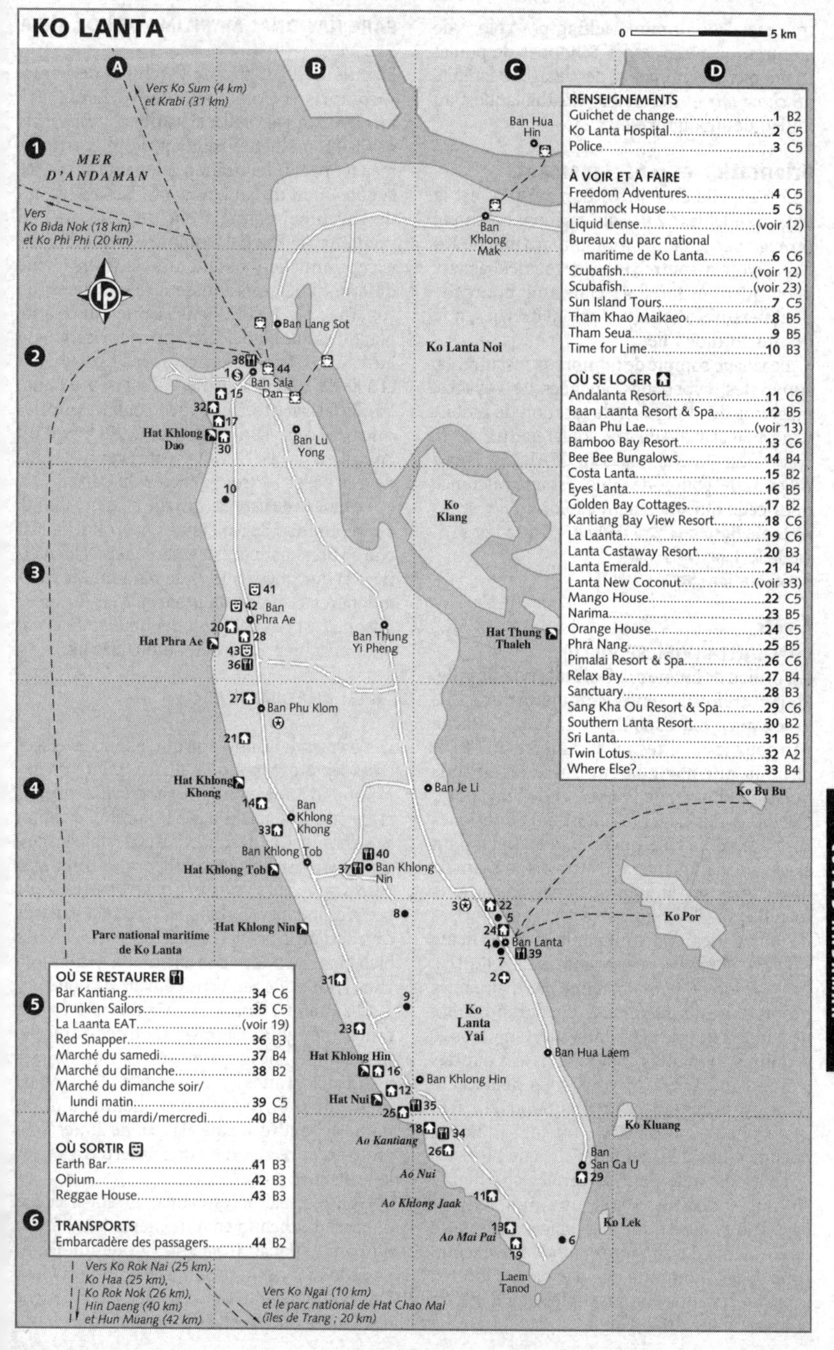
KO LANTA
0
5 km
A
B
C
D
1
2
3
4
5
6
Vers Ko Sum (4 km) et Krabi (31 km)
MER D'ANDAMAN
Vers Ko Bida Nok (18 km) et Ko Phi Phi (20 km)
Ban Hua Hin
Ban Khlong Mak
Ban Lang Sot
Ko Lanta Noi
Ban Sala Dan
Hat Khlong Dao
Ban Lu Yong
Ko Klang
Ban Phra Ae
Hat Phra Ae
Ban Thung Yi Pheng
Hat Thung Thaleh
Ban Phu Klom
Hat Khlong Khong
Ban Je Li
Ban Khlong Khong
Ban Khlong Tob
Hat Khlong Tob
Ban Khlong Nin
Hat Khlong Nin
Parc national maritime de Ko Lanta
Ban Lanta
Ko Bu Bu
Ko Por
Ko Lanta Yai
Ban Hua Laem
Hat Khlong Hin
Ban Khlong Hin
Hat Nui
Ao Kantiang
Ao Nui
Ao Khlong Jaak
Ao Mai Pai
Ban San Ga U
Ko Kluang
Ko Lek
Laem Tanod
Vers Ko Rok Nai (25 km), Ko Haa (25 km), Ko Rok Nok (26 km), Hin Daeng (40 km) et Hun Muang (42 km)
Vers Ko Ngai (10 km) et le parc national de Hat Chao Mai (îles de Trang ; 20 km)
RENSEIGNEMENTS
Guichet de change....1 B2
Ko Lanta Hospital....2 C5
Police....3 C5
À VOIR ET À FAIRE
Freedom Adventures....4 C5
Hammock House....5 C5
Liquid Lense....(voir 12)
Bureaux du parc national maritime de Ko Lanta....6 C6
Scubafish....(voir 12)
Scubafish....(voir 23)
Sun Island Tours....7 C5
Tham Khao Maikaeo....8 B5
Tham Seua....9 B5
Time for Lime....10 B3
OÙ SE LOGER
Andalanta Resort....11 C6
Baan Laanta Resort & Spa....12 B5
Baan Phu Lae....(voir 13)
Bamboo Bay Resort....13 C6
Bee Bee Bungalows....14 B4
Costa Lanta....15 B2
Eyes Lanta....16 B5
Golden Bay Cottages....17 B2
Kantiang Bay View Resort....18 C6
La Laanta....19 C6
Lanta Castaway Resort....20 B3
Lanta Emerald....21 B4
Lanta New Coconut....(voir 33)
Mango House....22 C5
Narima....23 B5
Orange House....24 C5
Phra Nang....25 B5
Pimalai Resort & Spa....26 C6
Relax Bay....27 B4
Sanctuary....28 B3
Sang Kha Ou Resort & Spa....29 C6
Southern Lanta Resort....30 B2
Sri Lanta....31 B5
Twin Lotus....32 A2
Where Else?....33 B4
OÙ SE RESTAURER
Bar Kantiang....34 C6
Drunken Sailors....35 C5
La Laanta EAT....(voir 19)
Red Snapper....36 B3
Marché du samedi....37 B4
Marché du dimanche....38 B2
Marché du dimanche soir/lundi matin....39 C5
Marché du mardi/mercredi....40 B4
OÙ SORTIR
Earth Bar....41 B3
Opium....42 B3
Reggae House....43 B3
TRANSPORTS
Embarcadère des passagers....44 B2

traverser l'île à moto. Melting-pot coloré de cultures, on y croise des échoppes de poulet frit au pied des minarets, des villages décrépits de *chow lair* et des petits *wat* thaïlandais au milieu des mangroves.

## Orientation et renseignements

L'île s'appelle en fait Ko Lanta Yai. C'est la plus grande des 52 îles qui forment l'archipel protégé par le parc national maritime de Ko Lanta (voir ci-contre). Presque tous les bateaux débarquent à Ban Sala Dan, une bourgade poussiéreuse où il n'y a que deux rues, à la pointe nord de l'île.

Le village compte de nombreux restaurants, supérettes, cybercafés, agences de voyages, magasins de plongée et de location de motos. Cinq magasins 7-Eleven sont répartis sur la côte ouest, tous équipés de DAB. La *Lanta Biker Map* (voir ci-dessous) est une référence pour ceux qui souhaitent explorer l'île.

**Ko Lanta Hospital** (☎ 0 7569 7085). Situé à 1 km au sud de Ban Lanta (vieille ville).

**Police station** (☎ 0 7569 7017)

## À voir

### BAN LANTA (VIEILLE VILLE)

Au milieu de la côte est, **Ban Lanta** (vieille ville) était autrefois le centre commerçant de l'île et son port. Elle constituait un port d'attache sûr pour les navires de commerce arabes et chinois qui naviguaient entre les grands ports de Phuket, de Penang et de Singapour. Certaines des élégantes maisons et boutiques sur pilotis de la ville, qui remontent à plus d'un siècle, ne manquent pas d'attrait. Jouissant de belles vues sur la mer, quelques restaurants installés sur l'embarcadère servent les prises du jour. Faites un détour par la **Hammock House** (☎ 0 4847 2012 ; www.jumbohammock.com ; 🕑 10h-17h). La "Maison du hamac", tenue par d'aimables propriétaires, rassemble le plus grand choix de hamacs de toute la Thaïlande. On y trouve d'impressionnantes créations tissées par des peuples indigènes. Si vous vous déplacez à moto, profitez-en pour récupérer la carte gratuite *Lanta Biker Map*, où sont indiqués quelques-uns des meilleurs sites de l'île.

La vieille ville peut se révéler charmante si vous souhaitez passer une nuit loin de l'agitation touristique des plages orientales de Ko Lanta. Le site www.lantaoldtown.com, conçu par la communauté d'expatriés locaux, propose des informations sur les sites d'intérêt et les activités à Ban Lanta.

### PARC NATIONAL MARITIME DE KO LANTA

อุทยานแห่งชาติเกาะลันตา

Depuis 1990, 15 îles de l'archipel de Lanta, y compris la pointe sud de Ko Lanta Yai, forment un **parc national maritime** (adulte/enfant 400/200 B), malheureusement de plus en plus menacé par l'urbanisation galopante qui gagne la côte ouest de Ko Lanta Yai. Les autres îles de l'archipel connaissent un sort un peu meilleur. **Ko Rok Nai**, toujours d'une beauté exceptionnelle, possède une baie en forme de croissant qui s'adosse à des falaises, de superbes récifs coralliens et une étincelante plage de sable blanc. Avec une autorisation du bureau du parc, on peut camper à Ko Rok Nok et à **Ko Ha**, une île voisine. À l'est de Ko Lanta Yai, **Ko Talabeng** recèle de spectaculaires grottes calcaires, que l'on peut découvrir lors d'un circuit en kayak. Si vous visitez ces îles, vous devrez payer le droit d'entrée du parc.

Le **bureau du parc** est installé à Laem Tanod, à la pointe sud de Ko Lanta Yai, à 7 km de Hat Nui en prenant une piste escarpée et accidentée. Il y a là quelques sentiers de randonnées rudimentaires et un **phare panoramique**. En basse saison, il est possible de louer un *long-tail boat* pour effectuer un circuit autour des îles.

### THAM KHAO MAIKAEO

ถ้ำเขาไม้แก้ว

Les averses de la mousson qui se sont déversées dans les crevasses du calcaire pendant des millions d'années ont créé ce réseau de grottes et de tunnels perdu dans la forêt. Certaines cavernes, ornées de stalactites et de stalagmites, sont aussi vastes que des cathédrales, d'autres si basses qu'il faut s'y glisser à quatre pattes. Vous pourrez même vous baigner ici dans l'eau très fraîche d'un lac souterrain. Il est essentiel d'être bien chaussé pour cette excursion. Attention, vous risquez de ressortir couvert de boue.

On atteint Tham Khao Maikaeo après une randonnée guidée à travers la forêt tropicale. Une famille locale propose des randonnées jusqu'aux grottes (avec lampes électriques) pour 200 B environ. La meilleure solution pour se rendre jusque-là est de louer une moto ou de demander à son hôtel d'organiser le transport.

Non loin, mais accessible par un sentier séparé qui part du chemin en terre menant au bureau du parc national, **Tham Seua** (grotte du Tigre) possède aussi des tunnels intéressants à explorer. Des randonnées à dos d'éléphant permettent d'atteindre cette grotte depuis Hat Nui.

## À faire

### PLONGÉE ET SNORKELING

Ko Lanta a tendance a être un peu oubliée des amateurs de plongée qui préfèrent se diriger vers Ko Tao, au large du golfe, Khao Lak et les îles Similan, voire Phuket ou Ko Phi Phi. Les vacanciers seront donc ravis de savoir que de Ko Lanta, on peut également accéder à des sites de plongée parmi les plus beaux de Thaïlande. Les meilleurs spots se trouvent au niveau des pics sous-marins de **Hin Muang** et **Hin Daeng**, à environ 45 minutes. Ces sites de réputation mondiale abritent des récifs coralliens isolés au milieu de l'océan où viennent se nourrir de grandes espèces pélagiques, dont des requins, des thons et, parfois, des raies mantas et des requins-baleines. On considère souvent Hin Daeng comme étant le deuxième plus beau spot de plongée après Richelieu Rock, près de la frontière birmane (p. 658). Les sites près de **Ko Ha** jouissent de très bonnes conditions, avec des profondeurs de 18 à 34 m, une faune marine abondante et une grotte baptisée "la cathédrale". Les tour-opérateurs de Lanta organisent également des excursions jusqu'à l'épave du *King Cruiser*, Récif aux anémones et à Ko Phi Phi (p. 709).

Des excursions à Hin Daeng/Hin Muang coûtent entre 5 000 et 6 000 B, et il faut compter 3 500-4 500 B pour Ko Haa. La formation PADI Open Water revient à 14 000-17 000 B.

Installé au Baan Laanta Resort (p. 719), à Ao Kantiang, **Scubafish** (☎ 0 7566 5095 ; www.scuba-fish.com) est réputé pour être le meilleur centre de plongée. Une annexe se trouve au Narima Resort (p. 719). Contrairement aux prestataires quelque peu impersonnels de Ban Sala Dan, Scubafish propose des programmes établis sur mesure pour chaque client, à l'instar du programme Liquid Lense (voir ci-contre). Les formules de 3 jours (9 975 B) ont beaucoup de succès.

### PHOTO ET VIDÉO SOUS-MARINES

Si vous recherchez de nouvelles expériences sous l'eau, pourquoi ne pas suivre des cours de photographie et de vidéo sous-marines ? Les récifs coralliens chatoyants de Hin Daeng et de Hin Muang sont parfaits pour s'initier aux joies de la photo, et le personnel de **Liquid Lense** (www.liquidlense.co.uk) peut vous y aider. Cette école d'art numérique propose des formations allant d'une journée (2 plongées, 7 100 B) à 6 jours (9 plongées, 32 900 B). La formation Tips & Tricks (2 700 B) vous révélera des astuces pour vous améliorer si vous avez déjà de l'expérience en matière de photographie.

## Circuits

Les excursions en bateau sont naturellement un bon moyen de découvrir les îles paisibles autour de Ko Lanta. Agences fortement recommandées :

**Freedom Adventures** (☎ 08 4910 9132 ; www.freedom-adventures.net ; Hat Khlong Nin). La famille qui tient cette agence propose principalement des sorties d'une journée vers les îles Trang (p. 726) pour 1 400-1 700 B. Des excursions de 2 jours vers Ko Ngai, Ko Kradan et Ko Rok, avec nuit en camping, coûtent 2 300-2 800 B.

**Scubafish** (☎ 0 7566 5095 ; www.scuba-fish.com ; Baan Lanta Resort, Ao Kantiang). Une équipe sympathique et professionnelle qui propose des plongées intéressantes et un programme d'aqualogie.

**Sun Island Tours** (☎ 08 7891 6619 ; www.lantalongtail.com ; Ban Lanta). Tenue par le mari et la femme, cette agence propose des sorties de première qualité vers les îles Trang ou les îles à l'est de l'archipel de Ko Lanta. Comptez 1 500 B par personne pour un circuit d'une journée avec repas thaïlandais traditionnel. Des excursions de 2 jours à Ko Nui peuvent être organisées sur demande.

## Cours

**Time for Lime** (☎ 0 7568 4590 ; www.timeforlime.net), sur Hat Khlong Dao, dispose d'une cuisine professionnelle si vaste qu'on s'y perdrait presque. L'établissement organise des cours de cuisine durant lesquels vous élaborerez des recettes plus originales que celles qui sont proposées dans la plupart des écoles de cuisine ailleurs dans le pays. Pour un stage d'une demi-journée, comptez 1 400-1 800 B.

## Où se loger

Ko Lanta est l'une des meilleures destinations du sud de la Thaïlande pour ce qui est de l'hébergement. Les prix sont raisonnables, la qualité est élevée, et il y a de quoi satisfaire tous les budgets. En basse saison, les tarifs baissent de 50%.

### HAT KHLONG DAO

Avec ses 2 km de sable blanc, il n'est pas étonnant que cette magnifique plage ait été l'une des premières à attirer promoteurs et touristes.

**Golden Bay Cottages** (☎ 0 7568 4161 ; www.goldenbaylanta.com ; bungalows 1 200-2 800 B ; ❄ ☕).

Des bungalows disposés autour d'une cour arborée. Les chambres avec clim offrent le meilleur rapport qualité/prix.

**Southern Lanta Resort** (☎ 0 7568 4174-7 ; www.southernlanta.com ; bungalows avec petit-déj 1 800-5 000 B ; ). Un complexe situé en bord de mer, doté d'un jardin tropical très ombragé et d'une piscine avec toboggan. Les bungalows sont équipés d'eau chaude, de la TV et d'un minibar. S'adressant aux familles, le Southern Lanta organise des promenades équestres à partir de 600 B/h.

**Twin Lotus** (☎ 0 7560 7000 ; www.twinlotusresort.com ; bungalows 5 100-2 300 B ; ). Moins avant-gardiste que le Costa Lanta tout proche, cet établissement à l'architecture balinaise reste malgré tout étonnant de modernité avec son intérieur en bois sombre laqué et ses toits recouverts de chaume coloré. La piscine à débordement, qui marie les panneaux de béton et de marbre, est la parfaite pièce maîtresse de ces lieux insolites.

**Costa Lanta** (☎ 0 2662 3550 ; www.costalanta.com ; ch 6 050-9 460 B ; ). On adore ou on déteste cet hôtel ultra moderne. Des abords spartiates et une sécurité quasi militaire ajoutent à l'austérité des bungalows en béton minimalistes, situés au milieu de la forêt qui fait face à la mer. Les murs des bungalows peuvent s'ouvrir pour offrir une vue dégagée sur la mer (et les autres bungalows).

## HAT PHRA AE

La plage de Hat Phra Ae (Long Beach) n'a rien d'extraordinaire, mais l'ambiance y est animée. Un grand village touristique s'y est développé, où se concentrent une kyrielle de restaurants, bars de plage, cybercafés et tour-opérateurs destinés aux *fàràng*.

**Sanctuary** (☎ 0 1891 3055 ; bungalows 400-800 B). Une adresse exquise : bungalows en bois et chaume conçus avec art, jardin aux jolies pelouses et atmosphère bohème sympathique et sans prétention. Le restaurant sert des plats végétariens et indiens en plus des spécialités thaïlandaises. On peut suivre des cours de yoga et une petite galerie d'art expose des artistes locaux.

**Lanta Castaway Resort** (☎ 0 7568 4851 ; www.lantacastaway.com ; bungalows 750-4 000 B). Bonne option pour les budgets moyens, le Castaway dispose de petits cottages impeccables avec jardin à l'intérieur des terres. Les chambres sont impeccables et décorées de tableaux thaïlandais. Celles à 2 000 B sont nos préférées.

**Relax Bay** (☎ 0 7568 4194 ; www.relaxbay.com ; bungalows 900-1 600 B ; ). Une adresse sympathique, tenue par des Français, mais elle mériterait un petit coup de peinture.

## HAT KHLONG KHONG

Seuls les complexes situés à la pointe nord de cette plage rocheuse sont dignes d'intérêt. Quelques bonnes adresses pour les routards :

**Bee Bee Bungalows** (☎ 08 1537 9932 ; www.diigii.de ; bungalows 300-700 B ; ). Sans doute le moins cher de l'île, le Bee Bee propose une dizaine de bungalows de style balinais perchés dans les arbres. Le personnel est extrêmement accueillant et le restaurant possède une bibliothèque de vieux livres de poche qui vous occupera en attendant de déguster de savoureux mets thaïlandais.

**Lanta New Coconut** (☎ 08 1537 7590 ; bungalows 500 B). Quelques huttes simples entourées de palmiers. Rien d'exceptionnel, mais les tarifs sont très corrects.

**Lanta Emerald** (☎ 7566 7037 ; www.lantaemeraldresort.com ; bungalows à partir de 500 B ; ). Tout le confort d'un complexe à prix réduit. Bungalows en béton avec clim et confortables huttes en bambou parsèment un joli jardin. À 1 km du 7-Eleven de Khlong Khong.

**Where Else?** (☎ 0 1536 4870 ; www.whereelse-lanta.com ; bungalows 500-1 500 B). Ambiance bohème garantie. Les bungalows sont peut-être un peu branlants, mais les lieux ont beaucoup de charme et accueillent de nombreux routards. Le restaurant, envahi par un bric-à-brac d'objets en bambou et en cocotier, est à lui seul une œuvre d'art. Les bungalows les plus chers, tous différents, possèdent plusieurs niveaux et peuvent loger jusqu'à 4 personnes.

## HAT KHLONG NIN

À mi-chemin de la côte ouest, la route goudronnée bifurque : on peut se diriger vers l'intérieur des terres en direction de Ban Khlong Nin ou continuer à longer la côte vers le sud jusqu'au bureau du parc national, à Laem Tanod. La première plage, la ravissante Hat Khlong Nin, devient de plus en plus belle à mesure qu'on progresse vers le sud.

**Sri Lanta** (☎ 0 7569 7288 ; www.srilanta.com ; villas à partir de 4 000 B ; ). À la pointe sud (la plus belle) de la plage, ce complexe haut de gamme et sophistiqué, aux tarifs un peu excessifs tout de même, loue de vastes villas en bois dans un jardin à flanc de colline, en retrait de la côte. Le côté plage, aménagé avec beaucoup d'élégance, comporte un restaurant et une piscine.

### HAT NUI

Plusieurs petites plages abritent des hébergements haut de gamme.

**Narima** (☎ 0 7566 2668 ; www.narima-lanta.com ; bungalows 1 800-2 900 B ; ). Meilleur complexe de l'île il y a 5 ans, le Narima, que sa clientèle priait de ne rien changer, l'a prise au mot, au point que les bungalows montrent de sérieux signes de fatigue, malgré l'ambiance éco chic. Décoré de meubles massifs en bois noueux, le restaurant en bois est éclairé par des lanternes.

**Eyes Lanta** (☎ 0 7566 5119 ; www.eyeslanta.com ; bungalows 3 800-5 000 B ; ). Flambant neuf, cet établissement mélange les styles asiatiques traditionnels (gongs et lanternes de papier accrochées au toit balinais à pignons) et a réussi à créer une atmosphère unique.

### AO KANTIANG

Près de cette magnifique plage de sable fin, plusieurs options s'offrent à vous.

**Kantiang Bay View Resort** (☎ 0 1787 5192 ; bungalows 400-1 500 B ; ). Malgré un personnel à la limite de la politesse et un restaurant tout juste médiocre, ce complexe a toujours la cote auprès des routards qui apprécient ses bungalows corrects installés en plein sur la plage.

**Baan Laanta Resort & Spa** (☎ 0 7566 5091 ; www.baanlaanta.com ; bungalows 3 500-4 500 B ; ). De luxuriants jardins paysagers entourent les bungalows en bois et une piscine centrale. Les chambres de style thaïlandais possèdent d'immenses lits d'un blanc immaculé. Modernes, les sdb sont équipées de beaux éléments polis et de porte-serviettes en bambou. Les barbecues de fruits de mer, en soirée, sont succulents.

**Phra Nang** (☎ 0 7566 5025 ; www.vacationvillage.co.th ; ch 8 000 B ; ). Charmantes chambres de style majorquin, mais un peu chères.

**Pimalai Resort & Spa** (☎ 0 7560 7999 ; www.pimalai.com ; ch/bungalows 11 500-31 000 B ; ). Son immense jardin paysager est parsemé d'étangs et de fontaines. Agrémentées de meubles thaïlandais modernes, les villas bénéficient d'une magnifique vue sur la baie, en contrebas. L'établissement possède plusieurs piscines et restaurants, un spa et une petite bibliothèque.

### AO KHLONG JAAK

La splendide plage d'Ao Khlong Jaak tire son nom de la cascade à l'intérieur des terres.

**Andalanta Resort** (☎ 0 7566 5018 ; www.andalanta.com ; bungalows 2 500-6 500 B ; ). Les bungalows climatisés, modernes et confortables (certains en duplex) font face à la mer. Le jardin est exquis et le restaurant charmant. Une cascade se trouve à 30 ou 40 min de marche. Une bonne adresse pour des vacances en famille. Téléphonez pour que l'on vienne vous chercher à Ban Sala Dan.

### AO MAI PAI

Cette jolie plage isolée ne compte que trois complexes hôteliers.

**Bamboo Bay Resort** (☎ 0 7561 8240 ; www.bamboobay.net ; bungalows 700-1 700 B). Adossé à la colline au-dessus de la plage, le Bamboo Bay regroupe divers bungalows sur pilotis en brique et béton et un joli restaurant sur la plage. Les plus plaisants, qui disposent d'un balcon et d'une belle vue sur la mer, sont plus chers, mais la différence de prix est justifiée.

**Baan Phu Lae** (☎ 08 1201 1704 ; www.baanphulae.com ; bungalows 900-1 200 B ; ). Le restaurant et la plupart des bungalows sont situés sur une plage privée et jouissent d'une vue magnifique au coucher du soleil. Les bungalows en chaume sont meublés de lits en bambou, et l'on peut suspendre un hamac sur leur véranda rustique.

**La Laanta** (☎ 0 7566 5066 ; www.lalaanta.com ; bungalows 2 900-6 300 B ; ). Installé tout au sud de l'île, cet établissement est peut-être le plus agréable. Les propriétaires sont aux petits soins avec leurs hôtes. Les bungalows ne sont pas les plus beaux, mais les prix sont raisonnables : murs dans les tons crème décorés de motifs floraux, lits douillets, oreillers rembourrés et sdb aux lavabos très tendance. La Laanta est appréciée des familles et des jeunes mariés.

### CÔTE EST

Souvent ignorée des voyageurs, qui lui préfèrent les plages de l'ouest, face à la côte d'Andaman, la côte est de l'île vous réserve quelques joyaux si vous ne courez pas après les dunes de sable fin.

#### Ban Lanta (vieille ville)

Ces chambres occupent toutes d'anciennes maisons de négoce chinoises, près de l'embarcadère.

**DÉTOUR PAR KO POR**

Si vous trouvez la côte ouest de Ko Lanta trop touristique à votre goût, faites un détour culturel par **Ko Por** (☎ 08 7474 3247 ; sanae.yamae@yahoo.com). Cet îlot tout proche de Ko Lanta abrite un petit village de pêcheurs musulmans. Les voyageurs sont logés chez l'habitant et participent aux tâches quotidiennes, comme la découpe du caoutchouc ou la pêche au crabe. Le séjour coûte 350 B par jour. Les visiteurs sont priés de ne pas apporter d'alcool et de garder une tenue correcte. Un *long-tail boat* fait le trajet depuis l'embarcadère dans la vieille ville.

**Orange House** (☎ 08 3104 3109 ; bungalows 800-1 200 B ; ). Si vous souhaitez loger dans la vieille ville sans payer trop cher, cette adresse accueillante loue quelques chambres pittoresques donnant sur les *long-tail boats* amarrés à l'embarcadère en bois.

**Mango House** (☎ 08 1968 6477 ; ch 2000 B). Les chambres en teck de cet hôtel évoquent les vieilles maisons de pêcheurs, mais les lits sont très confortables et les sdb modernes combinent un bel usage du béton et d'installations en acier. Profitez du petit-déjeuner sur la belle terrasse qui donne sur l'océan.

### Ban Sang Ga U

**Sang Kha Ou Resort & Spa** (☎ 08 1443 3232 ; bungalows 500-3 500 B ; ). Des chambres dans les arbres et des arbres dans les chambres... Le propriétaire s'amuse à observer ses hôtes ébahis qui pénètrent dans cet étrange univers mêlant statues classiques, guerriers de terre et œuvres en papier mâché. Les chambres les plus chères sont un peu ternes, préférez les cabanes ou les bateaux échoués transformés en suites duplex.

## Où se restaurer

Les nombreux marchés de Ko Lanta permettent de se restaurer à petit prix. Le grand marché du dimanche se tient à Ban Sala Dan. Le dimanche soir et le lundi matin, le marché s'installe dans la vieille ville ; le mardi et le mercredi, à Jae Lee, et le samedi, près de Khlong Nin. Tous les complexes possèdent également un restaurant, généralement excellent. Si vous parvenez à décoller de la plage, les adresses suivantes valent le déplacement.

**Bar Kantiang** (plats 50-150 B ; dîner). Très bonne cuisine thaïlandaise préparée dans une minuscule cuisine, près d'Ao Kantiang. Les expatriés apprécient énormément, et s'essaient en secret au karaoké.

**Red Snapper** (☎ 07885 6965 ; plats 90-240 B ; dîner). Les plats de style tapas sont excellents et servis dans des pavillons rouges à ciel ouvert.

**Drunken Sailors** (☎ 0 7566 5076 ; plats 100-200 B ; petit-déj, déj et dîner). Ce restaurant octogonal branché et très décontracté est doté de confortables poufs. On y sert de bons cafés et en-cas comme le sandwich au poulet et curry vert.

**La Laanta** (☎ 0 7566 5066 ; plats 100-290 B ; petit-déj, déj et dîner). Dans le complexe du même nom, les propriétaires, qui viennent de tout le Sud-Est asiatique, préparent une cuisine fusionnant toutes les recettes familiales. La soupe *wonton* est succulente, tout comme les rouleaux de printemps et les *smoothies*. Si vous appelez à l'avance, ils viendront vous chercher gracieusement à votre hôtel.

## Où prendre un verre et sortir

Si vous cherchez des discothèques à plein volume, vous risquez d'être déçu. Pour des bars musicaux plus décontractés, rendez-vous à Ao Phra Ae, où vous attendent de bonnes adresses comme l'Opium, l'Earth Bar et la Reggae House.

## Depuis/vers Ko Lanta

La plupart des visiteurs arrivent à Ko Lanta en bateau ou en minibus climatisé. Si vous êtes motorisé, vous devrez prendre l'un des ferrys transportant les véhicules qui circulent entre Ban Hua Hin et Ban Khlong Mak (Ko Lanta Noi) avant de rejoindre Ko Lanta Yai. Ils partent fréquemment tous les jours, entre 7h et 20h (moto/voiture 20/70 B).

### BATEAU

Ban Sala Dan compte deux embarcadères : un pour les passagers, à 300 m de la principale rangée de boutiques, et un autre pour les ferrys transportant des véhicules, à quelques kilomètres plus à l'est.

Les bateaux de passagers qui relient l'embarcadère Khlong Chilat de Krabi et Ko Lanta circulent de septembre à mai ; ils partent lorsqu'ils ont embarqué suffisamment de passagers et de marchandises, et mettent 1 heure 30 pour faire le trajet. De Ko Lanta, les bateaux partent à 8h et 13h (450 B). Dans l'autre sens, les ferrys partent à 10h30 et 13h30.

Les bateaux de Ko Lanta à Ko Phi Phi font la traversée tant qu'il y a suffisamment de passagers ; les liaisons sont donc généralement suspendues en basse saison. Ils quittent en principe Ko Lanta à 8h et 13h (450 B, 1 heure 30), et Ko Phi Phi à 11h30 et 14h.

Deux ferrys rapides relient Ko Lanta et Ko Lipe (p. 743 ; 1 800 B). L'un s'arrête à Ko Ngai (600 B), Ko Muk (1 200 B) et Ko Bulon Leh (1 600 B) ; l'autre à Hat Yao, dans la province de Trang. En haute saison, des bateaux naviguent tous les jours si les voyageurs sont au rendez-vous, un jour sur deux si ce n'est pas le cas ; départ à 13h.

#### MINIBUS

Moyen de transport le plus courant depuis/vers Ko Lanta, les minibus circulent toute l'année. Des liaisons quotidiennes desservent Krabi entre 7h et 8h (350 B, 1 heure 30). Un service est parfois assuré l'après-midi à 13h et 15h30 ; renseignez-vous. De Krabi, des minibus partent à 9h, 11h, 13h et 16h. Plusieurs minibus climatisés se rendent tous les jours à Trang (250 B, 2 heures).

### Comment circuler

La plupart des hôtels envoient des véhicules attendre leurs clients à l'arrivée des bateaux et les transfèrent gratuitement. Au retour, comptez 50-100 B pour rejoindre l'embarcadère. On peut louer des motos à peu près partout sur l'île. Demandez toujours un casque. Le tarif moyen est de 250 B par jour – il vous faudra peut-être négocier. Les routes le long de la côte ouest sont en bon état : Ko Lanta est de ce fait l'une des îles où l'on circule le plus facilement.

# PROVINCE DE TRANG

Avec ses formations karstiques recouvertes de jungle et ses îlots qui baignent dans des eaux cristallines, la province de Trang fait penser à une "mini-Krabi". Depuis peu, les charmes cachés de cette province attirent les visiteurs avisés, et elle ne devrait pas tarder à connaître un boom touristique semblable à celui de Krabi il y a quelques années. Ses joyaux : la constellation d'îles légendaires au large de la côte, connues sous le nom d'îles de Trang.

## TRANG

ตรัง

**64 700 habitants**

La petite ville de Trang ne possède pas vraiment de sites d'intérêt, mais constitue un bon point de départ pour rallier le parc national de Hat Chao Mai et les îles de Trang. Les gourmands seront aux anges sur les marchés locaux et dans les cafés chinois hokkien qui parsèment la ville, où se mêlent des styles architecturaux très variés. Si vous vous dirigez vers les îles de Trang, faites un tour en ville, de nombreuses agences de voyages peuvent vous aider à gagner très vite celle de votre choix. La plupart des complexes installés sur les îles possèdent des antennes en ville qui vous aideront à réserver et à organiser votre transfert.

### Renseignements

Plusieurs banques sont installées sur Th Praram VI, entre la gare et la tour de l'horloge.

**Ani's** (☎ 0 1397 4574 ; 285 Th Ratchadamnoen ; 🕑 9h-22h). Livres en anglais et dans d'autres langues européennes.

**Poste** (angle Th Praram VI et Th Kantang). Vend aussi des cartes CAT pour les appels internationaux.

**TAT** (Tourism Authority of Thailand ; ☎ 0 7521 5867 ; tattrang@tat.or.th ; Th Ruenrom). Nouvel office du tourisme situé près du marché de nuit.

**Tosit** (285 Th Visetkul ; 20 B/h). Ce cybercafé aux connexions rapides et au personnel prévenant sert du véritable café.

### À voir

Trang est plus un centre d'affaires qu'une destination touristique. Le **Wat Tantayaphirom** (Th Tha Klang) possède un immense *chedi* (stupa) blanc moyennement intéressant protégeant une empreinte du Bouddha. Le **temple Meunram** chinois, situé entre Soi 1 et Soi 3, propose parfois des représentations de théâtre d'ombres de Thaïlande du Sud. Les grands **marchés alimentaire** ("*wet market*") et **généraliste** ("*dry market*"), dans Th Ratchadamnoen et Th Sathani, méritent aussi le détour.

### À faire

Les **croisières** à destination des mythiques îles de Trang, dans le parc national de Hat Chao Mai, avec escales à Ko Muk, Ko Cheuk et Ko Kradan, commencent à 800 B/pers, déjeuner et boissons inclus. Le droit d'entrée au parc national est en supplément. Des sorties en

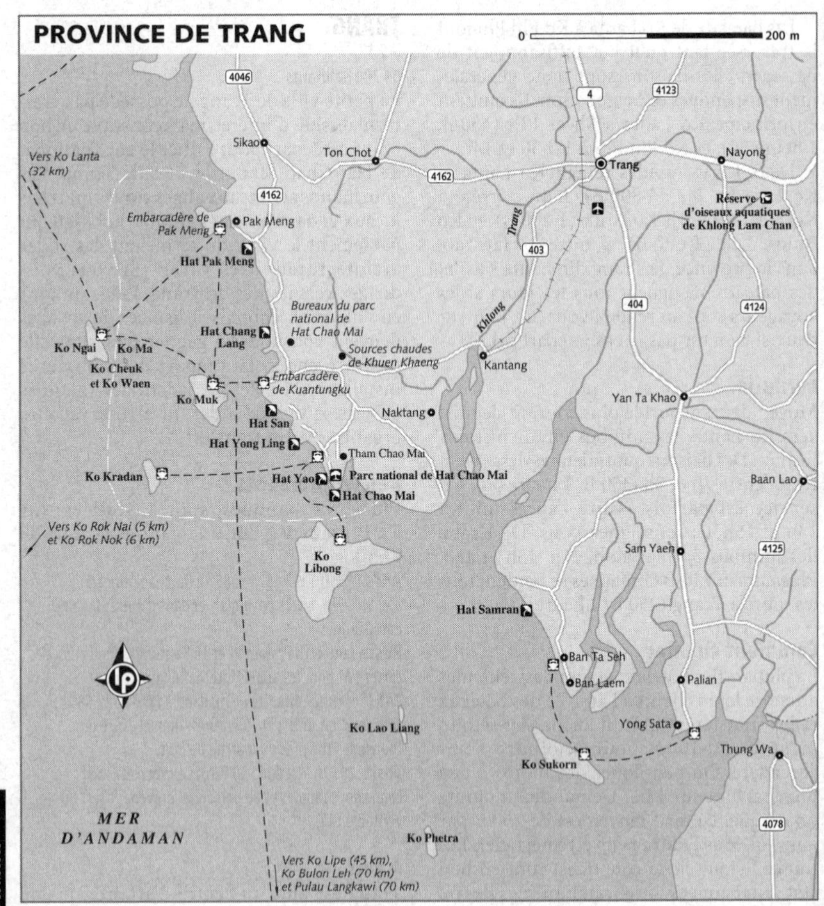


**kayak de mer** jusqu'à Tham Chao Mai (850 B) sont également organisées. On peut y explorer les mangroves mais aussi pagayer sous d'impressionnantes stalactites. Des excursions de **snorkeling** à Ko Rok (1 300-1 500 B) sont aussi proposées par beaucoup d'agences. Pour entrer en contact avec la culture locale, une journée de **randonnée** dans les montagnes de Khao Banthat vous permettra de visiter les villages des Sa Kai, peuple des montagnes (1 400 B).

## Où se loger et se restaurer

**Ko Teng Hotel** (☎ 0 7521 8148 ; 77-79 Th Praram VI ; ch 180-300 B ; ✇). C'est l'établissement favori des routards. Vous aurez besoin de votre esprit aventureux pour ne pas vous laisser décourager par les chambres un peu sinistres.

**My Friend** (☎ 0 7522 5447 ; 25/17-20 Th Sathani ; ch 430 B ; ✇ 💻). Cet hôtel loue des chambres modernes confortables avec clim et TV, mais certaines n'ont pas de fenêtre – vérifiez d'abord. Quelques éléments décoratifs insolites, comme les piliers grecs et l'aquarium bizarrement agencé, vous feront sourire.

**Marché de nuit** (bol de nouilles 20 B). Excellent marché où vous pourrez goûter à la spécialité locale vendue sur les stands, les *kà·nŏm jin* (nouilles chinoises au curry) – avec trois sauces épicées au choix. Vous pourrez agrémenter votre soupe de légumes et d'herbes aromatiques émincées.

Trang est réputée pour ses cafés (*ráhn gah·fa ou ráhn goh-pée*), généralement tenus par des Chinois hokkien. Ces établissements servent

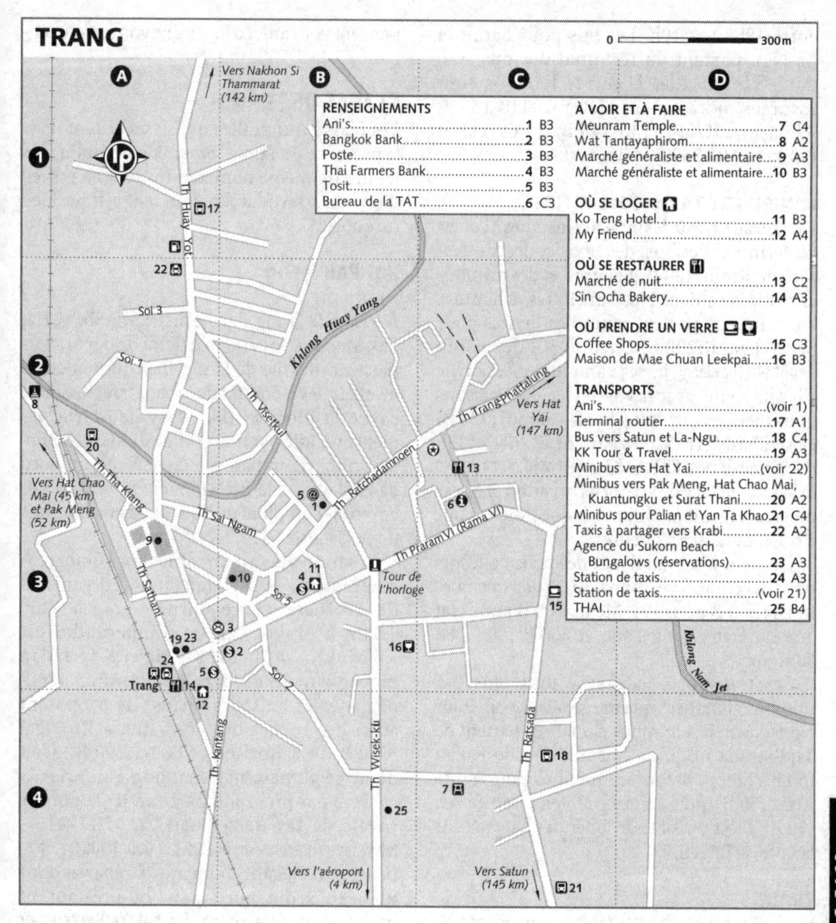


du vrai café filtré, ainsi que divers en-cas comme des raviolis ou des brioches chinoises, des confiseries de Trang ou du porc grillé. Lorsque vous commandez un café, demandez un *goh-pée* plutôt qu'un *gah·fa*, si vous ne voulez pas qu'on vous serve un café instantané. Essayez la **Sin Ocha Bakery** (boulangerie ; Th Sathani ; plats 25-50 B), à proximité de la gare ferroviaire, ou rendez-vous au 183 Th Wisek-kul pour une expérience unique chez Mae Chuan Leekpai (voir l'encadré p. 725).

## Depuis/vers Trang

### AVION

La THAI et Air Asia assurent des vols quotidiens depuis Bangkok (environ 3 000 B). Les avions peuvent avoir quelques problèmes à atterrir ici quand il pleut. Le **bureau de la THAI** (☎ 0 7521 9923 ; 199/2 Th Visetkul) n'est ouvert qu'en semaine. L'aéroport se trouve à 4 km au sud de Trang. Des minibus climatisés attendent à l'arrivée des avions et demandent 80 B pour aller dans le centre. Dans le sens inverse, la course en taxi ou en *túk-túk* coûte 100-150 B.

### BUS

Les bus publics partent du **terminal des bus** (Th Huay Yot) de Trang, très bien organisé. Des bus climatisés rallient Bangkok (600-700 B, 12 heures, matin et après-midi). Les bus VIP de 24 sièges, plus confortables, quittent Trang à 17h et 17h30 (1 050 B). Au départ de Bangkok, les bus VIP/climatisés partent entre 18h30 et 19h. Les bus pour Satun et La-Ngu partent du terminal des bus sud, dans Th Ratsada. D'autres liaisons sont assurées, notamment Hat Yai (110-135 B, 3 heures), Krabi (130-145 B, 2 heures) et Phuket (240-265 B, 4 heures).

#### MINIBUS ET TAXIS COLLECTIFS

Partant au niveau des bureaux installés à l'ouest du terminal des bus, des taxis collectifs desservent Krabi (180 B, 2 heures) et des minibus climatisés rallient Hat Yai (160 B, 2 heures). Des minibus partent toutes les heures pour Surat Thani (200 B, 2 heures 30) depuis un **dépôt** (Th Tha Klang), juste avant l'intersection de Th Tha Klang avec la voie ferrée. Des liaisons quotidiennes directes pour Ko Samui (220 B) et Ko Pha-Ngan (320 B) partent à 12h30 et 15h du même dépôt. **KK Tour & Travel** (☎ 0 7521 1198 ; 40 Th Sathani), en face de la gare ferroviaire, propose plusieurs minibus climatisés quotidiens pour Ko Lanta (220 B, 2 heures).

On peut louer au dépôt des taxis collectifs pour des circuits personnalisés. Voici quelques tarifs : 500 B pour Pak Meng, 700 B pour Hat Yao ou Hat Chang Lang et 800 B pour Hat Samran.

Les transports locaux se font plus par minibus climatisés que par *sŏrng·tăa·ou*. Pour Ko Sukorn, des minibus climatisés partent de Th Ratsada jusqu'à l'embarcadère de Palian (60 B). Sinon, prenez un minibus pour Yanta Khao (30 B), puis un *sŏrng·tăa·ou* à Ban Ta Seh (50 B). Il est possible de louer des bateaux sur la côte, à Ta Seh.

#### TRAIN

Seuls 2 trains relient directement Bangkok et Trang : l'express 83, qui quitte la gare de Hualamphong, à Bangkok, à 17h05 et arrive à Trang à 7h35 le lendemain ; et le rapide 167, qui part de la gare de Hualamphong à 18h20 pour arriver à Trang à 10h11. De Trang, les trains partent à 13h45 et 17h30. Comptez 1 280/731 B pour un compartiment couchettes climatisé en 1re/2e classe et 521 B pour un compartiment 2e classe (avec ventil).

### Comment circuler

Des *túk-túk* stationnent près de l'intersection de Th Praram VI et de Th Kantang. Comptez 30 B pour une course en ville. Les agences de voyages et **Ani's** (☎ 08 1397 4574 ; 285 Th Ratchadamnoen ; 🕑 9h-22h) louent des motos pour 200 B/j environ. La plupart des agences peuvent vous aider à louer une voiture moyennant 1 100-1 500 B/j.

## PLAGES DE TRANG

Les plages tranquilles qui se succèdent dans la province de Trang servent de tremplin vers les îles du même nom, qui flottent au milieu d'une mer d'Andaman d'un magnifique bleu turquoise.

### Hat Pak Meng

หาดปากเมง

À 39 km de Trang, dans le district de Sikao, Hat Pak Meng est le principal point de départ vers plusieurs des îles de Trang. Bien que ponctuée de quelques étendues de sable correctes, cette partie du littoral à l'allure sauvage est relativement enlaidie par une grande digue en béton. Le principal embarcadère se trouve au nord de la plage, où la Rte 4162 rejoint la côte. Les environs comptent quelques bons restaurants de poissons et de fruits de mer.

Les tour-opérateurs situés sur l'embarcadère ainsi que le Lay Trang Resort organisent des croisières d'une journée vers Ko Muk, Tham Morakot (grotte d'Émeraude, sur Ko Muk), Ko Cheuk, Ko Ma et Ko Kradan moyennant 750 B/pers (minimum 3 pers), déjeuner et boissons inclus. Ils proposent aussi des sorties de snorkeling à Ko Ngai (650 B) et à Ko Rok (1 000-1 200 B, droit d'entrée au parc national non compris).

Géré par un grand partisan de la famille royale, le **Lay Trang Resort** (☎ 0 7527 4027/8 ; www.laytrang.com ; bungalows 1 000-1 500 B ; ❄) possède d'élégants bungalows répartis dans un beau jardin, ainsi qu'un bon restaurant installé dans un patio. Le **Yok Ya Restaurant** (plats 40-300 B), peut-être le plus connu de tout Trang, près de l'embarcadère, sert une cuisine du Sud traditionnelle.

Plusieurs bateaux partent tous les jours pour Ko Ngai à 10h, d'où ils reviennent entre 8h et 9h. Vous pouvez faire le trajet en vedette (400 B, 30 min) ou en "grand bateau", plus lent (150 B, 1 heure).

Des minibus climatisés desservent régulièrement Hat Pak Meng (100 B, 45 min) au départ de Th Kha Klang, à Trang. Vous devrez sans doute prendre un moto-taxi depuis le carrefour avec la Rte 4162 pour rejoindre l'embarcadère. La route côtière en direction du sud passe par Hat Chang Lang, Hat Yao et le parc national de Hat Chao Mai.

### AUTOUR D'UN CAFÉ

Et si vous preniez un café avec la mère d'un ancien Premier ministre ? À Trang, la chose n'a rien d'extraordinaire. Après deux mandats de Premier ministre de la Thaïlande de 1992 à 1995, puis de 1997 à 2001, Chuan Leekpai est rentré chez lui, à Trang, où il a retrouvé sa mère, Mae Chuan Leekpai (ou Mama Chuan), prenant le café avec des amies, comme elle le faisait quand il était jeune. À l'époque, Chuan Leekpai invitait aussi souvent ses amis à prendre un verre chez lui. À l'issue de son dernier mandat, c'est le pays tout entier qu'il a invité.

Et l'invitation tient toujours. N'importe qui peut s'arrêter pour boire un café chez Mama, qui est maintenant presque centenaire. Elle habite au 183 Th Wisek-kul, à Trang.

## Hat Chang Lang

เกาะช้างหลัง

La plage de Hat Chang Lang s'étend dans la continuité de Hat Pak Meng, avec les mêmes dunes bordées de casuarinas. Au sud de la plage, là où la route entre dans les terres, les voyageurs trouveront les bureaux du **parc national de Hat Chao Mai** (☎ 0 7521 3260 ; adulte/enfant 400/200 B ; 6h-18h).

Le parc couvre près de 231 km² entre Hat Pak Meng et Laem Chao Mai, et comprend les îles Ku Muk, Ko Kadran et Ko Cheuk (ainsi que de nombreux îlots). On peut y croiser des dugongs menacés d'extinction, des jabirus d'Asie et d'autres animaux plus courants tels que des loutres de mer, des macaques et des entelles, des sangliers, des pangolins, des petits hérons, des aigrettes des récifs, des pygargues blagres et des varans.

Pour visiter les bureaux du parc, Ko Kadran, Hat San ou Hat Yong Ling (les deux plages au sud de Hat Chang Lang), il suffit généralement de payer l'entrée du parc.

Les **bureaux du parc** (☎ 0 7521 3260, de Bangkok 0 2562 0760 ; www.dnp.go.th/index_eng.asp ; camping gratuit, location tente 150 B, ch 800 B, cabines 800-1500 B) est la meilleure solution pour l'hébergement. Les cabines, sans fioritures, peuvent accueillir de 6 à 8 personnes et sont munies de ventil. Elles sont aussi louées à la chambre. On peut également camper sous les casuarinas face à la mer. Restaurant et petit magasin près des cabines.

Des minibus circulent régulièrement entre Th Kha Klang, à Trang, et Chao Mai (60 B, 1 heure). Vous pouvez également louer un taxi à Trang (650 B). Les bureaux du parc se trouvent à 1 km de la route, en bas d'une piste bien signalisée.

## Hat Yao

หาดยาว

Petit village pauvre de pêcheurs au sud de Hat Yong Ling, Hat Yao se niche entre la mer et d'imposantes falaises calcaires. À la pointe sud de **Hat Yao**, un promontoire est creusé de multiples grottes ; une île toute proche invite au snorkeling. La petite **Hat Apo**, la plus belle plage du secteur, se dissimule parmi les falaises. On peut la rejoindre en *long-tail boat* ou passer à gué par la pointe sablonneuse qui fait face au Sinchai's Chaomai Resort.

On raconte que des pirates avaient l'habitude de cacher leurs trésors au sud de Hat Yao, à **Tham Chao Mai**, une vaste grotte emplie de cascades cristallines et d'impressionnantes stalactites et stalagmites, que l'on peut explorer en bateau. Pour visiter Tham Chao Mai, vous pouvez louer un *long-tail boat* (400 B/h) à l'embarcadère de Hat Yao. Haad Yao Nature Resort propose des circuits en kayak de mer jusqu'à la grotte (700-1 100 B/pers déjeuner et guide inclus). Vous pouvez aussi louer un kayak (550 B) pour explorer la grotte seul ; on vous fournit une carte.

**Haad Yao Nature Resort** (☎ 0 1894 6936 ; www.trangsea.com ; ch 400-600 B, bungalows 800 B ; ). Dirigé par d'enthousiastes amoureux de la nature, ce complexe propose divers circuits d'écotourisme dans la région. Les bungalows, bien tenus et accueillants, se partagent les sdb, sauf les plus chers, qui sont indépendants et possèdent une véranda et quelques éléments de confort supplémentaires. L'établissement dispose d'un restaurant charmant sur l'embarcadère, d'où l'on peut observer les pêcheurs vaquant à leurs occupations.

**Sinchai's Chaomai Resort** (☎ 0 7520 3034 ; bungalows 300-1 500 B ; ). Ce resort loue quelques bungalows nichés au pied des falaises, à l'extrémité nord de Hat Yao. Les propriétaires organisent des circuits de kayak (600 B), louent des VTT (100 B/j) et proposent des périples de plusieurs jours autour de Trang et sur la côte d'Andaman à des prix variables.

De Hat Yao, vous pouvez louer un *long-tail boat* pour Ko Kradan (1 000 B, 1 heure 15) ou prendre l'un des *long-tail boats* réguliers ralliant Ko Libong (50-100 B, 20 min). Louer un bateau pour Ko Libong coûte 300 B. L'embarcadère des *long-tail boats* se trouve un peu avant le nouvel embarcadère de Hat Yao.

Le Sinchai's Chaomai Resort loue des motos (200 B).

## ÎLES DE TRANG

Les îles de Trang représentent le dernier sursaut des formations calcaires andamanaises avant le grand saut dans l'océan. Entourées de mystères et bercées par les légendes locales (voir l'encadré page suivante), ces îles paradisiaques abritent des récifs multicolores et sont habitées par des chow lair.

### Ko Ngai

เกาะไหง(ไห)

Qu'on l'appelle Ko Ngai ou Ko Hai, cette île est tout simplement parfaite. Magnifique destination, elle abrite en son centre une jungle spectaculaire et des plages immaculées ourlent sa côte orientale. L'île est entourée d'un récif corallien chatoyant, propice au snorkeling, d'autant que la visibilité dans ses eaux turquoise est excellente. Louez masque, palmes et tuba (50 B chacun) dans n'importe lequel des établissements hôteliers de l'île, ou participez à un circuit de snorkeling d'une demi-journée dans les îles voisines (850 B/pers). Les excursions en vedette vers Ko Rok Nok, à 29 km au sud-ouest de Ko Ngai, coûtent 1 500 B (droit d'entrée au parc national non compris).

#### OÙ SE LOGER

Les petits budgets ne trouveront pas un grand choix ici. La majorité des établissements sont de catégorie moyenne et possèdent un restaurant et l'électricité 24h/24. L'embarcadère se situe au Koh Ngai Resort, mais si vous réservez une chambre ailleurs, votre hôtel organisera le transfert.

**Koh Ngai Resort** (☎ 0 7520 6924 ; bungalows 1 500-15 000 B ; ❄ 💻 🏊). Dans une baie isolée, à l'extrémité sud de l'île, ce complexe possède son propre embarcadère et d'élégants bungalows en bois équipés d'une vaste véranda. Le jardin est immense et le complexe dispose d'une petite plage privée.

**Coco Cottages** (☎ 0 7521 2375 ; www.coco-cottage.com ; bungalows 1 600-4 500 B ; ❄). La plage est un peu étroite, mais le reste est parfait : bungalows en coco et bambou, jardins conçus de manière artistique et service souriant. Tout est naturel. Profitez d'un massage dans les petites huttes sur la plage ou posez-vous au sympathique restaurant-bar.

#### DEPUIS/VERS KO NGAI

Bien que Ko Ngai fasse techniquement partie de Krabi, il est plus simple de rejoindre l'île depuis Pak Meng. Les bateaux quotidiens mis à disposition par les complexes relient Hat Pak Meng à Ko Ngai à 10h, et repartent de Ko Ngai entre 8h et 9h. Les transferts en vedette coûtent 350 B (30 min), en "grands bateaux", plus lents, ils coûtent 150 B (1 heure). À moins que vous ne logiez au Koh Ngai Resort, vous devrez emprunter un *long-tail boat* pour rejoindre la rive depuis le bateau (40 B) ou demander à l'un des autres établissements de venir vous chercher. Il est aussi possible de louer un *long-tail boat* à Pak Meng (900 B).

En haute saison, le bateau qui relie Ko Lanta à Ko Lipe s'arrête également à Ko Ngai (600 B). Les navettes à destination du sud marquent aussi l'arrêt à Ko Muk, à Hat Yao ou à Ko Bulon Leh (mais jamais les trois à la fois). Prévenez votre hôtel si vous prévoyez de descendre avant Ko Lipe. Reportez-vous p. 742 pour plus d'informations.

### Ko Muk

เกาะมุก

La perle (*muk*) de Trang est un paradis doré où de grands arbres protègent le village de *chow lair*. Si le Charlie Beach Resort domine déjà outrageusement **Hat Farang** (Hat Sai Yao) sur la côte ouest, une société de Bangkok a récemment racheté plusieurs complexes et prévoit de s'agrandir encore. Quelques hébergements bon marché survivent à l'intérieur des terres, dominés par les hévéas. Vous aurez d'ailleurs probablement l'occasion de voir des saigneurs de caoutchouc à l'œuvre durant votre visite. La côte orientale abrite le village principal, quelques hébergements de catégorie moyenne, ainsi que le plus récent et le plus chic des complexes. La plupart des établissements de Ko Muk ferment en basse saison.

Le littoral possède de beaux spots de snorkeling. Joyau de l'archipel, **Tham Morakot** (grotte d'Émeraude) est caché à l'extrémité nord de l'île. Ce splendide tunnel calcaire long de 80 m débouche dans une lagune vert menthe, que l'on rejoint à la nage à marée haute, plongé par endroits dans l'obscurité totale. La petite

**LA LÉGENDE DES ÎLES DE TRANG**

Il y a fort longtemps, un jeune pêcheur tomba amoureux d'une belle jeune fille issue d'une riche famille de marchands chinois. Après leur mariage, le pêcheur s'installa dans sa belle-famille, qui vivait sur la côte de Trang. Il ne parlait jamais de sa propre famille, de pauvres pêcheurs, car il craignait que sa femme se sente gênée. Cette dernière ayant insisté pour rencontrer ses beaux-parents, les deux époux finirent donc par embarquer à bord d'un petit navire, avec pour tout bagage une corde, une planche, une bouteille d'alcool, la perle de la mariée et la bague de l'époux. Alors qu'ils approchaient du village de pêcheurs, le mari prit peur à nouveau et fit demi-tour. Ses parents, qui l'attendaient sur la côte, virent le bateau repartir et, de tristesse et de rage, maudirent les amoureux. Quelques heures plus tard, une tempête balaya Trang, ravagea le bateau et tua les jeunes mariés. Au matin, seuls leurs effets flottaient sur la mer calme : la corde (*cheu*), la planche (*kradan*), la bouteille (*ngai*), la perle (*muk*) et la bague (*wan*).

plage de sable blanc qui se trouve de l'autre côté est entourée de hautes falaises calcaires qu'éclairent quelques rayons de soleil vers midi. Les bateaux peuvent se rendre ici à marée basse. Figurant dans nombre de circuits, la grotte est parfois bondée en haute saison et des relents d'urine peuvent être incommodants pendant le mois de pointe.

Entre Ko Muk et Ko Ngai, les îlots karstiques de **Ko Cheuk** et de **Ko Waen**, ourlés de petites plages de sable, sont propices au snorkeling.

### OÙ SE LOGER

Les adresses suivantes se trouvent à quelques minutes de marche au nord de l'embarcadère, sur une petite plage.

**Mookies** (tentes 200 B). Ici, les tentes remplacent les bungalows. Le propriétaire australien, Brian, affirme vendre les bières les plus fraîches de Thaïlande. Ouvert toute l'année, le Mookies ne se départ pas de sa bonne ambiance et l'on a plaisir à y prendre un plat ou un verre.

**Ko Mook Resort** (☎ à Trang 0 7520 3303 ; 45 Th Praram VI ; bungalows 500-1 000 B). Ces huttes confortables cachées dans un jardin luxuriant où se déploient des fougères géantes offrent un excellent rapport qualité/prix. Le design épuré et l'isolement sont parfaits pour qui cherche un havre de paix romantique. Tous les jours, un bateau dessert gratuitement Hat Farang. Des circuits de snorkeling (350 B) sont organisés par l'établissement.

**Charlie Beach Resort** (☎ 0 7520 3281-3 ; www.kohmook.com ; bungalows 1 000-4 000 B ; ❄ 💻). Ce complexe fréquenté a carrément essayé de donner son nom à la ravissante plage sur laquelle il est installé (Hat Charlie, au lieu de Hat Farang). Il dispose de toute une variété d'hébergements allant de la hutte rudimentaire au bungalow chic et climatisé avec décoration sobre et grande véranda. Le personnel peut organiser des circuits de snorkeling à Tham Morakot ou vers d'autres îles (1 000 B environ). Ouvert toute l'année.

**Sivalai** (☎ 08 9723 3355 ; www.komooksivalai.com ; bungalows 5 500-9 000 B). Si vous arrivez du continent, vous distinguerez le Sivalai bien avant d'accoster à Ko Muk, avantageusement situé sur sa péninsule de sable blanc. Comme beaucoup de complexes sur les îles de Trang, cet établissement est un peu cher (et les jardins auraient besoin d'être entretenus), mais reste une adresse convenable.

### DEPUIS/VERS KO MUK

Des bateaux partent de l'embarcadère de Kuantungku, à quelques kilomètres au sud du bureau du parc national. Plusieurs ferrys partent vers 12h et reviennent à 8h (55 B, 30 min). La location d'un *long-tail boat* de Kuantungku à Ko Muk coûte 700 B (800 B jusqu'à Hat Farang). On peut également louer un *long-tail boat* pour Ko Muk au départ de Pak Meng (1 000 B). Des minibus climatisés circulent souvent entre Trang et Kuantungku (100 B, 1 heure). Les complexes proposent parfois des transferts moins chers pour leurs clients, n'hésitez pas à vous renseigner.

Entre novembre et mai, les vedettes qui font la navette entre Ko Lanta et Ko Lipe s'arrêtent également à Ko Muk ; voir p. 743 pour plus de détails.

## Ko Kradan

เกาะกระดาน

L'île isolée de Ko Kradan est sans doute le plus beau trésor de la province de Trang (voire de Thaïlande), avec sa jungle et ses récifs coralliens. Intégrée au parc national

**MARIAGE SOUS-MARIN**

À chaque Saint-Valentin (14 février), Ko Kradan est le théâtre de noces insolites. Quelque 35 couples enfilent une combinaison de plongée et descendent jusqu'à un autel sous-marin parmi les récifs coralliens pour officialiser leur union devant le représentant du district de Trang. Personne ne sait comment les couples parviennent à dire "oui" sous l'eau, mais la cérémonie, qui regroupe le plus grand nombre de mariages sous-marins au monde, est entrée dans le *Livre Guinness des records*. Avant et après la cérémonie, les couples sont promenés le long de la côte dans une flottille de vedettes. Si cela vous donne des idées, consultez le site www.trangonline.com/underwaterwedding.

de Hat Chao Mai, elle a été préservée d'un développement trop important et n'abrite que deux complexes hôteliers. Les excursions d'une journée sur l'île sont fréquentes, mais ce n'est qu'au lever du jour et à la tombée de la nuit que l'on profite pleinement de la beauté naturelle de l'île et des formations karstiques qui s'alignent à l'horizon.

**OÙ SE LOGER**

**Paradise Lost Resort** (☎ 08 9587 2409/1391 ; www.kokradan.com ; bungalows 600-1 200 B ; ❄). Wally, un sympathique Américain, a construit de ses mains un véritable camp de bungalows rustiques au cœur de la jungle. Les habitants disent que les bois sont hantés, mais, la nuit tombée, vous n'entendrez rien d'autre que des rires et le bruit des couverts qui viennent à bout de succulents plats thaïlandais. Wally connaît la région comme sa poche et peut vous dévoiler tous les secrets de l'île.

**Seven Seas** (☎ à Bangkok 0 2250 4526 ; www.sevenseasresorts.com ; ch/bungalows 5 000-10 000 B ; ❄ 💻 🏊). Nouveau venu sur l'île, ce petit complexe a tout d'un grand, et en particulier de superbes chambres avec des lits immenses. Des *long-tail boats* peuvent vous emmener passer la journée à Ko Kra Rok et à la grotte d'Émeraude, à Ko Muk (2 000 B). Sur la plage, juste devant l'hôtel, les hamacs se balancent, accrochés aux palétuviers. Au bord de la piscine à débordement, le restaurant, dont on apprécie la fraîcheur, sert une cuisine occidentale raffinée (la salade César est une valeur sûre) et des plats méridionaux au curry bien épicés. Les prix sont un peu élevés, mais le service est exceptionnel.

**DEPUIS/VERS KO KRADAN**

Le meilleur moyen de rejoindre Ko Kradan est d'appeler votre hôtel pour savoir s'il peut vous aider – vous pourrez peut-être embarquer à bord d'un bateau de marchandises ou partager un *long-tail boat* avec d'autres hôtes. Louer un *long-tail boat* par vous-même coûte 1 000 B depuis Pak Meng ou Kuantungku. Plus économique, vous pouvez également prendre un ferry à Kuantungku jusqu'à Ko Muk (ou de Hat Yao à Ko Libong) et finir le trajet en *long-tail boat*. Les bateaux "publics" qui transportent des pêcheurs entre Ko Muk et Ko Libong ne vont généralement pas jusqu'à Ko Kradan, puisqu'aucun village n'est installé sur l'île.

## Ko Libong

เกาะลิบง

Une croyance thaïlandaise veut que les larmes de dugong utilisées comme parfum attirent l'âme sœur. C'est peut-être l'une des raisons pour lesquelles les touristes affluent sur la plus grande des îles de Trang, connue pour ses algues qui hébergent les dugongs. En revanche, les plages ne sont pas les plus belles de la région. L'île abrite une petite communauté musulmane de pêcheurs et quelques complexes hôteliers sont installés sur de jolies plages isolées de sa côte ouest. Le développement respectueux de l'environnement mis en œuvre ici change agréablement de ce que l'on peut voir sur les autres îles de la baie.

Sur la côte est, à **Laem Ju Hoi**, s'étend une vaste mangrove protégée par le département de Botanique sous le nom de **réserve naturelle de l'archipel des Libong** (☎ 07525 1932). Les eaux environnant l'île sont l'un des derniers habitats du rare dugong (un animal proche du lamantin) ; une quarantaine d'individus se nourrissent des algues qui poussent dans la baie. Les hôtels "nature", orientés vers l'écotourisme, de Hat Yao et de Ko Libong proposent des circuits d'observation du dugong en kayak de mer guidés par des naturalistes expérimentés (1 000 B). La plupart des complexes louent des kayaks (200 B/h).

Si vous souhaitez loger sur place, optez pour **Le Dugong Libong Resort** (☎ 0 7972 7228 ; www.libongresort.com ; bungalows 350-800 B) pour un hébergement à bon prix dans de charmantes huttes en coco et en chaume. Chaque bungalow est isolé par des palmiers et de la végétation. Les sdb extérieures contribuent au charme naturel. On peut louer des motos pour 300 B/j.

Tenu par les mêmes propriétaires sympathiques et respectueux de la nature que le complexe de Hat Yao (p. 725), le **Libong Nature Beach Bungalow** (☎ 0 1894 6936 ; www.trangsea.com ; bungalows 600-1 000 B ; ❄) est installé sur un joli jardin aux belles pelouses et entouré d'hévéas. Le restaurant sans prétention sert une cuisine savoureuse, et les propriétaires organisent d'excellents circuits en kayak de mer dans la mangrove. Fermé en basse saison.

#### DEPUIS/VERS KO LIBONG

Des *long-tail boats* pour Ban Ma Phrao, sur la côte est de Ko Libong, partent régulièrement de Hat Yao (70-100 B/pers) en journée. Sur Ko Libong, des moto-taxis vous emmèneront vers les complexes de la côte ouest pour 70 B. La location d'un *long-tail boat* pour gagner l'un des complexes revient à 1 000 B la traversée.

### Ko Lao Liang

เกาะเหลาเลียง

Deux petits affleurements karstiques – Nong et Pi – forment la somptueuse Ko Lao Liang, qui fait théoriquement partie du parc national maritime de Ko Phetra (p. 736). L'unique hébergement est le **lao liang Island** (☎ 08 4304 4077 ; www.laoliangisland.com ; 3 jours/2 nuits 5 500 B/pers), fréquenté plutôt par des Thaïlandais. Les chambres sont en fait de luxueuses tentes en bord de plage, équipées de matelas, de ventil et de l'électricité. De nombreuses activités sont proposées, à commencer par le snorkeling au milieu des récifs splendides, l'escalade des falaises karstiques et le kayak de mer. Un petit bar est ouvert en soirée et le restaurant organise parfois des barbecues de produits de la mer. Le tarif inclut tous les repas, les équipements et quelques activités. Le transport depuis et vers Hat Yao est également compris. Un ferry pouvant embarquer jusqu'à 200 personnes quitte Hat Yao à 13h et part de Ko Lao Liang à 12h.

### Ko Sukorn

เกาะสุกร

*Sukorn* signifie "porc", ce qui est assez paradoxal, puisque l'île abrite une petite communauté musulmane. Celle-ci a pour toute compagnie quatre voitures, trois chiens (peu appréciés) et des centaines de buffles d'eau. Ko Sukorn est parfaite pour s'imprégner de la culture locale et profiter de la mer : ses plages couleur doré foncé sont moins spectaculaires mais plus intimes et propices à la baignade que celles des îles voisines. Des petits villages, coquets et accueillants, sont éparpillés entre les plantations d'hévéas, les rizières couvertes, les champs de pastèques et les cocotiers près de la côte.

La meilleure façon de visiter l'île consiste à louer un VTT pour la journée (50 B environ). Quelques montées, des paysages saisissants, beaucoup d'ombre et de multiples occasions de rencontrer les habitants – voilà qui vous incitera à prendre le temps de vivre. N'oubliez pas de vous couvrir lorsque vous quittez la plage, la religion musulmane étant très respectée dans l'île.

#### OÙ SE LOGER

L'électricité à Sukorn est limitée et plutôt réservée aux soirées. Les routards s'adresseront à l'embarcadère de Sukorn sur les possibilités de pension sur l'île. Nous recommandons la **Pawadee Guesthouse** (☎ 0 8988 74756 ; ch 100 B).

**Sukorn Beach Bungalows** (☎ 0 7520 7707 ; www.sukorn-island-trang.com ; bungalows 850-1 950 B). Sans aucun doute l'adresse la plus professionnelle de l'île. Les bungalows en béton et en bois sont confortables et idéalement placés face au coucher du soleil. L'affable propriétaire néerlandais, une source inépuisable de renseignements sur la région, organise d'excellents circuits sur mesure dans les îles. Le complexe est ouvert toute l'année (les tarifs baissent de 60% hors saison) et l'agence de voyages située près de la gare ferroviaire de Trang peut organiser votre transport jusqu'à Sukorn et d'autres îles.

#### DEPUIS/VERS KO SUKORN

Le plus simple pour rejoindre Sukorn est de passer par le complexe de votre choix (1 800 B/pers). Les plus aventureux peuvent se rendre à Palian (60 B la course par les transports publics depuis Trang), puis emprunter un *long-tail boat* (300 B).

Depuis Ko Sukorn, vous pouvez également louer un *long-tail boat* pour vous rendre à Ko Bulon Leh ou à Ko Libong (2 500 B), de même qu'à Ko Kradan, à Ko Ngai ou à Ko Muk (3 000 B).

# Extrême Sud

Après avoir patienté dans l'ombre pendant des années alors que les étoiles du Nord brillaient sous les feux des tropiques, la frontière méridionale entre enfin en scène, avide de gloire.

La star locale est le parc maritime de Ko Tarutao, dont les îles ourlées de sable émaillent une immense étendue oscillant entre bleu turquoise et vert jade. Après la minuscule Ko Lipe, ne manquez pas de découvrir les espaces sauvages des îles voisines avec un groupe de *chow lair* (nomades de la mer).

Explorer les terres revient à démonter une horloge : un saut jusqu'à Hat Yai dévoile le mécanisme qui fait tourner ses aiguilles, derrière le vernis touristique ambiant. Ce nœud de commerce et de transports est un bourg tapageur où résonne le vacarme de la circulation, des camions lourdement chargés et du marchandage dans les marchés bondés. Le rythme est plus paisible à Songkhla, sa voisine, où l'appel à la prière du muezzin couvre le clapotis des vagues.

Depuis quelques années, la situation politique est instable dans les provinces les plus méridionales (Yala, Pattani et Narathiwat) et voyager dans cette région n'est pas sans danger. Les conflits sectaires et les actes terroristes ne sont pas rares et, bien que les touristes ne soient pas la cible de ces flambées de violence, il vaut mieux ne pas prendre de risques. Mais c'est bien dommage. Ces villes assoupies qui bouillonnent en silence recèlent 2 000 ans d'histoire, hérités de royaumes glorieux, de marchés aux épices et de mercantilisme impérialiste. Si, lorsque vous lisez ces lignes, la situation s'est apaisée dans la région, revoyez votre itinéraire pour y faire un petit tour. Dans le cas contraire, contentez-vous de feuilleter ce chapitre pour en apprendre davantage sur les nombreux visages du "pays du Sourire".

**À NE PAS MANQUER**

- La photo d'un *long-tail boat* coloré flottant sur les eaux azurées de **Ko Lipe** (p. 740)
- Les articles plus ou moins authentiques sur les étals des marchés de **Hat Yai** (p. 744)
- La visite des plages secrètes de **Ko Adang** et de **Ko Rawi** (p. 743) avec un guide *chow lair*
- Un bol de nouilles fumant sur une plage de **Songkhla** (p. 746)
- Une sieste dans un hamac, les doigts de pied dans le sable chaud, sur l'une des nombreuses îles du **parc national maritime de Ko Phetra** (p. 736)

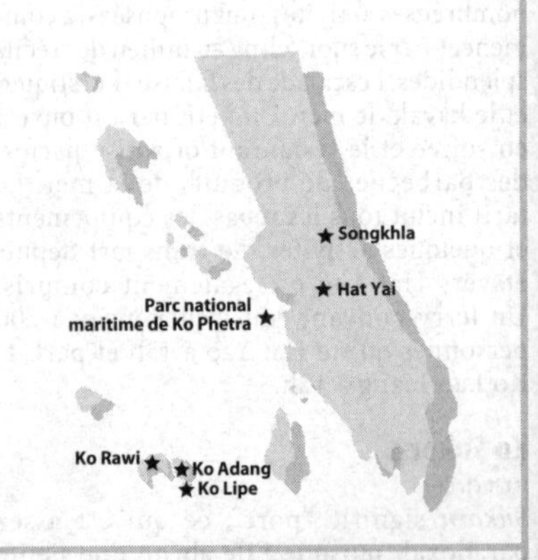


- MEILLEURE PÉRIODE : DE DÉCEMBRE À AVRIL
- POPULATION : 3,91 MILLIONS D'HABITANTS

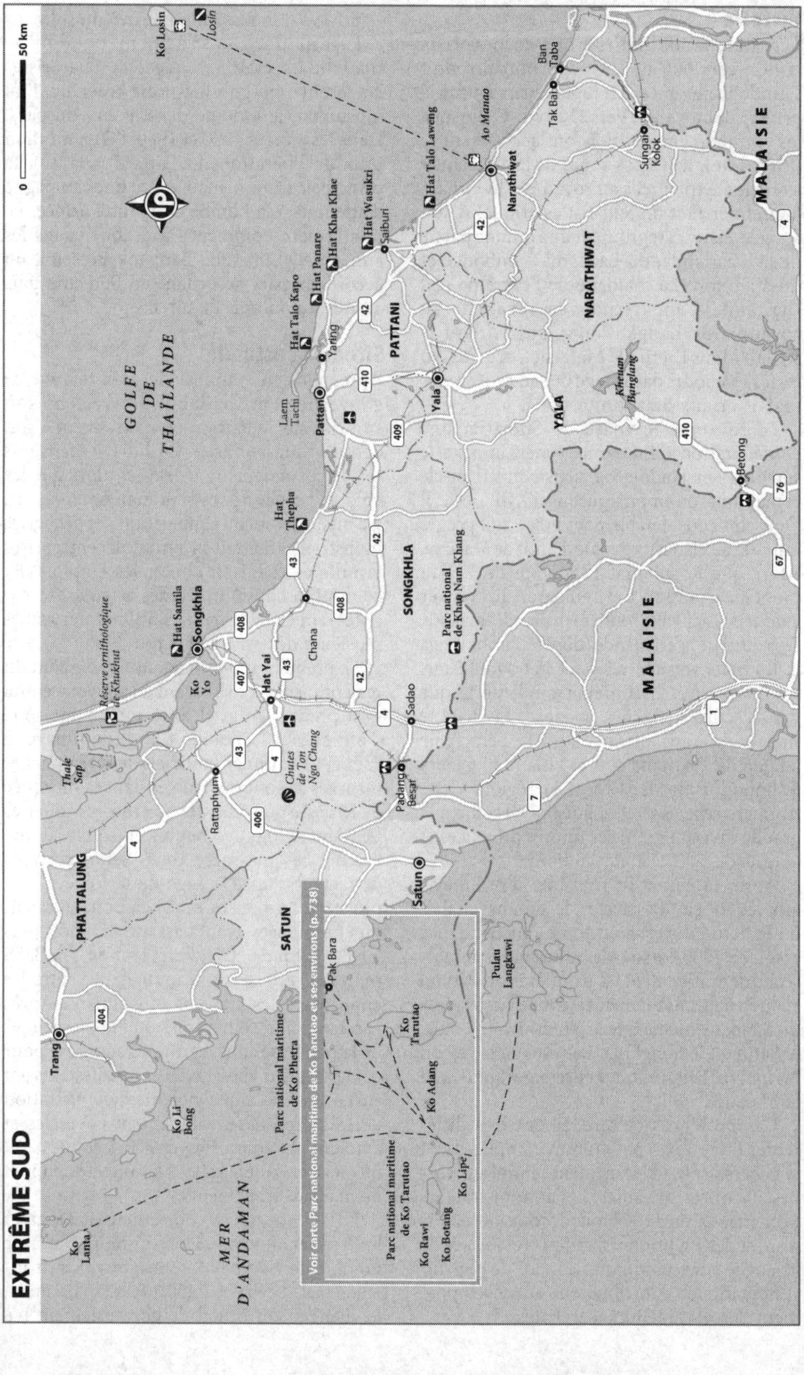

# EXTRÊME SUD

0 — 50 km

GOLFE DE THAÏLANDE

MER D'ANDAMAN

PHATTALUNG

SATUN

SONGKHLA

PATTANI

YALA

NARATHIWAT

MALAISIE

Ko Losin

Losin

Ao Manao

Ban Taba

Tak Bai

Sungai Kolok

Narathiwat

Hat Talo Laweng

Hat Wasukri

Saiburi

Hat Khae Khae

Hat Panare

Hat Talo Kapo

Yaring

Laem Tachi

Pattani

Yala

Khuenan Banglang

Betong

Hat Thepha

Hat Samila

Songkhla

Réserve ornithologique de Khukhut

Ko Yo

Hat Yai

Chana

Parc national de Khao Nam Khang

Sadao

Thale Sap

Rattaphum

Chutes de Ton Nga Chang

Padang Besar

Satun

Trang

Ko Li Bong

Ko Lanta

Parc national maritime de Ko Phetra

Pak Bara

Ko Tarutao

Ko Adang

Pulau Langkawi

Parc national maritime de Ko Tarutao

Ko Rawi

Ko Botang

Ko Lipe

Voir carte Parc national maritime de Ko Tarutao et ses environs (p. 738)

1, 4, 7, 42, 43, 67, 76, 404, 406, 407, 408, 409, 410

## Histoire

Les marchands indiens ont découvert la région vers 600 av. J.-C. et y ont introduit l'hindouisme, qui en est rapidement devenu la principale croyance. Vers 230 av. J.-C., lorsque les commerçants chinois ont accosté sur le littoral sud, de vastes zones de la Thaïlande avaient été intégrées au royaume du Funan, le premier État du Sud-Est asiatique. À son apogée, celui-ci regroupait une grande partie de la Thaïlande, du Laos, du Cambodge et du Vietnam. La majorité de l'extrême sud thaïlandais appartenait en revanche au royaume de Langka Suka, qui bordait le Kedah (dans l'actuelle Malaisie), et la région restera toujours davantage liée aux royaumes malais qu'aux États proto-thaïs.

Le royaume Srivijaya de Sumatra, une confédération d'États maritimes, annexa le sud de la Thaïlande et la Malaisie au VII<sup>e</sup> siècle et maintint son emprise jusqu'au XIII<sup>e</sup> siècle. Il s'enrichit considérablement grâce aux péages imposés aux bateaux dans le détroit de Malacca. Alors que le sultanat islamique de Kedah montait en puissance et s'emparait du pouvoir autour de l'actuelle frontière thaïlando-malaise, l'essentiel de la Thaïlande (dont le Tambralinga et les États voisins) adoptait le bouddhisme. Au XIV<sup>e</sup> siècle, l'islam était implanté jusque dans l'actuel Songkhla, au nord. Le dialecte malais de Yawi devint alors la principale langue de l'extrême sud et l'islam supplanta le bouddhisme dans toute la région. Cette frontière religieuse et linguistique renforça la grande division entre ces futures provinces et le reste de la Thaïlande, au nord.

Après la chute du royaume d'Ayuthaya, aux XVIII<sup>e</sup> et XIX<sup>e</sup> siècles, le sultanat malais de Pattani gouverna en toute indépendance jusqu'en 1909, lorsque le traité anglo-siamois scella définitivement les frontières du Pattani et du Kedah. Le Pattani fut attribué au royaume du Siam, de même que le Narathiwat, le Yala, le Satun et le Songkhla. Le reste de la région revint aux Britanniques et rejoignit plus tard la Malaisie.

Ces provinces culturellement très différentes du reste du pays furent complètement négligées par le gouvernement central au cours des 50 années suivantes. Les administrateurs non malais de la région découragèrent le respect des traditions islamiques et l'usage de la langue yawi, tandis que les abus de pouvoir systématiques contribuèrent au développement des sentiments séparatistes.

En 1957, le ressentiment des musulmans à l'égard du gouvernement bouddhiste thaïlandais était tel que les séparatistes lancèrent une guérilla pour créer un État musulman autonome dans le sud du pays. Dans les années 1970 et 1980, l'Organisation unie de libération du Pattani (PULO), la principale faction, inaugurèra une campagne d'attentats à la bombe et de lutte armée. Le mouvement commença à décliner dans les années 1990, lorsque Bangkok présenta un accord de paix accordant au Sud une plus grande autonomie culturelle.

## Situation actuelle

Après plusieurs années de paix relative, le gouvernement thaïlandais a relâché son emprise sur le Pattani en mettant fin à son contrôle quasi policier. En 2004, les tensions se sont brutalement aggravées alors que les volontés séparatistes reprenaient le dessus. Au même moment, l'apparition des pêcheries industrielles mettait en déroute les entreprises familiales et faisait chuter les emplois. La coloration communiste des attaques terroristes rappelait les manifestations intervenues plusieurs décennies plus tôt.

Le premier grand incident témoignant du ressentiment accru à l'égard du pouvoir central s'est produit en avril 2004, lorsqu'une série d'attaques à la bombe ont endommagé, à l'aube, 11 bâtiments officiels de la région. Les insurgés se sont rassemblés dans la mosquée de Krua Se pour résister aux forces militaires pendant 9 longues heures, jusqu'à ce que l'armée les massacre tous. Selon certains détracteurs, un tel usage de la force n'était pas nécessaire et des négociations auraient dû être menées avant l'assaut. Six mois plus tard, à la fin de 2004, l'incident de Tak Bai a renforcé cette scission inquiétante entre les autorités et les citoyens musulmans. Après l'arrestation de 6 hommes du Sud, les jeunes de la région se sont regroupés en masse pour demander leur libération. Les manifestants ont été confrontés à une violente démonstration de force militaire, rapidement encerclés et emmenés à Pattani. Plus de 80 personnes sont mortes pendant la rafle, à la suite de coups et de mauvais traitements.

En 2006, quand un coup d'État a fait tomber le Premier ministre Thaksin Shinawatra, le nombre de victimes dans les provinces frontalières avait dépassé 1 400. Malheureusement, le changement brutal de gouvernement n'a

**FAUT-IL VISITER L'EXTRÊME SUD THAÏLANDAIS ?**

Sans doute pensez-vous qu'il est inutile de risquer sa vie pour trouver une plage sans *fa·ràng* alors qu'il existe tant de destinations magnifiques sur les côtes thaïlandaises. Vous avez certainement raison et la dernière chose que nous souhaitons est de voir votre voyage mal finir. Mais si vous êtes intrépide, n'écartez pas l'extrême sud aussi vite. Beaucoup d'endroits de la région n'ont jamais connu ce "terrorisme" dont parlent les journaux étrangers.

Un petit rappel s'impose toutefois : nous ne pouvons (évidemment) pas garantir qu'une destination sera *toujours* sûre – d'où les nombreuses rubriques *Désagréments et dangers* rattachées aux destinations réputées. Donc, quand nous disons qu'un endroit convient aux touristes, cela signifie qu'il est aussi sûr que Phuket ou Chiang Mai par exemple.

La province de Satun n'a jamais été touchée par les turbulences politiques qui enflamment ses voisins. Son joyau, l'incontournable parc national maritime de Ko Tarutao (p. 737), regroupe une cinquantaine d'îles couvertes de jungle et livrées à la nature. La province de Songkhla est également sûre, à l'exception des 4 "districts" les plus méridionaux, autrefois placés sous surveillance. Cité commerçante affairée, Hat Yai (p. 744) est une excellente destination pour ceux qui aiment les marchés, tandis que la ville de Songkhla (p. 746) est un havre pour les visiteurs décontractés qui souhaitent sortir des sentiers battus.

Que dire des autres provinces ? Elles forment un arrière-pays préservé et imprégné de plusieurs millénaires d'histoire religieuse. Toutefois, comme nous l'avons dit plus haut, la Thaïlande compte suffisamment d'autres plages et de temples à découvrir, et peut-être vaut-il mieux commencer par ceux-là. Reportez-vous p. 734 pour des détails. Nous recommandons aux voyageurs qui veulent faire un détour par la Malaisie pour proroger leur visa de traverser la frontière par la route Ko Lipe-Langkawi ; mais si vous êtes dans un train pour Butterworth, inutile de descendre pour passer ailleurs.

pas mis fin à la violence dans le Sud. Au milieu de 2007, le nombre de victimes avait presque doublé, à environ 2 600 personnes, malgré la réouverture du Centre d'administration des provinces de la frontière sud (démantelé par Thaksin en 2002) et les excuses publiques faites à la population musulmane par Surayud Chulanont, le nouveau Premier ministre, pour les erreurs du gouvernement précédent. Les violences dans l'extrême sud ont dès lors été dirigées vers les institutions éducatives, qui incarnaient l'étroite mainmise des autorités bouddhistes sur la région. En 2008, les rebelles furieux avaient déjà mis le feu à plus de 200 écoles et tué près de 80 enseignants, faisant grimper le nombre de victimes à 3 500 en 5 ans.

Aujourd'hui, les manœuvres d'intimidation continuent. La plupart des attaques font usage de bombes artisanales ou de petits engins explosifs qui font peu de blessés mais engendrent la peur. Le nombre d'attentats augmente chaque année au mois de novembre, juste après la visite annuelle du Premier ministre. Les victimes sont choisies au hasard : des hommes qui jouent aux cartes dans un café tirés dans la rue et abattus, un agriculteur travaillant dans un champ de caoutchouc décapité, des passagers extraits d'un minibus et violemment battus. C'est le caractère complètement aléatoire de ces violences qui provoque la terrible angoisse de la population. Les autorités surveillent de près les auteurs de ces actes : de jeunes hommes parlant le yawi, grands consommateurs de drogue et peu éduqués. Cependant, tant que le gouvernement n'interviendra pas davantage pour réduire ces attaques, les médias continueront d'imputer la responsabilité des incidents terroristes au manque de contrôle du Parlement, plutôt qu'au comportement imprévisible de ces séparatistes aux idées confuses. Si leurs motivations restent mal définies, la plupart des habitants pensent que la violence ne prendra fin qu'une fois tous les bouddhistes chassés de la région et les provinces de Yala, de Pattani et de Narathiwat réunies dans leur ancien sultanat.

## Climat

Si vous prévoyez de visiter les îles de la province de Satun, il vaut mieux le faire entre début novembre et mi-mai : la mer est assez agitée en basse saison et les services de ferry beaucoup moins nombreux. Entre juin et octobre, les pluies de mousson rendent le voyage sur la côte d'Andaman peu attrayant. En revanche, c'est d'octobre à décembre que les provinces donnant sur le golfe de Thaïlande reçoivent le plus de pluie.

### Parcs nationaux

Les lointains parcs maritimes de Ko Tarutao (p. 737) et de Ko Phetra (p. 736), avec leurs îles sauvages, leurs plages préservées et leurs eaux azurées, offrent de nombreuses occasions de pratiquer le snorkeling et la plongée sous-marine.

### Langue

Environ 3 millions d'habitants de l'extrême sud parlent le yawi, aussi appelé malais de Pattani. Ce dialecte est couramment employé par la communauté musulmane, qui représente environ 80% de la population locale.

### Désagréments et dangers

Ces dernières années, une succession ininterrompue d'incidents violents a rendu hasardeux tout voyage dans les provinces de Pattani, de Yala et de Narathiwat. Pour des informations complémentaires, consultez l'encadré p. 733 et le site Internet de votre ambassade.

Les touristes n'ont pas été les cibles des insurgés, mais le caractère souvent incertain des troubles politiques ne permet pas de prévoir comment les choses vont évoluer et quand se produira le prochain incident.

### Depuis/vers l'extrême sud

Il existe des liaisons régulières en avion, bus et train entre Bangkok et Hat Yai (p. 745). Des bateaux relient Ko Lipe et Ko Bulon Leh aux grandes destinations de la côte d'Andaman comme Phuket, Ko Phi Phi et Ko Lanta. En raison des problèmes de sécurité dans certaines provinces, la plupart des voyageurs qui font une visite éclair en Malaisie pour proroger leur visa passent par le Satun – la route Ko Lipe-Langkawi (p. 743) est désormais très fréquentée.

### Comment circuler

Il est désormais assez facile de circuler dans l'extrême sud. Les transports terrestres sont canalisés sur Hat Yai (p. 745), tandis que la circulation maritime le long de la côte d'Andaman passe par le port de Pak Bara (p. 736). Les eaux du golfe sont assez peu fréquentées, hormis par les sociétés pétrolières étrangères qui prospectent. Le transport vers le parc maritime de Ko Tarutao est généralement interrompu durant la saison des pluies.

# PROVINCE DE SATUN

Si vous n'avez le temps de visiter qu'une seule province de l'extrême sud, privilégiez Satun (souvent prononcé "stoune"). La région méridionale de la côte d'Andaman ne connaît pas l'animation des circuits touristiques situés au nord, malgré les dizaines de belles îles désertes qui ornent ses eaux turquoise. Si elles sont dénuées du relief karstique qui caractérise l'Andaman, ces îles couvertes de jungle possèdent en revanche de magnifiques plages dorées.

Satun a été largement épargnée par les troubles qui assaillent les régions voisines de Yala, de Pattani et de Narathiwat.

## SATUN

สตูล

**33 400 habitants**

Si vous longez la côte en allant d'une île à l'autre, vous ne vous arrêterez probablement pas à Satun. Capitale provinciale par excellence, elle ne compte qu'un seul site digne d'intérêt, le **musée Ku Den** (musée national de Satun ; Soi 5, Th Satun Thanee ; dons ; 8h30-16h30 mer-dim). Aménagé dans une charmante maison sino-portugaise, cet excellent musée a été édifié pour accueillir le roi Rama V à l'occasion d'une visite officielle, mais celui-ci n'est pas venu. Le bâtiment a été joliment restauré et l'exposition comprend des dioramas sur tous les aspects de la culture musulmane du Sud.

### Où se loger et se restaurer

**Sinkiat Thani Hotel** ( 0 7473 0255 ; 50 Th Burivanich ; ch 663 B ; ). L'hôtel le plus confortable de Satun occupe une haute tour en plein centre. Ses grandes chambres sont modernes et bien équipées ; les meilleures offrent une superbe vue sur la ville et la jungle.

**On's** (48 Th Burivanich ; plats à partir de 40 B ; petit-déj, déj et dîner). Apprécié des plaisanciers de passage, ce restaurant séduit une clientèle occidentale avec sa cuisine internationale variée. On y trouve de la bière pression et une mine d'informations sur la région.

Th Burivanich et Th Samanta Prasit regorgent de petites enseignes musulmanes

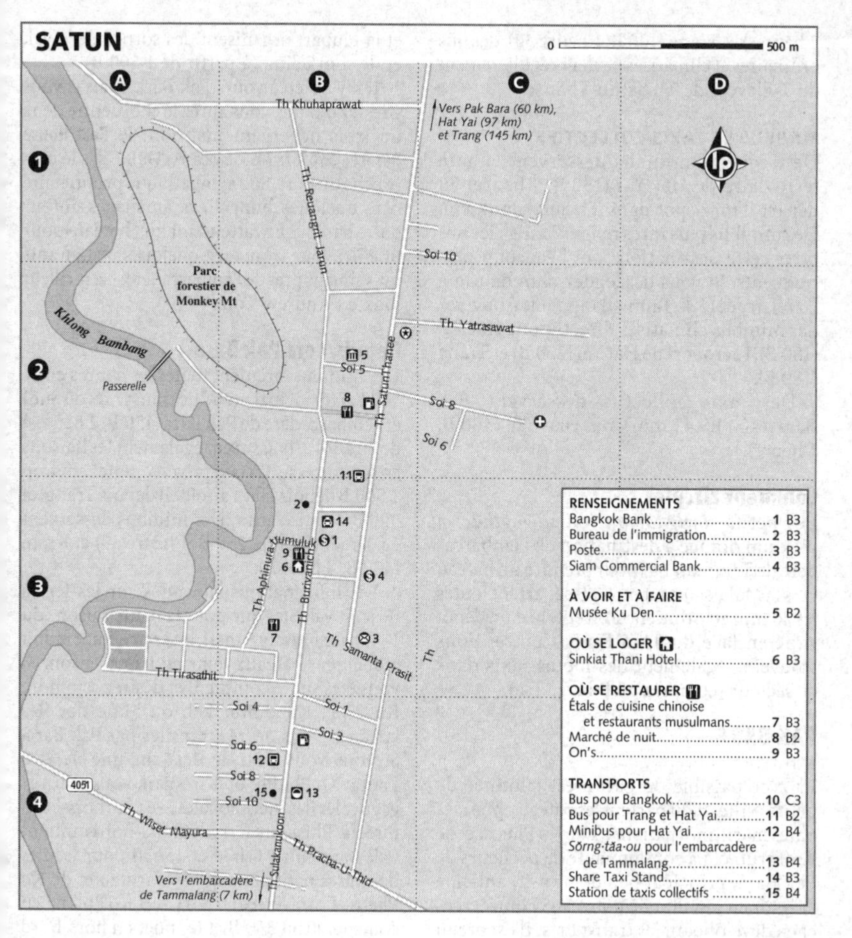


et chinoises. Vous pourrez goûter du "porc rouge" accompagné de riz aux étals chinois ou du *roti* du Sud dans la majorité des restaurants musulmans (environ 50 B chacun). Le **marché de nuit** (près de Th Satun Thanee), très fréquenté, s'anime vers 17h et propose de succulents currys thaïs.

## Depuis/vers Satun

### BATEAU

Les bateaux pour la Malaisie et Tarutao partent de l'embarcadère de Tammalang, à 7 km au sud de Satun sur Th Sulakanukoon. Le nombre de ferrys diminue à mesure que la ville de Pak Bara (voir ci-après), au nord, s'impose comme principal port de la région. De grands *long-tail boats* desservent régulièrement Kuala Perlis en Malaisie (200 B, 1 heure, départs entre 8h et 14h). Au retour, le tarif est de 20 RM.

Pour Pulau Langkawi, en Malaisie, les bateaux quittent tous les jours l'embarcadère de Tammalang à 9h30, 13h30 et 16h (250 B, 1 heure 30). En sens inverse, les départs ont lieu à 8h30, 12h30 et 16h, et coûtent 27 RM. N'oubliez pas qu'il y a une heure de différence entre la Thaïlande et la Malaisie.

### BUS

Les bus pour Bangkok partent d'un petit dépôt dans Th Hatthakham Seuksa, à l'est du centre-ville. Les bus climatisés (820 B, 14 heures) partent à 7h et 14h30. Un seul bus VIP part à 16h30 (1 030 B). Pour Hat Yai (80 B,

2 heures) et Trang (100 B, 1 heure 30), des bus ordinaires et climatisés partent régulièrement du 7-Eleven, de Th Satun Thanee.

#### MINIBUS ET TAXIS COLLECTIFS

De fréquents minibus desservent la gare ferroviaire de Hat Yai (150 B, 1 heure) au départ d'un dépôt dans Th Sulakanukoon. Des minibus plus rares relient Trang ; les bus pour cette destination sont beaucoup plus fréquents. Si vous descendez d'un bateau à l'embarcadère de Tammalang, vous trouverez des minibus climatisés directs pour Hat Yai (180 B), l'aéroport de Hat Yai (220 B) et Trang (180 B).

Des taxis collectifs desservent Pak Bara (400 B, 45 min) ou Hat Yai (400 B, 1 heure).

### Comment circuler

Les petits *sŏrng·tăa·ou* (ou *săwngthăew* ; pick-up) orange à destination de l'embarcadère de Tammalang (pour prendre un bateau vers la Malaisie) coûtent 50 B et partent toutes les 20 min environ, entre 8h et 17h, d'un dépôt situé en face du Thai Ferry Centre. Vous trouverez également des motos-taxis dans ce secteur (comptez 60 B la course).

## PAK BARA

ปากบารา

La côte paisible du Satun est jalonnée de petites villes d'où partent les bateaux pour les parcs maritimes nationaux de Ko Phetra et de Ko Tarutao. La communauté de pêcheurs de Pak Bara, principal lieu de transit, anticipe l'avenir en ouvrant de nouveaux commerces et en développant les transports. Il est prévu de creuser un profond canal entre Pak Bara et Songkhla, qui éviterait aux bateaux de descendre jusqu'à Singapour pour passer du golfe de Thaïlande à la mer d'Andaman. Si le projet est réalisé, Pak Bara et son nouveau port en eau profonde deviendront un point majeur sur la carte. Pour l'instant, il n'existe aucun DAB à Pak Bara (le plus proche est à La-Ngu).

Nous recommandons aux voyageurs qui souhaitent visiter les îles paisibles du parc de Ko Tarutao de s'arrêter au **bureau du parc** (☎ 0 7478 3485), juste derrière l'embarcadère, pour réserver un hébergement ou obtenir l'autorisation de camper. Les agences de voyages du port vous vendront volontiers un billet pour n'importe quelle destination et la plupart organisent des sorties de kayak et de snorkeling (à partir de 1 500 B).

Il n'y a rien à voir à Pak Bara, mais si vous y restez bloqué, vous aurez le choix entre deux ou trois hébergements, dont le **Best House Resort** (☎ 0 7578 3058 ; bungalows 590 B ; ❄), le plus proche du port. Son sympathique propriétaire gère quelques bungalows aménagés autour d'un bassin. En attendant un bateau pour une île, vous trouverez quelques restaurants musulmans près de l'embarcadère – le meilleur jouxte l'Andrew Tour.

### Depuis/vers Pak Bara

Des minibus circulent toutes les heures entre Hat Yai (principal nœud de transports du Sud) et l'embarcadère de Pak Bara (150 B, 2 heures) de 7h à 16h. Ils assurent également les liaisons en sens inverse. En taxi privé, comptez environ 1 500 B depuis Hat Yai, 600 B depuis Trang, et 400 B depuis Satun. Des minibus desservent également Trang (250 B, 1 heure 30) et Krabi (400 B, 4 heures).

Les informations suivantes sur les ferrys ne sont valables que pour la haute saison (du 1er novembre au 15 mai), le service étant réduit à quelques bateaux lents en basse saison. Si vous êtes sur le continent et désirez rejoindre Ko Lipe, Ko Bulon Leh ou l'une des îles voisines, vous devrez transiter par Pak Bara. Si vous vous trouvez déjà sur une île (Ko Lanta, Ko Phi Phi ou Ko Ngai), vous pourrez gagner les îles méridionales avec des hors-bord directs. Plusieurs ferrys et hors-bord quittent Pak Bara entre 11h30 et 15h30 pour les îles des parcs nationaux de Ko Tarutao et de Ko Phetra. La traversée en ferry vers Ko Bulon Leh coûte environ 350 B et le trajet en hors-bord vers Ko Lipe 650 B (1 200 B l'aller-retour), avec une escale à Ko Tarutao.

## PARC NATIONAL MARITIME DE KO PHETRA

อุทยานแห่งชาติหมู่เกาะเภตรา

Souvent éclipsé par son voisin, le parc de Ko Tarutao, le **parc national maritime de Ko Phetra** (☎ 0 7478 1582 ; adulte/enfant 400/200 B) est un merveilleux archipel qui comprend Ko Khao Yai, Ko Lao Liang (p. 729), Ko Bulon Leh (l'unique île dotée d'un hébergement privé ; voir p. 737) et 19 autres îles.

Les bureaux du parc se situent à 3 km au sud-est de Pak Bara, à Ao Nun. Vous devrez impérativement y passer avant de planter une tente sur l'une de ses îles désertes.

### Ko Bulon Leh

เกาะบุโหลนเล

Nichée entre les îles Trang et le parc de Ko Tarutao, Ko Bulon Leh (aussi appelée Bulon) est bordée de plages de sable fin léchées par une eau cristalline. L'île se trouve dans un secteur suffisamment développé pour que l'on puisse profiter du confort sans devoir pour autant se battre pour occuper un bout de plage.

La partie méridionale de l'île est marquée par la pittoresque **Mango Bay**, tandis qu'au nord une baie rocheuse abrite un petit village de *chow lair* (ou *chao leh*). L'île se révèle parfaite pour faire de la randonnée : l'intérieur des terres est sillonné de sentiers, longeant des plantations d'hévéas qui regorgent d'oiseaux. À pied, il est possible de se rendre à peu près partout sur l'île en une demi-heure. Des formations rocheuses étranges le long du littoral font penser à une œuvre de Salvador Dalí. Sur la côte est s'étire une jolie plage de sable doré, au large de laquelle se cachent de beaux récifs coralliens.

Les complexes hôteliers peuvent organiser des circuits de snorkeling dans les autres îles de l'archipel de Ko Bulon pour 900 B environ, et des excursions de pêche moyennant 300 B/h. Location de masque et tuba (100 B), palmes (70 B) et kayaks de mer (150 B/h).

#### OÙ SE LOGER ET SE RESTAURER

La plupart des hôtels ferment durant la saison des pluies. Vous trouverez quelques restaurants locaux et une petite boutique dans le village musulman qui jouxte le Bulon Viewpoint.

**Bulone Resort** ( ☎ 08 1897 9084 ; www.bulone-resort.com ; bungalows 600-1 200 B). Situé directement sur la plage, c'est le meilleur des hébergements pour les petits budgets. Cet endroit sans prétention propose des bungalows spacieux de diverses tailles, profitant de l'ombre généreuse des grands casuarinas qui jalonnent la partie nord de la plage.

**Pansand Resort** ( ☎ 07521 8035 ; www.pansand-resort.com ; 82-84 Th Visetkul ; cottages avec petit-déj 1 000-1 700 B). Installé sur la meilleure plage de l'île, ce resort propose d'agréables bungalows de style colonial et des cottages de luxe, alignés le long d'un terrain verdoyant. Le restaurant est excellent et le personnel peut organiser des excursions de snorkeling à White Rock Island (1 500 B/8 pers au maximum). Téléphonez car il est réputé.

#### DEPUIS/VERS LE PARC NATIONAL MARITIME DE KO PHETRA

Étant donné que le nombre de ferrys ne cesse d'augmenter pendant la haute saison, il vaut mieux contacter directement votre hôtel pour des renseignements à jour. Un hors-bord part de Pak Bara tous les jours à 13h30 (400 B) et atteint l'île vers 15h. Les bateaux en sens inverse partent à 9h. Les ferrys pour Ko Bulon Leh quittent Ko Lipe à 14h30 (550 B) ; les ferrys pour Ko Lipe partent de Ko Bulon Leh à 10h. Des hors-bord supplémentaires relient Ko Lipe et Ko Bulon Leh quand la demande est suffisante.

## PARC NATIONAL MARITIME DE KO TARUTAO

อุทยานแห่งชาติหมู่เกาะเภตรา

Tout secret, aussi bien gardé qu'il soit, vient un jour à être dévoilé. Ce jour est arrivé lorsque la célèbre émission de téléréalité américaine *Survivor* a tourné sa cinquième édition dans ce magnifique parc maritime. Par chance, le **parc national maritime de Ko Tarutao** ( ☎ 0 7478 1285 ; adulte/enfant 400/200 B ; ⏲ de nov à mi-mai), protégé des promoteurs par des lois thaïlandaises strictes, demeure l'un des territoires les plus beaux et les plus sauvages du pays. Ce vaste archipel englobe une myriade de récifs coralliens et 51 îles couvertes d'une forêt vierge tropicale remarquablement bien préservée, refuge des semnopithèques obscurs, macaques crabiers, chevrotains, cochons sauvages, loutres de mer, chats pêcheurs, varans malais, pythons verts, calaos et martins-pêcheurs.

Le parc ferme en basse saison (de mai à octobre), lorsque les bateaux cessent pratiquement de circuler.

### Ko Tarutao

เกาะตะรุเตา

La majeure partie de Ko Tarutao, île d'une superficie de 152 km², est couverte d'une épaisse forêt tropicale primaire qui se répand jusqu'au sommet le plus haut du parc (713 m). Des mangroves et des falaises calcaires impressionnantes encerclent presque toute l'île, tandis que la côte ouest est bordée de paisibles plages de sable blanc.

Tarutao a connu une histoire sordide qui explique en partie son extraordinaire état de préservation aujourd'hui. Entre 1938 et 1948, plus de 3 000 détenus y ont été exilés, des criminels comme des prisonniers politiques, dont So Setabutra, qui compila le premier

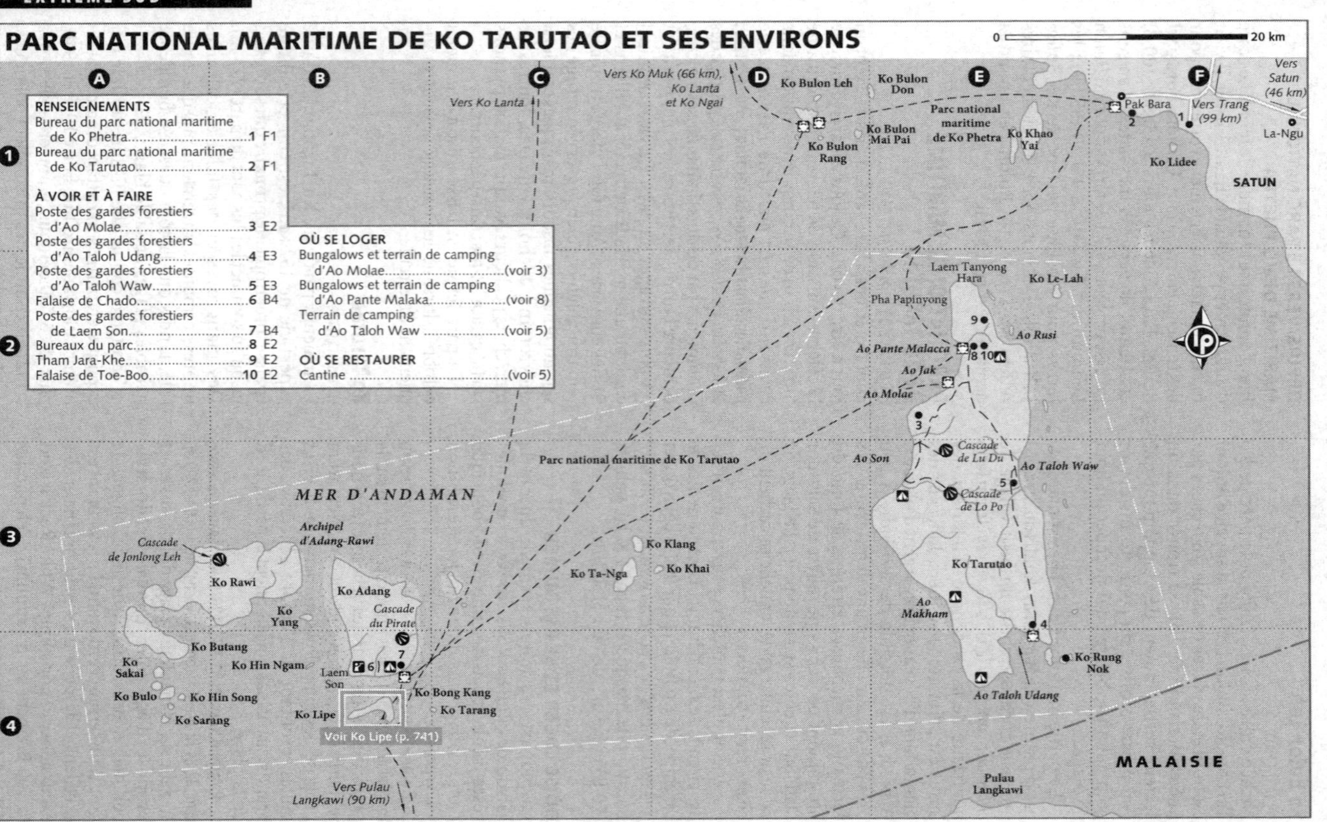
PARC NATIONAL MARITIME DE KO TARUTAO ET SES ENVIRONS
0
20 km
A
B
C
D
E
F
1
2
3
4
RENSEIGNEMENTS
Bureau du parc national maritime de Ko Phetra.....1 F1
Bureau du parc national maritime de Ko Tarutao.....2 F1
À VOIR ET À FAIRE
Poste des gardes forestiers d'Ao Molae.....3 E2
Poste des gardes forestiers d'Ao Taloh Udang.....4 E3
Poste des gardes forestiers d'Ao Taloh Waw.....5 E3
Falaise de Chado.....6 B4
Poste des gardes forestiers de Laem Son.....7 B4
Bureaux du parc.....8 E2
Tham Jara-Khe.....9 E2
Falaise de Toe-Boo.....10 E2
OÙ SE LOGER
Bungalows et terrain de camping d'Ao Molae.....(voir 3)
Bungalows et terrain de camping d'Ao Pante Malaka.....(voir 8)
Terrain de camping d'Ao Taloh Waw.....(voir 5)
OÙ SE RESTAURER
Cantine.....(voir 5)
Vers Ko Lanta
Vers Ko Muk (66 km), Ko Lanta et Ko Ngai
Ko Bulon Leh
Ko Bulon Don
Ko Bulon Mai Pai
Ko Bulon Rang
Parc national maritime de Ko Phetra
Ko Khao Yai
Pak Bara
Vers Trang (99 km)
Vers Satun (46 km)
La-Ngu
Ko Lidee
SATUN
Laem Tanyong Hara
Ko Le-Lah
Pha Papinyong
Ao Rusi
Ao Pante Malacca
Ao Jak
Ao Molae
Ao Son
Cascade de Lu Du
Ao Taloh Waw
Cascade de Lo Po
Ko Tarutao
Ao Makham
Ao Taloh Udang
Ko Rung Nok
Parc national maritime de Ko Tarutao
MER D'ANDAMAN
Archipel d'Adang-Rawi
Cascade de Jonlong Leh
Ko Rawi
Ko Adang
Cascade du Pirate
Ko Yang
Ko Butang
Ko Hin Ngam
Laem Son
Ko Sakai
Ko Bulo
Ko Hin Song
Ko Sarang
Ko Lipe
Ko Bong Kang
Ko Tarang
Voir Ko Lipe (p. 741)
Ko Klang
Ko Ta-Nga
Ko Khai
Vers Pulau Langkawi (90 km)
Pulau Langkawi
MALAISIE

dictionnaire thaï-anglais lors de sa détention. Pendant la Seconde Guerre mondiale, la nourriture et les médicaments en provenance du continent furent considérablement réduits et des centaines de détenus périrent du paludisme. Prisonniers et gardiens se mutinèrent et se livrèrent à la piraterie dans le proche détroit de Malacca, avant qu'un contingent de soldats britanniques ne mette fin à leurs exactions en 1944.

### À VOIR ET À FAIRE

Un long chemin, enfoui sous la végétation, mène aux ruines du camp des prisonniers politiques à **Ao Taloh Udang**, dans le sud-est de l'île. Le camp des prisonniers civils se trouvait sur la côte est, au-dessus d'**Ao Taloh Waw**, où accostent les grands bateaux en provenance de l'embarcadère de Tammalang à Satun. Une route en béton traverse l'île d'Ao Taloh Waw à **Ao Pante Malacca**, sur la côte ouest, qui abrite le bureau du parc, des bungalows et le principal camping. Des bateaux circulent entre Ao Pante Malacca et Pak Bara, sur le continent.

À côté du bureau du parc, à Ao Pante Malacca, un sentier escarpé grimpe à travers la jungle jusqu'à la **falaise de Toe-Boo**, un spectaculaire affleurement rocheux qui offre un panorama somptueux de Ko Adang et des îles environnantes.

Ao Pante Malacca possède une jolie plage d'un blanc d'albâtre, ombragée de pandanus et de casuarinas. Remontez le cours d'eau qui se trouve ici vers l'intérieur des terres pour rejoindre **Tham Jara-Khe** (grotte aux Crocodiles), autrefois peuplée de dangereux crocodiles de mer. À marée basse, la grotte est navigable sur 1 km et peut se visiter dans le cadre des circuits en *long-tail boat* qui partent de la jetée d'Ao Pante Malacca.

Juste au sud d'Ao Pante Malacca, une autre belle plage de sable borde **Ao Jak**. **Ao Malae**, également ourlée de sable blanc, abrite un poste de gardes forestiers, avec des bungalows et un camping. À 30 min en bateau ou 8 km de marche vers le sud s'étend **Ao San**, une baie sablonneuse isolée où des tortues viennent pondre de septembre à avril. Malgré l'absence d'installations, vous pouvez y camper. Le snorkeling se révèle aussi plaisant à Ao Son qu'à Ao Makham, plus au sud. Du petit poste de gardes forestiers d'Ao Son, une belle randonnée à l'intérieur des terres mène à la **cascade de Lu Du** (environ 1 heure 30) et à la **cascade de Lo Po** (environ 2 heures 30).

### OÙ SE LOGER ET SE RESTAURER

Tous les hébergements officiels de Ko Tarutao sont regroupés autour des bureaux du parc, à Ao Pante Malacca et à Ao Molae, où vous pouvez régler le droit d'entrée du parc (400 B). Ouverts de novembre à mi-mai, ces établissements sont bien plus soucieux de l'environnement que la majorité des complexes hôteliers de la Thaïlande. L'eau est rationnée, les déchets envoyés sur le continent, des ampoules basse consommation fournissent l'éclairage et l'électricité ne fonctionne que de 18h à 7h. Vous pouvez réserver auprès du **bureau du parc** (☎ 0 7478 3485 ; cases 600-1 200 B) à Pak Bara, ou du **Royal Forest Department** (☎ 0 2561 4292/3) à Bangkok.

On peut planter la tente sous les casuarinas à Ao Pante Malacca, Ao Molae et Ao Taloh Waw, où l'on trouve toilettes et douches, ainsi que sur les plages sauvages d'Ao Son, d'Ao Makham et d'Ao Taloh Udang, dépourvues d'infrastructures.

Les autorités du parc gèrent deux **cantines** (plats 40-120 B) : l'une à Ao Pante Malacca, l'autre à Ao Taloh Waw, près de la jetée.

### COMMENT S'Y RENDRE ET CIRCULER

Les bateaux reliant Pak Bara à Ko Lipe font escale à Ko Tarutao (voir p. 743 pour des détails). Un bateau quitte chaque jour (en haute saison) Satun à 11h et effectue le retour à 15h, pour un tarif similaire au ferry (pas au hors-bord) qui part de Pak Bara.

Des *long-tail boats* peuvent être loués à l'embarcadère d'Ao Pante Malacca pour des circuits à Tham Jara Khae ou à Ao Son (environ 600 B). L'aller-retour vers Ao Taloh Udang revient à 1 500 B environ.

## Ko Khai et Ko Klang

เกาะไข่/เกาะกลาง

Entre Ko Tarutao et Ko Adang se trouve un groupe de 3 îles appelé **Muu Ko Klang** (groupe des îles du Milieu). La plus intéressante, Ko Khai, possède une belle plage de sable blanc et une pittoresque arche rocheuse. Leurs récifs coralliens ont été abîmés par les ancres des bateaux, mais Ko Khai et Ko Klang sont toutes deux baignées d'eaux cristallines, idéales pour se baigner. Vous pouvez louer un *long-tail boat* au départ d'Ao Pante Malacca, sur Ko Tarutao, ou de Ko Lipe. L'aller-retour coûte 1 500 B environ depuis ces deux endroits.

## Ko Lipe

เกาะหลีเป๊ะ

Pour immortaliser l'image d'un *long-tail boat* à la coque orangée flottant sur une magnifique mer turquoise, rejoignez au plus vite Ko Lipe. Ces deux dernières années, les promoteurs ont investi la majeure partie du littoral de l'île (et une bonne partie de sa jungle) et, bien que la petite Lipe reste assez décontractée, son village *chow lair* se réduit à mesure que les nouveaux complexes hôteliers surgissent, apportant avec eux leur lot de déchets. Malheureusement, l'île ne tardera sans doute pas à s'afficher comme une "mini Ko Phi Phi"...

### ORIENTATION

Ko Lipe est une petite île en forme de boomerang dotée de trois plages : Sunset Beach, Sunrise Beach et Hat Pattaya, qui accueille un petit bureau de l'immigration en haute saison (p. 742). Des chemins goudronnés sillonnent l'île et relient les trois étendues de sable. Munissez-vous d'une lampe torche la nuit, car on se perd facilement. Le Castaway Resort (p. 742) possède la meilleure carte de l'île, sous la forme d'une jolie carte au trésor.

### RENSEIGNEMENTS

Lors de notre passage, Ko Lipe n'avait pas encore de distributeurs automatiques de billets. Certains complexes des catégories moyenne et supérieure acceptent les cartes de crédit, mais il est préférable d'emporter suffisamment d'espèces. Il n'y a pas non plus de 7-Eleven sur l'île (voir l'encadré p. 743), ce qui pousse les épiceries locales à pratiquer des prix exorbitants.

Pour obtenir des informations sur les transports et réserver un circuit, contactez Boi. La jeune femme dirige **Friends Travel** (Boi's Travel ; ☎ 08 9464 5854 ; www.kohlipethailand.com), sur la route goudronnée entre Hat Pattaya et Sunrise Beach, et vend de superbes souvenirs artisanaux.

La dengue sévit parfois sur Ko Lipe (voir p. 794).

### À FAIRE

Si vous souhaitez explorer les îles voisines de Ko Adang ou de Ko Rawi (p. 743), vous pouvez le faire par vos propres moyens (l'aller en *long-tail boat* coûte 50 B) ou vous joindre à un groupe (voir ci-contre).

Certains plongeurs vous diront qu'il existe plusieurs dizaines de sites autour de Lipe, mais omettront de vous prévenir que la visibilité n'est pas toujours bonne. L'eau peut être cristalline, mais, parfois, les puissants courants soulèvent des nuages de sable. Ko Lipe reste toutefois un endroit propice à la plongée : les plongeurs ne s'y bousculent pas comme à Phuket ou à Ko Tao et les récifs y sont mieux préservés. Parmi les meilleurs spots figurent l'**Eight Mile Rock**, un pinacle submergé fréquenté par de gros poissons pélagiques, la **Yong Hua Shipwreck**, une épave couverte de flore marine, et **Ko Bu Tang**, qui comprend un site surnommé la "cité des pastenagues". Vous trouverez d'autres spots agréables dans le chenal entre Ko Adang et Ko Rawi.

La plupart des écoles de plongée organisent des excursions de début novembre à mi-mai, moyennant 2 200 à 2 500 B pour 2 plongées. Une formation PADI Open Water coûte de 12 000 à 13 500 B (soit 2 500 B de plus que dans les écoles de Ko Tao ; p. 630).

Nous vous recommandons les centres de plongée suivants, qui utilisent de vrais bateaux (et non pas des *long-tail boats*) :

**Forra Diving** (☎ 08 4407 5691 ; www.forradiving.com). Cette école sympathique tenue par un Français possède des bureaux sur les plages de Sunrise et Pattaya.

**Ocean Pro** (☎ 08 9733 8068 ; www.oceanprodivers.net). Un personnel professionnel et expérimenté gère cette entreprise fiable.

### CIRCUITS ORGANISÉS

Les excursions et les nuits en camping sur les îles voisines de Ko Adang et de Ko Rawi connaissent depuis peu un vif succès. Les *chow lair* proposent d'excellents circuits permettant aux visiteurs de faire du snorkeling au-dessus des récifs intouchés, de se baigner sur des plages isolées et de découvrir le mode de vie unique des nomades de la mer à travers leurs récits et leur cuisine. La plupart des excursions d'une journée incluent un repas typique de poisson fumé dans du bambou. Si ce genre d'expérience vous tente, vous trouverez aisément un guide *chow lair* pour un circuit de plusieurs jours en camping. Renseignez-vous auprès des autres voyageurs avant de vous joindre à un groupe, car les prestations des guides sont de qualité variable (il n'existe pas d'agence). Le prix d'une journée d'excursion débute à 400 B environ.

L'agence de voyages de Boi (Friends Travel, voir plus haut) organise aussi de bonnes sorties de snorkeling (550-650 B).

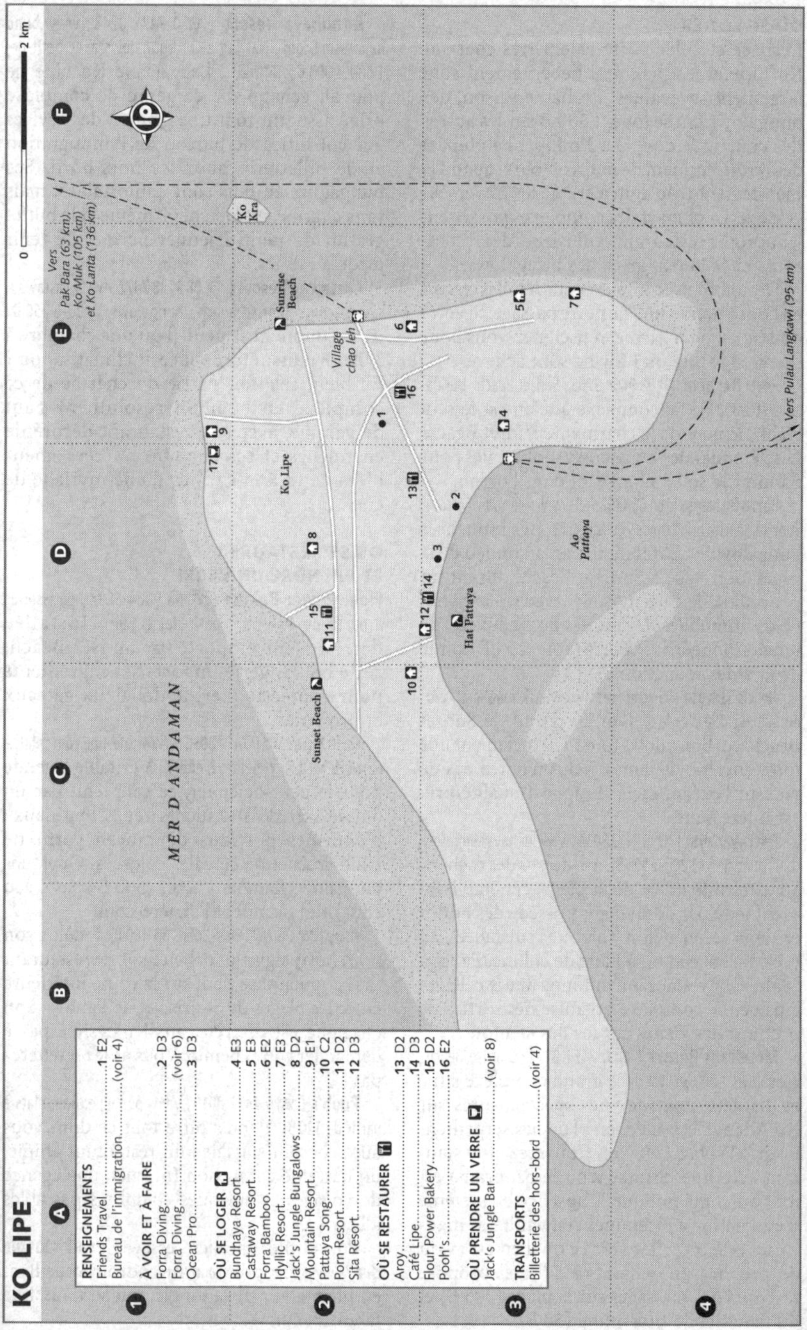

# KO LIPE

**RENSEIGNEMENTS**
Friends Travel........1 E2
Bureau de l'immigration........(voir 4)

**À VOIR ET À FAIRE**
Forra Diving........2 D3
Forra Diving........(voir 6)
Ocean Pro........3 D3

**OÙ SE LOGER**
Bundhaya Resort........4 E3
Castaway Resort........5 E3
Forra Bamboo........6 E2
Idyllic Resort........7 E3
Jack's Jungle Bungalows........8 D2
Mountain Resort........9 E1
Pattaya Song........10 C2
Porn Resort........11 D2
Sita Resort........12 D3

**OÙ SE RESTAURER**
Aroy........13 D2
Café Lipe........14 D3
Flour Power Bakery........15 D2
Pooh's........16 E2

**OÙ PRENDRE UN VERRE**
Jack's Jungle Bar........(voir 8)

**TRANSPORTS**
Billetterie des hors-bord........(voir 4)

0 — 2 km
MER D'ANDAMAN
Ko Lipe
Sunset Beach
Sunrise Beach
Village chao leh
Hat Pattaya
Ao Pattaya
Ko Kra
Vers Pak Bara (63 km), Ko Muk (105 km) et Ko Lanta (136 km)
Vers Pulau Langkawi (95 km)

### OÙ SE LOGER

L'espace et l'électricité valent très cher sur Ko Lipe et les prix de l'hébergement sont largement surévalués. En haute saison, des bungalows qui se louent 300 B sur les autres îles coûtent le double à Ko Lipe. La plupart des *resorts* ferment de mai à octobre, quand la mer devient trop agitée et que les traversées cessent. La plupart des complexes possèdent leur propre restaurant et plusieurs des restaurants cités louent aussi des bungalows.

De nombreux complexes cinq étoiles étaient en construction lors de notre passage. Si votre bourse est bien garnie, renseignez-vous pour savoir si le Sita ou l'Idyllic sont achevés.

**Porn Resort** (☎ 08 9464 5765 ; Sunset Beach ; bungalows 700-800 B). Ce complexe ancien est le seul établissement de la charmante Sunset Beach. Les vérandas des bungalows sont idéales pour admirer le soleil plongeant dans l'océan.

**Forra Bamboo** (☎ 08 4407 5691 ; www.forradiving.com ; Sunrise Beach ; bungalows 700-1 200 B). Ces immenses bungalows en bambou nichés au milieu de la végétation, face à Sunrise Beach, offrent un panorama de carte postale, avec ses *long-tail boats* immobiles devant des îlots couverts de jungle. Plonger avec Forra (voir p. 740) donne droit à des réductions.

**Jack's Jungle Bungalows** (www.jacksjunglebar.com ; bungalows 950 B). À 150 m en retrait de Sunset Beach, ces bungalows tout neufs occupent une forêt envahie de lianes. Vous n'aurez pas de vue sur l'océan, mais le rapport qualité/prix est intéressant.

**Pattaya Song** (☎ 0 7472 8034 ; www.pattayasongresort.com ; bungalows 1 200-1 800 B). Au-dessus des rochers, à l'extrémité ouest de la plage, cet établissement tenu par des Italiens possède des huttes en bois et en béton correctes, installées au bord de l'océan ou à flanc de colline. Pattaya Seafood, le restaurant, mitonne une excellente cuisine. Le complexe organise des sorties de pêche et des visites sur les îles alentour.

**Mountain Resort** (☎ 0 7472 8131 ; Sunrise Beach ; bungalows 1 600 B ; ❄). Ce grand complexe situé en hauteur jouit de vues spectaculaires sur Ko Adang. Des allées en planches serpentent jusqu'à la plage, où vous trouverez un restaurant avec une terrasse d'où le panorama est tout aussi magnifique. L'absence de système d'évacuation a récemment engendré de mauvaises odeurs ; allez voir ce qu'il en est avant de prendre une chambre. L'hôtel propose toujours des massages sur la plage (300 B) et du matériel de snorkeling (50 B).

**Bundhaya Resort** (☎ 0 7475 0248 ; www.bundhayaresort.com ; Hat Pattaya ; bungalows avec petit-déj 1 600-4 000 B ; ❄ 💻). La paisible Ko Lipe ne pouvait échapper à ce genre de complexe privé assurant tout une gamme de services – il fait office de bureau de l'immigration et de billetterie pour les hors-bord. Ses bungalows en bois sont confortables, mais sans charme et trop chers, même si le buffet gratuit du petit-déjeuner permet de tenir jusqu'au dîner.

**Castaway Resort** (☎ 08 3138 7472 ; www.castaway-resorts.com ; Sunrise Beach ; bungalows 3 000-6 250 B ; 💻). Comment se peut-il qu'une chambre à 3 000 B puisse être dénuée de climatisation ? Eh bien, cela fait partie du charme de ce complexe en bambou résolument haut de gamme, avec son restaurant décoré de chandelles et ses chambres aérées, meublées de teck et garnies d'une myriade de coussins.

### OÙ SE RESTAURER ET PRENDRE UN VERRE

**Flour Power Bakery** (☎ 08 9464 5884 ; pâtisseries à partir de 40 B ; 🕒 petit-déj et déj). Installée derrière Sabye Sport, sur Sunset Beach, cette boulangerie importe ses ingrédients pour confectionner de délicieux gâteaux et brownies.

**Café Lipe** (☎ 0 7472 8036 ; www.cafe-lipe.com ; plats à partir de 90 B ; 🕒 petit-déj et déj). Véritable légende pour le petit-déjeuner, ce café tenu par un Suisse sert de succulents repas matinaux : d'énormes portions de muesli garni de fruits frais et de céréales colorées. Quelques bungalows flambant neufs (500 B ; pas d'eau courante) occupent l'arrière-cour.

**Aroy** (☎ 08 7621 9488 ; plats 80-180 B). Fidèle à son nom (*aroy* signifie "délicieux"), ce restaurant thaï populaire se tient sur la route intérieure entre les plages de Sunrise et de Pattaya. Son enseigne est discrète, aussi n'hésitez pas à demander votre chemin. Vous ne le regretterez pas !

**Pooh's** (☎ 0 7472 8019 ; www.poohlipe.com ; plats à partir de 120 B). Pooh's offre tout ce dont vous aurez besoin sur l'île : un restaurant animé, un bar, une connexion Internet, une agence de voyages et quelques chambres passables à l'arrière.

Pour siroter une bière, essayez le **Jack's Jungle Bar** (www.jacksjunglebar.com), un endroit accueillant en plein cœur de la jungle, qui sert aussi de fabuleux currys.

**LA COURSE AUX 7-ELEVEN**

Si la chaîne 7-Eleven est très bien implantée à Bangkok, les magasins repères de la mondialisation se font plus rares à mesure que l'on s'éloigne de la capitale. Ils sont un véritable baromètre pour le voyageur qui souhaite sortir des sentiers battus.

Si vous faites un long trajet en bus et que vous vous ennuyez, il ne vous reste plus qu'à jouer à la "course aux 7-Eleven" : essayez de vous remémorer le nombre de supérettes aperçues dans chacun des endroits que vous avez visités. Nous en avons comptabilisé 1 sur Ko Phi Phi (le plus fréquenté de toute la Thaïlande), 4 sur Ko Tao et 5 sur Ko Lanta. Vous serez sans doute heureux de savoir qu'il n'y en a pas (encore) sur Ko Lipe.

### DEPUIS/VERS KO LIPE

Il n'y a pas d'embarcadère sur Ko Lipe et les ferrys jettent l'ancre près des plages (Hat Pattaya ou Sunrise Beach), et il faut rejoindre la côte à pied (avec un *long-tail boat* quand la mer est agitée). En haute saison (du 1er novembre au 15 mai), des bateaux desservent l'île quotidiennement depuis Pak Bara (11h30 et 13h30, 2 heures 30, 600 B) et Pulau Langkawi (8h et 9h, 1 heure 30, 600 B). De Ko Lipe, des bateaux desservent Pak Bara à 9h30, 10h et 13h, et Pulau Langkawi à 15h30, 16h et 16h30. Rappelez-vous que si vous faites la traversée Ko Lipe-Langkawi pour proroger votre visa, vous devrez passer la nuit à Langkawi avant de revenir sur l'île. Les bateaux qui circulent entre Pak Bara et Ko Lipe font presque tous escale à Ko Tarutao et à Ko Bolun Leh.

Un hors-bord quitte Ko Phi Phi à 8h, dessert Ko Lanta (à 9h30) et Hat Yao (12h30), avant d'accoster à Ko Lipe vers 15h30. En sens inverse, les bateaux partent de Ko Lipe à 10h et arrivent à Ko Phi Phi vers 17h30. Un autre service rapide relie Ko Lanta et Ko Lipe, après avoir fait escale à Ko Bulon Leh, à Koh Muk et à Koh Ngai. Les bateaux pour Ko Lipe quittent Ko Lanta à 13h ; ceux circulant en sens inverse partent de Ko Lipe à 9h. La traversée avec les hors-bord inter-îles coûte environ 2 000 B. Consultez le site www.kohlipethailand.com pour des détails.

### COMMENT CIRCULER

Des motos-taxis véhiculent les voyageurs moyennant 50 B par personne (il n'y a pas de voiture sur Ko Lipe), mais l'île est si petite que vous n'en aurez besoin que pour transporter de gros bagages. Les *long-tail boats* servent de taxis le long des côtes pour un tarif similaire.

## Ko Adang et Ko Rawi

เกาะอาดัง/เกาะราวี

Les îles de Ko Adang et de Ko Rawi paraissent gigantesques à côté de leur voisine Ko Lipe. Le meilleur moyen de les découvrir est un circuit en bateau avec un guide *chow lair* (voir p. 740 pour des détails).

Couverte de collines menaçantes et densément boisées, mais bordée de plages de sable blanc, **Ko Adang** serait hantée par les esprits des éléphants morts. Quand le vent souffle, les arbres se balancent en produisant des sons qui rappellent le cri des pachydermes.

Le littoral ouest de l'île est flanqué de cinq plages qui rivalisent de beauté. À l'intérieur des terres, un réseau de chemins cahoteux conduit aux grands sites de l'île, dont la **cascade du Pirate**, jadis une source d'eau pour les maraudeurs, et la **falaise de Chado**, qui offre une vue magnifique sur les dunes de sable en contrebas. Le poste de gardes forestiers, à **Laem Son**, n'est pas toujours occupé. Vous pouvez réserver votre hébergement au **bureau du parc** ( ☎ 0 7478 3485 ; www.dnp.go.th) de Pak Bara (consultez le site Internet pour des détails). Lorsque le restaurant officiel du parc est ouvert, ne manquez pas de goûter le *sôm·đam* (salade de papaye verte épicée).

Comme Ko Adang, **Ko Rawi**, 11 km plus à l'ouest, possède une forêt tropicale épaisse, des falaises calcaires, ainsi que de jolies plages et de grands récifs coralliens. L'île accueille un poste de gardes forestiers et les aventuriers doivent s'acquitter d'un droit de 400 B pour explorer l'intérieur de Ko Rawi. Le camping sauvage est autorisé, au grand désespoir des gardes.

Parmi les excellents sites de snorkeling figurent le littoral nord de **Ko Yang** et la minuscule **Ko Hin Ngam**, renommée pour ses superbes galets rayés. Selon la légende, ces pierres sont maudites et la malchance s'attache à quiconque en ramasse jusqu'à ce qu'il les remette en place.

Les *long-tail boats* de Ko Lipe vous mèneront sur Ko Adang et Ko Rawi pour 50 B par personne (après marchandage).

# PROVINCE DE SONGKHLA

Les deux grands centres commerçants de la province, Hat Yai et Songkhla, sont habituellement épargnés par les turbulences politiques que subissent les villes situées plus au sud. Les voyageurs qui osent s'y aventurer se sentiront bien seuls sur les marchés locaux, mais pourront se régaler d'une cuisine fusion thaïlandaise-musulmane et se détendre dans la douce brise des plages.

## HAT YAI

หาดใหญ่

**193 732 habitants**

Grande agglomération nichée en plein cœur de la campagne, la ville la plus vivante de la province de Songkhla a longtemps été l'étape favorite des hommes malais en quête de femmes pour le week-end. Aujourd'hui, Hat Yai accueille à bras ouverts la mondialisation, avec une multitude de centres commerciaux modernes où se croisent les jeunes désœuvrés et les aficionados des salles de gym. En général, les touristes n'ont qu'une vision fugitive de cette activité bourdonnante depuis le train qui les emmène d'un bout à l'autre de la péninsule. Mais ceux qui décident d'explorer Hat Yai découvriront son excellente cuisine (avec plusieurs centaines de restaurants), ses boutiques et son agréable scène nocturne, entre bars paisibles et discothèques animées.

### Renseignements

**Bangkok Hatyai Hospital** (☎ 0 7436 5780-9 ; bhhimc@bgh.co.th ; 75 Soi, 15 Th Pechkasam). Un des meilleurs hôpitaux du sud de la Thaïlande, avec tout l'éventail des soins médicaux et un personnel parlant anglais.

**Bureau de l'immigration** (☎ 0 7425 7079 ; Th Phetkasem). Près du pont ferroviaire, il s'occupe des prorogations de visas.

**Police touristique** (☎ 0 7424 6733 ; Th Niphat Uthit 3 ; 24h/24). Près du bureau de la TAT.

**Tourism Authority of Thailand** (TAT ; ☎ 0 7424 3747 ; tatsgkhla@tat.or.th ; 1/1 Soi 2, Th Niphat Uthit 3). Ses employés très serviables parlent parfaitement anglais et fournissent des tonnes d'informations sur la région.

### À voir

À l'exception des magasins et des cabarets, les attractions ne sont pas légion à Hat Yai. Le **Wat Hat Yai Nai**, à 1,5 km de la ville, abrite un bouddha couché de 35 m (Phra Phut Mahatamongkon). Sa base gigantesque accueille un curieux petit musée-mausolée, assorti d'une boutique de souvenirs. Pour vous y rendre, prenez un moto-taxi (40 B) au croisement de Th Niphat Uthit 1 et de Th Phetkasem, puis descendez après avoir traversé la rivière.

### Où se loger

Hat Yai compte plusieurs dizaines d'hôtels accessibles à pied depuis la gare ferroviaire.

**Cathay Guest House** (☎ 0 7424 3815 ; 93/1 Th Niphat Uthit 2 ; ch 160-250 B). Le personnel (trop) serviable et les nombreuses informations touristiques qu'il dispense compensent l'atmosphère assez angoissante des chambres de cette célèbre adresse bon marché.

**Kings Hotel** (☎ 0 7422 0966 ; 126-134 Th Niphat Uthit ; s/d 450/500 B ; ). Cet hôtel qui n'a rien de royal propose des chambres soignées avec TV, mini-réfrigérateur et décoration désuète des années 1980. Il se situe à deux pâtés de maisons de la gare ferroviaire.

**Regency Hotel** (☎ 0 7435 3333-47 ; www.regency-hatyai.com ; 23 Th Prachathipat ; ch 800-1 400 B ; ). Voici le genre d'hôtel majestueux au charme d'antan qui se fait rare aujourd'hui. Les chambres de l'ancienne aile, un peu plus petites (et moins chères), possèdent un bel ameublement en bois, tandis que la nouvelle aile offre de superbes vues.

### Où se restaurer, prendre un verre et sortir

Capitale gastronomique du sud du pays, Hat Yai est réputée pour ses *roti* et ses currys musulmans, ses nouilles chinoises et ses *dim sum*, ainsi que ses fruits de mer frais pêchés dans le golfe de Thaïlande et la mer d'Andaman, cuisinés à la manière thaïlandaise.

Plusieurs restaurants musulmans sans prétention et bon marché jalonnent Th Niyomrat, entre Niphat Uthit 1 et 2, à partir du Tamrab Muslim. Ils sont ouverts tous les jours de 7h à 21h et servent des repas pour 20 à 60 B. Au grand **marché de nuit** (Th Montri 1), vous trouverez des fruits de mer frais et du poulet à la mode de Hat Yai. Après les étals de rue, essayez l'un des hôtels de catégorie supérieure. D'excellents repas vous attendent au Montien Hotel, au BP Hotel et surtout au Novotel, qui mérite la dépense avec un remarquable buffet de sushis le samedi soir (450 B).

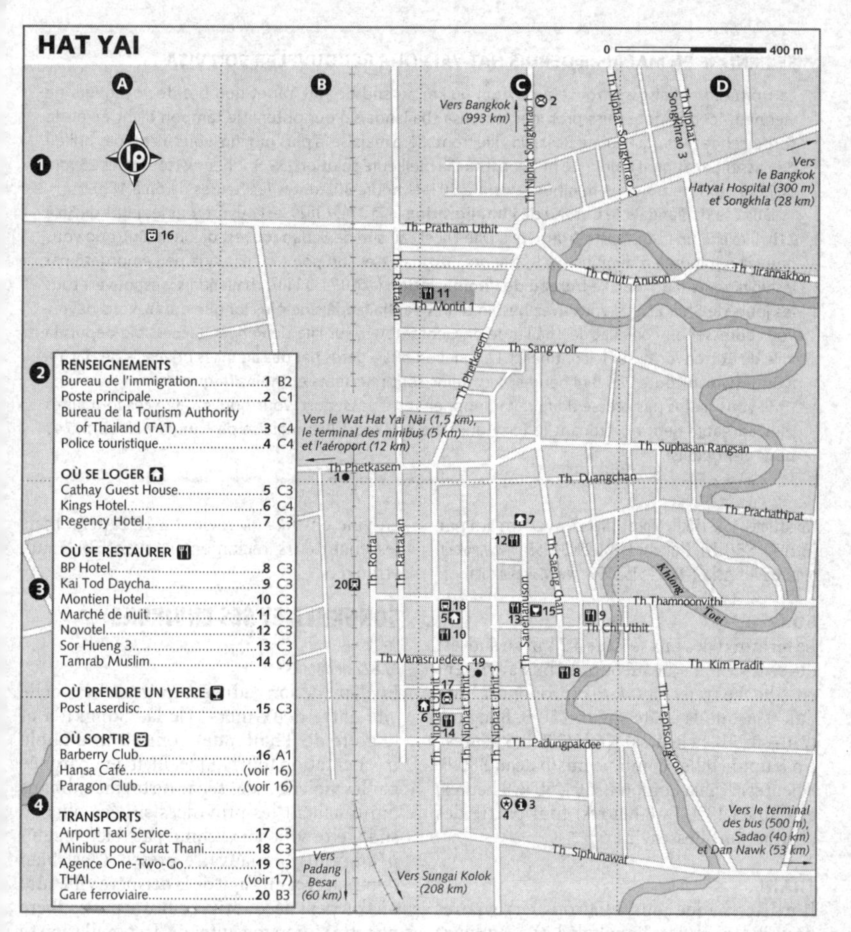


**Kai Tod Daycha** (☎ 08 1098 3751 ; Th Chi Uthit ; plats 30-50 B ; déj et dîner). Le poulet sauté de Hat Yai est réputé dans tout le pays et les habitants affirment que le meilleur est celui de Daycha. La volaille épicée est servie sur du riz jaune parfumé.

**Sor Hueng 3** (☎ 08 1896 3455 ; 79/16 Th Thamnoonvithi ; plats 30-120 B ; 16h-3h). Cette table légendaire possède des succursales dans toute la ville et prépare de délicieuses spécialités sino-thaïlandaises et du sud de la Thaïlande. Il vous suffira de montrer du doigt le plat qui vous plaît ou de choisir une préparation sautée sur sa longue carte.

**Post Laserdisc** (☎ 07423 2027 ; 82/83 Th Thamnoonvithi ; 9h-1h). Avec sa sono performante et ses écrans bien placés, c'est un excellent endroit pour visionner les derniers films et clips vidéo à la nuit tombée. Des groupes de rock assez bons prennent le relais certains soirs. Des petits plats asiatiques et occidentaux permettent de se sustenter pour une somme modique.

Les amateurs de cabaret peuvent s'installer au Barberry Club, au Paragon Club ou au Hansa Café, tous regroupés au centre-ville.

## Depuis/vers Hat Yai

### AVION

Il existe 12 vols quotidiens entre Hat Yai et Bangkok (2 800-3 000 B). Les liaisons sont notamment assurées par la **THAI** (☎ 07423 3433 ; 182 Th Niphat Uthit 1), **One-Two-Go** (☎ à Bangkok 0 2229 4260 poste 1126, reste du pays 1141 ; www.fly12go.com ; New

**SE RENDRE EN MALAISIE DEPUIS HAT YAI POUR RENOUVELER SON VISA**

La frontière malaise se trouve à environ 60 km au sud de Hat Yai et nombre de voyageurs ne viennent ici que pour faire proroger leur visa thaïlandais. Pour obtenir le tampon d'entrée et de sortie, rendez-vous à Padang Besar, la ville frontalière malaise la plus proche (vous n'êtes pas obligé de passer par Sungai Kolok). Le bus constitue la meilleure solution (39 B, 2 heures, toutes les 25 min de 6h à 18h) ; le trajet en minibus revient à 50 B (1 heure 30, toutes les heures de 6h à 18h).

Du côté thaïlandais, le **bureau de l'immigration** (☎ 0 7452 1020) est ouvert tous les jours de 5h à 21h. Il existe un autre poste-frontière à Dan Nawk, au sud de Sadao (ouvert de 6h à 18h), que vous pouvez rejoindre en minibus (50 B, 1 heure 30), mais c'est un point de passage peu emprunté par les voyageurs d'un jour. Le **bureau de l'immigration** (☎ 0 7430 1107) thaïlandais y est ouvert tous les jours de 5h à 23h. Si vous avez besoin d'un visa thaïlandais de plus longue durée, vous devrez vous adresser au consulat de Thaïlande de Georgetown, sur l'île de Penang (accessible depuis la ville de Butterworth, sur le continent). Le trajet en bus – gérés par des agences privées – de Hat Yai à Butterworth coûte 250 B (4 heures). Les trains sont plus lents et moins fréquents.

Si vous n'êtes pas pressé de faire tamponner votre passeport, vous pouvez faire ces formalités plus agréablement en prenant le ferry qui relie Ko Lipe à l'île malaise de Langkawi (voir p. 743 pour des détails).

World Hotel, 152-156 Th Niphat Uthit 2), avec un vol par jour (1 850 B), **Nok Air** (☎ 0 2900 9955 ; www.nokair.com) et **Air Asia** (☎ 0 2515 9999 ; www.airasia.com).

### BUS

Le terminal des bus se situe à 2 km au sud-est du centre, mais beaucoup de bus s'arrêtent en ville. Le trajet en *túk-túk* (prononcer "đúk dúk") jusque-là coûte environ 50 B. Bangkok (740-1 075 B, 14 heures), Krabi (235 B, 5 heures), Ko Samui (billet combiné bus/bateau 380 B, 8 heures), Kuala Lumpur (350-450 B, 9 heures) et Phuket (370 B, 8 heures) font partie des destinations desservies.

### TRAIN

Il existe chaque jour 4 liaisons ferroviaires de nuit depuis/vers Bangkok. Le voyage dure environ 16 heures et les prix vont de 399 B pour un siège en 3e classe à 1 594 B pour une couchette en 1re classe. Il y a aussi des trains quotidiens pour Sungai Kolok (43-284 B), Butterworth (180-322 B) et Padang Besar (57-272 B).

La gare abrite un guichet de réservation et une consigne ouverts tous les jours de 6h à 18h.

## Comment circuler

L'**Airport Taxi Service** (☎ 0 7423 8452) circule entre l'aéroport et la ville 4 fois dans la journée (80 B). La même course en taxi privé revient à 300 B environ.

Les *sŏrng·tăa·ou* qui roulent dans Th Phetkasem demandent 5 B/pers. Un trajet en ville en *tùk-tùk* revient à 10 B/pers, mais les chauffeurs réclament souvent 20 B aux étrangers.

# SONGKHLA ET SES ENVIRONS

สงขลา

**87 822 habitants**

En dépit de son cadre exceptionnel, la "belle cité entre deux mers" (le lac Songkhla et le golfe de Thaïlande) connaît une faible fréquentation touristique. Bien qu'épargnée par les violences des séparatistes musulmans qui touchent les provinces situées plus au sud, cette ville au rythme paisible en subit néanmoins la mauvaise presse. C'est bien dommage, car il s'agit de la dernière ville sûre où l'on peut découvrir la culture particulière de cette région musulmane. La population se compose de Thaïs, de Chinois et de Malais, une diversité que reflètent l'architecture et la cuisine.

La région s'occidentalise cependant sous l'influence des employés (essentiellement britanniques et canadiens) des multinationales pétrolières qui forent des puits d'exploration au large. Cette présence étrangère a apporté à Songkhla une certaine prospérité.

## Orientation

Songkhla présente deux visages : une charmante partie ancienne s'étend à l'ouest de Th Ramwithi vers le front de mer, tandis que l'est, plus moderne, abrite le quartier des affaires et des ensembles résidentiels. Si vous entrez en ville en venant du nord

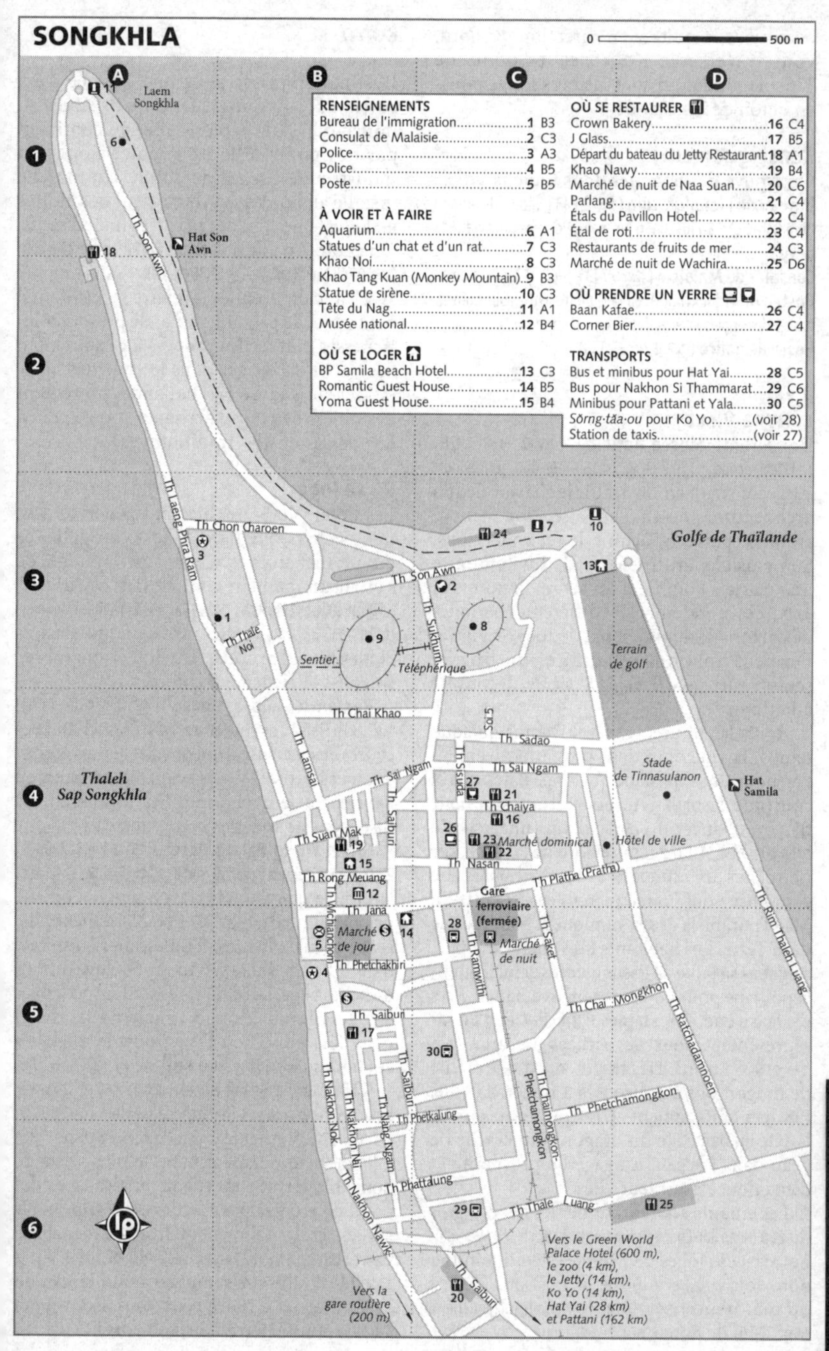
SONGKHLA
0 500 m
RENSEIGNEMENTS
Bureau de l'immigration 1 B3
Consulat de Malaisie 2 C3
Police 3 A3
Police 4 B5
Poste 5 B5
À VOIR ET À FAIRE
Aquarium 6 A1
Statues d'un chat et d'un rat 7 C3
Khao Noi 8 C3
Khao Tang Kuan (Monkey Mountain) 9 B3
Statue de sirène 10 C3
Tête du Nag 11 A1
Musée national 12 B4
OÙ SE LOGER
BP Samila Beach Hotel 13 C3
Romantic Guest House 14 B5
Yoma Guest House 15 B4
OÙ SE RESTAURER
Crown Bakery 16 C4
J Glass 17 B5
Départ du bateau du Jetty Restaurant 18 A1
Khao Nawy 19 B4
Marché de nuit de Naa Suan 20 C6
Parlang 21 C4
Étals du Pavillon Hotel 22 C4
Étal de roti 23 C4
Restaurants de fruits de mer 24 C3
Marché de nuit de Wachira 25 D6
OÙ PRENDRE UN VERRE
Baan Kafae 26 C4
Corner Bier 27 C4
TRANSPORTS
Bus et minibus pour Hat Yai 28 C5
Bus pour Nakhon Si Thammarat 29 C6
Minibus pour Pattani et Yala 30 C5
Sŏrng·tăa·ou pour Ko Yo (voir 28)
Station de taxis (voir 27)
Laem Songkhla
Hat Son Awn
Th Son Awn
Golfe de Thaïlande
Thaleh Sap Songkhla
Th Laeng Phra Ram
Th Chon Charoen
Th Thale Noi
Sentier
Téléphérique
Th Sukhum
Terrain de golf
Th Chai Khao
Soi 5
Th Sadao
Th Sai Ngam
Th Lamsai
Th Sisuda
Stade de Tinnasulanon
Hat Samila
Th Chaiya
Th Saiburi
Th Suan Mak
Marché dominical
Hôtel de ville
Th Nasan
Th Platha (Pratha)
Th Rong Meuang
Gare ferroviaire (fermée)
Th Jana
Th Wichianchom
Marché de jour
Th Saket
Marché de nuit
Th Ramwithi
Th Phetchakhiri
Th Rim Thaleh Luang
Th Chai Mongkhon
Th Ratchadamnoen
Th Nakhon Nok
Th Nakhon Nai
Th Nang Ngam
Th Phetkalung
Th Chaimongkon-Phetchamongkon
Th Phetchamongkon
Th Phattalung
Th Thale Luang
Th Nakhon Nawk
Th Saiburi
Vers la gare routière (200 m)
Vers le Green World Palace Hotel (600 m), le zoo (4 km), le Jetty (14 km), Ko Yo (14 km), Hat Yai (28 km) et Pattani (162 km)
EXTRÊME SUD

ou si vous la quittez en direction du nord, vous traverserez Ko Yo et les ponts de Tinsulanonda qui sont les plus longs ponts en béton de Thaïlande.

## Renseignements

On trouve des banques dans toute la ville.

**Bureau de l'immigration** (☎ 0 7431 3480 ; Th Laneg Phra Ram ; 8h30-16h30 lun-ven). Pour les prorogations de visa.

**Consulat de Malaisie** (☎ 0 7431 1062 ; 4 Th Sukhum)

**Poste** (Th Wichianchom). En face du marché ; vous pouvez passer des appels internationaux au 1er étage.

**Poste de police** (☎ 0 7431 2133)

## À voir

### CENTRE-VILLE

L'excellent **Musée national** (☎ 0 7431 1728 ; Th Wichianchom ; 150 B ; 9h-16h mer-dim, fermé jours fériés), construit en 1878, allie le charme de son architecture sino-thaïlandaise – toit incurvé et murs épais – à l'attrait de ses collections. Son paisible jardin en façade invite à faire une pause à l'ombre d'un arbre. Les œuvres exposées représentent les différentes périodes de l'art thaïlandais, en particulier Srivijaya. On peut notamment admirer un lingam sculpté entre le VIIe et le IXe siècle, découvert à Pattani.

Après la culture, la plage. Depuis quelque temps, la ville entretient plus attentivement l'étendue de sable blanc qui longe **Hat Samila** et constitue désormais un endroit agréable pour flâner ou lancer un cerf-volant (une activité très prisée). À l'extrémité nord de la plage, sur un rocher, une **statue de sirène** tord sa longue chevelure pour en récupérer l'eau et l'offrir à Mae Thorani, la déesse hindoue et bouddhique de la Terre. Les habitants lui vouent un culte, ceignent sa taille de tissus colorés et lui frottent la poitrine pour obtenir sa bienveillance. Près de la sirène, les **statues d'un chat et d'un rat** représentent deux îles situées au large (Ko Yo et Ko Losin). Des fragments d'une statue de dragon ont été disposés à travers la ville. Les habitants aiment se retrouver autour de la **tête du Nag** (tête du dragon) qui crache de l'eau dans l'océan, un gage de prospérité et d'eau douce pour leur cité.

Les enfants adorent câliner les bébés tigres du **zoo** (Khao Rup Chang ; adulte/enfant 30/5 B ; 9h-18h), nourrir les singes de Monkey Mountain (au nord de la ville) et admirer les poissons-clowns du tout nouvel **aquarium** (www.songkhlaaquarium.com ; 200 B) de Songkhla.

### KO YO

เกาะยอ

Destination prisée pour une journée d'excursion depuis Songkhla, cette île située au milieu du Thale Sap est reliée au continent par des ponts. Elle est réputée pour son industrie de tissage du coton. Un marché installé au bord de la route vend des étoffes et des vêtements à des prix très intéressants. L'incontournable **musée du Folklore de Thaksin** (☎ 0 7459 1618 ; 60 B ; 8h30-16h30) – sans rapport avec l'ancien Premier ministre – s'est donné pour objet de promouvoir et de préserver les richesses culturelles propres à cette région. Ses pavillons, érigés dans le style des habitations du sud de la Thaïlande, présentent des objets d'art et d'artisanat locaux, ainsi que des ustensiles traditionnels.

## Où se loger

Les hôtels de Songkhla sont généralement moins chers que dans le reste du golfe, ce qui permet aux voyageurs à petit budget de s'offrir un meilleur confort sans se ruiner.

**Yoma Guest House** (☎ 0 7432 6433 ; Th Rong Meuang ; ch 250-350 B ; ). Cette adresse familiale très chaleureuse propose quelques chambres soignées et richement colorées.

**Romantic Guest House** (☎ 0 7430 7170 ; 10/1-3 Th Platha ; ch 250-380 B ; ). Des chambres claires et spacieuses, qui sentent le frais et sont équipées d'une TV. Les beaux lits en bambou ajoutent à leur charme. Les moins chères disposent de toilettes communes.

**Green World Palace Hotel** (☎ 0 7443 7900-8 ; 99 Th Samakisukson ; ch 750-900 B ; ). Voici la preuve que l'hôtellerie à Songkhla affiche des prix imbattables. Cet établissement chic est pourvu de lustres, d'un escalier en spirale dans le hall et d'une piscine au 5e étage offrant de belles vues. Les chambres sont impeccables et dotées de tout le confort moderne d'un hôtel deux fois plus cher. Il se trouve à quelques centaines de mètres au sud de la ville.

**BP Samila Beach Hotel** (☎ 0 7444 0222 ; www.bphotelsgroup.com ; 8 Th Ratchadamnoen ; ch 1 500 B ; ). Véritable point de repère dans cette ville désuète, l'établissement le plus sélect de Songkhla est une excellente affaire, avec des prestations qui seraient facturées près du double sur les îles. Le bâtiment du front de mer abrite de vastes chambres avec réfrigérateur, TV par satellite et une vue somptueuse sur la mer ou la montagne. L'hôtel peut vous trouver un caddie pour le terrain de golf voisin.

### Où se restaurer et prendre un verre

Pour des fruits de mer de qualité, rejoignez la route qui passe devant le BP Samila Beach Hotel, où le meilleur restaurant occupe le rond-point. Si vous aimez la cuisine des marchés, vous trouverez un endroit pour vous régaler chaque jour de la semaine. Le dimanche, essayez les étals animés dressés tout autour du Pavilion Hotel. Le lundi, le mardi et le mercredi, un marché de nuit (ouvert jusqu'à 21h environ) s'installe près de l'usine de poissons et de la gare routière. Le marché du vendredi matin se tient en diagonale de l'hôtel de ville.

**Khao Nawy** (☎ 0 7431 1805 ; 14/22 Th Wichianchom ; plats 30-50 B ; ⏲ petit-déj et déj). Le restaurant de currys le plus réputé de Songkhla propose une incroyable variété d'authentiques currys méridionaux, soupes, plats sautés et salades. Repérez la vitrine contenant plusieurs plats en Inox remplis de nourriture, juste au sud du bâtiment bleu ciel de la Chokdee Inn.

**J Glass** (☎ 0 7444 0888 ; Th Nakhon Nai ; plats 50-420 B ; ⏲ déj et dîner). L'une des meilleures adresses *fa·ràng* de la ville, J Glass ouvre le rez-de-chaussée à l'heure du déjeuner et réserve le charmant patio à l'étage pour le dîner. Goûtez aux spécialités thaïlandaises (un peu occidentalisées) en observant l'étrange cascade artificielle qui inonde les baies vitrées.

**Jetty Restaurant** (plats 150-250 B ; ⏲ petit-déj, déj et dîner). Le samedi soir à 18h, Jetty embarque ses convives à bord d'un bateau qui remonte le fleuve de la tête du Nag à Ko Yo, avant de revenir. La carte comprend de savoureux classiques thaïlandais et étrangers, tandis que les serveurs, souvent étudiants à l'université de Songkhla, parlent parfaitement l'anglais.

Pour rencontrer des expatriés dans une ambiance sympathique, dirigez-vous vers Th Sisuda (au nord de Th Palatha), où se trouvent plusieurs bons restaurants fréquentés par les *fa·ràng* de Songkhla. Le Corner Bier est l'un des favoris, de même que son voisin, le Parlang ; ce dernier sert une cuisine isan, telle que lamelles de viande séchée et *sôm·đam* épicé. La Crown Bakery, en face du Parlang, est l'endroit le plus occidentalisé de la ville, avec son accès Wi-Fi gratuit et ses meubles modernes disposés autour d'un bel aquarium. Tournez à l'angle de la rue pour dénicher le Baan Kafae, où vous pouvez siroter un thé à la lueur des chandelles. Sur le trottoir d'en face se tient le meilleur étal de *roti* de la ville.

### Comment s'y rendre et circuler

En matière de transport, Songkhla dépend de Hat Yai, d'où sont desservies la majorité des destinations longue distance du Sud (les trains ne passent plus par la ville).

La gare routière publique se situe à quelques centaines de mètres au sud du Viva Hotel. Trois bus de 2e classe partent tous les jours pour Bangkok (593 B) via Chumphon (312 B), Nakhon Si Thammarat (136 B), Surat Thani (207 B) et d'autres localités. Un bus VIP à destination de la capitale démarre à 17h (1 125 B).

De Th Ramwithi, des bus (19 B) et des minibus (25 B) rejoignent Hat Yai en 40 min environ. Des *sŏrng·tăa·ou* pour Ko Yo démarrent du même endroit De 6h à 17h, des minibus partent du côté sud de Th Ramwithi pour Pattani (90 B) et Yala (100 B).

En journée, les motos-taxis demandent 20 B pour une course en ville ; les tarifs doublent la nuit. Vous trouverez une station de taxis et de motos-taxis à côté du Corner Bier.

# PROVINCE DE YALA

## YALA

ยะลา

**99 954 habitants**

Isolée dans les terres, Yala ne ressemble pas aux villes voisines. Ses larges boulevards et son quadrillage de rues bien délimité lui confèrent un air distinctement occidental, surtout depuis qu'elle est devenue une ville essentiellement universitaire. La "cité la plus propre" de Thaïlande séduit désormais les gens brillants de tout le royaume.

Le principal attrait de Yala est le **Wat Kuha Pi Muk** (aussi appelé Wat Na Tham ou Temple devant la grotte), à 8 km à l'ouest de la ville sur la route de Hat Yai (Highway 409). Ce temple troglodytique de la période de Srivijaya abrite un bouddha couché datant de l'an 757. La statue d'un géant en garde l'entrée. À l'intérieur, de petites ouvertures naturelles dans le plafond laissent filtrer les rayons du soleil, qui éclairent les peintures rupestres anciennes sur les parois de la grotte. Le Kuha Pi Muk est l'un des lieux de pèlerinage bouddhistes les plus importants du sud du pays.

Pour changer de décor, allez admirer la plus grande boîte aux lettres de Thaïlande, érigée dans la commune de Betong en 1924.

**L'EXTRÊME SUD VU PAR UN HABITANT**

Alors que nous parcourions l'extrême sud thaïlandais en taxi, notre chauffeur, Yeats Chaiyarat, nous a expliqué ce qu'il s'y passe vraiment quand les bombes se taisent.

**À votre avis, qu'apprécierait le plus un voyageur pendant son séjour dans l'extrême sud ?** Je pense que la meilleure chose à voir pour un touriste est la culture locale et le mode de vie – la manière dont les gens vivent et travaillent. La région est à 90% musulmane, et les familles musulmanes de toute la Thaïlande envoient leurs enfants étudier dans les universités de Yala, de Pattani et de Songkhla. Beaucoup d'endroits de l'extrême sud sont des villes universitaires. L'histoire de la région est également fascinante. Vous voyez, avant, la région était partagée entre la Thaïlande et la Malaisie, elle était appelée Pattani Darusalam – un royaume complètement indépendant. Et avant le Pattani, il y a plus de 600 ans, la région était appelée Langka Suka et incluait le Penang et le Langkawi. Aujourd'hui, nous n'entendons pas beaucoup parler de l'histoire de la région, mais il y a longtemps, ces anciens royaumes commerçaient avec les principales puissances impérialistes du monde !

**En dehors de la culture et de l'histoire locales, y a-t-il des sites à recommander ?** Les centres de culte de la région sont vraiment les sites les plus intéressants à voir lors d'un voyage ici. Près de Pattani (à environ 5 km), il y a un temple chinois appelé San Jao Meh Lim et une mosquée du nom de Mas Jud Kreu-seh, qui s'effondrent l'un à côté de l'autre depuis environ 450 ans. Le temple chinois a été construit à l'endroit où une jeune Chinoise s'est pendue lorsque son frère s'est converti à l'islam. Il y a une statue en bois de la jeune femme, sculptée dans l'arbre auquel elle se serait pendue. Le temple le plus connu de la région se trouve à 30 km de Yala et s'appelle Wat Chang Hai. Il est célèbre parce qu'un moine du nom de Luang Po Tuad y a vécu et que de nombreuses personnes portent une amulette avec son portrait pour s'attirer chance et protection. C'est un peu comme l'amulette de Jatukham Rumanthep de Nakhon Si Thammarat (voir l'encadré p. 645). J'aime aussi le Wat Kuha Pi Muk (à 8 km de Yala, voir p. 749), un vieux temple que les habitants appellent Wat Tham – *tham* veut dire "grotte". Je n'aime pas vraiment les plages, mais je sais que beaucoup d'habitants de la région vont à Hat Narathat (p. 752), la plage la plus fréquentée de Narathiwat. Elle n'est franchement pas si jolie, mais il n'y a pas de touristes *fa·ràng*. Hat Samila (p. 748) à Songkhla est sans doute la meilleure plage pour les voyageurs.

**Quelle est la plus grande idée fausse que l'on se fait sur cette frontière thaïlando-malaise ?** La plupart des touristes pensent certainement que la frontière est vide et que personne ne la franchit, mais la frontière à Sungai Kolok est toujours pleine de monde. Des Malais font sans cesse la queue pour entrer en Thaïlande et trouver des femmes dans les bars à karaoké. Le prix de l'essence est moins cher en Malaisie et vous verrez des tonnes de gens qui circulent en sens inverse aussi.

*Yeats Chaiyarat, originaire de la province de Phang-Nga, a emménagé à Yala pour étudier à l'université. Il est aujourd'hui chauffeur de taxi indépendant.*

## Où se loger et se restaurer

La faible présence des touristes permet d'obtenir une chambre confortable pour un prix modique.

**Chang Lee Hotel** (☎ 0 7324 4600 ; 318 Th Sirirot ; ch 300 B ; ). À 15 min à pied de la gare ferroviaire, le Chang Lee loue des chambres somptueuses conçues pour une clientèle d'affaires. Il propose un club de karaoké et un café.

Bien qu'elle soit éloignée de la mer, la ville de Yala compte d'excellents restaurants de fruits de mer, dont plusieurs sont regroupés autour de Th Pitipakdee et de Th Sribumrung. Les étals servant des plats de riz et de nouilles sont nombreux près de la gare ferroviaire.

## Comment s'y rendre et circuler

Des bus pour Hat Yai (100 B, 2 heures 30) s'arrêtent plusieurs fois par jour dans Th Siriros, devant le bureau de Prudential TS Life.

De l'autre côté de la rue se tient l'arrêt des bus courte et moyenne distance à destination du nord. De Yala, des trains rejoignent Bangkok (tarifs de 600 à 1 700 B) et Sungai Kolok (3e classe 65 B).

EXTRÊME SUD

# PROVINCE DE PATTANI

## PATTANI

ปัตตานี

**44 800 habitants**

À l'image d'un enfant rebelle qui refuse d'être commandé, Pattani ne s'est jamais vraiment soumise au pouvoir thaïlandais. Elle était autrefois le centre d'une vaste principauté musulmane qui comprenait les provinces de Yala et de Narathiwat. Si la situation politique actuelle freine le développement de la région, Pattani a commercé pendant 500 ans avec les plus grandes puissances impériales. Les Portugais y ont créé un comptoir marchand en 1516, les Japonais sont arrivés en 1605, les Hollandais en 1609, et les Britanniques ont essayé d'imposer leur pouvoir colonial en 1612.

### Orientation et renseignements

Le Mae Nam Pattani (fleuve Pattani) sépare la ville ancienne, à l'est, du secteur moderne, à l'ouest. Th Ruedi compte quelques vestiges architecturaux du vieux Pattani, dans le style sino-portugais jadis très répandu dans cette région du sud de la Thaïlande. Th Arnoaru regroupe plusieurs demeures de style chinois très anciennes, mais presque intactes. Plusieurs banques officient à l'extrémité sud-est de Th Pipit, près de l'intersection avec Th Naklua Yarang.

**Cybercafé** (angle Th Pipit Talattewiwat 2 et Th Pipit ; 20 B/h)

**Le Rich Travel** (☎ 0 7331 3699 ; fax 0 7331 3911 ; 78/13 Th Makrut). Une agence sympathique qui vous aidera à organiser vos loisirs, des plages sûres aux bons restaurants.

**Pattani Hospital** (☎ 0 7332 3411-14 ; Th Nong Jik)

**Poste de police** (☎ 0 7334 9018 ; Th Pattani Phirom)

### À voir

Si le climat politique s'adoucissait, Pattani pourrait devenir l'une des meilleures destinations du Sud pour les plages. Malheureusement, il est pour le moment impossible de découvrir une grande partie de la région sans prendre de risques, alors que l'on trouve de nombreuses plages parfaitement sûres au nord.

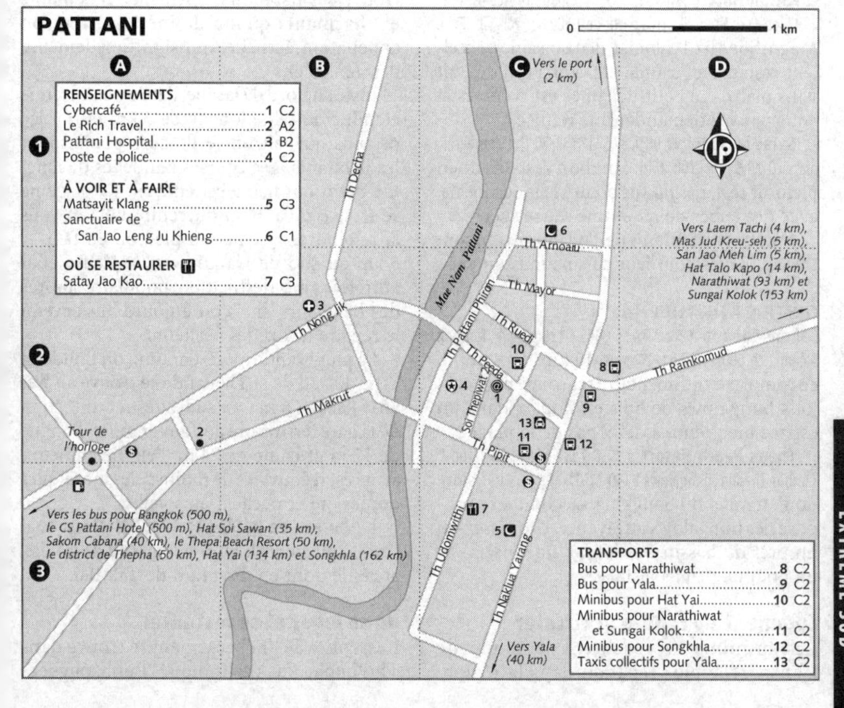


EXTRÊME SUD

Les habitants fréquentent **Laem Tachi**, un cap sablonneux qui s'avance dans la mer à la lisière nord d'Ao Pattani. Un bateau-taxi vous y conduira depuis l'embarcadère de Pattani. **Hat Talo Kapo**, à 14 km à l'est de Pattani, près de Yaring Amphoe, est un autre lieu réputé. Bien qu'il se trouve dans la province de Songkhla, le **district de Thepha**, à 35 km au nord-ouest de Pattani, est la destination plage la plus développée accessible dans les environs. Vous y trouverez quelques complexes assez vieillots qui accueillent surtout des Thaïlandais de la classe moyenne. À **Hat Soi Sawan**, près de la frontière entre le Songkhla et le Pattani, plusieurs familles ont installé des restaurants le long de la plage pour les visiteurs du week-end. Pour rejoindre Thepha, prenez n'importe quel bus en direction de Songkhla à Pattani (ou l'inverse) et donnez le nom de votre hôtel ; le chauffeur vous déposera sur le côté de la route, d'où vous rejoindrez rapidement la plage à pied.

Pour quelques idées de visites culturelles, voir l'encadré p. 750.

### Où se loger et se restaurer

#### VILLE DE PATTANI

**CS Pattani Hotel** (☎ 0 7333 5093/4 ; cspatani@cscoms.com ; 299 Moo 4, Th Nong Jik ; ch à partir de 1 500 B ; ). Magnifique hall colonial, deux piscines, excellent restaurant, sauna, etc. Voilà qui devrait vous plaire. Le petit-déjeuner est compris et vous pouvez demander une remise.

**Satay Jao Kao** (☎ 08 9737 5417 ; 37/20 Th Udomwithi ; plats 20-30 B ; 10h-18h). Son bon restaurant en plein air sert un *satay* de bœuf à la mode locale, avec des cubes de riz et une sauce sucrée.

D'autres restaurants de Th Udomwithi sont très appréciés pour leur cuisine musulmane.

#### DISTRICT DE THEPHA

**Sakom Cabana** (☎ 0 7431 8065 ; 136 Moo 4, Tambon Sakom ; ch 600-1 000 B ; ). À 40 km de Pattani, ce complexe rudimentaire regroupe plusieurs jolis bungalows de bois en duplex dans un espace bien tenu, à deux pas de la plage.

**Thepa Beach Resort** (☎ 0 7432 5551 ; 255 Moo 4, Tambon Thepha ; bungalows 1 140 B ; ). À la lisière du Pattani et du Songkhla, ce complexe propose des bungalows attrayants (choisissez-en un près du bassin aux lotus), une piscine et un bout de plage paisible.

### Comment s'y rendre et circuler

Les minibus représentent le mode de transport le plus répandu dans la région. Pattani compte plusieurs terminaux, dont l'emplacement change régulièrement ; renseignez-vous pour connaître les lieux de départ et d'arrivée les plus récents. Les minibus ne circulent qu'en journée. Des bus pour Bangkok partent chaque jour du petit parking qui jouxte la station-service proche du CS Pattani Hotel – appelez le ☎ 0 7334 8816 pour la réservation et l'achat de billets. Le trajet dure entre 15 et 16 heures et coûte entre 650 et 1 200 B selon le niveau de confort du véhicule. Les taxis demandent environ 10 B par personne pour une course en ville.

# PROVINCE DE NARATHIWAT

## NARATHIWAT

นราธิวาส

**44 200 habitants**

Autrefois appelé Ban Bang Nara, ce petit chef-lieu provincial a changé de nom après une visite du roi Rama VI. Celui-ci avait trouvé ses habitants tellement accueillants et charmants qu'il a donné à la ville son appellation actuelle, qui signifie "demeure des gens biens".

Juste au nord de la ville, **Hat Narathat** est une étendue de sable longue de 5 km et bordée de pins qui fait office de parc public pour les habitants. Les courses annuelles de *long-tail boats* ont lieu à cet endroit. La plage ne se trouve qu'à 3 km du centre-ville et vous la rejoindrez aisément à pied ou en taxi. À 5 km au sud de Narathiwat, **Ao Manao** était autrefois une destination populaire auprès des baigneurs, mais est aujourd'hui devenu le repaire favori des pêcheurs.

La plus grande représentation du Bouddha assis du sud de la Thaïlande se trouve au **Wat Khao Kong**, à 6 km au sud-ouest en direction de la gare ferroviaire de Tanyongmat. Longue de 17 m et haute de 24 m, l'effigie en béton armé est recouverte de minuscules mosaïques dorées qui étincellent au soleil.

Le **bureau de la TAT** (☎ 0 7352 2411) est mal situé, à plusieurs kilomètres au sud de la ville, après le pont en direction de Tak Bai.

### Où se loger et se restaurer

L'essentiel de l'hébergement se trouve dans Th Phupha Phakdi (indiqué "Puphapugdee" sur les panneaux) et les rues alentour, le long du Bang Nara.

**Ocean Blue Mansion** (☎ 0 7351 1109 ; 297 Th Phupha Phakdi ; ch 350-450 B ; ). Cet établissement assez récent est le seul endroit de la ville qui profite de la vue sur le fleuve. Les chambres possèdent un grand réfrigérateur et la TV câblée.

**Jay Sani** (☎ 08 9657 1546 ; 50/1 Th Sophaphisai ; plats 30-60 B ; petit-déj, déj et dîner). Les habitants apprécient son excellente cuisine thaïlandaise-musulmane. Indiquez du doigt le curry ou le plat sauté de votre choix, mais ne manquez pas de goûter à la succulente soupe au bœuf.

Tous les soirs, un **marché de nuit** (Th Pichitbamrung) s'installe au nord de la tour de l'horloge.

## Comment s'y rendre et circuler

**Air Asia** (☎ 0 2515 9999 ; www.airasia.com) assure un vol quotidien depuis/vers Bangkok (3 800 B, à 11h10 ou 11h35).

Les bus climatisés pour Bangkok et Phuket et la plupart des minibus partent désormais du terminal des bus situé à 2 km au sud de la ville, dans Th Rangae Munka. Les bus pour Phuket (530 B, 12 heures) démarrent de Sungai Kolok, passent par Narathiwat trois fois par jour (7h, 9h et 18h30) et continuent leur route via Pattani, Hat Yai, Songkhla, Trang, Krabi et Pha-Ngan. Les bus pour Bangkok (VIP/1re/2e classe 1 295/833/669 B) mettent au moins 15 heures, avec plusieurs départs par jour.

Les minibus à destination de Hat Yai (150 B, 3 heures), Pattani (100 B, 1 heure 30), Songkhla (150 B, 2 heures), Sungai Kolok (70 B, 1 heure) et Yala (100 B, 1 heure 30) partent habituellement toutes les heures, de 5h à 17h.

Narathiwat est suffisamment petite pour être parcourue à pied, même si les motos-taxis ne facturent que 20 B par course. De nouveaux bus (9 B) font le tour de la ville et s'arrêtent près de Hat Narathat. Repérez les pancartes bleu clair aux arrêts dans Th Phupha Phakdi et Th Pichitbamrung.

# SUNGAI KOLOK

สุไหงโกลก

**40 500 habitants**

Cette ville frontalière sans charme ne mérite vraiment pas le détour. Le seul train qui s'y arrête entre en gare vers 10h, si bien que vous passerez une bonne partie de la journée à trouver un moyen d'en repartir. Sungai Kolok a suivi les traces de Pattaya et sa frontière, ouverte de 5h à 21h (de 6h à 22h du côté malais), est prise d'assaut la journée par des Malais en quête de plaisirs rémunérés. Dans le sens inverse, vous croiserez des Thaïlandais qui vont faire le plein d'essence à moindre coût de l'autre côté.

## Renseignements

Sungai Kolok compte deux services de l'immigration, l'un à la **frontière** (☎ 0 7336 1414 ; 5h-21h) et l'autre, un **bureau** (☎ 0 7361 1231 ; Th Charoenkhet ; 8h30-16h30 lun-ven) plus grand, en face du Merlin Hotel. Vous trouverez également un poste de la police touristique à la frontière. La ville possède un grand nombre de banques dotées de DAB, ainsi que des guichets de change, ouverts aux mêmes horaires que la frontière.

**CS Internet** (Th Asia 18 ; 20 B/h ; 10h-21h). En face du Genting Hotel.

## Où se loger

En matière d'hébergement, le choix est vaste, mais la plupart des hôtels louent leurs chambres "à l'heure".

**Genting Hotel** (☎ 0 7361 3231 ; 250 Th Asia 18 ; ch 550-1 520 B ; ). Destiné à une clientèle de conférenciers, cet hôtel possède un pub et un bar à karaoké. Il compte quelques bonnes chambres de catégorie moyenne, à l'écart des quartiers peu engageants.

## Depuis/vers Sungai Kolok

### BUS ET MINIBUS

De la **gare routière** (☎ 0 7361 2045) longue distance, à l'est du centre-ville, 3 bus climatisés partent chaque jour pour Bangkok (720-1 400 B, 18 heures). De Bangkok, les bus VIP démarrent à 17h15, 3 bus de 1re classe partent entre 21h et 22h, et ceux de 2e classe à 21h. Il existe 2 services matinaux à destination de Phuket (580 B), avec un arrêt à Krabi (460 B). Les minibus pour Narathiwat (80 B) démarrent à la demie de chaque heure en face de la gare ferroviaire. Les minibus pour Pattani (120 B), Yala (90 B) et Hat Yai (180 B) partent toutes les heures, en journée, du Genting Hotel.

### TRAIN

Les trains Bangkok-Sungai Kolok partent en début d'après-midi et mettent 20 heures (180-1 000 B) pour arriver vers 10h, ce qui laisse largement assez de temps pour

**L'ISLAM EN THAÏLANDE**

Représentant quelque 4% de la population, les musulmans constituent la principale minorité religieuse du pays, cohabitant avec les fidèles du bouddhisme theravada. Le pays compte environ 3 000 mosquées – plus de 200 rien qu'à Bangkok –, dont 99% sont sunnites (courant majoritaire de l'islam qui entend représenter l'orthodoxie musulmane) et 1% chiites (courant de l'islam né du schisme des partisans d'Ali à propos de la désignation du successeur de Mahomet).

L'islam fut introduit dans le sud de l'actuelle Thaïlande par des marchands et lettrés arabes et indiens entre le XIIIe et le XVIe siècle. Aujourd'hui encore, les musulmans thaïlandais se concentrent surtout dans les provinces méridionales de Pattani, de Narathiwat, de Satun et de Yala. Ils font remonter leurs racines à l'ancien royaume islamique de Pattani, dont le territoire était à cheval sur la Thaïlande et la Malaisie actuelles. Le sud de la Thaïlande partage en conséquence beaucoup de traits culturels avec ce dernier pays, à majorité musulmane. Le plus souvent d'origine ethnique malaise, les musulmans du Sud parlent le malais ou le yawi (dialecte malais qui s'écrit avec l'alphabet arabe) en plus du thaï. Ces différences identitaires, exacerbées par un passé de discriminations confessionnelles et linguistiques, ont conduit à un rejet de la Thaïlande bouddhiste chez une poignée de musulmans radicaux, qui ont appelé à la sécession et ont, pour certains, pris les armes.

Dans les communautés musulmanes thaïlandaises, le code de conduite est simple à suivre et parfaitement prévisible. L'islam interdit la consommation de porc et d'alcool. Au sein des milieux très conservateurs, les couples et les groupes mixtes se séparent en public, les femmes dans une pièce, les hommes dans une autre. La règle qui s'applique dans les temples vaut aussi pour les mosquées, shorts et chaussures ne sont pas admis. Les femmes doivent par ailleurs porter des vêtements couvrant le haut et le bas du corps (pas de jupes courtes ni de débardeurs). À moins d'y être invité, n'entrez pas dans la salle de prière, espace sacré réservé aux fidèles. Ne sortez pas non plus votre appareil photo et pensez à éteindre votre mobile.

Le vendredi, jour de prière, l'activité religieuse est la plus intense entre 11h et 14h ; les habitants se montrent alors assez peu disponibles pour les visiteurs et la plupart des restaurants ferment.

détester la ville. Si vous êtes dans un train qui franchit la frontière thaïlando-malaise (quel que soit le sens), vous n'avez aucune raison de descendre. Des trains partent quotidiennement pour Surat Thani, Nakhon Si Thammarat et Hat Yai, d'où ils continuent vers Bangkok.

De Rantau Panjang (du côté malais), un taxi collectif jusqu'à Kota Bharu vous coûtera environ 8 RM par personne (environ 80 B) ou 30 RM pour le véhicule en entier. Le trajet dure environ 1 heure.

## Comment circuler

La frontière se trouve à environ 1 km du centre de Sungai Kolok ou de la gare ferroviaire. Des motos-taxis vous y conduiront pour environ 30 B.

# Carnet pratique

SOMMAIRE



## ACHATS

Beaucoup de bonnes affaires vous attendent en Thaïlande, mais ne faites pas vos achats en compagnie d'un rabatteur, d'un guide touristique ou d'un charmant inconnu. Leur commission se répercuterait inévitablement sur le prix de vos achats.

### Antiquités

Les antiquités véritables et les bouddhas, récents ou anciens, ne peuvent sortir du territoire sans l'autorisation du Fine Arts Department (département des Beaux-Arts). Voir p. 766 pour plus d'informations.

Les vraies antiquités thaïlandaises se font rares. Vous ne trouverez sur les marchés que des reproductions et des babioles du Myanmar. Bangkok et Chiang Mai sont les deux centres pour l'achat et la vente d'antiquités et de reproductions.

### Contrefaçons

À Bangkok, à Chiang Mai et dans les autres grands centres touristiques, des stands de rue vendent des contrefaçons de grandes marques. Personne ne prétend à l'authenticité de ces marchandises, du moins pas les vendeurs. Sachez que la confection et la vente de ces contrefaçons sont illégales. Des institutions ont souvent fait pression sur la Thaïlande pour faire disparaître ce commerce contraire au respect de la propriété intellectuelle. Mais les descentes de police ne durent jamais longtemps, et les vendeurs développent de nouvelles techniques de vente, toujours plus discrètes. Au marché de Patpong, par exemple, les vendeurs vous montrent des photos de montres, vous font payer puis disparaissent au coin de la rue. Ils finissent presque toujours par revenir avec la marchandise, mais peuvent vous laisser mariner un certain temps.

### Laques

Le nord de la Thaïlande est connu pour ses laques régionaux issus des anciens artisans birmans. C'est à Chiang Mai que l'on trouve des laques noir et or. Les mobiliers et les objets de décoration étaient à l'origine fabriqués en bambou et en teck, mais le bois de manguier est de plus en plus utilisé comme base. Le latex du sumac (*Melanorrhea usitata*), mélangé à de la cendre de balles de riz, permet d'obtenir un revêtement léger, souple et imperméable. Pour confectionner un laque, l'artisan tresse d'abord l'armature de l'objet désiré en bambou. Les pièces de qualité sont également tressées avec du crin de cheval. Une première couche de laque est ensuite appliquée sur l'armature. Après plusieurs jours de séchage, elle est frottée avec de la cendre de balles de riz, avant l'application d'une seconde couche. Les objets haut de gamme peuvent comporter jusqu'à 7 couches de laque. Le laque est

**MARCHANDER**

Si le prix d'un article n'est pas affiché, c'est qu'il est possible de négocier. Le marchandage est courant pour les produits non alimentaires sur les marchés et dans les petites boutiques. Les supermarchés et autres 7-Eleven pratiquent des prix fixes.

Les Thaïlandais respectent le marchandage bien mené. Laissez le vendeur faire la première offre, puis demandez-lui s'il ne peut pas faire un effort. Il vous proposera immédiatement un rabais, puis ce sera à votre tour de faire une proposition ; commencez assez bas et poursuivez jusqu'à ce que vous vous accordiez sur un montant. Il n'y a pas de règle, certains commerçants annonçant d'emblée une somme vertigineuse, d'autres restant plus près du prix réel. N'entamez pas la discussion si vous n'avez pas l'intention d'acheter.

Restez détendu et souriant, les négociations auront plus de chances d'aboutir. Évitez de hausser le ton et de vous emporter, vous n'arriverez à rien.

ensuite gravé au stylet, peint, puis poli afin d'effacer toutes traces de peinture hors des gravures. Ces 3 étapes sont effectuées à plusieurs reprises dans le cas de laques multicolores.

Il faut entre 5 et 6 mois de travail pour fabriquer un modèle de qualité supérieure, qui pourra compter jusqu'à 5 couleurs. Un laque de qualité se reconnaît à sa flexibilité : pour un bol, on doit pouvoir, par exemple, rapprocher les bords jusqu'à ce qu'ils se touchent, sans le casser. La finesse et la précision de la gravure entrent aussi en compte.

## Mobilier

Les meubles en rotin ou en bois massif sont de bons achats et peuvent être réalisés sur commande. Chiang Mai est le premier producteur de mobilier du pays et il existe de nombreux magasins au détail à Bangkok. À la suite de l'interdiction d'abattre le teck et de la disparition progressive des meubles en teck recyclé, près de 70% du mobilier produit en Thaïlande et destiné à l'exportation est fait en bois d'hévéa traité ne pouvant être utilisé dans la production de latex.

## Pierres précieuses et bijoux

Malgré l'épuisement de ses gisements, la Thaïlande reste le premier exportateur mondial de gemmes et de joaillerie, suivie par l'Inde et le Sri Lanka. Les pierres précieuses sont importées, en particulier du Myanmar et du Sri Lanka, afin d'être taillées et polies, avant d'être revendues.

Malgré le grand nombre de bijouteries en Thaïlande, il est devenu si difficile de repérer les arnaques qu'il vaut mieux ne rien acheter ici. Voir p. 764 pour plus d'informations sur les fraudes dans ce domaine.

## Poteries

Vous trouverez à travers le royaume une grande variété de poteries tournées à la main, anciennes et récentes. Les plus connues sont les céladons vert pâle, les poteries en argile rouge de Dan Kwian et les *benjarong* ou "5 couleurs" du centre de la Thaïlande. Ces derniers s'inspirent de motifs chinois, tandis que les céladons, originaires de Thaïlande, ont été imités en Chine et dans toute l'Asie du Sud-Est. Les poteries brutes, sans émail, du Nord et du Nord-Est sont également très jolies. Vous trouverez des poteries modernes à Bangkok et un style plus traditionnel à Chiang Mai.

## Textiles

Chaque région de Thaïlande possède sa propre tradition dans le domaine de la broderie de la soie, et chaque village utilise même ses propres couleurs. Autrefois, le tissage revêtait le même rôle social que la carte de visite aujourd'hui : il représentait l'identité des ethnies et parfois même le statut marital. Aujourd'hui, cette tradition perdure, mais n'est plus aussi régionale qu'autrefois. Les magasins de tout le pays vendent différents styles de soie, qu'il s'agisse d'un tissu doux et unicolore ou de soie naturellement teinte, plus raide. Les textiles tissés conservent toutefois leurs particularités régionales.

Le Nord-Est est réputé pour ses vêtements en *mát·mèe*, coton épais ou étoffe en soie, tissés avec des fils noués et teints, semblable à l'*ikat* indonésien. La province de Surin est, elle, connue pour ses *mát·mèe* en soie très colorés et aux formes géométriques, héritage des traditions khmères.

Dans le Nord, vous trouverez aussi des soies de style lanna, apportées à Chiang Mai et dans les montagnes environnantes par les différents groupes tai.

Les motifs des beaux batiks (*ɓah dé*) produits dans le Sud rappellent plus ceux de Malaisie que ceux d'Indonésie.

Chaque ethnie montagnarde possède sa propre tradition dans le domaine de la broderie, une tradition qui s'exprime aujourd'hui sous forme de sacs et de bijoux. La plupart de ceux que vous verrez sur les marchés sont fabriqués à la machine, mais de nombreuses coopératives épaulées par les ONG aident les villageois à vendre le produit de leur travail aux consommateurs. Celles de Chiang Mai et de Chiang Rai sont de bons endroits où réaliser quelques achats pour commencer.

### Vêtements

Les vêtements sont très bon marché en Thaïlande, mais le prêt-à-porter est rarement coupé selon le standard occidental. On trouve de plus en plus de vêtements de grandes tailles dans les centres commerciaux, comme le MBK ou le Central Department Store de Bangkok, ainsi que dans la plupart des magasins touristiques. Vous trouverez des articles à très bas prix sur les marchés, bien pratiques si toutes vos affaires sont sales. Pour des habits plus élégants, rendez-vous à Bangkok ou à Ko Samui, où la mode est très présente. Trouver des chaussures pour les plus grandes pointures est également un problème. Rendre ou échanger un article n'est pas une habitude thaïlandaise, alors soyez sûr de vous avant de payer.

La Thaïlande est réputée pour ses tailleurs, dont la plupart sont issus de familles sikhes indo-thaïlandaises. Il est donc simple de se faire couper un vêtement sur mesure, mais attention, l'industrie est truffée de tailleurs au rabais et d'escrocs payés à la commission. Ne vous fiez pas à ceux qui fabriquent la commande en 24 heures ; ils utilisent souvent un tissu de moindre qualité et confectionnent des vêtements de facture médiocre. Demandez l'adresse d'un bon tailleur à des Thaïlandais ou à des résidents étrangers, puis n'hésitez pas à faire 2 ou 3 essayages.

## ACTIVITÉS

L'aventure "soft" est le maître mot de l'industrie touristique en Thaïlande. La plupart des circuits permettent de faire un tour en minibus, mais bien peu vous emmènent au cœur de la jungle.

**PRATIQUE**

- Le *Bangkok Post* et *The Nation*, deux quotidiens (en anglais) qui traitent de l'actualité nationale et internationale.
- Plus de 400 stations de radio FM et AM. On peut capter Radio France International sur les ondes courtes.
- 6 chaînes nationales de TV et le câble pour les programmes internationaux.
- PAL est le principal format vidéo.
- Courant alternatif de 220 V ; les équipements électriques comportent habituellement des prises à 2 broches, rondes ou plates.
- La Thaïlande utilise le système métrique international. L'or et l'argent se pèsent en *bàat* (15 g).

### Cyclisme et VTT

Parcourir de longues distances à vélo est de plus en plus populaire auprès des touristes. **Biking Southeast Asia with Mr Pumpy** (www.mrpumpy.net, en anglais) propose des itinéraires, des conseils et d'autres détails récoltés auprès de cyclistes s'étant déjà rendus sur place. Il existe également des circuits à vélo organisés à travers le pays et des circuits en montagne proposés par **SpiceRoads** (spiceroads.com), ainsi que par des tour-opérateurs de Bangkok ou de Chiang Mai. Dans certaines villes thaïlandaises, le vélo peut représenter une bonne alternative aux transports publics ; pour des informations sur les locations de vélo, voir p. 787.

### Escalade

Avant l'âge de la pierre, la Thaïlande se trouvait au fond d'un vaste océan qui bordait le plateau du Tibet. En se retirant, cet océan a donné naissance à l'Asie du Sud-Est. Les squelettes de la faune marine sont à l'origine de la formation des grottes et des falaises calcaires qui bordent les côtes thaïlandaises. Ces falaises blanches sont idéales pour pratiquer l'escalade. Si les *fa·ràng* ont été les premiers à se lancer à l'assaut des parois calcaires au milieu des années 1980, les Thaïlandais n'ont pas tardé à leur emboîter le pas. L'escalade est maintenant devenue tellement populaire que des Thaïlandais participent à des compétitions amateurs aux États-Unis et en Australie.

Les sites de Hat Railay (p. 704) constituent le nec plus ultra de la varappe en Thaïlande. L'immense promontoire et les îlots voisins offrent des parois parfaites : abruptes, émaillées de prises, de surplombs et de stalactites. Mais ce qui fait aussi que ces sites d'escalade sont si prisés, ce sont les vues qu'ils procurent. La récompense pour s'être hissé au sommet de ces falaises ne consiste pas seulement dans la satisfaction d'avoir vaillamment défié la gravité, mais aussi dans le somptueux panorama de la baie, d'un bleu étincelant, et des reliefs bosselés des montagnes.

Si vous tenez à éviter la foule des touristes fréquentant Krabi, réfugiez-vous à Ko Phi Phi ou dans le Nord, à Chiang Mai (p. 283).

## Kayak et planche à voile

Les plus beaux paysages à traverser en kayak sont ceux de la côte d'Andaman, bordée de montagnes et de grottes à demi submergées. De nombreux opérateurs organisent des sorties en kayak de mer dans le magnifique secteur d'Ao Phang-Nga (p. 664). Pour les sportifs, la plage de Krabi (p. 696), point de départ d'excursions vers des lagons émeraude et des grottes sous-marines, est le spot à ne pas manquer. Le parc maritime d'Ang Thong (p. 639), au large de Ko Samui, est également une destination très prisée.

Étant donné la chaleur, aussi bien de l'air que de l'eau, la plupart des opérateurs organisent ces excursions en kayak ouvert. Lorsque vous vous inscrivez pour une sortie en kayak, demandez qui sera le pagayeur principal : vous ou votre guide ; ces excursions ressemblent en effet, parfois, davantage à des promenades qu'à de véritables sorties sportives.

Les rivières dans le nord du pays offrent de belles descentes en eaux vives, notamment pendant les moussons et juste après. Des voyages sont organisés à partir de Pai (p. 451), de Chiang Mai (p. 308) et, dans une moindre mesure, de la province de Nan.

La planche à voile est pratiquée à Pattaya (p. 244) et à Phuket (p. 665). Les mois les plus venteux dans le golfe de Thaïlande vont de mi-février à avril. Le long de la côte d'Andaman, les vents sont plus forts entre septembre et décembre. Phuket peut parfois être balayée par des vents puissants, parfaits pour une sortie en planche à voile.

## Plongée et snorkeling

Les plongeurs apprécient les deux côtes de la Thaïlande, ainsi que ses îles innombrables pour leurs eaux calmes et tièdes autant que pour la richesse de leur vie sous-marine.

Plonger dans les récifs coralliens de la côte d'Andaman – avec ses centaines d'espèces de coraux et sa faune sous-marine – vous laissera un souvenir impérissable. Les meilleurs spots de plongée se trouvent autour des parcs nationaux maritimes des îles Similan (p. 661) et des îles Surin (p. 660). La plupart des opérateurs organisant des excursions dans ce secteur sont installés à Phuket (p. 675) et à Khao Lak (p. 657).

Il est possible de pratiquer la plongée à peu près tout le long des côtes du golfe de Thaïlande. L'île de Ko Tao (p. 625) est réputée pour proposer les cours de plongée les plus compétitifs, mais le nombre de participants donne parfois

### CONSEILS DE SÉCURITÉ POUR LA PLONGÉE

Avant une sortie de snorkeling ou de plongée, prenez les précautions suivantes afin d'éviter les mauvaises surprises :

- Soyez en possession d'un certificat de plongée délivré par un club agréé (plongée avec bouteilles).
- Renseignez-vous sur la configuration et l'environnement du site (auprès d'un club reconnu).
- Respectez les lois et les usages en vigueur concernant la vie marine et l'environnement.
- Ne plongez que sur des sites correspondant à vos capacités ; si possible, faites-vous accompagner par un moniteur professionnel expérimenté.
- Les conditions de plongée varient d'une région ou d'un site à l'autre, et selon les saisons. Ces variations influent sur l'équipement et les techniques à utiliser.
- Renseignez-vous sur les données environnementales qui peuvent compliquer une plongée et la manière dont les plongeurs locaux évitent tout problème.

l'impression d'être à l'usine. À Pattaya (p. 240), site de plongée le plus proche de Bangkok, la mer n'est pas idéale, mais les récifs sont accessibles en quelques minutes en bateau.

Les îles sont généralement entourées de récifs situés à moins de 2 m de profondeur propices au snorkeling. Les pêcheurs locaux emmènent également des groupes pour des sorties de snorkeling d'une journée autour des îles.

Les clubs de plongée et les pensions proches des plages louent masques, palmes et tubas. Si vous êtes pointilleux sur la qualité de l'équipement, mieux vaut apporter les vôtres.

### Randonnée

Les randonnées constituent l'un des grands attraits du nord de la Thaïlande. Beaucoup d'itinéraires font alterner journées de marche dans des montagnes boisées, promenades à dos d'éléphant et nuits dans les villages d'ethnies montagnardes, conjuguant ainsi ethno et écotourisme. Chiang Mai et Chiang Rai constituent les principaux points de départ de ces randonnées.

Au nord, Mae Hong Son, Pai, Chiang Dao, Tha Ton, Nan et Um Phang sont également propices à la randonnée, tout comme Kanchanaburi, au sud-ouest, facilement accessible depuis Bangkok. Ces activités sont très prisées des voyageurs, mais le verdict final se révèle parfois mitigé. De nombreux détracteurs critiquent ces incursions au sein des communautés en soulevant les questions de l'exploitation de ces populations et de la trop forte affluence de touristes dans ces régions. Certaines agences ou pensions parviennent à établir un véritable échange culturel entre communautés locales et touristes, en pleine jungle, mais la plupart des excursions conviennent rarement à notre conception de la découverte.

Il est délicat de recommander une agence en particulier : les guides travaillent souvent pour plusieurs agences en même temps et les participants ne sont jamais les mêmes. En théorie, tous les guides sont certifiés par la Direction du tourisme en Thaïlande (TAT). Ils sont donc censés avoir suivi une formation sur la région, sur les gestes de secourisme et être enregistrés, ce qui peut s'avérer utile en cas de problème. Les guides doivent pouvoir vous présenter leur licence et un certificat. Les licences vertes concernent les randonnées seulement, les roses sont pour les panoramas seulement et les argentés pour les deux. Les agences sont aujourd'hui plus sûres que par le passé, mais n'hésitez pas à vous renseigner auprès d'autres voyageurs.

Si les randonnées organisées ne vous attirent pas, passez donc à Mae Salong (p. 369), une petite ville d'altitude d'où vous pourrez organiser votre randonnée en solitaire.

La meilleure période de l'année va de novembre à février, lorsque le temps est frais, les paysages verts et fleuris, et les chutes d'eau encore alimentées par les moussons. Entre mars et mai, les collines sont plus sèches et le temps devient très chaud. La saison des pluies, entre juin et juillet, précède la saison touristique et est également agréable pour la randonnée.

Sur les questions de responsabilité lorsque vous approchez des villages des ethnies montagnardes, voir p. 48.

## ALIMENTATION

La plupart des restaurants sont bon marché selon les critères internationaux et les tarifs ont tendance à rester équivalents tout au long de l'année. La hausse mondiale des prix du pétrole en 2007 a provoqué une augmentation des prix de l'alimentation en Thaïlande, la première depuis près de 10 ans. Un bol de *gŏo·ay đĕe·o* à Bangkok est ainsi passé de 30 B à 35 B.

Un repas typique pris dans la rue près d'un chariot ambulant coûte entre 25 et 40 B ; dans un petit restaurant familial, comptez entre 80 et 150 B. Les pensions et les restaurants visant une clientèle touristique ont tendance à pratiquer des prix plus élevés. Voir p. 86 pour en savoir plus sur la gastronomie thaïlandaise et les divers types d'établissements.

## AMBASSADES ET CONSULATS

### Ambassades et consulats thaïlandais

Le site www.thaiembassy.org répertorie des liens vers les missions diplomatiques thaïlandaises à l'étranger. Voici les coordonnées de quelques ambassades de Thaïlande à l'étranger :

**Belgique** (☎ 640 68 10 ; www.thaiembassy.be ; Chaussée de Waterloo 876, 1000 Bruxelles)

**Canada** (☎ 613 722 4444 ; www.magma.ca/~thaiott/mainpage.htm; 180 Island Park Drive, Ottawa, ON K1Y 0A2) ; consulat à Vancouver.

**France** (☎ 01 56 26 50 50 ; paris.thaiembassy.org ; 8 rue Greuze, 75116 Paris)

**Suisse** (Ambassade ☎ 031-970 30 30 ; www.tourismthailand.ch ; Kirchstrasse 56 3097 Liebefeld-Bern ; Consulat ☎ 022 311 07 23 ; 75 rue de Lyon, 1202 Genève)

### Ambassades et consulats en Thaïlande

Les ambassades sont situées à Bangkok, et quelques consulats sont installés à Chiang Mai.

**Cambodge** (carte p. 114 ; ☎ 02957 5851-2 ; 518/4 Pracha Uthit/Soi Ramkamhaeng 39, Bangkok)

**Canada** Bangkok (carte p. 128 ; ☎ 0 2636 0540 ; www.dfait-maeci.gc.ca/bangkok ; 15e ét., Abdulrahim Bldg, 990 Th Phra Ram IV) ; Chiang Mai (carte p. 284 ; ☎ 0 5385-0147 ; 151 Superhighway, Tambon Tahsala). Consulat seulement à Chiang Mai.

**Chine** Bangkok (carte p. 114 ; ☎ 0 2245 7044 ; www.chinaembassy.or.th ; 57 Th Ratchadaphisek) ; Chiang Mai (carte p. 292 ; ☎ 0 5327 6125 ; 111 Th Chang Lor). Consulat seulement à Chiang Mai.

**France** Bangkok (Ambassade ; carte p. 122 ; ☎ 0 2657 5100 ; www.ambafrance-th.org ; 35 Soi 36, Th Charoen Krung ; Consulat ; carte p. 124 ; ☎ 0 2627 2150 ; 29 Th Sathon Tai) ; Chiang Mai (carte p. 292 ; ☎ 0 5328 1466 ; 138 Th Charoen Prathet). Consulat seulement à Chiang Mai, à Phuket et à Surat Thani.

**Inde** Bangkok (carte p. 126 ; ☎ 0 2258 0300-6 ; 46 Soi Prasanmit/Soi 23, Th Sukhumvit) ; Chiang Mai (carte p. 284 ; ☎ 0 5324 3066 ; 344 Th Charoenrat). Consulat seulement à Chiang Mai.

**Indonésie** (carte p. 124 ; ☎ 0 2252 3135 ; www.kbri-bangkok.com ; 600-602 Th Phetchaburi, Bangkok)

**Japon** Bangkok (carte p. 128 ; ☎ 0 2207 8500 ; www.th.emb-japan.go.jp ; 177 Th Withayu) ; Chiang Mai (carte p. 284 ; ☎ 0 5320 3367 ; 104-107 Airport Business Park, Th Mahidon). Consulat seulement à Chiang Mai.

**Laos** (carte p. 114 ; ☎ 0 2539 6678 ; www.bkklaoembassy.com ; 502/1-3 Soi Sahakarnpramoon, Pracha Uthit/Soi 39, Th Ramakamhaeng, Bangkok)

**Malaisie** (carte p. 128 ; ☎ 0 2679 2190-9 ; 35 Th Sathon Tai, Bangkok). Autre consulat à Songkhla.

**Myanmar** (Birmanie ; carte p. 122 ; ☎ 0 2233 2237, 0 2234 4698 ; www.mofa.gov.mm ; 132 Th Sathon Neua, Bangkok)

**Népal** (carte p. 114 ; ☎ 0 2391 7240 ; www.immi.gov.np ; 189 Soi 71, Th Sukhumvit, Bangkok)

**Philippines** (carte p. 126 ; ☎ 0 2259 0139 ; www.philembassy-bangkok.net ; 760 Th Sukhumvit, Bangkok)

**Singapour** (carte p. 122 ; ☎ 0 2286 2111 ; www.mfa.gov.sg/bangkok ; 129 Th Sathon Tai, Bangkok)

**Suisse** (carte p. 124 ; ☎ 0 2253 0156 ; 35 Th Withayu, Bangkok)

**Vietnam** (carte p. 124 ; ☎ 0 2251 5836-8 ; www.vietnamembassy-thailand.org ; 83/1 Th Withayu, Bangkok)

## ARGENT

L'unité monétaire est le baht (B), qui se divise en 100 satangs ; il existe des pièces de 25 et 50 satang et de 1, 2, 5 et 10 B. Les anciennes pièces portent uniquement des chiffres thaïs, les nouvelles des chiffres thaïs et arabes. La pièce de 2 B a été introduite en 2007, bien que sa taille et son apparence soient très proches de la pièce de 1 B. Les pièces de 2 satangs ne sont distribuées que par les supermarchés, lorsque les prix ne sont pas arrondis comme c'est le cas ailleurs.

Des billets de 20 B (vert), 50 B (bleu), 100 B (rouge), 500 B (violet) et 1 000 B (beige) sont utilisés. Dans les années 1990, les billets de 10 B ont peu à peu disparu au profit des pièces de même valeur, mais vous pouvez occasionnellement tombé sur un survivant.

### Change

Les banques et les bureaux de change privés – plus rares – proposent les meilleurs taux. Pour acheter des bahts, le dollar US est la devise la plus couramment acceptée, devant la livre sterling et l'euro. La plupart des banques prélèvent une commission sur chaque chèque de voyage changé.

Le *Bangkok Post* et la *Nation* publient quotidiennement les taux de change du jour, également affichés dans toutes les banques.

Voir p. 18 pour des informations sur le coût de la vie en Thaïlande.

### Contrôle des changes

La somme que vous pouvez importer en bahts ou en devises étrangères n'est pas plafonnée.

Les étrangers qui entrent en Thaïlande sont néanmoins soumis à certaines contraintes financières ; par exemple apporter la preuve que l'on dispose de suffisamment d'argent ; la somme requise varie selon le type de visa mais n'excède généralement pas le budget prévu pour le type de voyage entrepris. On vous demandera rarement de présenter cette somme d'argent, mais sachez que cela serait conforme à la loi. Pour connaître les montants spécifiquement requis pour chaque type de visa, consultez le site du **Ministère des affaires étrangères** (www.mfa.go.th).

En quittant le pays, vous ne pouvez emporter plus de 50 000 B/pers sans autorisation spéciale, sauf si vous allez au Cambodge, au Laos, en Malaisie, au Myanmar ou au Vietnam, où la limite est fixée à 500 000 B. L'exportation de devises étrangères est libre.

On peut légalement ouvrir un compte en devises étrangères dans n'importe quelle banque commerciale thaïlandaise. Dès lors que les fonds proviennent de l'étranger, vous le gérez comme bon vous semble.

### Distributeurs automatiques de billets (DAB) et cartes bancaires

Les cartes bancaires et de crédit émises par une banque de votre pays permettent de retirer de l'argent liquide (en bahts uniquement) dans les distributeurs automatiques (DAB) de Thaïlande. Les DAB sont suffisamment répandus dans tout le pays pour vous permettre de retirer tout l'argent dont vous aurez besoin tout au long de votre séjour. Vous pouvez aussi recourir à vos cartes pour acheter des bahts aux guichets de change de certaines banques.

Nombre de magasins, hôtels et restaurants acceptent les paiements par carte de crédit. Les plus couramment acceptées sont les cartes Visa et MasterCard. La carte American Express n'est généralement acceptée que par les plus grands hôtels et restaurants.

Pour signaler le vol ou la perte d'une carte de crédit, composez l'un des numéros suivants, à Bangkok :

**American Express** (☎ 0 2273 5544)
**Diners Club** (☎ 0 2238 3660)
**MasterCard** (☎ 001 800 11887 0663)
**Visa** (☎ 001 800 441 3485)

### Pourboire

Le pourboire n'est pas une pratique courante dans le pays, sauf lorsque l'on règle une grosse note de restaurant. On laisse alors généralement la menue monnaie ; ainsi, un Thaïlandais, s'il règle une addition de 488 B avec une coupure de 500 B, n'empochera pas les 12 B de différence. Il s'agit moins d'un pourboire que d'une manière d'affirmer son dédain pour une somme minime. En revanche, ne laissez pas moins de 10 B.

Beaucoup de restaurants d'hôtels ou d'établissements haut de gamme majorent la note de 10% pour le service. Dans ce cas, le pourboire n'est pas de mise. Bangkok a adopté l'habitude des pourboires, en particulier dans les restaurants fréquentés par les touristes.

## ASSURANCE

Souscrire une police d'assurance qui couvre le vol, la perte et les frais médicaux est une sage précaution. Les garanties proposées diffèrent, notamment pour la couverture médicale ; lisez avec attention les clauses imprimées en petits caractères et assurez-vous que le contrat inclut le transport en ambulance et le rapatriement d'urgence en avion.

Certains contrats excluent explicitement les "activités à risques", comme la plongée, la moto, voire la randonnée. De même, un permis moto obtenu dans le pays visité peut ne pas être reconnu par votre assurance.

Reportez-vous p. 791 pour les recommandations sur l'assurance santé et p. 788 pour les détails sur l'assurance d'un véhicule. Vous pouvez contracter une assurance voyage internationale sur www.lonelyplanet.com/travel_services. À tout moment, même pendant votre séjour, vous pourrez souscrire ou prolonger votre assurance et faire une réclamation en ligne.

## BÉNÉVOLAT

En France, quelques organismes offrent des opportunités de travail bénévole sur des projets de développement ou d'environnement, parfois sur des périodes courtes, de 1 à 4 semaines. Certaines associations s'adressent plus spécifiquement aux jeunes. Les chantiers proposés vont de la réfection d'une école aux travaux liés à l'environnement. Il s'agit d'une bonne formule pour s'immerger dans le pays, connaître l'envers du décor touristique, et bénéficier d'une ambiance internationale (les volontaires viennent de divers pays en général). En revanche, les conditions de vie sur un chantier sont spartiates, et prenez garde au décalage fréquent entre le programme et la réalité. La fouille archéologique peut rapidement se transformer, une fois sur place, en coup de peinture donné à la maison des jeunes locale. Le matériel est parfois rudimentaire, et la réalité du terrain souvent plus dure qu'on ne l'imaginait.

**Comité de coordination pour le service volontaire international** (www.unesco.org/ccivs)

**Jeunesse et reconstruction** (☎ 01 47 70 15 88 ; www.volontariat.org ; 10, rue de Trévise 75009 Paris). Cette association, créée après la Seconde Guerre mondiale pour la paix en Europe, propose en priorité des projets individuels de 6 mois à 1 an.

**Solidarités jeunesses** (SCI, branche française ; ☎ 01 55 26 88 77 ; www.solidaritesjeunesses.org ; 10 rue du 8 mai 1945, 75010 Paris). Mouvement international qui soutient les projets visant à organiser collectivement une société responsable. Développe des chantiers internationaux et le volontariat à long terme.

## CARTES ET PLANS

L'IGN fournit la carte *Thaïlande, Vietnam, Laos et Cambodge* (n°85110 ; 8,70 €), au 1/2 000 000.

**ThinkNet** (www.thinknet.co.th en anglais) édite des cartes du pays et des villes de bonne qualité, dont certaines sont bilingues, ainsi que des CD interactifs sur Bangkok.

Les GPS de la marque Garmin et leurs cartes, précises et détaillées, sont les plus réputés pour la Thaïlande. **Multimap** (www.multimap.com) propose une carte précise de toutes les rues de Thaïlande.

Les randonneurs indépendants et les amateurs de géographie apprécieront les cartes d'état-major, publiées par l'armée thaïlandaise. Réalisées à différentes échelles, elles indiquent les altitudes, les courbes de niveau, les routes et les noms de lieu (en thaï et en caractères romains). Vous pouvez vous les procurer auprès du **Royal Thai Survey Department** (Krom Phaen Thi Thahan ; carte p. 118-119 ; ☎ 0 222 8844 ; Th Kanlayana Maitri, Bangkok), en face du ministère de l'Intérieur, du côté ouest de Th Ratchini, à Ko Ratanakosin.

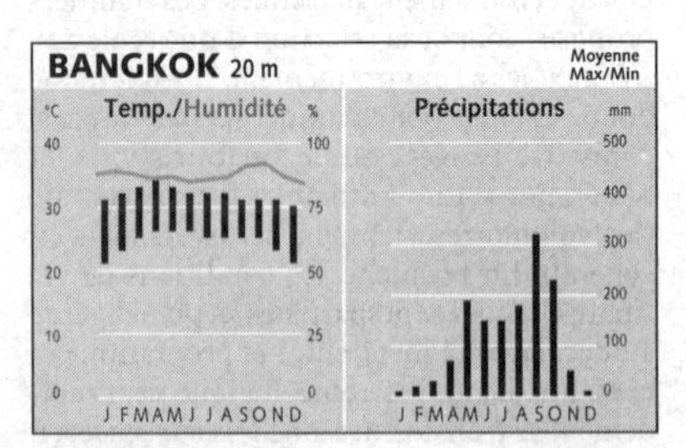


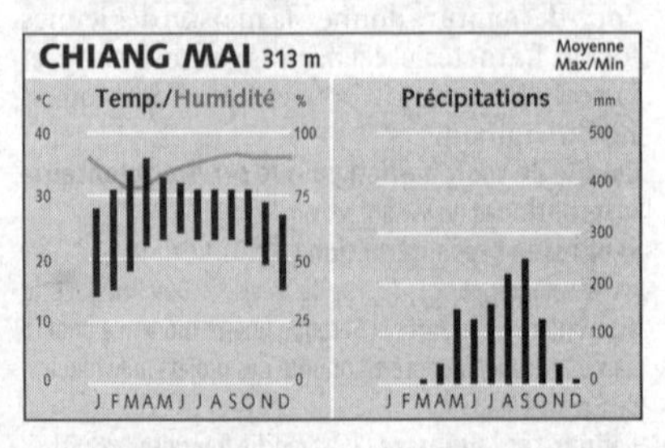


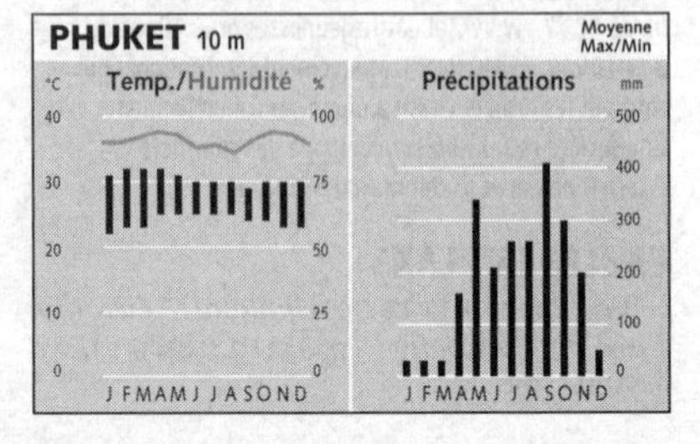


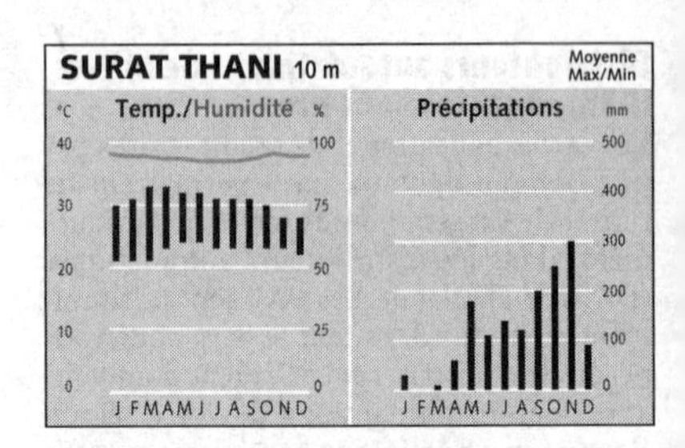


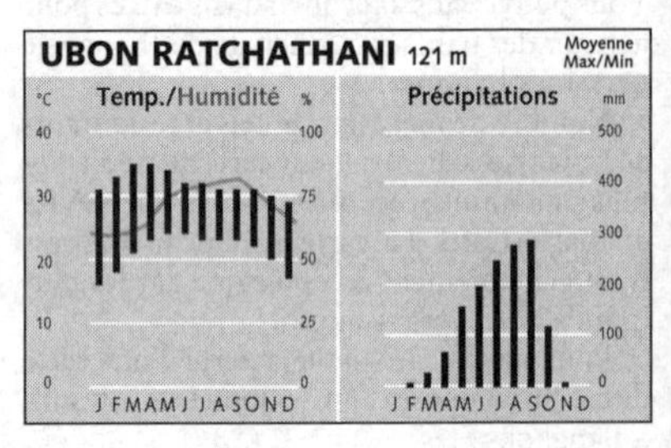


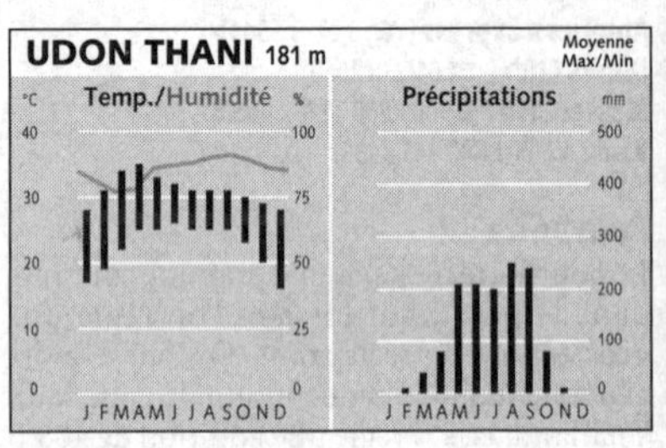


## CLIMAT

Reportez-vous p. 18 pour plus d'informations sur les périodes les plus favorables à un voyage en Thaïlande.

## COURS

### Cuisine

Si vous être tenté par des cours de cuisine, reportez-vous à la rubrique *Cours* du chapitre *Bangkok* (p. 150) et du chapitre *Chiang Mai* (p. 309) et parcourez les autres chapitres régionaux.

### Langue

Des cours de thaïlandais sont organisés en liaison avec les universités de Bangkok (p. 151) et de Chiang Mai (p. 309). Dans ces deux villes, on peut également suivre des cours intensifs sur mesure, en fonction de ses besoins – langue des affaires, lecture, écriture.

### Massage thaïlandais

Le massage thaïlandais s'apparente davantage à une séance de yoga qu'à un pétrissage des muscles en profondeur. Le but est de favoriser la santé en manipulant certains *sên* (points de pression) le long des méridiens du corps, de façon à distribuer l'énergie équitablement dans tout le système nerveux. Les aspects dynamiques du massage thaïlandais s'adressent aussi à l'ensemble du squelette et des muscles, de façon comparable à la physiothérapie et à la chiropraxie modernes. Pour s'initier à ces massages, il existe des cours à Bangkok et à Chiang Mai. La plus réputée des écoles de massage thaïlandais se trouve dans le Wat Pho (p. 131), à Bangkok.

### Méditation

Depuis longtemps, la Thaïlande attire les étrangers désireux de se former à la méditation bouddhique. Le système de méditation appelé *vipassana* (en thaï, *wí·bàt·sà·na*) est propre au bouddhisme, surtout theravada, et à un degré moindre au bouddhisme tibétain ; ce terme vient d'un mot pali qui peut se traduire par "connaissance intérieure". Des dizaines de temples et de centres de méditation enseignent le *vipassana* ; si les méthodes varient, l'accent est mis sur l'observation des processus psychophysiques et leur déroulement dans le temps. L'apprentissage est essentiellement dispensé en thaï, mais plusieurs centres proposent aussi des cours en anglais.

Les renseignements sur les temples et les centres de méditation sont indiqués dans les chapitres régionaux de ce guide. Les cours et l'hébergement sont gratuits dans les temples, mais les dons sont attendus.

Certains endroits exigent le port de vêtements blancs lorsque vous restez pour la nuit. Même pour une brève visite, habillez-vous de manière appropriée (pantalon long ou jupe longue, haut couvrant les épaules).

### Mou·ay tai (boxe thaïlandaise)

S'il est une discipline en plein essor dans le domaine du tourisme culturel en Thaïlande, c'est bien le *mou·ay tai* (boxe thaïlandaise, également appelé *muay thai*). Il est aujourd'hui enseigné dans des dizaines de camps disséminés à travers tout le pays. Traditionnellement, en particulier dans les zones rurales, ces camps cherchent à former des champions, dont le prestige rejaillit en retour sur les maîtres, qui réalisent alors des gains substantiels. L'entraînement y est rude, le régime alimentaire et l'hébergement spartiates. Les stagiaires occidentaux qui ont pu s'entraîner dans ces écoles ont dû faire preuve d'un très fort potentiel dès le départ ; ils ont été admis par relations, et en raison de leur total dévouement à ce sport.

Aujourd'hui, les camps où s'entraînent les Occidentaux sont adaptés à des athlètes motivés par le sport en lui-même plus que par la perspective de remporter des prix. Les entraîneurs y sont souvent anglophones, les équipements de meilleure qualité et les entraînements subventionnés par des tarifs de cours de plus en plus élevés. La durée de ces stages peut varier d'un jour à plusieurs semaines. Il faut savoir que certains camps ne s'intéressent qu'aux chèques qu'ils endossent. Cela vaut donc la peine de se renseigner avant de se décider pour tel ou tel camp. Les camps de Bangkok et de Chiang Mai, qui existent depuis longtemps, ont une réputation de bienveillance à l'égard des étrangers, ce qui n'est pas le cas de ceux de Phuket et de certains autres complexes touristiques où les entraînements s'adressent à des stagiaires moins motivés.

## DÉSAGRÉMENTS ET DANGERS

Bien que la Thaïlande ne soit pas un pays dangereux, mieux vaut être prudent, surtout lors de contacts avec des inconnus (Thaïlandais ou étrangers) et si vous voyagez seul. Il y a en réalité davantage de risques de se faire voler que d'être physiquement agressé.

### Agressions

Les agressions de voyageurs sont très rares, mais se produisent parfois. Nous avons reçu des courriers faisant état de bagarres entre des voyageurs et des employés de pensions thaïlandaises ou des jeunes Thaïs. Si les deux parties sont à blâmer (l'alcool entre souvent en ligne de compte), sachez que faire perdre la face à un Thaïlandais et l'insulter en public peut entraîner de sa part une réaction démesurément violente. Les attaques à main armée sont très rares en Thaïlande, mais certains étrangers auraient été pris pour cible lors de bagarres avec des policiers en dehors de leurs heures de services.

Le nombre d'agressions à Ko Samui et à Ko Pha-Ngan est étonnamment élevé malgré le cadre idyllique. L'alcool en est souvent la cause, surtout lors de la fête de la pleine lune, à Ko Pha-Ngan, où l'on a fait état de bagarres, de viols et de vols.

Les femmes voyageant seules à Ko Samui et à Ko Pha-Ngan doivent rester prudentes (et sobres) lorsqu'elles discutent avec le sexe opposé (Thaïlandais ou *fa·ràng*). D'une façon générale, méfiez-vous des flirts engagés avec des inconnus, surtout le soir dans les bars, un certain flou existant entre les deux cultures quant aux limites à ne pas dépasser.

## Drogues

Certains voyageurs (davantage orientés découverte du corps que de la culture) ont rapporté avoir accepté des cigarettes, des boissons ou de la nourriture de la part de jeunes femmes enjôleuses et s'être réveillés quelques heures plus tard, la tête lourde et dépouillés de leurs objets de valeur. Inviter une prostituée dans sa chambre d'hôtel peut aboutir au même résultat.

Tout achat, vente ou possession d'opium, d'héroïne, d'amphétamines, de champignons hallucinogènes ou de marijuana est illégal en Thaïlande. En lançant une offensive contre la drogue en 2003, l'ancien Premier ministre Thaksin avait ouvert une nouvelle ère de lutte contre l'usage et la possession de stupéfiants. Au plus fort de cette campagne, les descentes de police dans les discothèques de Bangkok avaient effectivement réussi à détourner un certain nombre d'usagers occasionnels de leur pratique. La situation s'est apaisée depuis 2006, et le pays n'est plus la plaque tournante des substances illicites.

Les sanctions pour usage et trafic de stupéfiants sont sévères – un an de prison minimum pour possession de drogue – et ne sont en aucun cas adoucies pour les étrangers. Quant au trafic, c'est-à-dire toute tentative de franchissement de la frontière en possession de stupéfiants, il entraîne des sanctions beaucoup plus lourdes, allant jusqu'à la peine capitale.

Les jours de festivals, comme le Nouvel An à Bangkok ou la fête de la pleine lune à Ko Pha-Ngan, la police procède à des contrôles routiers et à des fouilles à la recherche de dealers. Des policiers corrompus agissent parfois lors de ces contrôles, notamment à Ko Pha-Ngan, où des agents extorquent jusqu'à 70 000 B aux acheteurs de drogues pour leur épargner une arrestation.

### CONSEILS AUX VOYAGEURS

La plupart des gouvernements possèdent des sites Internet qui recensent les dangers possibles et les régions à éviter. Consultez notamment les sites suivants :

- Ministère des Affaires étrangères de Belgique (www.diplomatie.be/)
- Ministère des Affaires étrangères du Canada (www.voyage.gc.ca)
- Ministère français des Affaires étrangères (www.france.diplomatie.fr)
- Département fédéral des affaires étrangères suisse (www.eda.admin.ch/eda/f/home.html)

À Pai, une autre ville où la fête bat son plein, des analyses d'urines sont pratiquées sur les clients dans les bars. À l'heure où nous écrivions ces lignes, l'arrestation pouvait être évitée contre 10 000 B. Les policiers, qui n'hésitent pas à pénétrer dans les établissements avec leur arme bien visible, pénalisent les bars qui encouragent la prise de stupéfiants.

## Escroqueries fréquentes

Les Thaïlandais peuvent se montrer si gentils et détendus que certains voyageurs laissent de côté toute méfiance et deviennent une proie facile pour les escrocs de tous poils. Bangkok est réputée pour ses escrocs qui se font passer pour des amis aux yeux des voyageurs en leur proposant des réductions.

Le procédé est presque toujours identique : un sympathique Thaï ou même un étranger s'approche et engage la conversation. Votre nouvel ami vous annonce alors invariablement que l'endroit où vous vous rendez ce jour-là est fermé et vous propose d'autres activités, comme la visite de petits temples ou de marchés particulièrement authentiques. Une fois qu'il aura gagné votre confiance, il vous proposera de faire un détour par une bijouterie où il doit justement récupérer des bijoux. En chemin, il vous dira qu'il a une relation, souvent un parent, dans votre pays (quelle coïncidence !) avec qui il gère une affaire d'import-export de pierres précieuses. Il parviendra à vous convaincre que vous ferez un juteux bénéfice en achetant des pierres pour les revendre une fois rentré chez vous. Justement, le joaillier offre un rabais exceptionnel ce jour-là, sous un prétexte quelconque.

et 1 litre de vin ou de spiritueux en duty free. Vous trouverez des informations plus détaillées à ce sujet sur le site du **département des Douanes** (www.customs.go.th en anglais).

Lorsque vous quittez la Thaïlande, vous devez être en possession d'une licence d'exportation pour toute antiquité ou objet d'art, y compris les statues récentes de bouddha. Pour l'obtenir, vous devez présenter 2 photos de l'objet prises de face, une photocopie de votre passeport, ainsi que la facture et l'objet en question au **Department of Fine Arts** (DFA ; ☎ 0 2628 5032). Comptez de 3 à 5 jours pour ces formalités.

**ÇA DEVRAIT ÊTRE OUVERT...**

- Bars : 18h-minuit ou 1h (l'horaire varie selon l'application locale du couvre-feu)
- Grands magasins : 10h-20h ou 21h lun-sam
- Discothèques : 20h-2h
- Salles de concert : 18h-1h
- Restaurants : 10h-22h
- Boutiques : 10h-18h lun-sam, certains le dim

## ENFANTS

Les Thaïlandais adorent les enfants et manifesteront de bien des façons leur sollicitude à leur égard. Les camarades de jeu ne seront pas longs à trouver, ni les nounous improvisées. Pour les Thaïlandais, la famille est si importante qu'ils seront prêts à tout moment à vous proposer leur aide, et ce de façon totalement désintéressée.

### À voir et à faire

Les enfants apprécieront particulièrement les plages de Thaïlande, qui s'étirent le long de grandes baies, idéales pour les nageurs débutants. Les attractions liées aux animaux sont nombreuses, mais ceux-ci ne sont pas traités avec autant de soin qu'en Occident. Les promenades à dos d'éléphant, les sorties en radeau de bambou et les autres activités en extérieur autour de Chiang Mai et de Kanchanaburi prennent davantage en considération à la fois l'enfant et l'animal. Les plus âgés aimeront sans doute la ville de Khon Kaen dans le nord-est du pays, son parc national, ses statues de dinosaures et son musée où sont exposés d'authentiques ossements de ces créatures préhistoriques.

Bangkok est une ville de rêve pour les amoureux du BTP : grues, marteaux-piqueurs et bétonnières emplissent les rues. En train, les enfants apprécieront les voyages de nuit ; on leur attribue généralement les couchettes basses, près de la fenêtre, avec vue sur l'extérieur.

Pour d'autres idées d'itinéraires, voir p. 28.

### Informations pratiques

Les équipements pour enfants en bas âge – siège auto, chaise haute dans les restaurants ou espace de change pour bébés dans les toilettes publiques – sont quasi inexistants. Les parents devront faire preuve d'imagination ou imiter les Thaïlandais, qui tiennent leurs bambins sur les genoux la plupart du temps.

Vous trouverez des aliments pour bébé et des couches en ville, dans les supérettes et les 7-Eleven, mais pas dans les zones rurales. Il y a aussi des vêtements enfants chez Tesco Lotus, Big C ou Tops Market. Les pharmacies vendent des crèmes contre les rougeurs.

Voyager avec des enfants peut être un vrai défi. Les rues de Thaïlande sont souvent trop bondées pour un landau, surtout les modèles actuels, très larges. Mieux vaut opter pour une poussette avec ombrelle qui peut se faufiler et se replier pour entrer dans un *túk-túk*. Porter son enfant peut être pratique, mais faites attention à ce que la tête du bébé ne dépasse pas la vôtre, de nombreux objets étant accrochés en hauteur.

Bien que la Thaïlande soit un véritable paradis gastronomique, les enfants se montrent parfois réticents à de nouvelles expériences. Les petits Thaïlandais ne mangent pas très épicés avant d'aller à l'école élémentaire et semblent se régaler de *kôw nĕe·o* ou de sucreries. Des menus pour enfants proposent du poulet à toutes les sauces (non épicées) : *gài yâhng* (poulet grillé), *gài tôrt* (poulet frit) et *gài pàt mét má·môo·ang* (poulet sauté aux noix de cajou) – ou encore *kôw pàt* (rix sauté), *kài ji·o* (omelette thaïlandaise) et *gŏo·ay đĕe·o* (soupes de nouilles). Voir également p. 94.

### Santé et sécurité

Dans l'ensemble, les parents n'ont pas trop de soucis à se faire concernant les questions de santé. Bien sûr, toutes les précautions d'usage s'imposent (voir p. 791). Il convient avant tout d'observer quelques règles d'hygiène élémentaires, comme se laver régulièrement les mains. Veillez à ce que vos enfants ne jouent pas avec les animaux : la rage est relativement répandue dans le pays. De toute façon, la plupart des chiens que vous croiserez ne sont pas des animaux de compagnie et préfèrent fouiller les poubelles plutôt que se laisser caresser.

## FÊTES ET FESTIVALS

Les fêtes thaïlandaises sont souvent liées aux saisons agricoles et aux célébrations bouddhiques. En thaï, fête se dit *ngaan têt sà ghan*. Voir le chapitre *Fêtes et festivals* (p. 21) pour plus d'informations.

## FORMALITÉS ET VISAS

Le **Ministère des Affaires étrangères** (www.mfa.go.th) supervise les questions d'immigration et la délivrance des visas. Consultez son site ou déplacez-vous à l'ambassade ou au consulat de Thaïlande le plus proche de chez vous pour connaître les procédures et leur coût.

Les règles sur l'obtention et la prorogation de visa ont évolué depuis ces 5 dernières années. Renseignez-vous auprès de **Thaivisa** (www.thaivisa.com) pour les dernières évolutions.

Avant le départ, il est impératif de contacter les ambassades et les consulats pour s'assurer que les modalités d'entrée sur le territoire n'ont pas changé. Nous vous conseillons de photocopier tous vos documents importants (pages d'introduction de votre passeport, cartes de crédit, numéros de chèques de voyage, police d'assurance, billets de train/d'avion/de bus, permis de conduire, etc.). Emportez un jeu de ces copies, que vous conserverez à part des originaux. Vous remplacerez ainsi plus aisément ces documents en cas de perte ou de vol.

### Visas de tourisme

Les Français, les Belges, les Suisses et les Canadiens peuvent entrer en Thaïlande sans visa pour une durée maximale de 30 jours consacrée au tourisme. Ils doivent être porteurs d'un passeport en cours de validité (au moins 6 mois après la date de retour).

Ce statut, qui porte le nom d'"exemption de visa", se matérialise sur le passeport par un tampon d'entrée et de sortie indiquant la période pendant laquelle vous êtes autorisé à séjourner dans le pays.

En 2008, la durée de séjour pour les ressortissants d'un pays exempté de visa a été légèrement modifiée. En arrivant par avion, un visa de 30 jours est délivré gratuitement. Par voie de terre, le visa est délivré (gratuitement) pour seulement 15 jours. Seuls les ressortissants de Malaisie bénéficient toujours d'un visa de 30 jours en arrivant par voie terrestre.

En théorie, vous devez être en possession d'un billet de retour (ou de poursuite de votre voyage) et de suffisamment d'argent pour le séjour. En pratique, les services de l'immigration procèdent rarement à ces contrôles pour peu que l'on soit correctement habillé.

Si vous prévoyez de rester plus de 30 jours (ou de 15 jours en arrivant par voie terrestre), vous devrez demander un visa de tourisme valable 60 jours auprès d'une ambassade ou d'un consulat thaïlandais avant votre départ. Vous pouvez également renouveler votre visa en Thaïlande (voir la rubrique *Prorogation de visas*), mais cela vous coûtera plus cher. Contactez les autorités thaïlandaises près de chez vous pour plus d'informations.

### Prorogation de visas

Vous pouvez faire une demande de prorogation de visa dans n'importe quel bureau de l'immigration, en Thaïlande. Les étrangers s'adressent généralement au **Bangkok immigration office** (carte p. 128 ; ☎ 0 2287 3101 ; Soi Suan Phlu, Th Sathon Tai ; ☎ 9h-12h et 13h-16h30 lun-ven, 9h-12h sam) ou au **Chiang Mai immigration office** (carte p. 284-285 ; ☎ 0 5320 1755-6 ; Th Mahidon ; ☎ 8h30-16h30 lun-ven) pour faire proroger tous types de visa. Le tarif habituel est de 1 900 B.

Les visas de 15 ou 30 jours peuvent être prolongés de 7 à 10 jours (selon le bureau de l'immigration auquel vous vous adressez), à condition de s'y prendre avant l'expiration de votre visa. Le visa de tourisme de 60 jours peut être renouvelé jusqu'à 30 jours à la discrétion des autorités de l'immigration.

Pour renouveler votre visa, vous pouvez également franchir une frontière. Depuis 2006, la Thaïlande tente de renforcer sa législation pour limiter le nombre d'étrangers qui vivent et travaillent illégalement dans le pays. Le visa de 30 jours n'est délivré que si vous arrivez par avion et de nombreux expatriés prennent un vol jusqu'à Kuala Lumpur pour régulariser leurs papiers. Une limitation sur le nombre de renouvellements de visa pour les voyageurs qui traversent la frontière a été brièvement imposée, mais elle a disparu avec les nouveaux visas de 15 jours. Si vous arrivez en Thaïlande par la terre et que vous souhaitez rester plus de 15 jours, mieux vaut demander un visa touristique auprès d'un consulat de Thaïlande dans le pays où vous vous trouvez.

Pour tous types de prorogation de visa, vous devez fournir 2 photos d'identité et une photocopie des pages photo et visa de votre passeport. Veillez à vous habiller correctement et à demander vous-même votre prorogation plutôt que de confier cette tâche à un tiers.

Si vous dépassez la durée autorisée par le visa, vous êtes passible d'une amende de 500 B par jour d'infraction, plafonnée à 20 000 B. Le règlement s'effectue à l'aéroport, ou à l'avance dans un bureau de l'immigration. Si le dépassement se limite à une journée, vous n'aurez rien à payer. Les enfants de moins de 14 ans voyageant avec un parent sont exemptés d'amende.

Les étrangers résidant en Thaïlande doivent renouveler leur visa auprès du bureau de l'immigration le plus proche de leur domicile. Il s'agit d'une nouvelle législation, renseignez-vous auprès du ministère des Affaires étrangères pour plus d'informations.

### Visas de non-immigrant

Le visa de "non-immigrant", valable 90 jours, est destiné aux étrangers en visite dans le pays pour affaires, études ou retraite, ou effectuant une visite familiale prolongée. Les visas de cette catégorie peuvent vous accorder plusieurs entrées dans le pays. Vous aurez plus de chances d'obtenir un tel visa auprès d'un consulat thaïlandais en Europe ou aux États-Unis.

Si vous prévoyez de demander un permis de travail, vous devez d'abord obtenir un visa de non-immigrant.

## HANDICAPÉS

La Thaïlande est un pays peu facile d'accès pour les handicapés. Bangkok n'est guère recommandée avec ses hauts trottoirs au revêtement inégal et sa circulation incessante ; de nombreuses rues se traversent au moyen de hautes passerelles, aux escaliers assez raides. Les bus et les bateaux s'arrêtent si brièvement que même les personnes non handicapées peinent pour monter à bord. Quant aux rampes d'accès pour les personnes en fauteuil roulant, elles sont quasi inexistantes.

Beaucoup d'hôtels de catégorie supérieure s'efforcent de réaliser les aménagements nécessaires aux personnes handicapées. Dans d'autres établissements haut de gamme, le personnel nombreux permet de pallier l'absence d'installations appropriées. Ailleurs, vous serez livré à vous-même.

À l'inverse de la tendance dominante, **Worldwide Dive & Sail** (www.worldwidediveandsail.com) propose aux sourds et aux malentendants de participer à des sorties de plongée, également accessibles aux personnes en fauteuil roulant.

En France, l'**APF** (Association des paralysés de France ; ☎ 01 40 78 69 00 ; www.apf.asso.fr ; 17 bd Auguste Blanqui, 75013 Paris) peut vous fournir d'utiles informations sur les voyages accessibles. Mentionnons également les sites de **Yanous** (www.yanous.com) et de **Handica** (www.handica.com).

## HÉBERGEMENT

La Thaïlande possède un grand choix d'hébergements à prix très variés, allant du tarif raisonnable au haut de gamme. Les prix mentionnés dans ce guide correspondent à des chambres simples ou doubles en haute saison. Les icônes indiquent les équipements mis à disposition par les établissements : clim, piscine et/ou accès Internet. Les chambres sans clim bénéficient d'un ventilateur.

Nous avons classé les établissements selon 3 catégories : petits budgets, catégories moyenne et supérieure. Dans les grandes villes et les *resorts*, comptez moins de 1 000 B la nuit pour les petits budgets, entre 1 000 et 3 000 B pour la catégorie moyenne et plus de 3 000 B pour la supérieure. Dans les petites villes, comptez moins de 600 B pour les petits budgets, moins de 1 500 B pour la catégorie moyenne et plus de 1 500 B pour la supérieure.

Si le personnel d'accueil ne parle pas anglais, demandez une *hôrng pát lom* (chambre avec ventil) ou *hôrng aa* (chambre climatisée).

Vous trouverez ci-dessous une description des différents types d'établissements en Thaïlande.

### Hôtels et resorts

Dans les capitales provinciales et les petites villes, les seules possibilités d'hébergement sont souvent les vieux hôtels sino-thaïlandais, autrefois de mise dans tout le pays. Ces hôtels reçoivent surtout une clientèle thaïlandaise et l'anglais y est peu pratiqué.

Il s'agit de bâtiments à plusieurs étages où les chambres possèdent en général leur sdb et sont climatisées. Quelques-unes seulement sont dotées de sdb communes et de ventilateurs. Certains des établissements les plus anciens n'ont que des toilettes à la turque, tandis qu'une *khlong* (grande cruche) fait office de douche.

Si les hôtels sino-thaïlandais affichent un charme un peu rétro, ils sont souvent trop vieux et délabrés pour pouvoir concurrencer les pensions (à moins qu'ils n'aient été récemment rénovés).

Depuis quelques années, les hôteliers font tout pour plaire aux voyageurs qui recherchent l'ambiance d'une pension et le confort de l'hôtel. Dans la plupart des grandes villes touristiques, des établissements proposent désormais des services à l'ancienne dans un décor moderne et tout confort.

Les grandes chaînes hôtelières internationales sont présentes à Bangkok, à Chiang Mai, Phuket et dans les autres stations balnéaires huppées. Plusieurs établissements haut de gamme ont associé l'architecture traditionnelle thaïlandaise à des constructions minimalistes modernes.

La majorité des hôtels de catégorie supérieure et certains hôtels de catégorie moyenne facturent une taxe gouvernementale de 7% (TVA), ainsi que 10% pour le service. Ces charges supplémentaires sont souvent dénommées "plus plus". Le prix des chambres inclut par ailleurs souvent le petit-déjeuner sous forme d'un buffet. S'il s'agit d'une formule à l'occidentale, elle est appelée "ABF", curieuse abréviation d'*american breakfast*.

Il est possible de réserver à l'avance dans les établissements de catégorie moyenne et dans les grandes chaînes hôtelières, surtout s'ils se trouvent dans une ville ou un site touristique. Certains de ces établissements proposent des réductions sur leurs sites Internet ou par l'intermédiaire d'agences en ligne.

Dans la majorité des pays, un *resort* évoque un établissement comprenant un restaurant et de nombreuses installations de loisirs (tennis, piscine, golf, voile, etc.). En Thaïlande, cela désigne tout hôtel installé en zone rurale qui peut se limiter à quelques huttes à toit de chaume au bord de la plage ou à un groupe de bungalows dans la forêt. Plusieurs adresses correspondent à la description classique d'un *resort*, mais mieux vaut vous en assurer avant de réserver.

## Hébergement dans les parcs nationaux

La plupart des parcs nationaux sont dotés de bungalows ou d'aires de camping. Les bungalows, qui peuvent accueillir jusqu'à 10 personnes, coûtent de 800 à 2 000 B selon leur taille et le parc où ils sont situés. Les Thaïlandais aiment y venir en famille. Quelques parcs possèdent aussi des *reuan thăew* (longues maisons).

La plupart des parcs autorisent le camping pour 60 B par personne et certains louent des tentes (300 B la nuit) et du matériel de base, mais de piètre qualité.

Le **bureau du parc national** (www.dnp.go.th/parkreserve en anglais) dispose désormais d'un système (pas toujours opérationnel) lui permettant de centraliser les réservations pour tous les parcs du pays. Attention, si vous voulez réserver un bungalow ou une place de camping, vous devrez visiter 2 pages différentes du site Internet. Les réservations se font jusqu'à un mois à l'avance et sont recommandées pour les grands parcs, notamment en période de vacances et de week-end.

## Pensions

Les pensions (*guesthouses*) sont généralement les hébergements les moins chers. On les trouve surtout sur le chemin des voyageurs à petit budget, et en moins grand nombre dans les régions moins touristiques du Sud-Est et du Nord-Est.

Les prix varient, selon le degré de confort, de 150 B, pour une chambre avec sdb commune et un vieux ventilateur, à plus de 600 B pour une chambre avec sdb, clim et TV. Beaucoup de pensions réalisent leur profit grâce à leur restaurant qui sert, sur place, les classiques prisés par les routards (crêpes à la banane et milk-shakes de fruits). Bien qu'ils permettent de rencontrer d'autres voyageurs, ces restaurants généralement médiocres sont loin de refléter la qualité de la vraie cuisine thaïlandaise.

La plupart des pensions cultivent l'ambiance du voyage et s'adjoignent un bureau de renseignements ou une bourse aux livres. Dans d'autres, vous recevrez un accueil plus que mitigé par le personnel grognon qui vous fera comprendre que son métier l'ennuie.

De plus en plus d'établissements gèrent les réservations à l'avance. Mais du fait de la propreté et de la qualité variable selon les établissements, mieux vaut jeter un œil à la chambre avant de s'engager. Dans les zones touristiques, vous trouverez de nombreuses alternatives si votre adresse préférée affiche complet. Les pensions n'acceptent en général que des paiements en espèces.

Les bungalows de plage, qui ponctuent la côte thaïlandaise, représentent une bonne option.

Les huttes toutes simples en bambou et chaume se font plus rares, souvent remplacées par des constructions en bois ou en ciment. Quelle que soit leur qualité, les bungalows sont la plupart du temps installés sur la plage ou sur une colline avec vue sur l'océan.

## HEURE LOCALE

La Thaïlande est en avance de 7 heures sur l'heure GMT (Londres). Quand il est 12h à Paris, il est 17h ou 18h à Bangkok, selon l'heure d'hiver ou d'été.

Les années sont officiellement décomptées en Thaïlande à partir du début de l'ère bouddhique. Celle-ci commençant en 543 av. J.-C., l'année 2009 correspond à l'an 2552 de l'ère bouddhique, 2010 à 2553, etc.

## HEURES D'OUVERTURE

La plupart des administrations ouvrent de 8h30 à 16h30 en semaine. Certaines ferment entre 12h et 13h pour le déjeuner, tandis que d'autres suivent les horaires du samedi (9h-15h). Les banques ouvrent de 9h30 à 15h30 du lundi au vendredi. Les DAB sont généralement disponibles 24h/24 et certains guichets, dans les grands magasins comme Tesco Lotus ou Big C, ont des heures d'ouverture assez larges.

Les magasins privés ouvrent généralement de 10h à 17h tous les jours et la plupart des restaurants de 10h à 22h, à une heure près. Certains restaurants, spécialisés dans les petits-déjeuners, ferment à 15h.

N'oubliez pas que les banques et les administrations sont fermées les jours fériés (voir ci-contre).

## HOMOSEXUALITÉ

La société thaïlandaise se montre relativement tolérante envers l'homosexualité, masculine ou féminine. La communauté homosexuelle est bien représentée à Bangkok, à Pattaya et à Phuket. Les tenues vestimentaires et les comportements suscitent rarement des commentaires. En revanche, les démonstrations d'affection en public, homo ou hétéro, sont mal vues.

Le site **Utopia** (www.utopia-asia.com) diffuse de nombreuses informations destinées aux gays et aux lesbiennes et publie un guide pour les homosexuels en Thaïlande.

## INTERNET (ACCÈS)

Vous trouverez d'innombrables cybercafés dans la plupart des villes du pays. Nombre de pensions et d'hôtels offrent aussi l'accès à Internet. Le tarif varie de 40 à 120 B de l'heure, selon la concurrence.

L'accès Internet est souvent très rapide, et il existe aujourd'hui de nombreux points d'accès Wi-Fi à travers tout le pays, même dans la région rurale du Nord-Est. Seule Bangkok a tardé à rendre le Wi-Fi accessible. La plupart des pensions laissent l'accès libre au Wi-Fi, alors qu'il vous faudra payer pour vous connecter dans le hall des hôtels de catégorie supérieure.

## JOURS FÉRIÉS

Les administrations et les banques ferment les jours suivants :

1er janvier – Nouvel An
6 avril – Jour des Chakri, en l'honneur du fondateur de la dynastie Chakri, Rama Ier
5 mai – Jour du Couronnement, commémore le couronnement en 1946 de Sa Majesté le roi et de Sa Majesté la reine
Juillet (dates variables) – Khao Phansa, début du carême bouddhique
12 août – Anniversaire de la reine
23 octobre – Jour de Chulalongkorn
Octobre-novembre (dates variables) – Ork Phansaa, fin du carême bouddhique
5 décembre – Anniversaire du roi
10 décembre – Jour de la Constitution

## LIBRAIRIES SPÉCIALISÉES

**Fenêtre sur l'Asie** (☎ 01 43 29 11 00 ; 49 rue Gay-Lussac, 75005 Paris)
**Librairie du Musée Guimet** (☎ 01 56 52 54 17 ; 6 place d'Iéna, 75016 Paris)
**Le Phénix** (☎ 01 42 72 70 31 ; librairielephenix.fr ; 72 bd Sébastopol, 75003 Paris)
**You-Feng** (☎ 01 43 25 89 98 ; 45 rue Monsieur-le-Prince, 75006 Paris)

## OFFICES DU TOURISME

La **Tourism Authority of Thailand (TAT)**, service d'État de promotion et d'information touristique, existe depuis 1960. Elle édite d'excellentes brochures sur les sites à visiter, l'hébergement et les transports. Elle dispose de bureaux de renseignements à l'étranger et dans toutes les grandes villes touristiques thaïlandaises.

### À l'étranger

**Belgique** (☎ 504 97 03 ; www.tourismethailande.be ; rue des Drapiers 40, 1050 Bruxelles)
**France** (☎ 01 53 53 47 00 ; www.tourismethaifr.com, tatpar@wanadoo.fr ; 90 av. des Champs-Élysées, 75008 Paris)
**Malaisie** (☎ 603 216 23480 ; www.thaitourism.com.my ; Ste 22.01, Level 22, Menara Citibank, 165 Jalan Ampang, 50450 Kuala Lumpur)
**Singapour** (☎ 65 6235 7901 ; tatsin@singnet.com.sg ; c/o Royal Thai Embassy, 370 Orchard Rd, 238870)

### En Thaïlande

Le bureau principal de la TAT est installé à Bangkok. La TAT possède également 22 succursales régionales à travers le pays. Pour savoir où elles se trouvent, dans les villes où vous comptez vous rendre, consultez les chapitres régionaux.

## PHOTO ET VIDÉO

### Développement

Les Thaïlandais sont de vrais accros à la technologie et le numérique est largement répandu. Vous trouverez facilement des cartes mémoire pour vos appareils dans les rayons électroniques des grands magasins. Vous pourrez graver vos photos sur CD dans les cybercafés des régions touristiques, ou même les télécharger sur des sites de stockage en ligne grâce aux accès Internet de bonne qualité.

Vous pourrez encore trouver quelques pellicules photo dans le pays, mais les pellicules diapo ne sont disponibles qu'à Bangkok ou à Chiang Mai. À Bangkok, plusieurs laboratoires fiables développent les films E6 ; ailleurs, mieux vaut s'abstenir.
**Image Quality Lab** (IQ Lab ; carte p. 122-123 ; ☎ 0 2266 4080 ; www.iqlab.co.th ; 160/5 TF Bldg, Th Silom, Bangkok) propose tous types de tirages papier ou numérique.

Dans les régions montagnardes les plus touristiques, les membres de certaines ethnies s'attendent à recevoir de l'argent en échange d'une photo, et d'autres refusent de se laisser photographier. Utilisez votre appareil avec discrétion et demandez toujours l'autorisation avant de photographier une personne.

## POSTE

La Thaïlande possède un service postal très efficace et bon marché. En province, les bureaux principaux ouvrent habituellement de 8h30 à 16h30 en semaine et de 9h à 12h le samedi. Les postes principales des capitales régionales restent parfois ouvertes une partie de la journée le dimanche.

La plupart des postes de province vendent des boîtes standard pour les colis, ou les emballent pour une somme modique. N'envoyez pas d'argent ou d'objets de valeur par courrier.

Le service de poste restante est très fiable, même si les touristes l'utilisent de moins en moins. Pour retirer du courrier, il faut présenter son passeport et remplir un formulaire.

## PROBLÈMES JURIDIQUES

En général, la police thaïlandaise n'importune pas les étrangers, surtout les touristes. En cas d'infraction bénigne au Code de la route, vous aurez droit à une simple réprimande.

Cette mansuétude ne s'étend pas aux stupéfiants, que les policiers considèrent soit comme un fléau à combattre par tous les moyens légaux, soit comme l'occasion de percevoir un pot-de-vin.

Si l'on vous arrête pour un délit quelconque, la police vous autorisera à appeler votre ambassade ou votre consulat, sinon un parent ou un ami. Une procédure légale s'applique à la durée de la détention et la manière dont elle doit se dérouler jusqu'à l'inculpation ou le procès, mais la police dispose d'une grande latitude en la matière. Si elle fait plus facilement preuve de mansuétude envers les étrangers, mieux vaut, comme partout ailleurs, respecter les forces de l'ordre si l'on ne veut pas aggraver son cas.

La justice thaïlandaise ne présume pas de la culpabilité ou de l'innocence d'un prévenu, considéré "suspect". Le tribunal tranchera au cours d'un procès, souvent expéditif.

La police touristique peut se révéler d'un grand secours en cas d'arrestation. Bien qu'elle ne puisse intervenir dans les cas qui relèvent de la police régulière, elle peut aider les étrangers à trouver un interprète ou à contacter leur ambassade. N'hésitez pas à la contacter en cas de vol ou d'escroquerie en composant le ☎ 1155 à partir de n'importe quel téléphone du pays. Cette ligne, ouverte 24h/24, reçoit les plaintes comme les demandes d'assistance en cas de danger.

## TÉLÉPHONE

Le réseau téléphonique thaïlandais a récemment fait l'objet d'une privatisation. Le secteur des télécommunications est désormais dominé par les sociétés privées TOT Public Company Limited (autrefois Telephone Organisation of Thailand ou TOT) et CAT Telecom Public Company Limited (autrefois Communications Authority of Thailand ou CAT). Pour les appels intérieurs, la TOT et sa filiale TT&T dominent le marché. À l'international, la concurrence est rude entre la CAT et la TOT.

Les indicatifs pour Bangkok et les provinces ne sont plus en vigueur et tous les numéros comportent désormais 8 chiffres (précédés du 0 pour les appels intérieurs).

Pour s'adapter à la généralisation de l'usage du téléphone cellulaire, la Thaïlande a introduit le préfixe 8 avant tous les numéros de portable ; le ☎ 01 234 5678 est ainsi devenu le ☎ 081 234 5678. Si vous appelez un mobile depuis l'étranger, ne composez pas le "0" initial.

### Appels internationaux

L'indicatif de la Thaïlande est le ☎ 66. Lorsque vous appelez la Thaïlande depuis l'étranger, composez le code d'accès international (☎ 00 depuis la France, la Belgique ou la Suisse ; ☎ 011 depuis le Canada), suivi du ☎ 66, puis du numéro souhaité.

Pour appeler l'étranger depuis la Thaïlande, composez le code d'accès international suivi de l'indicatif du pays (☎ 33 pour la France, ☎ 32 pour la Belgique, ☎ 41 pour la Suisse et ☎ 1 pour le Canada) et du numéro de votre correspondant.

Il existe pour cela plusieurs codes d'accès internationaux à tarifs variables. Le numéro standard, le ☎ 001, est géré par la CAT et possède la meilleure qualité d'écoute. Il permet d'appeler un grand nombre de pays, mais c'est également le plus cher. Un autre code intéressant est le ☎ 007, géré par la TOT, un peu moins cher et de bonne qualité. Les tarifs les plus bas sont le ☎ 008 et le ☎ 009. La communication se fait par Internet en VoIP, avec une qualité variable, mais correcte.

Beaucoup d'expatriés passent par **DeeDial** (www.deedial.com), un service d'appel qui nécessite la création d'un compte prépayé géré par Internet. Ils proposent un service très bon marché, le "ring-back", qui vous permet d'économiser les charges locales.

Il existe également de nombreuses cartes téléphoniques internationales proposées par la **CAT** (www.cthai.com), dont les tarifs commencent à seulement 1 B la minute.

Si vous souhaitez passer par un opérateur et appeler en PCV, composez le ☎ 100. Vous pouvez également contacter votre opérateur pour connaître leur numéro international gratuit. Sinon, essayez d'appeler le ☎ 001 9991 2001 depuis un téléphone CAT ou le ☎ 1 800 000 120 depuis un téléphone TOT.

### Téléphones et cabines téléphoniques

Si vous n'avez pas accès à une ligne fixe, vous pouvez utiliser le service Home Country Direct pour appeler à l'étranger, disponible dans les bureaux de poste et les centres de la CAT partout en Thaïlande. Par simple pression d'un bouton, vous êtes mis en relation avec les opérateurs de nombreux pays.

Les hôtels majorent presque systématiquement les appels internationaux (parfois de 50% par rapport aux tarifs de la CAT). Toutefois, certains appels locaux sont gratuits ou facturés au tarif standard. Dans certaines pensions, une ligne ou même un mobile sont à la disposition des clients pour des appels tarifés à la minute.

Il existe de nombreuses cabines téléphoniques qui prennent les cartes prépayées (pour les appels nationaux et internationaux), ainsi que des pièces (pour les appels locaux). Les téléphones publics peuvent parfois être contraignants, les cabines étant souvent installées près de grandes artères bruyantes et en plein soleil.

Les cabines rouges et les bleues permettent d'appeler des numéros locaux et fonctionnent avec des pièces. La connexion vous est facturée 5 B. Viennent ensuite les cabines qui n'acceptent qu'un certain type de cartes : les cabines vertes fonctionnent avec les cartes nationales TOT, les jaunes avec les cartes Lenso (nationales ou internationales selon la cabine). Les cartes sont en vente dans tous les 7-Eleven, de 300 à 500 B, avec un coût de connexion de 7 à 10 B par appel.

### Téléphones portables

La Thaïlande utilise le réseau GSM. Les opérateurs mobiles sont AIS, DTAC et True Move (anciennement Orange). Pour utiliser une carte SIM thaïlandaise, vous pouvez acheter un téléphone portable dans les centres commerciaux (comme le MBK de Bangkok) ou utiliser votre téléphone si celui-ci n'est pas bloqué par votre opérateur. Les services prépayés proposés par AIS et DTAC sont les plus utilisés. Pour cela, vous devez acheter une carte SIM, avec un numéro d'appel assigné, puis recharger votre crédit en vous procurant des cartes prépayées que vous trouverez dans les 7-Eleven de tout le pays. Des promotions sont régulièrement proposées, mais les prix standard oscillent entre 2 et 3 B la minute pour les appels nationaux et entre 5 et 7 B pour les appels internationaux. Les SMS coûtent 5 B par message, c'est l'option la moins chère pour communiquer par mobile.

## TOILETTES

Comme dans beaucoup de pays d'Asie, les toilettes à la turque sont la norme, sauf dans les établissements pour touristes, où l'on trouve souvent des toilettes à l'occidentale.

En l'absence de chasse d'eau, nettoyez les toilettes à l'aide de l'eau entreposée dans un récipient.

Dans les campagnes, l'installation se résume souvent à quelques planches posées sur un trou creusé dans le sol.

Dans les lieux équipés de toilettes à l'occidentale, évitez de jeter le papier hygiénique dans la cuvette et utilisez la corbeille prévue à cet effet.

## VOYAGER EN SOLO

### Femmes seules

Les femmes représentent presque la moitié des touristes étrangers en Thaïlande – un pourcentage bien plus élevé que dans le reste du monde – et rencontrent en général peu de problèmes, compte tenu du grand respect qui leur est témoigné.

Dans les villes de province, il est préférable de se vêtir de façon plus traditionnelle – en couvrant notamment les épaules, le ventre, le nombril et les cuisses. En dehors de Bangkok, les Thaïlandaises se protègent généralement du soleil, une peau claire étant considérée comme plus belle. Le fait que les Occidentaux préfèrent être bronzés est, pour elles, une source d'amusement (et parfois d'embarras) inépuisable.

Les agressions et les viols sont plus rares en Thaïlande que dans bien des pays occidentaux, mais des incidents peuvent se produire lorsqu'un individu mal intentionné jette son dévolu sur une femme seule ou sur une femme ivre, plus vulnérable encore. Si vous rentrez seule d'un bar, ayez toute votre tête. Des agressions ont régulièrement lieu lors des fêtes de la pleine lune qui se déroulent chaque mois sur l'île de Ko Pha-Ngan. Ne prenez pas un taxi dont le chauffeur ne vous inspire pas confiance, n'acceptez pas d'être ramenée en voiture par des inconnus ou ne voyagez pas dans des zones isolées. Ce sont des règles de base, mais on a tendance à les oublier lorsque l'on découvre un pays aussi hospitalier.

Si Bangkok est paraît-il le paradis des hommes, les femmes peuvent, quant à elles, rencontrer leur Roméo sur les plages thaïlandaises. Plus les couples se forment, plus les Thaïlandais se rendent disponibles. Mais attention, il est plus prudent de ne pas s'engager dans un flirt avec des hommes thaïlandais, car changer d'avis pourra être perçu comme une insulte et provoquer des actes de violence, alcool aidant.

# Transports

SOMMAIRE



## DEPUIS/VERS LA THAÏLANDE

### ENTRER EN THAÏLANDE

Les formalités douanières sont simples : il vous suffit de présenter votre passeport (voir p. 768 pour les visas requis), ainsi que les cartes d'arrivée et de départ dûment remplies. Les formulaires vous sont distribués à bord des vols à destination de la Thaïlande ou, si vous arrivez par la route, au service de l'immigration.

Vous n'aurez pas besoin de remplir de déclaration de douane à l'arrivée, sauf si vous importez des biens à déclarer. Dans ce cas, adressez-vous aux douaniers thaïlandais pour obtenir le formulaire adéquat. Reportez-vous à la rubrique *Douane* (p. 766) pour des informations sur la somme minimale de devises requise pour entrer sur le territoire thaïlandais.

### VOIE AÉRIENNE

#### Aéroports

L'aéroport **Suvarnabhumi** (p. 187 ; *sù·wan·ná·poum*) a ouvert ses portes en septembre 2006. Il a remplacé l'aéroport de Don Muang pour tous les vols intérieurs et internationaux. Il se situe dans le secteur de Nong Ngu Hao, à Samut Prakan, à 30 km à l'est de Bangkok et à 60 km de Pattaya. Son code est BKK.

L'ancien aéroport international de Don Muang (p. 188), à Bangkok, est désormais uniquement utilisé pour les vols intérieurs de la compagnie nationale Thai Airways International (THAI), ainsi que par Nok Air et One-Two-Go. Le code de l'aéroport est DMK. Si vous réservez des vols avec correspondance, vérifiez bien par quel aéroport de Bangkok vous transitez.

La plupart des vols internationaux partent de Bangkok et arrivent à Bangkok, mais certains avions desservent d'autres aéroports internationaux dans le pays. Des informations sur ces aéroports, pas toujours très à jour, sont consultables en ligne sur le site www.airportthai.co.th. L'aéroport international de Phuket (p. 694), le deuxième du pays par sa fréquentation, assure des vols directs vers certaines destinations asiatiques.

D'autres aéroports proposent quelques vols vers les capitales asiatiques à partir de Chiang Mai (vers Taipei, Singapour, Kuala Lumpur, Luang Prabang et Vientiane), Udon Thani (vers Luang Prabang), Ko Samui (vers Singapour et Hong Kong) et Hat Yai (vers Kuala Lumpur).

#### Compagnies aériennes

La quasi-absence de contrôle gouvernemental et une compétition acharnée entre les compagnies aériennes et les agences de voyages expliquent les tarifs exceptionnellement bas des billets au départ de Bangkok. Les compagnies suivantes proposent des vols à destination et en provenance de la Thaïlande.

**TAXE DE DÉPART**

Les vols qui partent de l'aéroport Suvarnabhumi de Bangkok ne sont plus soumis à une taxe de départ, à l'inverse des vols internationaux au départ de Ko Samui, où il faudra vous acquitter d'une taxe de 300 B.

**AVERTISSEMENT**

Les informations contenues dans ce chapitre sont particulièrement susceptibles de changements. Vérifiez directement auprès de la compagnie aérienne ou de l'agence de voyages les modalités d'utilisation de votre billet d'avion. N'hésitez pas à comparer les prestations. Les détails fournis ici doivent être considérés à titre indicatif et ne remplacent en rien une recherche personnelle attentive.

**Air Asia** (☎ 0 2515 9999 ; www.airasia.com ; Suvarnabhumi International Airport)
**Air Canada** (carte p. 122 ; ☎ 0 2670 0400 ; www.aircanada.com ; Ste 1708, River Wing West, Empire Tower, 195 Th Sathon Tai)
**Air China** (carte p. 122 ; ☎ 0 2634 8991 ; www.fly-airchina.com ; Bangkok Union Insurance Bldg, 175-177 Th Surawong)
**Air France** (carte p. 122 ; ☎ 0 2635 1191 ; www.airfrance.fr ; 20e ét., Vorawat Bldg, 849 Th Silom)
**Air New Zealand** (carte p. 122 ; ☎ 0 2235 8280 ; www.airnewzealand.com ; 11e ét., 140/17 ITF Tower, Th Silom)
**American Airlines** (carte p. 124 ; ☎ 0 2263 0225 ; www.aa.com ; 11e ét., Ploenchit Tower, 898 Th Ploenchit)
**Bangkok Airways** (☎ 1771 ; www.bangkokair.com ; Suvarnabhumi International Airport)
**British Airways** (carte p. 122 ; ☎ 0 2627 1701 ; www.britishairways.com ; 21e ét., Charn Issara Tower, 942/160-163 Th Phra Ram IV)
**Cathay Pacific Airways** (carte p. 124 ; ☎ 0 2263 0606 ; www.cathaypacific.com ; 11e ét., Ploenchit Tower, 898 Th Ploenchit)
**China Airlines** (carte p. 124 ; ☎ 0 2250 9898 ; www.china-airlines.com ; 4e ét., Peninsula Plaza, 153 Th Ratchadamri)
**Emirates** (carte p. 126 ; ☎ 0 2664 1040 ; www.emirates.com ; 2e ét., BB Bldg, 54 Soi 21/Asoke, Th Sukhumvit)
**Eva Air** (carte p. 114 ; ☎ 0 2269 6288 ; www.evaair.com ; 2e ét., Green Tower, 3656/4-5 Th Phra Ram IV)
**Garuda Indonesia** (carte p. 128 ; ☎ 0 2679 7371 ; www.garuda-indonesia.com ; 27e ét., Lumphini Tower, 1168/77 Th Phra Ram IV)
**Gulf Air** (carte p. 124 ; ☎ 0 2254 7931-4 ; www.gulfairco.com ; 10e ét., Maneeya Center, 518/5 Th Ploenchit)
**Japan Airlines** (carte p. 124 ; ☎ 0 2649 9520 ; www.jal.co.jp ; 1er ét., Nantawan Bldg, 161 Th Ratchadamri)
**Jetstar Airways** (carte p. 195 ; ☎ 0 2267 5125 ; www.jetstar.com ; Suvarnabhumi International Airport)
**KLM-Royal Dutch Airlines** (carte p. 122 ; ☎ 0 2635 2300 ; www.klm.com ; 20e ét., Vorawat Bldg, 849 Th Silom)
**Korean Air** (carte p. 122 ; ☎ 0 2635 0465 ; www.koreanair.com ; 1er ét., Kongboonma Bldg, 699 Th Silom).
**Lao Airlines** (carte p. 122 ; ☎ 0 2236 9822 ; www.laoairlines.com ; 1er ét., Silom Plaza, 491/17 Th Silom).
**Lufthansa Airlines** (carte p. 126 ; ☎ 0 2264 2484, réservations 0 2264 2400 ; www.lufthansa.com ; 18e ét., Q House, Soi 21/Asoke, Th Sukhumvit).
**Malaysia Airlines** (carte p. 124 ; ☎ 0 2263 0565 ; www.mas.com.my ; 20e ét., Ploenchit Tower, 898 Th Ploenchit)
**Myanmar Airways International** (carte p. 126 ; ☎ 0 2261 5060 ; www.maiair.com ; 8e ét., BB Bldg, 54 Soi 21/Asoke, Th Sukhumvit)
**Northwest Airlines** (carte p. 124 ; ☎ 0 2660 6999 ; www.nwa.com ; 4e ét., Peninsula Plaza, 153 Th Ratchadamri)
**Orient Thai** (carte p. 122 ; ☎ 0 2229 4260 ; www.orient-thai.com ; 17e ét., Jewellery Centre Bldg, 138/70 Th Naret)
**Philippine Airlines** (carte p. 114 ; ☎ 0 2633 5713 ; Manorom Bldg, 3354/47 Th Phra Ram IV)
**Qantas Airways** (carte p. 122 ; ☎ 0 2236 2800 ; www.qantas.com.au ; Tour East, 21e ét., Charn Issara Tower, 942/160-163 Th Phra Ram IV)
**Royal Brunei Airlines** (carte p. 128 ; ☎ 0 2637 5151 ; www.bruneiair.com ; 17e ét., U Chu Liang Bldg, 968 Th Phra Ram IV)
**Royal Nepal Airlines** (carte p. 116 ; ☎ 0 2216 5691-5 ; www.royalnepal-airlines.com ; 9e ét., Phayathai Plaza Bldg, 128 Th Phayathai)
**Scandinavian Airlines** (carte p. 126 ; ☎ 0 2645 8200 ; www.scandinavian.net ; 8e ét., Glas Haus Bldg, Th Sukhumvit)
**Singapore Airlines** (carte p. 122 ; ☎ 0 2353 6000 ; www.singaporeair.com ; 12e ét., Silom Center Bldg, 2 Th Silom)
**South African Airways** (carte p. 122 ; ☎ 0 2635 1410 ; www.flysaa.com ; 20e ét., Vorawat Bldg, 849 Th Silom)
**Thai Airways International** (www.thaiair.com) Banglamphu (carte p. 118 ; ☎ 0 2356 1111 ; 6 Th Lan Luang) ; Silom (carte p. 122 ; ☎ 0 2232 8000 ; 1er ét., Bangkok Union Insurance Bldg, 175-177 Soi Anuman Rajchathon, Th Surawong)
**United Airlines** (carte p. 122 ; ☎ 0 2353 3900 ; www.ual.com ; 6e ét., TMB Bank Silom Bldg, 393 Th Silom)
**Vietnam Airlines** (carte p. 124 ; ☎ 0 2655 4137-40 ; www.vietnamair.com.vn ; 10e ét., Wave Place Bldg, 55 Th Withayu)

La commission facturée par l'agence de voyages peut fortement varier. N'hésitez pas à faire le tour des agences pour comparer les tarifs.

## Depuis la France

Un vol direct pour Bangkok depuis la France dure environ 11 heures. Au moment de la rédaction de ce guide, les tarifs les plus avantageux pour un aller-retour avec escale se situaient autour de 550 € ; pour un vol direct, sur la THAI ou Air France, il fallait plutôt compter à partir de 800 €.

Pendant la haute saison (de décembre à mars), trouver un billet depuis ou vers Bangkok peut relever du défi, sans compter que les billets que vous finirez par trouver seront assez chers. Il est donc conseillé de réserver le plus tôt possible.

Veillez également à confirmer votre vol de retour ou de poursuite en arrivant sur place. Si vous négligez ce détail, vous risquez de perdre votre place.

Voici quelques adresses d'agences ou de transporteurs :

**Air France** (☎ 36 54, 0,34 €/min ; www.airfrance.fr ; Agence Opéra, 49 av. de l'Opéra, Paris 75002)

**Thai Airways International** (☎ 01 55 68 80 00 ; www.thaiairways.fr ; Tour Opus 12, 77 esplanade du Général-de-Gaulle, 92914 La Défense Cedex)

**Nouvelles Frontières** (réservations et informations au ☎ 01 49 20 64 00 ; www.nouvelles-frontieres.fr ; nombreuses agences en France et dans les pays francophones)

**SNCF** (☎ 0 892 308 308, 0,34 €/min ; www.voyages-sncf.com)

## Depuis la Belgique

Au moment où nous mettions sous presse, un aller-retour Bruxelles-Bangkok commençait à environ 800 €.

Les agences suivantes présentent souvent des offres intéressantes :

**Airstop** (☎ 070 233 188 ; www.airstop.be ; Bd E. Jacquemain 76, Bruxelles 1000). Plusieurs agences en Belgique.

**Connections** (☎ 070/23 33 13 ; www.connections.be) Bruxelles (☎ 02/550 01 30 ; 19-21 rue du Midi, 1000 Bruxelles) ; Gand (☎ 09/223 90 20 ; Hoogpoort 28, Gent 9000) ; Liège (☎ 04/223 03 75 ; 7 rue Sœurs-de-Hasque, Liège 4000). Plusieurs agences en Belgique.

**Éole** (☎ 070/22 44 32 ; www.voyageseole.be ; ☎ 02/227 57 80 ; 39/41 Chaussée de Haecht, Bruxelles 1210). Plusieurs agences en Belgique.

## Depuis la Suisse

En réservant à l'avance, vous pourrez trouver des vols Genève-Bangkok à partir de 850 FS, avec escale.

Vous pouvez contacter :

**STA Travel** Lausanne (☎ 058 450 49 20 ; Université Lausanne, Bâtiment l'Anthropole, 1015 Lausanne-Dorigny) ; Zurich (☎ 0900 450 402, 0,69 FS/min ; www.statravel.ch ; Eggbühlstrasse 28, Postfach, 8050 Zurich).

**Swiss** (www.swiss.com)

### AGENCES EN LIGNE ET COMPARATEURS DE VOLS

- http://voyages.kelkoo.fr
- www.easyvoyage.com
- www.ebookers.fr
- www.govoyage.fr
- www.kayak.fr
- www.sprice.com
- www.opodo.fr

## Depuis le Canada

Air Canada, la THAI, Cathay Pacific, Japan Airlines, Singapore Airlines et plusieurs autres compagnies basées aux États-Unis relient diverses villes canadiennes à Bangkok. Les premiers prix pour un aller-retour Montréal-Bangkok, avec 2 escales, se situent autour de 1 400 $C.

Pour réserver en ligne, connectez-vous sur www.expedia.ca et www.travelocity.ca.

Vous pouvez également contacter :

**Travel Cuts** (☎ 866 246 9762 ; www.travelcuts.com). L'agence de voyages des étudiants canadiens.

**North South Travel** (www.northsouthtravel.com). Une agence indépendante établie à Vancouver.

**Air Canada** (☎ 1-888-247-2262 ; www.aircanada.ca)

## Depuis l'Asie

La plupart des grandes villes asiatiques assurent des liaisons vers l'aéroport international Suvarnabhumi. Avec l'émergence des compagnies à bas coûts, les Asiatiques n'hésitent pas à s'offrir de petits week-ends bon marché, par exemple de Bangkok à Kuala Lumpur, Singapour ou Hong Kong. Les compagnies *low cost* Air Asia et Dragon proposent très souvent des vols promotionnels.

Pour les réservations de vols au départ d'un pays d'Asie, adressez-vous à **STA Travel** (www.statravel.com), qui possède des bureaux à Bangkok, à Hong Kong, au Japon et à Singapour. Autre solution au Japon : **No1 Travel** (www.no1-travel.com) ; à Hong Kong : **Four Seas Tours** (www.fourseastravel.com). Pour un départ d'Inde, contactez **STIC Travels** (www.stictravel.com), présent dans de très nombreuses villes du pays.

### EN THAÏLANDE

En Thaïlande, les réservations se font en règle générale par l'intermédiaire d'agences de voyages. La plupart sont honnêtes, mais

### VOYAGES ET CHANGEMENTS CLIMATIQUES

Le réchauffement climatique est une menace sérieuse qui pèse sur notre planète, et parmi les principaux responsables de ce problème, l'essor des voyages aériens joue un rôle non négligeable. Lonely Planet considère que les voyages, dans leur ensemble, sont bénéfiques, mais pense également qu'il est du devoir de chacun de limiter son impact personnel sur le réchauffement climatique.

#### Circulation aérienne et changements climatiques

Si la quasi-totalité des moyens de transport motorisés génère du dioxyde de carbone (la principale cause du réchauffement climatique imputable à l'être humain), les avions sont de loin les plus à blâmer, non seulement en raison des longues distances qu'ils permettent de traverser, mais aussi parce qu'ils rejettent des gaz à effet de serre très haut dans l'atmosphère. Les statistiques sont effrayantes : un vol aller-retour entre l'Europe et les États-Unis pour deux personnes contribue autant au réchauffement climatique que la consommation en gaz et en électricité d'un foyer moyen sur une année.

#### Programmes de compensation

Des sites Internet utilisent des compteurs de carbone permettant aux voyageurs de compenser le niveau des gaz à effet de serre dont ils sont responsables par des contributions financières au bénéfice de projets durables, applicables dans le domaine touristique et visant à réduire le réchauffement de la planète ; ils incluent notamment des programmes en Inde, au Honduras, au Kazakhstan et en Ouganda.

Lonely Planet, associé à d'autres partenaires de l'industrie du voyage, soutient les projets de compensation du dioxyde de carbone. Tout notre personnel et tous nos auteurs ont compensé leurs émissions.

Pour plus d'informations, consultez notre site Internet : **www.lonelyplanet.fr**

il en existe aussi qui ne sont pas fiables. Le meilleur moyen de ne pas se faire escroquer reste de payer par carte bleue : la majorité des banques remboursent les frais engagés par les cartes qu'elles fournissent à leurs clients si ceux-ci peuvent prouver qu'ils n'ont pas obtenu le service pour lequel ils ont effectué cette dépense. Les agences qui n'acceptent que les paiements en devises devront vous donner vos billets tout de suite et ne pas vous demander de repasser le lendemain. Une fois vos billets achetés, appelez la compagnie aérienne afin de confirmer que votre réservation a été effectuée.

### Les billets tour du monde

Un billet "tour du monde" – pour lequel vous payez un prix avantageux pour plusieurs destinations – peut être intéressant.

Pour vous procurer ce genre de billets, contactez :

**Les Connaisseurs du Voyage** (☎ 01 53 95 27 00 ; www.connaisseursvoyage.fr ; 10 rue Beaugrenelle 75015 Paris)

## VOIE MARITIME

Vous pouvez également venir en Thaïlande par la mer, en empruntant un bateau public depuis la côte occidentale de Malaisie. Si vous souhaitez simplement renouveler votre visa, vous pouvez embarquer à Ranong, sur la côte d'Andaman, vers Victoria Point (ou Kawthoung), au Myanmar.

Tous les bateaux battant pavillon étranger et leurs équipages doivent s'enregistrer auprès des autorités compétentes dès leur arrivée dans les eaux territoriales thaïlandaises. Les grands ports de Thaïlande permettent tous de s'enregistrer. Les plus fréquentés sont Phuket, Krabi, Ko Samui, Pranburi et Pattaya. Avant votre départ, vous devrez également vous signaler auprès de l'immigration, des douanes et du capitaine de port.

## VOIE TERRESTRE

La Thaïlande partage des frontières avec le Laos, la Malaisie, le Cambodge et le Myanmar. Il est possible de circuler par voie de terre entre tous ces pays en passant par des postes-frontière où vous serez contrôlé. L'amélioration des autoroutes permet également de voyager plus facilement de Thaïlande jusqu'en Chine. Pour les détails concernant les formalités d'immigration et pour plus d'informations sur les transports, reportez-vous à la rubrique *Passage de frontières* (ci-contre).

### Bus, voiture et moto

Il est possible de circuler par voie de terre entre la Thaïlande et tous les pays limitrophes, que ce soit en bus, en taxi ou en voiture individuelle. Peut-être vous demandera-t-on de descendre du bus à la frontière pour passer la douane, avant de remonter dans un autre bus ou un taxi de l'autre côté de la frontière. Dans d'autres cas, notamment à la frontière avec la Malaisie, le bus s'arrêtera pour les formalités avant de repartir jusqu'à sa destination finale.

Vous pouvez introduire un véhicule privé de passagers (voiture, fourgonnette, camion ou moto) en Thaïlande pendant six mois, pour des motifs touristiques. À la frontière, vous devrez présenter un permis de conduire international valide, votre passeport, la carte grise du véhicule (l'autorisation du propriétaire si c'est une location ou un emprunt) et une caution (de liquidités ou de banque) égale à la valeur du véhicule majorée de 20%. Si vous arrivez par le port de Khlong Toey ou par l'aéroport international Suvarnabhumi de Bangkok, il faut une lettre de crédit émise par une banque. Si vous venez de Malaisie, du Cambodge ou du Laos par la route, il suffit de remplir un formulaire de "caution personnelle" à la frontière.

### Train

Si tout se passe comme prévu, la Thaïlande devrait bientôt être reliée au Laos par voie ferrée. Le prolongement de la voie sur 3,5 km, qui devait être achevé en 2009, reliera la gare thaïlandaise de Nong Khai à Ban Tanalaeng en passant sur le pont de l'Amitié Thaïlando-Laotienne. Cette voie n'est pas plus intéressante que la route, qui est plus rapide et plus simple pour franchir la frontière, mais le train permet de transporter plus de marchandises.

D'autres voies internationales relient la Thaïlande et la Malaisie du côté ouest de la péninsule malaise. Les voies ferrées nationales des deux pays se rencontrent à Butterworth (à 93 km au sud de la frontière), point de transfert pour Penang (par la mer), Kuala Lumpur et Singapour (par les services ferroviaires malais).

Vous pouvez accéder à plusieurs postes-frontière par train avant de prendre la voiture de l'autre côté : la frontière thaïlando-cambodgienne est accessible en prenant un train à Bangkok en direction d'Aranya Prathet. Les rails cambodgiens pourraient bientôt être restaurés jusqu'à Sisophon, mais les travaux n'ont pas encore débuté.

Des trains circulent jusqu'à Sungai Kolok, sur la côte est de la Malaisie, mais nous déconseillons d'emprunter cette voie à cause des violences fréquentes dans le sud de la Thaïlande.

### Vélo

Beaucoup de visiteurs emportent leur propre bicyclette en Thaïlande. Aucune autorisation n'est requise, mais vous devrez faire enregistrer le vélo par les douanes – vous paierez donc des droits de douane si vous repartez sans votre engin. Vous trouverez des informations complémentaires sur le cyclotourisme p. 787.

Il est prudent d'emporter un kit de réparation complet.

## PASSAGE DE FRONTIÈRES

### Depuis/vers le Cambodge

La plupart des voyageurs traversent la frontière entre Poipet (Cambodge) et Aranya Prathet (Thaïlande ; p. 280). C'est la voie de terre la plus rapide pour aller de Bangkok à Angkor Wat. On peut se procurer un visa dès l'arrivée au Cambodge auprès du bureau cambodgien de l'immigration. Prenez toutefois garde aux nombreuses arnaques de transports et de visa à Poipet. Renseignez-vous avant de partir. Le site **Tales of Asia** (www.talesofasia.com) suit de près ce poste-frontière.

Si vous vous déplacez en Thaïlande le long de la côte sud-est, vous pouvez allez à Koh Kong, au Cambodge, à partir de Hat Lek. Un bateau vous amène jusqu'à Sihanoukville où vous pourrez vous procurer un visa. Reportez-vous p. 265 pour plus d'informations.

Il existe d'autres points d'accès plus reculés entre la Thaïlande et le sud-ouest du Cambodge, notamment à O Smach-Chong Chom, Chong Sa Ngam-Anlong Veng, Ban Laem-Daun Lem, Ban Phakkat-Pailin et Ban Laem-Deun Lem. Il vous faudra un moyen de transport privé ou commun pour accéder à tous ces lieux. Ban Phakkat est toutefois relié en minibus (peu fréquentés) à Chanthaburi, et permet d'accéder à Battambang.

### Depuis/vers la Chine

Depuis une dizaine d'années, les voies de circulation se sont multipliées en Asie, et l'on peut facilement circuler par voie de terre (route ou rails) entre la Chine et les pays membres de l'Association des nations d'Asie du Sud-Est (ASEAN), dont font partie la Thaïlande, le Laos, le Myanmar et le Vietnam.

La route qui relie la Chine et la Thaïlande (Rte 3) est officiellement ouverte depuis la mi-2008. Tracée le long d'un ancien chemin dédié au trafic d'opium, cette route pavée longue de 1 800 km relie Kumming, dans la province du Yunnan, à Bangkok. La route est désormais suffisamment moderne, notamment dans le Laos et en Chine du Sud, pour assurer la bonne circulation de passagers ou de marchandises. Seule une petite coupure demeure au niveau du Mékong, à la frontière lao-thaïlandaise (à Chiang Khong-Huay Xai). Il est encore nécessaire de traverser le Mékong par bateau, mais la construction d'un pont est prévue pour 2011. Pour d'autres précisions, voir p. 386.



Pour relier la Chine et le Myanmar, des projets ambitieux prévoient de rouvrir des tronçons de la route Stillwell, construite par les forces alliées durant la Seconde Guerre mondiale. La province chinoise du Yunnan serait ainsi connectée à l'État indien d'Assam à travers le passage de Pangsaw. Bien que certains tronçons soient déjà opérationnels, le projet est actuellement à l'arrêt en raison des divergences politiques et économiques des trois pays concernés. Il était autrefois possible de circuler entre la ville thaïlandaise de Mae Sai en passant par Mong La au Myanmar et jusqu'à Daluo, en Chine, mais cette frontière est fermée depuis 2005.

Si l'on n'est pas pressé, on peut se rendre en bateau, sur le Mékong, de la ville de Chian Saen (Thaïlande du Nord) jusqu'à Jinghong, dans la province du Yunnan. Pour d'autres précisions, voir p. 381.

## Depuis/vers le Laos

Construit sur le Mékong entre Ban Jommani (près de Nong Khai en Thaïlande) et Tha Na Leng (près de Vientiane au Laos), le pont de l'Amitié thaïlando-laotienne (1 174 m de longueur) est le principal axe de transport entre les deux pays. Il est pour le moment nécessaire de prendre des transports en commun pour traverser le pont frontalier. Une voie ferrée le long de cette route est prévue pour la mi-2009, mais elle ne devrait pas être beaucoup plus intéressante que la route pour les voyageurs se rendant à Vientiane. Il sera en outre nécessaire de se procurer un visa pour le Laos avant de prendre le train. Par la route, il est possible d'obtenir son visa en arrivant sur place. Voir p. 530 pour plus d'informations.

Un autre pont traverse le Mékong entre Mukdahan et Savannakhet. Ouvert en 2006, c'est une voie de passage incontournable entre la Thaïlande, le Laos et le Vietnam. La traversée se fait en bus et il est possible de se procurer un visa pour le Laos en arrivant. De nombreux expatriés installés à Bangkok utilisent cette route pour renouveler leur visa. Plus d'informations p. 555.

Les voyageurs étrangers ont le droit de quitter la Thaïlande pour le Laos en traversant le Mékong en ferry depuis les localités suivantes : Chiang Khong (face à Huay Xai), Nakhon Phanom (face à Tha Khaek) et Beung Kan (face à Pakson), bien que cette dernière soit moins fréquentée. On peut obtenir un visa à Huay Xai et à Tha Khaek, mais pas à Pakson.

Par la terre, le seul passage ouvert aux étrangers est entre Chong Mek et Vangtao, au Laos, où des visas sont délivrés. Côté thaïlandais, la frontière est facilement accessible en bus depuis Ubon Ratchathani. Plus d'informations p. 503.

Une autre traversée possible se fait dans la province peu touristique de Loei. Un pont relie Thai Li (en Thaïlande) à Nam Hoeng, mais il faut circuler en transport privé. Les avis divergent quant à la délivrance de visa au Laos. Les expatriés apprécient ce passage calme et sans encombre.

## Depuis/vers la Malaisie

La voie ferrée qui dessert la Malaisie depuis Bangkok se divise en deux au niveau de Hat Yai. L'embranchement ouest conduit les passagers via Padang Besar jusqu'à Butterworth, point de transfert vers Penang et d'autres destinations sur la côte ouest de la Malaisie. L'embranchement est prend la direction de Sungai Kolok (p. 377), qui était autrefois un point de passage populaire pour Kota Bahru et les îles Perhentiennes. En raison des troubles qui agitent les provinces du sud de la Thaïlande, il est plus prudent de ne pas emprunter cette voie.

Des bus et minibus relient les villes de Padang Besar et de Dan Nawk (en Malaisie) à Sadao, dans le sud de la Thaïlande. Par la mer, des bateaux partent de différents ports le long de la côte ouest en Malaisie, comme Pulau Langkawi, à destination de Satun ou de Ko Lipe (voir p. 746). D'autres passages par la terre sont moins fréquentés ; ceux qui sont indiqués ici sont facilement accessibles par les transports publics.

### Depuis/vers le Myanmar

La plupart des postes-frontière thaïlando-birmans ne permettent pas d'accéder au reste du pays et font souvent l'objet de fermetures impromptues qui peuvent durer d'une journée à plusieurs jours.

Le passage du poste de Mae Sai-Tachileik est la seule voie terrestre qui permet aux étrangers de réellement voyager au Myanmar. De la frontière, vous pouvez continuer jusqu'à Kengtung puis Mong La, à la frontière sino-thaïlandaise (voir p. 376). Avant 2005, les étrangers pouvaient pénétrer en Chine tant qu'ils avaient les visas correspondants. Le pont qui relie les deux villes frontalières était utilisé par Lo Hsing-han, le plus notoire des trafiquants du Triangle d'or, pour convoyer opium et héroïne. Cette frontière est fréquentée par les voyageurs qui veulent renouveler leur visa, surtout s'ils viennent de Chiang Mai ou de Chiang Rai.

Le passage du poste de Mae Sot-Myawadi n'est autorisé que pour une visite d'une journée au marché birman frontalier, même si la route continue jusqu'à Mawlamyaing (Moulmein) via Kawkareik. Ce passage peut servir à faire renouveler son visa. Pour en savoir plus, reportez-vous p. 426.

Point de passage séculaire pour les armées d'envahisseurs aussi bien que pour la contrebande, le col des Trois Pagodes (p. 232) est fermé depuis 2006. Il n'était jusqu'alors ouvert que pour des visites d'une journée au marché birman qui se tient à la frontière et aucun visa n'y était délivré.

Du sud de la Thaïlande, on peut pénétrer légalement au Myanmar en prenant le bateau de Ranong à Kawthoung, mais il n'est pas possible de visiter le reste du territoire birman. Ce passage est utilisé principalement pour les renouvellements de visa dans la journée. Voir l'encadré p. 652.

# VOYAGES ORGANISÉS

## SÉJOURS

La Thaïlande figure au catalogue de nombreux tour-opérateurs, qui proposent des forfaits tout compris à des tarifs défiant toute concurrence. Beaucoup se limitent à Bangkok et aux destinations balnéaires les plus touristiques (Pattaya, Phuket…). On prêtera une attention particulière aux prestations hotelières, de qualité très variable, tant du fait de leur emplacement (éloignement des plages et des divers centres d'intérêt, système de transport…) que des activités proposées (sport, activités pour les enfants…) : la réalité est souvent très éloignée des belles images illustrant les brochures publicitaires.

## CIRCUITS

Les meilleures agences de voyages établies hors de Thaïlande créent leurs circuits de A à Z, en sélectionnant leurs collaborateurs locaux en fonction de la qualité de leurs services. En voici, ci-dessous, quelques-unes, généralistes ou spécialisées dans les voyages axés sur la plongée ou le trek.

### Agences généralistes

**Asia** (☎ 01 44 51 50 10 ; 1 rue Dante, 75005 Paris ; www.asia.fr). Autres agences en France et en Suisse.

**Clio** (☎ 0 826 10 10 82 ; www.clio.fr ; 27 rue du Hameau, 75015 Paris)

**Club Aventure** (☎ 514-527 0999 ; www.clubaventure.com ; 757 ave du Mont-Royal Est, Montréal, QUE H2J 1W8, Canada). Nombreuses agences au Canada.

**Maison de l'Indochine** (☎ 01 40 51 95 15 ; www.maisondelindochine.com ; 76 rue Bonaparte, 75006 Paris)

**Nouvelles Frontières** (www.nouvelles-frontieres.fr)

**Orients** (☎ 01 40 51 10 40 ; www.orients.com ; 27 rue des Boulangers, 75005 Paris)

**Voyageurs Associés** (☎ 04 91 96 92 22 ; www.voyageurs-associes.com ; 39 rue des Trois-Frères-Barthélemy, 13006 Marseille)

**Voyageurs du Monde** (☎ 0892 235 656 ; www.vdm.com ; 55 rue Sainte-Anne, 75002 Paris, et nombreuses agences en France)

### Plongée

**Océanes** (☎ 04 42 52 82 40 ; www.oceanes.com ; 231 rue Paul-Julien, 13100 Le Tholonet)

**Ultramarina** (☎ 0 825 02 98 02, 0,15 €/min ; www.ultramarina.com) ; Nantes (37 rue Saint-Léonard, BP 33 221, 44032 Nantes Cedex 01) ; Paris (29 rue de Clichy, 75009 Paris) ; Marseille (27 rue de la Palud, 13001 Marseille). Autres agences à Lyon, à Genève (Suisse) et à Liège (Belgique).

### Trek

**Club Aventure** (☎ 0 826 88 20 80 ; www.clubaventure.fr) ; Paris (18 rue Séguier, 75006 Paris) ; Lyon (2 rue Vaubecour, 69002 Lyon) ; Genève (rue prevost Martin 51, CP 124-1211 Genève 4).

**Terres d'Aventure** (☎ 0 825 700 825 ; www.terdav.com) ; Paris (30 rue Saint-Augustin, 75002 Paris) ; Lyon (5 quai Jules-Courmont, 69002 Lyon) ; Bruxelles (23 Chaussée de Charleroi, 1060 Saint-Gilles). Nombreuses autres agences en France.

**Explorator** ( ☎ 01 53 45 85 85 ; www.explo.com ; 1 rue Gabriel-Laumain, 75010 Paris)
**Nomade** ( ☎ 0825 701 702 ; www.nomade-aventure.com) ; Paris (40 rue de la Montagne-Sainte-Geneviève, Paris 75005) ; Toulouse (43 rue Peyrolières, 31000 Toulouse) ; Lyon (10 quai Tilsitt, 69002 Lyon).
**Tamera** ( ☎ 04 78 37 88 88 ; www.tamera.fr ; 26 rue du Bœuf, 69005 Lyon)

TRANSPORTS

# COMMENT CIRCULER

## AVION

Voyager en avion en Thaïlande devient de plus en plus accessible financièrement grâce à la déréglementation aérienne. La plupart des liaisons aériennes se font au départ de Bangkok, mais Chiang Mai, Ko Samui et Phuket desservent également plusieurs villes thaïlandaises. Reportez-vous à la carte des tarifs aériens et des chemins de fer (p. 784) pour avoir une idée des trajets et des tarifs. Consultez les rubriques consacrées aux villes pour trouver les coordonnées des agences des compagnies aériennes.

La compagnie THAI affrète de nombreux vols intérieurs au départ de Bangkok vers les capitales provinciales. Bangkok Air est une autre compagnie locale. One-Two-Go, Nok Air et Air Asia pratiquent toutes des tarifs moins élevés que les compagnies plus anciennes.

## BATEAU

L'authentique embarcation thaïlandaise est le *long-tail boat* ("bateau à longue queue", ou *reu·a hăhng yow*), ainsi dénommé parce que l'hélice est fixée à l'extrémité d'un long arbre de transmission sortant du moteur. Ces engins peuvent atteindre une vitesse impressionnante. À Bangkok et dans les provinces voisines, les *long-tail boats* sont le moyen de transport le plus utilisé sur les rivières et les canaux. Pour en savoir plus, voir p. 192.

Entre le continent et les îles du golfe de Thaïlande ou de la mer d'Andaman, l'embarcation la plus courante est un bateau en bois long de 8 à 10 m, équipé d'un moteur intérieur, d'une timonerie et d'un simple toit pour abriter les passagers et les marchandises. Des hovercrafts et des hydroglisseurs, plus rapides et plus chers, circulent dans certaines zones touristiques.

## BUS

### Compagnies de bus

Le réseau de bus thaïlandais est à la fois très dense et très fiable. Ce moyen de transport a l'avantage de permettre de découvrir le paysage et de lier connaissance avec les habitants sur le trajet. Le gouvernement thaïlandais subventionne la **Transport Company** (bò·rí·sàt kŏn sòng ; ☎ 0 2936 2841 ; www.transport.co.th), souvent abrégé en Baw Khaw Saw (BKS). Toutes les villes et les bourgades desservies par les bus disposent d'une gare BKS – parfois une simple cabane le long de la route.

Les compagnies de bus les plus sûres sont celles qui partent des gares routières d'État (BKS). Il peut s'agir de bus publics ou privés bénéficiant de concessions.

Nous déconseillons d'emprunter les bus privés qui opèrent depuis les centres touristiques tels que Th Khao San, à Bangkok, où des vols sont fréquemment signalés. Lisez bien la section *Désagréments et dangers* de chaque région.

### CLASSES

Les bus les moins chers et les plus lents sont les *rót tam·má·dah* (bus ordinaires, sans climatisation), qui s'arrêtent dans tous les villages et au moindre signe d'un passager au bord de la route. Seuls quelques-uns de ces bus continuent à circuler, dans les régions rurales ou sur de courtes distances. Ils ont pour la plupart été remplacés par des véhicules climatisés.

La majorité des compagnies disposent de véhicules climatisés rapides et confortables. Ce sont les *rót aa* (bus avec ventilation), les *rót ɓràp ah·gàht* (bus climatisés) ou les *rót tou·a* (bus touristiques). Ils circulent toutefois moins fréquemment. Sur les longs trajets, il existe au moins deux classes de bus climatisés, la première étant dotée de toilettes. Les bus "VIP" et "Super VIP" (parfois appelés *rót norn* ou bus-couchettes) comptent moins de sièges, ce qui permet de les incliner davantage.

Prévoyez une petite laine à portée de main, surtout pour les longs voyages, car la climatisation rafraîchit parfois sensiblement l'atmosphère.

Dans ces bus, les services sont généralement assez bons, et vous pourriez même avoir droit à une hôtesse en uniforme vous proposant un film ou une boisson.

Durant les trajets de nuit, les bus s'arrêtent généralement en pleine nuit pour proposer

**TARIFS DES BUS POUR BANGKOK**

| Destination | Distance | VIP (B) | 1re classe (B) | 2e classe (B) |
|---|---|---|---|---|
| Chiang Mai | 685 km | 695 | 596 | — |
| Kanchanaburi | 130 km | — | 139 | 112 |
| Krabi | 817 km | 1 100 | 700 | — |
| Hat Yai | 993 km | 1 075 | 740 | — |
| Trat | 313 km | — | 260 | 223 |

aux passagers un repas gratuit à base de riz sauté ou de soupe de riz. Quelques compagnies vous proposeront même un repas avant d'embarquer pour un long trajet de nuit.

### SÉCURITÉ

Les bus des compagnies les plus connues partent des terminaux BKS ; les bus et les minibus privés, qui s'adressent spécifiquement aux étrangers fréquentant les grands centres touristiques tels que Th Khao San à Bangkok, sont d'une manière générale moins fiables : vols et retards s'y produisent plus fréquemment. Parfois, ces véhicules destinés aux touristes se contentent de faire monter leurs passagers devant leur pension pour les déposer devant le terminal public des bus. Parmi les plaintes signalées figurent par ailleurs les prétendus bus VIP, qui ne sont finalement que des minibus surchargés arrivant à destination avec 4 heures de retard.

Des lecteurs rapportent également s'être fait fouiller leur sac, confirmant l'importance des vols commis. Conservez toujours vos papiers et objets de valeur sur vous, car même les sacs fermés peuvent être forcés et l'on ne s'en aperçoit parfois que bien plus tard.

## Réservations

Vous pouvez réserver vos places pour un bus climatisé BKS dans tous les terminaux BKS. Les réservations ne sont pas possibles pour les bus ordinaires (avec ventilation). La plupart des hôtels et tous les voyagistes peuvent réserver des places dans les bus privés, mais, pour être sûr d'obtenir le service demandé, il vaut mieux s'adresser directement à l'agence de la compagnie de bus concernée.

## STOP

L'auto-stop ne constitue jamais un moyen de transport réellement sûr et recommandable. Les voyageurs qui décident de se déplacer ainsi prennent un risque certain, même s'il est limité. L'auto-stop est peu répandu en Thaïlande et vous attendrez parfois longtemps sur le bord de la route avant qu'un conducteur ne comprenne votre intention. D'autant que les Thaïlandais n'agitent pas le pouce ; pour arrêter un véhicule, on tend le bras, main ouverte paume vers le bas, et on l'agite de haut en bas. C'est ainsi qu'on hèle un taxi ou un bus et c'est pourquoi certains automobilistes s'arrêteront pour vous indiquer un arrêt de bus à proximité.

À vrai dire, l'auto-stop demande beaucoup d'efforts pour une maigre économie, car les bus sont fréquents et bon marché. Dans certains parcs nationaux non desservis par les transports publics, les conducteurs vous proposeront volontiers de vous déposer quelque part.

# TRANSPORTS URBAINS

## Bus urbains et sŏrng·tăa·ou

C'est à Bangkok que le réseau de bus urbains est le plus développé. Ailleurs, les transports publics sont majoritairement assurés par les *sŏrng·tăa·ou*, qui suivent des itinéraires fixes, sauf à Udon Thani et dans certaines capitales provinciales, où circulent également des bus urbains.

Pour arrêter un bus, agitez la main, paume vers le bas. Les billets se paient une fois assis ou même avant de descendre. Attention, dans certains centres touristiques, des chauffeurs de *sŏrng·tăa·ou* collectifs cherchent à louer leur véhicule aux étrangers à un tarif élevé, qu'ils annoncent avant de les faire monter à bord.

Un *sŏrng·tăa·ou* (ou "deux rangées") est une camionnette découverte dotée de deux rangées de banquettes. Ces véhicules desservent parfois des itinéraires fixes, comme les bus, mais peuvent aussi fonctionner comme des taxis collectifs en prenant plusieurs passagers allant dans la même direction. Dans les régions touristiques, ils peuvent être loués individuellement comme un taxi ordinaire, mais vous devrez négocier le tarif avant de monter. Méfiez-vous des tarifs "préférentiels"

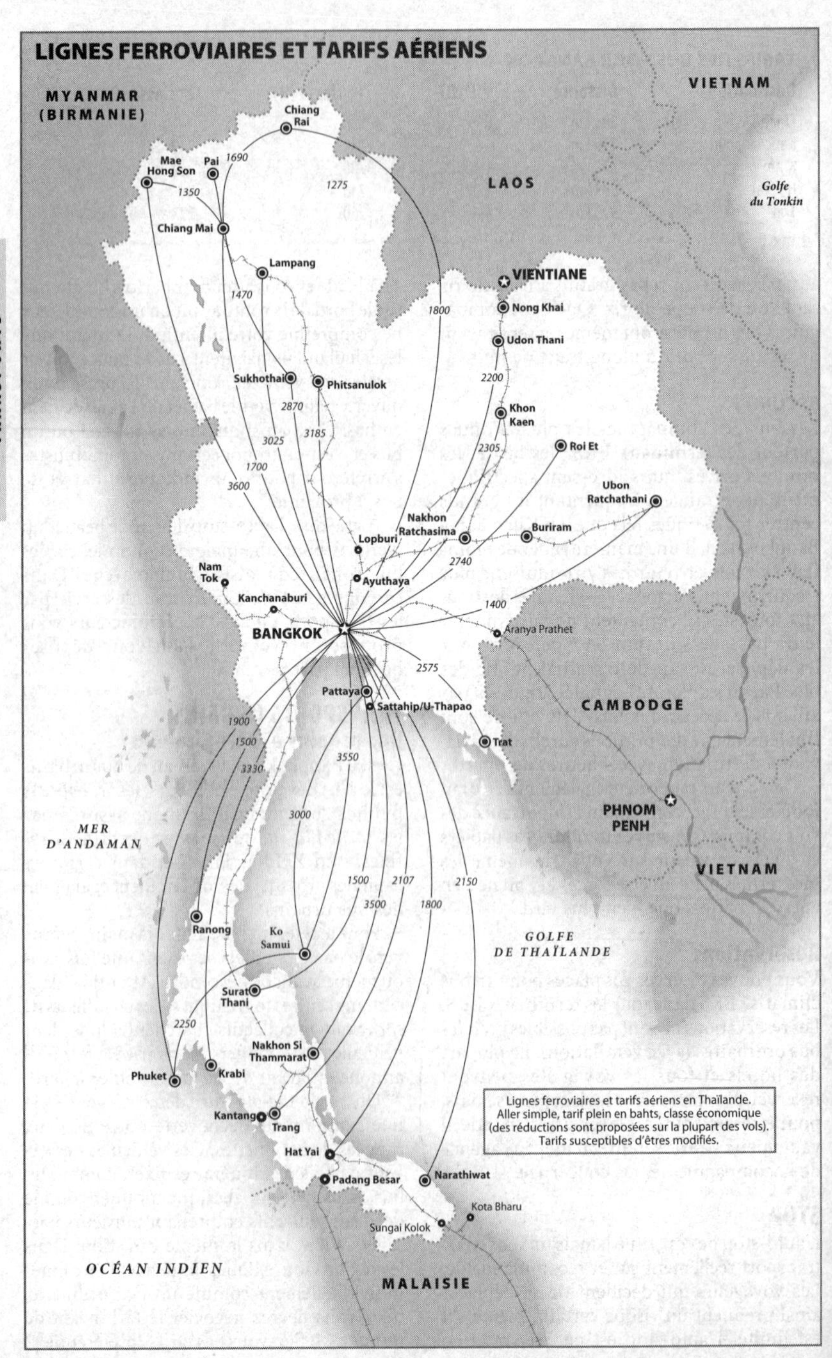
LIGNES FERROVIAIRES ET TARIFS AÉRIENS
MYANMAR (BIRMANIE)
LAOS
VIETNAM
Golfe du Tonkin
CAMBODGE
MER D'ANDAMAN
GOLFE DE THAÏLANDE
OCÉAN INDIEN
MALAISIE
Chiang Rai
Mae Hong Son
Pai
Chiang Mai
Lampang
Sukhothai
Phitsanulok
VIENTIANE
Nong Khai
Udon Thani
Khon Kaen
Roi Et
Ubon Ratchathani
Nakhon Ratchasima
Buriram
Lopburi
Ayuthaya
Nam Tok
Kanchanaburi
BANGKOK
Aranya Prathet
Pattaya
Sattahip/U-Thapao
Trat
PHNOM PENH
Ranong
Ko Samui
Surat Thani
Nakhon Si Thammarat
Phuket
Krabi
Kantang
Trang
Hat Yai
Padang Besar
Narathiwat
Sungai Kolok
Kota Bharu
1690
1350
1275
1470
1800
2200
2305
2870
3025
3185
1700
3600
2740
1400
2575
1900
1500
3330
3550
3000
1500
2107
3500
1800
2150
2250
Lignes ferroviaires et tarifs aériens en Thaïlande.
Aller simple, tarif plein en bahts, classe économique
(des réductions sont proposées sur la plupart des vols).
Tarifs susceptibles d'êtres modifiés.

que vous proposeront certains conducteurs de *sŏrng·tăa·ou* collectifs.

Dans certaines régions, les *sŏrng·tăa·ou* desservent des destinations fixes depuis le centre-ville jusqu'aux régions ou provinces avoisinantes. Ces véhicules sont parfois d'anciens pick-up reconvertis ou de gros véhicules à six roues que l'on appelle aussi *rót hòk lór*.

### Moto-taxi

Dans de nombreuses villes de Thaïlande, on peut louer des *mor·đeu·sai ráp jâhng*, des motos de 100 ou 125 cm³, avec chauffeur, pour des petites courses. Ce mode de transport est déconseillé si vous emportez autre chose qu'un sac à dos ou une petite valise. En revanche, si vous voyagez léger et ne craignez pas la pluie ni le soleil, c'est le moyen idéal pour couvrir rapidement une petite distance. Sachez enfin que, si la majorité des conducteurs conduisent prudemment et à des vitesses raisonnables, ceux de Bangkok ont la réputation d'être de vrais kamikazes.

Dans la plupart des villes, les motos-taxis préfèrent rester groupés aux carrefours plutôt que de sillonner les rues à la recherche de clients. Ils portent généralement des T-shirts numérotés. Le tarif de la course oscille entre 10 et 50 B selon la distance.

### Săhm·lór et túk-túk

*Săhm·lór* signifie "3 roues", ce qui décrit très bien ces engins. Il existe 2 sortes de *săhm·lór* : avec et sans moteur.

Vous croiserez des *săhm·lór* motorisés (connus sous le nom de *túk-túk*) partout dans le pays. Ce sont de petits véhicules utilitaires, équipés d'un moteur deux temps (souvent alimenté au GPL) effroyablement bruyants – si le bruit et les vibrations ne vous abrutissent pas, les gaz s'en chargeront.

Les *săhm·lór* non motorisés sont l'équivalent des rickshaws (ou cyclo-pousse) que l'on trouve dans toute l'Asie. Vous n'en verrez pas à Bangkok, mais ils sont utilisés dans les autres villes du pays. Quel que soit le type de *săhm·lór*, fixez le tarif avant de monter, en marchandant si nécessaire.

Les lecteurs désireux d'en savoir davantage sur les différents cyclo-pousse qui sillonnent la planète peuvent consulter le beau livre *Sur la trace des rickshaws*, de Tony Wheeler, fondateur de Lonely Planet.

### Taxi

Si, à Bangkok, les taxis sont équipés de compteurs, dans les autres villes de Thaïlande, il peut arriver que les taxis soient des véhicules privés pratiquant des tarifs négociables. On peut se rendre d'une ville à une autre en taxi mais il faut négocier le prix de la course avec le chauffeur, le compteur n'étant pas de mise pour ce type de trajet.

### Transports en commun

Bangkok est la seule ville de Thaïlande à posséder à la fois un métro aérien et un métro souterrain, respectivement connus sous le nom de Skytrain et de Metro. Tous deux ont largement contribué à alléger les embouteillages notoires de la capitale.

## TRAIN

Le réseau ferroviaire thaïlandais, géré par le **State Railway of Thailand** (SRT ; ☎1690 ; www.railway.co.th), comprend quatre lignes principales : nord, sud, nord-est et est (voir carte page ci-contre pour les principaux itinéraires). Le train est la meilleure alternative au bus pour les longs voyages vers Chiang Mai au nord ou vers Surat Thani au sud, mais aussi pour rallier Ayuthaya et Lopburi depuis Bangkok.

Même s'ils mettent parfois plus longtemps (ils n'arrivent jamais à l'heure), les trains présentent tout de même de nombreux avantages par rapport aux bus, notamment celui d'être plus spacieux. En outre, les paysages sont toujours plus beaux vus du rail que vus de l'autoroute. Enfin, dans les wagons 3ᵉ classe, vous serez plongé dans une atmosphère beaucoup plus dépaysante : vendeurs ambulants, bébé dévisageant les étrangers les yeux écarquillés, villageois en sarong, etc.

### Principales gares et réseau ferroviaire

La plupart des trains longue distance partent de la gare de Hualamphong, dans le centre de Bangkok. La gare de Bangkok Noi, à Thonburi, dessert les banlieues et assure les trajets courts vers Kanchanaburi/Nam Tok et Nakhon Pathom (pour cette dernière destination, vous pouvez aussi partir de Hualamphong). Thonburi compte une autre gare, Wong Wian Yai, d'où partent des trains pour Samut Songkhram.

Quatre lignes principales d'une longueur totale de 4 500 km couvrent les quatre régions du nord, du sud, du nord-est et de l'est de la Thaïlande. Il existe plusieurs lignes secondaires, notamment entre Nakhon Pathom et Nam Tok (avec arrêt à Kanchanaburi) à l'ouest de la région centre, et entre Tung Song et Kantang (arrêt à Trang) dans le Sud. La ligne sud se divise à Hat Yai, une portion rejoignant Sungai Kolok sur la côte est de la Malaisie via Yala, et l'autre Padang Besar à l'ouest, ville frontalière également située en Malaisie. La ligne entre Bangkok et Pattaya n'a pas rencontré le succès escompté, mais reste exploitée.

## Classes

Les trains de passagers de la SRT comptent en général trois classes, qui diffèrent parfois considérablement selon que vous êtes à bord d'un train ordinaire, d'un rapide ou d'un express.

### TROISIÈME CLASSE

Un wagon de 3e classe typique compte deux rangées de banquettes qui se font face deux à deux. Chaque banquette est conçue pour 2 ou 3 personnes, mais, sur les lignes bondées des régions rurales, on tient peu compte de ces considérations. Dans certains trains ordinaires, qui ne comptent que des 3e classe, les sièges sont parfois faits de lames de bois. Ces wagons ont toutefois tendance à se raréfier. Les express n'ont pas de 3e classe. Les trains qui desservent la banlieue de Bangkok ne possèdent que des wagons de 3e classe.

### DEUXIÈME CLASSE

Dans une voiture de 2e classe, les sièges rembourrés (généralement inclinables) sont disposés comme dans un bus, par paire, tous tournés dans le sens de la marche.

Dans les wagons de couchettes, les sièges se font face deux par deux et se transforment en couchettes, l'une au-dessus de l'autre. Des rideaux assurent un minimum d'intimité. Les couchettes sont confortables et le linge est changé à chaque voyage. La couchette inférieure offre plus de dégagement au-dessus de la tête, ce qui explique son prix plus élevé. Les enfants sont toujours placés en couchettes inférieures.

Les voitures de 2e classe n'existent que sur les trains rapides et express. Les wagons climatisés sont désormais plus répandus que les rames ordinaires (avec ventilateurs, uniquement proposées sur les lignes rapides).

### PREMIÈRE CLASSE

Chaque cabine de 1re classe offre une climatisation réglable (ou un ventilateur électrique dans les wagons plus anciens), un lavabo avec miroir, une petite table et des banquettes qui se convertissent en lits. Le savon est fourni gratuitement. Les voitures de 1re classe sont une exclusivité des trains rapides, express et express spéciaux.

## Tarifs

Les tarifs sont calculés en ajoutant des suppléments au prix de base, selon le type du train (express spécial, express, rapide, train ordinaire), la classe choisie et la distance parcourue. On ajoute ainsi 150 B au tarif de base pour les *rót dòo·an* (trains express) et 110 B pour les *rót re·ou* (rapides). Ces trains vont plus vite, car ils effectuent moins d'arrêts. Ils ne possèdent pas de wagons de 3e classe. Les *rót dòo·an pí·sèht* (trains express spéciaux) qui circulent entre Bangkok et Padang Besar et entre Bangkok et Chiang Mai appliquent un supplément de 170 à 180 B.

Pour les distances inférieures à 300 km, le tarif de base est de 50 à 80 B ; au-delà de 301 km, il est de 110 B.

Certaine voitures sont climatisées en 2e et 3e classes, auquel cas il faut prévoir un supplément de 60 à 110 B. Comptez 120 à 240 B supplémentaires pour une couchette en 2e classe.

En 1re classe, le supplément pour des couchettes hautes ou basses est respectivement de 300 B et 500 B. Les compartiments individuels n'existant pas, les voyageurs en solo devront probablement partager leur cabine avec un voyageur du même sexe.

### FORFAITS FERROVIAIRES

La SRT propose un forfait ferroviaire, appelé Thailand Rail Pass, qui permet de faire des économies sensibles si vous prévoyez de sillonner le pays en train sur une courte période. Le forfait n'est vendu qu'en Thaïlande, à la gare de Hualamphong de Bangkok notamment.

Le prix pour 20 jours de trajets illimités en 2e ou 3e classe s'élève à 3 000/1 500 B par adulte/enfant, tous suppléments compris (type de train, air climatisé, etc.). Vous devez impérativement valider votre carte à la gare avant de monter dans votre premier train. Le prix de la carte inclut également les réservations qui, si nécessaire, peuvent être faites à n'importe quel guichet de la SRT.

### SERVICES DE RESTAURATION

Des repas sont servis dans les voitures-restaurants (*rót sa·biang*) ou à votre place en 2e et 1re classes. La carte change souvent, la SRT recrutant régulièrement un nouveau service de restauration. Les prix des repas sont un peu excessifs (de 80 à 200 B en moyenne) et beaucoup de Thaïlandais préfèrent apporter leur repas ou des en-cas.

### Réservations

Il est possible de réserver jusqu'à 60 jours à l'avance. En période de vacances, les réservations sont recommandées pour les trains-couchettes entre Bangkok et Chiang Mai ou entre Bangkok et Surat Thani, notamment autour de Songkran en avril, du Nouvel An chinois et durant les mois très touristiques en décembre et janvier.

Les réservations peuvent s'effectuer dans n'importe quelle gare. Dans tout le pays, les guichets de la SRT sont normalement ouverts de 8h30 à 18h en semaine, et de 8h30 à 12h le week-end et les jours fériés. On peut aussi acheter ses billets de train dans les agences de voyages, mais c'est un peu plus cher.

Les réservations doivent être faites en personne. Si vous êtes à l'étranger et que vous organisez de longs trajets en train, envoyez un e-mail à l'agence gouvernementale **State Railway of Thailand** (passenger-ser@railway.co.th) au moins quinze jours avant votre séjour. Vous recevrez un message de confirmation de votre réservation. Vous pourrez retirer et payer vos billets en gare une heure avant le départ du train.

Pour les trajets plus courts, achetez vos billets la veille pour avoir des sièges plutôt que des couchettes.

Vous pourrez obtenir des remboursements partiels si vous annulez votre billet, selon le nombre de jours restants avant le départ. Rendez-vous au guichet des réservations de la gare.

### Services en gare

Toutes les gares thaïlandaises disposent d'une consigne (*cloak room*). Les heures de service et les prix varient d'une gare à l'autre (comptez de 20 à 70 B). À la gare de Hualamphong par exemple, le tarif est de 20 à 30 B par jour. La plupart des gares ont un guichet spécifique, qui ouvre de 15 à 30 minutes avant l'arrivée des trains. Vous trouverez également dans les gares des kiosques à journaux et des vendeurs d'en-cas, mais pas de restaurants assurant un service 24h/24.

Les gares, à l'exception des plus petites, affichent généralement les horaires des trains en anglais. La gare de Hualamphong est le meilleur endroit pour obtenir des renseignements sur les horaires. Il existe 2 types de documents : 4 fiches condensées en anglais où sont indiqués les tarifs, les horaires et les trajets des trains rapides, express et express spéciaux sur les 4 grandes lignes ; et 4 fiches complètes en thaï pour chaque grande ligne et ses lignes secondaires, où figurent tous les horaires et tarifs des trains ordinaires, rapides et express. Les fiches en anglais fournissent uniquement les horaires de certains trains ordinaires, faisant ainsi l'impasse sur de nombreuses lignes desservies par ces trains, par exemple celles qui relient Ayuthaya à Phitsanulok, tout à fait au nord.

## VÉLO

Partout ailleurs qu'à Bangkok, la bicyclette constitue le moyen de locomotion idéal pour effectuer de courtes distances : bon marché, non polluant et suffisamment lent pour ne rien perdre du paysage.

Le vélo est également un moyen apprécié pour visiter le pays, la plupart des routes possédant un revêtement en dur et étant bordées de larges bas-côtés. Les côtes présentent peu de difficultés dans la quasi-totalité du pays, sauf dans l'extrême Nord, notamment dans les provinces de Mae Hong Son et de Nan.

Vous pouvez transporter votre vélo en train, pour un tarif légèrement inférieur à celui d'un billet de 3e classe. À bord des bus ordinaires, votre engin sera relégué sur le toit du véhicule, tandis que dans les bus climatisés, il sera rangé dans les coffres. **Biking Southeast Asia with Mr Pumpy** (www.mrpumpy.net) propose des itinéraires, des astuces et d'autres informations pour les mordus du vélo. Fondé en 1959, le **Thailand Cycling Club** (☎ 08 1555 2901 ; www.thaicycling.com) pourra vous renseigner sur les excursions à bicyclette et les clubs de cyclotourisme.

Consultez la p. 779 si vous souhaitez apporter votre propre vélo en Thaïlande.

### Location et achat

De nombreux endroits proposent des locations de vélos, notamment les pensions, pour au moins 50 B/jour. En général, aucune caution n'est demandée.

En raison des droits de douane élevés sur l'importation de cycles, il est souvent préférable d'emporter son propre vélo en Thaïlande, plutôt que d'en acheter un sur place. L'un des meilleurs magasins de cycles du pays est **Probike** (carte p. 128 ; ☎ 0 2253 3384 ; www.probike.co.th ; 237/1 Soi Sarasin), à Bangkok.

## VOITURE ET MOTO

### Assurance

La réglementation impose la souscription d'une assurance responsabilité civile pour tous les véhicules en circulation. Les meilleures agences de location proposent une couverture complète pour leurs véhicules. Vérifiez toujours que celui que vous louez est assuré au tiers et demandez à voir les papiers d'assurance datés. Un accident au volant d'un véhicule non assuré vous promettrait des ennuis considérables.

Vous pouvez souscrire une assurance auto à moindre coût auprès d'une agence locale, notamment :

**Bangkok Insurance** ( ☎ 0 2285 8888 ; www.bki.co.th)
**AIA Thailand** (www.aiathailand.com)

### Carburant et pièces détachées

Des stations-service modernes jalonnent toutes les routes goudronnées du pays. Dans les régions plus reculées, l'essence (*ben·sin* ou *nám·man rót yon*) est distribuée dans de petites stations au bord des routes ou dans les villages. Tous les carburants sont sans plomb et le diesel est utilisé par les camions et par certaines voitures. À la suite de la hausse des prix du pétrole, la Thaïlande a adopté l'utilisation de carburants de remplacement comme le gasohol (mélange à 91 ou 95% de pétrole et d'éthanol) et le gaz naturel compressé, consommé par les taxis conçus pour rouler avec deux types de carburants. Pour plus d'informations sur ce sujet, consultez le site de **BKK Auto** (www.bkkautos.com).

Si vous conduisez une moto sur plus de 100 km, prévoyez une réserve d'huile ; de même, si vous conduisez un véhiculé équipé d'un moteur à 2 temps, emportez une réserve d'huile adaptée à ce type de moteur.

Si vous visitez la Thaïlande avec votre propre voiture, il est préférable d'emporter les pièces de rechange importantes, qu'il est parfois difficile de se procurer sur place. Il en est de même pour les motos de plus de 125 $cm^3$.

### Code de la route et règles de sécurité

Les Thaïlandais roulent à gauche (la plupart du temps !). En dehors de cela, tout semble permis, en dépit des panneaux de signalisation et des limitations de vitesse.

La règle cardinale de sécurité est de laisser la priorité au véhicule le plus gros. Même si ce n'est pas ce que dit la loi, il s'agit bien de la réalité. La vitesse est limitée à 50 km/h dans les villes et de 80 à 100 km/h sur la plupart des routes nationales, mais vous verrez toujours des véhicules rouler à 30 km/h comme à 150 km/h ! Les contrôles de vitesse sont fréquents sur la Hwy 4 dans le Sud et la Hwy 2 dans le Nord-Est.

Souvent, des panneaux lumineux informent les conducteurs du trafic en cours. Un indicateur clignotant sur la gauche indique que vous pouvez passer, un indicateur allumé sur la droite signale qu'un véhicule arrive dans l'autre sens. Le klaxon permet d'avertir les autres usagers que le conducteur compte passer. Si un conducteur vous fait des appels de phares, il vous indique de ne pas avancer.

À Bangkok, il faut des nerfs d'acier pour affronter la circulation désordonnée et la mauvaise signalisation des routes. Nous déconseillons fortement l'expérience, d'autant plus dangereuse que les motos sont omniprésentes et le système de circulation à sens alterné hasardeux.

Hors de la capitale, outre le mépris général du Code de la route, les conducteurs sont surtout confrontés à une multitude de véhicules en tous genres circulant sur la chaussée : charrettes tirées par des bœufs, poids lourds à 18 roues, bicyclettes, *túk-túk* et motos. Une situation encore aggravée par le fait que de nombreux feux de circulation ne fonctionnent pas. Dans les villages, la circulation est moins dense, mais vous trouverez sur votre chemin poulets, chiens et buffles d'eau.

### Location et achat

Il est possible de louer des voitures, des jeeps et des fourgonnettes dans la plupart des grandes villes et des aéroports, auprès de compagnies locales ou internationales. Les agences de locations locales pratiquent des tarifs inférieurs à ceux des grandes chaînes internationales, mais leurs véhicules sont souvent plus anciens et moins bien entretenus. Vérifiez toujours l'état des pneus et l'aspect général du véhicule avant de signer un contrat de location.

On trouve également des motos à louer dans toutes les grandes villes, ainsi que dans les centres touristiques plus modestes, auprès des pensions ou des petites sociétés familiales.

## DISTANCES ROUTIÈRES (KM)

| | Aranya Prathet | Ayuthaya | Bangkok | Chiang Mai | Chiang Rai | Chumphon | Hat Yai | Hua Hin | Khon Kaen | Mae Hong Son | Mae Sai | Mukdahan | Nakhon Ratchasim | Nakhon Sawan | Nong Khai | Phitsanulok | Phuket | Sungai Kolok | Surat Thani | Tak | Trat | Ubon Ratchathani |
|---|---|---|---|---|---|---|---|---|---|---|---|---|---|---|---|---|---|---|---|---|---|---|
| **Aranya Prathet** | — | | | | | | | | | | | | | | | | | | | | | |
| **Ayuthaya** | 246 | — | | | | | | | | | | | | | | | | | | | | |
| **Bangkok** | 275 | 79 | — | | | | | | | | | | | | | | | | | | | |
| **Chiang Mai** | 844 | 607 | 685 | — | | | | | | | | | | | | | | | | | | |
| **Chiang Rai** | 1 014 | 777 | 775 | 191 | — | | | | | | | | | | | | | | | | | |
| **Chumphon** | 727 | 531 | 452 | 1 138 | 1 308 | — | | | | | | | | | | | | | | | | |
| **Hat Yai** | 1 268 | 1 072 | 993 | 1 679 | 1 849 | 555 | — | | | | | | | | | | | | | | | |
| **Hua Hin** | 458 | 262 | 183 | 869 | 1 039 | 269 | 810 | — | | | | | | | | | | | | | | |
| **Khon Kaen** | 432 | 397 | 440 | 604 | 774 | 902 | 1 443 | 633 | — | | | | | | | | | | | | | |
| **Mae Hong Son** | 1 013 | 767 | 800 | 225 | 406 | 1 298 | 1 839 | 1 029 | 829 | — | | | | | | | | | | | | |
| **Mae Sai** | 1 082 | 845 | 746 | 259 | 68 | 1 376 | 1 917 | 1 107 | 842 | 474 | — | | | | | | | | | | | |
| **Mukdahan** | 601 | 524 | 680 | 917 | 1 087 | 1 029 | 1 570 | 760 | 313 | 1 142 | 1155 | — | | | | | | | | | | |
| **Nakhon Ratchasima** | 239 | 204 | 257 | 744 | 914 | 709 | 1 250 | 440 | 193 | 969 | 982 | 320 | — | | | | | | | | | |
| **Nakhon Sawan** | 409 | 163 | 242 | 444 | 614 | 694 | 1 235 | 425 | 408 | 604 | 682 | 692 | 372 | — | | | | | | | | |
| **Nong Khai** | 598 | 563 | 516 | 720 | 890 | 1068 | 1 609 | 799 | 166 | 945 | 958 | 347 | 359 | 546 | — | | | | | | | |
| **Phitsanulok** | 535 | 298 | 420 | 309 | 479 | 829 | 1 370 | 560 | 295 | 578 | 547 | 608 | 435 | 135 | 411 | — | | | | | | |
| **Phuket** | 1 125 | 929 | 862 | 1 536 | 1 706 | 412 | 474 | 667 | 1 300 | 1 696 | 1 774 | 1 427 | 1 107 | 1 092 | 1 466 | 1 227 | — | | | | | |
| **Sungai Kolok** | 1 555 | 1 359 | 1 210 | 1 966 | 2 136 | 842 | 287 | 1 097 | 1 730 | 2 126 | 2 204 | 1 857 | 1 357 | 1 522 | 1 896 | 1 657 | 761 | — | | | | |
| **Surat Thani** | 927 | 731 | 635 | 1 338 | 1 508 | 214 | 401 | 469 | 1 102 | 1 498 | 1 576 | 1 229 | 909 | 894 | 1 268 | 1 029 | 286 | 791 | — | | | |
| **Tak** | 581 | 335 | 435 | 280 | 460 | 866 | 1 407 | 597 | 441 | 432 | 528 | 754 | 544 | 172 | 557 | 146 | 1 264 | 1 694 | 1 066 | — | | |
| **Trat** | 285 | 392 | 313 | 999 | 1 169 | 765 | 1 306 | 496 | 717 | 1 397 | 1 237 | 886 | 524 | 555 | 883 | 690 | 1 163 | 1 593 | 965 | 727 | — | |
| **Ubon Ratchathani** | 444 | 367 | 620 | 881 | 1 051 | 872 | 1 413 | 603 | 277 | 1 106 | 1 119 | 157 | 163 | 535 | 443 | 572 | 1 270 | 1 700 | 1 072 | 707 | 729 | — |

Il est assez facile de louer une moto. C'est le moyen de transport idéal pour parcourir le pays de façon indépendante, le Nord et les plages du Sud notamment. Pour les locations à la journée, on vous demandera la plupart du temps de laisser votre passeport en dépôt. Là encore, avant de vous engager, vérifiez l'état de la moto et réclamez un casque (dont le port est obligatoire).

De nombreux touristes ont des accidents de moto en Thaïlande faute de savoir conduire leur engin ou parce qu'ils ignorent le Code de la route et l'état de certains tronçons de route. Prenez garde à conduire toujours avec prudence et à souscrire une assurance adaptée. Si vous n'avez jamais conduit de moto auparavant, tenez-vous-en aux 100 $cm^3$ à embrayage automatique et pensez à bien répartir le poids du corps sur tout le véhicule pour en améliorer le maniement.

Vous pouvez aussi acheter une moto, neuve ou d'occasion et la revendre avant de quitter la Thaïlande.

### Permis de conduire

Pour conduire une voiture ou une moto lors d'un court séjour en Thaïlande, vous devez posséder un permis de conduire international. Les voyageurs qui séjournent plus longtemps dans le pays peuvent faire une demande de permis de conduire thaïlandais auprès du bureau provincial du **Department of Land Transport** (☎ 0 2272 3814). Contactez l'administration principale pour savoir de quel bureau vous dépendez, en fonction de votre lieu de résidence.

### Transport de véhicule

Consultez la p. 779 pour des informations sur les formalités requises pour entrer avec un véhicule privé en Thaïlande.

## CIRCUITS ORGANISÉS LOCAUX

De nombreuses agences proposent des voyages organisés en Thaïlande. Certaines ne font que sous-traiter avec les voyagistes implantés en Thaïlande, achetant des formules en gros et les revendant sous un nom différent. Il est donc aussi avantageux de s'adresser directement à ces voyagistes. Parmi les plus fiables, citons :

**Asian Trails** (carte p. 124 ; ☎ 0 2626 2000 ; www.asiantrails.net ; 9e étage, SG Tower, 161/1 Soi Mahatlek Leung 3, Th Ratchadamri, Bangkok)

**Diethelm Travel** (carte p. 128 ; ☎ 0 2660 7000 ; www.diethelmtravel.com ; 12e étage, Kian Gwan Bldg II, 140/1 Th Withayu, Bangkok)

**World Travel Service** (carte p. 122 ; ☎ 0 2233 5900 ; www.wts-thailand.com ; 1053 Th Charoen Krung, Bangkok)

# Santé

## SOMMAIRE



En Thaïlande, les problèmes de santé et la qualité des infrastructures médicales varient énormément selon la destination et la façon de voyager.

La majorité des grandes villes et les zones fréquentées par les touristes sont bien équipées. Par contre, dans des zones rurales isolée vous aurez plus de risques de contracter certaines affections et plus de difficultés à vous faire soigner.

Les voyageurs ont tendance à craindre les maladies infectieuses propres aux zones tropicales, mais il est rare qu'une infection soit à l'origine d'une maladie grave ou d'un décès. Les problèmes les plus sérieux sont généralement liés à des soucis de santé préexistants, comme les maladies cardiaques, ou à des blessures accidentelles (notamment les accidents de la route).

Tomber malade à un moment ou à un autre au cours d'un voyage est cependant assez courant. Les infections respiratoires, la diarrhée et la dengue sont des risques inhérents à la Thaïlande.

Heureusement, la plupart des maladies peuvent être évitées avec un peu de bon sens, ou soignées facilement si l'on emporte avec soi une trousse à pharmacie complète.

Les conseils donnés dans ce chapitre le sont à titre indicatif, et ne peuvent en aucun cas remplacer l'avis d'un médecin formé à la médecine du voyage.

## AVANT LE DÉPART

### ASSURANCES ET SERVICES MÉDICAUX

Il est conseillé de souscrire à une police d'assurance qui vous couvrira en cas d'annulation de votre voyage, de vol, de perte de vos affaires, de maladie ou encore d'accident.

Vérifiez que les sports à risques, comme la plongée, la moto ou la randonnée, ne sont pas exclus de votre contrat, de même que la location d'un véhicule, et le rapatriement médical d'urgence, en ambulance ou en avion, est couvert.

Vous pouvez contracter une assurance qui réglera directement les hôpitaux et les médecins, vous évitant ainsi d'avancer des sommes qui ne vous seront remboursées qu'à votre retour. La plupart des hôpitaux exigent néanmoins d'être payés avant l'admission (par vous ou votre assureur) et, dans de nombreux pays, les patients règlent les médecins en liquide. Dans ce cas, gardez tous les documents (rapports médicaux, factures, etc.) en vue du remboursement.

Certains contrats d'assurances vous demandent d'appeler (en PCV) un centre dans votre pays où l'on évaluera votre problème. Il est toujours sage d'informer sa compagnie d'assurances quand on consulte un médecin à l'étranger.

Avant de souscrire une police d'assurance, vérifiez bien que vous ne bénéficiez pas déjà d'une assistance par votre carte de crédit, votre mutuelle ou votre assurance-automobile. C'est bien souvent le cas.

#### Quelques conseils

Assurez-vous que vous êtes en bonne santé avant de partir. Si vous suivez un traitement de façon régulière, n'oubliez pas votre ordonnance (avec le nom du principe actif). Elle vous permettra de prouver que vos médicaments vous sont légalement prescrits, des médicaments en vente libre dans certains pays ne l'étant pas dans d'autres.

Attention aux dates limites d'utilisation et aux conditions de stockage, parfois mauvaises.

Dans la plupart des pays d'Asie du Sud-Est, à l'exception de Singapour, on peut acheter un grand nombre de médicaments sans ordonnance. Il peut cependant être difficile de trouver les derniers types d'antidépresseurs, de traitements contre l'hypertension ou de pilules contraceptives.

## VACCINS

Plus vous vous éloignez des circuits classiques, plus il faut prendre vos précautions. Faites inscrire vos vaccinations dans un carnet international de vaccination que vous pourrez vous procurer auprès de votre médecin ou d'un centre.

Planifiez vos vaccinations à l'avance, car certaines demandent des rappels ou sont incompatibles entre elles.

Vous pouvez obtenir la liste des centres de vaccination en France en vous connectant sur le site Internet www.diplomatie.gouv.fr/voyageurs, émanant du ministère des Affaires étrangères.



### Vaccins recommandés

L'Organisation mondiale de la santé (OMS) recommande les vaccins suivants pour les voyageurs à destination de l'Asie du Sud-Est :

**Diphtérie et tétanos**. Un rappel est nécessaire tous les 10 ans. Un nouveau type de vaccin agit aussi contre la coqueluche. Demandez à votre médecin ce qu'il en pense.

**Hépatite virale A**. Il existe un vaccin combiné hépatite A et B qui s'administre en 3 injections. La durée effective de ce vaccin ne sera pas connue avant quelques années.

**Hépatite virale B**. Voir ci-dessus.

**Rougeole, oreillons et rubéole**. Deux injections sont nécessaires si vous n'avez pas eu la maladie. Un rappel est nécessaire pour beaucoup de jeunes adultes.

**Poliomyélite**. Il n'y a pas eu de cas de poliomyélite en Thaïlande depuis de nombreuses années, un rappel n'est donc pas nécessaire. Sachez qu'un rappel effectué à l'âge adulte protège durant toute la vie.

**Typhoïde**. Recommandé si votre séjour dépasse une semaine et si vous voyagez hors des grandes villes.

**Varicelle**. Si vous n'avez pas eu cette maladie, demandez des informations sur ce vaccin à votre médecin.

Les vaccins ci-après sont recommandés aux personnes effectuant un séjour de plus d'un mois ou dans des conditions présentant des risques particuliers :

**Encéphalite japonaise B**. Les personnes les plus en danger sont celles qui doivent passer de longues périodes en zone rurale pendant la saison des pluies.

**Grippe**. Le vaccin est particulièrement recommandé aux voyageurs de plus de 55 ans et aux personnes présentant des pathologies chroniques comme le diabète ou une affection cardiaque. La grippe cependant s'attrape à tout âge et le vaccin est recommandé à tous.

**Méningite**. Fortement recommandé pour les voyageurs se rendant en zone d'infection pendant la saison épidémique.

**Rage**. Un rappel n'est pas nécessaire pour les voyageurs. Ceux qui sont exposés (par un travail auprès des animaux, etc.) demanderont à leur docteur s'ils ont besoin d'un rappel. Les effets secondaires sont rares – occasionnellement des maux de tête et un bras douloureux.

**Tuberculose**. Un sujet complexe. Parlez-en à votre médecin.

### Vaccins obligatoires

Seul le vaccin contre la fièvre jaune a un caractère obligatoire dans certaines conditions. Si vous avez visité une zone à

**DÉCALAGE HORAIRE**

Les malaises liés aux voyages en avion apparaissent généralement après la traversée de 3 fuseaux horaires. Plusieurs fonctions de notre organisme obéissent en effet à des cycles internes de 24 heures. Lorsque nous effectuons de longs parcours en avion, le corps met un certain temps à s'adapter à la "nouvelle" heure de notre lieu de destination – ce qui se traduit souvent par des sensations d'épuisement, de confusion, d'anxiété, accompagnées d'insomnie et de perte d'appétit. Ces symptômes disparaissent généralement au bout de quelques jours, mais on peut en atténuer les effets moyennant quelques précautions :

- Efforcez-vous de partir reposé.
- À bord, évitez les repas trop copieux et l'alcool. Mais veillez à boire beaucoup – des boissons non gazeuses, non alcoolisées.
- Portez des vêtements amples ; un masque oculaire et des bouchons d'oreille vous aideront peut-être à dormir.

risque (Afrique ou Amérique du Sud) dans les 6 jours précédant votre arrivée en Asie du Sud-Est, on vous demandera la preuve de votre vaccination.

## SANTÉ SUR INTERNET

Il existe de très bons sites Internet consacrés à la santé en voyage. Avant de partir, vous pouvez consulter les conseils en ligne du ministère des Affaires étrangères (www.diplomatie.gouv.fr/fr/conseils-aux-voyageurs_909/index.html) ou le site très complet du ministère de la Santé (www.sante.gouv.fr). Vous trouverez, d'autre part, plusieurs liens sur le site de Lonely Planet (www.lonelyplanet.fr), à la rubrique *Ressources.*

# PENDANT LE VOYAGE

## VOLS LONGS-COURRIERS

Les trajets en avion, principalement du fait d'une immobilité prolongée, peuvent favoriser la formation de caillots sanguins dans les jambes (phlébite ou thrombose veineuse profonde ou TVP). Le risque est d'autant plus élevé que le vol est plus long. Ces caillots se résorbent le plus souvent sans autre incident, mais il peut arriver qu'ils se rompent et migrent à travers les vaisseaux sanguins jusqu'aux poumons, risquant alors de provoquer de graves complications.

Généralement, le principal symptôme est un gonflement ou une douleur du pied, de la cheville ou du mollet d'un seul côté, mais pas toujours. La migration d'un caillot vers les poumons peut se traduire par une douleur à la poitrine et des difficultés respiratoires. Tout voyageur qui remarque l'un de ces symptômes doit aussitôt réclamer une assistance médicale.

En prévention, buvez en abondance des boissons non alcoolisées, évitez de fumer, faites jouer les muscles de vos jambes lorsque vous êtes assis et levez-vous de temps à autre pour marcher dans la cabine.

## MAL DES TRANSPORTS

Pour réduire les risques d'avoir le mal des transports, mangez légèrement avant et pendant le voyage. Si vous êtes sujet à ces malaises, essayez de trouver un siège dans une partie du véhicule où les oscillations sont moindres : près de l'aile dans un avion, au centre sur un bateau et dans un bus. Tout médicament doit être pris avant le départ ; une fois que vous vous sentez mal, il est trop tard.

# EN THAÏLANDE

## DISPONIBILITÉ ET COÛT DES SOINS

Bangkok est considérée par de nombreux pays d'Asie du Sud-Est (tels le Cambodge, le Laos et le Vietnam) comme la capitale de l'excellence médicale la plus proche. La ville dispose d'un nombre d'hôpitaux remarquables, certains dotés d'un personnel spécifique pour la communication avec les patients étrangers. Ils sont en général plus chers que les autres établissements mais en valent la peine car ils offrent un standard de soins supérieur. Ils peuvent aussi joindre plus aisément votre compagnie d'assurance. Vous trouverez la liste de tels hôpitaux dans la rubrique *Renseignements* de chaque ville. Comparé à la plupart des pays occidentaux, le coût des soins est relativement bon marché en Thaïlande, ce qui devrait vous encourager encore plus, si vous en avez besoin, à utiliser l'un de ces meilleurs hôpitaux.

En zone rurale, il est parfois difficile de trouver des services médicaux fiables. N'hésitez pas à contacter votre compagnie d'assurance ou votre ambassade.

À part pour des affections bénignes (diarrhée en particulier), l'autodiagnostic et l'autotraitement sont risqués ; aussi, chaque fois que cela est possible, adressez-vous à un médecin.

Il n'est pas recommandé d'acheter des médicaments sans ordonnance, car les contrefaçons et produits périmés sont malheureusement fréquents.

## PRÉCAUTIONS ÉLÉMENTAIRES

Faire attention à ce que l'on mange et à ce que l'on boit est la première des précautions à prendre. Les troubles gastriques et intestinaux sont fréquents, même si la plupart du temps ils restent sans gravité. Ne soyez cependant pas paranoïaque et ne vous privez pas de goûter la cuisine locale, cela fait partie du voyage. N'hésitez pas également à vous laver les mains fréquemment.

### Eau

Règle d'or : ne buvez jamais l'eau du robinet (même sous forme de glaçons). Préférez les eaux minérales et les boissons gazeuses,

**TROUSSE MÉDICALE DE VOYAGE**

Veillez à emporter avec vous une petite trousse à pharmacie (nous vous conseillons de la transporter en soute) contenant quelques produits indispensables. Certains ne sont délivrés que sur ordonnance médicale.

- des **antibiotiques**, à utiliser uniquement aux doses et aux périodes prescrites, même si vous avez l'impression d'être guéri avant. Chaque antibiotique soigne une affection précise : ne les utilisez pas au hasard. Cessez immédiatement le traitement en cas de réactions graves
- un **antidiarrhéique** et un **réhydratant**, en cas de forte diarrhée, surtout si vous voyagez avec des enfants
- un **antihistaminique** en cas de rhumes, allergies, piqûres d'insectes, mal des transports – évitez de boire de l'alcool
- un **antiseptique** ou un désinfectant pour les coupures, les égratignures superficielles et les brûlures, ainsi que des pansements gras pour les brûlures
- de l'**aspirine** ou du **paracétamol** (douleurs, fièvre)
- une **bande Velpeau** et des **pansements** pour les petites blessures
- une **paire de lunettes de secours** (si vous portez des lunettes ou des lentilles de contact) et la copie de votre ordonnance
- un **produit contre les moustiques**, un écran total, une pommade pour soigner les piqûres et les coupures et des comprimés pour stériliser l'eau
- une **paire de ciseaux** à bouts ronds, une **pince à épiler** et un **thermomètre à alcool**
- une petite trousse de **matériel stérile** comprenant une seringue, des aiguilles, du fil à suture, une lame de scalpel et des compresses
- des **préservatifs**

SANTÉ

tout en vous assurant que les bouteilles sont décapsulées devant vous. Évitez les jus de fruits, souvent allongés à l'eau. Attention au lait, rarement pasteurisé. Pas de problème pour le lait bouilli et les yaourts. Thé et café, en principe, sont sûrs, puisque l'eau doit bouillir.

Pour stériliser l'eau, la meilleure solution est de la faire bouillir durant 15 minutes. N'oubliez pas qu'à haute altitude elle bout à une température plus basse et que les germes ont plus de chance de survivre. Si vous ne pouvez faire bouillir l'eau, traitez-la chimiquement avec du Micropur (vendu en pharmacie).

Vous éviterez bien des problèmes de santé en vous lavant souvent les mains. Brossez-vous les dents avec de l'eau traitée.

## Problèmes de santé et traitement

L'autodiagnostic et l'autotraitement sont risqués ; aussi, chaque fois que cela est possible, adressez-vous à un médecin. Ambassades et consulats pourront en général vous en recommander un. Les hôtels cinq étoiles également, mais les honoraires risquent aussi d'être cinq étoiles.

# MALADIES INFECTIEUSES ET PARASITAIRES

## Dengue

Cette maladie transmise par les moustiques est un réel problème en Asie du Sud-Est, surtout dans les villes. Les îles du sud de la Thaïlande sont des zones à haut risque. Il n'existe pas de traitement prophylactique contre cette maladie propagée par les moustiques. Poussée de fièvre, maux de tête, douleurs articulaires et musculaires précèdent une éruption cutanée sur le tronc qui s'étend ensuite aux membres puis au visage. Au bout de quelques jours, la fièvre régresse, et la convalescence commence. Les complications graves sont rares. La dengue peut se développer en une forme très sévère et mortelle de fièvre hémorragique, très rarement observée chez les touristes. Ce risque augmente si vous avez déjà été infecté par la dengue et que vous êtes alors infecté par un sérotype différent.

### Dermatite vermineuse rampante

Ce parasite (ankylostome) transmis par les chiens est très fréquent sur les plages de Thaïlande. Il se forme d'abord un petit bouton, puis la zone infectée s'étend de manière linéaire. Les démangeaisons sont très fortes, surtout la nuit. Il ne faut pas ouvrir la lésion. Il est assez facile de se soigner en suivant un traitement adapté.

### Encéphalite japonaise

Les voyageurs sont rarement concernés, mais on estime que 50 000 individus sont touchés chaque année en Asie du Sud-Est. Cette maladie est transmise par les moustiques. Dans les zones rurales, le risque est plus grand, et on conseille aux personnes qui vont voyager plus d'un mois en dehors des villes, de se faire vacciner. Il n'existe pas de traitement, et, parmi les malades, un tiers décèdent et un tiers gardent des lésions cérébrales irréversibles. La Thaïlande est une zone à haut risque.

### Filariose

Ce sont des maladies parasitaires transmises par des piqûres d'insectes. Les symptômes varient en fonction de la filaire concernée : fièvre, ganglions et inflammation des zones de drainage lymphatique ; œdème (gonflement) au niveau d'un membre ou du visage ; démangeaisons et troubles visuels. Un traitement permet de se débarrasser des parasites, mais certains dommages causés sont parfois irréversibles. Si vous soupçonnez une possible infection, il vous faut rapidement consulter un médecin.

### Grippe

Présente toute l'année dans les tropiques, la grippe (*Myxovirus influenzae*) se manifeste par les symptômes suivants : forte fièvre, douleurs musculaires, nez qui coule, toux et mal de gorge. Elle peut être très sévère chez les plus de 65 ans ou les personnes présentant des pathologies chroniques (affections cardiaques, diabète) ; la vaccination est alors fortement recommandée. Mais tous les voyageurs devraient envisager de se faire vacciner contre la grippe, car c'est la maladie qui risque le plus de gâcher leurs vacances alors qu'elle peut être évitée. Si vous l'avez attrapée, pas de traitement spécifique, juste du repos et du paracétamol.

### Grippe aviaire

25 cas humains de grippe aviaire ont été déclarés par la Thaïlande à ce jour ; la plupart sont survenus en 2004. À l'heure où nous écrivons ces lignes, aucun cas n'avait encore été rapporté pour 2007.

Le risque pour les voyageurs de contracter la grippe aviaire est minime – la plupart des personnes thaïlandaises infectées avaient eu des contacts étroits avec des oiseaux malades ou morts.

Pour éviter la grippe aviaire, suivez les recommandations du CDC (Centre pour le contrôle et la prévention des maladies) et de l'OMS :

- Évitez tout contact direct avec les oiseaux domestiques et sauvages.
- Ne fréquentez pas les marchés de volailles vivantes, ni les élevages.
- Ne mangez que de la viande de poulet ou de canard bien cuite, de même pour les œufs.
- Lavez-vous les mains fréquemment avec un gel à base d'alcool.
- Consultez rapidement un médecin en cas de fièvre et de symptômes respiratoires (toux, mal de gorge, etc.) – surtout si vous avez couru un risque.

### Hépatite A

Le risque a diminué à Bangkok mais est toujours présent dans une grande partie du pays. La contamination est alimentaire. Il n'y a pas de traitement médical ; il faut simplement se reposer, boire beaucoup, manger légèrement en évitant les graisses et s'abstenir totalement de toute boisson alcoolisée pendant au moins six mois. L'hépatite A se transmet par l'eau, les coquillages et, d'une manière générale, tous les produits manipulés à mains nues. En faisant attention à la nourriture et à la boisson, vous préviendrez le virus. La maladie peut, dans de rares cas, être fatale chez des personnes de plus de 40 ans. Tous les voyageurs en Thaïlande devraient se faire vacciner contre l'hépatite A.

### Hépatite B

Dans certaines zones de Thaïlande, 20% de la population est contaminée par cette maladie. Elle se transmet par voie sexuelle ou sanguine (piqûre, transfusion). Évitez de vous faire percer les oreilles, tatouer, raser ou de vous faire soigner par piqûres si vous avez des doutes quant à l'hygiène des lieux. Les symptômes de l'hépatite B sont les mêmes que ceux de l'hépatite A. La vaccination est très efficace.

### Hépatite E

Similaire à l'hépatite A, elle se contracte de la même manière, généralement par l'eau. De forme bénigne, elle peut néanmoins être dangereuse pour les femmes enceintes. À l'heure actuelle, il n'existe pas de vaccin.

### Leptospirose

Cette maladie infectieuse, due à une bactérie (le leptospire) qui se développe dans les mares et les ruisseaux, se transmet par des animaux comme le rat et la mangouste.

On peut attraper cette maladie en se baignant dans des nappes d'eau douce, contaminées par de l'urine animale. La bactérie pénètre dans le corps humain par le nez, les yeux, la bouche ou les petites coupures cutanées. Les symptômes, similaires à ceux de la grippe, peuvent survenir 2 à 20 jours suivant la date d'exposition : fièvre, frissons, sudation, maux de tête, douleurs musculaires, vomissements et diarrhées en sont les plus courants. Du sang dans les urines ou une jaunisse peuvent apparaître dans les cas les plus sévères. Les symptômes durent habituellement quelques jours, voire quelques semaines. La maladie est rarement mortelle.

Évitez donc de nager et de vous baigner dans tout plan d'eau douce, notamment si vous avez des plaies ouvertes ou des coupures.

### Maladies sexuellement transmissibles

Les MST les plus courantes en Thaïlande sont la blennorragie, l'herpès, les mycoses, la syphilis et la chlamydia. Dans un premier temps, les personnes infectées ne développent pas de symptômes. Il est indispensable d'utiliser des préservatifs, mais ils ne sont pas suffisants pour se protéger de l'herpès ou des mycoses. Si vous avez des démangeaisons, pertes ou douleurs en urinant, consultez tout de suite un médecin. Si vous avez eu des relations sexuelles lors de votre séjour, il est prudent de faire des analyses médicales complètes à votre retour.

### Mélioïdose

Cette maladie se transmet par le contact de la peau avec la terre. Elle concerne rarement les voyageurs, mais dans certaines régions du nord de la Thaïlande, 30% de la population est touchée. Les symptômes sont les mêmes que pour la tuberculose. Il existe un traitement efficace, mais pas de vaccin.

### Paludisme

Le paludisme, ou malaria, est transmis par un moustique, l'anophèle, dont la femelle pique surtout la nuit, entre le coucher et le lever du soleil.

En Thaïlande, en particulier dans les villes et dans les grands complexes touristiques, le risque de paludisme est minime.

Le paludisme survient généralement dans le mois suivant le retour de la zone d'endémie. Symptômes : maux de tête, fièvre et troubles digestifs. Non traité, il peut avoir des suites graves, parfois mortelles.

Les médicaments antipaludéens n'empêchent pas la contamination, mais ils suppriment les symptômes de la maladie. Si vous voyagez dans des régions où la

#### LA PRÉVENTION ANTIPALUDIQUE

Hormis les traitements préventifs, la protection contre les piqûres de moustique est le premier moyen d'éviter d'être contaminé. Le soir, dès le coucher du soleil, couvrez vos bras et surtout vos chevilles, mettez de la crème antimoustique, car les moustiques sont en pleine activité. Ils sont parfois attirés par le parfum ou l'après-rasage.

En dehors du port de vêtements longs, l'utilisation d'insecticides (diffuseurs électriques, bombes insecticides, tortillons fumigènes) et/ou de répulsifs sur les parties découvertes du corps est à recommander. Les moustiquaires constituent en outre une protection efficace, à condition qu'elles soient imprégnées d'insecticide. De plus, ces moustiquaires sont radicales contre tout insecte à sang-froid (puces, punaises, etc.) et permettent d'éloigner serpents et scorpions.

Il existe désormais des moustiquaires pré-imprégnées synthétiques très légères (environ 350 g), que l'on peut trouver en pharmacie.

Notez enfin que, d'une manière générale, le risque de contamination est plus élevé en zone rurale et pendant la saison des pluies.

maladie est endémique, il faut absolument suivre un traitement préventif. Renseignez-vous impérativement auprès d'un médecin spécialisé.

Tout voyageur atteint de fièvre ou montrant les symptômes de la grippe doit se faire examiner.

### Rage
Très répandue, cette maladie est transmise par un animal contaminé : chien, singe et chat principalement. Morsures, griffures ou même simples coups de langue d'un mammifère doivent être nettoyés immédiatement et à fond. Frottez avec du savon et de l'eau courante, puis nettoyez avec de l'alcool. S'il y a le moindre risque que l'animal soit contaminé, allez immédiatement voir un médecin. Même si l'animal n'est pas enragé, toutes les morsures doivent être surveillées de près pour éviter les risques d'infection et de tétanos. Un vaccin antirabique est désormais disponible. Il faut y songer si vous pensez explorer des grottes (les morsures de chauves-souris peuvent être dangereuses) ou travailler avec des animaux. Cependant, la vaccination préventive ne dispense pas de la nécessité d'un traitement antirabique immédiatement après un contact avec un animal enragé ou dont le comportement peut paraître suspect.

### Rougeole
La bactérie qui est à l'origine de cette infection est très contagieuse (en particulier par la toux). La plupart des personnes de 40 ans sont immunisées, pour avoir contracté la maladie pendant l'enfance. Les premiers symptômes de la rougeole sont la fièvre et l'apparition de boutons. Des complications telles que pneumonie ou lésions cérébrales peuvent survenir. Il n'existe pas de traitement.

### Strongyloïdes
C'est un autre parasite qui se transmet au contact de la terre, mais qui touche rarement les voyageurs. Le ver, ou *larva currens,* se loge sous la peau et provoque une éruption de boutons, qui forment peu à peu une ligne et démangent beaucoup. Il n'y a généralement pas d'autres symptômes, sauf si le parasite n'est pas traité (il existe des médicaments adaptés), ce qui entraîne alors un affaiblissement du système immunitaire pouvant aller jusqu'à une infection plus grave.

### Tuberculose
Bien que très répandue dans de nombreux pays en développement, cette maladie ne présente pas de grand danger pour le voyageur. Les enfants de moins de 12 ans sont plus exposés que les adultes. Il est donc conseillé de les faire vacciner s'ils voyagent dans des régions où la maladie est endémique. La tuberculose se propage par la toux ou par des produits laitiers non pasteurisés faits avec du lait de vaches tuberculeuses. On peut boire du lait bouilli et manger yaourts ou fromages sans courir de risques.

### Typhoïde
La fièvre typhoïde est une infection du tube digestif. Mieux vaut être vacciné si vous passez plus d'une semaine en Thaïlande et voyagez hors des grandes villes, même si la vaccination n'est pas entièrement efficace, car l'infection est particulièrement dangereuse.

### Rickettsioses
Les rickettsioses sont des maladies transmises soit par des acariens (dont les tiques), soit par des poux. La plus connue est le typhus. Elle commence comme un mauvais rhume, suivi de fièvre, de frissons, de migraines, de douleurs musculaires et d'une éruption cutanée. Une plaie douloureuse se forme autour de la piqûre et les ganglions lymphatiques voisins sont enflés et douloureux.

Le typhus des broussailles est transmis par des acariens. On le rencontre principalement en Asie et dans les îles du Pacifique. Soyez prudent si vous faites de la randonnée dans des zones rurales d'Asie du Sud-Est.

### VIH/sida
La transmission de cette infection se fait : par rapport sexuel (hétérosexuel ou homosexuel – anal, vaginal ou oral), d'où l'impérieuse nécessité d'utiliser des préservatifs à titre préventif ; par le sang, les produits sanguins et les aiguilles contaminées. Il faut éviter tout échange d'aiguilles. S'ils ne sont pas stérilisés, tous les instruments de chirurgie, les aiguilles d'acupuncture et de tatouage, les instruments utilisés pour percer les oreilles ou le nez peuvent transmettre l'infection. Il est fortement conseillé d'acheter seringues et aiguilles avant de partir.

En Thaïlande, le sida est aujourd'hui l'une des principales causes de décès chez les moins de 50 ans. Les relations hétérosexuelles représentent désormais la plus grande proportion de contaminations.

### Turista

Le changement de nourriture, d'eau ou de climat suffit à la provoquer ; si elle est causée par des aliments ou de l'eau contaminés, le problème est plus grave. En dépit de toutes vos précautions, vous aurez peut-être la "turista", mais quelques visites aux toilettes sans autre symptôme n'ont rien d'alarmant. Il est recommandé d'emporter un antidiarrhéique. La déshydratation est le danger principal lié à toute diarrhée. Aussi le premier traitement consistera-t-il à boire beaucoup. Quand vous irez mieux, continuez à manger légèrement. Lorsque la diarrhée persiste au-delà de 48 heures ou qu'il y a présence de sang dans les selles, il est préférable de consulter un médecin.

### Dysenterie

Affection grave, due à des aliments ou de l'eau contaminés, la dysenterie se manifeste par une violente diarrhée, souvent accompagnée de sang ou de mucus dans les selles. Une analyse des selles est indispensable pour diagnostiquer le type de dysenterie. Il faut donc consulter rapidement. Cette affection touche rarement les voyageurs.

### Giardiase

Ce parasite intestinal est présent dans l'eau souillée ou dans les aliments souillés par l'eau. Symptômes : crampes d'estomac, nausées, estomac ballonné, selles très liquides et nauséabondes, et gaz fréquents. La giardiase peut n'apparaître que plusieurs semaines après la contamination. Les symptômes peuvent disparaître pendant quelques jours puis réapparaître, et cela pendant plusieurs semaines.

## AFFECTIONS LIÉES À L'ENVIRONNEMENT

### Alimentation

C'est en mangeant dans les restaurants que vous risquez le plus d'attraper la turista. Une façon d'y échapper est de ne consommer que de la nourriture fraîchement cuisinée, en aucun cas des mets traînant sur un buffet, et d'éviter les coquillages. Pelez tous les fruits, cuisez les légumes et faites tremper les salades au moins 20 minutes dans une solution iodée. Enfin, mangez dans des restaurants très fréquentés.

### Coup de chaleur

Presque partout en Thaïlande, il fait chaud et humide toute l'année. Dans bien des cas, il faut au moins 2 semaines pour s'acclimater.

De longues périodes d'exposition à des températures élevées peuvent vous rendre vulnérable au coup de chaleur. Cet état grave survient quand le mécanisme de régulation thermique du corps ne fonctionne plus : la température s'élève alors de façon dangereuse. Évitez l'alcool et les activités fatigantes lorsque vous arrivez dans un pays à climat chaud.

Symptômes : malaise général, transpiration faible ou inexistante et forte fièvre (39 à 41°C) et céphalée lancinante, difficultés à coordonner ses mouvements, signes de confusion mentale ou d'agressivité. Il faut absolument hospitaliser le malade. En attendant les secours, installez-le à l'ombre, ôtez-lui ses vêtements, couvrez-le d'un drap ou d'une serviette mouillés et éventez-le continuellement.

### Piqûres et morsures

Les blessures s'infectent très facilement dans les climats chauds et cicatrisent difficilement. Coupures et égratignures doivent être traitées avec un antiseptique et du désinfectant cutané. Évitez si possible bandages et pansements, qui empêchent la plaie de sécher.

Les coupures de corail sont particulièrement longues à cicatriser, car le corail injecte un venin léger dans la plaie. Portez des chaussures pour marcher sur des récifs, et nettoyez chaque blessure à fond.

La plupart des méduses d'Asie du Sud-Est ne sont pas dangereuses, mais sont parfois urticantes (voir l'encadré p. 799).

Les punaises affectionnent la literie douteuse. Si vous repérez de petites taches de sang sur les draps ou les murs autour du lit, cherchez un autre hôtel. Les piqûres de punaises forment des alignements réguliers. Une pommade calmante apaisera la démangeaison.

### Plongée

Avant le départ, plongeurs et surfeurs consulteront un docteur qui leur conseillera, en plus des médicaments indispensables à un tel voyage, les traitements spécifiques

## PIQÛRES DE MÉDUSES

Il est difficile d'obtenir des statistiques précises sur les accidents sérieux ou mortels causés par les piqûres de méduses en Thaïlande. On sait cependant que 10 touristes en sont morts au cours de ces 20 dernières années. Sachez aussi qu'entre décembre 2007 et mai 2008, 9 accidents graves ont eu lieu sur 4 plages touristiques différentes (Ko Tao, Ko Samet, Ko Lanta et Pattaya), qui ont causé la mort d'une personne.

Toutes les méduses boîtes (*box jellyfish*) ne sont pas dangereuses ; leurs piqûres peuvent être sans risque (causant juste une douleur anodine) ou aller jusqu'à la mort. Par principe cependant, il vaut mieux considérer qu'elles sont toutes dangereuses, jusqu'à preuve du contraire. Il existe 2 espèces principales de méduse boîte : l'une à plusieurs tentacules, l'autre à tentacule unique.

Les méduses boîtes multi tentaculaires, les plus dangereuses, sont présentes dans les eaux thaïlandaises. En 2 minutes, elles peuvent causer la mort d'un adulte si la piqûre est sévère. On les trouve généralement sur les plages sablonneuses près des estuaires et de la mangrove, plutôt pendant les mois les plus chauds, ce qui n'exclut pas qu'elles peuvent être présentes à n'importe quel autre moment de l'année.

Les méduses boîtes uni tentaculaires englobent différents genres, certaines causant des symptômes sévères comme le syndrome d'Irukandji. La piqûre peut passer pour anodine, avant que 5 à 40 minutes après, apparaissent des douleurs insoutenables : mal de dos, nausées, vomissements, suées et difficultés respiratoires. Ce syndrome a parfois causé la mort de certaines victimes en provoquant une poussée de tension artérielle entraînant une crise cardiaque.

Il existe beaucoup d'autres espèces de méduses en Thaïlande qui causent des piqûres urticantes, mais sans effets plus graves. Le seul moyen de se protéger des piqûres est de mettre une barrière entre l'homme et la méduse, le plus efficace étant un vêtement protecteur. Dans les eaux tropicales australiennes, par exemple, il est recommandé de porter un "*stinger suit*", une combinaison en lycra recouvrant tout le corps. Sur les plages, les filets contre les dangereuses méduses multi tentaculaires sont également efficaces, malheureusement pas encore employés en Thaïlande.

### Premiers soins en cas de piqûre sérieuse

En cas de piqûre grave, la priorité est de garder la personne en vie. Restez avec elle et envoyez quelqu'un chercher une aide médicale. Si la victime est inconsciente, commencez immédiatement le bouche-à-bouche et le massage cardiaque. Si elle est consciente, versez du vinaigre à l'endroit de la piqûre – du vinaigre alimentaire suffit – pendant 30 secondes. Puis conduisez-la immédiatement chez un docteur, en s'assurant qu'elle reste consciente. Dans le cas d'une piqûre infligée par une méduse uni tentaculaire, versez de la même façon du vinaigre : la rapidité de ce geste est primordiale. Il faut cependant toujours rechercher une aide médicale le plus vite possible au cas où d'autres symptômes se développent dans les 40 minutes qui suivent.

L'Australie et la Thaïlande collaborent aujourd'hui à l'identification des espèces de méduses peuplant les eaux thaïlandaises et étudient leur mode de vie, ce qui donne bon espoir de pouvoir un jour mieux les détecter dans les endroits qu'elles affectionnent.

*Merci au Dr Peter Fenner pour les informations qu'il nous a fournies pour cet encadré.*

à mettre dans leur trousse à pharmacie pour soigner les coupures de coraux et les infections tropicales des oreilles.

Les plongeurs ont également tout intérêt à vérifier qu'ils sont bien couverts par leur assurance contre les accidents de décompression ; ils pourront contracter une assurance spéciale plongée par le biais d'une organisation comme le **Divers Alert Network** (DAN ; www.danseap.org). Avant le départ, passez un examen médical afin d'être sûr que vous n'êtes sujet à aucune contre-indication à la pratique de cette activité. En Thaïlande, certains organisateurs de plongée font trop souvent passer les considérations économiques avant la santé.

## Pollution atmosphérique

Bien qu'à Bangkok la circulation soit épouvantable, la bonne nouvelle est que l'essence utilisée est en général sans plomb. La pollution atmosphérique peut cependant s'avérer un problème si vous souffrez d'une affection respiratoire sérieuse ; consultez alors votre médecin avant de partir. La pollution peut aussi provoquer des troubles respiratoires mineurs tels que sinusite, irritation de la gorge ou des yeux. Si ces effets vous affectent, partez quelques jours respirer l'air frais de la campagne.

### Serpents

En Thaïlande, on a identifié plus de 175 espèces de serpents, dont 85 venimeuses, à des degrés divers. Dans la majorité des cas, ce sont des serpents de la famille des vipères, du krait (ou bongare) et du cobra qui sont responsables des morsures les plus dangereuses. Partez du principe que tout serpent est potentiellement venimeux, et n'essayez jamais d'en attraper un. Portez des bottes, des chaussettes et des pantalons longs lorsque vous vous déplacez à pied dans des zones couvertes de végétation à risque. Ne hasardez pas la main dans les trous et les anfractuosités, et faites attention lorsque vous ramassez du bois pour faire du feu. Les morsures de serpent ne provoquent pas instantanément la mort, et il existe généralement des antivenins. Il faut calmer la victime, lui interdire de bouger, bander étroitement le membre comme pour une foulure et l'immobiliser avec une attelle. Trouvez ensuite un médecin, et essayez de lui apporter le serpent mort. N'essayez en aucun cas d'attraper le serpent s'il y a le moindre risque qu'il pique à nouveau. On sait désormais qu'il ne faut absolument pas sucer le venin ou poser un garrot.

La Croix-Rouge thaïlandaise produit de l'antivenin agissant contre un grand nombre de serpents du pays. L'antivenin n'est pas administré automatiquement : l'hôpital jugera de la sévérité de l'empoisonnement. Les morsures de serpents sont rares chez les voyageurs.

### Vers, parasites et sangsues

Les habitants d'Asie du Sud-Est sont souvent touchés par un certain nombre de parasites, mais les voyageurs sont rarement affectés. Deux règles à respecter : ne pas marcher pieds nus et éviter de manger des aliments crus, surtout le poisson, le porc et les légumes.

Un certain nombre de parasites, dont les strongyloïdes, les ankylostomes et la *larva migrans* cutanée, se transmettent via la peau au contact des pieds nus sur le sol.

Les sangsues, présentes dans les régions de forêts humides, se collent à la peau et sucent le sang. Les randonneurs en retrouvent souvent sur leurs jambes ou dans leurs bottes. Du sel ou le contact d'une cigarette allumée les feront tomber. Ne les arrachez pas, car la morsure s'infecterait plus facilement. Une crème répulsive peut les maintenir éloignées. Utilisez de l'alcool, de l'éther, de la vaseline ou de l'huile pour vous en débarrasser.

Vérifiez toujours que vous n'avez pas attrapé de tiques dans une région infestée : elles peuvent transmettre le typhus.

## SANTÉ AU FÉMININ

Dans les agglomérations urbaines, vous n'aurez pas de problèmes pour trouver des protections hygiéniques, mais il est conseillé d'emporter avec vous votre mode de contraception.

### Grossesse

La plupart des fausses couches ont lieu pendant les 3 premiers mois de la grossesse. C'est donc la période la plus risquée pour voyager. Pendant les 3 derniers mois, il vaut mieux rester à distance raisonnable de bonnes infrastructures médicales, en cas de problèmes. Les femmes enceintes doivent éviter de prendre inutilement des médicaments. Cependant, certains vaccins et traitements préventifs contre le paludisme restent nécessaires. Mieux vaut consulter un médecin avant de prendre quoi que ce soit.

Pensez à consommer des produits locaux, comme les fruits secs, les agrumes, les lentilles et les viandes accompagnées de légumes.

### Problèmes gynécologiques

Une nourriture pauvre, une résistance amoindrie par l'utilisation d'antibiotiques contre des problèmes intestinaux peuvent favoriser les infections vaginales lorsqu'on voyage dans des pays à climat chaud. Respectez une hygiène intime scrupuleuse, et portez jupes ou pantalons amples et sous-vêtements en coton.

Les champignons, caractérisés par une éruption cutanée, des démangeaisons et des pertes, peuvent se soigner facilement. En revanche, les trichomonas sont plus graves ; pertes blanches et sensation de brûlure lors de la miction en sont les symptômes. Le partenaire masculin doit également être soigné.

Il n'est pas rare que le cycle menstruel soit perturbé lors d'un voyage.

## VOYAGER AVEC DES ENFANTS

La Thaïlande est un pays merveilleux pour voyager avec des enfants. Du point de vue de la santé, si vous ne sortez pas trop des sentiers battus, ils courent relativement peu de risques. Avant de partir, il est conseillé de consulter un docteur spécialisé dans la médecine du voyage afin de vous assurer que votre enfant est en bonne santé. N'oubliez pas que les enfants ne sont pas des adultes en miniature et qu'il est donc important d'emporter une trousse médicale qui leur est spécifiquement destinée. Elle contiendra du paracétamol (en doses pour enfants), du sirop contre la fièvre, un antihistaminique, de la crème contre les démangeaisons, des produits pour les premiers soins en cas de blessure, une crème contre l'érythème fessier du bébé, et une bonne quantité d'écrans solaires et de produits anti-insectes adaptés à chaque âge. Il est sage d'avoir sous la main un antibiotique général (que votre médecin aura prescrit). En ayant pensé à votre trousse médicale, vous éviterez d'avoir recours à des médicaments non efficaces ou potentiellement dangereux.

# Langue

## SOMMAIRE



Connaître des rudiments de thaï est indispensable pour voyager dans le pays, et mieux vous pratiquerez la langue, plus vous vous rapprocherez de la population et de sa culture. Vos premières tentatives n'auront sans doute qu'un succès mitigé, mais ne vous découragez pas. Écoutez attentivement les différentes tonalités et ne vous vexez pas des rires que susciteront vos efforts : ils traduisent surtout leurs encouragements. Allez à la rencontre des lycéens et des étudiants thaïlandais, souvent désireux d'échanger quelques mots avec les étrangers. Ils connaissent en général un peu d'anglais, ce qui rend la conversation moins difficile qu'avec les commerçants ou les fonctionnaires, et vous apprendront quelques expressions en thaï.



## DIALECTES

Le dialecte pratiqué dans le centre du pays est devenu la langue officielle de tous les groupes ethniques thaïs ou non thaïs du royaume.

Tous les dialectes thaïs font partie de la famille linguistique thaï-kadai. Ils sont proches des langues parlées au Laos (lao, thaï du Nord, thaï lü), dans le nord du Myanmar (chan, thaï du Nord), dans le nord-ouest du Vietnam (nung, tho), dans l'Assam (ahom), e, Indes et dans certaines parties du sud de la Chine (zhuang, thaï lü). Les linguistes modernes distinguent 4 principaux dialectes en Thaïlande : le thaï du Centre (premier dialecte dans le centre du pays, et second dans toute la Thaïlande) ; le thaï du Nord (parlé dans la province de Tak, au nord, à la frontière du Myanmar) ; le thaï du Nord-Est (parlé dans les provinces du Nord-Est frontalières du Laos et du Cambodge) ; le thaï du Sud (pratiqué dans la province de Chumphon, au sud, à la frontière malaise). À cela s'ajoutent des dialectes parlés par des minorités, comme les Phu Thaï, les Thaï Dam, les Thaï Daeng, les Phu Noi, les Phuan et d'autres groupes qui, pour la plupart, vivent dans le nord et le nord-est du pays.

## NIVEAUX DE LANGUE

Il existe en thaï, comme dans la plupart des langues, une distinction entre le langage courant et les termes plus polis ; ainsi, *tahn* est plus correct que *gin* (manger), et *sĕe-sà* plus formel que *hŏo·a* (tête). Pour éviter tout impair, optez pour l'expression polie.

## ÉCRITURE

L'écriture thaïe, bien plus récente que la langue parlée, comprend 44 consonnes (mais seulement 21 sons distincts) et 48 voyelles ou diphtongues (32 signes distincts). Si l'apprentissage de l'alphabet ne présente pas de difficulté, le système d'écriture se révèle assez complexe ; à moins d'envisager un long séjour, mieux vaut se contenter d'apprendre à parler. Dans cet ouvrage, les noms des principaux sites et des éléments liés à la nourriture sont indiqués en lettres thaïes et en transcription, ce qui vous permettra de "lire" à quelqu'un votre destination ou le nom d'un plat ou les lui montrer.

## TONS

En thaï, la signification d'une simple syllabe peut changer selon le ton. Le thaï du Centre en comprend cinq : le ton grave, le ton médian, le ton descendant, le ton aigu et le ton ascendant. Ainsi, selon le ton, la syllabe *mai* peut signifier "nouveau", "brûler", "bois", "n'est-ce pas ?" ou "pas" ; la phrase *mǎi mài mâi mâi mǎi* ("le bois vert ne brûle pas, n'est-ce pas ?") donne une idée de l'importance des tons dans la langue parlée. Cela constitue la principale difficulté, surtout si l'on n'a pas l'habitude des langues tonales. Même lorsqu'on maîtrise les tons, notre tendance à moduler la voix pour exprimer l'émotion, l'interrogation ou pour souligner un point du discours tend à perturber la tonalité. La première règle pour parler thaï est donc de supprimer toute émotion du discours, au moins jusqu'à ce qu'on ait appris à l'exprimer sans changer la valeur tonale essentielle.

Le tableau ci-dessous représente les différentes valeurs tonales :

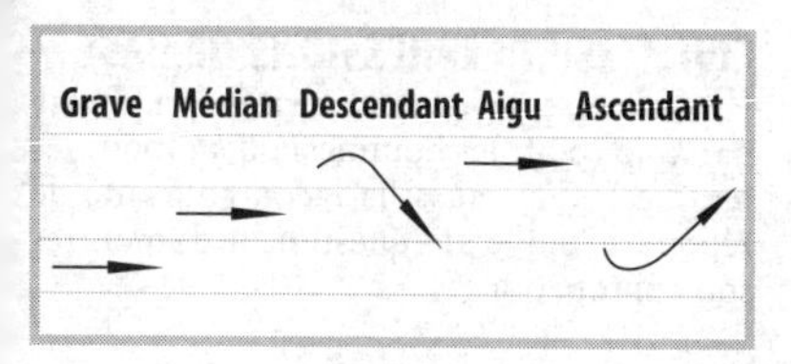


La liste ci-dessous offre une brève explication du système des tons. Le seul moyen de comprendre la différence est d'écouter les Thaïlandais ou les étrangers qui parlent parfaitement le thaï. La hauteur de chaque ton dépend du registre de la voix ; il n'y a pas de "diapason" fixe, intrinsèque à la langue.

**Ton grave** – "uniforme", comme le ton moyen, mais prononcé dans les graves du spectre vocal, sans inflexion. Ex. : *bàht* (la monnaie thaïlandaise).

**Ton médian** – "uniforme", comme le ton grave, mais prononcé dans le registre moyen du spectre vocal. Ex. : *di* (bon) ; sans indication de ton.

**Ton descendant** – la voix démarre très haut et retombe brusquement comme si l'on accentuait le mot ou que l'on appelait quelqu'un de loin. Ex. : *mâi* (non/pas).

**Ton aigu** – le plus difficile pour les étrangers. Se prononce d'une voix de tête, aussi uniformément que possible. Ex. : *máh* (cheval).

**Ton ascendant** – ressemble à l'inflexion de la voix quand on demande "Ah oui ?" Ex. : *sǎam* (trois).

## PRONONCIATION

Voici un aperçu du système phonétique utilisé dans ce chapitre (et dans l'ensemble du guide pour les transcriptions du thaïlandais). Les points indiquent des pauses à l'intérieur d'un mot ou dans les voyelles composées.

### Consonnes

La majorité des consonnes se prononcent comme en français, sauf les exceptions suivantes :

**g** comme le "g" de "go"
**ɓ** un "p" dur, proche du "b", qui ressemble au son que vous faites quand vous prononcez l'anglais "hi**p-b**ag"
**đ** un "t" dur, comme un "d" aigu, comme quand vous dites l'anglais "mi**d-t**one"
**k** comme le "k" de "képi"
**p** comme le "p" de "papa"
**t** comme le "t" de "tapis"

### Voyelles

**i** comme le "i" de "vite"
**i** "i" long comme dans "cime"
**ai** comme le "ai" de "ail"
**ah** "a" long comme dans "pâte"
**a** "a" court comme dans "patte"
**aa** doubler la longueur du "a"
**e** é court comme dans "nez"
**air** é long comme dans "fée"
**eu** comme le "eu" de "peur"
**u** comme le "ou" de "mou"
**oo** "ou" long
**ow** comme "a-o"
**or** comme "or" sans le r final
**o** comme le "o" de "note"
**oh** "o" long comme dans "drôle"
**eu·a** combinaison de "eu" et "a"
**i·a** comme "y a" dans "il y a"
**ou·a** comme le "our" de "tour"
**ou·ay** comme dans "ouaille"
**ew** comme "i-ou"
**i·o** comme "io" dans "Rio"
**aa·ou** comme le "a" de "pâte" suivi d'un "ou" court
**eh·ou** comme un "é" suivi d'un "ou" court
**oy** comme "oille"

## TRANSLITTÉRATION

Transcrire le thaï dans notre alphabet pose des problèmes sans fin – aucun système n'offre à la fois fidélité au texte et lecture facile. L'État utilise le Royal Thai General System pour les documents officiels en anglais et la plupart des panneaux routiers. Toutefois, aux défauts du système officiel s'ajoutent d'innombrables variantes sur les enseignes des hôtels, les plaques des rues et les cartes des restaurants.

En règle générale, les noms propres qui figurent dans ce guide suivent l'usage le plus courant ou reprend le nom tel qu'il est donné en alphabet latin. Lorsque la transcription diffère de la prononciation, cette dernière est indiquée entre parenthèses. En l'absence de modèle existant, les noms sont transcrits phonétiquement.

## HÉBERGEMENT

| | | |
|---|---|---|
| **Je cherche un/une...** | ผม/ดิฉัน กำลังหา... | *pŏm/dì·chăn gam·lang hăh...* |
| **pension** | บ้านพัก/ เกสต์เฮาส์ | *bâhn pák/ gèt hów* (chambre d'hôte) |
| **hôtel** | โรงแรม | *rohng raam* |
| **auberge de jeunesse** | บ้าน เยาวชน | *bâhn yow·wá·chon* |

**Où puis-je trouver un hôtel bon marché ?**
โรงแรมที่ราคาถูกอยู่ที่ไหน
*rohng raam têe rah·kah tòok yòo têe năi*

**Quelle est l'adresse ?**
ที่อยู่คืออะไร
*têe yòo keu à·rai*

**Pourriez-vous écrire l'adresse ?**
เขียนที่อยู่ให้ได้ไหม
*kěe·an têe yòo hâi dâi măi*

**Avez-vous une chambre libre ?**
มีห้องว่างไหม
*mi hôrng wâhng măi*

| | | |
|---|---|---|
| **Je voudrais un/une...** | อยากได้... | *yàhk dâi...* |
| **lit** | เตียงนอน | *đi·ang norn* |
| **chambre simple** | ห้องเดี่ยว | *hôrng dèe·o* |
| **chambre double** | ห้องคู่ | *hôrng kôo* |
| **chambre à 2 lits** | ห้องที่มีเตียง สองตัว | *hôrng têe mi đi·ang sŏrng đou·a* |
| **chambre avec salle de bains** | ห้องที่มีห้องน้ำ | *hôrng têe mi hôrng nám* |
| **chambre ordinaire (avec ventil)** | ห้องธรรมดา (มีพัดลม) | *hôrng tam·má·dah (mi pát lom)* |
| **un lit en dortoir** | พักในหอพัก | *pák nai hŏr pák* |

| | | |
|---|---|---|
| **Combien est-ce... ?** | ...เท่าไร? | *... tôw rai* |
| **par nuit** | คืนละ | *keun lá* |
| **par personne** | คนละ | *kon lá* |

**Puis-je voir la chambre ?**
ดูห้องได้ไหม
*dou hôrng dâi măi*

**Où est la salle de bains ?**
ห้องน้ำอยู่ที่ไหน
*hôrng nám yòo têe năi*

**Je pars/nous partons aujourd'hui.**
ฉัน/พวกเราจะออกวันนี้
*chăn/pôo·ak row jà òrk wan née*

| | | |
|---|---|---|
| **toilettes** | ห้องส้วม/ ห้องน้ำ | *hôrng sôo·am/ hôrng nám* |
| **chambre** | ห้อง | *hôrng* |
| **chaud** | ร้อน | *rórn* |
| **froid** | เย็น | *yen* |
| **bain/douche** | อาบน้ำ | *àhp nám* |
| **serviette** | ผ้าเช็ดตัว | *pâh chét đou·a* |

## CIVILITÉS ET EXPRESSIONS DE BASE

Par politesse, le locuteur termine sa phrase par *kráp* (pour les hommes) ou *kâ* (pour les femmes). C'est aussi la façon courante de répondre "oui" à une question ou de montrer son approbation.

| | | |
|---|---|---|
| **Bonjour** | สวัสดี (ครับ/ค่ะ) | *sà·wàt·di (kráp/kâ)* |
| **Au revoir** | ลาก่อน | *lah gòrn* |
| **Oui** | ใช่ | *châi* |
| **Non** | ไม่ใช่ | *mâi châi* |
| **S'il vous plaît** | ขอ | *kŏr* |
| **Merci** | ขอบคุณ | *kòrp kun* |
| **De rien** (Je vous en prie) | ไม่เป็นไร/ ยินดี | *mâi ben rai/ yin·di* |
| **Excusez-moi** | ขออภัย | *kŏr à·pai* |
| **Désolé(e)** | ขอโทษ | *kŏr tôht* |
| **Je viens de...** | มาจาก... | *mah jàhk...* |
| **J'aime...** | ชอบ... | *chôrp...* |
| **Je n'aime pas...** | ไม่ชอบ... | *mâi chôrp...* |
| **Une minute** | รอเดี๋ยว | *ror dĕe·o* |
| **Je/moi** (hommes) | ผม | *pŏm* |
| **Je/moi** (femmes) | ดิฉัน | *dì·chăn* |
| **Je/moi** (familier, hommes/femmes) | ฉัน | *chăn* |
| **Vous** (pour les supérieurs) | คุณ | *kun* |

**Comment allez-vous ?**
สบายดีหรือ? *sà·bai di rĕu*

**Je vais bien, merci**
สบายดี *sà·bai di*

**Quel est votre nom ?**
คุณชื่ออะไร? *kun chêu à·rai*

**Je m'appelle...**
ผมชื่อ... *pŏm chêu...* (hommes)
ดิฉันชื่อ... *dì·chăn chêu...* (femmes)

LANGUE

**D'où venez-vous ?**
มาจากที่ไหน *mah jàhk têe năi*
**À bientôt**
เดี๋ยวเจอกันนะ *dĕe·o jeu gan ná*
**Avez-vous... ?**
มี...ไหม/...มีไหม? *mi... măi/... mi măi*

**(Je) voudrais...** (+ verbe)
อยากจะ... *yàhk jà...*
**(Je) voudrais...** (+ nom)
อยากได้... *yàhk dâi...*

## CIRCULER

**Où se trouve... ?**
...อยู่ที่ไหน? *... yòo têe năi*
**(Allez) tout droit**
ตรงไป *đrong bai*
**Tournez à gauche**
เลี้ยวซ้าย *lée·o sái*
**Tournez à droite**
เลี้ยวขวา *lée·o kwăh*
**à l'angle**
ตรงมุม *đrong mum*
**aux feux de signalisation**
ตรงไฟแดง *đrong fai daang*

| | | |
|---|---|---|
| **derrière** | ข้างหลัง | *kâhng lăng* |
| **devant** | ตรงหน้า | *đrong nâh* |
| **loin** | ไกล | *glai* |
| **près** | ใกล้ | *glâi* |
| **non loin** | ไม่ไกล | *mâi glai* |
| **en face** | ตรงข้าม | *đrong kâhm* |
| **à gauche** | ซ้าย | *sái* |
| **à droite** | ขวา | *kwăh* |
| **plage** | ชายหาด | *chai hàht* |
| **pont** | สะพาน | *sà·pahn* |
| **canal** | คลอง | *klorng* |
| **campagne** | ชนบท | *chon·ná·bòt* |
| **colline** | เขา | *kŏw* |
| **île** | เกาะ | *gò* |
| **lac** | ทะเลสาบ | *tá·leh sàhp* |
| **montagne** | ภูเขา | *pou kŏw* |
| **rizière** | (ทุ่ง) นา | *(tûng) nah* |
| **palais** | วัง | *wang* |
| **étang** | หนอง/บึง | *nŏrng/beung* |
| **rivière** | แม่น้ำ | *mâa nám* |
| **mer** | ทะเล | *tá·lair* |
| **temple** | วัด | *wát* |
| **ville** | เมือง | *meu·ang* |
| **piste** | ทาง | *tahng* |
| **village** | (หมู่) บ้าน | *(mòo) bâhn* |
| **cascade** | น้ำตก | *nám đòk* |

### URGENCES

**Il y a eu un accident**
มีอุบัติเหตุ *mi ù·bàt·đì·hèt*
**Je suis perdu**
ฉันหลงทาง *chăn lŏng tahng*
**Au secours !**
ช่วยด้วย *chôo·ay dôo·ay*

| | | |
|---|---|---|
| **Allez-vous en !** | ไปซิ | *bai sí* |
| **Stop !** | หยุด | *yùt !* |
| **Appelez... !** | เรียก... หน่อย | *rêe·ak... nòy* |
| **un médecin** | หมอ | *mŏr* |
| **la police** | ตำรวจ | *đam·ròo·at* |

## SANTÉ

**J'ai besoin d'un (médecin)**
ต้องการ(หมอ) *đôrng gahn (mŏr)*
**dentiste**
หมอฟัน *mŏr fan*
**hôpital**
โรงพยาบาล *rohng pá·yah·bahn*
**pharmacie**
ร้านขายยา *ráhn kăi yah*
**Je suis malade**
ฉันป่วย *chăn bòo·ay*
**J'ai mal à cet endroit**
เจ็บตรงนี้ *jèp đrong née*
**Je suis enceinte**
ตั้งครรภ์แล้ว *đâng kan láa·ou*
**J'ai la nausée**
รู้สึกคลื่นไส้ *róo·sèuk klêun sâi*
**J'ai de la fièvre**
เป็นไข้ *ben kâi*
**J'ai la diarrhée**
ท้องเสีย *tórng sĕe·a*

**Je suis...**
ผม/ดิฉัน... *pŏm/dì·chăn...*
**asthmatique**
เป็นโรคหืด *ben rôhk hèut*
**diabétique**
เป็นโรคเบาหวาน *ben rôhk bow wăhn*
**épileptique**
เป็นโรคลมบ้าหมู *ben rôhk lom bâh mŏo*

**Je suis allergique...**
ผม/ดิฉันแพ้... *pŏm/dì·chăn páa...*
**aux antibiotiques**
ยาปฏิชีวนะ *yah bà·đì·chi·wá·ná*
**à l'aspirine**
ยาแอสไพริน *yah àat·sà·pai·rin*

LANGUE

**aux abeilles**
ตัวผึ้ง *đoo·a pêung*
**aux cacahuètes**
ถั่วลิสง *tòo·a lí·sŏng*
**à la pénicilline**
ยาเพนิซิลลิน *yah pair·ní·sin·lin*

**antiseptique**
ยาฆ่าเชื้อ *yah kâh chéu·a*
**aspirine**
ยาแอสไพริน *yah àat·sà·pai·rin*
**préservatif**
ถุงยางอนามัย *tŭng yahng a·nah·mai*
**contraceptif**
การคุมกำเนิด *gahn kum gam·nèut*
**médicament**
ยา *yah*
**serpentin antimoustique**
ยากันยุงแบบจุด *yah gan yung bàap jùt*
**produit antimoustique**
ยากันยุง *yah gan yung*
**analgésique**
ยาแก้ปวด *yah gâa ɓòo·at*
**crème solaire**
ครีมกันแดด *krim gan dàat*
**tampons**
แทมพอน *taam·porn*

## PROBLÈMES DE COMMUNICATION

**Parlez-vous anglais ?**
คุณพูดภาษาอังกฤษได้ไหม
*kun pôot pah·săh ang·grìt dâi măi*
**Quelqu'un parle-t-il anglais ?**
ที่นี่มีใครพูดภาษาอังกฤษได้ไหม
*têe née mi krai pôot pah·săh ang·grìt dâi măi*
**Comment dit-on ... en thaï ?**
...ว่าอย่างไรภาษาไทย
*... wâh yàhng rai pah·săh tai*
**Comment appelez-vous ceci en thaï ?**
นี่ภาษาไทยเรียกว่าอะไร
*nêe pah·săh tai rêe·ak wâh à·rai*
**Que signifie... ?**
...แปลว่าอะไร
*... plaa wâh à·rai*
**Comprenez-vous ?**
เข้าใจไหม
*kôw jai măi*
**Un peu**
นิดหน่อย
*nít nòy*
**Je comprends**
เข้าใจ
*kôw jai*
**Je ne comprends pas**
ไม่เข้าใจ
*mâi kôw jai*

**Écrivez-le, s'il vous plaît**
ขอเขียนให้หน่อย *kŏr kĕe·an hâi nòy*
**Pouvez-vous me montrer (sur la carte) ?**
ให้ดู(ในแผนที่)ได้ไหม
*hâi doo (nai păan têe) dâi măi*

## CHIFFRES

| | | |
|---|---|---|
| **0** | ศูนย์ | *sŏon* |
| **1** | หนึ่ง | *nèung* |
| **2** | สอง | *sŏrng* |
| **3** | สาม | *săhm* |
| **4** | สี่ | *sèe* |
| **5** | ห้า | *hâh* |
| **6** | หก | *hòk* |
| **7** | เจ็ด | *jèt* |
| **8** | แปด | *ɓàat* |
| **9** | เก้า | *gôw* |
| **10** | สิบ | *sìp* |
| **11** | สิบเอ็ด | *sìp·èt* |
| **12** | สิบสอง | *sìp·sŏrng* |
| **13** | สิบสาม | *sìp·săhm* |
| **14** | สิบสี่ | *sìp·sèe* |
| **15** | สิบห้า | *sìp·hâh* |
| **16** | สิบหก | *sìp·hòk* |
| **17** | สิบเจ็ด | *sìp·jèt* |
| **18** | สิบแปด | *sìp·ɓàat* |
| **19** | สิบเก้า | *sìp·gôw* |
| **20** | ยี่สิบ | *yêe·sìp* |
| **21** | ยี่สิบเอ็ด | *yêe·sìp·èt* |
| **22** | ยี่สิบสอง | *yêe·sìp·sŏrng* |
| **30** | สามสิบ | *săhm·sìp* |
| **40** | สี่สิบ | *sèe·sìp* |
| **50** | ห้าสิบ | *hâh·sìp* |
| **60** | หกสิบ | *hòk·sìp* |
| **70** | เจ็ดสิบ | *jèt·sìp* |
| **80** | แปดสิบ | *ɓàat·sìp* |
| **90** | เก้าสิบ | *gôw·sìp* |
| **100** | หนึ่งร้อย | *nèung róy* |
| **200** | สองร้อย | *sŏrng róy* |
| **300** | สามร้อย | *săhm róy* |
| **1000** | หนึ่งพัน | *nèung pan* |
| **2000** | สองพัน | *sŏrng pan* |
| **10 000** | หนึ่งหมื่น | *nèung mèun* |
| **100 000** | หนึ่งแสน | *nèung săan* |
| **un million** | หนึ่งล้าน | *nèung láhn* |
| **un milliard** | พันล้าน | *pan láhn* |

## FORMULAIRES

| | | |
|---|---|---|
| **nom** | ชื่อ | *chêu* |
| **nationalité** | สัญชาติ | *săn·châht* |
| **date de naissance** | เกิดวันที่ | *gèut wan têe* |
| **lieu de naissance** | เกิดที่ | *gèut têe* |
| **sexe** | เพศ | *pêt* |
| **passeport** | หนังสือเดินทาง | *năng·sĕu deun tahng* |
| **visa** | วีซ่า | *wi·sâh* |

LANGUE

## ACHATS ET SERVICES

**Je voudrais acheter...**
อยากจะซื้อ... *yàhk jà séu...*
**Combien ?**
เท่าไร *tôw raí*
**Combien coûte ceci ?**
นี่เท่าไร/กี่บาท *nêe tôw rai/gèe bàht*
**Je n'aime pas**
ไม่ชอบ *mâi chôrp*

**Puis-je le voir ?**
ดูได้ไหม *dou dâi măi*
**Je ne fais que regarder**
ดูเฉยๆ *dou chĕr·i chĕr·i*
**C'est bon marché**
ราคาถูก *rah·kah tòok*
**C'est trop cher**
แพงเกินไป *paang geun ɓai*
**Je le prends**
เอา *ow*

**Pouvez-vous baisser un peu le prix ?**
ลดราคาหน่อยได้ไหม
*lót rah·kah nòy dâi măi*
**Pouvez-vous le descendre un peu plus ?**
ลดราคาอีกนิดหนึ่งได้ไหม
*lót rah·kah èek nít·nèung dâi măi*

**Avez-vous quelque chose de moins cher ?**
มีถูกกว่านี้ไหม
*mee tòok gwàh née măi*
**Pouvez-vous encore le réduire ?**
ลดอีกได้ไหม
*lót èek dâi măi*
**Acceptez-vous ... baths ?**
...บาทได้ไหม
*... bàht dâi măi*
**Je ne paierai pas plus de ... bahts**
จะให้ไม่เกิน...บาท
*jà hâi mâi geun... bàht*

**Acceptez-vous... ?**
รับ...ไหม *ráp... măi*
**les cartes de crédit**
บัตรเครดิต *bàt krair·dìt*
**les chèques de voyage**
เช็คเดินทาง *chék deun tahng*

| | | |
|---|---|---|
| **plus** | อีก | *èek* |
| **moins** | น้อยลง | *nóy long* |
| **plus petit** | เล็กกว่า | *lék gwàh* |
| **plus gros** | ใหญ่กว่า | *yài gwàh* |
| **trop cher** | แพงไป | *paang ɓai* |
| **bon marché** | ราคาประหยัด | *rah·kah brà·yàt* |

**Je cherche...**
ผม/ดิฉันกำลังหา... *pŏm/dì·chăn gam·lang hăh...*
**une banque**
ธนาคาร *tá·nah·kahn*
**le centre-ville**
ใจกลางเมือง *jai glahng meu·ang*
**l'ambassade...**
สถานทูต... *sà·tăhn tôot...*
**le marché**
ตลาด *đà·làht*
**le musée**
พิพิธภัณฑ์ *pí·pít·tá·pan*
**la poste**
ไปรษณีย์ *ɓrai·sà·ni*
**des toilettes publiques**
ห้องน้ำสาธารณะ *hôrng nám săh·tah·rá·ná*
**un restaurant**
ร้านอาหาร *ráhn ah·hăhn*
**un temple**
วัด *wát*
**le centre téléphonique**
ศูนย์โทรศัพท์ *sŏon toh·rá·sàp*
**l'office du tourisme**
สำนักงานท่องเที่ยว *săm·nák ngahn tôrng têe·o*

**Je voudrais changer...**
ต้องการแลก... *đôrng gahn lâak...*
**de l'argent**
เงิน *ngeun*
**des chèques de voyage**
เช็คเดินทาง *chék deun tahng*

**Peut-on changer de l'argent ici ?**
แลกเงินที่นี่ได้ไหม
*lâak ngeun têe née dâi măi*
**Quelle est l'heure d'ouverture ?**
เปิดกี่โมง
*ɓèut gèe mohng*
**Quelle est l'heure de fermeture ?**
ปิดกี่โมง
*ɓìt gèe mohng*

## HEURE ET DATES

Maîtriser l'heure en thaï n'est pas une chose aisée pour un étranger. Tandis que, en Occident, la journée de 24 heures est divisée en 2 périodes de 12 heures, avant et après midi, en Thaïlande elle en compte 4. La division en 24 heures est communément utilisée par l'administration et les médias. Dans la liste ci-dessous, les deux périodes de 12 heures ont été traduites dans le système thaï.

**Quelle heure est-il ?**
กี่โมงแล้ว *gèe mohng láa·ou*

| | | |
|---|---|---|
| **0h (minuit)** | หกทุ่ม/ เที่ยงคืน | *hòk tûm/ têe·ang keun* |
| **1h** | ตีหนึ่ง | *đi nèung* |
| **2h** | ตีสอง | *đi sŏrng* |
| **3h** | ตีสาม | *đi săhm* |
| **4h** | ตีสี่ | *đi sèe* |
| **5h** | ตีห้า | *đi hâh* |
| **6h** | หกโมงเช้า | *hòk mohng chów* |
| **7h** | หนึ่งโมงเช้า | *nèung mohng chów* |
| **11h** | ห้าโมงเช้า | *hâh mohng chów* |
| **12h (midi)** | เที่ยง | *têe·ang* |
| **13h** | บ่ายโมง | *bài mohng* |
| **14h** | บ่ายสองโมง | *bài sŏrng mohng* |
| **15h** | บ่ายสามโมง | *bài săhm mohng* |
| **16h** (littéralement : après-midi 4 heures) | บ่ายสี่โม/ | *bài sèe mohng* |
| (littéralement : 4 heures soir) | สี่โม็เย็น | *sèe mohng yen* |
| **17h** | ห้าโมงเย็น | *hâh mohng yen* |
| **18h** | หกโมงเย็น | *hòk mohng yen* |
| **19h** | หนึ่งทุ่ม | *nèung tûm* |
| **20h** | สองทุ่ม | *sŏrng tûm* |
| **21h** | สามทุ่ม | *săhm tûm* |
| **22h** | สี่ทุ่ม | *sèe tûm* |
| **23h** | ห้าทุ่ม | *hâh tûm* |

Pour indiquer les minutes après l'heure, ajoutez simplement après le nombre de minutes.

**16h30**
บ่ายสี่โมงครึ่ง
*bài sèe mohng krêung* (littéralement : après-midi 4 heures et demie)

**16h15**
บ่ายสี่โมงสิบห้านาที
*bài sèe mohng sìp·hâh nah·tii* (littéralement : après-midi 4 heures 15 minutes)

Pour préciser les minutes avant l'heure, ajoutez avant celle-ci le nombre de minutes.

**15h45**
อีกสิบห้านาทีบ่ายสี่โมง
*èek sìp·hâh nah·tii bài sèe mohng* (littéralement : encore 15 minutes avant après-midi 4 heures)

| | | |
|---|---|---|
| **Quand ?** | เมื่อไร | *mêu·a·rai* |
| **aujourd'hui** | วันนี้ | *wan née* |
| **demain** | พรุ่งนี้ | *prûng née* |
| **hier** | เมื่อวาน | *mêu·a wahn* |

| | | |
|---|---|---|
| **lundi** | วันจันทร์ | *wan jan* |
| **mardi** | วันอังคาร | *wan ang·kahn* |
| **mercredi** | วันพุธ | *wan pút* |
| **jeudi** | วันพฤหัสฯ | *wan pá·réu·hàt* |
| **vendredi** | วันศุกร์ | *wan sùk* |
| **samedi** | วันเสาร์ | *wan sŏw* |
| **dimanche** | วันอาทิตย์ | *wan ah·tít* |

| | | |
|---|---|---|
| **janvier** | มกราคม | *má·ga·rah·kom* |
| **février** | กุมภาพันธ์ | *gum·pah·pan* |
| **mars** | มีนาคม | *mi·naa·kom* |
| **avril** | เมษายน | *mair·săh·yon* |
| **mai** | พฤษภาคม | *préut·sà·pah·kom* |
| **juin** | มิถุนายน | *mí·tù·nah·yon* |
| **juillet** | กรกฎาคม | *ga·rák·gà·đah·kom* |
| **août** | สิงหาคม | *sĭng·hăh·kom* |
| **septembre** | กันยายน | *gan·yah·yon* |
| **octobre** | ตุลาคม | *đù·lah·kom* |
| **novembre** | พฤศจิกายน | *préut·sà·jì·gah·yon* |
| **décembre** | ธันวาคม | *tan·wah·kom* |

# TRANSPORTS

## Transports publics

**À quelle heure part le/l' ... ?**
...จะออกกี่โมง
*... jà òrk gèe mohng*

**À quelle heure arrive le/l' ... ?**
...จะถึงกี่โมง
*... jà tĕung gèe mohng*

| | | |
|---|---|---|
| **bateau** | เรือ | *reu·a* |
| **bus** (urbain) | รถเมล์/ รถบัส | *rót mair/ rót bát* |
| **bus** (interurbain) | รถทัวร์ | *rót too·a* |
| **avion** | เครื่องบิน | *krêu·ang bin* |
| **train** | รถไฟ | *rót fai* |

**Je voudrais...**
ผม/ดิฉันอยากได้...
*pŏm/di·chăn yàhk dâi...*

**un billet aller simple**
ตั๋วเที่ยวเดียว *đŏo·a têe·o di·o*

**un billet aller-retour**
ตั๋วไปกลับ *đŏo·a bai glàp*

**2 billets**
ตั๋วสองใบ *đŏo·a sŏrng bai*

**1re classe**
ชั้นหนึ่ง *chán nèung*

**2e classe**
ชั้นสอง *chán sŏrng*

**Je voudrais un billet**
อยากได้ตั๋ว *yàhk dâi đŏo·a*

**Je voudrais aller à...**
อยากจะไป... *yàhk jà bai...*

LANGUE

**Le train est annulé**
รถไฟถูกยกเลิกแล้ว
*rót fai tùk yók lêuk láa·ou*
**Le train est retardé**
รถไฟช้าเวลา
*rót fai cháh wair·lah*

**aéroport**
สนามบิน *sa·năhm bin*
**gare routière**
สถานีขนส่ง *sa·tăh·ni kŏn sòng*
**arrêt de bus**
ป้ายรถเมล์ *bâi rót mair*
**station de taxis**
ที่จอดรถแท็กซี่ *têe jòrt rót táak·sêe*
**gare ferroviaire**
สถานีรถไฟ *sa·tăh·ni rót fai*
**numéro de quai**
ชานชาลาที่... *chahn·chah·lah têe...*
**billetterie**
ตู้ขายตั๋ว *đôo kăi đŏo·a*
**horaire**
ตารางเวลา *đah·rahng wair·lah*
**le premier**
ที่แรก *têe râak*
**le dernier**
สุดท้าย *sùt tái*

## Transports privés

**Je voudrais louer un/une...**
ผม/ดิฉันอยากเช่า...
*pŏm/dì·chăn yàhk chôw...*
- **voiture**
  รถยนต์ *rót yon*
- **4x4**
  รถโฟร์วีล *rót foh win*
- **moto**
  รถมอเตอร์ไซค์ *rót mor·đeu·sai*
- **vélo**
  รถจักรยาน *rót jàk·gà·yahn*

**Est-ce la route pour... ?**
ทางนี้ไป...ไหม
*tahng née bai... măi*
**Où y a-t-il une station-service ?**
ปั๊มน้ำมันอยู่ที่ไหน
*bâm nám man yòo têe năi*
**Le plein, s'il vous plaît**
ขอเติมให้เต็ม
*kŏr đeum hâi đem*

**PANNEAUX ROUTIERS**

| | |
|---|---|
| ให้ทาง | Cédez le passage |
| ทางเบี่ยง | Déviation |
| ห้ามเข้า | Entrée interdite |
| ห้ามแซง | Ne pas dépasser |
| ห้ามจอด | Stationnement interdit |
| ทางเข้า | Entrée |
| ห้ามขวางทาง | Stationnement gênant |
| เก็บเงินทางด่วน | Péage |
| อันตราย | Danger |
| ขับช้าลง | Ralentir |
| ทางเดียว | Sens unique |
| ทางออก | Sortie |

**Je voudrais (30) litres**
เอา(สามสิบ) ลิตร *ow (săhm sìp) lít*
**diesel**
น้ำมันโซล่า *nám man soh·lâh*
**essence sans plomb**
น้ำมันไร้สารตะกั่ว *nám man rái săan đà·gòo·a*
**Puis-je me garer ici ?**
จอดที่นี่ได้ไหม *jòrt têe née dâi măi*
**Combien de temps puis-je stationner ?**
จอดที่นี่ได้นานเท่าไร *jòrt têe née dâi nahn tôw·rai*
**Où dois-je payer ?**
จ่ายเงินที่ไหน *jài ngeun têe năi*
**J'ai besoin d'un mécanicien**
ต้องการช่าง *đôrng gahn châhng*
**J'ai un pneu à plat**
ยางแบน *yahng baan*
**Je suis en panne d'essence**
หมดน้ำมัน *mòt nám man*
**J'ai eu un accident**
มีอุบัติเหตุ *mee ù·bàt·đì·hèt*
**La voiture/moto est tombée en panne (à...)**
รถ/มอเตอร์ไซค์เสียที่...
*rót/mor·đeu·sai sĕe·a têe...*
**La voiture/moto ne démarre pas**
รถ/มอเตอร์ไซค์สตาร์ตไม่ติด
*rót/mor·đeu·sai sa·đáht mâi đìt*

## VOYAGER AVEC DES ENFANTS

**Y a-t-il un/une/du/des ... ?**
มี...ไหม
*mi... măi*
- **endroit pour changer mon bébé**
  ห้องเปลี่ยนผ้าเด็ก
  *hôrng blèe·an pâh dèk*
- **siège auto pour bébé**
  เบาะนั่งในรถสำหรับเด็ก
  *bò nâng nai rót săm·ràp dèk*
- **service de garde d'enfants**
  บริการเลี้ยงเด็ก
  *bor·rí·gahn lée·ang dèk*

**menu enfant**
รายการอาหารสำหรับเด็ก
*rai gahn ah·hăhn săm·ràp dèk*
**couches (jetables)**
ผ้าอ้อม(แบบใช้แล้วทิ้ง)
*pâh ôrm (bàap chái láa·ou tíng)*
**lait (en boîte)**
นมผงสำหรับเด็ก
*nom pŏng săm·ràp dèk*
**baby-sitter (anglophone)**
พี่เลี้ยงเด็ก(ที่พูดภาษาอังกฤษได้)
*pêe lée·ang dèk (têe pôot pah·săh ang·grìt dâi)*

**chaise haute**
เก้าอี้สูง
*gôw·êe sŏong*
**pot**
กระโถน
*grà·tŏhn*
**poussette**
รถเข็นเด็ก
*rót kĕn dèk*

**Les enfants peuvent-ils entrer ?**
เด็กอนุญาตให้เข้าไหม
*dèk à·nú·yâht hâi kôw măi*

# Glossaire

Ce glossaire reprend des mots et des termes thaïs, palis (P) et sanskrits (S) souvent rencontrés dans ce guide. Pour les mots se rapportant à l'alimentation, voir p. 95.

**aa·hăhn** – nourriture
**aa·hăhn ɓàh** – "nourriture de la jungle" ; habituellement plats à base de gibier
**ajahn** – *(aajaan)* titre de respect pour un professeur, venant du sanskrit *acarya*
**amphoe** – *(amphur)* ; district, circonscription inférieure à une province
**amphoe meu·ang** – chef-lieu de province
**AUA** – American University Alumni (Association des élèves de l'université américaine)

**bâhn** – *(ban)* maison ou village
**baht** – *(bàat)* unité monétaire thaïlandaise
**bàht** – unité de poids égale à 15 g ; bol utilisé par les moines pour recevoir les aumônes de nourriture
**bai sěi** – fil sacré utilisé par les moines ou les chamans lors de certaines cérémonies religieuses
**ben jà rong** – céramique thaïe traditionnelle à 5 couleurs
**BKS** – Baw Khaw Saw (acronyme de la société thaïlandaise de transports)
**BMA** – Bangkok Metropolitan Authority ; gouvernement municipal de Bangkok
**bodhisattva** (S) – terme provenant du bouddhisme theravada, faisant référence aux vies du Bouddha antérieures à son éveil
**bòht** – du pali *uposatha (ubohsòt)* ; sanctuaire central d'un temple, utilisé pour les cérémonies officielles de l'ordre, comme les ordinations ; voir aussi *wí·hăhn*
**bòr nám rórn** – sources chaudes
**brahmanique** – relatif au brahmanisme, une tradition religieuse indienne antérieure à l'hindouisme ; à ne pas confondre avec "brahmane", la caste sacerdotale en Inde
**BTS** – Bangkok Transit System (Skytrain); en thaï : *rót fai fáh*
**ɓah·đé** – batik, tissu imprimé selon le procédé du batik
**ɓàk đâi** – Thaïlande du Sud
**ɓèe·pâht** – orchestre thaïlandais classique
**ɓohng·lahng** – le marimba du nord-est de la Thaïlande (instrument de percussion) fait de courtes bûches

**CAT** – Telecom Public Company Limited (Agence thaïlandaise des télécommunications, ancienne Communications Authority of Thailand)
**chedi** – voir *stupa*
**chow** – les gens
**chow lair** – *(chow nám)* nomades de la mer
**chow nah** – fermier
**CPT** – Communist Party of Thailand (Parti communiste thaïlandais)

**doy** – montagne en dialecte du Nord, écrit "Doi" dans les noms propres
**đà·làht** – marché
**đà·làht nám** – marché flottant
**đam·bon** – *(tambol)* circonscription (subdivision de territoire au-dessous de l'*amphoe*)
**đròrk** – *(trok)* ruelle, plus petite qu'un *soi*

**fa·ràng** – un Occidental (d'origine européenne) ; appelé aussi *guava*

**gà·teu·i** – *(kàthoey)* le "troisième sexe" thaïlandais, en général des travestis ou transexuels masculins, aussi appelés *ladyboys*
**gopura** (S) – pavillon d'entrée traditionnel des temples hindous, très courant dans les temples angkoriens
**góo·ay hâang** – tunique chinoise de travailleur
**grà·bèe grà·borng** – art martial thaïlandais traditionnel utilisant des épées courtes et des bâtons
**gù·đi** – lieu de vie des moines

**hàht** – plage ; écrit "Hat" dans les noms propres
**hĭn** – pierre
**hŏr đrai** – dépot de manuscrits (écrit canonique bouddhique)
**hŏr glorng** – tour du tambour
**hŏr rá·kang** – tour de l'horloge
**hôrng** – *(hong)* salle ; dans le Sud, désigne les grottes semi-immergées des îles
**hôrng tăa·ou** – maisons alignées ou boutiques

**Isan** – *(i·săhn)* nord-est de la Thaïlande

**jataka** (P) – *(chaadòk)* récits des vies antérieures du Bouddha
**jiin** – Chinois
**jiin hor** – littéralement "Chinois galopant", en référence aux négociants yunnanais qui se déplacent à cheval
**jôw meu·ang** – chef d'une principauté ; *jôw* signifie seigneur, prince ou figure sacrée

**kaan** – flûte de roseau très répandue dans le nord-est du pays
**kàthoey** – voir *gà·teu·i*

**klorng** – canal ; écrit "Khlong" dans les noms propres
**kŏhn** – théâtre masqué et dansé s'inspirant des épisodes du *Ramakian*
**kon ì·săhn** – population du Nord-Est ; *kon* signifie "personne"
**kŏw** – colline ou montagne ; écrit "Khao" dans les noms propres
**kôw** – riz
**KMT** – Kuomintang
**KNU** – Karen National Union (Union nationale karen)
**kràbìi-kràbawng** – voir *grà·bèe grà·borng*
**ku** – petit *chedi* partiellement creux et ouvert
**kúay hâeng** – voir *góo·ay hâang*
**kùti** – voir *gù·đi*

**lăam** – cap ; écrit "Laem" dans les noms propres
**làk meu·ang** – pilier de la ville
**lá·kon** – théâtre dansé classique
**lék** – petit en taille ; voir aussi *noi*
**lí·gair** – théâtre dansé populaire
**longyi** – sarong birman
**lôok tûng** – musique populaire
**lôw kŏw** – alcool blanc, souvent distillé maison à partir de riz
**lôw tèu·an** – alcool artisanal (illicite)

**mâa chi** – nonne bouddhiste
**mâa nám** – fleuve
**Mahanikai** – la plus grande des 2 sectes du bouddhisme theravada en Thaïlande
**mahathat** – *(má·hăh tâht)* du sanskrit-pali *mahadhatu* ; nom commun des temples qui renferment des reliques du Bouddha
**má·noh·raah** – théâtre dansé, très populaire dans le sud du pays
**masjid** – *(mát·sà·yít)* mosquée
**mát-mèe** – technique de teinture et de tissage des fils de soie ou de coton selon des motifs complexes, semblables à l'*ikat* indonésien ; le terme désigne aussi les motifs eux-mêmes
**metta** (P) – *(mêt-đah)* pratique bouddhique de la bienveillance
**meu·ang** – ville ou principauté
**mon·dòp** – du sanskrit *mandapa* ; petit édifice carré surmonté d'une flèche dans un *wat*
**mou·ay tai** – *(muay thai)* boxe thaïlandaise
**mŏr lam** – tradition musicale isan similaire au *lôok tûng*
**mŏrn kwăhn** – coussin triangulaire, très employé dans le nord et le nord-est du pays
**MRTA** – Metropolitan Rapid Transit Authority (Direction métropolitaine du transport rapide), le réseau de métro de Bangkok ; en thaï : *rót fai fáh đâi din*

**naga** (P/S) – *(nâhk)* serpent mythique aux pouvoirs magiques
**ná·kon** – du sanskrit-pali *nagara* ; ville ; écrit "Nakhon" dans les noms propres
**nám** – eau
**nám đòk** – cascade ; écrit "Nam Tok" dans les noms propres
**năng đà·lung** – théâtre d'ombres
**neun** – colline ; écrit "Noem" dans les noms propres
**ngahn têt·sà·gahn** – fête
**nibbana** (P/S) – nirvana ; dans l'enseignement bouddhiste, l'éveil ou la délivrance du cycle des renaissances ; en thaï : *níp·pahn*
**noi** – *(nóy)* un peu, petit (quantité) ; voir aussi *lék*
**nôrk** – extérieur ; écrit "Nok" dans les noms propres

**ow** – baie ou golfe ; écrit "Ao" dans les noms propres

**pâh ka·máh** – pièce de coton que les hommes enroulent autour de la taille
**pâh mát·mèe** – étoffe de soie ou de coton tissée avec des fils noués et teints (*mát·mèe*)
**pâh sîn** – pièce de coton dont les femmes s'entourent
**pâhk glahng** – Thaïlande du Centre
**pâhk nĕua** – Thaïlande du Nord
**pâhk tâi** – voir *ɓàk đâi*
**pĕe** – fantôme, esprit
**pin** – petit luth à 3 cordes joué avec un large médiator
**pìi-phâat** – voir *ɓèe·pâht*
**pík·sù** – du sanskrit *bhikshu* et du pali *bhikkhu* ; moine bouddhiste
**PLAT** – People's Liberation Army of Thailand (Armée populaire de libération de Thaïlande)
**pleng koh·râht** – chanson populaire de Khorat
**pleng pêu·a chi·wít** – "chansons pour la vie", musique de rock populaire
**ponglang** – voir *ɓohng·lahng*
**pou kŏw** – montagne
**pôo yài bâhn** – chef de village
**prá** – terme honorifique utilisé pour les moines, les nobles et les représentations du Bouddha ; écrit "Phra" dans les noms propres
**prá krêu·ang** – amulette protectrice portée autour du cou représentant un moine, le Bouddha ou une divinité ; appelée aussi *prá pim*
**prá poom** – esprits de la terre
**prang** – *(ɓrahng)* tour de style khmer, surmontant les temples
**prasada** – aliments bénis offerts aux fidèles des temples hindous ou bouddhiques
**prasat** – *(ɓrah·sáht)* petit édifice en forme de croix, surmonté d'une flèche, dans un *wat* ; désigne tout lieu, salle ou résidence, doté d'une signification religieuse ou royale
**PULO** – Pattani United Liberation Organization (Organisation unie de libération de Pattani)

**râi** – mesure agraire correspondant à 1 600 m$^2$
**reu·a hăhng yow** – bateau allongé, *long-tail boat*
**reu·an tăa·ou** – maison longue (*longhouse*)
**reu·sĕe** – ascète, ermite ou sage (*rishi* en hindi)
**rót aa** – bus climatisé bleu et blanc
**rót ɓràp ah·gàht** – bus climatisé
**rót fai fáh** – réseau du métro aérien de Bangkok
**rót fai tâi din** – réseau du métro souterrain de Bangkok
**rót norn** – bus à couchettes
**rót tam·má·dah** – bus ou train ordinaire (non climatisé)
**rót tou·a** – bus d'excursion, bus climatisé

**săh·lah** – salle de réunion ou de repos, ouverte sur les côtés ; du portugais *sala,* "pièce"
**săhm·lór** – cyclo-pousse
**săhn prá poum** – l'esprit dans un sanctuaire
**săm·nák sŏng** – centre monastique
**săm·nák wí·ɓàt·sà·nah** – centre de méditation
**samsara** (P) – selon le bouddhisme, royaume de la réincarnation et de l'illusion
**sangha** – (P) la communauté bouddhiste
**satang** – *(sà·đahng)* unité monétaire thaïlandaise ; 100 *satang* valent 1 *baht*
**sèe yâak** – intersection, mot souvent utilisé pour préciser la localisation d'un lieu
**sĕmaa** – pierres servant à délimiter un espace utilisé pour les ordinations monastiques
**serow** – chèvre des montagnes d'Asie
**sêua môr hôrm** – chemise de fermier en coton bleu
**soi** – ruelle ou petite rue
**Songkran** – Nouvel An thaï (mi-avril)
**sŏo·an ah·hăhn** – restaurant en plein air entouré de verdure ; littéralement "jardin de nourriture"
**sŏrng·tăa·ou** – (littéralement "deux rangées") ; petit pick-up avec 2 banquettes à l'arrière, qui fait office de bus ou de taxi ; aussi écrit *"săwngthăew"*
**SRT** – State Railway of Thailand (Chemins de fer nationaux de Thaïlande)
**stupa** – monument bouddhique de forme conique qui renferme des objets sacrés
**sŭan aahăan** – restaurant en plein air entouré de verdure ; littéralement "jardin de nourriture"
**sù·săhn** – cimetière

**tâh** – jetée, embarcadère ; écrit "Tha" dans les noms propres
**tâht** – reliquaire bouddhique curviligne à 4 côtés, fréquent dans le Nord-Est ; écrit "That" dans les noms propres
**tâht grà·dòok** – reliquaire, petit *stupa* renfermant les restes d'un dévot bouddhiste
**tàlàat náam** – voir *đà·làht nám*
**tâm** – grotte ; écrit "Tham" dans les noms propres
**tam bun** – acquérir un mérite
**tambon** – voir *đam·bon*
**TAT** – Tourism Authority of Thailand (Direction du tourisme de Thaïlande)
**têt·sà·bahn** – division administrative semblable à une municipalité
**THAI** – Thai Airways International
**thammájàk** – du pali *dhammacakka ;* roue de la loi bouddhique
**Thammayut** – l'une des deux sectes thaïlandaises du bouddhisme theravada ; fondée par Rama IV lorsqu'il était moine
**thanŏn** – *(tà·nŏn)* rue ; écrit "Thanon" dans les noms propres, abrégé en "Th"
**T-pop** – musique populaire appréciée des adolescents
**tràwk** – voir *đròrk*
**trimurti** – triade composée des 3 principales divinités hindoues, Brahma, Shiva et Vishnu
**Tripitaka** (S) – écritures du bouddhisme theravada (Tipitaka en pali)
**tú·dong** – série de 13 pratiques ascétiques (se contenter d'un repas par jour, vivre au pied d'un arbre...) observées par les moines bouddhistes ; moine se pliant à ces pratiques ; période pendant laquelle des moines vont à pied d'un lieu à l'autre
**túk-túk** – *(đúk-đúk) săhm·lór* à moteur

**ùboshòt**
**ùt·sà·nít** – ornement en forme de flamme sur la tête d'un bouddha

**vipassana** – *(wí·ɓàt·sà·nah)* méditation bouddhiste

**wâi** – geste de salutation, les mains jointes au niveau de la poitrine
**wan prá** – jours sacrés bouddhiques, qui correspondent aux phases principales de la lune (pleine, nouvelle et demi)
**wang** – palais
**wat** – temple-monastère, du pali *avasa* (résidence de moine)
**wá·tá·ná·tam** – culture
**wat ɓàh** – monastère en forêt
**wí·hăhn** – *(wihan, viharn)* grande salle d'un temple, généralement ouverte aux laïcs ; du sanskrit *vihara* (habitation)

**yawi** – langue traditionnelle de Java, de Sumatra et de la péninsule malaise, largement parlée dans les provinces les plus méridionales du pays ; la forme écrite emploie l'alphabet arabe classique plus 5 lettres
**yài** – grand
**yâhm** – sac à bandoulière

# Les auteurs

**CHINA WILLIAMS** **Auteur-coordinateur, Mise en route, Fêtes et festivals, Itinéraires, La Thaïlande et vous, Culture, Arts, Province de Chiang Mai, Le Nord (Province de Lamphun), Carnet pratique, Transports et Glossaire**

Pendant des années, China a traversé deux fois par an le Pacifique pour se retrouver à Bangkok afin de travailler pour Lonely Planet. Mais, en 2007, un bébé est né qui l'a forcé à poser son sac à dos. Après une année "sabbatique", elle a repris son pèlerinage bisannuel, accompagnée cette fois de son fils. À chaque visite en Thaïlande, elle tombe amoureuse d'une région différente et aujourd'hui son cœur bat pour Chiang Mai, une ville qui convient bien à son tempérament d'enfant du post *Flower Power*. Elle a découvert le royaume en enseignant l'anglais à Surin, la petite capitale du Nord-Est, il y a plus de 10 ans. Entre deux voyages, China habite à Baltimore, dans le Maryland, avec son mari, Matt, et leur petit garçon, Félix.

**MARK BEALES** **Le Centre**

Mark s'est installé en Thaïlande en 2004, laissant derrière lui en Angleterre une vie de journaliste. Divers jobs comme professeur d'anglais, présentateur de télé et écrivain free-lance lui ont donné l'occasion d'explorer presque toutes les régions du royaume. Durant ces voyages, il a nagé avec les requins-baleines, a été dévoré par les sangsues et a vu les gibbons menacer d'envahir sa cabane en rondins. Quand il n'est pas sur la route ou en train d'enseigner l'anglais près de Bangkok, il essaie d'améliorer son thaï avec l'aide de sa femme, Bui, dont la patience est sans limites.

**TIM BEWER** **Le Nord-Est**

Enfant, Tim n'a pas eu l'occasion de voyager, à part un pèlerinage obligatoire à Disney World et la semaine de vacances annuelle au bord du lac. Il s'est rattrapé plus tard et a depuis visité 50 pays, avec une prédilection pour l'Asie du Sud-Est. Après l'université, il a fait une brève carrière comme assistant dans la législation, avant de quitter le Capitole en 1994 pour partir, sac au dos, à la découverte de l'Afrique de l'Ouest. C'est durant ce voyage que l'idée lui est venue de devenir écrivain et photographe de voyages free-lance, profession qu'il n'a jamais quittée depuis. C'est son 11e guide pour Lonely Planet. Pendant la moitié de l'année qu'il ne passe pas à voyager sac au dos pour le travail ou le plaisir, Tim habite à Khon Kaen.

**LES AUTEURS LONELY PLANET**

Lonely Planet réalise ses guides en toute indépendance et n'accepte aucune publicité. Tous les établissements et prestataires mentionnés dans l'ouvrage le sont sur la foi du seul jugement des auteurs, qui ne bénéficient d'aucune rétribution ou réduction de prix en échange de leurs commentaires.

Sillonnant le pays en profondeur, les auteurs de Lonely Planet savent sortir des sentiers battus sans omettre les lieux incontournables. Ils visitent en personne des milliers d'hôtels, restaurants, bars, café, monuments et musées, dont ils s'appliquent à faire un compte-rendu précis.

## CATHERINE BODRY **Le Sud-Est et le Nord-ouest du golfe de Thaïlande**

Catherine a grandi dans le nord-ouest du Pacifique et, vers 20 ans, a décidé de s'installer en Alaska. Ce n'est donc pas une surprise si des voyages prolongés sous les Tropiques étaient souvent à l'ordre du jour. Elle a découvert pour la première fois la Thaïlande en 2004 lors d'un voyage autour du monde (qui ne comprenait que des pays où le thermomètre ne descendait jamais en dessous de 30°C). L'année suivante, elle y retournait parfaire son aptitude à marchander et tester tous les currys. Ce voyage de recherches pour Lonely Planet a été sa troisième visite, durant laquelle elle s'est laissée à nouveau aller à son péché mignon : le curry. Quand Catherine n'est pas en train de héler un bus 2e classe ou d'apprendre l'argot local, elle fait de longues randonnées dans les montagnes, chez elle à Seward, en Alaska.

## AUSTIN BUSH **Cuisine thaïlandaise, Bangkok, Le Nord**

Après avoir obtenu, en 1999, un diplôme de linguistique de l'université d'Oregon, Austin a reçu une bourse pour étudier le thaï à l'université de Chiang Mai et, depuis, est toujours resté en Thaïlande. Il y a occupé un poste stable pendant plusieurs années avant de faire le choix discutable de poursuivre une carrière d'écrivain et de photographe free-lance. Cette aventure l'a mené aussi loin que la route du Karakoram au Pakistan, et, beaucoup plus près, au marché d'Or Tor Kor à Bangkok. Austin aime écrire sur la cuisine et prendre des photos de plats, car c'est, selon lui, une des meilleures manières de communiquer avec les gens. Vous pouvez voir ses photos sur www.austinbushphotography.com.

## BRANDON PRESSER **Le Sud-ouest du golfe de Thaïlande, Côte d'Andaman et Extrême Sud**

Ayant passé son enfance dans un pays où l'on peut très bien finir dans les bras d'un ours, ce Canadien qui avait la bougeotte a toujours rêvé de palmiers ondulant sous le vent et de sable doré. Un trek en Asie du Sud-Est quand il était adolescent a été le déclic : il s'est retrouvé pour toujours enlacé à cette région. Année après année, il y est retourné pour plonger, se dorer au soleil et se régaler de *sôm·đam* (salade de papaye) délicieusement épicé. Il était donc bien préparé pour entreprendre une recherche des meilleures destinations de vacances en Thaïlande, mais cela n'a pas été que de l'amusement, il y avait des plages à évaluer, des currys à goûter et des kiteboards à tester. Brandon passe les trois quarts de l'année à visiter et à écrire sur le monde et est le co-auteur chez Lonely Planet de plusieurs guides sur l'Asie du Sud-Est, notamment *Îles et plages de Thaïlande* et *Malaisie, Singapour et Brunei*.

## AUTRES CONTRIBUTIONS

**David Lukas** est un naturaliste qui vit à la lisière du parc national de Yosemite, aux États-Unis. Chez Lonely Planet, c'est lui qui rédige depuis presque 30 ans les chapitres sur l'environnement et la vie sauvage, notamment pour les guides *Vietnam, Cambodge, Laos and the Greater Mekong, Îles et plages de Thaïlande* et Bangkok. Pour cette édition du guide *Thaïlande*, il a de nouveau contribué au chapitre *Environnement*.

**Bhawan Ruangsilp** a écrit le chapitre *Histoire*. Née à Bangkok, cette historienne, spécialiste de la période Ayuthaya, est publiée aux presses de l'Université Chulalongkorn. Fascinée par la littérature de voyages occidentale du XVIIe siècle sur le Siam, elle s'est réjouie de l'occasion que lui offrait Lonely Planet de faire partager son savoir dans l'édition du guide *Thaïlande*.

# En coulisses

## À PROPOS DE L'OUVRAGE

Cette édition du guide *Thaïlande* en français a été adapté de la 13e édition du *Thailand* en anglais, écrit par China Williams (auteur coordinateur), Mark Beales, Tim Bewer, Catherine Bodry, Austin Bush, Brandon Presser, Bhawan Ruangsilp, David Lukas et Trish Batchelor.

**Traduction :** Évelyne Haumesser, Anne Tiberghien, Charlotte Rastello, Dominique Lavigne, Julie Chevalier, Laurent Laget, Thierry Perben, Bérengère Viennot

## CRÉDITS

**Responsable éditorial** Didier Férat
**Coordination éditoriale** Cécile Bertolissio
**Coordination graphique** Jean-Noël Doan
**Maquette** Christian Deloye
**Cartographie** cartes originales de David Connolly, Peter Shields, Enes Bašić, Valeska Cañas, Corey Hutchison, David Kemp, Joanne Luke, adaptées en français par Martine Marmouget
**Couverture** couverture originale de Rebecca Dandens, adaptée en français par Alexandre Marchand
**Remerciements à** Michel Mac Leod, Claude Albert, Céline Bénard, Mathieu Gorse et Laurent Courcoul pour leur travail sur le texte, ainsi qu'à Marjorie Bensaada et Magali Plattet pour leur précieuse contribution au texte. Merci également à Ludivine Bréhier et Nadia Makouar pour la préparation du manuscrit. Bravo à Magali Plattet pour le travail d'indexation et à Hadia Laghsini, Magali Plattet et Ludivine Bréhier pour le renvoi des pages. Enfin, un grand merci à Hadia pour son soutien infiniment précieux, à Dorothée pour son aide bienvenue, à Dominique Spaety toujours présente, sans oublier Clare Mercer du bureau de Londres et Ruth Cosgrove du bureau australien.

## UN MOT DES AUTEURS

### CHINA WILLIAMS

D'abord un merci infini à Nong que j'ai été si heureuse de connaître. Toute ma gratitude va à Pong, Pim, Andrew, Alex, Panupan, Pichai, Duen, Sara, Aidan, Olly, Tom et Ken, ainsi qu'à Joon, Jane et le personnel de la Buri Gallery qui ont été si gentils avec Félix. À Bangkok, je remercie Kaneungnit, Tom, Anne, Ruengsang, Mason, Jane et le personnel de Seven. Plein de mercis aussi à mon mari Matt, qui a conduit la petite voiture jusqu'au bout sans jamais se départir de son optimisme, et à mon fils Félix, mon assistant fidèle bien que capricieux. Je n'oublie pas non plus Tashi Wheeler, la LP production team et mes 13 co-auteurs dévoués, et chanceux.

### MARK BEALES

Un grand merci à l'équipe de Lonely Planet, particulièrement à Tashi, China et Brandon, pour leur soutien fantastique et leurs conseils. À Ayuthaya, ma reconnaisance va à Ajarn Monthorn de Classic Tours qui m'a fait partagé son savoir d'expert, et à Duncan Stearn qui m'a si bien renseigné sur l'histoire. À Kanchanaburi, je tiens en grande estime Khun

EN COULISSES

### LES GUIDES LONELY PLANET

Tout commence par un long voyage : en 1972, Tony et Maureen Wheeler rallient l'Australie après avoir traversé l'Europe et l'Asie. À l'époque, on ne disposait d'aucune information pratique pour mener à bien ce type d'aventure. Pour répondre à une demande croissante, ils rédigent leur premier guide Lonely Planet, écrit sur un coin de table.

Depuis, Lonely Planet est devenu le plus grand éditeur indépendant de guides de voyage dans le monde et dispose de bureaux à Melbourne (Australie), Oakland (États-Unis) et Londres (Royaume-Uni).

La collection couvre désormais le monde entier et ne cesse de s'étoffer. L'information est aujourdíhui présentée sur différents supports, mais notre objectif reste constant : donner des clés au voyageur pour qu'il comprenne mieux le pays qu'il découvre.

L'équipe de Lonely Planet est convaincue que les voyageurs peuvent avoir un impact positif sur les pays qu'ils visitent, pour peu qu'ils fassent preuve d'une attitude responsable. Depuis 1986, nous reversons un pourcentage de nos bénéfices à des actions humanitaires, à des campagnes en faveur des droits de l'homme et, plus récemment, à la défense de l'environnement.

Chalee, Mickey, Airin et Noi de Good Times. À Lopburi, je serais très reconnaissant au singe qui a volé mon rétroviseur de me le rendre, un jour ou l'autre… Enfin, merci à ma merveilleuse femme, Bui, pour son soutien constant et son travail de vérification de nombreuses informations.

## TIM BEWER

Un *kòrp jai lăi lăi dêu* du fond du cœur aux amicaux habitants de l'Isan qui n'ont que très rarement failli à leur réputation d'hospitalité quand je les ai importunés avec mes questions sans fin. Je dois des remerciements tout particuliers à Kritsada Kaewkheiw, Amaralak (Pim) Khamhong, Tommy Manophaiboon, June Niampan, Veena Puntace, Suphanuch Rathising, Nuan Sarnsorn, Supawadee Srifa, Naiyarat Techasetthawit, Julian Wright et Jinda Yatan pour toute l'aide et la compagnie qu'ils m'ont prodiguées. Enfin, un merci tout spécial à Worapanyaporn Taranop pour toutes les petites choses qu'il a arrangées pour moi.

## CATHERINE BODRY

D'abord, un immense merci à Carolyn Boicos, qui m'a confié ce projet, et à Tashi Wheeler d'avoir pris les rênes en cours de route avec une grande compétence. Je remercie chaleureusement China Williams qui a toujours promptement répondu à mes questions par des conseils bien réfléchis, sans oublier ses phrases de thaï si utiles. Mes remerciements vont également à tous mes co-auteurs pour leur perspicacité et leurs informations, je pense particulièrement à Brandon Presser et à Mark Beales. Je suis reconnaissante à Brett Atkinson pour son fabuleux texte qui m'a servi de base. En Thaïlande, tant de personnes m'ont aidée que je ne peux toutes les citer : Tim et Pat de Hua Hin, Are et Suda de Chumphon, Morn de Trat, Kor et sa famille à Bang Saphan et le personnel de la TAT à Nakhon Nayak sont jamais dans mon cœur. Merci à Alex et Jasmine, Stéphanie et Sonia, et à tous les autres voyageurs pour leurs informations inestimables et leur agréable compagnie. Merci à Leif de me distraire tout au long de voyage et après le travail. Enfin, un merci à Lael pour sa patience de Bouddha et son soutien inconditionnel.

## AUSTIN BUSH

Un énorme merci aux éditeurs de ce projet, Carolyn Boicos et Tashi Wheeler, à l'auteur-coordinateur China Williams, à l'expert cartographe David Connolly et au gourou de la langue Bruce Evans. Sur le terrain, ici en Thaïlande, je remercie Andrew Burke, Yuthika Charoenrungruang, Joe Cummings, Nick Grossman, Richard Hermes, Wes et Ann Hsu, Paul Hutt, Sivaporn Ngarmsittichoke, John Spies, Chenchira Suntharwirat et Maylee Thavat ; ainsi que toutes les autres personnes que je regrette de ne pouvoir citer.

## AUSTIN BUSH

Merci à Neal et Rashi de m'accueillir dans leur maison sur la plage (mes félicitations pour le petit Jorge !), à Tash pour ses martinis (un peu trop nombreux) lors de ma recherche à Phuket, à Songkran pour la découverte de Trang et de sa cuisine épicée, et à Golf pour sa générosité. J'associe également à ces remerciements Wayne Lunt, Hans Ulrich, Robyn Hasson, Rene Balot, Joe Hue, Rick Gamble, Matt Bolton, Palm sur PP, Amar Mungcal, Paul Clammer, JYSK, et le personnel de la TAT, avec une mention spéciale pour Celeste Brash et sa compagnie au téléphone. Enfin, je remercie mes co-auteurs. Ce fut un plaisir de travailler avec vous tous, et avec toi China, dont le soutien et les suggestions m'ont été précieuses. Un énorme "thank you" également à Tashi Wheeler, Dave Connolly, Carolyn Boicos et à toute l'équipe du QG de Lonely Planet pour son excellent travail.

### VOS RÉACTIONS ?

Vos commentaires nous sont très précieux et nous permettent d'améliorer constamment nos guides. Notre équipe lit toutes vos lettres avec la plus grande attention. Nous ne pouvons pas répondre individuellement à tous ceux qui nous écrivent, mais vos commentaires sont transmis aux auteurs concernés. Tous les lecteurs qui prennent la peine de nous communiquer des informations sont remerciés dans l'édition suivante, et ceux qui nous fournissent les renseignements les plus utiles se voient offrir un guide.

Pour nous faire part de vos réactions, prendre connaissance de notre catalogue et vous abonner à Comète, notre lettre d'information, consultez notre site web : **www.lonelyplanet.fr**

Nous reprenons parfois des extraits de notre courrier pour les publier dans nos produits, guides ou sites web. Si vous ne souhaitez pas que vos commentaires soient repris ou que votre nom apparaisse, merci de nous le préciser. Pour connaître notre politique en matière de confidentialité, connectez-vous à : www.lonelyplanet.fr/confidentialite/index.cfm

## À NOS LECTEURS

Nous remercions vivement les lecteurs qui nous ont fait part de leurs informations, expériences et anecdotes :

**A** Adrien Absolu, Jean-Luc Audonnet, Antonio Aversente **B** Mauricette Babin, Nicolas Barbier, JJ Bessac, Philippe Billion, Cédric Bonnet, Romain Bonillo, Emilie Brochoire, Suzanne Brunet **C** Cat, Julien Chardonnet, Emeric Chauvin, Virginie Cherioux, Anthony et Sandra Clement, Pierre-Alexandre Coiffard, Claude Coste **D** Suzanne Daigler, Didier Delprat, Yasmine Delporte, M. et Mme Deon, Vincent Desloges, Eric Donze, François Dor, J. Duchemin, Christine Ducroo, Bérangère Duforets, Alain Durand, Nina Durner **G** Jacqueline Gamblin, Michel Genay, Lionel Gianoncelli, Gwendoline et Morgan Gonin, Genevieve Gravel, Marine Guillemain, Chrystelle Guyon, Gilles Gygax H Judith Hassoun **J** Didier Jouvent **J** Vladimir Kauffmann, Armelle et Hugues Kitten **L** Roger Labat, Thierry Lacaz, Anne-Marie Lagier, Xavier Lagrange, Sylvie Lange, Yann Le Bouedec, Erwan Le Floch, Bernard Lefort **M** Gerard Magny, Marlène, patrick Marlier, René Massot, Alain Menjot, Dominic Migneault, Tristan Monney, Sylvain Moutault **P** Hortense Patouillard, Didier Pavia, Laetitia Pichon, Pauline Pinsol **R** Gérard Raguénès, Alexis Raimbault, Fredy Rochat, Caroline Romeyer, Claudine Rossi, Emilie Rossi, Peggy Roux **S** Julie Saccoccio, Michel Santi, Fabrice Simonin, David Sorel **T** Nathalie Thiry **V** Henri Vazzanino, Thierry et Christine Vergnes

## REMERCIEMENTS

Merci à ©Mountain High Maps 1993 Digital Wisdom, Inc. pour nous avoir autorisés à utiliser l'image de la mappemonde sur la page de titre.

Toutes les images sont de la LPI (Lonely Planet Images), sauf les crédits suivants : Austin Bush p. 430 (#3), p. 436 (#1) ; Michael Aw p. 431 (#2) ; Sean Caffrey p. 430 (#1) ; Tom Cockrem p. 429, p. 432 (#3) ; Paul Dymond p. 433 (#6) ; John Elk III p. 435 (#5) ; Mick Elmore p. 434 (#1), (#3) ; Felix Hug p. 432 (#2).

# Index



Les références des cartes sont indiquées en **gras**.

INDEX

INDEX

INDEX

INDEX

**Q**



**R**



INDEX

INDEX

INDEX

# INDEX DES ENCADRÉS

## Arts, culture et traditions



## Gastronomie



## Histoire et société



## Nature et environnement

## Religion et spiritualité



## Pratique

## LÉGENDE DES CARTES

### ROUTES

- Autoroute payante
- Autoroute
- Nationale
- Départementale
- Cantonale
- Petite route
- Promenade
- Sentier pédestre
- Piste carrossable
- Rue piétonne
- Escalier
- Tunnel
- Sens unique
- Promenade (détour)

### TRANSPORTS

- Trajet ferry
- Métro
- Monorail
- Rail
- Rail (souterrain)
- Téléphérique/funiculaire

### HYDROGRAPHIES

- Rivière
- Riv. intermittente
- Canal
- Glacier
- Lac asséché
- Lac salé
- Laisse de vase
- Récif
- Marais
- Eau

### LIMITES ET FRONTIÈRES

- Internationale
- Provinciale
- Régionale
- Ancienne enceinte
- Falaise/escarpement
- Parc marin

### POPULATION

- **CAPITALE**
- **Ville importante**
- **Petite ville**
- **Capitale régionale**
- **Ville moyenne**
- Village

### TOPOGRAPHIE

- Zone touristique
- Plage/désert
- édifice
- Cimetière chrétien
- Cimetière
- Forêt
- Terre
- Rue piétonne
- Marché
- Parc
- Terrain de sports
- Zone urbaine

### SYMBOLES

**À VOIR/À FAIRE**

- Plage
- Pagode
- Château
- Cathédrale
- Culte confucéen
- Site de plongée
- Temple hindouiste
- Mosquée
- Temple jaïna
- Synagogue
- Monument
- Musée
- Pique-nique
- Centre d'intérêt
- Ruine
- Culte shinto
- Temple sikh
- Ski
- Culte taoiste
- Vignoble
- Zoo, ornithologie

**RENSEIGNEMENTS**

- Banque/distributeur
- Ambassade/consulat
- Hôpital
- Renseignements
- Cybercafé
- Parking
- Station-service
- Police
- Poste
- Téléphone
- Toilette

**SE LOGER**

- Hôtel
- Camping

**SE RESTAURER**

- Restauration

**BOIRE UN VERRE**

- Bar
- Café

**SORTIR**

- Spectacle

**ACHATS**

- Magasins

**TRANSPORTS**

- Aéroport/aérodrome
- Poste frontière
- Arrêt de bus
- Piste cyclable
- Transports
- Taxi
- Chemin de randonnée

**TOPOGRAPHIE**

- Danger
- Phare
- Point de vue
- Montagne, volcan
- Parc national
- Oasis
- Col
- Sens du courant
- Gîte d'étape
- Point culminant
- Rapide

*Note : tous les symboles ne sont pas utilisés dans cet ouvrage*

**Thaïlande**
**9e édition**
**Traduit et adapté de l'ouvrage *Thailand* (*13th edition*), *August 2009***


**Traduction française :** place des éditeurs


12 avenue d'Italie, 75627 Paris cedex 13
☎ 01 44 16 05 00
lonelyplanet@placedesediteurs.com
www.lonelyplanet.fr

**Dépôt légal**
**Janvier 2010**
**ISBN 978-2-84070-925-1**



Photographie de couverture : Lanternes de papier au festival de Loi Krathong, Felix Hug/Lonely Planet Images. La plupart des photos publiées dans ce guide sont disponibles auprès de notre agence photographique Lonely Planet Images : www.lonelyplanetimages.com



Imprimé par Grafica Veneta, Trebaseleghe, Italie
Réimpression 02, février 2011

**Bien que les auteurs et Lonely Planet aient préparé ce guide avec tout le soin nécessaire, nous ne pouvons garantir l'exhaustivité ni l'exactitude du contenu. Lonely Planet ne pourra être tenu responsable des dommages que pourraient subir les personnes utilisant cet ouvrage.**